Siegfried Lenz

Die Erzählungen

Mit einem Geleitwort von
Marcel Reich-Ranicki

| Hoffmann und Campe |

Redaktion: Moritz Kienast

1. Auflage 2006
Copyright © 2006 by
Hoffmann und Campe Verlag, Hamburg
www.hoca.de
Satz: <pagina>, Tübingen
Druck und Bindung: GGP Media GmbH, Pößneck
Printed in Germany
ISBN [10] 3-455-04285-6
ISBN [13] 978-3-455-04285-6

Leinenausgabe
Bindung: G. Lachenmaier, Reutlingen
ISBN [10] 3-455-04287-2
ISBN [13] 978-3-455-04287-0

Ein Unternehmen der
GANSKE VERLAGSGRUPPE

Inhalt

Geleitwort von Marcel Reich-Ranicki 11

Die Erzählungen

Phantasie in Kisten 17
Drei Männer und ein Augenblick 19
Pointe auf Kreppsohlen 21
Die Einen oder die Andern 23
Frau am Fluß 27
Unterwegs nach Delphi 29
Albanisches Abenteuer 32
Die tödliche Phantasie 35
Die Nacht im Hotel 38
Da half kein Rufen 41
Eine Sekunde der Welt 43
Begegnung zwischen den Stationen 44
Erinnerung im Schlauchboot 47
Mein verdrossenes Gesicht 49
Jäger des Spotts 53
Jugend aus dem Kanister 63
Der Fremde 65
Licht im Stall 69
Budzereit wird überrascht 72
Der Läufer 74
Der Ball der Saboteure 92
So leicht fängt man keine Katze 94
Das Wrack 98
Ein Haus aus lauter Liebe 108
Mitwisser 115
Einmal schafft es jeder 119
Vogeltausch 126
Der zerbrochene Elefant 129

Lotte soll nicht sterben	132
Aber die Prämie hat er	146
Die Flut ist pünktlich	151
Lukas, sanftmütiger Knecht	156
Nur auf Sardinien	174
Zwischen Topf und Pfanne	192
Die Ferne ist nah genug	194
Die Festung	215
Der große Wildenberg	221
Drüben auf den Inseln	225

So zärtlich war Suleyken. *Masurische Geschichten*

Der Leseteufel	235
Füsilier in Kulkaken	240
Das war Onkel Manoah	245
Der Ostertisch	249
Das Bad in Wszscinsk	255
Ein angenehmes Begräbnis	258
Schissomirs großer Tag	263
Duell in kurzem Schafspelz	267
So war es mit dem Zirkus	272
Der rasende Schuster	276
Die Kunst, einen Hahn zu fangen	280
Einen Kleinbahn namens Popp	283
Die Reise nach Oletzko	288
Sozusagen Dienst am Geist	290
Eine Sache wie das Impfen	296
Der Mann im Apfelbaum	300
Die große Konferenz	304
Eine Liebesgeschichte	308
Die Schüssel der Prophezeiung	311
Die Verfolgungsjagd	316
Diskrete Auskunft über Masuren	321
Der seelische Ratgeber	322
Versäum nicht den Termin zur Freude	327
Hinter der Fliegenschnur	331
Jede Stunde hat ihre Gesichter	341
Das Wunder von Striegeldorf	349
Stimmungen der See	356

Bekenntnisse eines Warenhausverkäufers 379
Der große Gral 384
Blick in die Igelstellung 395
Der Wanderweg 399
Unter Dampf gesetzt 402
Tagtraum der Tiere 410
Unter der Insektenglocke 414
Der lange Abschied 424
Lieblingsspeise der Hyänen 445
Wie ich Interessenvertreter wurde 451
Der Anfang von etwas 456
Risiko für Weihnachtsmänner 469
Küste im Fernglas 474
Silvester-Unfall 480
Lehmanns Erzählungen oder So schön war mein Markt
Aus den Bekenntnissen eines Schwarzhändlers 490
Barackenfeier 533
Die Dicke der Haut 536
Der längere Arm 539
Ein Freund der Regierung 545
Ball der Wohltäter 551
Die Lampen der Eskimos 558
Das Feuerschiff 564
Der Sohn des Diktators 663
Der Amüsierdoktor 670
Der Mensch auf dem Meeresboden 675
Im Netz der Nachbarschaft 690
Meditationen beim Kniefall 704
Der Verzicht 717
Der Gleichgültige 726
Der Staatsbesuch 732
Etappen eines Fiaskos 737
Schwierige Trauer 743
Das Lächeln von San Antonio 748
Ein Männerspaß 752
Vorgeschichte 759
Der Spielverderber 772
Uwes mißmutiger Gang 792

Schicksale eines Geheimfonds 794

Sonntag eines Ranchers 802

Ihre Schwester 816

Die Breite der Wune 831

Das Schlüsselwort 832

Der Beweis 844

Die Glücksfamilie des Monats 854

Der sechste Geburtstag 873

Nachzahlung 881

Die Schärfe der Kufen 897

Osterspaziergang mot. 902

Ein Grenzfall 906

Die Augenbinde 922

Die Schmerzen sind zumutbar 928

Leute von Hamburg 937

Eisfischen 959

Die Strafe 962

Das Gelächter des Kukkaburra 968

Einstein überquert die Elbe bei Hamburg 973

Das Examen 981

Die Mannschaft 996

Herr und Frau S. in Erwartung ihrer Gäste 1008

Meine Straße 1024

Wie bei Gogol 1034

Fallgesetze 1042

Achtzehn Diapositive 1059

Die Wellen des Balaton 1073

Die Kunstradfahrer 1089

Die Phantasie 1100

Der Geist der Mirabelle. *Geschichten aus Bollerup*

Vorwort 1129

Ein Bein für alle Tage 1130

Das unterbrochene Schweigen 1134

Ein teurer Spaß 1137

Ursachen eines Streitfalls 1140

Hausschlachtung 1143

Frische Fische 1148

Der Denkzettel 1150

Ein sehr empfindlicher Hund 1154
Hintergründe einer Hochzeit 1158
Die Bauerndichterin 1161
Die älteste Einwohnerin im Orte 1168
Der heimliche Wahlsieger 1173
Der Mann unseres Vertrauens 1181
Seltsame Annäherung 1191
Kummer mit jütländischen Kaffeetafeln 1197
Fast ein Triumph 1203
Die Prüfung 1215
Die Bergung 1225
Tote Briefe 1238
Der Abstecher 1247
Ein Kriegsende 1254
Ein Tauchversuch 1281
Eine Schulstunde auf japanisch 1297
Zum Vorzugspreis 1303
Motivsuche 1311
Eine Art von Notwehr 1332
Das serbische Mädchen 1346
Der Redenschreiber 1359
Trost 1386
Das Preisausschreiben 1396
Der Usurpator 1405
Ein geretteter Abend 1414
Panik 1419
Die Bewerbung 1435
Atemübung 1459
Ludmilla 1471
Die Stunde der Taucher 1497

Anhang
Zu diesem Band 1507
Alphabetisches Inhaltsverzeichnis und Quellennachweise 1509
Bibliographie 1529
Zeittafel 1531
Auszeichnungen, Ehrungen und Preise 1534

Geleitwort

Siegfried Lenz ist ein anerkannter, ein gefeierter und berühmter Schriftsteller. Nun gibt es aber auch einige andere deutsche Autoren, die ebenfalls anerkannt und berühmt sind und gefeiert werden. Gewiß, nur ist Lenz zugleich ein höchst beliebter und vielleicht auch geliebter Schriftsteller, und dies muß, versteht sich, besondere Gründe haben.

Vor vielen Jahren, es war 1962, sagte Lenz: »In unserer Welt wird auch der Künstler zum Mitwisser – zum Mitwisser von Rechtlosigkeit, von Hunger, von Verfolgung und riskanten Träumen ... Es scheint mir, daß seine Arbeit ihn erst dann rechtfertigt, wenn er seine Mitwisserschaft zu erkennen gibt, wenn er das Schweigen nicht übergeht, zu dem andere verurteilt sind.«

Damals äußerte sich Lenz auch über diejenigen seiner Kollegen, die »die Wonnen der Brüskierung« auskosten. Es sind Schriftsteller, bei denen als Untergrund der literarischen Bemühungen der Geist der Revolte und der Provokation spürbar ist. Lenz indes hatte nie das Zeug zu einem Rebellen, Eiferer oder Provokateur.

Während die anderen sich entrüsteten, betonte er seinen Zweifel. Sie empörten sich, er deutete seine Besorgnis an. Der Radikalismus war also seine Sache nie. Er neigte vielmehr zu einem Ausgleich, der dem Wohlwollen entsprang. Nie verheimlichte er seine elementare Lebensbejahung, nie schämte er sich seiner Herzlichkeit und seiner warmen Menschenfreundlichkeit. Dies gilt für alle seine Werke, für seine Romane, seine Bühnenwerke und seine Essays. Doch kommt es vielleicht am deutlichsten und am schönsten in jener Gattung zum Vorschein, die er ganz besonders liebt – in der Geschichte, in der Erzählung.

Um die Welt zu verstehen, seien andere – meinte der junge Lenz – auf das Dokument angewiesen oder auf die Formel, er aber brauche zu ebendiesem Zweck die Geschichte. Denn das, was sie zu behaupten vorgibt, widerlege sie selber, und zwar sogleich: »durch das unwillkürliche Angebot mehrerer Möglichkeiten«. Die Geschichten seien damit einverstanden, »wenn jeder Leser sie in seinem Sinne wiederholt«, mit ihnen könne man die Wirklichkeit nötigen, »Farbe zu bekennen«, sie seien Versuche, »die Wirklichkeit da zu verstehen, wo sie nichts preisgeben möchte«.

Faulkner hat einmal gesagt, jeder Schriftsteller sei insgeheim ein Pädagoge. Lenz ist ebenfalls ein Künstler und ein Pädagoge in einem, ein elementarer Fabulierer und selbstverständlich zugleich ein Moralist. Doch ist er ein Moralist, der sich stets hütet, in seinen Geschichten den Zeigefinger zu heben.

Die besten dieser Prosastücke haben ihm den Ruf eines Erzählers im klassischen Sinne eingebracht, eines Traditionalisten. Ich bin nicht ganz sicher, ob derartige Charakterisierungen immer schmeichelhaft gemeint waren. Kein Zweifel, daß Lenz sehr bewußt und sehr konsequent an die Tradition angeknüpft hat – an die Tradition der deutschen Novelle ebenso wie an die der angelsächsischen Kurzgeschichte und der russischen Erzählung.

Er hat viel von den Meistern des 19. und des 20. Jahrhunderts gelernt, aber er hat sie weder kopiert noch imitiert. Jene, die ihn beharrlich des Festhaltens an überlieferten Formen bezichtigen, übersehen, daß der Geschichtenerzähler Lenz von Anfang an auch experimentiert hat – freilich nie um des Experimentes willen: Er hat Modernes geboten, ohne mit Modernität zu prunken.

Ähnlich verhält es sich mit einem anderen Begriff, der in der Literatur über Lenz oft auftaucht – dem des Humoristen. Sonderbar: In Deutschland sehnt man sich nach Heiterem und liest gern Lustiges, doch über die wenigen Humoristen, die wir haben, spricht und schreibt man gern etwas hochmütig und gönnerhaft.

Leise Komik und behäbige Ironie, grübelnde Zärtlichkeit und milder, menschenfreundlicher Spott – das alles findet sich in dem Buch, das Lenz sozusagen schlagartig berühmt gemacht hat: dem Band masurischer Geschichten »So zärtlich war Suleyken«. In diesen anmutigen Humoresken und schelmischen Kurzgeschichten, die nun ein halbes Jahrhundert überdauert haben, erwies er sich – wie einige Jahre später Grass – als ein gefühlvoller, doch glücklicherweise nicht sentimentaler Heimatdichter und Idylliker.

Die masurische Welt schilderte er mit genießerischer Genauigkeit, ohne sie auf unangemessene Weise zu verherrlichen. Ein wenig verklären muß er das Milieu, das ihm einst so vertraut war, allerdings doch. Schließlich ist die verlorengegangene Heimat zugleich die verlorengegangene Jugend.

Aber Lenz gehört nicht unbedingt zu den Autobiographen. Auf den ersten Blick könnte man sogar meinen, er sei darauf bedacht, in seiner Epik die eigene Person möglichst auszusparen. Das Gegenteil ist richtig. »Wer von sich selbst absieht« – schrieb einmal Siegfried Lenz –, »wird kaum die Wahrheit des andern erfahren.« Die Motive, die ihn von Anfang an beschäftigen und irritieren und zu denen er immer wieder zurückkehrt – sie haben allesamt mit seinen frühen Erlebnissen um 1945 zu tun.

Vom Terror erzählt er und von Auflehnung, von Flucht und von Verfolgung, von Freundschaft und von Verrat. Die Niederlage ist es, die sich als roter Faden durch sein ganzes Werk zieht. Seine Helden sind die Scheiternden und die Wortkargen, denen bisweilen das Leben die Sprache verschlagen hat: Was auch geschieht, sie gehen leer aus.

Ob Lenz seine Personen erzählen oder handeln läßt – er denkt nicht daran, sie anzuklagen oder zu verteidigen, zu rühmen oder zu verurteilen. Er will sie alle bloß verstehen und verständlich machen: die flüchtigen Verbrecher, die auf einem Feuerschiff die Macht an sich reißen, und den Kapitän, der sich, um der Ordnung willen, der Waffengewalt widersetzt; den alten Wilhelm Heilmann, den letzten Juden in »unserer hoffnungslosen Ecke Masurens«, der gefaßt in den Tod geht, und den von Schmerzen gepeinigten Heinrich Bielek, der ihn abführt; den Kommandanten, der auf einem Minensucher noch in den letzten Tagen des Krieges den Befehlen folgen will; und auch jene anderen, die meutern, weil sie leben möchten, und die überzeugt sind, daß angesichts der Kapitulation alle Befehle ihren Sinn und ihre Gültigkeit eingebüßt haben.

Diese Geschichten – »Das Feuerschiff«, »Der Verzicht« und das knappe novellistische Glanzstück »Ein Kriegsende« –, gehören zu den Höhepunkten des Lenzschen Werks. Ganz besonders bewundere ich die schon beinahe klassische Geschichte »Die Phantasie«. Hier werden – und das ist ein literarhistorisches Kuriosum – auf höchst anschauliche Weise drei verschiedene Möglichkeiten des Erzählens demonstriert und, ohne etwa auf eine abstrakte Ebene zu geraten, gleichzeitig diskutiert.

Und schließlich schätze und liebe ich – auch aus sehr persönlichen Gründen – die Geschichte »Der Große Zackenbarsch«, ein humoristisches Gleichnis über den Kritiker und die Kritik. Für diese Parabel gilt wie für das meiste aus seiner Feder: Lenz schreibt unglaubliche und letztlich, da mit künstlerischen Mitteln beglaubigt, doch glaubhafte Erzählungen; sie mögen einem bisweilen unwahrscheinlich vorkommen, aber sie sind immer wahr.

Marcel Reich-Ranicki, Dezember 2005

Die Erzählungen

Phantasie in Kisten

Mein älterer Bruder war ein Dummkopf, aber von meiner Schwester möchte ich das nicht behaupten. »Wenn du so weiter machst«, sagte sie zu mir, »wenn du nicht aufhörst, alle Menschen mit Denkerstirnen und schmalen Händen zu verspotten, dann muß ich ein schlimmes Ende für dich absehen.«

»Gut«, sagte ich zu ihr, »du bist meine Schwester und gehst mich darum etwas an. Ich fürchte zwar nicht das Ende, denn wenn ich das täte, müßte ich mich auch vor Grauen schütteln, wenn ich mich an die Tage vor meiner Entstehung erinnerte, aber das kann ich nicht, und wenn ich meine Spottlust knebeln werde, dann nur, weil du die Bekanntschaft eines Künstlers gemacht hast.«

»Das ist lieb von dir«, sagte meine Schwester und ließ mich stehen. Ich sah ihrer prallen Erscheinung nach und zweifelte, ob ihr an einem guten Ende für mich gelegen wäre.

Noch am gleichen Abend schleppte meine Schwester den Michael ins Haus. Michael hatte schmale weiße Hände und eine Denkerstirn. Sein schwarzes Haar hing ihm wie schlappe Rabenflügel um die noblen Schläfen.

»Das ist Michael«, sagte meine Schwester.

Michael atmete ein bißchen zu laut. Ich grinste ihn an und sagte daher: »Sind Sie schwindsüchtig?« Er blickte meinen Bruder an, aber seine Antwort galt mir: »Nein, nur ein wenig erschöpft. »Bitte, setzen Sie sich doch«, sagte meine Mutter. Da begann mein Bruder in frechem Diskant zu lachen. »Warum lachst du?« fragte meine Schwester. »Wir haben ja nur vier Stühle«, prustete er. Da lachte meine Schwester auch und selbst Michael klemmte eine Sorte vornehmen Schmunzelns zwischen die schmalen Lippen.

Michael setzte sich neben meine Schwester, die auf Grund ihrer Körperfülle den meisten Platz okkupierte.

»Sie sind Künstler, Michael?« fragte meine Mutter. Michael atmete immer noch ein bißchen zu laut. Er wollte gerade einen längeren Satz aussprechen (das fühlte ich), da sagte mein Bruder: »Dann kennen Sie doch auch die ›Thesmophoriazusen‹?« »Nein«, sagte Michael, »ich kenne nicht eine einzige unanständige Komödie.« (Diese Frage war typisch für meinen Bruder.)

»Aber können Sie sich eine solche vorstellen?« fragte ich. »Das ist eine merkwürdige Frage«, sagte Michael. Da grinste ich bedeutungsvoll und sah Michael an, der sich von dem Volumen meiner Schwester arg bedrängt fühlte.

»Ein Künstler muß doch viel Phantasie haben«, fragte wieder mein Bruder.

»Ja«, sagte Michael, »und eine extravagante dazu.«

»Was soll das heißen?« bemerkte meine Mutter mißtrauisch.

Michael tat mir leid, und darum sagte ich: »Die Phantasie des Künstlers schert sich nicht um die Wirklichkeit. Er kann sie verändern, wann und wie er will. Der Inhalt seiner Phantasie besitzt den Anspruch einer eigenen Realität. So ungefähr muß es ausgelegt werden, nicht wahr, Michael?«

»So ungefähr«, wiederholte Michael.

Da sprang mein Bruder plötzlich auf und rief: »Ich habe eine Idee, ich habe eine ausgezeichnete Idee.«

Ich sah ihn geringschätzig an. Michael entzog meiner Schwester die Hand, die diese zu streicheln versucht hatte.

Mein Bruder aber keuchte fast vor Wonne: »Wenn Michaels Phantasie mit der Wirklichkeit nichts gemein hat, so müssen wir ihm doch auch anders erscheinen als wir sind. Michael ist Bildhauer, nicht wahr? Demnach könnte er uns als Impressionen verwenden und aus dem Marmor meißeln. Aber so, wie er uns in seiner Phantasie sieht, nur so. Das wäre ein grandioser Spaß.«

Michael sagte: »Natürlich würde ich das tun. Material habe ich genug. Es ist nur sehr teuer. Sie müssen verstehen ...« »Das macht nichts«, schrie mein Bruder, der Affe, »das macht gar nichts. Mutter wird Ihnen das Geld geben. Nicht, Mama, du gibst ihm das Geld?«

»Natürlich werde ich Ihnen das Geld geben, Michael.«

Meine Schwester holte die Geldbörse und gab sie meiner Mutter. Michael nahm das Geld und ging. Ich weiß nicht, wohin Michael ging, aber er hatte das Geld und wenn man Geld hat, kann man auch arbeiten. Die Marmorbüsten wollte er uns dann später zuschicken.

Nach zwei Wochen schleppte ein untersetzter Speditionsarbeiter vier Holzkisten in unsere Wohnung. Mein Bruder drohte überzuschnappen, meine korpulente Schwester faselte von Aphrodite und Nofretete, während meine Mutter den Augenblick der Enthüllung mit mildem Ernst auf den Abend verschob.

Dann vollzog sich die Tragödie: Ausgerechnet mein Bruder erbrach die Kisten. Er wühlte in der Holzwolle herum, bis er ruckartig einen weißen Gegenstand hervorzog. Es war ein fetter Tintenfisch aus Marmor, der haargenau die Gesichtszüge meines Bruders besaß. Meine Schwester warf mir einen unverständlichen Blick zu. Da aber hatte mein Bruder schon drei weitere Marmorfiguren auf den Tisch gestellt: eine Nachtigall, der man ansehen konnte, daß sie nie Hunger gelitten, ein Marabuweibchen mit moralischen Augen und einen Faun mit meiner charakteristischen Nase.

Mein Bruder sah verzückt auf den Tintenfisch, meiner Schwester traten beim Anblick der dicken Nachtigall die Tränen in die Augen, meine Mutter funkelte empört das Marabuweibchen an, ich aber, ich sah traumverloren auf die Nase des Fauns.

Da schrie mein Bruder: »Künstlerphantasie, wunderbar, einfach wunderbar.« Da begann meine Schwester laut zu weinen. »Der kommt nie mehr über meine Schwelle«, schwor meine Mutter. Aber Michael hatte trotzdem Phantasie und – das Geld.

1948

Drei Männer und ein Augenblick

Zwei Männer gingen zum Fluß hinab. Einer sah aus, als ob er sich seltsam verpuppt hätte. Das Gesicht des anderen glich einem Vogel. Sie gingen über erstorbenes Laub. In dem Geäst der Weiden lauerte die Fäulnis. Niemand begegnete ihnen, aber das war den beiden wohl ganz angenehm. Sicher wünschten sie sich, daß ihnen niemand begegnen möchte. Doch dem Verpuppten schien die Stille nicht geheuer. Er schlug dem Vogelgesichtigen in den Rücken. Der wandte sich um und sah ihn verständnislos an. »Da«, flüsterte sein Begleiter, »da, sieh doch nur«, und er zeigte mit dem Kopf zu den Weiden. »Diese verkrüppelten Hunde, diese Weiden – ich glaube, die haben Masken.« »Das dachte ich früher auch«, sagte der Vogelgesichtige und rieb sich mit dem Ärmel das Auge. Sie standen am Fluß. Der war nicht breit, vielleicht vier, vielleicht auch fünf Meter. Auf der anderen Seite stand das Haus. Auf dieses Haus hatten sie es abgesehen. Es war »fällig« oder »reif« geworden, so wie ein Apfel reif wird oder ein alter Mann. Sie hatten dieses Haus zwei Monate lang von allen Seiten beobachtet. Sie kannten die Gewohnheiten des Besitzers. Jetzt war das Haus »fällig«.

Im verwilderten Garten lief der Besitzer herum, ein stiller kauziger Maler. Der hatte noch nie in seinem Leben Geld gezählt. Er war froh, daß er einen Winkel hatte, wo er sich hinlegen konnte. Er lief im Garten herum und hatte so seine Ideen. Etwas absonderliche vielleicht, aber eine ganze Anzahl. Seine Bilder hatte ihm noch nie ein Mensch abgekauft. Man sagte ihm nur, daß diese gemalt würden, um den öffentlichen Geschmack zu beleidigen.

Die beiden Männer waren durch den flachen Fluß gegangen und standen mit einem Male vor dem Gartenzaun. Der Verpuppte zögerte etwas. Die kleine Pforte war geöffnet. Eigentlich konnte man sie auch gar nicht schließen. Der Drücker war verbogen und stieß beim Schließen gegen den Pfosten.

Der Maler stand hinter einer Hecke. Er war stehengeblieben, als er die beiden vor seinem Garten entdeckte. Der Verpuppte stieß seinen warmen Atem durch die Nasenlöcher. Dabei machte er kleine Wolken. Der kauzige Maler hatte gar keine Ideen mehr. Er stand da, zitternd und entrückt und wunderte sich, woher solche sonderbaren Männer plötzlich kommen konnten.

Die waren wirklich plötzlich hergekommen. Der Maler fürchtete schon, daß sie weitergehen könnten, als der Vogelgesichtige in seinen Garten trat. Hinter ihm schlich, ein wenig besorgt, der Verpuppte. Der Maler wagte nicht, die beiden anzusprechen. Er langte in seine Rocktasche und zog einen Block heraus und einen Stift. In der Hecke verstummte eine Drossel und saß reglos. Ja, und dann begann der Maler die Gesichter dieser beiden aufs Papier zu werfen. Ein unsäglicher Augenblick! Er freute sich, daß er geboren war, er war trunken wie von dunklem Mohnsaft und hielt die Gesichter auf dem Papier fest, die Kleider und die Bewegungen.

Die beiden standen auf der Veranda, da schrie eine einsame Krähe. Der Verpuppte zuckte zusammen. Sein Gefährte aber faßte ihn und zog den Ängstlichen in das Haus hinein. Der Maler bebte wie ein Auferstandener. Er wagte nicht sich zu bewegen. Er hatte diese sonderbaren Männer in sein Haus eindringen sehen und er wußte, daß sie schlimme Absichten in ihren komischen Köpfen trugen. Aber er bewegte sich nicht. Er fürchtete, er könnte den größten Augenblick seines Lebens versäumen. Er verhielt sich lautlos. Die Skizzen waren auch noch nicht fertig. Das war ihm wichtiger, das war ihm viel wichtiger als das Schicksal seiner Seele und seines Hauses. Er wartete und das war furchtbar. An den Fenstern sah er zuweilen ernste Schatten vorüberhuschen. Dann zuckte es in seiner Hand, die den Stift hielt. Aber keiner der Männer zeigte sein Gesicht.

Nach einer ganzen Weile erst kamen sie zum Vorschein. In einer Decke trugen sie verschiedene Gegenstände. Ein Rahmen ragte etwas heraus. Der Maler erkannte sein Eigentum, aber er war unfähig, sich zu bewegen. Er sah die beiden unzufrieden durch die Pforte gehen. Und die Hand mit dem Stift hastete über das Papier und hielt die Gesichter fest, die Kleider und die Bewegungen. Als die Männer hinter dem Flußabhang verschwunden waren, kam der Maler zu sich. Er rannte in sein Haus. Seine Augen hasteten durch die Räume, und er sah, daß seine Wolldecke verschwunden war und die Kaffeekanne. Auch einige Bilder, die den öffentlichen Geschmack beleidigten, fehlten. – Da nahm er sich aus einer Kiste ein Stück Leinwand und begann, diese sonderbaren Männer zu malen. Er arbeitete die ganze Nacht. Als er das Bild am nächsten Tag zu einem Händler brachte, da schwieg der. Er ging nur zu seiner Kasse, und als er zurückkam, drückte er dem kauzigen Maler etwas in die Hand. Der ging diesmal ohne Bild nach Hause.

Er stellte sich im Garten auf den Fleck, von wo aus er die Männer gesehen hatte. Er faßte in seine Rocktasche und begann, Geld zu zählen. Und ab und zu fiel ihm ein hartes Stück auf den steinernen Weg. Dann klingelte es, als ob jemand lachte.

1949

Pointe auf Kreppsohlen

»Unter uns gesagt«, seufzte Alfons, »unter uns gesagt, ich kann die Sonnenuntergänge nicht ausstehen, weil sie bisweilen Farbtöne haben, wie Frauen sie für ihre Hemden lieben.«

Wir sahen Alfons staunend an. Er nickte traurig und stöhnte. Sein Atem ging wie eine Lötlampe.

»Ich wollte euch noch, bevor ich gehe, die Sache mit Mario erzählen«, sagte er.

Wir sahen ihn interessiert an. »Hört zu«, begann er. »Mario war ein Straßenpionier, er hatte Hände wie gequollene Felsen. Seine Gruppe hatte in einer Schlucht in Granada einen Weg gebaut. Am Abend stand

Mario allein in der Schlucht und wollte an einer gut sichtbaren Stelle ein Schild annageln, auf dem stand: Fußgänger links! Da hörte er, wie sich hinter ihm jemand räusperte. Er drehte sich um. Hinter ihm saß ein Uhu auf einem Felsvorsprung und sah ihn an.

›Na?‹ sagte Mario und klopfte weiter.

›Ich möchte wissen‹, schnarrte der Uhu arrogant, ›ich möchte wissen, ob ich mich auch nach diesem Schild zu richten habe.‹

›Sind Sie denn ein Fußgänger?‹ fragte Mario.

›Stellen Sie nicht eine solch alberne Frage‹, sagte der Uhu, ›erzählen Sie mir lieber, ob ich mich nach diesem Schild zu richten habe.‹

›Am Tage ja, da haben Sie doch auf beiden Augen Tomaten‹, sagte Mario!

Diese Worte verletzten den Uhu so sehr, daß er wütend aufflog und Mario zurief: ›Das sollen Sie mir büßen! Wenn Ihnen daran etwas liegt, dann nehmen Sie sich in acht!‹

Mario machte sich nichts daraus und ging nach Hause. Nach vier Tagen sah er sich gezwungen, schnell eine Schlucht zu überqueren. In schwindelnder Höhe führte eine Eisenbahnbrücke über den Abgrund, die wollte er benutzen. Vorsichtig lief er zwischen den Schienen entlang, seine Knie zitterten. Als er ungefähr auf der Mitte der Brücke war, sah er plötzlich, wie aus entgegengesetzter Richtung ein Zug auf ihn zufuhr. Zurück konnte er nicht, der Zug hätte ihn nach wenigen Metern überholt. Was sollte er tun? Ausweichen konnte er auch nicht! Der Zug kam immer näher. Wenn man ihn auch entdeckte, der Zug durfte auf der Brücke ja nicht halten. Unter ihm gähnte der Abgrund. In letzter Sekunde kam ihm der rettende Gedanke. Er ließ sich zwischen den Schwellen hinab und hielt sich mit den Händen am Holz fest. Er hing zwischen Himmel und Erde. Über ihm ratterte jetzt der Zug. Mario wagte nicht nach unten zu sehen, aber auch nicht nach oben. Da, in allerhöchster Not, in allergrößter Bedrängnis, war es ihm, als ob sich jemand geräuspert habe. Er öffnete die Augen und erkannte den Uhu.

›Fußgänger links‹, schnarrte dieser höhnisch, ›Fußgänger links! Machen Sie mir Platz!‹

Mario bebte. Der Uhu war ganz kindisch vor Freude, schon nach vier Tagen Gelegenheit zur Rache zu haben. In seinen Augen schimmerte Bosheit.

Der Zug war gerade vorüber, und Mario wollte sich mit letzter Kraft wieder hinaufschwingen. Da kitzelte ihn der Uhu mit dem Schnabel unter dem Arm, so daß Mario laut auflachen mußte. Er verlor seine Kräfte und stürzte, stürzte, stürzte 1100 Klafter tief.«

Hier machte Alfons eine kleine Pause. Wir sahen ihn gespannt an.

»Er stürzte«, wiederholte Alfons, »aber als er unten ankam, federte er leicht wie ein Panther und ging seelenruhig weiter.«

Wir sahen uns betroffen an.

»Ja, Mario trug Naturkreppsohlen! Und wenn Sie diese Geschichte nachlesen wollen, sie steht hier in diesem Prospekt. Ich bin nämlich seit vorgestern Vertreter einer Kreppsohlenfabrik. Gute Nacht!«

Damit ging er, erst zögernd, aber als er sich einmal nach uns umgesehen hatte, begann er zu laufen.

1949

Die Einen oder die Andern

Der schmale Mond saß auf einem Dach. Er sah zu, wie Mirko leise aus der Hütte trat, die Türe hinter sich schloß und so lange im Schatten stehenblieb, bis seine Augen sich an die Dunkelheit gewöhnt hatten.

Der Rinnstein rieselte nicht, der Fluß schnalzte nicht an seiner Wendung, der Himmel war weit weg. Es war eine leere Nacht. Unter der Jacke fühlte Mirko den schwarzen Revolver. Er trat ruhig auf die Straße und ging nach Süden. Er ging nicht langsam, er marschierte wie einer, der Durst hat und der weiß, daß sich bald eine Quelle zeigen wird. Der Mond war vom Dach aufgestanden, er sprang von Baum zu Baum und begleitete ihn und sah ihm zu.

Da trat auf einem Mal ein anderer aus dem Schatten eines Baumes hervor und sah ihm lange und nah in das Gesicht.

»Guten Abend, Mirko«, sagte er.

Mirko schwieg und ging weiter.

Der andere lief an seiner Seite her und fragte:

»Wie geht es dir?«

»Danke, mir geht es gut.«

»Dir geht es also gut ...«

»Danke, mir geht es sehr gut.«

»Und wie geht es deiner Frau, Mirko?«

»Danke, es geht ihr gut.«

»Ihr geht es also gut ...«

»Danke, es geht ihr sehr gut.«

Dann gingen sie eine schöne Weile nach Süden, und keiner von ihnen sagte ein Wort, der Wind, der zwischen den Gräsern an der Straße gelegen hatte, erhob sich murrend wie ein großes gestörtes Tier. Als sie über eine Brücke kamen, sagte Mirko: »Petja, weißt du, warum die Krähen im Frühjahr so still sind?« »Ja«, sagte Petja, »weil ihnen die warme Luft den Atem verschlägt.« Er lachte trocken.

»Du hast recht, Petja ... Wohin willst du eigentlich?«

Mirko fühlte nach dem schwarzen Revolver.

»Ich will der Nacht davonlaufen«, kicherte Petja.

»Das ist gut ... Der Nacht davonlaufen! Ich möchte das auch, Petja, aber ich kann nicht ... Ich muß hierbleiben ... Ich will auch hierbleiben.«

»Aber du bist ja schon unterwegs«, sagte Petja lauernd.

»Ja ... ich bin unterwegs ... Früher war mein Kopf immer unterwegs und meine Beine waren hier ... Heute sind meine Beine unterwegs und mein Kopf bleibt hier. Sie haben mir meine Jungen weggefangen ... Alle zwei ... Sie wollen sie aufhängen ... Hier in dieser Gegend ...«

Petja sah auf seinen Begleiter, unverständlich, fragend, mit offenem Mund.

»Mein Kopf muß hierbleiben ... Ich kann die Jungen nicht allein lassen ...«

Er strich mit der Hand über den Gürtel, wo der Revolver steckte.

»Vielleicht haben sie deine Jungen schon aufgehängt?«

»Nein ... Sie haben die zwei noch nicht aufgehängt ... Sie können warten ... In vier Stunden wollen sie das machen ... In vier Stunden ... Wenn ich mich nicht bis dahin gemeldet habe ... Sie wollen den Vater haben ...«

»Den Führer«, unterbrach Petja, »den Partisanenführer.«

Mirko blieb stehen und sah dem andern ins Gesicht:

»Wohin willst du eigentlich?«

»Zum Bahnhof«, lachte Petja.

»Willst du dich melden, Mirko? Deine Jungen wären dann frei ...«

»Nein, ich werde mich nicht melden ... Vor einer Stunde wollte ich das noch ... Ich werde versuchen, sie zu befreien ... Du hilfst mir doch, Petja? Du hast doch lange genug mit mir zusammen ...«

Petja machte seinen Mund nicht auf. Er atmete schwer durch die Nase, als ob er die Insekten riechen wollte, die Erde, die schwarzen Berge, die Weiden und den Mond. Mirko glaubte seinen Kopf beim Schreiten nicken zu sehen wie den einer Taube. Der Kopf schien ihm nicht fest aus den Schultern herausgewachsen zu sein.

Der Bahnhof war nicht mehr weit. An den Straßenrändern standen ruhige Bäume und harrten der Früchte, die ihnen der Sommer bringen wollte. Mit gelben Händen erklomm der Mond ihre höchsten Äste. Es konnte nicht mehr lange währen und der Tag würde seine jungen Arme auseinanderwerfen und den gelben Gesellen von seinem schwankenden Sitz herabziehen.

»Wo sind deine Jungen?« fragte Petja.

»Am Bahnhof ... Sie haben sie gefesselt und eingesperrt ...«

»Weißt du das genau?«

»Nein ... Wir wollen hier von der Straße herunter ... Über das Feld zu gehen ist sicherer ... Da kommst doch mit, nicht?« Er sah auf Petja und glaubte dessen Kopf wieder nicken zu sehen wie den einer Taube. Sie sprangen über einen Graben und zogen sich am zähen Unkraut die steile Böschung hinauf.

»Still!« sagte Mirko.

Die beiden Männer standen am Rand des Feldes. Die Nacht war still und gab ihnen Zufriedenheit und die Nacht war auch warm und erregte ihre Pulse.

»Wir wollen gehen, Petja.« Mirko legte die Hand auf seinen Gürtel und ging voran. Je näher sie dem Bahnhof kamen, desto behutsamer und zögernder wurden ihre Bewegungen. Vor einem Bach blieben sie stehen. Wenn man sich hoch aufreckte, konnte man von hier bereits die grünen Lichter der Signalanlage sehen. Der Bach bedeutete nur ein geringes Hindernis, denn das Wasser reichte nicht einmal bis zu dem flachen Rücken der Kiesel, die in der Mitte des Bettes lagen. Mirko traf bereits Anstalten, hinabzusteigen und den Bach zu überqueren, da hielt ihn Petja zurück. Er schüttelte seinen Kopf, und unter seinen Augen lag ein sonderbares Lächeln.

»Weißt du denn überhaupt, ob deine Jungen hier am Bahnhof sind, Mirko? Könnte man sie nicht längst an einen andern Ort gebracht haben ... an einen sicheren Ort?«

Mirko sah ihn an und blieb für eine Weile nachdenklich. Dann sagte er: »Ja, sie könnten die zwei an einen sicheren Ort gebracht haben ...

Aber das glaube ich nicht … Die zwei sind jung und haben noch keine festen Muskeln … Ein sicherer Ort lohnt sich nicht für sie …«

»Die Väter sind immer die ersten, die ihre Kinder als unflügge bezeichnen.« Petja kicherte.

Mirko sah ihm ernst und verwundert in die Augen. Mit einem Male begann Petja unterdrückt zu lachen, – er lachte und lachte und Mirko wußte nicht, welch eine Bewandtnis dieses Lachen haben sollte.

»Du bist noch immer vorsichtig und schlau, Mirko … Du weißt doch sonst alles … Wo die Munition liegt und wo die Fleischbüchsen herkommen … Das weißt du … Aber du weißt nicht …« Mirko sah zusammengeduckt den lachenden Mann an, seine Hand war am Gürtel.

»Die zwei, Mirko … deine zwei Jungen … die sind längst zu Hause … Die haben festere Muskeln als du glaubst, Mirko … Muskeln, mit denen sie die Posten erwürgt haben … Hehehe …«

»Petja!«

»Ja, Mirko … Du willst die Jungen befreien und sie sind längst zu Hause … Ich traf sie beide vor der Schlucht …« Petja lachte noch immer, als Mirko sich schon umgewandt hatte und schnell und geduckt über das Feld zurückging, die Böschung hinuntersprang und mit hastigen Schritten zur Hütte lief.

Vor der Türe blieb er stehen, aber es drangen keine Geräusche aus dem Innern, seine Hand drückte die Klinke herab, er bemühte sich, durch das Dunkel zu sehen. Es war still wie in einem Sarg. Da stieß Mirko alle Türen auf und rief die Namen seiner Jungen, aber er bekam keine Antwort. Auch auf dem Boden war alles still. Aber er fühlte, daß irgendwo jemand war, und er suchte und suchte, bis er einsah, daß er die Uhr für jemanden gehalten hatte, und die Uhr hatte gelassen und genau die Zeit gezählt. In einer Stunde sollten seine Jungen aufgehängt werden … in einer Stunde. Vielleicht hatte Petja sich getäuscht oder ihn womöglich belogen. Er mußte zurück. Diesmal überquerte er nicht das Feld, es hätte ihn zuviel Zeit gekostet – er blieb auf der Straße. Er lief und lief und wunderte sich gar nicht, als man hinter ihm herrief und hinter ihm herschoß, so lange, bis ihn ein hartes Dingchen traf und er zu taumeln begann und hinfiel. Er konnte sich nichts mehr überlegen, er konnte nicht mehr an die zwei denken und auch nicht an Petja, der um diese Zeit schon weit weg war, in einem sicheren Versteck, wo er mit einem untersetzten, zähen Mann zusammentraf.

»Es ist in Ordnung«, sagte Petja zu dem Untersetzten, »... alles ist in Ordnung ... Ich habe ihm gesagt, daß die zwei schon entflohen seien ... Ich mußte vorsichtig sein ... Aber dann ging er doch zurück ... Er lief zurück ... Er hat sich nicht gemeldet ...«

»Das ist gut, Petja. An ihm ist uns mehr gelegen, als an den zwei jungen Füchsen. Wir brauchen ihn, wir haben noch viel vor.« Und der Untersetzte ging zu einer Kiste, zog eine Flasche heraus und stellte sie auf den Tisch.

1949

Frau am Fluß

Donner fuhr breit auf die Dächer und über die grauen Schultern der Steine lief das Wasser, lief in den kantigen Rinnstein und verschwand. Der Wind blies die Insekten auseinander und die Vögel. Die Leute saßen in ihren Häusern, und wer etwas zu essen hatte, der aß, und wer müde war, der schlief, und wem womöglich ein Kind gehörte, der steckte es in die Federn. Die kräftigen Autos waren nicht zu sehen, und der Mond hielt seinen gelben Schädel hinter den Wolken zurück. Die Welt schien grau, dünn und flüchtig wie das Wasser in den Pfützen.

Da kam Zielke langsam aus einer engen Gasse heraus und ging auf den Marktplatz. Er hob nicht einmal seinen Kopf. Der Regen und der Wind stürzten sich auf seine Stirn, seinen Nacken und auf den ganzen Mann. Zielke ging wie einer, der seinem Herzschlag zuhört oder dem hoffnungslosen Rauschen in einer Muschel. Keiner wußte, woher er kam und noch weniger, wohin er den Fuß setzen wollte.

Es zog ihn über den Marktplatz. Es zog ihn weiter durch enge, böse Gassen, bis er auf einen weichen Fußsteig gelangte. der zum Wasser hinabführte. Da hob er seinen Kopf und dachte: Sie wird schon kommen ... trotz des Regens ... Wir wollen heute unsere Heirat besprechen ... das Schönste auf der Welt ... sie wird mich nicht warten lassen ... Sie wird ihren braunen Gummimantel anziehen ... den braunen ... ja ... Zielke ging weiter, und wenn schon die nasse Erde schwer war, so gaben ihm diese Gedanken doch einen leichten Fuß. Er konnte schon den Teergeruch der Brücke wahrnehmen. Der weiche Fußsteig würde ihn genau dorthin führen, und wenn der kleine Zeiger erst die »8« erklommen hatte ... Der braune Gummimantel würde zwischen den Weiden tanzen … Hinter der Schläfe würde das Blut knistern … Die Frau … Welt würde ihm werden …

Mit einmal regnete es nicht mehr. Der Donner war fortgesegelt und das Gras war schwer. Der Mann schüttelte das Wasser von seinem Mantel und wischte sich über die Stirn. Da … da ist die Brücke … da sind auch schon die Weiden mit ihren spaßigen Warzen und grotesken Köpfen … mit ihren sonderbaren Nasen und Auswüchsen … Die Brücke ist, ist … ja … die Brücke ist leer. Aber sie muß doch leer sein; der kleine Zeiger ist ein müßiger Geselle … er hat es nicht gar so eilig … es ist ja noch nicht acht.

Zielke ging die Treppen hinauf und blieb auf der Brücke stehen. Von hier aus konnte man eher etwas entdecken, man konnte den Augen etwas nachhelfen.

Sie würden die Heirat besprechen … Er würde sprechen … Sie würde ihn unsäglich ansehen und nicken … immerfort … nicken.

Es war noch nichts zu sehen. Der kleine, arglistige Zeiger kannte wohl das Mitleid, er hatte bereits die »8« erklommen. Jetzt wird sie unterwegs sein … wird hasten und herübersehen … Jetzt braucht sie nicht mehr den Gummimantel … nein.

Da schlug ein blauer Käfer klirrend gegen seinen Kopf. Zielke schüttelte sich. Auf einmal fühlte er, daß das Tier in seinem Nacken herumspazierte und ihm einen Schauder auferlegte.

Er beugte den Körper unwillig nach vorn, strich mit der Hand über den Rücken und zog das Tier hervor. Er setzte es auf das Geländer der Brücke und beobachtete die Tätigkeit des feinen, polierten Rüssels und der langen, haarigen Beine.

Ein Schritt klang an sein Ohr. Er warf den Käfer in das Wasser und sah auf das Ufer hinüber.

Sie würden die Heirat besprechen … das Schönste auf der Welt …

Zielke lief die Treppe hinunter und ging der Gestalt entgegen, die er von oben gesehen hatte. Und da erkannte er auch schon den Nahenden. Es war der Fischmeister, der ihm entgegenkam und ihn mit einem Blick streifte wie der Wind die Gräser, und nichts weiter sagte als »Na?«

Zielke sah ihn groß an und antwortete: »Na?«

Als der Fischmeister vorüber war, sah er auf den kleinem Zeiger, und der stand fast auf neun. Es zog ihn vorwärts, es zog ihn in die Richtung, aus der die Frau kommen mußte. Es trieb ihn so heiß und gewaltsam, wie nur das Feuer ihn treiben konnte.

Sie mußten die Heirat besprechen ... Das Schönste auf der Welt ...
Vielleicht war sie krank geworden.

Im Schilf war das Leben laut. Das atmete, zirpte und trank, daß es
ein jeder hören sollte, und wer verständig und still seinen Weg gegangen wäre, mochte es auch gehört haben. Zielke bewegte sich wie eine
Wolke, in die der Blitz Feuer hineinwarf.

Da blieb er plötzlich stehen, als ob seine Füße Wurzeln in diese weiche,
gute Erde getrieben hätten. Er hörte aus dem Schilf laute Stimmen dringen, und eine Stimme kam ihm ganz bekannt vor. Er ging langsam durch
das nasse Gras. Als man die Worte schon verstehen konnte, blieb er
stehen. Vorsichtig bog er das Schilf auseinander und reckte seinen Hals
wie ein Fischreiher. Und da sah er in einem Kahn die Frau auf dem Schoß
eines Fischers sitzen und sah auch, daß sie gut zu ihm war.

Zielke konnte nicht schreien. Er ließ die Schilfhalme zurückschnellen und drehte sich um.

Die Luft war warm, und er vertrieb mit der Hand die Insekten und
ging langsam zurück.

Vor der Brücke begegnete ihm wiederum der Fischmeister und sagte:
»Na?«

Und Zielke hielt seine Augen auf die Erde gerichtet und antwortete:
»Na?«

1949

Unterwegs nach Delphi
Eine satirische Erzählung

»He du!«

»Was willst du, was gibt es?«

»Stehe auf, wenn du mit mir sprichst! Aber schnell!«

»Ach, du bist es ...«

»Wieso? Bin ich denn nichts? Bin ich denn Ziegendreck! Stehe auf,
sage ich dir! Wie ein fetter Apfel liegst du hier im Gras ... Wie ein
Apfel, der sich dem Wurm zuliebe fallen ließ ... Wie ein Apfel von
meinem Baum!«

»Was, von deinem Baum!«

Der Mann, der an der Erde gelegen hatte, erhob sich langsam und
sah von unten zu dem andern auf. Er rieb sich die Augen.

»Von deinem Baum, sagst du … Von deinem …«, er preßte die Worte zwischen starken, gelben Zähnen hervor und reckte die Schultern und trat zwei Schritte zurück.

»So, das ist also dein Baum?«

»Und meine Äpfel, wenn du nichts dagegen hast.«

»So, wenn ich nichts dagegen hab.«

Sie blinzelten sich aus ihren Augen an, maßen einander mit Geringschätzung, und jeder wartete auf den ersten Hieb.

Da fuhr eine Stimme zwischen sie wie ein Säbel, eine gutturale, lebhafte Stimme. »Womit«, ließ sich die Stimme vernehmen, »womit wollt ihr Männer euren Mangel an Verstand wettmachen? Mit Fäusten … Was … Wenn euch Geweihe wüchsen, mit Geweihen … Ach … Auseinander!«

Die beiden Männer ließen die Blicke voneinander und sahen auf den Weg hinüber, wo sich eine beträchtliche Frau in blauer Schürze und schwarzem, gestärktem Kragen unaufhaltsam näherte. Dabei gestikulierte sie mit den Armen, zupfte an der blauen Schürze, so daß sich der Knoten löste, schlang die Enden wieder forsch zusammen und brachte immer weniger Entfernung zwischen sich und die Männer – eine ausgemachte Dampfmaschine, kann man sagen, die weniger Gefühl als Hitze über den Rosten ihres Herzens trug. Als sie in respektabler Nähe war, blieb sie stehen. Ihre Hände waren ruhig geworden und stützten die etwas zu weich geratenen Hüften, während die schmalen, in komfortablen Fettpolstern liegenden Augen von einem zum andern glitten, sich gleichsam ein Opfer aussuchend, auf das man sich mit Vorbedacht und raschen Fäusten stürzen könnte.

»Esel«, sagte die Frau mit ihrer gutturalen Stimme, »gibt es genug auf der Welt. Ihr beide braucht diese traurige Gattung nicht noch zu bereichern. Wollen sich massakrieren – mein Gott – wegen eines Apfels.«

»Es ist wegen des Baumes«, sagte einer der Männer.

»Baum hin, Apfel her«, rief die Frau und ließ ihre Hüften los und tat einen weiteren Schritt vorwärts. Unversehens warf sie einen Arm in die Luft – wobei sich die Männer, im Glauben, das tolle Weib wolle zum Angriff vorrücken, duckten – und rief: »Streitfälle sind überflüssig auf der Welt … Hört doch, hört … Sperrt eure Ohren gefälligst auf. Noch weiter … So ist gut. Hört ihr etwas? Wie, ihr hört nichts? Daß Stimmen in der Luft sind, hört ihr nicht? Esel seid ihr, ganz und gar, nur hat

euch die Natur noch trauriger fabriziert: euch fehlen die soliden Esels-
ohren.«

Die Frau bekam Atemnot. Dann jedoch, als sie sich etwas gefaßt hatte,
sah sie die Männer prüfend an und sagte:»Ihr werdet noch heute nach
Delphi gehen. Der größte Augenblick für die Welt ist gekommen. Alle
Balkanvölker sind unterwegs – alle: Titopartisanen und griechische Rebellen, Regierungstruppen, amerikanische Ausbilder, albanische Frei-
willige und ›Agenten einer fremden Macht‹. Alle, alle sind nach Delphi
unterwegs. Im Palast zu Delphi werden die sieben Weltweisen über die
Verbesserung der Welt beraten. Alles wird besser: Scheidungsangele-
genheiten, Bettelrecht, euer Apfelbaum ... Ach, was red' ich viel, macht,
daß ihr fortkommt! Wer schläft, kann keine Fische fangen.«

Damit drehte sich die Frau lakonisch um und ging zurück, während
sich die Männer, nachdem sie einen geringschätzigen Blick ausgetauscht hatten, auf den Weg nach Delphi machten, dorthin, wo Zeus
den Nabel der Erde festgesetzt hatte.

Als die Sonne ihre großen Theatereffekte vorzuführen begann, wurde die Luft heiß und die Kehlen trocken. Der Palast in Delphi war von
unzähligen Leuten umlagert, von Aufständischen, Gendarmen und
Volkserziehern, von Menschen also, die sich an einem bloßen Alltag
niemals wort- und tatenlos zusammengesetzt hätten. Hier jedoch war
es anders. Der Anlaß war so glänzend und so einmalig, daß man auf
die Nachbarschaft»pfiff«, denn, die Entschlüsse zur Verbesserung der
Welt an Ort und Stelle zu erfahren, bedeutete einen ungeheuren Vorsprung vor den Abwesenden; und das war viel.

Die beiden Männer, die sich beim Streit um den Apfelbaum so sonderbar aufgeführt hatten, standen in unmittelbarer Nähe des Palasthüters, eines Mannes mit kahlem Kopf und rötlichem Bart, von dem
Naive sagten, er sei uralt und habe vor langer Zeit Theater gespielt, den
Zaunkönig in den »Vögeln« des Aristophanes. Nun stand er schweigend vor dem Portal und stützte sich, wenn es nichts zu tun gab, auf
einen italienischen Vorderlader.

Der Tag ging hin. Die sieben Weltweisen berieten noch immer in den
kühlen Hallen des Palastes. Man gab ihnen, auf daß die Beratungs-
dauer verkürzt werde, nichts zu essen und war auch sorgsam darauf
bedacht, daß keiner von ihnen den Palast verließ und dabei bestochen
würde. Die Unruhe unter den Wartenden wuchs. Die Partisanen feuerten aus ihren Flinten blinde Schüsse in die Luft, amerikanische Aus-

bilder klebten ihren Kaugummi auf die Palaststufen und die ›Agenten einer fremden Macht‹ taten sich etwas zugute darauf, drohend und kalt zu schweigen. Von hinten rief jemand laut: man solle den Palast einfach stürmen, es sei eine Zumutung, mit dem Resultat so lange hinter dem Berge zu halten.

»Recht hat er«, antworteten dem Rufer viele Stimmen.

Die Leute rotteten sich gerade zusammen und wollten schon den Palast stürmen, da trat ein mit Dolch und Flinte bewaffneter Sprecher auf den Sockel und rief: »Liebe Leute, Genossen und Kollegen! Die Beratungen zur Verbesserung der Welt sind zu Ende. Die Welt wurde verbessert! Wir können uns etwas davon versprechen, heute zu leben. Nach einer Sitzung von sechzehn Stunden haben die Weltweisen beschlossen, die Preise für Rüben herabzusetzen. Jawohl, die Rüben sind billiger! Es lebe unsere Welt!«

Die beiden Männer in der Nähe des Palasthüters sahen sich sonderbar an. Dann reichten sie sich die Hand, küßten einander vernehmlich auf die Wange, lachten und klatschten und nahmen dann teil an dem Fest, das anläßlich dieser wesentlichen Weltverbesserung gegeben wurde.

1949

Albanisches Abenteuer

»Der Grotki ist im Dorf, der Grotki!« Ein Mann mit starkem Nacken und fast herausfallenden dunklen Augen sprang von Hütte zu Hütte, riß, ohne an die Wand gepocht zu haben, die Türen auf, wartete nicht, bis jemand an ihn herantrat, sondern schrie hastig und heiser: »Der Grotki ist im Dorf!« und war schon wieder verschwunden.

Der Tag war ohne Wind, die Sonne schnurrte auf den Steinen und versengte das Kraut und über den schmächtigen Stoppeln der Felder tanzte die Hitze.

»Der Grotki ist im Dorf!«

Die Männer stürzten heraus aus ihren Hütten, kniffen die Brauen zusammen oder hielten die Hand an die Stirne, damit sich die Augen behender an das Licht gewöhnten. Sie standen vor dem Hausflur und mancher verwahrte seine Hand in der Tasche und prüfte Schneide oder Spitze seines Messers.

»Wo ist der Grotki, Sergej? Hast du ihn gesehen?«

»Nein, ich habe ihn nicht gesehen!«

»Hat ihn denn keiner gesehen?«

»Ja, ja, zur Schenke soll er gegangen sein, zur Schenke!«

Die Männer gingen bis auf die Mitte der Straße, warteten dort, bis
sich auch der Letzte ihnen zugesellt hatte und zogen dann zur Schenke
hinauf, zum »Krähennest«, wie sie das Haus nannten, denn die Frau
des Schenkwirts hatte in ihren Gebärden etwas Vogelhaftes, etwas Krä-
henähnliches.

Über der Schenke breitete sich ein schmächtiges Blau aus, das Blau
eines harmlosen, heißen Himmels. Die Zikaden hatten ihre feine Musik weggelegt und die grünen und braunen Heuschrecken kümmerten
sich nicht um das Gras, sondern verträumten auf ihren langen, hölzern
anmutenden Beinen die Zeit.

»Glaubst du, daß der Grotki im Dorf ist, Sergej?«

»Warum nicht? Er hat sich schon einmal hergewagt ... vor vier Jahren ... als ich mein Messer an seinem Lungenlappen abwischte ... Der
ist stark, der Grotki. Damals hatten sie ihn in letzter Sekunde befreit ... Er wird wohl manchmal die Narbe auf seiner Brust besehen
haben ...«

»Ich glaube nicht, daß er hier ist ... Der ist schlau genug ... Der
kennt doch die Blutrache ... Er wird sich hier nicht sehen lassen ...«

Sie standen vor der Schenke, einem schiefen Lehmbau mit niedrigen
Fenstern, deren Rückwand sich gegen einen unbewachsenen Berg
lehnte, wie ein betrunkener alter Mann etwa, der sich mit dem Rücken
irgendwo anlehnt, weil er glaubt, er könne sich auf diese Weise ein
wenig länger der Welt erhalten.

»Komm her, Sergej ... wir wollen hineingehen ... die andern können
auf der Straße bleiben ... Dem Grotki werden wir es schon zeigen ...
Blutrache auszurufen und sich dann darüber lustig zu machen ...
Komm her, Sergej.«

Die beiden Männer stießen die Tür auf und standen auf einmal in
dem niedrigen Raum. Die Alte mit dem Krähengesicht saß auf einer
Bank, in ihrem Schoß lagen Wolle und Nadeln, und sah fragend auf die
beiden: »Na«, sagte sie, »wen schickt mir die Hitze denn da her? Ja,
Feuchtigkeit ist etwas Schönes für die Gurgel –« »Wenn sie einem nicht
abgeschnitten wird«, unterbrach sie Sergej. Außer der Alten saß niemand mehr in dem Raum.

»Ist hier nicht ein Mann gewesen? Ein großer, mit starken Schultern?«

»Ach«, sagte die Alte, »der ist müde, ein feiner Mann, der hat sich ein Zimmer genommen und schläft.«

»Wo?« Die Blicke der beiden Männer kreuzten sich.

»In meinem Hotel«, sagte die Frau. Sergej zog seine Hand aus der Tasche – wobei die Alte etwas aufblitzen sah – und lief vor dem anderen die ächzende Treppe hinauf, wo sich auf einem zurechtgemachten Boden das einzige Gästezimmer befand. Vor der Tür warteten sie einen Augenblick, dann riß Sergej an der Klinke; sie standen im Gästezimmer. Auf dem Bett lag ein großer Mann in kariertem Hemd, der sich beim Eintritt der beiden reichlich benommen erhob. »Grotki«, zischte Sergej seinem Begleiter zu.

Der Mann auf dem Bett langte zu einer Karaffe, die auf einem Stuhle stand und tat einen guten Schluck daraus. Dann sah er beiläufig auf die Männer und fragte: »Na? Was gibt es denn? Was wollt ihr von mir, und gleich mit dem Messer in der Hand! Wollt ihr meinen Käse schneiden?«

Er knöpfte sich das Hemd zu und bückte sich gerade, um die Stiefel anzuziehen, da warf sich Sergej auf ihn, hielt ihm die Hände auf dem Rücken zusammen, dieweil sein Begleiter dem Großen eine dünne, lederne Schnur sicher um die Gelenke wand. Zu ihrer Überraschung leistete er keinen Widerstand, ein verwundertes, von keinerlei Furcht oder Argwohn begleitetes Lächeln saß ihm unter den Augen. Sie warfen ihn vom Bett herunter auf den Fußboden und legten ihn auf den Rücken. Sergej ließ sich neben ihn auf die Knie nieder. »Willst du dich lustig über uns machen, Grotki ... Du hast die Blutrache ausgerufen ... Unser Dorf und dein Dorf ... Du weißt ja ... Hier, ich werde dir ein wenig die Lunge kitzeln.« Sergej hielt seinen Dolch hoch. Der Mann auf dem Fußboden lächelte nicht mehr, seine Lippen waren zusammengepreßt. Er sah unverwandt auf Sergej, der ihm das Hemd aufknöpfte und kicherte: »Woll'n doch mal sehen, was die alte Narbe macht ... Können sie ja mal öffnen ... scharf genug ist das Messerchen ...«

»Grotki?« stieß der Gefesselte da dumpf hervor, »wer ist das, Grotki? Laßt mich los! Was soll das!«

»Gleich, gleich«, deutete Sergej mit einer Gebärde seiner Hand an und suchte nach der alten Narbe. Als er sie nicht finden konnte, wurde er unruhig. »Grotki«, murmelte er, »du mußt doch hier die Narbe haben, die kann doch nicht einfach verschwunden sein!« Da rief der Gefesselte: »Laßt mich mit eurem Grotki zufrieden! Ich bin der Tuchhändler Bandoli aus Triest, und wenn ihr es nicht glaubt: dort sind meine Papiere.«

Die Männer sahen sich flüchtig an, dann erhob sich Sergej, zog die Papiere aus der Tasche und erkannte offenbar gleich seinen Irrtum. »Mach ihn los!« befahl er seinem Begleiter, und zu dem Mann am Boden sagte er: »Ich würde dir raten, dich in der Nacht davonzustehlen oder dir ein neues Gesicht zu kaufen! Wo hast du dir nur Grotkis Kopf her besorgt. Schade, daß du keine Narbe auf der Brust hast.«

Damit gingen sie aus dem Zimmer, und die Alte, die sich ihnen unten an der Treppe in den Weg stellte, schoben sie zur Seite wie einen Maiskolben.

1949

Die tödliche Phantasie

Der Wärter blieb stehen, öffnete gelassen die Tür, ließ den hageren alten Mann, der neben ihm stand, eintreten, und folgte ihm dann in einen grüntapezierten Raum.

»So«, sagte er, und »da wären wir also«.

Der Hagere blickte sich um, nickte, als ob der Raum ihm gefiele, prüfte das Fenster auf seine Dichte und den braunen Sessel auf seine Bequemlichkeit und sagte dann zu dem Wärter: »Mir scheint, dieses Sanatorium hält etwas auf sich. Hier dürften mir die wenigen Tage, in denen sich mein Fall hoffentlich klären wird, nicht zu Jahren werden. Ich fühle mich wohl hier und möchte mich nur noch bei Ihnen für die Begleitung bedanken.«

Der Wärter stand da, in großen Schuhen, das Schlüsselbund in der Hand und schüttelte grinsend seinen Kopf.

»Nein, nein«, sagte er und kam etwas näher, »nein, nein. Das geht doch nicht. Das darf ich nicht. Ich muß Ihnen erst noch etwas wegnehmen. Die Schnürsenkel muß ich Ihnen wegnehmen, und das Taschenmesser muß ich Ihnen wegnehmen, und wenn Sie Schnur in der Tasche tragen, muß ich Ihnen die Schnur wegnehmen. Auch die Hosenträger muß ich Ihnen wegnehmen. Sie müssen nicht traurig sein darüber. Das sind meine Vorschriften. Wenn Sie die Dinge behielten, könnte Ihnen vielleicht etwas zustoßen. So ein Messerchen, das hat eine schlechte Erziehung. Sie bekommen ja später alles wieder.«

Der hagere Mann, der, im Sessel sitzend, dem Wärter zugehört hatte, erhob sich langsam.

»Hier sind die Schnürsenkel«, sagte er, »und hier ist mein Taschentuch. Ein Messer habe ich nicht bei mir, desgleichen keine Schnur. Was meine Hosenträger anbetrifft, so möchte ich Ihnen immerhin einiges zu bedenken geben, bevor Sie sie mir fortnehmen. Ich bin Professor der Geschichte, und die Würde eines Menschen, eines Zivilisten −«

Der Wärter bewegte die Zehen in den Schuhen und lachte.

»Ich war Soldat, Professorchen, vor dreißig Jahren, und eines Morgens nannte uns der Korporal Hirten und als ihn einer fragte, was er damit meinte, sagte er: ›Ihr seid Hirten, weil die Zivilisten Schafe sind, ihr müßt sie treiben, treiben ...‹«

Der Professor sah ihn an und strich sich über das Haar.

»Ich werde hier nicht lange bleiben in diesem Sanatorium, nicht nur, weil ich völlig normal bin, sondern auch deswegen, weil Sie recht sonderbare Vorschriften auf die Gäste anwenden. Wissen Sie denn, warum man mich hierher brachte?« Der Wärter lachte, schüttelte seinen Kopf, bewegte die Zehen in den großen Schuhen und trat näher an den Professor heran, der sich in den braunen Sessel gesetzt hatte.

»Sehen Sie«, der hagere Mann und blickte auf die grüne Wand, während ihm der Wärter mit hochgezogenen Brauen lauschte, »vielleicht werden Sie das nicht so verstehen können. Aber meine Frau hat es miterlebt, die kann Ihnen alles, falls Sie einen Zweifel in meine Worte setzen, bestätigen. Ich habe mich 40 Jahre lang mit Geschichte beschäftigt und es ist wohl kein sträfliches Eigenlob, wenn ich sage, daß meine kritische Unruhe mich dahin brachte, Ungesetzlichkeiten im großen Ablauf der Zeit zu entdecken. Das alles spielt jedoch hier keine Rolle. Ich wollte Ihnen sagen, daß ich eines Tages auf den Namen Pietro Aretino stieß, einen Italiener, der im 16. Jahrhundert in Venedig lebte und der als Spötter wohl die furchtbarste Feder führte, die überhaupt von einem Menschen geführt worden ist.«

Der Wärter bewegte die Zehen in den großen Schuhen und sah aus zusammengekniffenen Augen auf den Professor.

»Ich habe viel verstehen gelernt in meinem Leben, aber bisher blieb es mir ein magisches Geheimnis, wie ein einzelner Mann, im Besitze feinster Bosheit und bewundernswertesten Hohnes, Fürsten und Könige erzittern lassen konnte durch einen einzigen Satz, und wie ein literarisches Talent den Spott und die üble Nachrede zum Kunstwerk werden ließ. Ich weiß, man ist geteilter Meinung über Aretino. Er hat einen Brief an Michelangelo geschrieben, einen Brief, sage ich Ihnen – Könige schickten ihm Goldhaufen, damit er gegen ihre Widersacher Schmähschriften verfasse. Ich las alle Aufzeichnungen und Briefe von und über ihn und mußte schließlich fühlen, wie ich diesem Manne immer mehr verfiel. Ich haßte und bewunderte ihn zugleich und war betrübt, ihn nie gekannt zu haben.

Da – eines Abends, ich saß in meinem Arbeitszimmer und vor mir lagen mehrere Aretino-Bände, eines Abends, da öffnete sich ein Buchrücken und ich schaute hinein und erkannte Venedig, die Rialtobrücke und den Markusdom; im Vordergrund stand jemand, der mich heranwinkte. Ich blickte mich um und bemerkte, daß meine Frau mir auffordernd zunickte. So stieg ich in den geöffneten Buchrücken hinein und fragte einen Vorübergehenden nach der Wohnung Aretinos. Er wandte sich scheu um und, nachdem er sich versichert hatte, daß niemand in der Nähe war, sagte er: ›Aretino ist dem jüngeren Strozzi in die Arme gelaufen und hat entsetzliche Prügel und einige Dolchstiche empfangen. Er wird nicht zu sprechen sein. Sie müssen ihn wohl später aufsuchen.‹

Ich stieg also in mein Arbeitszimmer zurück, verschloß sorgsam die Aretino-Bände und sprach über diesen Vorfall, der mich hoch beglückte, nur mit meiner Frau und einem guten Bekannten. Ja, das war vor einer Woche, und heute oder morgen wollte ich eigentlich Aretino aufsuchen, aber leider – Sie sehen ja – hat man mich in das Sanatorium gebracht, sicherlich auf Veranlassung meines guten Bekannten. Aber mein Aufenthalt hier wird wohl nicht ewig währen.«

Der Wärter bewegte die Zehen in den großen Schuhen, schüttelte grinsend seinen Kopf, murmelte etwas wie »Fische und Schlafengehen« und ging dann, die Schnürsenkel und das Taschentuch in einer Hand, zur Tür. Der hagere Mann blieb im Sessel sitzen und schaute ihm nicht nach.

Anderntags, als der Wärter wieder in das grüntapezierte Zimmer trat, fand er den Professor am Boden liegend und sah, daß sich die Hosenträger würgend um den Hals legten. Er lief auf den Gang hinaus, rief:

»Herkommen! Hier, hier ... der Zivilist ... der Aretino hat den Zivilisten umgebracht«, und klingelte dazu mit seinen Schlüsseln.

1949

Die Nacht im Hotel

Der Nachtportier strich mit seinen abgebissenen Fingerkuppen über eine Kladde, hob bedauernd die Schultern und drehte seinen Körper zur linken Seite, wobei sich der Stoff seiner Uniform gefährlich unter dem Arm spannte.

»Das ist die einzige Möglichkeit«, sagte er. »Zu so später Stunde werden Sie nirgendwo ein Einzelzimmer bekommen. Es steht Ihnen natürlich frei, in anderen Hotels nachzufragen. Aber ich kann Ihnen schon jetzt sagen, daß wir, wenn Sie ergebnislos zurückkommen, nicht mehr in der Lage sein werden, Ihnen zu dienen. Denn das freie Bett in dem Doppelzimmer, das Sie – ich weiß nicht, aus welchen Gründen – nicht nehmen wollen, wird dann auch einen Müden gefunden haben.«

»Gut«, sagte Schwamm, »ich werde das Bett nehmen. Nur, wie Sie vielleicht verstehen werden, möchte ich wissen, mit wem ich das Zimmer zu teilen habe; nicht aus Vorsicht, gewiß nicht, denn ich habe nichts zu fürchten. Ist mein Partner – Leute, mit denen man eine Nacht verbringt, könnte man doch fast Partner nennen – schon da?«

»Ja, er ist da und schläft.«

»Er schläft«, wiederholte Schwamm, ließ sich die Anmeldeformulare geben, füllte sie aus und reichte sie dem Nachtportier zurück; dann ging er hinauf.

Unwillkürlich verlangsamte Schwamm, als er die Zimmertür mit der ihm genannten Zahl erblickte, seine Schritte, hielt den Atem an, in der Hoffnung, Geräusche, die der Fremde verursachen könnte, zu hören, und beugte sich dann zum Schlüsselloch hinab. Das Zimmer war dunkel. In diesem Augenblick hörte er jemanden die Treppe heraufkommen, und jetzt mußte er handeln. Er konnte fortgehen, selbstverständlich, und so tun, als ob er sich im Korridor geirrt habe. Eine andere Möglichkeit bestand darin, in das Zimmer zu treten, in welches er rechtmäßig eingewiesen worden war und in dessen einem Bett bereits ein Mann schlief.

Schwamm drückte die Klinke herab. Er schloß die Tür wieder und tastete mit flacher Hand nach dem Lichtschalter. Da hielt er plötzlich inne: neben ihm – und er schloß sofort, daß da die Betten stehen müßten – sagte jemand mit einer dunklen, aber auch energischen Stimme

»Halt! Bitte machen Sie kein Licht. Sie würden mir einen Gefallen tun, wenn Sie das Zimmer dunkel ließen.«

»Haben Sie auf mich gewartet?« fragte Schwamm erschrocken; doch er erhielt keine Antwort. Statt dessen sagte der Fremde:

»Stolpern Sie nicht über meine Krücken, und seien Sie vorsichtig, daß Sie nicht über meinen Koffer fallen, der ungefähr in der Mitte des Zimmers steht. Ich werde Sie sicher zu Ihrem Bett dirigieren. Gehen Sie drei Schritte an der Wand entlang, und dann wenden Sie sich nach links, und wenn Sie wiederum drei Schritte getan haben, werden Sie den Bettpfosten berühren können.«

Schwamm gehorchte: er erreichte sein Bett, entkleidete sich und schlüpfte unter die Decke. Er hörte die Atemzüge des anderen und spürte, daß er vorerst nicht würde einschlafen können.

»Übrigens«, sagte er zögernd nach einer Weile, »mein Name ist Schwamm.«

»So«, sagte der andere.

»Ja.«

»Sind Sie zu einem Kongreß hierhergekommen?«

»Nein. Und Sie?«

»Nein.«

»Geschäftlich?«

»Nein, das kann man nicht sagen.«

»Wahrscheinlich habe ich den merkwürdigsten Grund, den je ein Mensch hatte, um in die Stadt zu fahren«, sagte Schwamm. Auf dem nahen Bahnhof rangierte ein Zug. Die Erde zitterte, und die Betten, in denen die Männer lagen, vibrierten.

»Wollen Sie in der Stadt Selbstmord begehen?« fragte der andere.

»Nein«, sagte Schwamm, »sehe ich so aus?«

»Ich weiß nicht, wie Sie aussehen«, sagte der andere, »es ist dunkel.«

Schwamm erklärte mit banger Fröhlichkeit in der Stimme:

»Gott bewahre, nein. Ich habe einen Sohn, Herr ... (der andere nannte nicht seinen Namen), einen kleinen Lausejungen, und seinetwegen bin ich hierhergefahren.«

»Ist er im Krankenhaus?«

39

»Wieso denn? Er ist gesund, ein wenig bleich zwar, das mag sein, aber sonst sehr gesund. Ich wollte Ihnen sagen, warum ich hier bin, hier bei Ihnen, in diesem Zimmer. Wie ich schon sagte, hängt das mit meinem Jungen zusammen. Er ist äußerst sensibel, mimosenhaft, er reagiert bereits, wenn ein Schatten auf ihn fällt.«

»Also ist er doch im Krankenhaus.«

»Nein«, rief Schwamm, »ich sagte schon, daß er gesund ist, in jeder Hinsicht. Aber er ist gefährdet, dieser kleine Bengel hat eine Glasseele, und darum ist er bedroht.«

»Warum begeht er nicht Selbstmord?« fragte der andere.

»Aber hören Sie, ein Kind wie er, ungereift, in solch einem Alter! Warum sagen Sie das? Nein, mein Junge ist aus folgendem Grunde gefährdet: Jeden Morgen, wenn er zur Schule geht – er geht übrigens immer allein dorthin –, jeden Morgen muß er vor einer Schranke stehenbleiben und warten, bis der Frühzug vorbei ist. Er steht dann da, der kleine Kerl, und winkt, winkt heftig und freundlich und verzweifelt.«

»Ja und?«

»Dann«, sagte Schwamm, »dann geht er in die Schule, und wenn er nach Hause kommt, ist er verstört und benommen, und manchmal heult er auch. Er ist nicht imstande, seine Schularbeiten zu machen, er mag nicht spielen und nicht sprechen: das geht nun schon seit Monaten so, jeden lieben Tag. Der Junge geht mir kaputt dabei!«

»Was veranlaßt ihn denn zu solchem Verhalten?«

»Sehen Sie«, sagte Schwamm, »das ist merkwürdig. Der Junge winkt, und – wie er traurig sieht – es winkt ihm keiner der Reisenden zurück. Und das nimmt er sich so zu Herzen, daß wir – meine Frau und ich – die größten Befürchtungen haben. Er winkt, und keiner winkt zurück; man kann die Reisenden natürlich nicht dazu zwingen, und es wäre absurd und lächerlich, eine diesbezügliche Vorschrift zu erlassen, aber ...«

»Und Sie, Herr Schwamm, wollen nun das Elend Ihres Jungen aufsaugen, indem Sie morgen den Frühzug nehmen, um dem Kleinen zu winken?«

»Ja«, sagte Schwamm, »ja.«

»Mich«, sagte der Fremde, »gehen Kinder nichts an. Ich hasse sie und weiche ihnen aus, denn ihretwegen habe ich – wenn man's genau nimmt – meine Frau verloren. Sie starb bei der ersten Geburt.«

»Das tut mir leid«, sagte Schwamm und stützte sich im Bett auf. Eine angenehme Wärme floß durch seinen Körper; er spürte, daß er jetzt würde einschlafen können.

Der andere fragte: »Sie fahren nach Kurzbach, nicht wahr?«

»Ja.«

»Und Ihnen kommen keine Bedenken bei Ihrem Vorhaben? Offener gesagt: Sie schämen sich nicht, Ihren Jungen zu betrügen? Denn, was Sie vorhaben, Sie müssen es zugeben, ist doch ein glatter Betrug, eine Hintergehung.«

Schwamm sagte aufgebracht: »Was erlauben Sie sich, ich bitte Sie, wie kommen Sie dazu!« Er ließ sich fallen, zog die Decke über den Kopf, lag eine Weile überlegend da und schlief dann ein.

Als er am nächsten Morgen erwachte, stellte er fest, daß er allein im Zimmer war. Er blickte auf die Uhr und erschrak: bis zum Morgenzug blieben ihm noch fünf Minuten, es war ausgeschlossen, daß er ihn noch erreichte.

Am Nachmittag – er konnte es sich nicht leisten, noch eine Nacht in der Stadt zu bleiben – kam er niedergeschlagen und enttäuscht zu Hause an. Sein Junge öffnete ihm die Tür, glücklich, außer sich vor Freude. Er warf sich ihm entgegen und hämmerte mit den Fäusten gegen seinen Schenkel und rief: »Einer hat gewinkt, einer hat ganz lange gewinkt.«

»Mit einer Krücke?« fragte Schwamm.

»Ja, mit einem Stock. Und zuletzt hat er sein Taschentuch an den Stock gebunden und es so lange aus dem Fenster gehalten, bis ich es nicht mehr sehen konnte.«

1949

Da half kein Rufen

Mein Haus, für dessen Errichtung ich das Geld von Jugend an gesammelt hatte, besaß einen einzigartigen Geschmack für mich, den Geschmack des Weines etwa auf der Zunge. Dieses Haus gehört mir und was damit gesagt ist, wird nur der recht verstehen können, dem das ungewöhnliche Gefühl des Besitzenden nie fremd geworden ist.

Auf der Sonnenseite habe ich ein kleines Stück Rasen anlegen lassen, auf das ich aus meinem Fenster hinabschaue, wann immer ich Lust dazu habe.

Auf der Rückseite befindet sich ein Hinterhof, auf dem Müllkästen stehen und wo meine Untermieter über selbstgezimmerten Holzställen ihre Taubenschläge haben. Sie kamen zu mir und baten mich um Einwilligung, hier bauen zu können, und ich gab sie ihnen.

Heute hat mein Haus nicht mehr den Geschmack des Weins für mich und ich bin mit mir selbst zu Rate gegangen, ob ich es verkaufen soll oder nicht. Das hat seine gute Bewandtnis; als es mich vorgestern drängte, auf den Rasen hinabzuschauen und ich aus dem Fenster sah, da bemerkte ich auf der grünen Fläche die Kinder meiner Untermieter und ihrer Nachbarn. Ich war empört darüber, daß sie über den Rasen liefen und mit ihren eiligen Füßen zertraten, was ich für mein Geld hatte anlegen lassen, ich wollte sie zuerst anrufen und mein Schimpfen hätte ausgereicht, um sie zu vertreiben, als mich ein Vorfall unvermutet schweigen ließ.

Ein fünfjähriges, schmutziges Mädchen mit abstehenden Zöpfen rief etwas – das ich jedoch am Fenster nicht verstehen konnte – und sogleich liefen alle Kinder zu ihm hin, legten sich auf den Rasen und starrten auf eine Stelle, als ob es da etwas Besonderes zu schauen gäbe. Die Kinder waren still und im gleichen Augenblick bemächtigte sich meiner die Neugierde, und ich trat vom Fenster zurück, verließ meine behagliche Wohnung und ging zu den Kindern hinunter. Sie bemerkten mich nicht, sie starrten immer noch auf eine Stelle im Rasen.

Ich ging langsam näher und als ich nur noch zwei Schritte hinter ihnen stand, da bückte ich mich langsam und griff dann schnell nach einem schmalen, braunen Bein, das einem kleinen Bengel gehörte. Die Kinder fuhren sofort auf und liefen schreiend davon. Den Bengel zog ich zu mir empor und schrie ihn an, er solle mit seinen Freunden gefälligst auf dem Hinterhof spielen, bei den Taubenschlägen und den runden, blechernen Müllkästen. Da sah er mich an und lief fort. Ich bückte mich nun und suchte nach dem, was die Kinder schweigen gemacht und ihr Spiel unterbrochen hatte. Ich suchte und suchte, aber ich fand nichts, ausgenommen eine einzige Butterblume.

So ging ich wieder zu meinem Zimmer hinauf und verbrachte gute Zeit damit, mir zu überlegen, was die Kinder entdeckt haben mochten. Da ich jedoch selbst nichts gefunden hatte – auch dann nicht, als ich noch einmal hinunterging und nachsuchte –, mußte ich annehmen, daß sie dieser Butterblume soviel Aufmerksamkeit geschenkt hatten.

Ich überschlief diesen Vorfall und gestern reute mich mein Verhalten und ich ging hinab auf den Hinterhof, auf dem ich die Kinder bemerkt hatte und sagte ihnen, daß sie heute auf dem Rasen spielen dürften soviel sie wollten. Und als sie, anstatt meinen Worten Folge zu leisten, davonliefen, da scheute ich mich nicht, sie zu locken und ihnen Versprechungen zu machen, wenn sie nur auf den Rasen gingen.

Sie gingen nicht!

Und jetzt stehe ich am Fenster und sehe auf den Hinterhof und erkenne ganz deutlich das kleine Mädchen mit den abstehenden Zöpfen. Sie füttert die Tauben.

1950

Eine Sekunde der Welt
Ballade in Prosa

Als der Posten sich gegen die Mauer lehnte und sein Gewehr umarmte wie ein Mädchen, genauer, als sich der Posten gegen die Mauer lehnte und dachte, sein Gewehr sei ein Mädchen, und als ihm klarwurde, daß man ein Mädchen nicht mit einem Gewehr verwechseln könne, in dem Augenblick auch, als er mit stupid-erschrockenen Augen auf den mattglänzenden Lauf blickte, so, als sei er eben qualvoll enttäuscht worden, in jener Sekunde, da er so wütend zu atmen begann, daß der neue Lederriemen knarrte, in jener Sekunde

schrie in Paris ein Kind, weil der Schlaf nicht zu ihm kommen wollte, schrie nach der Mutter, als ob diese ihm den Schlaf reichen könnte, schrie, weil es nicht wußte, daß der Schlaf sich nicht einhandeln läßt für ein bloßes Wort, der Schlaf, der unter dem Himmel lebt wie Wahrsager und Schiffe, wie Feinde und Karikaturisten;

schliefen die Mönche des Karthäuser-Klosters in N. alle traumlos, nachdem sie ihre Gebete verrichtet hatten, und der Mond fühlte sich im Klostergarten einsam aus vielen Gründen;

reichte eine junge Krankenschwester dem Chirurgen eines Moskauer Hospitals die Zange, sah, wie die Finger des Mannes das Werkzeug wohl zu gebrauchen wußten, und der, den die Zange mit geöffnetem Rachen anfuhr, schwieg und träumte, empfand keinen Schmerz, stieg hinab in die künstlich-phantastischen Niederungen einer Lachgasbetäubung, lebte ein Leben ohne Blut;

dachte ein Hamburger Student: B. geht es noch viel schlechter als mir ... Ich kann durchaus zufrieden sein ... Für eine Nachtwache neun D-Mark ..., und die Zeit kann man ja ausnutzen ... Die Zeit ... Was ist die Zeit? Thomas Mann ahnte, was es mit ihr auf sich hat, Thomas Mann, ja ..., er hätte nach dem Zauberberg eigentlich nichts mehr schreiben sollen ... Was wird er jetzt tun? ... Jetzt, in dieser Sekunde, in diesem bestimmten Augenblick;

verrechnete sich ein Buchhalter in Lissabon zum zweiten Male; stöhnte eine Griechin unter dem ersten Kuß;

tünchte ein Arbeiter die Decke seiner Küche und sagte zu seiner Frau: »So, die Malerkosten hätten wir gespart«;

gruben chinesische Bauern Abzugsrinnen zur Entwässerung der Felder;

wünschte sich ein Bauchredner in einem Hotel lächelnd eine gute Nacht und fragte sich selbst in der dritten Person: »Was gedenkt der Herr am nächsten Tag zu tun?«

In dem Augenblick, da all dies geschah, dieses, das nicht einmal ein Tausendstel von dem ist, was in diesem Augenblick wirklich geschah, in diesem Augenblick also: war Gott zufrieden.

1950

Begegnung zwischen den Stationen

Rechts war der Lichtschalter, ein harmloses, nichtssagendes Dingchen, ein Bakelittierchen, dem ein Arbeiter in Mailand oder in Oslo oder in Oberhausen zum Leben verholfen hatte. Zwei Finger drehten daran, es machte »knack« – gerade so, als ob dem armen Ding die Wirbelsäule gebrochen würde –, und plötzlich war ein Abteil im Skandinavien-Rom-Expreß unerbittlich erleuchtet.

»Guten Abend«, sagte ich.

Ich erhielt keine Antwort. Zur Linken erhob sich murrend ein US-Flieger, den das Licht aus den schönen Niederungen der Träume gejagt hatte; zur Rechten bemühte sich ein französischer Marine-Soldat, seine Stiefel vom Polster zu ziehen.

»Entschuldigen Sie, meine Herren, es lag mir fern, Ihren Schlaf zu

unterbrechen. Wenn ich nicht sehr weit fahren müßte, wäre ich im
Gang geblieben. Hm.«

Dem Franzosen springt ein fränkisches Lächeln in die Mundwinkel.
Er kratzt sich am Oberschenkel, hustet und sieht zu, wie der Ameri-
kaner eine Zigarette anzündet. Der Pilot hat ein breites, gutmütiges
Gesicht, schwarze Augen und eine schmale Stirn.

»Sie können sich wieder hinlegen; soll ich das Licht ausmachen?«

»Nein, nein«, sagt der Franzose und kramt aus seiner Tasche einen
Bleistift hervor und ein Kreuzworträtsel – ein deutsches Kreuzworträtsel.

Ein Elsässer, denke ich und schaue ihm zu, wie er den sechskantigen
Bleistift auf die Oberlippe drückt und nachdenkt. Bleistifte sind
schlechte Blitzableiter der Gedanken. Der Mann sucht einen Körper-
teil mit vier Buchstaben.

»Hand«, sage ich. Er nickt freundlich und schreibt: Hand.

Nach einer Weile sagt er: »Falsch. Der dritte Buchstabe muß ein S
sein. Der US-Flieger streicht sich über den Nasenrücken. Ich sage:
»Nase«. – »Gut, gut – das ist richtig.«

Das Kreuzworträtsel liegt auf dem Fußboden; zerrissen und zer-
knüllt: die Asche des Nachdenkens. Der Amerikaner hat einen Berg
Zigaretten auf das Fenstertischchen gelegt und sagt: »Smoke, as much
as you want.« Er sieht auf den Franzosen, und ich sehe auf den Franzosen, und dieser erzählt in deutscher Sprache:

». . . Es wurden 500 Mann ausgesucht. Ich war auch dabei. Mechaniker gelten auf einem Flugzeugträger als Mädchen für alles und sind
immer entbehrlich. – Wir haben ein Sumpfgelände durchsucht. Schulterhohes Schilf, drei Meter Abstand von Mann zu Mann. In Indochina
gibt es viele Sümpfe. Die stinken grün, verstehen Sie, gräßlich grün.
Wir durchsuchten alles und fanden keinen Menschen, aber als wir auf
eine freie Wiese kamen, knallte und zirpte und pfiff es.«

»What?« fragte der US-Flieger.

»Viele von uns fielen um.«

»Aber da war doch niemand?«

»Nein. Das dachten wir auch. Wir kämpften gegen Sumpfhühner,
Sumpfhühner, verstehen Sie? Diese Burschen nehmen ein Schilf- oder
ein Bambusrohr, legen sich in einen Wassergraben und warten, bis sie
hinter unserem Rücken sind. Dann werden Sie munter.«

»Bomb them out.«

»Ja. Später haben wir auf jeden verdächtigen Schilfhalm geschossen, auf ihre Luftröhren, mit MPs. Manchmal kam eine braune Schulter hoch oder es gurgelte und gluckste. Ihre Köpfe kommen nicht nach oben.«

»Tanks?« fragte der Amerikaner.

Der Franzose lächelte. »Die kann man auf Straßen gebrauchen. Aber in Indochina sind die Straßen langweilig. Auf ihnen läßt sich niemand blicken.«

»Kanonenboote?«

»Haben wir auch. Altersschwache. Wenn die Kanone schießen soll, heißt es: Alle Mann an Steuerbord.«

»What for?«

»Damit das Boot nicht kentert.«

»Und Flugzeuge?«

»Piloten haben es gut. Die können über den Baumwipfeln spazierenfahren, aber kein Auge kann erkennen, was unter den Blättern lebt. Oben stinkt es nicht.«

»Shoot them all«, sagte der US-Flieger. Er lächelte zum erstenmal.

»Das geht nicht. Alle dort sind unsere Feinde. Das wissen wir. Man kann sie nur nicht erwischen. Sie schauen arm, harmlos und bieder aus. Sie sitzen mit uns im Kino zusammen und trinken in derselben Kneipe. Das ist der Toleranz-Fimmel der Demokratie.«

»Yes, yes.«

»Aber«, sagte der Franzose, »sie werfen uns Giftschlangen und Handgranaten durch das Fenster. Es macht ihnen nichts aus, wenn zehn eigene Leute mitsterben. Die duzen sich mit dem Tod, verstehn Sie?«

Der Amerikaner sieht durch das Fenster. An der Glasscheibe schießt das Morgengrauen vorüber. Der Zug kann es nicht überholen. Er setzt seine Geschwindigkeit herab. Für einen Augenblick sieht man die heile Lende eines zerbombten Bahnhofsrestaurants. An ihr klebt ein Emailleschild: Sind's die Augen, geh zu ... Der Name ist abgesplittert. Der Franzose schläft. Seine Lippen sind halbgeöffnet. Ein dünner Speichelfaden steht zwischen ihnen. Der Mann atmet sehr regelmäßig.

Plötzlich sagt der US-Pilot: »Deutschland ist schön. Ich werde jetzt schlafen. Es ist nicht anzunehmen, daß der Zug auf eine Mine läuft. Oder?«

»Ausgeschlossen ist es nicht«, sage ich lächelnd. Er schlägt den Kragen seiner Jacke hoch und murmelt:

»Es gibt kein Land auf der Welt, das sich besser zum Schlafen eignet
als das Ihrige.«
»Dann schlafen Sie wohl.«

1950

Erinnerung im Schlauchboot

Walter Donat ging es besser als fast allen seinen Kameraden; er brauchte vorläufig nicht zu ertrinken; wenigstens so lange nicht, wie der
Nebel dick und grau auf dem Wasser hockte und das unruhige Element besänftigte. Er lag gekrümmt in einem Schlauchboot, tastete
nach seinem Oberschenkel, äugte mit düsterer Freude über den luft-
wulstigen Rand seines Gefährts ins Wasser und hob von Zeit zu Zeit,
wenn durch den Nebel ein verzweifelter Schrei zu ihm drang, den Kopf
und nickte. Dabei dachte er: ›Hansen‹ oder ›Gehrke‹ oder ›Walendy‹
oder ›der II.‹ oder ›Fips‹ (gemeint war der Segelmacher) oder ›Tom-
zig‹.

Er hatte die Schreie aller Besatzungsmitglieder gehört, ausgenommen den des Bootsmaats Korschus. Das beunruhigte den Matrosen im
Schlauchboot. Die See murrte ungeduldig: eine unsichtbare Strömung
trieb das Fahrzeug langsam von der Stelle ab, wo das Schiff in vier
Minuten gesunken war, ohne eine Spur zu hinterlassen.

Walter Donat wälzte sich plötzlich in seinem Schlauchboot herum;
er hatte das angestrengte Prusten eines Schwimmenden gehört. Eine
Hand stieß durch den Nebel, eine Schulter, ein Kopf; der Kopf des
Bootsmaates Korschus. Er hatte das Schlauchboot entdeckt; er versuchte, sich gegen die halbe Strömung ihm zu nähern.

Als der Mann, der im Trockenen saß, den Bootsmaat erkannte, begann er zu zittern. Seine Hand preßte sich in den Oberschenkel. Er sah
aus zusammengekniffenen Augen auf den Schwimmenden, der mit
großer Anstrengung versuchte, das Fahrzeug zu erreichen und dabei
erstand für Walter Donat auf dem nichtssagenden, jämmerlichen Hintergrund des Nebels das Bild einer kleinen, jämmerlichen Hafenstadt;
finstere, bucklige Häuser, mittelmäßige Mädchen, Einwohner, die in
mancher Hinsicht den Muscheln glichen (ohne Anstrengung konnte
man nicht an ihren Kern gelangen), Kasernen, sehr viel Heimweh;
zwei stillgelegte Fischräuchereien, gegen deren Fenster blanke Fliegen

hoffnungslos mit den Köpfen brummten, und ächzende Windjammer, die, wenn sie schon einmal hier einliefen, schwerfällige Möwen von dem schmutzigen Hafenbecken aufscheuchten. Er erinnerte sich, daß er in jener Zeit etwa das Gefühl eines Menschen hatte, der beim Zählen seines letzten Geldes feststellt, daß dieses Geld gefälscht ist. Die Stunden, die er mit stumpfsinniger Ausbildung zu füllen hatte, erschienen ihm wie unechte, hohle Münzen, die Tage wie schlecht gravierte Banknoten ... die Wochen ... die Jahre ...

Und dennoch hätte er irgendwie in dieser pilzigen, öden Hafenstadt leben können, wenn es da nicht einen gewissen Menschen gegeben hätte, den Bootsmaat Korschus, »Flup«-Korschus, einen riesigen Kerl mit hängender Unterlippe und kleinen, ständig tränenden, schwarzen Augen. Er hatte einen geringen Wortschatz, der aber ausreichte, um die scheuen, seemännisch unbedarften Füchse tanzen zu lassen. Alle mußten tanzen. Mit unheimlicher Ruhe stand er neben den Klettertauen.

»Auf!« grunzte er.

»Nieder!«

»Auf!«

»Nieder!«

»Lupft an, meine Freunde.«

Einer fiel herab und verbrannte sich am Tau die Hände.

»Heute Nacht Kübel auskratzen.«

Alle haßten und fürchteten den Bootsmaat. Keiner tat es so sehr wie Walter Donat. Nicht ohne Grund, weiß Gott. Für ihn hatte »Flup«-Korschus immer eine Bescherung bereit: eine ›stinkende‹, eine schweißfördernde, eine ...

»Donat!«

»Hier, Herr Bootsmaat!«

Donat in seinem Schlauchboot hatte ›Hier‹ gerufen, so wie es ihm tausendmal eingebleut worden war.

Die Strömung drängte den Schwimmenden ab. Er hob seinen Arm und winkte.

»Donat! Warum-nimmst-Du-nicht-das-Paddel! Willst-mich-ab-saufen-lassen!«

Der Matrose schrak auf.

›Da schwimmt der Korschus‹, dachte er. ›Jetzt habe ich ihn in der Hand. Jetzt soll er sich auf etwas gefaßt machen. Die anderen wissen nichts davon. Niemand wird es wissen. Ich brauche nicht einmal die Hand zu bewegen. Es erledigt sich von selbst.‹

»Donat!« schrie der Bootsmaat. Er tauchte langsam in den Nebel ein. Da ging in dem trägen Träumer etwas vor. Er löste das Hanfseil, mit dem das Paddel befestigt war, tauchte es ins Wasser und fuhr dem Korschus nach. Er erreichte ihn nach wenigen Strichen und zog ihn ins Trockene.

Matrose Donat versäumte seine Gelegenheit.

1950

Mein verdrossenes Gesicht

Auch er ist hier hängengeblieben, auch Bunsen, mein Bootsmannsmaat aus dem Krieg: festes Wangenfleisch, sauber zugeknöpft und mit seinem Blick, dem nichts verborgen bleibt – so fand ich ihn unten in den Grünanlagen, so stand er und beobachtete die Modenschau im Freien. Er photographierte; er trug einen Kasten an ledernem Achselriemen, einen sehr kleinen Photoapparat in der Hand, und ich sah, wie er manchmal schnell in die Hocke ging, sich nach vorn beugte, weit auslegend zur Seite; sein Blick, dem nichts verborgen bleibt, der uns einst hatte schaudern lassen, er verband sich jetzt mit der Irrtumslosigkeit des Apparats, mit seiner unwiderruflichen Beweiskraft. Lose lag der Finger auf dem Auslöser, die Oberlippe hob sich zu einem feinen, gequälten Grinsen, und es durchzuckte mich jedesmal, wenn der Auslöser klickend niederging.

Es durchzuckte mich, wenn er die Linse des Apparats auf den Laufsteg richtete, auf die vorführenden Frauen, die mit warmem Lächeln die Wünsche der Hausfrau über den Steg trugen, geblümte Schürzen, geblümte Kittel mit Krause, die schlichte Schönheit der Küche – immer erschrak ich, fürchtete, daß sein Blick, dem nichts verborgen bleibt, etwas entdecken könnte, einen Fehler im Stoff, einen Fleck, eine unangebrachte Falte.

Doch er photographierte nur, blickte sorgfältig und photographierte; von unten photographierte er, aus künstlerischer Schräglage, und auf einmal sah ich, wie er, bevor noch das Klicken des Auslösers erfolgt war, den Apparat langsam absetzte, zögernd, mit einem Ausdruck von Staunen, den man bei seinem Blick nicht erwartete: er hatte mich entdeckt. Mit zögerndem Lächeln kam er auf mich zu – bist du's oder bist du's nicht –, kam mit seiner ganzen Ausrüstung herüber, ja, ich war es, und er streckte mir beide Arme als Gruß entgegen.

»Junge«, sagte er, »alter Junge.«

»Ja«, sagte ich.

Freude hatte ihn ergriffen, schulterklopfende Fröhlichkeit, und er betrachtete mich sorgfältig von allen Seiten und sagte:

»Junge, alter Junge.«

Er ließ den Apparat verschwinden, packte alles ein und hakte mich unter; sehr fest, sehr kameradschaftlich nahm er meinen Arm, fester Kriegskameradengriff; unwichtig, daß er meinen Namen vergessen hatte, den Ort, wo wir uns zum letzten Mal gesehen – es war im Krieg gewesen, und das genügte, gab mir eine Menge Kredit: »Junge, alter Junge.«

Er zog mich runter in eine Kellerkneipe, wir tranken Bier und rauchten seine Zigaretten, und sein Blick, dem nichts verborgen bleibt, ruhte auf mir, während er erzählte.

Bunsen war Photograph geworden, Werbephotograph; er hatte von unten angefangen, als Unbekannter; oh, er kannte die Niederungen der Mühsal, das traurige Dasein ohne eigene Dunkelkammer, er hatte das Elend eines Photographen noch nicht vergessen – jetzt war es vorbei, jetzt kamen Firmen zu ihm, er durfte wählen.

»Und du weißt, Junge, was das heißt, wenn man wählen darf.«

»Ja«, sagte ich.

»Und du?« sagte er.

»Was?«

»Hast du was gefunden?«

»Verschiedenes«, sagte ich.

»Verschiedenes ist nicht gut, man soll nicht zu oft wechseln.«

»Ja.«

»Und jetzt?« fragte er.

»Verschiedenes in Aussicht.«

Ich erschauerte, ich erschrak plötzlich wie beim Kleiderappell damals; denn seine Oberlippe hob sich, sein Blick hatte einen festen Punkt an mir entdeckt, lag ruhig und berechnend auf meiner Schulter.

»Junge«, sagte er, »hör zu, alter Junge: du bist gut für mich, du könntest anfangen bei mir; ich brauche ein Modell für eine Serie. Du bist sehr gut dafür, du bist sogar besser als jeder andere, und vielleicht

hätte ich dich suchen lassen, wenn wir uns nicht getroffen hätten. Es ist eine Zeitschriftenserie, und niemand ist dafür so geeignet wie du.«
»Wodurch bin ich geeignet?« sagte ich.
»Durch dein Gesicht«, sagte er, »durch dein verdrossenes Gesicht. Du hast schon immer so ausgesehen, als ob dir etwas Kummer macht, als ob du mit der Welt nicht einverstanden bist – das ist sehr gut. Nicht einmal zu spielen brauchst du, der Kummer wirkt sehr natürlich bei dir; du bist sehr gut für die Serie.«
»Was soll ich denn machen dabei?«
»Gar nichts, Junge. Du brauchst überhaupt nichts zu machen. Du brauchst nur so zu gucken, wie du jetzt guckst, und du wirst mit diesem Gesicht und dem Kummer gut verdienen.«
Wir gingen in sein Atelier, machten Probeaufnahmen, und während ich in Zeitschriften blättern durfte, entwickelte er die Aufnahmen in der Dunkelkammer, und dann hörte ich ihn rufen, freudiger Kriegs-kameradenruf: die Bilder hatten seine Erwartung übertroffen; wir konnten beginnen.
Ich hatte nichts zu tun, mein Blick genügte ihm, mein verdrossenes Gesicht; Bunsen befahl nur den Einsatz: ich mußte meinen Kummer, meine Verdrossenheit an einen Mann wenden, der ohne Schlips ging; ich setzte meine Verdrossenheit bei einem älteren Zeitgenossen ein, dessen Jacke mit Schuppen bedeckt war, mit ausgefallenen Haaren: Bunsen war sehr zufrieden mit mir, mit dem Grad der Mißbilligung auf meinem Gesicht.
»Das kommt gut raus, Junge«, sagte er, »sehr gut. Bei deinem Blick wird keiner mehr ohne Schlips gehen, und wer noch nichts gegen Schuppen getan hat, der wird es nachholen. Die Verdrossenheit in deinem Gesicht ist Kritik und Anklage.«
Dann machten wir Bilder von einem hutlosen Zeitgenossen, ich ver-nichtete ihn durch meinen Blick; mein Gesicht klagte eine Hausfrau an, die eine nicht ergiebige Suppenwürze, einen Jungen, der keine wissenschaftlich zusammengesetzte Zahnpasta benutzte, einen Haus-herrn, der keinen Sekt im Hause hatte: mein Ernst, meine Verdros-senheit richteten sie. Niemand war mehr sicher vor meinem anklagen-den Kummer, überall tauchte ich auf, mißbilligend und mahnend, tauchte auf in unvollständigen Küchen, zwischen schlecht polierten Möbeln, hinter leicht beschlagenen Rasierspiegeln, vor denen man noch immer nicht die neue Klinge benutzte, den neuen Apparat.

Ein stiller, anklagender Mond: so stand mein Gesicht über jedem Ort, wo der rechte Kauf versäumt, das geziemende Mittel vergessen war; meine Partner wechselten vor Bunsens Kamera, die Kulissen wechselten, nur ich, ich blieb. Mein Kriegskamerad zog mich durch die ganze Serie, setzte mein verdrossenes Gesicht perspektivisch ein: er hatte mir seinen Blick übertragen, den Blick, dem nichts verborgen bleibt. Ich sah mein Gesicht in der Zeitschriften, fand mich wieder in preiswerten Inseraten; der natürliche Kummer in meinem Gesicht machte sich bezahlt. Ich durfte ihn einsetzen, um den Zeitgenossen zu minimaler Pflicht anzuhalten, dem Haarausfall überlegen zu begegnen, Sekt ständig bereitzuhalten; oh, ein anklagendes Gesicht erreicht mehr als Worte.

Und mein Gesicht erreichte, daß sich ein Mann ein Sparkassenbuch zulegte, ein anderer eine Lebensversicherung abschloß; ich erreichte es, indem ich den Nichtsparer, der Unversicherten mit inständigem Vorwurf ansah – Bunsen setzte mein Gesicht entsprechend ein.

Doch dann erfolgte etwas Sonderbares: Bunsen brachte einen neuen Partner ins Atelier, einen kleinen, vergrämten Mann; der sollte brütend am Fenster sitzen, ausgeschlossen von der Welt: er hatte einen Schwarzseher darzustellen, einen Mann, von dem alle Freunde sich losgesagt hatten, weil er keinen Humor besaß, weil er es ablehnte, das ›Goldene Hausbuch des Humors‹ zu beziehen. Gemieden und ausgeschlossen, skeptisch gegenüber der Zukunft, so saß er am Fenster, schwermütig sinnend über den Grund seiner Einsamkeit: ein Felsen der Freudlosigkeit – ich stand schräg hinter ihm. Ich stand hinter ihm, blickte ihn an in Erwartung des klickenden Auslösergeräusches, aber das Geräusch erfolgte nicht, erlöste uns nicht.

»Junge«, sagte Bunsen, »was ist los, alter Junge?«

»Geht's nicht?« fragte ich.

»Dein Gesicht«, sagte er, »wo ist dein Gesicht?«

»Ich hab es bei mir.«

»Das ist nicht dein Gesicht«, sagte er, »nicht das Gesicht, das ich brauche. Du siehst ihn nicht kummervoll an, bei dir ist keine Anklage und kein Vorwurf. Du guckst ihn an, als ob du Mitleid mit ihm hast. Fast könnte man denken, du willst ihm gratulieren.«

»Versuchen wir's noch einmal«, sagte ich.

Wir versuchten es noch einmal, wir probierten wieder und wieder, doch das erlösende Geräusch des Auslösers erfolgte nicht: mein Ge-

sicht mußte sich unwillkürlich geändert haben, ich konnte den kleinen
Schwarzseher nicht anklagen, ihn nicht vernichten – ich konnte es
nicht. Ich spürte eine heimliche Hingezogenheit zu ihm, empfand eine
sanfte Sympathie für sein Unglück; mein Gesicht gehorchte mir nicht
mehr. »Junge«, rief Bunsen, »was ist los, alter Junge? Schau mal in den
Spiegel.«

Ich trat vor einen Spiegel, ungläubig, überrascht: ja, ich sah, daß ich   53
lächelte, teilnahmsvoll lächelte, und ich wußte, daß diese Teilnahme
aufrichtig war. Und ich ging zu ihm, zu meinem kleinen, vergrämten
Kollegen, von dem sich alle Freunde losgesagt hatten, weil er keinen
Humor besaß, kein fröhliches Vertrauen zur Zukunft, und ich gab ihm
die Hand.

»Junge«, rief Bunsen, »willst du nicht weitermachen, alter Junge?«
»Nein«, sagte ich, »jetzt – jetzt kann ich nicht mehr.«

1950

Jäger des Spotts

Der Wind war gut. Er trug Atoqs Geruch nicht zu den Hunden hinüber, die sich vor der Hütte einschneien ließen; unbemerkt kam der
Mann an den schiefen, leeren Fleischgestellen vorbei. Als sein Vater
noch lebte, ein großer Jäger, waren die Fleischgestelle voll gewesen,
aber jetzt standen sie leer und schief vor der Hütte; in der Rundung der
Seitenbank war kein Speck, die Felle auf der Schlafbank waren durchgelegen und die Darmfellscheiben an den Fenstern zerrissen.

Atoq kam unbemerkt an den schlafenden Hunden vorbei. Er schritt
über die graue, tote Ebene und hörte das Knallen des Frostes von den
Seen und wußte, daß das Neueis seine Risse bekam. Er schritt über die
Ebene, bis er zum großen Farnkrautberg kam, dann sah er zurück, und
er sah, daß sein Aufbruch unentdeckt geblieben war.

Er war heimlich zur Jagd aufgebrochen, der schlechteste Jäger von
Gumber-Land; er hatte die Hunde schlafen lassen und schob selbst
den Schlitten, und er hatte die Flinte quer über den Schlitten gelegt
und das Futteral aufgeknöpft.

Er lauschte, aber es war kein Geräusch zu hören: sie wußten nicht im
Dorf, daß er unterwegs war, sie lagen auf ihren Bänken und wußten

nicht, daß er heimlich aufgebrochen war, um ihren Spott zu widerlegen, und er dachte an die hundert Spottgesänge, in denen sein Name erwähnt wurde, Atoq, der Jäger mit dem leeren Fleischgestell. Diesmal würde er mit vollem Schlitten zurückkommen, diesmal hatte er sich vorgenommen, erst zurückzukehren, wenn er Fleisch für beide Gestelle hatte. Er war heimlich hinausgegangen, weil sie auch seinen Aufbruch mit Spott bedacht hätten, ihr Spott hätte ihn aufgebracht, und das wäre nicht gut gewesen für die Jagd. Diesmal würde er ihren Spott widerlegen, er würde seinen Namen ein für allemal aus den Spottliedern tilgen, er hatte sich alles zurechtgelegt für diesen Tag.

Langsam glitt Atoq über den Farnkrautberg; er sah auf seine Flinte hinab, die auf dem leeren Schlitten lag, und er stellte sich vor, daß die Flinte, wenn er zurückkäme, nicht mehr unter ihm liegen würde: sie würde hoch auf dem Fleisch in der Höhe seiner Augen liegen, Atoq war diesmal zuversichtlich.

Ein kleiner Ruf drang zu ihm herüber, er wandte den Kopf und erkannte ein Schneehuhn: rote Augenlider, brauner Rücken, das Schneehuhn duckte sich hinter einer Schneewehe, als Atoq näherkam. Er wollte zum alten Jägerversteck seines Vaters, er wollte zu dem Tal in den Bergen, wo die schwarzen Moschusochsen ästen, es war ein weiter Weg, und er wollte keine Zeit verlieren. Und er dachte an die großen schwarzen Moschusochsen, an ihr sorgloses Äsen, aber er dachte auch an die Kraft ihrer Flanken und an ihre Klugheit, und er erinnerte sich, wie die Pfeile seines Vaters durch das Tal schwirrten und zitternd in der Brust der Tiere standen. Atoq hatte den Bogen seines Vaters mitgenommen, er hatte auch seine Harpune mitgenommen, aber er glaubte, daß er sie nicht brauchen würde; er hatte seine großkalibrige Flinte, und die würde genügen. Atoq sang, als er über die tote Ebene fuhr, der schlechteste Jäger von Gumber-Land sang. Er hatte noch immer den rechten Fuß auf der Schlittenkufe, er hatte noch nicht gewechselt, denn er wußte, daß er mit den Stößen des linken Fußes schneller vorwärts kam; es waren lange, kraftvolle Stöße, und der Schlitten glitt gut über die Ebene.

Er dachte an den Schrecken, von dem die Tiere jedesmal geschlagen wurden, wenn eines getroffen war und zu Boden stürzte, und er sah seinen Vater wieder, den großen Jäger; lautlos sah er ihn über den Sumpf kriechen, naß von eisigem Wasser, ungesehen, Bogen und Pfeil zwischen den Zähnen, er sah den Alten in Schußweite vorkriechen, und dann flog der Pfeil: ein Tier stürzte, und das Rudel zerstreute sich. Atoq dachte daran, und er dachte auch, während der Schlitten über die Ebene glitt, an sein eigenes Mißgeschick, an das Pech bei der Jagd, das ihn ständig begleitete; er hatte ein gutes Auge, seine Hand war sicher, aber wenn er hinausgegangen war zur Jagd, war der Wind gegen ihn gewesen, oder die Tiere waren zu nervös, oder die Decke des Moores zu brüchig, so daß er sich nicht anschleichen konnte, und er war oft ohne Fleisch zurückgekehrt und fand Spott, fand tödlichen Spott, und sein Name hatte Eingang gefunden in ihre Spottlieder. Er mußte ihn tilgen, jetzt, da er heimlich aufgebrochen war.

Acht Stunden fuhr Atoq über die Ebene, dann sah er durch den Dunst die verwitterten Gletscher, und er glitt über wellenförmige Hügel, an grauen Felsblöcken vorbei, auf die Gletscher zu, bis er zu dem Tal und der verfallenen Jagdhütte seines Vaters kam. Sein Vater hatte das Gerüst der Hütte aus Walrippen gebaut, das Dach aus Moos und Grassoden; die Stürme waren über die Hütte hinweggegangen und hatten das Dach heruntergerissen, nur die Walrippen standen noch, breit und blaßgrau standen sie in fast vollkommenem Kreis, ein letztes Zeichen des großen Jägers. Atoq stellte den Schlitten an die Steinmauer, die zum Schutz gegen Bären um die Hütte lief; dann begann er, die Hütte und die Mauer auszubessern, er richtete sie notdürftig wieder her, denn er wußte, daß er mindestens eine Nacht in ihr verbringen mußte, und als er das Dach fertig hatte, setzte er sich in die Hütte, aß und legte sich hin.

Atoq hielt es nicht lange aus, die große Unruhe war über ihn gekommen, die große Unruhe des Jägers; er fühlte, daß Tiere in der Nähe waren, und er streifte den Bogen seines Vaters über den Rücken, nahm die Harpune mit dem Seil in eine Hand und die Flinte in die andere, und dann trat er aus der Hütte heraus und blickte über die Hügel, die mit Felsbrocken übersät waren. Er ging zur Moräne eines Gletschers hinauf, wo er früher mit seinem Vater gesessen hatte, aber hier traf er die Tiere nicht. Er durchstreifte das Gebiet des Gletschers und ging über die Hügel, und am Nachmittag fand er die Tiere in einer schmalen, nebligen Schlucht. Es waren fünf Tiere, er sah das braune Fell des alten Bullen und die schwarzen Felle der beiden Kühe und Kälber. Der Wind war gut.

Atoq ließ sich auf den Boden nieder, verbarg sich hinter einem Felsblock und beobachtete die Tiere; sie bewegten sich langsam, hoben nur selten den Kopf. Plötzlich verschwand der alte Bulle im Nebel, er war offenbar tiefer in die Schlucht hineingegangen. Atoq entschloß sich, zunächst eine der Kühe zu töten. Er verließ sein Versteck und kroch weiter auf die Tiere zu; er mußte, wenn der erste Schuß ohne Risiko abgefeuert werden sollte, näher herankommen, denn der fließende Nebel machte das Auge unsicher. Die Tiere boten außerdem ein schlechtes Ziel, sie hatten sich abgewandt und schienen dem alten Bullen zu folgen, der im Innern der Schlucht verschwunden war. Atoq folgte ihnen, folgte ihnen vorsichtig und langsam, denn er kannte die Klugheit des Moschusochsen und seine Kraft. Und dann erreichte er einen Hügel von Felsbrocken, der ihm Sicht bot und Schutz bei einem Angriff der Tiere von vorn, und Atoq kauerte sich hin und zielte auf eine der schwarzen Kühe.

Der Schuß warf ein dumpfes Echo durch die Schlucht, aber bevor das Echo noch erfolgte, wußte Atoq, daß er gefehlt hatte, denn im Augenblick des Schusses war vor ihm ein Schneehase aufgesprungen; er hatte so dicht vor ihm gelegen, daß Atoq erschrak und den Lauf hochriß. Er war so betroffen davon, daß er den Kopf hob und dem Hasen nachsah, der in wilder Flucht durch die Schlucht stob, er sah dem Hasen nach, bevor er sich um die Wirkung des Schusses kümmerte. Da hörte er sie dröhnend herankommen, und als er die Flinte zum zweiten Mal hob, schoß er auf das erste Tier, er schoß auf das Tier, das ihn als erstes zu erreichen drohte, und er sah, wie es in donnerndem Lauf stürzte, durch die Gewalt des Schusses zu Boden gerissen wurde und sich mehrmals überschlug. Aber die andern kamen näher, sie würden ihn erreichen, bevor er die Flinte zum dritten Mal heben konnte: diesmal wollte er nicht fliehen. Er hatte gesehen, wie die Hunde seines Vaters den angreifenden Tieren auswichen, er hatte sich diesmal auf alles vorbereitet, und er rollte sich blitzschnell von einem Felsblock zum andern und ließ die wütenden Tiere vorbeilaufen. Und Atoq lachte, als sie ins Leere vorbeistürzten, er lachte und spürte, daß es das Lachen seines Vaters war, mit dem er den Angriff begleitete, das einsame Lachen des großen Jägers. Er sah ihre langen, spitzen Hörner, die starken Nacken, er sah ihre wütenden kleinen Augen und lachte.

Aber auf einmal hörte er ihren dröhnenden Angriff von beiden Seiten, und als er zurücksah, entdeckte er den alten Bullen, der in seinen Rücken gelangt war, und Atoq wußte, daß es nur einen Weg für ihn gab: er mußte hinauf auf den Felsen, bevor sie bei ihm waren, er mußte auf den glatten Felsen hinauf. Er warf die Harpune auf die Plattform, sammelte Kraft für den entscheidenden Absprung und gebrauchte den Kolben der Flinte, um sich abzudrücken; der Kolben fand guten Halt, er geriet in eine Spalte, setzte sich fest, aber als Atoq, schon im Sprung, die Flinte nachreißen wollte, ließ die Spalte den Kolben nicht frei. Sie hatte ihn so festgeklemmt, daß er ihn nur senkrecht hätte herausziehen können, und um seinen Sprung nicht zu gefährden, mußte Atoq die Flinte loslassen. Er erreichte die Plattform, warf sich hin und sah zurück; hastig ergriff er die Leine der Harpune und ließ sie zu der Flinte hinab, er wollte die Leine unter den Abzug oder um das Schloß werfen und so versuchen, die Flinte nach oben zu ziehen, aber die Leine blieb am Lauf hängen, und durch eine kurze, heftige Bewegung wurde der Lauf nach hinten gerissen, der Spalt gab den Kolben frei, die Flinte überschlug sich und fiel hinab. Atoq stöhnte, als die Flinte hinabfiel, er beugte sich unwillkürlich weit über die Plattform, und er wäre hinabgesprungen, wenn nicht die Tiere in diesem Augenblick den Fuß des Felsens erreicht hätten.

Er hörte das Schnauben des alten Bullen, sah seinen mächtigen Nakken unter sich und die pulsenden Flanken, und dann sah er, wie der alte Bulle in seinem Zorn auf die Flinte trat, sie mit den Hörnern gegen den Felsen warf und in den Kolben biß, daß es splitterte. Der Mann beobachtete es unbeweglich, doch dann riß er den Bogen von seinem Rücken, nahm einen Pfeil und schoß ihn aus kurzer Entfernung mit aller Kraft in die Seite des alten Bullen, aber der Pfeil traf auf eine Rippe und drang kaum in das Tier ein: der Schaft und über die Hälfte des Pfeiles ragten heraus, und das Tier biß den Pfeil ab und zertrat ihn mit den Hufen. Atoq nahm einen neuen Pfeil, und dieser drang tief und zitternd in die Brust des alten Bullen ein, doch der Bulle stürzte nicht, er zog sich zu den übrigen Tieren zurück, die auf der anderen Seite des Felsens auf einer Klippe standen.

Während Atoq die Tiere beobachtete, stieg er von der Plattform hinab, er mußte in den Besitz der Flinte gelangen, nur mit der Flinte würde er die Schlucht verlassen können, und er sprang auf den Boden. Aber bevor er sich gebückt hatte, hörte er schon ihren donnernden Angriff, und er erklomm sofort wieder die Plattform. Bebend standen sie unter ihm, er hörte ihr Scharren, ihren heftigen Atem, und um Pfeile zu sparen, nahm Atoq Steine und schleuderte sie auf die Tiere hinab, um sie zu vertreiben. Es gelang ihm, sie zogen sich auf die Klippe zurück und warteten. Abermals stieg er hinab, um die Flinte zu holen, und diesmal hatte er Glück: er ergriff die Flinte am Lauf und brachte sie in Sicherheit; der Kolben war gesplittert, der Lauf verbogen, das Schloß öffnete sich nicht mehr: Atoq, der schlechteste Jäger von Gumber-Land, hatte den Spott nicht hinter sich gelassen.

Aber er gab nicht auf; er war heimlich hinausgegangen, um seinen Namen aus ihren Spottliedern zu tilgen, er hatte diesen Tag lange vorbereitet, hatte mit allem gerechnet, und Atoq, der Jäger des Unglücks, schleuderte die Flinte wieder hinab und lachte, und es war das bittere Lachen seines Vaters. Er blickte in die Schlucht, er sah auf dem Boden der Schlucht das schwarze, schwere Tier liegen, das er beim ersten Angriff getötet hatte, es war seine Beute, Fleisch, das ihm jetzt schon gehörte, obwohl ihm der Zugang noch verwehrt war. Es würde den halben Schlitten füllen, es war genug, um ein Fleischgestell zu bedecken, genug, um dem Mann neue Kraft zu geben. Die Flinte war wertlos, aber er hatte noch Harpune und Bogen, und er stieg von der Plattform hinab, um die Tiere zu neuem Angriff zu reizen. Sie kamen, als sie ihn am Boden erblickten, donnernd heran, der alte Bulle, der den Pfeil in der Brust trug, zuerst, und auf ihn allein richteten sich die Augen des Jägers. Atoq wußte, daß sich die anderen Tiere endgültig zurückziehen würden, wenn er den alten Bullen getötet hatte, und er machte sich einen Plan. Er band das Ende der Harpunenleine um eine Felskante und nahm die Harpune in die Hand, er riß sie hoch, berechnend und kraftvoll, er hielt den schweren Schaft, ohne das Gewicht in seinem Arm zu spüren. Er drehte die eiserne Spitze nach unten und warf, warf mit aller Kraft, und die Harpune schoß herab und verschwand mit der Eisenspitze im Nackenansatz des Tieres. Der Bulle warf seinen Körper zur Seite, aber er strauchelte nicht, er knickte nicht ein, er raste mit den anderen Tieren zur Klippe zurück, schüttelte sich, zerrte, biß in die Leine, aber die elastische Leine aus Seehundsfell riß nicht: das Tier erreichte die Klippe, aber es erreichte sie mit der Harpune im Rücken, und Atoq nahm nun den Pfeil. Er legte den Pfeil auf den Bogen und stieg hinab und ging aufrecht und langsam auf die Klippe zu, er sah, daß die schweren Tiere sich zusammendrängten und den Nacken senkten, aber er änderte nicht seinen Weg; er ging auf sie zu, und als sie ihn angriffen, schoß er, und er traf den alten Bullen in den Hals. Er traf ihn im Sprung, und das Tier stürzte und blieb am

Fuße der Klippe liegen. Atoq sah, daß auch dieser Pfeil nicht tödlich gewesen war, das Tier mußte sich einen Fuß gebrochen haben, jetzt hatte er gewonnen. Er rollte sich hinter einen Felsen und ließ die Angreifer ins Leere stürzen, und als er ihnen nachblickte, sah er, daß sie auf einen neuen Angriff verzichteten: sie wandten sich nicht um, sie verließen die Schlucht, sie ließen ihn allein.

Atoq tötete den alten Bullen, und nachdem er ihn getötet hatte, erkannte er, wer vor seinen Füßen lag: es war der, den sie Agdliartortoq nannten, »den ständig Wachsenden«, er war der, den schon viele Jäger ergebnislos gejagt hatten, das größte und stärkste Tier, das sie alle kannten und von dem sie mit schaudernder Ehrfurcht sprachen. Er hatte einige ihrer Leute getötet, er hatte selbst Atoqs Vater in Verlegenheit gebracht, den großen Jäger.

Obwohl der Kampf den Mann erschöpft hatte, begann er mit der Arbeit. Er wollte das Fleisch nicht über Nacht in der Schlucht liegen lassen, und er lud sich, soviel er jeweils tragen konnte, auf den Rücken und brachte das Fleisch zur Hütte. Er ging mehrmals, obwohl er sehr erschöpft war, er gönnte sich keine Rast und lief immer wieder von der Schlucht zur Hütte, und auf seinem letzten Weg nahm er die mächtigen spitzen Hörner des Bullen mit und die wertlose Flinte.

Atoq war am Ende seiner Kraft, aber eine Gewißheit erfüllte ihn: er wußte, daß sie seinen Namen aus den Spottliedern tilgen würden, sie mußten es tun, denn er hatte ihren Spott für alle Zeit widerlegt. Und er warf die mächtigen Hörner in die Hütte und schichtete das Fleisch vor der Mauer auf und bedeckte es mit großen Steinplatten; es waren Steinplatten, die schon sein Vater zum Zudecken des Fleisches benutzt hatte, sie waren groß und schwer zu bewegen, und als Atoq mit der Arbeit fertig war, brach die Nacht herein.

Es war keine entschiedene Nacht, ein stumpfes Licht lag über der Hütte, und wenn Atoq durch das Guckloch sah, hatte er den Eindruck, daß es Tag sei, zaghafter Tag unter diesem toten Himmel. Doch er wußte, zu welcher Zeit er aufgebrochen war und was er getan hatte, und er breitete die Felle auf dem Boden der Hütte aus, verbaute den Eingang mit Steinen und legte sich hin. Er spürte nichts als das dumpfe Glücksgefühl der Erschöpfung. Er rollte sich zusammen, schob den Arm unter die Wange, und während er tief und gleichmäßig atmete, wartete er auf den Schlaf; aber er konnte nicht einschlafen. Und nach einer Weile öffnete er die Augen und tastete mit der Hand hinter sich, wo die Hörner des alten Bullen waren: er berührte sie, und dann legte er sich auf den Rücken und blickte durch das Guckloch, blickte hinauf in den winzigen Ausschnitt des Himmels und dachte an seinen Vater.

Er erinnerte sich, daß auch sein Vater nach der Jagd nie hatte schlafen können; wenn er selbst erwacht war, hatte er den alten Jäger in einem Winkel hocken sehen, schweigend und in ungeduldiger Erwartung des Lichts; nie hatte er ihn anzusprechen gewagt, er hätte auch nie eine Antwort erhalten. Atoq erinnerte sich daran.

Plötzlich hörte er einen knirschenden Schritt, und dann hörte er ein Rollen und Kratzen und gleich darauf ein mahlendes Geräusch von Zähnen. Er sprang auf, ergriff den Bogen und trat an das Guckloch, und innerhalb der Mauer, so nah, daß er ihn fast berühren konnte, sah Atoq einen Eisbären. Es war ein riesiges, mageres Tier, dessen Fell in dem stumpfen Licht einen grünlichen Schimmer hatte. Atoq sah, wie der Bär ein großes Stück von der Schulter des alten Bullen aufhob und gierig zu kauen begann. Der Geruch des Fleisches mußte ihn zur Hütte geführt haben, vielleicht kannte er den Platz noch aus der Zeit, da Atoqs Vater hier sein Fleisch zugedeckt hatte. Es war ein altes Muttertier, das sah Atoq sofort. Doch während er den einzelnen Bären beobachtete, hörte er von einer anderen Seite heftiges Kratzen, und als er an das zweite Guckloch trat, entdeckte er vier Bären, die die Steinplatten hochzuheben versuchten. Sie waren durch ein Loch in der Mauer zu dem Fleischplatz vorgedrungen, durch ein Loch, das auszubessern Atoq nicht für notwendig gehalten hatte, da er nur wenige Nächte in der Hütte hatte verbringen wollen. Die Bären wälzten die Steine zur Seite und verschlangen das Fleisch, das sie fanden, und Atoq lief von einem Guckloch zum anderen und sah, daß er verloren war. Er konnte die Flinte nicht mehr gebrauchen; wenn die Flinte tauglich gewesen wäre, hätte er die Bären vertreiben können, er hätte sich mit ihr sogar aus der Hütte gewagt, aber mit der Harpune allein und dem Bogen konnte er nichts ausrichten, die Bären hätten ihn zerrissen. Er legte einen Pfeil auf, hob die Spitze durch das Guckloch, zielte und schoß. Er schoß zuerst auf das Muttertier, weil er glaubte, daß sich mit ihm auch die beiden jungen Bären entfernen würden, die er auf der anderen Seite entdeckt hatte; der Pfeil schwirrte durch das Guckloch und traf den langen Nacken des Muttertieres, doch er traf ihn ohne wesentliche Kraft. Der Bär brummte wütend auf, ließ das Fleischstück fallen und sah sich um, und dann kam er so nah an das Guckloch heran, daß

Atoq ihm mit dem Messer einen Stich beibringen konnte, keinen entscheidenden Stich, aber der Bär war gewarnt. Er ließ das Fleischstück liegen und trottete zu den anderen Bären hinüber; sie standen jetzt in einem Winkel, in den Atoq keinen Pfeil hineinschießen konnte, der Schaft wäre gegen die Kante des Gucklochs gestoßen, und das hätte dem Pfeil eine andere Richtung gegeben. Die Bären sahen lauernd zur Hütte herüber, sie hatten gemerkt, daß ihnen von dorther eine Gefahr drohte, aber sie waren nicht bereit, das Fleisch aufzugeben; nach einer Weile lauernden Abwartens holten sie ihre Fleischstücke, zogen sich außerhalb der Mauer zurück und schlangen weiter. Atoq hörte das scharfe Mahlen ihrer Zähne.

Er hatte nicht das ganze Fleisch zur Hütte gebracht, er hatte nur die besten und tragbaren Stücke genommen, das andere hatte er in der Schlucht zurückgelassen. Er wußte, daß am nächsten Tag kaum etwas davon zu finden sein würde, die Füchse würden dafür sorgen, die Raben und vielleicht auch andere Bären, die der Geruch anzog. Das Fleisch, das Atoq an der Hütte zugedeckt hatte, wäre gerade genug gewesen für seinen Schlitten, er hätten ihn so damit beladen können, daß die Flinte, wenn er sie obenauf gelegt hätte, in Höhe der Augen gewesen wäre, so, wie er es sich vorgestellt hatte. Hastig versuchte er die Menge des Fleisches nachzurechnen, die ihm, seiner Meinung nach, verblieben war; er hatte fünf Bären gezählt, und wenn sie nicht allzuviel forttrugen, mußte noch etwas für ihn bleiben, genug, damit er zumindest ein Fleischgestell bedecken könnte, und er überprüfte vom Guckloch aus die Steinplatten. Er konnte nur zwei erkennen, die noch nicht abgedeckt waren, zwei kleine Steinplatten in der Nähe des Eingangs, und an ihnen hing das dauernde Urteil des Spottes; er mußte verhindern, daß die Bären die letzten Steinplatten abdeckten, er war bereit, alles zu tun. Er beobachtete die Tiere in dem stumpfen Licht, ihre grünlich schimmernde Erscheinung; er ließ keine ihrer Bewegungen aus dem Auge, und er stand unentwegt am Guckloch, Atoq, der schlechteste Jäger von Gumber-Land.

Und jetzt sah er, wie sich das Muttertier mißtrauisch näherte, er sah die kleine schwarze Nase und den langen, schwankenden Nacken: das Tier kam auf den Eingang zu, näherte sich den letzten Steinplatten. Atoq ergriff einen Stock, und bewickelte ihn mit einem Tuch, es war ein Fackeltuch, das er für die Nacht bereitgelegt hatte, und als er die Fackel hergestellt hatte, zündete er sie an. Sie brannte gut, und der

Mann bückte sich in ihrem Schein und öffnete den Eingang zur Hütte um einen Spalt, dann nahm er die Harpune, und mit Harpune und Fackel trat er aus der Hütte heraus. Der Bär stand kurz vor ihm, es war ein riesiges Tier, er richtete sich sofort auf, als er den Mann erblickte, er war bereit, zu kämpfen. Atoq schleuderte die Harpune, aber in der Sekunde, da er sie schleuderte, ließ sich der Bär zur Seite fallen, und die Harpune streifte nur seinen Schenkel. Der Bär erhob sich sofort wieder, um anzugreifen, es sah aus, als wollte er Atoq mit seinem Gewicht erdrücken, aber da warf der Mann die Fackel, und die brennende Fackel traf die Brust des Bären; das Tier prallte zurück, ließ sich hinab und verschwand brummend hinter der Mauer.

Jetzt kamen die anderen Bären heran, die brennende Fackel hielt sie nicht ab, sie kamen durch das Loch in der Mauer, und Atoq war gezwungen, in die Hütte zurückzuweichen und den Eingang zu verbauen. Er hielt das Messer in der Hand und stand unmittelbar neben dem Eingang, und plötzlich sah er, wie ein Stein sich bewegte und herabfiel, er wurde von außen heruntergestoßen, und im gleichen Augenblick erschien eine breite, grauweiße Tatze in der Öffnung: jetzt stach Atoq zu. Er stieß das Messer mit voller Kraft in die Tatze, das Messer durchstieß sie und traf mit der Spitze gegen den unteren Stein, und der Bär zog die Tatze heftig zurück und brummte wütend. Atoq wartete; er glaubte, daß sie nun versuchen würden, in die Hütte einzudringen, er machte sich auf alles gefaßt, aber die Bären waren gewarnt, sie waren zu feige oder auch zu satt, und es erschien keine Tatze mehr in der Öffnung. Der Mann schloß die Öffnung wieder und stellte sich an das Guckloch; die Fackel brannte noch immer, sie erhellte den Schnee und den Umkreis der Hütte mit einem violetten Licht, und in diesem Licht bewegten die Bären die letzten Steinplatten zur Seite, holten das Fleisch heraus und trugen es fort. Atoq sah sie über den Hügel davontrotten, in schaukelnder Reihe, er sah ihnen bewegungslos nach. Er empfand bereits die Lähmung des Spottes, das unauslöschliche Urteil, das zu tilgen ihm nicht gelungen war, und er brach neben dem Eingang zusammen.

Als er erwachte, herrschte ein anderes Licht; er trat aus der Hütte hinaus, blickte gleichgültig über die Reste des Fleisches, die die Bären zurückgelassen hatten; er holte den Schlitten hinter der Mauer hervor und trug die Flinte heraus, den Bogen und die zersplitterte Harpune, und dann ging er noch einmal in die Hütte und trug die Hörner des alten Bullen zum Schlitten. Langsam glitt er über die Hügel zurück, der Jäger des Unglücks, stieß den Schlitten ohne Eile vorwärts; schweigend und ohne Trauer fuhr er unter dem toten Himmel heimwärts. Er hatte ihren Spott nicht widerlegt, sie würden weiterhin seinen Namen in ihren Spottliedern nennen, sie würden, da sie nun wußten, daß er unterwegs war, seine Heimkehr mit Spott bedenken, aber er mußte zurück, er mußte auf eine neue Chance warten.

Und dann glitt er über den großen Farnkrautberg, und er sah sie schon von weitem am Eingang stehen und ihm entgegenblicken, doch Atoq bremste nicht die Fahrt. Er fuhr mitten zwischen ihnen hindurch, er stieß den Schlitten durch ihr Spalier, den Schlitten, auf dem die wertlose Flinte lag, die zersplitterte Harpune und die Hörner des alten Bullen; er fuhr, der besiegte Jäger von Gumber-Land, mitten zwischen ihnen hindurch. Er blickte nur auf den Weg, und die ihn empfingen und auf seinen Schlitten sahen, sprachen nicht, sie schwiegen.

1950

Jugend aus dem Kanister

B. humpelte die leere Straße hinab, vorbei an leichtsinnig blühenden Bäumen, vorbei an dem seit langem verlassenen Schulhof und vorbei an der in einsamer Düsternis stehenden Kirche. Auf den Staketenzäunen saßen rittlings zutrauliche, junge Sonnenstrahlen. Zuweilen streckten sie sich nach B., ließen sich eine Weile auf seiner Schulter tragen und sprangen erschrocken wieder auf den Zaun zurück, wenn sein Fuß in den Schatten trat. Der Mann wußte, wohin er gehen wollte.

Er durchquerte einen Vorgarten und blieb unter dem Fenster eines Hauses stehen. Mit seinem Stock langte er hinauf an das Glas, pochte daran wie in geheimer Absicht, und als sich ein altes Gesicht am Fenster zeigte, gab er zu verstehen, daß es bereits Zeit sei und er gar nicht hereinkommen, sondern draußen warten wolle. Nach einigen Minuten erschienen eine alte Frau und ein alter Mann, begrüßten B., indem sie ihm wortlos zunickten und folgten seiner hinkenden Gestalt auf die Straße.

Die drei Alten wußten, daß sie die letzten Einwohner in Sch. waren, ausgenommen noch einen vierzehnjährigen Nichtsnutz, der große

Schwierigkeiten hatte, die Langeweile zu überwinden; alle anderen waren fortgezogen oder an einer sonderbaren Krankheit gestorben.

Die beiden Männer nahmen die Frau in die Mitte und gingen die leere Straße wieder hinauf. Sie sprachen nicht miteinander, die Gedanken waren bei ihrem Vorhaben. Erst als sie ein niedriges Haus betraten und in einem fast quadratischen, von Spiegeln und glänzenden Gegenständen befreiten Zimmer standen, sagte B. zu der Frau: »Sie können gleich die Fenster verhängen.«

Die Frau nahm Decken und befestigte sie an den Fenstern und sperrte das Tageslicht aus. Das Zimmer war dunkel. B. zündete eine Kerze an und bat, Platz zu nehmen. Dann zog er einen grauen Kanister aus einer Ecke hervor und schleppte ihn zum Tisch. Er lachte leise und sagte:»Ich glaube, es wird nicht gut schmecken. Aber das ist ja nicht die Hauptsache.«

Die Frau schüttelte den Kopf.»Nein«, murmelte sie,»darauf kommt es nicht an. Es soll wirken.«

B. brachte drei stumpf gemachte Metallbecher und zog einen breiten, flachen Korken aus dem Rücken des Kanisters. Stinkender Dampf quoll aus der Öffnung hervor, hob sich bis an die Decke und suchte nach einem Ausweg. Niemand mußte husten. Nur die Kerze verringerte ihr Licht, als ob ihr jemand den Atem genommen hätte. B. ergriff den Kanister und goß in die Metallbecher eine gelbe, zähe Flüssigkeit. Blasen stiegen auf und zerplatzten geräuschlos, eine winzige Dampfsäule freilassend. Die Kerze plackte. Die Frau blickte mit starren Augen in ihren Becher, wo sich auf der tollwütigen Oberfläche Schaum bildete oder durch kleine heftige Eruptionen über den Becherrand auf den Tisch geschleudert wurde. Auch aus der Öffnung des Kanisters spritzten Schaumflocken. Da stand B. langsam auf, ergriff einen Becher, sah abwechselnd auf die beiden alten Leute und sagte plötzlich sehr schnell:»Das ist der rechte Jungbrunnen. Trinkt aus, schnell. Laßt keinen Tropfen mehr nach. Wir werden wieder jung, wir müssen jung werden, damit unsere Stadt ...«

Er trank in hastigen Zügen und die anderen, die während seiner Worte den Becher in der Hand gehalten hatten, tranken auch. Die Kerze verlöschte, der Dampf schien sie endlich überwältigt zu haben. Die Frau lachte.

»Laßt es doch dunkel sein«, rief sie,»warum wollt ihr denn gleich an das Licht. Wartet doch, wartet – um der Jugend willen.«

B. hatte jedoch schon die Kerze angesteckt. Er verschloß den Kanister und schleuderte ihn vom Tisch. Als er auf die Frau sah, stand ihm fast das Herz still vor Freude. Ein Mädchen saß da, lachend, mit weichen Armen und herausfordernden Lippen. Die drei sahen sich entgeistert an, reichten sich die Hände und begannen im Kreis zu tanzen. Und die Röcke des Mädchens flogen. Fast kindisch vor Glück, ergriffen die Männer abwechselnd die Hand des Mädchens, machten ziemliche, alberne Verbeugungen und küßten sie. Dann und wann jubelte einer von ihnen:»Wir sind jung, wir sind jung!«

Als der vierzehnjährige Nichtsnutz, angezogen durch den Lärm, der aus dem niedrigen Hause an sein Ohr drang, durch das Schlüsselloch sah, erblickte er eine alte Frau und zwei alte Männer, die sich in törichtem Übermut und chemisch erzeugter Laune wie Rangen gebärdeten, indem sie die Alte im Kreise herumschleppten und ihre welken Finger mit halbvertrockneten Lippen berührten. Denen ist nicht zu helfen, dachte der Vierzehnjährige und ging seiner Wege.

1951

Der Fremde

Der Emir Usrug hatte auf seinen Kriegszügen so viele Herden erobert, daß der Brandzeichner fünf Tage zu tun hatte, um die Tiere zu zählen. Der Emir Usrug war jung und sein Herz mildtätig, und als er Halîma, seine dritte Frau, heiratete, schenkte er jedem Stammesangehörigen ein Kamel, ein halbes Pfund Kaffee und ein viertel Pfund Tabak, damit er diesen Tag unbekümmert und in Freuden verlebte. Kurz vor der Hochzeit ließ der Emir meinen Großvater, der für ihn eine Herde hütete, zu sich kommen und sagte zu ihm: Mein Diener! Du hast das Glück, durch mich am Leben zu sein. Reite sofort nach Daya el Arzas und lasse Dir im Zelt des Emirs Agwad, den ich mir hundertmal unterwarf, Kaffee geben. Und wenn Du getrunken und Dich ausgeruht hast, dann verkünde ihm, daß sein Stamm mir ab heute keine Abgaben mehr zu zahlen braucht und daß ich auch auf alle Sklaven verzichte, die er mir zu schicken verpflichtet ist. Sage ihm, wenn er fragt, daß er dieses der Schönheit Halîmas, meiner zukünftigen Frau, zu verdanken hat und habe ein aufmerksames Ohr für die Worte seiner Genugtuung, die er mich durch Dich hören lassen wird. Reite schnell. Mein Mitleid ist groß, aber wenn Du binnen neun Tagen nicht zurückkehrst, werde ich Dich finden und Dir Deinen Kopf abschlagen lassen. Mein Großvater entgegnete darauf: O Emir! Drei Tage benötigt ein guter Reiter, um nach Daya el Arzas zu gelangen. Ich werde diese Strecke in zwei Tagen zurücklegen und Dich am fünften wissen lassen, welche Worte des Dankes der Emir Agwad finden konnte. Darauf trat mein Großvater aus dem Zelt des Emirs, schwang sich auf sein Pferd und ritt davon. Mein Großvater ritt so schnell, daß er den Wind überholte, und es hatte den Anschein, als ob er bereits nach vier Tagen zurück sein würde. Er hatte schon eine gute Strecke Wegs hinter sich gebracht, da verspürte er plötzlich einen heftigen Schmerz in der Kehle. Der Reiter deutete diesen Schmerz und erschrak: sein Kopf saß lose auf dem Rumpf; etwas Entsetzliches stand ihm bevor. – Aber lassen wir meinen Großvater reiten, und sehen wir uns an, was zu der Zeit, da er unterwegs war, im Zelte des Emir Agwad geschah. Dieser nämlich hatte seine Araber zu sich rufen lassen und sprach zu ihnen: Meine Reiter! Hundertmal hat uns der Emir Usrug durch Übermacht und List zu seinen Sklaven gemacht. Er hat uns gezwungen, ihm Abgaben zu schicken, und zu allem hat er mir, Eurem Emir, auferlegt, den Eintreiber des Tributs in meinem Zelt mit Kaffee zu bewirten. Das ist eine große Demütigung. Wir werden das nicht länger dulden. Wir werden noch einmal gegen ihn kämpfen und ihn diesmal töten. Haltet Euch bereit! Und wer dem Eintreiber, der in diesen Tagen zu uns nach Daya el Arzas kommen muß, den Kopf abschlägt, erhält ein Mutterkamel und sein Junges zur Belohnung. Und nun geht und wartet auf meine Befehle.

Kehren wir jetzt wieder zu meinem Großvater zurück. Er war bereits einen Tag und eine halbe Nacht geritten, und seine Befürchtungen, daß ihm etwas Entsetzliches zustoßen könnte, waren groß. Da entdeckte er in der Wüste einen Fremden, der sein Kamel vor Hunger und Durst geschlachtet hatte. Seine Kräfte hatten ihn nahezu verlassen. Er lag ausgestreckt neben den Resten des geschlachteten Tieres und röchelte. Mein Großvater stieg ab, und da sah er, daß dieser Fremde eine helle Hautfarbe hatte. Der Fremde sagte mit geschlossenen Augen: Gib mir ein wenig Wasser, und wenn ich getrunken habe, einige wenige Datteln. Und wenn es mir besser geht, gib mir mehr von beiden. – Mein Großvater gab, worum der Fremde ihn bat, und er hielt sich – zumal er ja neun Tage Zeit hatte – einen Vormittag bei ihm auf. Als er sah, daß der Bedürftige seine Kräfte allmählich wiedererlangte, hieß er ihn zu sich auf das Pferd steigen, und sie ritten langsam in die Richtung, wohin sich mein Großvater zu begeben hatte. Während sie unterwegs waren, sprach der Fremde: Du hast mir mein Leben gerettet, sag, womit ich es Dir entgelten lassen kann. – Mein Großvater antwortete: Es war meine Pflicht, Dir zu helfen. Wenn Du mir etwas schenken willst, so schenke mir Dein Vertrauen. Woher bist Du? – Der Fremde sprach: Ich komme weit her und will mit Euren Stämmen Handel treiben. Das Land, in dem ich geboren wurde, hat nicht soviel Sonne wie das Eurige. Auf meinem Weg bezwang mich der Hunger. – Mein Großvater sagte: Du hast mir Dein Vertrauen geschenkt, und ich werde mich dessen würdig erweisen. Höre denn, daß ich einen glücklichen Auftrag habe. Der Emir Usrug sendet mich zum Emir Agwad, den er sich hundertmal unterwerfen konnte und der bis gestern verpflichtet war, meinem Emir Abgaben und Sklaven zu schicken. Ich soll dem Emir Agwad die Nachricht bringen, daß mein Emir Usrug hinfort auf alle diese Abgaben verzichtet und daß die beiden Stämme, die sich gegenseitig soviel Blut genommen haben, künftig ohne Waffen miteinander leben sollten. – Hier schwieg mein Großvater, und der Fremde schwieg auch. Am Abend gelangten sie in ein stilles Tal, und da das Pferd vom Gewicht beider Männer müde war, stiegen sie ab, entzündeten ein Feuer, aßen schweigend und beschlossen dann, sich schlafen zu legen und ihren Weg am nächsten Morgen fortzusetzen. Da der Fremde mehr fror als mein Großvater, gab ihm dieser seine Decke. Bald waren beide Männer eingeschlafen.

Als mein Großvater erwachte, war er über die Maßen erschreckt. Er stellte fest, daß mit dem Fremden auch das Pferd, der Vorrat an Wasser und die Nahrungsmittel verschwunden waren. Er dachte, wahrscheinlich haben Räuber den Mann, dem ich das Leben rettete, entführt. Sie werden mir auch das Pferd gestohlen haben. Mir aber bleibt nichts anderes zu tun übrig, als einen jungen Wüstenhasen zu fangen, ihn zu essen und mich zu Fuß auf den Weg zu machen. In zwei Tagen könnte ich in Daya el Arzas sein. Wenn ich dort ein gutes Pferd bekäme, könnte ich dem Emir Usrug immer noch zur Zeit Nachricht bringen.

Lassen wir meinen Großvater nun allein und kehren wir zum Zelte des Emirs Agwad zurück. Dieser ließ gerade einem hellhäutigen Mann Kaffee bereiten und hörte aufmerksam den Bericht des Fremden an. Der Fremde sprach: O Emir! Ich habe einen Mann getroffen, der Euch

Böses antun will. Er möchte Abgaben eintreiben und Sklaven wegführen. Wenn ich nicht so erschöpft gewesen wäre, hätte ich mich in einen Kampf eingelassen und ihn getötet. Dieser Mann sagte, er käme von Emir Usrug. Der Emir Usrug sei arm geworden und wolle die Abgaben, die ihr ihm zu zahlen habt, erhöhen. Darauf sprach der Emir Agwad: Dank sei Dir, Fremdling. Ich werde zwanzig Reiter ausschikken, damit sie dem Eintreiber den Kopf abschlagen.

Wenden wir uns nun wieder meinem Großvater zu. Er hatte einen Wüstenhasen mit der Lanze erlegt und war schon viele Stunden marschiert, da sah er einen Reiter auf sich zukommen. Dieser Reiter befehligte die zwanzig Männer, die der Emir Agwad ausgeschickt hatte. Da er sich aber das Mutterkamel und das Junge selbst verdienen wollte, hieß er die Reiter, die ihm untergeordnet waren, warten und zog allein meinem Großvater entgegen, um ihn zu töten. – Als mein Großvater bemerkte, daß der Reiter, der ihm entgegenkam, nichts Gutes im Schilde führte, ließ er ihn herankommen, und als jener sein Schwert ziehen wollte, durchbohrte ihn mein Großvater mit der Lanze. Er warf die Leiche auf den Boden und stieg in den Sattel. Froh, auf so leichte Art und so unverhofft zu einem Pferd gekommen zu sein, ritt er seinen Weg. Da sprengten plötzlich die zwanzig Reiter gegen ihn vor. Mein Großvater, in der Annahme, es seien Räuber, zog besonnen sein Schwert und tötete achtzehn von ihnen. Zwei konnten entfliehen. Sie ritten bis zum Zelt des Emir Agwad und berichteten ihm erhitzt, was sich an Schrecklichem ereignet hatte. Der Emir befahl darauf fünfhundert Reitern, aufzusitzen und gegen meinen Großvater zu ziehen. Der Fremde blieb im Zelt des Emirs zurück.

Als mein Großvater die vielen Araber auf sich zukommen sah, verließ ihn nicht der Mut. Als die erste Welle auf Rufnähe herangekommen war, schrie er: Ich komme in glücklichem Auftrag zu Euch! – Der Emir Agwad aber, der die fünfhundert Reiter selbst führte, rief: Glaubt ihm nicht. Es ist eine List. Tötet ihn! – Nun ritten fünfzig Reiter gegen meinen Großvater vor. Er erschlug vierzig von ihnen. Von der nächsten Welle tötete er alle und von der übernächsten wiederum vierzig. Als der Emir Agwad das sah, verließ ihn die Kraft zu weiteren Befehlen, und er rief zu meinem Großvater, der durch die Anstrengung sehr ermattet war und einen nächsten Angriff nicht überstanden hätte: Ich werde mich zu Fuß zu Dir begeben, und Du wirst mir sagen, wie Dein Auftrag lautet! – Mein Großvater stieg daraufhin auch von seinem

Pferd und berichtete dem Emir Agwad, was der Emir Usrug ihm aufgetragen hatte. Als der Emir Agwad das hörte, schenkte er meinem Großvater die Pferde der Gefallenen, und alle Männer ritten jubelnd nach Daya el Arzas zurück. Der Emir ließ meinen Großvater in sein Zelt bitten, um ihm Kaffee zubereiten zu lassen. Da begegnete ihnen der Fremde. Der Emir Agwad sagte: Dieser Fremde hat mir Unwahres berichtet. Er ist schuld an dem Tod meiner Reiter. Befiehl Du, welche Strafe er empfangen soll. – Mein Großvater sagte: Laß ihn vier Tage in die Wüste reiten und ihm dann sein Pferd fortnehmen. Der Fremde wurde hinausgeführt, aber bevor man ihm noch ein Pferd gegeben hatte, kamen die empörten Frauen der Gefallenen und warfen ihn und sein Gewehr ins Feuer.

Der Emir Agwad aber sprach zu meinem Großvater: Wenn Du zurückgekehrt bist, so unterrichte den Emir Usrug, daß er mich von nun an als seinen treuesten Freund betrachten kann. Und laß nicht aus, was ein Fremder Furchtbares an uns verübte. Du darfst die Pferde mitnehmen und hundert Kamele dazu, sie sind Dein Eigentum.

Und mein Großvater ritt zurück und konnte schon nach sieben Tagen dem Emir Usrug die Worte der Genugtuung überbringen, die der Emir Agwad finden konnte.

1951

Licht im Stall

Der Vater kam zurück; seine Ärmel waren aufgekrempelt, und seine schweißbedeckten, harten Arme glänzten unter der elektrischen Birne. Er war sehr ernst. Er preßte die Lippen fest aufeinander und wischte sich mit einem groben Taschentuch über die Stirn. Dann setzte er sich auf den Hocker, den er selbst gemacht hatte, und sah auf seine Stiefel. An den Sohlenrändern klebten Lehm und Stroh, und der Vater nahm einige Strohhalme, säuberte sie vom Lehm, betrachtete sie wie aus großer Entfernung und warf sie auf den Fußboden. Ich konnte nicht hören, daß er atmete. Er schien sich zugeschlossen zu haben, wie einer, der fürchtet, etwas könnte in ihn eindringen oder aus ihm herausbrechen. Er blickte nicht ein einziges Mal ins Licht. Wir fühlten, daß er in Frieden gelassen werden wollte, und keiner von uns sprach ein Wort. Die Uhr zählte und multiplizierte monoton vor sich hin. Der

Vater bückte sich und löste vom Sohlenrand ein Lehmklümpchen. Er behielt das Klümpchen in der Hand. Er knetete es nicht, und er betrachtete es auch nicht.

Auf dem Tisch standen drei tiefe Teller; das Essen war fertig, und wir alle hatten Hunger, aber in diesem Augenblick hätte keiner von uns essen können. Ich wußte, daß es Kartoffeln geben sollte, Kohl, und viel Fleisch. Bei solchen Ereignissen hatte es bisher immer viel Fleisch gegeben. Der Vater hob seine Hand, drehte sie langsam, und dabei fiel das Lehmklümpchen auf den Boden. Er legte seine Hand auf die Tischkante, und ich sah das pralle Astwerk der Adern auf dem Handrücken.

Draußen war es sehr dunkel und sehr windig. Der Wind räumte den Hof auf und die Felder; er duckte das Unkraut am Graben und zerrte unverdrossen an allem, was lose war. Es gab viel, daran er zerren konnte. Die Katze schlich vom Herd weg, sie verschwand unter den Tisch. Dann entdeckte ich sie hinter den Stiefeln des Vaters. Mißtrauisch und voller Hoffnung beobachtete sie das Lehmklümpchen, das der Vater hatte fallen lassen. Schließlich wagte sie sich aus ihrer Dekkung hervor und schlich ganz nahe an das Klümpchen heran. Sie beroch es, schob es mit ihrer Nase wenige Millimeter weiter und sah fragend, enttäuscht, zum Vater auf. Die Katze sah den Vater an, als erwarte sie eine Erklärung.

Der Vater bewegte sein langes, kantiges Kinn. Seine Augen waren fast geschlossen. Am rechten Unterarm zuckte ein Muskel. Er machte den Eindruck, als habe er in seinem Leben noch nie ein Wort gesprochen. – Dann stand er auf. Er stand plötzlich auf, und er war groß, und es schien nichts in der Stube zu sein außer ihm. Der Vater blickte uns nicht an, er streckte den Arm aus und ergriff die Klinke, und dann war er weg.

Wir hörten ihn über den Hof gehen, obwohl es draußen windig war. Seine Schritte dröhnten gewaltig zu uns herein. Wir hörten, wie er die Stalltür öffnete und wie der Wind die Stalltür gegen die Mauer warf und der Vater sie endlich schloß.

Nach einer Weile trat ich ans Fenster. Durch den Stall schaukelte eine Karbidlampe, und manchmal tauchte über der Karbidlampe das Gesicht des Vaters auf. Ich zweifelte nicht daran, daß sein Gesicht sehr ernst war, Der Hund kroch in den Verschlag. Seine Halskette rasselte und scheuerte sich am Holz. Der Hund war still.

Der Vater mußte die Karbidlampe an der Stallwand befestigt haben, denn sie bewegte sich nicht mehr. Er mußte sich auch hingesetzt haben, denn sein Gesicht erschien nicht mehr hinter dem Fenster. Ich schob die Blumentöpfe zur Seite und zog den Hocker vor das Fenster, damit ich es bequemer hätte und den Stall länger beobachten könnte. Im Stall war es gewiß ebenso warm wie hier in der Stube. Ich drehte mich um und hob das Lehmklümpchen wieder auf. Ich hielt es fest umschlossen und spürte, wie der Schweiß aus der Innenfläche meiner Hand brach. Die Karbidlampe blinkte schwach und traurig durch die Dunkelheit, ihr Schein zwängte sich durch sie und ich wunderte mich, wie das ohne ein Geräusch geschehen konnte.

Vor zwei Jahren hatte der Vater das Fenster gekittet, und ich bemerkte nun, daß der Kitt brüchig und altersschwach geworden war, und daß er sich mit dem Zeigefinger leicht herauslösen ließ. Ich nahm ein Stückchen Kitt und tat es zu dem Lehmklümpchen. Die beiden vertrugen sich aber nicht, und ich warf den Kitt auf die Erde und behielt das Lehmklümpchen in der Hand. Jetzt schaukelte die Karbidlampe einmal durch den Stall. Der Vater machte sie an einer anderen Stelle fest. Ich sah seine entblößten Arme sehr deutlich.

Wir warteten lange auf ihn. Plötzlich ging die Stalltür auf, und der Vater winkte mir, zu ihm herüberzukommen. Er ergriff meine Hand und zog mich in den Stall. Er deutete auf einen Strohhaufen, auf dem ein Pferd lag und uns zitternd aus großen, dunklen Augen entgegensah. Der Vater ging zu dem Pferd und streichelte es einmal flüchtig, und wie mir schien, verlor es etwas von seiner Angst.

Dann brachte er mich zu einem anderen Strohhaufen, auf dem ein Fohlen lag, hilflos und naß. Der Vater nahm eine Handvoll Stroh, drehte es zusammen und gab es mir. »Wisch das Tier ab«, sagte er.

Ich kniete mich hin und begann mit meiner Arbeit, und als ich der Vater einmal von der Seite beobachtete, glaubte ich, daß er lächelte.

1951

Budzereit wird überrascht

Der alte Budzereit sah ihn zuerst; er beobachtete genau, wie der Herr aus seinem dunkelgrauen Auto kletterte, wie er den teuren Mantel ordnete und die kurzen Ärmchen ausstreckte, auf die ihm sein Chauffeur dann – behutsam und eins nach dem andern – die frisch eingepackten Pakete legte. Offenbar wollte es sich der Herr nicht nehmen lassen, die selber ausgewählten und von geübten Händen verpackten Geschenke auf seinen eigenen Ärmchen ins Haus zu tragen. Der alte Budzereit lehnte an der Barackentür, er fror ein wenig, aber er mochte nicht hineingehen; er war es gewohnt, vor der Baracke zu stehen und die Vorübergehenden zu grüßen und ihnen nachzublicken, solange es möglich war. Zuweilen drehte sich einer, der vorübergegangen war, nach ihm um und winkte zaghaft – die Fremden vor allen anderen –, und der Alte hob dann seine Hand und winkte müde und glücklich zurück.

Als der Herr aus seinem Wagen stieg, griff Budzereit nach seiner Mütze und zog sie vom Kopf herunter, und er stand für einen Augenblick barhäuptig in der kalten Dezemberluft, hoffend, der Herr werde seinen Gruß doch noch bemerken und erwidern. Aber der Herr, dem die Baracke gehörte und den der Budzereit seit fünf Jahren zu grüßen trachtete, übersah diese Grüße, oder, wenn er sie nicht übersehen konnte, erwiderte er sie nicht. Der Budzereit wagte nicht, ihn anzusprechen, denn er hatte von jüngeren Leuten gehört, daß der Besitzer traurig wäre ob der Tatsache, daß in der Baracke nicht – wie früher – gewinnbringende Ware lagerte, sondern daß sie fremden Menschen als Obdach diente. Nachdem er das gehört hatte, überlegte er, ob es nicht ratsam wäre, den Herrn doch anzuhalten und ihm zu versichern, daß seine, Budzereits, Tage auf die Neige gingen, und daß der Herr sich schon ausrechnen sollte, welche Waren er in dem Raum unterbringen könnte, den der Budzereit noch bewohnte. Er hatte aber noch nie die rechte Gelegenheit dafür gefunden, und jetzt, wenige Stunden vor dem Heiligen Abend, wollte er es auch nicht tun. Vielleicht hätte der Herr sich erschrocken, wenn man ihn angesprochen hätte, und vielleicht wären ihm die Pakete, die der Chauffeur vorsichtig und besorgt ihm auf die kurzen Ärmchen legte, heruntergefallen.

Andererseits glaubte Budzereit, daß er dem Besitzer durch seine Erklärung eine gute Weihnachtsfreude bereiten könnte, um die er ihn brachte, wenn er sich ihm nicht näherte. Wenn der Herr nun aber Angst hätte vor ansteckenden Krankheiten – die Armut ist ansteckend, und die Sehnsucht und die Traurigkeit –, wenn der Herr sich also vor ihm fürchtete und mit schnellen, schwachen Beinchen in sein warmes Haus liefe? Und ihn vielleicht aus einem Fenster des zweiten Stockes zurechtwiese? Was dann? Budzereit liebte keinen Streit, erst recht nicht mit dem Herrn und schon gar nicht so kurz vor dem Heiligen Abend.

Der Herr hatte schon einen Stapel Pakete ins Haus getragen, nun kam er zurück, bleich und ein wenig entkräftet von der ungewohnten Anstrengung. Er streckte die Arme nicht mehr so forsch aus wie das erste Mal. Sein Chauffeur reichte ihm diesmal auch weniger Pakete aus dem Wagen. Budzereit zählte sie: es waren vier. Obenauf lag das größte, ein fast quadratischer Karton, der in gelbes, mit Tannenzweigen bedrucktes Papier eingeschlagen war. Der Herr flüsterte dem Chauffeur etwas zu und wankte durch den Schnee zu seinem Haus. Der Chauffeur ließ den Motor an, und an der Stelle, wo das Auspuffrohr endete, wurde der Schnee schmutzig, und dann machte das Auto einen Bogen und hielt vor der festen Garage. Nachdem das Tor geöffnet worden war, fuhr das Auto in die Garage ein, und der summende Motor verstummte.

Der alte Budzereit hatte nichts mehr zu sehen, und er prüfte nun den Himmel, er sah ihn sich darauf an, ob er bald neuen Schnee schicken werde und er klappte mit seinem Stock gegen die Borke eines Baumes, in der der Frost saß. Der Baum trug eine blendende Schneemütze, und als Budzereit gegen den Stamm pochte, fiel etwas aus dem Rand der Schneemütze auf den Boden.

Im warmen Haus waren die Fenster erleuchtet. Gewiß war der Herr dabei, sich von der Mühe zu erholen und die Pakete so zu verwahren, daß sie in den nächsten Stunden nicht gefunden werden würden.

Eine Hand legte sich auf Budzereits Rücken, er drehte sich langsam um und erkannte einen anderen Alten, der auch in der Baracke wohnte. »Na«, sagte der. »Budzereit, du stehst und wartest ja wie im Sommer. Es ist doch kalt, Menschenskind.«

Budzereit nickte. »Es wird Zeit. Ich werde jetzt reingehen und den Ofen anmachen. Ich habe mir noch ein paar Stücke Holz gespart für heute abend. Was machst du?«

»Na, das weiß ich noch nicht.«

Budzereit ging in seinen Raum und machte Feuer im Ofen. Er setzte sich auf den Hocker und wartete, und allmählich wurde es schön warm in seinem Raum und sein Gesicht rötete sich ein wenig, weil er sehr nahe in die Glut blickte. Er wartete und dachte nach, und seine Erinnerung war bei ihm. Das verflossene arme Leben kam zu ihm herein, und er hatte gute Gesellschaft.

Heute knisterte nicht der Frost in den Barackenwänden, nur im Ofen knallten lustig die Tannenzapfen, die er im Herbst gesammelt hatte. Der alte Budzereit stand auf und ging an sein Bett, und unter dem Kopfkissen holte er ein weißes Talglicht hervor. Er zündete es an, und das Licht brannte still und ruhig. Er sah zu, wie die flüssige Masse an einer Seite des Lichts herabtropfte, und er nahm ein Streichholz und verstärkte damit den oberen Rand. Dann klopfte es. Budzereit ging zur Tür und öffnete. Draußen stand ein Weihnachtsmann mit frostroten Backen und Ohren und mit einem unechten Bart. ›Einer von den jungen Leuten‹, dachte Budzereit. Der Weihnachtsmann griff schweigend in einen Sack und brachte ein Paket zum Vorschein. Er legte das Paket hastig in Budzereits Hände und ging wortlos weg. Der Alte schlurfte zum Licht und besah sich aufmerksam, was er empfangen hatte. Das Paket kam ihm bekannt vor. Er öffnete den Karton und fand ein Paar warme Hausschuhe darin. Er stellte die Schuhe neben das Licht.

Und plötzlich wußte er, wo er das gelbe, mit Tannenzweigen bedruckte Papier gesehen hatte.

Er schaute nach draußen: die Fenster, hinter denen der Herr wohnte, waren im Augenblick nicht erleuchtet.

1951

Der Läufer

Eine klare, saubere Stimme bat im Lautsprecher um Ruhe für den Start, und es wurde schnell still im Stadion. Es war eine grausame Stille, zitternd und peinigend, und selbst die Verkäuferinnen in den gestärkten Kitteln blieben zwischen den Reihen stehen. Alle sahen hinüber zum Start des 5000-Meter-Laufes; auch die Stabhochspringer unterbrachen ihren Wettkampf und legten die Bambusstangen auf den Rasen und blickten zum Start. Es war nicht üblich, daß man bei einem 5000-Meter-Lauf um Ruhe für den Start bat, man tat das sonst nur bei den Sprintstrecken, aber diesmal durchbrachen sie ihre Gewohnheit, und alle wußten, daß ein besonderer Lauf bevorstand.

Sechs Läufer standen am Start, standen gespannt und bewegungslos und dicht nebeneinander, und es war so still im Stadion, daß das harte Knattern des Fahnentuchs im Wind zu hören war. Der Wind strich knapp über die Tribüne und fiel heftig in das Stadion ein, und die Läufer standen mit gesenkten Gesichtern und spürten, wie der Wind ihren Körpern die Wärme nahm, die die Trainingsanzüge ihnen gegeben hatten.

Die Zuschauer, die in der Nähe saßen, erhoben sich; sie standen von ihren Plätzen auf, obwohl der Start völlig bedeutungslos war bei einem Lauf über diese Distanz; aber es zog sie empor von den feuchten Zementbänken, denn sie wollten ihn jetzt wiedersehen, sie wollten ihn im Augenblick des Schusses antreten sehen, sie wollten erfahren, wie er loskam. Er hatte die Innenbahn gezogen, und er stand mit leicht gebeugtem Oberkörper da, das rechte Bein etwas nach vorn gestellt und eine Hand über dem Schenkel. Er war der älteste von den angetretenen Läufern, das sahen sie alle von ihren Plätzen, er war älter als alle seine Gegner, und er hatte ein ruhiges, gleichgültiges Gesicht und eine kranzförmige Narbe im Nacken: er sah aus, als ob er keine Chance hätte. Neben ihm stand der Marokkaner, der für Frankreich lief, ein magerer, nußbrauner Athlet mit stark gewölbter Stirn und hochliegenden Hüften, neben dem Marokkaner standen Aimo und Pörhöla, die beiden Finnen, und dann kam Boritsch, sein Landsmann, und schließlich, ganz außen, Drouineau, der mit dem Marokkaner für Frankreich lief. Sie standen dicht nebeneinander in Erwartung des Schusses, und er sah neben dem Marokkaner schon jetzt müde und besiegt aus; noch bevor der Lauf begonnen hatte, schien er ihn verloren zu haben.

Manche auf den Bänken wußten, daß er schon über dreißig war, sie wußten, daß er in einem Alter lief, in dem andere Athleten längst abgetreten waren, aber bei seinem Namen waren sie gewohnt, an Sieg zu denken. Sie hatten geklatscht und geklatscht, als sie durch den Lautsprecher erfahren hatten, daß er in letzter Minute aufgestellt worden war; man hatte seinetwegen einen jüngeren Läufer vom Start zurückgezogen, denn der Gewinn des Länderkampfes hing jetzt nur noch vom Ausgang des 5000-Meter-Laufes ab, und man hatte ihn, den Ersatzmann, geholt, weil er erfahrener war und taktisch besser lief, und weil man sich daran gewöhnt hatte, bei seinem Namen an Sieg zu denken. Der Obmann der Zeitnehmer schwenkte am Ziel eine kleine weiße Fahne, der Starter hob die Hand und zeigte, daß auch er bereit sei, und dann sagte er mit ruhiger Stimme »Fertig« und hob die Pistole. Er stand einige Meter hinter den Läufern, ein kleiner, feister Mann in hellblauem Jackett; er trug saubere Segeltuchschuhe, und er hob sich, während er die Pistole schräg nach oben richtete, auf die Zehenspitzen; sein rosiges Gesicht wurde ernst und entschlossen, ein Zug finsterer Feierlichkeit glitt über dieses Gesicht, und es sah aus, als wolle er in dieser gespannten Stille der ganzen Welt das Kommando zum Start geben. Er sah auf die Läufer, sah auf ihre gebeugten Nacken, er sah sie zitternd unter den Stößen des Windes dastehen, und er dachte für einen Augenblick an die Zeit, als er selber im Startloch gekauert hatte, einer der besten Sprinter des Kontinents. Er spürte, wie in der furchtbaren Sekunde bis zum Schuß die alte Nervosität ihn ergriff, die würgende Übelkeit vor dem Start, von der er sich nie hatte befreien können, und er dachte an die Erlösung, die immer erfolgt war, wenn er sich in den Schuß hatte fallen lassen. Er schoß, und der Wind trieb die kleine, bläuliche Rauchwolke auseinander, die über der Pistole sichtbar wurde.

Die Läufer kamen gut ab, sie gingen schon in die Kurve, und an erster Stelle lief er, lief mit kurzen, kraftvollen Schritten, um sich gleich vom Feld zu lösen. Hinter ihm lag der Marokkaner, dann kamen Boritsch und Drouineau, und die Finnen bildeten den Schluß. Seine rechte Hand war geschlossen, die linke offen, er lief schwer und energisch, mit leicht auf die Seite gelegtem Kopf, er ließ den Schritt noch nicht aus der Hüfte pendeln, sondern versuchte erst, durch einen Spurt freizukommen, und er hörte das Brausen der Stimmen, hörte die murmelnde Bewunderung und die Sprechchöre, die gleich nach dem Schuß eingesetzt hatten und jetzt wie ein skandiertes Echo durch das Stadion klangen. Über sich hörte er ein tiefes, stoßartiges Brummen, und er wußte, daß es der alte Doppeldecker war, und während er lief, fühlte er den Schatten des niedrig fliegenden Doppeldeckers an sich vorbeiflitzen, und dann den Schatten des Reklamebandes, mit dem der Doppeldecker seit einigen Stunden über dem Stadion kreiste. Und in das Brummen hinein riefen die Sprechchöre seinen Namen, die Sprechchöre sprangen wie Fontänen auf, hinter ihm und vor ihm, und Fred Holten, der älteste unter den Läufern, lief die Zielgerade hinunter und lag nach der ersten halben Runde acht Meter vor dem Marokkaner. Der Marokkaner lief schon jetzt mit langem, ausgependeltem Schritt, er lief mit Hohlkreuz und ganz aus der Hüfte heraus, und sein Gesicht glänzte, während er ruhig seine Bahn zog.

Vom Ziel ab waren noch zwölf Runden zu laufen; zwölfmal mußten die Läufer noch um die schwere, regennasse Bahn. Die Zuschauer setzten sich wieder auf die Bänke, und die Verkäuferinnen mit den Bauchläden gingen durch die Reihen und boten Würstchen an und Limonade und Stangeneis. Aber die Stimmen, mit denen sie ihr Zeug anboten, klangen dünn und verloren, sie riefen hoffnungslos in diese Einöde der Gesichter hinein, und wenn sich gelegentlich einer der Zuschauer an sie wandte, dann nur mit der Aufforderung, zur Seite zu treten.

Im Innenraum der zweiten Kurve nahmen die Stabhochspringer wieder ihren Wettkampf auf, aber er wurde wenig beachtet; niemand interessierte sich mehr für sie, denn die deutschen Teilnehmer waren bereits ausgeschieden, und es erfolgte nur noch ein einsames Stechen zwischen einem schmächtigen, lederhäutigen Finnen und einem Franzosen, die beide im ersten Versuch dieselbe Höhe geschafft hatten und nun den Sieger ermittelten. Sie ließen sich Zeit dabei und zogen nach jedem Sprung ihre Trainingsanzüge an, machten Rollen auf dem feuchten Rasen und liefen sich warm.

Fred ging mit sicherem Vorsprung in die zweite Kurve, er brauchte den Vorsprung, denn er wußte, daß er nicht stark genug war auf den letzten Metern; er konnte sich nicht auf seinen Endspurt verlassen, und darum lief er von Anfang an auf Sieg. Er ging hart an der Innenkante in die Kurve hinein, und sein Schritt war energisch und schwer. Er lief nicht mit der Gelassenheit des Marokkaners, nicht mit der federnden Geschmeidigkeit der Finnen, die immer noch den Schluß bildeten, er lief angestrengter als sie, kraftvoller und mit kurzen, hämmernden Schritten, und er durchlief auch die zweite Kurve fast im Spurt und lag auf der Gegengeraden fünfzehn Meter vor dem Marokkaner.

Als er am Start vorbeiging, hörte er eine Stimme, und er wußte, daß es die Stimme von Ahlborn war; er sah ihn an der Innenkante auftauchen, sah das unruhige Frettchengesicht seines Trainers und seinen blauen Rollkragenpullover, und jetzt beendete er den ersten Spurt und pendelte sich ein.

»Es ist gutgegangen«, dachte Fred, »bis jetzt ist alles gutgegangen. Nach zwei Runden kommt der erste Zwischenspurt, und bis dahin muß ich den Vorsprung halten. El Mamin wird jetzt nicht aufschließen; der Marokkaner wird laufen wie damals in Mailand, er wird alles in den Endspurt legen.«

Auch Fred lief jetzt aus der Hüfte heraus, sein Schritt wurde ein wenig leichter und länger, und sein Oberkörper richtete sich auf. Er kam sich frei vor und stark, als er unter dem Rufen der Sprechchöre und dem rhythmischen Beifall in die Kurve ging, und er hatte das Gefühl, daß der Beifall ihn trug und nach vorn stieß – der prasselnde Beifall ihrer Hände, der Beifall der organisierten Summen in den Chören, die seinen Namen riefen und ihn skandiert in den Wind und in das Brausen des Stadions schrien, und dann der Beifall der einzelnen, die sich über die Brüstung legten und ihm winkten und ihm ihre einzelnen Schreie hinterherschickten. Sein Herz war leicht und drückte nicht, es machte noch keine Schwierigkeiten, und er lief für ihren Beifall, lief und empfand ein heißes, klopfendes Gefühl von Glück. Er kannte dieses Gefühl und dieses Glück, er hatte es in hundert Läufen gefunden, und dieses Glück hatte ihn verpflichtet und auf die Folter genommen, es hatte ihn stets bis zum Zusammenbruch laufen lassen, auch dann, wenn seine Gegner überrundet und geschlagen waren; er war mit einer siedenden Übelkeit im Magen weitergelaufen, weil er wußte, daß er auch gegen alle abwesenden Gegner und gegen die Zeit lief, und jeder seiner Läufe hatte in den letzten Runden wie ein Lauf ums Leben ausgesehen.

Fred sah sich blitzschnell um, er wußte, daß es ihn eine Zehntelsekunde an Zeit kostete, aber er wandte den Kopf und sah zu dem Feld zurück. Es hatte sich nichts verändert an der Reihenfolge, der Marokkaner lief lauernd und mit langem Schritt, hinter ihm lagen Boritsch und dann der zweite Franzose und zum Schluß die beiden Finnen. Auch die Finnen waren schon ältere Läufer, aber keiner von ihnen war so alt wie Holten, und Fred Holten wußte, daß das sein letzter Lauf war, der letzte große Lauf seines Lebens, zu dem sie ihn, den Ersatzmann, nur aufgestellt hatten, weil der Gewinn des Länderkampfes vom Ausgang des 5000-Meter-Laufes abhing: sie hätten ihn nicht aufgestellt, wenn die Entscheidung des Dreiländerkampfes bereits gefallen wäre.

Er verspürte ein kurzes, heftiges Zucken unter dem linken Auge, es kam so plötzlich, daß er das Auge für eine Sekunde schloß, und er dachte:»Jesus, nur keine Zahnschmerzen. Wenn der Zahn wieder zu schmerzen beginnt, kann ich aufgeben, dann ist alles aus. Ich muß den Mund schließen, ich muß die Zunge gegen den Zahn und gegen das Zahnfleisch drücken, einen Augenblick, wenn nur der Zahn ruhig bleibt.« Und er lief mit zusammengepreßtem Mund durch die Kurve und wieder auf die Zielgerade unter der Tribüne, und der Zahnschmerz wurde nicht schlimmer.

An der Kurve hinter dem Ziel hing ein großes, weißes Stoffplakat, unter dem mächtig der Wind saß; es war ein Werbeplakat, und die Buchstaben waren schwarz und dickbäuchig und versprachen: Mit Hermes-Reifen geht es leichter. Fred sah das riesige Stoffplakat wie eine Landschaft vor sich auftauchen, es bauschte sich ihm entgegen, und als er einmal schnell den Blick hob und auf den oberen Rand des Plakates sah, erkannte er das lange strohige Haar von Fanny. Und neben ihrem Haar erkannte er den grünlichen Glanz eines Ledermantels, und er wußte, daß es der Mantel von Nobbe war, und während er hart die Kurve anging, fühlte er sich unwiderstehlich hinausgetragen aus dem Stadion; er lief jetzt ganz automatisch, lief mit schwingenden Schultern und überließ die Kontrolle des Laufs seinen Beinen, und dabei trug es ihn hinaus aus dem Stadion. Er sah, obwohl er längst in der Kurve war, immer noch das Gesicht von Fanny vor sich, ein spöttisches, wachsames Gesicht unter dem strohigen Haar, und neben diesem Gesicht den Korpsstudentenschädel von Nobbe, sein kurzes, mit Wasser gekämmtes Haar, sein gespaltenes Kinn und den fast lippenlosen Mund. Und während er ganz automatisch lief, pendelnd jetzt und mit langem Schritt, sah er die Gesichter immer mehr auf sich zukommen, sie wurden groß und genau und bis auf den Grund erkennbar, und es war ihm, als liefen die Gesichter mit ... er sah das mit Mörtel beworfene Haus und dachte an die Schienen hinter dem Haus und an den Hafen, der damals still und verlassen war und voll von Wracks. Dahin ging er, als er aus der Gefangenschaft kam. Er ging den Kai entlang auf das Haus zu und sah hinab auf das Wasser, das an den Duckdalben hochschwappte und schwarz war, und im Wasser schwammen verfaulte Kohlstrünke, Dosen und Kistenholz. Es war niemand auf dem Kai außer ihm, und es roch stark nach Öl und Fäulnis und nach Urin. Hier auf dem Kai drehte er sich aus Kippen die letzte Zigarette, er rauchte sie zur Hälfte, schnippte sie ins Wasser, und dann sah er zu dem Haus hinüber und verließ den Kai. Er ging unter verrosteten Kränen hindurch, die von den Laufschienen heruntergerissen waren; sie lagen verbogen und langhalsig auf der Erde, und ihre Sockel waren unten weggespreizt wie die Beine einer trinkenden Giraffe. Dann ging er zu dem Haus. Es stand für sich da auf einem Hügel, und man konnte von ihm über den ganzen Hafen sehen und über den Strom. Hinter dem Haus liefen Schienen; vor dem Haus wuchs ein einzelner Birnbaum, der Birnbaum war klein und alt und blühte.

Fred ging den Hügel hinauf und betrat das Haus, es hatte keine Außentür, und er stand gleich im Flur. Er wollte sich umsehen, da entdeckte er über sich, auf der Treppe, das Gesicht des Jungen. Der Junge hatte ihn vom Fenster aus beobachtet, und jetzt lehnte er sich über das Geländer der Treppe zu ihm hinab und zeigte mit der Hand auf ihn und sagte: »Ich weiß, wer du bist«, und dann lachte er.

»So«, sagte Fred, »wenn du mich kennst, dann weiß ich auch, wer du bist.«

»Rat mal, wie ich heiß«, sagte der Junge.

»Timm«, sagte Fred. »Wenn du mich kennst, kannst du nur Timm sein.« Und er lachte zu dem barfüßigen Jungen hinauf und nahm den Rucksack in die Hand und stieg die Treppen empor. Der Junge erwartete ihn und nahm ihm den Rucksack ab. Fred legte dem Jungen die Hand auf das blonde, verfilzte Haar, und beide gingen zu einer Tür. »Hier ist es«, sagte der Junge, »hier kannst du reingehen.«

Fred klopfte und drückte die Tür nach innen auf, und ein Geruch von feuchten Fußabtretern strömte an ihm vorbei. Er blieb auf dem kleinen Korridor stehen, nahm dem Jungen den Rucksack aus der Hand und setzte ihn auf den Boden.

»Wir sind da«, flüsterte der Junge, »ich werde sie holen.« Er verschwand hinter einer Tür, und Fred hörte ihn einen Augenblick flüstern. Dann kam er zurück, und hinter ihm tauchte eine Frau in einem großgeblümten Kittel auf, es war eine ältere Frau, schwer und untersetzt, mit einem mächtigen, gewölbten Nacken und geröteten Kapitänshänden. Sie hatte ein breites Gesicht, und ihr Kopf nickte bei jedem Schritt wie der Kopf einer Taube. Sie begrüßte Fred, indem sie ihm wortlos die Kapitänshand reichte, aber plötzlich wandte sie das Gesicht ab und ging nickend wieder in die Küche zurück, und Fred sah, daß die Alte weinte.

»Los«, sagte der Junge, »geh auch in die Küche. Sie wird dir Kaffee kochen.« Und als Fred zögerte, schob ihn der Junge über den Korridor und in die Küche hinein. Er schob ihn bis zu einem der beiden Hocker, dann ging er um ihn herum und stieß ihm beide Hände in den Bauch, so daß Fred einknickte und auf den Hocker fiel. »Gut«, sagte der Junge, »jetzt hol ich noch deinen Rucksack.«

Die Alte saß auf einem Hocker vor dem Herd, still und in sich versunken, sie saß bewegungslos da, und ihr Blick ruhte auf dem alten Birnbaum.

Fred sah sich schnell und vorsichtig in der Küche um, sah die Reihe der Näpfe entlang, die auf einem Bord standen, auf die Herdringe, die an einem Haken hingen, und schließlich blieb sein Blick an einem weinroten Sofa hängen, das in einer Ecke der Küche stand. Das Sofa war schäbig und durchgelegen, an einigen Stellen quoll das Seegras hervor, es war breit und hatte sanfte Rundungen, und Fred spürte, daß es ihn zu diesem Sofa zog.

»Da«, sagte der Junge, »da hast du deinen Rucksack«, und er schleifte den Rucksack vor Freds Füße.

Dann ging er zu der Alten hinüber, tippte ihr auf den gewölbten Nacken und sagte: »Koch ihm Kaffee, Mutter, koch ihm eine Menge Kaffee. Er hat Durst. Erst einmal soll er trinken.« Der Junge stieg auf das Sofa und holte eine Tasse vom Bord herab und stellte sie auf den Tisch. Dann setzte er sich neben dem Rucksack auf die Erde und sagte: »Wann wirst du den Rucksack auspacken?«

»Bald«, sagte Fred.

»Darf ich dann zusehen?«

»Ja.«

»Gut«, sagte der Junge, »das ist ein Wort.« Er begann den Stoff des Rucksackes zu betasten, und dabei blickte er fragend zu Fred auf. Plötzlich stand die Frau auf und zog einen Napf vom Bord herab, sie öffnete ihn und nahm eine Karte heraus, und mit der Karte ging sie auf Fred zu und sagte: »Da hab ich sie noch. Es ist die letzte, die ankam. Da haben Sie noch mit unterschrieben.«

»Ja«, sagte Fred, »ja, ich weiß.«

»Wie lange wird es dauern«, fragte die Frau, »sie werden ihn doch nicht ewig behalten. Er muß doch mal nach Hause kommen.«

»Sicher«, sagte Fred. »Wir waren bis zuletzt zusammen.« Und er dachte an das schmächtige Bündel unten am Donez, an den vergnügten, kleinen Mann, dem wenige Tage vor der Entlassung herabstürzende Kohle das Rückgrat zerschmettert hatte. Er dachte an Emmo Kalisch und an den Augenblick, als sie ihn mit zerschmettertem Rückgrat auf die Pritsche hoben, und er sah wieder das vergnügte, pfiffige Gesicht, in dem noch ein Ausdruck von List lag, als der Arzt zweifelnd die Schultern hob.

»Er wird es schon machen«, sagte Fred, »ich bin sicher, er wird bald nachkommen.«

»Ja«, sagte die Frau. »Er hat geschrieben, daß Sie bei uns wohnen werden. Sie können hier wohnen, Sie können auf dem Sofa schlafen.«

»Koch ihm Kaffee«, sagte der Junge. »Er soll erst trinken, dann wollen wir den Rucksack auspacken.«

»Du hast recht, Junge«, sagte die Alte, »ich werde ihm Kaffee kochen.«

Fred spürte nichts als eine große Müdigkeit, und er blickte sehnsüchtig zum Sofa hinüber, während die Frau den Napf wegsetzte und mit ruhiger Kapitänshand den Kessel auf das Feuer schob. »Er hat oft von Ihnen geschrieben«, sagte sie, ohne sich zu Fred umzudrehen. »Fast in jedem Brief hat er von Ihnen erzählt. Und er hat auch Bilder geschickt von Ihnen.«

»Ja«, sagte Fred und prüfte die Länge des Sofas und überlegte, ob er die Beine überhängen lassen oder sie anziehen sollte.

Die Müdigkeit wurde schmerzhaft, und nachdem er Kaffee getrunken hatte, schob er dem Jungen den Rucksack zu und sagte: »Du kannst ihn allein auspacken, Timm. Schütt ihn einfach aus. Und was du nicht brauchen kannst, gib deiner Mutter oder leg es auf die Fensterbank.«

Und dann rollte er sich auf dem weinroten Sofa zusammen und drehte sich zur Wand und schlief. Er schlief den ganzen Nachmittag und die Nacht und auch den späten Vormittag, und als er die Augen öffnete, sah er das große nickende Gesicht der Frau und die ruhigen Kapitänshände, die ihm Brot und Kaffee auf den Tisch stellten. »Wir haben nicht viel«, sagte sie, »aber im September sind die Birnen soweit.«

Fred blieb auf dem Sofa liegen. Er bröckelte sinnierend das Brot in sich hinein und trank bitteren Kaffee, dann drehte er sich zur Wand, zog die Beine an und schlief der nächsten Mahlzeit entgegen. Der Dampf aus den Töpfen zog sanft über ihn hinweg, und wenn er nicht schlief und dösend die Wand anstarrte, hörte er das Klappern von

Geschirr hinter sich und das Rattern der Deckel, wenn das Wasser unter ihnen kochte.

Fred blieb auf dem schäbigen Sofa liegen, er blieb Tag um Tag da, und es sah aus, als werde er es nie mehr freigeben. Nur an den Sonntagen konnte Fred nicht schlafen, an den Sonntagen wehten ferne Schreie zu ihm in die Küche, und ein dumpfes Brausen von Stimmen, und er drehte sich weg von der Wand, starrte auf die Decke und lauschte. Jeden Sonntag lauschte er, und als der Junge einmal hereinkam, zog er ihn an das Sofa und sagte:

»Was ist das, Timm? Woher kommen die Stimmen?«

Und der Junge sagte: »Vom Sportplatz.«

»Bist du auch da?«

»Ja«, sagte der Junge, »ich bin immer da.«

Dann ließ Fred das Handgelenk des Jungen los und starrte wieder auf die Decke. Er lag dösend da, kaute das Essen in sich hinein und schien sich nicht mehr lösen zu können von dem weinroten Sofa. Aber eines Tages, an einem Sonntag, lange bevor das Brausen der Stimmen zu ihm hereinwehte, stand er auf und begann, sich über dem Ausguß zu rasieren. Er tat es mit soviel Sorgfalt, daß die Frau und der Junge erschraken und annahmen, er wolle sie verlassen. Er aß auch nichts an diesem Morgen, er trank nur eine Tasse Kaffee und stand auf, nachdem er sie getrunken hatte, und dann ging er ans Fenster und sagte:

»Wann gehst du, Timm?«

»Wir können gleich gehen«, sagte der Junge. Er war überrascht, und aus seiner Antwort klang Freude.

Sie gingen zusammen zum Sportplatz, es war ein kleiner, von jungen Pappeln umstandener Sportplatz, ohne Tribüne und abgestufte Plätze, die Aschenbahn war an der Außenkante weich und aus billiger Schlakke aufgeschüttet, und eine Menge glitzernder Brocken lagen auf ihr herum. Eine Walze lag in der Nähe, dicht vor der Umkleidekabine, aber sie war tief eingesunken in den Boden und zeugte davon, daß sie kaum gebraucht wurde. Der Rasen war dünn und schmutzig und vor den Toren von einer Anzahl brauner Flecken unterbrochen, die Fred an das durchgescheuerte Sofa in der Küche erinnerten. Er stützte sich auf das Geländer, das die Aschenbahn von den Zuschauern trennte, und sagte: »Na, alle Welt ist es nicht mit euerm Sportplatz.« Dann kletterten sie unter dem Geländer hindurch und betraten die Aschenbahn, sie standen einen Augenblick nebeneinander und blickten über das genaue Oval des Platzes, und die Sonne brachte die billige Schlacke zum Funkeln. Sie waren noch allein auf der Aschenbahn, und obwohl der Platz klein und schäbig war und ohne Tribüne, hatte er etwas Anziehendes, er hatte etwas von einem Veteranen mit seinen Narben und braunen Flecken und all den Wunden vergangener Kämpfe; überall waren Spuren, Kratzer und Löcher, und an der Innenkante der Aschenbahn war die Schlacke festgetreten und hart von den Sohlen der Langstreckler. Er war nicht gepflegt und frisiert wie die großen Stadien, auf denen nach jedem Wettkampf die Spuren emsig entfernt wurden. Mit diesem schäbigen Vorstadtplatz trieben sie keine Kosmetik; er sah narbenbedeckt und ramponiert aus und zeigte für die Dauer einer Trockenzeit all die Spuren der Siege und Niederlagen, die auf ihm erkämpft oder erlitten wurden. Das war der Platz zwischen den jungen, staubgepuderten Pappeln draußen am Hafen, schorfig und mitgenommen, ein Platz letzter Güte, und dazu stieß er mit einer Seite noch an eine Fischfabrik, von der auch am Sonntag ein scharfer Gestank herüberwehte.

Sie machten ein paar Schritte auf der Aschenbahn, und plötzlich hob der Junge den Kopf und sagte:»Du hast lange geschlafen, warst du so müde, daß du so lange geschlafen hast?«

»Ja«, sagte Fred,»ja, Junge. Ich war verdammt müde. Wenn man so müde ist, braucht man lange, bis man zu sich kommt.«

»Bist du immer noch müde?«

»Nein, jetzt nicht mehr. Jetzt bin ich wieder da.«

»Kannst du gut laufen?«fragte der Junge und kauerte sich hin.

»Ich weiß nicht«, sagte Fred.»Ich habe keine Ahnung, ob ich gut laufen kann. Ich hab das noch nicht ausprobiert.«

»Bist du noch nie gelaufen?«

»Doch, Junge«, sagte Fred,»ich bin eine Menge gelaufen. Durch die Täler des Kaukasus bin ich gelaufen und durch die Sonnenblumenfelder von Stawropol, ich bin, als sie mit ihren Panzern kamen, immer vor ihnen hergelaufen, über die Krim und durch die ganze Ukraine. Nur kurz vor dem Ziel, da schnappten sie mich. In den Sümpfen an der Weichsel, Junge, da holten sie mich ein, weil sie die bessere Lunge hatten. Ich war fertig damals, das war der Grund.«

Der Junge hörte ihm nicht zu, er stand, während Fred sprach, geduckt und in Laufrichtung, und als Fred jetzt zu ihm hinübersah, wandte er ihm blitzschnell das Gesicht zu und rief:

»Komm, hol mich ein!«

Und dann flitzte er barfuß an der Innenkante der Aschenbahn in die Kurve. Fred blickte den nackten Beinen nach, die über die Aschenbahn fegten und kleine Brocken der Schlacke hochschleuderten, er sah das hingebungsvolle, verkrampfte Gesicht des Jungen, seine Verbissenheit, die heftig rudernden Arme, und er wußte, daß er den Jungen enttäuschen würde, wenn er nicht mitliefe. Timm war schon in der Mitte der Kurve, gleich würde er auf der Gegengeraden sein und herübersehen und dabei bemerken, daß ihm niemand folgte, und Fred lächelte und lief los. Er zuckelte gemächlich an der Innenkante entlang, immerfort zu dem Jungen hinübersehend, er lief lässig und mit langem Schritt und lachte über die verkrampfte Anstrengung seines Herausforderers, der immer weiter lief auf der Gegengeraden und den Lauf auf eine ganze Runde angelegt zu haben schien. Fred ließ ihm den Vorsprung bis zur zweiten Kurve, aber unvermutet, ohne daß er seinen Beinen einen Befehl gegeben hätte, begann er schneller zu laufen, das Lächeln verschwand aus seinem Gesicht, sein Schritt wurde energisch, und er hatte nur noch das Gefühl, daß er den Jungen einholen müßte. Mit jedem Meter, um den er den Vorsprung des Jungen verringerte, fühlte er sich glücklicher; es war ein unerwartetes Glück, das er verspürte, und er hatte jetzt nur noch den Wunsch, diesen Lauf zu gewinnen. Aus dem Jungen war plötzlich ein Gegner geworden, und Fred sah nicht mehr die wirbelnden Beine und die Verbissenheit des kleinen, sonnenverbrannten Gesichts, das ihn zum Lächeln gebracht hatte, er bemerkte nur noch, wie der Vorsprung zusammenschrumpfte, wie der Junge langsamer wurde und sich mit einem Ausdruck höchster Angst umsah, und die Angst im Gesicht des Jungen erhöhte Freds Geschwindigkeit. Dieser schnelle, ängstliche Blick zeigte ihm, daß der Junge ausgepumpt war und nur noch fürchtete, auf den letzten Metern überholt zu werden, und Fred sprintete durch die Kurve und fing den Jungen auf der Zielgeraden ab, wenige Schritte vor der Stelle, von der sie losgelaufen waren. Der Junge setzte sich auf den Rasen und atmete heftig.

Er sah ausgepumpt und fertig aus, und keiner sprach ein Wort, während er sich langsam erholte. Fred setzte sich auf das Geländer, er saß mit baumelnden Beinen da und beobachtete den Jungen. Er fühlte, daß etwas in ihm vorgegangen war, und er spürte noch immer das Glück dieses kleinen Sieges. Und nach einer Weile sprang er auf die

Erde und ging zu dem Jungen hinüber. Er legte ihm eine Hand auf das blonde, verfilzte Haar und sagte:»Du warst gut, Junge, auf den ersten Metern warst du unerhört stark. Du hast mir allerhand zu schaffen gemacht. Wirklich, Junge, ich hatte eine Menge zu tun, bevor ich dich hatte. Du wirst noch mal ein guter Läufer.« Der Junge hob den Kopf und blickte in Freds Gesicht. Fred lächelte nicht, und der Junge stand auf und gab ihm die Hand.»Macht nichts«, sagte er,»dafür bist du älter.«

Fred umarmte ihn, zog ihn an sich und fühlte den warmen Atem des Jungen durch das Hemd an seine Haut dringen. Dann gingen sie wieder hinter das Geländer, und jetzt sahen sie, daß sie nicht mehr allein waren auf dem Platz. Zwei Männer und ein Mädchen kamen die Aschenbahn herab, das blonde Mädchen ging zwischen ihnen, es hatte einen der Männer eingehakt. Der Mann, den das Mädchen eingehakt hatte, war blaß und schmalschultrig, er hatte einen Trainingsanzug an und trug ein Paar Nagelschuhe in der Hand, und sein Gesicht war verschlossen und zu Boden gesenkt. Der andere der Männer trug Zivil. Er war untersetzt und gut genährt und hatte einen Schädel wie ein Würfel. Als sie auf gleicher Höhe waren, rief Timm einen Gruß hinüber, und der Mann im Trainingsanzug sah erstaunt auf und rief einen Gruß zurück. Auch die anderen beantworteten den Gruß, aber sie nickten nur gleichgültig. Sie gingen hinüber zur Umkleidekabine, der Mann in Zivil schloß sie auf, und alle verschwanden darin.

»Das war Bert«, sagte der Junge.»Der im Trainingsanzug heißt Bert Steinberg. Er ist unser bester Läufer und gewinnt jedesmal. Ich hab noch nie gesehn, daß er verloren hat. Er ist der Beste im ganzen Verein.«»Er sah gut aus«, sagte Fred,»er hat eine gute Läuferfigur.«

Fred sah hinüber zur Umkleidekabine, und plötzlich stand er auf und ging, ohne auf den Jungen zu achten, auf die braune Baracke mit dem Teerdach zu, und hier lernte er sie kennen. Er lernte Nobbe kennen, den gutgenährten Mann mit dem Korpsstudentenschädel, und kurz darauf Bert und auch Fanny, seine Verlobte. Nobbe war Vorsitzender des Hafensportvereins, kein übler Mann, wie sich herausstellte; er war freundlich zu Fred und erklärte ihm, daß dieser Verein eine große Tradition habe, eine Läufertradition: Schmalz sei aus diesem Verein hervorgegangen, der große Schmalz, der Zweiter wurde bei den Deutschen Meisterschaften. Er selbst, Nobbe, habe früher in der Staffel gelaufen, viermal vierhundert, und sie hätten einen Preis geholt bei den Norddeut-

schen Meisterschaften. Dieser Verein pflege vor allem die Läufertradition, denn der Lauf, ob man nun wolle oder nicht, sei die älteste Sport-
art, das Urbild des Sports, und man könne wohl sagen, daß gerade wir
Deutschen den abendländischen Sinn des Laufens verstanden hätten.
Nobbe war Zahnarzt. Er freue sich, daß er Bert entdeckt habe, er sei
»gutes Material«, und aus ihm ließe sich etwas machen. Aber er freue
sich auch über jeden andern, der im Verein mitarbeiten wolle, und Fred
sei, wenn er Lust habe, eingeladen.

»Wir geben eine Menge auf Läufertradition«, sagte er, »wir sind
nicht viele, aber wir halten gut zusammen.« Nobbe gab ihm die Hand,
und dann kam auch Bert über den Gang und gab ihm die Hand, und
Fred sah, daß auch Fanny ihm zunickte. Sie wollten einen verschärften
Trainingslauf machen an diesem Morgen, und nach einer Weile kamen
auch noch ein paar andere Läufer in die Baracke, alle begrüßten sich
und gingen dann in ihre Kabinen und machten sich fertig. Fred stand
draußen auf dem Gang und hörte, wie sie sich unterhielten. Er hörte
auch, daß sie von ihm sprachen, Nobbe erzählte ihnen, daß er mitmachen wolle, und als sie einzeln aus ihren Kabinen heraustraten,
kamen sie zu ihm und gaben ihm die Hand. Es waren gesunde, aufgeräumte Jungen, nur Bert war scheu und blaß und ruhiger als sie. Zuletzt, als alle draußen waren, kam Nobbe zu Fred. Er legte ihm die
Hand auf die Schulter und sagte: »Haben Sie Freunde?«

»Nein«, sagte Fred, »ich habe keine Freunde.«

»Ein Mensch muß doch Freunde haben.«

»Ich hatte einen«, sagte Fred, »er ist weg.«

»Sie werden bald Freunde haben«, sagte Nobbe. »Die Jungen sind
gut, Sie werden Augen machen. Wir tun alles für sie.« »Glaub ich«,
sagte Fred.

»Sie sind alle eine Klasse für sich, diese Jungen. Das Laufen verbindet. Wenn Männer zusammen laufen, dann verbindet sie das.«

»An welchen Tagen trainieren Sie?« fragte Fred.

»Zweimal in der Woche, wir trainieren am Dienstag und am Freitag.
Und am Sonntag machen wir ein Extra-Training. Am Sonntag ver-
schärftes Training, lange Strecke.«

»Ich weiß nicht«, sagte Fred, »wahrscheinlich gehe ich auf lange
Strecke. Ich habe es noch nicht ausprobiert. Ich müßte es versuchen.«

»Noch nie gelaufen?«

»Nur auf dem Rückzug.«

»Das beste Training«, sagte Nobbe, »für einen Langstreckenläufer das beste Training.« Er lachte und schob Fred in die Kabine, und dann gab er ihm eine Turnhose und warf ihm die Hallenschuhe von Bert zu und sagte: »Das erste Mal wird es auch mit Hallenschuhen gehen. Machen Sie schnell, die Jungen sind schon warm draußen. Bert hat seine Spikes. Er braucht die Hallenschuhe nicht.«

Fred zögerte, aber nach einer Weile zog er sich um und ging hinaus. Er spürte einen grausamen Druck in der Magengegend, als er ins Freie trat, und er sah, daß sie ihre Warmlaufübungen unterbrachen und ihn musterten. Sie hatten alle noch ihre Trainingsanzüge an, er war der einzige, der schon in der Turnhose dastand. Er hatte das Gefühl, daß seine Eingeweide gegen die Wirbelsäule gepreßt wurden, er hätte alles dafür gegeben, wenn er jetzt noch hätte aussteigen können, aber Nobbe rief sie nun alle an die Plätze, und es war zu spät.

Die famosen Jungen stellten sich an der Startlinie auf. Es waren auch ein paar Zuschauer da, die unruhig über dem morschen Holzgeländer hingen und ab und zu etwas herüberriefen, und plötzlich hörte Fred auch seinen Namen, und als er den Kopf zur Seite wandte, entdeckte er Timm. Er saß auf dem Geländer und lachte, und sein Lachen war hell und ermunternd.

Dann gab Nobbe das Zeichen zum Start, und sie liefen los. Der Lauf war auf dreitausend Meter angesetzt, eine Distanz, die bei Wettkämpfen nicht gelaufen wird, aber für einen Steigerungslauf, dafür war diese Strecke gut. Fred ging sofort an die Spitze, und schon nach vier Runden hatte er die famosen Jungen abgehängt, nur Bert ließ sich noch von ihm ziehen, aber ihn schüttelte er nach der fünften Runde ab, und dann wurde sein erster Lauf ein einsames Rennen für ihn, er lief leicht und regelmäßig, in einem Takt, den er nicht zu bestimmen brauchte, er spürte nicht seine Beine, nicht sein Herz, er spürte nichts auf der Welt als das Glück des Laufens, seine Schultern, die Arme, die Hüften: alles ordnete sich ein, diente dem Lauf, unterstützte ihn, und er gab keinen Meter an die Jungen ab, und als er durch das Ziel lief, blieb er stehen, als wäre nichts geschehen. Die zwei Dutzend Zuschauer krochen unter dem Geländer durch und starrten ihn ungläubig an, es waren Veteranen des Vereins, fördernde Mitglieder, und sie umkreisten und beobachteten ihn und taxierten seine Figur. Zwischen ihnen bahnte sich Timm mühevoll einen Weg, und als er Fred vor sich hatte, lief er auf ihn zu und schlang seine Hände um Freds Leib und hielt ihn fest.

Nobbe blickte auf die Stoppuhr, ging mit dem Zeigefinger über die Zahlenskala, zählte, und nachdem er die Zeit ausgerechnet hatte, kam er zu Fred und sagte:

»Gut. Das war eine saubere Zeit. Das war die beste Zeit, die bei uns gelaufen wurde. Ich habe nicht genau gestoppt. Aber die Zeit ist unverschämt gut. Um acht fünfzig.«

»Das ist nicht wichtig«, sagte Fred, »für mich ist das nicht entscheidend.«

Er entdeckte das blasse Gesicht von Bert und ging zu ihm, und Bert drückte ihm die Hand.

»Ich bin mit Ihren Schuhen gelaufen«, sagte Fred.

»Macht nichts«, sagte Bert.

»Vielleicht ging's darum so gut.«

»Ich hoffe, Sie bleiben bei uns.«

»Er wohnt bei uns«, rief Timm, »er ist ein Freund von meinem Bruder, und er schläft jetzt bei uns in der Küche.«

»Um so besser«, sagte Bert, »dann bleiben Sie wirklich bei uns. Ich würde mich freuen.« Und Fanny nickte ... An dies und an seine Anfänge damals im Hafensportverein dachte er, und jetzt waren noch genau vier Runden zu laufen, und Fred wußte, daß dies sein letzter Lauf war. Der Gewinn des Ländervergleichskampfs hing nur noch vom 5000-Meter-Lauf ab. Wer diesen Kampf gewann, hatte den Vergleichskampf gewonnen, daran konnte auch das Ergebnis bei den Stabhochspringern nichts mehr ändern.

Sie liefen immer noch in derselben Reihenfolge, der Marokkaner hinter ihm, und dann, dicht aufgeschlossen, Boritsch, Drouineau und die beiden Finnen. Das Stadion war gut zur Hälfte gefüllt, es waren mehr als zwanzigtausend Zuschauer da, und diese mehr als zwanzigtausend wußten, worum es ging, und sie schrien und klatschten und feuerten Fred an. In das Brausen ihrer Sprechchöre mischte sich das Brummen des alten Doppeldeckers, der in großen Schleifen Reklame flog, er kreiste hoffnungslos da oben, denn niemand sah ihn jetzt. Alle Blicke waren auf die Läufer gerichtet, mehr als vierzigtausend Augen verfolgten jeden ihrer Schritte, hängten sich an, liefen mit: es gab keinen mehr, der sich ausnahm, sie waren alle dabei; auch die, die auf den Zementbänken saßen, fühlten sich plötzlich zum Lauf verurteilt, auch sie kreisten um die Aschenbahn, hörten die keuchende Anstrengung des Gegners, spürten den mitleidlosen Widerstand des Windes und die

Anspannung der Muskeln, es gab keine Entfernung, keinen Unterschied mehr zwischen denen, die auf den Zementbänken saßen, sie waren jetzt angewiesen aufeinander, sie brauchten sich gegenseitig. Dreieinhalb Runden waren noch zu laufen; die Bahn war schwer, aufgeweicht, eine tiefhängende Wolke verdeckte die Sonne, schräg jagte ein Regenschauer über das Stadion. Der Regen klatschte auf das Tribünendach und sprühte über die Aschenbahn, und die Zuschauer auf der Gegenseite spannten ihre Schirme auf. Die Gegenseite sah wie ein mit Schirmen bewaldeter Abhang aus, und über diesem Abhang hing der Qualm von Zigaretten, von Beruhigungszigaretten. Sie mußten sich beruhigen auf der Gegenseite, sie hielten es nicht mehr aus. Fred lief auf das riesige weiße Stoffplakat zu, er hörte die Stimme seines Trainers, der ihm die Zwischenzeit zurief, aber er achtete nicht auf die Zwischenzeit, er dachte nur daran, daß dies sein letzter Lauf war. Auch wenn er siegte, das wußte er, würden sie ihn nicht mehr aufstellen, denn dies war der letzte Start der Saison, und im nächsten Jahr würde es endgültig vorbei sein mit ihm. Im nächsten Jahr würde er fünfunddreißig sein, und dann würde man ihn um keinen Preis der Welt mehr aufstellen, auch sein Ruhm würde ihm nicht mehr helfen.

Er ging mit schwerem, hämmerndem Schritt in die Kurve, jeder Schritt dröhnte in seinem Kopf, schob ihn weiter – zwei letzte Runden, und er führte immer noch das Feld an. Aber dann hörte er es, hörte den keuchenden Atem hinter sich, spürte ein brennendes Gefühl in seinem Nacken, und er wußte, daß El Mamin jetzt kam. El Mamin, der Marokkaner, war groß auf den letzten Metern, er hatte es in Mailand erfahren, als der nußbraune Athlet im Endspurt davonzog, hochhüftig und mit offenem Mund. Und jetzt war er wieder da, schob sich in herrlichem Schritt heran und ließ sich ziehen, und beide lagen weit und sicher vor dem Feld: niemand konnte sie mehr gefährden. Hinter ihnen hatten sich die Finnen vorgearbeitet, Boritsch und Drouineau waren hoffnungslos abgeschlagen – hinter ihnen war der Lauf um die Plätze entschieden. Fred trat kürzer und schneller, er suchte sich frei zu machen von seinem Verfolger, aber der Atem, der ihn jagte, verstummte nicht, er blieb hörbar in seinem Nacken. Woher nimmt er die Kraft, dachte Fred, woher nimmt El Mamin diese furchtbare Kraft, ich muß jetzt loskommen von ihm, sonst hat er mich; wenn ich zehn Meter gewinne, dann kommt er nicht mehr ran.

Und Fred zog durch die Kurve, zusammengesackt und mit schweren

Armen, und stampfte die Gegengerade hinab. Er hörte, wie sie die letzte Runde einläuteten, und er trat noch einmal scharf an, um sich zu befreien, aber der Befehl, der im Kopf entstand, erreichte die Beine nicht, sie wurden um nichts schneller. Sie hämmerten schwer und hart über die Aschenbahn, in gnadenloser Gleichförmigkeit, sie ließen sich nicht befehlen. El Mamin kam immer noch nicht. Auch er kann nicht mehr, dachte Fred, auch El Mamin ist fertig, sonst wäre er schon vorbei, er hätte den Endspurt früher angesetzt, wenn er die Kraft gehabt hätte, aber er ist fertig und läßt sich nur ziehen. Aber plötzlich glaubte er den Atem des Marokkaners deutlich zu spüren. Jetzt ist er neben mir, dachte Fred, jetzt will er vorbei. Er sah die nußbraune Schulter neben sich auftauchen, den riesigen Schritt in den seinen fallen: der Marokkaner kam unwiderstehlich auf. Sie liefen Schulter an Schulter, in keuchender Anstrengung, und dann erhielt Fred den Schlag. Es war ein schneller, unbeweisbarer Schlag, der ihn in die Hüfte traf, er hatte den Arm des Marokkaners genau gespürt, und er taumelte gegen die Begrenzung der Aschenbahn, kam aus dem Schritt, fing sich sofort: und jetzt lag El Mamin vor ihm. Einen Meter vor sich erblickte Fred den Körper des nußbraunen Athleten, und er lief leicht und herrlich, als wäre nichts geschehen. Niemand hatte die Rempelei gesehen, nicht einmal Ahlborns Frettchengesicht, und der Marokkaner bog in die Zielgerade ein.

Hundert Meter, dachte Fred, er kann nicht mehr, er kann den Abstand nicht vergrößern, ich muß ihn abfangen. Und er schloß die Augen und trat noch einmal an; seine Halsmuskeln sprangen hervor, die Arme ruderten kurz und verkrampft, und sein Schritt wurde schneller. Ich habe ihn, dachte er, ich gehe rechts an ihm vorbei. Und als er das dachte, stürzte der Marokkaner mit einem wilden Schrei zusammen, er fiel der Länge nach auf das Gesicht und rutschte über die nasse Schlacke der Aschenbahn.

Fred wußte nicht, was passiert war, er hatte nichts gespürt; er hatte nicht gemerkt, daß sein Nagelschuh auf die Ferse El Mamins geraten war, daß die Dornen seines Schuhs den Gegner umgeworfen hatten, er wußte nichts davon. Er lief durch das Zielband und fiel in die Decke, die Ahlborn bereithielt. Er hörte nicht die klare, saubere Stimme im Lautsprecher, die ihn disqualifizierte, er hörte nicht den brausenden Lärm auf den Tribünen; er ließ sich widerstandslos auf den Rasen führen, eingerollt in die graue Decke, und er ließ sich auf die nasse Erde nieder und lag reglos da, ein graues, vergessenes Bündel.

1951

Der Ball der Saboteure

Die plötzlich ausgegebene Parole hieß: Nebengleis, und der Treffpunkt war, wie so oft, der Palazzo Pomplioni, ein Gebäude von melancholischer Eleganz, dessen Rückseite von den trüben Wassern des Canale Puerto umspült wurde. Sie kamen aus aller Welt, aus allen Zeiten, Winkeln und Enden; manche trugen Beulen an den Köpfen, weil sie an zu vielen Dingen Anstoß genommen hatten; andere, und das waren gewiß nicht die Schlechtesten, jammerten laut, weil ihnen mit Geigergeräten ausgerüstete Zöllner das Contregepäck fortgenommen hatten. Sie erschienen vollzählig, mit unterschiedlicher Wäsche zwar, aber alle trugen die Zeichen eines vollkommenen Glücks in ihren Zügen. Wie das Ballprotokoll verriet, stand ihnen ein unsäglicher Genuß bevor, der Genuß nämlich, die Eleven-Saboteure in ihre Gemeinschaft aufzunehmen. Die Eleven-Saboteure würden sich einer Prüfung unterziehen müssen, und man war gespannt darauf, was die heutigen Saboteure noch zu leisten vermochten.

Pan Bucharin und Pontius Pilatus machten die Honneurs; Charlotte Corday, eine fanatische Pin-up des achtzehnten Jahrhunderts (die die Französische Revolution sabotierte, indem sie Marat in seiner Badewanne erstochen hatte), spielte die Dame des Hauses. Ungeachtet dieser Position versuchte sie es wiederholt, sich auf Sokrates' Schoß zu setzen; aber der alte rhetorische Fallensteller (und Saboteur der Athener Jugendmoral) schien darüber nicht sonderlich entzückt zu sein. Sie plänkelte gelegentlich mit Lessing (dem starrköpfigen Saboteur des französischen Dramas) und verweilte schließlich bei einem gewissen Pompejus Minus, der zu Neros Zeit Gift auf die Weideplätze der kaiserlichen Esel gestreut hatte, und zwar mit der Absicht, die Kaiserin umzubringen, die bekanntlich in der Milch dieser Tiere zu baden pflegte.

Schopenhauer (eingefleischter Saboteur des Lebenswillens und des naiven Astral-Optimismus) mißbilligte Charlottes Treiben heftig und sah, an einen brüchigen Kaminsims gelehnt, wie ein düsterer Vorwurf aus. Auf einem Balkon des Palazzo Pomplioni standen zwei Männer in Badehosen und starrten in den Canale. Es waren die Herren Machiavelli (Saboteur der Freiheit des einzelnen) und Max Stirner (Saboteur der Unfreiheit des einzelnen). Offenbar wollten sie ein Bad nehmen, aber da einer dem andern mißtraute, nahm keiner das Wagnis auf sich, als erster zu springen. Und so blieben sie stehen, lächelten sich zuweilen höflich zu und froren in ihren Badeanzügen heftig.

In einem unzureichend erleuchteten Saal spielten einige Herren in Erwartung der Elevenprüfung das Blas-aus-Spiel: Ausgeblasen werden sollte das Bewußtsein. Die Spielregel schreibt folgendes vor: man stellt etwa vier bis fünf Waschkörbe voll Äpfel bereit. Einer muß sich mit dem Gesicht zur Wand stellen, die andern vier bis zwölf Mitspieler nehmen sich Äpfel und werfen sie gegen seinen Hinterkopf. Der Getroffene muß raten, wer geworfen hat. Rät er richtig, kann er zu den Werfenden zurück, und der von ihm Genannte muß an seine Stelle; rät er falsch, so wird er bis zur Bewußtlosigkeit bombardiert. Aus dem Saal, in dem Blas-aus gespielt wurde, drang ein besonders froher und ausgelassener Lärm. – Andere Gäste ergingen sich im Park und sabotierten einander auf recht kameradschaftliche Weise. Trotzki zum Beispiel sabotierte die Sicherheit der Kleopatra. Er zeigte sich darin nicht ungeschickt: er stand hinter einem Baum, spannte rechtzeitig einen Stolperdraht, und Kleopatra fiel auf die Erde. Ein echt trotzkistischer Vorgang! Er stürzte aus seinem Hinterhalt, hob sie auf und preßte sie an seine patriotische Brust. (Wenn man mir nicht immer die Beispiele herausstriche, könnte ich noch viele Abenteuer erzählen; aber da jede Geschichte nur eine gewisse Länge haben darf, muß ich mich schweren Herzens auf das Notwendige beschränken.)

Die Stunde der Prüfung rückte näher, und die Eleven-Saboteure drängten sich bereits vor dem Saal, in dem eine Jury sie examinieren würde. Pontius Pilatus schleppte Wertungstabellen herbei, und Bucharin machte in einer Ecke Aufzeichnungen zum Problem der metaphysischen Sabotage. Als Charlotte, die auch zur Jury gehörte, an den Prüflingen vorbeiging, hörte man ein staunendes »Ah« und »Oh!«. Einer berührte ihren Rücken, in der Hoffnung, er könnte sie elektrisieren. Dann und wann explodierten Zigaretten, in die jemand kleine Dynamitladungen hineingeschoben hatte, und jedesmal gab es Gelächter. (Der aussichtsreichste Kandidat fiel plötzlich in Ohnmacht: ein Nebenbuhler hatte ihn chloroformiert.)

Schließlich war es soweit: Voltaire erschien und ließ den ersten Prüfling herein. Der Kandidat erzählte etwas von Sabotage in einer Munitionsfabrik. Die Jury sagte lakonisch: »Abgelehnt wegen Harmlosigkeit.«

Der nächste kam herein und erzählte etwas über einen Hafenstreik:

abgelehnt; der übernächste sprach von ideeller Sabotage: abgelehnt; dann kam einer und behauptete, er habe den Plan einiger Anarchisten sabotiert, die vorhatten, die Welt in die Luft zu sprengen. Er erwähnte alle Einzelheiten, und die Zuschauer klatschten vor Begeisterung. Aber die Jury blieb hart: abgelehnt unter Berufung auf den Satz vom zureichenden Grunde.

Es hatte den Anschein, als ob diesmal kein Eleven-Saboteur in die Bruderschaft der Erwachsenen aufgenommen werden könnte. Man rief den letzten Prüfling herein. Er sah auf seine Uhr und zitterte. Dann stammelte er:»Ich habe mir erlaubt, den Ball der Saboteure zu sabotieren. Mit Respekt, es ist jetzt 2 Uhr 19. In 36 Sekunden wird der Palazzo Pomplioni in die Luft fliegen. Mit Hilfe einer Zeitbombe, versteht sich.«

»Fabelhaft!« jauchzten Jury und Gesellschaft,»bravo, bravo – fein gemacht. Ausgezeich–«Weiter kamen sie nicht. Eine gewaltige Detonation erschütterte den Palazzo. Er barst auseinander, und zwischen den schwelenden Ruinen knisterte es: Angenommen!

1952

So leicht fängt man keine Katze

Sie jagten eine alte, gelbgeringte Katze, die sie auf dem verlassenen Bauplatz entdeckt hatten. Das Tier hatte offenbar keine übermäßige Furcht vor den beiden Jungen; es machte ein paar mühelose, fließende Sprünge, erklomm einen Bretterstapel oder Steinhaufen und blinzelte in geduckter Bereitschaft seine Verfolger an. Der Schwanz schlug rhythmisch nach beiden Seiten aus wie ein Pendel, das die Größe der Gefahr maß. Und wenn die Jungen gefährlich nah herangekommen waren, drückte sich das Tier weich und scheinbar ohne Anstrengung vom Boden ab und sprang an einen anderen Ort, wo es sich wiederum hinkauerte und mit angezogenen Pfoten und hin und her zuckendem Schwanz wartete.

»Halt«, sagte einer der Jungen,»das hat keinen Zweck, wir müssen es anders machen.«

»Die fangen wir ja doch nicht.«

»Wenn wir immer hinter ihr herlaufen, bestimmt nicht.«

»Die kriegen wir auch nicht müde.«

»Paß mal auf, darum machen wir das jetzt so: ich komme von dieser Seite und du von der andern. Jeder nimmt sich ein paar Steine.«

»Werfen können wir ja auch von hier.«

»Nein. Du sollst sie ja nicht treffen. Wir wollen sie zum Schuppen jagen, und wenn sie dorthin will, dann knallst du ihr einen Stein vor den Kopf, damit sie die Richtung ändert. Du wirst schon sehen, so kriegen wir sie.«

»Und wenn sie eins abkriegt?«

»Du darfst sie eben nicht treffen, sonst wird sie wild und haut ab.«

»Ich fasse sie nicht an. Hast du gesehen, die hat die Räude. Der Schwanz ist ganz kahl, und auch die Ohren. Ich hab es deutlich erkannt.«

»Also los.«

Sie suchten sich aus einem Kieshaufen glatte Steine heraus, und die alte Katze saß reglos auf einem Bretterstapel und sah ihnen zu. Ihr Schwanz bewegte sich jetzt nicht, das Tier lag da wie erfroren. Nachdem die Jungen einen ausreichenden Vorrat an Steinen gesammelt hatten, schlichen sie sich, gebückt, das Wurfgeschoß nervös umkrallt, von verschiedenen Seiten an die Katze heran, und ihre Verwunderung wuchs, als sie merkten, daß sie diesmal noch näher herankommen konnten als vorher. Aber gerade als einer unter falschen Schmeicheleien die Hand nach dem Tier ausstreckte, fegte es wie ein Blitz an ihnen vorbei und sprang auf die Erde. Fast im gleichen Augenblick surrten zwei Steine durch die Luft, schlugen, eine kleine Staubfontäne hochreißend, an den Boden, und die Katze änderte zweimal ihre Richtung und sauste in wilden Zickzacksprüngen, durch neue Steinwürfe immer wieder irritiert, davon.

»Los, hinterher«, befahl einer, und sie rannten hinter dem Tier her, blieben stehen, warfen und rannten weiter, und manchmal schien es, als ob sich der Vorsprung, den die Katze zu Anfang besessen hatte, allmählich verringerte. Plötzlich wurde das Tier von einem Stein getroffen; es bäumte sich ruckartig auf, stand für eine Sekunde nahezu senkrecht und verschwand. Die Jungen stürmten betroffen heran, die Katze war verschwunden. Es war kein Holz in der Nähe, keine Steine, keine Mischmaschine, nichts, das dem Tier ein Versteck geboten hätte, und doch war es nicht wiederzufinden. Sie suchten fassungslos, mit wütendem Eifer, den Boden ab, und nach einer Weile rief einer von ihnen: »Komm mal her, ich glaube, ich weiß, wo sie ist, siehst du –.« Er deutete auf ein dunkles, gezacktes Brunnenloch, dessen Rand bewachsen und dessen Grund nicht zu erkennen war.

»Da kommt sie nicht wieder raus«, sagte er. »Vielleicht säuft sie ab.«

Der andere legte sich auf den Bauch und horchte in den Schacht hinunter.

»Hörst du was?«

»Sei mal still.«

»Die kommt nicht wieder hoch, da ist Wasser drin.«

»Da ist kein Wasser drin, und das Ding ist auch gar nicht so tief. Paß mal auf.« Er warf einen Stein hinunter, und sie hörten einen dumpfen, festen Aufschlag.

»Wenn Wasser drin wäre, müßte es plätschern.«

Sie standen unschlüssig am Rande des Brunnens; sie wußten, daß sich die Katze hier hineingerettet hatte; und auf einmal sagte der, der hinabgelauscht hatte: »Wir müssen ihr nach.«

»Dort runter?«

»Ja. Es ist nicht tief, wir können springen.«

»Aber du zuerst.«

»Meinetwegen. Du mußt mir aber dein Ehrenwort geben, daß du nachkommst. Abgemacht?«

»Ja.«

Der Junge lächelte zaghaft, es war ihm nicht ganz geheuer. Er spähte angestrengt in den gleichmütig dunklen Schacht hinab, zog seine Hosen hoch, legte die Arme an den Körper und sprang. Ein kurzes, verhaltenes Dröhnen erfolgte, dann wurde es still.

»Hei«, rief er, der noch oben stand. »Pip, was ist denn los? Wie war's denn?« Er erhielt keine Antwort. Besorgt legte er sich an den Rand und versuchte, das Dunkle mit seinen Blicken aufzutrennen – hoffnungslos, er konnte nichts sehen.

»Pip«, rief er, »hörst du mich nicht? Hast du sie gefangen? Soll ich nachkommen?« Es blieb still. Er stand unruhig auf und sah sich um, ob nicht irgendwo ein Mensch zu sehen wäre, aber es war niemand in der Nähe. Da hörte er unvermutet leise Rufe aus dem Schacht, und er warf sich sofort hin und horchte.

»Warum kommst du denn nicht, Kalle? Was ist denn los?«

»Tut's weh?«

»Ach wo«, klang es mühsam herauf, »schön weich.«

»Hast du die Katze?«

»Ja, sie ist hier, sie läßt sich streicheln und schnurrt. Hörst du das nicht? Es ist doch gar nicht tief.«

»Nein, das hör ich nicht.«

»Dann komm doch runter.«

Kalle erhob sich unentschlossen und starrte ängstlich auf die Öffnung. Dann legte er die Hände an den Körper, schloß die Augen und ließ sich fallen. Er hatte das Gefühl, in einen mächtigen, sausenden Sog hineingeraten zu sein, sein Hinterkopf schlug gegen eine Wand, die Hände fuhren wieder hoch und suchten nach einem Halt und dann prallte er auch schon auf den mit Steinen besäten Grund. Sein Fuß knickte ein, er schrie auf und griff verzweifelt um sich.

»Was ist denn los«, fragte der andere, der die Schmerzen schon fast überwunden hatte. »Das geht gleich vorüber. Schau mal, was ich hier hab.« Kalle sah ihn an und erkannte im Dämmerlicht die Katze. Pip hielt sie auf seinem Schoß und streichelte sie, und das Tier ließ sich die Liebkosungen gefallen. Über ihnen stand der ausgezackte Nachmittagshimmel, grau und weit fort.

»Warum hast du mich hier runter gelockt?« sagte Kalle.

»Wieso gelockt? Du wolltest doch auch springen.«

»Ja, aber du sagtest, es sei ganz weich.«

»Wenn ich gesagt hätte, es sei hart, dann wärst du nicht gesprungen.«

»Was sollen wir nun mit der Katze machen? Ich faß sie nicht an.«

»Wir wollen mal abwarten.«

»Und was wird aus uns? Ich möchte wieder rauf.«

»Dann versuch's doch.«

»Du hast Schuld, du hast mich hier runtergelockt.«

»Ich? Sag lieber die Katze.«

»Die Katze und du, ja. Was sollen wir jetzt machen. Soll ich schreien?«

»Man wird dich nicht hören.«

»Ja, aber was ...«

»Warten, wir müssen eben warten, da hilft nichts.«

»Und wenn keiner hierherkommt?«

Pip bewegte hilflos die Schultern.

»Dies verdammte Vieh«, sagte Kalle und stöhnte. »Ich mach es kalt.«

»Du wirst ihr nichts tun.«

»Wirst du das besorgen?«

»Nein, keiner von uns. Ich werde sie laufen lassen.«

»Jetzt?«

»Ja.«

Pip stand auf, hob die Katze auf seinen Händen hoch empor und sagte:»Los, hopp, rauf, mach schon.« Das Tier schnellte hinauf, gelangte mit den Vorderpfoten an den Brunnenrand und zog sich nach oben.

Am Abend suchte eine Frau ihre Katze und wunderte sich, daß sie ihr nicht entgegenlief – trotz der bettelnden und lockenden Rufe. Sie ging zu der Katze hin, nahm sie auf den Arm, und als sie sich mit ihr entfernen wollte, hörte sie Kalle in dem Schacht weinen. Da verständigte sie einige Männer.

1952

Das Wrack

Auf der Heimfahrt entdeckte Baraby das Wrack. Es lag nicht allzu tief, ein langer, dunkler Schatten, der die Farbe der Wasseroberfläche veränderte; es mußte ein älteres Wrack sein, denn er hatte in letzter Zeit von keinem Schiffsuntergang gehört, und es lag weitab von der Fahrrinne. Es lag in der Nähe der Halbinsel, wo der Strom mehr als vier Meilen breit war, und es gab dem Wasser über ihm die Farbe eines alten Bleirohrs, stumpf und grau.

Baraby hatte das Wrack nie zuvor entdeckt, obwohl er den Fluß gut kannte; es war in keiner Karte eingezeichnet, und im Dorf wußte auch niemand etwas davon. Vielleicht hätte er das Wrack früher entdeckt, wenn er noch bei der Halbinsel gefischt hätte, aber seit einigen Jahren fuhren die Flußfischer weit in das Mündungsgebiet hinaus; sie legten die Angeln draußen aus und auch die Reusen, es gab am ganzen Strom nur noch eine Handvoll Flußfischer; ein elendes Geschäft war es geworden, zufällig und armselig, und die meisten hatten damit aufgehört.

Weil Baraby auch im Mündungsgebiet fischte, hatte er das Wrack erst jetzt entdeckt. Er stellte den Außenbordmotor ab, und das schwere, breitplankige Boot glitt sanft aus, glitt über den Schatten des Wracks hinaus, stand einen Augenblick still, wurde von der Strömung erfaßt und langsam zurückgetrieben. Der Mann beugte sich über die Bordwand und blickte ins Wasser, und er sah sein Gesicht im Wasser auftauchen, verzerrt und trübe, er sah, als er sich weiter hinabbeugte, sein Gesicht deutlicher werden, erkannte das Kinn und die Backenknochen und den Schädel, und er sah seinen alten, mageren Hals und ein Stück des durchgescheuerten Hemdkragens.

Plötzlich wurde das Wasser dunkel, und der Mann glaubte einen jähen kalten Luftzug zu verspüren, er erfaßte die Klarscheibe, die neben ihm auf der Ducht lag, und hielt sie ins Wasser. Er ließ sich von der Strömung über das Wrack treiben und starrte angestrengt in die Tiefe; er sah hinab in die düstere, grünlich schimmernde Einsamkeit, er sah das Ewigtreibende im lautlosen Strom des Wassers, und darunter, auf dem Boden des Flusses, erkannte er die genauen Umrisse des Wracks.

Er richtete sich auf und schaute zurück; der Schatten des Wracks wurde kleiner, er verschwand, während sich eine Wolke vor die Sonne schob, vollends, und der Mann ruderte gegen die Strömung an, und als er sich über dem Wrack befand, lotete er die Tiefe. Er warf das Lot mehrmals aus, und es zeigte immer dieselbe Tiefe, aber unvermutet lief die Leine nur kurz aus und blieb schlaff im Wasser hängen, und da wußte er, daß das Lot auf dem Wrack lag. Baraby zog die Leine vorsichtig an, er holte sie, um mehr Gefühl zu haben, über den Zeigefinger ein, und er spürte kleine Stöße und Erschütterungen: das Lot schleifte über das Wrack, blieb manchmal für einen Augenblick hängen, so daß sich die Leine straffte, und der Mann fühlte, wie eine eigentümliche Unruhe ihn ergriff, der Wunsch, an das Wrack zu gelangen, das kaum zwanzig Meter unter ihm lag und groß war, schwarz und unbekannt. Er war allein auf dem Strom, und er ließ sich mehrmals über die Stelle treiben, wo das Wrack lag, aber er konnte nichts erkennen. Er wußte nur, daß es da war, ein Wrack, das nur er allein kannte. Die anderen Wracks, die im Strom gelegen hatten, waren längst gehoben oder unter Wasser gesprengt worden: was er wußte, wußte er allein. Baraby merkte sich eine genaue Markierung an Land und warf den Außenbordmotor an; er fuhr knapp um die Halbinsel herum und dicht unter Land weiter, und er war erfüllt von dem Gedanken an das Wrack.

Auf dem Landungssteg stand Willi, er war barfuß und hatte ausgebleichtes Haar und einen sonnenverbrannten Nacken, und er stand vorn auf der äußersten Spitze des Stegs und sah wortlos dem Anlegemanöver seines Vaters zu. Als das Boot gegen den Steg stieß, warf Baraby eine Leine hinauf, und der Junge fing die Leine auf und befestigte sie wortlos an einem Pfahl, und dann sprang er ins Boot und öffnete den Fischkasten in der Mitte; es waren nur wenige Aale drin. Sie holten die Aale heraus und warfen sie in eine Kiste, und der Junge hob die Kiste auf den Kopf und trug sie über den Landungssteg fort. Baraby verließ das Boot und ging zu den Hügeln, wo das Haus lag, es war ein altes, niedriges Haus mit kleinen Fenstern und einem kaum benutzten Vordereingang; der Mann betrat das Haus von der Rückseite, und nachdem er Kaffee getrunken hatte, ging er zu seinem Lager und legte sich hin und dachte an das Wrack. Er dachte an seinen Schatten und daran, daß es auf keiner Karte eingezeichnet war, er dachte an den Boden des Stromes, auf dem es lag, und an die Tiefe, die ihn selbst vom Wrack trennte, und während er daran dachte, wußte er, daß er zu ihm hinabdringen würde, er würde unbemerkt an das Wrack gelangen. Vielleicht, dachte er, ist es ein Passagierdampfer, der noch voll ist; vielleicht ist genug in dem Wrack drin, daß es für ein ganzes Jahr ausreicht – es war alles noch nicht so lange her, und er erinnerte sich, daß sie sogar das Bier hatten trinken können, das sie aus einem anderen Wrack geborgen hatten.

Er stand auf und ging wieder zum Boot hinab. Im Boot saß der Junge; er befestigte neue Haken an der Aalschnur und sagte kein Wort, als sein Vater über ihm auf dem Steg stand. Baraby stand mit zusammengekniffenen Augen auf dem Steg, er stand aufrecht unter der sengenden Sonne, die Hände in den Taschen, und sah dem Jungen zu. Und plötzlich sagte er: »Mach Schluß, Junge. Ich brauche dich jetzt. Leg die Haken weg und hör mir zu. Ich werde jetzt gleich rausfahren, Junge, und du wirst mitkommen. Du wirst mit mir hinausfahren, aber du mußt mir schwören, daß du zu keinem ein Wort sagst von dem, was du zu sehen bekommst. Zu keinem, Junge, hast du gehört?«

»Ja, Vater«, sagte der Junge.

»Wir werden zur Halbinsel fahren. Um diese Zeit kommt da niemand vorbei. Wir werden das Boot verankern, Junge, und dann will ich runter. Ich habe ein Wrack gefunden, drüben, bei der Halbinsel, und ich werde runtergehen und allerhand raufholen. Du wirst keinem Menschen etwas sagen, Junge. Wenn du redest, ist es vorbei.«

»Ja, Vater«, sagte der Junge, »ist gut.«

Baraby warf eine lange Ankerleine ins Boot und stieg ein. Er warf den Motor nicht an, denn wenn der Motor zu dieser Zeit gelaufen wäre, hätten sie auf dem Hügel ihre Köpfe ans Fenster geschoben, darum nahm er die Riemen und stieß das Boot weit in den Fluß hinaus. Es wurde von der Strömung erfaßt und trieb langsam flußabwärts, es trieb auf die Halbinsel zu, und vorn im Boot stand der Junge und hielt Ausschau nach dem Wrack. Noch vor der Markierung warf Baraby den Anker, er glitt einige Meter über den Grund und setzte sich dann fest, und der Mann steckte so lange Leine nach, bis das Boot über dem sichtbaren Schatten des Wracks lag. Er wartete, bis Zug auf die Ankerleine kam und das Boot festlag, dann beugte er sich weit über den Bootsrand und rief den Jungen zu sich, und beide lagen nebeneinander und sahen stumm in den Fluß. Sie erkannten, weit unter dem düsteren Grün des Wassers, eine scharf abfallende dunkle Fläche, sie sahen schwarze Gegenstände auf dieser Fläche und wußten, daß es das Wrack war.

»Da liegt es«, sagte der Mann. »Es ist groß, Junge, es ist wohl achtzig oder noch mehr Meter lang. Siehst du es?«

»Ja«, sagte der Junge, »ja, ich sehe es genau.«

»Ich will es versuchen«, sagte der Mann. »Ich werde heute nicht weit runterkommen, ich werde es nicht schaffen. Aber ich werde es mir aus der Nähe ansehen.«

»Es ist ein Passagierdampfer«, sagte der Junge. »Vielleicht sind da noch Leute drin, Vater. Es ist bestimmt ein Passagierdampfer.«

»Vielleicht, Junge. Wir müssen abwarten. Du wirst zu keinem Menschen ein Wort sagen. Das ist unser Wrack, wir haben es entdeckt, und darum gehört es uns allein. Wir können es brauchen, Junge, wir haben es nie nötiger gehabt als jetzt. Das Wrack wird uns helfen. Wir werden raufholen, was wir raufholen können, und du wirst zu keinem Menschen ein Wort sagen.«

»Ja«, sagte der Junge.

Der Mann begann sich zu entkleiden; er trug schwarze Wasserstiefel, die mit roten Schlauchstücken geflickt waren, und zuerst zog er die Stiefel aus und dann die Jacke und das Hemd. Der Junge sah schweigend zu, wie der Mann sich entkleidete, er hielt die Brille mit den Klarscheiben in der Hand, und als der Mann nur noch mit der Manchesterhose bekleidet war, reichte er ihm die Brille und sagte: »Ich werde aufpassen, Vater. Ich bleibe oben und passe auf.«

Baraby legte die Brille um und schwang sich über die Bordwand, er glitt rückwärts ins Wasser, die Hände am Bootsrand. Er lächelte dem Jungen zu, aber der Junge erwiderte dies Lächeln nicht, er blieb ernst und ruhig und blickte auf die rissigen Hände seines Vaters, die an den Knöcheln weiß wurden.

»Jetzt«, sagte der Mann, und er richtete sich steil auf und ließ sich hinabfallen. Er tauchte an der Spitze des Bootes weg, kerzengerade, und der Junge warf sich über den Bootsrand und sah ihm nach. Und er sah, wie der Mann drei Meter hinabschoß und wie kleine Blasen an ihm hochstiegen, aber dann fand die Kraft des Sturzes ihr Ende, und Baraby stieß den Kopf nach unten und versuchte, Tiefe zu gewinnen. Er schwamm mit kräftigen Stößen nach unten, aber die Strömung war zu stark; obwohl er verzweifelt gegen sie anschwamm, trieb ihn die Strömung unter das Boot, und er schien zu merken, daß er hoffnungslos vom Liegeplatz des Wracks abgedrängt wurde, denn schon nach kurzer Zeit sah der Junge, wie der Körper seines Vaters eine plötzliche Aufwärtsbewegung machte und mit energischen Bewegungen zur Oberfläche strebte. Der Mann tauchte knapp hinter dem Boot auf, und der Junge hielt ihm einen Riemen hin und zog ihn an die Bordwand heran.

»Es ist zuviel Strömung«, sagte Baraby. »Du hast gesehen, Junge, wie mich die Strömung abtrieb. Aber sie ist nicht so stark wie draußen in der Mündung, sie wird durch die Halbinsel verringert.«

Er atmete schnell, und der Junge sah auf seine Schultern und in sein nasses Gesicht. »Ich werde es noch einmal versuchen«, sagte der Mann. »Wenn ich noch drei Meter tiefer komme, werde ich mehr sehen. Ich werde es jetzt anders machen, Junge. Ich werde an der Ankerleine ein Stück runtergehen, und wenn ich tief genug bin, lasse ich mich treiben. Die Strömung wird mich genau über das Wrack treiben, und dann werde ich mehr sehen können. Hoffentlich komme ich solange mit der Luft aus.«

»Ja«, sagte der Junge.

Der Mann zog sich an der Bordwand um das Boot herum, dann griff er nach der Ankerleine und zog sich weiter gegen die Strömung voran, und schließlich tauchte er, ohne zurückgesehen zu haben. Er brachte sich mit kurzen, wuchtigen Zugriffen in die Tiefe, und als er einen leichten Druck spürte, gab er das Seil frei und überließ sich der Strömung. Während die Strömung ihn mitnahm, machte er noch einige Stöße hinab, und jetzt war er mehrere Meter tiefer als beim ersten Versuch. Er hielt in der Bewegung inne und überließ sich völlig der Strömung, und dann sah er eine breite, dunkle Wand auftauchen, das Wrack. Es lag quer zur Strömung und mit leichter Krängung auf dem Grund des Flusses, und es war kein Passagierdampfer. Das Deck des

Wracks war erhöht, oder es schien zuerst, als ob es erhöht wäre, doch dann erkannte Baraby, daß es Fahrzeuge waren, Autos, die mit Drahtseilen zusammengehalten wurden, große Lastwagen und auch einige Fuhrwerke. Er sah einen Schwarm von Fischen zwischen den Lastwagen, sie zuckten zwischen ihnen hindurch, verschwanden hinter den Aufbauten, und das Wrack lag da, als sei es vor kurzem beladen worden und warte nur darauf, die Leinen loszuwerfen. Dann sah der Mann einen scharfen Schatten und wußte, daß er über das Wrack hinausgetrieben war; er hob den Oberkörper empor, und die Strömung drückte gegen seine Brust und richtete ihn unter Wasser auf. Er riß die Arme weit nach oben und gelangte mit einigen starken Stößen ans Licht.

Der Junge sah ihn forschend an, er nahm die Klarscheiben in Empfang, die der Mann hinaufreichte, und ging wieder nach vorn. Der Mann kletterte in das Boot, er war erschöpft und lächelte unsicher, und die Haut über seiner Bauchhöhle zitterte.

»Ich habe ihn gesehen«, sagte er, »es ist kein Passagierdampfer, Junge, aber er ist voll. Es muß ihn bei der Ausfahrt erwischt haben, denn auf dem Deck stehen noch Autos und Fuhrwerke. Er ist voll, und wir werden eine Menge heraufholen können. Aber du darfst zu keinem Menschen darüber sprechen, Junge. Heute hab ich's noch nicht geschafft, aber ich werde es in den nächsten Tagen wieder versuchen; wir werden es so lange versuchen, Junge, bis wir an das Wrack kommen. Da liegt noch die ganze Ladung unten, das Wrack ist unberührt.«

Baraby ließ seinen Körper an der Sonne trocknen, dann kleidete er sich an, und nachdem er angezogen war, zerrte er das Boot an der Leine gegen den Strom und brach den Anker aus dem Grund. Sie fuhren wortlos zum Anlegesteg und gingen nebeneinander den Hügel hinauf zum Haus, und sie dachten beide an das Wrack.

Am folgenden Tag fuhren sie wieder zu der Liegestelle des Wracks; Baraby hatte keine Reusen im Mündungsgebiet aufgestellt. Sie fuhren schon morgens zur Halbinsel hinaus, als noch Nebel über dem Strom lag, und der Mann ließ sich in das kalte, langsam strömende Wasser hinab und tauchte. Sie fuhren Tag für Tag dorthin, wo das Wrack lag, und zweimal gelang es Baraby, bis zum Deck des gesunkenen Schiffes hinabzukommen, es gelang ihm sogar, sich für einen Augenblick an einem der angezurrten Lastwagen festzuhalten, aber länger konnte er nicht unten bleiben, die Luft reichte nicht aus. Einmal brachte er eine

Konservendose empor, die auf der verrotteten Ladefläche eines Lastwagens gelegen hatte; sie öffneten die Konservendose und fanden Kohl darin.

Das war der einzige Erfolg. Aber je öfter der Mann hinabtauchte, desto ungeduldiger wurde er, und desto größer wurde seine Zuversicht, daß das Wrack noch unberührt und beladen war. Und wenn er sich hinabließ in die grüne Dunkelheit unten, spürte er die Nähe des Gewinns und des Sieges, und manchmal stieg er nur hinab, um dieses Gefühl zu haben. Er wußte, daß das Wrack ihm einmal endgültig gehören, daß er in sein Inneres eindringen und alles, was in ihm lag, bergen würde. Baraby wußte es. Er fuhr nur selten ins Mündungsgebiet hinaus, um die Schnüre und Reusen auszulegen, er verbrachte die meiste Zeit am Wrack, und der Junge begleitete ihn jedesmal und hing über der Bordwand und starrte ins Wasser.

Aber eines Tages, an einem unruhigen Vormittag, als der Wind kurze Wellen den Strom hinauftrieb und sie gegen die Halbinsel warf, tauchte der Mann neben dem Boot auf und schüttelte den Kopf. Er kletterte hinein, warf die Jacke über den bloßen Körper und setzte sich auf eine Ducht und sah blaß aus und kraftlos und alt. Er blickte auf den Jungen und sagte:»Ich schaffe es nicht. Ich komme nicht in das Wrack hinein, Junge, ich habe alles versucht. Ich weiß genau, wo der Niedergang ist und wie die Strömung über das Wrack geht, ich kenne alles genau, aber mir fehlt die Luft. Ich habe zu wenig Luft, Junge.«

»Ja, Vater«, sagte der Junge.

»Aber wir werden es trotzdem schaffen: wir werden zurückfahren, und am Abend gehen wir zur Werft, ich werde den Außenbordmotor verkaufen.« Der Junge hob den Kopf und sah auf seinen Vater.

»Ja«, sagte der Mann, »ich werde den Motor verkaufen. Es hat keinen Zweck mehr, Junge, wir fangen nichts mehr auf dem Fluß, und draußen in der Mündung ist es nicht besser. Ich weiß, daß wir ohne den Motor nicht viel machen können auf dem Fluß, aber ich werde ihn trotzdem verkaufen. Ich werde den Motor einem von der Werft geben, der sucht schon lange einen, und dann werden wir uns ein Sauerstoffgerät besorgen. Ich werde ein altes besorgen, auf der Werft haben sie das, und mit dem Gerät werden wir zum Wrack zurückkommen. Das sind zwei kurze, dicke Stahlflaschen, Junge, und wenn ich die auf den Rücken nehme und habe einen guten Schlauch, dann kann ich vierzig Minuten unten am Wrack bleiben, und in vierzig Minuten kann ich allerhand raufholen. In vierzig Minuten schleppe ich das Boot voll. Und da ist eine Menge drin in dem Wrack. Das siehst du an den Autos.«

»Ja«, sagte der Junge.

Sie gingen gemeinsam zur Werft und fanden den Mann, der den Außenbordmotor haben wollte, und der Mann besorgte ihnen das Sauerstoffgerät. Baraby trug es in einem Sack auf der Schulter nach Hause. Er probierte es an der Halbinsel aus, in seichtem Wasser, wo der Grund sandig und locker war, und der Junge stand vorn im Boot und beobachtete seinen Vater. Baraby wollte sich erst an das Sauerstoffgerät gewöhnen, bevor er zum Wrack hinabstieg; er brauchte eine ganze Weile dazu, der Druck, der durch die eingeklemmte Nase in seinem Schädel entstand, machte ihm zu schaffen, aber schließlich traute er sich zu, in das Wrack einzudringen.

Er hatte sich eine Unterwasserlampe gebaut, es war eine breite Taschenlampe, die in eine durchsichtige, wasserdichte Hülle eingenäht war, er hatte sie ausprobiert, und sie warf ein kräftiges Licht. Er verwahrte die Taschenlampe und das Sauerstoffgerät abends im Boot, und am nächsten Morgen ließen sie sich den Strom hinabtreiben und warfen vor dem Wrack den Anker aus; sie warteten, bis der Anker festsaß und Zug auf die Leine kam, dann entkleidete sich der Mann, und der Junge reichte ihm die Klarscheiben und befestigte die Riemen des Sauerstoffgerätes unter der Achsel. Baraby nahm die Taschenlampe und ließ sich über den Bootsrand hinab; langsam senkte sich sein Oberkörper, der Hals verschwand, das Kinn, und schließlich das Gesicht, das mit den Klarscheiben wie ein riesiges Insektengesicht aussah; er verschwand mit grausamer Langsamkeit, und der Junge warf sich wie erlöst über den Bootsrand, als die ersten Blasen an der Oberfläche erschienen.

Baraby hatte eine Leine um seine Brust gebunden, es war ein dünnes, starkes Tau, das durch die Hände des Jungen lief und dessen Ende, damit es nicht ausrutschen konnte, um eine Ducht geschlagen war. Der Junge spürte, wie die Leine ruhig und gleichmäßig durch seine Hand lief, er achtete kaum darauf, er sah nur ins Wasser, wo er den sanft sinkenden Körper seines Vaters mit den Blicken begleitete, und dann fühlte er, daß die Leine nicht mehr auslief, und er wußte, daß sein Vater das Wrack erreicht hatte.

Baraby stand auf dem schrägen Deck des Wracks, er hielt sich an der

Reling fest und spürte, wie die Strömung leicht an seinem Körper zerrte. Er blieb einen Augenblick so stehen und prüfte seinen Atem, doch das Gerät arbeitete gut und versorgte ihn mit Luft. Er fühlte sich sicher und zuversichtlich und war froh, daß er den Außenbordmotor weggegeben hatte; er war allein unter Wasser, und er sah sich um mit dem Blick eines Besitzers, der sein neues Land prüft. Er sah auch hinauf zum Himmel, aber er erkannte nur die trübe Silhouette des Bootes und den Kopf des Jungen, der über der Bordwand lag und zu ihm hinabstarrte; er winkte hinauf, obwohl er wußte, daß dieses Winken verloren, daß es oben nicht zu erkennen war.

Dann ließ er die Reling los, und die Strömung trieb ihn auf die Lastwagen zu; sie standen ausgerichtet auf Deck, immer zwei nebeneinander, und es hatte den Anschein, als sei ihnen nichts geschehen. Aber sie waren unbrauchbar und verrottet, und das Führerhaus und die Ladefläche waren bei allen voll von Schlamm; Baraby versuchte den Schlamm an einer Stelle mit dem Fuß zu entfernen, der Schlamm war zäh. Er sah, daß die Lastwagen zu nichts mehr taugten, und er schaltete die Taschenlampe ein und schwamm auf einen offenen Niedergang zu. Er wollte in das Wrack eindringen und bewegte sich über den verschlammten Niedergang abwärts. Der Schein der Lampe wurde klein und armselig und kämpfte mit der Dunkelheit, er riß sie nur wenig auf, er gelangte nicht weit. Baraby verhielt und zog die Leine nach, die oben durch die Hände des Jungen lief, und er hatte das Gefühl, daß die Leine hinaufreichte bis zum Himmel. Plötzlich kam er in einen eiskalten Sog; er richtete den Strahl der Lampe zur Seite, es war ein großes ausgezacktes Loch an der Seite, durch das er in den Maschinenraum sehen konnte; der Schein fiel auf den hohen Kessel, glitt an ihm vorbei, wanderte an Röhren und Leitungen entlang und verlor sich wieder in der Finsternis. Der Mann strebte aus dem Sog hinaus und arbeitete sich seitlich hinab. Er fand fast alle Schotten geschlossen, und er hatte eine Menge zu tun, ehe er sie aufbekam, und als der Lichtkegel kein Ziel mehr fand, wußte er, daß er im vorderen Laderaum war. Er konnte sich aufrichten und nach allen Seiten bewegen, er konnte bis zur Bordwand vordringen, es war Platz genug. Aber nachdem er den Raum ausgeschwommen hatte, drang er zum Boden des Laderaums hinab, und als er das Licht zum ersten Mal nach unten richtete, sah er wimmelnde Aale, die aufgeschreckt aus dem Strahl zu entkommen suchten. Er schaltete das Licht aus und hielt sich an einem Bodenring fest, und er spürte die gleitende, kalte Berührung der Tiere, wenn sie dicht an ihm vorbeischwammen. Dann schaltete er das Licht wieder an und war allein auf dem Boden des Laderaums. Auch der Boden war mit Schlamm bedeckt, aber er Schlamm war hier nicht so zäh wie auf den Lastwagen.

Baraby begann den Boden des Laderaums abzusuchen, doch er fand nicht das, was er zu finden gehofft hatte; er fand weder Kisten noch Geräte, es war überhaupt nichts da von einer Ladung, und solange er auch suchte, er fand nichts, das mitzunehmen sich gelohnt hätte. Aber unvermutet zuckte der Lichtkegel in einen Winkel, und es glänzte weiß auf; der Mann schwamm sofort dorthin und untersuchte die weißen Gegenstände: es waren große Knochen, Rippenknochen, die aus dem Schlamm hervorragten, und Baraby sah, daß sie von Pferden stammten.

Sie werden Pferde geladen haben, dachte er; als das Schiff unterging, hatten sie nichts als Pferde an Bord. Und er betastete die Knochen und versuchte, sie aus dem Schlamm zu ziehen, und nach einer Weile schwamm er zum Niedergang zurück. Er arbeitete sich mit den Händen hoch, und über einen anderen Niedergang gelangte er in den achten Laderaum; hier entdeckte er das Loch, das die Mine in den Leib des Schiffes gerissen hatte, das Loch war groß wie sein eigenes Boot, und da es zur Strömung stand, war eine große Menge Schlamm in das Schiff eingedrungen, der Laderaum war hoch mit Schlamm gefüllt. Der Mann untersuchte alles, er war unruhig geworden und schwamm verzweifelt den Raum aus, und als er nichts fand, schlug er die Beine um einen Stützbalken und wühlte sich mit den Händen durch den Schlamm bis zum Boden des Laderaums durch.

Aber auch hier fand er wieder nur Knochen, er sah sie plötzlich aufleuchten und wußte, daß das Schiff nur Pferde an Bord gehabt hatte, als es von der Mine getroffen wurde. Er nahm einen einzelnen Knochen und schwamm zurück zum Deck; er sah hinauf zum Licht, zur Silhouette des Bootes. Und er wandte sich ab und zog sich zu den Aufbauten des gesunkenen Schiffes hinauf. Er untersuchte alle Schapps und Kammern, er öffnete jedes Schott, das er fand, aber überall war nur Dunkelheit und Schlamm, und er entdeckte nichts von dem, was er zu finden gehofft hatte.

Und er gab dem Jungen das Signal mit der Leine, und der Junge zog ihn Hand über Hand ans Licht; er spürte nicht einmal den Druck der Leine auf der Brust, als er hinaufgezogen wurde, er glich den Zug nicht mit den Händen aus, er hing ohne Bewegung und wie leblos am Seil, und der Junge holte ihn rauf.

Baraby kletterte ins Boot. Der Junge zog an der Ankerleine und brach den Anker aus dem Grund. Dann setzte er sich auf eine Ducht. Der Mann hatte sich angezogen und sah blaß und müde aus. Sie saßen einander gegenüber, sie saßen reglos unter der sengenden Sonne, und die Strömung erfaßte das Boot und trieb es lautlos gegen die Halbinsel.

1952

Ein Haus aus lauter Liebe

Sie hatten einen Auftrag für mich und schickten mich raus in die sehr feine Vorstadt am Strom. Ich war zu früh da, und ich ging um das Haus herum, ging die Sandstraße neben dem hüfthohen Zaun entlang. Es war sehr still, nicht einmal vom Strom her waren die tiefen, tröstlichen Geräusche der Dampfersirenen zu hören, und ich ging langsam und sah auf das Haus. Es war ein neues, strohgedecktes Haus, die kleinen Fenster zur Straßenseite hin waren vergittert, sie sahen feindselig aus wie Schießscharten, und keins der Fenster war erleuchtet. Ich ging einmal um das Haus herum, streifte am Zaun entlang, erschrak über das Geräusch und lauschte, und jetzt flammte ein Licht über der großen Terrasse auf, die ganze Südseite des Hauses wurde hell, auch im Gras blitzten zwei Scheinwerfer auf, leuchteten scharf und schräg in das Laub der Buchen hinauf, und das Haus lag nun da unter dem milden, rötlichen Licht, das aus den Buchen zurückfiel, still und friedlich.

Es war so still, daß ich den Summer hörte, als ich den Knopf drückte, und dann das Knacken in der Sprechanlage und plötzlich und erschreckend neben mir die Stimme, eine ruhige, gütige Stimme. »Kommen Sie«, sagte die gütige Stimme, »kommen Sie, wir warten schon«, und ich ging durch das Tor und hinauf zum Haus. Ich wollte noch einmal an der Tür klingeln, aber jetzt wurde sie mir geöffnet, tat sich leise auf, und ich hörte die gütige Stimme flüstern, flüsternde Begrüßung, dann trat ich ein, und wir gingen leise ins Kaminzimmer.

»Bitte setzen Sie sich«, sagte der Mann mit der gütigen Stimme, »nur zu, bitte, Sie sind jetzt hier zu Hause.«

Es war ein untersetzter, fleischiger Mann; sein Gesicht war leicht gedunsen, und er lächelte freundlich und nahm mir den Mantel ab und die Mappe mit den Kollegheften. Dann kam er zurück, spreizte die kurzen, fleischigen Finger, nickte mir zu, nickte sehr sanft und sagte: »Es fällt uns schwer. Es fällt uns so schwer, daß ich schon absagen wollte. Wir bringen es nicht übers Herz, die Kinder abends allein zu lassen, aber ich konnte diesmal auch nicht absagen.«

»Ich werde schon achtgeben auf sie«, sagte ich.

»Sicher werden Sie achtgeben«, sagte er, »ich habe volles Vertrauen zu Ihnen.«

»Ich mache es nicht zum ersten Mal«, sagte ich.

»Ich weiß«, sagte der Mann, »ich weiß es wohl; das Studentenwerk hat Sie besonders empfohlen. Man hat Sie sehr gelobt.« Er goß uns zwei Martini ein, und wir tranken, und während ich das Glas absetzte, spürte ich, wie ich erschauerte, aber ich wußte nicht wovor; sein Gesicht war freundlich, und er lächelte und sagte: »Vielleicht komme ich früher zurück; es ist ein Jubiläum, zu dem wir fahren müssen, ich will sehen, daß ich früher zurückkomme. Die Unruhe wird mich nicht bleiben lassen.«

»Es sind nur ein paar Stunden«, sagte ich.

»Das ist lange genug«, sagte er. »Ich kann von den Kindern einfach nicht getrennt sein, ich denke immer an sie, auch in der Fabrik denke ich an sie. Wir leben nur für unsere Kinder, wir kennen nichts anderes, meiner Frau geht es genauso. Aber Sie werden gut achtgeben auf sie, ich habe volles Vertrauen zu Ihnen, und vielleicht komme ich früher zurück.«

»Ich habe mich eingerichtet«, sagte ich, »ich habe meine Kolleghefte mitgebracht, und von mir aus können Sie länger bleiben.«

Er erhob sich, kippte den Rest des Martini sehr schnell hinunter, schaute zur Uhr und wischte sich mit dem Handrücken über den Mund. Sein Handrücken war breit und behaart, ich sah es, als er mir die Hand auf den Arm legte, als er mich freundlich anblickte und mit gütiger Stimme sagte: »Sie schlafen schon in ihrem kleinen, weißen Bett. Maria ist zuerst eingeschlafen, es ist ein Wunder, daß sie zuerst eingeschlafen ist; aber ich darf jetzt nicht hinaufgehen an ihr kleines Bett, jetzt nicht, denn ich könnte mich nicht mehr trennen. Sie sollen wissen, was wir Ihnen anvertrauen, was wir in Ihre Hände legen – Sie sollen wissen, daß Sie achtgeben auf unsere ganze Liebe.«

Er gab mir seine Hand, eine warme, fleischige Hand, und ich glaubte auch im sanften Druck dieser Hand seine Trauer über die Trennung zu verspüren, den inständigen Schmerz, der ihn jetzt schon ergriffen hatte. In seinem Gesicht zuckte es bis hinauf zu den Augen, zuckte durch sein trauriges Lächeln hindurch, durch die Gedunsenheit und Güte. Und dann erklang ein kleiner Schritt hinter uns, hart und schlurfend, kam eine Treppe herab, kam näher, und setzte aus, und das Gesicht des Mannes entspannte sich, als der Schritt aussetzte, wurde weich und ruhig: »Ich habe volles Vertrauen zu Ihnen.«

Wir wandten uns zur gleichen Zeit um, und als ich sie erblickte, wußte ich sofort, daß ich sie bereits gesehen hatte, oder doch jemanden, der so aussah wie sie: blond und schmalstirnig und sehr jung; auch den breiten, übergeschminkten Mund hatte ich in Erinnerung und das schmale, schwarze Kreuz, das sie am Hals trug. Sie nickte flüchtig zu mir herüber, flüchtigen Dank für mein Erscheinen; sie stand reglos und ungeduldig da, ein Cape in der Hand, darunter baumelnd eine Tasche, und der untersetzte Mann mit der gütigen Stimme nahm seinen bereitgelegten Mantel auf, winkte mir zu, winkte mit der Hand seinen Kummer und sein Vertrauen zu mir herüber und ging. Die sehr junge Frau drehte ihm den kräftigen Rücken zu, stumme Aufforderung, er nahm das Cape, legte es um ihre Schultern, und jetzt erklang der harte, schlurfende Schritt, entfernte sich, wurde noch einmal klar, als sie über die Steinplatten der Terrasse gingen, und verlor sich auf dem Sandweg.

Ich sah durch das Fenster, erkannte, wie zwei Autoscheinwerfer aufflammten, deren Licht drüben in den Zaun fiel, ich hörte den Motor anspringen, sah die Scheinwerfer wandern, kreisend am Zaun entlang nach der Ausfahrt suchen, und nun blieben sie stehen. Der Mann stieg aus und kam zurück, entschuldigte seine Rückkehr durch gütiges Lächeln, mit seiner Trauer über die Trennung, und er schrieb eine Telephonnummer auf einen Kalenderblock, riß das Blatt ab, legte es vor mich hin und beschwerte es mit einem Zinnkrug. »Falls doch etwas passiert«, sagte er, »falls. Sie schlafen zwar fest in ihrem kleinen, weißen Bett, es besteht kein Grund, daß sie aufwachen, alles nur für den Fall ... Sie brauchen nur diese Nummer zu wählen. Sie sollen wissen, was wir Ihnen anvertrauen.« Er entschuldigte sich abermals, lauschte zur Treppe hinauf und ging.

Ich wartete, ich saß da und wartete, daß sie noch einmal zurückkämen, aber die Scheinwerfer tauchten nicht mehr auf; vor mir lag die Telephonnummer, unterstrichen und eingekastelt auf dem Blatt, mit dem fleckigen Zinnkrug beschwert. Ich starrte auf die Telephonnummer – »falls doch etwas passiert, falls« –, ich zog das Blatt hervor, legte es auf die äußerste Tischkante, dann kramte ich die Hefte aus der Mappe hervor, schichtete sie auf – »Sie wissen, was wir Ihnen anvertrauen« – und versuchte zu lesen. Ich blätterte in den Kollegnotizen: Stichworte, in Eile abgenommene Jahreszahlen, zusammenhanglose Wendungen, und immer wieder Ausrufungszeichen, immer wieder – welchen Sinn hatten sie noch? Nichts wurde deutlich, kein Zusammenhang entstand; ich empfand zum ersten Mal die Sinnlosigkeit des Mitschreibens in der Vorlesung, all die verlorene, fleißige Gläubigkeit, mit der ich die Hefte vollgeschrieben hatte.

Drüben am Fenster ging das Telephon. Ich erschrak und sprang auf und nahm den Hörer ab; ich führte ihn langsam zum Ohr, wartete, unterdrückte den Atem, und jetzt hörte ich eine Männerstimme, keine gütige Stimme, sondern knapp, vorwurfsvoll: »Milly, wo warst du, Milly? Warum hast du nicht angerufen, Milly? Hörst du, Milly?« Und nun schwieg die Stimme, und ich war dran. Ich sagte nur »Verzeihung«, ich konnte nicht mehr sagen als dies eine Wort, aber es genügte: ein schmerzhaftes Knacken erfolgte, die Leitung war tot, und ich ließ den Hörer sinken. Doch nun, da ich ihren Namen kannte, wußte ich auch, wo ich sie gesehen hatte: ich hatte sie beim Friseur gesehen, in einem der fettigen, zerlesenen Magazine, unter dem Schnappen der Schere und dem einschläfernden Wohlgeruch, Milly: kräftig, blond und schmalstirnig, und ein neues Versprechen für den Film.

Die Buchenscheite im Kamin knisterten, und der zuckende Schein des Feuers lief über den Fries auf dem Kaminsims, lief über den grob geschnitzten Leidensmann und seine grob geschnitzten Jünger, die ausdrucksvoll in die Zeit lauschten mit herabhängenden, resignierten Händen. Ich steckte mir eine Zigarette an und ging zu meinen Heften zurück; ich schloß die Hefte und legte sie auf einen Stapel und beobachtete das Telephon; gleich, dachte ich, würde er anrufen, der Mann mit der gütigen Stimme, gleich würde er in freundlicher Besorgnis fragen, ob die Kinder noch schliefen, seine einzige Liebe; wenn er am Ort des Jubiläums ist, dachte ich, wird er anrufen. Und während ich das dachte, erklang ein Kratzen an der Tür oben, hinter der Balustrade, und dann hörte das Kratzen auf, der Drücker bewegte sich, ging heftig auf und nieder, so, als versuchte jemand, die Tür gewaltsam zu öffnen; aber anscheinend mußte sie verschlossen sein, denn so heftig auch am Drücker gerüttelt wurde, die Tür öffnete sich nicht.

Ich drückte die Zigarette aus, stand da und sah zur Tür hinauf, und auf einmal drang ein Klageton zu mir herab, ein flehender, unverständlicher Ruf, und wieder war es still – als ob der, der sich hinter der Tür bemerkbar zu machen versuchte, seiner Klage nachlauschte, darauf hoffte, daß sie ein Ziel traf. Ich rührte mich nicht und wartete; die Klage hatte mich nicht zu betreffen, ich war da, um die Kinder zu hüten; aber jetzt begann ein Trommeln gegen die Tür, verzweifelt und unregelmäßig, ein Körper warf sich mit dumpfem Aufprall gegen das Holz, stemmte, keuchte, Versuch auf Versuch, in panischer Auflehnung. Ich stieg langsam die geschwungene Treppe hinauf bis zur Tür, ich blieb vor der Tür stehen und entdeckte den Schlüssel, der aufsteckte, und ich horchte auf die furchtbare Anstrengung auf der andern Seite. Nun mußte er sich abgefunden haben drüben, ich vernahm seine klagende Kapitulation, den schnellen Atem seiner Erschöpfung, er war fertig, er gab auf.

In diesem Augenblick drehte ich den Schlüssel herum. Ich schloß auf, ohne die Tür zu öffnen; ich beobachtete den Drücker, aber es dauerte lange, bis er sich bewegte, und als er niedergedrückt wurde, geschah es behutsam, prüfend, fast mißtrauisch. Ich wich zurück bis zur Balustrade, die Tür öffnete sich, und ein alter Mann steckte seinen Kopf heraus. Er hatte ein unrasiertes Gesicht, dünnes Haar, gerötete Augen, und er lächelte ein verworrenes, ungezieltes Lächeln, das Lächeln der Säufer. Überraschung lag auf seinem Gesicht, ungläubige Freude darüber, daß die Tür offen war; er drückte sich ganz heraus, lachte stoßweise und kam mit ausgestreckten Händen auf mich zu.

»Danke«, sagte er, »vielen Dank.«

Er steckte sich sein grobes Leinenhemd in die Hose, horchte den Gang hinab, wo die Kinder schliefen, und machte eine Geste der Selbstberuhigung. »Sie schlafen«, sagte er, »sie sind nicht aufgewacht.« Dann stieg er vor mir die Treppe hinab, Schritt für Schritt, hielt seine Hände über das Kaminfeuer, streckte sie ganz aus, so daß ich das tätowierte Bild eines Segelschiffes über dem Gelenk erkennen konnte, und während er nun seine Hände zu reiben begann, sagte er: »Sie sind von Bord, sie sind beide weggefahren, ich habe es vom Fenster gesehen.«

Er richtete sich wieder auf, sah sich prüfend um, als wollte er feststellen, was sich verändert habe, seit er zum letzten Mal hier unten war, prüfte die Gardinen; das Kaminbesteck und die Lampen, bis er auf einem kleinen Tisch die Martiniflasche entdeckte und die beiden Gläser. Ohne den Inhalt zu prüfen, entkorkte er die Flasche, stieß den Flaschenhals nacheinander in die Gläser und schenkte ein.

»Soll ich ein neues Glas holen?« sagte ich.

»Laß man«, sagte er, »das Glas hier ist gut. Daraus hat nur mein Sohn getrunken. Ich brauche kein neues Glas.«

Er forderte mich auf, mit ihm zu trinken, kippte den Martini in einem Zug runter und füllte gleich wieder nach.

»Jetzt mach ich Landurlaub«, sagte er, »jetzt sind sie beide weg, und da kann ich Urlaub machen. Wenn sie da sind, darf ich mich nicht zeigen an Deck. Trink aus, Junge, trink.« Er stürzte das zweite Glas runter, füllte gleich wieder nach und kam auf mich zu und lächelte.

»Dank für den Urlaub, Junge«, sagte er. »Sie lassen mich sonst nicht von Bord, mein Sohn nicht, seine Frau nicht, keiner läßt mich raus. Ich habe einen tüchtigen Sohn, er ist mehr geworden als ich, er hat eine eigene Fabrik, und ich bin nur Vollmatrose gewesen. Darum lassen sie mich nicht raus, Junge, darum haben sie mir Landverbot gegeben. Sie haben Angst, sie haben eine verfluchte Angst, daß mich jemand sehen könnte, und wenn sie Besuch haben, schieben sie mir eine Flasche rein. Und ich kann nicht mehr viel vertragen.«

»Darf ich Ihnen eine Zigarette geben?« sagte ich.

»Laß man«, sagte er und winkte ab.

Der Alte setzte sich hin, hielt das Glas zitternd mit beiden Händen vor der Brust, zog es in kleinen Kreisen unter seinem gesenkten Gesicht vorbei, und dabei brummelte und summte er in sanfter Blödigkeit vor sich hin. Nach einer Weile hob er den Kopf, blickte mich versonnen über den Glasrand an und trank mir zu. »Trink aus, Junge, trink«, und er legte seinen Kopf so weit nach hinten, daß ich fürchtete, er werde umkippen; aber gegen alle Schwerkraft pendelte sein Oberkörper wieder nach vorn, fing sich, balancierte sich aus.

Das Telephon schreckte uns auf; wir sprangen hoch, der Alte an mir vorbei zum Treppenabsatz, zutiefst erschrocken, mit seinen Armen in der Luft rudernd, bis er auf das Geländer schlug und sich festklammern konnte.

Ich nahm den Hörer ab, ich glaubte zu wissen, wer diesmal anrief, doch ich täuschte mich: es war Milly, die sich meldete, die mit sehr ruhiger Stimme und nebenhin fragte:»Ist mein Mann schon da?«

»Nein«, sagte ich,»nein, er ist noch nicht da.«

»Er wird gleich da sein, er ist schon unterwegs. Wurde angerufen?«

»Ja«, sagte ich.

»Danke.«

Ich wollte etwas sagen, aber sie hatte aufgelegt, und während ich auf den Hörer in meiner Hand blickte, schwenkten zwei Scheinwerfer in jähem Bogen auf die Einfahrt zu, schwenkten über die Zimmerdecke und kreisend an der Wand entlang: das Auto kam den Sandweg herauf. Auch der Alte hatte das Auto gesehen, er mußte auch begriffen haben, was am Telephon gesagt worden war, denn als ich den Kopf nach ihm wandte, stand er bereits oben vor seinem Zimmer und machte mir eilige Zeichen. Ich lief die Treppe hinauf und wußte, daß ich es seinetwegen tat.»Zuschließen«, sagte er hastig,»sperr mich ein, Junge, schließ zu.« Und er ergriff meine Hand und drückte sie fest, und dieser Dank war aufrichtig. Ich drehte den Schlüssel um, ging hinab und setzte mich an den Tisch, auf dem meine Hefte lagen. Ich schlug ein Heft auf und versuchte zu lesen, als ich schon die Schritte auf den Steinplatten der Terrasse hörte.

Er kam zurück, vorzeitig; von Ungeduld und Liebe gedrängt, kam er viel früher zurück, als ich angenommen hatte, und bevor er noch bei mir war, hörte ich die gütige Stimme fragen:»Waren sie alle brav?« Und ohne meine Antwort abzuwarten, schlich er, mit Schal und Mantel, nach oben. Ich hörte ein Schloß klicken, hörte es nach einer Weile wieder, und jetzt kam er den Gang herab, überwältigt von Glück, kam am Zimmer des Alten vorbei und über die Treppe zu mir. Er legte die kurze, fleischige Hand auf meinen Arm, seufzte inständig vor Freude und sagte:»Sie schlafen in ihrem kleinen Bett«, und als Höflichkeit mir gegenüber:»Sie waren doch alle brav, meine Lieben?«

»Ja«, sagte ich,»sie waren alle brav.«

1952

Mitwisser

So, nun kannst du verschnaufen, dein atemloses Elend für eine Weile vergessen. Nun hast du die Kraft, nachzudenken, wie groß die Gefahr ist, in der sich dein von Furcht und Flucht verbrauchter Leib befindet. Ein Wacholderstrauch sprang dir in den schnellen Weg, grün und plötzlich. Du bist hingefallen und horchst nun auf die weiten Verständigungsrufe der Verfolger, auf den näherrückenden Horizont von Leid. Es ist das Leid, das dir zusteht. Du spürst, wie etwas wild gegen den kühlen Waldboden klopft. Dein Herz und deine Phantasie. Ohne Phantasie wäre das Leid nichtswürdig und unerträglich. Jetzt mußt du weiter, sie sind nah genug herangekommen. Zu nah, als daß du noch länger unbesorgt sein könntest. Das schlaffe, hinderliche Zubehör emporraffen, das Hemmnis deiner Flucht – den Körper. Du mußt ihn mitnehmen, du kannst ihn nicht schnell und heimlich zurücklassen, unter einen Strauch schieben und weiterlaufen. Das gequetschte Bein. Vorgestern. Vorgestern hinter dem nach Harz riechenden Stapel der frischen Stämme. Du lagst im Hohlraum, im dumpfen Schatten der hölzernen Pyramide. Sechzehn Jahre alt. Und dann hörtest du zwei Stimmen. Und zwei Stimmen sind immer verdächtiger als eine. Und als du lautlos hervorflossest aus deiner Eingangsspalte, da sahst du sie. Schockolls, dein Adoptivvater – rundschädelig, von prallem, gedrungenem Körper, in dem die Kräfte wucherten. Und neben ihm lag eine Frau. In der Hilflosigkeit dieses Anblicks zersprang dir ein winziger Schrei auf den Lippen. Schockolls sah dich sofort. Sah dich gelähmt dastehen in der trüben Faszination solch einer Sekunde. Wer sieht, ist gerichtet. Und du hattest mit beiden Augen gesehen. Jetzt warst du verloren. »Du«, schrie Schockolls, »bleib stehen!« Dann trugen ihn seine kurzen starken Beine heran. Und er näherte sich so schnell, als ob er sich jahrelang ausgeruht hätte für diesen einzigen Lauf. Und du standest hoch auf deinem Scheiterhaufen und beobachtetest ihn, dich und die fällige Tat.

Dein Unglück war fertig. Es wartete schon auf dich, aber das Gefühl der Bedrohung kam erst sehr spät zu dir. Dann, als er nach dir griff, wagtest du den Sprung. Du mußtest ihn wagen, denn du kanntest ihn und wußtest, was dich erwartete, wenn er dich finge. Zu kurz. Dein Sprung war nicht geraten, und in verzweifelter Abwehr rissest du die Hände vor das Gesicht. Eine Bohle wurde durch den Aufprall deines

Körpers aus ihrem Übergewicht erlöst, die Verwunschenheit des Schwerkraftgesetzes wurde aufgehoben. Polternd kam das Holz herab, quetschte dein Bein.

Er fand dich wie einen Toten und ging wütend davon. Wütend, weil ihm nichts zu tun gelassen war und weil er nicht wußte, was er mit dem nun überflüssigen Zorn beginnen sollte. Und als er so fortging von dir, fühltest du, daß dein Urteil feststand, wenngleich es nicht gesprochen wurde. Du durftest nie mehr nach Hause. Hörtest du das? Jetzt sind sie auch vor dir. Der Ring der Schmerzen beginnt sich zu schließen. Die Zehenkuppen sind aufgestoßen – die Schottersteine des Schienenstrangs. Das Blut findet keine Zeit zu verkrusten, und durch Astgabeln nimmt dich der Mond aufs Korn, schießt kalte Lichtsplitter. Der Wald steht da und schweigt. Du bist umzingelt. Und der Mond lehnt gleichgültig an einer Wolkenwand und sieht zu. Ist denn das ganze Dorf auf den Beinen, um dich zu fangen? Verlegenheit und Verzweiflung gehören zusammen. Ob auch der Alte dabei ist? Der Drews?

Du flohst von zu Hause und am Krähenwinkel trafst du den Alten. Er ahnte, was mit dir los war, und du mußtest die qualvolle, unersättliche Neugier eines Greises über dich ergehen lassen. »Komm«, sagte er zu dir, »du kannst bei mir schlafen, und ich werde uns frische Eier braten, jedem zwei.« Dann zerrte er dich in die düstere Hütte, hüpfte mit lächerlichem Getue zwischen Tisch und gußeisernem Ofen hin und her, und nach einer Weile knackten die dünnen, ausgetrockneten Äste im Feuer. Immer wieder versicherte er, wie wenig er Schockolls, deinen Adoptivvater, leiden könne, und daß er dich weniger um deinetwillen aufgenommen habe als vielmehr darum, etwas zu tun, das nicht im Sinne Schockolls' war.

Die vielen Versicherungen machten dich müde und du wartetest voller Ungeduld auf die Eier. Plötzlich sagte er: »Bier – trinkst du Bier?« »Ich hab Durst«, sagtest du. »Dann hol ich eine Flasche«, sagte er, »sie steht unten im Bach, kühl. Zwei, drei Minuten, Jungchen, dann bin ich zurück.«

Du warst allein, allein in dem fremden, klebrigen Raum und der beißende Qualm vom Braten zog wandauf und wandab und suchte nach einem Ausweg. Da entdecktest du das Zigarrenkästchen oder das Zigarrenkästchen entdeckte dich. Ihr saht euch unerwartet im trüben Licht der Petroleumlampe, und ihr beide giertet nach Berührung.

›Was willst du von mir‹, dachtest du, ›du gehörst mir nicht und ich rühre dich nicht an‹. Und das Zigarrenkästchen bettelte ›rühr mich an‹. Du konntest ihm nicht widerstehen und öffnetest es. Oben lag eine Photographie und der Zahn eines Wildschweins. Dann zogst du eine Fliegerbrille heraus und schobst sie hastig in die Tasche. Unter der Fliegerbrille lag neues englisches Geld, sicher eine sehr große Summe. Alle Banknoten waren an einer Ecke vom Feuer beleckt worden, und als du später die Fliegerbrille bestauntest, stelltest du fest, daß auch sie vom Feuer berührt worden war. Du hast nicht das Gesicht des Alten gesehen, als er nach Hause kam. Er starrte auf das Kästchen, als ob er aus ihm einen Urteilsspruch erwartete. Dadurch, daß du Kenntnis von dem Inhalt hattest, befand er sich in Gefahr. Der Alte verfluchte dich.

Könntest du nicht einfach auf eine der dichten Kiefern klettern? Doch es kann sein, daß sie Bluthunde bei sich haben, und dann wäre nicht nur die Anstrengung nutzlos, sondern du wärst in einer Falle, aus der es keine Befreiung mehr gäbe. Deine Verfolger würden lüstern am Stamm ausharren und darauf warten, daß deine Kräfte schwinden oder daß dich ein Bedürfnis heruntertriebe. Also weiter, weiter zum Mittelpunkt des Kreises, den sie sorgfältig um dich geschlagen haben. Dort im Mittelpunkt findest du eine gnädige Frist. Dorthin kommen sie zuletzt.

Feindselig stehen die Bäume, rotten sich zusammen und hemmen die Geschwindigkeit deines Laufs. Ihre mönchische Einsamkeit ist dahin, seitdem du an ihnen vorbeiflitzt. Barfüßig, mit zitternden vorgestoßenen Armen. Das Gesäß ist aus Blei. Denkst du noch an den Pfarrer? Ja.

Und abends kamst du am Haus des Pfarrers vorbei und ein öffentlicher Friede ging von dem flachen, einfachen Bau aus. War denn niemand im Hause? Die hintere Tür stand offen. Du schlichst hinein, erlagst der Versuchung. Rasch sprang die Tür zum Vorratsraum auf. Der Pfarrer lebt nicht dürftig. Ein kurzer schneller Griff, und dann hieb der Schreck einen Nagel durch deinen Fuß. Du hörtest den Pfarrer sprechen und ihm antwortete der alte Drews. Sie sprachen von dir. Der Alte erzählte, daß du das Zigarrenkästchen geöffnet hättest, daß du wüßtest, was in ihm lag und daß du die Fliegerbrille hättest mitgehen lassen. Und dann erfuhrst du die Geschichte des englischen Fliegers. Er hatte Leute auf dem Feld beschossen, war tiefer und tiefer herabgekommen – abgestürzt. Sie hatten ihn sterben lassen. Der Alte, der Pfarrer und Schockolls, dein Adoptivvater. Sie hätten ihn herausziehen können aus den brennenden Trümmern, aber sie taten es nicht. Sie standen und sahen zu, wie er langsam starb. Und nachdem er tot war, kramten sie seine Taschen aus und verscharrten ihn ohne Markierung. Und dann sprach der Alte von der Kommission, die nach dem Krieg in das Dorf gekommen war, um alle Gräber zu registrieren. Damals hatte man aus Furcht das Grab des Fliegers nicht angegeben. Du, ein Außenstehender, wußtest nun davon, und alle, die damals dabei waren, glaubten sich unversehens in Gefahr. Der Alte sprach auf den Pfarrer ein. Und der Pfarrer schwieg und überlegte, was hier zu raten wäre. Sie standen knapp neben dem Vorratsraum. Jedes Wort war deutlich zu verstehen.

Da begann dich ein Hustenreiz zu quälen, spickte in der Lunge, fuhr würgend den Hals hinauf und dein Körper krümmte sich und der Husten befreite sich laut.

Eine Hand riß die Tür auf, du stürztest hinaus, vorbei an den sprachlosen Männern, über den Tisch durch das Vorgärtchen ins Freie. Beide hatten dich erkannt und ihr Haß und ihre Furcht wuchsen. Da, das war Schockolls, er ist also auch dabei, dein gefährlichster Verfolger. Jetzt in die Schlucht, zu der einsamen Baumgruppe. Das Gras ist feucht und kalt, über den Boden streicht die Mähne des Nebels, schlohweiß. Kein Wind in der Nacht. Ein Stein löst sich am Abhang, rollt klirrend hinab, ruht sich aus. Sie jagen dich, weil sie dich fürchten. Sie wollen dich fangen, weil du ihr Mitwisser bist, das streunende Gewissen der Männer. Sie jagen dich, und dabei jagen sie sich selbst.

Nur nicht stehenbleiben. Wenn du stehst, schlägt der Schmerz im Bein wie ein gewaltiger Puls. Wenn du stehst, verläßt dich die Kraft. »Steh«, schreit Schockolls heiser, »bleib stehen!« Er ist nah herangekommen, er hat dich erblickt. Am Vormittag hat er dich auch schon erblickt, an der Waldchaussee. Du sprachst mit einem englischen Soldaten, erklärtest ihm, welchen Weg er mit seinem Auto nehmen müßte. Er hatte dich danach gefragt. Schockolls sah dich mit ihm reden und glaubte, du erzähltest ihm die ganze Geschichte des Piloten. Und er rannte zurück und keuchte dem Pfarrer vor, was er gesehen hatte. Und am Abend versammelten sich die Verfolger.

Das hättest du nicht tun sollen. Du hättest nie den Weg in die Schlucht wählen dürfen. Das war dein Verhängnis. Schockolls kommt immer näher, zischend und entschlossen. Eine Lokomotive von einem

Kerl, das gereizte Schicksal. Schnell, schnell unter die Bäume, stehen und einwachsen, ein Stamm unter Stämmen. Das wäre eine Überraschung für Schockolls. Schon streckt er die Hand aus. Noch zehn Schritte bis zu der Baumgruppe. Eins. Nicht umwenden. Laufen, springen, hinwerfen. Zwei. Was wird er tun. Wird er den Riemen abbinden und schlagen? Wird er seinen Stiefel in den Magen treten? Drei. Das Genick glüht. Ist das schon sein Atem oder die Furcht? Vier. Warum geht das so elend langsam? Warum ist man auf die schwerfälligen Beine angewiesen? Springen. Jetzt. Aah, die Klammer am Bein. Eine Faust. Fünf Schritte nur noch. Das ist sein Griff. Er hat sich nach dem Bein geworfen. Mein Gott, der starke Kerl. Er zieht dich zu sich heran, lacht, wühlt deinen Körper ab, kniend, in besinnungsloser Wut. Tastet sich an den Hals heran, an den schluckenden, zitternden, zarten Hals. Führt die Daumen zusammen. Der Funke springt über. Er drückt, drückt mit dem ungeheuren Gewicht seines Körpers, hält deinen Leib stöhnend fest. Er sitzt rittlings auf deiner Brust. Die Hände zucken, die Finger schlagen das kalte Gras und er drückt den Hals, drückt. Und dann bist du still. Der Mitwisser schweigt. Er läßt von dir ab und erhebt sich. Und jäh horcht er auf die anderen Verfolger. Er berührt deinen Körper mit der Stiefelspitze. Einmal. Dann kriegt er Angst, er will sich fortstehlen und blickt zu der einsamen Baumgruppe, angstvoll, verzweifelt. Und dann – hinter einem Baum springt plötzlich ein Junge hervor. Älter als du, aber nicht viel. Er hat alles gesehen. Wieselschnell läuft er davon und Schockolls starrt ihm wie benommen nach. Ein neuer Mitwisser. Die Fortsetzung der Qual.

1953

Einmal schafft es jeder

Der Alte lag wohlig in einem Friseurstuhl und lauschte auf das metallene Schnappen der Schere hinter seinem Ohr. Der Geruch von Seifenschaum und von allerlei Haarwassersorten hatte ihn ein bißchen schläfrig gemacht, und diese Schläfrigkeit war so angenehm, daß er nach kurzem Widerstand die großen Hände auf die Knie legte und die Augen nicht mehr öffnete. Er hielt sie auch während des Rasierens geschlossen, und er wäre unweigerlich eingeschlafen, wenn der kleine

Junge nicht wieder einen Hustenanfall bekommen hätte. Der Alte sah im Spiegel, wie sich der Junge krümmte und wie sich sein Gesicht rötete und Tränen in seine Augen traten. Und der Alte musterte ihn mit heimlicher Besorgnis und versuchte ihm zuzulächeln. Dann rieb der Friseur mit einem Tuch die Ohren ab, zwängte eine Bürste in den Kragen und reichte dem Alten einen Rucksack, der neben dem Kleiderständer gelegen hatte. Der Mann warf sich den Rucksack über die Schulter, zahlte, nickte dem Jungen zu, und beide verließen den Friseurladen.

Der Junge hatte ein ernstes, gleichgültiges Gesicht; er war mager und längst aus seinen Kleidern herausgewachsen. Er trug halblange Hosen, und seine strumpflosen Füße steckten in braunen Segeltuchschuhen. Er lief dem Alten um einen halben Schritt voraus, mit gesenktem Kopf, in einer Hand ein kurzes, zerfetztes Fliederstöckchen. Manchmal wandte er leicht den Kopf zurück und sah schräg von unten zum Alten empor und lächelte gleichgültig. Der Alte nahm dieses Lächeln auf und blinzelte zurück. Er war ein großer, hagerer und ein wenig gebeugter Mann, und er hatte die Hände in den Taschen seiner dunkelgrünen Joppe vergraben und atmete angestrengt und regelmäßig. So durchquerten sie wortlos die kleine, ruhige Stadt, und nach Sonnenuntergang erreichten sie das Autowrack. Von hier aus war es nicht mehr weit bis zur Grenze.

Der Alte ging einmal um das Wrack herum, und dann setzte er sich auf einen verbeulten Kotflügel, lehnte sich weit nach hinten und hakte die Träger des Rucksacks aus. Er stellte den Rucksack zwischen die Beine, löste langsam die oberste Schnalle und kramte ein Messer heraus und Speck und ein Stück schwarzen Brotes. Der Junge hatte sich auf die Erde gesetzt und sah dem Alten zu, und er beobachtete ihn, als ob er Mitleid mit ihm hätte. Er bemerkte, daß der Alte ein zweites Stück Brot und ein zweites Würfelchen Speck abschneiden wollte, und da er dachte, es sei für ihn bestimmt, zeigte er mit dem Fliederstöckchen darauf und sagte:

Nichts für mich. Ich habe schon gegessen.

In dem Alter kann man immer essen, sagte der Alte, und er redete weiter und versuchte, dem Jungen zumindest den Speck aufzudrängen. Aber er hatte keinen Erfolg.

Na, sagte er, ich jedenfalls muß mich stärken, und er biß einmal vom Speck ab und einmal vom Brot und kaute langsam vor sich hin. Der

Junge erhob sich, schlug mit dem Stöckchen gegen seine Hosen und blickte mißtrauisch auf den Himmel. Und der Alte machte es ihm nach und fragte:

Meinst du, daß es regnen wird, Junge? Und der Junge sagte: Es wird bestimmt regnen. Spätestens in einer Stunde.

Vielleicht ist das ganz gut, sagte der Alte. Der Regen macht seinen eigenen Lärm, und vielleicht passen sie dann nicht so gut auf.

Die passen immer gut auf, sagte der Junge. Und im Regen noch mehr. Sie wissen ganz genau, was wir denken. Aber wir müssen heute rüber, sagte der Alte. Ich habe es schon in drei Nächten versucht, und dreimal bin ich nicht rübergekommen, Junge.

Wenn du dir gleich einen Führer genommen hättest, dann wärst du schon in der ersten Nacht rübergekommen, sagte der Junge gleichgültig. Alle Jungens bei uns in der Stadt kennen sich hier aus, und jeder von ihnen hätte dich für etwas Geld über die Grenze gebracht.

Der Junge sah den Alten abschätzend an, und dann sagte er: Du könntest mir eigentlich jetzt die Hälfte geben.

Der Alte schob das Brot und den Speck und das Messer in den Rucksack und kramte dann aus einer Joppentasche eine Geldbörse hervor. Er öffnete die Geldbörse, und der Junge schob seinen Kopf nah heran und prüfte mit schnellem Blick den Inhalt. Dann zeigte er mit seinem Fliederstöckchen auf einen Geldschein und sagte:

Den da. Das ist genau die Hälfte. Und der Alte faltete den Schein auseinander, rieb ihn zwischen Daumen und Zeigefinger und hielt ihn dem Jungen hin.

So, sagte der Junge, nun geht es leichter. Er schob das Geld in eine geheime Tasche unter dem Gürtel und nickte zufrieden.

Werden wir es bis morgen früh schaffen? fragte der Alte. Wenn wir nicht vor sieben da sind, Junge, dann hat es keinen Zweck. Dann wird mein Bruder aus dem Haus gehen und versuchen, hier herüber zu kommen. Das hat er mir geschrieben. Er hat morgen seinen siebzigsten Geburtstag. Ich hab mich extra dafür rasieren lassen. Was meinst du, Junge, werden wir es schaffen? Er wohnt nicht weit hinter der Grenze.

Wenn es dich beruhigt, sagte der Junge, ich bin schon oft drüben gewesen. Und einmal wirst du es auch schaffen. Einmal schafft es jeder.

Sie saßen noch eine Weile stumm nebeneinander und warteten auf die Dunkelheit, und als die Dunkelheit kam, begann es zu regnen, und der Alte beugte sich weit nach hinten über den Kotflügel und hakte ächzend die Träger seines Rucksacks ein. Der Junge ließ sein Stöckchen durch die Luft pfeifen, drehte sich wortlos um und winkte dem Alten, ihm zu folgen.

Sie schritten an einem Knick entlang, an einer Buschreihe, mit der zwei Felder voneinander getrennt waren, und der Regen trommelte auf die trockenen Blätter in den Büschen und machte ihre Schritte unhörbar. Sie sanken bis zu den Knöcheln in den Boden ein, denn das Feld war aufgeweicht, und schleuderten den Fuß bei jedem Schritt heftig nach vorn, damit die Lehmklumpen sich von den Schuhsohlen lösten. Dann und wann blieb der Junge stehen und hustete, und der Alte stand besorgt hinter ihm und dachte ängstlich: du bist krank, Junge, du gehörst ins Bett. Aber du bist ja freiwillig mit mir gegangen. Huste dich jetzt nur aus, später, wenn wir an die Grenze kommen, darfst du es nicht mehr, dann wird es gefährlich.

Am Ende des Feldes zwängten sie sich durch den Knick und standen auf einem schmalen, abschüssigen Weg. Der Alte wollte weiter gehen, aber plötzlich hob der Junge sein Stöckchen und machte dem Alten ein Zeichen, sich nicht zu bewegen. Der schmale Weg führte in eine Schlucht, und unmittelbar hinter der Schlucht mußte die Grenze sein. Wenn ich die Brille aufhätte, dachte der Alte, wenn ich jetzt nur sehen könnte, was da vorn los ist. Ich muß mich ganz auf ihn verlassen.

Der Junge schlich fort, und als dem Alten Zweifel kamen, daß sein Führer nicht mehr zurückkehren werde, tauchte der Junge unerwartet neben ihm auf. Der Alte erschrak und fragte: Was ist denn, Junge? Sind wir schon so weit?

Da vorn sitzt eine Frau, sagte der Junge. Wahrscheinlich hat sie Angst, allein rüberzugehen. Sie will sich uns anschließen. Wir dürfen nicht auf dem Weg bleiben. Komm hier nach links. Wir müssen um sie herum. Und sie drangen in eine hüfthohe Schonung ein und gingen geduckt weiter. Die Luft zwischen den jungen Bäumen war warm. Zurückschlagende Zweige klatschten gegen ihre Oberschenkel, und in kurzer Zeit waren die Hosen durchnäßt. Der Junge blieb keinen Augenblick stehen, und der Alte dachte: er ist so leichtsinnig. Vielleicht will er schnell nach Hause. Warum ist er nicht vorsichtiger. Wenn ich nur die Brille aufhätte, aber sie würde gleich beschlagen, und ich könnte weniger sehen als jetzt.

Am Grunde der Schlucht floß ein Bach, und der Junge watete sofort mit Schuhen hinein und machte dem Alten ein Zeichen, ihm zu folgen. Der Alte glitt vorsichtig in das eiskalte Wasser, die jähe Kälte lähmte ihn fast, aber er wagte nicht, aus dem Bach herauszutreten. Doch die Kälte quälte ihn schließlich so sehr, daß er zwei lange Schritte machte und dicht hinter dem Jungen war.

Müssen wir hier weitergehen?

Der Junge nickte gleichgültig und setzte seinen Weg fort.

An der Stelle, wo sie wieder aufs Trockene traten, schob sich eine steile, kaum bewachsene Böschung an den Bach heran. Der Alte ließ sich mit dem Rücken gegen sie fallen, atmete angestrengt und schloß die Augen; doch der Junge berührte ihn mit seinem Fliederstöckchen am Hals, und als der Alte verwirrt und ärgerlich aufsah, zeigte das Fliederstöckchen auf den oberen Rand der Böschung. Der Junge ging voran, krallte seine Finger in das kurze, nasse Gras und zog sich langsam empor. Er hörte den Alten hinter sich keuchen, und sobald das Keuchen leiser wurde, kroch er langsamer, so daß der Abstand zwischen ihnen sich nicht veränderte. Einmal schafft es jeder, dachte der Alte. Das hat der Junge gesagt, und er ist oft drüben gewesen. Einmal kommt jeder über die Grenze. Und er zog und stemmte sich verzweifelt die Böschung hinauf.

Als sie dicht nebeneinander am oberen Rand der Böschung lagen, entdeckten sie den ersten Posten. Der Junge sah ihn zuerst, und wenn er dem Alten nicht gezeigt hätte, wo der Posten stand, so hätte ihn dieser nie bemerkt. Es war ungewiß, ob er ihn überhaupt auch jetzt bemerkte; vielleicht sagte er es nur, damit der Junge nicht erfuhr, wie schlecht er ohne Brille sah und wie unsicher er war und wie hilflos. Der Wind trieb den Regen in ihre Gesichter, und sie blieben zitternd und bewegungslos liegen. Tiefliegende Wolken flohen über den Himmel, und sie hörten den Wind durch den Drahtzaun pfeifen, und der alte, verrostete Draht quietschte, als ob unablässig jemand über ihn hinwegstiege.

Plötzlich begann der Junge zu husten, und der Alte sah ihn zuerst böse und dann mitleidig an. Der Junge preßte sein Gesicht an den Boden und hustete in die Erde hinein, und sein magerer Körper bebte. Vorsichtig streckte der Alte eine Hand aus und legte sie dem Jungen auf den Rücken. Und dann schob sich die Hand zum Hinterkopf hinauf und fuhr einmal liebkosend durch das Haar.

Der Junge hob schnell den Kopf und starrte in die Richtung, in der er vorher den Posten entdeckt hatte.

Wenn ich nur die Brille aufhätte, sagte der Alte leise.

Jetzt wird es Zeit, sagte der Junge.

Er wies mit dem Stöckchen nach vorn, nickte dem Alten zu und kroch durch den Drahtzaun. Hinter dem Drahtzaun erhoben sie sich und schritten geduckt weiter, dicht hintereinander. Die Augen des Jungen irrten hin und her, während der Alte nur ängstlich auf die Bewegungen seines Vordermannes achtete. Das kann doch nicht sein, Junge, dachte er verzweifelt, die Grenze kann doch nicht so breit sein. Hast du dich nicht getäuscht?

Dann kamen sie an eine Wiese, und hier entdeckte der Junge den zweiten Posten. Sie glitten auf den Boden herab und konnten den Posten gegen den Nachthimmel erkennen. Er war nah. Und der Alte dachte: wenn du jetzt hustest, Junge, dann ist alles vorbei, dann war der Weg umsonst und die Mühe und all die Angst. Du darfst jetzt nicht husten. Und der Junge hustete nicht. Er starrte aufmerksam zum Posten hinüber, und nach einer Weile flüsterte er: Wir müssen warten. Wir sind schon hinter der Grenze. Von hier hast du es nicht mehr weit. Kannst du mir jetzt das Geld geben?

Aber wie komme ich weiter, fragte der Alte.

Wenn es hell wird, sagte der Junge, geht der Posten weg. Dann hält dich keiner an.

Willst du nicht lieber warten, Junge? Ich gebe dir auch etwas mehr.

Nein, sagte der Junge gleichgültig, ich will nicht mehr. Ich will nur mein Geld. Und ich kann hier auch nicht warten, denn wenn ich noch länger liege, kommt bestimmt der Husten, und dann war alles umsonst.

Der Alte rollte sich vorsichtig auf die Seite und zog aus der Joppentasche die Geldbörse hervor; und dann hielt er sich die Geldbörse dicht vor die Nase und nahm einen Geldschein heraus, den er schon am Autowrack für sich gelegt hatte. Wortlos reichte er dem Jungen das Geld hinüber, schloß die Börse und schob sie in die Joppe zurück. Es ist vielleicht ganz gut so, dachte er, der Junge darf nicht länger auf der feuchten Erde liegen. Wenn er zu husten beginnt, ist alles aus.

Wenn es hell wird, verschwindet der Posten, sagte der Junge nochmals, dann kannst du ruhig weitergehen. Also mach's gut.

Er berührte den Alten leicht mit dem Fliederstöckchen, nickte ihm zu und schob sich langsam zurück, und als der Alte sich nach einigen Sekunden umwandte, konnte er den Jungen nicht mehr entdecken. Er blieb still liegen und beobachtete den Posten, und manchmal zweifelte er, ob der Junge recht habe und der Posten sich entfernen werde. Er glaubte sogar, daß der Junge ihn in einer Falle sitzen gelassen hatte, und er wunderte sich, daß er den unerwarteten Abschied so selbstverständlich hingenommen hatte. Aber dann begann es hell zu werden, und er sah, daß der Posten davonging, wie der Junge es vorhergesagt hatte, und der Alte blickte hastig auf seine Taschenuhr und stellte fest, daß er noch zwei Stunden Zeit hatte, um zu seinem Bruder zu kommen. Und er richtete sich auf und ging steif über die Wiese. Niemand hielt ihn an, niemand begegnete ihm, und als er eine Landstraße erreichte und in der Ferne das Haus seines Bruders sah, war er vergnügt und dachte: Ich danke dir, Junge, du hast wirklich alles gewußt.

Der Alte war schon um sechs am Haus seines Bruders, und er lief erst einmal um das Haus herum, als ob er keine Tür finden könnte. Alles war still. Er klopfte gegen ein Fenster, aber niemand kam, um ihm zu öffnen. Dann hieb er gegen die Tür, und nach einer Weile hörte er Schritte auf dem Zementfußboden, und ein Mann, den er nicht kannte, schloß die Tür auf.

Ihr Bruder ist nicht mehr da, sagte der Mann. Er ist vor einer Stunde fortgegangen, weil er glaubte, Sie kämen nicht mehr. Er wollte zu Ihnen, über die Grenze.

Er hob bedauernd die Schultern, und der Alte stand einen Augenblick wie versteinert da und überlegte, was er tun solle.

Wollen Sie hereinkommen und bis zum Abend warten, fragte der Mann. Der Alte schüttelte langsam den Kopf.

Nein, sagte er, das nützt nichts. Mein Bruder hat heute Geburtstag. Ich werde gleich zurückgehen, jetzt ist es günstig.

Und er drehte sich um und ging den Weg zurück, den er gekommen war. Ich habe selbst gesehen, wie der Posten fortging, dachte er, ich werde gut zurückkommen. Warum ist der Bruder nur so nervös? Warum konnte er nicht bis zur verabredeten Zeit warten?

Es hörte auf zu regnen, und am Horizont kündigte sich die Sonne an. Der Alte überlegte, ob er nicht erst etwas essen sollte, aber er tat es nicht, denn er durfte keine Zeit verlieren. Bevor er auf die Wiese trat, zog er die Brille aus dem Futteral und setzte sie sich auf die Nase. Die Brille ersetzt den halben Jungen, dachte er. Er sah zu der Stelle hinüber, an der nachts der Posten gestanden hatte; es war nichts zu sehen. Aber plötzlich erschrak er: in einem Graben kauerte eine Frau; sie lächelte den Alten hilflos an und fragte: Gehn Sie rüber, Herr? Darf ich mich Ihnen anschließen?

Der Alte erinnerte sich, wie der Junge sich in der letzten Nacht verhalten hatte, aber er hatte nun seine Brille auf, und die Brille machte ihn zuversichtlich.

Schnell, sagte er, aber bleiben Sie etwas hinter mir.

Sie kamen glücklich über die Wiese, krochen durch den Draht und rutschten den Abhang hinab. Es geht auch ohne ihn, dachte der Alte, es geht auch ohne den Jungen. Wer es einmal geschafft hat, schafft es auch ein zweites Mal. Und er deutete wichtigtuerisch in die Schlucht hinab und schickte sich an, voranzugehen.

In derselben Sekunde wurden sie angerufen; sie warfen sich auf den Boden, als könnten sie dadurch unsichtbar werden, und als der Alte die Augen öffnete, sah er wenige Zentimeter vor seinem Gesicht den taufeuchten Stiefel des Postens.

1953

Vogeltausch

Während der Mittagszeit flog einer älteren Frau ein Stieglitz fort, ein guter Sänger, den sie nahezu vier Jahre in ihrer Küche gehalten hatte. Sie war, als der Stieglitz an ihrem Kopf vorbeisauste, so verblüfft, auf eine so schmerzhafte Weise erschrocken, daß sie weder die Hand hob, um den Vogel aufzuhalten, noch den Kopf wandte, um die Richtung seines Fluges zu verfolgen. Sie hatte sich an die zarte Gegenwart des Vogels so sehr gewöhnt, glaubte ihn durch Waldsamen und verschiedene winzige Leckereien so an sich und die Küche gebunden, daß sie sich eine Trennung nie hatte vorstellen können. Und sie dachte, während sie vor dem halb geöffneten Fenster stand, sofort an ihre unaufhörlichen Zärtlichkeiten, die nun enttäuscht, und an die Leckereien, die nun verschwendet waren.

Ihr Mann hatte auch gesehen, wie der Vogel hinausflog, und da sie genau wußte, was er dazu sagen würde, bat sie ihn durch ein Zeichen, jetzt nicht zu sprechen. Aber er sagte: »Gott sei Dank!«, schob die Frau zur Seite und schloß das Fenster. »Sonst kommt er noch auf den Gedanken, zurückzukehren«, sagte er.

»Sei froh, daß er fort ist! Ich fand deine zirpenden Unterhaltungen mit dem Vogel einfach lächerlich und komisch, und nicht nur ich, wie du mir glauben darfst, sondern sogar deine beste Freundin. Jetzt ist er weg, und das ist gut. Vielleicht wirst du dein Bedürfnis, den Vogel zu verwöhnen, nun auf mich anwenden, Gott geb's!« Und er setzte sich hin und aß.

Die Frau ging hinaus, und er hörte, wie sie das Fenster im Schlafzimmer öffnete, und nach einer Weile kam sie wieder in die Küche, hob den Vogelkäfig vom Haken und ging in den Garten. Der Stieglitz saß auf dem Birnbaum, nicht übermäßig hoch, und die Frau stellte sich unter den Baum und hielt, auf Zehenspitzen stehend, das Bauer empor, schnalzte mit der Zunge, zwitscherte albern und lockte auf jede Art.

Der Mann stand oben am Küchenfenster und blickte geringschätzig auf sie herab, und er sah sie in ihrer schäbigen Kittelschürze um den Baum herumhüpfen, sah, wenn sie sich angestrengt reckte, ihre dünnen Waden und ein Stück der Kniekehlen, und er kam in Versuchung, den Vogel fortzujagen, um dies jämmerliche Lockspiel zu beenden. Aber er hatte in achtundzwanzig Jahren zu spüren bekommen, wie nachtragend sie war, und darum unterließ er es. Er ging an seinen Tisch und aß weiter.

Dann kam die Frau zurück, mit leerem Käfig, und der Mann wußte, welch ein Gesicht er in den nächsten Tagen zu erwarten hatte. Zu seiner Verwunderung stellte sie den Käfig wortlos auf den Tisch, zog die Glasplatten ab, holte die verschiedenen Porzellannäpfchen heraus und begann, diese auf umständliche und liebevolle Weise zu füllen. Sie füllte auch neues Wasser ein, und nachdem sie auch noch den Boden mit feinem Sand ausgestreut hatte, hängte sie den Käfig mit offener Tür wieder an den Haken.

»Das soll wohl für seine Seele sein, wie?« sagte der Mann. »Oder hast du ihn etwa gefangen?«

»Nein«, sagte die Frau, »ich habe ihn nicht gefangen. Er ist für immer fortgeflogen. Aber ich weiß, daß du, Petersen, mir einen neuen Stieglitz kaufen wirst! Ich weiß das ganz genau.«

Und der Mann sagte: »Ich werde dir keinen Stieglitz kaufen! Wir sind keine reichen Leute, und so ein Ding kostet gut acht bis zehn Mark. Außerdem könnte ich dein Zirpen und Zwitschern nicht mehr ertragen. Diesmal wird kein Vogel gekauft, darauf kannst du dich verlassen!« Und er erhob sich und verließ die Küche, und später sah die

Frau, daß er den Schuppen aufschloß, Schnüre und Spaten herausholte und dicht bei der Hecke Beete zog.

Während der Arbeit entdeckte der Mann den Stieglitz, und er wußte sofort, daß es der Vogel seiner Frau war; er glaubte ihn mühelos wiederzuerkennen. Er saß knapp über ihm, legte den Kopf auf die Seite und äugte herab. »Da bist du ja«, sagte der Mann leise, und er tat vorsichtig einen Schritt vorwärts und streckte die Hand aus. »Vielleicht kommst du zu mir. Wenn du dich jetzt von mir fangen läßt, das verspreche ich dir, bringe ich dich nach oben. Komm, flieg mir auf die Hand. Ich tu dir nichts.«

Dann schnappte seine Hand nach dem Vogel, aber sie erreichte ihn nicht, der Vogel flog auf und setzte sich wieder, in gleicher Höhe, nur wenige Schritte entfernt. Der Mann folgte ihm, ging langsam, leise sprechend auf ihn zu, schob die Hand vor, lockte und griff dann zu. Wieder entwischte ihm der Vogel und flog durch den Garten und setzte sich auf den ersten Platz. Der Mann versuchte es noch zweimal, und jedesmal ließ ihn der Stieglitz sehr nah herankommen und flog erst im letzten Augenblick auf. Da nahm der Mann einen feuchten, schweren Erdklumpen in die Hand und näherte sich dem Vogel, und als er dicht vor ihm stand, warf er, und das Tier wurde durch die Wucht des Wurfes sofort getötet und blieb mit einem gespreizten Flügel in der Hecke hängen. Der Mann löste den Stieglitz aus den Zweigen heraus und war erstaunt, wie warm der kleine Körper war, und während er ihn in seiner Hand liegen sah, merkte er, daß seine Hand zitterte.

Warum bist du nicht gekommen, als ich dich rief? dachte er. Warum hast du nicht auf mich gehört? – Plötzlich warf er den Körper über die Hecke und verließ den Garten. Und er ging in ein Vogelgeschäft und kaufte für zehn Mark einen neuen Stieglitz.

1953

Der zerbrochene Elefant

Zu seinem neunten Geburtstag wünschte er sich einen gläsernen Elefanten, so groß wie eine Zigarrenkiste, mit aufwärts gekrümmtem Rüssel und sichtbaren Stoßzähnen. Er sagte, daß er dafür auch nichts anderes haben wolle, nicht einmal eine Wasserpistole, und falls sie ihm doch etwas anderes schenken sollten, würde er nicht damit spielen. Wenn ein gläserner Elefant nicht zu kaufen wäre, sollten sie das Geld aufheben, denn eines Tages, vielleicht zum nächsten Geburtstag, würde das schon möglich sein.

Aber es war schon diesmal möglich, und sie schenkten ihm einen Elefanten aus grünblauem Glas, in dem kleine Luftblasen drinsteckten, schön und nutzlos, und er war so groß wie eine Zigarrenkiste, und sein Rüssel schien in wildem Schwunge erstarrt. Mit wortlosem Entzücken nahm der Junge das gläserne Tier auf den Arm und ging in sein Zimmer, und er stellte den Elefanten auf die Fensterbank, kniete sich vor ihm hin und betrachtete ihn lange gegen das Licht. Und er schien darauf zu warten, daß sich die erstarrte Bewegung wieder löse, daß der Elefant mit Hilfe der vielen kleinen Luftblasen seinen Weg fortsetze, zornig trompetend und den Rüssel hin und her werfend. Da hörte der Junge ein heftiges Kratzen am Schrank, er erschrak und fuhr hoch, und während er sich umwandte, streifte er den Elefanten mit dem Ärmel und warf ihn herab. Er sah im gleichen Augenblick die Katze, die sich am Schrank die Krallen schärfte, er hörte neben seinen Schuhen ein winziges Klirren, und er ging, ohne nach dem Elefanten zu sehen, auf die Katze zu, bückte sich und schlug zweimal zu. Die Katze flüchtete sofort unter den Schrank. Dann ging er zur Fensterbank und hob den Elefanten auf; ein Bein und die Spitze des Rüssels waren abgebrochen; er nahm die Teile in eine Hand und überlegte, was er tun sollte. Er hätte vor Wut weinen können, aber ein würgendes Gefühl im Hals und die Furcht, sein Vater könnte heraufkommen und das Unglück entdecken, hinderten ihn daran. Er überlegte lange, und schließlich holte er aus dem Schrank den Klebetopf und leimte die Teile vorsichtig an. Sie hielten notdürftig, aber gegen das Licht waren die Bruchstellen deutlich zu erkennen, und darum trug er den Elefanten in das Zimmer und stellte ihn auf eine Fußbank, so daß man ihn nur von oben sehen konnte. Der Junge wußte, daß der Vater sich nicht gern bückte, und um das Unglück noch auf besondere

Weise zu verbergen, blies er einen Luftballon mit einer großen Nase auf und band ihn um den Leib des Elefanten. Der Luftballon stand senkrecht über ihm, lenkte den Blick ab und verheimlichte, was geschehen war.

Später kamen sie beide herauf, der Vater und die Mutter, und sie wunderten sich, warum der Luftballon um den Elefanten gebunden war. »Du hast ja einen fliegenden Elefanten aus ihm gemacht«, sagte der Vater.

»Nimm doch diesen albernen Ballon ab.« Aber der Junge stellte sich vor die Fußbank und stemmte die Fäuste gegen den Leib seines Vaters, um ihn zurückzuhalten.

»Du darfst ihn nicht berühren«, rief er, »wenn du ihn anfaßt, geht er gleich kaputt. Ich mag ihn so am liebsten.« Und er rief seiner Mutter zu, dem Luftballon nicht zu nahe zu kommen; er stieß sie zur Seite, wenn sie sich zu bücken versuchte, und da er mit wütendem Eifer darüber wachte und keinen an den Elefant heranließ, blieb das Mißgeschick unentdeckt.

Als er eines Tages aus der Schule kam, ging er sofort in sein Zimmer hinauf, band den Luftballon ab und stellte den Elefanten behutsam auf das Fensterbrett. Das gläserne Tier war schön und durchsichtig und leuchtete blaugrün. Der Junge versuchte, die Bruchstellen ausfindig zu machen, aber es war nichts zu erkennen, die häßlichen dunklen Ringe am Rüssel und an einem Hinterbein waren weg. Er erschrak vor Glück und versuchte mit Zeigefinger und Daumen, das abgebrochene Stück des Rüssels leise zu bewegen, er hatte es sonst immer tun können. Aber jetzt ging es nicht mehr, der Rüssel war hart und gesund und keine Leimspur hinderte das Licht, in ihm zu funkeln. Hastig versuchte er, den schadhaften Hinterfuß des Elefanten zu bewegen; aber auch der saß fest, ließ sich nicht einen Millimeter zur Seite biegen. Der gläserne Elefant war auf geheimnisvolle Weise geheilt.

Klopfenden Herzens lief der Junge hinab, ging zu seinem Vater und sagte: »Wenn du willst, kannst du jetzt mal meinen Elefanten sehen, Vati. Er war noch nie so schön. Er steht auf der Fensterbank und ist ganz voll Sonne.«

»Ich möchte deinen Elefanten nicht sehen«, sagte der Vater. »Ich habe jetzt keine Zeit und keine Lust dazu. Was soll das auch alles: zuerst dürfen wir ihn nicht ansehen, und jetzt lädst du uns sogar dazu ein.« »Früher war er auch nicht so schön«, sagte der Junge. »Solch ein

Elefant ist immer schön«, antwortete der Vater. »Ich möchte ihn jetzt nicht sehen.« Und er verließ das Zimmer.

Der Junge fragte nun seine Mutter, und er bettelte, sie möchte mit ihm hinaufgehen, der Elefant sei nie schöner gewesen als jetzt, und als sie ihm sagte, sie habe keine Lust, den Elefanten zu sehen, erfaßte er, dem Weinen nahe, ihre Hand und versuchte, sie hinaufzuziehen. Und er hatte sie schon bis zur Tür gezogen, als der Vater wieder eintrat. »Hör zu«, sagte er, »wir wollen also beide den Elefanten sehen. Aber bring ihn herunter. Auf dieser Fensterbank ist auch Sonne, und er wird hier genauso schön sein wie bei dir.«

Der Junge stieß einen Freudenruf aus und sauste nach oben, aber es dauerte lange, bis er wieder herabkam.

Er hatte ein völlig verstörtes Gesicht, sah hilflos auf seinen Vater und beeilte sich nicht, zum Fensterbrett zu gehen.

»Was ist denn los«, fragte der Vater.

»Er ist kaputt«, gab der Junge zur Antwort, »jetzt ist der Elefant wieder kaputt. Aber als ich vorhin oben war, war er heil, ganz bestimmt. Ich konnte den Rüssel nicht zur Seite biegen.«

»Ist er von allein entzweigegangen«, fragte der Vater. »Das ist ja merkwürdig. Ich habe so etwas noch nie von einem gläsernen Elefanten gehört.«

Der Junge blickte auf den Elefanten in seinem Arm und sagte: »Ich habe ihn kaputtgemacht, Vati, schon am ersten Tage, aber ich wollte es dir nicht sagen. Inzwischen ist er wieder ausgeheilt, ich habe es selbst gesehen.«

»Vielleicht«, sagte der Vater, »wäre er schon früher gesund geworden, wenn du es gleich gesagt hättest. Das ist wirklich sehr merkwürdig. Aber jetzt stell den kaputten hier auf die Fensterbank und geh nach oben. Hier ist auch Sonne, und hier kann er auch heilen. Geh jetzt.«

Und der Junge stellte den geleimten Elefanten auf die Fensterbank und ging langsam nach oben.

»Stell wieder den neuen hin«, sagte die Frau, »und den zerbrochenen, glaube ich, können wir jetzt wegwerfen.«

1953

Lotte soll nicht sterben

Es ist eine einfache Geschichte, denn sie handelt nur vom Tod und von der Liebe eines Jungen zu einem alten Pferd, und sie passierte in Masuren, zwischen einsamen Wäldern, Mooren und Seen. Masuren war ein schönes Stück Erde, still und unbesiegbar, und so voller Einsamkeit, daß man dort richtig verlorengehen konnte. Das kleine Dorf Romeiken beispielsweise war so ein verlorenes Dorf; die Leute, die hier wohnten, waren Holzfäller und Bauern, und die meisten von ihnen hatten immer nur den Himmel von Romeiken gesehen und nie ein anderes Wasser getrunken als das von Romeiken. Sie waren noch nie aus diesem Dorf herausgekommen, und wenn es einer mal tun mußte, dann traf er gleich Vorbereitungen, als ob er zu einem anderen Stern reisen wollte. Vielleicht glaubten einige sogar, daß die Welt hinter den Feldern von Romeiken zu Ende sei. Das mag schon sein. Rudi jedenfalls glaubte es nicht mehr, obwohl er nur neun Jahre alt war, denn er hatte einen Großvater, der in Johannisburg eine Sägemühle besaß, und Johannisburg war ziemlich weit von Romeiken entfernt. Rudi lief im Sommer immer barfuß, er trug ein graues Flanellhemd und eine kurze, schwarze Manchesterhose, und die Sonne hatte seine Beine und sein Gesicht verbrannt und sein Haar ausgebleicht. Er flitzte oft in den Wäldern herum oder am See, aber die meiste Zeit verbrachte er an der Wiese, denn da war er immer in der Nähe von Lotte. Lotte war ein Pferd, eine alte Grauschimmelstute, die Rudis Vater gehörte, und sie war schon so alt, daß sie nicht mehr zu arbeiten brauchte. Lotte war beinahe zweiundzwanzig Jahre alt und bekam, wie man sagt, das Gnadenbrot. Trotz ihres Alters aber war Lotte noch ein schönes Pferd, und vielleicht lag die größte Schönheit in ihren dunklen, stillen, ein wenig traurigen Augen. Rudi verbrachte die meiste Zeit bei ihr, und er schleppte ganze Bündel von Wegerichblättern, Löwenzahn und wildem Rhabarber an, und während er das dem Pferd auf flacher Hand hinhielt, sprach er mit ihm und erzählte ihm alles Mögliche. Und er dachte, das würde immer so weitergehen und schön sein und nie ein Ende nehmen, bis er selbst einmal alt wäre.

Aber eines Tages – Rudi war zufällig auf dem Hof –, da kam ein Mann in einem Kastenwagen angefahren, ein älterer, hagerer Mann mit grauem Stoppelhaar und einer zerkratzten Lederweste. Er fragte Rudi: He, ist dein Vater zu Hause? Und Rudi sagte: Er ist drin. – Der

Mann nickte und ging in das Haus hinein, und Rudi war neugierig, was der von seinem Vater wollte, und er schlich unter das Fenster. Aber er konnte nicht verstehen, was die beiden Männer besprachen, nur zum Schluß kamen sie etwas näher an das Fenster heran, und da hörte er, daß sie von Lotte sprachen. Der Mann mit der Lederweste sagte: Ich komme morgen früh vorbei, gegen fünf, dann nehme ich sie mit. Und Rudis Vater sagte: Gut, ich werde alles soweit fertig machen, und vergiß nicht, mir in den nächsten Tagen den linken Vorderfuß zu bringen. – Dann kamen die beiden Männer auch schon heraus, und Rudi sprang hinter die Sonnenblumen, um nicht gesehen zu werden. Und als der Kastenwagen vom Hof fuhr, ging er durch den Apfelgarten zur Straße und sah den Mann mit der Lederweste krumm auf der Seitenwand des Wagens sitzen, und Rudi folgte ihm, langsam und verwirrt. Er konnte sich nicht erklären, warum der Vater Lotte weggeben wollte, den einzigen Grauschimmel, den er noch hatte, und eine wilde Angst erfaßte ihn, als er an den linken Vorderfuß des Pferdes dachte, den der Vater zurückhaben wollte. Sie wollten Lotte totmachen, überlegte er verzweifelt, das alte Pferd soll sterben.

Der Kastenwagen schaukelte einen sandigen Feldweg hinauf, und bei dem kleinen, verkrüppelten Kirschbaum bog er ab und hielt direkt auf den Kiefernwald zu, und dann rumpelte er noch ein Stück durch den Wald und hielt vor einem Gehöft. Neben dem Gehöft standen zwei Schuppen mit Teerdächern, und das ganze Anwesen war mit einer Hecke aus trockenen Kiefernzweigen eingezäunt. Wenn man die Hekke anstieß, rieselte es sofort dürre Nadeln, der Boden lag schon voll davon. Als Rudi durch eine Lücke kroch, rutschten ihm einige Nadeln in den Halsausschnitt, und einige verfingen sich auch in seinem Haar. Darum blieb er, nachdem er den Zaun durchquert hatte, stehen, zupfte vorn und hinten an seinem Hemd und ließ die Nadeln durch sein Hosenbein wieder rausrutschen. In diesem Augenblick wurde er entdeckt. Der Mann mit der Lederweste tauchte hinter einem Schuppen auf, und bevor Rudi noch wegsausen konnte, war der Mann schon bei ihm, drückte seinen mageren Nacken mit Daumen und Zeigefinger zusammen und sagte: Was machst du hier, he? Du warst doch eben noch unten auf dem Hof, nicht wahr? Warum bist du mir nachgekommen? Und Rudi sagte: Laß mich doch los! Das tut weh, ich will hier nur spielen. – Spielen, sagte der Mann belustigt, das kannst du einem anderen erzählen, mir nicht. Du siehst nicht aus wie einer, der spielen will. Also red jetzt! Warum bist du hier?

Du drückst ja immer toller, rief Rudi, laß mich los! Und der Mann ließ ihn los und sagte: Dann werde ich dir erzählen, warum du hier bist. Wegen des Pferdes, nicht wahr? Du lagst unterm Fenster und hast zugehört, was ich mit deinem Vater besprach, und jetzt bist du mir nachgeschlichen, um herauszubekommen, was mit deiner Lotte passiert. Stimmt doch, nicht wahr? Dein Vater hat mir erzählt, wie sehr du das Pferd lieb hast.

Wirst du es totmachen, fragte der Junge.

Da wurde der Mann plötzlich sehr freundlich zu Rudi, und er legte ihm eine Hand auf die Schulter, und beide gingen über den Hof, und während sie wie zwei Freunde nebeneinander hergingen, fuhr der Mann dem Jungen einmal schnell übers Haar und sagte:

Ich sag dir, wie es ist, Jungchen, es hat keinen Zweck, dir ein Märchen zu erzählen: das Pferd muß sterben. Einmal würde es ja doch sterben, aber damit es noch zu etwas nützlich ist, mache ich es tot. Das ist nun einmal so. Es kommt bestimmt in den Pferdehimmel, da kannst du ganz sicher sein.

Sie setzten sich beide auf die Holztreppe vor dem Gehöft, und nachdem sie eine Weile still zusammengesessen hatten, fragte Rudi: Und warum mußt du meinem Vater den linken Vorderfuß bringen? Damit dein Vater sieht, daß das Pferd auch wirklich tot ist, sagte der Mann. Das muß ja auch sein, sonst könnte ich das Pferd vielleicht weiterverkaufen, und dann müßte es auf seine alten Jahre noch arbeiten. Aber das soll es nicht mehr, es hat lange genug gearbeitet, meinst du nicht? Und wenn ich deinem Vater einen Vorderfuß bringe, weiß er, daß das Pferd tot ist. Das mache ich immer so.

Hast du schon viele Pferde totgemacht, fragte Rudi erschrocken und rückte etwas von dem Mann ab.

Natürlich Jungchen, ich lebe davon, daß ich dem Pferdegott ein wenig zuvorkomme, nicht viel, weißt du, nur ein paar Monate oder so.

Da sprang Rudi unerwartet auf und rannte, so schnell er konnte, über den Hof. Er hörte nicht auf die Rufe des Mannes, er rannte zu der trockenen Hecke, sprang fast hindurch, kümmerte sich nicht um Nadeln und kleine Kratzer, sondern rannte nur besorgt und atemlos weiter durch den Wald und über den sandigen Feldweg zur Wiese. Und als er am Rand der Wiese stand, hatte das Pferd ihn auch schon gesehen und trabte ihm entgegen, und Rudi umarmte den großen nickenden Kopf des Tieres und versuchte, ihn unter wilden Liebkosungen an sich zu drücken.

Du sollst nicht sterben, sagte er immer wieder, du wirst nicht sterben, hab keine Angst, ich werde schon dafür sorgen, ich werde das schon verhindern. Bis morgen früh haben wir ja noch Zeit.

Und am Abend brachte er das alte Pferd früher als sonst in den Stall, und dann ging er zu seinem Vater und fragte ihn, ob er Lotte am nächsten Vormittag zum See mitnehmen dürfe, er wolle sie waschen, aber der Vater sagte: Morgen nicht, später vielleicht. Und da wußte Rudi, daß der Tod des Pferdes endgültig beschlossen war.

Er ging auf den Boden hinauf, in seine Kammer, holte hinter einem Balken eine Zigarrenkiste hervor und trug sie zu seinem Bett. Hier öffnete er die Zigarrenkiste und kramte allerhand Zeug heraus, Federposen, Drahtringe und Gummibänder, und auf dem Boden der Kiste lag eine kleine runde Blechschachtel, die er mal am Wasser gefunden hatte. Als er die Blechschachtel in die Hand nahm, klimperten darin ein paar Groschen, die er hier verwahrt hatte, und da es Abend war und sehr still, fürchtete Rudi, daß man das Klimpern auch auf dem Hof hören könnte, und darum steckte er die Blechschachtel schnell in die Tasche. Dann packte er das andere Zeug wieder in die Zigarrenkiste, verwahrte sie hinter demselben Balken und legte sich, in Hemd und Hose, auf sein Bett.

Rudi konnte nicht einschlafen. Er mußte immer an das Pferd denken, und daß es die letzte Nacht war, die es noch leben durfte. Manchmal hob er den Kopf und sah durch das Bodenfenster auf die dunklen Umrisse des Stalles, und er wäre gern hinuntergegangen in den Stall und hätte die letzte Nacht bei dem Pferd zugebracht, aber er hatte noch nicht die Schritte des Vaters in der Schlafkammer gehört, und darum blieb er oben, lag wach und dachte an das Pferd. Rudi lag bis zum Morgengrauen wach, sein Vater war längst schlafen gegangen, und jetzt erst, als der Himmel sich zaghaft aufzuhellen begann, erhob er sich und schlich, so vorsichtig es ging, zum Stall. Das Pferd wandte, als er eintrat, langsam den Kopf und sah ihn aus stillen, gleichgültigen Augen an. Rudi schloß leise hinter sich das Tor, blieb neben der Wand stehen und beobachtete das Tier. Und während er es beobachtete, empfand er ein schmerzhaftes Mitleid mit ihm, und er beschloß, mit dem Pferd zu fliehen, nach Johannisburg, zu seinem Großvater. Nach-

135

dem er diesen Entschluß gefaßt hatte, wartete er auch nicht mehr lange, er schleppte aus einem Korb einige Sackfetzen heran, schnitt eine Schnur kaputt, die von der Tonne herabhing, und begann, die Sackfetzen um Lottes Hufe zu wickeln. Das dauerte eine ganze Weile, und als er damit fertig war und das Pferd auf den Hof führte, erschrak er, denn es war inzwischen ziemlich hell geworden. Er führte Lotte an den Sonnenblumen vorbei zur Straße und dann die Straße ein Stück hinab, und als sie an eine Koppel kamen, kletterte er auf den Drahtzaun und von da auf den Rücken des Pferdes. Als er oben saß, setzte sich Lotte auch schon in Bewegung, es schien, als ob das alte Pferd ungeduldig sei und noch einmal Lust zeigte zu einem schönen letzten Abenteuer. Rudi hatte natürlich keinen Sattel und keine Zügel, er hatte nur die Mähne, woran er sich festhalten konnte, aber das genügte ihm durchaus, und außerdem hielt Lotte nichts mehr von allzu vielem Springen und Tänzeln. Dafür war sie schon zu alt.

Sie zuckelten an der Koppel vorbei und an einem langen Kartoffelfeld, und unter einem frei wachsenden Apfelbaum hielt Rudi an, stellte sich mit den Füßen auf Lottes Rücken und pflückte beide Taschen voll Äpfel, eine für sich und eine für das Pferd. Einige Äpfel, die etwas tiefer hingen, pflückte sich Lotte sogar selbst. Kaum aber hatte Rudi die Taschen voll, da hörte er hinter sich das Rasseln eines Fuhrwerks. Er drehte sich um und erkannte den Mann mit der Lederweste, der hatte Rudi beobachtet, wußte wohl auch, was hier los war, und näherte sich unangenehm schnell. Der Mann, dachte Rudi, ist sicher gerade unterwegs, um Lotte abzuholen; na, so leicht soll er sie nicht bekommen! Und er setzte sich wieder rittlings auf den Rücken des Pferdes und rief: Lauf, Lotte, los jetzt. Und dabei schlug er ihr mehrmals gegen den Hals. Aber Lotte begriff offenbar nicht, warum sie schon so schnell von dem schönen Apfelbaum fort sollte, sie hatte noch gar keine Lust dazu und tat, als verstünde sie Rudi nicht. Seelenruhig reckte sie ihr weiches Maul nach einem Ast, zuckte mit dem Fell und setzte sich nur unwillig in Bewegung, als Rudi ihr ein paarmal seine Hacken gegen den Bauch stieß. Es gab ein dumpfes, hohles Geräusch, als er seine Hacken gegen den Bauch des Pferdes stieß, und diesmal verstand Lotte, was gemeint war, aber sie verstand nicht, daß sie traben mußte und daß es allerhöchste Zeit war, von hier wegzukommen. Sie zuckelte gemächlich weiter, und unterdessen kam der Mann immer näher, er stand aufrecht und mit weichen Knien auf dem Kastenwagen, und Rudi sah, daß er eine Peitsche in der Hand hielt und sie drohend nach ihm ausstreckte. Er sah auch, daß der Wagen kleine Sprünge machte, und dann flog jedesmal auch der Mann ein klein wenig hoch. Das sah er alles, während er Lotte verzweifelt anzutreiben versuchte und in kurzen Abständen den Kopf wandte und überlegte, wann er sich vor der Peitsche herabfallen lassen müßte. Denn daß er diesmal die Peitsche zu schmecken bekommen würde, wußte er ganz genau.

Da sah er den breiten flachen Graben, in dem im Frühjahr immer die Plötze aus dem See laichten, und er sah sofort, daß der Graben die einzige Möglichkeit war, den Kastenwagen abzuschütteln. Und er zerrte Lotte an der Mähne in die neue Richtung und rief ihr aus Leibeskräften zu, sich zu beeilen, aber Lotte hielt in ihrem Alter nicht viel von der Eile, sie zuckelte gemütlich und langsam weiter. Wenn Rudi einen Stock gehabt hätte oder eine Peitsche, dann hätte er das Pferd diesmal geschlagen, obwohl er es bisher noch nie getan hatte; wenn er diesmal einen Stock gehabt hätte, er hätte nur so eingehämmert auf das Tier, aus Wut und Angst. So klatschte er nur mit der flachen Hand auf Lottes Hals und trommelte mit seinen Hacken gegen ihren Bauch. Das setzte er auch fort, nachdem sie schon die Hälfte des schilfumrandeten Grabens hinter sich hatten, er setzte es sogar wütender fort, denn Lotte schien plötzlich Durst bekommen zu haben, sie blieb stehen, senkte den Hals, daß Rudi beinahe herunterrutschte, und begann ausgiebig zu trinken.

Schließlich gelang es ihnen dann doch zu fliehen; der Mann wäre mit seinem Kastenwagen nie über den Graben gekommen, und darum gab er die Verfolgung auf. Als Rudi merkte, daß sie nicht mehr verfolgt wurden, ließen auch seine Schläge nach. Er legte sich weit nach vorn, umklammerte den festen warmen Hals des Pferdes, und seine Finger lagen zufällig auf einer Ader, und er spürte den sanften Schlag des Blutes.

Jetzt ist es gut, sagte er, jetzt brauchst du keine Angst mehr zu haben, jetzt wirst du nicht sterben.

Und so begann ihre Reise. Rudi wußte natürlich nicht, wo Johannisburg lag, er hatte nur gehört, daß sein Großvater dort lebte und daß es weit sei und viel größer als Romeiken. Aber er war überzeugt, daß jeder Weg, auch jeder Feldweg, den es um Romeiken gab, nur nach Johannisburg, zu seinem Großvater, führen könnte. Wozu sollte es sonst Wege geben? Er glaubte sogar, daß die Wege nur gemacht worden waren, damit der Großvater leichter zu finden sei; welchem Weg auch immer er sich anvertraute, eines Tages, glaubte er, würden Lotte und er vor der Sägemühle stehen, und der Großvater, freundlich und mit Sägemehl bedeckt, würde aus einem Schuppen herauskommen, ihnen lustig zublinzeln und beide verstecken. Was sollte Rudi denn sonst glauben?

Und er suchte, nachdem das Geschimpfe des Mannes verklungen war, nach einem Weg, und als er einen schmalen, von Wurzeln durchzogenen Waldweg entdeckt hatte, zerrte er Lotte in die Richtung, die der Weg lief, und ließ sie gehen. Sie ging selbstverständlich langsam, wie ein Kapitän auf Landurlaub, tat bisweilen, als betrachte sie die Gegend, spitzte die Ohren, wenn in unmittelbarer Nähe ein Specht zu hämmern begann, und blieb, wie nicht anders zu erwarten war, an den jungen Haselnußsträuchern stehen und rupfte sich hier und da etwas ab. Das schläferte Rudi ein, er war ohnehin ziemlich müde, da er in der letzten Nacht nicht geschlafen hatte, und er krallte seine Finger in die Mähne des Pferdes und überließ sich mit träumerischer Hingabe ihrer Führung.

Lotte brachte ihn zu einem Forsthaus, und der Förster, ein alter zwinkernder Mann mit einer langen Drehpfeife, war nicht schlecht erstaunt, als er die beiden so ankommen sah. Er rief gleich seine Frau auf die Veranda, und sie standen vor dem leuchtenden Birkenholzgitter und lachten. Rudi fragte, bloß mal zur Sicherheit, ob es hier richtig wäre nach Johannisburg, und der Förster zwinkerte seiner Frau zu und sagte: Hier kommt man überall nach Johannisburg, du kannst hinreiten, wo du willst, du mußt nach Johannisburg kommen. – Und er lud Rudi ein, bei ihm zu essen, und es gab Milch und Schinken, und Rudi aß, so viel er konnte. Nach einer Weile sagte der Förster: Ich muß mal in die Küche zu meiner Frau, sie soll dir noch ein Stück Rauchfleisch einpacken. Und er stand auf und ging in die Küche. Aber Rudi merkte, daß er etwas anderes vorhatte, und schlich ihm nach, und vor der Küchentür blieb er stehen und lauschte. Da hörte er, wie der Förster sagte: Wir müssen die beiden hier festhalten, wir dürfen sie auf keinen Fall fortgehen lassen; wer weiß, was mit ihnen los ist. Hast du gesehen, das Pferd hat bewickelte Hufe.

Jetzt erst fiel Rudi ein, daß er noch immer nicht die Sackfetzen von Lottes Hufen entfernt hatte; er flitzte wieder zur Veranda, stopfte sich, da seine Taschen voll waren, Brot und Schinken in das Hemd, suchte in aller Eile ein Stöckchen und trieb Lotte fort. Lotte hatte gerade entdeckt, daß Erdbeerblätter auch ganz gut schmecken, und sie hätte sich gewiß etwas mehr Zeit mit dem Abschied genommen, wenn Rudi ihr nicht mit dem Stöckchen ein paar übergezogen hätte. Sie setzte sich gleich in eine Gangart, die aussah wie Trab, und Rudi rannte hinter ihr her, ließ sein Stöckchen noch einige Male durch die Luft zischen, und bald war von dem Forsthaus nichts mehr zu sehen. Dann setzte er sich auf einen Baumstumpf und löste die Sackfetzen von den Hufen, und nachdem er sie in einen Strauch gesteckt hatte, stellte er sich vor Lotte hin und streichelte versonnen ihren Kopf. Doch diesmal hielt das Pferd nicht allzu still bei den Liebkosungen, sein Kopf tauchte immer wieder hinab zu Rudis Hose, wo es schnupperte und ständig mit dem Maul in die Taschen zu gelangen suchte.

Paß nur auf, sagte Rudi, du wirst mir noch die Tasche kaputt machen, und er gab dem Pferd zwei Äpfel, schwang sich vom Baumstumpf wieder auf den Rücken und warf das Stöckchen in hohem Bogen in den Wald. Los, sagte er, nach Johannisburg.

Und sie zuckelten weiter, immer dem Weg vertrauend, und wenn sich der Weg einmal gabelte, kamen sie in keinerlei Bedrängnis oder gar Zweifel, für welche Richtung sie sich entscheiden sollten, der Weg spielte die geringste Rolle. Wichtiger und schlimmer war schon, daß Lotte am späten Nachmittag ein Hufeisen verlor; plötzlich war es weg, und Rudi überlegte, wo er ein neues auftreiben konnte, denn es schien ihm unmöglich, das Pferd ohne Eisen laufen zu lassen. Glücklicherweise kamen sie bald in ein Dorf. Es war ein kleines Dorf und hieß Chlopitzken, und hier gab es auch eine Schmiede. Anfangs glaubte Rudi, das sei schon Johannisburg, aber die Leute auf der Straße, die ihm zuwinkten und ihn bestaunten, erklärten steif und fest, daß sei Chlopitzken. Etwas enttäuscht nahm Rudi das zur Kenntnis und ließ sich zur Schmiede bringen, und während Lotte sich gleich im offenen Garten des Schmiedes umzusehen begann, ging er in die Werkstatt hinein. Es war eine düstere Werkstatt, überall lagen Wagenräder herum, Felgen und Achsen, und an einer Wand lehnten Eggen und ein verrosteter Pflug. Im Hintergrund brannte ein Kohlefeuer, aber nur schwach, und Rudi ging an das Feuer heran und fand auf einem Bord daneben eine ganze Menge Hufnägel. Da er allein in der Werkstatt war, stopfte er sich schnell einige Hufnägel in die Tasche, ging wieder auf die Straße und tat, als ob er nie hier drin gewesen wäre. Nach einiger

Zeit erschien dann der Schmied, ein riesiger, kurzsichtiger Mann mit einer abgeschabten Lederschürze. Der jagte erst einmal Lotte aus seinem Garten hinaus, und als er hörte, daß das Pferd zu Rudi gehörte, redete er sofort von Schadenersatz und daß es sich bei diesem Gaul nicht mehr lohne, ein neues Eisen anzuschlagen. Doch als Rudi seine Blechbüchse herausholte und ein wenig klimperte, da änderte er seine Meinung und wollte das Pferd sogar streicheln. Lotte faßte das natürlich wieder falsch auf, sie glaubte, das sei eine Ermunterung, wieder in den Garten zu gehen, aber diesmal hielt Rudi sie zurück, und der Schmied schlug ihr ein neues Eisen an. Dabei versuchte er, den Jungen auszufragen; woher er käme, wollte er wissen, und wohin er wolle, aber Rudi antwortete nicht groß, sondern sagte nur, das Pferd sei ausgerissen, und er müsse es nach Hause bringen. Das kam dem Schmied alles reichlich sonderbar vor, doch da er selbst mal in seiner Jugend ein ausgerissenes Pferd hatte zurückholen müssen, gab er sich damit zufrieden.

Als Lotte beschlagen war, ging es ans Bezahlen, und da stellte sich heraus, daß in der Blechbüchse nur fünfundsechzig Pfennige waren. Der Schmied, der in Chlopitzken bestimmt der größte Geizhals war, machte einen furchtbaren Lärm, als er das bemerkte. Acht Nägel sagte er, habe ich diesem alten Gaul geopfert, einfach weggeworfen hab' ich sie! Wer ersetzt mir den Schaden? Fünfundsechzig Pfennig willst du mir geben? Damit ist nicht einmal das Hufeisen bezahlt. Aber das teuerste sind die Nägel.

Rudi fürchtete, daß der Schmied durch seinen Lärm das halbe Dorf heranlocken könnte, und darum griff er tief in sein Hemd, zog ein dickes Stück mageren Speck hervor und hielt es dem Mann unter die Nase. Genügt das? fragte er. Der Schmied war ein starker Esser, und da er am liebsten dicken, mageren Speck aß, leuchteten seine Augen auf. Er riß Rudi den Speck aus der Hand, legte ihn hinter sich, wo schon die Blechbüchse mit dem Geld lag, und begann von neuem, über den Preis der Nägel zu lärmen.

In seiner Verzweiflung faßte Rudi in die Tasche und kramte alle Nägel heraus; es waren genau vierzehn Nägel, und er zählte sie dem überraschten Schmied in die Hand. Der umarmte nun Rudi, klopfte ihn auf die Schulter und hob ihn sogar auf Lottes Rücken hinauf. Und als ihn ein plötzlicher Verdacht in die Werkstatt stürzen ließ, zum Bord beim Feuer, sauste ein Stöckchen, das sich Rudi vorsorglich abgebrochen hatte, auf Lottes Schenkel herab, und das alte Pferd setzte sich gleich in eine Gangart, die aussah wie Trab. Der Schmied sah, als er wütend aus seiner Werkstatt herauskam, nur noch ihre immer kleiner werdende Silhouette gegen den Abendhimmel.

Als die Dunkelheit zu fallen begann, hielt Rudi angestrengt Ausschau nach Johannisburg, aber es war nichts davon zu entdecken, er sah nur die Umrisse eines Waldes in der Ferne und neben dem Weg eine Wiese mit Heuschobern. Daß Johannisburg so weit wäre, hätte er sich nie träumen lassen. Er lenkte Lotte kurzerhand zu einem Heuschober und sagte: Sei nicht traurig, Lotte, daß es so weit ist. Morgen sind wir bestimmt da. Jetzt wollen wir erst einmal schlafen.

Und er kletterte auf das frisch gemähte Heu, machte sich eine Mulde zurecht und liebkoste noch einmal das Pferd. Dann legte er sich hin, um zu schlafen, und er schloß die Augen und hörte bis in den Schlaf hinein die eintönig mahlenden Geräusche von Lottes Zähnen, die mit sanfter Gier ein Heubüschel nach dem anderen unter ihm wegzog.

Am nächsten Morgen, der Frühnebel lag noch auf der Wiese, schnupperte Lotte einmal über sein Gesicht, und Rudi erwachte und stellte fest, daß er wesentlich tiefer lag als am Abend. Offenbar hatte sich Lotte die halbe Nacht damit beschäftigt, den Heuschober zu verkleinern. Das war nun keineswegs im Sinne des Bauern, dem der Heuschober gehörte, und Rudi blickte einmal kurz den Horizont entlang, ob sich da nicht von einer Seite ein sensenschwingender Mann näherte, und als niemand zu sehen war, der ihnen etwas anhaben wollte, wusch er sich geruhsam in einem Graben, aß ein Stück Schwarzbrot und einen Apfel, und dann erst setzten sie ihren Weg fort. Sie setzten ihren Weg langsamer fort als am Tag vorher, Lotte war satt und müde und hatte keine große Lust, sich zu bewegen. Aber da Rudi fest glaubte, daß sie nun bald in Johannisburg sein müßten, trieb er das Pferd auch nicht zur Eile an.

Sie ritten durch den Wald und an Weizen- und Gerstenfeldern vorbei und am späten Vormittag über eine Holzbrücke. Kaum hatten sie die Brücke hinter sich, da trafen sie einen dicken, kleinen Landgendarmen am Wegrand. Er schob ein blitzendes, neues Fahrrad und schwitzte mächtig. Guten Morgen, sagte Rudi freundlich, ist es noch weit bis Johannisburg? Und Lotte nickte mit dem Kopf und schien sich dem Gruß und der Frage anzuschließen. Für Ihr Araberpferd ist es ein Katzensprung, Herr General, sagte der Landgendarm. Wenn Herr General sich diesem Weg weiterhin sorglos anvertrauen, werden er bald der Zinnen Johannisburgs ansichtig werden.

Wie meinst du das, fragte Rudi. Damit meine ich, sagte der Landgendarm, daß du noch Zeit hast, Herr General, und daß du erst einmal absteigen und mich zur Station begleiten solltest. Komm, steig ab. Aber etwas schnell, sonst hole ich dich herunter.

Und Rudi stieg schnell ab und ging mit dem Gendarmen. Er dachte, daß jetzt alles verloren sei und daß er und Lotte nun wieder nach Hause kämen und Lotte sterben müsse. Und als der Gendarm ihm auf den Kopf zusagte, daß er mit dem Pferd zusammen von zu Hause ausgerissen sei, da machte er keinen Versuch zu schwindeln. Er erzählte dem Gendarmen, weswegen er geflohen war und daß sie Lotte totmachen würden, wenn er sie zurückbrächte. Er erzählte außerdem, was Lotte für ein gutes Pferd sei, und der Gendarm ging etwas näher an Lotte heran und klopfte ihr freundlich auf den Hals. Lotte nickte nur dazu. Und nachdem Rudi alles erzählt hatte, auch wie es in Romeiken aussah und daß er zu seinem Großvater unterwegs war, sagte der Gendarm: Ich muß sehen, ob die Hasen gut gefrühstückt haben. Es kann etwas länger dauern. – Und er verschwand mit seinem Fahrrad hinter den Büschen. Rudi war es natürlich zu langweilig, auf den Gendarmen zu warten, und er kletterte auf Lottes Rücken und stieß ihr seine Hacken in den Bauch. Und diesmal, als ob Lotte gewußt hätte, worum es ging, diesmal schwang sie sich sogar zu einem Galopp auf, zu keinem vollkommenen Galopp, aber sie lief immerhin so gut sie konnte. Rudi lächelte und glaubte, dem Gendarmen ein Schnippchen geschlagen zu haben, aber kaum war er fort, da kam der Mann mit seinem Fahrrad hinter dem Busch hervor, blickte den beiden voller Zufriedenheit nach und ging vergnügt und schwitzend seinen Weg.

In der größten Mittagshitze stieg Rudi ab und ging neben Lotte her. Sie war sehr müde geworden auf der letzten Strecke, fraß nahezu nichts und benahm sich überhaupt sehr merkwürdig. Rudi streichelte, während sie gingen, unausgesetzt ihren Hals und ihre vor Schweiß glänzende Flanke. Er war besorgt um das alte Pferd, das jetzt nur noch traurig und mit hängendem Kopf neben ihm hertrottete. Lotte schien auch nicht mehr auf das zu hören, was er ihr an Trost und Schmeicheleien zuflüsterte. Ihre Gleichgültigkeit verriet, daß sie krank war.

Nach einem sumpfigen, aufgeweichten Weg gelangten sie an einen Fluß, und sie gingen den Fluß hinauf, um eine Brücke aufzuspüren, aber es war keine Brücke da. Statt dessen fanden sie eine Fähre, die sich wohl ein Bauer gemacht hatte, damit er sein Heu ohne große Umwege über den Fluß bringen könnte. Die Fähre bestand aus einem Floß, das an einem Drahtseil befestigt war, und wer über das Wasser wollte, mußte sich mit Leibeskräften am Drahtseil entlang ans andere Ufer ziehen. Rudi wollte das Pferd gerade auf das Floß treiben, als sich aus dem Ufergras zwei Männer erhoben. Es waren nette, unrasierte Männer, die barfuß waren und einen fröhlichen Eindruck machten. Sie begrüßten Rudi und sein Pferd sehr herzlich und ließen sich erzählen, wohin er und Lotte wollten, und ob ihnen ein Gendarm begegnet wäre; das sei ein guter Freund von ihnen, und sie suchten ihn händeringend. Und Rudi sagte: Ich habe ihn gesehen, aber sehr weit von hier. Er hatte ein schönes, neues Fahrrad bei sich, und ich weiß nicht, wo er hingefahren ist. Wenn ihr ihn treffen wollt, müßt ihr dorthinfahren, wo ich hergekommen bin. – Dazu hatten sie aber keine Lust, und sie boten Rudi an, ihn und das Pferd über den Fluß zu bringen. Rudi war sehr froh darüber, denn er allein hätte die Fähre kaum bewegen können. Und so brachten sie erst Lotte hinunter, und da das Floß wegen der großen Belastung schon ein wenig überspült wurde, baten sie Rudi, sich noch ein Minütchen, wie sie sagten, zu gedulden. Sobald wir sie drüben haben, holen wir dich! – Daraufhin setzte sich Rudi ins Gras und beobachtete, wie die Männer die Fähre über den Fluß zogen. Aber als sie auf der anderen Seite waren, dachten sie gar nicht daran, zurückzukommen und ihn zu holen. Sie hatten auf einmal Stöcke in der Hand, schlugen auf Lotte ein und trieben sie hastig in einen Laubwald, wo sie bald nicht mehr zu sehen waren. Rudi war anfangs so erschrocken und verblüfft darüber, daß er gar nicht fähig war, etwas zu unternehmen. Aber dann ging er zum Wasser hinunter, und hier zögerte er keinen Augenblick, sondern sprang mit Hemd und Hose in den Fluß und schwamm. Er war ein guter Schwimmer, aber trotzdem trieb ihn die Strömung weit ab, und als er sich auf der anderen Seite am Ufergras hochzog, war so viel Zeit vergangen, daß es aussichtslos schien, die Männer zu verfolgen. Und Rudi warf sich ins Gras und weinte. Wer weiß, wie lange er hiergeblieben wäre, wenn er nicht plötzlich ein fernes Hufgetrappel gehört hätte. Er hob den Kopf und sah zu dem Laubwald hinüber, und tatsächlich, da kam Lotte schwerfällig angetrabt, allein, als ob sie ihn verloren hätte und nun zurücklief, um ihn zu suchen. Aber Rudi sah auch noch etwas anderes:

Er sah den kleinen, dicken Landgendarmen mit seinem Fahrrad, und vor ihm gingen die beiden Männer, die Lotte hatten stehlen wollen. Und das neue, verchromte Fahrrad blitzte manchmal kurz auf, und das war wie ein zwinkernder Gruß, den der Landgendarm Rudi herüberwarf.

Als Lotte über ihm stand, sprang der Junge auf und hängte sich an ihren Hals. Und er drückte sein Gesicht gegen ihr feuchtes, warmes Fell und weinte vor Freude. Nach einer Weile kletterte er die Böschung hinunter, pflückte zarte Kalmuswurzeln und was er sonst noch finden konnte, und er brachte es dem Pferd. Doch Lotte fraß nichts, sie schnupperte nicht einmal daran, sie stand leise zitternd vor ihm und blickte aus ihren stillen, dunklen Augen über ihn hinweg. Du bist krank, sagte Rudi, aber du wirst gesund werden. Wenn wir erst in Johannisburg sind, wird es nicht lange dauern, bis du gesund bist. Ich war auch krank und bin wieder gesund geworden, das weißt du doch. Das Wichtigste ist, du brauchst nicht zu sterben. Komm jetzt, wir wollen langsam gehen. Du sollst mich nicht mehr tragen. Und ich werde die Kalmuswurzeln mitnehmen, falls du unterwegs Hunger bekommst. Schau, ich stecke sie in die Tasche, siehst du. Wenn du Hunger hast, kannst du sie allein rausnehmen. Es ist nicht schlimm, wenn die Tasche dabei kaputt geht. Und nun komm!

Er ging von jetzt ab immer neben dem Pferd, und der Weg führte sie an Wiesen vorbei, an Torfmooren, durch Wälder und durch die Heide. Sie gingen immer langsamer, und bald sah Rudi ein, daß sie auch dieser Tag noch nicht nach Johannisburg bringen werde, und bevor die Dunkelheit hereinbrach, führte er Lotte zwischen einige Wacholdersträucher und ging selbst noch den Weg hinauf, um nachzusehen, ob da nicht irgendwo ein Schild zu finden wäre. Und er fand tatsächlich ein Schild. Auf dem Schild stand: Johannisburg, vier Kilometer, und Rudi wunderte sich nicht einmal darüber, daß er es gefunden hatte. Er ging wieder zu Lotte zurück und sagte: Es sind nur noch vier Kilometer, weißt du, das ist gar nicht weit. Aber wir wollen jetzt im Dunkeln nicht gehen, wir bleiben hier und warten bis zum Morgen, und morgen früh sind wir da. Das ist dir doch recht, Lotte? Und nun könnten wir eigentlich schlafen.

Er legte sich unter die Wacholdersträucher und beobachtete das alte Pferd; es stand gegen den Abendhimmel, groß, still und als ob es nachsänne, und plötzlich brach es in den Vorderfüßen ein, es knickte fast lautlos zusammen und lag nun dicht neben ihm, so daß er die Wärme und den Geruch des Tieres aus größter Nähe wahrnahm. Und so schlief er ein.

Am anderen Morgen war Lotte tot. Rudi glaubte zuerst, sie sei nur müde oder faul und habe noch keine Lust weiterzulaufen, und darum gab er ihr einen Klaps auf den Schenkel. Und als Lotte immer noch keine Bereitschaft zeigte, sich zu erheben, hockte er sich hin, fuhr mit der Hand durch ihre Mähne und sagte: Komm schon, Lotte, es sind nur noch vier Kilometer, die werden wir doch wohl noch schaffen. – Dann hob er ihren Kopf wenige Zentimeter hoch und sah, daß das Pferd tot war; er sah es, aber er wollte es nicht glauben. Und er stieß Lotte mehrmals mit dem Fuß an, nicht heftig, aber auch nicht allzu vorsichtig, er stieß sie mit zusammengekrümmten Zehen in den Bauch und in den Rücken, vor Enttäuschung und Verzweiflung, daß sie nun tot war. Wahrscheinlich stieß er sie auch aus Liebe und Zärtlichkeit, denn er konnte sich wohl nicht damit abfinden, daß sie ihn mit seiner Liebe, die er für sie hatte, nun allein lassen wollte. Und wahrscheinlich hoffte er auch, daß sich Lotte doch noch erheben werde. Aber sie blieb ruhig und gleichgültig liegen, ein wenig auf der Seite, die Füße lang ausgestreckt.

Rudi setzte sich neben sie und streichelte ihren Kopf. Er weinte nicht. Er blieb nur sitzen und war entschlossen, nicht mehr wegzugehen. Er wollte bei ihr bleiben, solange es möglich war. Und so saß er beinahe einen ganzen Tag neben dem toten Pferd, ohne zu essen, ohne ein Wort zu sagen. Er hätte sich auch in der nächsten Nacht nicht von Lotte getrennt, wenn ihn nicht zwei Waldarbeiter gefunden und ihn mitgenommen hätten. Es waren ältere Männer, die für Rudis Großvater arbeiteten, und sie brachten ihn zur Sägemühle. Es war nicht leicht für den Großvater, aus Rudi alles herauszubekommen, was er wissen wollte, denn der Junge gab kaum eine Antwort. Und als er es ungefähr wußte, steckte er Rudi erst einmal ins Bett. In den nächsten Tagen bekam Rudi Fieber, und es sah ernst aus mit ihm, und der Großvater schrieb in seiner Besorgnis nach Romeiken und erzählte, was er erfahren hatte. Und als es Rudi wieder besser ging, stand eines Abends sein Vater neben ihm. Er war aus Romeiken gekommen, um ihn abzuholen. Aber Rudi wollte nicht mit seinem Vater zurückfahren. Du kannst allein fahren, sagte er, ich komme nicht zurück. Jetzt ist Lotte weg, und ich weiß nicht, was ich dort noch soll. Und wenn Lotte da wäre, fragte sein Vater. Wenn sie da wäre, würdest du dann mitkommen?

Sie ist tot, sagte Rudi.

Sie ist nicht tot, sagte sein Vater, sie steht zu Hause im Stall und wartet auf dich.

Lotte?

Ja, Lotte, sagte der Vater, ein Grauschimmel, du kannst dich selbst überzeugen. Sie ist nur etwas jünger geworden.

Das glaube ich nicht, sagte Rudi.

Dann komm und schau sie dir an.

Und Rudi fuhr eines Tages doch mit seinem Vater nach Hause, und als er in den Stall kam, sah er einen schönen, jungen Grauschimmel zwischen den Balken, und er war ganz betäubt vor Freude. Er lehnte sich an die Wand und flüsterte: Lotte?, und da wandte das Pferd den Kopf. Und es hatte stille, dunkle, ein wenig traurige Augen. Rudi näherte sich ihm langsam und liebkoste es, noch ein wenig ungläubig, und während er es liebkoste, ging sein Vater ins Haus und sagte: Ich bin froh, Mutter, daß ich das Pferd gekauft habe. Es sieht wirklich so aus wie Lotte, und ich glaube, die beiden sind schon gut Freund.

1953

Aber die Prämie hat er

Bonin befand sich auf dem Heimflug. Er war bis zu den gelben Hügeln von Sebadani geflogen, über die libanesische Grenze hinaus, dann war er einem ausgetrockneten Flußbett gefolgt, hatte die Rascheja-Berge umflogen und hatte genug. Die Hanffelder, die er von oben gesehen hatte, interessierten ihn nicht, es war nicht der Hanf, den er suchte, den aufzuspüren die Regierung ihn angestellt hatte. Es war nicht der Hanf, aus dem sie das milde Harz des Vergessens siebten, er konnte die Sorten selbst in ihrer Blüte vom Flugzeug aus erkennen, er wußte, aus welchem Hanf sie ihren Haschisch gewannen.

Bonin flog tief, er flog durch das Tal der schwarzen Steine, dicht über dem Erdboden, und er sah schnell zu den Talhängen hinüber, auf denen der Hanf reifte, er stand dicht und gut. Der Fahrtwind ergriff die Halme, und die Halme hatten tolle Einfälle und liefen geduckt die Anhöhe hinauf, und wenn sie oben waren, sah es aus, als blickten sie abwartend in das Tal, bevor sie sich wieder auf den schwankenden Rückweg machten. Das Flugzeug verließ das lange Tal und flog über die Ebene, die Felder waren verlassen, weite, einsame Hanffelder, und der Mann flog tief über sie hinweg.

Und dann sah er zurück, drehte sich zufällig um und erkannte die beiden Männer. Sie mußten sich auf den Boden geworfen haben, als sie das Motorengeräusch des Flugzeugs gehört hatten, sie trugen breite, matt glänzende Lederschürzen und standen nun reglos im Hanf und blickten dem Flugzeug nach. Bonin flog eine Weile geradeaus, dann flog er eine Schleife und näherte sich wieder den Rascheja-Bergen, und als er sich über ihnen befand, stellte er den Motor ab und flog im Gleitflug zur Ebene hinunter. Die Regierung hatte alte Doppeldecker für den Überwachungsdienst eingesetzt, sie waren nicht sehr schnell, sie taugten gerade für diesen Zweck; sie hatten die Piloten in anderthalb Jahren zu keinem Erfolg gebracht, ebensowenig aber hatte es einen Unglücksfall mit ihnen gegeben.

Bonin vernahm ein saugendes Geräusch, er hörte das dünne Pfeifen in den Verstrebungen, den hohen spitzen Heulton, und er blickte nach vorn und sah das Tal der schwarzen Steine und den Hang, und dann die Ebene. Und auf der Ebene sah er die beiden Männer mit den Lederschürzen, sie gingen langsam und breitbeinig durch das Feld, sie hatten die Hände unter die Schürze gelegt und stemmten sie nach vorn, so daß das Leder in feste Berührung mit dem Hanf kam. Bonin wußte, daß sie mit dem Leder das Gift sammelten, mildes Harz des Vergessens, es blieb an den Schürzen kleben, die Blüten verloren es an sie. Die Männer im Hanf vernahmen plötzlich einen dünnen Pfeifton, sie duckten sich, warfen sich auf die Erde, obwohl sie einsehen mußten, daß sie längst bemerkt worden waren, Bonin flog knapp über sie hinweg, er hätte sie umgerissen, wenn sie stehengeblieben wären, sie lagen mit dem Gesicht im Hanf, atemlos.

Bonin hatte seinen ersten Erfolg, mühsamer Erfolg in anderthalb Jahren, er hatte den Hanf entdeckt, aus dem sie ihren Haschisch gewannen, er dachte an die Prämie, zu der ihm der Zufall und seine lapidare List verholfen hatten, er würde die Prämie bekommen, vielleicht noch an demselben Tag. Und er drückte auf den Starter und wollte den Motor wieder arbeiten lassen, aber der Motor sprang nicht an, die Pleuel des Motors gaben keine violetten Blitze von sich, das Fahrgestell des Flugzeugs streifte beinahe den Hanf, es war ausgeschlossen, daß es noch auf Höhe kam, Bonin entschloß sich zur Notlandung.

Das Flugzeug senkte sich in den Hanf und riß eine Rinne, und dann setzten die Räder auf, und der Hanf bremste die Geschwindigkeit so unvermittelt, daß sich das Flugzeug auf den Kopf stellte und überschlug. Bonin verspürte einen jähen, harten Schmerz in den Schultern und einen warmen, heißen Schmerz am linken Bein, seine Hände waren in Ordnung, er konnte den Kopf bewegen, er konnte seine Brust betasten, es war nicht viel passiert. Er lag auf dem Rücken im Hanf, und der Hanf blühte.

Als er sich aufrichtete, erblickte er die beiden Männer, sie hatten die Lederschürzen abgebunden und standen am Flugzeug, und beide sahen ihn mit sanfter Herablassung an. Es waren ältere Männer, sie hatten ruhige Gesichter, die Gesichter glänzten von der Anstrengung des Laufens. Bonin lächelte ihnen leidvoll zu und versuchte, aufzustehen, da bemerkte er die Wunde am linken Bein, eine tiefe Fleischwunde, die stark blutete. Die Männer näherten sich ihm und untersuchten wortlos die Wunde, sie verbanden sie notdürftig und hoben Bonin empor, und dann hießen sie ihn, seine Arme um ihre Schultern zu legen, und trugen ihn durch das Feld.

Sie trugen ihn stumm bis zu einer Lehmhütte auf einem Hügel. Die Hütte hatte nur ein einziges kleines Fenster, sie war von außen weiß getüncht und bestand innen nur aus einem Raum. Die Männer trugen ihn in den halbdunklen Raum und legten ihn auf ein Lager aus Deckenresten. Die Luft war stickig und warm, eine dumpfe Schwüle herrschte in dem Raum, Bonin mußte sich daran gewöhnen. Er lag mit geschlossenen Augen auf den Stoffetzen und spürte, wie der Schmerz in seinem Bein klopfte, und nach einer Weile öffnete er die Augen und bedankte sich bei den Männern. Sie antworteten nicht. Zwischen den Männern stand plötzlich ein junges Mädchen, es war nicht älter als fünfzehn Jahre, und obwohl es ihn ansah, schienen seine Blicke über ihn hinwegzugehen. Das Mädchen schien aus unaufhebbarer Ferne auf ihn zu blicken, es hatte schwarze Augen, die mit milder Gleichgültigkeit auf ihn gerichtet waren. Da sagte einer der Männer: »Es ist meine Tochter«, und nachdem er das gesagt hatte, verließen beide Männer den Raum, und Bonin war mit dem Mädchen allein.

Das Mädchen kauerte sich am Fußende des Lagers hin und blickte in seine geöffneten Hände, die im Schoß lagen. Bonin machte nicht den

Versuch, es anzusprechen, er wußte, daß es hoffnungslos wäre. Das Mädchen saß versunken und bewegungslos an seinem Fußende, und der Mittag kam und ging vorüber, und als die Schmerzen im Bein am Nachmittag stärker wurden und Bonin stöhnte, erhob sich das Mädchen und verließ für einen Augenblick die Hütte. Als es zurückkam, hatte es eine Lehmschüssel voll Datteln in den Händen, es stellte die Schüssel am Kopfende des Lagers auf die Erde und kauerte sich auf seinen alten Platz hin.

Bonin aß von den Datteln, sie waren schon ein wenig ranzig, aber er hatte Hunger und aß. Und nachdem er gegessen hatte, sah er zu dem jungen Mädchen hinüber und bedankte sich. Das Mädchen antwortete nicht, es erhob sich und kam leise an das Kopfende heran, und als es sah, daß Bonin nicht alle Datteln gegessen hatte, kauerte es sich hin, nahm die Lehmschüssel in seinen Schoß und aß den Rest. Bonin schlief ein und schlief den ganzen Nachmittag; er wurde von lautem Motorengeräusch geweckt, und als er durch die Fensteröffnung sah, glaubte er die Tragfläche eines Flugzeugs zu erkennen. Sie sind unterwegs, um mich zu suchen, dachte er, sie werden das Wrack entdecken, und morgen finden sie mich.

Das Mädchen stand auf und ging zur Tür, und als es die Tür öffnete, sah Bonin die Silhouette des schmalen Körpers in der Abendtrübnis, das Mädchen hielt die Lehmschüssel in der Hand und trat hinaus. Ich werde die erste Prämie bekommen, dachte Bonin, morgen werden sie mich finden, ich habe sie auf die Spur gebracht. Er ließ sich wieder zurückfallen, das Motorengeräusch verklang.

Nach einer Weile kehrte das Mädchen wieder, es hatte die Schüssel mit Milch gefüllt und in die Milch Brotstücke hineingeworfen, und es stellte die Schüssel vor Bonin hin und zog sich zurück.

Am nächsten Morgen bekam er Besuch. Es kamen Männer und Frauen zu ihm, einzeln und scheinbar sprachlos, sie traten in den Raum, warfen einen Blick auf ihn und gingen wieder. Er hörte, wie sie sich draußen gedämpft unterhielten. Es ist gut, daß so viele von meiner Anwesenheit erfahren haben, so können sie mich nicht verschwinden lassen. Es wird sich schnell herumsprechen, daß ich hier bin, und wenn es die Leute auf der Station hören, werden sie schnell kommen. Sie werden kommen, um die Ernte des milden Harzes zu verhindern.

Die Schmerzen im Bein hatten nachgelassen, es zuckte nur noch, der heiße Schmerz, der bis zur Lende hinaufrann, war nicht mehr zu spüren. Aber Bonin wagte noch nicht, aufzustehen. Er blieb liegen und beobachtete das Mädchen in seiner bewegungslosen Versunkenheit, es kauerte in einer Haltung von Trauer und Verlorenheit an seinem Fußende, und wenn es Zeit war, brachte es ihm zu essen.

An diesem Tag wurde er noch nicht abgeholt, er hörte auch nicht mehr das Flugzeug über der Hütte. Und auch in den nächsten sechs Tagen erschienen seine Kameraden von der Station nicht. Warum kommen sie nicht? Haben sie das Flugzeug im Feld nicht gesehen?, überlegte Bonin verzweifelt. Sie müssen mich finden, sie müssen mir die Prämie geben.

Am siebten Tag hörte er das Motorengeräusch eines Autos, es kam den schmalen Weg herauf und hielt hinter der Hütte. Bonin wollte aufstehen und an das Fensterloch treten, aber das Mädchen winkte ihm knapp, liegenzubleiben, und er blieb gespannt liegen und wartete. Und dann traten vier Männer in die Hütte und baten ihn, einzusteigen, und Bonin blickte unschlüssig auf das Mädchen, als ob er von ihm Erlaubnis sich einholen müßte. Das Mädchen nickte unmerklich, und Bonin erhob sich und trat mit den Männern ins Freie. Sie ließen ihn ins Auto steigen, er saß allein auf dem hinteren Sitz, und zu seinen Füßen und neben ihm standen kleine verschlossene Lehmkrüge. Die Männer baten ihn, auf die Lehmkrüge achtzugeben, und obschon er wußte, was sich in ihnen befand, drückte er sie mit seinen Händen vorsichtig gegen die Polster, wenn der Weg zu steinig wurde.

Sie fuhren am Hanffeld vorbei, in dem er gelandet war, sie ließen ihn ohne Zaudern den Weg sehen, den sie nahmen, sie konnten es tun, denn Bonin sah, daß die Blüte vorbei war und die Ernte. Aber er hatte eine Spur gefunden, die erste Spur seit anderthalb Jahren, und er dachte an seine Prämie.

Bonin wunderte sich, daß das Auto ihn bis zum Flugplatz brachte. Die Männer ließen ihn aussteigen und fuhren langsam davon, und er ging die Treppen hinauf und meldete sich beim Kommandanten. Der Kommandant hatte wäßrige Augen und ein großes, mageres Gesicht. Er wußte, was Bonin gesehen hatte, er schien über alles unterrichtet zu sein. Er unterschrieb den Scheck für die Prämie und sagte: »Es ist ein Versetzungsbefehl gekommen für Sie. Sie sollen sich morgen auf den Weg machen. Der Befehl kommt von höchster Stelle.«

1953

Die Flut ist pünktlich

Zuerst sah er ihren Mann. Er sah ihn allein heraustreten aus dem flachen, schilfgedeckten Haus hinter dem Deich, den Riesen mit dem traurigen Gesicht, der wieder seine hohen Wasserstiefel trug und die schwere Joppe mit dem Pelzkragen. Er beobachtete vom Fenster aus, wie ihr Mann den Pelzkragen hochschlug, gebeugt hinaufstieg auf den Deich und oben im Wind stehenblieb und über das leere und ruhige Watt blickte, bis zum Horizont, wo die Hallig lag, ein schwacher Hügel hinter der schweigenden Einöde des Watts. Und während er noch hinüberblickte zur Hallig, stieg er den Deich hinab zur andern Seite, verschwand einen Augenblick hinter der grünen Böschung und tauchte wieder unten neben der tangbewachsenen eisernen Spundwand auf, die sie weit hinausgebaut und mit einem Steinhaufen an der Spitze gesichert hatten. Der Mann ging in die Hocke, rutschte das schräge Steinufer hinab und landete auf dem weichen, grauen Wattboden, der geriffelt war von zurückweichendem Wasser, durchzogen von den scharfen Spuren der Schlickwürmer; und jetzt schritt er über den weichen Wattboden, über das Land, das dem Meer gehörte; schritt an einem unbewegten Priel entlang, einem schwarzen Wasserarm, der wie zur Erinnerung für die Flut dalag, nach sechs Stunden wieder zurückzukehren und ihn aufzunehmen mit steigender Strömung. Er schritt durch den Geruch von Tang und Fäulnis, hinter Seevögeln her, die knapp zu den Prielen abwinkelten und suchend und schnell pickend voraustrippelten; immer weiter entfernte er sich vom Ufer, in Richtung auf die Hallig unter dem Horizont, wurde kleiner, wie an jedem Tag, wenn er seinen Wattgang zur Hallig machte, allein, ohne seine Frau. Zuletzt war er nur noch ein wandernder Punkt in der dunklen Ebene des Watts, unter dem großen und grauen Himmel hier oben: er hatte Zeit bis zur Flut ...

Und jetzt sah er von seinem Fenster aus die Frau. Sie trug einen langen Schal und Schuhe mit hohen Absätzen; sie kam unter dem Deich auf das Haus zu, in dem er wartete, und sie winkte zu seinem Fenster hinauf. Dann hörte er sie auf der Treppe, hörte, wie sie die Tür öffnete, zögernd von hinten näher kam, und jetzt wandte er sich um und sah sie an.

»Tom«, sagte sie, »oh, Tom«, und sie versuchte dabei zu lächeln und ging mit erhobenen Armen auf ihn zu.

»Warum hast du ihn nicht begleitet?« fragte er.

Sie ließ die Arme sinken und schwieg; und er fragte wieder: »Warum bist du mit deinem Mann nicht rübergegangen zur Hallig? Du wolltest einmal mit ihm rübergehen. Du hattest es mir versprochen.« »Ich konnte nicht«, sagte sie. »Ich habe es versucht, aber ich konnte es nicht.«

Er blickte zu dem Punkt in der Verlorenheit des Watts, die Hände am Fensterkreuz, die Knie gegen die Mauer gedrückt, und er spürte den Wind am Fenster vorbeiziehen und wartete. Er merkte, wie die Frau sich hinter ihm in den alten Korbstuhl setzte, es knisterte leicht, ruckte und knisterte, dann war sie still, nicht einmal ihr Atem war zu hören.

Plötzlich drehte er sich um, blieb am Fenster stehen und beobachtete sie; starrte auf das braune Haar, das vom Wind versträhnt war, auf das müde Gesicht und die in ruhiger Verachtung herabgezogenen Lippen, und er sah auf ihren Nacken und die Arme hinunter bis zu ihrer schwarzen, kleinen Handtasche, die sie gegen ein Bein des alten Korbstuhls gelehnt hatte.

»Warum hast du ihn nicht begleitet?« fragte er.

»Es ist zu spät«, sagte sie. »Ich kann nicht mehr mit ihm zusammensein. Ich kann nicht allein sein mit ihm.«

»Aber du bist mit ihm hier raufgekommen«, sagte er.

»Ja«, sagte sie. »Ich bin mit ihm auf die Insel gekommen, weil er glaubte, es ließe sich hier alles vergessen. Aber hier ist es noch weniger zu vergessen als zu Hause. Hier ist es noch schlimmer.«

»Hast du ihm gesagt, wohin du gehst, wenn er fort ist?«

»Ich brauche es ihm nicht zu sagen, Tom. Er kann zufrieden sein, daß ich überhaupt mitgefahren bin. Quäl mich nicht.«

»Ich will dich nicht quälen«, sagte er, »aber es wäre gut gewesen, wenn du ihn heute begleitet hättest. Ich habe ihm nachgesehen, wie er hinausging, ich stand die ganze Zeit am Fenster und beobachtete ihn draußen im Watt. Ich glaube, er tat mir leid.«

»Ich weiß, daß er dir leid tut«, sagte sie, »darum mußte ich dir auch versprechen, ihn heute zu begleiten. Ich wollte es deinetwegen tun; aber ich konnte es nicht. Ich werde es nie können, Tom. – Gib mir eine Zigarette.«

Der Mann zündete eine Zigarette an und gab sie ihr, und nach dem ersten Zug lächelte sie und zog die Finger durch das braune, versträhnte Haar. »Wie sehe ich aus, Tom?« fragte sie. »Sehe ich sehr verwildert aus?«

»Er tut mir leid«, sagte der Mann.

Sie hob ihr Gesicht, das müde Gesicht, auf dem wieder der Ausdruck einer sehr alten und ruhigen Verachtung erschien, und dann sagte sie: »Hör auf damit, Tom. Hör auf, ihn zu bemitleiden. Du weißt nicht, was gewesen ist. Du kannst nicht urteilen.« »Entschuldige«, sagte der Mann. »Ich bin froh, daß du gekommen bist«, und er ging auf sie zu und nahm ihr die Zigarette aus der Hand. Er drückte sie unterm Fensterbrett aus, rieb die Reste der kleinen Glut herunter, wischte die Krümel weg und warf die halbe Zigarette auf eine Kommode. Die untere Seite des Fensterbretts war gesprenkelt von den schmutzigen Flecken ausgedrückter Zigaretten. Ich muß sie mal abwischen, dachte er; wenn sie weg ist, werde ich die Flecken abwischen, und jetzt trat er neben den alten Korbstuhl, faßte ihn mit beiden Händen oben an der Lehne und zog ihn weit hintenüber.

»Tom«, sagte sie, »oh, Tom, nicht weiter, bitte, nicht weiter, ich falle sonst, Tom, du kannst das nicht halten.« Und es war eine glückliche Angst in ihrem Gesicht und eine erwartungsvolle Abwehr ...

»Laß uns hier weggehen, Tom«, sagte sie danach, »irgendwohin. Bleib noch bei mir.«

»Ich muß mal hinaussehen«, sagte er, »einen Augenblick.«

Er ging zum Fenster und sah über die Einsamkeit und Trübnis des Watts; er suchte den wandernden Punkt in der Einöde draußen, zwischen den fern blinkenden Prielen, aber er konnte ihn nicht mehr entdecken.

»Wir haben Zeit bis zur Flut«, sagte er. »Warum sagst du das nicht? Du bist immer nur zu mir gekommen, wenn er seinen Wattgang machte zur Hallig raus. Sag doch, daß wir Zeit haben für uns bis zur Flut. Sag es doch.«

»Ich weiß nicht, was mit dir los ist, Tom«, sagte sie, »warum du so gereizt bist. Du warst es nicht in den letzten zehn Tagen. In den letzten zehn Tagen hast du mich auf der Treppe begrüßt.«

»Er ist dein Mann«, sagte er gegen das Fenster. »Er ist noch immer dein Mann, und ich hatte dich gebeten, heute mit ihm zu gehen.«

»Ist es dir heute eingefallen, daß er mein Mann ist? Es ist dir spät eingefallen, Tom«, sagte sie, und ihre Stimme war müde und ohne Bitternis. »Vielleicht ist es dir zu spät eingefallen. Aber du kannst beruhigt sein: er hat aufgehört, mein Mann zu sein, seitdem er aus Dhahran zurück ist. Seit zwei Jahren, Tom, ist er nicht mehr mein Mann. Du weißt, was ich von ihm halte.«

»Ja«, sagte er, »du hast es mir oft genug erzählt. Aber du hast dich nicht von ihm getrennt; du bist bei ihm geblieben, zwei Jahre, du hast es ausgehalten.«

»Bis zum heutigen Tag«, sagte sie, und sie sagte es so leise, daß er sich vom Fenster abstieß und sich umdrehte und erschrocken in ihr Gesicht sah, in das müde Gesicht, über das jetzt eine Spur heftiger Verachtung lief.

»Ist etwas geschehen?« fragte er schnell.

»Was geschehen ist, geschah vor zwei Jahren.«

»Warum hast du ihn nicht begleitet?«

»Ich konnte nicht«, sagte sie, »und jetzt werde ich es nie mehr brauchen.«

»Was hast du getan?« fragte er.

»Ich habe versucht zu vergessen, Tom. Weiter nichts, seit zwei Jahren habe ich nichts anderes versucht. Aber ich konnte es nicht.«

»Und du bist bei ihm geblieben und hast dich nicht getrennt von ihm«, sagte er. »Ich möchte wissen, warum du es ausgehalten hast.«

»Tom«, sagte sie, und es klang wie eine letzte, resignierte Warnung, »hör mal zu, Tom. Er war mein Mann, bis sie ihm den Auftrag in Dhahran gaben und er fortging für sechs Monate. So lange war er es, und als er zurückkam, war es aus. Und weil du dein Mitleid für ihn entdeckt hast heute, und weil du wohl erst jetzt bemerkt hast, daß er mein Mann ist, will ich dir sagen, was war. Er kam krank zurück, Tom. Er hat sich in Dhahran etwas geholt, und er wußte es. Er war sechs Monate fort, Tom, sechs Monate sind eine Menge Zeit, und es gibt viele, die es verstehen, wenn so etwas passiert. Vielleicht hätte ich es auch verstanden, Tom. Aber er war zu feige, es mir zu sagen. Er hat mir kein Wort gesagt.«

Der Mann hörte ihr zu, ohne sie anzusehen; er stand mit dem Rükken zu ihr und sah hinaus, sah den grünen Wulst des Deiches entlang, der in weitem Bogen zum Horizont lief. Ein Schwarm von Seevögeln kam von den Prielen draußen im Watt zurück, segelte knapp über den Deich und fiel in jähem Sturz in das Schilf bei den Torfteichen ein. Sein Blick lief suchend; über das Watt zur Hallig, wo sich jetzt der wandernde Punkt lösen mußte; jetzt mußte er die Rückwanderung antreten, um vor der Flut auf dem Deich zu sein: er war nicht zu erkennen.

»Und du bist zwei Jahre bei ihm geblieben«, sagte der Mann. »So lange hast du es ausgehalten und nichts getan.«

»Ich habe zwei Jahre gebraucht, um zu begreifen, was passiert ist. Bis heute morgen hat es gedauert. Als ich ihn begleiten sollte, habe ich es gemerkt, Tom, und du hast mir geholfen dabei, ohne daß du es wolltest. Du hast aus Mitleid oder aus schlechtem Gewissen verlangt, daß ich ihn begleiten sollte.«

»Er ist immer noch nicht zu sehen«, sagte der Mann. »Wenn er vor der Flut hier sein will, müßte er jetzt zu erkennen sein.«

Er öffnete das Fenster, befestigte es gegen den Widerstand des Windes mit eisernen Haken und blickte über das Watt.

»Tom«, sagte sie, »oh, Tom. Laß uns weggehen von hier, irgendwohin. Laß uns etwas tun, Tom. Ich habe so lange gewartet.«

»Du hast dir lange etwas vorgemacht«, sagte er, »du hast versucht, etwas zu vergessen, und dabei hast du gewußt, daß du es nie vergessen kannst.«

»Ja«, sagte sie, »ja, Tom. So etwas kann kein Mensch vergessen. Wenn er es mir gleich gesagt hätte, als er zurückkam, wäre alles leichter gewesen. Ich hätte ihn verstanden, vielleicht, wenn er nur ein Wort gesagt hätte.«

»Gib mir das Fernglas«, sagte er.

Die Frau zog das Fernglas vom Bettpfosten, gab es ihm mit dem ledernen Etui, und er öffnete es, hob das Glas und suchte schweigend das Watt ab. »Ich kann ihn nicht finden«, sagte der Mann, »und im Westen kommt die Flut.«

Er sah die Flut in langen Stößen von Westen herankommen, flach und kraftvoll über das Watt hin ziehend; sie rollte vor, verhielt einen Augenblick, als ob sie Atem schöpfe, und stürzte sich in Rinnen und Priele, und kam dann wieder schäumend aus ihnen hervor, bis sie die eiserne Spundwand erreichte, sich sammelte und hochstieg an ihr und unmittelbar neben dem schrägen Steinufer weiterzog, so daß die dunkle Fläche des Watts gegen Osten hin abgeschnitten wurde.

»Die Flut ist pünktlich«, sagte er. »Auch dein Mann war pünktlich bisher, aber ich kann ihn jetzt nicht sehen.«

»Laß uns weggehen von hier, Tom, irgendwohin.«

»Er kann es nicht mehr schaffen! Hörst du, was ich sage? Er ist abgeschnitten von der Flut, weißt du das?«

»Ja, Tom.«

»Er war jeden Tag pünktlich zurück, lange vor der Flut. Warum ist er noch nicht da? Warum?«

»Seine Uhr, Tom«, sagte sie, »seine Uhr geht heute nach.«

1953

Lukas, sanftmütiger Knecht

Im Süden brannte das Gras. Es brannte schnell und fast rauchlos, es brannte gegen die Berge hin, gegen die Kenia-Berge; das Feuer war unterwegs im Elefantengras, es hatte seinen eigenen Wind, und der Wind schmeckte nach Rauch und Asche. Einmal im Jahr warfen sie Feuer in das Gras, das Feuer lief seinen alten Weg gegen die Berge hin, gegen die Kenia-Berge, und vor den Bergen legte es sich hin, und mit dem Feuer legte sich der Wind hin, und dann kamen die Antilopen zurück und die Schakale, aber das Gras war fort. Einmal im Jahr brannte das Gras, und wenn es verbrannt war, wurde gepflügt, es wurde gegraben und gepflügt, die neue Asche kam zu der alten Asche, und in das Land aus Asche und Stein warfen sie ihren Mais, und der Mais wurde groß und hatte gute Kolben.

Ich bog dem Feuer aus und fuhr in weitem Bogen zum Fluß hinunter, zum Bambuswald, ich fuhr langsam zwischen Dornen und Elefantengras um das Feuer herum, und ich spürte den heißen, böigen Wind auf der Haut und schmeckte den Rauch. Ich wollte am Fluß entlangfahren, am Bambuswald, ich konnte das Feuer überholen, ich konnte, wenn ich es überholt hatte, auf die Grasfläche zurückfahren, es war kein großer Umweg: ich hatte nur noch fünfzehn Meilen zu fahren, ich würde noch vor der Dunkelheit zu Hause sein, ich mußte vorher zu Hause sein.

Aber dann traf ich sie, oder sie trafen mich; ich weiß nicht, ob sie auf mich gewartet hatten; sie lagen am Rande des Flusses, am Rande des Bambuswaldes, mehr als zwanzig Männer, sie flossen aus dem Bambus hervor, lautlos und ernst, zwanzig hagere Männer, und sie trugen kleine Narben auf der Stirn und am Körper, rötliche Stigmen des Hasses, und in den Händen trugen sie ihre Panga-Messer, kurze, schwere Hackmesser, mit denen sie unsere Frauen töten und die Kinder, ihre eigenen Leute und das Vieh. Sie umringten das Auto, sie sahen mich an, sie warteten. Einige standen im Elefantengras, einige vor den Dornen, sie kamen nicht näher heran, obwohl sie sahen, daß ich allein war, sie hielten das Panga-Messer dicht am Oberschenkel und schwiegen, zwanzig hagere Kikujus, und sie blickten mich sanft und ruhig an, mit herablassendem Mitleid. Ich schaltete den Motor aus und blieb sitzen; in einem Fach lag der Revolver, ich konnte ihn sehen, aber ich wagte nicht, die Hände vom Steuer zu nehmen, sie beobachteten meine Hände, ruhig und scheinbar gleichgültig wachten sie über meine Bewegungen, und ich ließ den Revolver im Fach liegen und hörte, wie in der Ferne das Feuer durch das Elefantengras lief. Dann hob einer sein Messer, hob es und winkte mir schnell, und ich stieg aus; ich stieg langsam aus und ließ den Revolver liegen, und dann sah ich den, der mir gewinkt hatte, und es war Lukas, mein Knecht. Es war Lukas, ein alter, hagerer Kikuju, er trug eine Leinenhose von mir, sauber, aber von den Dornen zerrissen, Lukas, ein stiller, sanftmütiger Mann, Lukas, seit vierzehn zehn Jahren mein Knecht. Ich ging auf ihn zu, ich sagte »Lukas« zu ihm, aber er schwieg und sah über mich hinweg, sah zu den Kenia-Bergen hinüber, zu dem brennenden Gras, er sah über die Rücken der fliehenden Antilopen, er kannte mich nicht. Ich schaute mich um, sah jedem der Männer ins Gesicht, prüfte, erinnerte mich verzweifelt, ob ich nicht einem von ihnen begegnet wäre, einem, der mir zunicken und bestätigen könnte, daß Lukas vor mir stand, Lukas, mein sanftmütiger Knecht seit vierzehn Jahren; aber alle Gesichter waren fremd und wiesen meine Blicke ab, fremde, ferne Gesichter, glänzend von der Schwüle des Bambus.

Sie öffneten den Kreis, zwei Männer traten zur Seite, und ich ging an ihnen vorbei, ging in die Dornen hinein; die Dornen rissen mein Hemd auf, sie rissen die faltige, gelbliche Haut auf, es waren harte, trockene Dornen, sie griffen nach mir, hakten sich fest, brachen, über der Brust hing das Hemd in Fetzen. Wir haben eine Bezeichnung für Dornen, wir nennen sie »Wart ein bißchen«. Ich hörte, wie sie das Auto umwarfen, sie ließen es liegen und folgten mir, sie zündeten das Auto nicht an; sie ließen es liegen, und das genügte, es genügte in diesem Land des schweren Schlafes und des Verfalls, niemand würde das Auto je wieder auf die Räder setzen, vielleicht würde es jemand in den Fluß stürzen, vielleicht, ich würde es nie mehr benutzen. Sie folgten mir alle, mehr als zwanzig Männer gingen hinter mir her; wir gingen durch die Dornen, als ob wir ein gemeinsames Ziel hätten, sie und ich.

Lukas ging hinter mir her, ich hörte, wie sein Messer gegen die

Dornen fiel, es waren Dornen, die von meinem Körper nach vorn gebogen wurden und dann zurückschnellten. Manchmal blieb ich stehen, um Lukas auflaufen zu lassen, ich hatte es noch nicht aufgegeben, mit ihm zu sprechen, aber er merkte jedesmal meine Absicht und verzögerte seine Schritte, und wenn ich mich umschaute, sah er nach hinten oder über mich hinweg. Ich folgte ihnen bis zum Fluß, ich folgte ihnen, obwohl ich vorausging, und vor dem Fluß blieb ich stehen, vor dem flachen, trägen Fluß, den ich zweimal durchwatet hatte, zweimal bis zur Hüfte im Schlamm, im Krieg einmal, und einmal, als der Missionar verunglückte; es war schon lange her, aber ich hatte das Gefühl nicht vergessen. Ich blieb vor dem Fluß stehen, und sie kamen heran und umstellten mich, mehr als zwanzig Männer mit schweren Panga-Messern, fremde, starre Gesichter, gezeichnet von den kleinen Narben des Hasses. Schwarze Flußenten ruderten hastig ans andere Ufer, ruderten fort und sahen herüber, und ich stand im Kreis, den der Fluß vollendete, stand im Zentrum ihres stummen Hasses. Sie setzten sich auf die Erde, sie hielten das Messer im Schoß, sie schwiegen, und ihr Schweigen war alt wie das Schweigen dieses Landes, ich kannte es, ich hatte es seit sechsundvierzig Jahren ausgehalten: als wir aus England gekommen waren, hatte uns dieses Land mit Schweigen empfangen, es hatte geschwiegen, als wir Häuser bauten und den Boden absteckten, es hatte geschwiegen, als wir säten und als wir ernteten, es hatte zu allem geschwiegen. Wir hätten wissen müssen, daß es einmal sprechen würde.

Eine Schlange schwamm über den Fluß, sie kam aus dem Bambus, sie hielt den Kopf starr aus dem Wasser, es war eine kleine Schlange mit abgeplattetem Kopf; sie verschwand in der Uferböschung, und ich merkte mir die Stelle, wo sie verschwunden war. Ich wandte den Kopf und sah in die Gesichter der Männer, ich wollte herausfinden, ob sie auch die Schlange beobachtet hatten, ich wollte mich anbiedern, denn ich fürchtete mich vor dem Augenblick, da sie zu reden begännen, ich war an ihr Schweigen gewöhnt, darum hatte ich Angst vor ihrer Sprache. Aber sie schwiegen und sahen vor sich hin, sie taten, als sei ich ihr Wächter, als hätten sie sich mir schweigend unterworfen; sie schwiegen, als hinge ihr Leben von meinem ab, und sie ließen mich in ihrer Mitte, bis es dunkel wurde. Ich hatte auch versucht, mich auf die Erde zu setzen, das Hemd klebte an meinem Rücken, die Knie zitterten, die Schwüle, die aus dem Bambus herüberkam, hatte mich schlapp gemacht, aber kaum hatte ich mich gesetzt, da machte Lukas eine kurze, gleichgültige Bewegung mit seinem Messer, er hob die Spitze nur ein wenig hoch, und ich wußte, daß ich zu stehen hätte. Ich war überzeugt, daß sie mich töten würden, und ich sah sie einzeln an, lange und gründlich, auch Lukas, meinen sanftmütigen Knecht seit vierzehn Jahren, ich sah sie an und versuchte, meinen Mörder herauszufinden.

Als es dunkel geworden war, erhoben sich einige Männer und verschwanden, aber sie kamen bald zurück und waren mit trockenem Dornengestrüpp beladen. Sie warfen das Gestrüpp auf einen Haufen und zündeten in der Mitte des Kreises ein kleines Feuer an, und einer von ihnen blieb am Feuer sitzen und bediente es.

Ich erinnerte mich der Zeit, die ich mit Lukas verlebt hatte, er war erst vor zwei Tagen verschwunden; ich dachte an seinen schweigenden Stolz und an seine Neigung, das Leben zu komplizieren. Ich blickte auf die Männer und dachte an ihre rituellen Hinrichtungen, und mir fiel ein, daß sie einst ihre Diebe mit trockenen Blättern umwickelt und angezündet hatten. Ich hatte viel gehört in diesen sechsundvierzig Jahren, von ihrer Phantasie, von Opferzeremonien und ihrer arglosen Grausamkeit: ein Kikuju hat mehr Phantasie als alle Weißen in Kenia, aber seine Phantasie ist grausam. Wir haben versucht, sie von ihrer natürlichen Grausamkeit abzubringen, aber dadurch haben wir sie ärmer gemacht. Wir haben versucht, ihre geheimen Stammeseide, Orgien und Beschwörungsformeln zu entwerten, dadurch ist ihr Leben langweilig und leer geworden. Sie wollen nicht nur das Land zurückhaben, sie wollen ihre Magie zurückhaben, ihre Kulte, ihre natürliche Grausamkeit. Ich brauchte nur in ihre Gesichter zu sehen, um das zu verstehen; in ihren Gesichtern lag der Durst nach ihrem Land und das Heimweh nach ihrer alten Seele, in allen Gesichtern, über die der schwarze Schein des Feuers lief. Ich überlegte, ob ich fliehen sollte; ich hatte an dieser Stelle des Flusses keine Krokodile gesehen; vielleicht hatten sie aber auch nur im Ufergras gelegen, auf der anderen Seite, im Bambus, und vielleicht waren sie mit der Dunkelheit ins Wasser geglitten. Ich könnte unter Wasser schwimmen, ich war ein guter Schwimmer, trotz meines Alters, und so schnell entschließen sich die Krokodile nicht zum Angriff, vielleicht könnte ich es schaffen.

Aber die Männer, die einen Kreis um mich geschlagen hatten, würden nicht zusehen, würden nicht mehr schweigend am Boden hocken und zusehen, wie ich floh. Ich prüfte erschrocken ihre Gesichter, ich fürchtete, daß sie meine Gedanken erraten hatten, aber ihre Gesichter waren fremd und reglos, auch das von Lukas, meinem sanftmütigen Knecht. Vielleicht hofften sie, daß ich floh, vielleicht warteten sie nur darauf, daß ich mich in den Fluß warf – ihre Gesichter schienen darauf zu warten.

Lukas stand auf und ging ans Feuer; er hockte sich hin, er sah in die Glut, seine Arme ruhten auf den Knien, ein alter, hagerer Kikuju, versunken in Erinnerung. Ich hätte mich auf ihn stürzen können, er hockte dicht vor meinen Füßen, versunken und unbekümmert. Ich hätte nichts erreicht, wenn ich mich auf ihn geworfen hätte, sein Messer lag vor ihm, mit der Spitze im Feuer, wenige Zentimeter unter den großen, hageren Händen. Es sah aus, als ob Lukas träumte. Dann kamen aus den Dornen zwei Männer, die ich noch nicht gesehen hatte, sie wurden in den Kreis gelassen, zwei barfüßige Männer in Baumwollhemden, sie schienen in der Stadt gelebt zu haben, in Nairobi oder Nyeri. Sie hockten sich hinter Lukas auf die Erde, und alle Augen waren auf sie gerichtet; sie hatten eingerollte Bananenblätter mitgebracht, jeder zwei große Blätter, und sie schoben die Blätter nahe an Lukas heran und warteten. Es waren kräftige, gutgenährte Männer, sie hatten Fleisch auf den Rippen, sie sahen nicht aus wie Lukas und seinesgleichen, die hager waren, schmalbrüstig, mit dünnen, baumelnden Armen; sie hatten auch andere Gesichter, sie hatten nicht den fremden, gleichgültigen Blick, den Blick unaufhebbarer Ferne, ihre Gesichter waren gutmütig, der Blick war schnell und prüfend, er verriet, daß sie in der Stadt gelebt hatten. Während sie in den Kreis traten, hatte ich das gesehen. Ich hatte auch gesehen, wie sie sich änderten, als sie Lukas vor dem Feuer erblickten: ihre Gesichter verwandelten sich, sie schienen an ein fernes Leid erinnert zu werden, und die Ferne machte sie fremd und abwesend.

Lukas nahm das Messer aus dem Feuer, er konnte nicht gesehen haben, daß die beiden Männer gekommen waren, aber er mußte gewußt haben, daß sie hinter ihm hockten, er drehte sich auf den Fußballen zu ihnen um, ich hörte bei der Drehung das Gras unter seinen Füßen knirschen, es war der einzige Laut, den er bisher verursacht hatte. Lukas nickte einem der Männer zu, und der Mann, dem das Nicken gegolten hatte, zog sein Baumwollhemd aus und warf es hinter sich, und dann ging er nahe an Lukas heran und hockte sich vor ihm hin, schnell, fast lüstern. Und Lukas hob das Messer und drückte es in sein Schulterblatt, es zischte, als das heiße Eisen das Fleisch berührte, und der Oberkörper des Mannes bäumte sich einmal auf, der Kopf flog nach hinten. Ich sah die zusammengepreßten Zähne, das verzerrte Gesicht; die Augen waren geschlossen, die Lippen herabgezogen. Er stöhnte nicht, und Lukas, sanftmütiger Knecht seit vierzehn Jahren, setzte das Messer an eine andere Stelle, siebenmal, er setzte das Messer gegen die Schulter, gegen die Brust und gegen die Stirn. Als er den zweiten Schnitt empfing, zitterte der Mann, dann hatte er den Schmerz überwunden. Nach der zweiten Wunde sah er dem Messer ruhig entgegen, er bog dem Messer die Schulter heran, er dehnte ihm seine Brust entgegen, es konnte ihm nicht schnell genug gehen, die kleinen Schnitte zu empfangen, unwiderrufliche Zeichen der Verschwörung, Stigmen des Hasses. Dann hatte er die Male erhalten, und Lukas wies ihn zurück, er kroch auf seinen Platz und hockte sich hin, und Lukas legte das Messer ins Feuer und nickte nach einer Weile dem zweiten Mann zu; der zweite Mann zog sein Baumwollhemd aus, das Messer senkte sich in seine Schulter, es zischte, es roch nach verbranntem Fleisch, und auch er wurde nach dem zweiten Mal stumpf und ruhig, auch er empfing sieben Schnitte und kroch zurück. Ich hörte fernen Donner und sah zum Horizont, sah auf, als ob im Donner Rettung für mich läge, der Donner wiederholte sich nicht, ich sah nur das Feuer im Gras, das gegen die Berge lief. Der Mond kam hervor, sein Bild zerlief auf dem trägen Wasser des Flusses, der Fluß gluckste am anderen Ufer, es drang bis zu uns herüber. Im Bambus war es still.

Ich sah, wie Lukas die Bananenblätter zu sich heranzog, er rollte sie vorsichtig auseinander, und ich bemerkte in einem eine Blechdose. Er stellte die Blechdose ans Feuer, sie war gefüllt, sie enthielt eine Flüssigkeit, dunkel und sämig, Lukas goß etwas von der Flüssigkeit ab und griff in das andere Blatt, ich erkannte, daß es Eingeweide waren, Eingeweide eines Tieres, eines Schafes vielleicht, er nahm sie in die Hand und zerkleinerte sie und warf einzelne Stücke in die Blechdose, und dann schüttete er Körner und Mehl in die Blechdose und begann leise zu singen. Während Lukas sang – ich hatte ihn nie singen hören in vierzehn Jahren –, rührte er einen Teig an, ich beobachtete, wie er den Teig klopfte und knetete, er bearbeitete ihn unter leisem Gesang, einen griesigen Teig, den Lukas schließlich in beide Hände nahm und zu einer großen Kugel formte. Dann kniff er aus der Kugel ein kleines Stück heraus, begann es zwischen den Handflächen zu rollen, er rollte eine kleine Kugel daraus; der Teig war feucht, und ich hörte, wie er zwischen seinen Händen quatschte. Lukas rollte vierzehn kleine Kugeln, zweimal sieben feuchte Teigbälle, er legte sie in zwei Reihen vor sich hin, eine neben die andere, und als er fertig war, nickte Lukas einem der Männer zu, die vor ihm hockten, und der Gerufene kam zu ihm, kniete sich hin, schloß die Augen und schob seinen Kopf weit nach vorn. Der Gerufene öffnete den Mund, und Lukas nahm eine der feuchten Teigkugeln und schob sie ihm zwischen die Zähne; das Gesicht des Gefütterten glänzte, er schluckte, ich sah, wie die Kugel den Hals hinabfuhr, er schluckte mehrmals, sein Kopf bewegte sich vor und zurück, vor und zurück, dann hielt er still, die Lippen sprangen auf, schoben sich in sanfter Gier dem nächsten Teigbatzen entgegen, und Lukas schob ihm die neue Kugel in den Mund. Lukas, Zauberer und sanftmütiger Knecht, fütterte ihn mit dem Teig des Hasses, fütterte ihn siebenmal und wies ihn zurück, als er die Zahl erfüllt hatte, und nach einer Weile nickte Lukas dem zweiten Mann zu, und der zweite Mann kam und öffnete den Mund, würgte die Kugeln hinunter, würgte mit den Kugeln einen Schwur hinunter, und sein Gesicht glänzte. Auch er aß siebenmal den Teig des Hasses und wurde zurückgeschickt, er ging aufrecht zurück, nahm sein Baumwollhemd, streifte es über und fügte sich in den Kreis ein, den sie um mich geschlagen hatten. Ich erinnere mich, daß Sieben ihre Zahl ist, heilige Zahl der Kikujus, ich hatte es oft gehört in sechsundvierzig Jahren, jetzt hatte ich es gesehen – warum hatten sie es mich sehen lassen, warum duldeten sie, daß ich dabeistand, meine Zahl war eine andere, ich war der, dem die Wunden galten, die frischen Male auf den Körpern der Männer, ich war das Ziel ihres Hasses, warum töteten sie mich nicht? Warum zögerten sie, warum zögerte Lukas, das schwere Panga-Messer gegen mich zu heben, warum ließen sie mich nicht den Tod sterben, den sie so viele hatten sterben lassen: hatten sie einen besonderen Tod für mich, hatte Lukas, der Sanftmütige, sich einen besonderen Tod für mich ausgedacht in den vierzehn Jahren, da er mein Knecht war?

Wir hatten wenig gesprochen in diesen vierzehn Jahren, Lukas hatte allezeit schweigend und gut gearbeitet, ich hatte ihn sogar eingeladen, mit uns zu essen; manchmal, wenn ich ihn aus der Ferne beobachtet hatte bei der Arbeit, ging ich zu ihm und lud ihn ein, aber er kam nie, er fand immer einfache Entschuldigungen, mit höflicher Trauer lehnte er meine Angebote ab, niemand hat besser für mich gearbeitet als

Lukas, mein wunderbarer Knecht. Welchen Tod hatte er sich für mich ausgedacht? Lukas erhob sich und ging an mir vorbei zum Fluß, er ging langsam am Ufer auf und ab, beobachtete, lauschte, er legte sich flach auf den Boden und sah über das Wasser, er nahm einen Stein, warf ihn in die Mitte des trägen Flusses und beobachtete die Stelle des Einschlags und wartete. Dann kam er zurück, und jetzt kam er zu mir. Er blieb vor mir stehen, aber sein Blick ging an mir vorbei, erreichte mich nicht, obwohl er auf mich gerichtet war; er stand vor mir, das Messer in der Hand, und begann zu sprechen. Ich erkannte sofort seine Stimme wieder, seine leise, milde Stimme, er forderte mich auf zu gehen, er sprach zu mir, als ob er mich um etwas bäte; ich solle gehen, bat er, nun sei es Zeit. Er wies mit der Hand über den Fluß und über den Bambus in die Richtung, in der meine Farm lag, dorthin solle ich gehen, bat er, wo Fanny wohne, das war meine Frau, und Sheila, das war meine Tochter. Lukas bat mich, zu ihnen zu gehen, sie würden mich brauchen, sagte er, morgen, bei Sonnenuntergang, würden sie mich nötig haben, ich solle nicht mehr warten. Ich solle Fanny und Sheila vorbereiten, denn morgen, sagte er, würde die Farm brennen, das große Feuer würde kommen, und ich dürfte dann nicht weit sein. Er wollte sich umwenden, er hatte genug gesagt, aber ich ließ ihn noch nicht gehen, ich zeigte mit ausgestreckter Hand auf den schwarzen Fluß, und er las aus diesem Zeichen meine Frage und gab mir zu verstehen, daß keine Krokodile in der Nähe seien, er habe das Wasser beobachtet, ich könne nun gehen, der Weg sei frei.

Ich blickte den Kreis der Gesichter entlang, fremde, steinerne Gesichter, über die der schwache Schein des Feuers lief. Lukas ging zurück und fügte sich ebenfalls dem Kreis ein, er hockte sich hin, und ich stand allein in der Mitte und schaute zum Bambuswald hinüber, spürte die Schwüle, die heranwehte, spürte Verfall und Geheimnis, und ich setzte einen Fuß in das Wasser und ging. Ich ging langsam zur Mitte des Flusses, meine Füße sanken in den weichen Schlamm ein, das Wasser staute sich an meinem Körper, an der Hüfte, an der Brust, schwarzes, lauwarmes Wasser; es führte totes Bambusrohr heran und Äste, und wenn mich ein Ast berührte, erschrak ich und blieb stehen. Ich sah nicht ein einziges Mal zurück. Ich überlegte, warum sie mich hatten gehen lassen, es mußte etwas auf sich haben, daß sie mich nicht getötet hatten.

Welch ein Urteil verbarg sich dahinter, daß sie mich nach Hause schickten? Ich wußte es nicht, ich kam nicht darauf, obwohl ich viele ihrer Listen kannte, ihre sanfte, grausame Schlauheit – warum hatten sie mich gehen lassen? Mein Fuß berührte einen harten Gegenstand, der auf dem Grund lag, ich zuckte zurück, ich hätte geschrien, wenn sie nicht am Ufer gewesen wären, ich warf mich sofort auf das Wasser, schwimmend kam ich schneller vorwärts als watend, und ich schwamm mit verzweifelten Stößen zur Mitte. Es mußte ein versunkener Baumstamm gewesen sein, den ich berührt hatte, das Wasser blieb ruhig, keine Bewegung entstand im Fluß, ich watete langsam weiter, mit beiden Händen rudernd – lange, tastende Schritte durch den weichen Schlamm: zum drittenmal durchquerte ich den Fluß.

Welch eine List lag in meinem Freispruch, warum hatten sie mich gehen lassen, warum hatte Lukas mich nach Hause geschickt? Lukas hatte mir den kürzesten Weg gezeigt, und der Weg führte durch den Fluß und durch den Bambuswald. Ich wußte, daß hinter dem Bambuswald die Grasfläche begann, Grasfläche der Mühsal, ich erinnerte mich, daß ich dann an Maisfeldern vorbeizugehen hätte und an einer Farm, ich würde es schaffen, dachte ich, ich würde die fünfzehn Meilen bis zum nächsten Abend hinter mich bringen, vielleicht würde mich McCormick das letzte Stück in seinem Wagen mitnehmen, ihm gehörte die Farm.

Der Bambus stand dicht, ich konnte kaum vorwärtskommen, ich mußte mich zwischen den einzelnen Rohren hindurchzwängen, es war hoffnungslos. Auch der Boden war gefährlich, Laub und Astwerk bedeckten ihn bis zu den Bambusstauden, ich konnte nicht erkennen, wohin ich trat. Immer wieder sackte ich ein, sackte bis zur Hüfte ein und stürzte vornüber, es ging nicht. Ich blieb stehen und sah zurück; die Männer waren verschwunden, das Feuer brannte nicht mehr, ich war allein. Ich war allein in der Schwüle des Bambus. Ich fühlte die nasse Kleidung auf der Haut, meine Knie zitterten. Ich fühlte mich beobachtet, von allen Seiten fühlte ich Augen auf mich gerichtet, gleichgültige, abwartende, bewegungslose Blicke. Ich hatte keine Waffen bei mir, ich durfte nicht weiter.

Es war still, nur zuweilen wurde die Stille unterbrochen, ein Vogel rief in die Finsternis, ein Tier klagte über den gestörten Schlaf; ich durfte nicht weiter, ich wußte, daß ich nachts, nachts und ohne Waffen, nicht durch den Bambuswald kommen würde, der Leopard würde es verhindern, der Leopard oder ein anderer, ich mußte zum Fluß zurück und entweder auf den nächsten Morgen warten oder mich dicht am Wasser bewegen. Ohne Waffen und ohne Feuer war die Nacht gefährlich, ich spürte es, die Nacht war ein wenig zu still, ein wenig zu sanft, das war nicht gut, und ich kämpfte mich durch Bambusstauden und Schlingpflanzen wieder zum Fluß zurück. Ich wollte die Nacht ausnutzen und den Fluß hinaufgehen, dabei konnte ich bestenfalls zwei Meilen gewinnen, zwei mühselige Meilen bis zum Morgen, aber ich beschloß, diesen Weg zu nehmen. Ich wollte zu Hause sein, bevor Lukas das große Feuer zur Farm trug, ich mußte das Mädchen warnen und Fanny, meine Frau.

Ich ging abermals in den Fluß, das Wasser reichte mir bis zu den Waden, dann watete ich, jedes Geräusch vermeidend, flußaufwärts; ich kam wider Erwarten gut voran. Der Mond lag auf dem Wasser, wenn der Mond nicht gewesen wäre, wäre ich nicht gegangen. Der Schlamm wurde fester; je weiter ich den Fluß hinaufging, desto härter und sicherer wurde der Grund, ich stieß gegen kleine Steine, die im Wasser lagen, die Büsche hingen nicht mehr so weit über den Fluß, alles schien gutzugehen. Manchmal sah ich ein Augenpaar zwischen den Büschen, grün und starr, und unwillkürlich strebte ich der Mitte des Flusses zu, ich hatte Angst, aber ich mußte diese Angst unterdrücken, wenn ich die Farm zeitig erreichen wollte. Manchmal folgten mir auch die Augen am Ufer, kalt und ruhig begleiteten sie mich flußaufwärts, ich erkannte keinen Kopf, keinen Körper, aber die Augen schienen über dem Bambus zu schweben, schwebten durch Bambus und Schlinggewächs, und ich wußte, daß diese Nacht auf der Lauer lag, daß sie den Fremden verfolgte und daß sie ihm seinen Argwohn nehmen wollte durch ihr Schweigen, durch ihren Duft. Ich sah leuchtende Blumen am Ufer, ihre Schönheit brannte sich zu Tode, ich sah sie mitunter mannshoch in der Dunkelheit brennen, auf einem Baum oder mitten in einem Strauch, flammende Todesblumen, unter denen der Leopard wartete.

Welche List lag in meinem Freispruch, warum hatten sie mich gehen lassen, mich, dessentwegen sie sich die Zeichen des Zorns eingebrannt hatten? Waren sie ihrer Sache so sicher?

Ich kam gut voran, ich konnte, wenn es so weiterging, sogar drei Meilen schaffen in dieser Nacht, ich würde früher bei Fanny und dem Mädchen sein, als sie gedacht hatten. Ich dachte an Fanny, sah sie auf der Holzveranda sitzen und in die Dunkelheit horchen, den alten Armeerevolver auf der Brüstung; zu dieser Zeit hätte ich schon lange bei ihnen sein müssen, vielleicht hatte sie über die Entfernung gespürt, daß mir etwas zugestoßen war. Sie hatte einen guten Instinkt, ihr Instinkt hatte sich geschärft, je mehr wir beide zu Einzelgängern geworden waren; dieses Land des Schlafes und des Verfalls hatte uns gezeigt, daß der Mensch von Natur aus ein Einzelgänger ist, ein verlorener, einsamer Jäger auf der Fährte zu sich selbst, und wir sind bald unsere eigenen Wege gegangen, bald, nachdem wir Sheila hatten. Wir glaubten manchmal beide, daß wir ohne den anderen auskommen könnten, wir arbeiteten schweigend und allein, jeder an seinem Teil, wir gingen uns aus dem Weg, sobald das Leben uns einem gemeinsamen Punkt zuführen wollte. Fanny und ich, wir gingen zwar in eine Richtung, unser Ziel und unser Leid war dasselbe, aber wir gingen in weitem Abstand auf dieses Ziel zu. Wir hatten uns alles gesagt, wir hatten uns ohne Rest einander anvertraut, und so kam die Zeit, da wir uns schweigend verstanden, da wir oft ganze Tage nicht miteinander sprachen und die Dinge trotzdem einen guten Verlauf nahmen. Ich hatte sie oft heimlich beobachtet, wenn sie durch den Mais ging oder die Schlucht hinunterkletterte zum Fluß, ich hatte sie beobachtet und bemerkt, daß ihre Bewegungen anders geworden waren, anders als in der ersten Zeit. Sie bewegte sich weicher und tierhafter, ihre Bewegungen flossen ganz aus, sie fühlte sich sicher.

Der Fluß wurde flacher, einige Steine ragten über die Oberfläche hinaus, und ich sprang, wenn es möglich war, von Stein zu Stein und brauchte kaum noch ins Wasser. Das Wasser war kälter geworden, die Luft war kälter geworden, ich begann zu frieren. Ich blieb auf einem Stein stehen und massierte meinen Leib und die Beine, das Hemd war über der Brust zerrissen, die Fetzen hingen mir, wenn ich mich bückte, ins Gesicht, sie rochen süßlich und dumpf. Ich bedeckte mit den Fetzen sorgsam meine Haut, ich versuchte, das Hemd in die Länge zu ziehen und unter den Gürtel zu schieben, denn ich begann immer stärker zu frieren, und ich sehnte mich zurück nach dem warmen Schlamm, nach der Flußstelle, wo sie mich aus ihrem Kreis entlassen hatten. Ich trank etwas von dem bitteren Wasser und wollte weitergehen, da sah ich ihn: er stand dicht am Ufer, an einer kleinen Bucht des Flusses, nur wenige Meter von mir entfernt. Um ihn herum waren die Bambussträucher niedergetreten, so daß ich ihn in seiner vollen

Größe sehen konnte, er hatte mich offenbar auch gerade entdeckt. Er hatte den Rüssel eingerollt und stand regungslos vor mir, ich sah den matten Glanz seiner Stoßzähne, die kleinen blanken Augen und seine langsam fächelnden Ohren, es war ein großer Elefant. Er stand und blickte zu mir herüber, und ich war so betroffen von seinem Anblick, daß ich an keine Flucht dachte, ich rührte mich nicht und betrachtete das große, einsame Tier, und ich empfand plötzlich die wunderbare Nähe der Wildnis. Nach einer Weile wandte er den Kopf, entrollte den Rüssel und trank, ich hörte ein saugendes Geräusch, hörte, wie der Rüssel ein paar kleine Steine zur Seite schob, sie klirrten gegeneinander, und dann drehte er sich unerwartet um und verschwand im Bambus. Ich hörte ihn durch das Holz brechen, und plötzlich, als ob er stehengeblieben wäre, war es wieder still.

Langsam setzte ich meinen Weg fort, ich hatte ein Bambusrohr im Wasser gefunden und benutzte es als Stütze, wenn ich von Stein zu Stein sprang, das Rohr war mit einem einzigen schrägen Hieb durchschlagen worden, es besaß eine Spitze, ich konnte es notfalls als Waffe verwenden.

Ich dachte an Lukas, meinen sanftmütigen Knecht seit vierzehn Jahren, ich stellte mir vor, daß er jetzt an einem anderen Feuer saß, daß andere Männer vor ihm hockten und den Teig des Hasses hinunterwürgten, den er, zu Kugeln gerollt, in ihren Mund schob; ich glaubte zu sehen, wie ihre Schultern sich verlangend seinem schweren Panga-Messer entgegenreckten, wie ihre Gesichter glänzten vor Schwüle und Begierde, die Male zu empfangen. Ich stellte mir vor, daß Lukas durch das ganze Land ging, und ich sah, daß überall, wo sein Fuß das Gras niedertrat, Feuer aufsprang, das Feuer folgte ihm unaufhörlich, änderte mit ihm die Richtung, legte sich hin, wenn er es befahl – Lukas, Herr über das Feuer. Ich dachte an den Tag, als ich ihn zum ersten Male sah: er war, wie die anderen seines Stammes, nach Norden geflohen, die Rinderpest hatte ihre Herden fast völlig vernichtet, und sie hatten mit ihrem letzten Vieh im Norden Schutz gesucht. Und während sie im Norden waren, kamen wir und nahmen ihr Land, wir wußten nicht, wann sie zurückkehren würden, ob sie überhaupt jemals zurückkehren würden, wir nahmen uns das brachliegende Land und begannen zu säen.

Aber nachdem wir gesät und auch schon geerntet hatten, kamen sie aus dem Norden zurück, ich sah ihren schweigenden Zug das lange Tal heraufkommen, vorn ihre Frauen, dann das Vieh, und hinter dem Vieh die Männer. Wir sagten ihnen, daß sie das Land durch ihre Abwesenheit verloren hätten, und sie schwiegen; wir boten ihnen Geld, sie nahmen das Geld, verbargen es gleichmütig in ihrer Kleidung und schwiegen, sie schwiegen, weil sie sich als Besitzer dieses Landes fühlten, denn für einen Kikuju wird der Verkauf eines Landes erst dann rechtmäßig, wenn er unter religiösen Weihen vollzogen worden ist. Es hatte keine Bedeutung, daß wir ihnen Geld gaben, wir hatten den Boden ohne religiöse Weihen abgesteckt, darum konnte er uns niemals gehören. Ich erinnerte mich, wie mit einem dieser Züge auch Lukas das lange Tal heraufkam, er ging am Ende des Zuges, er fiel mir gleich auf. Sein altes, sanftes Gesicht fiel mir auf, ein Gesicht, das nie eine Jugend gehabt zu haben schien, und dieses Gesicht blieb ruhig, als ich sagte, daß ich dieses Land nicht mehr aufgeben würde. Es war Lukas' Land, das ich mir genommen hatte.

Er schwieg, als er das erfuhr, und als sich der Zug in Bewegung setzte, weiterging auf seiner stummen Suche nach dem verlorenen Land, da ging auch Lukas mit, und ich sah ihn sanftmütig über die Grasebene schreiten und brachte es nicht übers Herz, ihn gehen zu lassen. Ich rief Lukas zurück und fragte ihn, ob er bei mir bleiben wolle, ich fragte ihn, ob er bereit sei, mit mir zusammen das Land zu bearbeiten, und er nickte schweigend und ging auf so natürliche Weise seiner Arbeit nach, daß es den Anschein hatte, er habe sie nur kurzfristig liegenlassen und sei nun zurückgekommen, um sie zu vollenden.

Er arbeitete wortlos und geduldig, ich hatte ihm nie viel zu sagen. Ich versuchte, ihm mancherlei beizubringen, ich gab mir Mühe, ihm die Arbeit zu erleichtern, er hörte höflich zu, wartete, bis ich ihn entließ, und hatte wenig später meinen Rat vergessen. Welch eine List lag in meinem Freispruch, was hatte sich Lukas, der wunderbare, sanftmütige Knecht, in den vierzehn Jahren überlegt?

Ich ging bis zum Morgen flußaufwärts, die Nächte sind lang in diesem Land, und ich hatte wohl vier Meilen gewonnen, mehr, als ich gehofft hatte. Ich prüfte den Himmel, den länglichen Ausschnitt des Himmels über dem Fluß, es sah aus, als ob es ein Gewitter geben würde. Der Himmel war mit einer einzigen grauen Wolke bedeckt, sie stand über mir und dem Fluß, ihre Ränder waren dunkel; mitten durch das Grau lief eine zinnoberrote Spur, eine Feuerspur, und ich dachte, daß das die Spur von Lukas sein könnte. Ich überlegte, ob es Zweck hätte, unter solchen Umständen den Bambuswald zu durchqueren, aber ich dachte an Fanny, an das Mädchen und an die Frist, und ich beschloß, unter allen Umständen durch den Bambus zu gehen. Ich spürte zum ersten Male Hunger, ich trank von dem bitteren Wasser des Flusses und schwang mich mit Hilfe der Bambusstange ans Ufer. Als ich das Ufer betrat, merkte ich, wie erschöpft ich war, der Weg über die Steine hatte meine ganze Kraft verlangt, hatte meine Aufmerksamkeit und meine Geschicklichkeit bis zuletzt so sehr beansprucht, daß ich keine Gelegenheit gefunden hatte, den Grad meiner Erschöpfung zu bemerken. Nun, da ich die Möglichkeit hatte, mich zu entspannen, merkte ich es; ich fühlte, wie unsicher ich auf den Beinen war, ich sah, wie meine Hände zitterten, und ich spürte den Schleier vor meinen Augen, ein untrügliches Zeichen meiner Erschöpfung. Ich durfte nicht stehenbleiben, ich mußte weiter, mußte mich gleichsam im Sog der einmal begonnenen Anstrengung bis zur Farm tragen lassen; ich kannte mich zur Genüge, ich wußte, daß ich es schaffen würde.

Ich stieg, weit nach vorn gebückt, eine Anhöhe hinauf, ich griff nach jedem Schritt in die Bambusstauden und Wurzeln und zog mich an ihnen vorwärts, ich mußte mich vorsichtig voranziehen, denn manchmal griff ich in die Wurzeln eines toten Baumes, der gestorben und stehengeblieben war, weil es keinen Platz gab, wohin er hätte stürzen können, und wenn ich mich an dem aufrechten, toten Stamm hochziehen wollte, gab er nach, die Wurzeln rissen, und der Bambusstamm stürzte mir entgegen. Mitunter traf er im Sturz andere Stämme, und ich hörte, wie die Wurzeln rissen, und warf mich zur Erde und bedeckte den Kopf mit den Händen. Von Zeit zu Zeit sank ich bis zu den Knien in den weichen Boden ein, aber es geschah nicht so oft wie in der Nacht, als ich den Bambuswald das erste Mal zu durchqueren versucht hatte; jetzt konnte ich die tieferen Löcher im Boden erkennen, konnte ihnen ausweichen.

Die Kälte, unter der ich am Morgen gelitten hatte, machte mir nicht mehr zu schaffen, die Anstrengung brachte mich in Schweiß, das Hemd klebte auf meinem Rücken, und wenn ich mit dem Gesicht am Boden lag, prallte mein Atem vom Laub zurück und traf mein heißes Gesicht. Ich spürte den Schweiß über die Wange laufen und spürte ihn, dünn und säuerlich, wenn ich mit der Zunge über die Lippen fuhr. Ich beschloß, mich im Mais eine Weile auszuruhen, ich wollte mich weder hinlegen noch hinsetzen, das Risiko wäre zu groß gewesen, ich wollte, damit die Erschöpfung mich nicht besiegte, stehend ausruhen, ich wollte einen Augenblick stehen und einen Kolben abbrechen, ich war schon nahe daran, ich hatte schon den süßlichmehligen Geschmack der Körner auf der Zunge – es war gut, daran zu denken.

Ich zog mich an eine schwarze Zeder heran, ich griff in ein Büschel von Schlinggewächsen, sie fühlten sich glatt und lederhäutig an wie Schlangen, ich griff in sie hinein und zog mich an den Baum heran, und als ich auf einer Wurzel stand, sah ich eine Lichtung. Ich sah sie durch den Schleier meiner Erschöpfung, und als ich näher heranging, erkannte ich auf der Lichtung eine Anzahl großer, schwerer Vögel, die um einen Gegenstand versammelt waren. Sie hüpften lautlos umher, träge und mit schlappem Flügelschlag umkreisten sie den Gegenstand, einige saßen auf ihm und drängten die neu Hinzugekommenen ab, es waren schwarze Vögel. Sie ließen sich durch mich nicht vertreiben, ich konnte so nah herangehen, daß ich sie mit meiner Bambusstange erreicht hätte, ich versuchte es auch, aber sie hüpften nur schwerfällig zur Seite und blieben. Der Gegenstand, um den sie sich drängten, war ein Baumstumpf, sie wollten offenbar nur darauf sitzen, und da sie zu viele waren, entstand dieser lautlose Kampf.

Ich trat an den Baumstumpf heran, lehnte mich gegen ihn und erlag schließlich der Versuchung, mich zu setzen. Ich setzte mich in die Mitte und vertrieb mit meiner Bambusstange die Vögel, ich konnte sie nicht endgültig vertreiben, sie sprangen auf die Erde, träge und widerwillig, sie hüpften schwerfällig um meine Beine herum und sahen mit schräggelegtem Kopf zu mir auf. Und nach einer Weile versuchte der erste Vogel, auf den Baumstumpf zu fliegen, ich duckte mich, weil ich glaubte, er flöge mich an, aber als ich sah, daß er nur neben mir sitzen wollte, ließ ich ihn sitzen und kümmerte mich nicht um ihn. Ich lehnte mich weit zurück und beobachtete den Himmel, und ich sah, daß die Wolke mit der zinnoberroten Spur weiter im Westen stand: es würde kein Gewitter geben, ich war zuversichtlich für meinen Weg. Langsam stand ich auf und ging zwischen den großen Vögeln über die Lichtung, sie bewegten sich nicht, sie hockten am Boden und sahen mir nach.

Ich dachte an Lukas' Augen, an seinen Blick voll sanfter Trauer, ich dachte daran, während ich mit dem Bambus kämpfte, und ich begann,

Lukas zu begreifen, Lukas und all die andern, die die Stigmen des Hasses trugen. Ich glaubte zu verstehen, warum sie sich danach drängten, die Male zu empfangen. Wir haben ihnen zuviel genommen, wir haben ihnen aber auch zuviel gebracht.

Welch eine List hatte Lukas ersonnen, warum hatte er mich gehen lassen, der auch daran schuld war, daß ihm alles genommen wurde? Ich mußte vor Sonnenuntergang auf der Farm sein, ich dachte an Fanny und an das Mädchen, ich sah sie immer noch auf der Holzveranda sitzen, den alten Armeerevolver in der Nähe, ich wußte, daß sie in dieser Nacht nicht geschlafen hatten.

Als ich den Bambuswald hinter mir hatte, war ich so erschöpft, daß ich nicht weitergehen zu können glaubte, mein Körper verlangte nach Ruhe, es zog mich zur Erde. Ich blieb mitten im Elefantengras stehen und schloß die Augen, ich wäre eingeknickt und niedergesunken, wenn ich mich nicht auf den Bambusstock gestützt hätte, ich war so entkräftet, daß mich eine tiefe Gleichgültigkeit erfaßte; Fannys Schicksal war mir gleichgültig, und ich beschwichtigte mich selbst, indem ich mir sagte, daß sie gut schießen und das Haus nicht schlechter verteidigen könnte als ich selbst. Und ich hätte mich hingelegt, wenn nicht der Hunger gewesen wäre; der Hunger zwang mich, die Augen zu öffnen, und ich hob den Bambusstab, stieß ihn in den Boden und ging. Ich ging durch das hüfthohe Elefantengras, meine Lippen brannten, in den Fingern summte das Blut. Ich blickte nicht ein einziges Mal über die große Ebene, mein Blick scheute sich vor dem Horizont, ich hatte nicht die Kraft, die Augen zu heben.

Gegen Mittag stand ich vor dem Maisfeld. Ich warf den Bambusstab fort, nun hatte er ausgedient, ich warf ihn in weitem Bogen in das Gras und riß mehrere Maiskolben ab. Ich setzte mich auf die Erde. Ich legte die Kolben in meinen Schoß. Ich riß von einem Kolben die gelbweißen, trockenen Hüllen ab und biß hinein. Ich ließ mir keine Zeit, die Körner mit dem Daumen herauszubrechen. Ich fuhr mit den Zähnen den Kolben entlang. Die Körner schmeckten nach süßem Mehl.

Nachdem ich gegessen hatte, kroch ich zwischen die Maisstauden, ich spürte Kühle und Schatten, spürte eine seltsame Geborgenheit; hier, im Mais, glaubte ich mich sicher. Ich kroch durch das ganze Feld, ich bildete mir ein, während ich kroch, neue Kräfte zu sammeln, ich fühlte mich auch zu Kräften kommen, und ich hob die Augen und sah nach vorn. Und ich sah durch die Maisstauden die Farm, sie lag auf einem Hügel, das große Wohnhaus mit der Veranda und die Wellblechschuppen, die im rechten Winkel zu ihm standen. Die Farm lag verlassen da; McCormick hatte vier Hunde, einen hatte ich immer gesehen, wenn ich vorbeigekommen war, einer hatte immer vor der Veranda im Staub gelegen, jetzt konnte ich keinen entdecken. Ich wollte das Maisfeld verlassen und hinübergehen, ich hatte mich schon aufgerichtet, da kamen sie aus der Farm. Es waren sechs Männer, hagere Kikujus mit Panga-Messern, sie gingen die Verandatreppe hinab, langsam, mit ruhigen Schritten, sie schienen keine Eile zu haben. Einen Augenblick verschwanden sie hinter den Wellblechschuppen, dann sah ich sie wieder, sechs hagere Männer, sie schritten über den Hof und an einer Baumgruppe vorbei, sie schritten aufrecht über die Grasfläche, in die Richtung, aus der ich gekommen war, ihr Weg führte sie zum Bambuswald, zum Fluß. Ich konnte nicht erkennen, ob Lukas bei ihnen war, sie waren zu weit entfernt, ich konnte nur fühlen, ob er bei ihnen war – mein Gefühl bestätigte es. Ich blickte ihnen nach, bis sie hinter der Grasfläche verschwunden waren, ich wußte, daß es jetzt nutzlos war, in die Farm zu gehen und McCormick um das Auto zu bitten, ich würde ihn nie mehr um etwas bitten können; er tat mir leid, denn er war erst sechs Jahre hier. Gleich nach dem Krieg war er hergekommen, ein freundlicher, rothaariger Mann, der gern sprach und in jedem Jahr für einen Monat verschwand, nach Nairobi, erzählte man, wo er einen Monat lang auf geheimnisvolle Art untertauchte.

Es zeigte sich niemand auf seiner Farm, und ich schob mich wieder in das Maisfeld und nahm mir vor, zurückzukehren, wenn ich zu Hause alles geregelt hatte; wenn ich das Schnellfeuergewehr bei mir gehabt hätte oder nur den alten Armeerevolver, dann wäre ich schon jetzt zur Farm hinübergegangen, aber unbewaffnet und erschöpft, wie ich war, wäre es leichtfertig gewesen. Sie konnten einen zurückgelassen haben, sie konnten alle sechs zurückkehren, es hatte keinen Zweck.

Ich kroch in die Richtung, in die auch der schmale Weg lief, der das Maisfeld an einer Seite begrenzte, der Weg führte zu meiner Farm. Ich hatte den schwierigsten Teil der Strecke hinter mir, ich hatte mich ausgeruht und gegessen, ich hatte die Gleichgültigkeit und den Durst überwunden: ich zweifelte nicht daran, daß ich rechtzeitig auf meiner Farm sein würde. Je näher ich kam, desto größer wurde meine Angst vor ihrer List und das Mißtrauen gegenüber meinem Freispruch. Warum hatte Lukas mich gehen lassen, Lukas, sanftmütiger Knecht und

Zauberer, welch eine List hatte er für mich ersonnen? Die Angst ließ mich zwischen den Maisstauden aufstehen, ich schob die Hände vor und begann, so gut es ging, zu laufen. Ich lief durch das Feld, blieb stehen, lauschte, hörte mein Herz schlagen und lief weiter. Ich spürte, wie meine Oberschenkel sich verkrampften, starr und gefühllos wurden, auf der Brust entdeckte ich die Spuren der Dornen, kleine, blutverkrustete Kratzer, meine Arme zitterten. Mein Mund war geöffnet, der Oberkörper lag weit vornüber: so lief ich durch den Mais, und als ich das Ende des Feldes erreicht hatte, gönnte ich mir keine Ruhe; ich lief zur Straße, ich glaubte, daß ich immer noch liefe, ich hörte meinen Schritt gegen die Erde klopfen, und ich glaubte, daß ich liefe – aber wenn ich gelaufen wäre, hätte ich mein Ziel früher erreichen müssen, ich taumelte vorwärts, von der Angst und der Hitze geschlagen, ich konnte meinen Schritt kaum noch kontrollieren.

Dann kam ich wieder an ein Maisfeld, lange vor Sonnenuntergang, und das war mein eigener Mais. Hinter ihm lag die Farm, eine letzte Anstrengung, dann hätte ich sie erreicht, ich sah sie schon vor mir liegen, obwohl der Mais sie meinem Blick entzog, meine Farm, Lukas' Farm. Ich bog vom Weg ab und lief durch den Mais, die Stauden schienen kräftiger und höher, die Kolben größer zu sein als die in McCormicks Feld – ich lief bis zu einer Furche, hatte Lukas sie in den Boden gerissen, hatte ich es getan? Ich hatte mich unterschätzt, ich hatte meine Kräfte zu gering angesehen, jetzt spürte ich, worüber ich noch verfügte.

Ich sah die Stauden lichter werden, das war das Ende des Feldes. Ich trat aus dem Maisfeld. Ich preßte die Hände gegen die Brust. Ich hob den Kopf und blickte zu den Brotbäumen hinüber. Die Farm stand nicht mehr, und es war lange vor Sonnenuntergang. Ich ging zu den Brotbäumen und sah in die Asche. Ich kniete mich hin und faßte mit beiden Händen hinein. Die Asche war kalt.

1953

Nur auf Sardinien

Das Flußbett war leer. Es war leer und weiß und mit trockenen, flachen Kieseln bedeckt, und es hatte steile, zerrissene Böschungen und war wasserlos bis hinauf zu den Bergen.

Das Flußbett war tief eingeschnitten ins Gestein und machte jähe Biegungen, und Vittorio ging langsam das Flußbett hinauf und blieb vor jeder Biegung stehen; es war Abend, die Berge hatten ihre Schatten, und als Vittorio in die Schatten geriet, begann er zu frieren. Er trug noch immer das leichte Flanellzeug, das sie ihm in Mammone gegeben hatten; das Lager in Mammone war von Mamorbrüchen umgeben, gelb, staubig und heiß, und das Zeug, das er trug, war nur gut für die flimmernden Marmorbrüche, es war zu leicht für die Schatten und den Wind der Berge.

Mehr als sechzig Meilen hatte Vittorio zurückgelegt, er hatte sich im Gestrüpp der Macchia verborgen, in den schwarzen, runden Steinhäusern der Hirten; er hatte nachts die Schlucht von Aranca durchquert und war am Mittag auf das leere Flußbett gestoßen: er kannte das Flußbett, er wußte, wohin es führte, wohin es ihn bringen würde. Und er ging langsam über die flachen Kiesel, ging geduckt und blieb vor jeder Biegung stehen, und als er die sieben Steine erreicht hatte, konnte er das Dorf sehen.

Das Dorf lag auf einem Plateau; es hatte eine weiße Kirche, einen freien, staubigen Platz vor der Kirche und zweimal zwanzig Hütten. Neben den Hütten standen staubbedeckte Opuntien, und weit unter ihnen leuchtete rötlicher Fels. Der Platz vor der Kirche war verlassen, das ganze Dorf schien verlassen, nur in einem größeren Haus brannte Licht, und dieses Haus lag für sich da und war von Zedern umschlossen, und Vittorio wußte, daß es das Haus von Don Poddu war. Er verließ das Flußbett, legte sich der Länge nach auf den Boden und beobachtete das Dorf, er beobachtete die schmale, geteerte Straße, die zum Dorf hinaufführte, die staubige Plaza und das Haus unter den Zedern, und während er auf der Erde lag und beobachtete, wurde er angerufen. Vittorio kannte die Stimme, die ihn anrief, sie war ihm vertraut, obwohl er sie vier Jahre nicht gehört hatte, und er erhob sich beim Anruf und trat hinter die sieben Steine. Er sah, daß alle gekommen waren, neun Männer standen hinter den Steinen; sie trugen gelbes und braunes Manchesterzeug und Ballonmützen, an den Beinen trugen sie hohe, staubgepuderte Gamaschen, und jeder von ihnen hatte eine großkalibrige Schrotflinte. Es waren ältere Männer. Sie begrüßten Vittorio, sie reichten ihm die Hand, sie umarmten ihn nachlässig und schweigend und befahlen ihm, sich mit dem Rücken gegen einen Stein zu setzen. »Wir wußten, daß du kommst«, sagte Sandro. »Wir wußten es. Noch bevor du an der Schlucht warst, ließ Don Poddu das Tor schließen. Noch bevor du an der Schlucht warst, hat er zwei Leute mit Flinten an die Dachluken geschickt. Alle wußten, daß du geflohen und unterwegs warst.«

»Ich werde ihn nicht töten«, sagte Vittorio. »Ich bin nicht zurückgekommen, um ihn zu töten. Ich habe dreizehn Jahre für ihn gearbeitet, und ich war ein guter Hirte. Ihr wißt, daß ich ein guter Hirte war. Es war nicht meine Schuld, daß das Schaf abstürzte. Es ist durch eigene Schuld abgestürzt, und ich sah es unterhalb des Passes mit gebrochenem Rückgrat liegen. Ihr wißt, daß ich die Wahrheit sage. Wer mit euch redet, wird immer die Wahrheit sagen. Ich habe auch Don Poddu die Wahrheit gesagt, aber als wir hinausgingen und das abgestürzte Schaf suchten, war es verschwunden, und Don Poddu glaubte, ich hätte das Schaf verkauft. Und ihr erinnert euch, daß er mich an eine Zeder hängen ließ. Und da sagte ich, daß ich es verkauft hatte, aber ich sagte es nur, weil sie mich sonst wirklich aufgehängt hätten, und ihr wißt, daß sie mich dann für acht Jahre nach Mammone brachten. Aber ich bin schon nach vier Jahren zurückgekommen, und ihr sollt sagen, was richtig ist und was ich tun soll.«

Die Männer schickten ihn in das Flußbett zurück; Vittorio lehnte sich gegen die Böschung und wartete, und er hörte aus der Ferne ihre Stimmen, ihre murmelnde Beratung, und wußte, daß sie von ihm sprachen. Der Abend ging vorüber, es wurde Nacht, und Vittorio hörte immer noch die Männer sprechen, er konnte nicht verstehen, was sie sagten; er rieb seine Hände und Kniegelenke warm und wartete. Dann tauchte Sandro über der Böschung auf, Vittorio sah ihn groß und unbeweglich gegen den Nachthimmel dastehen; Sandro hielt seine Flinte am Lauf und sagte nur: »Du bleibst hier«, und Vittorio wußte, daß sie ihm vertrauten. Er tastete nach Sandros Fuß, um sich zu bedanken, aber er fand den Fuß in der Dunkelheit nicht, er fühlte nur, wie Sandro seine Flinte die Böschung hinabrutschen ließ und nach der Flinte den Patronengurt, und Vittorio fing beides auf und sagte: »Gut, Sandro.«

»Wir werden mit Don Poddu reden«, sagte Sandro, »zwei werden heute nacht mit ihm reden. Don Poddu soll dir Geld geben für die Zeit in Mammone, und morgen wirst du ins Dorf zurückkommen und bei uns bleiben.«

Sandro ging zu den anderen zurück, die bei den Steinen standen, und Vittorio war allein im Flußbett; er legte den Patronengurt auf die Erde und lehnte die Flinte gegen die Böschung. Er hörte, wie die Männer zum Paß hinunterstiegen, aber er konnte sie nicht mehr erkennen. Er beobachtete, hinter einem Stein liegend, das Haus von Don Poddu, er beobachtete es so lange, bis für einen Augenblick ein breiter Lichtschein zu sehen war, und da wußte er, daß die beiden Männer durch Don Poddus Tür gegangen waren, um in seiner Sache zu sprechen. Er wußte nicht, welche Männer Sandro bestimmt hatte, vielleicht, dachte er, war es Sandro selbst, der mit einem anderen für ihn sprach; er versuchte, sich ihre Worte vorzustellen und ihre Gesichter, und er dachte an die Augen von Don Poddu. Vittorio wußte, daß jeder dem Spruch des Tribunals nachkam; solange er denken konnte, hatte sich niemand gegen das Tribunal der Berge aufgelehnt, auch Don Poddu würde sich seinem Spruch unterwerfen, auch der jähzornige, einsame Mann mit den entzündeten Augen. Und während Vittorio das Plateau beobachtete, dachte er an Don Poddu, er sah ihn in Stiefeln mit silbernen Knöpfen unter den Zedern stehen, eine Axt in der Hand; er sah, wie Don Poddu die Axt hob und sie alle, die um ihn herumstanden, aus seinen entzündeten Augen ansah, und dann duckten sie sich, als der riesige Mann die Axt schwang und sie zwölfmal mit ungeheurer Kraft gegen eine Zeder schlug, und sie liefen auseinander, um von dem stürzenden Baum nicht getroffen zu werden. Und Vittorio erinnerte sich, wie Don Poddu lachte und ihnen befahl, näher heranzukommen, und als sie bei ihm standen, verlangte er, daß sie es nachmachen sollten – aber niemand wagte es, weil es niemand geschafft hätte.

Vittorio sah auch, wie sie ihn eines Tages nach der Mufflonjagd über die Veranda trugen, mit einem Schuß in der Schulter, und niemand konnte sich erklären, woher der Schuß gekommen war. Sie hatten geglaubt, daß Don Poddu sich von dem Schuß niemals erholen werde, aber er war schon nach vier Monaten wieder zu sehen, nur sein linker Arm taugte nichts mehr. Von da ab ließ er sich nur noch auf der Veranda sehen; man munkelte viel über den Schuß, man glaubte sogar, daß Don Poddu wüßte, woher der Schuß gekommen war, aber etwas Genaues konnte man nicht erfahren. Don Poddu ließ sich nie mehr auf den Feldern sehen und in den Bergen; er wurde mißtrauisch, vorsichtig und hinterhältig, und Vittorio versuchte, sich seine Augen vorzustellen, mit denen er jetzt die beiden Männer ansah. Und er dachte, daß Don Poddu sich dem Spruch unterwerfen würde, er würde ihm eine Entschädigung für die Zeit in Mammone geben. Vittorio wartete auf den Morgen, um ins Dorf hinunterzugehen.

Er holte die Flinte und den Patronengürtel aus dem Flußbett herauf, hockte sich hinter den Steinen hin; er zog seine Knie nah an den Leib heran, umfing sie mit seinen Armen; er legte den Kopf nach vorn und versuchte zu schlafen, und als die Sonne um die Berge herumkam, legte er sich flach auf den Boden und sah zum Dorf hinunter. Und nach einer Weile hörte er Motorengeräusch vom Paß her, er blickte auf die geteerte Straße, die zum Dorf lief; er blickte auf einen Knick der Straße, wo sie ohne Mauerschutz war und steil abfiel, und da sah er vier Motorräder hintereinander aus dem Knick herausschießen. Auf den Motorrädern saßen vier Karabinieri, sie trugen Maschinenpistolen vor der Brust, sie fuhren schnell und sicher die geteerte Straße zum Dorf hinauf und hielten unter den Zedern von Don Poddus Haus. Drei von ihnen gingen in das Haus hinein, Vittorio sah, daß ihnen von innen geöffnet wurde, er schob sich langsam hinter die Steine zurück und schnallte den Patronengurt um. Es dauerte lange, bis die Karabinieri das Haus verließen. Aber sie verließen es nur für einen Augenblick, sie gingen nur zu den Motorrädern und schoben sie unter die Veranda; dann wurden Stühle auf die Veranda hinausgetragen, und die Karabinieri setzten sich an einen Tisch. Vittorio erkannte noch einen fünften Mann, und er wußte, daß es Don Poddu war und daß sich Don Poddu dem Spruch nicht unterworfen hatte. Er hatte die Karabinieri ins Dorf geholt; vielleicht wußte er, daß Vittorio sein Haus beobachtete, vielleicht wollte er ihm, da sie auf der Veranda saßen, zu erkennen geben, daß er gewarnt und bereit wäre und daß die Karabinieri bald mit der Jagd beginnen würden.

Vittorio hörte ein Geräusch im Flußbett, hörte den klickenden Zusammenstoß von Kieselsteinen, und er zog die Flinte in die Hüfte ein und trat hinter einen Felsvorsprung. Er konnte den weißen, leeren Boden des Flußbettes sehen und wartete. Er hörte, wie jemand das Flußbett heraufkam, denselben Weg, den er auch gegangen war, und er

hob langsam die alte Flinte und richtete sie auf die Mitte des Flußbetts.
Aber dann sah er zwei nackte Füße über die Kiesel gleiten, erkannte
einen Korb und einen Arm, der den Korb trug, und er sah einen Rock
und den Körper eines Mädchens, und im nächsten Augenblick erkannte er das Mädchen. Es war Maddalena. Sie kam mit einem Korb
zu ihm herauf, ein barfüßiges Mädchen mit langem, gefettetem Haar
und einem kurzen Peitschenstock in der freien Hand. Sie war nicht
erstaunt, als Vittorio hinter dem Felsen hervorkam, sie setzte den Korb
auf die Erde und lachte, und dann ging sie zu ihm und begrüßte ihn.
Sie setzten sich hinter die Steine, Maddalena packte aus ihrem Korb
Käse aus und Brot und einen gebratenen Fisch, und sie bog den Peitschenstock mit beiden Händen zusammen und sah zu, wie Vittorio aß.

Während Vittorio aß, blickte er aufs Plateau hinab, zur Veranda von
Don Poddus Haus, und er sah, daß auch die Karabinieri aßen, und mit
ihnen Don Poddu.

»Du bist größer geworden«, sagte Vittorio zu dem Mädchen. »Du
bist allerhand gewachsen in den letzten Jahren.«

Das Mädchen lachte und ließ den Stock vorschnellen, und es gab ein
sausendes Geräusch.

»Als ich wegging«, sagte Vittorio, »warst du so groß wie meine
Schwester. Es ist allerhand geworden aus dir in den letzten Jahren. Wie
alt bist du?«

»Neunzehn«, sagte Maddalena.

Vittorio suchte im Korb nach der Weinflasche; er fand sie und entkorkte die Flasche und trank, und nachdem er getrunken hatte, legte er
sie neben die Flinte und sagte: »Es ist gut, daß du gekommen bist,
Maddalena. Es war höchste Zeit. Wirst du wiederkommen?«

»Ja«, sagte das Mädchen, »ja, ich werde wiederkommen. Sandro hat
mich raufgeschickt. Er sagt, daß Don Poddu gestern nacht bereit war,
dir für die Zeit in Mammone Geld zu geben. Aber heute morgen sind
die Karabinieri gekommen. Er hat sie nachts holen lassen.«

»Unkraut vergeht nicht«, sagte Vittorio. »Wann wirst du wiederkommen?«

»Morgen«, sagte Maddalena.

»Kannst du nicht früher? Du könntest heute abend kommen.«

»Es ist nicht gut«, sagte das Mädchen, »es ist nicht gut, Vittorio,
wenn ich heute abend komme. Die Karabinieri haben gesehen, daß ich
das Flußbett raufging. Es ist nicht gut, wenn sie mich nochmal sehen.

Ich bringe dir morgen einen neuen Korb. Ich werde weggehen, wenn es noch dunkel ist, und ich bin ganz früh hier oben.«

»Es ist kalt in der Nacht«, sagte Vittorio, »ich habe nur das leichte Flanellzeug, und das taugt nichts für die Nacht und die Berge. Wenn du heute wiederkämst, könntest du mir meine Stiefel bringen und die Jacke für die Nacht. Ich werde auf dich warten.«

Das Mädchen lachte und stand auf; sie nahm den leeren Korb auf und kletterte die zerrissene Böschung hinab ins Flußbett.

»Kommst du?« rief Vittorio, und das Mädchen legte den kurzen Peitschenstock in den Korb und ging über die weißen Kiesel davon. Vittorio blieb stehen und sah ihr nach; er dachte, daß sie sich umdrehen werde, aber sie verschwand hinter einer Biegung, ohne zurückgesehen zu haben. Vittorio nahm die Flinte und die Flasche und stieg ebenfalls in das Flußbett, er ging eine ganze Strecke hinauf, bis er vor einem Felsen stand, den der Fluß unten ausgewaschen hatte. Er zwängte sich auf dem Bauch durch die Öffnung und gelangte in eine Grotte; er war oft hier gewesen. Er fand die Ecke mit dem Gestrüpp; er zog das Gestrüpp zurecht und legte sich hin, und Vittorio schlief bis in den späten Nachmittag.

Als er die Grotte verließ, entdeckte er Maddalena. Sie saß bei den sieben Steinen, und vor ihr, auf der Erde, lagen Vittorios Stiefel und seine Jacke; sie war gekommen, und er lächelte, als er sie vor den Steinen sah.

»Du bist doch gekommen«, sagte er.

Sie tippte mit der Peitsche auf die Stiefel und auf die Jacke. »Ich habe lange gewartet«, sagte sie. »Ich müßte jetzt schon zurück sein, ich hab nicht viel Zeit.«

Vittorio zog seine Stiefel an und die Jacke und schnallte den Patronengurt über die Jacke, weil die Knöpfe fehlten. »Ich habe Zeit«, sagte er, »ich kann warten. Jetzt werde ich bis zum nächsten Mal warten, bis du wiederkommst. Ich warte gern auf dich, Maddalena. Es ist allerhand geworden aus dir in den letzten Jahren.«

»Es sind viele Karabinieri im Dorf«, sagte das Mädchen. »Sie sind mittags mit einem großen Auto gekommen. Ihr Auto steht auf dem Hof von Don Poddu. Sie sind gekommen, und Sandro hat mich raufgeschickt.«

Vittorio kletterte über das Geröll und legte sich vor den Steinen flach auf den Boden, und er sah fast zwanzig Karabinieri den Berg heraufkommen, weit auseinandergezogen; alle trugen Maschinenpistolen. Er hörte sein Herz gegen den Steinboden klopfen, als er so lag und ihnen entgegenblickte, und er schob sich langsam zurück; er stieg auf einen Felsen und sah das Flußbett hinunter, auch dort sah er Karabinieri: sie gingen aufrecht und langsam, sie warteten hinter keiner Biegung.

»Jetzt kommen sie«, sagte das Mädchen, »es sind viele.«

»Ja«, sagte er, »jetzt kommen sie. Es hat nicht lange gedauert.« Und er zog einige Patronen aus dem Gürtel und steckte sie lose in die Jackentasche.

»Du mußt hierbleiben«, sagte Vittorio. »Du darfst jetzt nicht fortgehen, Maddalena. Sie kommen von beiden Seiten den Berg herauf. Wenn sie dich treffen, wissen sie, daß du bei mir warst.«

»Es sind viele, Vittorio, sie werden den ganzen Berg absuchen und dich finden. Du hast gesehen, wie viele es sind.«

»Sie werden heraufkommen und wieder hinuntergehen«, sagte Vittorio, »und sie werden genausoviel sein wie beim Aufstieg. Aber du mußt hierbleiben, Maddalena, sie dürfen dich nicht sehen.«

Er brachte sie zu der Stelle hinauf, wo das Flußbett unter den Fels führte, und beide legten sich auf den Boden und zwängten sich durch den Eingang in die Grotte. Es war feucht und kalt in der Grotte; sie war nicht allzu geräumig, man konnte kaum aufrecht stehen in ihr, aber sie setzte sich weit in den Berg hinein fort, und zum Schluß wurde sie so eng, daß ein Mensch steckenblieb. Sie gingen nicht weit in die Grotte hinein, sie setzten sich auf das Gestrüpp, auf dem Vittorio geschlafen hatte, und warteten. Vittorio hatte die Flinte auf den Knien und beobachtete den Eingang, und das Mädchen saß neben ihm, ihre Schulter berührte seine Schulter, sie saßen reglos wie Vögel zusammen, bis sie die Stiefel der Karabinieri auf den Kieseln des Flußbettes hörten. Vittorio erhob sich und ging leise zum Eingang und stellte sich seitwärts neben ihn, und Maddalena sah, daß er die Flinte umkehrte und den Lauf in die Hand nahm.

Sie erkannte, daß Vittorio lächelte, er lächelte schnell, unsicher, als ob er sich bei ihr entschuldigen wollte für das, was kommen könnte. Die Stiefel der Karabinieri tauchten vor dem Eingang auf, es waren weiche, geölte Stiefel, sie schoben sich jetzt zögernd über die flachen Kiesel des Flußbetts, als hätten sie ihr Ziel fast erreicht. Die Karabinieri kletterten die zerrissene Böschung hinauf und gingen um die sieben Steine herum und unterhielten sich, aber ihre Worte waren in der

Grotte nicht zu verstehen. Allmählich entfernten sich ihre Stimmen, es entfernte sich der Hall ihrer Schritte, und nach einer Weile war nichts mehr von ihnen zu hören. Vittorio blieb immer noch neben dem Eingang stehen, er wartete darauf, daß die Karabinieri zurückkehrten und daß einer seinen Kopf durch den Spalt steckte, aber offenbar hatten sie einen anderen Weg genommen, denn der Abend kam, und ihre Schritte waren immer noch nicht zu hören.

Da beschloß Vittorio, selbst hinauszuklettern und nachzusehen, wo die Karabinieri geblieben waren; er trat vor die Öffnung und beugte seinen Kopf herab, aber im gleichen Augenblick trat er wieder zur Seite und machte Maddalena ein Zeichen, daß sie nicht allein waren hier oben.

Nach einer Weile hörten sie Schritte vor dem Eingang; ein Karabiniere kam auf sie zu, und dann sahen sie, daß er sich auf seine Hände herabließ; sie sahen einen einfachen silbernen Ring an einer Hand. Der Karabiniere legte sich hin und preßte die Maschinenpistole gegen die Brust. Sein Kopf erschien vor dem Eingang, schob sich langsam herein; es war ein schmächtiger, gutrasierter Junge, und als er seinen Oberkörper fast in der Grotte hatte, hieb ihm Vittorio den Kolben seiner Flinte ins Genick. Er traf ihn genau zwischen Hals und Schulter, der Karabiniere schlug mit dem Gesicht auf die Steine und blieb liegen. Vittorio stellte seine Flinte gegen den Fels und zog den Karabiniere in die Grotte hinein, zog ihn bis zum Gestrüpp hinauf und drehte ihn auf den Rücken. Sein Gesicht blutete, aber es waren nur kleine Rißwunden, es war ihm nichts Schlimmes passiert, nichts, was ihn zeitlebens an den Kolbenhieb erinnern würde. Maddalena stand auf und holte die Maschinenpistole, die am Eingang liegengeblieben war; sie stellte sie in die Ecke, wo schon die Flinte stand, und kniete vor dem bewußtlosen Karabiniere und betrachtete sein Gesicht. Es war ein schmales, hübsches Gesicht mit einem dünnen, sauberen Bärtchen auf der Oberlippe, und sie wischte eine Blutspur ab und sagte: »Es ist gut, daß du nicht geschossen hast, Vittorio. Aber er wird nicht lange so liegen. Er wird bald aufwachen, Vittorio, dann müssen wir fort sein. Wir können nicht hierbleiben.«

»Er ist der einzige, der hier oben war«, sagte Vittorio. »Sie haben ihn allein zurückgelassen und sind wieder ins Dorf gestiegen. Wir könnten hierbleiben. Aber es ist besser, wenn wir fortgehen, Maddalena. Es ist in jedem Fall besser. Wir werden auf die andere Seite des Berges gehen.«

Sie ließen den Karabiniere liegen und verließen die Grotte; sie wußten, daß er bald zu sich kommen würde, sie machten sich keine großen Sorgen um ihn. Sie ließen auch seine Maschinenpistole zurück und gingen wortlos auf die andere Seite des Berges; es war dunkel, als sie zu der kleinen, geschwärzten Hütte Zappis kamen, sie lag auf halbem Berg und war von trockenem, hüfthohem Gestrüpp umgeben. Es war eine Hirtenhütte. Sie fanden nichts als eine kalte Feuerstelle, die Hütte war lange nicht gebraucht worden, denn es hatte lange nicht geregnet.

»Jetzt werde ich gehen«, sagte Maddalena. »Ich werde jetzt ins Dorf gehen, und morgen früh werde ich wiederkommen. Ich werde den Korb bei der alten Pinie hinstellen. Dort wird er stehen, wenn du kommst. Du wirst ihn dort immer finden, Vittorio.«

»Ich werde den Korb finden«, sagte Vittorio, »aber ich werde dich nicht finden.«

»Es ist wichtiger, daß du den Korb findest«, sagte Maddalena.

»Nein«, sagte Vittorio, »das ist nicht wichtiger. Warum bleibst du nicht hier? Du kannst in der Hütte schlafen, Maddalena, ich bleibe draußen. Es ist gut für mich, wenn du hierbleibst. Manchmal will man etwas sagen, und da ist es gut, wenn jemand da ist, der zuhört. Es gibt nichts Schlimmeres, Maddalena, als wenn man etwas sagen möchte, und es ist keiner da, der zuhört. Ein Mann muß von Zeit zu Zeit etwas sagen.« Das Mädchen lachte und stieß mit der Spitze der Peitsche gegen den lockeren Mörtel der Hüttenwand.

»Wenn ich hierbleibe«, sagte sie, »wird niemand den Korb bringen morgen früh. Sandro wird auf mich warten, und die anderen werden auch warten, Vittorio, weil sie mich fragen wollen, was du tust.« Sie standen auf dem freien Platz vor der Hütte, wo das Gestrüpp niedergetreten war, sie standen einander gegenüber und sahen sich an, und dann ging Maddalena zu ihm und küßte ihn.

»Du wirst den Korb an der Pinie finden«, sagte sie. »Du wirst ihn da jeden Tag finden, Vittorio, und ich werde auch da sein. Und wenn ich an einem Tag nicht da sein werde, wirst du mich am anderen Tag finden, aber du darfst nicht schießen, Vittorio. Wenn du schießt, wird es schwer sein.«

»Wirst du morgen kommen?« fragte Vittorio.

»Ja«, sagte Maddalena, »ich werde morgen kommen«, und sie drehte sich um und ging den schmalen Weg hinab, der durch das Gestrüpp und zum Flußbett führte. Vittorio sah ihr nach, bis sie in der Dunkelheit verschwunden war; dann suchte er sich außerhalb der Hütte einen Platz und legte sich hin und dachte an das Mädchen. Die Hitze des Tages saß noch im Boden, es war eine warme Nacht. Vittorio konnte nicht einschlafen, und er blickte hinauf in die Dunkelheit und dachte an Maddalena, die jetzt das Flußbett hinabging, und daß er sie morgen finden würde und an vielen Tagen.

Und Maddalena kam und brachte den Korb zur Pinie, sie kam an vielen Tagen; sie war jeden Morgen da, wenn die Sonne über die Berge ging, und sie saßen auf dem toten, verbrannten Gestrüpp und sahen zum Plateau hinab, auf dem das Dorf lag. Es war nicht so gut zu erkennen wie von den sieben Steinen, aber sie sahen die weiße Kirche und Don Poddus Haus, und im Schatten der Zedern das Auto der Karabinieri. Maddalena wußte oft, welchen Berg die Karabinieri sich vorgenommen hatten, Sandro vergaß Vittorio nicht, und Vittorio sah sie immer schon von weitem den Paß heraufkommen und hatte viel Zeit.

Aber eines Tages kam Maddalena zur Pinie und erzählte, daß sie Don Poddu wieder über die Veranda getragen hätten, diesmal tot und mit einem Schuß in der Brust, und sie wußte auch, daß der Schuß ihn niedergeworfen hatte, als er über den Hof ging, und trotzdem wußte niemand, woher der Schuß gekommen war. Die Leute im Dorf sagten, daß Vittorio den Schuß abgefeuert habe, und die Karabinieri glaubten das auch und hatten noch zwanzig Männer kommen lassen für die Jagd auf Vittorio.

»Ich habe nicht geschossen«, sagte Vittorio. »Ich bin nicht zurückgekommen, um Don Poddu zu töten. Du weißt, daß ich deswegen nicht zurückgekommen bin, Maddalena. Ich habe Sandros Flinte, und die ist nur gut für Schrot.«

»Don Poddu wurde mit Schrot getötet«, sagte Maddalena, »einige haben es gesehen.«

»Ich habe alle Patronen, die Sandro mir gab«, sagte Vittorio. »Es fehlt nicht eine Patrone. Du weißt, Maddalena, daß ich Don Poddu nicht getötet habe. Niemand weiß, wer es war, ich habe es nicht getan.«

»Es sind wieder neue Karabinieri gekommen«, sagte Maddalena. »Fast zwanzig neue sind da, und sie werden dich diesmal finden. Sandro sagt, daß sie eine Prämie ausgesetzt haben auf dich. Sie wollen fünfhunderttausend Lire bezahlen. Wer dich fängt oder tötet, bekommt fünfhunderttausend Lire.«

Vittorio lachte und sagte:»Das ist viel Geld, Maddalena, eine Menge Geld. Wenn du mich ablieferst, geben sie dir fünfhunderttausend Lire. So viel hat keiner im ganzen Dorf, seit Don Poddu tot ist. Du könntest viel anfangen mit dem Geld, Maddalena. Willst du mich nicht abliefern?«

Maddalena drückte ihm die Spitze des Peitschenstocks gegen den Hals, sie sah ihn herausfordernd an und lachte, und nach einer Weile sagte sie:»Du bist teuer geworden, Vittorio. Du bist in der letzten Zeit sehr im Preis gestiegen. Wir könnten das Geld gut gebrauchen. Wir könnten eine Menge kaufen mit dem Geld, wenn sie dich wieder freilassen und du zurückkommst.«

Am Nachmittag kam eine breite Kette von Karabinieri den Berg herauf; sie gingen genau in die Richtung, in der Vittorios Versteck lag, sie gingen in kurzen Abständen von Mann zu Mann, mit entsicherten Maschinenpistolen, und Vittorio sah, daß sie diesmal nicht an ihm vorbeilaufen würden. Er lief geduckt vor ihnen her; sie waren noch weit entfernt, sie hatten ihn noch nicht entdeckt, er bewegte sich in kurzen Sprüngen durch das trockene Gestrüpp, und er stürzte, und dabei wurde ihm die Haut aufgerissen. Die Karabinieri trieben ihn unweigerlich den Berg hinauf, Vittorio konnte ihnen diesmal nicht ausweichen; diesmal jagten sie ihn die nackten Felsen hinauf, wo es wenig gute Verstecke gab; da oben hatte man keine Bewegungsfreiheit.

Es war Abend, als er oben war, aber seine Verfolger kehrten nicht um, sie wollten noch den Berg erreichen und trieben Vittorio auf der andern Seite hinab, auf das Dorf zu. Er mußte, wenn er durchkommen wollte, zum Paß hinunter und dann ins Dorf, es gab keine andere Möglichkeit. Und er sah die Karabinieri näher kommen und machte sich an den Abstieg. Er riß Geröll herab, als er abstieg; nachrutschendes Geröll zwang ihn zu Sprüngen und langen Schritten, er war froh, daß er die Stiefel anhatte. Er sprang über die geteerte Straße und verbarg sich hinter den Opuntien und lauschte. Er war weit genug entfernt von Don Poddus Haus, es lag am Rande des Plateaus, ganz für sich. Vittorio ging zwischen den Opuntien weiter, bis er hinter der Hütte von Maddalena stand, und als er gegen das Fenster klopfte, war es dunkel, und es regnete. Es war ein schwerer, gewitterartiger Regen, und Vittorio hörte, wie er auf die Teerstraße klatschte und gegen die Opuntien. Für einen Augenblick wurde das Fenster aufgestoßen, das Gesicht einer alten Frau erschien, ein flaches, großes Gesicht, ohne

Bewegung, und dann schloß die Frau das Fenster und winkte Vittorio von der Tür. Sie zog ihn in ein dunkles Zimmer und ging stumm hinaus. Vittorio wartete auf sie, aber sie kehrte nicht zurück. Er trat an das kleine Fenster heran, er wollte sich an die Wand lehnen und hinaussehen, aber unmittelbar unter dem Fenster saß jemand, und Vittorio spürte, wie sich etwas in seinen Rücken bohrte. Er wußte, daß es der Peitschenstock von Maddalena war, er wußte, daß sie es war, die unter dem Fenster saß, und er sagte:

»Ich wollte nicht kommen, Maddalena, ich wäre nicht gekommen, wenn sie mich nicht auf den Berg getrieben hätten. Ich mußte zu dir kommen, weil unsere Hütte zu nah an Don Poddus Haus liegt. Wenn der Regen vorbei ist, gehe ich wieder. Ich werde nicht lange hierbleiben.«

»Setz dich hin«, sagte Maddalena. Sie zog ihn neben sich herab auf eine niedrige Bank, sie ließ die Peitsche fallen und legte ihm einen Arm um den Hals, und sie saßen schweigend in der Dunkelheit unter dem Fenster. Dann dachte er an Maddalenas Mutter, und daß sie ihm wortlos die Tür geöffnet und ihn wortlos zu dem Mädchen gebracht hatte, und er sagte:

»Deine Mutter hat mich gleich erkannt, Maddalena. Sie wußte gleich, wer ich war, als ich vor dem Fenster stand. Sie hat mich gleich zu dir gebracht.«

»Ja«, sagte Maddalena.

»Ich weiß auch, warum sie kein Wort gesagt hat. Ich kann es mir gut denken, Maddalena. Sie erkannte mich sofort, aber sie hat kein Wort gesagt. Sie hätte mir sonst vielleicht Milchkaffee gebracht, Maddalena, aber heute kommt sie nicht. Steh auf, komm, wir gehen.«

»Du kannst jetzt nicht fortgehen«, sagte Maddalena. »Es regnet, und du hast noch Zeit. Du kannst den Regen hier abwarten.«

»Wir gehen jetzt«, sagte Vittorio. »Es ist gut, daß es regnet. Du wirst dir etwas überziehen, und wir gehen jetzt. Vielleicht werden wir noch einmal zurückkommen.«

Vittorio zog das Mädchen hoch, er nahm seine Flinte und ging zur Tür und wartete, bis Maddalena die Windjacke angezogen hatte; und als er sah, daß sie fertig war, ging er ihr voraus über den Gang und öffnete die Tür. Er hielt die Flinte dicht an seinem Körper, mit dem Lauf nach unten; er hatte sie geladen und einige Patronen lose in die Tasche gesteckt, und er ging geduckt zwischen den Opuntien. Aber er schlug nicht die Richtung zum Paß ein, er ging an den unerleuchteten Hütten vorbei, er ging langsam bis zum Platz, auf den der Regen niederging, und Maddalena folgte ihm. Der Regen verwandelte den Staub des Kirchenplatzes in Schlamm, und sie liefen durch den Schlamm und kamen unbemerkt über den Platz. Vittorio ging bis zu dem kleinen Kirchenanbau, in dem der Priester wohnte; er klopfte schnell gegen die Tür, lauschte, klopfte noch einmal, und nach einer Weile kam der Priester herunter, ein mürrischer, athletischer Mann. Er trug ein kragenloses Hemd, das über der Brust offenstand, hielt mit einer Hand seine Hose zusammen: er hatte schon geschlafen. Er erkannte Maddalena zuerst und wollte etwas sagen, aber Vittorio schob ihn mit seiner Flinte in den Flur zurück und winkte Maddalena, auch in den Flur zu kommen, und als oben auf der Treppe die Wirtschafterin des Priesters auftauchte und rief »Wer ist da?«, sagte Vittorio: »Freunde.«

Sie gingen in das Arbeitszimmer des Priesters, verdunkelten die Fenster, zündeten eine Petroleumlampe an, und dann saßen sie einander ruhig und beobachtend gegenüber, bis der Priester Vittorio erkannte. Er sagte:»Vittorio, warum kommt ihr mitten in der Nacht zu mir? Ihr hättet doch auch morgen kommen können.«

»Wir wollen heiraten«, sagte Vittorio,»wir sind gekommen, damit du uns traust, Vater. Wir haben wenig Zeit.«

»Um diese Zeit«, sagte der Priester,»ist noch keiner gekommen, um zu heiraten. Und ich habe auch noch nie erlebt, daß jemand die Flinte mitbrachte zu seiner Hochzeit. Wie ich sehe, ist sie sogar geladen.«

»Gut«, sagte Vittorio,»die Flinte kann ich für die Zeit auf den Stuhl legen. Da holt sie wohl keiner weg in dem Augenblick, wo wir drüben sind. Und was morgen betrifft, Vater, morgen muß ich längst wieder drüben sein. Ich habe keine Zeit, morgen wiederzukommen. Das weißt du, Vater.«

»Ja«, sagte der Priester,»ja, Vittorio, ich weiß es. Aber mit diesen Füßen laß ich euch nicht rein in die Kirche, macht euch erst sauber auf dem Flur; in der Zwischenzeit werde ich mich anziehen ...«

»Wirst du uns trauen?« fragte Vittorio.

»Es bleibt mir nichts anderes übrig«, sagte der Priester; er stand auf, sein Schatten bedeckte fast die ganze Wand. Vittorio ließ seine Flinte auf dem Stuhl liegen; er ging mit Maddalena über eine Lehmtreppe in die düstere Kirche, und der Priester traute sie dort.

Dann kamen sie wieder zurück in das Arbeitszimmer, wo immer noch die Petroleumlampe brannte, der Priester hatte sie nicht gelöscht. Er bot ihnen an, noch einen Augenblick bei ihm zu bleiben, er wollte mit ihnen Milchkaffee trinken, aber Vittorio nahm seine Flinte und sagte, daß er keine Zeit habe, er müsse fort. Und sie gingen durch die Opuntien zurück zu der Hütte; sie wollten den Milchkaffee mit Maddalenas Mutter trinken, und als sie die Hütte betraten, stand Maddalenas Mutter im Flur und sagte:»Ich habe uns Kaffee gemacht.« Sie setzten sich auf die niedrige Bank unter dem Fenster und tranken aus großen Schalen Milchkaffee; Maddalena holte eine Zigarre, sie hockten zu dritt zusammen und redeten. Bis kurz vor dem Morgengrauen redeten sie; dann stand Vittorio auf und sagte:»Du brauchst nicht allen zu erzählen, daß wir geheiratet haben. Vielleicht solltest du es nicht so rumerzählen. Manchmal ist es ganz gut, wenn die Leute nicht alles wissen.« Er verabschiedete sich und war bei Sonnenaufgang in den Bergen.

Es regnete nicht mehr, aber das Gestrüpp war noch naß, und in der Mitte des Flußbettes kam das Wasser drängend und schnell von den Bergen herunter; es floß nur bis Mittag, dann war das Flußbett wieder weiß, leer und mit leuchtenden Kieseln bedeckt.

Vittorio war jeden Morgen bei der alten Pinie, wo er den Korb fand, und im Korb waren bessere Sachen als früher: der Wein war besser und der Käse, es gab mehr Brot und mitunter Fleisch. Er fand auch Maddalena da, seine Frau, und sie erzählte ihm, was er wissen mußte; sie erzählte ihm, daß es den Karabinieri langweilig würde unten im Dorf und daß sie versuchten, sich die Zeit zu verkürzen. Sie hatten die Prämie erhöht; sie wollten jetzt dem eine Million Lire zahlen, der ihnen Vittorio ablieferte; mit ihrem Geld, dachten sie, würden sie schaffen, was sie selbst nicht schaffen konnten. Maddalena wußte alles, wenn sie den Korb brachte.

Doch an einem Morgen fand sie den Korb unberührt; die Sachen, die sie eingepackt hatte, steckten noch drin, die Flasche und das Brot, alles. Vittorio war nicht heruntergekommen zur Pinie, und sie wartete lange, aber sie sah ihn nirgends auftauchen, er blieb weg an diesem Morgen. Sie tauschte die Sachen im Korb aus und ging den Weg zurück. Aber am nächsten Tag war der Korb auch nicht angerührt, und an den folgenden beiden Tagen auch nicht, und Maddalena überlegte und ging dann hinauf, um Vittorio zu suchen.

Sie ging zuerst zu Zappis Hütte hinauf, aber hier fand sie ihn nicht; sie untersuchte seine Verstecke im Gestrüpp, die er ihr alle beschrieben hatte, sie ging das Flußbett ab, aber auch da konnte sie ihn nicht entdecken, und zuletzt blieb nur noch die Grotte, wo sie sich mit ihm vor den Karabinieri verborgen hatte.

Sie zwängte sich in die Grotte hinein, und da fand sie ihn; er lag auf dem Gestrüpp, seine Flinte lag neben ihm. Er sah sie mit ausdruckslosem Gesicht rankommen und rührte sich nicht. Maddalena kniete sich neben ihn hin, nahm seine Hand und fuhr ihm über die schweißglänzende Stirn und redete auf ihn ein, aber Vittorio sah sie mit abweisendem Blick an und sagte nichts. Er stöhnte, als Maddalena ihn aufzuheben versuchte, um ihn mit dem Rücken gegen die Wand zu setzen; er schüttelte den Kopf. Das Mädchen wollte ihm etwas Wein zu trinken geben, aber Vittorio wehrte mit den Augen ab, und da wußte Maddalena, daß sie ihn hier niemals gesund bekommen würde; hier oben konnte sie ihm nicht helfen, vielleicht konnte sie ihm überhaupt nicht helfen, vielleicht mußte er zum Arzt und in ein Krankenhaus.

Maddalena stellte alles, was sie bei sich hatte, neben Vittorio hin; sie küßte ihn und verließ die Grotte, und dann lief sie das Flußbett hinab. Als sie die Straße erreicht hatte, sah sie zu Don Poddus Haus hinüber; sie sah die Karabinieri auf der Veranda sitzen, und sie ging langsamer jetzt und zögernd. Sie ging am Haus nicht vorbei; sie stieg die Treppen zu der Veranda hinauf, und die Karabinieri lachten, und einer kam näher und fragte: »Was bringst du uns, Maddalena?«

»Vittorio!« sagte sie.

Maddalena ging zum Kommandanten, und der Kommandant gab ihr eine Bescheinigung, daß sie das erste Anrecht hätte auf die Prämie; Maddalena verwahrte die Bescheinigung, dann ging sie mit fünf Karabinieri hinauf zu der Grotte, in der sie Vittorio gefunden hatte. Sie blieb draußen stehen; zwei Karabinieri zwängten sich in die Grotte hinein, und als Vittorio sie sah, hob er die Flinte und richtete den bläulichen Lauf auf seine Brust. Aber die Karabinieri waren schneller bei ihm; sie rissen ihm die Flinte aus der Hand, sie fesselten ihn, obwohl er stöhnte, und sie trugen ihn zum Eingang und schleiften ihn über die Kiesel ins Freie. Und als sie ihn auf die Beine setzten, traf sein Blick Maddalena; sein Blick ging gleichgültig und ohne Erstaunen über sie hinweg, als ob er sie nie gesehen habe und als ob sie nicht seine Frau sei. Aber Maddalena spürte, daß in diesem Blick alle Verachtung der

Welt lag. Die Karabinieri trieben ihn hinunter zu Don Poddus Haus; keiner trug ihn, obwohl er unterwegs mehrmals zusammenbrach. Wenn er zusammenbrach, warteten sie und rauchten, und schließlich rissen sie ihn hoch. Sie brachten ihn hinab in das kleine Gefängnis, in einen heißen, gelb getünchten Raum, und Vittorio legte sich auf die Pritsche und sagte kein Wort. Sie brachten ihm zu essen, aber er aß nicht, er blieb auf der Pritsche liegen, sie konnten mit ihm tun, was sie wollten: er aß und antwortete nicht. Da holten die Karabinieri einen Arzt aus Nuoro, sie fuhren mit dem Auto hinüber, um den Arzt zu holen, und er kam und operierte Vittorio. Vittorio war mager geworden, die Krankheit hatte ihm zugesetzt, aber der Arzt bekam ihn gesund, er brachte ihn wieder auf die Beine, und Vittorio aß und redete wieder.

Der Posten der Karabinieri kam zu ihm und sagte:

»Du hast Besuch. Da ist jemand, der möchte dich sprechen.«

»Nein«, sagte Vittorio.

»Es ist deine Frau«, sagte der Posten. »Sie ist schon zwanzigmal hier gewesen, um dich zu sprechen. Ich habe nichts dagegen, wenn sie mit dir redet.«

»Ich möchte keinen sehen«, sagte Vittorio.

»Na«, sagte der Posten, »mit deiner Frau könntest du wohl reden. Das bist du ihr schuldig. Das solltest du wohl tun.«

Vittorio schwieg und starrte an die Decke, er lag ausgestreckt da und sagte nichts, und der Posten wußte, daß es keinen Zweck hatte, weiter mit ihm zu reden. Er ging auf den Gang hinaus, wo Maddalena wartete und Sandro und noch einige andere, die alle mit ihm reden wollten, und er sagte zu ihnen: »Nichts! Er will euch nicht sehen. Er will euch nicht sehen und nicht sprechen.« Der Posten lachte, und Maddalena und Sandro und die anderen verließen das Gefängnis und gingen nach Hause, um am nächsten Tag wiederzukommen und dieselbe Antwort zu erhalten: Vittorio wollte keinen sehen und keinen sprechen.

Er lag den ganzen Tag in der schmalen, heißen Zelle, lag bewegungslos da und starrte zur Decke. Er lag all die Wochen da, bis sein Prozeß begann, und ein paar Tage, bevor sie ihn holten, kam einer zu ihm, kam herein in die Zelle und war ganz allein mit ihm. Er nahm Vittorios Hand und drückte sie, und dann angelte er sich einen Hocker und setzte sich zu Vittorio an die Pritsche. Er sah eine ganze Weile auf Vittorio herab, dann sagte er: »Hör zu, Vittorio, wenn du mir genau

zuhörst, bring ich dich hier raus. Ich bin dein Verteidiger und heiße
Pietro Feola. Ich weiß nicht, ob du meinen Namen schon gehört hast,
wenn nicht, ist es auch nicht schlimm. Aber du kannst sicher sein, daß
ich dich hier rausbringe.«
»Laß mich allein«, sagte Vittorio, »geh raus und laß mich allein.«
»Sei nicht eigensinnig«, sagte Pietro, »zu mir kannst du Vertrauen
haben. Ich habe ganz andere Leute rausgeholt. Du kannst bestimmt zu
mir Vertrauen haben, das erleichtert die Sache.«
»Wer hat dich geschickt?« fragte Vittorio.
»Deine Frau«, sagte Pietro. »Du brauchst dir keine Sorgen zu machen wegen des Geldes. Sie hat mir schon die Hälfte bezahlt. Ich bin
nicht umsonst aus Cagliari rübergekommen, Vittorio, das kannst du
mir glauben. Wenn ich abfahre, bist du raus hier, sie werden dich nicht
verurteilen, weil sie keine Beweise haben und weil du unschuldig bist.
Ich glaube, daß du unschuldig bist, Vittorio, und das genügt.«
»Hör zu«, sagte Vittorio. »Wenn du jetzt nicht verschwindest, dann
passiert etwas. Ich habe mich gut ausgeruht hier drin. Ich will dich
jetzt nicht mehr sehen. Maddalena hat kein Geld, sie kann dir kein
Geld gegeben haben.«
»Du hättest mit ihr reden sollen«, sagte Pietro. »Das hättest du tun
können. Dann wüßtest du, daß Maddalena die Prämie bekommen hat.
Man hat ihr eine Million Lire gegeben, weil sie dich abgeliefert hat,
und Maddalena hat mir fünfhunderttausend Lire bezahlt, genau die
Hälfte.«
»Geh jetzt«, sagte Vittorio, »ich will nichts wissen von diesem Geld,
woher sie es hat, ich will nichts davon hören.«
»Na«, sagte Pietro, »beruhige dich nur. Wir haben ja noch Zeit.
Schlaf mal eine Nacht, und morgen komme ich wieder. Du wirst es dir
schon überlegen. Aber eines sage ich dir, Vittorio, du kannst eigensinnig sein, du kannst dich noch so anstellen, ich gebe nicht auf, hörst du.
Ich habe schon ganz andere Leute rausgeholt als dich, und ich gebe
nicht nach. Und wenn du mir nicht glaubst, dann rate ich dir, nachzufragen, wer ich bin. Die wissen es alle. Und jetzt bleib ruhig und
versuche nicht, auf mich loszugehen. Ich stamme auch aus der Bar-
bagia, und ich hab auch was drin in den Handschuhen.« Pietro schob
den Hocker in eine Ecke und ging hinaus.
Vittorio sah ihm nicht nach, als er hinausging, er lag ausgestreckt da
und sah zur Decke. Er lag auch an den nächsten Tagen so da, als sein

Verteidiger wiederkam und mit ihm zu reden versuchte: er änderte sich nicht.

Der Posten, der vor seiner Zelle stand, hatte das eine ganze Zeit beobachtet, und kurz bevor sie Vittorio zur Verhandlung holten, sagte er: »Du hast Glück. Du hast viel mehr Glück, als du verdienst. Den besten Verteidiger von der Insel hat dir deine Frau hergeholt. So eine Frau findest du nicht noch einmal.« Vittorio schwieg, er schwieg auch während des ganzen Prozesses. Er saß teilnahmslos auf seinem Stuhl und wandte nur den Kopf, wenn Pietro, sein Verteidiger, seinen Namen nannte. Sie waren alle zu Vittorios Prozeß gekommen, Maddalena und ihre Mutter und Sandro und alle die andern, die ihm das Essen raufgeschickt hatten, als er in den Bergen lebte. Sie saßen aufmerksam auf den Bänken und sahen zu ihm hinüber; sie hatten sich etwas zu essen mitgebracht, und in den Pausen aßen sie schweigend, und wenn die Verhandlung wieder begann, saßen sie wieder auf ihren Plätzen und ließen sich kein Wort entgehen.

Und Pietro bewies, daß Vittorio unschuldig nach Mammone verurteilt worden war und daß der Schuß auf Don Poddu nicht aus seiner Flinte abgefeuert wurde. Er war ein Redner, wie ihn noch niemand im Dorf erlebt hatte, und sie schlossen die Augen, um ihm zuzuhören. Es gelang ihm schließlich, Vittorio rauszuholen, und er wurde noch im Gerichtssaal in Freiheit gesetzt.

Als Vittorio die Holztreppe herabkam, erhoben sich alle, alle standen von den Bänken auf, als er, ohne ein Wort zu sagen, herabkam und langsam an den ersten vorbeiging. Seine Schritte hallten auf den Steinplatten, und er ging an den Leuten vorbei. Er ging bis zum Mittelgang, und vor der Bank, auf der Maddalena saß, blieb er stehen. Schweigend blickte er sie an, dann wandte er sich ab und ging allein hinaus.

1953

Zwischen Topf und Pfanne

Über Nacht, Liebling, bekamst du ein schlimmes Knie, ein Elefantenknie von kolossaler Unansehnlichkeit, eine Entzündung trieb ihr Unwesen darin, trieb es so arg, daß du zum Gefangenen der Couch wurdest; der Arzt empfahl dir die Horizontale, empfahl Lava-Erde für das rebellische Knie, schwarze und – verzeih mir – stinkende Salbe, nun ja, der Mann wollte dein Bestes. Aber während er dich mit milder Drohung auf die Matratze schickte, zwang er mich an den Herd, denn du wolltest ja essen (ich natürlich auch); du brauchtest Wartung und Pflege, und vor allem: Ersatz. Da wir nicht wählen konnten, blieb es an mir hängen, ich wurde Ersatz und Doppelgänger, ich löste dich ab, ein neuer Priester im Küchentempel. Ich glaubte mich sicher im Altarkreis der Topfwärme, war zuversichtlich, was Reis und Rotkohl betraf, mit einem Wort: ich hielt mich für ebenbürtig und dachte: was sie kann, kann ich, ohne es zu können.

So lauschtest du, Liebling, auf der Matratze den schmerzenden Klopfzeichen deines Elefantenknies, und ich ging in dein dunstiges Reich, in die Zellen der Zungenwonne. Es war ein Weg auf die Barrikaden. Der Novize wurde mit Feindseligkeit empfangen; feindselig die blöden Pötte, feindselig das Salz, das sich in falscher Menge in die Hand schmuggelte, feindselig das Geschirr, die Pfanne, alles. Überall Wirrnis und Verdruß. Das öde Pellen, Pulen und Schrapen machten auch ungeduldig; die Kartoffeln weigerten sich, zu der von mir festgesetzten Frist gar zu werden, und der Familienetat, der in deiner Hand wie Kautschuk ist, wurde bei mir zur Schrumpfniere – er trocknete ein, ehe ich's kapiert hatte. Jedes Einkaufen war Versuchung und Verführung: die Preisschilder schwebten klein und lustig wie Schwälbchen über den Dingen, zu denen sie gehörten, und ich übersah sie ganz selbstverständlich und kaufte lustig drauflos. Aber nichts war so schlimm wie die trüben Augenblicke, in denen ich vor dem noch trüberen Tümpel des Geschirrwassers stand und seufzend wischte und fischte und nach einer letzten Gabel tauchte. Sisyphusarbeit: der Ausdruck ist nicht zu gering; denn wie er seinen Stein in verzweifelter Wahnsinnsarbeit zum Berggipfel schleppte, damit er nur wieder hinunterrollte so kratzte ich die Teller ab, nur damit sie wieder dreckig werden konnten.

Welche Logik wollte hier einen Sinn finden? Und wenn sich die

Fettschicht mit all ihren Krümeln und Krumen an meinem tauchenden Arm hochzog wie müde Affen an einem Baum, bedauerte ich aufrichtig, daß die Schüssel so flach war; ich hätte mich sonst darin ersäuft. Ich hätte dich allein gelassen mit deinem pulsenden Elefantenknie, dem ich ja alles zu verdanken hatte. Wie hätte ich mich sonst meiner Wut (auf das Knie) erwehren sollen? Denn zurückhauen auf seine normale Schönheit durfte ich dein Knie nicht, und Lava-Erde und Salbe richteten sich nach dem Volksmund, der gute Dinge mit Weile geschehen läßt. So sah ich immer, wenn ich an deiner Matratze vorbeiging, wutentbrannt auf dein Knie, und du darfst sicher sein, daß ich sehr an mich halten mußte, um dieser Elefantengeschwulst, die sich's unter der Decke gemütlich tat, keinen Tritt zu geben. Wenn du wüßtest, wie groß meine Wut auf dein Knie war. Ich konnte ihm nichts anhaben, und es ließ mich zappeln am Angelhaken des Haushalts, wochenlang.

Inzwischen hat es sich nun meiner erbarmt, bzw. Lava und Salbe haben dem Knie derart zugesetzt, daß es vernünftig und normal wurde. Der Schicksalsengpaß ist durchlaufen, das Abenteuer vorbei. Aber, merkwürdig genug, manchmal zieht es mich in den warmen Dunst des Küchenweihrauchs; so etwas wie Bußfertigkeit treibt mich an deinen Gasflammenaltar mit den Pötten und Pfannen. Ich glaube, es ist das schlechte Gewissen. Und, noch merkwürdiger, ich beginne manches von meinem Groll auf dein Elefantenknie zurückzunehmen, ja ich empfinde eine Art schmerzhafter Dankbarkeit für es. Denn dein wucherndes Knie, Liebling, hat mir – was sehr komisch klingt – die Augen geöffnet, es hat mir nicht weniger gezeigt, als daß du ja ein »Lebenslänglicher« des Küchengefängnisses bist, eine demütige Sklavin des Gaumens. Unsere Hochzeit war deine Gerichtsverhandlung, der erste Gang in die Küche dein Urteilsspruch. Wie konnte ich das übersehen? Jedenfalls: dein schlimmes Knie hat mich sehend gemacht, und wenn es wieder aufsässig wird, dann braucht es, das verspreche ich dir, weder meinen Zorn noch meinen Fußtritt zu erwarten. Oder soll ich dem undankbar sein, der mich zur Einsicht bringt?

1954

Die Ferne ist nah genug

Sie eroberten die Stadt und gaben ihr einen neuen Namen, sie nannten sie Kaliningrad, und von diesem Tage an wurden die Brötchen schwarz und klitschig, und das Brot wurde naß und kostete achtzig bis hundert Rubel je Laib. Das waren die ersten Veränderungen, die sich mit dem neuen Namen der Stadt ergaben, nasses Brot und schwarze Brötchen; die Bevölkerung dachte jeden Tag an den neuen Namen der Stadt, sie mußte an ihn denken, denn wenn ein Laib Brot unters Messer kam, wenn eine Hand von oben auf das Brot drückte, lief an der offenen Seite Wasser heraus – und sie mußten Brot schneiden, jeden Tag. Aber es war nicht leicht, das nasse Brot zu besorgen, mit dem neuen Namen der Stadt war auch das Brot seltener geworden; es war rar und kostbar geworden, es forderte von dem, der es besitzen wollte, jeden Tag neue Überlegungen, neue Listen und neue Wachsamkeit, das Brot forderte plötzlich seine Abenteuer. Es war nicht mehr wie früher, als die Stadt Königsberg hieß und das Brot billig und weiß und gefahrlos zu bekommen war, der neue Name der Stadt hatte das alles geändert. Er hatte auch die Augen der Menschen geändert, die Augen waren groß und gleichgültig geworden, ferne abwesende Blicke, hinter deren Scheu sich aber ein unentwegtes Lauern verbarg.

Auch in den Augen der Kinder lag ein Ausdruck dieses scheuen Lauerns, auch in den Augen der beiden Brüder Kurt und Heinz, die schon morgens zu einer Ausfallstraße hinausgegangen waren, barfuß, nur mit kurzer Manchesterhose und Hemd bekleidet, der eine vierzehn, der andere neun Jahre alt. Sie durften nicht betteln, das war nur den Blinden erlaubt, und Geld besaßen sie auch nicht. Geld besaßen kaum die russischen Zivilisten, und so gingen sie zu einer Ausfallstraße hinaus, wo es die schwarzen Märkte gab. Sie setzten sich in einen Graben und warteten. Sie beobachteten schweigend das nervöse Gedränge und dachten an ihre Mutter, die sie hinausgeschickt hatte, und an ihren Plan, der ihnen zu warten befahl. Sie warteten auf einen sowjetischen Milizsoldaten, bei dessen Erscheinen stets eine panische Flucht einsetzte, die Leute liefen mit ihren Körben und Kästen und Bündeln nach allen Seiten davon, stolpernd und fallend, und manchmal verlor dann ein Flüchtender schwarze, klitschige Roggenbrötchen aus einem Korb oder einige Kartoffeln oder womöglich gar ein Stück Räucherspeck. Ihr Plan befahl ihnen, auf das Erscheinen des Milizsol-

daten zu warten, aber ein dünner Schnürregen ging nieder, und diesmal schien der Milizsoldat etwas anderes vorzuhaben. Er kam nicht.
Und Kurt stand von dem alten Eimer auf, auf dem er gesessen hatte,
und sagte:»Wir können lange warten, Heinzi. Ich glaube, es hat keinen
Zweck. Heute kommt er nicht.«

»Wir können es ja bei den Tonnen versuchen«, meinte der Kleine.
»Wir können es dort gut noch mal versuchen. Manchmal läßt man
etwas liegen, und wenn wir es jetzt finden, ist es gut. Was meinst du,
sollen wir zu den Tonnen gehen?«

»Nein«, sagte Kurt,»es hat keinen Zweck. Beide brauchen wir nicht
dahin. Du kannst allein zu den Tonnen gehen, Heinzi, und wenn du
etwas findest, bringst du es gleich nach Hause.«

»Warum können wir nicht zusammen gehen«, fragte der Kleine,»wo
willst du denn hin?«

»Ich geh zum Bahnhof«, sagte Kurt,»bei den Tonnen sind mir zu
viele. Komm, wir wollen jetzt gehen.«

Und sie gingen schweigend die Straße zurück, und der Kleine trug
eine verrostete Luftpumpe in der Hand und stieß sie bei jedem Schritt
gegen das nasse Pflaster; ein helles, metallisches Klicken begleitete sie
unter dem tief hängenden Himmel, und sie gingen durch tote Straßen
und kletterten über Bettgestelle und verkohltes Balkenwerk, und an
einer Kreuzung verabschiedeten sie sich. Heinzi ging zu den Tonnen
hinab, und sein Bruder schlug den Weg zum Bahnhof ein; es regnete,
aber der Regen war warm.

Er zog sich am Gras die Böschung des Bahndammes hinauf, er ging
langsam und geduckt zwischen den Schienen weiter; er wußte, daß er
nur so den Bahnsteig erreichen konnte, denn zur Straße hin war alles
von der Miliz abgesperrt. Er sah die Milizsoldaten am Rinnstein der
Straße sitzen, große breitschultrige Männer in gefetteten Stiefeln und
mit lose baumelnden Maschinenpistolen vor der Brust, und der Junge
legte sich zwischen die Schienen, wenn sie herübersahen, und preßte
sein Gesicht gegen die nassen Schottersteine. Er gelangte ungesehen bis
zum Stellwerk, er hatte die gefährlichste Strecke hinter sich und beobachtete den Bahnsteig. Da spürte er, wie sich eine Hand auf seine
Schulter legte und wie jemand hinter ihm lachte. Er kannte das Lachen, er wußte sofort, daß er sich nicht in Gefahr befand, und als er
sich langsam umwandte, erkannte er Fips. Fips war etwas älter als er, er
trug Schuhe und eine grüne Joppe, und sein Haar war blond und

verfilzt und naß vom Regen, und er sagte lachend: »Tag, Kurtchen, so sieht man sich wieder. Was machst du hier?«

»Das siehst du doch«, sagte Kurt. »Ich dachte, hier wäre etwas zu haben.«

»Das ist mein Revier«, sagte Fips. »Hier bin ich zu Hause, hier kenn' ich jeden Winkel, Jungchen. Aber ich sag' dir, hier ist nichts zu machen. Da – paß auf, der Mongole hat uns gesehen. Wenn sie uns jagen sollten, müssen wir nach hinten, zu den alten Lokomotiven. Der Mongole ist gutmütig, ich kenne ihn, aber man kann nie wissen.« Sie sahen aufmerksam zum Bahnsteig hinüber, und als der mongolische Soldat sich umwandte und zurückging, sagte Fips: »Nein, Jungchen, hier ist nichts zu machen. Auf dem Bahnhof wirst du kein Glück haben. Es ist schlecht geworden in der letzten Zeit. Zu viele Aufpasser. Aber ich weiß eine Möglichkeit, Kurtchen. Ich weiß etwas, worüber du nur staunen wirst. So etwas hast du noch nicht erlebt.«

»Was meinst du?«

»Es kommt gleich ein Zug«, sagte Fips.

»Wir können ja vorher verschwinden.«

»Nein«, sagte Fips, »eben nicht. Wir warten auf den Zug. Ich warte auf ihn, und du auch. Du sollst doch etwas zu essen besorgen, Jungchen, nicht? Deine Alte hat dich doch bestimmt weggeschickt, damit du was zu essen besorgst. Und ich weiß eine Möglichkeit.«

»Ich breche nirgendwo ein«, sagte Kurt, »wenn du auf den Zug wartest, um in den Verpflegungswagen einzubrechen – ich mache das nicht mit, Fips. Wir kommen nicht weit.«

»Davon hat niemand etwas gesagt. Von Einbrechen ist überhaupt nicht die Rede gewesen. Die Züge haben keine Verpflegungswagen mehr, und außerdem wär' das gefährlich.«

»Was meinst du denn?«

»Etwas anderes.«

»Was denn?«

»Ich weiß, Jungchen, wo es Eier gibt, wo es Brot gibt und Butter und Schinken und alles, was du haben willst. Aber dazu müssen wir ein Stück mit dem Zug fahren.«

»Aber wir haben doch keine Fahrkarte.«

»Nein«, sagte Fips, »wir haben keine Fahrkarte. Aber ich sage dir, von den Russen, die mit diesem Zug fahren, hat auch nicht jeder eine Fahrkarte. Und wir machen's genau so. Und wenn wir ein Stück gefahren sind, haben wir alles, was wir brauchen, und du kannst es deiner Alten nach Hause bringen.«

»Warst du denn schon da, wo es all das gibt?«

»Nein«, sagte Fips. »Nein. Ich war noch nicht da. Aber ein Freund von mir war da, und er ist mit vollem Rucksack nach Hause gekommen.«

»Ohne Geld?«

»Ohne Geld. Mit Geld kann's jeder.«

»Wie hat er denn all das Zeug bekommen?«

»Gebettelt, Jungchen, langsam und anständig zusammengebettelt.«

»Das ist doch verboten«, sagte Kurt.

»Natürlich«, sagte Fips, »ist es verboten. Aber nur hier, Jungchen. Hier darf man sich nicht dabei fassen lassen. Dort, wo wir hinwollen, ist das Betteln erlaubt. In Litauen darf man betteln.«

»Litauen?« fragte Kurt.

»Ja«, sagte Fips, »Litauen. Du hast richtig gehört.«

»Aber das ist doch weit. Das ist doch ziemlich weit entfernt von hier, da können wir bis Mittag doch gar nicht zurück sein, Fips.«

»Mit dem Zug ist es nicht so schlimm. Mit dem Zug könnten wir bald zurück sein.«

»Es geht nicht«, sagte Kurt. »Ich kann auf keinen Fall mitfahren. Ich muß hierbleiben, Fips.«

»Warum denn?«

»Wegen meiner Mutter. Sie ist krank. Sie kann allein nichts machen, und Heinzi ist noch zu klein. Deswegen muß ich hierbleiben, Fips.«

»Nein«, sagte Fips. »Gerade darum mußt du mitkommen, Jungchen. Gerade weil deine Alte krank ist, mußt du mitkommen. Was meinst du, wie schnell sie wieder gesund wird, wenn du ihr die richtigen Sachen nach Hause bringst.«

»Aber sie weiß dann nicht, daß ich weg bin. Ich müßte erst einmal nach Hause. Ich müßte ihr vorher Bescheid sagen.«

»Das geht nicht mehr«, sagte Fips, »dazu haben wir keine Zeit, der Zug fährt gleich ab, und der nächste ist erst morgen abend. Und morgen abend können wir längst zurück sein. Paß auf, da kommt der Zug!«

Sie liefen um das Stellwerk herum und sahen dem Zug entgegen, sie standen sprungbereit da, auch Kurtchen, den der plötzliche Sog der Verheißung erfaßt hatte; sie sahen abschätzend den Zug heranrollen, ein gleichgültiges, schweres Tier, das sie nach Litauen bringen sollte, in ein Land, das sie nie gesehen, von dem sie keine Vorstellung hatten. Und als die schwarze Lokomotive vorbei war, drückten sie sich fast gleichzeitig ab, erreichten das Trittbrett, balancierten über die Puffer und kletterten auf das Dach eines Waggons. Es war ein gewölbtes, mit Teerpappe überzogenes Dach, und sie setzten sich in die Mitte; sie waren nicht die einzigen, die sich auf dem Dach befanden, außer ihnen hockte noch ein altes Ehepaar da, das auf unerklärliche Weise hinaufgelangt war, und hinter ihnen lag ein sowjetischer Major, der seinen Körper flach an die Teerpappe preßte, um von der Miliz nicht entdeckt zu werden. Der Regen traf ihre Gesichter, und sie setzten sich mit dem Rücken zur Fahrtrichtung, schlugen den Kragen hoch und verwahrten die Hände in den Taschen. Die beiden Alten saßen starr und schweigend wie Vögel nebeneinander, reglos, als ob eine geheime Erwartung, ein unausgesprochenes Einverständnis sie zusammenhielte und ihre Wünsche lenkte. Auf den Dächern anderer Waggons saßen ebenfalls Menschen, meistens Kinder; sie winkten hinüber und herüber, wenn sie sich wiedererkannten, und riefen sich etwas zu, das im Fahrtwind unterging.

Und dann hielt der Zug in Wehlau, und als sie vom Dach herabsahen, erkannten sie einen Postenring, mit dem der Zug sorgfältig umgeben war, und einige Milizsoldaten kletterten auf die Wagendächer und stießen die Leute hinab. Fips wartete, bis auf dem Bahnsteig ein Gedränge unter den Verhafteten entstand, dann gab er Kurt ein Zeichen, und beide sprangen auf ein Nebengleis und liefen zu einem Zaun und warfen sich auf die Erde. Sie blieben nicht lange liegen, ihre Sinne waren geschärft für das Abenteuer, und nach einer Weile gaben sie ihr Versteck auf und schoben sich durch Brennesseln und Löwenzahn am Zaun entlang, sie krochen vorsichtig weiter, bis sie in Höhe einer hölzernen Behelfsbrücke waren, die der Zug passieren und auf der er seine Geschwindigkeit bremsen mußte, und sie kauerten sich vor einem Bretterstapel nieder und beobachteten ruhig den Zug. Sie sahen, daß die Miliz einige Leute mit Gewalt von den Dächern herunterholte, und daß man sie zusammentrieb und abführte, aber sie sahen auch, daß es nur sehr wenige waren, die die Miliz bekommen hatte; viele, die sie bei der Abfahrt auf den Dächern entdeckt hatten, waren auf geheimnisvolle Weise verschwunden. Sie hatten sich verborgen wie sie, und als es weiterging, als sie dem Zug entgegensprangen und über die Puffer auf das Wagendach kletterten, sahen sie viele wieder; einige fehlten, aber viele sahen sie wieder. Auch die beiden Alten saßen schon oben, sie hockten still nebeneinander, als wäre nichts geschehen. Der Zug fuhr nach Osten; er hielt nur auf wenigen Stationen, aber wo er hielt, dauerte der Aufenthalt längere Zeit; überall wo er hielt, wurde er von einer Anzahl Milizsoldaten erwartet, die auf die Dächer kletterten und die Wagen oben und unten absuchten, und jedesmal blieben einige auf der Strecke, sie blieben hängen in dem immer enger werdenden Netz der Kontrollen.

Aber die Jungen kamen durch, und die Alten und der sowjetische Major auf ihrem Dach kamen auch durch, sie saßen auf der Teerpappe, und dem Zug folgte von Westen die Dunkelheit. Als es dunkel wurde, froren sie auf dem Dach, der Hunger marterte sie, denn sie hatten den ganzen Tag nichts gegessen, aber niemand war da, der etwas mit ihnen geteilt hätte. Sie kniffen sich in den Arm, um wach zu bleiben, der Rhythmus, der Hunger und die Erschöpfung hatten sie müde gemacht, aber niemand konnte es sich leisten, einzuschlafen. Wer einschlief, war gerichtet. Das sahen sie an dem russischen Offizier; sie sahen, wie er gegen die Müdigkeit ankämpfte, wie er sich fortwährend drehte und einen Halt zu finden versuchte, und dann wurde die Silhouette seines schlaffen Körpers kleiner und kleiner, unmerklich, so daß sie nicht ahnten, was sich vollziehen würde. Und plötzlich neigte sich der Mann zur Seite, und als sie aufspringen wollten, um ihm beizustehen, war es schon zu spät: er kippte über das Wagendach, jäh, mit erschreckender Lautlosigkeit, und die Zurückgebliebenen hörten nicht einmal einen Schrei. Fips zog seine grüne Joppe aus; sie war schwer geworden vom Regen, aber sie hielt gut den Wind ab, und sie rückten nah aneinander heran und bedeckten mit der Joppe ihre Beine. Sie dachten beide an Litauen, und Fips sagte:»Wart' nur, Jungchen, wenn wir da ankommen, wird es anders aussehen. Wenn wir erst in Litauen sind, wird die Sonne scheinen, und es wird warm sein, und wir werden alles haben, was wir zu unserem Glück brauchen. Morgen schon, Jungchen, morgen, wenn wir in Litauen ankommen ...«

Litauen: Ein träger, geduldiger, schwerer Strom: der Njemen, Wiesen und alte Wälder, endlose Äcker. Litauen: Breite, erhitzte Gesichter, lachend, Heumähen, Schnaps und Schinken, bärenhafte Gutmütigkeit; der Großvater am Ofen, Fleiß und Geiz, Export von Eiern, Butter und Geflügel ... Litauen: Niemand weiß, woher seine Einwohner gekommen sind, niemand, wann sie sich an den Unterläufen des Njemen und der Dwina niedergelassen haben; ihre Sprache ist den Gelehrten ein Rätsel ... Litauen: Tragödie eines Randstaates ...

... Bei Sonnenaufgang hielt der Zug in Kowno, und die Jungen glitten vom Teerdach herab und schlichen an der Rückseite des Zuges zum Ausgang; sie erreichten ihn ungefährdet und gingen hinaus auf den Bahnhofsplatz. Es war ein großer, schlecht gepflasterter Bahnhofsplatz, aber er hatte seine Grünflächen, und vor ihnen standen niedrige getünchte Bänke, auf denen sowjetische Soldaten saßen und rauchten oder schliefen. Alles war still und friedlich, die Sonne schien und leckte sie trocken und wärmte sie. Langsam schlenderten sie über den Platz, und dann wurden sie auf eine Gruppe von Menschen aufmerksam, die sich um etwas, das am Boden liegen mußte, versammelt hatte, und sie gingen näher heran und sahen die alte Frau auf der Erde, die mit ihnen auf einem Dach gesessen hatte; der Hunger und die Erschöpfung hatten sie besiegt, sie war zusammengebrochen, kurz vor dem Ziel hatte sie es aufgeben müssen, vielleicht wenige Meter vor dem ersten Stückchen Brot. Ihr Mann kniete verzweifelt neben ihr und sprach fortwährend auf sie ein, aber die Frau rührte sich nicht, und nach einer Weile kam eine Milizstreife und fragte den Mann nach seinen Dokumenten, und als er die Fragen der Miliz unbeachtet ließ, rissen sie ihn empor und nahmen ihn mit. Dann erschienen zwei Zivilisten mit einer Tragbahre; sie legten die alte Frau auf die Tragbahre und schaukelten davon, aber die Zuschauer blieben schweigend stehen, als ob die Alte immer noch zu ihren Füßen läge.

Die Jungen wollten sich langsam aus der Gruppe lösen, sie nahmen sich bei der Hand und wollten aus dem Zentrum der Gruppe hinaus, da stieß Fips mit einem Milizsoldaten zusammen; es war ein alter, freundlicher Soldat, der die Mütze schief trug und kleine, lustige Augen hatte, und er hielt Fips mit seinen breiten Fingern am Hals fest und sagte: »Chalt! Chalt. Wohin ihr wollt hüpfen, junge Heuschrecken, hm?«

»Wir sind nur kurz hier«, sagte Fips.

»Was ist?« sagte der Soldat. »Wo ihr hab Dokumente, Papier, hm? Wo ist?«

»Verloren«, sagte Fips. »Wir haben Dokumente verloren.«

»Ah«, sagte der Soldat mit gespielter Traurigkeit, »ah, alles verloren. Großmutter verloren, Papiere verloren, alles ffft –, alles verloren. Ihr seid gekommen mit Zug? Richtig?«

»Wir sind schon gestern mit dem Zug gekommen. Wir wollten –«
»Gestern?« sagte der Soldat, »warum du mußt schwindeln, hä? Warum gestern? Hab ich Augen. Hab ich gesehn mit Augen wie ihr seid gesprungen von Zug. Cheute! Cheute! Nicht gestern. Dawai! Nach Kommandantur!«

Er ließ die Jungen vorangehen, und sie gingen über den schlecht gepflasterten Bahnhofsplatz und schlugen den Weg zu einer Brücke ein. Der Soldat forderte sie auf, langsam zu gehen, es war ein freundlicher, redseliger Mann, und er sagte: »Ihr seid gekommen aus Deutschland, richtig? War ich gewesen in Breslau, in Frankfurt. Prima. Du warst gewesen in Breslau? Viel fftt! Alles fftt«, und dazu machte er eine wegwerfende Geste.

»Ich war in Breslau«, sagte Fips.

»Du warst gewesen«, sagte der Soldat, glücklich überrascht.

»Ja«, sagte Fips, »aber jetzt kommen wir aus Königsberg.«

»Königsberg? Was du nicht sagst. War ich auch gewesen in Königsberg. Viel fftt! Ah, nicht gut. Fschistko bombarduiä. Alles fftt. Was ihr hier wollt?«

»Hunger«, sagte Fips.

»Chunger«, wiederholte der Soldat, »alles Chunger. Alle kommen chier. Was ich soll machen? Zurrick, alles zurrick.«

Sie gingen über die Brücke, und Fips tat, als ob er auf das Wasser hinabsah, und er beugte sein Gesicht an Kurtchen heran und zischte ihm zu: »Paß auf, hinter der Brücke sausen wir los. Immer mir nach.«

Der Soldat hatte die Worte gehört, aber er hatte sie nicht verstanden, und darum fragte er mißtrauisch: »Was du chast gesagt zu ihm? Hä? Was du chast gesagt, schnell.«

»Ich habe ihn gefragt, ob er auch Hunger hat«, sagte Fips.

»Ah«, sagte der Soldat, »arme kleine Mann, alles Chunger.«

Sie überquerten die Brücke, und am Ende der Brücke begannen sie unwillkürlich schneller zu gehen, so daß sich der Abstand zwischen ihnen plötzlich vergrößerte. »Hei«, rief der Soldat, »warum ihr mißt so rennen? Chaben wir Zeit, werden wir schon kommen zur Kommandantur. Chalt! Stoi!«

Er sah, daß die Jungen sich nicht nach seinem Befehl richteten, sie hörten nicht auf ihn und gingen immer schneller, und dann stieß Fips den Kleinen in die Seite, und beide begannen zu laufen, sie rasten, während der Soldat hinter ihnen herrief, über den Damm, sie hörten ihn einmal schießen, aber sie wußten, daß er nur in die Luft geschossen hatte und daß für sie selbst keine Gefahr bestand, denn sie konnten, wenn sie sich umwandten, den Soldaten nicht mehr erkennen, und als sie an die Lagerschuppen kamen, fühlten sie sich endgültig sicher und gingen ans Wasser hinab. Das Laufen hatte sie ausgepumpt, und sie setzten sich auf eine Kiste und ruhten sich schweigend aus, und dann sagte Kurt: »Was sollen wir jetzt machen, Fips, ich kann bald nicht mehr.«

»Mach' dir keine Sorgen, Jungchen. Wir müssen nur aus der Stadt raus. Wenn wir aus der Stadt raus sind, ist alles gut. Dann sind alle Sorgen fftt, das kannst du mir glauben.«

»Aber wie kommen wir jetzt nach Hause?«

»Nach Hause?« sagte Fips. »Du bist kaum hier und willst schon wieder nach Hause. Jetzt geht's doch erst richtig los. Wir wollen doch etwas haben von unserer Reise.«

»Aber wie kommen wir hier raus«, fragte Kurtchen ängstlich.

»Da«, sagte Fips.

Er streckte die Hand aus, und seine Finger zeigten auf einen alten schwarzen Flußdampfer, einen Raddampfer, der an der Pier lag. Der Dampfer lag noch an der Leine, aber die Jungen sahen, daß alle Vorbereitungen zur Abfahrt getroffen wurden, Kisten wurden festgezurrt und große Fässer über den Laufsteg gerollt, und auf einem Poller saß ein Mann, der die Leinen loswerfen wollte.

»Da«, sagte Fips, »der wird uns aus der Stadt rausbringen. Das wird sogar ganz gemütlich. Eine Dampferfahrt habe ich lange nicht mehr gemacht.«

»Hast du denn Geld?«

»Geld«, sagte Fips verächtlich, »ich habe genau soviel Geld wie du. Wir bezahlen unsichtbar, Jungchen. Wir schleichen uns von hinten ran und verschwinden hinter den Säcken und Kisten. Da brauchen wir kein Geld.«

»Und wenn sie uns sehen?«

»Dann müssen wir bezahlen. Aber komm jetzt.«

Sie gingen dreist an den Dampfer heran, mit absichtsloser Neugierde, wie es schien, aber als die Vorleine losgeworfen und das Heck des Dampfers gegen die Pier gedrückt wurde, sprangen sie rasch nacheinander hinauf, warfen sich hinter die Säcke, damit sie von der Brücke nicht gesehen werden konnten und beobachteten, wie die Schaufelräder das Wasser walkten und der Dampfer langsam zur Mitte des Stromes drehte.

Der Dampfer fuhr mit der Strömung, er fuhr an ertrunkenen Wiesen vorbei, an weiten, flachen Feldern, vorbei an strohgedeckten einsamen Gehöften und an dichten Wäldern; auf manchen Feldern waren Menschen bei der Arbeit, angestrengt gebückt, und als der Dampfer vorbeikam, richteten sie sich auf und sahen stumm herüber, ohne zu winken.

Fips untersuchte die Säcke auf ihren Inhalt, er schlitzte sie unten mit dem Taschenmesser auf, hielt die Hand unter den Schlitz und sah zu, wie eine braune, funkelnde Splittermasse herauslief. Es war Zucker und sie leckten gierig die süßen Splitter aus ihrer Hand auf, kauten knirschend und füllten, nachdem sie sich einigermaßen gesättigt hatten, ihre Taschen. Fips wischte sich die klebrigen Hände an den Hosen ab und verschränkte die Beine zum Schneidersitz, und dann legte er einen Arm um Kurtchen, und beide sahen zum Ufer hinüber, das lautlos vorüberglitt.

»So, Jungchen«, sagte Fips, »jetzt fühl ich mich schon besser. Das war erst der Anfang, Jungchen. Du wirst sehen, Litauen wird uns nicht enttäuschen. Wart nur ab. Ich glaube, wir werden bald eine Eierschlacht machen können. Wir fahren noch ein Stück weiter, Jungchen, je weiter, desto besser. Wir müssen aufs Land, denn da läßt sich am meisten holen.«

»Und wenn der Dampfer nicht mehr anhält?«

»Nicht anhält?« sagte Fips.

»Ja«, sagte Kurtchen, »ich kann nicht schwimmen.«

»Dann fahren wir einfach, soweit der Zuckervorrat reicht«, sagte Fips.

»Aber eines Tages müssen alle Dampfer anlegen. Einmal müssen sie alle an die Pier, Jungchen. Auch dieser Kasten hier, das laß dir gesagt sein. Und dann kommen wir auch nach Hause, und deine Mutter wird bestimmt gesund, wenn du ihr eine Speckseite aufs Bett wirfst. Wart nur ab. Du wirst ...« Er sprach nicht weiter, denn er spürte plötzlich einen harten Schlag auf der Schulter. Und bevor er sich umdrehen konnte, erhielt er einen neuen Schlag ins Genick und gegen die Rippen, und er hörte auch Kurtchen aufschreien und wußte, daß sie entdeckt worden waren. Sie legten sich zwischen den Säcken flach hin und verbargen den Kopf unter den Händen, um ihn gegen die Schläge zu schützen, aber der Matrose riß sie am Hemd hoch und zog sie aus ihrem Versteck heraus. Es war ein junger, mürrischer Matrose mit schwarzen Augen und zähem schwarzem Haar, er sagte kein einziges Wort zu ihnen, er stieß sie den Aufgang zur Brücke hinauf und übergab sie dem Kapitän. »Sie saßen hinter den Säcken«, sagte er zum Kapitän.

Der Kapitän des Flußdampfers sah sie grinsend an; er war klein für einen Kapitän, er trug eine blaue Ballonmütze und warmes blaues Wollzeug.

»Kann ich gehen?« fragte der Matrose.

»Ja«, sagte der Kapitän, »du kannst gehen, Jonas.«

Er wartete, bis der Matrose verschwunden war, dann sah er wieder auf die Jungen und lachte.

»Herr Kapitän«, sagte Fips, »auf der nächsten Station steigen wir schon aus. Wir steigen bestimmt aus und kommen auch nicht wieder an Bord. Wir sind aus Königsberg, Herr Kapitän. Wir wollen aufs Land zu den Bauern.«

»Das merke ich.«

»Der Kleine kann nicht schwimmen, Herr Kapitän, werfen Sie uns nicht rein.«

»Hört zu«, sagte der Kapitän, und seine Stimme klang verändert und das Lachen verschwand aus seinem Gesicht. »Hört zu, Jungens, ihr dürft nicht bis zur nächsten Station mitkommen. Die nächste Station heißt Vilki, und da kommt die Miliz an Bord, und ihr wißt, was euch blüht, wenn die Miliz euch findet. Man wird euch einsperren und zurückschicken, und ihr habt eure Reise umsonst gemacht. Ich will euch helfen. Aber ihr dürft keinem erzählen, daß ich euch mitnahm.«

»Nein«, sagte Fips, »nein, Herr Kapitän, ich werde keinem davon etwas erzählen. Auch der Kleine nicht, Ehrenwort.«

»Paßt auf«, sagte der Kapitän, »kurz vor Vilki passieren wir eine Sandbank, sie ist dicht an der Fahrrinne, gar nicht tief, höchstens bis zu den Knien; ich werde euch sagen, wenn es soweit ist. Dann müßt ihr springen. Ihr stellt euch am besten am Heck hin und springt dann mit aller Kraft außenbords. Hab keine Angst, Kleiner, das geht schon klar, das haben schon viele vor dir gemacht, noch jüngere sogar. Und sagt keinem ein Wort davon, sagt auch nichts dem Matrosen, der euch hierherbrachte. Habt ihr mich verstanden?«

»Ja«, sagten Fips und Kurtchen wie aus einem Mund.

»Gut«, sagte der Kapitän, »dann bleibt hier auf der Brücke und wartet, bis ich euch ein Zeichen gebe; ihr werdet die Sandbank auch selber erkennen, wenn das Wasser hell und gelb wird; und geht überhaupt nicht nach Vilki, Jungens, da liegt viel Miliz, und ihr werdet schnell auffallen, und man wird euch schnappen. So, und jetzt setzt euch dahin und seid ruhig.«

Vor der Sandbank gab ihnen der Kapitän ein schnelles Zeichen, er hob nur einmal seine Hand, und sie verstanden ihn und gingen vorsichtig zum Heck des Dampfers. Es war eine lange Sandbank, sie sahen selbst, daß es nicht allzu tief sein konnte, denn das Wasser war gelb und nicht bleifarben wie über der Fahrrinne. Als erster sprang Fips; er drückte sich vom Bordrand ab, flog mit ausgebreiteten Armen durch die Luft und klatschte ins Wasser, während Kurtchen ihn stumm beobachtete. Als er sah, daß Fips sich gleich wieder aufrichtete und das Wasser kaum seine Knie erreichte, sprang auch er und landete ebenfalls glatt.

Der Matrose, der sie zwischen den Säcken entdeckt hatte, hörte den Aufschlag der Körper auf dem Wasser und kam zur Reling, und er sah, daß die Jungen lachten und langsam zum Ufer wateten – er konnte ihnen nichts mehr anhaben.

Sie setzten sich glücklich und erschöpft ins Gras, und nachdem sie sich ausgeruht hatten, standen sie auf und sahen sich um. Sie befanden sich auf einer Wiese; am Rande der Wiese erhob sich ein einzelnes Gehöft, und dahinter begann der Wald, und Fips deutete auf das Gehöft und sagte: »Da, Jungchen, jetzt kann's losgehen! Wir werden abwechselnd fragen. Bei diesem Haus frage ich, beim nächsten du. Einverstanden?«

Kurtchen nickte, und sie gingen über die tauschwere Wiese, und als sie sich vor dem Gehöft befanden, schlug ein Hund an.

Der Hund lag an der Pumpe, und sie gingen zögernd in großem Bogen um die Pumpe herum, und blieben vor der Tür stehen und klopften. Es dauerte lange, bis sie Schritte hörten; eine Frau öffnete ihnen und schüttelte, ohne daß ein Wort gefallen wäre, den Kopf. Es hat keinen Zweck, sollte es heißen, spart euch alle Fragen. Aber Fips sagte: »Ich wollte mal fragen ...«

»Du brauchst nicht zu fragen«, sagte die Frau auf deutsch. »Ich habe nichts. Versucht es woanders. Ich hab' nichts, das ich euch geben kann.«

»Ein winziges Stück nur«, sagte Fips.

»Jetzt nicht«, sagte die Frau. »Geht fort. Aber geht nicht für immer fort. Kommt zurück, wenn es dunkel ist. Klopft dann ans hintere Fenster. Und jetzt geht, ich hab' nichts.«

»Nachts?« fragte Kurtchen.

»Wenn es dunkel ist, Kleiner, ja.«

Die Frau schloß die Tür, und die Jungen schlugen einen Weg in den Wald ein. Es war ein feuchter, weicher Weg, den sie gingen, er führte sie von dem Gehöft fort und parallel zum Fluß in eine Richtung, in der sie vom Dampfer aus mehrere Gehöfte gesehen hatten. Sie versuchten es auch bei den Einwohnern dieser Gehöfte, aber überall sagte man ihnen: Geht fort. Aber geht nicht für immer fort. Kommt zurück, wenn es dunkel ist. Jetzt können wir euch nichts geben.

Die Jungen merkten sich die Lage der Gehöfte und gingen wieder zum Fluß hinab. Sie gingen wieder zu der Stelle, an der sie gelandet waren, und sie tranken Wasser aus dem Fluß und aßen ein wenig von dem Zucker, den sie in den Taschen hatten, und dann legten sie sich dicht nebeneinander ins Gras und schliefen ein. Sie schliefen bis zur Abenddämmerung. Sie schliefen so lange, bis der Strom den Nebel entließ, bis der Nachtfrost kam und sie in die nackten Beine kniff; da erhoben sich alle beide, rieben die Hände warm, reckten ihre Körper und sahen nach dem Licht des Gehöfts. Starr, gelb und klein leuchtete es ihnen entgegen, und sie machten sich auf den Weg.

Sie brauchten diesmal nicht zu warten. Als sie auf dem Hof standen, wurde die Tür geöffnet, und sie sahen die dunklen Umrisse der Frau und daß sie ihnen winkte. Sie wurden erwartet, und es wurde ihnen zu verstehen gegeben, daß es nicht nötig sei, viel zu sprechen; die Frau brachte sie in eine Kammer und sagte: »Redet nicht viel, Kinderchen, setzt euch hin und eßt. Da ist Suppe.«

Und die Jungen setzten sich hin und aßen von der Suppe, und als die Schüssel leer war, brachte die Frau Brot und mageren Speck; sie sah zu, wie die Jungen aßen, sie wachte argwöhnisch darüber, daß keiner von ihnen etwas in die Taschen schob. Sie durften essen, soviel sie wollten, aber nichts mitnehmen. »Ihr müßt alles hier aufessen«, sagte die Frau. »Ihr dürft nichts mitnehmen. Nachher fangen sie euch unterwegs, und wenn sie rauskriegen, wer euch den Speck gegeben hat, dann ist es für euch nicht gut und für mich auch nicht.«

Und die Jungen aßen und aßen, und als nichts mehr auf den Tellern lag, erhoben sie sich stöhnend und wackelten zur Tür; ein Gefühl der Gleichgültigkeit überkam sie. Sie wollten sich gleich neben den Brunnen legen und schlafen, aber die Frau schob sie auf den Weg und sagte: »Hier dürft ihr nicht schlafen, Jungens, so nah am Haus dürft ihr nicht bleiben. Geht in den Wald, da ist es wärmer und weicher. Geht dorthin und legt euch unter einen Strauch, und laßt euch nicht bei Tage hier sehen.«

Sie drangen, nachdem sie sich bedankt hatten, in den Wald ein, suchten eine günstige Stelle und fielen um; sie schliefen bald ein, und der Kleine kaute noch im Schlaf ...

... Die Jungen schliefen bis in den späten Morgen; das Geräusch eines vorbeifahrenden Autos weckte sie, und sie gingen in die Richtung, aus der das Geräusch zu ihnen gedrungen war, und entdeckten eine Chaussee. Sie setzten sich in den Chausseegraben, und Kurtchen sagte:

»Wir können hier warten, Fips. Wir können hier sitzenbleiben, bis ein Auto kommt. Wir werden es anhalten und uns ein Stück mitnehmen lassen. Vielleicht bis zum nächsten Dorf.«

»Nein«, sagte Fips, »nein, Jungchen, ein Auto dürfen wir nicht anhalten. In den Autos sitzt die Miliz. Ich will lieber langsamer vorwärtskommen, aber sicherer. Außerdem wird die Miliz uns auch nicht mitnehmen.«

»Was meinst du, Fips, wenn wir heute etwas bekommen, im nächsten Dorf oder so, dann könnten wir doch abends nach Hause fahren. Wir behalten heimlich etwas von dem Brot und fahren abends zurück.«

»Auf keinen Fall«, sagte Fips. »Wenn du willst, Jungchen, kannst du allein nach Hause fahren. Ich bleibe noch einige Tage hier. Ich bin doch nicht hergekommen, um mich nur einmal vollzufressen. Du mußt die Gelegenheiten besser ausnutzen, Jungchen, sonst kommst du nie zu was. Deine Mutter wird schon warten.«

Sie hoben beide den Kopf und sahen die Chaussee hinab; sie hörten das Geräusch eines Wagens und bemerkten zwischen den Bäumen einen großen Heuwagen, der langsam näher kam.

»Das ist das Richtige«, sagte Fips hastig. »Von dem lassen wir uns mitnehmen. Langsam, aber sicher, Jungchen, und dazu noch gepolstert. In den Autos sitzt die Miliz.«

»Soll ich ihn anhalten?« fragte Kurtchen.

»Nein«, sagte Fips, »wir halten ihn überhaupt nicht an. Wir klettern einfach hinten am Balken rauf; das merkt niemand. Laß ihn nur vorbeifahren.«

Sie ließen den Wagen vorbeifahren; dann sprangen sie auf, liefen wenige Schritte hinterher und zogen sich am Balken auf das Fuder empor. Es schwankte hier oben mächtig, und sie ließen sich ins warme Heu fallen und lachten sich lautlos zu. Aber plötzlich geschah etwas Unerwartetes: Sie sahen fast gleichzeitig, wie aus einer Heumulde der Lauf einer Maschinenpistole hervorstach; sie sahen die kleine dunkle Öffnung auf sich gerichtet und hoben die Hände hoch. Und dann tauchte der Kopf eines Milizsoldaten auf, und sie erschraken bei der Feststellung, daß es derselbe Soldat war, dem sie an der Brücke in Kowno davongelaufen waren. Der Soldat lachte und befreite sich vom Heu, das auf seiner Mütze und seiner Schulter hing, und er sagte:»Oi, oi, oi, was ist Welt klein, oi, oi, Vögelchen nicht haben Nester zum Verstecken. Alles fftt, alle Verstecke fftt!«

Diesmal paßte der Soldat besser auf, und er brachte die Jungen nach Veliouna, zu einer kleinen Kommandantur. Sie wurden für mehrere Tage eingesperrt, aber sie wurden gut behandelt, bekamen regelmäßig zu essen, und nachts erhielten sie eine Decke zum Schlafen. Sie blieben sechs Tage in Veliouna, und der Kleine weinte anfangs viel, und Fips gab ihm jeden Morgen etwas von seiner Brotration ab, da man ihnen den Zucker bei einer Leibesvisitation weggenommen hatte. Und am siebten Tag wurden sie verhört und dann von demselben Soldaten, der sie geschnappt hatte, zur Grenze gebracht. Es war ein sonniger, biederer Vormittag, an dem sie zu dritt zur Grenze gingen. Die Schwalben kurvten hoch im Blau, und die Straße war lang und gleichgültig und bot keine Abwechslung. Soweit das Auge reichte, war Straße, grausam monoton, nicht auszuhalten; nirgendwo ein Knick, eine willkommene Täuschung: zu Ende. Sie liefen vier Stunden, und als der Soldat es nicht mehr aushielt, rief er:»Stoi! Chalt! Alles chalt! So. Zuhören. Ich jetzt zurrick. Ich nach Haus. Ihr: Grenze. Ihr immer mißt laufen dieser Straße. Grenze zwei Stunden, kann auch sein finf Stunden. Was weiß ich. Ihr nicht zurrickkommen! Sonst fftt! Du und du. Alle beide fftt! Verstanden?«

»Und wie kommen wir nach Königsberg?« fragte Fips.

»Geradeaus«, sagte der Milizsoldat, »immer weiter, bald Grenze, bald Königsberg.« Und er faßte in die Tasche und holte einen großen

Kanten Brot heraus; er reichte Kurtchen das Brot und sagte:»Chier, kleine Mann, chast Brot. Fier Chunger. Lauf, schnell! Dawai!«

Und die Jungen gingen ohne den Soldaten weiter, sie gingen gemächlich, und wenn sie sich von Zeit zu Zeit umdrehten, sahen sie den Soldaten immer kleiner werden auf der hitzeflimmernden Straße.

»Der hatte keine Lust mehr«, sagte Fips.»Na, hinter den Birken setzen wir uns hin und warten. Dann kann er uns kaum noch erkennen.«

»Sollen wir denn nicht zur Grenze?«

»Zur Grenze? Erstens, Jungchen, werden sie uns nicht 'rüberlassen über die Grenze, und zweitens könnten sie uns in ein Lager stecken. Hast du Lust dazu?«

»Ich bestimmt nicht«, sagte Kurt.»Ich brauch' nur unbedingt ein Paar Schuhe, Fips. Ich muß Schuhe haben, das piekt so verdammt auf den Steinen. Bei dir nicht?«

»Bei mir nicht«, sagte Fips.»Ich hab' jetzt schon 'ne Hornhaut, seitdem mir der Matrose die Schuhe weggenommen hat, hab' ich mir schon 're Hornhaut gelaufen, dick wie ein Kamm, Jungchen. So was mußt du dir auch anschaffen. Da geht nichts durch.«

Er verstummte plötzlich und drängte Kurt in den Graben; sie hörten mehrere Feuerstöße aus einer Maschinenpistole und auch einige Schreie, und als sie den Kopf über die Böschung hoben, sahen sie den Milizsoldaten auf der Straße liegen, und neben ihm standen einige bewaffnete Zivilisten. Sie beugten sich über ihn und nahmen ihm die Maschinenpistole fort, und dann verschwanden sie im Wald, und zwei von ihnen schleiften den toten Milizsoldaten in ein Gebüsch. Es waren Partisanen ...

... Im Wald von Passelautskinne, in dem seit mehr als zweihundert Jahren kein Holz geschlagen wurde, stießen die Jungen auf eine Gruppe von Partisanen; die Partisanen waren gut bewaffnet, sie hatten alle eine russische Maschinenpistole, denn sie mußten sich, wie sie sagten, auf russische Waffen verlegen, da sie für die deutschen keine Munition mehr bekamen. Die Partisanen sprachen fast alle deutsch, und die Jungen erhielten Essen und Trinken von ihnen, und man gab ihnen auch Ratschläge, in welche Dörfer sie gehen und welche sie nicht betreten sollten, und sie wären gern noch eine Weile bei den Partisanen geblieben. Aber im Morgengrauen kam ein nervöser junger Bursche zu ihnen und sagte:»Ihr müßt jetzt verschwinden, Jungens, wir sind umzingelt.«

»Der ganze Wald?« fragte Fips.

»Frag nicht soviel. Und gnade euch Gott, wenn ihr etwas erzählt. Ihr habt gesehen, was wir mit Spitzeln machen. Ihr habt sie an der Birke gesehen. Verschwindet jetzt. Es ist egal, wohin ihr geht. Sie sind an allen Ecken. Wenn es zu schießen anfängt, dann werft euch sofort hin.«

»Oder wir klettern auf einen Baum«, sagte Fips.

»Wenn sie Bluthunde haben, holen sie euch runter wie Krähen. Aber ihr könnt's ja versuchen. Los. Verschwindet jetzt.«

Die Jungen schlichen zögernd davon, und plötzlich rief Kurtchen leise:»Da, Fips!«

»Wo?«

»Unter der Fichte.«

»Das ist eine Kuh«, sagte Fips.»Die ist da angebunden, Jungchen. Wahrscheinlich hat die ein Bauer hier versteckt. Der ist schlau, was? Melkt die Kuh im Wald. Hat immer Milch und braucht nichts abzuliefern. Komm, auf diese Fichte klettern wir rauf.«

»Aber wenn sie kommen, Fips, werden sie die Kuh finden, und dann —«

»Dann«, sagte Fips,»werden sie für nichts mehr Augen haben als für die Kuh. Sei nur ruhig. Du bist kein guter Menschenkenner, Jungchen. Ist doch klar. Die werden mit der Kuh so beschäftigt sein, daß sie die Bäume in der Nähe gar nicht absuchen werden.«

»Aber ...«

»Nichts aber, Kurtchen, mach zu. Du kletterst als erster rauf.«

Sie kletterten auf die Fichte und lauschten atemlos auf alle Geräusche, und nach einer Weile sahen sie zwei Milizsoldaten auf die Lichtung treten; die Soldaten hatten keine Bluthunde bei sich, aber sie trugen die Maschinenpistole lose im Arm, und die Jungen saßen reglos im Wipfel der Fichte. Die Soldaten fanden die Kuh, und sie entdeckten auch die Leiche des Spitzels an der Birke, aber sie entdeckten die Jungen nicht und auch nicht die Partisanen. Die »Grünen« waren auf geheimnisvolle Art verschwunden, es kam zu keiner Schießerei, sie wurden nicht aufgestöbert, obwohl die Milizsoldaten das Waldstück mehrmals durchkämmten, bevor sie auf Lastwagen davonfuhren.

Die Jungen stiegen erst am Abend von der Fichte herab; sie wußten nicht, daß alle Soldaten weggefahren waren, und darum blieben sie ruhig sitzen und warteten. Sie konnten warten, sie hatten es gelernt in

den Tagen, die sie hier schon verbracht hatten; unmerklich hatten sie
ein anderes Zeitgefühl erhalten, das Zeitgefühl des Ostens.

An einem Abend kamen sie in ein Dorf. Es war ein kleines Dorf, das
nur aus wenigen strohgedeckten Hütten bestand, und es machte einen
friedlichen Eindruck. Es sah nach Feierabend und Ruhe aus, und die
Jungen beobachteten das Dorf, bevor sie zwischen die Häuser traten,
aber sie bekamen keinen Menschen zu Gesicht; die Hütten lagen wie
ausgestorben da, niedrige, graue Hütten, die sich an den Boden duckten.

Kurtchen sagte: »Die schlafen wohl schon alle, Fips. Die sind aber
früh ins Bett gegangen.«

»Das glaub ich nicht, Jungchen.«

»Meinst du, daß sie alle tot sind?«

»Nein.«

»Was denn? Vielleicht haben sie sich versteckt.«

Sie gingen an eine Hütte heran, und Kurtchen warf einen Blick
durch das vordere Fenster, und im gleichen Augenblick sagte er: »Da,
Fips, es ist nichts drin in dem Haus. Kein Stuhl, kein Bett, nichts. Sieh
nur! Hier wohnt niemand. Die Leute sind alle weggezogen. Vielleicht
ging es ihnen zu schlecht hier.«

»Oder zu gut«, sagte Fips. »Wahrscheinlich hat man sie alle mit dem
Lastwagen irgendwohin gebracht. Das glaube ich wohl.«

Sie betraten die Hütte und untersuchten die Küche und den Boden
und den Rauchfang, aber sie konnten nichts finden, das sich gelohnt
hätte, mitgenommen zu werden; nur ein Stück Schnur fanden sie und
einen Räucherhaken. Sie betraten mehrere Hütten, aber alle waren leer
und verlassen, und Fips sagte:

»Es hat keinen Zweck, Jungchen, hier ist nichts zu holen. Wir gehn
jetzt noch mal zu dem größeren Haus, und wenn das auch leer ist,
müssen wir weiter zum nächsten Dorf.«

Aber als sie an das Fenster des größeren Hauses pochten, wurde die
Tür geöffnet, und ein alter, freundlicher Mann erschien auf der
Schwelle; er forderte sie auf, hereinzukommen, und führte sie in ein
Zimmer, in dem nur in einer Ecke Deckenreste und Laub lagen, of-
fenbar als Schlafstelle.

»Ich wollte nur fragen, ob Sie ein Stück Brot haben«, sagte Fips.
»Aber nicht für mich, ich halte es schon noch aus. Ich frage nur wegen
des Kleinen hier.«

Der alte Mann lachte hilflos und sagte:»Was soll ich euch denn geben, Kinderchen? Ich hab' nichts. Aber meine Frau ist fortgegangen. Vielleicht bringt sie ein paar Pilze mit oder Blaubeeren. Wenn ihr wollt, dann setzt euch ruhig hin und wartet.«

»Du bist doch nicht von hier, Opa?« sagte Fips.

»Nein«, sagte der alte Mann.»Ich bin nicht von hier.«

»Du kommst aus Ostpreußen, nicht?«

»Ja«, sagte der Alte,»aus Palmnicken. Ihr auch?«

»Nein, wir sind aus Königsberg.«

»Aus Königsberg«, sagte der Alte beglückt,»was ihr nicht sagt, Kinderchen. Ich hab' gedient in Königsberg. 1900. Ja, ich kenn' Königsberg gut. – Daher kommt ihr also.«

»Wir sind aber schon einige Wochen hier, Opa. Sag mal: wo sind denn die Leute im Dorf? Sind die alle weggezogen?«

»Weggezogen?« fragte der Alte.»Wenn ihr wüßtet, wie die weggezogen sind. Ein Grüner hat es uns erzählt, einer von den Partisanen.«

»Wurden sie erschossen?«

»Nein«, sagte der Alte,»Gott bewahre. So gnädig war man nicht zu ihnen. Das war ganz anders: Eines Abends, da wurde hier im Dorf ein kleines Fest gefeiert, es wurde getanzt und getrunken, und alles war sehr lustig. Und plötzlich kamen die Grünen aus dem Wald, es waren wohl vierzig Männer. Und alle brachten ihre Gewehre mit, und sie reinigten ihre Gewehre vor dem Gasthaus und begannen dann auch zu tanzen und zu feiern. Sie hatten natürlich einige Posten aufgestellt, die melden sollten, wenn die Russen kämen, aber die Posten merkten nicht, daß sich der Bruder des Partisanenführers wegschlich und alle an die Russen verriet. Es gab eine furchtbare Schießerei hier, und es wurden zweiunddreißig Russen getötet, aber auch mehr als zwanzig Grüne.

Und nachdem die Partisanen wieder im Wald waren, kam die Miliz, und alle Leute im Dorf wurden auf Lastwagen getrieben und fortgebracht. Ich weiß nicht, wohin sie gebracht wurden, aber wiederkommen werden sie wohl nicht. Na, und jetzt sitzen wir hier, meine Frau und ich; hier wird man zumindest in Ruhe gelassen. Ab und zu kommt nur mal ein Grüner und sieht bei uns 'rein, der Mann, dem das Haus gehört. Er hat nichts dagegen, daß wir hier sind, er sagt immer: bleibt ruhig hier, solange ihr hierbleibt, habe ich die Hoffnung, zurückzukommen. Aber wenn erst das ganze Dorf leer ist ...« Ein kurzes Klop-

fen an der Tür unterbrach den Alten; seine Frau kam herein mit einer
Konservendose voll Blaubeeren, und nachdem sie den Besuch kennengelernt hatte, stellte sie die Dose vor die Jungen hin und sagte:»Eßt
nur, Kinderchen. Ich werde uns neue pflücken. Komm, Kleiner, fang
du an.«
    Aber Fips sagte:»Nein, nein. Der Kleine will nichts mehr. Das hab'
ich vorhin nur so gesagt. So, Kurtchen, jetzt wollen wir mal auspacken.
Jetzt wollen wir uns alle mal richtig satt essen. Gib den Speck her,
Jungchen, und das Brot. Und die Eier können wir auch gleich hierlassen.«
    Und sie holten beide aus geheimen Taschen und unter der Kleidung
versteckten Beuteln alles heraus, was sie hatten, und dann forderten sie
die beiden Alten auf, Platz zu nehmen und zuzugreifen, und sie aßen
vergnügt und andächtig, soviel sie konnten. Die Alten hatten lange
keinen Speck mehr gesehen und kein Ei, und die Jungen baten sie, alles
aufzuessen.
    »Na«, sagte der Alte,»was sagst jetzt, Mutter? Hättest du gedacht,
daß wir in unserm verlassenen Dorf noch mal so was zu sehen bekommen? Ein reines Wunder, wahrhaftig. Ein reines Wunder in diesem
Dorf.«
    Nach dem Essen blieben sie auf der Erde sitzen und tauschten Neu-
igkeiten aus, oder das, was sie Neuigkeiten nannten. Sie erzählten sich,
daß das nicht das einzige verlassene Dorf in Litauen war und daß
immer mehr Deutsche in dieses Land kamen. Sie zogen bettelnd von
Haus zu Haus, und wo die Einheimischen helfen konnten, da wurde
geholfen; und wenn Wandernde ein leerstehendes Haus ausfindig
machten, dann blieben sie manchmal und richteten sich ein, und
wenn sich das herumsprach, folgten ihnen andere, und so entstanden
an vielen Orten kleine deutsche Gemeinschaften. Sie wurden zwar
ständig kontrolliert, aber die NKWD-Offiziere waren vielerorts ausnehmend freundlich zu den Deutschen. Und die Litauer halfen ihnen,
halfen, wo sie konnten, auch wenn sie sich dabei selbst in Gefahr
begaben.
    An Markttagen fuhren die Deutschen viele Meilen weit, um einan-
der zu sehen und gute Ratschläge zu geben, und das neue Land veränderte sie, ohne daß sie dessen gewahr wurden; sie hatten einen anderen
Blick und andere Gedanken, und sie alle unterlagen einem neuen Gefühl der Zeit ... Zeit, was ist im Osten die Zeit? Still sein und warten.

Die Fußnägel wachsen, der Großvater stirbt, und der Sommer sinkt um, und dann tritt sich der Herbst die Füße ab, und hinterm Wald liegt schon der Winter auf der Lauer.

Eines Tages trennten sich die Jungens, sie gingen ohne großen Abschied auseinander. Fips arbeitete bei einem Bauern, und der Kleine ging in den Wald und half beim Holzfahren. Beide wurden registriert, beide trugen neue Dokumente bei sich und sprachen litauisch und russisch. Sie verdienten sich ihr Brot; sie bekamen Rubel ausgezahlt, und in jedem Monat trafen sie sich während des Marktes und brachten einander Zigarettenpapier und Tabak mit, und sie umarmten und freuten sich.

Aber dann erschien Fips auf einmal nicht mehr, und obwohl Kurtchen bis zum Abend wartete, bekam er den Freund nicht zu Gesicht, und da fragte er einige Leute, ob sie wüßten, wo Fips sei, und ein Mann erzählte ihm, daß Fips im Wald gefunden worden sei, tot. Niemand habe eine Verletzung an ihm entdecken können, er habe tot auf einer Lichtung gelegen, vielleicht, meinte der Mann, sei er erdrosselt worden.

Da fuhr Kurtchen allein mit seinem Pferdewagen nach Hause und dachte an Fips; und plötzlich, da er allein war, begann er sich zurückzusehnen; die Erinnerung brannte in ihm, und er dachte an seine Mutter und an Heinzi, seinen jüngeren Bruder. Er erschrak über die Feststellung, daß er mittlerweile fast achtzehn Jahre alt geworden war, und er sann und sann, wie er nach Hause kommen könnte.

Als dann im Winter Vorbereitungen zum Abtransport aller Deutschen aus Litauen getroffen wurden, ließ der Kleine sich registrieren, und seine litauischen Freunde brachten ihn zur Bahn, und es war ein großer und rührender Abschied, und eines Tages kam er nach dem Westen, und hier traf er seinen Bruder wieder und erfuhr von ihm, daß die Mutter die Zeit nicht überlebt hatte. Und er fand auch Aufnahme und Arbeit in einem Lehrlingsheim.

Bei der Arbeit findet er wenig Zeit, an Litauen zu denken. Doch wenn er manchmal nachts erwacht, dann tauchen plötzlich vor seinen Augen Wiesen und dichte, verfilzte Wälder auf, und er sieht den alten, gleichmütigen Strom zu seinen Füßen und hört eine ferne Musik. Und dann verspürt er so etwas wie Sehnsucht.

1954

Die Festung

Das war im Juni, vor einem der vielen Gewitter. Mein Alter stand unten am Fluß und mähte die Uferböschung, mähte, während eins der heftigen Gewitter heraufzog und der Fluß schwarz wurde und die Krähen von den Pappeln aufflogen. Er sah sich nicht um, er schaute nicht auf den Fluß und auf den Himmel; er stand barfuß im Wasser und mähte mit scharfem Zug die Böschung hinauf, riß mit der Spitze der Sense nach, arbeitete sich weiter vor gegen das Schilf, Schritt für Schritt. Wenn mein Alter arbeitete, dann arbeitete er, und es gab nichts in der Welt, das ihn abhalten oder unterbrechen konnte.

Er war schon alt, und er war nicht besonders groß und imponierend: sein Gang war schleppend, der Kopf immer schräg gelegt, ein runder, kurzgeschorener Kopf, und sein Rücken war schon ein wenig ge-krümmt. Er arbeitete ohne das Fauchen und Zischen, das bei Noah Tisch unablässig zu hören war, bei seinem großen, schwachsinnigen Knecht, der jedesmal noch stöhnte und ächzte, als ob er unter Dampf stünde. Wenn mein Alter arbeitete, dann bemerkte er nichts anderes auf der Welt. Er bemerkte auch den Mann nicht, der in jenem Juni vor dem Gewitter den kleinen Weg heraufkam, den weichen Weg, der von selbst neben dem Fluß entstanden war, erlaufen von Füßen, die ge-duldig nach einem Übergang gesucht, jede Biegung sorgfältig ausge-schritten hatten, lange bevor die Holzbrücke gebaut worden war. Die-sen Weg kam der Mann herauf; er war klein und mager und steckte in einem schwarzen Tuchanzug, ich hatte ihn nie vorher gesehen. Er sah sich einmal nach dem Gewitter um, aber er beschleunigte nicht seine Schritte, er ging weiter auf dem schwarzen Torfweg entlang bis zur Uferböschung, wo mein Alter mähte. Genau über ihm blieb er stehen, und es sah aus, als warte er darauf, daß mein Alter seine Arbeit un-terbräche, aber mein Alter stammte aus Sunowo, und die Leute in Sunowo unterbrachen ihre Arbeit nur, wenn sie essen mußten oder schlafen oder überhaupt Schluß machen.

Und mein Alter mähte weiter, während der Mann über ihm stand, er unterbrach seine Arbeit nicht, schaute nicht einmal auf; und da bückte sich der Mann überraschend und glitt die Böschung hinab zu meinem Alten; jetzt konnte ich sie nicht mehr sehen.

Ich saß auf dem Sandhaufen am Schuppen, den Noah Tisch ständig vergrößerte, er karrte schon den ganzen Tag, und ich saß oben und grub eine Festung in den kühlen, frischen Sand, und Noah nahm jedesmal Anlauf mit der Karre, raste über das wippende Brett und lachte sein sanftes, irres Lachen, wenn er die Karre vor meiner Festung umstürzte. Vom Sandhaufen konnte ich weit über das Feld sehen und über den Fluß bis zur alten Windmühle, ich konnte auch meinen Alten sehen bei der Arbeit, zumindest seinen Rücken und den runden, kurzgeschorenen Kopf Aber jetzt war nichts mehr von ihm zu erkennen. Ich hörte auf zu graben und stemmte mich gegen den Schuppen und sah zur Uferböschung, und dann kam Noah über das wippende Brett gerast, und als er mich in dieser Stellung bemerkte, stellte er sich ebenfalls hin und blickte hinunter.

Noah war so groß, daß er bis zum Teerdach des Schuppens reichte, er war immer gutmütig und freundlich, er lachte ständig sein sanftes, irres Lachen, doch er besaß eine so fürchterliche Kraft, daß es einen schaudern konnte. Noah hatte schon als Kind für meinen Alten gearbeitet, drüben auf den trockenen Feldern von Sunowo, sie hatten gesät zusammen und gerodet und geerntet, und Noah liebte meinen Alten mehr als alles auf der Welt und war bei ihm geblieben, als sie das Haus verlassen mußten und die trockenen Felder von Sunowo, am Ende des großen Krieges. So stand er neben mir: aufgerichtet und schnell atmend und mit kleinen, geröteten Augen; ich spürte, daß auch er gespannt war, ich sah das Mißtrauen in seinem Blick, sah, wie sein Lachen breiter wurde und starrer, und ich fürchtete mich vor ihm. Ich ängstigte mich vor ihm, wie ich mich seit je geängstigt hatte vor diesem Mann, wenn sein Lachen breiter und starrer wurde, wenn der Ausdruck seines milden Irrsinns verschwand und sein Kopf zu nicken begann, dieser mächtige, schwere, tragische Kopf. Niemand wußte, was dies breite Lachen und das Nicken des Kopfes ankündigte: eine tumultuarische Wut oder eine ebenso tumultuarische Zärtlichkeit.

Ich beobachtete mit Noah die Uferböschung, wir starrten hinüber zu der Stelle, wo am schwarzen Wasser, unter dem schnell und heftig heraufziehenden Gewitter, die beiden Männer sich befinden mußten, und Noah war so gebannt, daß er das Rad der Schubkarre, das sich immer noch langsam drehte, mit dem Fuß anhielt.

Aber da kam der schwarze, magere Mann schon wieder herauf, blickte nach dem Gewitter und ging, von einem Windstoß getroffen, den Weg zur Holzbrücke, eilig jetzt und sich vom Wind treiben lassend. Wir standen und blickten ihm nach, und bald darauf erschien auch mein Alter über der Uferböschung, er wuchs langsam hervor gegen den Gewitterhimmel, mit schräg gelegtem Kopf, die Sense über dem Rücken, am Gürtel den Wetzstein; er kam herauf mit seinen langen, schleppenden Bewegungen, schleifte durch das Gras, um den Schlamm von den Füßen loszuwerden, und dann blickte er auf und kam ruhigen Schritts heran. Wir gingen ihm nicht entgegen. Wir blieben am Schuppen und warteten, und als er bei uns war, legte er die Sense hin und trat zu uns, und er sah Noah an und mich und dann die Festung, die ich in den frischen, kühlen Sand gegraben hatte, eine Festung, die ihre Mauer hatte und ihren Graben und den nötigen, schmalen Zugang. Er sah lange auf meine Festung hinab, und plötzlich bewegte sich sein rechter Fuß, glitt über den Sand und bohrte sich tief und kraftvoll in eine Mauer, und unversehens hob er den Fuß, langsam zunächst, so daß ein breiter Riß entstand, dann hob er ihn weiter, und ein Teil der Sandmauer blieb auf seinem Spann liegen, rieselte an den Seiten herab, bis auf einen Rest, den er mit einer kurzen Bewegung fortschleuderte. Noah lachte leise, und mein Alter holte mehrmals sorgfältig aus, und während er zuschlug und zerstörte, was ich gegraben hatte, suchte ich seinen Blick. Er wich mir nicht aus, ich sah in seine hellen, tiefliegenden Augen, ich tat es schweigend und fassungslos, und ich bemerkte, daß er von Schmerz erfaßt war, während er die Festung zerstörte. Und nachdem er alles zertreten hatte: die Mauern, den Zugang und die flachen Ecktürme, an denen noch Spuren meiner Hände zu erkennen waren, nachdem alles verschwunden und versunken war, gab er mir die Hand. Ich schaute ihn erschrocken an, denn mein Alter hatte mir nie die Hand gegeben, oder er hatte sie mir doch nie so gegeben wie jetzt, mit solchem Ernst, mit solcher Plötzlichkeit und solchem Ausdruck von Schmerz; ich sah seine große braune Hand vor meinen Augen, sie war geöffnet, sie zitterte ein wenig, sie war so nah, daß ich die kleinen Brandnarben auf den Fingerkuppen erkennen konnte, und da ergriff ich sie mit beiden Händen.

»Jungchen«, sagte mein Alter langsam, »Jungchen.«

Ich blickte auf, blickte in sein unrasiertes Gesicht, und er nickte und sagte in seinem breiten, bedächtigen und rollenden Tonfall: »Die Festung war man zu leicht, Jungchen. Da hätten wir nich lange können bleiben in so 'ner Festung. Aber is man gut, daß du gelernt hast, wie so'n Ding sein muß und was dazu gehört. Und für Noah is vielleicht auch nich schlecht, daß er zugesehen hat bei alledem, dann wird er jetzt Bescheid wissen.«

Er wandte sich ab und ging zum Haus hinüber, und Noah und ich folgten ihm, während ein Schwarm Krähen unmittelbar über uns in den Wind hineinstieß, von einer Bö erfaßt und weit und unbarmherzig über die Felder geworfen wurde, plötzlich pfeilschnell niederfuhr zur Erde und verschwand. Wir gingen nacheinander ins Haus, mein Alter zuerst, dann Noah und ich zum Schluß. Wir betraten schweigend die niedrige Stube, und ich nahm Holz aus dem Kasten und machte Feuer im eisernen Herd. Der Wind jagte durch den Herd und den Abzug, das Feuer zog gut durch, und ich setzte die Pfanne auf und schnitt eine Menge Speck hinein und beobachtete meinen Alten: er hockte brütend am Fenster und sah hinaus, er sah über das flache, traurige Land unter dem Gewitter, und er war zusammengesunken dabei und rührte sich nicht. Sein sinnierender Blick ruhte auf dem Land, das sie ihm gegeben hatten; sie hatten es ihm übertragen, als er am Ende des großen Krieges die Felder von Sunowo verlassen mußte und mit seinem Wagen quer durch das ganze Land gefahren war und dann hinauf in den Norden. Hier, unter dem weiten Himmel, in all der Weglosigkeit und Verlorenheit, bekam er das neue Land, auf dem einst Pioniere ausgebildet worden waren, Übungsland, Versuchsland, Todesland; doch gleich nach dem Kriege hatten sie keine Verwendung mehr für Pioniere und teilten das Land unter Neubauern. Mein Alter nahm das Land, das sie ihm gegeben hatten, er nahm es unter den Pflug und arbeitete, als habe er nur Mittagspause gemacht, und als setze er nur fort, was er in Masuren, auf den sandigen Feldern von Sunowo, hatte liegenlassen. Er arbeitete mit der Dringlichkeit eines Anrufs, eines Anrufs, der ihn aus der Jahreszeit erreichte: das Frühjahr gab ihm zu verstehen, was zu tun sei – die milden, salzigen Winde von der Küste, das schießende Schilf und der schwarze, scharf unter der Sonne funkelnde Torfboden, und mein Alter und Noah nahmen den Anruf auf und fingen an. Es war eine Verzweiflungsarbeit, und wenn sie nach Hause kamen, still und erledigt, dann glaubte ich manchmal, mein Alter werde es nicht durchhalten, er werde das Land wieder aufgeben, das so lange keinen Pflug gesehen hatte und verwachsen war und verwuchert und ungelockert. Aber sie hatten es ihm für neunundneunzig Jahre angeboten, und er hatte das Land für neunundneunzig Jahre übernommen: daran hielt er sich, mein Alter, der Neusiedler.

Ich dachte daran, während ich den Speck in die Pfanne schnitt, und ich dachte an die Stiefel der Pioniere, die dieses Land vernarbt hatten, an ihre Rufe und Kommandos, unter denen sie immer wieder und immer schneller ihre Pontons an den Fluß geschleppt hatten und Brücken zur Übung geschlagen und zur Übung wieder abgerissen hatten. Ich dachte an die Flügelminen, die sie zur Übung abgeschossen hatten, und die der Pflug jetzt manchmal hochbrachte, und vor allem dachte ich an meinen Alten, der über dieses Land gegangen war und alle Spuren und Erinnerungen weggepflügt hatte, Tag für Tag unter dem tiefen Horizont hier im Norden.

Zu diesem Horizont sah er jetzt, während er versunken und bewegungslos am Fenster saß, er blickte teilnahmslos in das Gewitter, das sich schnell entlud und weiterzog in einem Bogen zur Küste.

Der Speck, lange, glatte Streifen, war ausgelassen, Noah brachte den Korb mit den Eiern, ich zerschlug die Eier am Rand der Pfanne und briet sie; dann machte ich Kaffee und schnitt von dem großen Brot ab und brachte alles auf den Tisch. Und nachdem ich die Eier aufgeteilt hatte, begannen wir zu essen. Noah nahm die Mütze ab und kaute und schluckte und brach sich vom Brot ab, und es war ein Leuchten in seinem Gesicht, als er aß. Auch das Gesicht meines Alten war offener und freier, auch in seinem Gesicht lag ein kleines, leichtes Glück, als er Brocken von dem schweren Brot abbrach und sie mit Speck und Eiern in den Mund schob und dazu den heißen Kaffee trank. Ich hörte Noah seufzen und stöhnen unter der unendlichen und belebenden Wohltat des Essens, ich sah ihm zu, wie seine große Hand einen Brotbrocken in den Teller drückte und alle Spuren von Fett auftunkte, sorgfältig und genußvoll, und mein Alter tat es ihm nach. Ich spürte ihre wunderbare Gier, ich spürte die Wärme des Essens und die weiche, wohlige Müdigkeit, die es hervorrief, und ich empfand zum ersten Male die räuberische Schönheit des Essens: die geöffneten Lippen, das Brechen, das Mahlen.

Wir tranken den Kaffee aus großen Tassen und schwiegen, wir schwiegen, weil wir wußten, daß etwas gesagt werden mußte und daß das, was zu sagen war, nur von meinem Alten kommen konnte. Aber mein Alter sagte nie etwas, das halb und unbedacht war und das er nicht zu Ende gekaut hatte – was immer er in seinem runden, kurzgeschorenen Schädel bewegte, das wurde langsam und mit ungeheurer Ausdauer bewegt; mein Alter war ein großer Grübler, der tagelang darüber brüten konnte, ob er ein paar Nägel kaufen sollte oder eine Rolle Draht; das füllte ihn aus, wie es schon seinen Großvater ausgefüllt hatte und überhaupt alle Leute von Sunowo. Und während wir den Kaffee tranken, blickten wir ihn erwartungsvoll an.

Aber wir mußten warten, bis das Gewitter vorbei war, dann erst begann er zu reden, und er sagte, ohne uns anzusehen: »Jetzt wer'n sie zurückkommen, Jungchen. Die Pioniere wer'n wiederkommen auf das Land. Sie woll'n den Vertrag kündigen und uns runtersetzen, weil sich die Pioniere hier so wohl gefühlt haben und jetzt wieder gebraucht wer'n. Aber wir wer'n nich gehn, Jungchen. Jetzt haben wir gepflügt, und wir bleiben neunundneunzig Jahre hier. Da wird uns keiner nich runterkriegen.«

Noah lachte sein mildes, irres Lachen, und mein Alter stand auf und ging auf den Hof hinaus. Er ging gebückt gegen den Wind, der böig in den Hof einfiel, verschwand hinter dem Schuppen, und ich stellte die Pfanne weg und die Teller und das Brot. Als ich aus dem Keller raufkam, war auch Noah verschwunden, er war nicht in seiner Kammer, saß nicht am Feuer, wo er immer saß, auch die Scheune war geschlossen.

Ich ging hinaus auf den Hof, und in diesem Augenblick kamen die Männer hinter dem Schuppen hervor. Noah schleppte eine Rolle Stacheldraht, und mein Alter trug einen Pfahl, an dem er den Draht entrollte und zur Scheune hinüberzog und dort festklopfte. Dann zogen sie eine zweite Drahtlinie, stürzten das Wrack eines Fuhrwerks um und bauten aus ungeschnittenem Kiefernholz eine Deckung, und während sie das alles taten, hörte ich sie murmeln und leise lachen, und mein Alter lachte wie Noah Tisch.

Jetzt entdeckte Noah mich, er gab mir ein Zeichen mit der Hand, hinter den Schuppen zu gehen; es war ein schneller, geheimnisvoller Wink, den er mir gab, und ich folgte ihm und ging langsam herum. Die Kuppe des Sandhaufens war eine einzige große Festung, die Wälle eilig emporgezogen, ohne Zugang diesmal, und die Gräben in dem feuchten Sand waren breit und tief. Die Türme der Sandfestung nur angedeutet – wie eine Aufforderung, sie zu vollenden –, der Innenplatz schief und uneben: die ganze Festung hatte etwas Gewaltsames, schnell Entworfenes, und ich kniete mich hin und begann mit beiden Händen zu graben. Ich ließ den Entwurf bestehen, ich vollendete nur, was Andeutung geblieben war, und plötzlich stand mein Alter vor mir, sah auf mich herab und lächelte wie Noah.

»Jungchen«, sagte er, »siehst, Jungchen, in so 'ner Festung können wir bleiben. Jetzt können wir ruhig warten auf die Pioniere. Jetzt ist deine Festung man so gut wie unsere, die Noah und ich gebaut haben. Noah hat sich schon eingenistet mit dem Kaninchengewehr. Jetzt, Jungchen, können wir warten.«

1954

Der große Wildenberg

Mit dem Brief kam neue Hoffnung. Er war nur kurz, enthielt keine Anrede, er war mit gleichgültiger Höflichkeit diktiert worden, ohne Anteilnahme, ohne die Absicht, mir durch eine versteckte, vielleicht unfreiwillige Wendung zu verstehen zu geben, daß meine Sache gut stand. Obwohl ich den Brief mehrmals las, nach Worten suchte, die ich in der ersten Aufregung überlesen zu haben fürchtete, und obwohl all meine Versuche, etwas Gutes für mich herauszulesen, mißlangen, glaubte ich einige Hoffnungen in ihn setzen zu können, denn man lud mich ein, oder empfahl mir, zum Werk herauszukommen und mich vorzustellen.

Ich faltete den Brief zusammen, legte ihn, damit ich ihn gegebenenfalls schnell zur Hand hätte, in die Brieftasche und fuhr hinaus zur Fabrik. Es war eine Drahtfabrik, ein langgestrecktes, flaches Gebäude; es war dunkel, als ich hinausfuhr, und es schneite. Ich ging an einer hohen Backsteinmauer entlang, ging in ihrem Windschutz; elektrische Bogenlampen erhellten den Weg, niemand kam mir entgegen. In das Pflaster der Straße waren Schienen eingelassen, sie glänzten matt, der Schnee hielt sich nicht auf ihnen. Der Schienenstrang führte mich zu einer Einfahrt, er verließ in kurzem Bogen die Straße, lief unter einem Drahtgitter hindurch und verschwand im Innern eines schwarzen Schuppens. Neben dem Tor stand ein Pförtnerhaus aus Holz, es wurde von einer schwachen elektrischen Birne erleuchtet, die an der Decke hing.

Im Schein der Birne erkannte ich den Pförtner, einen alten, mürrischen Mann, der vor einem schäbigen Holztisch saß und mich beobachtete. Hinter seinem Rücken brannte ein Koksfeuer. Ich ging an das Häuschen heran, und der Pförtner legte sein Ohr an das Fenster und wartete auf meine Anmeldung; ich schwieg. Der Mann wurde ärgerlich und stieß ein kleines Fenster vor mir auf. Ich spürte, wie ein Strom von verbrauchter, süßlicher Luft ins Freie drang. Der Pförtner war offenbar besorgt, daß zuviel Luft aus seinem Raum entweichen könnte, und er fragte ungeduldig:

»Zu wem wollen Sie? Sind Sie angemeldet?«

Ich sagte, daß ich bestellt sei; wenn er wolle, könne ich ihm den Brief zeigen. Der Brief sei von einem Mann namens Wildenberg unterzeichnet. Als ich diesen Namen nannte, blickte der Pförtner auf seine Uhr, dann sah er mich an, bekümmert und mit sanftem Spott, und ich fühlte, daß er seinen Ärger vergessen hatte und nur ein berufsmäßiges Mitleid für mich empfand.

»Ist Herr Wildenberg nicht da?« fragte ich.

»Er ist fast immer da«, sagte der Pförtner. »Es kommt selten vor, daß er verreist ist. Aber Sie werden ihn heute nicht sprechen können.«

Und dann erzählte er mir, wie schwer es sei, an Wildenberg heranzukommen; er erzählte mir, wieviel auf diesem großen Mann laste, der in schweigender Einsamkeit, hinter fernen Türen, seine Entschlüsse fasse, und daß es zwecklos sei, wenn ich, obgleich ich bestellt sei, zu dieser Stunde noch herkäme. Ich solle am nächsten Tag wiederkommen, empfahl mir der Pförtner, hob die Schultern, seufzte und sagte, daß das der einzige Rat sei, den er mir geben könne, ich täte gut daran, ihn zu befolgen.

Ich befolgte den Rat des Pförtners und ging nach Hause, und am nächsten Morgen, in aller Frühe, machte ich mich wieder auf den Weg zur Fabrik. Die Bogenlampen brannten noch, es war kalt, und von der Werkskantine roch es nach Kohl. Der Pförtner empfing mich freundlich, er schien auf mich gewartet zu haben. Er winkte mir, draußen stehenzubleiben, telephonierte längere Zeit und erklärte schließlich mit glücklichem Eifer, daß es ihm gelungen sei, mich auf die Spur zu setzen, ich könne nun ohne Schwierigkeiten bis zu Doktor Setzkis Büro gehen, seine Sekretärin würde mich dort erwarten.

Die Sekretärin war forsch und mager, sie bot mir eine Tasse Tee an, den sie gerade gekocht hatte, und entschuldigte sich mit einer eiligen Arbeit. Ich wertete den Tee als gutes Zeichen, das Angebot hatte mich seltsamerweise so zuversichtlich für meine eigene Sache gemacht, daß ich der Sekretärin eine von meinen beiden Zigaretten hinüberreichen wollte, doch sie lehnte ab. Ich rauchte auch nicht, weil Dr. Setzki jeden

Augenblick aus seinem Zimmer kommen konnte, ich hörte Geräusche hinter seiner Tür, Knistern und Murmeln. Es wurde hell draußen, die Bogenlampen erloschen, und die Sekretärin fragte mich, ob sie das Licht im Zimmer ausknipsen dürfe. Ich antwortete ihr lang und umständlich, in der Hoffnung, sie dadurch in ein Gespräch zu ziehen, denn es war mir ihretwegen peinlich, daß Dr. Setzki mich so lange warten ließ. Aber das Mädchen ging nicht auf meine Bemerkungen ein, sondern verbarg sich sofort wieder hinter ihrer Schreibmaschine, wo sie sicher war.

Dr. Setzki kam spät, er war unerwartet jung, entschuldigte sich, daß er mich so lange hatte warten lassen, und führte mich über einen Gang. Er entschuldigte sich vor allem damit, daß Wildenberg, der große einsame Arbeiter, keinen zur Ruhe kommen lasse, immer wieder frage er nach, versichere sich aller Dinge mehrmals und verhindere dadurch, daß man einen genauen Tagesplan einhalten könne. Ich empfand fast ein wenig Furcht bei der Vorstellung, in wenigen Sekunden Wildenberg gegenüberzusitzen, ich spürte, wie auf den Innenflächen meiner Hände Schweiß ausbrach, und sehnte mich nach dem Zimmer der Sekretärin zurück. Dr. Setzki durchquerte mit mir ein Büro und brachte mich in ein Zimmer, in dem nur ein Schreibtisch und zwei Stühle standen. Er bat mich, auf einem der Stühle Platz zu nehmen und auf Dr. Petersen zu warten, das sei, wie er sagte, die rechte Hand Wildenbergs, die mir alle weiteren Türen zu dem großen Mann öffnen werde. Er zeigte sich unterrichtet, in welcher Angelegenheit ich hergekommen war, sprach mit großer Bewunderung von Wildenbergs Geschick, Leute auszusuchen, und verabschiedete sich schließlich, indem er mir die Hand flüchtig auf die Schulter legte. Als ich allein war, dachte ich noch einmal an seine Worte, hörte noch einmal seinen Tonfall, und jetzt schien es mir, als sei die Bewunderung, mit der er von Wildenberg gesprochen hatte, heimliche Ironie.

Dr. Petersen war, wie die Sekretärin, die unter einem Vorwand ins Zimmer kam, sagte, auf einer Sitzung. Sie konnte nicht sagen, wann er wieder zurück wäre, aber sie glaubte zu wissen, daß es nicht zu lange dauern würde; dafür, meinte sie, seien Sitzungen zu anstrengend. Sie lachte vielsagend und ließ mich allein.

Die Sekretärin hatte recht. Ich hatte zehn Minuten gewartet, da erschien Dr. Petersen, ein Hüne mit wässerigen Augen; er bat mich, Platz zu behalten, und wir sprachen über meine Bewerbung. Sie sei, sagte er, immer noch bei Wildenberg, er habe sie bei sich behalten, trotz seiner enormen Arbeitslast, und ich käme diesem großen Mann gewiß entgegen, wenn ich nicht weiter danach fragte, sondern meinen Aufenthalt bei ihm so kurz wie möglich hielte.

»Ich bin sicher«, sagte Dr. Petersen, »Herrn Wildenbergs Laune wird um so besser sein, je kürzer Sie sich fassen. Leute seiner Art machen alles kurz und konzentriert.« Dann bat er mich, ihm zu folgen, klopfte an eine Tür, und als eine Stimme »Herein« rief, machte er mir noch einmal ein hastiges Zeichen, all seine Ratschläge zu bedenken, und ließ mich eintreten. Ich hörte, wie die Tür hinter mir geschlossen wurde.

»Kommen Sie«, sagte eine freundliche, schwache Stimme, »kommen Sie zu mir heran.«

Ich sah in die Ecke, aus der die Stimme gekommen war, und ich erkannte einen kleinen, leidvoll lächelnden Mann hinter einem riesigen Schreibtisch. Er winkte mir aus seiner Verlorenheit mit einem randlosen Zwicker zu, reichte mir die Hand, eine kleine, gichtige Hand, und bat mich schüchtern, Platz zu nehmen.

Nachdem ich mich gesetzt hatte, begann er zu erzählen, er erzählte mir die ganze Geschichte der Fabrik, und wenn ich in einer Pause zu gehen versuchte, bat er mich inständig, zu bleiben. Und jedesmal, wenn ich mich wieder setzte, bedankte er sich ausführlich, klagte über seine Einsamkeit und wischte mit dem Ärmchen über den leeren Schreibtisch. Ich wurde unruhig und erinnerte mich der Ratschläge, die man mir gegeben hatte, aber sein Bedürfnis, sich auszusprechen, schien echt zu sein, und ich blieb.

Ich blieb mehrere Stunden bei ihm. Bevor ich mich verabschiedete, fragte ich nach meiner Bewerbung. Er lächelte traurig und versicherte mir, daß er sie nie gesehen habe, er bekomme zwar, sagte er, gelegentlich etwas zur Unterschrift vorgelegt, aber nur, um sich nicht so einsam zu fühlen, denn man entreiße es ihm sofort wieder. Und er gab mir flüsternd den Rat, es einmal bei Dr. Setzki zu versuchen, der habe mehr Möglichkeiten und sei über den Pförtner zu erreichen; ich mußte ihm glauben.

Ich verabschiedete mich von dem großen Wildenberg, und als ich bereits an der Tür war, kam er mir nachgetrippelt, zupfte mich am Ärmel und bat mich, ihn bald wieder zu besuchen. Ich versprach es.

1954

Drüben auf den Inseln

Der Alte saß allein im Kutter. Er saß auf der hinteren Ducht, klein, schlaff und barfuß, er saß mit dem Gewehr auf den Knien da, und der Kutter rollte und schlingerte mit ihm durch die seitliche Brandung. Der Kutter war schwarz und hochbordig, er zog gut durch die lange Brandung, er ritt schlingernd auf ihr entlang, ließ sich emportragen, brach schwer und schnalzend ein, und der Mast schlug krängend nach den Seiten aus und schrieb seine wirre Bewegung in den Himmel. Dann war er raus und bekam ruhiges Wasser, das Wasser war trübe, lehmfarben, es zerspellte klatschend unter dem Bug des Kutters.

Der Alte fuhr parallel zur Küste, er zog die Füße auf die Ducht und hockte brütend am Ruder, und er fuhr die Küste hinab bis zur Landspitze und dann im weiten Bogen um die Landspitze herum. Und jetzt sah er die Mühle, es war eine hohe, schwarze Windmühle; sie hatte unbespannte Flügel, sie bewegte sich nicht, sie erhob sich wie eine schwarze Blume in den Himmel, groß und tot. Der Alte erkannte die Rampe der Mühle, er erkannte das Mädchen auf der Rampe und ihn: sie standen an der Brüstung, sie sahen zu ihm herüber, und er wandte sich ab und hielt auf die Sandbank zu. Die Sandbank lag flach und flimmernd unter dem Horizont, sie schien zu schweben, sie schien keine Verbindung zu haben mit dem Wasser – es war ein heller, klarer Tag. Die Sonne weichte den Teer auf, die kleinen Wasserspritzer funkelten auf den Duchten des Kutters, und der Alte sog den scharfen Geruch ein von Teer und Fischen.

Langsam kam die Sandbank näher, feiner, heller Sand, an dem flache Wellen hochliefen; jetzt konnte der Alte die schwarzen Körper erkennen, er sah, wie sie sich bewegten, zum Wasser hinab, kurz vor dem Wasser verharrten, untertauchten. Der Alte drosselte den Motor des Kutters, der Kutter lief aus ohne das hämmernde Klopfgeräusch, er strebte schwer und fast lautlos der Sandbank zu, dann würgte der Alte den Motor ab, und der Kutter glitt knirschend auf den Sand.

Er kletterte hinaus und befestigte den Kutter an einem Pflock, den er in den Sand trieb, der Sand war feucht und fest, und der Alte krempelte die blauen Baumwollhosen hoch, lud das Gewehr, steckte zwei lose Patronen in die Tasche und ließ den Kutter allein. Er überquerte die Sandbank, er stieg ins Wasser, das Wasser reichte bis zu seinen Knien, drängendes, lehmfarbenes Wasser, das in kräftiger Strömung der Küste zustrebte; der Alte watete gegen die Strömung hinaus, bei jedem Schritt nach Grund tastend, nach dem verborgenen Weg, den er kannte. Dann sah er mehrere Sandbänke vor sich und war am Ziel.

Einmal blickte er zum Kutter zurück, der Kutter war fern, er lag fest, er war etwas zur Seite gekippt, er lag ruhig und unbeweglich da. Und der Alte legte sich in den hellen, kalten Sand, den Oberkörper aufgerichtet, auf die Ellenbogen gestützt, die Füße eng aneinander; so lag er regungslos und blickte aufs Wasser, das Gewehr in den Händen. Er dachte an die Rampe der Windmühle, er sah das Mädchen dort stehen und ihn, er sah sie nah beieinander, und sein Zeigefinger bewegte den Abzug bis zum Druckpunkt.

Der Sand war kalt, die Kälte drang durch seine Kleidung, während er regungslos dalag und wartete, er spürte den alten, zerrenden Schmerz in der Schulter, aber dann kam der erste: er sah den schwarzen, matt glänzenden Kopf auftauchen, sah die großen, erstaunten Augen des Seehunds, und der Alte kauerte sich zusammen und machte eine knappe, schlängelnde Bewegung zur Seite. Der Kopf des Seehundes verschwand, es war ein junges Tier, das hatte der Alte gesehen; er wußte, daß die Neugier das Tier näher herantreiben würde, Todesneugier, und er hob das Gewehr. Es war ein junger männlicher Seehund, und als er zum zweiten Mal auftauchte, war er näher, als der Alte erwartet hatte, er war so nah, daß er ihn mit größter Sicherheit getroffen hätte, aber der Alte schoß nicht; er lag da und wartete. Neben dem ersten Seehund tauchten jetzt die Köpfe von zwei anderen Seehunden auf, ihre Blicke waren prüfend auf den Alten gerichtet, forschende, wachsame Blicke, und der Alte nahm ihnen den Argwohn durch eine knappe, schlängelnde Bewegung. Plötzlich erschienen zwei Tiere am Rand der Sandbank. Sie waren so unvermutet herangekommen, daß der Alte sich duckte. Sie sahen ihn an und lauschten, sie stießen ein scharfes Knurren aus, schüttelten sich, blickten ihn wieder an, und der Alte hob das Gewehr und zielte. Er zielte auf den Kopf des weiblichen Tieres; mehr als zwanzig Jahre hatte er keinen weiblichen Seehund geschossen, er zielte und zog durch, und er sah den Seehund zusammenbrechen unter dem Schlag der Kugel. Er stand auf, er sah, wie die andern Tiere flohen, er ging durch den Sand zu dem toten Tier und berührte den weichen Körper mit dem Fuß.

Dann streifte er das Gewehr auf den Rücken und band eine kurze Leine um den Schwanz des Tieres; er schleifte den Seehund über die

Sandbank, schleifte ihn hinüber und ins Wasser, und er watete zurück zu dem schwarzen Kutter. Er zog den Seehund über die Bordwand und legte ihn auf die mittlere Ducht; sein Fell trocknete unter aufkommendem Wind, es verlor seinen dunklen Glanz. Der Alte brach den Pflock heraus, die Flut hatte den Kutter aufgerichtet, er brauchte ihn nicht zu schieben, es war genug Wasser unter dem Kiel. Gleichgültig warf er den Motor an, das hämmernde Klopfgeräusch erklang, ebbte ab, lief aus in ein gleichmäßiges, dumpfes Tuckern. Der Kutter drehte, fuhr um die Sandbank herum, und der Alte saß klein und schlaff auf der hinteren Ducht und hielt auf die Landzunge zu.

Als die Mühle querab war, sah er nicht hinüber, er sah auf den Bug des Kutters und auf die Landspitze, er fuhr die Küste hinauf bis zum Anlegeplatz, brütend und regungslos, und dann machte er den Kutter fest und brachte das tote Tier allein über den Deich und in den Schuppen. Er warf es auf eine Plane aus Segeltuch, bedeckte es mit Säcken; er arbeitete, das Gewehr auf dem Rücken, langsam und nachdenklich, denn er spürte, daß sie am Eingang des Schuppens stand und ihn beobachtete. Er sah ihren bewegungslosen Schatten, während er das Tier wieder abdeckte, die blutende Einschußstelle über die Segeltuchplane hinauszog und die Säcke sorgsam und mit herausfordernder Umständlichkeit darüber breitete, und er spürte, daß sie ihn nicht ohne ein Wort herauskommen lassen wollte. Unvermutet drehte er sich um: sie stand vor ihm in dem dünnen Stoffkleid, die Hände abwartend gegen die Türpfosten des Schuppens gestemmt; er ging auf sie zu, und sie blickte in seine kleinen kalten Augen und trat plötzlich zur Seite. Der Alte ging an ihr vorbei, über den windigen Hügel zum Haus, und das Mädchen lief hinter ihm her und rief: »Bleib stehen, Vater.«

»Ich hab dich gesehen«, sagte sie. »Wir standen auf der Rampe und haben dich gesehen, wie du zu den Sandbänken fuhrst.«

»Du wirst nicht mehr zur Mühle gehen«, sagte der Alte. »Du wirst dich nicht wieder am Leuchtturm rumtreiben. Du wirst hierbleiben, hier ist Arbeit genug. Ich habe es dir oft gesagt. Ich sage es heut' zum letzten Mal. Du wirst ihn nicht mehr sehen. Wenn du ihn noch einmal triffst, kommst du nicht in das Haus.«

»Es ist auch mein Haus«, sagte das Mädchen.

»Du kommst nicht mehr hinein«, sagte der Alte.

»Es ist nur, weil er nicht von der Insel ist«, sagte das Mädchen. »Deshalb haßt du ihn. Wenn er hier geboren wäre, könnte ich ihn treffen. Du bist in deinem Leben nie von der Insel runtergekommen, darum haßt du ihn. Weil er nicht dasselbe tut wie du. Aber jetzt arbeitet er hier. Jetzt lebt er schon zwei Jahre hier.«

»Du kommst nicht mehr ins Haus«, sagte der Alte.

Er ließ sie auf dem Hügel stehen und ging zum Haus hinüber, und sie stand zitternd da und blickte ihm nach. Der Alte verschwand im Haus, die Tür fiel zu, und unverhofft wandte sich das Mädchen um, ging entschlossen und selbstbewußt den Hügel hinab, ging über den federnden Boden der Koppel zu dem flachen, hellgetünchten Haus an der Kiesstraße, zur Poststation. Es war die einzige Straße auf der Insel, rauh und ausgefahren, und das Mädchen lief, als es die Straße erreicht hatte, in der festen Spur der Wagen, schwenkte zur Poststation ab, stieg die Treppen hinauf und öffnete die braungestrichene Tür. Sie hatte das Haus nur selten betreten; in seinem Zimmer war sie nie gewesen, aber sie wußte, wo es lag, er hatte ihr das Fenster gezeigt, und sie schlüpfte die Holzstiege nach oben und lauschte an seiner Tür. Sie hörte kein Geräusch, sie konnte sich nicht erinnern, je ein Geräusch in diesem Haus gehört zu haben; so oft sie hier gewesen war, hatte entweder der alte Postbote oder seine Frau krank in dem riesigen Bett gelegen, hochrot unter gewaltigem Federzudeck.

Das Mädchen konnte sich nicht erinnern, anders als flüsternd in diesem Haus gesprochen zu haben; kein Schritt hatte das Nahen eines Menschen angekündigt, sie waren stets plötzlich und lautlos erschienen, der alte Postbote oder seine kräftige Frau, und sie hatten nie anders als mit gequältem Flüstern gefragt, was man haben wollte.

Das Mädchen horchte nach unten, unten blieb alles still, und sie öffnete schnell die Tür zu seinem Zimmer. Er stand vor ihr, unter der nackten elektrischen Birne: ein hochgewachsener Junge mit tief erschrockenem Gesicht. Er hatte sie kommen sehen, er hatte hinter der Tür gestanden und sie erwartet, und er lächelte besorgt und unsicher und gab ihr ein Zeichen, die Tür zu schließen. Sie blieb, wo sie war, mit dem Rücken gegen die Tür gelehnt, die Hände hinter sich versteckt, und blickte ihn an. Er trug ein offenes, blaues Hemd, es erhöhte die Blässe seines Gesichts, sein Gesicht war glatt und bekümmert, blasse Lippen, große, ängstliche Augen.

Er winkte ihr, von der Tür wegzugehen, und sie ging um ihn herum und setzte sich auf einen hochbeinigen Fensterstuhl. Sie warf einen Blick durch das Fenster, rückte den Stuhl zur Seite, prüfte noch einmal, ob man sie von der Straße aus sehen könnte, und blickte ihn hilflos an. Er ging langsam auf sie zu, warf einen schnellen Blick durch das Fenster und setzte sich auf eine Ecke des Klappbettes neben ihren Stuhl. Er fragte:»Warum bist du gekommen?« Sie sagte:»Soll ich wieder gehen?«

»Ich weiß nicht, was die Alten unten machen«, sagte er.

»Die Alten wissen nicht, daß ich hier bin. Ich bin ganz leise gekommen.« Und sie sah auf ihre Segeltuchschuhe; dann fragte sie:»Warum gibst du mir keinen Kuß?«

Er sah sie in plötzlicher Bekümmerung an, erschreckt abwehrend. »Hier geht es nicht«, sagte er, »um Himmels willen nicht hier.«

»Und draußen?« sagte sie.

»Das ist etwas anderes«, sagte er. »Das kannst du nicht vergleichen. Hier ist es unmöglich. Wir dürfen ohnehin nicht lange hierbleiben.«

»Freust du dich, daß ich gekommen bin?«

»Ja«, sagte er, »ja; du bist zum ersten Mal zu mir gekommen, und ich freue mich. Aber es ist gut, wenn du gleich wieder gehst.«

»Und wenn ich nicht gehe? Was würdest du tun, wenn ich jetzt hierbliebe?«

»Das geht nicht«, sagte er. »Du weißt, daß es nicht geht.«

Ein heftiger Windstoß fuhr gegen das Fenster, der Junge stand auf und sah hinaus, blickte über den Deich und sah die Kutter heftig vor dem Anlegesteg schwanken.

»Es wird schlimm«, flüsterte er, »es ist gut, wenn du jetzt nach Hause gehst.«

»Gib mir einen Kuß«, sagte sie.

Er küßte sie schnell und lauschte, dann nahm er eine schwere, grüne Joppe von einem Türhaken, zog sie an und blieb vor dem Mädchen stehen. Sie schüttelte den Kopf.

»Ich kann nicht gehen«, sagte sie. »Er weiß, daß ich bei dir bin, und ich kann jetzt nicht nach Hause zurück.«

Er zog die Joppe wieder aus, starrte sie ungläubig an und setzte sich auf die Ecke des Klappbetts.

»Anne«, sagte er, »um Himmels willen. Warum hast du mit ihm gesprochen?«

»Vater hat uns gesehen«, sagte das Mädchen. »Als er zu den Sandbänken fuhr, waren wir an der Mühle. Dort hat er uns gesehen. Ich mußte mit ihm sprechen.«

»Du hättest nicht mit ihm sprechen sollen«, sagte er.

»Er will nicht, daß ich dich sehe. Er hat mir verboten, dich zu treffen.«

»Ich werde mit ihm sprechen«, sagte der Junge. Er sagte es leise, so, als ob er selbst nicht daran glaube, daß es jemals zu diesem Gespräch kommen würde. Das Mädchen sagte: »Er wird nicht mit dir sprechen. Du kennst ihn nicht. Du kennst sie alle hier nicht auf den Inseln. Sie unterhalten sich nur mit sich selbst. Jeder lebt abgeschlossen für sich wie eine Muschel. Er wird nicht mit dir sprechen.«

»Dann schreibe ich ihm.«

»Er wird dir nicht antworten.«

»Was hat er gegen mich?«

»Du bist nicht von der Insel«, sagte das Mädchen. »Du tust nicht das, was sie hier machen. Wer nicht dasselbe tut wie sie, der hat es schwer hier.«

Er ging zur Tür und horchte nach unten, unten war alles still, und er kam zurück, zog sie vom Stuhl auf und führte sie fort vom Fenster. Er führte sie ins Zimmer unter die baumelnde elektrische Birne, er umarmte sie, sein bekümmertes Gesicht senkte sich in ihr Haar, und plötzlich blickte er sie an und sah, daß sie die Augen geschlossen hatte.

»Was ist?« fragte er betroffen.

»Meine Hand«, sagte sie, »du hast sie eingeklemmt.«

»Oh«, sagte er erschrocken, »warum sagst du nichts?«

»Es war nicht schlimm«, sagte sie.

Er wandte sich um, ein Regenschauer klatschte gegen das Fenster, er sah die Wolken niedrig über die Koppeln ziehen, graue, eilige Wolken, sie kamen von See her, senkten sich über den Deich – die Kutter vor dem Landungssteg waren kaum zu erkennen. Er zeigte auf das einsame Haus auf dem Hügel, weit hinter den Koppeln, von einer zähen Hecke eingeschlossen, er zeigte darauf und sagte: »Es brennt kein Licht, Anne. Bei euch brennt kein Licht.«

»Ich weiß«, sagte sie, »er sitzt im Dunkeln. Seit Mutter tot ist, macht er kein Licht und sitzt im Dunkeln am Fenster.«

»Komm«, sagte er; und der Junge nahm die schwere Joppe und legte sie ihr über die Schulter, und dann zog er einen Pullover an und eine Windjacke, und beide gingen zur Tür. Er öffnete die Tür, lauschte, unten war alles still, und er zog sie an der Hand die Stiege hinab, zog sie nach draußen in den Wind, in die fallende Dunkelheit, und sie gingen den Kiesweg hinauf, gegen den Wind gelegt, gegen den unaufhörlichen Wind. Sie gingen den Kiesweg zu Ende, standen im Windschutz des Deiches, für einen Augenblick nur, einen bangen Augenblick, und der Regen fiel in ihr Haar und ihre Gesichter, und ihre Gesichter glänzten. Ihre Gesichter berührten sich, sie spürten den Regen auf dem Gesicht des andern, warmen Regen, und sie zogen sich an nassem Gras den Deich hinauf und standen im Wind, und dann gingen sie zu dem Landungssteg hinunter, vor dem die Kutter schwankten. Es waren kräftige, kurze Wellen; sie hoben den Kutter hoch und rissen an den Ankerleinen; die Ankerleinen knackten, knarrten, strafften sich, sie hielten gut.

»Frierst du nicht?« sagte sie.

»Nein«, sagte er, »mir ist gar nicht kalt«, und er blickte auf die schwankenden Kutter. Und plötzlich ging er allein auf den Steg hinaus, ging hinaus, ohne auf die Brecher zu achten, und er bückte sich, zog mit aller Kraft an der Leine des schwarzen Kutters, und er lachte, als er sah, daß der Kutter näher an den Landungssteg kam. Er ließ die Leine fallen und lief zurück, er trat zu ihr, ergriff ihre Hand und sagte: »Komm.« Sie blickte ratlos in sein Gesicht und schüttelte den Kopf.

»Nein«, sagte sie, »bitte nicht.«

»Doch«, sagte er, »es ist nicht schlimm.«

»Wir kommen nicht durch die Brandung.«

»Wir fahren jetzt«, sagte er.

»Du kannst das nicht«, sagte sie.

»Wenn er es kann, kann ich es auch. Ich werde ihm zeigen, daß ich es auch kann.«

»Tu es nicht«, sagte sie.

»Dann fahr ich allein. Ich hol den Kutter auch allein an den Steg.«

Er ging zum Landungssteg hinab, und sie folgte ihm; er nahm die Leine auf, stemmte den Fuß gegen eine Leiste, zog und zerrte mit nach hinten gelegtem Kopf, und der Kutter bewegte sich, kam langsam und schwerfällig näher. Dann schlug das Heck gegen den Landungssteg, rieb sich knarrend, wurde hochgetragen von der See und wieder hinabgedrückt. Der Junge stand neben der Ducht, er hatte den Sprung gut berechnet. Er duckte sich vor dem sprühenden Gischt, taumelte zur Seite, und da berührte er sie; sie kauerte ängstlich im Heck.

»Los«, rief er, »wir müssen die Ankerleine reinholen. Mach du die andere los.«

Während sie die Stegleine einholte, kletterte er auf den Bug des Kutters, stemmte die Schenkel gegen einen Eisenring, zog mit zusammengepreßten Zähnen an der Ankerleine, und der Kutter drehte und gab nach.

»Jetzt«, rief er, »er kommt.«

»Wir sind in der Strömung«, sagte sie.

»Das ist gut«, sagte er, »jetzt kommen wir raus.«

Er sprang auf die Bodenbretter des Kutters, öffnete das Holzgehäuse über dem Motor, suchte einen Augenblick, dann lief ein starkes Zittern durch das Boot, es nahm eigene Fahrt auf, drehte ab. Der Junge befreite das Ruder aus der Blockierung und legte es herum. Der schwarze Kutter gehorchte. Er nahm jetzt die See von vorn an, wurde emporgehoben, fiel klatschend hinab, trudelte ein wenig, als ob er sich schüttelte, und der Gischt fegte über ihn hinweg.

Das Mädchen kauerte unter ihm im Heck und umschlang seine Füße.

»Wir können gleich umdrehen«, sagte sie nach einer Weile, »wir sind weit genug.«

»Wir fahren noch weiter«, rief er. »Ich sehe das Licht auf der Mühle. Siehst du es? Es ist ganz nah. Ich fahre um die Landspitze herum.«

Sie fuhren weit vor der Brandung die Küste hinab, in großem Bogen um die Landspitze, und dann drehte der Junge vom Land ab. Er drehte hinaus, der schwarze Kutter wühlte sich durch die See, duckte sich unter den Peitschenschlägen des Windes. Der erste Brecher kam über, der Kutter bäumte sich auf, und das Mädchen kippte gegen die Ducht im Heck. Sie sah schnell auf und sah in sein Gesicht, das Gesicht des Jungen glänzte. Seine Hose war durchnäßt, er spürte die Tropfen über seine Wangen laufen, den Hals hinab, er spürte es feucht werden an den Schultern, doch er hielt seinen Kurs.

»Nicht mehr«, sagte sie, »dreh jetzt um.«

Er schwieg. Er zog sie an sich. Er fühlte ihren zitternden Körper unter der schweren, durchnäßten Joppe und schwieg. Das Mädchen blickte zurück: das kleine Licht auf der Mühle verschwand, kam wieder und blieb endgültig fort.

»Das Licht ist fort«, sagte das Mädchen.

»Ich weiß«, sagte er, »ich drehe jetzt um.«

Er ließ sie los und duckte sich unter einem Brecher, der unerwartet über den Kutter fiel. Der Kutter wurde zurückgeworfen, nahm Anlauf, warf sich gegen die See, und einen Augenblick schlug seine Schraube leer in der Luft. Der Junge drehte bei, er stand mit gespanntem Gesicht am Ruder und zwang den Kutter herum, und die seitliche See überspülte ihn. Ein Brecher traf ihn mit voller Wucht, der Kutter krängte schwer, nahm Wasser über, richtete sich mühsam auf, und dann hörten sie es splittern und sahen, daß das Holzgehäuse des Motors weggerissen war und daß das Netz, das über dem Holzgehäuse gelegen hatte, über Bord ging. Das Mädchen zeigte auf das Netz, es schwamm dicht neben dem Kutter, trieb vor ihnen mit den großen, blitzenden Glaskugeln, eine Armlänge neben dem Boot. Der Junge winkte sie hastig heran und gab ihr das Ruder, der Kutter hatte die See von achtern, er war leicht zu halten. »Da ist es«, rief das Mädchen, »da ist das Netz!«

Sie sah, wie der Junge sich eine dünne Leine um die Hüfte band, wie er das Ende der Leine um die Ducht am Heck schlang und sich dann in der Mitte des Kutters über die Bordwand beugte. Sie sah ihn eine Weile so liegen und nach dem Netz suchen, und dann hörte sie den Schrei. Es war ein kurzer, überraschter Schrei, und sie ließ das Ruder los und sprang in die Mitte des Kutters. Sie rief seinen Namen, sie tastete nach der Leine, die um die letzte Ducht geschlungen war: die Leine war straff. Sie zog an der Leine, sie zog mit verzweifelter Kraft, weinend und rufend, es gelang ihr nicht, die Leine einzuholen. Und dann sah sie ihn zum ersten Mal, einen wirbelnden, schwarzen Körper im Kielwasser, sah ihn auftauchen und verschwinden.

»Heinz!« rief sie, »Heinz!«

Er antwortete nicht.

Das Mädchen riß an der Leine, die ihn trug, zog mit aller Kraft, und mit einem Mal war die Leine schlaff und locker, fühlte sich an, als ob kein Körper mehr an ihr hinge, und das Mädchen sah nach hinten ins Heckwasser.

Sie sah seinen Körper an der Oberfläche, er war dicht am Heck des Kutters, unmittelbar vor der Schraube. Sie ließ die Leine wieder auslaufen, stand unschlüssig da, und plötzlich griff sie zur Leine, löste hastig den Knoten über der Ducht und blickte zu ihm ins Wasser. Die Leine war nicht mehr gesichert, das Mädchen hielt sie allein in den Händen, spürte das Gewicht des Jungen und den Widerstand der See;

ihre Arme wurden hochgerissen, sie spürte jetzt den Zug in den Schultern, ein energisches, stoßweises Zerren, das sie fast zu Fall brachte, aber sie ließ die Leine nicht los. Sie hielt sie fest und sah zu ihm, sie stand breitbeinig neben der Ducht, und der Kutter rollte vor der See.

Und dann fühlte sie, wie ihre Hände unempfindlich wurden und abstarben, sie hatte keine Kontrolle mehr über die Leine; sie bog sich weit über die Ducht, so daß Loses in die Leine kam, schnellte vor, schlug das Ende der Leine um ihre Hüfte und verknotete sie.

»Heinz«, rief sie, »Heinz!« Und es schien, als ob er eine Hand gehoben hätte. Sie zog ihn näher an den Kutter heran, aber er kam nicht am Heck vorbei, er trieb auf die Schraube zu wie vorher, und das Mädchen schrie seinen Namen und ließ die Leine los. Sie weinte. Sie rief seinen Namen. Sie stand breitbeinig neben der Ducht, und die Leine schnürte in ihren Körper.

Ein heller, trockener Knall ertönte. Der Kutter verlor an Fahrt. Das Mädchen ergriff das Ruder und versuchte, den Kutter vor der See zu halten, aber die See warf ihn herum, und er trieb jetzt seitlich vor dem Wind. Ein Brecher kam über, groß und schwer wie die ganze Nacht, er kam in seiner ganzen Größe über, und das Mädchen wurde unter die Ducht geschleudert von seiner Kraft. Sie raffte sich auf, durchnäßt und benommen, und jetzt sah sie den Körper dicht neben der Bordwand, sah den Körper an der Leine vorbeitreiben und rief seinen Namen. Aber er verschwand schlaff und dunkel unter dem Bug. Sie zog ihn stöhnend hervor, er war so dicht neben ihr, daß sie ihn beinahe berühren konnte, aber sie durfte die Ducht nicht verlassen, die ihr Halt gab. Und sie stand und sah ihn auftauchen und verschwinden, ohne ihm helfen zu können. Sie rief nicht mehr seinen Namen. Sie stand und sah zu.

Der Kutter trieb seitlich vor dem Wind. Das kleine Licht der Mühle blinkte durch die Dunkelheit, schwach, unbeständig. Da erfolgte der knirschende Stoß, der das Mädchen umwarf. Der Kutter lag halb auf der Sandbank; er neigte sich, während sie aufsah, kippte zur Seite, schlug mit der Bordwand auf.

Sie erhob sich, richtete sich auf und tat einen Schritt, und da riß sie die Leine zurück. Sie sah den Körper im Wasser, erfaßte noch einmal die Leine und zog, und sie zog ihn hinauf auf die Sandbank.

Er lag vor ihr im Morgengrauen, und sein Gesicht war naß und hatte den alten, bekümmerten Ausdruck. Sie setzte sich neben ihn in den kalten, feinen Sand und sah schweigend in sein Gesicht und wartete. Und während sie wartete, kam ein Seehund auf die Sandbank, sah mit dunklen, starren Augen herüber und blieb. Er blieb so lange, bis das Motorboot mit den Männern hinter der Landspitze auftauchte.

Die Männer landeten an der Sandbank und gingen auf das Mädchen zu und auf den Jungen, und dann standen sie vor ihnen und nahmen die schäbigen Mützen ab und blickten schweigend auf sie herab. Sie bückten sich, sie hoben wortlos den Jungen auf und trugen ihn zum Motorboot. Niemand löste die Leine.

1954

So zärtlich war Suleyken
Masurische Geschichten (1955)

Der Leseteufel

Hamilkar Schaß, mein Großvater, ein Herrchen von, sagen wir mal, einundsiebzig Jahren, hatte sich gerade das Lesen beigebracht, als die Sache losging. Die Sache: darunter ist zu verstehen ein Überfall des Generals Wawrila, der unter Sengen, Plündern und ähnlichen Dreibastigkeiten aus den Rokitno-Sümpfen aufbrach und nach Masuren, genauer nach Suleyken, seine Hand ausstreckte. Er war, hol's der Teufel, nah genug, man roch gewissermaßen schon den Fusel, den er und seine Soldaten getrunken hatten. Die Hähne von Suleyken liefen aufgeregt umher, die Ochsen scharrten an der Kette, die berühmten Suleyker Schafe drängten sich zusammen – hierhin und dorthin: worauf das Auge fiel, unser Dorf zeigte mannigfaltige Unruhe und wimmelnde Aufregung; die Geschichte kennt ja dergleichen.

Zu dieser Zeit, wie gesagt, hatte sich Hamilkar Schaß, mein Großvater, fast ohne fremde Hilfe die Kunst des Lesens beigebracht. Er las bereits geläufig dies und das. Dies: damit ist gemeint ein altes Exemplar des Masuren-Kalenders mit vielen Rezepten zum Weihnachtsfest; und das: darunter ist zu verstehen das Notizbuch eines Viehhändlers, das dieser vor Jahren in Suleyken verloren hatte. Hamilkar Schaß las es wieder und wieder, klatschte dabei in die Hände, stieß, während er immer neue Entdeckungen machte, sonderbar dumpfe Laute des Jubels aus, mit einem Wort: die tiefe Leidenschaft des Lesens hatte ihn erfaßt. Ja, Hamilkar Schaß war ihr derart verfallen, daß er sich in ungewohnter Weise vernachlässigte; er gehorchte nunmehr einem Gebieter, welchen er auf masurisch den »Zatangä Zitai« zu nennen pflegte, was soviel heißt wie Leseteufel, oder, korrekter, Lesesatan.

Jeder Mann, jedes Wesen in Suleyken war von Schrecken und Angst geschlagen, nur Hamilkar Schaß, mein Großvater, zeigte sich von der Bedrohung nicht berührt; sein Auge leuchtete, die Lippen fabrizierten Wort um Wort, dieweil sein riesiger Zeigefinger über die Zeilen des Masuren-Kalenders glitt, die Form einer Girlande nachzeichnend, zitternd vor Glück.

Da kam, während er so las, ein magerer, aufgescheuchter Mensch herein, Adolf Abromeit mit Namen, der zeit seines Lebens nicht mehr gezeigt hatte als zwei große rosa Ohren. Er trug eine ungeheure Flinte bei sich, trat, damit fuchtelnd, an Hamilkar Schaß heran und sprach folgendermaßen:»Du tätest«, sprach er,»Hamilkar Schaß, gut daran, deine Studien zu verschieben. Es könnte sonst, wie die Dinge stehen, leicht sein, daß der Wawrila mit dir seine Studien treibt. Nur, glaube ich, wirst du nachher zerplieserter aussehen als dieses Buch.«

Hamilkar Schaß, mein Großvater, blickte zuerst erstaunt, dann ärgerlich auf seinen Besucher; er war, da die Lektüre ihn stets völlig benommen machte, eine ganze Weile unfähig zu einer Antwort. Aber dann, nachdem er sich gefaßt hatte, erhob er sich, massierte seine Zehen und sprach so:»Mir scheint«, sprach er,»Adolf Abromeit, als ob auch du die Höflichkeit verlernt hättest. Wie könntest du mich sonst, bitte schön, während des Lesens stören?«

»Es ist«, sagte Abromeit,»nur von wegen Krieg. Ehrenwort. Wawrila, dem Berüchtigten, ist es in den Sümpfen zu langweilig geworden. Er nähert sich unter gewöhnlichsten Grausamkeiten diesem Dorf. Und weil er, der schwitzende Säufer, schon nah genug ist, haben wir beschlossen, ihn mit unseren Flinten nüchtern zu machen. Dazu aber, Hamilkar Schaß, brauchen wir jede Flinte, die deine sogar besonders.«

»Das ändert«, sagte Hamilkar Schaß,»überhaupt nichts. Selbst ein Krieg, Adolf Abromeit, ist keine Entschuldigung für Unhöflichkeit. Aber wenn die Sache, wie du sagst, arg steht, könnt ihr mit meiner Flinte rechnen. Ich komme.«

Hamilkar Schaß küßte seine Lektüre, verbarg sie in einem feuerfesten Steinkrug, nahm seine Flinte und lud sich ein gewaltiges Stück Rauchfleisch auf den Rücken, und dann traten sie beide aus dem Haus. Auf der Straße galoppierten einige der intelligenten Suleyker Schimmel vorbei, herrenlos, mit vor Furcht weitgeöffneten Augen, Hunde winselten, Tauben flohen mit panisch klatschendem Flügelschlag nach Norden – die Geschichte kennt solche Bilder des Jammers.

Die beiden bewaffneten Herren warteten, bis die Straße frei war, dann sagte Adolf Abromeit:»Der Platz, Hamilkar Schaß, auf dem wir kämpfen werden, ist schon bestimmt. Wir werden, Gevatterchen, Posten in einem Jagdhaus beziehen, das dem nachmaligen Herrn Gonsch von Gonschor gehörte. Es ist etwa vierzehn Meilen entfernt und liegt an dem Weg, den Wawrila zu nehmen gezwungen ist.«

»Ich habe«, sagte mein Großvater,»keine Einwände.« So begaben sie sich, nahezu wortlos, zu dem soliden Jagdhaus, richteten es zur Verteidigung ein, schnupften Tabak und bezogen Posten. Sie saßen, durch dicke Bohlen geschützt, vor einer Luke und beobachteten den aufgeweichten Weg, den Wawrila zu nehmen gezwungen war.

Sie saßen so, sagen wir mal, acht Stunden, als dem Hamilkar Schaß, der in Gedanken bei seiner Lektüre war, die Zehen derart zu frieren begannen, daß selbst Massage nicht mehr half. Darum stand er auf und sah sich um, in der Hoffnung, etwas zu finden, woraus sich ein Feuerchen machen ließe. Er zog hier was weg und da was, kramte ein bißchen herum, prüfte, ließ fallen, und während er das tat, entdeckte er, hol's der Teufel, ein Buch, ein hübsches, handliches Dingchen. Ein Zittern durchlief seinen Körper, eine heillose Freude rumorte in der Brust, und er lehnte hastig, wie ein Süchtiger, die Flinte an einen Stuhl, warf sich, wo er stand, auf die Erde und las. Vergessen war der Schmerz der Kälte in den Zehen, vergessen war Adolf Abromeit an der Luke und Wawrila aus den Sümpfen. Der Posten Hamilkar Schaß existierte nicht mehr.

Unterdessen, wie man sich denken wird, tat die Gefahr das, was sie so besonders unangenehm macht: sie näherte sich. Näherte sich in Gestalt des Generals Wawrila und seiner Helfer, die, sozusagen fröhlich, den Weg heraufkamen, den zu nehmen sie gezwungen waren. Dieser Wawrila, ach Gottchen, er sah schon aus, als ob er aus den Sümpfen käme, war unrasiert, dieser Mensch, und hatte eine heisere Flüsterstimme, und natürlich besaß er nicht, was jeder halbwegs ehrliche Mensch besitzt – Angst nämlich. Kam mit seinen besoffenen Flintenschützen den Weg herauf und tat, na, wie wird er getan haben: als ob er der Woiwode von Szczylipin selber wäre, so tat er. Dabei hatte er nicht mal Stiefel an, sondern lief auf Fußlappen, dieser Wawrila.

Adolf Abromeit, an der Luke auf Posten, sah die Sumpfbagage herankommen; also spannte er die Flinte und rief:
»Hamilkar Schaß«, rief er, »ich hab' den Satan in der Kimme.« Hamilkar Schaß, wen wird es wundern, hörte diesen Ruf nicht. Nach
einer Weile, Wawrila war keineswegs dabei stehengeblieben, rief er
abermals: »Hamilkar Schaß, der Satan aus dem Sumpf ist da.«

»Gleich«, sagte Hamilkar Schaß, mein Großvater, »gleich, Adolf Abromeit, komme ich an die Luke, und dann wird alles geregelt, wie
sich's gehört. Nur noch das Kapitelchen zu Ende.«

Adolf Abromeit legte die Flinte auf den Boden, legte sich dahinter
und visierte und wartete voller Ungeduld. Seine Ungeduld, um nicht
zu sagen: Erregung, wuchs mit jedem Schritt, den der General Wawrila
näher kam. Schließlich, sozusagen am Ende seiner Nerven angekommen, sprang Adolf Abromeit auf, lief zu meinem Großvater, versetzte
ihm – jeder Verständige wird's verzeihen – einen Tritt und rief: »Der
Satan Wawrila, Hamilkar Schaß, steht vor der Tür.«

»Das wird«, sagte mein Großvater, »alles geregelt werden zur Zeit.
Nur noch, wenn ich bitten darf, die letzten fünf Seiten.« Und da er
keine Anstalt machte, sich zu erheben, lief Adolf Abromeit allein vor
seine Luke, warf sich hinter die Flinte und begann dergestalt zu feuern,
daß ein Spektakel entstand, wie sich niemand in Masuren eines ähnlichen entsinnen konnte. Wiewohl er keinen von der Sumpfbagage
hinreichend treffen konnte, zwang er sie doch in Deckung, ein Umstand, der Adolf Abromeit äußerst vorwitzig und waghalsig machte. Er
trat offen vor die Luke und feuerte, was die ungeheure Flinte hergab; er
tat es so lange, bis er plötzlich einen scharfen, heißen Schmerz verspürte, und als er sich, reichlich betroffen, vergewisserte, stellte er fest,
daß man ihn durch eines seiner großen rosa Ohren geschossen hatte.
Was blieb ihm zu tun? Er ließ die Flinte fallen, sprang zu Hamilkar
Schaß, meinem Großvater, und diesmal sprach er folgendermaßen:
»Ich bin, Hamilkar Schaß, verwundet. Aus mir läuft Blut. Wenn du
nicht an die Luke gehst, wird der Satan Wawrila, Ehrenwort, in zehn
Sekunden hier sein, und dann, wie die Dinge stehen, ist zu fürchten,
daß er Druckerschwärze aus dir macht.«

Hamilkar Schaß, mein Großvater, blickte nicht auf; statt dessen sagte er: »Es wird, Adolf Abromeit, alles geregelt, wie es kommen soll. Nur
noch, wenn ich bitten darf, zwei Seiten vom Kapitelchen.« Adolf Abromeit, eine Hand auf das lädierte Ohr gepreßt, sah sich schnell und

prüfend um, dann riß er ein Fenster auf, schwang sich hinaus und verschwand im Dickicht des nahen Waldes.

Wie man vermuten wird: kaum hatte Hamilkar Schaß weitere Zeilen gelesen, als die Tür erbrochen ward, und wer kam hereinspaziert? General Zoch Wawrila. Ging natürlich gleich auf den Großvater zu, brüllte heiser und lachte, wie er das so an sich hatte, und dann sagte er: »Spring auf meine Hand, du Frosch, ich will dich aufblasen.« Das war, ohne Zweifel, eine Anspielung auf seine Herkunft und seine Gewohnheiten. Doch Hamilkar Schaß entgegnete: »Gleich. Nur noch anderthalb Seiten.«

Wawrila wurde wütend und zog meinem Großvater eine über, und dann fühlte er sich bemüßigt, so zu sprechen: »Ich werde dich jetzt, du alte Eidechse, halbieren. Aber ganz langsam.«

»Eine Seite nur noch«, sagte Hamilkar Schaß. »Es sind, bei Gottchen, nicht mehr als fünfunddreißig Zeilen. Dann ist das Kapitelchen zu Ende.«

Wawrila, bestürzt, beinahe nüchtern geworden, lieh sich von einem hinkenden Menschen aus seiner Begleitung eine Flinte, drückte den Lauf auf den Hals des Hamilkar Schaß und sagte: »Ich werde dich, du stinkende Dotterblume, mit gehacktem Blei wegpusten. Schau her, die Flinte ist gespannt.«

»Gleich«, sagte Hamilkar Schaß. »Nur noch zehn Zeilen, dann wird alles geregelt werden, wie es sein soll.«

Da packte, wie jeder Kundige verstehen wird, Wawrila und seine Bagage ein solch unheimliches Entsetzen, daß sie, ihre Flinten zurücklassend, dahin flohen, woher sie gekommen waren – dahin: damit sind gemeint die besonders trostlosen Sümpfe Rokitnos.

Adolf Abromeit, der die Flucht staunend beobachtet hatte, schlich sich zurück, trat, mit seiner Flinte in der Hand, neben den Lesenden und wartete stumm. Und nachdem auch die letzte Zeile gelesen war, hob Hamilkar Schaß den Kopf, lächelte selig und sagte: »Du hast, Adolf Abromeit, scheint mir, etwas gesagt?«

Füsilier in Kulkaken

Kurz nach der Kartoffelernte erschien bei meinem Großvater, Hamilkar Schaß, der Briefträger und überbrachte ihm ein Dokument von ganz besonderer Bedeutung. Dies Dokument: es kam direkt von allerhöchster Stelle, wofür allein schon die Tatsache spricht, daß es unterschrieben war mit dem Namen Theodor Trunz. Es gab, Ehrenwort, wohl keinen Namen in Suleyken und Umgebung, der geeignet gewesen wäre, mehr Respekt, mehr Hochachtung, mehr Furcht, Schaudern und Ehrerbietung hervorzurufen, als Theodor Trunz. Hinter diesem Namen nämlich steckte niemand anderes als der Kommandant der berühmten Kulkaker Füsiliere, die, elf an der Zahl, jenseits der Wiesen in Garnison lagen. Der Ruf, der ihnen nicht nur voraus-, sondern auch hinterherging, war dergestalt, daß jeder, der in dieser Truppe die Ehre hatte zu dienen, unfehlbar in den Geschichtsbüchern Suleykens und Umgebung Aufnahme fand. Ganz zu schweigen von der mündlichen Überlieferung.

Gut. Hamilkar Schaß, mein Großvater, witterte in besagtem Dokument sofort eine neue ausgedehnte Lektüre, erbrach, wie man sagt, die Siegel und begann zu lesen. Und er las, während der Briefträger, Hugo Zappka, neben ihm stand, heraus, daß er im Augenblick und auf kürzestem Weg nach Kulkaken zu eilen habe – als Ersatz für den Oberfüsilier Johann Schmalz, der wegen allzu rapidem Zahnausfall hatte entlassen werden müssen. Und darunter, in riesigen Buchstaben: Trunz, Kommandant.

Hugo Zappka, der Briefträger, verbeugte sich, nachdem er alles vernommen hatte, vor meinem Großvater, beglückwünschte ihn aufrichtig und empfahl sich; und nachdem er gegangen war, zog mein Großvater seine alte Schrotflinte hervor, band sich ein Stück Rauchfleisch auf den Rücken, nahm langwierigen Abschied und schritt über die Wiesen davon.

Schritt forsch aus, das rüstige Herrchen, und gelangte alsbald zur Garnison der berühmten Kulkaker Füsiliere, welche dargestellt wurde durch ein schmuckloses, ungeheiztes Häuschen am Waldesrand. Der Posten, ein langer, verhungerter, mürrischer Mensch, hieß meinen Großvater nah herankommen, und als er unmittelbar vor ihm stand, schrie er: »Wer da?« Worauf mein Großvater in ergreifender Schlichtheit antwortete: »Hamilkar Schaß, wenn ich bitten darf.« Sodann wies er das Dokument vor, schenkte dem Posten ein Stück Rauchfleisch und durfte passieren.

Na, er besah sich erst einmal alles von unten bis oben, inspizierte den ganzen Nachmittag, und plötzlich geriet er an eine Tür, hinter der eine Stimme zu hören war. Mein Großvater, er öffnete das Türchen, schob seinen Kopf hinein und gewahrte eine Anzahl Füsiliere, die gerade ergriffen einem Vortrag lauschten, welcher übergetitelt war: Was tut und wie verhält sich der Kulkaker Füsilier, wenn der Feind flieht? Da er nach längerem Zuhören Interesse an dem Vortrag fand, mischte er sich unter die Lauschenden und blickte nach vorn.

Wer da vorn saß? Trunz natürlich, der Kommandant. War ein kleiner, schwarzer, jähzorniger Mensch, dieser Theodor Trunz, und außerdem trug er ein Holzbein. (Das richtige hatte er, wie er sich auszudrücken beliebte, dem Vaterland in den Schoß geworfen.) Jedenfalls: er war, alles in allem, ein ungewöhnlicher Mensch, schon aus dem Grunde, weil er sein Holzbein bei den taktischen Vorträgen abzuschnallen pflegte und damit die vor den Kopf stieß, die einzuschlafen drohten.

Also Hamilkar Schaß, mein Großvater, kam hier herein und wollte es sich gerade gemütlich machen, als Trunz seinen Vortrag abbrach und, nach erprobter Gewohnheit, Fragen stellte zum Zwecke der Wiederholung. Fragte er also zum Beispiel einen üppigen Füsilier in der ersten Reihe: »Was wird«, fragte er, »getan, wenn der Feind sich anschickt zu fliehen?«

»Lauschen und abwarten von wegen heimlichem Hinterhalt«, kam die Antwort.

»Richtig«, sagte Trunz, überlegte rasch und rief: »Und wie ist es bei Nahrung? Darf man essen zurückgelassene Nahrung?«

»Man darf«, rief ein anderer Füsilier, »aber nur Eingemachtes. Anderes könnte sein unbekömmlich.«

»Auch richtig«, sprach Trunz. »Aber wie verhält es sich mit Büchern? Du da, in der letzten Reihe. Was würdest du machen mit den Büchern?« Mein Großvater, dem die Frage galt, sah sich zunächst um, weil er glaubte, hinter ihm säße noch jemand. Es war jedoch niemand da, und darum sagte er: »Ich würde schnell lesen und dann dem Feind einheizen mit der Flinte.«

Diese Antwort, aus argloser Leidenschaft gegeben, rief, wie man sich denken kann, den Jähzorn des Theodor Trunz hervor; er schwang jachzig das Holzbein, fuchtelte damit herum, wurde rein tobsüchtig,

dieser Mensch. Dann rief er meinen Großvater nach vorn und schrie:
»Wer, zum Teufel, bist du?«

»Ich bin«, sagte mein Großvater, »Hamilkar Schaß. Und ich möchte
zunächst um Höflichkeit bitten von Füsilier zu Füsilier.«

Na, jetzt kam Theodor Trunz nahezu um den Verstand, wurde abwechselnd weiß, blau und rot im Gesicht, fast hätte man sich sorgen
können um ihn.

Schließlich schnallte er sein Holzbein an, schrie: »Der Feind ist da!«
und jagte seine Füsiliere auf den Hinterhof. Und jetzt ging es los:
winkte sich zuerst Hamilkar Schaß, meinen Großvater, heran und rief:
»Füsilier Schaß«, rief er, »der Feind ist hinter der Scheune. Was mußt
du tun?«

»Ich fühle mich«, sagte mein Großvater, »unpäßlich heute. Auch
war der Weg über die Wiesen nicht sehr angenehm.«

»Dann zeig mal«, schrie Trunz, »wo überall ein Füsilier kann Dekkung finden. Aber schnell, wenn ich bitten darf.«

»Das ergibt sich«, sagte mein Großvater, »von Fall zu Fall.«

»Zeigen sollst du uns das«, schrie Trunz und wurde rein verrückt.

»Eigentlich«, sagte mein Großvater, »möchte ich jetzt ein wenig
schlummern. Der Weg über die Wiesen war nicht sehr angenehm.«

Theodor Trunz, der Kommandant, warf sich jetzt auf die Erde, um
Hamilkar Schaß, meinem Großvater, zu zeigen, worauf es ankäme.

»So«, rief er, »so macht ein Füsilier.«

Mein Großvater beobachtete ihn eine Weile erstaunt und sprach
dann: »Es sind«, sprach er, »nach Suleyken nur ein paar Stunden.
Wenn ich jetzt gehe, bin ich noch zu Hause vor Mitternacht.«

Darauf wurde Theodor Trunz zunächst einmal von einem Schrei-
krampf heimgesucht, und zwar hallte sein Geschrei so eindringlich
durch das Gehölz, daß sämtliches Wild floh und die Umgebung nachweislich mehrere Jahre mied. Dann aber kam er allmählich zu sich,
blinzelte umher, riskierte ein unsicheres Lächeln und verkündete den
Befehl: »Feind tot« – worauf die Füsiliere mit einer gewissen Erleichterung der Garnison zustrebten.

Auch Hamilkar Schaß, mein Großvater, strebte ihr zu, suchte sich
ein Kämmerchen, ein Bett und legte sich nieder zum Schlummer.
Schlummerte vielleicht so vier Stunden, als eine Trompete gegen sein
Ohr blies, was ihn dazu bewog, auf seine Taschenuhr zu blicken und
sich, bei der Feststellung, daß Mitternacht erst gerade vorbei war,

wieder hinzulegen. Gelang ihm auch, dem Großväterchen, wieder
einzudruseln, als die Tür aufgerissen wurde, der Kommandant hereinstürzte und schrie: »Es ist, Füsilier Schaß, gegeben worden
Alarm!«

»Der Alarm«, sagte mein Großvater, »ist gekommen zur unrechten
Zeit. Könnte man ihn nicht, bitte schön, nach dem Frühstück geben?«
»Es handelt sich«, schrie Trunz, »um einen Alarm auf Schmuggler.
Sie sind gesichtet worden an der Grenze. Zu dieser Zeit, nicht nach   243
dem Frühstück.«

»Dann muß ich«, sagte Hamilkar Schaß, »auf den Alarm verzichten.«

Rollte sich auch gleich wieder in sein Deckchen und befand sich schon
nach wenigen Atemzügen in lieblichem Schlummer. Schlummerte
durch bis zum nächsten Morgen, frühstückte von seinem Rauchfleisch
im Bett und ging dann hinunter, wo bereits ein taktischer Vortrag lief,
übergetitelt: Was tut und wie verhält sich ein Kulkaker Füsilier, wenn er
zu fangen hat Schmuggler? Trunz saß vorn und redete, und die Füsiliere
lauschten ergriffen und voll verhaltenen Zornes – voll Zornes, weil sie
seit sechsundzwanzig Jahren fast täglich Alarme hatten auf Schmuggler,
aber noch nie einen von dieser Sorte fangen konnten. Das hörte Hamilkar Schaß, mein Großvater, und er stand einfach auf und wollte
hinausgehen. Doch Trunz schrie gleich: »Füsilier Schaß, wohin?«

»An die frische Luft, wenn es beliebt«, sagte mein Großvater, »erstens möchte ich mir, wenn es genehm ist, die Beine vertreten, und
zweitens möchte ich fangen ein paar Schmuggler.«

»Um Schmuggler zu fangen, Füsilier Schaß, müssen wir erst geben
Alarm. Du wirst jetzt bleiben und anhören die Lehre von der Taktik.
Jetzt ist Dienst.« Worauf mein Großvater sagte: »Von Füsilier zu Füsilier: jetzt sind die Haselnüsse soweit, und mir leckert, weiß der Teufel, so nach Haselnüssen. Ich werde mir schnell ein paar pflücken.«

Na, daraufhin war es wieder soweit: Theodor Trunz, der Kommandant, ließ sämtliche Füsiliere strammstehen und rief: »Hiermit wird
gefragt der Füsilier Hamilkar Schaß, ob es ihm ein Bedürfnis ist, dem
Vaterland zu dienen.«

»Es ist Bedürfnis«, sagte mein Großvater. »Aber erst einmal will ich
Haselnüsse holen.«

»Dann«, rief Trunz, »muß ich dem Füsilier Schaß geben den Befehl
zu bleiben. Befehl ist Befehl.«

»Nach Suleyken«, drohte mein Großvater freundlich, »sind es nur vier Stunden. Wenn ich jetzt losgehe, bin ich noch zum Kaffee da.«

Und er verneigte sich vor dem erstaunten Trunz, streichelte, im Vorübergehen, einige der strammstehenden Füsiliere und ging hinaus.

Ging, mein Großväterchen, in den Stall, suchte sich eine ausgestopfte Schafhaut und verließ mit ihr die Garnison. Er pflückte sich Haselnüsse, knackte so viele, wie er gerade begehrte, und näherte sich dabei der Grenze. Und als er nahe genug war, zog er sich die Schafhaut über den Körper, ließ sich auf alle viere hinab und mischte sich unter eine grasende Schafherde.

Die Schafe, sie waren nicht unfreundlich zu ihm, nahmen ihn in ihre Mitte, stupsten ihn kameradschaftlich und suchten eine Unterhaltung mit ihm – in die er sich, aus gegebenen Gründen, nicht einlassen konnte. Gut. Er zuckelte mit den Schafen so eine ganze Zeit herum, als er, in der Dämmerung, unvermutet folgendes entdeckte: er entdeckte, wie sich zwei besonders schwerfällige Schafe von der Herde lösten und, in reichlich schaukelndem Gang, der Grenze zustrebten. Mein Großvater, er setzte ihnen wie übermütig nach, umsprang die beiden, stupste sie mit dem Kopf und neckte sie so anhaltend, bis er hörte, was er hören wollte. Er hörte nämlich, wie das eine Schaf zum andern sprach: »Hau«, sprach es, »diesem Lamm eins auf den Dassel, sonst macht es mir noch die Flaschen kaputt.«

Jetzt, wie man ganz richtig erwartet, sprang mein Großvater auf, tat den beiden das, was sie mit ihm hatten tun wollen, fesselte sie vorn und hinten und trieb sie frohgemut zur Garnison. Summte ein Liedchen dabei und erschien gerade, als ein Kampfunterricht stattfand, welcher übergetitelt war: Wie sticht und wohin der Kulkaker Füsilier einen Schmuggler mit dem Seitengewehr?

Die Füsiliere, sie fielen fast in Ohnmacht, als sie Hamilkar Schaß, meinen Großvater, als summenden Hirten erlebten, der seine Schäfchen vor sich hertrieb. Und Trunz, der Kommandant, raste auf ihn zu und schrie: »Die Beschäftigung, Füsilier Schaß, mit Tieren während des Dienstes ist verboten.«

Worauf mein Großvater antwortete: »Eigentlich«, antwortete er, »möchte ich jetzt schlummern. Aber vorerst werd' ich sie häuten.«

Und er zog den schwanger aussehenden Schafen die Häute ab und brachte zwei ausgewachsene Schmuggler zum Vorschein, welche überdies beladen waren mit einer Anzahl Schnapsflaschen.

Muß ich noch viel mehr erzählen? Nachdem der Jubel der Füsiliere sich gelegt hatte, trat Theodor Trunz, der Kommandant, an meinen Großvater heran, küßte ihn und sprach:»Du darfst jetzt, Brüderchen, schlummern, und wenn du aufwachst, dann ist der Füsilier Schaß tot. Leben wird der Unterkommandant Schaß, ausgezeichnet mit der Kulkaker Ehrenspange für Höhere Füsiliere.«

»Zunächst«, sprach mein Großvater,»muß ich mir aber noch ein paar Haselnüsse holen.«

Übrigens blieb er bei den Kulkaker Füsilieren nicht bis zu seinem Tode; im Frühjahr verschwand er eines Tages zum Kartoffelpflanzen und kam nicht mehr zurück.

245

Das war Onkel Manoah

Zum Markttag kam neuerdings auch ein Wanderfriseur nach Suleyken, ein kleiner vergnügter Mann, der den Leuten das Haar im Freien abnahm, mitten im Quieken der Ferkel, im heiseren Brummen der Ochsen, zwischen all den Gerüchen eines masurischen Marktes, zwischen dem erdigen Geruch nach neuen Kartoffeln und dem Gestank nach altem Kohl, zwischen dem scharfen Geruch nach Kisten und Bretterzeug, nach Fischen, Hafer und Terpentin, zwischen dem sanften Kalkgeruch ausgenommener Hühner und dem sauberen Duft nach Äpfeln und Mohrrüben. Zwischen all diesen Gerüchen und Geräuschen, in dieser hochschwangeren Luft, bediente der Wanderfriseur an einem trauten Herbstmorgen einen großen, schönen, schwarzhaarigen Mann, den schönen Alec, wie er genannt wurde, ein Wunder von Wuchs, auch wenn dieses Wunder barfuß ging.

Der Wanderfriseur hüpfte mit fleißiger Höflichkeit um ihn herum, unterhielt ihn auf das angenehmste, während seine Schere, lustig wie eine Schwalbe, über Alecs Ohren flatterte, hier und da ein Härchen schnappte, zart und schnell, und zum Schluß, wie sich's gehört, öffnete der Friseur ein kleines Fläschchen und tröpfelte eine Essenz auf Alecs Kinn. Sofort begann es in weitem Umkreis nach persischem Flieder zu duften, der Duft verdrängte all die Gerüche des Marktes, der Orient siegte über Masuren.»Erlauben Sie, bitte, daß ich nun noch unter Ihre Jacke fahre«, sagte der Friseur, schob eine weiche Bürste unter den Kragen und strich mit den feinen Borsten über Alecs Haut, so daß sich dieser vor Behagen ein wenig krümmte; dann entfernte er mit berechnetem Schwung das Barbiertuch, sagte »Dank« und wartete auf Bezahlung. Alec faßte in die Tasche, aber an Stelle von Geld zog er einen alten schmutzigen Brief heraus, entfaltete ihn vorsichtig und bat den Friseur zu lesen. »Es ist«, sagte Alec, »ein Brief meines Onkels Manoah, Besitzer eines Schleppkahns, der heute nach Hause gekommen ist. Dreißig Jahre hat er sich über alle bekannten Ströme und Kanäle ziehen lassen, nun ist er, wie aus dem Brief hervorgeht, heimgekehrt, um hier zu sterben. Da ich der alleinige Erbe des Schleppkahns bin, werden Sie, ich bin sicher, mir das Geld bis heute abend stunden, ich bringe es Ihnen nach Ende des Marktes.«

Der Friseur vertiefte sich in den Brief, las ihn, als ob er in ein Geheimnis hineingezogen würde, mit dankbarer Andacht, reichte ihn nickend zurück und trat mit Alec an die Böschung, von wo aus sie den Fluß übersehen konnten. Da lag der Schleppkahn, ein breites, schwarzes Wesen, wohlvertäut, und auf dem Heck sahen sie einen großen hageren Mann mit grauem Stoppelhaar, das war Onkel Manoah. Er saß auf einer Kiste, sinnierte und trank zwischendurch Kaffee.

»Es wird mir«, sagte der Friseur, »ein Vergnügen sein, dem Erben dieses Schiffes die Bezahlung bis heute abend zu stunden. Allerdings könnte ich länger nicht warten.«

»Niemand«, sagte darauf Alec, »hat bisher Ursache gehabt, am Wort meines Onkels zu zweifeln. Am Abend werde ich der Besitzer des Schleppkahns sein, und dann regelt sich alles zum Besten.«

Die Männer verbeugten sich voreinander, und während der Friseur zu seinem Schemel zurückging, trug Alec die Düfte des Orients über den Markt spazieren, flanierte an Ständen und Wagen vorbei, beantwortete Grüße und wich aus, wenn auszuweichen ihm geraten schien.

Vor einer redseligen Fischfrau blieb er stehen, beugte sich zu den Körben hinab, in denen goldgelbe, geräucherte Maränen lagen, und da er Eindruck auf die Frau machte und sie es ihm nicht verwehrte, nahm er sich eine Maräne heraus, zog die Haut ab und aß von dem warmen, köstlichen Rückenfleisch.

»Diese Fische«, sagte er dann, »sind leidlich gut. Auf die Gefahr hin, enttäuscht zu werden, könnte ich es mit einem Kilochen, nicht zu knapp, versuchen.« Die Frau beeilte sich, seinem Wunsch zu entsprechen, legte zwei Maränen über das Kilo hinzu und reichte Alec das

Päckchen hinüber. Aber anstatt zu zahlen, zog Alec wieder den Brief aus der Tasche, hieß die verwirrte Frau ihn lesen und trat mit ihr zur Böschung, von wo aus er ihr das wohlvertäute Erbe zeigte. »Heute abend«, sagte er, »werden Sie im Besitz Ihres Geldes sein, so wie ich im Besitz dieses Schleppkahns sein werde.«

Die Fischfrau zeigte sich anfangs zufrieden damit, aber plötzlich wurde sie argwöhnisch und fragte nach dem Mann auf dem Heck. »Dieser Mann ist kein geringerer als mein Onkel Manoah«, sagte Alec, »der Mann, den ich zu beerben gedenke. Er ist hergekommen, nach dreißigjähriger Wanderschaft, um hier zu sterben.«

»Aber«, sagte die Frau, »wer garantiert mir, daß Gott ihn nicht länger leben läßt?«

»Dieser Einwand«, sagte Alec mit mildem Vorwurf, »ist unangebracht. Onkel Manoah ist nur heimgekehrt, um hier zu sterben. Seine Güte ist grenzenlos. Er wird mich nicht im Stich lassen.«

Mit solchen Worten beschwichtigte Alec die Maränenfrau und drängte sich, das fette Päckchen unterm Arm, an einen Eierstand heran. Hier gelang es ihm, mit Hilfe des Briefes und des Augenscheins, daß sein Erbe wirklich auf dem Fluß schwamm, ein Körbchen mit Eiern auszuhandeln, an einem anderen Stand ein nicht zu kleines Stück Rauchspeck, und nachdem er auch noch Käse, Kaffee, Äpfel und Butter erworben hatte, ging er zum Fluß hinunter und balancierte über den schmalen Laufsteg an Bord des Schiffes. Er ging auf das Heck zu Onkel Manoah, verneigte sich höflich vor ihm und breitete die Dinge, deren er hatte habhaft werden können, vor seinen Füßen aus.

»Ich bitte«, sagte er dann mit ausgestreckter Hand, »sich nach Laune zu bedienen. Die Maränen sind gut, der Speck leidlich verführerisch und die Äpfel angenehm herb. Willkommen daheim!«

»Das ist«, sagte Onkel Manoah, »eine gute Idee und eine anständige Begrüßung.« Seine Stimme klang wie eine anlaufende Kreissäge. Er schob die Kaffeetasse mit dem Fuß zur Seite und begann zu essen, und er aß sämtliche Maränen, den Käse und die Äpfel auf, dann briet er Speck, schlug acht Eier in die Pfanne und aß weiter, während Alec still zu seinen Füßen saß, mit einem Ausdruck unterwürfigen Respekts und vollkommener Dienstbarkeit. Und nachdem Onkel Manoah gegessen hatte, tranken sie mehrere Tassen Kaffee, langsam, ohne ein Wort zu sprechen, sie saßen stumm wie Vögel zusammen, und der Mittag kam heran und ging vorüber.

Erst als die letzte Tasse Kaffee getrunken war, sagte Onkel Manoah:
»Wie du siehst, Alec, bin ich gekommen.«

»Gekommen, um zu bleiben«, sagte Alec.

»Gekommen, um zu gehen«, verbesserte Onkel Manoah. »Wir werden in der Dämmerung noch ein Täßchen trinken, und wenn der Mond kommt, werde ich mich aufmachen, dann gehört das Schiff dir. Du hast mich anständig begrüßt, du sollst ein anständiges Erbe bekommen.«

Sie saßen schweigend bis zur Dämmerung beisammen, dann kochte Manoah Kaffee, und beide tranken, und nachdem sie getrunken hatten, warf Manoah Tauwerk und Lappen in eine Ecke und setzte sich bequem hin. Er hielt den Mund geschlossen, und sein Atem drang summend durch die Nase, als ob in den Nasenlöchern zwei Fliegen säßen. Alec beobachtete unterdessen die Böschung, und er brauchte nicht lange zu warten, da erkannte er die Silhouette der Fischfrau und dann die des Friseurs, und schließlich bemerkte er fast alle Gläubiger, die auf dem Weg zu ihm und ihrem Geld waren. Alec versuchte bei diesem Anblick Zuflucht zu angenehmen Kindheitserinnerungen zu nehmen, aber es wollte ihm nicht recht gelingen. Die Gläubiger näherten sich unerbittlich, und er war immer noch nicht Besitzer dieses Schiffes, denn Onkel Manoah lebte, wie der Summton aus seiner Nase hinreichend verriet. In dieser Bedrängnis sah Alec zu Onkel Manoah hinüber, und in seinem Blick lag so viel kreatürliches Flehen, daß Manoah gespannt den runzligen, schuppigen Hals reckte – einen Hals wie Baumrinde –, er reckte den Hals und drehte ihn nach allen Seiten, und er schien zu begreifen, was vorgegangen war, denn er kannte Alec zur Genüge. Und er sagte:»Du, Alec«, sagte er, »hast keinen Grund, dich zu sorgen. Wir werden unseren Gläubigern jetzt ein Schnippchen schlagen, an das sie ihr Leben lang zu denken haben werden. Paß nur auf!« Und er erhob sich von dem Tauwerk, lehnte den riesigen Oberkörper in eine Ecke und winkte den Gläubigern zu, schnell herbeizukommen. Dann gab er Alec zu verstehen, die Leute auf den Kahn zu führen, höflich, wie es sich gehört, und Alec ging ihnen zitternd entgegen und sagte leise:»Nichts, meine Freunde, betrübt mich mehr, als daß ich mein Versprechen nicht einhalten kann. Aber, Gott sei's geklagt, nicht einmal auf den Tod ist heutzutage noch Verlaß, mich trifft keine Schuld.«

Sodann half er den Gläubigern über den schmalen Laufsteg und hieß sie nach hinten gehen, wo Onkel Manoah in der Ecke lehnte, und sie versammelten sich in schweigender Anklage um Manoah, als erwarteten sie von ihm Aufklärung und Bezahlung. Zuletzt trat auch Alec hinzu, mit bangem Herzen, aber voll Vertrauen in Onkel Manoahs Listenreichtum, und er trat nah an ihn heran, tippte ihm auf die Schulter, und als Manoah sich nicht rührte, drehte er ihn vorsichtig um. Alle sahen, daß Onkel Manoah tot war, und sie bemerkten das triumphierende Lachen in seinem Gesicht, und die Scham machte sie unruhig und drängte sie zum Aufbruch. Sie beeilten sich, von Bord zu kommen, und ihre Eile war aufrichtig.

Alec wandte sich, des Lobes voll, an Manoah und sagte wörtlich: »Manches, Onkel Manoah, habe ich in meinem Leben erfahren, aber noch nie, daß sich jemand so vollkommen totstellen konnte. Die Gläubiger sind weg, die Gefahr ist vorüber, nichts hindert Euch, wieder lebendig zu werden und ein neues Täßchen Kaffee zu trinken.«

Aber Manoah, groß und starr, lehnte in der Ecke und bewegte sich nicht. Der schöne Alec begann ihn ängstlich abzutasten und zu untersuchen, hastig und mit ehrfurchtsvollem Erschrecken, und dann entdeckte er, daß Onkel Manoah wirklich gestorben war. Da verneigte sich Alec tief und flüsterte: »Auf solch ein Schnippchen, Onkelchen, wahrhaftig, war ich nicht gefaßt.«

Der Ostertisch

Alec Puch, ein schöner gesunder Vater, hatte seine Brut auf einem Schleppkahn untergebracht, den ihm sein Onkel, ein riesiger Mensch namens Manoah, vererbt hatte. Die Brut: damit sind gemeint die drei zarten Söhne des Alec Puch, welche, wie er sich auszudrücken beliebte, redlich erworben waren. Ob redlich oder nicht – die drei zarten Menschen, Wunder an Anmut und Abrichtung, stammten alle von verschiedenen Müttern, ein Umstand, den man nur dadurch erklären kann, daß Alec Puch einst Gehilfe war bei einem wandernden Scherenschleifer. Und da er, aus verschiedenen Gründen, Kinder liebte, hatte er sie zu sich geholt. Allerdings, bitte sehr, ehrte er das Andenken der Mütter, indem er seine Söhne nach den Ortschaften rief, in denen sie die masurische Welt erblickt hatten. Diese Ortschaften hießen: Sybba, Schissomir und Quaken.

Seit geraumer Zeit also, wie gesagt, lebten die drei Knaben mit Alec Puch, ihrem schönen, gesunden Vater, auf dem Schleppkahn. Dieser Kahn sah aus – na, wie wird er ausgesehen haben: wie ein schwarzer Holzschuh voll Flöhe, so sah er aus. Hier wimmelte es, da bewegte sich was, hier roch es, da gab es piepsenden Laut: überall Interessantes, überall Neuigkeit und Abenteuer. Man aß angenehm, man badete gelegentlich, man schlief unter dem milden Glucksen der Flußwellen bis in den späten Vormittag – das Paradies war niemals näher.

Eines Tages, gleich wird gesagt wann, erhob sich, während noch Nebel auf der Wiese lagen, ein nie gehörtes Gebrüll auf dem Vorschiff. Der da brüllte: es war Alec Puch höchstpersönlich. Er brüllte, fast wie im Schmerz, die Namen der zarten Knaben, und da sein Gebrüll den Trompeten von Jericho in nichts nachstand, flog die Brut aus den ererbten Hängematten und rannte augenreibend an Deck. Die Söhne stellten sich, in der Reihe der Ortschaften, die ihr Vater durchlaufen hatte, auf dem Achterschiff auf, fröstelten leicht und warteten auf den, der ihnen den Schlaf gestohlen hatte.

Und plötzlich erschien er, ein schönes, gesundes Gesicht, rosige Bakken, schwarze Haare, ein annehmbares Herrchen sozusagen, wenngleich dieses Herrchen etwas zur Schau trug, das seine Söhne tief erschreckte. Alec Puch nämlich trug eine so ungeheure Leidensmiene zur Schau, als hätte man ihm gleich sämtliche Zehen abgeklemmt. Na, er stellte sich hin vor die fröstelnden Knaben, ein Blick voll düsterer Liebe lief die Reihe entlang, und plötzlich, was geschah dann? Alec Puch weinte. Weinte einmal kurz, aber ausgiebig, sah dann die Söhne mit versonnener Zärtlichkeit an und sprach folgendermaßen: »Der Tag«, sprach er, »meine Söhne, ist nahe. Wehe, wenn ihr noch nichts habt gehört vom Lamm: Ostern. Wer von euch noch nichts gehört hat vom Lamm, ich werd' ihn prügeln, bis er weiß das und sogar noch mehr. Aber das Lamm, ihr Lachudders: klein, ganz ganz klein, und sauber. Und ausgeschlafen. Und gaaanz weiß. Ehrenwort. Und sagt nichts, das kleine, weiße, liebliche Lamm. Eine Schneeflocke, verstanden! Das ist das Lamm. Ostern: wehe, wer nicht kennt das Lamm. Kleines, gewaschenes, fröhliches Lamm. Anders als ihr.«

Alec Puch, der rosige Vater, konnte nicht weitersprechen, denn, wie man schon gespürt haben wird, erstickten Tränen die weitere Rede, und er trat, in haltloser Rührung, an die Reling, weinte hingebungsvoll und ließ die zarten Knaben frieren.

Doch unvermutet – die Knaben waren nicht darauf gefaßt und aßen, was sie in ihren Taschen gefunden hatten – schoß er herum, lachte, ging mit ausgebreiteten Armen auf seine Lachudders zu, küßte sie intensiv, und nachdem er sich etwas Eßbares von ihnen geliehen hatte, sprach er so: »Wir haben, Cholera, lange genug ohne gesellschaftlichen Verkehr gelebt. Das ist, was soll ich viel sagen, nicht gut. Und darum werden wir, Söhne, morgen das geben, was man einen Ostertisch zu nennen pflegt. Vielleicht gleich vor dem Schiffchen. So ein Ostertisch: wer ihn mitgemacht hat einmal – vergessen kann er ihn nie. Man braucht Fische und Schinken, und, wie sich's gehört, einige Fläschchen zum Trinken. Nur, wenn ich bitten darf, nicht zu knapp.«

»Den Tisch«, sagte die Ortschaft Quaken, »den Tisch, bitte sehr, haben wir schon.«

»Und wir haben«, fügte die Ortschaft Sybba hinzu, »auch die Bänke. Hier liegen, dreht euch nur um, Bretter genug.«

»Damit«, sprach Alec Puch, »kommen wir zu dem Unwichtigen: worunter ihr zu verstehen habt Fische, Schinken, und, wenn ich bitten darf, nicht zu knapp zu trinken.«

»Es wird«, sagte die Ortschaft Schissomir, schon im Stimmbruch, »alles beschafft werden zur Freude. Unser Ostertisch wird fröhlich sein und lieblich wie das Lamm. – Habe ich richtig gesprochen?«

»Richtig«, sagten die Brüder und nickten.

Sodann küßte Alec Puch seine Söhne, und sie begaben sich, getrennt voneinander, in das Dorf hinüber, wo, wie gemeinhin vor Ostern, einer der bewegten und erstaunlichen masurischen Märkte stattfand. Und hier, worauf man vielleicht gespannt sein mag, geschah folgendes zum Nutzen des beschlossenen Ostertisches: Alec Puch, ein, wie gesagt, rosiges, annehmbares Herrchen, spazierte ein wenig auf und ab, trat, leidlich interessiert, an einen Fischstand heran, rümpfte die Nase, beklopfte die Fische – na, spielte so nach Herzenslust den hochmütigen Käufer. Die Fischfrau, eilfertig, ziemlich bedripst obendrein, plierte dazu, sagte auch gelegentlich was, aber das Herrchen ließ sich nicht beschabbern. Und während das Herrchen, äußerst kritisch, die Fische drückte, beklopfte, beroch, in manche sogar hineinhorchte, wer kam da an? Gut, sagen wir mal, es war die Ortschaft Quaken, die da ankam. Tat natürlich so, als ob das Herrchen nie dagewesen wäre, einfach unbekannt war man sich. Und während so die Fischfrau das unentschlossene Herrchen anplierte, griff Quaken, gewissermaßen die Entschlossenheit höchstpersönlich, ohne zu riechen und zu klopfen, in den Kasten, schnappte sich die beiden Jonasse – womit gemeint sind die größten – und verschwand. Rannte natürlich den Markt entlang, schrie in einem fort »Platz da«, »Zur Seite«, »Aufgepaßt« – und da er unter wilden Schreien die schleimigen Schwänze der Jonasse mal hierhin wirbelte, mal dahin, wagte keiner, in seiner Nähe zu bleiben, man stob quasi auseinander.

Stob, ja, derweil das annehmbare Herrchen, immer noch bei der Fischfrau, sich bemüßigt fühlte, so zu sprechen: »Mir scheint, Madamchen«, sprach er, »als schulde Ihnen der letzte Käufer noch Geld. Ich werde jetzt, Ehrenwort, dem Burschen nachsetzen, kann sein, daß ich ihn gleich erwische, kann sein auch ein bißchen später. In jedem Fall, Madamchen, nur Mut, werde ich ihn einholen. Ich finde ihn wieder.«

Die Fischfrau sagte darauf: »Schnell, Herrchen, schnell. Er hat die größten.«

»Das ist«, sagte Alec Puch, »um so besser«, und er wandte sich um und verfolgte die diebische Ortschaft Quaken.

So traf man sich also am Schleppkahn, verwahrte die Fische, träumte einen spärlichen Augenblick lang vom bevorstehenden Ostertisch – man sah ihn schon köstlich gebogen – und zog wieder los. Wieder: das war notwendig zur Erfüllung des zweiten Wunsches, wonach auf einem Ostertisch prangen, oder sollen wir sagen: blühen muß ein hinreichend kolossaler Schinken, frisch angeschnitten nach Möglichkeit.

Die – wenn es erlaubt ist zu sagen – Blume allen Fleisches war lange entdeckt, blühte gleichsam schwitzend in einem Rauchfang, nur ein bißchen hoch ohne Leiter, und war Eigentum eines finsteren Menschen namens Bondzio. Dieser Bondzio, je nun, er war höflich, hatte ein Einsehen, dieser finstere Einzelgänger, und verließ sein Haus, als der Schinken vonnöten war, um das Kunstwerk des Ostertisches zu vollenden.

Auf den Plan trat diesmal die Ortschaft Sybba, ein Jüngelchen von anmutiger Magerkeit, oder, wenn man will: ein Bindfaden mit Beinen. Die Leiter war zur Hand, sie stand schon an Bondzios Haus, und hoch auf dem Sims, in gnädiger Dunkelheit, turnte der Bindfaden herum, ging glatt durch den Rauchfang wie unsereins durch die Tür, lupfte die Schinkenblume vom Haken, pflückte sie auf seine Art und schleppte sie keuchend nach oben. Doch kaum war er oben, wer kam heranspaziert? Das Unglück selbst, noch dazu uniformiert. Das Unglück hieß Schneppat, lachte blöd und wichtig und war von Beruf Gendarm. Na, steckte seine gebrochene Nase auch prompt in diese Angelegenheit und begann ungefähr so:»Was geht hier, Alec Puch, vor sich?«Alec Puch – wer wird es ihm nicht nachfühlen – zitterte; zitterte so lange, bis er sich ausgezittert hatte, und dann sprach er folgendermaßen:»Es ist, hol's der Teufel, doch Ostern. Das Lamm, sauber, lieblich, kleine, gaaanz kleine Schneeflocke. Und weiß! Wir wollten, ach Gottchen, von wegen Ostern dem Bondzio einen Schinken bringen. Er hat abgeschlossen, du meine Güte, und nun, um uns zu helfen, wollten wir ihm eine Freude machen und den Schinken hineinwerfen in das Haus. Gerade durch den Kamin.«

»Das ist«, sagte Schneppat nach langer Gedankenarbeit,»verboten. Es könnte, Alec Puch, leicht sein, daß unter dem Kamin Zerbrechliches steht, Eier vielleicht oder so. Ihr solltet den Schinken, aber wirklich, wieder 'runterbringen, und es einmal, sagen wir, später versuchen.«

»Wir waren, Max Schneppat, noch nie aufsässig«, sagte Alec.»Das Gesetz geht uns, nun, es geht uns, wollen wir mal sagen: es geht uns einfach über alles.« Und damit flötete er dem Bindfaden auf dem Dachfirst, fing den Schinken auf, den Bindfaden hinterher; man wünschte sich friedlichen Ostertisch und empfahl sich.

Somit fehlten, wie man errechnet hat, auf dem Ostertisch nur noch ein paar Fläschchen, die zu besorgen die Ortschaft Schissomir aursersehen war – aus folgendem Grund: dieses melancholische, stimmbrüchige Bürschchen hatte eine höchst seltene Begabung, die nämlich, zu jeder Zeit, wo immer es stand, ohnmächtig zu werden. Verkniff sich einfach nur ein Weilchen die Luft, lief grün an, das Bürschchen, zauberte sich eine tragische Blässe ins Gesicht und kippte mit verdrehten Augen um. So.

Und diesmal erlaubte es sich umzukippen vor der Kneipe eines Menschen namens Ludwig Karnickel, was zur Folge hatte, daß sich alsbald ein Menschenauflauf bildete. Ludwig Karnickel hüpfte aus seinem Kneipchen heraus, machte Männchen sozusagen, um das Unglück auch mitzubekommen, und stellte auf solche Art, und nicht zu knapp, die Fläschchen für den Ostertisch. Denn während er das Unglück begutachtete, begutachtete der schöne Alec nebst zwei Söhnen seine Regale: wonach der Ostertisch komplett war.

So saß man, mit friedlichen Aussichten, an Bord des Schleppkahns

und dachte an das liebliche Lamm, als Alec Puch ein Gebrüll vernehmen ließ, wie es zu Anfang beschrieben wurde. Die Brut flog aufs Achterschiff, bildete eine zitternde Reihe, während Alec, den schönen Kopf gesenkt, herausstürzte und rief:»Es ist«, rief er,»alles Dreck. Der ganze Ostertisch, sag' ich euch, Schmutz. Denn wir haben vergessen das Wichtigste. Und was wird, bitte schön, das Wichtigste sein? Die Gäste natürlich! Wir haben vergessen die Gäste. Wo wollt ihr, könnt ihr das sagen, zu dieser Stunde Gäste besorgen? Stehlen?«
»Es ist«, sagte die Ortschaft Quaken,»nie zu spät für alles, was sein soll. – Hab' ich richtig gesprochen?«
»Richtig«, bestätigten seine Brüder und nickten.

Dann verließ man in eiligem Schwarm das Schiffchen, schwärmte hierhin und dorthin – Fragen, Bedauern, Kopfschütteln, mit einem Wort: es war ein Kreuz mit den Gästen, denn wie zu erwarten stand, hatten sich schon fast alle verpflichtet. Nur drei – niemand wird sich unterstehen, dies Osterwunder anzuzweifeln – drei Gäste, mithin, waren noch frei. Es handelte sich: um die Fischfrau, um den finsteren Menschen Bondzio und den bereits bekannten Ludwig Karnickel. Man bat sie – sie kamen.

Kamen schon am frühen Morgen zum Flüßchen herab, wo der Schleppkahn vertäut lag, inspizierten die Umgebung, man wechselte Höflichkeiten, und schließlich wurde der Ostertisch gedeckt. Und dann wurde gegessen und getrunken bis in den späten Abend, man plauderte angenehm über das liebliche Lamm, vertrieb sich die Zeit mit Komplimenten und versicherte sich gegenseitiger Sympathie.

Bis – ja, bis der Schinken einmal so lag, daß Bondzio die Kerbe erkennen konnte, die er hineingeschnitten hatte. Da begann der Spektakel, an dem sich, wie es bei solchen Geschichten üblich ist, bald auch die Fischfrau beteiligte, die ihre glotzäugigen Jonasse wiedererkannt hatte, und natürlich auch Ludwig Karnickel. Man rannte über die Wiesen, verfolgte einander, schwang Knüppel und drohte, bis unversehens Alec Puch einen Schrei ausstieß, einen Schrei, welcher folgendes wiedergab:»Das Lamm!«

Und wirklich, was kam da am Flüßchen entlangspaziert? Ein Lamm, klein und weiß wie eine Schneeflocke. Die Gesellschaft stürzte hinzu, vergessen waren Streit und Drohung, man rupfte zarteste Blättchen für das Tier, streichelte es, na, man brachte sich fast um.
»Es ist«, sagte der schöne Alec,»das reine Wunder. Ehrenwort.«

Die Gäste sahen sich gezwungen, ihm beizupflichten, man schüttelte sich die Hände, umarmte einander, die Luft war erfüllt von Flötenton und Jubelklang, und als man auseinanderging, sprach der finstere Mensch Bondzio:»Es war«, sprach er,»Gevatterchen, insgesamt ein ansprechender Ostertisch. Vor allem, unter uns gesagt, weil jeder auf seinen persönlichen Geschmack angesprochen wurde. Das ist, wie man zugeben wird, nicht leicht.«

Das Bad in Wszscinsk

Das Erlebnis, das sonderbare, hatten meine Verwandten an einem friedlichen Marktflecken unterhalb des Narew, Wszscinsk geheißen, was bei uns manche Zunge brechen könnte, im Polnischen aber ungemein melodiös klingt. Hierher, nach Wszscinsk am Flusse Narew, kam kurz nach Pfingsten eine kleine masurische Reisegesellschaft; sie hatte den Weg von der Grenze fast ohne Unterbrechung zurückgelegt, fuhr nach Feierabend in das schweigsame Dörfchen ein und hielt vor dem Gasthaus »Tchicha Woda«, was sowohl zum stillen als auch zum tiefen Wasser heißen kann. Still oder tief – als die Kutsche hielt, sprangen sofort meine beiden Vettern Urmoneit heraus; es waren gutgewachsene, barfüßige Herren, beide waren knapp über die Vierzig, rochen angenehm, trugen einen neuen Haarschnitt und in der Hand einen Kadick-Stock. Sie eilten, jeder von einer Seite, an den Bock heran und bemühten sich mit untertäniger Eile, ihrem Kutscher herabzuhelfen.

Auf dem Kutschbock saß, schwer und alt, den kurzen rundlichen Körper in ein schwarzes Dreieckstuch eingeschlagen, Tante Arafa; sie hatte ein großes nickendes Gesicht, fleischige Kapitänshände und sanft gebogene Schultern. Während die Vettern versuchten, Tante Arafa herabzuziehen, knallte sie einmal unwillig mit der Peitsche, warf die Lippen auf und sagte mit der Stimme eines defekten Blasebalgs:»Wir sind, Hosiannah, angekommen. Jetzt werde ich ein Bad nehmen, und hinterher werden wir essen, und wenn wir gegessen haben, kann's losgehen.«

Sie kletterte ohne den Beistand der Vettern vom Kutschbock herab, band die Zügel fest und ging auf den alten, niedrigen Gasthof zu, dessen Mauern schon schief und von der Zeit geschwärzt waren. Die Vettern folgten ihr demütig.

Tante Arafa also, wie gesagt, ging auf das schiefe Gasthaus zu, stieß die Tür auf und rief nach dem Besitzer. Der erschien alsbald, ein scheuer, kleiner Mensch mit wimpernlosen Lidern, er verbeugte sich linkisch, musterte Tante Arafa mit einigem Erschrecken und fragte nach ihren Wünschen.

»Sozusagen ein Bad«, sagte sie, »und nach dem Baden wollen ich und meine Neffen essen. Wir waren«, fügte sie drohend hinzu, »lange genug unterwegs.«

»Es wird«, sagte der Besitzer des Gasthauses, »alles geregelt werden zu Ihrer Zufriedenheit. Was zunächst das Bad betrifft, so bitte ich, mir zu folgen.« Er ging voran durch die rauchgeschwärzte Wirtsstube, durchquerte mit Tante Arafa und den Vettern im Schlepptau den Stall und blieb in einem zugigen Schuppen stehen. Dieser Schuppen, so schien es, war das Badehaus, denn auf gestampftem Lehmboden, in der Nähe eines Feuerchens, stand eine riesige braune Holzbalje, mehr als zur Hälfte mit heißem Wasser gefüllt, und über dem Feuerchen, an einem Eisenhaken, baumelte ein großer Wasserkessel, der gerade von einer Magd mit sanften, dunklen Augen nachgefüllt wurde.

Die einzige Holzbalje war jedoch nicht leer, in ihr saß, badend, ein Greis; er grinste freundlich und blöd, als die Gesellschaft eintrat, plantschte albern und lachte, wobei sein letzter Zahn, Einsiedler seines Mundes, zu sehen war. Tante Arafa sah den badenden Alten mißtrauisch an und sagte: »Mir scheint es, Cholera, als sei das Bad noch besetzt.«

»Das ist«, sagte der wimpernlose Wirt, »kein Grund zur Besorgnis. Stanislaus Skrrbik, ein Bruder meiner Frau, sitzt den ganzen Tag hier im Wasser. Er ist, das sehen Sie, alt, und außerdem hat er Fieber. Er wird, Sie dürfen ganz sicher sein, keinen Anstoß nehmen, wenn Sie ins Bad steigen, in vielen anderen Fällen hat er auch keinen Anstoß genommen.«

»Das mag«, sagte Tante Arafa düster, »wohl sein. Aber vielleicht nehme ich Anstoß, und das würde der Sache ein anderes Licht geben. Wir sind anderes gewohnt. Also gehen Sie und sagen Sie Stanislaus Skrrbik, daß er das Bad freigibt für andere Menschen. Wenn er den ganzen Tag hier sitzt, läßt es sich doch wohl machen, daß er für eine halbe Stunde im Trockenen steht. Wie denkt ihr darüber, Bogdan und Franz?«

»Du hast, Tantchen, nicht unrecht«, sagten die Vettern. Der Wirt wiegte bedenklich den Kopf, sein Blick hing versonnen an dem plant-schenden Greis, der mit hohler Hand Wasser schöpfte, es zum Rand der Balje emporführte und auf seinen kahlen Schädel goß, alles von einem dünnen, meckernden Lachen begleitet und von kleinen, irren Schreien des Entzückens.

»Nein«, sagte der Wirt, »der Wunsch, Stanislaus Skrrbik zum frei-willigen Verlassen des Bades zu bewegen, selbst für eine bemessene Zeit, wird nicht zu erfüllen sein. Dazu hängt er zu sehr an der Balje. Er würde, wie ich ihn kenne, so tun, als verstünde er unsere Aufforderung nicht.«

»Mit anderen Worten«, sagte Tante Arafa, »mir wird das Recht auf ein Bad streitig gemacht.«

»Niemand hat davon gesprochen«, sagte der Wirt.

»Gesprochen«, entrüstete sich Tante Arafa, »hat auch niemand da-von, aber zu verstehen gegeben wird es mir in einem fort. Oder wollen Sie sich, bitte sehr, erklären, wie ich unter diesem Dach zu meinem Recht komme?«

»Es ist«, versicherte der Wirt, »nicht allzu viel nötig, damit Sie zu einem Bad kommen, vorausgesetzt, daß mir einer der Herren, die sich in Ihrer Begleitung befinden, für einen Augenblick zur Hand ginge.«

»Bogdan«, rief Tante Arafa sofort, und der Gerufene trat aus dem Hintergrund des Schuppens, legte den Kadick-Stock auf den Lehm-boden und hielt sich bereit. »Bogdan, du wirst diesem Menschen hel-fen.« Bogdan nickte, der Wirt winkte ihm, und dann traten beide auf den badenden Greis zu, der in lächerlicher Weise gegen sie spritzte.

»Wir werden ihn«, sagte der Wirt, »da alles andere zwecklos ist, auf den Hof gießen. Die Luft ist warm heute abend, und so dürfte er keinen Schaden nehmen. Zur Sicherheit werde ich, auf jeden Fall, eine Pferdedecke über ihn werfen. Also – angefaßt!«

Sie trugen die Holzbalje mit dem badenden Alten auf den Hof hin-aus, trugen ihn, während er fröhlich winkte, zu einem Abflußgraben, und auf ein schnelles Kommando kippten sie die Balje um, woraufhin die sich ganz und gar entleerte.

»Kommen Sie«, sagte der Wirt zu Bogdan, »für alles andere werde ich schon sorgen«, und er zerrte seinen ausgeliehenen Gehilfen über den Hof zurück in den Schuppen, wo er, mit triumphierendem Ge-sicht, die Holzbalje vor Tante Arafa niedersetzte.

»Es wird, Sie können sicher sein, nun nicht mehr lange dauern.

Jadwiga Trczk, meine Magd, wird alles besorgen zu Ihrer Zufriedenheit.« Nach solchen Worten deutete er auf die sanften, dunklen Augen, und diese lächelten zustimmend.

Während er selbst hinausging, füllte Jadwiga Trczk neues Wasser in die Balje, die Vettern verließen den Schuppen, und Tante Arafa stieg ins Bad.

»Nun«, sagte der wimpernlose Wirt zu Bogdan, der ihm zur Hand gegangen war, »ist alles geregelt zu jedermanns Zufriedenheit. Die vornehme Dame hat ihr Bad allein, wie sie's gewohnt ist. Aber Ihnen, mein Herr, muß ich danken für die kundige Hilfe. Sie verstehen sich wohl darauf, eine Balje mit einem lästigen Menschen umzukippen.«

»Das macht«, sagte Bogdan geschmeichelt, »nichts als Übung. Ehrenwort.«

Ein angenehmes Begräbnis

Es starb, auf einer kleinen Reise im Polnischen – es war genau an dem trauten Marktflecken Wszscinsk am Flusse Narew –, mein Tantchen Arafa. War ein schwerer, fülliger Mensch, mein Tantchen, hatte mächtige Schultern und rötliche Kapitänshände, und außerdem war sie ungemein kräftig und gewohnt zu befehlen. Sie hatte während der ganzen Reise noch keine Anzeichen davon gegeben, daß sie zu sterben beabsichtige – im Gegenteil: sie machte, dann und wann, ein paar grollende Scherze, aß ständig mehr als meine beiden Vettern Urmoneit, die sie begleiteten, zusammen und versetzte beinahe jeden Wirt, mit dem sie verhandelte, in flatternden Aufruhr.

Das Tantchen: es starb mit einem Fluch auf den Lippen, lag gerade hinten in der Kutsche, als es geschah, während die Vettern, scheu und ahnungslos, vorn auf dem Bock saßen. Sie wunderten sich nicht einmal, daß es still wurde hinter ihrem Rücken, daß keine grollenden Scherze mehr erfolgten, keine Befehle – wußten rein nichts von dem Unglück, die beiden. Na, aber dann mußten sie ja mal anhalten, weil die Pferde Wasser brauchten, und als sie dem Tantchen herabhelfen wollten, damit es sich die Beine vertreten könnte, schlenkerten ihnen die rötlichen Kapitänshände entgegen, schlapp, ganz schlapp, und zudem war Tantchens Gesicht dermaßen friedlich, daß die Vettern, wie es jedem anderen auch ergangen wäre, mißtrauisch zu werden begannen.

Sie gingen daran, sich zunächst nach allen Regeln der Kunst zu versichern: beklopften das Tantchen, lauschten in es hinein, hielten ihm ein weiches Kükenfederchen unter die Nase, murmelten Sprüche, massierten es – aber das Tantchen tat, was Tote so zu tun pflegen: es interessierte sich einfach für nichts. Worauf denn Bogdan, einer der Vettern, so sprach:»Ich rieche«, sprach er,»Lunte. Wir sind, wie man sich erinnert, abgefahren mit einem Tantchen, das Ton und Laut gab. Dies Tantchen, bitte sehr, gibt keinen Ton mehr. Es ist sozusagen verschieden.«

»Verschieden«, sagte der andere,»ist das Tantchen schon. Aber in der Kutsche, mein Gottchen, sitzt es noch immer. Und es ist, wie die Dinge stehen, zu fürchten, daß unser Tantchen von allein die Kutsche nicht wird verlassen.«

»Wir werden es«, sprach Bogdan,»melden. Vielleicht bei der Polizei?«

»Nein«, rief der andere schnell und hob, in erschreckter Abwehr gegen diesen Gedanken, die Hände.»Wenn wir es melden: man wird untersuchen das Tantchen, man wird auch uns untersuchen, sogar verdächtigen, und wie die Gesetze betreffs einer Leiche in Polen liegen, kann es Winter werden, bis wir mit dem Tantchen nach Hause kommen.«

»Dem Tantchen, mein' ich«, sprach Bogdan,»wär' das doch egal.«

»Aber uns nicht«, sagte der andere Urmoneit.»Schau doch, ich bitt dich, das Tantchen mal an. Sieht es nicht aus wie im Schlummer? Also werden wir losfahren, und wenn einer sich untersteht zu fragen, werden wir um Ruhe bitten für eine schlummernde Dame.«

So tränkten meine Vettern Urmoneit die Pferde und rollten gemächlich zur Grenze. Richteten es natürlich so ein, daß sie nachts vor dem Schlagbaum hielten, und da geschah folgendes: Bogdan, in leichtfüßigem Entschluß, sprang nach hinten zum Tantchen, umsteckte es mit Kissen, plusterte alles ordentlich auf, und als er fertig war, kam auch schon der Posten heraus. War ein schmächtiger, lederhäutiger Mensch, dieser Posten, beäugte die Vettern, beäugte die Kutsche und die Pferde, schnüffelte vor Langeweile alles durch. Na, und dann sah er das Tantchen, kletterte gleich zu ihr 'rauf und sagte so:»Wer ist«, sagte er,»bitte schön, dies tote Madamchen?« Worauf die Vettern, in diskretem Chor, antworteten:»Es ist Arafa Gutz, unser Tantchen ersten Grades.«

»Erster Grad, zweiter Grad«, sagte der Posten, »aber warum, hol's der Teufel, gibt sie keinen Ton?«

»Weil sie, Ehrenwort, schlummert. Und vielleicht dürfen wir, Pan Kapitän, um Ruhe bitten für eine schlummernde Dame.«

»Gut«, sagte der Posten, »alles genehmigt, aber wer garantiert mir, daß euer Tantchen ersten Grades nicht beispielsweise verschieden ist?«

»Wenn sie«, sagten die Vettern, »verschieden wäre, könnte sie nicht schlummern, und unser Tantchen schlummert.« Der Posten überlegte, und da ihm die Logik zusagte, ließ er die Kutsche passieren.

Und die Vettern Urmoneit fuhren die ganze Nacht und kamen am Morgen in ein Dörfchen, welches Kulkaken hieß. Sie waren, wie man ihnen nachfühlen wird, ungewöhnlich hungrig – hatten ja lange genug gedarbt, die Vetterchen –, und darum stellten sie die Kutsche mit dem Tantchen vor einem Wirtshaus ab und gingen ins Haus, um sich zu stärken für den Rest des Weges. Hieben also ungeheuer drauf los, aßen Speck, Eier, Rauchfleisch, Kohlsuppe, Honig, Zwiebelkuchen und eingemachte Birnen, und außerdem tranken sie eine riesige Kanne Kaffee. Aßen beiläufig den halben Vormittag, die beiden, und als sie hinausgingen – ja, was mag da wohl passiert sein, als sie hinausgingen: die Pferde waren weg. Und mit den Pferden war die Kutsche weg, und mit der Kutsche das Tantchen.

Na, die Vettern sprangen, sagen wir mal, wie wilde Handfeger ums Haus, suchten und wedelten, schimpften und riefen, aber was nicht wiederkam: es war die Kutsche mit der Tante.

Nachdem sie sich müde und hungrig gesucht hatten, gingen sie abermals ins Haus und aßen, und nach dem Essen lächelte Bogdan auch schon wieder, lächelte eine ganze Weile, und dann sagte er so: »Wir haben«, sagte er, »Trost bei allem. Stell dir nur, Brüderchen, vor den Dieb unserer Kutsche. Nimm etwa seinen Schrecken: muß der nicht groß gewesen sein? Oder nimm seine Hand: muß die nicht schlimm gezittert haben, als er das tote Tantchen entdeckte?«

So trösteten sie einander, lachten über den Dieb und brachen, wie man es sich denken wird, erst ziemlich spät auf nach Suleyken. Sie schritten über die Wiesen, um den Weg abzukürzen, erstiegen den Damm der Kleinbahn und wurden bald ansichtig der Lichter Suleykens. Wurden aber auch einiger Menschen ansichtig, die beiden, und trauten sich nicht zu hören, was ihnen diese Menschen erzählten. Sie erzählten nämlich, daß nachmittags, so zur Kaffeezeit, Tante Arafa zurückgekommen sei, hinten in der Kutsche habe sie gelegen und geschlummert. Und als ob sie verschieden sei, so habe sie ausgesehen. Die Urmoneits, schlau wie sie waren, begriffen augenblicklich, daß es den Pferden in Kulkaken zu langweilig geworden war. Hatten einfach keine Lust mehr zu warten und waren allein losgezogen. »Du wirst«, sprach Bogdan, »sehen: die Pferde werden sein im Stall.« Und sie eilten, angerührt von zehrender Sorge, nach Hause. Kaum waren sie auf dem Hof, wer lief ihnen über den Weg? Glumskopp, ein alter, zahnloser Knecht. Er lachte, dieser Mensch, von einem Ohr zum ändern, rieb sich die Hände und ließ sich, in seiner mümmelnden Art, so vernehmen: »Ein Fest, hehehe, wir werden zu feiern haben ein Fest. Und es wird zu essen geben Heringe in Schmand.«

»Wer hat«, sagte Bogdan, »anberaumt dieses Fest?«

»Das Fest«, mümmelte Glumskopp, »hat anberaumt das liebe Gottchen, hehehe. Er hat sterben lassen die Alte, und er wird, wie ich ihn kenne, sorgen für ein angenehmes Begräbnis.«

Die Vettern schoben ihn höflich zur Seite und betraten das von Trauer heimgesuchte Haus. Es roch nach Braten und Gebackenem und Geräuchertem und wer weiß nicht was allem. Aber die Urmoneits überwanden sich und gingen selbander in die Stube. Gingen hinein und wurden, als besonders Leidtragende, gleich umringt von zahlreicher Trauergesellschaft, Hände streckten sich ihnen entgegen, Lippen beugten sich herab; man sprach vom Tantchen als einer zarten, lieblichen Nelke, man flüsterte leise und weinte geläufig, gab sich Trost, soviel man nötig hatte, und nahm an einem langen Tisch Platz.

Die Vettern bemerkten, daß unter dem Fenster, noch von Tüchern verdeckt, die Instrumente einer Blaskapelle lagen: es war alles bereit. Gut. Aber erst einmal erhob sich Bogdan Urmoneit und sprach folgendermaßen: »Wir sollten«, sprach er, »ein ganz kleines Weilchen an den denken, der verschieden ist: unser Tantchen Arafa ... noch etwas länger, wenn ich bitten darf ... noch etwas ... so, jetzt ist gut. Und nun frage ich: wo ist unser Tantchen?«

»Verschieden«, rief jemand von der Kapelle.

»Nein«, sagte Bogdan ernsthaft, »ich meine, wo ist ihr Leib?«

»Ihr Leib«, sprach ein einäugiger Förster, »ist nicht mehr zu besichtigen. Was sterblich ist an ihr: wir haben es gelegt in einen entsprechenden Sarg. Und den Sarg, damit mehr Platz ist im Haus, haben wir hochkant gestellt, gegen den Ofen. Da steht der Leib bequem.«

Bogdan nickte. Aber er nickte abwesend, denn er hatte unter den trauernden Gästen jemand bemerkt, der sein Herz irgendwie – sagen wir mal: hold – berührte. Blühte mächtig drauflos, Bogdans Herz, begann sogar zu ranken, na, es rankte sich hold herum um die Gestalt einer gewissen Luise Luschinski, einer blassen, kleinen Person mit verweintem Vogelgesicht.

Bogdan vergaß, was um ihn vorging. Er lächelte der Luise Luschinski mit einer so ungeheuren Innigkeit zu, daß die ganze Gesellschaft es verfolgte. Die Musiker natürlich, immer hungrig dieses Volk, faßten das gleich wieder falsch auf, holten sachte ihre Instrumente hervor und begannen, einen langsamen Walzer zu spielen. Die Klänge jedoch, sie bewirkten, daß Bogdan zu lächeln aufhörte und sich, ruckartig, mit Trauer versah. Aber zu spät, zu spät: alles hatte schon seinen Anfang genommen.

Das Glück, es näherte sich ihm auf den kleinen Füßen der Luise Luschinski. Als ob die Musik sie herangeweht hätte, die kleine blasse Person, stand sie plötzlich vor ihm und sprach:»Dieser Walzer, Bogdan Urmoneit, er gehört dir.«

Worauf Bogdan sich unschlüssig umsah und, als er die zustimmenden, ja auffordernden Blicke der Trauergesellschaft bemerkte, antwortete:»Genehmigt. Aber wenn ich bitten darf, nur ganz langsam.«

Schwebten also los die beiden, und, wie man es erwartet hat, folgten ihnen bald andere Paare. Die Musik wurde lauter, hier und da ließ sich schon Lachen vernehmen, unter anderem das mümmelnde Lachen von Glumskopp – mit einem Wort: die Gesellschaft verschaffte sich Durst. Und Hunger, versteht sich. Durstete und hungerte so lange, bis der einäugige Förster aus der Küche zurückkam und rief:»Hosianna«, rief er,»der Hirsch ist tot.«

So, und dann wurde gegessen. Was gegessen wurde? Ich brauch' nur zu erzählen von mir: obzwar jung und unmündig, verzehrte ich acht Spiegeleier mit fettem Speck, fünf Klopse, etwas vom Hasen, einen Entenhals, einen Teller Blutsauer mit Gekröse vom Huhn, einen Teller Fleck, ein halbes Schweineohr und einige Bratäpfel. Dazu aß ich gebackene Zwiebeln, einen gerösteten Fisch und am späten Abend ein paar Flußkrebse, die der alte Glumskopp gefangen hatte. Ich war, wie gesagt, jung und unmündig.

Zuerst also wurde gegessen, und nachdem man gegessen hatte, wurde getrunken, und der Trunk, wie er's so in sich hat, rief ein Ereignis hervor, das nicht anders genannt zu werden verdient als – aber zuerst das Ereignis. Edmund Vortz, ein Schneider, behauptete, nachdem er getrunken hatte, allen Ernstes, daß Hindenburg in seinen Augen nicht gebildeter gewesen sei als ein Suleyker Huhn. Darauf erhob sich ein kolossaler Lärm. Der einäugige Jäger sprang auf und schlug den Schneider dermaßen vor die Brust, daß der Beleidiger unter den Tisch flog und eine Weile, ohne ein Zeichen von Leben, liegenblieb. Schon wollte man ihn vergessen, da krähte er schon wieder, daß er selbst, Edmund Vortz, die Schlacht von Tannenberg noch besser gewonnen hätte – was wieder den einäugigen Förster auf den Plan rief. Er schlug den Schneider abermals nieder, wurde, nachdem die Ohnmacht vorbei war, wieder herausgefordert – es war nicht mehr viel übrig von dem Schneider, und es wäre noch weniger übriggeblieben, wenn nicht Bogdan dem Streit ein Ende gemacht hätte. Er sagte nur: »Tante Arafa«, und augenblicklich legte sich ein sinnender Friede über die Gesellschaft. Aber das Ereignis, es verdient nicht anders genannt zu werden als: ernst.

Was das Begräbnis betrifft: es hat, zwischendurch, auch mal stattgefunden. Tante Arafa erhielt ein schönes Grab, gleich neben einer masurischen Kiefer. Die Gesellschaft lobte das Plätzchen, sprach rührende Worte zum Tantchen hinunter und ging wieder nach Hause, wo das Fest einen erquicklichen Fortgang nahm. Drei Tage war man zusammen, und zum Schluß schenkte Bogdan jedem etwas von den Speisen, die übriggeblieben waren, und dazu ein ganzes Stück Seife. Und alle, die gekommen waren, sahen über den Streit hinweg und versicherten ungefähr wörtlich: es war, insgesamt, ein angenehmes Begräbnis.

Schissomirs großer Tag

Sie waren beide barfuß, und der eine führte eine Ziege am Strick und der andere ein Kälbchen; so traf man sich an der Kreuzung, und während Ziege und Kalb erstaunt Notiz voneinander nahmen, begrüßten sich die barfüßigen Herren, boten einander Schnupftabak an und kamen, ohne viel Worte, überein, diesen Tag einen guten Markttag zu nennen, denn der Himmel dehnte die blaue Brust, die Heuschrecken zirpten, wie es ihnen zukam, und in der Luft lag ein ahnungsvolles

Flimmern. Nachdem also, wie gesagt, der Tag für gut befunden war, besprenkelte man gemeinsam das Chausseegras, nahm noch ein Prieschen, und dann rief Herr Plew seine Ziege und Herr Jegelka sein Kalb, und beide wanden sich den Strick um den Hals und schritten, die Tiere im Rücken, forsch aus, denn Schissomir, der freundliche Marktflekken, lag sechs Meilen entfernt und wollte erreicht sein. Sechs Meilen, das weiß man, sind, mit Ziege und Kälbchen im Schlepptau, nicht unbedingt eine Promenade, und so gerieten die Herren, was ihnen keiner verdenken wird, ins Fluchen; sie fluchten nach Temperament, d. h. Herr Jegelka mehr als sein Nachbar, denn das Kälbchen, im Begriff die Welt zu entdecken, erwies sich als ausnehmend störrisch, wollte hierhin und dahin, äugte plötzlich versonnen auf glitzernde Tümpel oder auf seinen Gefährten, die Ziege. Diese war alt und wesentlich williger.

»Es ist«, sagte Jegelka, »kein einfacher Weg. Mit so einem Kälbchen an der Schnur hätte Napoleon, weiß Gott, nicht so schnell Rußland verlassen können.«

»Vermutlich«, sagte darauf Plew, »hätte Napoleon es anders gemacht. Er hätte, wie ich ihn kenne, Befehl gegeben, das störrische Kalb zu tragen.«

»Ja der«, sagte Jegelka mit Nachsicht, »der machte sich alles zu einfach.«

So gingen sie weiter, warfen Napoleon noch dies vor und jenes, aber schließlich kamen sie auf Preise zu sprechen, und Jegelka, dem der zerrende Strick die Hand schon gerötet hatte, erklärte: »Dieser Weg zum Markt, ich meine den Weg mit dem Kälbchen, ist schon so viel Geld wert wie das Kälbchen an sich. Darum werde ich es nicht unter dem üblichen Höchstpreis verkaufen. Ich lasse nicht mit mir handeln, ich gehe keinen Groschen vom Preis ab.«

»Das kann ich verstehen«, sagte Plew, »aber bei meiner Ziege ist es anders. Die ist schon alt, ziemlich ausgemolken und gerade ihr Fleisch wert. Ich bin froh, wenn jemand drauf 'reinfällt. Dir kann ich's ja sagen, wir sind ja aus einem Dorf.«

»Mir kannst du es sagen«, sagte Jegelka, »na, wir wollen mal sehen.«

Noch vor Mittag sahen sie Schissomir, den freundlichen Marktflekken, und die Luft war erfüllt von allem, was Ton und Geruch gab, die Leute waren lustig und lebhaft, knallten mit Peitschen, lachten, hatten Stroh an den Stiefeln, aßen fetten Speck, schauten Pferden ins Maul und kniffen Ferkel in den Rücken, worauf ein wildes Quietschen anhob; dicke Frauen wurden am Rock gezogen, Kinder plärrten, Bullen brummten, eine Gans war unter eine Herde von Schafen geraten, was bewirkte, daß einige Schafe unter die Kühe kamen und einige Kühe sich losrissen und durch die staubige Gasse der Buden sausten, und als ein riesiger Mann die Gans einfing, schrie und flatterte sie so laut unter seinen Händen, daß er vor Angst fester zupackte, und dabei starb die Gans, was wieder die zungenfertige Eigentümerin auf den Plan rief – kurz gesagt, Schissomir, der freundliche Marktflecken, hatte einen seiner großen Tage.

Plew mit der Ziege und Jegelka mit dem Kälbchen waren alsbald von einigen Kauflustigen umlagert, man stritt und lachte, klopfte der Ziege das Euter ab und schaute dem Kälbchen in die Augenwinkel und Ohren, und plötzlich zog ein Mann, ein kurzer stämmiger Viehhändler, einen Briefumschlag heraus, zählte Geld ab, gab das Geld Plew, band sich, ohne Eile, den Strick um das Handgelenk und führte die Ziege davon. Plew zählte fröhlich das Geld nach, ging dann zu seinem Dorfnachbarn Jegelka hinüber und sagte: »Hosiannah! Die Ziege ist verkauft! Wenn du dich beeilst, können wir, bevor wir nach Hause gehen, uns noch einen genehmigen.«

»Ich könnte«, sagte Jegelka, »das Kälbchen längst los sein. Aber der Weg war mühselig, und ich denke nicht daran, mit mir handeln zu lassen. Du brauchst, Nachbar Plew, nicht so mit deinem Kleingeld in der Tasche zu klimpern. Es macht keinen Eindruck auf mich. Von mir aus, wenn du willst, kannst du dir einen genehmigen. Ich warte hier, bis jemand den Preis bezahlt, den das Kälbchen und der Weg wert sind. Wenn sich niemand findet, nehme ich das Kälbchen wieder nach Hause.«

»Gut«, sagte Plew, »so werde ich also, etwas später, hierherkommen, denn der Weg, Nachbar Jegelka, ist weit, und zu zweit läuft es sich angenehmer.«

Plew ging, sich einen zu genehmigen, und dann schlenderte er durch die staubige Gasse der Buden, staunte, worüber zu staunen ihm wert schien, wechselte Grüße, säuberte, wenn ihn das Schicksal zu nah an den Kühen vorbeigeführt hatte, gewissenhaft seine Fußsohlen und erholte sich auf seine Weise. Als er zu Jegelka zurückkam, war der Viehmarkt vorbei, das Kälbchen aber immer noch nicht verkauft. »Du scheinst«, sagte Plew, »vom Unglück verfolgt zu sein.«

»Es ist nicht das Unglück«, sagte Jegelka, »ich will nur das Kälbchen nicht unter Preis verkaufen. Jetzt ist der Markt vorbei. Nun muß ich es wieder nach Hause nehmen. Von mir aus können wir gehen.«

Sie machten sich auf den gemeinsamen Heimweg; der eine zog sein Kälbchen, der andere, der ein Stückchen vorausging, klimperte fröhlich mit seinem Geld in der Tasche und konnte sich nicht genugtun zu erwähnen, wie glücklich er über den Verkauf der Ziege sei, zumal sie, bei Licht betrachtet, nur den Wert ihres Fleisches gehabt habe. Das tat Plew mit so viel Ausdauer, daß Jegelka sich darüber zu ärgern begann; denn er spürte wohl, worauf es sein Nachbar abgesehen hatte, und darum verhielt er sich still und dachte nach.

Plötzlich aber blieb Jegelka stehen mit dem Kälbchen, rief Plew zurück und deutete auf die Erde. Auf der Erde saß, grün und blinzelnd, ein Frosch, ein schönes, glänzendes Tierchen.

»Da«, sagte Jegelka, »sieh dir diesen Frosch an, Nachbar Plew. Siehst du ihn?«

»Nun«, sagte Plew, »ich sehe wohl.«

»Gut«, sagte Jegelka, »dann will ich dir einen Vorschlag machen, einen Vorschlag, den anzunehmen du dich sofort bereit finden wirst. Du hast, Nachbar Plew, deine Ziege glücklich verkauft. Du hast Geld. Du kannst, wenn du willst, nicht nur das Geld vom Markt heimbringen, sondern auch noch mein Kälbchen. Dazu mußt du allerdings diesen Frosch essen.«

»Aufessen?« vergewisserte sich Plew.

»Aufessen!« sagte Jegelka mit Bestimmtheit. »Wenn der Frosch in deinem Hals verschwunden ist, kannst du mein Kälbchen an den Strick nehmen.«

»Das ist«, sagte Plew, »in der Tat ein hochherziger Vorschlag, und von mir aus ist er angenommen. Ich esse den Frosch, und du gibst mir, Nachbar Jegelka, dein Kälbchen.«

Plew, nachdem er so gesprochen hatte, bückte sich, schnappte den Frosch und biß ihn mit geschlossenen Augen durch, während Jegelka ihm mit seltsamer Genugtuung zusah.

»Nur zu, Nachbar«, sagte er, »die erste Hälfte, das habe ich gesehen, ist in deinem Hals verschwunden. Jetzt die Schenkel.«

»Ich bitte«, sagte Plew verstört und mit verdrehten Augen, »mir ein wenig Aufschub zu gewähren. Das ist, weil der Magen Zeit finden soll, sich an den fremden Stoff zu gewöhnen. Können wir nicht, Gevatterchen, ein Stückchen laufen? Ich werde dann, zu gegebener Zeit, die andere Hälfte essen.«

»Gut«, sagte Jegelka, »damit bin ich einverstanden.« Und sie liefen stumm nebeneinander, und je weiter sie liefen, desto übler wurde es Nachbar Plew und desto größer wurde auch seine Gewißheit, daß er die zweite Hälfte des Frosches nie über die Lippen bringen würde, und er überlegte verzweifelt, wie er aus dieser Lage herauskommen könnte. Dabei gab er sich aber den Anschein des Mutes und der Zuversicht, so daß Jegelka, der sein Kälbchen nur mehr zur Hälfte besaß, schon zu bangen anfing.

Schließlich blieb Plew unvermutet stehen, hielt dem Nachbarn den halben Frosch hin und sagte:»Nun, Nachbar, wie ist's? Wir wollen uns nicht um Hab und Gut bringen, zumal wir aus demselben Dorf stammen. Wenn du den Rest des Frosches ißt, verzichte ich auf meinen Anspruch, und du darfst dein Kälbchen behalten.«

»Das«, sagte Jegelka glücklich, »ist echte Nachbarschaft.« Und er aß unter Halszucken und Magenstößen die zweite Hälfte des Frosches, und das Kälbchen hinter seinem Rücken gehörte nun wieder ganz zu ihm. »So bringe ich doch noch«, sagte er mit verzerrtem Gesicht, »etwas vom Markt nach Hause.«

Sie zogen nachdenklich ins Dorf, und als sie sich am Kreuzweg trennten, sagte Jegelka:»Es war, Nachbar, »ein guter Markttag. Nur – weißt du, warum wir eigentlich den Frosch gegessen haben?«

Duell in kurzem Schafspelz

Stanislaw Griegull, mein Onkelchen, ein ernsthafter Mensch mit langen dünnen Beinen, wurde heimgesucht von einem Unglück ganz besonderer Art. Dies Unglück, um zu geben einen Eindruck von seiner Bedeutung, bestand darin, daß Stanislaw Griegull Geld bekommen sollte – eine Aussicht, die ihn zutiefst bekümmerte, oder, sagen wir mal, fislig machte. Er konnte nicht mehr, wie es seine Gewohnheit war, den Tag verdruseln, er nahm nichts Geräuchertes mehr zu sich, unterhielt sich wenig, grüßte nicht mehr so ausgiebig – mit einem Wort, der bevorstehende Reichtum, wie er's wohl zu tun pflegt, hatte ihn vorzeitig benommen gemacht. Ganz Suleyken, um nicht zu sagen: der ganze Kreis Oletzko, nahm grübelnden Anteil an seinem Mißgeschick, man erwog und überlegte, riet und verwarf, aber der Reichtum war nicht abzuwenden.

Dieser Reichtum, meine Güte, er war gekommen auf einem Weg, den Stanislaw Griegull, mein Onkelchen, nicht übersehen konnte. Er hatte, bitte sehr, nichts Schlimmeres getan als mit einem Viehhändler gewettet über die Vornamen Napoleons, und da die Tatsachen, hol sie der Teufel, Stanislaw Griegull recht gaben, mußte der Viehhändler zahlen.

Als der Tag, an dem der Reichtum hereinbrechen sollte, begann, legte sich Stanislaw Griegull ins Bett und beobachtete, rechtschaffen traurig, den Schneefall. Er lag so, der arme Mann, einen qualvollen Vormittag, als der Briefträger, ein ewig verfrorner Mensch namens Zappka, zu ihm hereinkam, in höflicher Trauer die Geldtasche öffnete und Stanislaw Griegull, meinem Onkelchen, das Geld vorzählte. Er tat es schweigend, in nachdenklicher Bekümmerung, und als er fertig war, trat er ans Bett heran, drückte dem Leidenden die Hand und sprach folgendermaßen:»Niemand«, sprach er,»Stanislaw Griegull, bleibt auf dieser Welt verschont. Nehmen wir, nur zum Beispiel, den Hasen. Bleibt er verschont? Oder nehmen wir, auch nur zum Beispiel, das Reh. Bleibt es verschont? Und schon gar nicht zu reden von den wilden Schweinen. Es ist, Gevatterchen, ein einziges Leiden in der Welt.«

Stanislaw Griegull, mein Onkelchen, hörte sich die Rede einigermaßen ergriffen an und antwortete so:»Du hast, Hugo Zappka, wunderbar gesprochen. Aber nimm, nur zum Beispiel, den Hasen. Er wird, Gevatterchen, nicht verschont vom Hunger. Aber sein Hunger, bitte schön, bleibt nicht ewig. Der Reichtum, hingegen, er bleibt. Darum werde ich, Ehrenwort, nicht mehr aufstehen.« Nach solchen Worten drehte er sich zur Wand, zog die Decke über den Kopf und schwieg.

Hugo Zappka, in Trauer verbunden, überlegte angestrengt, und während er so überlegte, las er ein Kärtchen nach dem anderen, das er noch auszutragen hatte, und wahrhaftig: die Lektüre inspirierte ihn. Plötzlich, beinahe triumphierend, warf er die Kärtchen in seinen Ledersack, kniff den Leidenden in die Schulter und sagte so:»Ich heiße«, sagte er,»nicht Dr. Sobottka. Darum bin ich kein Kreisphysikus. Aber heilen, Stanislaw Griegull, kann ich dich wie er. Du hast, auf dem Tisch ist's zu sehen, einhundertachtzig Mark, das ist die Krankheit.«

»Sie bleibt«, stöhnte Stanislaw Griegull, mein Onkelchen, und warf sich seufzend herum.

»Das ist«, sagte Zappka, »die Frage. Man könnte so, nur zum Beispiel, für das unerwünschte Geld Bienen einhandeln. Die summen angenehm im Sommer und produzieren Honig.«

»Sie stechen«, rief Stanislaw Griegull.

»Gut«, sagte Zappka, »ich meinte auch nur zum Beispiel. Aber wie wär's, sozusagen, mit einigen Ziegen?«

»Sie stinken«, rief der Kranke.

»Gut, schon gut«, beschwichtigte der Briefträger, sah ratlos durchs Fenster, und unvermutet, in Gedanken an seinen schwierigen Weg, kam ihm die Erleuchtung. Er wies auf den lockeren Schneefall und sprach: »Um diese Zeit«, sprach er, »Stanislaw Griegull, gibt es kein größeres Glück, als mit einem Schlitten und einem Pferdchen dazu, vielleicht für alt gekauft, durch die Wälder zu fahren. Es ist still, man freut sich, die Wege sind hübsch verlassen. – Nun, wie steht es?«

Stanislaw Griegull, nachdem er das gehört hatte, genas augenblicklich, schnappte den Reichtum und genehmigte sich Schlitten und Pferdchen. Die Summe, man wird es schon gemerkt haben, langte natürlich nicht hin, aber ein Mensch namens Schwalgun, der Verkäufer, war bereit, auf den Rest bis zum Sommer zu warten. So spannte Stanislaw Griegull, über die Maßen zufrieden, das alte nickende Pferd an, stieg in den kurzen Schafspelz und fuhr, sagen wir mal: zur Erholung, den schmalen Waldweg hinauf. Geriet vor Freude natürlich gleich ins Singen, das Onkelchen, sang mal in diese Richtung, mal in jene, hielt Ansprachen vor gewissen Bäumen und lauschte hingegeben dem angenehmen Knirschen der Schlittenkufen.

Na, er fuhr so mindestens ein ganzes Weilchen, bis das alte Pferd nickend stehenblieb, und als Stanislaw Griegull, ziemlich überrascht, nach vorn sah, bemerkte er, unmittelbar vor sich, einen entgegenkommenden Schlitten auf dem engen Weg. Er bemerkte außerdem, daß in dem anderen Schlitten der Viehhändler Kukielka aus Schissomir saß, welchen in der Wette besiegt zu haben er die Ehre hatte. Sie standen sich also, wie gesagt, auf dem sehr schmalen Weg gegenüber, und der erste, der sich ein Wort faßte, war Kukielka. Und er faßte es so: »Ich hoffe, Stanislaw Griegull, das Geld ist angekommen.« Worauf sich mein Onkelchen bemüßigt fühlte zu sagen: »Es fährt bereits spazieren, Heinrich Kukielka. Und, wie man sieht, gleitet es nicht übel.«

Kukielka, ein Gnurpel von Wuchs, worunter zu verstehen ist ein kümmerlicher Mensch, stieg vom Schlitten herab, und ein gleiches tat

Stanislaw Griegull. Man gab sich höflich die Hand, plauderte angemessen, begutachtete Kufen und Beschläge, und dann erstieg jeder seinen Kutschbock.

Die Herren sahen sich an, kreuzten über den Rücken ihrer Pferde einen gespannten Blick und warteten. Sie warteten, wie man richtig vermutet hat, darauf, daß der andere langsam zurückfahren werde, denn vorbeifahren, das war bei der Enge des Waldwegs unmöglich. Schließlich rief Heinrich Kukielka:»Das Rückwärtsfahren, Stanislaw Griegull, ist gar nicht so schwer. Man muß die Zügel nur trennen, dann geht es langsam und sicher.«

»Ich bin«, rief Stanislaw Griegull, mein Onkelchen,»erfreut, daß du dich auskennst. Dann kannst du, wenn ich bitten darf, gleich anfangen, rückwärts zu fahren. Ich komme ganz langsam nach.«

Kukielka dachte nach, und dann sprach er so:»Ich habe«, sprach er, »die Wette ehrlich bezahlt. Daher kann ich wohl bitten, daß du rückwärts fährst und mir Platz machst.«

»Und ich«, sagte Stanislaw Griegull, ohne nachzudenken,»ich habe, wie sich's gezeigt hat, die Wette gewonnen. Daher kann ich wohl, ohne daß man gnaddrig wird, beanspruchen, daß man mir Platz macht.«

»Also«, sprach der Gnurpel Kukielka,»bleiben wir hier.« Hatte auch gleich, der verkümmerte Mensch, eine Zeitung zur Hand, schlug auf und blätterte angeregt, und dann kniffte er sie wie ein geübter Leser und vertiefte sich in einen Text.

Onkel Stanislaw, wer wird es schon anders erwarten, suchte auch nach etwas Lesbarem, und als er, was vorherzusehen war, nichts fand, räusperte er sich mehrfach und begann, um sich die Zeit zu vertreiben, laut zu singen. So sang und las man sich an; man fühlte sich wohl unter kurzem Schafspelz und zeigte Geduld.

Die Herren saßen so, singend und lesend, einige Stunden, als, durch den intensiven Gesang angelockt, zwei Waldarbeiter erschienen. Da sie aus Suleyken stammten, war Stanislaw Griegull ihnen wohlbekannt. Sie traten an ihn heran, begrüßten ihn und ließen sich erzählen, worum es hier ging. Und nachdem sie alles erfahren hatten, beschworen sie, wie man sagt, Onkel Stanislaw und erklärten, daß, wenn er den Weg frei gäbe, Suleyken eine komplette Schlacht verloren habe. Er solle Mut zeigen und Geduld, man werde ihm beistehen. Das sagten die Waldarbeiter, und dann trollten sie sich.

Unterdessen, wie könnte es anders sein, erschien ein grünbejoppter

Mensch auf der Gegenseite, erschien und war niemand anderes als der Forstgehilfe von Schissomir. Natürlich hatte das Herrchen nichts zu tun, ließ sich also ausgedehnt aufklären von dem Gnurpel Kukielka und empfahl ihm zum Schluß, Geduld zu zeigen. Schissomir, sagte er lauthin, sei reich. Man werde ihm Zeitungen schicken und Käse und, wo es vonnöten sein sollte, ein eisernes Öfchen mit Koks.

Was sich im folgenden herausstellte, war das, was jeder Masure erhält als Wiegengeschenk: also Treue. Denn kaum war verflossen die übliche Zeit, als hüben und drüben blubbernde Menschen ankamen. Ganz Suleyken umringte Stanislaw Griegull, das Onkelchen, ganz Schissomir Kukielka, den Gnurpel.

Alle, die gekommen waren, trugen was in den Händen: getrocknetes Obst, Rauchfleisch, Gläser mit Gurken und Honig, Gesalzenes, Töpfe mit Sauerkohl, Bohnen, Johannisbeermarmelade, kalte Plinsen, Erbsen und Kohlrouladen. Und Seite und Gegenseite fütterte ihren Liebling und Helden, streichelte und massierte ihn, drückte ihm die Hand und empfahl, keinen Meter nachzugeben. Auch die Pferde, versteht sich, wurden nicht vergessen, erhielten Hafer und Fußlappen und nahmen nickend zahllose Liebkosungen zur Kenntnis.

Nachts, selbstverständlich, kehrten die aus Schissomir und die aus Suleyken zurück zu ihren Familien, und auf der Walstatt der Geduld hob erneutes Ringen an. Einer las, der andere sang. Gelegentlich – je länger der Kampf dauerte, desto öfter verfiel man ins Plaudern, tauschte Leckerbissen aus, die der sorgende Nachschub gebracht hatte, und munterte sich beredsam auf, falls einer von ihnen nachgeben wollte.

Und die Kämpfer der Geduld harrten aus.

Sie standen so – na, wie lange werden sie gestanden haben? – Genaues kann niemand sagen. Aber gewonnen hat eigentlich keiner. Viel später, wie man hörte, wurde quer über die Walstatt eine Kleinbahn gelegt, und bei dieser Gelegenheit, Ehrenwort, wurden die Herren mit einem Kran fortgeschafft. Doch selbst dabei, wie verbürgt ist, baten sie sich aus, nicht rückwärts fortgeschafft zu werden. Und die Kleinbahn, über die noch allerhand zu sagen sein wird, konnte sich nicht genug tun, diesen Wunsch zu respektieren.

So war es mit dem Zirkus

Wie der Zirkus mit vollem Namen hieß, daran kann ich mich nicht mehr genau erinnern, aber er muß so ähnlich geheißen haben wie »Anita Schiebukats Wanderbühne«. War natürlich ein Ereignis ersten Ranges, dieser Zirkus, was man schon daraus entnehmen kann, daß es schulfrei gab für die Suleyker Jugend, daß die Arbeit auf den Feldern ruhte und in keinem Häuschen von etwas anderem gesprochen wurde als von ihm, dem Zirkus. Dabei war er gar nicht mal so groß; zumindest fand er Platz auf der Feuerwehrwiese, baute sich da ein Zeltchen und stellte seine Wagen hübsch in der Nähe auf.

Alles ging schnell und lautlos, und ehe sich die Suleyker Gesellschaft versah, war sie schon von Anita Schiebukats Wanderbühne gebeten, die erste Vorstellung zu besuchen. Eine Kapelle spielte werbende Weisen, ein alter Elefant wurde herumgeführt, vielsagende Geräusche lagen in der Luft – das Zeltchen füllte sich alsbald. Man brachte sich Eingemachtes mit, Salzgurken, Pellkartoffeln, geräucherte Fische, man begrüßte einander, promenierte ein Weilchen auf der Wiese und betrat dann, in plaudernden Gruppen, den Ort der Veranstaltung.

So. Und dann begrüßte Anita Schiebukat, ein kräftiges, wohlgenährtes Weibchen, die Gesellschaft höchstpersönlich, fand annehmbare Schmeicheleien, diese Person, ließ sich beklatschen und verschwand. Aber bevor sie verschwand, rief sie noch: »Es ist«, rief sie, »eröffnet«, und in selbigem Augenblick ging es los.

Da erschien also zunächst ein finsterer, halbnackter Mensch in der Arena, blieb stehen, glubschte düster nach allen Seiten, reckte sich und öffnete ein Kästchen. Was in dem Kästchen drin war? Was wird schon drin gewesen sein – Messer; lang, scharf und, wie man zugeben wird, gefährlich.

Aber was tat dieser halbnackte, drohende Sonderling: er nahm sich die Messer, eins, zwei, drei, fünf Messer, rief mit einer schrillen Stimme die Anita Schiebukat, und wahrhaftig, das wohlgenährte Weibchen stellte sich mit dem Rücken gegen eine Bretterwand. Aber nun passierte es: dieser Mensch schmiß seine Messer nach Anita Schiebukat, alle fünf sausten ins Holz, aber getroffen, gottlob, hat keines. Die Suleyker Gesellschaft stöhnte vor Entsetzen, verbarg das Gesicht hinter den Händen, wimmerte, und gelegentlich waren auch kleine Angstrufe zu hören.

Damit nicht genug. Dieser halbnackte, schwitzende Mensch zog die Messer aus dem Holz heraus, trat ein paar Schrittchen zurück und begann, die scharfen Dinger wieder nach dem Weibchen zu schleudern, so unzart wie möglich.

Na, da erwachte endlich bei einigen Suleyker Herren der Sinn für das, was erlaubt ist. Und am vollkommensten erwachte er bei dem riesigen Flußfischer Valentin Zoppek. Der stand einfach auf von seinem Bänkchen, trat in die Arena, ging seelenruhig zu dem Menschen mit den Messern hin und sagte: »Dies Frauchen«, sagte er, »hat so freundliche Worte gefunden zur Begrüßung. Warum schmeißt du sie, hol's der Teufel, mit Messern? Noch ein Messer, sag' ich, und du bekommst es mit mir zu tun. Bei uns wird nicht mit Messern auf Menschen geworfen. Hab' ich richtig gesprochen?«

»Richtig«, murmelte die Suleyker Gesellschaft.

Anita Schiebukat kam schweratmig herbei, erkundigte sich rasch, erfaßte die Lage zur Genüge und gebot dem halbnackten Menschen, nach hinten zu gehen, – was er auch, begleitet vom Murren der Gesellschaft, tat. Er hätte nicht so mir nichts, dir nichts verschwinden können, wenn Anita Schiebukat nicht bereits wieder ein sorgloses Lächeln verströmt hätte, womit sie jedermann beruhigte.

Mit demselben Lächeln kündigte sich sodann ein verschmitztes, buckliges Herrchen an, das, in Frack und Zylinder, in die Arena hüpfte, Kußhände in die Gesellschaft warf und auf Beifall wartete, bevor es überhaupt etwas gezeigt hatte. Plötzlich aber, ehe ihm jemand folgen konnte, griff dieser Bucklige schnell in die Suleyker Luft, und was er in der Hand hielt: es war ein mild duftender Fliederstrauß. Übermäßige Laute des Staunens erklangen im Zeltchen, man warf ihm in spontaner Begeisterung Salzgurken zu, die er geschickt auffing, auch Heringe flogen ihm zu, ganz zu schweigen von Herzen. Er sammelte alles ruhig ein.

Dann stellte er einen Tisch hin, auf den Tisch ein Kistchen, und zum Schluß verfügte er sich selbst in dies Kistchen hinein und schloß es von innen. Was bleibt mir zu sagen: dies Kistchen fiel auf einmal auseinander, und was fehlte, es war das verschmitzte, bucklige Herrchen. Schon wollten die Briefträger Zappka und der jüngere Urmoneit, von Sorge erfüllt, in die Arena steigen, als das zaubernde Herrchen, weiß der Kuckuck, trompeteblasend auf dem Balkon der Kapelle auftauchte, sich an einem Strick herunterließ und prasselnden Beifall entgegennahm. Ermutigt durch den ausschweifenden Beifall, trat der Zauberer überraschend an den Rand der Arena, langte meinem Onkelchen, dem Stanislaw Griegull, unter die Weste, und zum Vorschein kam – ja, wer weiß wohl, was zum Vorschein kam? Ein Hase natürlich, zappelnd und ganz lebendig. Die Suleyker, sie waren mit Sprachlosigkeit geschlagen, als solches geschah, und mein Onkelchen, Ehrenwort, erhob sich und begann, der Reihe nach seine Kleidungsstücke abzulegen. Hoffte natürlich, noch mehr Hasen zu finden, dachte sogar an ein fettes Erpelchen oder an einen Hahn, der aus der Unterhose flattern möchte. Aber nichts dergleichen geschah. So zog sich mein Onkel unter prallem Schweigen wieder an, und der Beifall wäre auch prompt gekommen, wenn Stanislaw Griegull nicht plötzlich das Wort ergriffen hätte. Er wandte sich direkt an das zaubernde Herrchen und sprach folgendermaßen:»Ich sehe«, sprach er,»daß der Hase nach hinten gereicht wird. Dieser Hase aber ist mein Eigentum. Denn, wie man gesehen hat, wohnte er an meinem Leib. Also möchte ich bitten um die sofortige Auslieferung des nämlichen Hasen.«

Jetzt, wirklich und wahrhaftig, wurde die Stille – na, sagen wir mal: beklemmend. Die Gesellschaft schwankte einen Augenblick, das zaubernde Herrchen äugte bestürzt auf den Redner. Aber es fing sich gleich, ging auf mein Onkelchen zu und sagte:»Wo«, sagte er,»gibt es Hasen, die zu leben pflegen unter der Weste eines Herrn? Es war doch, wie man gesehen hat, alles nur Zauberei, sozusagen Simsalabim.«

»Das ist«, sagte mein Onkelchen,»einerlei. Das Häschen hat gewohnt unter meiner Weste, es hat gezappelt, es war lebendig. Und so möchte ich beantragen die Auslieferung des Hasen. Er ist mein Eigentum.« Blickte sich, mein Onkelchen, schnell um zu dem Gendarmen, und als das Gesetz namens Schneppat nickte, forderte er mit unnachgiebiger Stimme:»Aber schnell, wenn ich bitten darf.« So erhielt Stanislaw Griegull den Hasen, setzte ihn auf seinen Schoß, und die Vorstellung ging ohne Streit weiter.

Wie es weiterging? Nun, es wurde hereingetragen eine Waschwanne, in welcher, die Griesgrämigkeit in Person, ein alter, fetter Seehund lag, welcher auf den Namen Rachull hörte, der Unersättliche. An der Waschwanne hing ein großes Plakat, auf dem stand:»Es wird gebeten, dem Seehund nicht zu zergen« – was soviel heißt wie ärgern oder übel mitspielen. Dergleichen kam jedoch auch keinem der Gesellschaft in den Sinn; man beklatschte den Seehund lediglich, wogegen dieser nichts zu haben schien – wenigstens ließ er sich, ohne daß er die Wanne verlassen hätte, anstandslos wieder hinaustragen.

Nachdem er weg war, trat wieder das wohlgenährte Weibchen Anita Schiebukat in die Arena, streifte meinen Onkel mit einem sonderbaren Blick und verkündete: »Jetzt wird auftreten ein Mann namens Bosniak. Er ißt Eisenstangen zum Frühstück und trinkt zwölf Liter Milch am Abend. Seine Kraft ist grenzenlos. Wer mit ihm ringen möchte zwei Minuten und dabei stehenbleibt, bekommt den Eintritt zurück und drei Mark zwanzig außerdem!«

Sie trat zur Seite, und hereingewogt kam dieser Bosniak; ging so, daß die Bänke zitterten, zeigte seine Zähne, hieb sich auf seinen kleinen Kopf und tat alles, um einen Eindruck zu hinterlassen von seltener Fürchterlichkeit. Niemand wagte, gegen ihn aufzustehen. Niemand?

Doch, da hinten meldete sich ja einer, war nur so dünn, daß man ihn einfach übersah. Wer es war, der sich da meldete und ein unbegreifliches Beispiel von Tollkühnheit lieferte? Mein Oheim, der Schuster Karl Kuckuck. Wie gelähmt saßen die Suleyker da, als er an ihnen vorbeiging; sie verfolgten ihn mit wehmütigen, abschiednehmenden Blicken, aber keiner fand sich, der ihn in seinem Entschluß beeinflußt hätte.

Also er trippelte in die Arena, schaute den Bosniak sanft und mitleidig an und sagte: »Ich erwarte«, sagte er, »den Angriff.« Sofort stürmte dieser ungeheure Mensch mit dem kleinen Kopf auf ihn zu, breitete die Arme aus, schnaubte, schlug die Arme wieder zusammen, aber Karl Kuckuck war längst weggetaucht und befand sich im Rücken des Eisenfressers. Dieser, im Glauben, den Schuster vor seiner Brust zu haben, drückte dergestalt, daß ihm die Tränen in die Augen traten – was er drückte, es war niemand anderes, als er selbst. Na, das wiederholte sich so einige Male – wie soll man auch ein Stückchen Schustergarn, wie meinen Oheim, genau zu fassen kriegen –, und am Ende war dieser Bosniak dergestalt erschöpft, daß er sich schnaufend auf die Erde setzte und mit einem Eimer Wasser zur Besinnung gebracht werden mußte. Karl Kuckuck hingegen schlängelte sich zur Kasse, ließ sich das Geld auszahlen und schlängelte sich mit seinen Verwandten nach Hause.

So ungefähr ging es, wenn ich mich richtig erinnert habe, Anita Schiebukats Wanderbühne in Suleyken. Wie übrigens später zu erfahren war, ist danach lange Zeit kein Zirkus mehr in unser Dorf gekommen – wie man wissen wollte, aus Furcht vor dem allzu aufgeklärten Publikum.

Der rasende Schuster

Viel Seltsames hat die gleichmütige Geschichte in Suleyken erlebt – nichts aber kommt an Seltsamkeit gleich jenem Streitfall, den mein Oheim, der Schuster Karl Kuckuck, mit einem Menschen namens Zoppek hatte. Kennt vielleicht schon jemand die Geschichte? Gut, dann will ich sie erzählen.

Karl Kuckuck, mein Oheim, ein schweigsames kleines Herrchen mit Trichterbrust und ungleich langen Armen, hatte gerade den Hammer weggelegt, als der Streit, höchst persönlich, auch schon zu ihm hereinspaziert kam. Dieser Streit kam herein auf den kolossalen Füßen des Valentin Zoppek, eines Flußfischers, der außer Aalen, Welsen und Barschen auch allerhand sonderbare Gedanken fing.

Kam also, wie gesagt, herein, dieser Zoppek, und sprach folgendermaßen:»Ich bin«, sprach er,»Karl Kuckuck, gekommen, um dir Mitteilung zu machen von einigen Überlegungen. Beispielsweise habe ich mir überlegt, daß die Ritterchen, wenn sie gehabt hätten Fahrräder, noch weiter nach Rußland gefahren wären. Demgemäß wäre manches anders gekommen, als es gekommen ist. Hab' ich richtig gesprochen?«

Der Schuster, ungemein verblüfft über solche weltpolitische Betrachtung, sah an Zoppek hinauf, dachte nach, und nachdem er zu Ende gedacht hatte, sprach er so:»Du bist, Valentin Zoppek, der beste Schwimmer von Suleyken, wenigstens, wo es sich handelt um das Schwimmen auf dem natürlichen Flusse. Das ist bekannt und erwiesen. Sobald du aber zu schwimmen versuchst auf dem Flusse der Gedanken, ersäufst du jedesmal. Denn ein Fahrrad, bitte schön, hat mitunter eine Panne. Und woher, möcht' ich fragen, willst du wissen, ob die Ritter sich verstanden hätten auf das Flicken eines Reifens? Ich glaube, es wäre nichts anders gekommen.«

Na, was soll ich viel sagen – ein Wort ergibt ohnehin ein anderes –: die Herren gerieten darob in ein Gespräch, aus dem Gespräch in eine Zankerei und aus der Zankerei in jenen berühmten Streit. Schließlich, dicht unterhalb des Gipfels – denn vom Gipfel wird noch die Rede sein –, ergriff Karl Kuckuck, mein Oheim, den Hammer, rannte auf die

Lucht, das ist: der Boden, und trat vor sein Brett. Dies Brett, es diente ihm dazu, seinen Ärger regelrecht in die Wand zu schlagen: nahm sich, mein Oheim, jedesmal einen fünfzolligen Nagel, wenn er sich geärgert hatte, und schlug ihn stöhnend, fuchtelnd und schimpfend in besagtes Brett, wonach er wieder in seine berühmte, schweigsame Freundlichkeit verfiel. Aber diesmal, hol's der Teufel, hatte sich alles verbündet gegen meinen aufgebrachten, hohlbrüstigen Verwandten. Erstens war kein Nagel da, zweitens war das Brett voll, und drittens, um nichts auszulassen von der Tragödie, saß der Hammer nur lose auf dem Stiel – Umstände, die den sonst schweigsamen und durchaus besonnenen Schuster zur Tollkühnheit trieben, zu einzigartiger Raserei.

Erst einmal raste er hinab zu jenem Valentin Zoppek, der unbekümmert auf dem Schusterschemel Platz genommen hatte, schleuderte ihm den Hammer vor die Füße und war vermessen genug, folgendes zu erklären: »In Zweifelsfällen«, so erklärte er, »können wir entscheiden lassen die Wahrheit. Diese Wahrheit, sie läßt sich finden in jedem Fall, auch in unserm. Du sagst, es wäre alles anders gekommen, wenn die Ritter Fahrräder gehabt hätten. Ich sage, nichts wäre anders gekommen. Gut. Und weil man zu sagen pflegt, daß die Wahrheit ist unbestechlich, wollen wir sie entscheiden lassen. Ich schlage vor, wir schwimmen um die Wette.«

Eine ungeheure Pause trat ein, während welcher mein Oheim, der rasende Schuster, wohl begriff, daß er durch seinen Vorschlag die Wahrheit geradezu herausgefordert hatte, denn es gab, wie gesagt, in ganz Suleyken keinen herrlicheren Schwimmer als den Valentin Zoppek. Aber der Schuster erläuterte in seiner Raserei noch weiter: »Wenn die Wahrheit«, so erläuterte er, »dich gewinnen läßt, so hast du recht mit deiner Ansicht. Wenn die Wahrheit aber mich zuerst durchs Ziel schwimmen läßt – nun, wir tun gut, abzuwarten.«

So sprach er, und Zoppek, der riesige Mensch, stand auf, lachte einmal verächtlich, lachte gerade so, als ob er die Wahrheit schon in seinem Netz hätte, und empfahl sich bis zum Wettkampf.

Karl Kuckuck, mein Oheim, legte sich ins Bett und empfing Besuche, empfing und ließ sich bedauern, und auf alle übermäßigen Tröstungen versicherte er nichts als: »Wir tun gut, abzuwarten.« Er wurde blasser mit jedem Tag, fühlte sich auch durchaus nicht wohl, das zierliche Herrchen, zumal der Wettkampf immer näher kam, und die Zeit tat das, was sie immer tut: sie verstrich.

Sie verstrich bis zu einem freundlichen Sonntag im Juli – und damit kommen wir zum Gipfel: bereits in unschuldiger Tagesfrühe versammelte sich die Suleyker Gesellschaft unterhalb der Pferdetränke am Fluß, um Zeuge zu sein des Schwimmwettkampfes im Zeichen der Wahrheit. Man begrüßte sich ausgedehnt, hielt Ausschau nach angenehmen Plätzen, stellte Vermutungen an, aß Salzgurken, bedachte und erwog: es war, mithin, ein beträchtliches Gewoge und Geraune unterhalb der Pferdetränke.

Das Gewoge: es legte sich, das Geraune: es unterblieb, als, kurz hintereinander, die streitenden Schwimmer auf die Birkenholzbrücke kamen – Zoppek als erster: geruhsam, siegessicher, mit behäbigem Schritt, und dahinter, trippelnd, blaß und aufgescheucht: Karl Kukkuck mit den ungleichen Armen.

Die Gesellschaft erhob sich – sie hatte sich, da sie den Streit kannte, natürlich in zwei Parteien gespalten –, und die einen jubelten Zoppek zu, die anderen Kuckuck, dem Schuster.

Und dann folgte, was ich nennen möchte die Adamisierung: Zoppek entkleidete sich rasch, er war nur, dieser Mensch, mit Hemd und einer alten Hose bekleidet und stand somit in wenigen Sekunden bereit. Und er hatte, wie seine Gegner bemerkten, nichts anderes im Sinn, als mit seiner Brust zu prahlen und sich zu drehen und zu scharwenzeln.

Na, und dann zog sich Kuckuck aus, und aller Augen richteten sich auf ihn. Aber aller Augen, Ehrenwort, kamen überhaupt nicht von ihm weg, denn was der kleine, rasende Schuster auf dem Leibe trug: es war ein halbes Wäschegeschäft. Niemand wird es für möglich halten, doch es dauerte, knapp gerechnet, eine halbe Stunde, ehe mein zartwüchsiger Oheim sich ausgewickelt hatte. Zum Vorschein kamen ungefähr diese Dinge: Joppe, Jacke, Strickjacke, Oberhemd, Unterhemd, Netzhemd, diverse Leibbinden, Brustschoner, Hüftwärmer, Lungenwärmer, und das alles, wie man sich bereits denkt, diente nur zur Bedeckung der oberen Oheimhälfte. Was er unten trug: das aufzuzählen würde zwei Seiten in Anspruch nehmen, aber ganz klein gedruckt. Nun, die Gesellschaft verfolgte mit zunehmender, atemloser Spannung die Entkleidung, und ein Raunen der Betroffenheit lief den Fluß entlang, als Karl Kuckuck, der Schuster, in seiner kreatürlichen Makellosigkeit und unbefleckten Weiße auf dem Birkenholzbrückchen stand. Betroffenheit deshalb, weil mein Oheim mit den ungleichen Armen dünn war wie das Garn, das er zu verwenden pflegte. Schon wurden Meinungen laut über ungleiche Voraussetzungen, doch der tobende Schuster verbat sich jegliches Mitleid und rief in einigermaßen drohendem Ton:»Wir tun gut, abzuwarten.«

So, und jetzt beginnt es: Ludwig Karnickel, der Gastwirt, erschien hinter den beiden und ermahnte sie, sich weder zu behindern noch zu belästigen. Dann ließ er sie an den Rand des Birkenholzbrückchens treten, kommandierte etwas, und plötzlich sah die Gesellschaft gewissermaßen einen Körper und ein Stück Schusterschnur durch die Luft fliegen, hörte einen zirpenden und einen handfesten Aufschlag im Wasser, und vorn – ja, wer schwamm vorn? Valentin Zoppek natürlich. Hatte jetzt schon drei Meter Vorsprung, dieser Mensch, auch drei Meter Vorsprung an Wahrheit; und seine Partei: wer kann den Radau schildern, den seine Partei machte?

Unterdessen strampelte der rasende Schuster in Zoppeks Kielwasser, dünn und spitz und mit ängstlich emporgehaltenem Gesicht, er mühte sich ab, wie er nur konnte, dachte in verzweifelter Wut an Ratschläge, die ihm Freunde erteilt hatten – aber es ging nicht, er blieb immer weiter zurück. Zu seiner Lähmung trug auch noch bei, daß Zoppek sich einmal umdrehte, um den Vorsprung abzuschätzen, und dabei ließ er es sich nicht nehmen, seinen Rivalen mit nachsichtiger Verachtung anzuschauen. Zwölf Meter, vierzehn Meter, achtzehn Meter war mein Oheim schon von Zoppek, dem Flußfischer, und damit auch von der Wahrheit entfernt. Er schwamm mit dem Mut des Besessenen, schwamm und ließ sich durch nichts aufhalten in seiner hoffnungslosen Lage – nicht einmal durch die Tatsache, daß er, wegen der ungleichen Arme, die Neigung zeigte, immer nach links auszuscheren. Der Sieger, wie die Gesellschaft erkannte, stand fest.

Aber plötzlich – wer hätte die Wahrheit schon im Verdacht gehabt –, plötzlich trat ein Ereignis ein, das man bezeichnen könnte als die ausgleichende Gerechtigkeit: Karl Kuckuck, leicht heimgesucht von beginnendem Kräfteschwund, spürte unversehens eine fremdartige Berührung an der Schulter – ein Vorkommnis, das ihm gemeinhin nichts ausgemacht hätte. Aber diese Berührung vollzog sich mit einem Roßapfel, der an der Pferdetränke herumzuschwimmen für sein Naturrecht hielt. Er war von so staunenswertem Umfang, daß Karl Kuckuck, mein Oheim, auf nichts anderes sann als auf Flucht. Panisch vorwärtsgetrieben, entwickelte er unerwartet neue Energien, säuselte auf einmal wie ein Aal durch das Wasser, schlängelte sich hierhin und dahin, um den lästigen Berührungen ein Ende zu machen. Aber der Roßapfel, einmal in Bewegung geraten, hielt offenbar nichts davon, abgeschüttelt zu werden; er setzte sich dem Karl Kuckuck flüssig auf die Fersen und verfolgte ihn zäh und anmutig in Strudeln und Wirbeln.

Der Schuster, er spürte das Entsetzen aus Roßdung am Hals, an der Schulter, an den Füßen und sogar an den ungleichen Armen, und er schlängelte sich panisch voran, um den ballrunden Verfolger abzuschütteln. Dabei, das wird man sich schon gedacht haben, holte er mächtig auf, machte Meter um Meter des Vorsprungs zuschanden und lag, wer wird sich noch wundern, bald auf gleicher Höhe mit Valentin Zoppek, dem Fischer. Dieser glubschte entsetzt, die Gesellschaft rief, trampelte und winkte angesichts dieser unheimlichen Überraschung, und alles, was Beine hatte, lief zum Ziel. Lief hin und kam gerade noch zur rechten Zeit, um zu sehen, wie Karl Kuckuck, mein Oheim, und dieser Zoppek Schulter an Schulter, Nase neben Nase durch das Ziel schwammen.

Ein ohrenbetäubender Jubel setzte ein, die streitenden Schwimmer wurden auf den Schultern zum Birkenholzbrückchen getragen, und hier kam es zu ergreifender Versöhnung. Die Herren umarmten sich, eine Photographie wurde angefertigt, und zum Schluß sprach Valentin Zoppek:»Mir scheint«, sprach er,»wie das Ergebnis lautet, stimmt weder deine Meinung, Karl Kuckuck, noch meine Meinung. Die Wahrheit will nichts von uns wissen.« Worauf mein Oheim, schon wieder etwas ärgerlich, sagte:»Nein. Im richtigen Augenblick, Valentin Zoppek, schickt die Wahrheit ihren Kinderchen, was sie brauchen. Mir scheint's, wir haben beide recht.«

Die Kunst, einen Hahn zu fangen

Am frühen Nachmittag erwachte Titus Anatol Plock, Besitzer einer neuen Hose, und hob lauschend den Kopf. Er lag zwischen den Brombeeren hinter der Scheune, lag da an einem warmen, windstillen Plätzchen, wo die Gefahr, gesehen zu werden, nicht allzu groß war. Sobald er gesehen wurde, das wußte er, gab es auch etwas zu tun für ihn, und darum wählte er seine Verstecke mit Umsicht.

Er war, offen gesagt, ziemlich erschrocken an diesem Nachmittag, und als die Stimme seinen Schlaf unterbrach, fürchtete er schon das

Schlimmste. Aber die Stimme, die ihn geweckt hatte, gehörte Gott sei Dank nicht seiner Mutter, Jadwiga Plock, sondern einem Mann, den er in Suleyken noch nicht gesehen hatte. Es war ein freundlich aussehender, unrasierter Mann, der zwischen den Brombeeren stand; er war schon älter, war barfuß und trug ein kragenloses Hemd und in einer Hand ein riesiges, rotes Taschentuch. Er hatte Titus noch nicht entdeckt und sprach mit süßer, werbender Stimme auf ein Wesen ein, das sich am Boden befinden mußte.

Dies Wesen, wie Titus gleich sah, war der einzige Hahn seiner Mutter, ein ausnehmend kräftiges Tier und schön dazu. Und zu diesem Hahn sprach der Fremde etwa in folgender Weise: »Du«, sprach er, »mein Verehrter, wirst jedem leid tun, der ein fühlendes Herz hat. Schön, wie du bist, warten zu viele Gefahren auf dich in der Welt. Der Fuchs, beispielsweise, oder der Iltis. Keinen Stall gibt es, den der Iltis nicht öffnet. Oder stell dir vor, du kommst unter einen Wagen mit Weizen. Ein Pferd zertritt dich. Zertritt deine ganze Schönheit. Sag selbst: lohnt es sich noch bei diesen Aussichten zu leben?«

Unter solchen Worten trieb er den Hahn in eine Richtung, wo Scheune und Stall zusammenstießen und eine Ecke bildeten. Er wurde dabei nicht ungeduldig; selbst als der Hahn, die Klemme witternd, nach einer Seite auszubrechen versuchte, behielt er die Ruhe, flötete eine Schmeichelei und brachte das Tierchen, indem er es mit dem riesigen Taschentuch erschreckte, auf die gewünschte Bahn.

Titus, achter Sohn der Jadwiga Plock, sah ihm gespannt zu. Er zweifelte daran, daß es dem Mann gelingen werde, Krull, den Hahn, zu fangen. Krull: das heißt im Masurischen König, und dieser Name war dem Hahn gegeben worden, damit er sich in jeder Hinsicht als König erweise. Man wird, dachte Titus, ja sehen.

Der Mann, die Arme ausgebreitet, ging langsam gegen die Ecke vor, ohne Rücksicht auf Ranken, die sich im Stoff seiner Hose festsetzten und ihm zu sagen schienen: Mach's nicht so schnell. Doch der Mann achtete nicht darauf, er riß sich vielmehr gewaltsam los und hatte jetzt nur Augen für Krull. Der wurde immer nervöser, gackelte aufgeregt, tuckte unwillig, denn er war sich über die Schmeicheleien vollauf im klaren. Dem barfüßigen Herrn, weiß Gott, gelang es, Krull, den König des Komposts, in erwähnte Ecke zu drängen, die durch Stall und Scheune gebildet wurde, und nun legte er das Taschentuch auf die Erde und seine Hände bewegten sich wie eine Kneifzange auf den Hahn zu, genauer gesagt, auf den Hals des Hahnes. Der Hahn, hol's der Teufel, blickte zornig und rot, wand sich hierhin, wand sich dorthin, derweil die Hände schon zum Königsmord unterwegs waren. Aber plötzlich, ein Schauer von Wonne durchdrang Titus, plötzlich schrie der Hahn auf, flatterte steil empor, Federn flogen, und dann landete Krull in den Brombeeren. Er hatte seinen Attentäter überflogen, ihm, bei steilem Aufstieg, ins Gesicht geklatscht, und das Gackeln, das jetzt erklang, hörte sich an wie eitel Genugtuung, wie Warnung vor einer neuen Lektion.

Der Mann, indes, prüfte kurz, ob die Luft rein wäre, nahm sein Taschentuch auf, rieb, da er offenbar dazu genötigt war, sein Auge und sprach zu Krull folgendermaßen:»Du«, sprach er und ging dabei auf ihn zu,»du lahmer Satan von einem Hahn, falsch bist du, blöde, kannst nichts, tust nichts, nicht einmal ein Volk hast du – und gehorchen willst du auch nicht. So etwas wie dich, Ehrenwort, sollte man nicht ansehen, Luft bist du, pfft, reine Luft, und Mitleid verdienst du schon gar nicht. Was ist dabei, wenn der Iltis dich holt? Gar nichts! Was ist dabei, wenn du unter einen Wagen mit Weizen kommst? Erst recht nichts! Nicht einmal als Braten taugst du zu etwas, so mager und blöd bist du. Blas dich nicht auf und bild dir nichts ein, mich interessierst du überhaupt nicht.« Um die Verachtung, die tief empfundene, noch durch eine Geste zu unterstreichen, warf der barfüßige Herr sein Taschentuch nach dem Hahn, doch – wer ist großzügig genug, das zu glauben – in diesem Augenblick, nachdem er lautlos den Anklagen gelauscht hatte, duckte sich Krull, spreizte sich, als ob er darauf wartete, gegriffen zu werden, und der Herr stand wie versteinert da. Als er sozusagen erweichte – es dauerte nicht lang –, bückte er sich schnell, packte Krull, schlug ihn mit staunenswerter Geläufigkeit in das riesige Taschentuch ein, äugte kurz und wollte hinüber zur Straße.

Doch da erhob sich Titus, er ging, ein Knabe von dreizehn Jahren, auf den Fremden zu und sagte:»Ich suche«, sagte er,»Herrchen, den Hahn meiner Mutter, Jadwiga Plock.«

»Ja«, sagte der Mann, und über sein Gesicht flatterten Gedanken wie kleine Vögel, dann hob er das Taschentuch hoch und sagte:»Ich glaube, das ist er. Ich habe ihn nur für den Augenblick in Sicherheit gebracht. Denn ich erkannte, Ehrenwort, einen Iltis zwischen den Brombeeren, der das Hähnchen beschlich. Vielleicht zeigst du mir den Hof, Jungchen, auf den dieser Hahn gehört. Ich möchte ihn gern in Sicherheit wissen.«

Eine Kleinbahn namens Popp

Wovon soll ich erzählen zuerst? Von der Einweihung? Gut, von der Einweihung. Sie fand statt, wie verbürgt ist, an einem unschuldigen Frühlingstag zu Füßen der Suleyker Höhen, worunter man sich vorzustellen hat ein ansprechendes Hügelchen namens Goronzä Gora, was soviel heißt wie: Heißer Berg.

Der Tag, wie gesagt, war schön. Allerhand bunte Käferchen torkelten durch das Gras, die Bachstelzen am Fluß rannten um die Wette, und die berühmten Suleyker Schafe verzeipelten vor lauter Übermut ihre Ketten.

Eingeweiht sollte werden – das ist schon bekannt – die Kleinbahn von Suleyken über Schissomir, Sybba, Borsch, Sunowken nach Striegeldorf.

So eine Einweihung, man wird es zugeben, ist ein Akt voll tiefer Bedeutung. Ob geladen oder nicht geladen, die Gesellschaft von Suleyken versammelte sich auf dem Bahnsteig, man begrüßte einander mit ausdauernder Höflichkeit, erkundigte sich nach den Kinderchen, der Großmutter, dem Tantchen und dem Onkelchen, und dann machte man sich gemeinsam daran, die Kleinbahn zu inspizieren.

Sie war neu und braun. Stand mit ihren Rädern auf den Schienen, diese Kleinbahn, hatte drei Wagen, eine Lokomotive, sah ganz nach was aus. Die Lokomotive, wie es ihre Art ist, qualmte heiß vor sich hin – womit gezeigt werden sollte, daß sie unter Dampf stand –, und oben, zwischen allerhand Messingrädchen und Hebeln, stand ein Mensch namens Dziobek, stand da hochmütig herum und ließ sich bewundern.

Na, die Suleyker Gesellschaft prüfte alles genau, wimmelte durcheinander, klopfte, schraubte, drehte, machte hier was auf und da was, roch und schimpfte, stieß Laute der Verwunderung aus oder seltsame Rufe der Angst; auch Jubel konnte man hören.

Bis plötzlich ein uniformiertes Herrchen aus der Station kam, eine Glocke schwang und sich mit ihrer Hilfe Gehör verschaffte. Die Gesellschaft ordnete sich allmählich. Der Herr mit der Glocke winkte einmal zur Station, und wer kam heraus? Niemand anders als die Witwe Amanda Popp, ein munteres, schwerhöriges Weibchen, das trotz seines Alters leicht über die Schienen hüpfte und zum Erstaunen der Suleyker Gesellschaft auf eine kleine Tribüne trippelte, welche man aus zwei Kaninchenkisten gebaut hatte. Gut. Soweit ist alles gut. Nun reichte das uniformierte Herrchen der Witwe Amanda Popp die Klingelglocke zum Halten, strammte sich, blickte auf die Gesellschaft und begann zu sprechen. Und er sprach so:»Amerika«, sprach er, dann folgte eine lange Pause, und er sah die Gesellschaft mit herausforderndem Triumph an. Plötzlich in die vielsagende Stille hinein, begann die Witwe Amanda Popp mit freundlicher Ahnungslosigkeit die Glocke zu schwenken, eine Handlung, die keineswegs vorgesehen war und die bewirkte, daß das Herrchen die Glocke zornig an sich riß und in seiner Rede fortfuhr.»Amerika«, fuhr er fort,»es war, hol's der Teufel, ein gutes Endchen weit weg. Wer hat schon gehabt die Möglichkeit, schnell mal 'rüberzufahren? Etwa du, Hamilkar Schaß? Oder du, Ludwig Karnickel? Und dich, Hugo Zappka, wollen wir gar nicht erst fragen. So. Erst einmal soweit. Stimmt doch? Oder hab' ich nicht richtig gesprochen?«

Die Gesellschaft von Suleyken nickte nachdenklich. Sie hatte kaum ausgenickt, da rief das uniformierte Herrchen auch schon weiter:»Aber jetzt! Amerika – wißt ihr, was geschehen ist? Es ist nähergekommen. Wir sind geworden Nachbarn von Amerika. Ihr alle, Ehrenwort, könnt Amerika grapschen. So. Erst einmal soweit.«

»Weiter!« rief ein ungeduldiger Mensch.

»Gut«, sagte das Herrchen,»also weiter. Halt die Glocke, Amanda Popp. – Was hatte ich gesagt? Amerika, richtig. Es ist nähergekommen. Und wodurch, bitte schön, ist es nähergekommen? Möchte das vielleicht jemand sagen? Na, wir wollen keinen Streit anfangen: Amerika ist geworden unser Nachbar, weil – sagen wir mal – weil wir gebaut haben – na, dreht euch doch mal um: unsere neue Kleinbahn!«

Die Gesellschaft drehte sich schweigend um, als Amanda Popp, das schwerhörige alte Weibchen, wieder mit der Glocke bimmelte, worauf der Redner in jähzorniger Weise die Glocke an sich riß und sie vor sich hinstellte.

»Du kannst«, sagte er wütend,»Amanda Popp, nicht bimmeln zur unrechten Zeit. Was soll, überleg dir mal, werden, wenn die Bahn einfach abfährt.«

Das schwerhörige Weibchen lachte und sprach so:»Die Kälberchen, die Kälberchen, rein zum dammlich werden ist das. Und wie die Sonne scheint.«

Diese Antwort, wie man sich denken kann, wurde überhört. Statt dessen nahm das Herrchen wiederum seine Rede auf und sagte folgendes: »Wir haben«, sagte es, »noch etwas vorzunehmen. Adolf Abromeit.«

»Hier«, sagte der Angerufene.

»Adolf Abromeit, deine Frau, nehmen wir mal an, kriegt eines Tages ein Kind. So einen runden, kleinen Lodschak. Gut. Erst einmal soweit. Was wirst du dann, bitte schön, mit ihm machen?«

»Waschen«, rief Adolf Abromeit.

»Richtig«, sagte das Herrchen, »und dann?«

»Füttern.«

»Auch richtig. Und was noch?«

»Mit Puder bestäuben.«

»Stimmt alles«, sagte das Herrchen, »aber nur, Adolf Abromeit, eines hast du vergessen. Das Kind muß haben einen Namen. Was, Gevatterchen, hast du von ihm, wenn du ihn nicht kannst rufen? Darum, sage ich, ist für jedes Wesen von Wichtigkeit ein Name. Auch für die Kleinbahn, hol sie der Teufel.

Gut. Soweit ist alles gut. Und was wir jetzt vornehmen, wird sein eine Taufe. Wir taufen unsere Kleinbahn, wie vorgesehen, auf den Namen Paul Popp. Und wenn ihr wissen wollt, warum: Paul Popp ist ein Opfer geworden. Er hat gearbeitet an der Kleinbahn, er hat sich, wie bekannt, ein Bein ausgerenkt bei dieser Arbeit. Und weil er der erste ist, der Schmerzen ertragen hat um die Kleinbahn, heißt sie: Paul Popp! So. Übrigens, er muß noch immer liegen im Bett. Und darum ist, wie Augenschein zeigt, Amanda Popp gekommen, seine Mutter.«

Eine Stille von sonderbarer Bedeutsamkeit entstand. Die Gesellschaft, überrascht und zutiefst verwundert, blickte versonnen auf die Witwe Amanda Popp, die natürlich nichts anderes im Sinn hatte, als die Klingel zu greifen, was ihr jedoch das uniformierte Herrchen verwehrte, indem es energisch seinen Fuß darauf setzte. Eigentlich, unter uns gesagt, wartete das Herrchen auf Beifall. Na, dergleichen regte sich aber nicht, und um das Schweigen zu überbrücken, begann der Redner von den Vorzügen der Kleinbahn zu sprechen. Und jetzt, das muß gesagt werden, erwachte in der Gesellschaft ein Sinn, der ausdrückt das Suleyker Verhältnis zur Technik. Der Redner: er wurde immer wieder von subtilen Fragen unterbrochen, wurde regelrecht gepiesackt von diesen Fragen – woraus folgte, na, aber soweit sind wir noch nicht. Erst einmal, wenn's interessiert, einige Fragen.

Also fragte zum Beispiel Hamilkar Schaß, mein Großvater: »Mir ist«, ließ er sich vernehmen, »zu Ohren gekommen, daß so eine Kleinbahn, gegebenenfalls, kann überfahren drei Schafe auf einmal. Ist das richtig?« »Dann«, sagte das Herrchen, »sind die Schafe schuld.« »He«, rief ein Mensch aus dem Hintergrund, »und was ist eigentlich mit den Augen! Werden sie nun blind, wenn man mit der Kleinbahn fährt, oder werden sie nicht blind? Der Stodollik sagt, sie werden blind.«

»Das trifft«, sagte das Herrchen, »nicht zu.«

»Und was ist mit Schlummern«, rief ein anderer, »kann man schlummern in so einer Kleinbahn?«

»Hilft«, rief ein Einbeiniger, der alte Logau, »so eine Kleinbahn auch gegen Rheuma?«

»Weiß ich nicht«, schrie das Herrchen, ja, es schrie diesmal schon.

Na, und dann fragte der finstere Mensch Bondzio: »Wie ist das eigentlich, Gevatterchen, bei Regen? Kann die Kleinbahn nicht, sagen wir mal, wenn es gehörig pladdert, einfach ausrutschen?«

Zum Schluß fiel die entscheidende Frage. Sie wurde, niemand hätte es vermutet, gestellt von Jadwiga Plock. »Warum«, kreischte sie, »hol's der Teufel, sollen wir alle fahren nach Amerika? Ist's hier nicht auch schön?«

Während das Herrchen in sprachlosem Zorn die Klingel zur Hand nahm, regte sich freundlicher Beifall für Jadwiga Plock. Man ging zu ihr, drückte bewegt ihre Hand und machte ihr Komplimente.

So. Erst einmal bis hierher. Und jetzt geht's gleich los. Das Herrchen bimmelte wild, krähte »Einsteigen!«, zerrte das schwerhörige Weibchen Amanda Popp von der Tribüne und stieg mit ihr ein. Außer ihnen stiegen von der ganzen Gesellschaft nur noch drei Menschen ein: mein Großvater, Hamilkar Schaß, der alte einbeinige Logau und der Briefträger Hugo Zappka. Der alte Logau, mein Gottchen, holte gleich das Fenster herunter, legte sich ächzend auf eine Bank und hielt sein einziges Bein, von wegen Rheuma, zum Fenster hinaus.

Dziobek, wie man beobachtete, tat so einiges mit den Rädchen und Hebelchen, und plötzlich, zur heillosen Überraschung der Gesellschaft, setzte sich die Kleinbahn in Bewegung. Man winkte und weinte, wie bei endgültigem Abschied, lief noch ein Stückchen mit und sah bangend und wehmütig zu, wie das Bähnchen hinter Goronzä Gora, das ist: Heißer Berg, entschwand.

Hugo Zappka, dieser Mensch, er hatte nichts Eiligeres zu tun, als die Ehrendame des Tages, die Witwe Amanda Popp, untern Arm zu nehmen. Und dann ging er mit ihr, weiß der Kuckuck, durch alle Wagen nach vorn, bis zur Lokomotive. Das arme schwerhörige Weibchen war schon ganz grün vor Furcht, und es zeigte mit ordentlich zitternder Hand, schreckerfüllt, auf die Lokomotive. Zappka natürlich, er mißverstand diese Geste, dachte, das ansonsten muntere Weibchen wolle da rauf. Zögerte also nicht lange und schleppte Amanda Popp über die Kohlen zum Führerstand.

Dziobek, der Hochmütige, warf zwei Schaufeln voll Kohlen ins Feuer. »Jetzt geht's noch schneller«, schrie er.

»Das ist so erwünscht«, schrie Zappka und deutete auf die Ehrendame des Tages. »Amanda Popp kann es nicht schnell genug gehen.« Das alte Weibchen, es nickte ängstlich und dachte, man wolle jetzt Schluß machen. Aber Dziobek heizte den Kessel noch mehr ein, weil er annahm, es sei immer noch nicht schnell genug.

»Ist jetzt schnell genug?« fragte er das Weibchen.

»Barmherzigkeit«, sagte Amanda Popp benommen, »rein zum dammlich werden.«

»Siehst du«, schrie Zappka durch den Fahrtwind zu Dziobek, »diese Fahrt macht ihr Freude. Sie will noch schneller.«

Unterdessen, in einem luftigen Abteil, ging folgendes vor sich: Hamilkar Schaß, mein Großvater, probierte die Bänke aus und sprach schließlich zum alten Logau: »So ein Bänkchen«, sprach er, »nie hatt' ich gehabt solch ein bequemes Bänkchen. Ich könnte tatsächlich noch eins aufstellen hinter der Scheune. Hier sind, was meinst du, Logau, sowieso zuviel. Vor lauter Bänken kann man hier schon gar nicht mehr sitzen. Hast du, Gevatterchen, etwas dagegen?«

Was sollte der alte Logau schon groß dagegen haben. Gut. Also Hamilkar Schaß, mein Großvater, machte sich gleich daran, so ein Bänkchen abzumontieren. Ging natürlich nicht einfach, waren alle ziemlich fest, diese Bänkchen, alle hübsch verschraubt. Jedenfalls, das war die Hauptsache, hatte Hamilkar Schaß erstmal ein bißchen zu tun während der Fahrt.

Er hatte so lange zu tun, bis, ziemlich überraschend, das uniformierte Herrchen hereinkam und, nachdem er gesehen hatte, was hier vor sich ging, dermaßen unhöflich wurde, daß mein Großvater folgendes tat: er flüsterte dem alten Logau was ins Ohr, ging nach vorn und flüsterte ausgiebig mit Hugo Zappka, der das schwerhörige Weibchen am Wickel hatte, und dann sprangen sie, kurz vor Schissomir, alle ab.

Na, sie erholten sich zunächst ein wenig, dann zuckelten sie in verstörtem Schweigen den Weg zurück und ließen die Kleinbahn Kleinbahn sein. Als sie – auch das ist verbürgt – nach Suleyken zurückkehrten, wurde ihnen von der Gesellschaft ein Empfang bereitet, wie sich in Masuren niemand eines ähnlichen rühmen konnte. Sie erhielten von allen Seiten Geschenke und wurden gefeiert, als ob totgeglaubte und fleißig betrauerte Söhne überraschend nach Hause gekommen wären, so ungefähr ging es zu. Und natürlich wurde getanzt. Wundert man sich vielleicht darüber?

Das ist auch, wie man bei uns zu sagen pflegte, fschistko jädno, was soviel heißt wie einerlei. Und einerlei: das wurde den Leuten von Suleyken allmählich auch die Kleinbahn. Das Schicksal, das sie ausersehen war zu nehmen, war über die Maßen traurig. Anfangs, selbstverständlich, fuhr sie noch ein paarmal, und wenn sie um Goronzä Gora herumschlich – denn das mußte sie schon –, da drohten die Leute von Suleyken, schwangen Knüppel, machten sogar unzüchtige Bewegungen zu den wenigen Fahrgästen und trieben ihre berühmten Schafe auf den Bahndamm – kurz gesagt, der Kleinbahn wurde dergestalt eingeheizt, daß sie ganz sacht verkümmerte. Aber wir wollen, um Himmels willen, nicht immer von Tragik reden. Zumal über die Geschichte, wie über den Damm der Kleinbahn, schon das gewachsen ist, was gegebenenfalls alles zudeckt: nämlich das wispernde Gras Suleykens.

Die Reise nach Oletzko

Oft, Herrschaften, kann schon ein kleiner Mangel Anlaß geben zu einer Reise – beispielsweise der Mangel an einem Kilochen Nägel. Von diesem Mangel betroffen fand sich in Suleyken ein Mensch namens Amadeus Loch, dessen Liegenschaften sich in unmittelbarer Nähe von Goronzä Gora, das ist: Heißer Berg, erstreckten. Um also genügend Nägel zu haben für den Bau eines Schuppens, begab sich dieser Loch eines Tages zu seiner Frau und sprach ungefähr so: »Es ist«, sagte er, »moia Zonka, ein Mangel aufgetreten von einem Kilochen Nägel. Daher wird eine Reise nach Oletzko notwendig sein. Und damit sie angenehm wird, könntest du eigentlich mitfahren. Es sind dieselben Vorbereitungen, und wenn man schon in die Fremde muß, dann soll man achten, daß man nicht allein ist.«

So sprach der Amadeus Loch und ging hinaus, und nachdem er gegangen war, stellte seine Frau, eine geborene Popp, alles auf die Ofenbank, was für die Reise gebraucht wurde.

Was das Essen betrifft, so war auf der Ofenbank etwa zu finden: Speck, Fladen, Salzgurken, ein Topf Kohl, getrocknete Birnen, ein Korb Eier, gebratene Fische, Zwiebeln, ein Rundbrot und ein geschmortes Kaninchen. Dann legte sie, während Amadeus sich um das Fuhrwerk kümmerte, die Joppe bereit, Gummigaloschen, Decken, Tücher und Pulswärmer. Und nachdem sie ihre vier Röcke zum Unterziehen hervorgekramt hatte, sprang sie hinüber zu ihrem Bruder, Paul Popp, und ließ sich so vernehmen:

»Amadeus und mich, uns zwingt der Mangel von einem Kilochen Nägel in die Fremde. Morgen, vielleicht auch übermorgen, müssen wir fahren nach Oletzko. Wenn man aber schon in die Fremde muß, dann soll man achten, daß man nicht allein ist. Da ich auf euch nicht verzichten kann, wäre es schon angenehm, wenn ihr mitkämt. Ich könnte sie leichter aushalten, die Reise.«

Damit ging sie, und nach kurzer Beratung begannen im Hause Popp die Vorbereitungen für die Reise: Eingemachtes wurde aufgemacht, es wurde Salzfleisch zurechtgelegt, Heringe wurden gebraten, ein Huhn geschlachtet und gekocht, Brot gebacken, ein Paar Wollsocken in wirbelnder Eile zu Ende gestrickt, ferner wurden die Pferde neu beschlagen, das Geschirr ausgebessert und die Leine des Hofhundes verlängert. Und nachdem die notwendigsten Vorbereitungen getroffen waren, eilte Paul Popp persönlich zu seinem Schwager Adolf Abromeit, der, wie man sich erinnert, in seinem Leben nicht mehr gezeigt hatte als große, rosa Ohren. Und zu diesem sprach er: »Das Schicksal will, daß wir eine Reise machen müssen in die Fremde. Und wie die Dinge, Adolf Abromeit, nun einmal liegen, hat sich niemand wohlgefühlt in der Fremde – angefangen bei den Katzen und geendet bei den Schimmeln. Somit wäre es gut, wenn du anspannst und uns begleitest; die Reise wäre um manches angenehmer.«

Adolf Abromeit, ein ewig verscheuchter Mensch, rannte vom Keller auf den Boden, vom Boden in die Scheune, von der Scheune in den Stall und in die Küche, und als er alles halbwegs beieinander hatte, rannte er über die Felder zu seinem Onkel, dem Briefträger Hugo

Zappka, und sprach: »Ein Unglück ist geschehen. Eigentlich eine Feuersbrunst. Wir müssen eine Reise machen in die Fremde, nach Oletzko. Wir können dich, Onkelchen, nicht entbehren. Schon wegen der Katzen und Schimmel.«
Und damit rannte er auch schon zurück.

Hugo Zappka, der Briefträger, er ordnete und bündelte die eingegangene Post, stellte so etwas wie eine Bilanz zusammen und setzte sich hin und schrieb sein Testament. Dann regelte er alles für die Reise und suchte meinen Großvater Hamilkar Schaß auf, dieser meinen Oheim Kuckuck, Kuckuck den Ludwig Karnickel, Karnickel die Urmoneits, und allmählich war ganz Suleyken in schöner Unbefangenheit bereit, einen seiner Bürger in die Fremde zu begleiten.

Wie ansehnlich die Reisegesellschaft war – man wird es ermessen, wenn ich sage, daß das Fuhrwerk von Amadeus Loch knapp vor Striegeldorf war, als sich der letzte, der finstere Mensch Bondzio, gerade in Suleyken in Bewegung setzte.

So fuhren sie los, und dem Vernehmen nach soll auf dieser Fahrt, neben vielem anderen, folgendes passiert sein: es wurden zwei Kinder geboren, der alte Logau verlor sein Holzbein, zwischen dem Schuster Karl Kuckuck und dem Flußfischer Valentin Zoppek brach ein Streit aus, der Holzarbeiter Gritzan ließ sich herab und sprach zwei ganze Sätze, ferner sichtete man einen wilden Auerochsen, der sich jedoch später als Kuh herausstellte, inspizierte die sagenhaften Rübenfelder von Schissomir, unterbrach die Fahrt, um den berühmten Kulkaker Füsilieren beim Manöver zuzusehen, und erwarb natürlich ein Kilochen Nägel in Oletzko.

Dem weiteren Vernehmen nach kehrte die Gesellschaft nach angemessener Zeit zurück und zerstreute sich mit der Versicherung, daß es angenehm sei, wenn man in der Fremde nicht allein sein muß.

Sozusagen Dienst am Geist

Sehr unangenehm ist es, wenn eine Inspektion droht; noch unangenehmer, Herrschaften, aber ist es, wenn man nicht weiß, zu welcher Stunde so eine Inspektion eintrifft. Diese Erfahrung mußte machen der Lehrer von Suleyken, ein gütiger Mensch namens Eugen Boll, der vierzig Jahre hingegeben hatte im Dienste am Geist. Hatte zwar gehört, daß der Horizont nicht ganz rein war, unser Eugen Boll, aber gewußt, welchen Tags die Inspektion erscheinen sollte, das hatte er nicht. Demzufolge hatte er ausströmen lassen das Volk der Schüler zu seinem Stall und Düngerhaufen, gab ihnen Forken in die Hand, Schaufeln und Besen, und ließ sie lernen das Kapitelchen Geographie. Und nachdem der Düngerhaufen erhöht, frisches Stroh gestreut worden war, ließ er die Wißbegierigen hinabschwärmen zum Flüßchen, wo er, unter Uferweiden verborgen, seine Aalreusen ausgelegt hatte. Dies fiel unter das Kapitelchen Mathematik, denn wir, die Schüler, hatten auseinanderzuhalten die großen Aale und die kleinen, mußten die schlängelnden Haufen dividieren, mußten abzählen, wie viele auf eine Reuse kamen, lernten bei dieser Gelegenheit Greifen und Zupacken, was auch, wie Eugen Boll erklärte, alles von Wichtigkeit ist für die Mathematik. Sodann ließ uns dieser gütige Mensch hinüberwechseln zu den Feldern, wo wir, in langer Kette auseinandergezogen, die Steine absammelten von seinem Kartoffelacker, was unter das Kapitelchen fiel: die Kunde von der Heimat.

Nun gut. Als das zarte Volk das Heu gewendet, einen Kiesweg ausgebessert und zwei Stapel Holz gesägt und gehackt hatte, beschloß Eugen Boll, sein Latrinchen vertiefen zu lassen – mit der Absicht, den Schülern zu verschaffen einen kritischen Blick in die Natur. Ließ auch gleich drei oder vier Bürschchen mit der Seilwinde in eine entsprechende Grube hinab, gab Anweisung, reichte Werkzeug und was gebraucht wurde hinterher und beaufsichtigte die Wissenschaft von der Natur.

So, und in diesem Augenblick will es die Erzählung, daß herangerollt kommt in seiner leichten Kutsche der Oberrektor Christoph Ratz samt einem dünnen, bebrillten Weibchen, welches zu seiner Begleitung gehört. Sie rollen heran zu dem Zwecke einer Inspektion, fahren unbemerkt zum Schulhäuschen, durchstöbern dasselbe, und da sie nichts finden, begeben sie sich hinaus, lauschen und halten verblüfft Ausschau. Kann man es sich vorstellen?

Gut. Gesehen wurde die Inspektion zuerst von dem vierten Sohn meines Vaters, von mir selbst. Wiewohl unfertig in der Ausbildung des Geistes, begriff ich, was sich anbahnte, faßte mir ein Herz und ging hinüber zu meinem Lehrer Eugen Boll. Ich verbeugte mich vor ihm und sprach:»Es ist, Herrchen«, so sprach ich,»angekommen ein Paar, welches steht und herüberglubscht. Ich weiß nicht, was soll das bedeuten?«

Eugen Boll warf einen schnellen Blick in die bezeichnete Richtung, umarmte mich kurz und heftig und brach aus:»Es bedeutet«, so brach er aus,»Fürchterliches.«Und damit riß er den zarten Geschöpfen fort, was er ihnen in die Hände gegeben hatte, jagte sie auf einen Haufen zusammen, zog sich, das Lehrerchen, seine Jacke an und begann, fröhlich wie noch nie, zu dirigieren. Worauf wir Knaben zu singen anfingen, emsig und mit klopfenden Pulsen.

Na, der Rektor Ratz und das dünne Weibchen kamen über den Hof heran, blickten mißtrauisch, die beiden, und strichen ein paarmal um uns herum, bevor überhaupt gewechselt wurden geziemende Worte der Begrüßung. Dann war das Liedchen zu Ende, und bevor Eugen Boll weiterdirigieren konnte – er wollte es sofort –, fiel ihm der Oberrektor in den Arm, schüttelte den Kopf und dachte nach. Und nachdem er das hinter sich hatte, sprach er mit einer dunklen, üppigen Stimme:»Für wen«, sprach er,»und aus welchem Grund wird gesungen das Liedchen?«

»Es ist«, sagte Eugen Boll,»ein Liedchen zur Begrüßung. Sagen wir mal, zur Begrüßung des Frühlings.«

Der Ratz, er hob plötzlich die Nase, schnupperte, stellte sich, dieser Mensch, auf die Fußspitzen und sog die Luft ein, und auf einmal kam er, beroch uns Knaben und sprach:»Die Zöglinge«, sprach er,»sie stinken.«Und nach einem erklärenden Blick zu dem Latrinchen: »Wenn man schon, Lehrer Boll, den Frühling begrüßen will mit einem Liedchen im Grünen – warum denn, wenn ich fragen darf, muß das stattfinden neben dem Latrinchen. Warum nicht, wie es ziemlicher wäre, in Gottes schöner Flur?«

»Die Knaben«, sprach darauf unser Eugen Boll,»sie sind müde vom Dienste am Geist. Und außerdem haben sie sich, wenn es erlaubt ist, sozusagen, an die Umstände gewöhnt. Wo man sie auch hinstellt, sie singen und begrüßen den Frühling.«

»Aber trotzdem, Lehrer Boll, sollte man nicht suchen die Nähe des Stunks. Denn die Zöglinge, Ehrenwort, könnten Schaden nehmen dabei.«

In diesem Augenblick erhob sich – und es kam direkt aus der Erde – eindringliches Gebrüll. Dies Gebrüll, es stammte von den Bürschchen, die man mit der Seilwinde in die Grube hinabgelassen und, in den ersten flattrigen Sekunden, rein vergessen hatte. Sie brüllten so herzzerreißend, daß der Oberrektor und das Weibchen wie erstarrt dastanden und nicht wußten, wie sie sich verhalten sollten. Aber nur ein Weilchen. Denn schon im nächsten Moment schoß Ratz auf den Eugen Boll zu und fragte:»Wer«, fragte er,»ruft da aus seinem Grab?« Worauf unser Lehrerchen sagte:»Mich deucht, es ist jemand hinabgefallen. So gesehen, empfiehlt es sich vielleicht zu suchen.« Gerade wollte er uns ausschwärmen lassen, als die Inspektion die Grube mit den brüllenden Knaben auch schon entdeckt hatte.»Was ist«, rief Ratz,»das für ein Zustand. Ich sehe diverse Zöglinge in Not. Warum, bitte schön, stochern sie in dem Latrinchen herum?«

Eugen Boll, unser Lehrer, hob traurig die Schultern und sprach:»Möglicherweise, Herr Oberrektor, ist einem hineingefallen die Hose.«

»Aber solch eine Hose«, ließ sich das verstörte Weibchen vernehmen,»wird doch nicht mehr sein zu gebrauchen.«

»Die Hose wie die Hose«, sagte Boll.»Aber vielleicht befindet sich in ihr, sagen wir mal, ein Betrag von zehn Pfennig. Ganz zu schweigen von einer Birne, die drin sein könnte, oder von einem rotwangigen Äpfelchen. Die Zöglinge, sie werden schon haben ihren Grund. Ich kenne sie sämtlich.«

»Man helfe ihnen«, sagte das Weibchen,»herauf.«

Na, jetzt wurden die Knaben mittels der Seilwinde befreit, und da sie einen ziemlich benommenen Eindruck machten, verzichtete Ratz einstweilen auf die Befragung. Ließ, statt dessen, die Knaben zurückmarschieren in das Schulhäuschen, um mit ihnen das vorzunehmen, was man nennt eine Prüfung.

Diese Prüfungen, sie standen ohnehin vor der Tür, und um sich zu orientieren über den Stand des Suleyker Geistes, fragte dieser Ratz gleich los in entsprechendem Sinne.

Fragte also zum Beispiel meinen Nachbarn, einen dicken, verschüchterten Knaben:»Sage mir, Heinrich Klumbies, wer hat gewonnen und wann die unvergeßliche Schlacht von Striegeldorf?« Was den Heinrich Klumbies nach einigen Minuten des Nachdenkens zu sagen bewog:»Herrchen, mich kitzelt einer von hinten, so daß ich vergessen hab' Nam' und Jahr. Aber in Striegeldorf wohnt mein Onkel. Er zieht dort Bienen.«

Der Ratz ging darauf an den Knaben Klumbies heran, so daß diesen niemand mehr kitzeln konnte, und sprach:»Heinrich Klumbies«, sprach er,»wenn nun die Prüfung kommt, was wirst du machen in nämlicher Prüfung, damit du bestehst?«

»Mein Vater«, sagte der Knabe, »hat schon zum Räuchern gegeben den Schinken für die Prüfung. Er wird ihn aushändigen dem Herrn Lehrer zur rechten Zeit.«

Eugen Boll, als er solches hörte, zog gleich seinen Schuh aus, um auf den Knaben Klumbies damit zu werfen; er unterließ es nur, weil diesem, zu jedermanns Überraschung, die Tränen herausstürzten. Er schluchzte so bewegt, daß das bebrillte Weibchen zu ihm kam, ihn streichelte und sanft fragte: »Warum, Heinrich Klumbies, drängt es dich so zu schluchzen?«

»Es ist«, sagte dieser, »wegen meines Onkelchens. Dieses Jahr wird er keinen Honig schicken. Sonst, Madamchen, hat er immer Honig geschickt.«

Das bebrillte Weibchen, es hatte Mühe, den Knaben Klumbies zu trösten, aber schließlich gelang es ihm doch, und der Oberrektor schob sich vor ihn und schickte sich an, weiter zu fragen. Wandte sich diesmal an meinen Vordermann und fragte unerbittlich drauf los: »Sage mir, Titus Anatol Plock, wo und zu welcher Bedingung ein Herrchen ins Wasser springt, um zu tauchen nach einem Ring? Und füge hinzu den vollen Familiennamen des Dichters.«

Titus Anatol Plock erhob sich, schluckte irgend etwas runter, das er gerade gekaut hatte, krümmte die nackten Zehen, schob sie über den Fußboden und dachte nach. Und nach einem Viertelstündchen sagte er mit aufleuchtender Miene: »Herrchen«, sagte er, »mein Nebenmann läßt Luft, und außerdem habe ich mir eingezogen einen Splitter im Zeh. Es kommt schon Blut, und darum kann ich nicht richtig nachdenken.«

Sofort rannte das Weibchen von der Inspektion auf den Knaben zu, legte ihn auf die Bank, besah sich den Splitter und zog ihn, nach langwierigen Vorbereitungen, wieder heraus. Titus Anatol Plock setzte sich danach auf sein Bänkchen, wimmerte dünn vor sich hin und hatte damit beantwortet die Frage.

Wer jetzt glaubt, daß alles zu Ende war, kann nicht ermessen die bodenlose Geduld des Oberrektors Ratz. Er hob seinen Zeigefinger, zielte auf die Knaben und drückte, wenn man so sagen darf, ab auf den Zögling Joseph Jendritzki. Dies war ein schiefgewachsener, rothaariger Knabe mit selbstgenügsamem Gesichtsausdruck, der eine große, blaue Milchkanne neben seiner Bank stehen hatte. Und zu ihm sprach die Inspektion folgendermaßen: »Sage mir, Knabe Joseph Jendritzki, einiges übe⁻ Gottes schöne Welt. Erkläre mir beispielsweise, was du weißt und hast gehört über die Wölkchen – woher sie kommen, wohin sie eilen, und was sie mitunter machen. Denk und sprich.« Joseph Jendritzki, ein gewandtes Geschöpf, plierte gleich zum Fenster raus, nahm in Augenschein Himmel und Wölkchen. Und dann ging er an das Fenster heran, öffnete es, stieg auf das Sims und plierte weiter. Und als ihm auch das nicht zu ausreichender Antwort zu verhelfen schien, sprang er ins Freie, kletterte auf einen Kastanienbaum und besah sich in aller Ruhe und Hingegebenheit die Wölkchen. Zum Schluß pflückte er sich noch einige Kastanien und kam dann freudestrahlend zurück. Der Oberrektor lächelte ihm zu, das Weibchen lächelte ihm zu, und auch Eugen Boll in der Ecke blickte ihn erwartungsvoll lächelnd und voller Stolz an, als er wieder zu seinem Bänkchen ging.

»Also«, sprach Ratz, »sage du mir, was ich wissen will.« Joseph Jendritzki schaute nach unten, seine Blicke glitten über den Boden und über die große, blaue Milchkanne, und plötzlich rief er: »Herrchen«, rief er, »man hat mir vollgestrullt meine Milchkanne. Das muß gewesen sein, als ich saß auf dem Baum zum Zwecke der Beobachtung.«

Ein Tumult entstand, ein Forschen und Fragen erhob sich, und es wäre mancherlei erfolgt, wenn jener Oberrektor Ratz nicht unvermutet gesagt hätte: »Ich bitte mich zu entschuldigen für ein knappes Minütchen. Ich bin gleich wieder zurück.« Und damit ging er hinaus.

Ging hinaus und wollte, während man ergeben auf ihn wartete, überhaupt nicht mehr wiederkommen. Na, als dann ferne Hilferufe erklangen, ging der Lehrer Eugen Boll hinaus und fand den Oberrektor eingeschlossen im Latrinchen. Der Lehrer entschuldigte sich ziemlich ausschweifend und sprach: »Es muß liegen an jenem neuen Riegel. Weil er ein wenig klemmt, muß man das Türchen etwas anheben. Vielleicht darf ich es zur Erklärung zeigen.«

Worauf beide Herren noch einmal hineintraten, und Eugen Boll den Riegel vorschob aus Gründen des Versuchs.

Ganz recht: der Riegel klemmte auch diesmal, klemmte so gut, daß das Türchen nicht aufspringen wollte, auch als man es anhob. Sie klopften, hoben und stießen, trommelten sogar mit den Fäusten – nichts gab nach. So nahmen die Herren Platz und bedachten, was auch halbwegs zutraf: nämlich ihr finsteres Los. Bedachten es, so ungefähr, bis zum Abend, plauderten über dies und das, und wurden endlich

295

befreit von dem bebrillten Weibchen, das verängstigt auf rasche Abreise drang.

Zu meiner Zeit ist dann keine Inspektion mehr gekommen, und wir lebten wie ehedem und ließen uns berauschen vom Dienst am Geist.

Eine Sache wie das Impfen

Kaum war das Gerücht entstanden, da tat es auch schon das, was offenbar in seiner Natur liegen muß: es verbreitete sich. Verbreitete sich über ganz Suleyken, sprang über nach Schissomir, rannte den Bahndamm entlang nach Striegeldorf und gelangte, dieses Gerücht, nach Überquerung der Kulkaker Wiesen direkt in die Kreisstadt. Hier verlief es sich erstmals, hatte sich verirrt, wie es schien, aber dann fand es doch den Weg: stolzierte eines Tages über den Marktplatz, die Treppen zum Magistrat hinauf, klopfte an eine gewisse Tür und war, wie die Ereignisse zeigen werden, am Ziel.

Dies Gerücht: niemand kann sich mehr erinnern, wie es eigentlich entstanden ist, nur was es besagte, das ist noch im Gedächtnis. Und es besagte ungefähr, daß in der Suleyker Familie Plock, in punkto Gesundheit und auch sonst, alles ziemlich brach- und darniederlag. Die Angehörigen dieser Familie, so erzählte man, hätten entweder dicke Bäuche oder gar keine, sie äßen lebende Tiere, Schimmel vor allem, weiterhin bevorzugten sie, ihre Speisen von der Erde zu essen, und zeigten die sonderbare Neigung, sich mit den Tieren zu unterhalten. Auch sollte es Beispiele dafür geben, daß eine Anzahl der Plockschen Kinder mit den Schafen zusammen auf die Weide getrieben wurde – man ahnt schon, wieviel Schrecken und Aufregung waren auf seiten von Dr. Sobottka, dem Kreisphysikus, als nämliches Gerücht in seine Ohren fiel.

Nachdem es, jedenfalls, tief genug hinabgefallen war, verfiel unser Kreisphysikus in einen Zustand schwermütigen Nachsinnens, sann alles ordentlich durch, und als er damit zu Ende gekommen war, hob er den Kopf und sprach so: »Wir werden«, sprach er, »impfen!«

Noch im gleichen Augenblick wurde eine Kommission zusammengestellt, wurde mit Taschen ausgerüstet, mit mancherlei Medizin und Tabletten, auch Messer waren dabei, um, gegebenenfalls, die Plockschen Kinder von den Tauen zu schneiden, mit denen sie auf der

Weide angepflockt waren. Sage und schreibe bestand die Kommission
aus vier Herren; die Suleyker Hebamme, ein Weibchen namens Martha Mulzereit, sollte an Ort und Stelle zu ihr stoßen. So, und dann fuhr
die Kommission, sagen wir mal, in hochoffiziellem Vierspänner, auf
dem kürzesten Weg nach Suleyken, zur Quelle des düsteren Gerüchts.
Fuhr hin und hielt also vor dem ersten Häuschen, welches auch gleich
gehörte meiner Großtante, der Witwe Jadwiga Plock.

Gottes Segen, er ruhte mild über Jadwiga Plocks Häuschen, denn
selbst nachdem sie Witwe geworden war, hatte sie nicht aufgehört,
gesunden, etwa zehnpfündigen Kindern das Leben zu schenken, und
zwar mit wunderbarer Regelmäßigkeit. Und es fügte sich, daß, als die
Kommission eintrat, alle sechzehn anwesend waren, auch Titus Anatol, welcher das achte Kind war.

Was sich der Kommission zunächst bot, es war ein Anblick von
bewegtem Leben: es krabbelte, plapperte und blubberte, es kroch vor
und zurück, es wimmerte und schrie, lutschte und weinte, kaute und
zankte, schluckte und miaute und aß unentwegt. Einiges saß auf den
Stühlen, anderes auf dem Tisch oder auf dem Ofen, das meiste natürlich bewegte sich auf dem Fußboden.

Na, Martha Mulzereit, die ortskundige Hebamme, bildete sozusagen
die Nase der Kommission, steckte sie also vorsichtig rein in die Höhle
des Lebens, kundschaftete sorgfältig alles aus und zog die Kommission
nach. Und jetzt gab Jadwiga Plock ein Beispiel häuslicher Selbstbe-
hauptung: sie fegte die Stühle rein, den Tisch, den Ofen, säuberte sie
quasi von jeglichem Leben und sagte nichts weiter als: »Willkommen
in Suleyken.« Dann bot sie der Kommission Rauchfleisch an, Bohnen,
Kohl und Kaffee, verrichtete alles schweigend, mein Großtantchen,
und musterte derweil mißtrauisch den Besuch. Der Besuch aß erst
einmal.

Nachdem er aber gegessen hatte, sagte die Hebamme plötzlich: »Wir
könnten jetzt eigentlich impfen.« Zog auch gleich eine Spritze heraus,
lud sie in einer Flasche und ging, einige Locktöne ausstoßend, auf den
Berg von Leben zu, der in einer Ecke zusammengekrochen war. Ein
furchtbares Kreischen begann, ein Winseln und Johlen, der Berg geriet
in Bewegung, floh teilweise aus dem Fenster, teilweise durch die Tür,
kurz und gut, wie man schon vorauseilend bemerkt hat: es blieb nichts
übrig zum Impfen. Die Kommission wartete ein Weilchen, und als
nichts geschehen wollte, äußerte sie den Wunsch nach heißem Wasser.

Das wurde gebracht, und die Kommission, einschließlich der Hebamme, zog die Schuhe aus und brühte die Füße. Dabei geriet man ins Plaudern, richtete es sich gemütlich ein und gab zu verstehen, daß man im Interesse der Gesundheit nötigenfalls auch längere Zeit warten werde, und Jadwiga Plock, mein Großtantchen, umsprang und umsorgte den Besuch, versah ihn mit allem, wonach er verlangte, sogar mit einem Nachtlager in der Scheune versah sie ihn.

Das zahlreiche Leben der Jadwiga Plock blieb indes verschwunden, nichts war zu hören, nichts zu sehen, als ob mein Großtantchen geradezu unfruchtbar gewesen wäre: so nahm es sich aus. Allerdings zeigte sie weder Furcht noch Besorgnis in Anbetracht der verschwundenen Brut, antwortete, wenn sie gefragt wurde, mit höflicher Gleichgültigkeit, hob ihre ansehnlichen Schultern und stellte sich rein dammlich.

Die Kommission ihrerseits machte tagsüber kleine Ausflüge, bestellte bei den Bauern Winterkartoffeln, nahm an einem Feuerwehrfest teil, spazierte und plachanderte, und ein Mitglied verlobte sich sogar. So ging der Sommer vorüber.

Eines Morgens, niemand hätte das mehr erwartet, tat die Kommission etwas Ungewöhnliches: sie schöpfte Verdacht. Und zwar schöpfte sie ihn, als Jadwiga Plock, sich allein glaubend, mit einem riesigen Topf Kohl auf den Hof trat, den Topf auf die Erde setzte und klanglos wieder in ihrem Häuschen verschwand. Sofort setzte die Kommission ihr nach und fragte sie: »Für wen«, fragte sie, »ist der Kohl?«

»Er ist«, sagte mein Großtantchen, »bestimmt für den Hund.«

Man wird, dachte die Kommission, den Hund ja sehen, und sie postierte sich, hinter bequemen Astlöchern, in der Scheune, verhielt sich stumm und wartete. Und alsbald, oh, schneller Erfolg des Lauschens, tauchten aus den Johannisbeerbüschen, aus den Brombeeren, aus den Bäumen und Heuhaufen Jadwiga Plocks Söhne und Töchter auf, schlichen auf den Hof, krochen hervor bis zu dem Topf mit Kohl und begannen zu speisen. Sie umlagerten den riesigen Topf, kniffen sich gegenseitig weg, zerrten und zogen, warfen sich mit Kohl: die Kommission stand wie gebannt.

Stand ungefähr bis zum Ende der Mahlzeit, die Kommission, dann handelte sie strategisch, will sagen, sie schlich sich hinaus auf den Hof und fing, von mehreren Seiten kommend, vier von der Plockschen Brut. Diese wurden, unter ohrenschmerzendem Kreischen, in die Scheune geschleppt, geimpft und danach in die Freiheit entlassen.

Und nun kam es zu verwirrenden Merkwürdigkeiten: es meldeten sich bei der Kommission alsbald einige Knaben, die freiwillig geimpft werden wollten, nach ihnen kamen neue und wieder neue, immer umfangreicher wurde die Zahl – nie hat man so viel fröhliche Bereitschaft unter der Suleyker Brut bemerken können, so viel andächtiges Stillhalten. Sie drängten sich vor, jedem konnte es nicht schnell genug gehen mit dem Impfen, sie zeigten schon auf die Stelle, wo sie den Stich hinhaben wollten, na, man wird sich ausmalen, was los war. Ein Wettbewerb hatte eingesetzt, einer suchte den andern zu übertreffen in der Anzahl der Impfstellen – manch einer hatte es verstanden, sich sechsmal unbemerkt anzuschließen. Und natürlich sparte die Kommission nicht an Tabletten und Medizin, sparte auch ebensowenig an hygienischen Ermahnungen gegenüber meiner Großtante Jadwiga Plock.»Es empfiehlt sich«, sagte beispielsweise die Kommission,»die Kinderchen aus Tellern essen zu lassen. So etwas verhindert unter anderem die Rachullrigkeit« – das ist: die Habgier, na und so weiter. Machte, diese Kommission, ihren ganzen Einfluß geltend, um der Gesundheit die Ehre zu geben, und nachdem das geschehen war, reiste sie ab in dem hochoffiziellen Vierspänner.

Doch kaum war sie weg – jeder Prophet wird sofort wissen, was auftrat, nachdem die Kommission weg war –: Krankheit nämlich. Die Plocksche Brut, verurteilt zu Teller und Löffel, bekam Fieber, begann an Appetitlosigkeit zu leiden und schleppte ein Übel herum, das später bekannt geworden ist als die Suleyker Darmnot.

So siechte eine der berühmtesten Suleyker Familien dahin, unter Fieber und bemerkenswerten Verdauungsnöten, und sie wäre wahrscheinlich ausgelöscht worden, wenn Jadwiga Plock, meine Großtante, das Siechtum nicht auf ihre Art beendet hätte: sie verbarg kurzerhand die Teller und stellte, am nächsten Tag, einen riesigen Topf Kohl auf die Erde. Und siehe da: das schon welke Leben begann – sacht, versteht sich – wieder zu knospen, das Fieber blieb langsam weg und schließlich auch die anderen Übelkeiten. Und nachdem, militärisch gesprochen, der Donner verraucht war, ereignete sich das Leben wieder nach Suleyker Art: nämlich blühend.

Der Mann im Apfelbaum

Einen seltsamen Baum, Herrschaften, gab es bei uns in Suleyken; wohl den seltsamsten Baum von der Welt. Was sich auf seinen Zweiglein schaukelte, es waren die Blüten des Aberglaubens, und es waren – aber ich will der Reihe nach erzählen.

Vierunddreißig Apfelbäume, so wird berichtet, besaß der Adam Arbatzki, keinen aber pflegte und bevorzugte er mehr als den, welcher unmittelbar neben seinem Häuschen stand. Es war, betrachtete man alles aus der Entfernung, ein sonderbares Verhältnis, das dieser Adam Arbatzki mit seinem Bäumchen hatte: nicht nur, daß er ihm reichlich und vom besten Dünger gab, daß er zur Zeit der Nachtfröste ein Koksöfchen neben ihm aufstellte – zuweilen, wie mehrmals festgestellt wurde, pflegte er sich sogar mit ihm zu unterhalten. Plauderte schließlich so ungeniert mit dem Bäumchen, bis seine Frau, ein ganz junges Marjellchen namens Sofja, einiges mitbekam und ihn darob mit folgenden Worten zur Rede stellte:»Ich habe, Adam, im letzten Winter rechnen gelernt. Und ich habe ausgerechnet, daß du bei Sonne vier, bei Regen sieben Sätze mit mir redest. Mit meinen Ohren aber, die ich habe, um zu hören, habe ich erlauscht, daß du mit jenem Bäumchen, das immer mehr in die Breite geht und schon in alle Fenster hineinlugt, mehr als zehn Sätze sprichst. Demzufolge möchte ich bitten um Aufklärung. Das ist ja wohl möglich.«

Adam Arbatzki, er lächelte mild und müde, besann sich ein wenig und sprach dann mit leiser Stimme:»Die zehn Sätzchen, moia Zonka, die ich sprech zu dem Baum, sprech ich zu mir selbst. Denn dies Bäumchen ist niemand anderes als meine Wenigkeit. Ich habe es gepflanzt, damit ich schlüpfen kann in es, wenn ich tot bin. Und damit ich aufpassen kann auf dich, Sofja. Du bist noch jung, moia Zonka, und wer jung ist, stellt sich womöglich ziemlich dreibastig an. Somit möchte ich dich schon heute ein bißchen warnen. Das Bäumchen – und das heißt ich – kann hineinlugen in alle Fenster und sehen, was vor sich geht. Wenn zuviel vor sich geht nach meinem Tode, werd ich mich schon auf gewisse Weise melden.«

Dies Gespräch fand statt an einem Dienstag; an einem Mittwoch legte sich Adam Arbatzki ins Bett, an einem Donnerstag schickte er nach dem Arzt, und da er sich an dem Arzt nicht vergriff, sondern schluckte, was dieser ihm verschrieb, starb er an einem Sonntag zur Kaffeezeit. Eigentlich war er auch alt genug dafür.

Na, die Sofja, das kribblige Marjellchen, sorgte sich, daß ihr Adam Arbatzki ein schönes Plätzchen fand, mottete seine Jacken und Hosen ein und verhielt sich ruhig. Wenigstens einstweilen. Aber nach und nach ließ sie die Trauer hinter sich – war ja auch zu jung, um sich künftighin nur zu grämen – und erging sich in dem, worin das Leben, scheint's, zur Hauptsache besteht: nämlich in Geschäftigkeit. Diese Geschäftigkeit führte sie, was keinen wundern wird, gelegentlich auch unter das Bäumchen des Adam Arbatzki. Aber statt ihm Dünger anzubieten, ein Eimerchen voll bester Jauche oder ein Koksöfchen für die Nachtfröste, bot sie ihm nur scheele Blicke. Rupfte sich, im Vorbeigehen, auch mal einen Zweig ab, schlug mit dem Fuß dagegen oder machte sonst was – alles nur, um zu sehen, wie weit der alte Adam Arbatzki wirklich in dem Bäumchen enthalten sei. Und da auf ihre Versuche nichts Außergewöhnliches geschah, kein Ächzen erfolgte, kein Stöhnen, Rauschen oder Schimpfen, ließ sie eines Tages, weil der Baum ihr quasi ein ungeheurer Splitter im Auge war, einen fremden Knecht kommen und sprach zu dem: »Hacke mir«, sprach sie, »Knecht, dieses runzlige Ding weg. Schön ist es nicht, wachsen tut es nicht mehr, und die Äpfel, die es abwirft, kann kein Mensch in den Mund nehmen. Außerdem nimmt mir das Gewächs das Licht weg für alle Stuben.«

Der Knecht, ein gewisser Sbrisny, holte sich darauf seine Axt, holte sich noch dazu ein Fuchsschwänzchen und ein Seil und schickte sich an, dem Adam Arbatzki im Baume den Garaus zu machen. Bis hierher ging auch alles gut.

Aber nun frage ich: wer, Herrschaften, würde von uns stumm zusehen, wenn ein gewisser Sbrisny käme, uns ein Seil um den Hals legte und dann anfinge, mit seinem Fuchsschwänzchen an unseren Beinen herumzusägen? Ich will doch hoffen, da würde sich niemand ruhig verhalten. Na also. Und darum ist auch nicht zu erwarten, daß sich der Adam Arbatzki im Baume ruhig verhielt: als sich der Knecht mit der Säge gerade bückte, flog ihm ein morscher Ast so eindrucksvoll auf den Schädel, daß er sich nicht wieder hochrecken konnte. Mußte im Fuhrwerk nach Hause geschafft werden, dieser Sbrisny, und mied den bezeichneten Baum von Stund an.

Darauf ging das Marjellchen Sofja wie wandelnd unter das Bäumchen, lauschte ein Weilchen, sah sich alles genau an und wisperte:»Der Knecht Sbrisny, Adam Arbatzki, hat immer geholfen bei den Rüben. Und das Heu hat er eingefahren. Es schickt sich nicht, wenn du ihm so schlägst auf den Dassel. Ein Ast zieht schlimmer als die Hand.« Das Bäumchen schwieg dazu, und Sofja, die junge Witwe, ging in ihr Haus und überlegte.

Überlegte, ob er kommen solle oder nicht – er: damit ist gemeint das kräftige Bürschchen Egon Zagel, ein Lachudder weit und breit, worunter man sich vorzustellen hat einen Lümmel. Schließlich, weil sie in sich pochen fühlte eine Sehnsucht, entschied sie, daß er gegen Abend zu ihr kommen solle, und sie gab ihm Bescheid.

So kam Egon Zagel auf seinen – wenn es erlaubt ist zu sagen – schiefgelaufenen Latschen der Liebe ins Häuschen und ging ohne Umschweife der Tätigkeit eines Freiers nach. Aber mitten im Prahlen und Ringeln, im Drehen und Scharwenzeln – was geschah da? Was man erwartet hat: Adam Arbatzki im Baum schlug mit den Ästen gegen die Fenster, knarrte im Wind und kratzte mit verschiedenen Zweigen am Strohdach. Tat das unablässig und derart aufdringlich, daß die Sofja sich erhob und zu dem Freier sprach:»Du könntest, Egon Zagel, bitte schön, hinausgehen und dem Baum ein paar Äste nehmen. Besonders die, mit denen er uns nicht in Ruhe läßt.«

»Das wird«, sprach der Freier, »geordnet in zwei Minuten.« Schnappte sich ein Küchenmesser und trat unter den Baum, um die fraglichen Äste auszumachen. In diesem Augenblick schüttelte sich Adam Arbatzki so, daß das Bürschchen erst einmal gehörig naß wurde, und als es sich, mit zwei, drei Schritten, in Sicherheit bringen wollte, stellte ihm der Adam Arbatzki ein Bein, genauer gesagt, er stellte dem Lachudder eine Wurzel, woraufhin dieser dergestalt stolperte und sich drehte, daß ihm das Küchenmesser in eine seiner bemerkenswerten Hinterbacken fuhr. Der jungen Witwe blieb es vorbehalten, das Küchenmesser herauszuziehen und zu säubern, und es braucht nicht gesagt zu werden, daß jener Freier ziemlich rasch verduftete.

Ja, und nun begann es sich allmählich herumzusprechen, was mit diesem Bäumchen los war, und es gab nicht wenige in Suleyken, die es höflich grüßten und hin und wieder auch ein Wörtchen zu ihm sprachen. Vor allem fand sich keiner, der bereit gewesen wäre, das Marjellchen Sofja als regelrechte Witwe anzusehen – ein Umstand, der ihr außerordentlich zu Herzen ging und sie, wo nicht schwermütig, so doch ratlos machte. Dieser Zustand hielt auch ein paar Jährchen an. Aber in ihrem Kopf rumorte es, rumorte so lange, bis ergrübelt war ein neuer Plan, wie dem Bäumchen zur Rinde zu gehen wäre. Und sie ließ kommen einen auswärtigen Knecht aus Schissomir, einen düsteren Menschen namens Strichninski, der von nichts wußte. Diesem wurde aufgetragen, eine Fackel an das Bäumchen zu legen und es sachte abpesern zu lassen.

Wickelte auch gleich, dieser Strichninski, ein Stück Sackleinwand um einen Knüppel, tauchte ihn in Teer, zündete ihn an und warf ihn gegen das Bäumchen. Und jetzt mag man es glauben oder nicht: die Fackel prallte so forsch ab, als ob der Baum sie zurückgeschleudert hätte; sie flog zu jenem Strichninski zurück und leckte ihm einmal über die Visage, was bewirkte, daß er schreiend davonrannte.

Wieder trat Sofja, die junge Witwe, in den Garten und beschimpfte Adam Arbatzki im Baum. Aber der blieb stumm.

Schon war das Marjellchen daran, sich für immer in ihr Geschick zu fügen, als sich ein kleiner lebhafter Gärtner mit Namen Butzereit bei ihr einstellte, der von ihrem Unglück vernommen hatte. Kam also zu ihr und sagte:»Was man zu hören bekommt über den Adam Arbatzki im Baum, es stimmt einen nachdenklich. Aber wer, frage ich, wird sich nicht wehren, wenn man ihm fährt an die Haut. Da muß man anders handeln. Gegen entsprechende Vergütung würde ich es schon übernehmen.«

»Es wird«, sagte Sofja,»alles vergütet bei Gelegenheit.« Was bleibt mir zu sagen? Dieser kleine, lebhafte Gärtner nahm ihre Hand und sagte:»Ich werde«, sagte er,»das Bäumchen verschönern. Dagegen wird es wohl nichts haben. Es geht alles ohne Gewalt.«

Und er ging hin und begann das Apfelbäumchen auf verschiedene Weise zu veredeln: durch, wie es heißt, Äugeln, durch Geißfußpfropfen und Kerbeln. Setzte ihm hier einen Haselnußast an, da einen Zweig vom Birnbaum, verwendete Kastanien, Birken, Weiden und sogar Linden, und pfropfte dem Bäumchen alles auf unter ständigen Schmeicheleien. Und das Bäumchen, es ließ sich das auch gefallen – womit es, wie jeder Kundige einsehen wird, überlistet war. Denn es wuchs nun, ja, wohin wuchs es eigentlich? Auf einer Seite hingen Haselnüsse, auf der anderen Äpfel, hier waren es Kastanien, da Kruschken, mit einem Wort: Adam Arbatzki im Baum verlor so allmählich seine Natur, wuchs sich gewissermaßen aus. Was zuletzt von ihm nachblieb, war nur der Stamm. Sagt selbst, Herrschaften, geben Beine noch einen Menschen ab? So also verzweigte und verzettelte sich jener Adam Arbatzki, weil er nichts gegen eine Veredelung hatte. Wer nach Suleyken kommt, kann ihn übrigens immer noch dort sehen: den wahrscheinlich seltsamsten Baum von der Welt.

304 Die große Konferenz

Manchmal, wie die Erfahrung zeigt, glaubt man etwas zu besitzen, nur weil man sich an den Gedanken des Besitzes gewöhnt hat. Dieser Tatbestand war gegeben im Fall der sogenannten Suleyker Poggenwiese, eines moorigen Landzipfelchens, das erfüllt war vom quakenden Palaver der Frösche, vom einzelgängerischen Brummen der Hummeln, von unablässigem Gepieps und Gezirp. Die Suleyker, sie sahen nämliche Poggenwiese als ihren rechtmäßigen Besitz an, weshalb sie ohne Arg hinaufließen ihre berühmten Schafe, ihre Schimmel, ihre Kühe, ganz zu schweigen von den Enten, die es unaufhaltsam zu den Gräben zog.

Es ging gut, sagen wir mal – aber niemand hat die Jahre gezählt, wie lange es gutging. Eines Tages nun zog sich ein Mensch aus Schissomir, Edmund Piepereit mit Namen, seine Schuhe aus, watete in so einen Graben hinein und schnappte sich ein ansehnliches Suleyker Erpelchen unter dem Hinweis, daß die Poggenwiese, von Rechts wegen, zu Schissomir gehörte. Und daher, meinte dieser Mensch, könnte er betrachten das Erpelchen gewissermaßen als Strandgut.

Jetzt möchte man wohl wissen, wie sich Suleyken verhielt. Na, zunächst drang es auf Vergeltung, dann horchte es auf, und nachdem es auch herumgehorcht hatte, stellte sich ein eine schmerzhafte Ratlosigkeit. Denn die sogenannte Poggenwiese hatte sich herausgestellt als umstrittener Besitz – worunter zu verstehen ist, daß sowohl Suleyken als auch Schissomir besagte Wiese als ihr Eigentum ansahen.

Da nun aber, wie es jedermann einleuchtete, eine Wiese nicht haben kann zwei Herren, wurde das einberufen, was sich in ähnlichen Fällen schon wiederholt bewährt hat: nämlich eine Konferenz. Diese Konferenz, sie sollte stattfinden in Schissomir, sollte den Streit schlichten und die Poggenwiese dem zusprechen, der die besten Worte finden konnte für den Nachweis des Besitzes. Alles in allem, wie man es sich denken kann, weckte diese Konferenz auf beiden Seiten große Erwartungen. Nun wurde in Suleyken ein Vertreter gewählt, von dem zu hoffen war, daß er die besten Worte finden würde zum Nachweis des Besitzes. Es liegt nicht nur auf der Hand, daß niemand anderes gewählt wurde als mein Großvater Hamilkar Schaß, der sich durch angespannte Lektüre geradezu den Ruf eines Suleyker Schriftgelehrten erworben hatte. Gut. Wer Suleyken kennt, wird jetzt nicht allzu kleinlich sein in der Vorstellung, was meinem Großväterchen, Hamilkar Schaß, mitgegeben wurde als Ausrüstung: Kniestrümpfe aus Schafwolle und Briefmarken, Rauchfleisch und Sicherheitsnadeln, Ohrenschützer, ein Gesangbuch, Streuselkuchen, eine ganz neue Peitsche, ferner zwei Kilo ungesponnene Schafwolle, ein Leibriemen und, natürlich, Lektüre über Lektüre, welche sich vornehmlich zusammensetzte aus älteren, aber geschonten Exemplaren des Masuren-Kalenders. Nimmt man das ganze zusammen, so waren es ungefähr zwei Fuhrwerke voll, die mein Ahn als Ausrüstung für die Konferenz erhielt.

Hamilkar Schaß, mein Großväterchen, hielt es indes für besonders notwendig, zur Konferenz ein Tütchen Zwiebelsamen mitzunehmen, und zwar aus dem Grunde, weil er dem Glauben anhing, Zwiebeln seien gut zur Beflügelung des Geistes. Er pflegte sie mit der gleichen Leidenschaft zu essen, mit der er sich auf seine Lektüre warf, und er weigerte sich abzureisen, bevor nicht die entsprechenden Tütchen mit den Zwiebelsamen vorhanden waren. So, und dann reiste er ab, begleitet von den Segenswünschen der Suleyker, reiste mitten hinein in die Höhle des Löwen von Schissomir.

Schissomir, es hatte vollauf erfaßt Sinn und Bedeutung solch einer Konferenz, wofür man, in Zweifelsfällen, nur folgende Tatsachen ins Auge zu fassen braucht: erstens wurde meinem Großvater zugewiesen eins der ansprechendsten Häuschen von ganz Schissomir, zweitens ein Gärtchen dazu, drittens allerhand ausgesuchte Bequemlichkeiten wie ein Badezuber mit Bürste, ein Stück Seife, ein Bänkchen vor dem Haus zum Nachsinnen, und, nicht zu vergessen, Moos zwischen den Doppelfenstern, für den Fall, daß es im Winter zieht. Man ließ ihm Zeit, sich einzurichten, drängte ihn überhaupt nicht, und mein Großväterchen ging, um sich innerlich einzustellen auf die Konferenz, einige Wochen müßig. Dann aber war es soweit: die Konferenz wurde bestimmt und festgesetzt.

Sie war festgesetzt auf sechs Uhr in der Früh – man wollte frisch und ausgeruht sein. Es saßen sich gegenüber Hamilkar Schaß aus Suleyken und Edmund Piepereit aus Schissomir, derselbe, der das Erpelchen von einem der Gräben als Strandgut nach Hause getragen hatte. Die erste Sitzung, wenn man so sagen darf, nahm folgenden Verlauf: man begrüßte sich, aß eine riesige Pfanne voll Rührei, lachte und sprach über die Aussichten für den Hafer. Und man wäre fast auseinandergegangen, wenn sich jener Piepereit nicht an das Erpelchen erinnert hätte, das sein Weibchen gerade für den nämlichen Abend schmorte. Stand auf, dieser Mensch, nahm sogar eine besondere Feierlichkeit an und sprach so: »Und was übrigens betrifft die Poggenwiese, so gehört sie, wie Augenschein lehrt, nach Schissomir.«

Worauf Hamilkar Schaß, mein Großväterchen, in spürbarer Verwunderung den Kopf hob und antwortete: »Ich vermisse«, antwortete er, »Edmund Piepereit, die einfachsten Formen der Höflichkeit.« Stand damit auf und spazierte zu seinem Häuschen hinüber, wo er einen Spaten nahm, mit diesem in den Garten ging und gemächlich begann, mehrere Zwiebelbeete anzulegen. Da es gerade die Zeit war, säte er die Zwiebelchen aus, die nach der Ernte dienen sollten der Beflügelung seines Geistes. Und als er damit fertig war, setzte er sich auf das Bänkchen zum Nachsinnen.

Den Leuten von Schissomir war solches Treiben nicht verborgen geblieben; sie nahmen es hin und leiteten daraus ab das Verhältnis meines Großvaters zur Zeit. Und sie begannen zu spüren, daß sich dieser Mann auf das Warten verstand.

Nach, sagen wir mal, ein paar weiteren Wochen – die Zwiebelchen schauten schon ins Licht – wurde abermals eine Sitzung anberaumt. Zugegen waren dieselben Herren wie bei der ersten, es wurde auch das gleiche gegessen. Und nach einigen Einleitungsworten ließ sich der erwähnte Piepereit folgendermaßen vernehmen: »Es ist uns«, sagte er, »eine Ehre, Gastfreundschaft zu üben gegenüber einem Mann wie Hamilkar Schaß, dem Gesandten aus Suleyken. Und mit ihm ist es sogar eine besondere Ehre, denn er ist in mancher Lektüre bewandert, er kann Worte finden, die kaum ein anderer findet, und schließlich ist bekannt und geschätzt seine Einsicht. An seiner Einsicht zu zweifeln wird sich niemand unterstehen, und schon gar nicht in dem Fall, wo es sich handelt um die Poggenwiese. Denn seit die Ritterchen hier waren, seit anno Jagello oder so, hat, wie jeder Einsichtige zugeben wird, die

Poggenwiese immer gehört zu Schissomir. Und wenn auch nie viel hergemacht wurde von dem Besitz, es war unsere Wiese und ist, hol's der Teufel, unsere Wiese geblieben mit allem, was darauf herumstolziert oder zu schnattern beliebt. Nur ein Ungebildeter könnte hier zweifeln.«

Na, kaum war ihm das entschlüpft, als Hamilkar Schaß, mein Großvater, aufstand, sich höflich verneigte und sprach: »Eigentlich«, sprach er, »müßten die Zwiebelchen schon ziemlich weit sein. Habe sie tatsächlich ein paar Tage aus den Augen gelassen. Aber das kann man ja nachholen.«

Und schon war er draußen, wackelte zu seinem Gärtchen, setzte sich auf die Bank und beobachtete das Wachstum der Zwiebeln. Unterdessen flanierten die Leute von Schissomir an seinen Zwiebelbeeten vorbei, musterten den eingehend, der da auf dem Bänkchen saß, und verfielen in schwermütige Grübeleien, als sie das zuversichtliche Gesicht von Hamilkar Schaß sahen. Sorge regte sich hier und da – Sorge, weil man erkannt hatte, daß das Häuschen, in dem mein Großvater wohnte, und die ausgewählte Nahrung, die man ihm stellen mußte, immerhin etwas kostete, und zwar mehr, als man ursprünglich gedacht hatte.

Jeder wird es ihnen nachfühlen, daß sie deshalb auf eine dritte Sitzung drängen, welche in liebenswürdiger Weise verlief. Es gab gebratene Ente, es gab Rotwein und Fladen, und hinterher gab man Hamilkar Schaß, meinem Großvater, in versteckter, ja fast vorsichtiger Weise zu bedenken, daß die Poggenwiese von alters her Schissomir gehöre. Er allein wäre imstande, das einzusehen. Worauf Hamilkar Schaß nur sagte: »Die Zwiebelchen«, sagte er, »sind jetzt soweit. Ich könnte eigentlich gleich anfangen mit dem Ernten.« Worauf er sich höflich verabschiedete und zu seinen Beeten zurückkehrte.

Hat man schon gemerkt, wohin das Ende steuert?

Aber ich möchte es trotzdem noch erzählen. Der Herbst ging vorüber, der Winter kam und empfahl sich, schon stand – grüßend, wie man sagt – das Frühjahr vor Schissomir, und immer noch brachten die Sitzungen keine Entscheidung. Jener Piepereit, von der Ungeduld seiner Auftraggeber angesteckt, bot eines Tages ganz überraschend an, die Poggenwiese vielleicht zu teilen – so weit war man schon in Schissomir. Aber Hamilkar Schaß, er verfügte sich sanft und freundlich in sein Gärtchen und zog Zwiebeln zur Beflügelung seines Geistes.

Aber schließlich passierte es dann: im frühen Frühjahr, bevor ein anderer daran dachte, fand sich mein Großväterchen im Garten ein, um seine Zwiebelchen für den nächsten Herbst zu bauen. Arbeitete so ganz treuherzig und unschuldig vor sich hin, als Edmund Piepereit unverhofft auftauchte und, mit einigermaßen schreckerfülltem Gesicht, bemerkte:»Du gibst dir, Hamilkar Schaß, wie man sieht, viel Mühe beim Säen von Zwiebeln.« Was meinen Großvater veranlaßte zu antworten:»Das ist nur, Edmund Piepereit, damit ich im nächsten Herbst eine gute Ernte habe.«

Dieser Piepereit, er zitterte vor diesem Gedanken derart, daß er sich ohne Gruß umwandte, jene aufsuchte, die einer Meinung mit ihm gewesen waren, und ihnen auseinandersetzte, was ihn beschäftigte. Und so kam es, daß sich Schissomir bereitfand, Suleyken die Poggenwiese zuzuerkennen für den Fall, daß Hamilkar Schaß, mein Großvater, auf die Zwiebelchen verzichtete. Was er auch tat.

Muß ich erzählen, welch ein Empfang ihm zuteil wurde, als er nach Suleyken zurückkehrte? Nur soviel möchte ich noch verlauten lassen, daß, auf allgemeinen Beschluß, der Poggenwiese ihr Name genommen und nach langer Gedankenarbeit geändert wurde in Hamilkars Aue – zur Erinnerung an den Sieg in der großen Konferenz von Schissomir.

Eine Liebesgeschichte

Joseph Waldemar Gritzan, ein großer, schweigsamer Holzfäller, wurde heimgesucht von der Liebe. Und zwar hatte er nicht bloß so ein mageres Pfeilchen im Rücken sitzen, sondern, gleichsam seiner Branche angemessen, eine ausgewachsene Rundaxt. Empfangen hatte er diese Axt in dem Augenblick, als er Katharina Knack, ein ausnehmend gesundes, rosiges Mädchen, beim Spülen der Wäsche zu Gesicht bekam. Sie hatte auf ihren ansehnlichen Knien am Flüßchen gelegen, den Körper gebeugt, ein paar Härchen im roten Gesicht, während ihre beträchtlichen Arme herrlich mit der Wäsche hantierten. In diesem Augenblick, wie gesagt, ging Joseph Gritzan vorbei, und ehe er sich's versah, hatte er auch schon die Wunde im Rücken.

Demgemäß ging er nicht in den Wald, sondern fand sich, etwa um fünf Uhr morgens, beim Pfarrer von Suleyken ein, trommelte den Mann Gottes aus seinem Bett und sagte:»Mir ist es«, sagte er, »Herr

Pastor, in den Sinn gekommen zu heiraten. Deshalb möchte ich bitten um einen Taufschein.«

Der Pastor, aus mildem Traum geschreckt, besah sich den Joseph Gritzan ziemlich ungnädig und sagte:»Mein Sohn, wenn dich die Liebe schon nicht schlafen läßt, dann nimm zumindest Rücksicht auf andere Menschen. Komm später wieder, nach dem Frühstück. Aber wenn du Zeit hast, kannst du mir ein bißchen den Garten umgraben. Der Spaten steht im Stall.«

Der Holzfäller sah einmal rasch zum Stall hinüber und sprach:»Wenn der Garten umgegraben ist, darf ich dann bitten um den Taufschein?«

»Es wird alles genehmigt wie eh und je«, sagte der Pfarrer und empfahl sich.

Joseph Gritzan, beglückt über solche Auskunft, begann dergestalt den Spaten zu gebrauchen, daß der Garten schon nach kurzer Zeit umgegraben war. Dann zog er, nach Rücksprache mit dem Pfarrer, den Schweinen Drahtringe durch die Nasen, melkte eine Kuh, erntete zwei Johannisbeerbüsche ab, schlachtete eine Gans und hackte einen Berg Brennholz.

Als er sich gerade daranmachte, den Schuppen auszubessern, rief der Pfarrer ihn zu sich, füllte den Taufschein aus und übergab ihn mit sanften Ermahnungen Joseph Waldemar Gritzan. Na, der faltete das Dokument mit umständlicher Sorgfalt zusammen, wickelte es in eine Seite des Masuren-Kalenders und verwahrte es irgendwo in der weitläufigen Gegend seiner Brust. Bedankte sich natürlich, wie man erwartet hat, und machte sich auf zu der Stelle am Flüßchen, wo die liebliche Axt Amors ihn getroffen hatte.

Katharina Knack, sie wußte noch nichts von seinem Zustand, und ebensowenig wußte sie, was alles er bereits in die heimlichen Wege geleitet hatte. Sie kniete singend am Flüßchen, walkte und knetete die Wäsche und erlaubte sich in kurzen Pausen, ihr gesundes Gesicht zu betrachten, was im Flüßchen möglich war.

Joseph umfing die rosige Gestalt – mit den Blicken, versteht sich –, rang ziemlich nach Luft, schluckte und würgte ein Weilchen, und nachdem er sich ausgeschluckt hatte, ging er an die Klattkä, das ist ein Steg, heran. Er hatte sich heftig und lange überlegt, welche Worte er sprechen sollte, und als er jetzt neben ihr stand, sprach er so:»Rutsch zur Seite.«

Das war, ohne Zweifel, ein unmißverständlicher Satz. Katharina machte ihm denn auch schnell Platz auf der Klattkä, und er setzte sich, ohne ein weiteres Wort, neben sie. Sie saßen so – wie lange mag es gewesen sein? – ein halbes Stündchen vielleicht und schwiegen sich gehörig aneinander heran. Sie betrachteten das Flüßchen, das jenseitige Waldufer, sahen zu, wie kleine Gringel in den Grund stießen und kleine Schlammwolken emporrissen, und zuweilen verfolgten sie auch das Treiben der Enten. Plötzlich aber sprach Joseph Gritzan: »Bald sind die Erdbeeren soweit. Und schon gar nicht zu reden von den Blaubeeren im Wald.« Das Mädchen, unvorbereitet auf seine Rede, schrak zusammen und antwortete: »Ja.«

So, und jetzt saßen sie stumm wie Hühner nebeneinander, äugten über die Wiese, äugten zum Wald hinüber, guckten manchmal auch in die Sonne oder kratzten sich am Fuß oder am Hals.

Dann, nach angemessener Weile, erfolgte wieder etwas Ungewöhnliches: Joseph Gritzan langte in die Tasche, zog etwas Eingewickeltes heraus und sprach zu dem Mädchen Katharina Knack: »Willst«, sprach er, »Lakritz?«

Sie nickte, und der Holzfäller wickelte zwei Lakritzstangen aus, gab ihr eine und sah zu, wie sie aß und lutschte. Es schien ihr gut zu schmecken. Sie wurde übermütig – wenn auch nicht so, daß sie zu reden begonnen hätte –, ließ ihre Beine ins Wasser baumeln, machte kleine Wellen und sah hin und wieder in sein Gesicht. Er zog sich nicht die Schuhe aus.

Soweit nahm alles einen ordnungsgemäßen Verlauf. Aber auf einmal – wie es zu gehen pflegt in solchen Lagen – rief die alte Guschke, trat vors Häuschen und rief: »Katinka, wo bleibt die Wäsch'!«

Worauf das Mädchen verdattert aufsprang, den Eimer anfaßte und mir nichts dir nichts, als ob die Lakritzstange gar nicht gewesen wäre, verschwinden wollte. Doch, Gott sei Dank, hatte Joseph Gritzan das weitläufige Gelände seiner Brust bereits durchforscht, hatte auch schon den Taufschein zur Hand, packte ihn sorgsam aus und winkte das Mädchen noch einmal zu sich heran.

»Kannst«, sprach er, »lesen?«

Sie nickte hastig.

Er reichte ihr den Taufschein und erhob sich. Er beobachtete, während sie las, ihr Gesicht und zitterte am ganzen Körper.

»Katinka!« schrie die alte Guschke, »Katinka, haben die Enten die Wäsch' gefressen?«

»Lies zu Ende«, sagte der Holzfäller drohend. Er versperrte ihr, weiß Gott, schon den Weg, dieser Mensch. Katharina Knack vertiefte sich immer mehr in den Taufschein, vergaß Welt und Wäsche und stand da, sagen wir mal: wie ein träumendes Kälbchen, so stand sie da.

»Die Wäsch', die Wäsch'«, keifte die alte Guschke von neuem.

»Lies zu Ende«, drohte Joseph Gritzan, und er war so erregt, daß er sich nicht einmal wunderte über seine Geschwätzigkeit.

Plötzlich schoß die alte Guschke zwischen den Stachelbeeren hervor, ein geschwindes, üppiges Weib, schoß hervor und heran, trat ganz dicht neben Katharina Knack und rief: »Die Wäsch', Katinka!« Und mit einem tatarischen Blick auf den Holzfäller: »Hier geht vor die Wäsch', Cholera!«

O Wunder der Liebe, insbesondere der masurischen; das Mädchen, das träumende, rosige, hob seinen Kopf, zeigte der alten Guschke den Taufschein und sprach: »Es ist«, sprach es, »besiegelt und beschlossen. Was für ein schöner Taufschein. Ich werde heiraten.« Die alte Guschke, sie war zuerst wie vor den Kopf getreten, aber dann lachte sie und sprach: »Nein, nein«, sprach sie, »was die Wäsch' alles mit sich bringt. Beim Einweichen haben wir noch nichts gewußt. Und beim Plätten ist es schon soweit.«

Währenddessen hatte Joseph Gritzan wiederum etwas aus seiner Tasche gezogen, hielt es dem Mädchen hin und sagte: »Willst noch Lakritz?«

Die Schüssel der Prophezeiung

Die einen scheren sich überhaupt nicht um die Zukunft, die andern machen sich allerhand Gedanken und leiden. In Suleyken, das muß gesagt werden, litten manche unter dem, was die Zukunft so an sich hat: unter der Ungewißheit. Niemand aber litt in gleicher Weise wie der Gastwirt Ludwig Karnickel, ein neugieriger Mensch mit sauber-gekämmtem Haarkranz und ziellos irrenden Blicken.

Also ging er, auf Empfehlung meines Onkels, kurz vor dem Schützenfest zu einem lederhäutigen Weibchen namens Elsbeth Zwiebulla, die berühmt war wegen ihrer Prophezeiungen. Ging hinüber in ihr Häuschen am Fluß, weckte die Dame aus rasselndem Schlummer und ließ sich ungefähr so hören: »Ich wünsche, Elsbeth Zwiebulla, zu-

nächst frohes Erwachen. Was mich hertreibt, es ist die Ungewißheit
vor dem Schützenfest. Dies Fest ist anberaumt, aber niemand weiß,
wie alles kommen wird. Der Stanislaw Griegull, er hat mich herge-
schickt. Meint, man könnte vielleicht riskieren einen Blick in jenes
Schüsselchen, in welchem zu sehen ist Vergangenes und Zukünftiges.
Unter anderem also auch, was zu erwarten ist von dem Schützenfest.
Für den Fall, daß einiges zum Vorschein kommt, wäre ich bereit zu
geben ein halbes Fläschchen Weißen.«

Das Weibchen krächzte anfangs ein wenig über den gestörten Schlaf,
aber dann schlurfte es wortlos zu einem riesigen Pappkarton, der ihr
als Schrank diente, öffnete diesen Karton und kramte hervor eine
braune, zerbeulte Emailleschüssel.

»So«, sagte sie, »damit haben wir den Anfang. Und nun, Ludwig
Karnickel, muß ich Sie bitten, in das Gärtchen zu springen und folgendes abzuschneiden: zwei Kirschzweige, einen Zweig vom Krusch-
kenbaum, ein paar Endchen vom Stachelbeerbusch und, sagen wir
mal, einige Gräserchen aus einem Vogelnest. Aber diese nur, wenn sie
gerade zu finden sind. Ich werde Wasser warm machen.«

Während nun die Elsbeth Zwiebulla Wasser aufsetzte, sprang Ludwig Karnickel in den Garten, um das Gewünschte zu beschaffen, und
als er zurückkam, dampfte das Wasser in der Schüssel.

»Man wird«, sagte die Alte, »gleich Näheres erkennen.«

»Wenn ich bitten darf, speziell vom Schützenfest«, sagte Ludwig Karnickel.

Na, jetzt nahm das Weibchen ein Messer, schnitt die Zweige und
Gräserchen kaputt und warf alles in die Schüssel. Dann begann sie
ausgiebig zu rühren und sah sich um.

»Fehlt noch was?« fragte Ludwig Karnickel.

Elsbeth Zwiebulla antwortete nicht, sondern nahm einen Fingerhut,
der da herumlag, und warf ihn ins Wasser; weiter schmiß sie einen Knopf
hinterher, eine Schere, und, nach abermaligem Umsehen, ein Stück Seife, Haarnadeln, Papierschnitzel, zwei Kartoffeln, einen Tannenzapfen
und zum Schluß sogar noch ein Stückchen Leberwurst, das sie auf dem
Fensterbrett entdeckt hatte. Sie begann wieder sorgfältig zu rühren, als
Ludwig Karnickel sagte: »Ich habe«, sagte er, »noch ein Kämmchen da
und eine alte Photographie. Vielleicht sollte man auch sie hineingeben.«

»Nur die Photographie«, sagte das lederhäutige Weibchen. »Dann
können wir alles betrachten als ausreichend.«

Sofort warf Ludwig Karnickel die Photographie hinein, sah zu, wie die Alte rührte, und wartete voller Unruhe. Er sah, daß einiges schwamm und anderes unterging, und das schien ihm schon jetzt bedeutungsvoll. Worte sammelten sich in einem fort auf seiner Zunge, so daß er Mühe hatte, diese am Heraustreten zu hindern. Er begann schon hin- und herzurutschen auf seinem Stühlchen, als die Elsbeth Zwiebulla sich über das Schüsselchen neigte und angestrengt hineinspähte. Äugte so ein Viertelstündchen hinein, stupste zuweilen ein Zweiglein an, das schwamm, oder berührte etwas auf dem Schüsselgrund.

Ludwig Karnickel, er konnte sich nicht mehr halten, stürzte zum Tisch und fragte: »Was«, fragte er, »wird sich begeben zum Schützenfest? Sage mir, Elsbeth Zwiebulla, deine Prophezeiung.«

Das Weibchen spähte noch einen Augenblick und sprach dann: »Was zum Vorschein kommt, ist nichts Besonderes. Da ist ein kleiner Mensch auf dem Schützenfest. Vielleicht schießt man ihm durch die Schulter, vielleicht auch nicht. Die Schützen, sie werden zu gegebener Zeit hineinströmen in dein Gasthaus. Sie werden essen, sie werden trinken. Und hinterher wird es geben eine Prügelei. Kann sein, daß sie einem die Fresse demolieren. Eine erhebliche Menge Glas wird zerschlagen auf einem gewissen Schützenschädel.« Sie machte eine Pause, zog die Leberwurst aus dem Wasser, roch daran und trug sie zum Fensterbrett zurück. Dann nahm sie wieder Platz und spähte in die berühmte Schüssel der Prophezeiung.

»Wird es«, fragte Ludwig Karnickel, »sonst noch etwas geben?«

»Es wird«, sagte das Weibchen, »ganz bestimmt. Beispielsweise werden sich so ein paar von den besoffenen Schützen auf den Spargelbeeten im Gärtchen ausbreiten zum Schlafen. Vielleicht wird man sie darauf in die Dunggrube schmeißen, vielleicht auch woandershin. Auch könnte es sein, daß ein Frauchen ins Wasser fliegt. Und damit sind wir am Ende. Haben Sie, Ludwig Karnickel, das Fläschchen mitgebracht? Wenn nicht, könnte ich es mir holen.«

Ludwig Karnickel, er zog mit abwesendem Geiste ein halbes Fläschchen aus seiner Rocktasche, reichte es über den Tisch hinüber und wankte zur Tür. Alles in ihm war Nachdenklichkeit in Richtung auf das Kommende. Seine Stirn war verdüstert, sein Herz umwölkt. Er ging nach Hause, sprach mit keinem – nicht einmal mit meinem Onkelchen Stanislaw Griegull –, suchte sich nur einzurichten auf die prophezeiten Umstände des Schützenfestes. Das ging so Tage und Wochen, bis zu der Zeit, da fällig war das Suleyker Schützenfest.

Zuerst wollte Ludwig Karnickel überhaupt nicht aufstehen an diesem Tage, aber plötzlich beflog ihn doch die Neugierde, trieb ihn hinaus, denn es galt zu erleben das Prophezeite. Schnappte sich deshalb, der Ludwig Karnickel, seine Flinte und marschierte hinaus mit den Schützen zur Feuerwehrwiese, wo instandgesetzt waren Deckung, Schießstand und was sonst noch gehört zur Erquickung eines Schützen.

So, und wer jetzt nicht glauben will, was passierte, soll sich lieber die Füße brühen, aber nicht weiterlesen. Also: während die Schützen vergnügt drauflosballern, wer hüpft da zu aller Überraschung auf die Deckung hinauf? Der Schuster Karl Kuckuck. Prompt fällt ein Schuß – ausgerechnet aus der Flinte des Ludwig Karnickel – und wendet sich gegen die zarte Schulter des Schusters. Trifft sie auch, bleibt aber, Gott sei Dank, stecken in den verschiedenen Hemden, Jacken, Wickelbändern und Kaninchenfellen, die Karl Kuckuck zum Halten der Leibwärme an sich trug. Es gab eine fliegende Aufregung, Fragen über Fragen wurden gestellt, und es dauerte ein beträchtliches Weilchen, ehe die Schützen fortfahren konnten in erquickendem Wettbewerb. Damit begann es.

Und jetzt wurde so lange geschossen, bis ein einäugiger Jäger, dessen Namen mir entfallen ist, Schützenkönig wurde. Da blies man ab den Wettbewerb und strömte hinein in Ludwig Karnickels Gasthaus. Man aß und trank, wie prophezeit, doch unter Essen und Trinken tat sich eine sogenannte Maulhure hervor, ein großsprecherischer Mensch namens Friedrich Armbrust, der sich, obwohl er nur zwölfter war, als den rechtmäßigen Schützenkönig betrachtete, da er, wie er immer wieder behauptete, geschossen hätte mit feuchter Munition. Er prahlte so lange herum, bis Ludwig Karnickel auf ihn zuging und ihn, im Interesse anderer Ohren, höflich ermahnte zu besonnener Rede.

Was soll ich sagen, dieser Armbrust fragte nicht erst lange, sondern fing gleich an, sich mit Ludwig Karnickel zu prügeln – worauf dieser dem Großsprecher das demolierte, wodurch er aufgefallen war: die Fresse. Aber kaum war das geschehen, und kaum war auch diese Prophezeiung eingetroffen, als sich so ein Freund der Maulhure bemerkbar machte. Machte sich derart bräsig, daß ihm jemand ein Bierglas, gar nicht so sanft, auf den Schützenschädel knallte. Bei dieser Gelegenheit zerbrach das Bierglas, desgleichen eine Reihe anderer Gläser, die plötzlich lebendig wurden und wie Sperlinge durch den Raum flogen.

Als dann wieder der Friede einkehrte bei Ludwig Karnickel, machten sich hier und da Stimmen bemerkbar, welche um Versöhnung warben. Diese Werbung hatte Erfolg, und man trank zur Versöhnung so viel, daß einige Schützen, von Müdigkeit befallen, nach Hause aufbrachen, um sich schlafen zu legen. Hielten indes die Spargelbeete des Ludwig Karnickel für Matratzen und schlummerten ein. Als Ludwig Karnickel, um die Prophezeiung zu kontrollieren, ins Gärtchen trat, zählte er mehr als zweiundzwanzig Schützen, die seine Schlafgäste waren. Da die Spargelchen sich gerade hervortrauen wollten ins Licht, waren die Schützen nicht gerade erwünscht auf den Beeten.

Ludwig Karnickel ging so lange mit sich zu Rate, bis er es für das Beste hielt, diese Frage zu lösen im Sinne der Prophezeiung: er schleppte die schlafenden Schützen auf eine Schubkarre und warf sie im Schweiße seines Angesichts in die Dunggrube.

Sodann eilte er zurück zu seinen letzten Gästen, die sich, unter dem Vorwand seiner Abwesenheit, eingeschenkt hatten, wonach sie gerade dürsteten. Einer von ihnen hatte es so schlimm getrieben, daß sich Ludwig Karnickel, in ordnungsgemäßem Zorn, auf ihn stürzen wollte, doch der – es war wohl der alte Glumskopp – rannte gleich schreiend hinaus. Sein Verfolger, er war wütend genug, um ihm nachzurennen in die Dunkelheit. Er jagte ihn zum Flüßchen hinab, wo er ihn, gewissermaßen mit schmerzhafter Plötzlichkeit, aus den Augen verlor.

Gut. Nun machte sich Ludwig Karnickel ans Suchen, während seine letzten Gäste sich eingossen, wonach es sie gerade dürstete. Suchte, schrie und schimpfte so lange, bis er auf einmal eine Gestalt am Flüßchen erkannte. Er tat, na, was wird er getan haben, er schoß auf die Gestalt zu, nahm sie und schmiß sie ins Wasser. Aber er sprang, hol's der Teufel, gleich hinterher, denn die Gestalt, die da ins Wasser geflogen war, es war niemand anders als das Weibchen Elsbeth Zwiebulla, das wegen des Schreiens und Schimpfens nicht hatte schlummern können und gekommen war, sich zu beschweren.

Ludwig Karnickel schleppte das Weiblein nach Hause und versprach ihr, zum Schluß, noch etwas von dem Weißen.

Sodann ging er zufrieden zurück.

Später wollte mein Onkelchen, Stanislaw Griegull, wissen, wie es sich denn verhalten habe mit der Prophezeiung. Und er fragte:»Ist denn, Ludwig Karnickel, auch alles eingetroffen?« Worauf Ludwig Karnickel antwortete:»Es ist, Stanislaw Griegull, alles gekommen wie prophezeit. Nur manchmal, Gevatterchen, hat es gekostet ein wenig Mühe, alles richtig zu machen.«

316 Die Verfolgungsjagd

In unseren Wäldern beliebte ein Hirsch zu wechseln, der so über die Maßen stattlich war, daß man ihn pani pronz nannte, was etwa heißt: Herr Stolz. Er hatte beiläufig achtundzwanzig Enden, dieser pani pronz, verfügte über eine legendäre Kraft, welche in seinen Lenden sitzen sollte, und war alles in allem Zierde und Reichtum der Suleyker Wälder. Sehen ließ er sich selten, aber wenn ihn mal einer zu Gesicht bekam, am Waldesrand vielleicht oder auf der Wiese, dann konnte er nichts anderes empfinden als Stolz und Hochachtung vor diesem erstaunlichen Geweihträger. Da er alle möglichen Verehrungen genoß, gedieh er vorzüglich und hatte bald die Größe eines der intelligenten Suleyker Schimmel erreicht; in der Dämmerung röhrte er gelegentlich zum Dorf hinüber, stellte sich, je nach Möglichkeit, vor irgend so ein Abendrot, wechselte auch manchmal bedächtig über die Landstraße – wo immer er sich zeigte: seine Auftritte waren Tagesgespräch.

Wie, bitte schön, sollte man es einrichten, daß derlei rühmende Tagesgespräche auf unser Dorf beschränkt blieben? Das war nachgerade unmöglich und liegt wohl auch allgemein nicht in den Interessen des Ruhms, dem es ja vor allem darauf ankommt, sich zu verbreiten. Also drang der Ruhm von pani pronz, dem Hirsch, eines Tages bis nach Striegeldorf vor, reiste von dort per Bahn weiter und gelangte zu den Ohren eines gewissen Kneck auf Knecken, eines hochmögenden Menschen und leidenschaftlichen Jägers dazu. Ließ also gleich, jener Kneck auf Knecken, seinen Drilling ölen, verhandelte um die Erlaubnis, die er auch rasch erhielt, und machte sich zu gegebener Zeit auf, um die Zierde Suleykens, wenigstens seine achtundzwanzig Enden, heimzubringen in das Knecksche Herrenzimmer.

Zu diesem Zwecke wurde bestellt und in die Wege geleitet eine sogenannte Schweißjagd, bei welcher Herr Stolz zunächst nur angeschossen werden, dann fliehen sollte, um auf seiner Flucht verfolgt und letztlich mit dem Hirschfänger aus dem röhrenden Leben gebracht zu werden. Demgemäß mietete sich jener Kneck auf Knecken Treiber, Hundeführer und Wegkundige und setzte die Stunde der Jagd fest.

Suleyken war nie zuvor so niedergeschmettert wie damals, als es sich der Gefahr ausgesetzt fand, des Ruhmes und wandelnden Denkmals seiner Wälder beraubt zu werden. Wohin man blickte, mit wem man auch sprach: überall herrschten Trauer, Schwermut und schmerzendes Mitgefühl, und wo sich noch Leben ereignete, da ereignete es sich gedämpft. Die Dämmerung, stellte man sich vor, würde leer sein ohne sein gelegentliches Röhren, das Abendrot nichtssagend ohne seine Silhouette, die Landstraße verödet ohne sein bedächtiges Herüberwechseln. Und während man sich das vorstellte, reifte der Widerstand, und mit diesem Widerstand einer der großen Suleyker Gedanken, vor denen sich zu beugen schwerlich jemand umhinkann.

Dieser Gedanke, er reifte unter dem saubergekämmten Haarkranz des Gastwirts Ludwig Karnickel, der offenbar aus Gründen seines Namens besonders unter dem Schicksal litt, das der Hirsch ausersehen war zu nehmen. Er grämte sich und grübelte so lange, bis er dieses Gedankens habhaft wurde, und als er ihn festhatte, rief er einige Suleyker Herren unter seinem Apfelbaum zusammen und sprach zu ihnen: »Uns soll«, sprach er, »genommen werden der Stolz unserer Wälder, pani pronz. Wer ist damit einverstanden?«

Er blickte den treuherzigen Kreis der Gesichter entlang, schneuzte sich und stellte fest: »Keiner ist einverstanden. Gut. Also werden wir etwas unternehmen. Ich schlage vor, daß wir täuschen den Jäger Kneck auf Knecken. Ich habe, weiß Gott, noch eine Kuhhaut im Keller, hab' sie schon braungefärbt, und ein entsprechendes Geweih läßt sich herstellen aus biegsamem Astwerk. Auch das ist bereits getan. So. Und nun schlage ich vor, daß zwei von uns schlüpfen in jene Kuhhaut und vor den Augen des Jägers erscheinen als Hirsch. Ohnehin wird ja alles stattfinden in der Dämmerung.«

Er unterbrach sich, eine Pause trat ein, man spürte intensive Grübelarbeit, und plötzlich ließ sich einer der Männer, Adolf Abromeit, so vernehmen: »Ich bin dabei. Nur, wie soll man sich verhalten, wenn man erhält eins aufgebrannt?«

Beifälliges Nicken begleitete diesen Einwand.

»Dafür«, sprach Ludwig Karnickel, »müssen jene Sorge tragen, die den Jäger begleiten. Sie müssen ihn im Augenblick des Schusses einfach ablenken. Vielleicht durch Husten, Hinfallen, oder auch, indem man den Zielenden an der Schulter zupft. Vielleicht übernimmst du das, Edmund Vortz?« Der Schneider nickte. »Gut: in die Haut werden folglich steigen Adolf Abromeit und ich. Gott segne unsern Hirsch.« Nach diesen Worten übermannte Rührung die Herren, sie schüttelten einander stumm die Hände und verabschiedeten sich. Verabschiedeten sich bis zu der Stunde, zu welcher der Hirsch zu erscheinen und zu sterben hatte. Und dann ging es wie folgt:

Der Schneider Edmund Vortz suchte die Nähe des Jägers, stellte sich vor als der Wald- und Wegkundige und wurde aufgefordert, die Führung zu übernehmen. Übernahm sie auch in der Weise, daß er jenen Kneck auf Knecken, einen dicken Menschen mit Backenbart, an eine Lichtung heranführte, auf welcher der Hirsch, nach des Schneiders Worten, nachzudenken pflegte. Und wie es sich fügte: nach einem Weilchen kam der Hirsch auch prompt hervor, blickte einmal zu seinem Hinterteil, kratzte sich mit einem Huf und schaukelte wie eine Ziehharmonika unter eine Tanne.

Dem Kneck auf Knecken entfuhr es: »Donnerwetter«, entfuhr es ihm, »ein elastischer Achtundzwanziger. Schwer zu treffen hinter der Tanne.«

»Das ist sein Lieblingsaufenthalt«, flüsterte der Schneider. Der bakkenbärtige Jäger ließ sich das Glas reichen, schaute hindurch, wollte es anscheinend gar nicht mehr absetzen vor Verwunderung und Leidenschaft. Aber endlich keuchte er: »Seltsam. Seltsam. Seltsam. Kräftig wie eine Kuh sieht er aus.«

»Zuweilen«, flüsterte der Schneider, »beliebt er sich auch aufzuhalten unter den Kühen. Immer allein im Wald, da treibt es ihn schon mitunter hinaus.«

»Pscht«, machte Kneck auf Knecken, »wir könnten ihn vertreiben. Möchte nur wissen, warum sein Hinterteil so unruhig ist.«

»Vielleicht fühlt er sich unwohl«, sagte der Schneider. In diesem Augenblick ergriff der Jäger die Büchse, hob sie langsam und zielte. Edmund Vortz beobachtete mit völliger Atemlosigkeit den Zeigefinger, wie er sich krümmte und zog, und plötzlich, knapp vor dem Schuß, stolperte er gegen den Jäger, was bewirkte, daß der Lauf in letzter Sekunde geschwenkt wurde, fast schon mitten im Schuß.

»Teufel«, schimpfte der Jäger, aber seine Augen waren vorn, und was seine Augen zu sehen bekamen, es war eine Absonderlichkeit, wie es ihm in einundvierzig Waidmannsjahren nicht unterlaufen war: der Hirsch, er sprang nach dem Schuß an erwähnter Tanne empor, kletterte mit seltsamer Geläufigkeit auf einen unteren Ast, während sein Hinterteil, zitternd und zerrend, auf der Erde blieb.

»Getroffen«, stöhnte der Schneider.

»Nanu«, entfuhr es dem Jäger, als das Hinterteil des Hirsches so zerrte, daß das Vorderteil vom Ast herabfiel.

»Es hat ihn erwischt«, rief Kneck auf Knecken, »man mache los die Hunde!« Sofort wurde die Meute befreit, und sie stürzte, heulend und bellend, in die Richtung davon, in welche sich der seltsame Hirsch schaukelnd fortbewegte. Er bewegte sich so gemütlich fort, daß der Jäger stehenblieb, sein Glas ansetzte und nach kurzer Beobachtung sprach: »Dieser Hirsch geht wie ein Matrose.«

»Er soll auch«, beeilte sich der Schneider zu versichern, »bereits mehrmals über den Fluß geschwommen sein. Man hat ihn verschiedentlich dabei gesehen.«

»Seltsam«, brummte der Jäger, »ich kann nichts sagen als seltsam.«

Dem Gekläff der Meute und damit dem Hirsch pani pronz folgend, brachen die jagenden Herren durch das Gehölz, blieben gelegentlich stehen, lauschten, vergewisserten sich, suchten auch den Waldboden ab, um etwaige Schweißspuren des Hirsches zu finden. Sie folgten ihm so etliche Kilometerchen, als sie unversehens und gebannt von dem Bild, das sich ihnen bot, stehenblieben: der sonderbare Hirsch, er stand auf einer stillen Waldwiese und fuhr der Meute, die ihn schweigend umlagerte, zärtlich über das Fell. Der Anblick war durchaus friedlich und versöhnlich.

Kneck auf Knecken entfuhr es abermals: »Kann ich«, entfuhr es ihm, »meinen Augen trauen?«

»Gewiß«, sagte der Schneider, »wahrscheinlich spricht sich der Hirsch gerade aus mit den Hunden.«

»Das beste«, sprach der Backenbart, »wird sein, ich brenn ihm eins auf. Sonst geht sie noch durch mit mir, meine Leidenschaft. Gib mir das Gewehr.«

Er nahm den Drilling, zielte sorgfältig und drückte in dem Augenblick ab, als der Schneider Edmund Vortz lauthals zu husten begann. Das Hinterteil des Hirsches flog empor, ein Schmerzensschrei erklang, ein Fluch, ausgestoßen aus rätselhafter Hirschbrust, dann setzte sich das Tier, nach anfänglicher Unschlüssigkeit, welche Richtung zu nehmen sei, in Bewegung. Lief in befremdlichen Zickzacksprüngen davon, schlug Haken und fluchte in einem fort.

»Los«, kommandierte der Jäger Kneck auf Knecken, »ihm nach!« Und sie rannten über die idyllische Waldwiese, den Drilling in der Hand, in der anderen den blitzenden Hirschfänger. Und, weiß der Teufel, plötzlich stolperte der Hirsch, blieb liegen und verlor, ehe er wieder hochkam, mächtig an Vorsprung. Der Backenbart stieß einen Jubelruf aus und die Leidenschaft trug ihn noch näher: schon konnte er den Hirsch eigenartige Laute des Keuchens ausstoßen hören.

So. Und nun geschah etwas, was niemand in Suleyken je vergessen wird: der Hirsch, in seiner Not, lief unerwartet auf ein erleuchtetes Häuschen zu, öffnete die Tür und war in der nächsten Sekunde verschwunden.

Bestürzt blieben die Verfolger stehen, zumal der berühmte Hirsch auch nicht vergessen hatte, die Tür von innen zu schließen. Aber nachdem die Bestürzung vorbei war, drang Kneck auf Knecken in das nächtliche Häuschen ein und rief dem ersten besten Menschen, der ihm begegnete, zu: »Wo ist der Hirsch?« Es war ein zahnloses, altes Herrchen, und es sprach: »Wo wird der Hirsch schon sein? Im Wald!«

»Ich habe«, sagte der Jäger unerbittlich, »den Hirsch eintreten sehen in dieses Häuschen. Demzufolge hat er hier zu sein.«

»Vielleicht ist er in der Küche«, sagte der Alte grinsend. »Hilft wohl beim Kohlschneiden. Wir stampfen nämlich gerade Kohl ein.«

Darauf durchstöberte Kneck auf Knecken mit seiner Begleitung das Häuschen; sie fanden die Frau des Alten in der Küche, sie fanden auch zwei Männer in der Küche, die beim Kohleinstampfen halfen: wen sie nicht fanden, es war der Hirsch pani pronz, der Stolz der Suleyker Wälder.

Der Backenbart ließ sich nicht abschrecken; er gab Anordnung, vor dem Häuschen ein Jagdzelt aufzuschlagen, kroch in dasselbe hinein und lauerte auf den Hirsch. Lauerte so den ganzen Herbst, hörte auf keinen Rat mehr, entließ die gemieteten Treiber und Führer, wurde allmählich zum Sonderling, dieser Jäger. Er behauptete steif und fest, daß er selbst gesehen habe, wie der Hirsch in das Häuschen floh, und darum wollte er so lange warten, bis er wieder herauskäme.

Na, die Zeit ging ins Land, der Kohl säuerte längst im Fäßchen, und dann kam der Tag, an dem Kneck auf Knecken derart vom Rheuma gepackt wurde, daß eine Kutsche erschien, um ihn heimzuholen. Sie rollten gemütlich an einer Wiese entlang, als der Kutscher plötzlich rief:»Da ist er, Herrchen, pani pronz.« Und wahrhaftig, mitten zwischen den Kühen äste friedlich ein stattlicher Hirsch, äugte einmal herüber und mampfte weiter. Kneck auf Knecken lugte aus der Kutsche, besah sich das Tier und sprach:»Hier kannst du, Abel Przyball, deinen Augen nicht trauen. Fahr zu.«

Diskrete Auskunft über Masuren

Im Süden Ostpreußens, zwischen Torfmooren und sandiger Öde, zwischen verborgenen Seen und Kiefernwäldern, waren wir Masuren zu Hause – eine Mischung aus pruzzischen Elementen und polnischen, aus brandenburgischen, salzburgischen und russischen.

Meine Heimat lag sozusagen im Rücken der Geschichte; sie hat keine berühmten Physiker hervorgebracht, keine Rollschuhmeister oder Präsidenten; was hier vielmehr gefunden wurde, war das unscheinbare Gold der menschlichen Gesellschaft: Holzarbeiter und Bauern, Fischer, Deputatarbeiter, kleine Handwerker und Besenbinder. Gleichgültig und geduldig lebten sie ihre Tage, und wenn sie bei uns miteinander sprachen, so erzählten sie von uralten Neuigkeiten, von der Schafschur und vom Torfstechen, vom Vollmond und seinem Einfluß auf neue Kartoffeln, vom Borkenkäfer oder von der Liebe. Und doch besaßen sie etwas durchaus Originales – ein Psychiater nannte es einmal die »unterschwellige Intelligenz«. Das heißt: eine Intelligenz, die Außenstehenden rätselhaft erscheint, die auf erhabene Weise unbegreiflich ist und sich jeder Beurteilung nach landläufigen Maßstäben versagt. Und sie besaßen eine Seele, zu deren Eigenarten blitzhafte Schläue gehörte und schwerfällige Tücke, tapsige Zärtlichkeit und eine rührende Geduld.

Die hier vorliegenden Geschichten und Skizzen sind gleichsam kleine Erkundungen der masurischen Seele. Sie stellen keinen schwermütigen Sehnsuchtsgesang dar, im Gegenteil: diese Geschichten sind zwinkernde Liebeserklärungen an mein Land, eine aufgeräumte Huldigung an die Leute von Masuren. Selbstverständlich enthalten sie kein verbindliches Urteil – es ist mein Masuren, mein Dorf Suleyken, das ich hier beschrieben habe.

Suleyken, wie es hier vorkommt, hat es natürlich nie und nirgendwo gegeben; es ist eine Erfindung, so wie die Geschichten auch zum größten Teil Erfindungen sind. Aber ist es von Wichtigkeit, ob dieses Dörfchen bestand oder nicht? Ist es nicht viel entscheidender, daß es möglich gewesen wäre? Gewiß, das ist zugegeben, wird in diesen Geschichten ein wenig übertrieben – aber immerhin, es wird methodisch übertrieben. Und zwar in der Weise, daß das besonders Eigenartige hervorgehoben wird und das besonders Charakteristische zum Vorschein kommt. Insofern steht das bewährte Mittel der Übertreibung ganz im Dienst der Wahrheitsfindung. Aber das ist, alles in allem, auch von geringer Bedeutung, wenn wir uns nur einig wissen in unserer grübelnden Zärtlichkeit zu Suleyken.

S. L.

Der seelische Ratgeber

Sie lobten mich zu Wenzel Wittko hinüber, dem seelischen Ratgeber unserer Zeitschrift, und sie machten mich zu seinem Gehilfen. Nie habe ich für einen Menschen gearbeitet wie für Wenzel Wittko. Er hatte kurzes schwarzes Haar, versonnene Augen, gütig war sein Mund, gütig das Lächeln, das er zeigte, über seinem ganzen teigigen Gesicht lag ein Ausdruck rätselhafter Güte. Mit dieser Güte arbeitete er; mit Geduld, Gin und Güte las er die tausend Briefe, die der Bote seufzend zu uns hereintrug: Briefe der Beladenen, der Einsamen und Ratsuchenden. Oh, niemand kann das Gewicht der Briefe schätzen, das traurige Gewicht der Fragen, mit denen sich die Leser an Wenzel Wittko wandten. Sie schrieben ihm all ihre Sorgen, ihre Verzweiflungen, ihre Wünsche – er wußte immer Rat. Er wußte, was einer Dame zu antworten war, die keine Freunde besaß; er tröstete eine Hausfrau, deren Mann nachts aus dem Eisschrank aß; souverän entschied er, ob man seine Jugendliebe heiraten dürfe – keiner, der eine Frage an ihn stellte, ging leer aus. Die Sekretärin, die unsicher war, ob ihr Chef sie nach Hause fahren dürfe; der junge Mann, dessen Schwiegereltern ihn mit »Sie« anredeten; die Witwe, die von ihrer ehrgeizigen Tochter ein Schlagsahneverbot erhalten hatte – alle, alle erhielten persönlichen Trost und Ratschlag. Es gab nichts, was Wenzel Wittko umgangen, wovor er gekniffen hätte; alles unter der Sonne konnte er entscheiden, aufrichten und beschwichtigen: was sich entglitten war, wurde zusammengeführt; was bedrückte, wurde ausgesondert; wo es an Frohsinn mangelte, wurde er hinverfügt. Wo kein Mensch mehr raten konnte – Wenzel Wittko, unser seelischer Ratgeber, brachte es mit Geduld, Gin und Güte zustande.

Ich durfte ihm dabei helfen, ich und Elsa Kossoleit, unsere Sekretärin: bewundernd sahen wir zu, wie er den Korb mit den straff geschnürten Briefpacken in sein Zimmer zog, wie er sich hinkniete, die Schnüre löste und sein gütiges Gesicht tief und träumerisch über den Inhalt senkte. Bewunderung war das wenigste, was wir für ihn aufbrachten; wenn er grüßte, empfanden wir ein warmes Glück, wenn er uns rief, eine heiße Freude.

Mich rief er schon am ersten Tag zu sich; höflich lud er mich ein, Platz zu nehmen, bot mir Gin in der Teetasse an, musterte mich lange mit rätselhafter Güte.

»Kleiner«, sagte er plötzlich, »hör mal zu, Kleiner.«

»Ja«, sagte ich.

»Du wirst einen Weg für mich machen, Kleiner. Du kannst zu Fuß hingehen, es ist nicht weit. Du brauchst nur einen Brief für mich abzugeben, in meiner alten Wohnung.«

»Gern«, sagte ich, »sehr gern.«

Er gab mir den Brief, und ich machte mich auf – schwer sind die frühen Jahre der Lehre. Ohne mich aufzuhalten, forschte ich nach der Straße, forschte nach dem Haus; es war eine stille, melancholische Villa, in der sich die alte Wohnung von Wenzel Wittko befand. Ich klingelte, wartete und klingelte noch einmal, dann erklang ein zögernder, leichter Schritt, eine Sicherheitskette wurde entfernt und die Tür mißtrauisch geöffnet. Im Spalt stand eine schmale alte Frau; unwillig, die Mühsal der Treppe im kleinen Vogelgesicht, fragte sie mich nach dem Grund der Störung.

»Ein Brief«, sagte ich.

Sie sah mich erstaunt an.

»Ein Brief von Herrn Wittko.«

Sie streckte die Hand aus, nahm mir hastig den Brief ab, riß ihn auf und las, und obschon ihr Gesicht gesenkt war, sah ich, daß ein Ausdruck von feiner Geringschätzung auf ihm erschien, von würdevoller Verachtung und noblem Haß; sie las nicht zu Ende. Sie hob den Kopf, knüllte mir den Brief in die Hand und sagte:

»Nehmen Sie. Diese Kündigung hätte der Vagabund sich sparen können. Wir haben ihn schon vorher rausgesetzt.«

Ich sah sie betroffen an, mit hilfloser Erschrockenheit, und ich sagte: »Das ist aber ein Brief von Wenzel Wittko.«

»Das habe ich gesehen«, sagte sie. »Wir sind glücklich, daß er aus dem Haus verschwunden ist.«

Sie schloß die Tür; ich hörte den zögernden, leichten Schritt, hörte im Haus eine Tür schlagen, und ich wandte mich ratlos um und ging zur Redaktion zurück. Ich gab Wenzel Wittko den Brief, er lächelte, als er ihn in der Hand hielt, lächelte in all seiner rätselhaften Güte; schließlich glättete er ihn sorgfältig mit dem Lineal und schob ihn in seine Brusttasche: die Briefe der Beladenen waren wichtiger, sie durften nicht warten. Er hatte bereits einige zusammengestellt, und er rief Elsa Kossoleit und diktierte ihr die Antwortspalte: wie man sich bei Treulosigkeit des Mannes zu verhalten habe, wie ein junges Mädchen sich trösten könne, das mit zu großen Füßen geboren war, was gegen eine abergläubische Großmutter auszurichten sei. Wir lauschten seinem sanften Diktat, sannen der Art nach, wie er die Welt einrenkte, wesentliche Wünsche erfüllte; mit halbgeschlossenen Augen, an der Teetasse mit dem Gin nippend, so gab er Ratschlag um Ratschlag ab zum Wohl der Zeit.

Nachdem er sich verströmt hatte in Trost und Aufrichtung, rief er mich wieder zu sich.

»Kleiner«, sagte er. »Du könntest etwas für mich tun. Hier sind zwei Päckchen für meinen Sohn, es sind Spielsachen drin, kleine Dinge, die Freude machen; du könntest sie abgeben für ihn.«

»Gern«, sagte ich, »sehr gern.«

»Der Junge ist draußen im Internat«, sagte er. »Du kannst mit der Bahn hinfahren; das Geld gebe ich dir zurück.«

»Ich fahr wirklich gern hin«, sagte ich.

Er faßte mich ins Auge, schaute mich mit versonnener Liebe an und gab mir die Päckchen und entließ mich. Frohgemut fuhr ich hinaus, wo das Internat lag; es lag in bewaldeter Vorstadt, am Strom, hoch an teurem Hang; weiß sah ich es vor mir aufschimmern, mauerumgeben. Über knirschendem Kiesweg näherte ich mich, passierte den Pförtner, passierte eine Ruheterrasse, auf der zarte Zöglinge ihren Körper der Sonne aussetzten; dann landete ich im Geschäftszimmer. Ich übergab die Päckchen einem gutgekleideten, hinkenden Herrn; er würde sie sofort weiterleiten, sagte er, direkt an den Sohn von Wenzel Wittko. Beruhigt zog ich davon. Doch ich hatte das glasverkleidete Pförtnerhaus noch nicht erreicht, als mich ein verstörter Junge einholte, in schnellem Lauf kam er heran, die Päckchen unterm Arm; blond, mit fuchtelnden Armen verstellte er mir den Weg, schob mir die Päckchen zu und sagte:

»Hier, nehmen Sie das. Bringen Sie alles zurück.«

»Es ist für dich«, sagte ich vorwurfsvoll, »es ist von deinem Vater.«

»Deswegen«, sagte er. »Schmeißen Sie es ihm hin, ich will nichts von ihm haben. Er soll auch nicht mehr rauskommen hierher.«

»Heißt du denn überhaupt Wittko?« fragte ich.

»Ja«, sagte er, »leider heiße ich so. Nehmen Sie das Zeug wieder mit.«

Unschlüssig nahm ich die Päckchen wieder an mich, blieb stehen, sah dem Jungen nach, der eilig verschwand, zu eilig, ohne sich noch einmal nach mir umzublicken.

Diesmal jedoch wollte ich meinen Auftrag erfüllen, wollte Wenzel Wittko nicht enttäuschen, und darum übergab ich beide Päckchen dem Pförtner, der mir versprach, sie weiterzuleiten.

So konnte ich Wenzel Wittko den Schmerz der Zurückweisung ersparen; er brauchte sich nicht damit abzugeben, konnte frei sein für die Briefe der Beladenen, denen allen er etwas zu raten und zu sagen hatte. Und mit Geduld, Gin und rätselhafter Güte schöpfte er nützliche Weisheit aus dem Brunnen seiner Seele; der Brunnen versiegte nicht, für alles, was Wenzel Wittko erreichte, hielt er lindernden Ratschlag bereit. Ob Eheleute getrennt verreisen sollen, ob man sich einen zu groß geratenen Mund kleiner schminken darf, ob man als Frau nachgiebig oder schon als Bräutigam tonangebend sein soll: alle wesentlichen Fragen der Zeit wurden von Wenzel Wittko, unserem seelischen Ratgeber, gelöst; jeder, der sich an ihn wandte, durfte hoffen, selbstlos verströmte er sich für die andern.

Ich hatte nur die Gelegenheit, mich für ihn zu verströmen; freudig trug ich neue Briefe zu ihm hinein, gern kaufte ich Gin für ihn, spülte die gebrauchten Tassen aus, und ehrgeizig erledigte ich Botengänge, um die er mich bat. Wie er sich für andere opferte, so opferte ich mich für ihn.

Darum bedrückte es mich auch nicht, als er mich eines Tages nach Feierabend bat, einen Brief für ihn in einer Kneipe abzugeben; glücklich machte ich mich auf den Weg. Es war eine Kellerkneipe, die ich ausmachte, leer und zugig, Zementfußboden, die Tische mit Sand geschrubbt, niemand war außer mir da. Ich trat an die polierte Theke, wartete, räusperte mich, und als immer noch keiner kam, schlug ich zwei Gläser gegeneinander. Jetzt erschien hinter einem braunen Vorhang eine Frau; sie war hübsch und müde, scharfe Schatten unter den Augen. Leise, im weißen Kittel, ging sie hinter die Theke, ihre Hand hob sich zum Bierhahn hinauf, doch ich winkte ab.

Ich gab ihr den Brief.

»Für Sie«, sagte ich.

Sie nahm den Brief, hielt ihn unter das Licht und las den Absender, und plötzlich wurde ihr Gesicht starr, eine alte Erbitterung zeigte sich, und die Frau zerriß den Brief, ohne ihn gelesen zu haben, steckte die Schnipsel in die Kitteltasche.

»Es tut mir leid«, sagte ich unwillkürlich.

»Das macht nichts«, sagte sie, »es geht schon vorbei, es ist schon vorbei.« In ihren müden Augen standen Tränen.

»Kann ich etwas tun?« fragte ich.

Sie schüttelte den Kopf.

»Nein«, sagte sie. »Es ist nichts mehr zu tun, es ist alles zu Ende. Sagen Sie meinem Mann, daß ich die Scheidung beantragt habe. Mehr brauchen Sie ihm nicht zu sagen.«

»Ich arbeite für ihn«, sagte ich.

»Das tut mir leid«, sagte sie, und sie wandte sich langsam um, eine Hand in der Kitteltasche, ging auf den braunen Vorhang zu und schlug ihn zur Seite. Ich sah, daß ihre Schultern zuckten.

Still verließ ich die Kneipe, ging die sauberen Zementstufen hinauf; es war windig draußen, und ich begann zu frieren. Ich schlug den Weg zur Redaktion ein; es brannte noch Licht oben, Wenzel Wittko wartete auf mich, heute abend noch wollte er eine Antwort haben. Als ich zu ihm kam, saß er vor einem Stapel von Briefen und einer Tasse Gin, und der erste Blick, der mich beim Eintreten traf, war scharf und grausam, so grausam, daß ich erschrak, doch dann löste sich sein Ausdruck, Güte lag wieder in seinem Gesicht, die rätselhafte Güte, mit der er allen Beladenen draußen in der Welt riet und half.

»Was ist, Kleiner«, fragte er, »was ist los mit dir?«

»Ich glaube nichts«, sagte ich.

»Hast du den Brief abgegeben?«

»Ja«, sagte ich.

»Und hast du mir etwas mitgebracht?«

»Die Scheidung«, sagte ich. »Ihre Frau hat die Scheidung beantragt.«

Ein Schimmer von schneller Genugtuung trat in seine Augen, eine seufzende Zufriedenheit, aber er fing sich sofort, zeigte auf die gestapelten Briefe, die vor ihm lagen, und sagte milde: »Sie warten noch auf mich, Kleiner. Sie warten alle darauf, daß ich ihnen etwas sage. Es gibt so viele Leute, die Hilfe brauchen, ich kann sie nicht im Stich lassen.«

Und er versenkte sich tief und träumerisch in das Studium der Briefe; ich aber ging. Ich ging langsam die Treppe hinab und dachte an den nächsten Tag, und ich hatte das Gefühl, mit meinem Gesicht in einen Haufen Asche gefallen zu sein ...

1956

Versäum nicht den Termin zur Freude

Wer sucht, Freunde, findet auch etwas – manchmal dies, manchmal jenes, mitunter sogar etwas, was man zu finden nie erwartet hat. Das lehrt die Geschichte, das lehrt auch die Erfahrung, und weil sie's beide in vollkommener Einmütigkeit lehren, blieb dem Abel Matuschitz nichts anderes übrig, als das gleiche festzustellen.

Dieser Abel Matuschitz, mein Großonkelchen, den es vom Osten her verschlagen hatte nach Wirbit über Albertshöhe, er suchte noch im gesegneten Alter von zweiundsiebzig nach der Quelle der Freude. Lange genug hatte er Ausschau gehalten nach so einer Quelle, aber nie hatte ihm eine vor der Visage gesprudelt, bis es auf einmal, hol's der Teufel, wie damlich losburbelte.

Diese Quelle begann für ihn zu sprudeln, als in Wirbit über Albertshöhe der Karneval anberaumt wurde. Wurde schön deutlich bekanntgegeben, dieser Karneval, alles von Wichtigkeit war aufgeschrieben auf einem Plakat, und das Plakat war an eine Linde genagelt und ließ sich anständig lesen. Beispielsweise konnte man herauslesen, daß man nur aufzutreten hatte im Kostüm, daß für Heizung gesorgt war, und klein geschrieben war noch zu erfahren, daß alles stattfand in Verbindung mit Pöschels Wanderbühne.

Na, Abel Matuschitz, mein Großonkelchen, studierte einen halben Vormittag herum, und als er sich, zur Sicherheit, das Plakat noch einmal hatte vorlesen lassen, rannte er fuchtelnd und schlenkernd nach Hause, schöpfte Atem, und nachdem er wieder bei Luft war, erzählte er Jaguscha, dem Großtantchen, was er entdeckt hatte. Und immer wieder sagte er: »Die Freude«, sagte er, »sie ist anberaumt für Wirbit.«

»Mit zweiundsiebzig«, sagte Jaguscha, »geht man der Freude besser aus dem Wege. Sie könnte einem sonst die Luft stehlen.«

»Dafür«, meinte Abel Matuschitz, »braucht man eben so ein Kostüm. Dann kennt man sich nicht wieder.«

»Und in welch ein Kostüm, bitte schön, Abel Matuschitz, möchtest du schlüpfen?«

»Vielleicht«, sagte das Großonkelchen, »könnte ich mich verkleiden als Ofen. So ein Öfchen, wenn man's recht bedenkt, mag jeder gern. Ich bind mir ein kleines Rohr auf den Rücken, zwei Klappen von wegen gutem Durchzug, und für die Haut haben wir Ruß genug. Als Öfchen, denk ich, hätt' man schon seine Freude.«

»Diese Idee, Abel Matuschitz, ist Mist. Als Öfchen: da braucht nur so ein Kerl eine Klappe bei dir aufzulassen, und schon hast du's auf der Lunge.«

»Dann könnte ich vielleicht«, sagte das Großonkelchen, »als Sarg gehen. So ein Sarg ist nichts Unbekanntes für die Leute, jeder kennt einen, und das Ding hätte ich mir schnell zusammengeklebt aus den Kartons.«

»In den Kartons, bitte schön, sind Federn, und die bleiben da.«

»Dann als was«, fragte Abel Matuschitz, »könnte ich teilhaftig werden der Freude? So eine Freude dauert nicht ewig, und wer weiß, ob noch ein Karneval wird stattfinden.«

»Du kannst dir, pschakret, deine Freude als Eisbär suchen. Wozu haben wir das Fellche gerettet, he? Also hol vom Boden herunter das Eisbärfell. Ich werd es noch zusammennähen, und wenn ich's dir, Abel Matuschitz, mit dem Strick festmache, wird es schon halten.«

So war es, in der Tat, beschlossen, und Abel Matuschitz, mein Großonkelchen, wurde eingebunden in das Fell, so daß er sich kaum noch rühren konnte, und mit den gelben Flecken im Pelz, den durchgescheuerten Stellen und der zersplitterten Schnauze sah er, weiß der Kuckuck, wie so'n ganz altes Herrchen von einem Eisbären aus.

Schön – und zu gegebener Zeit zuckelte er dann auch los, wo der Quell der Freude sprudelte, zuckelte an der Hecke entlang und dann über die Straße, und wie er am Kriegerdenkmal vorbeizuckeln will, steht da ein altes Weib mit der Milchkanne, die Helene Rausch, glaub ich. Der fuhr die Erscheinung meines Großonkelchens dermaßen in die Glieder, daß sie aufschrie, die Milchkanne fallen ließ und nach dem Oberförster rannte; aber bevor sie ihren Fall dort überhaupt vortragen konnte, hatte Abel Matuschitz längst die Quelle der Freude erreicht, die angezapft wurde in Verbindung mit Pöschels Wanderbühne.

Kam also herein in die Räumlichkeit, unser Abel Matuschitz, und was er als erstes sah: es waren drei betrunkene Eisbären an der Theke. Konnten überhaupt kaum noch stehen, die drei, als ob der Boden irgendeine Eisscholle wäre, so benahmen die sich, und dazu sangen sie: »Sie sollen ihn nicht haben.« Mein Großonkelchen sinnierte einen Augenblick, als, wahrhaftig, zuerst eine üppige Spanierin und dann eine halbe Kuh auf ihn zukamen und mit ihm tanzen wollten, und dabei war die Tanzfläche noch gar nicht frei, weil Frau Pöschel, die Inhaberin der Wanderbühne, da noch Kunststücke mit ihren Schimpansen vorführte.

Doch die dicke Spanierin ließ dem Abel Matuschitz keinen Frieden, zupfte ihn, diese Person, am Fell, roch an ihm, schaute zur Schnauze herein, bis, ganz überraschend, die drei betrunkenen Eisbären mein Onkelchen entdeckten. Sie stießen sich auch gleich von der Theke ab, torkelten auf ihn zu, ohne dabei ihr Lied »Sie sollen ihn nicht haben ...« zu unterbrechen, und dann rissen sie ihn von der Spanierin los und begrüßten ihn erst mal, wie man sich so unter Eisbären zu begrüßen pflegt.

Sie umarmten sich und kratzten sich und schnüffelten aneinander herum, und danach landeten sie natürlich an der Theke. Kann man sich vorstellen, was mit einem nüchternen Eisbären geschieht, wenn er von drei betrunkenen an die Theke geschleppt wird? Gut, und so dauerte es auch gar nicht lange, da wankte das Großonkelchen, als ob die ganze Welt unter ihm irgendeine Eisscholle wäre, brummte, wie sich's gehört und trank und trank.

Aber der Quell der Karnevalsfreude: er begann wie verrückt zu sprudeln, als, Cholera, die Tür sich auftat und ein fünfter Eisbär hereinspaziert kam. Der kam gleich auf allen vieren herein, schaukelnd und schnüffelnd, und als die üppige Spanierin ihn sich reservieren wollte zum Tanzen, gab er ihr eine mit der Tatze, so daß sie kreischend zwischen die Bierfässer flog. Kaum war sie wieder auf den Beinen, da schrie sie auch schon: »Der Bär«, schrie sie, »ist echt«, und rannte hinaus.

Na, der neue Eisbär besah sich alles sehr eingehend, machte sich gehörig Platz überall, und auf einmal war er vor der Theke und begann, mit einer sehr langen und rosigen Zunge eine Bierlache aufzulecken, die seine Bärenfreunde in ihrer Freude verspritzt hatten. Das sahen, auf kürzeste Entfernung, die vier singenden Eisbären, und weil sie einen ausgesprochenen Sinn hatten für Familie, torkelten sie auf den neuen los, und mein Großonkelchen, der Abel Matuschitz, legte sich ihm gleich um den Hals, und die andern zogen –, was schließlich bewirkte, daß auch der fünfte Eisbär an der Theke landete.

Gerade hatten sie für ihn ein Bier bestellt, da kam, erhitzt und aufgescheucht, ein unverkleideter Mensch herein, sah sich um mit allen Zeichen der Furcht und Besorgnis, und als er die Bären an der Theke entdeckte, schoß er auf sie zu, verbarg sich hinter einem Pfeiler und gab ein paar verzweifelte Signale, zischte und warnte, dieser Mensch, aber Warnungen, das kennt man schon, werden oft in den gerufen, der sie nicht braucht: in den Wind nämlich.

Die Eisbären indes: sie gaben dem Neuen zu trinken, zerrten ihn hierhin und dorthin, streichelten und umarmten ihn, und zum Schluß versuchten sie, ihn für ein Gruppenphoto auf einen Stuhl zu setzen. Dafür hatte der Neue aber, hol's der Teufel, keinen Sinn, benahm sich sogar ziemlich dreibastig und feuerte sein ganze anwesende Gattung auf die Erde.

Nur an das Großonkelchen, Abel Matuschitz, traute er sich nicht ran, mied ihn überhaupt und zog die Nase kraus, wenn er ihm zu nahe kam; wahrscheinlich, weil er noch nie einen Eisbären gerochen hatte, der so nach Mottenkugeln stank. Na, was soll ich sagen: Geduld brachte die Bären dahin, wohin sie schon manchen gebracht hat, ans Ziel. Und plidderpladder gelang's ihnen, den neuen Eisbären so betrunken zu machen, daß er sich schließlich erhob, die Theke leerfegte und den Wirt ins Ohr biß.

Doch dann, sozusagen auf dem Höhepunkt der Freude, erschien das Gesetz von Wirbit, kam herein mit dem unverkleideten Menschen von vorhin, drei Polizisten insgesamt. Für die war natürlich auch Karneval anberaumt, und ganz nüchtern waren die jetzt auch nicht mehr, aber wo's um die Pflicht ging, da wollten sie immer dabei sein. Und der größte von ihnen kam zur Theke, grüßte, wie er das gelernt hatte, und meldete: »Frau Pöschels Eisbär«, meldete er, »ist ausgebrochen. Wir müssen ihn einsperren.«

Legte auch gleich, das Gesetz, meinem Großonkelchen, Abel Matuschitz, die Hand auf die Schulter und ließ sich nichts mehr sagen, nicht einmal von dem unverkleideten Menschen, der, scheint's, mit dem echten Eisbär bekannt war. Abel Matuschitz, ihm ging das Gesetz über alles, leistete nicht einmal Widerstand, das Großonkelchen, und ließ sich dahin führen, wo Eisbären, wenigstens in unseren Breiten, zu leben pflegen: in den Gitterwagen. Das Fellche und das Stroh, sie gaben ihm Wärme für die Nacht, er schlief bis zum nächsten Mittag, und als man ihm rohes Fleisch reinschob und Fischköpfe, da wurde dann der Irrtum entdeckt und Abel Matuschitz durfte nach Hause gehen. Kam an bei seiner Jaguscha, das Großonkelchen, und wollte gerade Mitteilung machen von dem freudigen Erlebnis, als Jaguscha sagte: »Na«, sagte sie, »hast dich ausgebrummt auf dem Fußabtreter?« Worauf Abel Matuschitz erwiderte: »Ich war, Jaguscha, gar nicht in unserem Häuschen letzte Nacht.«

»Komisch«, sagte Jaguscha, »was man vor Freude alles vergißt.«

1957

Hinter der Fliegenschnur
Spanische Kneipe

Sie hatte keinen Namen, und dennoch war die kleine Kneipe in dem grellen, todmatten, staubgepuderten Nest, unten bei Valencia sozusagen, der Inbegriff aller Kneipen. Auch wenn sie keinen Namen trug: sie war eine großartige, absolute Kneipe, Urkneipe gewissermaßen, Modellkneipe, und das aus zwei Gründen: erstens war das Tageslicht aus ihr verbannt, und zweitens hatte man ein schlechtes Gewissen, wenn man ohne hier reinzuschauen an ihr vorüberging. Man war einfach gezwungen, reinzuschauen, eine rätselhafte Aufforderung ging von ihr aus, eine fast biblische Verpflichtung: wer sein Gewissen nicht belasten wollte, der schob eine Hand zwischen die schlappen, fettigen Fliegenschnüre, teilte sie und steckte den Kopf hindurch: wohlige Dunkelheit umgab ihn, vielsagende Finsternis, die Dunkelheit, in der die Wunden heilen. Zwar hatte die Kneipe ursprünglich zwei Fenster, aber sie waren zugedeckt, für alle Ewigkeit vernagelt; das wenige Licht, das hier zugelassen war, kam vom Eingang, gebremst und sehr bemessen durch die fettigen Fliegenschnüre: zu einer guten Kneipe gehört eine gewisse Dunkelheit. Zu einer guten Kneipe gehört aber auch ein Wirt; dieser hieß Don Rafael: barfuß, hinkend und mild – so residierte er auf einer Fußleiste hinter der Theke, ein Vater der Verzweifelten, ein Trostspender in geflickter Hose. Jeder, der zu ihm hereinkam, befand sich unversehens in Familie, unter seinem milden Lächeln wurde die Kneipe zu Heimstatt und Herd, zu Asyl und Altar – wer bei Don Rafael hineinschaute, konnte sich nicht erinnern, jemals näher am Herzen der Welt gewesen zu sein. Wer hier einfiel, hatte nur einen Wunsch: zu bleiben.

Und auch ich kam und blieb; morgens um sechs kam ich vom Fischen an der absoluten Kneipe vorbei, es war noch früh, ein klarer, kalter Morgen – trotzdem forderte die Kneipe ihren Tribut. Vorsichtig teilte ich die fettige Fliegenschnur, steckte den Kopf durch und versuchte, mich an die Dunkelheit zu gewöhnen. Kahle, getünchte Wände, drei Tische und Rundbänke, fleckiger Steinfußboden: mehr konnte ich zunächst nicht entdecken. Ich trat ein, und in diesem Augenblick schossen vier Hunde an mir vorbei, gelbe, magere Hunde mit Rehköpfen; sie sausten durch die Fliegenschnur und verschwanden mit langen Sätzen hafenwärts. Zögernd ging ich weiter zu einem Ecktisch; auf ihm stand noch eine Copita von der letzten Nacht, ein spitzes, halbgefülltes Trinkglas: honigfarben leuchtete der Wein auf seinem Grund. Ich schob die Copita zur Seite und klatschte in die Hände, und jetzt hob sich überraschend von der Rundbank her ein Kopf über den Tisch, ein unrasiertes Gesicht: zähes Barthaar, feuchte Lippen, leuchtende Augen kamen zum Vorschein, und ich dachte an das Gesicht des heiligen Elias. Ich machte einen Versuch, nach hinten wegzurutschen, als ein glückliches Lächeln auf dem Gesicht erschien, eine inständige Aufforderung, sitzen zu bleiben, und unter der sanften Gewalt dieses Lächelns blieb ich sitzen. Gespannt sah ich zu, wie das Gesicht weiter hinaufwuchs, ein schuppiger Hals tauchte über der Tischkante auf, die Schulter, ein magerer Oberkörper in schwarzem Hemd, und dann schraubten sich zwei alte, rissige Hände auf den Tisch, die einen langen Stecken hielten: der heilige Elias war erwacht. Er steckte sich eine schwarze Zigarette in den Mund, nahm einen Zug, und jetzt wurde er von einem Husten geschüttelt, wie man ihn selten zu hören bekommt.

Die Fliegenschnur flog zur Seite, und vier Männer kamen in die

Kneipe; barfuß, mit schwarzer Leibbinde und Ballonmütze, tappten sie über den Steinfußboden zur Theke und warteten. Und jetzt erschien Don Rafael, hinkte in kragenlosem Hemd auf sie zu, begrüßte die Männer mit Handschlag und schob jedem eine Copita hin mit honigfarbenem Wein. Die Männer setzten hoch an, ein dünner Strahl zischte mit leichtem Gurgeln in ihre Münder; den Kopf weit zurückgelegt, die Augen geschlossen, hingegeben dem frühen Labsal – so zischten und kauten sie einen halben Liter hinunter.»Frühstück«, sagte der Mann mit dem hartnäckigen Husten,»das ist ihr Frühstück. Jetzt gehen sie zum Arbeiten aufs Land.« Die Landarbeiter wischten sich mit dem Handrücken den Mund ab, sie seufzten unter der Wohltat des Weins, der nüchterne Magen stieß auf, und mit einem Schlag auf die Schulter verabschiedeten sie sich von Rafael, nickten auch uns zu und gengen hinaus zu ihren eselbespannten, großrädrigen Karren. Einen halben Liter Wein auf nüchternen Magen: das würde ihre Rükken elastisch machen draußen in den rostroten Bergfeldern, das würde ihnen Kraft geben bis zum Mittag. Kraft auch, um die hohen Steuern herauszuschuften, die sie zahlen müssen.

Es war kurz nach sechs.

Don Rafael, in zerknautschtem, kragenlosem Hemd, mit verklebtem Kopfhaar und milder Güte, hinkte heran, stellte mir eine Copita hin, einen kleinen Laib knirschenden Ziegenkäse und drei Oliven: er hatte nur vier Stunden geschlafen, halb träumend noch brach er mit seiner imponierenden, dunklen Hand den Ziegenkäse für mich kaputt, schob mir das Tellerchen zu; die imponierende, dunkle Hand glitt in die Tasche der geflickten Hose, zog ein Stück Trockenfisch heraus, riß und faserte ein paar Streifen für mich ab und legte sie zum Käse: buen apetito, nickte er, guten Appetit. Und die Hand, die den Käse zerbröckelt, den Trockenfisch zerfasert hatte, legte sich mir kurz, in träumerischer Zärtlichkeit, auf den Kopf, während ich anfing, unter ihrem kühlen Druck und den freundlichen Blicken des alten Elias zu essen.

Ich war noch beim ersten Bissen, als zwischen den Fliegenschnüren die rehköpfigen Hunde auftauchten, alle vier hintereinander schoben ihre langen Schnauzen herein, blickten gelbäugig und wachsam auf meine Hände: ihr Instinkt mußte ihnen unten im kleinen Hafen gemeldet haben, daß irgend jemand gerade irgend etwas aß.

Ihr Instinkt hatte recht behalten. Mit stummer Gier schauten mich die Hunde an; sie schauten nur auf mich, sie schauten nicht auf den Mann mit dem enormen Husten – so brachten mich ihre konzentrierten Blicke zur Strecke. Hätten sie uns beide ins Fadenkreuz genommen, hätten sie sich sozusagen die flehende Bearbeitung durch Blicke geteilt, es wäre nichts herausgesprungen für sie. Die rehköpfigen Hunde schienen das zu wissen: acht Augen verbanden sich in stummer Aufforderung, machten mich weich, und ich warf ihnen eine Fischfaser hin. Doch mein Mitleid kam zu spät: hinter der Fliegenschnur erschien ein Schatten; ich sah ein Bein hochfliegen, kurze Schläge nach rechts und links austeilen, die Hunde jaulten auf – weniger vor Schmerz als über den Verzicht auf den Fisch – und sausten in langen Sätzen hafenwärts. Ihr untrüglicher Instinkt würde ihnen melden, wann wieder irgend jemand irgendwo etwas essen würde.

Nun kam der Mann in die Kneipe, der die Hunde vertrieben hatte. Er war barfuß, balancierte einen Korb auf dem Kopf; grußlos, mit sinnendem, traurigem Gesicht ging er an uns vorbei, stellte den Korb auf den Nebentisch und setzte sich. In dem Bastkorb lagen Brot und Muscheln; grau sahen die Muscheln aus, fahl und bröckelig, sie waren bereits unter einem Dampfstrahl gar gemacht. Mit traurigem Gesicht starrte der Mann auf seine Muscheln, wartete, bis Don Rafael ihm eine Copita Wein brachte, und dann begann er traurig zu essen. Seine grüblerische Traurigkeit mußte alt sein, seit vielen Jahren auf seinem Gesicht gelegen haben – welchem Umstand mochte sie gelten, wo ihren Ausgangspunkt haben? Ich versuchte, es mir vorzustellen: einen Trauerfall in der Familie, ein berufliches Mißgeschick – oder galt seine grüblerische Traurigkeit einem nationalen Unglück?

Ja, sorgfältig wird die Trauer in Spanien gehandhabt, und lang ist das Gedächtnis für alles, wovon der einzelne, wovon aber auch die Nation betroffen wird. Und war das unvergeßliche Unglück der Geschichte nicht der Untergang der Armada, der frohgemuten Flotte, die es den Engländern heimzahlen wollte und dann so schnell unterging? Oh, man hatte mir schon einmal gesagt, daß man den Engländern nicht das Schicksal verzeihen konnte, das sie der Armada gegeben hatten – dachte der Alte mit den Muscheln daran? Seine gesammelte, seine alte Traurigkeit schien »ja« zu sagen, und ich nannte ihn: den Mann, der das Schicksal der Armada nicht vergessen konnte.

»Acht Uhr«, sagte Elias leise – er hatte gerade etwas Luft zwischen zwei faszinierenden Hustenanfällen.»Wenn Miguel kommt, ist es acht.« – Miguel hob den Kopf, fing den Blick auf, den ich auf seine Muscheln warf, und dann fragte er traurig:»Wollen Sie mitessen? Bitte, essen Sie mit. Sie würden mir eine Freude machen. Probieren Sie mal; ich hab sie heute nacht gefischt.« Die Traurigkeit seiner Einladung ließ keine Möglichkeit der Wahl zu, er häufte einen Berg Muscheln vor mir auf, versonnen und ohne Eile – nie habe ich so köstliche Muscheln gegessen wie aus der Hand des Mannes, der das Schicksal der Armada nicht vergessen konnte. Und selten hat mir eine Zigarette nach dem Essen so gut geschmeckt wie die, die mir der Mann mit dem bemerkenswerten Husten über den Tisch rollte: selbstverständlich und exakt ist die Gastfreundschaft Spaniens, unwiderstehlich die Einladungen; die Höflichkeit macht einen wehrlos.

335

Plötzlich sahen wir uns an; hinter einem Vorhang gurgelte, prustete, klatschte es, wohliges Stöhnen drang zu uns, Seufzer der Zufriedenheit, und dann wieder Plantschen, Prusten und Ächzen: wir lauschten angestrengt. Auch die beiden kleinen Mädchen lauschten, die sanft durch die Fliegenschnur geschlüpft waren, große Flaschen im Arm, Wein für die Väter holend – gewissenhaft lauschten wir der genießerischen Morgenwäsche Don Rafaels. Und nach einer Weile trat er heraus: scharf gekämmt, sauber, Spuren von Seife noch am Ohr; lächelnd hinkte er auf die Fußleiste hinter der Theke, lächelnd und vehement schenkte er ein: jedes Glas, das er füllte, jede Copita lief über. Nie wäre es Don Rafael in den Sinn gekommen, Korbflasche oder Pulle berechnend abzufangen, erst wenn der Becher oder das Glas überliefen, hörte er auf; erst die Gesetze der Physik brachten seine Großzügigkeit zum Erliegen. Er füllte den kleinen Mädchen ihre Flaschen, er küßte sie, kniff sie liebevoll in den Arm, dann kam er zu uns, beförderte die Muschelreste mit einer Handbewegung auf den Boden und füllte ungefragt unsere Gläser: auch mein volles Glas versuchte er zu füllen.

Kinder kamen herein, die etwas suchten, was sie nicht verloren hatten, Frauen mit Säuglingen, ein Invalide und der Besitzer der Kneipe von nebenan tauchten auf: häuslich ließen sie sich nieder.

Und dann erschien ein jüngerer Mann, der alle Blicke auf sich zog: eine träumerische Verwegenheit spiegelte sich in seinem Gesicht, etwas von der begnadeten Ahnungslosigkeit Don Quichottes: prüfend hielt er nach einer Windmühle Ausschau, die er annehmen könnte. Die Windmühle war ich, und er legte sozusagen die Lanze des Gesprächs ein und sprengte an unseren Tisch, auf dem die mattglänzenden

Weinpfützen von Rafaels Großherzigkeit zeugten. In schönem Draufgängertum fragte der Ritter:»Ingles? Sind Sie Engländer? – Oh, wir bewundern die Engländer. Eine reiche Nation, sie beherrschen die Märkte.«Ich blickte schnell auf den Mann, der das Schicksal der Armada nicht vergessen konnte (er stocherte mit verlorener Traurigkeit in seinen Muscheln herum), und ich sagte:»Nein, aleman, Deutscher.«»Oh«, sagte der Ritter,»das macht nichts. Wir bewundern auch die Deutschen, eine reiche Nation, auch sie beherrschen die Märkte. Außerdem war Rommel ein Deutscher – Rommel!« Und mit aufgeworfenen Lippen und heftigen Blicken wiederholte und ergänzte er:»Rom-mel und Wolgswagen.«

Der junge Ritter war Volksschullehrer; er stupste seine kleinen, barfüßigen Freunde in die Geschichte, zeigte ihnen die Spur des Menschen, den Punkt, auf dem er stand: der Punkt war nicht leicht zu bezeichnen. Bald hockten wir in offenem Gespräch zusammen – Rafael brachte ihm ein Glas übergelaufener Crema de café, füllte mein volles Glas nach, wir saßen mit zusammengesteckten Köpfen da, und er erzählte vom dunklen Sinn der spanischen Geschichtsbücher: in den Büchern allerdings war der Fluchtpunkt der Geschichte bezeichnet, er hieß: General Francisco Franco. Er wollte wissen, ob der Fluchtpunkt unserer Geschichte Rommel hieß oder»Wolgswagen«; gottlob brauchte ich mich nicht zu entscheiden, denn Elias bekam wieder einen seiner faszinierenden Hustenanfälle. Diesmal dauerte er einige Minuten, schüttelte den alten Mann, warf ihn gegen die Wand, ließ alles vergessen, was gedacht und gesprochen wurde in der Kneipe, und als ein erschöpftes Lächeln das Ende des Anfalls meldete, war die letzte Frage vergessen. Und bevor der junge Ritter neu ausholte, schoben die vier rehköpfigen Hunde wieder ihre Schnauzen durch die Fliegenschnur (ihr Instinkt hatte ihnen am Hafen gemeldet, daß ein kleines Mädchen ihren angeknabberten Brotkanten auf den Kneipenboden geworfen hatte), wie versteinert starrten acht gelbe Hundeaugen auf das Brot, aber der Lehrer, der den dunklen Sinn der Geschichte zitiert hatte, schien auch eine dunkle Wut auf die Hunde zu haben; überraschend stürzte er auf sie los, verfolgte sie durch die Fliegenschnur, verfolgte sie hafenwärts und kam nicht mehr zurück.

Statt dessen schob sich die ganze Besatzung eines Fischkutters durch die Fliegenschnur, beladen mit Muschelkörben, mit Weißbrot und einem riesigen Topf, in dem Tomaten, Reis, Fische, Krebse und ein unergründliches Gemüse zusammengekocht waren. Den Fischern folgten ihre Frauen und Schwestern, und diesen, furchtlos und selbstverständlich, zuckelte ein krummbeiniges, langschwänziges Wesen hinterher: der Bordhund – wenigstens verrieten einige Anzeichen, daß es sich um einen Hund handelte. Die Gesellschaft nahm an unserem Tisch Platz, der riesige Topf wurde in die Mitte gesetzt, vergnügt ließ Don Rafael die Copitas voll- und überlaufen, und dann wurde gegessen, und alle, die in der Kneipe saßen, aßen mit. Alle fühlten sich eingeladen: Kinder, die nicht die eigenen waren, der Kneipenwirt von nebenan, Don Rafael kam und probierte, Elias und der Mann, der das Schicksal der Armada nicht vergessen konnte, zogen sich Fischstücke aus der Tomatensoße, und auch ich nahm ein Stück Weißbrot und zog es durch die steife Soße – gespannt, was sich am Brot fangen könnte. Eine elementare Vereinigung stellte sich ein, ein uralter, verbindender Genuß, ein fast biblisches Einvernehmen: es war die unendliche, belebende und verbindende Wohltat des gemeinsamen Mahls. Was sich in der dunklen, schäbigen Kneipe unten bei Valencia zeigte, war mehr als Höflichkeit, war mehr als Gastfreundschaft und bezaubernde, natürliche Gesittung: es war wortlose Brüderlichkeit. Da unten übte man sie in reiner Praxis. Alle Augen leuchteten, es kaute und schluckte, sternförmig zogen sich rote Tomatenkleckse vom Topf zu den Tischecken, und das kurzbeinige Wesen, das so aussah wie ein Hund, leckte den Steinfußboden sauber und sauste unter den Bänken entlang.

Der riesige Topf wurde nicht leer, und es kamen wieder neue Männer in die Kneipe, Fischaufkäufer, die jeden Tag mit ihren hausgemachten Lastautos herüberrumpelten, um die Beute der Nacht in die Stadt zu fahren: obwohl sie zuwenig gezahlt hatten, diesmal, wurden sie an unseren Tisch gelotst, kein Mensch konnte mehr erklären, auf welche Weise sie alle Platz fanden, und sie stemmten sich auf die Tischplatte und tunkten Brotkanten in den riesigen Topf. Sie erzählten mir, daß das Fischen im Mittelmeer ein trauriges Geschäft geworden sei, mühselig, freudlos, das Meer ist zu warm, und der Fischreichtum nimmt immer mehr ab. Zu viele sind es, die jeden Abend von den Küsten abstoßen, zu groß ist der Bedarf, den sie decken müssen; wenn ein Fischer mit 1800 Peseten im Monat nach Hause geht, ist er gut dran: 1800 Peseten sind 180 Mark. Und nach der Summe des Verdienstes nannten sie sogleich die Anzahl der Kinder: eine gesegnete Anzahl, ein imposantes Familienglück – das Verhältnis zur Zahl der verdienten Peseten ist trübe wie das Wasser des Ebro. Oh, sie erzählten alles, was sie bedrückte, ihr Herz öffnet sich schnell und leicht, ohne Rest ziehen sie den Fremden ins Vertrauen: ihre schöne Offenheit, die Eile ihrer Bekenntnisse überwältigen jeden, der ihnen zuhört. Und überwältigt wird man ebenso durch ihre Fragen, jede ist gezielt, arglos und unverdeckt: wer hier nach dem Einkommen gefragt wird, muß den Lohnstreifen im Gedächtnis haben.

Aber sie wußten schon alles; sie wußten, was ein Arbeiter in England verdient und wieviel einer in Deutschland, sie kannten die Höhe der Steuern in der Schweiz und die Weinpreise in Frankreich; sie wußten alles über Rom-mel und wußten ebensoviel über den »Wolgs-wagen«, die Fragen, die sie stellten, dienten nur zur Kontrolle ihres vorhandenen Wissens. Zwischen Fragen und starkem Kaffee waren die drei Tische der Kneipe zu einem Tisch geworden: einige Leute gingen, andere kamen, und von Zeit zu Zeit tauchten die vier Schnauzen der rehköpfigen Hunde zwischen den Fliegenschnüren auf: verschwommen jetzt, kaum zu erkennen in dem schweren Tabaksdunst, in der Essenswolke und zwischen all den Menschen, die das gewisse Dunkel der Kneipe bevölkerten. Don Rafael schenkte Kaffee ein, Likör und Wein, Brause für die Kinder, mit freundlicher Geschäftigkeit hinkte er zwischen Theke und Tischen hin und her, goß schulterklopfend die Gläser voll (auch mein volles Glas), spottend über das physikalische Gesetz der Raumverdrängung. Der alte Elias bekam während des Trinkens, als der honigfarbene Weinstrahl zwischen seine rissigen Lippen zischte, einen unerhörten Hustenanfall; traurig brütete der Mann vor sich hin, der das Schicksal der Armada nicht vergessen konnte; der Kneipenwirt von nebenan, Fischer und Fischhändler, Frauen und Kinder – sie alle trugen bei zur natürlichen Familiarität der Kneipe. Draußen existierte kein Tag mehr, die Welt hatte nur Erinnerungswert; das Leben war zu traulichem Dunkel zurückgekehrt, von wo es einst seinen Anfang genommen hatte.

In diese Geborgenheit zwängte sich zu unbestimmter Stunde auch ein singender Schafhirte herein; einen wettertrüben, steinalten Schlapphut auf dem Kopf, einen Beutel auf dem Rücken, die Lederflasche an der Seite – so kam er herein: und er trug in einer Hand einen Stecken, und mit der anderen drückte er ein zitterndes, schneeweißes Lamm an seine Brust. Das Lamm war unterwegs am Wegrand geboren, singend trug es der Hirte herein, singend stapfte er zur Theke, singend verlangte er Schnaps. Hinter ihm schaute die Mutter des Lamms durch die Fliegenschnur, aber nur einen Augenblick, sie schien zufrieden zu sein. Der Hirte kippte rasch hintereinander zwei Gläser herunter, schluckte; dann erhob sich wieder sein Gesang, leise und inbrünstig über die liebreizende Unschuld des Lammes hinwegsingend, ging er zum Ausgang: er sang von seinem Schatz, der fern in Deutschland war, nicht zu fern jedoch für »las alas del corazón«, die Flügel des Herzens. Sein Gesang brauchte nicht zu sterben, denn als er sich entfernte, nahm einer am Tisch die Melodie auf, ein schöner, athletischer Fischer: hingegeben dem ehrwürdigen Zauber der Musik, sang er den hustenden Elias an, und in den Augen des Alten erschien ein junger Glanz. Und als das Lied zu Ende war, sang ein anderer; er sang vom Heimweh des Herzens, und Don Rafael unterbrach seine freundliche Geschäftigkeit, Lachen und Gespräche verstummten, selbst der krummbeinige Bordhund saß still unter einer Bank.

Alle hörten zu, bezaubert, aber auch kritisch; ihre Gesichter verrieten Spannung, wenn ein schwieriger Melodiepart bevorstand, und sie zeigten Genugtuung, wenn die Stimme den schwierigen Ton erreichte. Nach dem »Heimweh des Herzens« sang der Kneipenwirt von nebenan von der »Hoffnung des Herzens«, und mitten in seinem Gesang erschien, die Maschinenpistole auf der Schulter, den lackschwarzen Hebammenhelm auf dem Kopf, die Guardia civil, ein anämisch aussehender Gendarm. Behutsam stellte er die Maschinenpistole in eine Ecke, beugte sich über den riesigen Topf der Fischer und stellte fest, daß sich auf dem Grund des Topfes interessante Verdickungen in der Tomatensoße abhoben, mit einem Kanten Weißbrot ging der Gardist auf Entdeckungen. Er nickte mir lachend zu und kaute und sättigte sich, während der fremde Kneipenwirt der Hoffnung des Herzens melodisch Ausdruck gab. Plötzlich aber warf der Gardist das Brot auf den Tisch, wurde ernst, straffte sich – zwei Straßenarbeiter, gerade eingefallen, sangen ein Lied von der Guardia civil, zumindest kam dies Wort darin vor. Der Gardist sah die schweißglänzenden Sänger an, schnitt mit einer Handbewegung das Lied ab. »Es geht nicht«, sagte er, »ihr könnt alles singen, aber nichts von der Guardia civil. Die Guardia civil laßt ihr besser aus eurem Lied heraus.« Darauf stimmten die Straßenarbeiter ein neues Lied an, ein Lied so traurig wie das verbrannte Land in den Bergen; es handelte von der Not und dem Liebesweh des Herzens, und diese Not wurde den Sängern amtlich zugestanden.

Ich hatte nicht bemerkt, daß sie Don Rafael bei ihrem Eintritt einen Korb mit Pferdebohnen zugeschoben hatten, mit der Bitte, ihnen die Bohnen zum Abendbrot kochen zu lassen; ich bemerkte nur, daß sie zur Not und zum Liebesweh des Herzens erstaunlich viel zu singen hatten – sie sangen tatsächlich so lange, bis die Bohnen gar waren und dampfend hereingetragen wurden.

Ich kann mich nicht erinnern, jemals pikantere Pferdebohnen gegessen zu haben, denn natürlich wurde jedermann eingeladen, von der dampfenden Herrlichkeit zu kosten: der hustende Elias, die Fischer und ihre Frauen, der Mann, der das Schicksal der Armada nicht vergessen konnte, und, selbstverständlich, auch der anämische Zeitgenosse von der Guardia civil. Unter Hinweis auf Rom-mel und den »Wolgs-wagen« wurden mir immer neue Berge von Bohnen auf den Teller gehäuft, und Don Rafael hinkte durch den Raum und setzte sich souverän über die Physik hinweg, indem er randvolle Gläser noch mehr zu füllen versuchte.

Und dann, auf einmal, war ein Ton in der Luft, ein heißer Ton, kurz und herausfordernd; der Ton war so überraschend da, daß wir alle den Kopf hoben (und die vier rehköpfigen Hunde, die in irgendeiner Ecke irgend etwas gefressen hatten, jaulend zur Fliegenschnur hinausstoben). Den Ton hatte eine Frau hervorgestoßen, eine magere, barfüßige Frau mit strähnigem Haar. Sie hielt eine leere Copita in der hocherhobenen Hand, ihr magerer Körper war gespannt, ihre Beine leicht nach vorn gespreizt, und in den Augen lag eine wilde Erwartung. Und plötzlich erklang, leise zunächst und dann immer stärker, ein klarer und scharfer Rhythmus, er erklang am Nebentisch, und der, der den Rhythmus mit Fingern und Handballen auf der Tischplatte hervorrief, war der Mann, der das Schicksal der Armada nicht vergessen konnte: mit erhobenem Kopf, die Lippen aufeinandergepreßt, hämmerte er auf die Tischplatte; der magere Körper der Frau begann zu zittern, bewegte sich knapp und wiegend, und überraschend erlöste er sich selbst aus seiner Spannung: die Frau tanzte. Und der Tanz verwandelte sie völlig; das strähnige Haar, ihr magerer Körper, das graue Kittelkleid: alles verschwand, und was blieb, das war federleichte Grazie, der anmutige Zorn eines Stampfschrittes und der mit Abwehr wechselnde Lockruf der Fingerbewegung. Sie tanzte wunderbar, sie tanzte mit äußerster Konzentration, die Frau, wie man mir sagte, die ärmste Trinkerin im Dorf, schien zu wissen, daß sie vor dem verständigsten Publikum der Welt tanzte. Jeder Schritt wurde begutachtet, jede Bewegung erhielt eine Zensur. Aber dann war der Tanz zu Ende, sie bekam ihren Beifall und eine Copita honigfarbenen Weins, und jetzt traten andere Tänzer auf. Jetzt tanzten Fischer, tanzten Straßenarbeiter und der Kneipenwirt von nebenan, Frauen tanzten und blasse Kinder, und gewiß hätte auch der alte Elias getanzt, wenn sein faszinierender Husten ihn dazu beurlaubt hätte. Niemand kann all die Tänze behalten, die sie tanzten: Tänze des Glücks, Tänze der Werbung und der Schwermut, Jubeltänze und Tänze der Nacht. Sie tanzten ohne Unterbrechung.

Es wurde heiß in der Kneipe und stickig, der Atem ging schwer, und unbemerkt zwängte ich mich an Tanzenden und Zuschauern vorbei zur Fliegenschnur am Ausgang. Ich stieß die Hand durch die schlappen, fettigen Schnüre und steckte den Kopf hinaus: draußen war Nacht, kalt und ruhig, und von einem fernen Leuchtturm kreiste gleichmütig ein Scheinwerfer über das Land, drehte hinaus auf die See, verschwand und kehrte nach einem Augenblick wieder. Und in diesem Augenblick schien mir, als habe der Lichtstrahl sein gleichmütiges Kreisen unterbrochen; für eine Sekunde, einen Herzschlag lang schien der Lichtstrahl stillzustehen über der namenlosen Kneipe, der absoluten Höhle des Labsals: es war, als zeigte er einen besonderen Weg.

1957

Jede Stunde hat ihre Gesichter

Niemals war ich der erste. Früh schon stand ich auf dem zugigen, wassergesprengten, frischgefegten Bahnsteig, stand neben der verschlossenen Würstchenbude und wartete auf die Bahn: kalt zog es aus dem Tunnel her über die mattblinkenden Schienen; kalt fiel das elektrische Licht auf die fleckige Kachelwand, und ich stand allein in der Kälte und sah auf den Greis. Es war ein sauberer Plakatgreis, ein gekämmter und sehr gepflegter Alter, und das Plakat zeigte ihn, wie er hinter seiner gepflegten Greisenhand den Enkeln zuflüsterte, mit welchen Schuhen sie am sichersten durchs Leben kämen. Ich war allein mit dem sauberen Alten, glaubte seine milde Stimme zu hören, den

Namen der Schuhe, mit denen man am sichersten durchs Leben käme;
ich glaubte mich noch allein mit ihm, als die Fünfuhrbahn schlingernd
durch den Tunnel hereinschoß.

Doch auch diesmal war ich nicht der erste im Abteil: zwei Männer
saßen bereits auf einer Bank, ältere Männer mit Joppen und Schiffermützen; sie saßen mit ausgestreckten Beinen da, Rucksäcke umge-
schnallt, den Kopf weit zurückgelegt beim Rasieren, und es lag eine
tiefe und gleichgültige Müdigkeit auf ihren Gesichtern – sie waren die
letzten der Nachtschicht.

Und dann, bevor die Bahn anruckte, erklangen hastige Schritte auf
dem Zementboden draußen, Schritte von genagelten Stiefeln: dieser
Schritt kam nicht von Schuhen, wie der gepflegte Greis sie empfahl, mit
denen man ungefährdet durchs Leben kam. Es waren die genagelten
Stiefel der Frühschicht; krachend flog die Rolltür auf, die Frühschicht
kam herein: ein Mann mit Schiffermütze und Joppe, die Aktentasche
eingeklemmt. Mager war sein Gesicht, mager der Hals; das Gesicht war
scharf rasiert, zu scharf und eilig – unter dem Kinn waren zwei frische
Blutspuren mit Zeitungsschnipseln abgedeckt. Er ließ sich gegenüber
der Nachtschicht auf eine Bank fallen, steckte die abgebissene Pfeife an,
und während der Qualm strengen Tabaks hochstieg, vergrub sich die
Frühschicht in eine grüne Joppe und starrte gleichgültig die letzten der
Nachtschicht an; der Ring des Tages schloß sich.

Gleichgültig starrte die Frühschicht auf die mit Sackresten umwik-
kelte Säge, die einer von der Nachtschicht hielt, auf schmales Bretterzeug, das aus den Rucksäcken hervorstach, auf den halbamputierten
Zeigefinger, der auf der bläulich schimmernden Säge lag; Nachtschicht
und Frühschicht bemerkten sich nicht, beeindruckten und unterschieden sich nicht sehr. Sie waren beide erschöpft. Die Nachtschicht war
erschöpft von der getanen Arbeit, und die Frühschicht war erschöpft
von der bevorstehenden Arbeit, und es lagen die gleichen Schatten auf
den Fünf-Uhr-Morgen-Gesichtern, die gleichen Müdigkeiten und die
Spuren der gleichen alten Mühsal. In den Rucksäcken allerdings waren
die Kaffeeflaschen leer, das Brotpapier vom halbamputierten Zeigefinger glattgestrichen – bei der Frühschicht indes wärmte die Kaffeeflasche
durch die schäbige Aktenmappe die Haut. Doch die Gesichter waren
grau; obwohl das eine scharf rasiert war, schien es grau wie die anderen,
die nicht rasiert waren; es war das Grau schweigender Erschöpfung, das
Grau morgendlicher Bitterkeiten, das auf allen Gesichtern lag. Es lag

auch auf den Gesichtern, die neu hinzukamen auf der nächsten Station; auch sie spiegelten die Fünf-Uhr-Morgen-Bitterkeit, zeigten sie hinter Qualmwolken strengen Tabaks.

Doch allmählich wurden sie seltener; die Leder- und Lodenjoppen verschwanden, die Schiffermützen verschwanden und die wettertrüben Rucksäcke: hafenwärts schaukelten sie, zu den Lichtern wartender Barkassen: in die Dunkelheit zogen sie hinaus, in den Regen, zu neuen Müdigkeiten und Erschöpfungen.

Und auf einmal waren andere da, eine neue Stunde mit neuen Gesichtern; Reisende kamen herein, die zu den Fernzügen wollten: frischer Haarschnitt, frisches Hemd, frisches Unterzeug, die neuen Schuhe für die Reise, für Urlaubsreise, Krankenreise, Berufsreise, Besuchsreise – das Herz war schon am Ziel, war in Köln und in Karlsruhe, und es konnte am Hauptbahnhof nicht schnell genug gehen mit dem Umsteigen. Niemals hörte ich so viele Entschuldigungen wie in diesem Augenblick, wie in der tumultuarischen Minute, als die Fernreisenden umstiegen: Koffer stießen gegen Schenkel und Schienbein, drückten sich gegen Hüften, aus dem Netz gerissene Taschen streiften knapp über Köpfe hinweg, schlugen gegen entfaltete Zeitungen, und dann war es wieder still, und auf einmal war das Abteil leer von Erwartungen, leer von vorauseilendem Wunsch.

Denn die jetzt auf den Bänken saßen, hatten keinen Grund zu Erwartungen; sie wußten, wo sie ankommen würden, sie wußten, was auf sie wartete, und sie versuchten, nicht daran zu denken und vergruben sich in die erste Zeitung. Sie lasen: verzweifeltes Ehepaar lebt von geschmorten Katzen; sie lasen es ohne Erregungen, als ob die ganze Welt von geschmorten Katzen lebe, so nahmen sie es hin. Sie hatten dünnere Aktentaschen als die Fünf-Uhr-Morgen-Leute; sie rauchten Zigaretten, und ihre Gesichter waren korrekt und rasiert. Es waren die matten Gesichter der Büros und Ämter, der Kanzleien und Kontore. Lebensversicherung sprach aus den Gesichtern, Einfamilienhaus mit Mindestgarten, Urkunden des Senats über dreißigjährige treue Pflichterfüllung im Betrieb. Jedes Gesicht war beurkundet, beglaubigt für leidenschaftslose Korrektheit; selbst vor den Katzen bewährte sich die Leidenschaftslosigkeit.

Zwischen den lesenden Männern saßen sehr junge und sehr alte Mädchen: Lehrlinge, Stenotypistinnen, die einen Morgenblässe im jungen Gesicht, vom Kaufhaus eingekleidet: die frühe Beute der Büros.

Mit scharflinigen Gesichtern saßen die andern Mädchen da, Chefsekretärinnen, Sachbearbeiterinnen, altes Mobiliar der Ämter, sinnend über verborgenen Gram. Sie würden die Verzweiflung des Ehepaares, das von geschmorten Katzen lebt, nicht anerkennen, sie nicht; denn Verzweiflung war ihnen geläufig, die Verzweiflung über enttäuschte Erwartungen.

Jetzt begannen die ersten Gespräche; die matten Gesichter drängten zu den Ausgängen, man erkannte sich dabei, erkannte den Abteilfreund, der seit achtzehn Jahren den gleichen Zug benutzte; seit achtzehn Jahren hatte man sich gegrüßt, in verschiedener Grußart, war den gleichen Weg gegangen, hatte die gleichen Gespräche geführt. Die Zeitungen wurden geglättet, gefaltet; gemeinsam stiegen die Halb-Acht-Leute die Treppen hinauf, zogen die Wege hinab, die alle ins Büro führten, ins Geschäft.

Nein, es mußte später sein, kurz vor acht mußte es bereits sein; denn eilig, atemlos stürzte ein Haufen Schulvolks herein, spritzte auf eine Bank neben der Tür und riß die Aktentaschen auf. Hefte kamen zum Vorschein, preiswerte Kugelschreiber, und dann legten sie los mit ihrer geistigen Schnellakrobatik. Nur einer schrieb nicht, einer, den sie in ihrer Mitte eingequetscht hatten, ein üppiger Knabe mit Doppelkinn, mit eingesetztem Keil in der Hose und rosafarbener Haut: gelassen stellte er sein Heft zur Verfügung, milde Demokratie des Geistes; gelassen saß er in ihrer Zange und mampfte eine riesige Käseschnitte. Und ich sah ein Plakat über den Jungen, schmal und grün: das Plakat pries Gehirnnahrung an für Kinder, Wissen ist Macht, auch in kurzen Hosen. Nach zwei Stationen schon hatten sie das Wissen erworben, und als sie ausstiegen, knufften sie den rosigen Knaben mit der Käseschnitte, piekten und piesackten ihn: Wissen ist Macht.

Ab neun wurde die Bahn leerer, die Mäntel teurer, die Schuhsohlen dünner, feiner; es waren Schuhe, wie sie der gepflegte Plakatgreis seinen Enkeln empfahl. Die Bahn glich keiner Apfelschütte mehr, aus der es wahllos herausdrängte, kollerte und stieß; vielmehr war es eine Art Nachlese, die großen Äpfel der Gesellschaft zeigten sich, nachdem die kollernde, drängende Legion ihren Bestimmungsort erreicht hatte. Ein ausgewählter Apfel setzte sich zu mir: schwarzer Hut, schwarzer Anzug, Flanellmantel. Er las; er las in keinem Morgenblatt, las nichts von geschmorten Katzen; sein Auge ruhte auf dem Wirtschaftsteil einer Wochenzeitschrift. Die Zeitschrift war überregional, wandte sich an größere Räume. Auch aus seinem Gesicht sprach ein »Denken in größeren Räumen«, in größeren Ziffern; es sprach von geräuschloser Villa, von pünktlichem Teegenuß und letztem Aufenthalt in Baden-Baden, und ich dachte, daß er das Auto nur wegen der Parkschwierigkeiten in der Garage gelassen hatte. Sein Gesicht war von englischer Magerkeit, von interessanter Dürftigkeit – Prokuristengesicht, Börsengesicht, Sitzungsgesicht. Schräg hinter uns saß noch ein Sitzungsgesicht, doch bezeichnete es die andere Seite: Erregbarkeit, pulsende Röte lag in dem Gesicht schräg hinter uns, starker Kaffeekonsum und lange Abwesenheit von der Familie. Keiner der Nach-Neun-Herren trug eine Aktentasche, nur ein langknaufiger Regenschirm hing am Arm – eine hilfreiche Hand würde den Schirm am Ziel abnehmen. Sie stiegen einzeln aus, für sich, wandten sich überlegen der Sperre zu, und es war die Einsamkeit wichtiger Entschlüsse in ihrer Erscheinung, während sie ohne Eile die Treppe hinaufstiegen.

Am späten Vormittag, unversehens, war kein Mann mehr im Abteil außer mir. Nur Frauen waren da, auf einmal gehörte das Abteil den Frauen. Ungeduldig drängten sie herein, kurzatmig vom Schleppen schwerer Taschen; seufzend setzten sie sich. Sie stellten die Markttaschen vor sich zwischen die Füße; zu viel hatte man von Taschendieben gehört, und darum war auch das Portemonnaie unten zwischen dem Kohl, und oben auf der Tasche lag als zusätzliches Hindernis für die Taschendiebe der kurze Regenschirm. So gesichert, genoß die untersetzte Frau neben mir die belebende Wohltat des Sitzens, den Augenblick, da sie nichts zu halten, nichts zu rühren und zu tragen brauchte, hingegeben der befristeten Ruhe dachte sie nach. Sie blickte auf ein Schild: »Vertrau dich unserm Leihhaus an«, und ihr Gesicht verriet, woran sie dachte, alle Gesichter verrieten es. Diesmal ging es, diesmal bin ich ausgekommen mit dem Geld, dachte sie, aber die letzten beiden Tage werde ich nicht auskommen. »Vertrau dich unserm Leihhaus an« warb das Schild.

Und die Frau dachte: Jeden Tag will er Fleisch haben, und dazu läuft die Abzahlung fürs Motorrad, für das Büfett, und in einer Stunde kommt er und dann will er wieder Fleisch haben. Die beiden letzten Tage aber wird er kein Fleisch bekommen. »Vertrau dich unserm Leihhaus an.« Kartoffeln brauche ich nur aufzusetzen. Milch ist da, das Portemonnaie – mein Gott, die letzte Abzahlung fürs Büfett –, wo ist das Portemonnaie? Die Hand fuhr nach unten, der Schirm wurde gelüftet, suchend stöberte die Hand in der prallen Tasche: die Nudeln, der Kohl, die Äpfel – da ist das Portemonnaie, da ist es ja. Die Sorge verschwand zeitweilig von den Gesichtern, doch sie würde wiederkehren mit den Gedanken ans Portemonnaie. »Vertrau dich unserm Leihhaus an« – und dann? Man wäre sorglos, er könnte Fleisch bekommen an den letzten Tagen, doch die Frau würde ihr Gesicht verlieren. Denn Sorge gehört zu diesem Gesicht, nachdenkliche, verläßliche Sorge, erst die Sorge gibt diesem Gesicht seinen Stil, seine fahrige Signatur. Wirkungslos blieb das Schild; eilig stiegen die Frauen mit den Taschen aus, marschierten energisch zum Ausgang, zum Herd.

Und mittags war Ruhe dann. Unrentabel zog die Bahn ihre Schleife, pünktlich jedoch für zufällige Reisende: der Mittag in der Bahn war ohne Bestimmtheit und Kontur. Eine Dame mit Hund nutzte das leere Abteil, ein Bursche mit langem Haar, ein Bahnpolizist – auch mit Hund – fand sich ein, und schließlich doch eine Gruppe von jungen Mädchen; ihnen war der Turnlehrer krank geworden, die letzten Stunden fielen aus. Zwei alte Schwestern in Schwarz saßen reglos auf der Bank und beobachteten die jungen Mädchen, sorgsam wanderten die alten Augen die engen Jeans hinauf, sahen sich an den groben Pullovern fest, an luftigen Halstüchern, ausdruckslos blickten sie in die sehr jungen Gesichter. Zwei junge Mädchen umarmten sich, und der Hund des Bahnpolizisten musterte starr und bedeutungsvoll den Hund der Dame. Die Mittagsstunde hatte viele Gesichter.

Doch allmählich verlor sich die Unbestimmtheit, das Zufällige, Vielgesichtige; allmählich bekam jede Stunde wieder ihr Gesicht, das Stundengesicht: der Tag kippte um, die Wellen schlugen zurück. Und als erstes spülten sie die Nach-Neun-Herren zurück, die Sitzungsgesichter, Börsengesichter, – die rückläufigen Stunden hielten sich an keine Reihenfolge, ließen die Frühesten nicht die ersten sein. Die überregionale Wochenzeitschrift steckte im Flanellmantel, der Schirm stützte die Hände; man war nicht aufgelegt zur Lektüre. Man dachte, dachte in größeren Räumen, in größerer Ziffer, dachte an Tee und Tennis – der Haufen Schulvolks, der einen wohlgenährten Knaben piekte, störte dies Denken. Ein strafender Blick wies die Knaben zurecht, doch er hielt nur einen Augenblick vor, denn die Schule war aus, und die Genugtuung darüber ließ sich nicht stauen. Die Bahn roch nach dem Rauch englischer Zigaretten.

Und wieder enterten Frauen das Abteil, kräftige Frauen mit riesigen

Einkaufstaschen; sie waren nicht hutlos wie am Vormittag, trugen nicht die knisternde, durchsichtige Regenhaut, die sich auf dem Marktgang bewährte: jetzt trugen sie Hüte, Stoffmäntel, die geschonten Schuhe – sie waren unterwegs zur Stadt. Sie hatten gelesen, hatten im Kino gehört, dass ein Weg zur Stadt sich immer lohne; in vielgeschossigen Kaufhäusern konnte man sich verlieren, vor breiten Schaufenstern Preise und Angebote vergleichen, man konnte erfahren, was es an Neuem zu kaufen gab, was man noch nicht besaß. Sie hatten nicht vor, etwas Bestimmtes zu kaufen; wenn es hochkam, würden sie eine Tasse Kaffee trinken, einen halben Meter Samtborte erwerben, Häkelwolle, Kümmelbrötchen, mehr nicht. Und nach zwei Stunden schon sah ich sie zurückkommen, mit den Männern am Arm manchmal: es war die Zeit, in der die Welle saugend zurücklief, die große Welle des Feierabends, des Schichtwechsels: zum zweitenmal wurde die Bahn zur Apfelschütte. Matte Bürogesichter drängten vorbei, junge Stenotypistinnen, alte Sekretärinnen, die blassen Angestellten der Ämter in properer Kleidung; ein langer Kontorist las den zweiten Teil der aufgehobenen Morgenzeitung, las, was es nach den geschmorten Katzen als Nachtisch gegeben hatte bei dem verzweifelten Ehepaar – es war keine ruhige Lektüre. Immer wurde er gestört, Rucksäcke scheuerten an der Brust entlang, eine Wasserwaage stand minutenlang vor seinem Gesicht, und von der Seite blies ihm ein kräftiger Atem den scharfen Rauch eines Stumpens ins Gesicht. Ein Arbeiter schwenkte einen drahtverkleideten Korb herein, rosige, gespaltene Lippen schnüffelten am Draht: ein weißes Kaninchen. Der Kontorist verschaffte sich Platz zur Lektüre, der Arbeiter verschaffte seinem weißen Kaninchen Platz, Aussteigende verschafften sich Platz zum Aussteigen. Und in einem Augenblick, da die Tür offenstand, drückte sich ein Mann ins Abteil, ein Rentner mit gelblichem Schnurrbart und einem Doppelplakat auf Rücken und Bauch. Das Rückenplakat versprach: Hast du Sekt im Haus – bist du vorbereitet.

Kein Aufatmen, kein Luftholen war möglich, als ob die ganze Welt unterwegs wäre, so sah das Abteil aus, und ich sah, wie sich das weiße Kaninchen nach einer Weile mit heftig pulsenden Flanken im Korb ausstreckte. Aber auf den Gesichtern, die blaß waren von den Kontoren, überspannt von genauer Kanzleiarbeit, überfordert von gewünschtem Kundendienstlächeln und bestaubt und verschmiert waren auf Baustellen, auf Werften, in Ladenräumen – auf den Gesichtern, die alle das Stigma der Arbeit trugen, zeigte sich kleine Erlösungsfreu-

347

de, die milde Freude der Heimkehr, des Feierabends. Die Kaninchenzucht würde eine Auffrischung bekommen, ein Zaun geflickt werden, die Äpfel wollten geerntet oder ein Totoschein auf der neuen Couch ausgefüllt sein: die Gesichter erzählten davon.

Und dann war die große Welle zurückgelaufen, die Feierabend-Leute zu Haus. Jetzt kamen nur noch einzelne, fanden Sitzplätze, zogen aus besseren Aktentaschen Merkblätter hervor, Statistiken, Listen und Programme: aus den Gesichtern sprach ein höherer Rang. In den Gesichtern lagen die Rangabzeichen von Bürovorstehern, kleinen Abteilungsleitern, selbständig Denkenden, auch auf der Heimfahrt trugen sie noch an der Bürde der Verantwortung, der schönen Last höheren Ranges, und sie lasen, dachten und zählten; man mußte gewappnet sein für den kommenden Tag. Jeder Tag ist eine Aufgabe, er muß kalkuliert sein, darf nicht zum Abenteuer werden. In mancher Aktentasche steckte noch das unberührte Brot: die Aufgabe des Tages ließ keine Zeit zum Genuß, man hatte für andere zu denken. Und die Zwanzigpfennigzigarre beschwichtigte den Hunger.

Spezifischer Hunger indes, preiswerte Erwartung lag auf den Gesichtern der Zeitgenossen, die sich mit den letzten Feierabend-Leuten überschnitten, sehr junge Mädchen kamen herein, und mit ihnen sehr junge Männer, und sie trugen Westen nach dem Schnitt von King Richard und kauten irgendein Zeug und waren langbeinig. Sie lächelten höflich und gaben sich ganz wie King Edward, und wenn sie sprachen, sagten sie etwa:»Mein Freund, nehmen Sie die Flossen von meiner Dame.« Sie waren unterwegs zu ihrem Kino, zu ihrem Lokal, einer Party. Unterwegs war auch die Familie, Vater, Mutter mit blonder Tochter; der Vater hatte die Mütze gegen den Hut vertauscht, trug seinen Sonntagsanzug; auch Mutter und blonde Tochter trugen Sonntagszeug, sie fühlten sich ein wenig fremd damit im Alltag. Aber sie waren ja auch unterwegs, um den Alltag zu vergessen. Theaterabonnement, Vortragsabend mit Freikarte, geselliges Beisammensein. Mehrmals vergewisserte sich die Mutter, daß die Schlüssel in der Tasche steckten: wer hat denn eigentlich abgeschlossen? Manche warten nur, bis man die Wohnung verläßt – Sorge kündigte sich schon jetzt an, es wäre Grund, auf den Gebrauch der Freikarten, des Abonnements zu verzichten. Männer mit Blumen stiegen ein, mit Pralinenschachteln, zum zweitenmal rasiert; ein alter Mann mit einem Dreiangel in der Hose stieg ein, besorgt auf die elektrische Uhr blickend, das Bunkerasyl schließt pünktlich. Eine uniformierte

Schaffnerin stieg ein, eine Dame mit Hund, junge und wieder junge Leute: abermals wurden die Stunden gesichtslos, unbestimmt. Man fand einen Sitzplatz, brauchte ihn nicht anzubieten. Und die Bahn zog ihre Schleifen durch den Abend, an erleuchteten Fenstern vorbei, wo sie an Küchentischen saßen; an dunklen Fenstern vorbei, wo es nichts war als dunkel.

Und dann kamen die letzten Gesichter, Besuchsgesichter, die Blumen waren zurückgelassen und die Pralinenschachteln, rotäugig saßen die letzten in der Ecke, fröstelnd, mit hochgeschlagenem Kragen: was hatte sie zuletzt gesagt? Warum muß der Betrunkene vorn immer grölen? Zwei rotgesichtige, schwitzende Männer mit glasigen Augen zeigten einer Frau, daß sie noch immer den Parademarsch beherrschten, ja sie beherrschten ihn noch, auf dem Mittelgang des Abteils führten sie ihn untergehakt vor – sie hatten den Marsch wohl gelernt, und die schmale, schwarzhaarige Frau war sehr fröhlich dabei. Sie war nur besorgt, daß die Männer die kleine Karbidlampe zertreten könnten, die ein Streckenarbeiter neben seiner Bank auf den Boden gestellt hatte. Der Streckenarbeiter schlief, schlief seiner Schicht entgegen, den neuen Müdigkeiten und Erschöpfungen, das neue Stundengesicht war da, der Ring schloß sich abermals.

1957

Das Wunder von Striegeldorf

Vieles hat sich unter Weihnachten in Masuren ereignet, weniges aber kommt an Merkwürdigkeit gleich jenem Vorfall, den mein Großonkel, ein sonderbarer Mensch mit Namen Matuschitz, auslöste. Ich möchte davon erzählen auf jede Gefahr hin.

Heinrich Matuschitz, ein fingerfertiger Besenbinder, hatte sich an einem fremden Motorrad vergangen und war für wert befunden, einzusitzen für ein halbes Jahr. Er saß zusammen mit einem finsteren Menschen namens Mulz, der ein alter Forstgehilfe war und dem die Wilddiebe, hole sie der Teufel, zwei Frauen nacheinander von der ehelichen Seite fortgefrevelt hatten, woraufhin Otto Mulz, in gewalttätigem Kummer, den ganzen Striegeldorfer Forst anzündete.

Gut. Die Herren leisteten sich rechtschaffen Gesellschaft in ihrer Zelle, beobachteten die berühmten Striegeldorfer Sonnenuntergänge, plauderten aus ihrem Leben, und derweil taten Wochen und Monate das, wovon sie, scheint's, niemand abbringen kann; sie strichen ins Land. Rückten vor, diese Monate, bis zum Dezember, brachten Schnee mit, brachten Frost, bewirkten, daß das schmucklose Gefängnis geheizt wurde, taten so, was man von ihnen erwartet. Insbesondere aber brachten sie näher gewisse Termine, und mit den niederen Terminen auch den Obertermin sozusagen: den Heiligen Abend nämlich.

Nun fällt es einem Masuren schon schwer genug, auf die Annehmlichkeiten der Freiheit im allgemeinen zu verzichten, furchtbar aber wird es, wenn man ihn zu solchem Verzicht auch am Heiligen Abend zwingt. Demgemäß wandte sich Heinrich Matuschitz, mein Großonkelchen, an seinen Zellenbruder, sprach ungefähr so: »Der Schnee, Otto Mulz«, so sprach er, »kündigt liebliches Ereignis an. Nimmt man den Frost noch hinzu und das Gefühl im Innern, so muß der Heilige Abend nicht weit sein. Habe ich richtig gesprochen?«

»Richtig«, sagte der alte Forstgehilfe.

»Also«, stellte mein Großonkelchen befriedigt fest. Dann starrte er hinaus in den wirbelnden Flockenfall, sann, während er sich am Gitter festhielt, ein Weilchen nach, und nachdem ein neuer Gedanke ersonnen war, sprach er folgendermaßen: »Das Ereignis«, so sprach er, »das liebliche, es steht bevor. Jedes Wesen in Striegeldorf und Umgebung ist angehalten, sich zu freuen. Die Menschen sind angehalten, die Hasen, die Eichhörnchen, und schon gar nicht zu reden von den Kindern. Nur wir, Otto Mulz, sollen gebracht werden um unsere Freude. Weil sich aber jedes Wesen zu freuen hat an diesem Termin, müssen wir ersinnen einen Ausweg.«

»Man will uns«, sagte der alte Forstgehilfe, »die Freude stehlen.«

»Eben«, sagte Heinrich Matuschitz, mein Großonkelchen. »Aber wir werden uns, bevor es dazu kommt, die Freude besorgen, und zwar da, wo sie allein zu finden ist: in der Freiheit. Wir werden uns zum Heiligen Abend beurlauben.«

»Das ist, wie die Dinge liegen, gut gesagt«, sprach Mulz. »Nur wird der alte Schneppat uns nicht bewilligen solchen Urlaub zur Freude. Unter den Aufsehern, die ich kenne, ist Schneppat der schlimmste. Man wird uns, schlickerdischlacker, gleich wieder schnappen, zumal durch meine persönliche Feuersbrunst verloren gegangen sind die schönsten Verstecke im Walde.« Bei diesen Worten wies er mit ordentlicher Bekümmerung auf die traurigen Baumstümpfe, die vom Striegeldorfer Forst nachgeblieben waren.

Das Großonkelchen indes gnidderte, das heißt, lachte versteckt, legte dem Otto Mulz einen Arm um die Schulter, winkte sich sein Ohr ganz nahe heran und sprach:

»Uns wird«, so sprach er, »überhaupt niemand vermissen, kein Schneppat und niemand. Denn wir werden zurücklassen unser Ebenbild. Wir werden hier sein und nicht hier.«

Was Otto Mulz dazu brachte, mein Großonkelchen zuerst erstaunt, dann mißtrauisch und schließlich mitfühlend anzusehen und nach einer Weile zu sagen:

»Manch einen, Heinrich Matuschitz, hat große Freude schon blöde gemacht. Denn erkläre mir, bitte schön, wie ein Mensch gleichzeitig sein kann bei dem lieblichen Ereignis in der Freiheit und hier in der Zelle.«

Obwohl diese Worte, man wird es zugeben, nicht unbedingt höflich waren, verlor das Großonkelchen weder Faden noch Geduld, sondern begann mit listigem Lächeln zu flüstern, und zwar flüsterte er dermaßen vorsichtig, daß nicht einmal etwas für diese Erzählung erlauscht werden konnte. Sicher ist nur, daß er dabei den Otto Mulz, sei es überredete, sei es überflüsterte, denn das finstere Gesicht des alten Forstgehilfen hellte sich auf, spiegelte Teilnahme, spiegelte Begeisterung, und zuletzt spiegelte es – na sagen wir: Verklärung.

Und dann begab sich folgendes: Heinrich Matuschitz, mein Großonkelchen, aß kein Brot mehr – ebensowenig aß es sein Zellenbruder; jede Ration wurde unter dem Bett versteckt, wurde gestreichelt und gehütet, während das liebliche Ereignis unaufhaltsam heraufzog.

Die einsitzenden Herren wurden, je näher das Ereignis kam, unruhiger, gespannter und flattriger, man plauderte nicht mehr aus dem Leben, fand keine Zeit zu müßiger Beobachtung; alles an ihnen war nur noch eingestellt in Richtung auf das Kommende und auf das, was zwischen ihnen geflüstert war.

Und eines Morgens, nachdem der Frost sie muntergekniffen hatte, erhob sich Heinrich Matuschitz und gab preis, was er so sorgfältig auch vor uns verborgen gehalten hatte; fingerfertig, wie mein Großonkelchen war, zog er das gesparte Brot unter dem Bett hervor, benetzte es auskömmlich und begann, weiß der Kuckuck, aus dem weichen Brot den Kopf des alten Forstgehilfen zu kneten. Walkte und knetete mit einem Geschick, daß sich dem Otto Mulz die Sprache versagte, zog eine Nase aus, das Großonkelchen, klatschte eine Stirn zurecht, schnitt zwei Lippen in den Teig und alles haargenau nach dem Original des Forstgehilfen. Lachte dabei und sprach: »Der wird«, sprach er, »Otto Mulz, genau wie du. Hoffentlich steckt er nur keinen Forst an.«

»Mir wird es«, sprach Mulz, »unheimlich zumute. Obwohl ich weiß, Heinrich Matuschitz, daß du manches kannst schnitzen mit deinem Messer, wußte ich doch nicht, daß du einen Striegeldorfer formen kannst nach seinem Ebenbild.«

Dann sah er atemlos zu, wie Ohr und Kinn entstanden, und zuletzt hielt er zitternd still, als ihm das Großonkelchen ein paar Haare absäbelte und sie an den Brotkopf klebte.

»Pschakret«, sagte der Forstgehilfe, »wenn ich schon früher so doppelt gewesen wäre, dann hätte einer von mir zu Hause bleiben können: die Wilddiebe hätten sich nicht rangetraut, die Frau wäre mir geblieben, ich hätte den Forst nicht angezündet und brauchte hier nicht zu sitzen. Wenn ich, pschakret, das alles gewußt hätte.«

Nachdem der Kopf des Forstgehilfen fertig war, fabrizierte mein Großonkelchen sich selbst, und weil das Brot nicht hinreichte, nahm er zur Ausbildung des Hinterkopfes einige Pfefferkuchen, die ihnen, da das liebliche Ereignis unmittelbar bevorstand, hereingeschoben worden waren.

Kaum war er fertig damit, als die Klappe in der Tür fiel und Schneppat, der kurzatmige Aufseher, hereinschaute zum Zweck der Kontrolle. Er schaute wichtigtuerisch, dieser Mensch, und zum Schluß fragte er in seiner höhnischen Besorgtheit: »Na«, fragte er, »was wünschen sich die Herren zum Heiligen Abend?«

»Schlummer«, sagte mein Großonkelchen prompt. »Wir möchten bitten das Gesetz um langen, ungestörten Festtagsschlummer.«

»Könnt ihr haben«, sagte Schneppat. »Aber da ich nicht hier bin, werd' ich es Baginski sagen, dem Aufseher aus Sybba. Er löst mich ab für zwei Tage. Wer schlummert, sündigt nicht.« Damit ließ er die Klappe herunter und empfahl sich.

Seine Schritte waren noch nicht verklungen, als Heinrich Matuschitz die Brotköpfe hervorholte, sie auf die Pritsche legte, die Decken kunstgerecht hochzog und überhaupt einen unwiderlegbaren Eindruck hervorrief von zwei Herren im Festtagsschlummer. Wehmütig standen sie vor ihren Ebenbildern, ergriffen sogar, und dann sagte das Großonkelchen zu seiner Büste:

»Ich grüße dich«, sagte er, »Heinrich Matuschitz auf der Pritsche. Gott segne deinen Schlummer.«

Etwas Ähnliches sprach auch der alte Forstgehilfe, und nachdem sie Abschied genommen hatten von sich selbst, hoben sie das Gitter ab und verschwanden durchs Fenster in Richtung auf das liebliche Ereignis.

Dies Ereignis: es wurde angesungen von den Zöglingen der Striegeldorfer Schule, wurde von Glöckchen verkündet, vom Geruch gebratener Gänse, und ehedem hatte sich an der Verkündung auch der Wind im Striegeldorfer Forst beteiligt.

Mein Großonkelchen und Otto Mulz, sie gingen mit sich zu Rate, wie sie das liebliche Ereignis ihrerseits am besten verkünden könnten, und nach schwerer Grübelarbeit beschlossen sie, es durch Gesang zu tun, mit den Zöglingen der Striegeldorfer Schule. Während des Gesanges schon wurden sie teilhaftig der Freude, obwohl die Oberlehrerin Klimschat, die das Singen befehligte, Mühe hatte, die Herren einzustimmen, bei jedem Mal, da sie die Stimmgabel anschlug, lauschte sie verwundert und sprach: »Mir kollert ein Tönchen nach dem anderen von der Gabel runter.«

Na, aber da sie von mitfühlendem Wesen war, ließ sie die Herren singen, und nach dem Gesang gingen diese zu meinem Großonkelchen nach Hause, wo neue Freude bezogen wurde aus gebratenem Speck, aus geräuchertem Aal und, natürlich, aus dem lieblichen Schein der Talglichter. Bezogen so viel Freude, die Herren, daß sie in einen schönen Streit gerieten, was sie dazu bewegte, mit Ofenbänken aufeinander loszugehen, sich unvergeßliche Schläge beizubringen und sich gegenseitig in die entferntesten Ecken zu schmeißen, wobei die Freude immer weiter stieg.

Als dem Otto Mulz eine Schulter ausgerenkt wurde, verfiel man wieder ins Singen, sang von dem lieblichen Ereignis, und nach abermaligem Essen suchten die Herren auf dem Fußboden nach einem Festtagstraum.

Träumten angenehm bis zum nächsten Tag, lächelten sich innig zu beim Erwachen und stellten fest, daß man nicht bestohlen worden war um rechtmäßige und zustehende Freude. Und nach solchen Versicherungen beschlossen sie, zurückzukehren in das ansprechende, wenn auch schmucklose Gefängnis, um unnötige Schwierigkeiten zu vermeiden.

Machten sich also auf, die beiden, und gelangten alsbald zum Ort ihrer Bestimmung, der bewacht wurde von dem Aufseher Baginski aus Sybba. Dieser Mensch jedoch, wachsam wie er war, entdeckte die Herren, als sie in der Dämmerung durchs Fenster steigen wollten, rief sie drohend an und kommandierte:

»Der Unfug«, befahl er, »hat an diesem Haus zu unterbleiben, zumal Weihnachten. Alle Personen zurück.«

Worauf mein Großonkelchen entgegnete:»Wir fordern nicht gerade, was recht, aber was billig ist. Wir gehören hierher. Wir sind, wenn ich so sagen darf, wohnberechtigt.«

Baginski lugte durch das Fenster, äugte eine ganze Zeit hinein, und dann sprach er:

»Die Betten, wie man sieht, sind besetzt. Die Herren schlummern. Da sie sich ausbedungen haben den Schlummer zum Festtag, hat jede Störung zu unterbleiben.«

»Ein Irrtum«, sagte Otto Mulz, dem die Kälte zuzusetzen begann.

»Ein reiner Irrtum, Ludwig Baginski. Die Herren, die da schlummern, sind wir.«

»Wir möchten«, ließ sich mein Großonkel vernehmen,»die Schlafenden nur austauschen gegen uns.«

Ludwig Baginski, der Aufseher, blickte düster, blickte zurechtweisend, schließlich sagte er:

»Meine Augen«, sagte er, »sie sehen, was nötig ist. Und hier ist nötig Ruhe für zwei schlummernde Herren. Also möchte ich bitten um das, was gebraucht wird zur Erhaltung des Schlummers: nämlich Stille.«

Stellte sich, weiß Gott, gleich ziemlich drohend auf, dieser Ludwig Baginski, und zwang die Herren, abzuziehen. Nun, sie zogen davon bis zu den Baumstümpfen des ehemaligen Striegeldorfer Forstes, stellten sich zusammen, und da sie diesmal keinen Grund besaßen zu flüstern, vernahm man Otto Mulz folgendermaßen:

»Napoleon«, so vernahm man ihn, »hatte es schwer auf seinem Weg nach Rußland. Verglichen mit unserer Schwierigkeit, war seine ein Dreck.«

»Man müßte«, sagte Heinrich Matuschitz, »etwas ersinnen.«

»Mäuse«, sagte der alte Forstgehilfe. »Wir werfen Mäuse in das Zellchen, sie werden unsere Köpfe wegknabbern, und wenn wir nicht mehr da schlummern, wird man uns wieder reinlassen, und wir können in Ruhe abbrummen die letzten Wochen.«

»Auch die Mäuse, Otto Mulz, sind zu dieser Zeit angehalten zur Freude. Sie finden mehr als genug. Nein, wir müssen warten, bis Ludwig Baginski sich niederlegt zur Ruhe. Dann werden wir's noch einmal versuchen.«

Und das taten die Herren. Sie warteten frierend im ehemaligen Striegeldorfer Forst, und als die Stunde gut war und günstig, schlichen sie zum Gefängnis, stiegen diesmal unbemerkt ein, und waren gerade dabei, sich auf den Pritschen auszustrecken, als die Klappe in der Tür fiel und der Aufseher Baginski argwöhnisch hereinsah.

Es durchfuhr ihn, er grapschte in die Luft und taumelte zurück, und als die Benommenheit sich legte, rannte er nach dem Schlüssel, rannte zurück und schloß auf. Was er sah, es waren zwei blinzelnde Herren, die auf ihren Pritschen lagen. Aber Baginski gab sich nicht zufrieden, respektierte keinen Schlummer und keinen Festtag, sagte statt dessen:

»Meine Augen, die sehen, was zu sehen ist. Und sie haben in diesem Zellchen erblickt vier Herren statt zwei. Demnach möchte ich bitten um Aufschluß über die zwei anderen.«

»Wir haben, wie gewünscht, angenehm geschlummert«, sagte Mulz.

»Aber es waren vier, wie meine Augen gesehen haben.«

Darauf sammelte sich mein Großonkelchen und sprach: »Wenn ich mich, Ludwig Baginski, nicht irre, geschehen zu diesem Termin Wunder auf der ganzen Welt. Warum, bitte sehr, sollte Striegeldorf verschont bleiben von solchen Wundern? Besser, es geschieht ein Wunder als gar keins. Habe ich richtig gesprochen, Otto Mulz?«

»Richtig«, bestätigte der alte Forstgehilfe, und die Herren wickelten sich jeder in sein Deckchen und wünschten sich gute Nacht.

1957

Stimmungen der See

Zuerst war Lorenz am Treffpunkt Er streifte den Rucksack ab und legte sich hin. Er legte sich hinter eine Strandkiefer, schob den Kopf nach vorn und blickte den zerrissenen Hang der Steilküste hinab. Der kreidige Hang mit den ausgewaschenen Rinnen war grau, die See ruhig; über dem Wasser lag ein langsam ziehender Frühnebel, und auf dem steinigen Strand unten war das Boot. Es begann hell zu werden. Lorenz schob sich zurück, wandte den Kopf und blickte den Pfad entlang, der neben der Steilküste hinlief, in einer Bodensenke verschwand und wieder zum Vorschein kam, dort, wo er in die lichte Schonung der Strandkiefern hineinführte. Er sah aus der Schonung die massige Gestalt eines Mannes mit Rucksack treten, sah den Mann stehenbleiben und zurücklauschen und wieder weitergehen, bis sein Körper in der Bodensenke verschwand und nur noch der Kopf sichtbar war. Der Mann trug einen schwarzen Schlapphut und einen schwarzen Umhang. Er näherte sich sehr langsam. Als er die Bodensenke hinter sich hatte, konnte Lorenz seinen Schritt hören: es war der Professor. Sie gaben sich die Hand, Lorenz klinkte den Karabinerhaken des Rucksacks aus, der Professor legte sich hin, und sie schoben sich wortlos bis zum Steilhang vor und sahen auf das Boot hinab und auf das schiefergraue Wasser, über dem in kurzer Entfernung vom Strand die Nebelwand lag.

»Ich dachte, ich komme zu spät«, sagte der Professor leise, »aber Tadeusz fehlt noch.«

Der Professor hatte ein schwammiges Gesicht, entzündete Augen, sein Haar und der drahtige Walroßbart waren grau wie der kreidige Hang der Steilküste, und sein Kinn und der schlaffe Hals unrasiert.

»Wann kommt Tadeusz?« fragte er leise.

»Er müßte schon hier sein«, sagte Lorenz.

Der Professor legte sich auf die Seite, schlug den Umhang zurück und zog aus der Tasche eine zerknitterte Zigarette heraus, beleckte sie und zündete sie an. Er verbarg die Glut der Zigarette in der hohlen Hand. Das Pochen eines Fischkutter-Motors drang von der See herauf, sie blickten sich erschrocken an, doch das Geräusch des Motors setzte nicht aus, zog gleichmäßig im Nebel die Küste hinauf und entschwand.

»War er das?« fragte der Professor.

»Er fährt erst los, wenn Tadeusz das Haus verläßt«, sagte Lorenz. »Es war ein anderer Kutter.«

Sie warteten schweigend; der Nebel über der See hob sich nicht, es kam kein Wind auf, und im Dorf hinter dem Vorsprung der Steilküste blieb es still.

»In zwei Tagen sind wir in Schweden«, sagte der Professor. Lorenz nickte.

»Die Ostsee ist ein kleines Meer, sie ist verträglich im September.«

»Wir sind noch nicht drüben«, sagte Lorenz.

Unten am Strand schlugen klickend Steine zusammen, die Männer legten sich flach auf den Boden und lauschten, hoben nach einer Weile den Kopf und sahen den Steilhang hinunter: hinter dem Boot kauerte Tadeusz. Er blickte zu ihnen empor, er winkte, und sie standen auf, nahmen die Rucksäcke und gingen zu einer ausgewaschenen Rinne im Hang, in der ein Seil hing. Sie legten die Rucksäcke um und ließen sich am Seil auf den steinigen Strand hinab. Als sie unten standen, warf Lorenz eine Bucht, die Bucht lief das Seil hinauf wie eine gegen den Himmel laufende Welle, bis sie das Ende erreichte und es aus der Schlaufe riß, so daß das Seil zu ihnen hinabfiel. Dann liefen sie geduckt über den Strand zum Boot, warfen die Rucksäcke und das Seil hinein und schoben das Boot ins Wasser.

»Schnell«, sagte Tadeusz, »weg von Land.«

Tadeusz war ein stämmiger Mann; er trug eine Joppe mit Fischgrätenmuster, eine Ballonmütze mit versteiftem Pappschild, sein Gesicht war breitwangig, und seine Bewegungen waren ruckartig und abrupt wie die Bewegungen eines Eichhörnchens. Er ergriff einen Riemen und begann zu staken. Wenn der Riemen zwischen den Steinen auf Grund stieß, knirschte es, und der Mann ließ seinen Blick über den Strand unter der Steilküste wandern und hinauf zu den flach explodierenden Strandkiefern. Er stakte das Boot in tiefes Wasser. Lorenz und der Professor saßen auf ihren Rucksäcken und hielten sich mit beiden Händen am Dollbord fest; auch sie blickten zur Küste zurück, die sich erweiterte und ausdehnte, während Tadeusz zu rudern anfing. Entschieden tauchten die Riemen ein, zogen lang durch und brachen geräuschlos aus dem Wasser. Das Boot glitt stoßweise vorwärts. Es war ein breitbordiges Beiboot, wie Küstenschiffe und Fischkutter es an kurzer Leine hinter sich herschleppen, flach gebaut, mit verstärkten Spanten und nur einer Ducht in der Mitte für den Ruderer. Das Boot lag leicht auf der See, es konnte nur mit den Riemen gesteuert werden.

Als sie in den Nebel hinausfuhren, verloren sie das Gefühl, auf dem

Wasser zu sein; sie empfanden nur das stoßweise Vorwärtsgleiten des Bootes und hörten das leichte Rauschen, mit dem der Bug durch die ruhige See schnitt. Tadeusz ruderte, Lorenz und der Professor setzten sich auf die Bodenbretter und lauschten in den Nebel, der quellend an der Bordwand hochstieg, fließend über sie hinzog und sich in lautlosem Wallen hinter ihnen schloß gleich einer flüssigen Wand. Lorenz senkte sein Gesicht, er preßte die Hand auf den Mund, sein Rücken krümmte sich, und er begann zu husten. Sein Gesicht schwoll an, Tränen traten in seine Augen. Der Professor klopfte mit der flachen Hand auf seinen Rücken. Ein Riemen hob beim Ausbrechen treibenden Tang hoch, warf ihn voraus, und der Tang klatschte ins Wasser. Die Küste war nicht mehr zu sehen. »Wie weit noch?« fragte der Professor.

Tadeusz antwortete nicht, er ruderte schärfer jetzt, legte sich weit zurück, wenn er durchzog, ohne auf die knarrenden Geräusche zu achten, auf das Knacken der Dollen. Ein saugender Luftzug, wie das scharfe Gleiten eines riesigen Vogels, ging über sie hinweg, so daß sie die Gesichter hoben und aufsahen, aber es war nichts über ihnen als der fließende Nebel, der alles verdeckte. »Wo wartet der Kutter?« fragte Lorenz, der Jüngste im Boot.

»Eine Meile is abgemacht«, sagte Tadeusz. »Wir wern haben die Hälfte. Wenn der Kutter kommt, wern wir ihn hören, und er wird man runtergehen mit der Fahrt und auf uns warten. Is alles abgesprochen mit meinem Schwager.«

»Und der Nebel«, sagte der Professor.

»Is nicht abgesprochen, aber macht nix«, sagte Tadeusz. »Im Nebel wir könn uns Zeit lassen beim Umsteigen.«

»Die Hauptsache, wir kommen nach Schweden«, sagte der Professor.

»Erst müssen wir auf dem Kutter sein«, sagte Lorenz. Er hatte ein schmales Gesicht, einen fast lippenlosen Mund, und sein Haar war von bläulicher Schwärze. Lorenz sah krank aus.

Ein Stoß traf das Boot, eine dumpfe Erschütterung: sie waren auf einen treibenden Balken aufgefahren, der sich unter dem Boot drehte und schwappend neben der Bordwand zum Vorschein kam, an ihr entlangtrudelte und achteraus blieb. Vom Kutter war nichts zu hören, obwohl er jetzt ablegen mußte im Dorf. Lorenz fror; er kauerte sich im Heck des Bootes zusammen und starrte vor sich hin. Der Professor rauchte, blickte über den Bug voraus in den Nebel. Das Boot hatte keine Fußleisten, und wenn Tadeusz sich beim Rudern zurücklegte, stemmte er sich gegen die Rucksäcke.

»Wir müßten doch den Kutter hören«, sagte Lorenz.

»Der Kutter wird kommen«, sagte Tadeusz. Er machte noch einige kräftige Schläge, zog dann die Riemen ein, und das Boot schoß jetzt lautlos dahin und glitt langsam aus. Die Männer lauschten in die Richtung, wo sie hinter dem Nebel das Dorf vermuteten, aber das Pochen des Fischkutter-Motors war nicht zu hören. Der Professor erhob sich, das Boot schwankte nach beiden Seiten und lag erst wieder ruhig, als er sich auf den Rucksack setzte und angestrengt mit offenem Mund lauschte. Sein schwarzer Schlapphut saß tief in der Stirn, das graue Haar stand strähnig über den Kragen des Umhangs hinaus. Der Walroßbart hatte nikotingelbe Flecken.

»Is alles abgemacht mit meinem Schwager«, sagte Tadeusz. »Er wird kommen mit dem Kutter und uns aufnehmen und rüberbringen nach Schweden. Die Anzahlung hat er schon bekommen. Er weiß, daß wir warten.«

»In zwei Tagen sind wir drüben«, sagte der Professor.

»Was ist mit den Posten?« sagte Lorenz.

»Mit den Posten is nix«, sagte Tadeusz. »Hab ich gesehn zwei Posten am Strand, waren sehr müde, gingen andere Richtung an der Küste entlang.«

Im Nebel entstand eine Bewegung, als ob eine unsichtbare Faust hineingeschlagen hätte: wolkig quoll es empor, wälzte sich rollend zur Seite wie nach einer lautlosen Explosion. Vielleicht frischt es auf und es kommt ein Wind, dachte Lorenz. Die Bewegung verlor sich, langsam fließend bewegte sich der Nebel wieder über der See. Das Boot drehte lautlos in der Strömung.

»In Schweden muß ich neues Rasierzeug besorgen«, sagte der Professor.

»Hoffentlich bleibt der Nebel, bis der Kutter kommt«, sagte Lorenz. »Jetzt ist es hell, und wenn der Nebel abzieht, können sie uns von der Küste im Fernglas sehen.«

»Wenn der Nebel abzieht, is auch nicht schlimm«, sagte Tadeusz. »Dann müssen wir uns lang ausstrecken im Boot und Kopf runter.«

Von der See her und aus der entgegengesetzten Richtung des Dorfes ertönte jetzt das gleichmäßige, dumpfe Tuckern des Fischkutters. Tadeusz ergriff die Riemen und führte sie ins Wasser. Der Professor

schnippte die Zigarettenkippe fort. Lorenz erfaßte die beiden Tragegurte des Rucksackes. Das Tuckern des Motors kam näher, hallte echolos über das Wasser, doch es setzte nicht aus, und der Rhythmus änderte sich nicht.

»Fertigmachen zum Umsteigen«, sagte der Professor.

Lorenz ließ die Tragegurte wieder los, ging in die Hocke und drehte
sich auf den Fußspitzen so weit herum, bis er in die Richtung blicken
konnte, aus der das Tuckern kam. Die Ruderblätter fächelten leicht im
Wasser wie die Brustflossen eines lauernden Fischs. Das Tuckern war
nun in unmittelbarer Nähe, sie hörten das Rauschen der Bugwelle,
glaubten das Klatschen des Netzes zu hören, das auf dem Deck trok-
kengeschlagen wird, und dann sahen sie – oder glaubten, daß sie es
sahen –, wie ein grauer Körper sich durch den Nebel schob, der die
Schwaden aufriß, gefährlich vor ihnen aufwuchs und vorbeiglitt, ohne
entschiedenen Umriß anzunehmen. Jetzt war das Tuckern achteraus
und entfernte sich unaufhörlich; zuletzt hörten sie es schwach in
gleichbleibender Entfernung, und sie wußten, daß der Kutter am Landungssteg unterhalb des Dorfes lag.

»Er hat uns nicht gefunden«, sagte Lorenz.

»Das war er nich«, sagte Tadeusz, »das war er bestimmt nich.«

Lorenz beugte sich über die Bordwand und blickte in das Wasser, in
dem einzelne Seegrashalme schwammen; die Halme wanderten voraus, und er erkannte an ihnen, daß das Boot trieb. Manchmal spürte
er, wie sich das Boot hob, mit weichem Zwang, so als würde es von
einem kraftvollen und ruhigen Atem angehoben: es war die aufkommende Dünung.

Vorsichtig begann Tadeusz zu rudern; er machte kurze Schläge, ließ
das Boot nach dem Schlag ausgleiten und lauschte mit erhobenem
Kopf und geschlossenen Augen.

»Wie lange würde man brauchen, um nach Schweden zu rudern?«
fragte der Professor.

»Bis zum Jüngsten Tag«, sagte Lorenz gereizt.

»Die Ostsee ist doch aber ein kleines Meer.«

»Das kommt auf den Vergleich an.«

»Jedenfalls muß ich in Schweden gleich Rasierzeug kaufen«, sagte
der Professor. »An alles hab ich gedacht, nur das Rasierzeug mußte ich
vergessen.«

»Besser wäre noch ein Friseur im Rucksack«, sagte Lorenz. »Man sollte nie auf die Flucht gehen, ohne seinen Friseur mitzunehmen. Dann ist man die größte Sorge los.« »Der Professor musterte ihn mit einem verlegenen Blick, strich über seinen fleckigen Walroßbart und kramte eine krumme Zigarette hervor. Er rauchte schweigend, während Tadeusz abwechselnd ruderte und lauschte. Lorenz löste seinen Schal, band ihn über den Kopf, und so, daß er die Wangen wärmte. Er dachte: ›Nie wird der Kutter kommen, nie; es war unvorsichtig, diesem Kerl die Anzahlung zu geben, er war betrunken, und vielleicht war er darum der einzige, der uns rüberbringen wollte. Wir hätten ihm das ganze Geld erst vor der schwedischen Küste geben sollen.‹ Und er sagte: »Dein feiner Schwager, Tadeusz, hat ein ziemlich großzügiges Gedächtnis. Ich glaube, er hat uns vergessen, denn er müßte längst hier sein.«

Tadeusz zuckte die Achseln.

»Vorhin«, sagte der Professor, »vorhin, als wir noch oben waren, da hörten wir einen Kutter; vielleicht war er es. Kann sein, daß er in der Nähe liegt und auf uns wartet.«

»Er weint sich die Augen nach uns aus«, sagte Lorenz.

»Wir müssen nix wie raus aus dem Nebel«, sagte Tadeusz. »Wenn der Nebel aufhört, können wir sehen. Auf einem Kutter, der nich zu finden is, kann keiner nach Schweden rüber.«

»Soll ich rudern?« fragte Lorenz.

»Is mein Schwager«, sagte Tadeusz, »darum werd ich rudern. Geht noch.«

Er ruderte regelmäßig und mit langem Schlag, die Riemen bogen sich durch, hart brachen die Blätter aus, und das leichte Boot schoß durch das schiefergraue Wasser. Die lange Dünung wurde stärker, sie klatschte gegen den Rumpf des Bootes, wenn der Bug frei in der Luft stand. Das Tuckern des Kutters war nicht mehr zu hören. Tadeusz ruderte parallel zur Küste, zumindest vermutete er die Küste auf der Backbordseite, doch er konnte sie nicht sehen. Nach einer Weile zog er die Joppe mit dem Fischgrätenmuster aus, stopfte sie unter die Ducht und saß nun und ruderte im Pullover, der unter den Achseln verfilzt war und sich jedesmal, wenn er den Körper nach vorn legte, auf dem Rücken hochschob. Lorenz kauerte reglos im Heck und blickte in die auseinanderlaufende Strudelspur des Bootes. Seine erdbraunen Uniformhosen waren an den Aufschlägen durchnäßt; er hatte einen Ellenbogen auf das Knie gestemmt und das Kinn in die Hand gestützt. Der

Professor lag auf den Knien im Bug des Bootes, den Oberkörper nach vorn geschoben, vorausblickend. Er trug jetzt seinen Zwicker.

»Es wird heller«, sagte Tadeusz, »wir kommen raus aus der Küche, war man nix wie eine Nebelbank.«

»Dann ist es geschafft«, sagte der Professor.

»Sicher«, sagte Lorenz, »dann sind wir da und können Rasierzeug kaufen. Wir sollten uns schon überlegen, wie Pinsel auf schwedisch heißt.«

Dann stieß das Boot aus der Nebelbank heraus und glitt, während Tadeusz die Riemen einzog, in die freie Dünung der See. Sie sahen auf den schleierigen Wulst des Nebels zurück und dann hinaus in die vom Horizont begrenzte Leere, auf der das Glitzern einer stechenden Sonne lag: der Kutter war nicht zu sehen.

»Die Ostsee ist ein kleines Meer«, sagte Lorenz unbeweglich, »besonders, wenn man sie vor sich hat.«

»Wir sind in 'ner Strömung drin«, sagte Tadeusz. Er zog den Pullover aus und stopfte ihn unter die Ducht. Lorenz band den Schal ab. Das Boot dümpelte in der langen Dünung, die Strömung trug es hinaus.

»Der Kutter wird kommen und uns suchen«, sagte Tadeusz. »Macht nix, wenn wir in 'ner Strömung drin sind. Zu nah an der Küste is nich gut. Mein Schwager wird uns schon finden.«

»Er muß uns finden«, sagte der Professor. »Ich kann nicht zurück. Jetzt hat sich alles entschieden, jetzt wissen sie schon, daß ich fort bin. Nein, zurück geht es nicht mehr.«

Der Professor setzte den Zwicker ab, schloß die Augen und kniff mit Daumen und Zeigefinger seine Nasenwurzel, an der der Zwicker zwei gerötete Druckstellen hinterlassen hatte. Er seufzte. Eine grünliche Glaskugel, die sich von einem Netz gelöst hatte, trieb funkelnd vorbei in der Strömung. Scharf blitzte sie auf, wenn sie einen dünenden Wasserhügel hinaufrollte. Am Horizont standen weißgeränderte graue Wolken; es sah aus, als hinderte ihr Gewicht sie daran, über den Himmel heraufzuziehen. Lorenz entdeckte als erster, daß sich weit draußen das Wasser zu krausen begann, es riffelte sich wie unter einem Schauer, und dann spürten sie den Ausläufer des Winds. Die Sonne brannte auf sie nieder. Der Kutter stieß nicht durch den Nebel, nicht einmal sein Tuckern war zu hören.

»Vielleicht können wir segeln«, sagte der Professor. »Wenn der Kutter nicht kommt, versuchen wir es so, und dann schaffen wir es auch.«

»Sicher«, sagte Lorenz, »wir können eine Briefmarke ans Ruder kleben und damit segeln.«

»Das Boot is tüchtig«, sagte Tadeusz, »ich hab eingepackt meine Wolldecke, und wenn nix is mit dem Kutter, dann wir können versuchen zu segeln. Hab ich gehört, daß einer is gesegelt sogar mit dem Faltboot über die Ostsee.«

»Der hat's zum Vergnügen gemacht«, sagte Lorenz.

»Was sollen wir denn tun?« sagte der Professor.

»Segeln«, sagte Lorenz, »was sonst. Und wenn wir rudern müßten, würden wir rudern, und wenn wir zu schwimmen hätten, würden wir schwimmen.«

Tadeusz richtete einen Riemen auf, band ihn an der Ducht fest, und sie nahmen den schwarzen Umhang des Professors und benutzten ihn als Segel, nachdem sie festgestellt hatten, daß die Wolldecke zu groß war und flatterte und sich aus der Befestigung losriß. Das Boot war jetzt schneller als die Strömung, die sie hinausführte: treibender Tang, der sie begleitet hatte, blieb zurück, das Boot zitterte unter den kleinen Stößen des Winds, parierte sie, fing sie auf, indem es leicht krängte und sich schnell wieder zurücklegte. Der Professor schnallte seinen Rucksack auf, zögerte, beobachtete einen Augenblick die beiden Männer, dann packte er Brot aus und zwei gekochte Eier und begann zu essen, ohne Lorenz und Tadeusz aus den Augen zu lassen. Lorenz wandte sich ab, und der Professor sagte:

»Haben Sie etwas gesagt?«

»Nein«, sagte Lorenz gereizt.

»Ich dachte, Sie hätten etwas gesagt.«

»Ich habe nichts gesagt.«

»Es hörte sich aber an, als ob Sie etwas gesagt hätten.«

»Kein Wort.«

»Dann muß ich mich geirrt haben«, sagte der Professor kauend. Der schwarze Umhang begann zu flattern, Lorenz zog ihn auseinander, so daß der Wind sich in ihm fing, und Tadeusz zwang das Boot auf den alten Kurs, indem er mit dem Riemen, der als Steuer diente, zu wriggen begann. Der Professor glättete das Papier, in dem sein Brot eingewickelt war, warf die Eierschalen über Bord und schnallte seinen Rucksack wieder zu und zündete sich eine Zigarette an. Während er rauchte, sprachen sie nicht. Das Boot machte stetige Fahrt, klatschend brach der Bug ein, wenn die Dünung ihn emporgetragen hatte, und die Küste duckte sich an die See und lag nun flach und grau und unbestimmbar unter dem Horizont, weit genug, und nun begann Tadeusz zu essen, und Lorenz trank aus einer emaillierten Kruke mit Bierflaschenverschluß warmen Kaffee. Der Kutter war nicht zu sehen. Als die Küste außer Sicht war, sprang der Wind um. Sie segelten jetzt vor dem Wind, die Sonne im Rücken, und das Boot war schneller als die Strömung. Eine leere Holzkiste trieb vorbei, die Bretter leuchteten in der Sonne, dümpelten leuchtend vorüber. Eine breite Schaumspur zog sich bis zum Horizont, sie kreuzten die Schaumspur und segelten mit der Sonne im Rücken. »Was zu rauchen?« fragte der Professor und hielt Lorenz eine zerknitterte Zigarette hin. Lorenz nickte und zündete sich die Zigarette an. Er lächelte, während er den Rauch scharf inhalierte, und sagte: »Wer von uns kann eigentlich segeln? Wer? Hast du schon mal gesegelt, Tadeusz?«

»Der Kutter wird kommen und uns suchen«, sagte Tadeusz, »mein Schwager wird uns helfen das letzte Stück.«

»Wir schaffen es auch so«, sagte der Professor. »Wenn wir nach Norden fahren, müssen wir ankommen, wo wir hinwollen. Das glaube ich. Wenn nur das Wetter nicht umschlägt.«

»Was glaubst du, Tadeusz?« fragte Lorenz.

»Glaub ich auch«, sagte Tadeusz nickend, »nu glaub ich dasselbe wie Professor.«

»Dann muß ich es wohl auch glauben«, sagte Lorenz, »jedenfalls fühle ich mich schon besser als im Nebel vor der Küste. Wie lange könnte es dauern – äußerstenfalls? Was meinst du, Tadeusz, wie lange wir brauchen werden?«

»Kann sein drei Tage, kann sein fünf Tage.«

»Die Ostsee ist ein kleines Meer«, sagte der Professor.

»Das ist es«, sagte Lorenz, »genau das. Man muß es nur oft genug wiederholen.«

Ein Flugzeug zog sehr hoch über sie hinweg, sie beobachteten es, sahen es im Nordosten heraufkommen und größer werden und einmal schnell aufblitzen, als die Sonne die Kanzel traf; es verschwand mit stoßweisem Brummen in südwestlicher Richtung. Tadeusz machte eine Schlaufe aus Sisal-Leine und nagelte sie am Heck fest, die Schlaufe lag lose um den Riemen, den Tadeusz nun mit einer Hand wie eine Ruderpinne umfaßte und das leichte Boot auf Kurs hielt. Sie banden Schnüre um die Ärmel des schwarzen Umhangs, der als Segel diente, zogen die

Schnüre zur Seite herunter und zurrten sie an den Dollen fest, so daß der Wind den Umhang blähte und sich voll fing, ohne daß sie ihn halten mußten. Lorenz und der Professor blickten zur gleichen Zeit auf das volle schwarze Segel über ihnen, es sah aus wie eine pralle Vogelscheuche, die ihre halb erhobenen Arme schützend oder sogar in einer Art plumper Segnung über den Insassen hielt, und während sie beide hinaufblickten, trafen sich ihre Blicke, ruhten ineinander, als tauschten sie die gleiche Empfindung oder das gleiche Wort aus, das sie beim Anblick ihres Segels sagen wollten, und sie lächelten sich abermals zu.

»Ah«, sagte Lorenz, »jetzt sollte ich es Ihnen sagen, Professor, das ist ein guter Augenblick zur Beichte. Ich war es damals, ich allein. Die andern haben mir dabei geholfen, aber ich fand Ihren Umhang auf dem Haken im Korridor, und ich nahm ihn im Vorbeigehen ab und trug ihn in die Klasse. Wissen Sie noch? Wir stellten den Kleiderständer in den Papierkorb, stopften Ihren Umhang aus und stellten alles hinters Katheder; wir schnitzten aus einer Rübe ein Gesicht, ich stülpte einen Schlapphut drauf, und das ganze Ding, wie es hinter dem Katheder stand, hatte eine enorme Ähnlichkeit mit Ihnen, Professor. Und als Sie dann in die Klasse kamen, ohne Zwicker, wissen Sie noch, ja? Und das grunzende Erstaunen, als Sie aufsahen und das Katheder besetzt fanden? Wissen Sie noch, was dann passierte, Professor? Sie verbeugten sich erstaunt vor Ihrem Umhang und sagten ›Entschuldigung‹, und rückwärts, ja, rückwärts gingen Sie wieder raus und schlossen die Tür. – Es war doch dieser Umhang?«

»Ja«, sagte der Professor, »es war dieser Umhang, er hat seine Geschichte.«

»Rauch«, sagte Tadeusz plötzlich.

Sie wandten sich zur Seite, über dem Horizont stand eine langgezogene Rauchfahne wie ein Versprechen; aus der See schien der Rauch aufzusteigen, lag an der Stelle seines Ursprungs unmittelbar auf dem Wasser, hob sich weiter in unregelmäßiger Spirale und löste sich unter den Wolken auf. Ein Schiff kam nicht in Sicht. Sie warteten darauf, und Lorenz kletterte auf die mittlere Ducht, wo er breitbeinig balancierend dastand und eine Weile die Rauchfahne beobachtete, doch auch er sah das Schiff nicht. Er setzte sich wieder auf die Bodenbretter. Solange die Rauchfahne über der See lag – sie waren nicht erstaunt, daß sie eine Stunde oder vielleicht auch anderthalb oder sogar zwei Stunden sichtbar blieb –, rechneten sie mit dem Aufkommen eines

Schiffes, vielmehr Tadeusz hoffte es, während Lorenz und der Professor es befürchteten.

Der Wind wurde stärker, die Luft kühl, als die Sonne von den weißgeränderten, schwer aufziehenden Wolken erreicht und verdeckt wurde; das Wasser bekam die Farbe eines düsteren Grüns, und die ersten Spritzer fegten über sie hin, wenn das Boot einbrach. Sie saßen geduckt und mit angezogenen Beinen im Boot. Lorenz und Tadeusz begannen zu essen, sie aßen Brot und jeder eine Scheibe harter Dauerwurst. Sie tranken nicht. Der Professor zündete sich an der Kippe eine neue Zigarette an, schnippte die Kippe über Bord, sah, wie sie neben der Bordwand mit scharfem Aufzischen ins Wasser flog und achteraus blieb und in die kleinen Strudel des Kielwassers hineingeriet, wo sie unter die Oberfläche gewirbelt wurde. Er dachte: Jetzt hat Lorenz sich beruhigt, er ist sogar freundlich geworden, demnach scheint er auch zuversichtlich zu sein für die ganze Angelegenheit. Ausgerechnet er, der Schüler, den ich zu hassen nie aufgehört habe, ist mein Führer auf der Flucht. Der argwöhnische Ausdruck seines Gesichts, schon damals sah er so aus, und an dem Abend, als wir uns unvermutet trafen – er trug die Uniform –, was war es nur, was ging in uns vor, daß wir uns flüsternd einander anvertrauten und flüsternd Pläne entwarfen? Es war, als ob er mich mit seinen Plänen bedrohte; ich hatte sie auch, aber sie wären Pläne geblieben, verborgen und unauffindbar für jeden andern, nur er, Lorenz, erzwang sich die Kenntnis dieser Pläne, flüsternd an den dunklen Abenden im Arbeitszimmer, und er verband sie mit seinen Plänen und bereitete alles vor, so daß ich, obwohl er nie ein entschiedenes Ja zu hören bekam, nicht mehr zurückkonnte, als er kam und sagte, daß der Termin feststehe. Er sah mich erschrecken, ich haßte ihn, weil er mich zwang, etwas zu tun, was ich zwar selbst zu tun wünschte, aber allein nicht getan hätte aus verschiedenen Gründen, ja, er zwang mich, anzunehmen und zu glauben, daß der Plan zur Flucht von mir stamme und daß ich ihn dazu überredet habe, woraufhin er es auch mir überließ, zu bestimmen, wieviel Gepäck jeder mitnehmen könne und welche Motive wir für die Flucht nach der Landung in Schweden angeben sollten. Dabei ist er der Führer auf der Flucht geblieben, und jetzt verbirgt er nicht einmal, daß alles davon abhängt, was er tut und was er glaubt. Ich werde mich trennen von ihm, ja, bald nach der Landung werde ich sehen, daß wir auseinanderkommen.

»Ein Stück Wurst?« fragte Lorenz freundlich. Er legte eine Scheibe rötlicher Dauerwurst auf die Ducht, aber der Professor schüttelte den Kopf.

»Nicht jetzt«, sagte er, »nicht jetzt.«

Tadeusz blickte während ihrer Unterhaltung zurück, reglos, mit halboffenem Mund, und jetzt schnellte er hoch, daß das Boot schwankte, seine Hand flog empor:

»Da«, rief er, »da is er wieder. Er verfolgt uns.«

»Wer?« fragte Lorenz.

»Jetzt is er weg«, sagte Tadeusz.

»Wer, zum Teufel?«

»Muß gewesen sein ein Hai, großer Hai.«

»Hier gibt es keine Haie«; sagte Lorenz. »Du hast geträumt.«

»In der Ostsee gibt es nur Heringshaie«, sagte der Professor. »Sie leben in tieferem Wasser und kommen nicht an die Oberfläche. Außerdem werden sie nicht sehr groß und sind ungefährlich, Heringshaie greifen den Menschen nicht an.«

»Aber hab ich gesehn, wie er is geschwommen«, sagte Tadeusz. »So groß«, und er machte eine Bewegung, die über das ganze Boot hinging.

»Die Ostsee ist zu klein«, sagte der Professor. »Haie, die den Menschen angreifen, leben hier nicht.«

»Richte dich gefälligst danach, Tadeusz«, sagte Lorenz. Sie beobachteten gemeinsam die See hinter dem Boot, doch sie sahen nirgendwo den Körper oder den Rücken oder die Schwanzflosse des Fisches; sie sahen nur die zerrissenen Schaumkronen auf dem düsteren Grün der Wellen, die sie weit ausholend von hinten anliefen, das Boot hoben und nach vorn hinabdrückten, wobei der Riemen, mit dem sie steuerten, sich knarrend in der Schlaufe rieb und für einen Augenblick frei in der Luft stand. Spritzer fegten ins Boot, ihre Gesichter waren naß vom Seewasser. Lorenz spürte, wie der Kragen seines Hemdes zu kleben begann. Er band seinen Schal wieder um, und sie segelten schweigend mit achterem Wind und merkten am treibenden Tang, daß sie in einer querlaufenden Strömung waren. Sie segelten und trieben den zweiten Teil des Nachmittags, und am Abend sprang der Wind um. Sie hätten es nicht gemerkt, wenn sie nicht noch einmal, für kurze Zeit, die untergehende Sonne gesehen hätten. Der Wind wurde stärker und schüttelte mit kräftigen Stößen das Boot. Sie mußten das Notsegel einholen, denn der Riemen, der als Mast diente, war bei dem Wind für das Boot zu schwer. »Und jetzt?« fragte der Professor.

»Jetzt wird gerudert«, sagte Lorenz, »ich fange an.«

»Ich werde rudern«, sagte Tadeusz. »Is mein Schwager, wo uns hat sitzenlassen, darum werde ich rudern. Nachher können wir uns ablösen.«

»Streng dich nicht sehr an, Tadeusz. Wer weiß, wozu wir unsere Kraft noch brauchen werden. Es genügt, wenn wir das Boot halten und nicht allzuweit abgetrieben werden.«

»Schweden hat eine lange Küste«, sagte der Professor.

»Hoffentlich ist der Wind derselben Ansicht«, sagte Lorenz.

Tadeusz ruderte bis zur Dämmerung, dann wurde die See unruhiger, und er mußte in den Wind drehen und konnte das Boot nur noch mit kurzen Schlägen auf der Stelle halten. Das Boot tauchte tief mit dem Bug ein, wenn eine Welle unter ihm hindurchgelaufen war, nahm Wasser über, schüttelte sich und glitt wie ein Schlitten den Wellenhügel hinab, bis die nächste Welle es abfing und emportrug. Der Professor kramte aus seinem Rucksack eine Konservendose heraus, entleerte sie und fing an, Wasser zu schöpfen, das schwappend, in trägem Rhythmus über die Bodenbretter hinwegspülte. Das Wasser funkelte, wo der Bug es zerspellte. Weiter entfernt leuchteten die zerrissenen Schaumkronen in der Dunkelheit.

Obwohl er ruderte, trug Tadeusz seine Joppe mit dem Fischgrätenmuster, Lorenz hatte seinen Pullover angezogen, und der Professor hatte sich den Umhang übergelegt, während er Wasser schöpfte. Die Konservendose fuhr kratzend, mit blechernem Geräusch über die Bodenbretter, plumpsend fiel das Wasser zurück in die See, mit einem dunklen, gurgelnden Laut. »Es regnet«, sagte der Professor plötzlich. »Ich habe die ersten Tropfen bekommen.«

»Dann werde ich rudern«, sagte Lorenz. »Komm, Tadeusz, laß mich vorbei.«

Er erhob sich, der Wind traf sie mit einem Stoß wie ein Faustschlag, und Lorenz und Tadeusz griffen nacheinander und preßten ihre Körper zusammen, um das Schwanken des Bootes aufzufangen; zitternd standen sie nebeneinander, duckten sich, schoben sich gespannt und langsam und ohne den Griff in der Kleidung des andern zu lösen aneinander vorbei, und erst als sie beide saßen, Tadeusz im Heck und Lorenz auf der Ducht, lösten sie sich aus der Umklammerung. Lorenz legte sich in die Riemen, sein Körper hob sich so weit, daß sein Gesäß nicht mehr die Ducht berührte: stemmend, in schräger Haltung, als sei er an keine Schwerkraft gebunden, so machte er einige wilde Schläge, um das Boot, das querzuschlagen drohte, wieder mit dem Bug gegen die See zu bringen. Es war dunkel.

»Eh, Professor«, rief Lorenz.

»Ja? Ja, was ist?«

»Sie sollten versuchen, zu schlafen.«

»Jetzt?«

»Sie müssen es versuchen. Einer von uns muß frisch bleiben, für alle Fälle.«

»Gut«, sagte der Professor, »ich werde es versuchen.«

Er zog den Umhang über seinen Kopf, streckte die Beine aus und legte die Wange gegen seinen Rucksack. Er spürte, wie sich das Schwanken des Bootes in seinem Körper fortsetzte; sanft rieb die Wange über den durchnäßten Stoff des Rucksacks. Der Professor schloß die Augen, er fror. Durch seine Vermummung hörte er den Wind über die Bordkanten pfeifen. Er wußte, daß er nicht schlafen würde. Tadeusz schöpfte mit der Konservendose Wasser, sobald die Bodenbretter überspült wurden; Lorenz ruderte. Er keuchte; obwohl er jetzt saß und nur noch versuchte, den Bug des Bootes im Wind zu halten, keuchte er und verzerrte beim Zurücklegen und Ausbrechen der Riemen sein Gesicht.

Plötzlich kroch Tadeusz bis zur mittleren Ducht vor, richtete sich zwischen Lorenz' gespreizten Beinen halb auf und hob sein breitwangiges Gesicht und flüsterte: »Laß treiben, Lorenz, hat keinen Zweck nich. Vielleicht wir kriegen Sturm diese Nacht.«

»Verschwinde«, sagte Lorenz.

»Aber es wird kommen Sturm vielleicht.«

»Es kommt kein Sturm.«

»Und wenn?«

»Wir können nicht zurück, Tadeusz. Wir müssen versuchen, rüberzukommen. Wenn wir es alle versuchen, schaffen wir es. Wir können jetzt nicht aufgeben.«

»Wir können zurück und es morgen versuchen mit Kutter.«

»Ich scheiß auf deinen Kutter«, sagte Lorenz. »Deinen Schwager mit seinem Kutter soll die Pest holen. Jetzt können wir nicht zurück.«

»Und wenn viel Wasser kommt ins Boot?«

»Dann wirst du schöpfen.«

»Gut«, sagte Tadeusz.

Er kroch wieder zurück ins Heck, kauerte sich hin, und die Konservendose fuhr kratzend über die Bodenbretter, hob sich über die Bordwand: in glimmendem Strahl plumpste das Wasser zurück in die See. Der Regen wurde schärfer, prasselte auf sie herab, trommelte gegen die Bordwand, ihre Gesichter waren naß, die Nässe durchdrang ihre Kleidung; das Geräusch des Regens war stärker als das Geräusch der See. Es war nur ein Schauer, denn nach einer Weile hörten sie wieder das Schnalzen der See, das Klatschen des einbrechenden Bugs im Wasser, und sie hatten wieder das Gefühl, von der Küste weit entfernt zu sein. Während der Regen auf sie niederging, hatten sowohl Tadeusz als auch Lorenz die unwillkürliche Empfindung, daß hinter der Wand des Regens ein Ufer sein müßte, sie glaubten sich für einen Augenblick nicht auf freier See, sondern – eingeengt, von der Regenwand umschlossen – inmitten eines Teiches oder eines kleinen schilfgesäumten Gewässers, dessen Ufer zu erreichen sie nur einige lange Schläge kosten würde – nun, nachdem der Regen zu Ende war, kehrte das alte Gefühl zurück. Gischt sprühte über das Boot, das jetzt in einigen unregelmäßigen Seen trudelte und sich schüttelte, durchsackte und dann mit sonderbarer Ruhe einen Wellenhügel hinabglitt, als nähme es Anlauf, um den gefährlich vor ihm aufwachsenden Kamm zu erklimmen. Lorenz hielt den Bug gegen die See.

»Da«, schrie Tadeusz auf einmal, »da, da!« Er schrie es so laut, daß der Professor hochschrak und seinen durchnäßten Umhang vom Kopf riß, so laut und befehlend, daß Lorenz die Riemen hob und nicht mehr weiterruderte, und sie brauchten nicht einmal Tadeusz' ausgestreckter Hand zu folgen, um zu erkennen, was er meinte und worauf er sie aufmerksam machen wollte. Ja, sie sahen es so zwangsläufig und automatisch, wie man sofort zwei glühende Augen in einem dunklen Raum sieht, den man betritt, oder doch so zwangsläufig, wie man in die einzige Richtung blickt, aus der man Rettung erwartet: sobald sie den Kopf hoben, mußten sie es sehen. Und sie sahen es alle. Das Schiff kam fast auf sie zu, ein erleuchtetes Schiff, ein Passagierschiff mit zwei Reihen von erleuchteten Bulleyes; sogar die Positionslampen im Topp konnten sie erkennen. Das Schiff machte schnelle Fahrt und kam schnell näher, sie konnten nicht sagen, wie weit es von ihnen entfernt war, sie vermuteten, daß das Schiff sehr nahe sein mußte, denn hinter einigen Bulleyes waren Schatten zu sehen. »Wir müssen geben ein Zeichen«, sagte Tadeusz und sprang ruckartig auf, so daß das Boot heftig schwankte und an der Seite Wasser übernahm.

»Was für ein Zeichen?« fragte Lorenz ruhig. Er ruderte wieder.

»Ein Zeichen, daß sie uns rausholen.«

»Und dann?«

»Dann wir kriegen trockenes Bett und warmes Essen, und alles schmeckt. Hab ich Taschenlampe mitgebracht, ich kann geben Zeichen mit Taschenlampe.«

Tadeusz zog aus seiner Joppentasche eine schwarze, flache Taschenlampe heraus, hielt sie mit ausgestrecktem Arm Lorenz hin und sagte: »Hier, damit wir uns verschaffen trockenes Bett und warmes Essen.«

Lorenz nahm wortlos die Taschenlampe und ließ sie in seinem Rucksack verschwinden. Er ruderte schweigend, blickte aufmerksam zum Schiff hinüber, das jetzt querab von ihnen vorbeifuhr.

»Was ist«, fragte Tadeusz, »warum gibst du kein Zeichen?«

»Sei still. Oder laß dir vom Professor erklären, warum wir kein Zeichen geben können. Der Professor ist zuständig für Erklärungen.«

»Sie würden uns schön rausholen«, sagte Tadeusz.

»Ja«, sagte Lorenz, »sie würden uns schön rausholen. Aber weißt du, welch ein Schiff das ist? Weißt du, wohin es fährt und in welchem Hafen wir landen würden? Vielleicht würde es uns dahin zurückbringen, woher wir gekommen sind.«

»Wir können kein Zeichen geben«, sagte der Professor. »Wir sind so weit, daß wir uns unsere Retter aussuchen müssen. Aber warum sollten wir es? Morgen flaut der Wind wieder ab, und wir können segeln. Bisher ist alles gutgegangen, und es wird auch weiter alles gutgehen. Wir haben schon eine Menge geschafft.«

»Merk dir das, Tadeusz«, sagte Lorenz.

Die Bulleyes des Schiffes liefen zu einer leuchtenden Linie zusammen, die kürzer wurde, je mehr sich das Schiff entfernte, und schließlich selbst nur noch ein Punkt war, der lange über dem Horizont stand wie ein starres gelbes Auge in der Dunkelheit. Der Professor zog den nassen Umhang über den Kopf, legte die Wange an seinen Rucksack und schloß die Augen. Lorenz ruderte, und Tadeusz zog von Zeit zu Zeit die Konservenbüchse über die Bodenbretter und schöpfte Wasser. Einmal öffnete sich die Wolkendecke, ein Ausschnitt des Himmels wurde sichtbar, ein einziger Stern, dann schoben sich tiefziehende Wolken davor. Lorenz glaubte einen treibenden Gegenstand auf dem Wasser zu entdecken, doch er täuschte sich. Glimmend zogen sich Schaumspuren die Rücken der Wellen hinauf. Der Wind nahm nicht zu.

Später, als Lorenz nur noch das Gefühl hatte, daß seine Arme die
Riemen wären, daß seine Handflächen ins Wasser tauchten und das
Boot gegen die See hielten, erhielt er einen kleinen Stoß in den Rücken,
und er sah den Professor hinter sich kauern und ihm etwas entgegenhalten.

»Was ist das?« fragte Lorenz.

»Schnaps«, sagte der Professor. »Nehmen Sie einen Schluck, und
dann werde ich rudern.«

»Später«, sagte Lorenz. »Zuerst wollen wir die Plätze tauschen. Ich
bin fertig.«

Sie schoben sich behutsam aneinander vorbei, ohne sich aufzurichten, das Boot schwankte, aber bevor der Wind es querschlug, saß der
Professor auf der Ruderducht und zog die Riemen durchs Wasser. Einen
Augenblick lag das Boot wieder in der See, doch nun drückten das
Wasser und der Wind den linken Riemen gegen die Bordwand, und der
Professor arbeitete, um den Riemen freizubekommen; er schaffte es
nicht, gegen den Druck des Wassers konnte er den verklemmten Riemen nicht ausbrechen. Er ließ den rechten Riemen los, faßte den linken
mit beiden Händen und zog und stöhnte, doch nun schlug das Boot
quer, und eine Welle brach sich an der Bordkante und schleuderte so
viel Wasser hinein, daß die Bodenbretter schwammen. Tadeusz riß den
Professor von der Ruderducht – sie wären gekentert, wenn Lorenz nicht
die heftige Bewegung ausgeglichen hätte, indem er sich instinktiv auf
eine Seite warf –, ergriff die Riemen, brach sie aus ihrer Verklemmung
und ruderte peitschend und mit kurzen Schlägen, bis er den Bug her-
umzwang.

»Danke«, sagte der Professor leise, »vielen Dank.«

Tadeusz hörte es nicht. Der Professor zog eine Flasche heraus,
schraubte den Verschluß ab und reichte die Flasche Tadeusz. »Das
wärmt«, sagte er.

Tadeusz trank, und nach ihm trank Lorenz einen Schluck. Der Professor zündete sich eine Zigarette an; dann begann er mit großer Sorgfalt und ohne Unterbrechung Wasser zu schöpfen; er schöpfte so lange,
bis die Bodenbretter wieder fest auflagen und grünlich und matt glänzten. Er hatte es vermieden, Tadeusz oder Lorenz anzusehen, und als er
sich aufrichtete, sagte er:

»Ich bitte um Verzeihung. Ich weiß auch nicht, wie es geschah.«

»Der Schnaps wärmt gut«, sagte Tadeusz.

»Ich denke, Sie sollten nicht mehr rudern, Professor«, sagte Lorenz. »Sie können besser schöpfen. Damit ist uns mehr geholfen.«

»Ich kann auf den Schlaf verzichten. Ich werde immer schöpfen«, sagte der Professor leise.

Lorenz kauerte sich im Bug zusammen und versuchte zu schlafen, und er schlief auch ein, doch nach einiger Zeit weckte ihn Tadeusz durch einen Zuruf, und Lorenz löste ihn auf der Ducht ab. Dann lösten sie sich noch einmal ab, und als Lorenz aus seiner Erschöpfung erwachte, lag im Osten über der See ein roter Schimmer, der wuchs und über den Horizont hinaufdrängte. Das Wasser war schmutziggrün, im Osten hatte es eine rötliche Färbung. Die Schaumkronen leuchteten im frühen Licht.

Sie waren alle wach, als die Sonne aufging und sich gleich darauf hinter schmutziggrauen Wolken zurückzog, so als hätte sie sich nur überzeugen wollen, daß das Boot noch trieb und die Männer noch in ihm waren. Sie aßen gemeinsam, sie teilten diesmal, was sie mitgebracht hatten: Brot, Dauerwurst, gekochte Eier und fetten Speck, der Professor schraubte seine Schnapsflasche auf, und nach dem Essen rauchten sie. »Da ist jedenfalls Osten«, sagte Lorenz und machte eine nickende Kopfbewegung gegen den Horizont, wo der rote Schimmer noch stand, aber nicht mehr frei und direkt stand, sondern abnehmend, indirekt, wie eine Erinnerung, die von den langsam ziehenden Wolken festgehalten wurde. Tadeusz versuchte, das Notsegel aufzurichten: der Wind war zu stark, immer wieder kippte der Riemen mit dem flatternden Umhang um – sie mußten rudern.

»Wie schnell treibt eigentlich ein Boot?« fragte Lorenz.

»Es kommt auf die Strömung und auf den Wind an«, sagte der Professor.

»Wieviel? Ungefähr.«

»Eine bis zwei Meilen in der Stunde kann man rechnen. Vielleicht auch weniger.«

»Also sind wir schätzungsweise zwanzig Stunden getrieben. Zumindest können wir das annehmen.«

»Ungefähr«, sagte der Professor. »Aber wir kennen die Strömung nicht. Manchmal ist die Strömung stärker als die See und bringt das Boot vorwärts, obwohl es so aussieht, als werde es zurückgeworfen.«

»Das ist ein sehr guter Gedanke«, sagte Lorenz. »Der hat uns bisher gefehlt. Unter diesen Umständen könnten wir bald in Schweden Rasierzeug kaufen.« Er blickte auf den schlaffen, unrasierten Hals des Professors, an dem ein nasser Hemdkragen klebte.

»Es war gut gemeint«, sagte Lorenz.

Der Professor lächelte.

Der ganze Vormittag blieb sonnenlos, die See wurde nicht ruhiger als in der Nacht; torkelnd, den Bug im Wind, trieb das Boot, während einer der Männer, Tadeusz oder Lorenz, ruderte. Tadeusz schwieg vorwurfsvoll, er kümmerte sich nicht um die kurzen flüsternden Gespräche zwischen Lorenz und dem Professor, achtete nicht auf ihr seltsames und lautloses Lachen – Tadeusz dachte an das erleuchtete Schiff, das ihren Kurs passiert hatte. Der Professor drehte im Schutz seines Umhangs Zigaretten, verteilte sie, reichte Feuer hinter einer gebogenen Handfläche; er reichte dem jeweils Rudernden die aufgeschraubte Schnapsflasche, ermunterte sie und schöpfte Wasser, sobald es schwappend über die Bodenbretter stieg. Der Professor blickte nicht auf die See. Er war sehr ruhig.

»Das nächste Mal steigen wir um«, sagte Lorenz plötzlich. »Wenn wir wieder ein Schiff treffen, geben wir Zeichen und lassen uns an Bord nehmen. Einverstanden, Tadeusz? Das ist fest abgemacht.«

Tadeusz nickte und sagte:

»Vielleicht das Schiff fährt nach Schweden. Wer kann wissen? Dann wir kommen schneller hin als mit Kutter.«

»Das meine ich auch«, sagte Lorenz. »Und nun hör auf, solch ein Gesicht zu machen. Wir sind nicht besser dran als du. Ich schätze, daß wir alle dieselben Möglichkeiten haben. Als wir die Sache anfingen, da haben wir uns eine Chance ausgerechnet, sonst wären wir jetzt nicht in dem Boot. Keiner von uns hat einen Vorteil.«

Tadeusz legte sich in die Riemen und schloß beim Zurücklegen die Augen.

Die schmutziggrauen Wolken zogen über den Horizont herauf, schoben sich auf sie zu und standen nun unmittelbar voraus: Sturmwolken, die sich ineinander wälzten und an den Rändern wallend verschoben; ihr Zentrum schien unbeweglich. Die Männer im Boot sahen die Wolken voraus, sahen sie und spürten, daß es Zeit wurde, sich gefaßt zu machen, sich vorzubereiten auf etwas, worauf sie sich in dem Boot weder vorzubereiten wußten noch vorbereiten konnten, und da sie das ahnten und tun wollten, was zu tun ihnen angesichts der Größe des Bootes nicht möglich war, stopften sie die Rucksäcke unter die mittlere Ducht, schlugen die Kragen hoch und warteten.

»Wenn ich nur wüßte, wo wir sind«, sagte Lorenz.

»Es gibt eine Menge Inseln vor der Küste«, sagte der Professor. »Wenn wir Glück haben, treiben wir irgendwo an. Wir werden schon an Land kommen.«

»Sicher. Die Ostsee ist ein kleines Meer.«

Als der erste Vorläufer des Sturms sie erreichte, war es finster über dem Wasser, eine fahle Dunkelheit herrschte, es war nicht die entschiedene, tröstliche, ruhende Dunkelheit der Nacht, sondern die gewaltsame, drohende Dunkelheit, die der Sturm vorausschickt. Die Männer rückten stillschweigend in die Mitte des Bootes, hoben die Hände, streckten sie zu den Seiten aus und umklammerten das Dollbord. Die Seen schienen kürzer zu werden, obwohl sie an Heftigkeit zunahmen. Auf den Rücken der Wellen kräuselte sich das Wasser, das jetzt dunkel war, von unbestimmbarer Farbe. Tadeusz spuckte seine Kippe ins Boot und stemmte die Absätze gegen die Kante der Bodenbretter, um den besten Widerstand zu finden. Er ruderte mit kurzen Schlägen.

Der Wind war wieder umgesprungen, doch sie konnten nicht bestimmen, aus welcher Richtung er kam und wohin sie abgetrieben wurden. Der Wind war so stark, daß er auf die Ruderblätter drückte, und wenn Tadeusz sie ausbrach und zurückführte, hatte er das Gefühl, daß an der Spitze der Riemen Gewichte hingen – was ihn für eine Sekunde daran erinnerte, daß er als Junge mit dem Boot seines Vaters auf einen verwachsenen See hinausfuhr und schließlich zum Ufer staken mußte, weil die Riemen unter das Kraut gerieten, festsaßen in einer elastischen, aber unzerreißbaren Fessel, so daß er nicht mehr rudern konnte.

Zuerst merkten sie den Sturm kaum oder hätten zumindest nicht sagen können, wann genau er einsetzte – denn während der ganzen Nacht und während des ganzen Vormittags war die See nicht ruhig gewesen. Sie merkten es erst, als das leichte Boot einen Wellenberg hinauflief, einen Berg, der so steil war, daß ihre Rucksäcke plötzlich polternd über die Bodenbretter in das Heck rutschten und die Männer sich in jähem Erstaunen ansahen, da der Wellenberg vor ihnen kein Ende zu nehmen schien und sich noch weiter hinaufreckte, während das Boot, das nicht an ihm klebte, sondern ihn erklomm, so emporgetragen wurde, daß Tadeusz zu rudern aufhörte, weil er glaubte, mit seinen Riemen das Wasser nicht mehr erreichen zu können. Und sie

merkten den Sturm, wenn das Boot jedesmal unterhalb des Wellenkammes stillzustehen schien auf dem steilen Hang, wobei sie dachten,
daß sie entweder zurückschießen oder aber, was wahrscheinlicher war,
von dem sich aufrichtenden und zusammenstürzenden Kamm unter
Wasser gedrückt werden müßten.
Der Professor hielt sich mit einer Hand am Dollbord fest und
schöpfte mit der anderen Wasser. Lorenz hatte sich im Bug umgedreht
und blickte voraus. Tadeusz hielt die Riemen, ohne sie regelmäßig zu
benutzen. Es war ihr erster Sturm.

Das Boot torkelte nach beiden Seiten, von beiden Seiten klatschte
Wasser herein, über den Bug fegte die Gischt, traf schneidend ihre
Gesichter, und die Hände wurden klamm. Lorenz konnte Tadeusz auf
der mittleren Ducht nicht ablösen, er konnte sich nicht aufrichten,
ohne das leichte Boot in die Gefahr des Kenterns zu bringen. Hockend
zerrte er die Rucksäcke in die Mitte des Bootes, löste die Riemen und
schnallte sie an der Ducht fest. Die Riemen knarrten und strafften sich,
sie verhinderten, daß die Rucksäcke ins Heck rollten. Der Professor
versuchte eine Zigarette anzustecken; es gelang ihm nicht, und er warf
die Zigarette, die von der hereinfegenden Gischt naß geworden war,
über Bord. Er nahm einen Schluck aus der Schnapsflasche und reichte
die Flasche dann Lorenz, der ebenfalls einen Schluck nahm. Tadeusz
trank nicht. Er konnte die Riemen nicht mit einer Hand halten. Die
schmutzige Wolke stand jetzt über ihnen. Sie bewegte sich langsam, sie
schien sich nicht schneller zu bewegen als das Boot. Und dann war es
wieder Tadeusz: in dem Augenblick, als der Professor seinen wasserbesprühten, blinden Zwicker abnahm und in die Brusttasche schob, in
der Sekunde, da Lorenz sich angesichts eines zusammenstürzenden
Wellenkammes unwillkürlich duckte, rief Tadeusz ein Wort – wenngleich es ihnen allen vorkam, daß es mehr war als ein Wort.

»Küste!« rief er, und ehe sie noch etwas wahrnahmen oder sich
aufrichteten oder umdrehten, fühlten sie sich durch das eine Wort
bestätigt, ja, sie hatten sogar das Empfinden, daß der Sturm, nachdem
das Wort gefallen war, wie auf Befehl nachließ, und dies Empfinden
behauptete sich, selbst als sie sich umwandten und nichts sahen als die
dünende Einöde der See.

»Wo?« schrie Lorenz.

»Wo ist die Küste?« rief der Professor.

»Gleich«, sagte Tadeusz.

Als die nächste Welle sie emportrug, sahen sie einen dunklen Strich am Horizont, dünn wie eine Planke oder das Blatt eines Riemens; es war die Küste.

»Da«, schrie Tadeusz, »ich hab sie gesehn.«

»Die Küste«, murmelte der Professor und legte die Hand auf seinen Rucksack.

»Welche Küste?« fragte Lorenz.

»Wahrscheinlich eine Insel«, sagte der Professor, »es sah so aus.«

»Mit irgendeiner Küste ist uns nicht gedient«, sagte Lorenz. »Wir müssen wissen, welche Küste es ist.«

»Es muß eine schwedische Insel sein«, sagte der Professor.

»Und wenn es keine schwedische Insel ist?«

»Es ist eine.«

»Aber wenn es eine andere ist?«

»Dann bleibt immer noch Zeit.«

»Wofür?«

Der Professor antwortete nicht, schob die Finger in eine Westentasche und kramte vorsichtig und zog eine kleine Glasampulle heraus, die er behutsam zwischen Daumen und Zeigefinger hielt und den Männern zeigte.

»Was ist das?« fragte Lorenz.

»Für den Fall.«

»Für welchen Fall?«

»Es ist Gift«, sagte der Professor.

»Gift?« fragte Tadeusz.

»Es braucht nur eine Minute«, sagte der Professor, »wenn die Ampulle zerbissen ist. Man muß sie in den Mund stecken und draufbeißen. Es ist noch Friedensware.«

Lorenz sah auf die Ampulle, sah in das Gesicht des Professors, und in seinem Blick lag eine nachdenkliche Feindseligkeit. Jetzt glaubte er, daß er diesen Mann schon immer gehaßt habe, weniger als Erwiderung darauf, daß er sich selbst mitunter von ihm gehaßt fühlte, als wegen der gefährlichen Jovialität und der biedermännischen Tücke, die er in seinem Wesen zu spüren glaubte.

»Sie sind übel«, sagte Lorenz, »ah, Sie sind übel.«

»Was ist denn?« sagte der Professor erstaunt.

»Ich wußte es immer, Sie taugen nichts.«

»Was habe ich denn getan?«

»Getan? Sie wissen nicht einmal, was Sie getan haben? Sie haben Tadeusz verraten, den Mann, der für Sie rudert, und Sie haben mich verraten. Sie haben natürlich dafür gesorgt, daß Sie einen heimlichen Vorrat hatten. Sie dachten nicht daran, mit gleichen Chancen ins Boot zu steigen. Sie hatten für den Fall der Fälle vorgesorgt. Sie brauchen nur eine Minute – und wir? Interessiert es Sie nicht, wie viele Minuten wir brauchen? Das ist der dreckigste Verrat, von dem ich gehört habe. Na, los, beißen Sie drauf, schlucken Sie Ihre Friedensware. Warum tun Sie es nicht?«

Der Professor drehte die kleine Ampulle zwischen den Fingern, betrachtete sie, und dann schob er die Hand über das Dollbord und ließ die Ampulle los, indem er die Zange der Finger öffnete. Die Ampulle fiel ohne Geräusch ins Wasser.

»Ein dreckiger Verrat«, sagte Lorenz leise.

Der Sturm trieb sie auf die Küste zu, die höher hinauswuchs aus der See, eine dunkle, steile Küste, vor die die Brandung schäumte. Die Küste war kahl, nirgendwo ein Haus, ein Baum oder Licht, und Tadeusz sagte: »Bald wir finden trocknes Bett. Bald wir haben warmes Essen.«

Lorenz und der Professor schwiegen; sie hielten die Küste im Auge. Obwohl es spät am Nachmittag war, lag Dunkelheit über der See und über dem Land. Ihre nassen Gesichter glänzten. Die Wellen warfen das Boot auf die Brandung zu, die rumpelnd, wie ein Gewitter, gegen die Küste lief.

»Wenn wir sind durch Brandung, sind wir an Land«, sagte Tadeusz scharfsinnig. Niemand hörte es, oder niemand wollte es hören; den Körper gegen die Bordwand gepreßt, die Hände auf dem Dollbord: so saßen sie im Boot und blickten und horchten auf die Brandung. Und jetzt sahen sie etwas, was niemand auszusprechen wagte, nicht einmal Tadeusz sagte es, obzwar die andern damit rechneten, daß er auch dies sagen würde, was sie selbst sich nicht einzugestehen wagten: dort, wo die Steilküste sich vertiefte und eine Mulde bildete, standen zwei Männer und beobachteten sie, standen, dunkle Erscheinungen gegen den Himmel, bewegungslos da, als ob sie das Boot erwarteten.

Die erste Brandungswelle erfaßte das Boot und trieb es rückwärts und in sehr schneller Fahrt gegen die Küste; die zweite Welle schlug das Boot quer; die dritte hob es in seiner Breite an, obwohl Tadeusz so heftig ruderte, daß die Riemen durchbogen und zu brechen schienen, warf es so kurz und unvermutet um, daß keiner der Männer Zeit fand, zu springen. Einen Augenblick war das Boot völlig unter Wasser verschwunden, und als es kieloben zum Vorschein kam, hatte es die Brandungswelle fünf oder acht oder sogar zehn Meter unter Wasser gegen den Strand geworfen. Mit dem Boot tauchten auch Lorenz und Tadeusz auf, dicht neben der Bordwand kamen sie hervor, klammerten sich fest, während eine neue Brandungswelle sie erfaßte und vorwärtsstieß und über ihren Köpfen zusammenbrach.

Als die Gewalt der Welle nachließ, spürten sie Grund unter den Füßen. Das Wasser reichte ihnen bis zur Brust. Etwas Weiches, Zähes schlang sich um Lorenz' Beine; er bückte sich, zog und brachte den schwarzen Umhang des Professors zur Oberfläche. Er warf ihn über das Boot und blickte zurück. Der Professor war nicht zu sehen. »Da hinten!« rief eine Stimme, die er zum ersten Mal hörte. Neben ihnen, bis zur Brust im Wasser, stand ein Mann und deutete auf die Brandung hinaus, wo ein treibender Körper auf einer Welle sichtbar wurde und im Zusammenstürzen unter Wasser verschwand. Der Mann neben ihnen trug die Uniform, die sie kannten, und noch bevor sie zu waten begannen, sahen sie, daß auch der Mann, der am Ufer stand, eine Maschinenpistole schräg über dem Rücken, Uniform trug. Er winkte ihnen angestrengt, und sie wateten in flaches Wasser und erkannten die Küste wieder.

1957

Bekenntnisse eines Warenhausverkäufers

SONNTAG. Auf meiner Ausziehcouch hatte ich am Nachmittag einen schweren Traum. Alles, so träumte ich, alles, was in unserem Warenhaus verkauft wird: Krawatten, Kinderbücher, Cornedbeef, Seife selbst und Bibeln, alles, träumte ich, sei sauber eingepackt, dem Blick des Käufers verborgen. Nichts lag zutage; nichts, nicht einmal die Rasenmähmaschinen, die Spitzhacken, der Gartengrill waren unter der sorgfältigen Verpackung zu erkennen: geheimnisvoll türmten, stapelten sich Päckchen, Kisten und Pakete, lagen da wie zur Bescherung der ganzen Welt. Selbst ich konnte nichts mehr bestimmen, konnte keine Seifenpackung von einer Bibel unterscheiden, keinen Mixer von einem Marmeladeneimer; – so wunderbar war alles eingeschlagen, verpackt und verschnürt. Ängstlich, zu Tode erschrocken, standen wir da, sahen auf Gablenz, den Geschäftsführer, von dem die Aufforderung kommen mußte, der hastige Befehl, die Verpackungen zu entfernen; der Befehl blieb aus. Ohne ein Wort, unbekümmert, in seiner sehr geschmeidigen Forschheit, schritt er an unseren erschrockenen Gesichtern vorbei, schritt zur Tür und schloss auf, nachdem er flüchtig auf seine Uhr gesehen hatte. Schaudernd wandte ich mich ab; schaudernd wandten sich auch die anderen ab: nie, nie habe ich Gesichter gesehen, auf denen ein so tiefes Erschrecken lag, ein so absolutes Entsetzen über das, was auf uns zukam. Zusammengekrümmt, mit angehaltenem Atem horchten wir, lauschten wir, wie die Vorhut der Käufer hereinstürzte: schnelle Rufe ertönten, scharfe Kommandos, energische Schritte bewegten sich über Gänge und Treppen – sie kaperten uns. Wie eine Silbergaleere wurden wir gekapert; sie verteilten sich, besetzten die Posten und zwangen uns in Deckung. Nun, dachte ich, nun wird es erfolgen! Gleich wird der erste Schrei zu hören sein, Schrei der Wut, der Enttäuschung, gleich werden sie ausbrechen in Überraschung und Protest – nichts geschah. Kein Protest erfolgte, keine Enttäuschung wurde laut: sie kauften. Freudig kauften sie, mit rotwangiger Ungeduld forderten sie Päckchen, Kisten und Pakete; sie stopften Netze und Markttaschen voll, stürzten weiter, erblickten Neues und wieder Neues, kauften es, kauften sich ohne Zögern durch die Hügel der Überraschungen und zahlten am Ausgang, was man von ihnen forderte. Souverän verzichteten sie darauf, die Päckchen und Pakete zu öffnen, eilig winkten sie ab, wenn wir ihnen beim Auspacken helfen wollten; das ungestüme Glück des Kaufens ließ keine Zeit, rauschhaft, mit glänzenden Augen kauften sie uns leer: Marihuana, dachte ich verzweifelt, nichts als Marihuana.

Und auf einmal waren wir ausverkauft: keine Päckchen mehr, keine Kisten und Kartons, doch immer neue Käufer, ganze osmanische Heere mit fiebrigen Augen drängten herein, auf der ungestümen Suche nach dem Marihuana des Kaufs. Da entschloß sich Gablenz, der Geschäftsführer; unerwartet wuchs er über sich selbst hinaus, ließ uns rufen, drückte jedem stumm die Hand und veranlaßte, daß wir alle verpackt, verschnürt und hinuntergetragen würden auf die Tonbänke. Als mich ein Matrose kaufen wollte, erwachte ich schweißüberströmt ...

DIENSTAG. Man kann keinen zum Kauf verführen, indem man

sagt: Sie werden Ihre Freude, Ihren Spaß damit haben; der sicherste Weg liegt darin, den Käufer bei seiner Ehre zu nehmen, ihm beizubringen, was er sich schuldig ist: heute sah ich das ein. Heute gaben sie mir Gelegenheit, mich zu bewähren, mein Äußerstes herzugeben; ich durfte es hergeben in der sonst ruhigen Abteilung Installation: Badewannen, Eimer, Porzellanbrillen und vernickelte Handtuchhalter – für alle Fälle nahm ich mir einen Kriminalroman mit. Ich glaubte, gut zu handeln, denn jedesmal, wenn es mich erhitzt in die Installation verschlagen hatte, mein Zufallsweg dort hindurchführte, jedesmal hatte der alte Treitschke auf einer Badewanne gesessen, in der einen Hand eine rote Thermosflasche, in der anderen riesige Schnitten: wie ein Florida für Verkäufer, so war mir die Installation erschienen.

Frohgemut meldete ich mich bei Treitschke, unserem alten Fachverkäufer, begrüßte ihn mit einem milden Scherz, schlug ihm auf die Schulter in Erwartung glücklicher Stunden, die wir gemeinsam verbringen sollten; Treitschke lächelte nicht. Ein verborgener Kummer lag in seinem Gesicht, seiner Haltung, ein feiner Altersargwohn machte ihn unruhig: nirgends war die rote Thermosflasche zu sehen, das Paket mit den riesigen Schnitten lag nicht griffbereit; Treitschke fühlte eine dunkle Drohung auf uns zukommen. Er betrachtete mich aufmerksam, er grübelte, überlegte, ob er sich mir anvertrauen könne; dann kam er auf mich zu, kam und faßte wortlos meine Hand und führte mich an die Stoffwand des Schaufensters. Vorsichtig öffnete er einen Schlitz, ließ mich hindurchsehen, und während mein Blick über seegrüne Badewannen lief, über Eimer und vernickelte Handtuchhalter, schüttelte ich den Kopf: ich begriff nicht die Drohung. »Die Schilder«, sagte er. »sie haben in der Nacht neue Reklameschilder ausgelegt.« Ich sah auf die Schilder, versuchte, so gut es ging, zu lesen: ›Sie können Ehre einlegen mit einem neuen Badezimmer‹, warb ein Schild, ›Durch ein Kachelbad steigen Sie bei Ihren Freunden‹, versprach ein anderes. »Weiter«, sagte der alte Treitschke, »lies weiter.« Und ich buchstabierte: ›Mehr wert sein durch ein tägliches Bad‹ und ›Wer auf sich hält, hält es mit einem Kachelbad‹.

»Nun ist es gut«, sagte Treitschke, »nun ist jeder überzeugt: wer sich in der Schüssel gewaschen hat, wird jetzt ein Badezimmer brauchen, und wer ein Bad hatte, wird nicht leben können ohne ein neues.« Es war der letzte ruhige Satz, den er an diesem Tag Gelegenheit hatte zu sprechen ...

DONNERSTAG. Vieles ist zu begreifen; nicht zu begreifen ist die Seele des Käufers. Heute morgen wurde ich zu Gablenz gerufen, unserem Geschäftsführer. Schweigend empfing er mich, mit dem quälenden Schweigen der Mißbilligung: er hatte mir etwas vorzuwerfen. Als er sein Schweigen aufgab, erfuhr ich, was er mir vorzuwerfen hatte; es war kein großes Versehen, kein schwerwiegender Fehler. Gablenz wies mich darauf hin, daß ein guter Verkäufer nicht immer zum letzten Lob greifen dürfte, zur äußersten Lippengarantie, besonders da, wo ein solches Lob nicht am Platze sei. Auch beim Lob, belehrte er mich, habe der Verkäufer den Preis zu berücksichtigen, und manche Dinge verdienten nun einmal nichts anderes, als daß man sie mit mäßigem Temperament anpreise. Der aparteste Reiz, sagte er, die herrscherliche Wonne des Verkaufens liegt sogar darin, daß man den Kunden mit leichter Gleichgültigkeit begegne, sozusagen mit geneigter Geringschätzung. Zum Schluß ermahnte er mich, die Methode des allzu ›dicken Lobs‹, wie er sich ausdrückte, aufzugeben und nach seinen Ratschlägen zu handeln.

Dankbar versprach ich es, versprach es, obwohl sich das ›dicke Lob‹ gut bewährt hatte, und ging hinunter in meine alte Abteilung, an den Herrenbekleidungszubehörstand. Doch auf dem Weg hinab merkte ich, spürte ich, wie der alte Schmerz sich in meinen Backenzähnen meldete, und ich spürte außerdem, daß ich die herrscherliche Wonne, die Gablenz mir vorausgesagt, nicht würde empfinden können.

Ich weiß auch nicht, wie es im weiteren Verlauf dazu kam; mich selbst überraschend, verfiel ich in eine Gleichgültigkeit, die Gablenz nicht gemeint haben konnte; heimgesucht von klopfendem Zahnschmerz, sagte ich den Kunden, versprach ihnen mit treuherzigem Gesicht, daß sie bei mir den besten Dreck des Hauses bekämen: Sokken, die nach der ersten Wäsche zu Ohrenschützern schrumpften, Krawatten, die man unbemerkt verliert, billige Handschuhe für vier Finger und Taschentücher, in die man nur unter Gefahr niesen darf. Ich hoffte, daß sie mir Ruhe geben würden; indem ich ihnen mit todernster Verachtung zeigte, was sie haben wollten, hoffte ich, für eine Weile einen leeren Herrenbekleidungszubehörstand zu haben. Nie hatte ich so zahlreiche, so fröhliche und entschlossene Käufer wie an diesem Tag ...

FREITAG. Man muß den Leuten nicht verkaufen, was sie brauchen; man muß ihnen verkaufen, was sie nicht brauchen, aber brauchen sollten. Erst wer sich diese Wahrheit aneignet, sich ihr hingegeben hat, hat das Geheimnis des Verkaufs verstanden.

Heute pflegte ich mich dieser Wahrheit mit besonderem Ehrgeiz hinzugeben; nur von dem Wunsch erfüllt, dem Käufer Glück und Genugtuung zu verschaffen, strengte ich mich an, forderte ich von mir, meine Kunden von einem langweiligen, vorgefaßten Kauf abzubringen und sie zu überzeugen, daß sie brauchten, was zu brauchen sie nicht für möglich hielten.

Am vollkommensten gelang es mir bei einer kräftigen, traurigen Dame: langsam kam sie auf mich zu, oh, ich sehe sie noch, sehe ihren gewölbten Nacken, die Schwermut in ihren Augen – sie verlangte Sockenhalter für ihren Mann. Während ich ihr einige unzerreißbare Exemplare zeigte, machte ich sie auf unsere Krawatten aufmerksam, legte eine nach der anderen bei mir an und bat sie, sich den Sitz, die einschmeichelnde Farbe der Krawatte bei ihrem Mann vorzustellen; die Sockenhalter waren vergessen. Doch ich gab mich nicht zufrieden: wie zufällig zog ich einen schwarzen, luftdurchlässigen Regenmantel vom Stapel, breitete ihn aus, fuhr liebevoll über den Stoff, und als ich sah, mit welchen Blicken sie meine Handbewegungen verfolgte, zog ich den Regenmantel zur Probe an und bat sie, sich ihren Mann darin vorzustellen: schnell war sie besiegt. Schnell ließ ich auch den Mantel verschwinden, lockte sie weiter, weiter durch den Stand, den ich zu hüten hatte: gefütterte Ohrenschützer, Gürtelschnallen für Mäntel, Mützen für Barkassenführer und Ärmelhalter – alles wies ich vor, alles entschloß sie sich zu kaufen. Doch bevor ich die Rechnung schrieb, überzeugte ich sie jedesmal, daß ihr etwas anderes vonnöten war, daß sie etwas brauchte, was ihr noch nicht bewußt war. Schließlich gelang es mir, sie von der Notwendigkeit zu überzeugen, daß ihr Mann keine Sockenhalter, wohl aber ein Sortiment von Kokarden brauchte, die man, täglich wechselnd, an der Mütze oder am Rockaufschlag tragen kann.

Die Trauer verflog, die Schwermut legte sich, und in ihrer Zufriedenheit ging sie so weit, meinen Ehrgeiz mit der Einladung zu einer Tasse Kaffee zu belohnen ...

SONNABEND. (Klinik Professor Bulz.) Verkäufer sein, heißt an der Front stehen: diese Wahrheit wurde mir schmerzlich bewußt, als ich heute morgen mit Verspätung in unser Warenhaus trat. Unsichtbar war mein Stand, verschwunden hinter einer Mauer von nervösen Käufern; ich hatte Mühe, mir gewaltsam einen Weg zu bahnen. Als ich erschöpft den Stand erreicht hatte, war ich leichtsinnig genug, meinen Mantel auszuziehen: sofort griffen hundert Hände danach, rissen und zerrten an ihm, in der Meinung, ich hätte diesen Mantel anprobiert und mich für einen anderen entschieden. Erregt sah ich, wie mein Mantel – mein Mantel mit den Schlüsseln und Briefen, mit der Jahresfischereikarte – nach hinten wanderte, im Gewühl verschwand, lädiert wieder zum Vorschein kam und dann endgültig abhanden geriet. Ich warf mich nach vorn, versuchte, meinem Mantel auf der Fährte zu bleiben: es war vergebens. Soldaten haben es besser: sie sind durch Stacheldraht geschützt, durch Felder mit Tretminen, Soldaten können sich Distanz verschaffen, wir nicht. Wir sind ihrer Nähe ausgeliefert. Dies Bewußtsein gab mir neue Kraft, verdoppelte meine Anstrengung, schon hatte mich meine Wut dem Mantel nähergebracht. Da geschah es, daß ich mit einem Matrosen kollidierte: ruhig hatte er die Schmähungen, die zornigen Rufe verfolgt, die mir die Käufer zudachten, welche ich auf meiner Jagd nach dem Mantel überwunden hatte; jetzt stand der Matrose vor mir, stand da mit der Gelassenheit eines Eisbergs. Schon manches Schiff ist an einem Eisberg gescheitert; mein Zusammenstoß machte einen Aufenthalt in Prof. Bulz' Klinik erforderlich.

Hier habe ich Gelegenheit zum Wachen, Gelegenheit auch zum Träumen. Da jeder Traum jedoch merkwürdig jenem gleicht, den ich am Sonntag träumte, gestehe ich, daß ich das Wachen vorziehe.

1958

Der große Gral

In den salzigen Sümpfen verlor er den Weg. Das Pferd führte jetzt, schritt ohne Zügeldruck durch den windstillen, todmatten Nachmittag über die flimmernde Ebene; nirgendwoher erklang ein Geräusch, der Trost eines fernen Lauts, keine Rauchsäule war zu sehen. Und Parzival schloß vor Erschöpfung die Augen. Wundgescheuert von den reibenden Rinnen des Brustpanzers, beißenden Rost im Nacken, gemartert von einem siedenden Schmerz in der Seite (einer vertrackten, wenn auch noblen Wunde aus einem Zweikampf) – so überließ er sich der Dumpfheit der Erschöpfung. Jedoch überließ er sich ihr nicht so weit, daß er eingeschlafen wäre; etwas in ihm hielt ihn wach, hielt ihn halbwegs aufrecht: die begründete Erwartung des Verirrten. Denn daß er sich so vorzüglich verirrt hatte, war kein Zufall, kein plattes Miß-geschick; es war Ankündigung für etwas, sublimes Signal, ein reizvolles oder schaudervolles Zeichen, und Parzival spürte das. Er merkte das, weil er über die nötige Tumbheit verfügte, die feine Ahnungslosigkeit; er hatte sozusagen den guten Gaumen des Naiven, und darum wußte er, daß dieser Irrweg etwas bedeutete. Und der Held reagierte darauf, wie er zu reagieren sonst nicht gewohnt war; sonst hatte er sich mit allem und jedem angelegt, immer darauf aus, den Stärkeren, den Sie-ger zu ermitteln – sonst hatte er in geistiger Unschuld draufgeschlagen, sich aufgelehnt gegen Leute und Situationen, ein blonder Berserker des Bizeps: jetzt war er gemäßigt und still, besonnen beinahe. Parzival spürte, daß etwas in der Luft lag. Er ließ das Pferd gehen, und das Pferd trug den schlappen – durch Erwartung allerdings gespannten – Helden über die salzigen Sümpfe, trug ihn nach Westen, der untergehenden Sonne entgegen, und in der Dämmerung erreichten sie einen Wald.

385

Es war ein trauriges Gehölz von niederen Fichten, zerzaust vom scharfen, unablässigen Wind aus den Bergen, hingebogen von altem Druck. Um nicht von den rauhen Ästen im Gesicht gestreift zu wer-den, stieg Parzival ab; außerdem wollte er in Bewegung, wollte warm bleiben, denn wonach ihm im Augenblick am wenigsten verlangte, das war eine Erkältung, die er sich in der plötzlichen Kühle rasch geholt hätte. Stakend, steif, eingezwängt in seinen mörderischen Panzer, mar-schierte er vor dem Pferd, marschierte ohne zu sichern, ohne zu lau-schen; – das wäre auch müßig gewesen, denn das Klappern und Schep-pern seiner Montur war nicht zu verhindern; es kündigte ihn auf große Strecke an. Emsig suchte der junge Mann nach Spuren, hielt Ausschau nach einem Pfad, aber es war nichts zu finden, und in der reinen Arglosigkeit seines Gemüts wiederholte er sich, daß ihm etwas Bedeu-tendes bevorstand.

Es stand ihm in der Tat etwas bevor, denn nach einer Stunde müh-samen Weges, kreuzlahm und zerschunden, schepperte der junge Mann aus dem Gehölz heraus, wankte unter dem Gewicht des Panzers über eine große Lichtung auf ein Seeufer zu. Vor ihm lag ein See: dunkel, binsengesäumt und ungeheuer still, und auf dem See schwamm ein breitplankiger Fischerkahn, in dem mehrere Männer hockten. Einer der Fischer aber stand, ein freundlicher alter Mann: er trug zu Parzivals Überraschung eine Pfauenfeder am Hut, trug einen teuren und entschieden unangebrachten Anzug zum Fischen – nie zuvor hatte Parzival solch einen Fischer gesehen. Aber der Anblick verschlug ihm nicht die Sprache (Wegweiser in magisches Hoheitsgebiet haben immer etwas Herausforderndes, Widerläufiges, Kontrastierendes: etwa eine Bewegung in der Luft bei völliger Windstille; eine Schüssel, die stromaufwärte schwimmt, und zweifellos auch ein so sonderbarer Fischer mit einer Pfauenfeder am Hut); Parzival rief den Alten im Boot an und fragte ihn nach einer Unterkunft. Und der Alte – freundlich, mit weißem, flockigem Haar – ließ das Netz los und rief zurück, daß in der Nähe, auf dreißig Meilen, nichts zu finden und zu hoffen wäre, ausgenommen seine eigene Wohnung: dahin solle Parzival sich wenden. Und der junge Mann wandte sich dahin, obwohl er gern den Fischzug beobachtet hätte; aber er wußte, daß Fischer keine Zuschauer ertragen, und darum ging er gleich.

Er zog sein Pferd am Seeufer entlang, drang wieder in das traurige Gehölz ein und schritt in der Richtung weiter, die der Alte ihm bezeichnet hatte. Die Richtung stimmte, und nach kurzer Zeit stand Parzival an einem steilen Wassergraben, hinter dem sich eine Burg mit schrägen Mauern erhob. Die Anzahl der Schießscharten, der Pechnasen, die Rundtürme und Wehre beeindruckten ihn gewissermaßen tief; er konnte sich nicht erinnern, jemals zuvor eine so fabelhafte Fortifikation gesehen zu haben, eine so wunderbare Wehrwohnung, die jedem Angreifer nicht mehr gelassen hätte als Schwermut und Verzicht. Benommen vor Bewunderung, marschierte Parzival am Graben entlang, marschierte bis zur hochgezogenen Brücke, saß auf und rief das Stichwort zum Brückenturm hinüber, das der Alte ihm gegeben hatte: langsam senkte sich die Brücke, er durfte passieren.

Er ritt auf den Hof, selbstsicher, steif, mit der Würde, die man ihm beigebracht hatte zu zeigen – auch das Ankommen ist eine Kunst; – ritt an den Wachen vorbei, an Junkern, die ihre Feierabendunterhaltung aufgaben, an Volk und Inventar. Und während er zu dem Balken ritt, an dem die Pferde festgemacht wurden, entdeckte er bereits, was einem Mann von seiner Provenienz sofort auffallen mußte: er sah, daß der Rasen des Hofes gut stand, von keinem Turnier zertreten, keinem Buhurt verwüstet. Hier war kein Bannerritt ausgetragen worden, kein gefechtsmäßiges Spiel – merkwürdig genug für den tumben, jungen Mann. Merkwürdiger, bedeutungsvoller aber noch erschien es ihm, daß er auf den Gesichtern der Wachen, der Junker, auf den Gesichtern aller Leute, die er traf, eine gleichartige Trauer bemerkte, ein zur Schau getragenes Leid, das bei allen dieselbe Ursache zu haben schien. Er hatte Mühe, seine Verwunderung und Neugier darüber zu verbergen; es hätte nicht viel gefehlt, und er hätte sie schlicht danach gefragt, aber er erinnerte sich noch rechtzeitig der Lehre des Gurnemanz, insbesondere der gnadenlosen Regel, keine Fragen zu stellen, und Parzival hielt schweigend, wenn auch in angebrachter Verwunderung Einzug: er hatte die Gralsburg gefunden.

Der Himmel war dunkel, als Parzival sich vom Pferd helfen ließ; zwei, drei Junker befreiten ihn von seinem kolossalen Schwert, aus der drückenden Umklammerung des Panzers: es galt als ausgemacht, daß der Ankömmling die Waffen abzulegen hatte. Schließlich band man ihm auch die Beinschienen los, brachte ihm eine Waschschüssel, gab ihm neue Kleider, und allmählich wurde der junge Mann in einen probaten Zivilisten verwandelt. Und ins Zivile verwandelt werden mußte er, das war gleichbedeutend mit der Reinigung vor der Probe; Parzival mußte sein Bizepsideal verlieren, die sorglose Überzeugung, daß sich Entscheidungen in schnaubendem Kampfgerassel erzielen lassen –, vielmehr wurde ihm nun zu verstehen gegeben, daß die wesentlichen Entscheidungen anders ausgetragen werden: lautloser, bedachter und profunder, eben ziviler. Ob er es verstand? Gleichviel, angetan mit einem Mantel aus arabischer Seide (einem Stück, das sonst die Gliederpracht der Königin Repanse de Schoye verhüllte), fühlte er sich ausnehmend wohl und er spürte auch einen schonungslosen Appetit, als ihn jetzt zwei Diener in einen Saal führten, bei dessen Bau man die Vokabel »Mindestgröße« offensichtlich nicht gekannt hatte. Beiläufig hingen an die hundert Kronleuchter in diesem Saal, an den Wänden brannten zusätzlich zehnmal soviel Kerzen; – es war Parzival schlankerhand unmöglich, mit einem Blick alles zu erfassen, was sich hier bot und tat.

Er steuerte zwischen hundert Ruhebetten hindurch, die mit Polsterdecken und Fellen überzogen waren, steuerte an kleinen Tischen vorbei, an runden Sitzteppichen, und dabei sah er selbst es ein, daß es hier müßig war, nach Preisen zu fragen: das Innere der Gralsburg war nicht auf Bewunderung zugeschnitten, sondern auf Verklärung. Und eine Spur heimlicher, erwartungsvoller Verklärung lag auch auf den Gesichtern der Saalbewohner, als Parzival auf die mittlere der drei mar-

mornen Feuerstellen zutrat: alle Gesichter waren ihm zugewandt, alle
Augen beobachteten ihn – frohgemut und hoffnungsvoll, einige wohl
auch bangend –, sie ließen keine seiner Bewegungen aus, und die Art
ihres beistimmenden Lächelns verriet, daß sie mit ihm einverstanden
waren: Er war der Mann, den sie erwartet hatten, von dem sie abhin-
gen.

An der mittleren Feuerstelle empfing ihn der Wirt; es war der sonderbare Fischer, der Alte mit dem weißen, flockigen Haar: freundlich
hakte er ihn ein, zog ihn nieder: auch auf seinem Gesicht lag Erwartung, bange Erlösungsfrage. Stöhnend nahm er Platz, sein Gesicht verzerrte sich vor Schmerz, aber nur einen Augenblick, eine Sekunde;
dann sah er wieder auf den jungen Mann: atemlos jetzt, zitternd und
gepeinigt von Erwartung: Nein, Parzival sagte nichts, fragte nicht nach
der Ursache des Schmerzes, die sein Gastgeber durchlitt – die barba-
rische Lehre des Gurnemanz, keine Fragen zu stellen, verschloß ihm
den Mund. Die geistlose und tragische Lehre, sich mit keiner Frage zu
wundern, sich weder zu erkundigen noch zu erklären, keinen Gedanken zu zeigen und kein Gefühl – nicht einmal das Gefühl des Mitleids:
diese heillose Konvention war dem jungen Mann so gründlich einge-
gerbt, daß er schwieg. Fassungslos bemerkten es die Leute im Saal,
verstört und ungläubig, aber der Alte zog den Zobelpelz um seine
armen Knochen, machte ein Zeichen zum Ende des Saales und widmete sich Parzival.

Am Ende des Saals wurde eine Tür geöffnet, zwei Mädchen kamen
herein und trugen, so feierlich wie möglich, einen goldenen Leuchter
zwischen den Ruhebetten hindurch, setzten ihn vor dem Alten und
seinem Gast ab und traten zurück. Dann erschienen wieder Mädchen:
sie trugen zwei Fußgestelle aus Elfenbein heran, setzten sie ab und
traten zurück. Und nach ihnen tauchten, langsam, mit zeremonieller
Sorgfalt, immer neue Mädchen auf und brachten etwas heran: eine
geschliffene Platte aus Hyazinth mit dem roten Schimmer des Granats,
Messer und Schüsseln, Krüge und Kannen, Gläser und Körbe, und
unter den Blicken des Schaffners, das ist: ein Tafelaufseher, setzten sie
alles ab und traten zurück.

Dann aber, dann trat nur ein Mädchen heraus; ihre Vorgängerinnen
waren Gräfinnen, Herzoginnen, sie aber hatte den Titel einer Königin:
Repanse de Schoye (dieselbe, die Parzival ihren Mantel geborgt hatte).
Und Repanse trug, auf einem grünen Kissen aus Achmardiseide, den

Gral: einen unscheinbaren, grauen, in der Mitte leicht ausgehöhlten Stein. Es war kein Smaragd und kein Saphir, kein Opal und kein Onyx –, es war ein schlichter, kopfgroßer Stein, wettertrübe, kantenlos geworden durch tausend ehrfürchtige Berührungen, und obwohl das Licht der Kerzen gleichgültig über ihn hinlief, nichts ausrichtete und hervorbrachte, bewirkte er doch mehr, als jeder Saphir oder Smaragd bewirkt hätte. Der Glanz erschien nicht auf ihm, er erschien auf den Gesichtern im Saal, nicht er leuchtete, sondern die Augen der Gralbewohner –, es war, als habe der Stein uneigennützig seine Kraft auf alle übertragen, die sich im Saal befanden, und zwar so ausschließlich, daß für ihn selbst nichts mehr blieb, kein bläulicher Blitz, kein Auffunkeln mehr.

Nun, Repanse trug den Stein vor den Wirt und seinen Gast, setzte ihn dort vorsichtig ab und trat zurück, und jetzt begannen sie zu essen: Brühe mit Pfeffer und Agraß, Wildkeulen, gebratene Vögel, Fische, und dazu tranken sie Moraß und Sinopel, einen mit Sirup gemischten Wein. Und während sich Parzival von einem Vorschneider einen Berg von Fleisch absäbeln ließ, starrte der arme, schmerzgequälte Alte neben ihm auf den Gral, auf den grauen Stein, dem alle im Saal alles zu verdanken hatten, die Üppigkeit des Mahles und die Güte des Weins, die Abgeschiedenheit der Gralsburg und ihre Reichtümer, vor allem aber die Reinheit ihres Denkens und die glückliche Selbstgenügsamkeit eines jeden.

Parzival aß mit dem erheblichen Appetit eines gesunden jungen Mannes, der Stein beeinträchtigte seinen Hunger nicht.

Er dachte, während er aß und aß, an den alten Gurnemanz und dessen Lehren: die ließ er hoch und in Ehren leben; zu Entscheidungen kam es nicht bei ihm. Was er besaß, das waren versteinerte Regeln ritterlichen Anstands, die aber reichen nun mal nicht aus, um aus einem tumben Mann einen einsichtigen Mann zu machen. Und so verzehrte er ruhig, was in ihn hineinging und ließ sich von keinem Gedanken belasten. Er konnte sich wohl denken, daß die Trauer auf den Gesichtern der Gralbewohner ihrem kranken Wirt galt, dem gemarterten Amfortas, er vermutete vielleicht auch, daß die Erwartung, mit der man ihm begegnet war, auf die Erlösung von dieser Krankheit gerichtet war: das focht ihn nicht an, Gurnemanz in ihm war stärker.

Aber der Alte mit dem flockigen Haar, leidgeschlagen, von alten Schmerzen gekrümmt, gab noch nicht auf; mit Parzival war die lang-

ersehnte Chance zu ihm gekommen, die Schmerzen loszuwerden, und
solch eine Chance gibt man nicht nach dem ersten Versuch aus der
Hand. Und der Alte dachte nach, suchte nach einem Vorwand, um aus
Parzival eine Frage herauszuholen, die erlösende Frage nach der
Krankheit und ihrer Ursache: wie konnte er diese Frage herausfordern? Heimlich nickte er einem Diener zu, flüsterte mit ihm, und der
Diener verschwand und kam nach kurzer Zeit mit einem Schwert
zurück, wie Parzival es zeitlebens nicht gesehen hatte: es war gewissermaßen eine Wunderwaffe, gehämmert, um ausgemachte Wunder-
taten zu vollbringen, scharf wie ein Rasiermesser war die Schneide, das
Heft ein einziger Rubin, die Scheide in Gold gefaßt, und dieses Schwert
legte der Diener vor Parzival nieder.

Parzival zögerte, es zu berühren, er blickte fragend auf den Alten,
und der Alte lächelte zustimmend: ein kleines Gastgeschenk, eine geschliffene Aufmerksamkeit, als Entschädigung gedacht für das, was der
junge Mann an rechter Pflege hier vermißt haben könnte (Amfortas
verstand sich auf ziselierte Höflichkeit); außerdem, meinte der Alte, sei
es kein beliebiges, unerprobtes Schwert, er selbst habe es getragen,
damals … und jetzt sah er Parzival erwartungsvoll an –, damals, als
man ihm die fürchterliche, hartnäckige Wunde beibrachte, den wilden
Schlag, auf den er nicht vorbereitet war und dessen Folgen er immer
stärker spüre: Parzival bedankte sich für das Schwert; die Wunde interessierte ihn nicht, Gurnemanz siegte wiederum. Und der Alte lächelte müde und resigniert, im Saal herrschte fassungsloses Schweigen,
und während der junge Mann mit dem luxuriösen Mordwerkzeug
spielte, wurde die Tafel aufgehoben: der Gral wurde andachtsvoll hinausgetragen, in vorgeschriebener Reihenfolge dann die anderen Dinge,
die Platten und Fußgestelle, Krüge und Kannen, und zum Schluß erteilte der Alte allen im Saal den Abendsegen, wünschte gute Nacht und
verließ, ächzend, auf zwei Knappen gestützt, die Gesellschaft.

Auch Parzival verließ sie alsbald, ließ sich seine Schlafkammer zeigen
und legte sich mit vollem Bauch ins Bett, heimgesucht von obligaten
Schreckensträumen. Er träumte, wie es ihm angemessen war, von
schnaubendem Kampfgerassel, in das zu stürzen sein einziger Wunsch
war, aber merkwürdigerweise blieb ihm dieser Wunsch versagt, durch
Traumeslist durfte er nicht mehr sein als Zuschauer – natürlich war er
schweißnaß, als er erwachte. Mehr gerädert als erholt von der Nacht
stand er auf, und er zuckte zusammen, als er all seine Waffen auf dem

Teppich vor dem Bett fand. Er rief nach einem Diener, der ihm beim Anlegen der Montur helfen sollte – der Diener kam nicht. Er rief nach dem Frühstück (in der Hoffnung, eines der jungen Mädchen werde es servieren); es erschien niemand. Wütend und irritiert zugleich zwängte er sich in seine Ausrüstung, band sich zwei Schwerter um, nahm Schild und Speer und was er sonst noch als ambulanter Schlagetot brauchte und stieg schleppend auf den Schloßhof hinab: auch hier war niemand.

Sein Pferd allerdings stand angebunden am Balken. Ohne Hilfe kletterte er hinauf, rutschte sich zurecht und blickte noch einmal über den Hof, und jetzt sah er, was ihn vollends verwirrte: er sah, daß die Grasfläche des Hofes aufgerührt war, zerrissen von vielen Pferdehufen; statt mit Morgentau bedeckt zu sein, war das Gras staubgepudert und zertreten: die Spuren der Pferde wiesen zum Tor, zur Brücke. Die Brücke war hochgezogen, aber jetzt, da er sich näherte, ließ sie ein verborgener Wächter herab – so plötzlich, daß sein Pferd fast gescheut hätte; doch er kam glücklich hinüber. Er hielt am Burggraben drüben und wandte sich zurück: leer und tot schien die Gralsburg, mit Unheil überzogen, und wer weiß, vielleicht spürte Parzival jetzt zum ersten Male die Konsequenz seines Versäumnisses, die üblen Folgen seiner Unterlassung, die man sich nicht leisten kann.

Und als er so stand, war es ihm, als ob er eine Stimme hörte, eine Stimme aus einem Brückenturm – war es der Brücken-Knappe, der rief, Parzival lauschte der Stimme, und was sie ihm zurief, war alles andere als schmeichelhaft: es war Fluch und Verwünschung, was er zu hören bekam, ein höhnisches Lebewohl, ein geringschätziges Adieu; er hörte die Aufklärung über das, was er auf der Gralsburg versäumt hatte. Mit miserablem Gewissen rief er zurück, bat um Einzelheiten und genauere Hinweise, aber die fremde Stimme schwieg jetzt; obwohl er lange wartete, erhielt er keine Antwort mehr, und er zog das Pferd herum und ritt langsam in den klaren, kalten Morgen. Er hatte sich der Gralsburg, dem »Palais spirituell«, nicht würdig erwiesen; das Paradies blieb vorerst verriegelt.

Auch Erwählte finden nicht immer den kürzesten Weg, und einem Mann wie Parzival muß man wohl zusätzlich Nachsicht bewilligen. Die Ritter des Grals taten es, aber sie behielten ihn im Auge: sie verfolgten, wie er wieder als streunender Zweikämpfer durch die Lande zog, ein ahnungsloses Muskelpaket, das sich zufrieden fühlte, wenn es einen Zeitgenossen kunstfertig erschlug. Muskel und Minne: mehr interessierte ihn nicht, da er sich aber in dieser Hinsicht beträchtlich beschäftigte, erlangte er, was nicht ausbleiben konnte, einen gewissen Ruf und Rang. Die Herren von Artus' Tafelrunde begannen sich nach ihm zu erkundigen, und es dauerte nicht lange, da gehörte er als einer der auserlesensten Mitglieder diesem exklusiven Kreis an. Doch er hatte die Ehre noch nicht zu genießen begonnen, sich nicht einmal gütlich getan, da brachte sich ihm der Gral in Erinnerung. Kundrie, die scharfmäulige Botin, gewohnt, nie ein Blatt vor den Mund zu nehmen – die Gralsbotin Kundrie also erschien unverhofft in der Tafelrunde und sagte dem jungen Mann derart therapeutische Grobheiten, daß er zumindest stutzig wurde. Und als Kundrie dies bemerkte, als sie sah, daß der erste Angelhaken saß, warf sie ihm durchschlagende Beleidigungen hin und die apartesten Injurien – mit dem Erfolg, daß Parzival betroffen in sich ging, bald darauf zu seinem Pferd stakte und davonritt.

Fünfeinhalb Jahre ritt Parzival umher, gereizt und unzufrieden, auf der Suche nach sich selbst: tief unterm Brustpanzer die klärenden Beleidigungen, die reinigenden Grobheiten von Kundrie. Jedenfalls waren ihm nun die Augen geöffnet, er hatte die rechte Selbsteinschätzung erlangt, und was er dann als Prüfungen zu bestehen hatte, sollte lediglich seine Wandlung erweisen: im Grunde war er würdig für den Gral, akzeptabel und reif genug.

So wunderte es ihn auch nicht einmal, als eines Tages wieder Kundrie bei ihm erschien (abermals in der Artusrunde); und die scharfmäulige Botin war, was ihn auch nicht wunderte, weder grob noch bärbeißig, im Gegenteil, diesmal behandelte sie ihn mit ausgesuchter Zuvorkommenheit. Was sie auf dem Herzen hatte, war viel und darum kurz gesagt: Parzival, so sagte sie, werde vom Gral erwartet, die Zeit sei um. Und der junge Mann erhob sich und ritt mit Kundrie davon.

Diesmal brauchte er nicht zu suchen und vielsagend in die Irre zu geraten; Kundrie hatte Anweisung, ihn und seinen Halbbruder Feirefiß auf kürzestem Weg zum Gral zu bringen, und sie kannte diesen Weg. Sie ritten schweigend hintereinander, mieden die Hauptwege, wichen befestigten Plätzen aus, ritten Tag und Nacht, begleitet von der sägenden monotonen Verzweiflungsmusik der Zikaden, die von verbrannten Berghängen herüberkam. Kundrie wußte, warum sie verlassene Wege bevorzugte, und als sie in die salzigen Sümpfe hinunterritten, wurde ihre Umsicht nachträglich bestätigt: als sie in den Sümpfen waren, tauchten mehrere Reiter auf, schwerbewaffnet und auf schnellen Pferden. Parzival, das anscheinend geläuterte Sorgenkind, empfand sofort wieder den alten Juckreiz im Oberarm, die fatale Lust, dreinzuschlagen. Schon hatte er sich zurechtgesetzt für den Speerkampf, schon empfahl sich seine Vernunft, da machte ihn Kundrie darauf aufmerksam, daß es Freunde waren, Männer aus der Gralsburg, die ihnen entgegengeritten waren; sie trugen das rote Kreuz auf weißem Grund. Parzival zögerte noch, wollte es noch nicht glauben, daß er der Passion der geistig Minderjährigen nicht opfern durfte, als die fremden Männer abstiegen und kurzerhand die Helme abbanden – jetzt allerdings war nichts mehr zu machen; denn das Abbinden des Helms galt als Zeichen friedlicher Gesinnung. Die Männer grüßten Parzival, barhäuptig erwarteten sie seine Befehle, und als sich der junge Mann entspannt und seelisch gelockert hatte, ritten sie zusammen über die salzigen Sümpfe, am versteckten See vorbei, durch das traurige Gehölz zur Gralsburg.

Wurde er bei seinem ersten Besuch erwartungsvoll empfangen, so empfing man ihn jetzt mit ehrerbietiger Genugtuung: wo immer er stand und ging, waren Kämmerer zur Hand, dienstfertige Knappen, und er brauchte jeden Wunsch nur halb zu formulieren, bis er ihn auch schon erfüllt sah. (Feirefiß genoß die gleiche Behandlung.) Aber sehr viele Wünsche äußerte Parzival nicht; er wusch sich lediglich, schälte sich aus der Konservenbüchse seines Panzers heraus, aß und verschnaufte ein wenig, dann zog es ihn hinab in den großen Saal. Zu dem mittleren Marmorkamin zog es ihn, zum runden Sitzteppich, auf dem Amfortas hockte, der alte, gekrümmte Schmerzensmann: brütend wärmte er seine armen Knochen am Feuer, in sich gekehrt, als sinne er den Wegen nach, die der Schmerz durch seinen Körper nahm.

Parzival legte ihm die Hand auf die magere Schulter und als der Alte müde aufblickte, verneigte er sich: nie hatte sich Parzival so vor einem Menschen verneigt, nicht einmal vor den imposanten Gentlemen der Artusrunde. Der Alte lächelte, während Parzival sich verneigte, auf seinem Gesicht erschien das bittere und säuerliche Lächeln der Resignation – er hatte sich abgefunden. Er hatte sich darin ergeben, mit seinen Schmerzen nicht leben, durch die erhaltende Nähe des Grals aber auch nicht sterben zu können; sich selbst überlebt und überstorben zu haben, das war seine Situation.

Er machte keinen Versuch mehr, Parzival die Erlösungsfrage zu suggerieren, selbst dazu hatten ihm die Schmerzen die Kraft genommen; er glaubte nicht mehr daran. Worauf er lediglich insgeheim hoffte, das war ein Fremder, der ihn aus dem lebenserhaltenden Bereich des Grals tragen könnte, damit ihm das Glück gegeben wäre, zu sterben: die eigenen Leute verweigerten ihm diesen Wunsch. Und als Parzival jetzt neben ihm niedersaß, wandte er sich gleich mit diesem Wunsch an ihn, bettelnd, todessüchtig. Amfortas bat den jungen Mann, ihn rücksichtslos, unbekümmert um die Schmerzen, in die salzigen Sümpfe zu tragen und ihn dort auszusetzen. Aber Parzival schüttelte den Kopf und schwieg.

Da krümmte sich der Alte unter einem Stoß neuer, wilder Schmerzen, sein Körper zitterte, die Hände preßten sich auf den Unterleib, und in diesem Augenblick, hörbar für alle, die im Saal standen – in dieser qualvollen Sekunde fragte Parzival den alten Mann nach der Ursache seiner Schmerzen. Ungläubig, glücklich betroffen, hob der Alte sein noch verzerrtes Gesicht, lauschte, als habe er die Frage nur geträumt und suchte sie erwachend wiederzufinden, doch da stellte Parzival die Frage abermals mitten in sein Gesicht. Gurnemanz war besiegt, die Lehre gnadenloser Konvention überwunden; mit der Offenbarung seines Mitleids bestand Parzival die letzte Probe.

Und der schmerzgeschlagene Alte erhob sich, die Frage schien ihm die Kraft dazu gegeben zu haben, wankend noch, benommen vor Freude, nahm er Parzivals Hand und drückte sie. Und dann kamen die andern, alle, die sich im Saal befanden, kamen zu Parzival heran und beglückwünschten ihn, und ihr Glückwunsch war gleichzeitig Unterwerfung, Huldigung: Parzival, der das »Kleinod des Mitleids« erworben hatte, er war nun der neue Wirt des Grals, der neue König der Gralshüter. Das »Kleinod des Mitleids« machte den alten Schmerzensmann Amfortas gesund, es verband sich mit der Kraft des Grals, bestimmte nunmehr die Welt Parzivals bis zu ihrem Ende.

1958

Blick in die Igelstellung

Rührung überkommt mich jedesmal, tadellose Wehmut, wenn ich an den Plätzen meiner verflossenen Wirksamkeit stehe: von Stolz nicht frei, blicke ich auf die Stätten erträglicher Bewährung und sage mir, »auch du warst dabei, auch du«. Und ich wollte es mir auch an jenem Dienstag sagen, als ich an der Materialausgabe vorbeikam, in der ich einst gearbeitet hatte; die Regale wollte ich wiedersehen, in denen Schreibpapier gestapelt war, Kohlepapier, Radiergummi, Klammern und Bleistifte; ich wollte die Tonbank wiedersehen, über die ich zu jedermanns Zufriedenheit Bleistifte und Papier an frohsinnige Sekretärinnen ausgeliefert hatte, und schließlich träumte ich davon, vor dem alten Fensterbrett zu stehen, auf dem ich so oft geschlafen hatte. Ja, die Dienstzeit hatte mir reichlich Gelegenheit zu erquickendem Kurzschlaf gelassen, ich war mein eigener Chef, mein eigener Untergebener, weswegen denn auch jedermann bei mir den Eindruck hatte, ausgeruht, prompt und mitunter sogar mit bescheidenem Scherz bedient zu werden.

Wehmütig gestimmt betrat ich die Materialausgabe, meine Materialausgabe; sie hatte sich sehr verändert: die Regale waren fort, die Fensterbank, nun so etwas wie eine Kommandobrücke aus schwarzem Glanzstoff, befand sich in einer Ecke; und auf der Kommandobrücke saß ein schönes, müdes Mädchen in weißem Pullover und rauchte. Ich fragte sie zuerst nach den Regalen, und sie sah mich erstaunt an und sagte, daß Regale wohl in einem Empfangsraum nichts zu suchen hätten, und dieses sei der Empfangsraum der Materialausgabe. Außerdem wünschte sie zu wissen, mit welchem der Herren ich verabredet sei. Ich fragte sie, wie viele Herren zur Auswahl stehen für eine Verabredung, und sie sagte vierzehn Herren und ließ ihren Blick über das Original eines modernen Künstlers gleiten, das schräg über ihr in wirksamer Aufhängung angebracht war. Als sich ihr Blick wieder meiner erinnerte, fragte ich sie, ob ich den Chef sprechen könnte, falls es einen Chef gäbe, worauf sie mich mit unwilligem Erstaunen musterte und sagte, daß sich der Chef im Ausland befinde, auf einer Informationsreise. Seinen Vertreter, den könnte ich sprechen, falls er nicht gerade auf einer »Materialkonferenz« sei (was sie befürchtete), sonst täte ich gut daran, mich an einen Herrn Plunz zu wenden, der nähme die Geschäfte wahr. Ich bat um Herrn Plunz. Sie telephonierte, fragte mich zwischendurch »welche Angelegenheit«, ich sagte »dringend«, sie sagte auch »dringend« ins Telephon; darauf nannte sie eine Zimmertür und ich durfte passieren.

Ich trat auf einen Gang, der mit Marmorfliesen ausgelegt war, links waren Türen, rechts Türen, hinter denen vierzehn Herren arbeiteten; an jeder Tür waren Namensschilder angebracht, von einem Meister der Grafik verfertigt: ich suchte nach meinem Mann. Und während ich forschte, leise von Tür zu Tür ging, versuchte ich mir vorzustellen, was für eine Kugel die vierzehn Herren schieben könnten, welch einen Lenz; denn damals, als ich Chef und einziger Untergebener der Materialausgabe war, hatte ich mäßig zu tun: wieviel weniger, dachte ich, müssen doch die Herren zu tun haben, da jeder nur den vierzehnten Teil von dem arbeiten mußte, den ich zu erfüllen hatte. Ich lauschte an den Türen, erwartete, die friedlichen Atemzüge Schlafender zu hören, doch ich wurde enttäuscht: hinter jeder Tür wurde diktiert, telephoniert, debattiert; ich merkte, daß die linke Flurseite mit der rechten telephonierte und daß die rechte Briefe diktierte, die der Hausbote zur linken Seite hinübertragen würde – lauschend bekam ich das heraus. Manchmal trat ein Herr mit Handtuch und Hornbrille auf den Gang hinaus, musterte mich mit stechendem Argwohn und verschwand im Bad.

Ich las unter den kunstvollen Namenszügen Sachbearbeiter, Obersachbearbeiter, Stellenleiter, Beschaffungsleiter, Leiter Ausgabe, und ich dachte ... oh, ich konnte, ich mußte nur an einen Namen denken, an einen Begriff, unter dem eine tiefsinnige Erklärung dafür zusammengefaßt ist, wie das geschehen konnte, was ich jetzt sah: »Parkinsons Gesetz«. Ja, ich dachte an dieses Gesetz, in dem sinnfällig erklärt wird, wie so etwas geschehen kann. Wenn da beispielsweise, so sagt dies Gesetz, ein Mann namens A. feststellt, daß er überarbeitet ist, dann hat er drei Möglichkeiten: er kann Schluß machen mit diesem Job, er kann darum einkommen, sich mit seinem Kollegen B. in die Arbeit zu teilen, und drittens kann er zwei Hilfskräfte C. und D. verlangen.

Jeder Vernünftige entscheidet sich für die dritte Möglichkeit, er bekommt »Untergebene«, er wird Chef. (Wenn er sich die Arbeit mit B. teilte, drohte ihm nur lästige Rivalität.) Nun kann er C. gegen D. ausspielen, er kann loben, kann zurückweisen, und da vorauszusetzen ist, daß dies alles an den Untergebenen zehrt, werden sie sich alsbald rechtschaffen überlastet fühlen und in einem Antrag die Bitte um einen Assistenten äußern. Selbstverständlich würden die Zwiste uferlos werden, wenn nur C. Assistenz zugesprochen erhält, D. muß sie auch erhalten, und es wird möglich gemacht, daß vier Assistenten, nämlich E., F., G. und H., in die Materialausgabe einziehen, was bewirkt, daß der Vorgesetzte noch vorgesetzter, die Unterschiede noch spürbarer sind. A. wird natürlich Abteilungsleiter, bekommt Mappen zur Unterschrift, repräsentiert, ist gehalten, sich um den Seelenhaushalt der Untergebenen zu kümmern, Urlaubsgesuche aufeinander abzustimmen: die Arbeit nimmt zu, und der Tag ist nicht fern, an dem ein alter Kriegskamerad von A. als persönlicher Vertreter eingestellt wird.

Jetzt sind es acht, und sie haben miteinander und gegeneinander so viel zu tun, daß sie mehr als ausgelastet sind. Und je größer die Abteilung wird, desto mehr Arbeit entsteht; die Aufgaben wachsen nicht, es werden immer noch genausoviel Bleistifte ausgeliefert wie zu meiner Zeit, doch alle Herren sind erschöpft, gereizt, einige haben sogar Magengeschwüre. Und das spricht für sie: der Zustand der Erschöpfung, der Überarbeitung, jeder respektiert das Magengeschwür, und die Herren selbst genießen schmerzvoll das schöne Bewußtsein ihrer Unentbehrlichkeit. Sie dürfen die Wonnen ihrer Wichtigkeit genießen. Sie diskutieren brieflich die Güte gewisser Bleistiftsorten und stellen ihre gesammelte Diskussion dem Beschaffungsleiter als Einkaufsgrundlage zur Verfügung; wessen vorgeschlagene Sorte gewinnt, darf das als persönlichen Erfolg buchen.

Oh, und der stechende Argwohn, mit dem einige Herren mich musterten, ist auch erklärlich: es ist die sorgsame Prüfung auf mögliche Rivalität, denn was unter ihnen eingestuft ist, setzt ihnen nicht sonderlich zu, nur die Gleichrangigkeit, die macht's.

Ja, an dieses Gesetz mußte ich denken, als ich hinter den Türen durch den Flur ging und suchte. Ich dachte auch an die vierzehn Herren, die jeden Tag das zu tun hatten, was ich alleine hatte vollbringen können – freilich mit dem Unterschied, daß sie erschöpft nach Hause gehen, ich aber munter und belebt nach Hause gegangen war. Mitleid ergriff mich, und als ich die Tür von Plunz gefunden hatte, beugte ich mich zum Schlüsselloch herab: wahrhaftig, er saß mit schmerzverzerrtem Gesicht am Schreibtisch, seine Sekretärin stand hinter ihm, und ich sah, wie sie mit ihren kühlen weißen Fingern seine Kopfhaut massierte. Hier konnte ich nicht eindringen, hier nicht.

Schon wollte ich zurückgehen, als mein Blick auf ein unscheinbares Pappschild fiel: Materialausgabe stand da zu lesen; rasch entschlossen öffnete ich die Tür und schlüpfte hinein. Es war eine neue Tür, durch die ich geschlüpft war, doch der Raum, in dem ich nun stand, war der alte, es war meine Materialausgabe noch. Scheu betastete ich die Tonbank, blickte mit tadelloser Wehmut auf die Regale, in denen Papier gestapelt war, Bleistifte, Büroklammern – niemand außer mir war anwesend.

Ich wollte hinter die Tonbank gehen, an den Platz, auf dem ich so oft gestanden hatte, als die Tür geöffnet wurde und das müde Mädchen in dem weißen Pullover hereinsah. Sie erschrak fast, als sie mich entdeckte, winkte mich heraus und deutete stumm auf das verbogene Pappschild. In meiner Erregung hatte ich übersehen, was unter dem Wort Materialausgabe stand, es stand dort: nur Dienstag und Freitag 9–11 Uhr. Und in der anderen Zeit?, fragte ich das müde Mädchen, und sie sagte, daß die Herren in der anderen Zeit ja wohl noch Wichtigeres zu tun hätten, als Material auszugeben.

Ich stimmte ihr zu. Sie fragte mich erstaunt, ob ich das Zimmer von Herrn Plunz nicht gefunden hätte, und ich sagte, ja, ich habe das Zimmer von Plunz gefunden, aber es seien mir Bedenken gekommen, ihn zu stören. Und als sie mich ein wenig freundlicher darauf hinwies, daß ich selbst meine Angelegenheit dringend genannt hatte, entgegnete ich, daß sie immer noch dringend sei, sehr dringend sogar. Und als sie wissen wollte – wir gingen dabei zum Ausgang–, ob sie selbst mir nicht meine Angelegenheit abnehmen könnte, sagte ich, doch, sie könnte mir meine Angelegenheit abnehmen, denn alles, was ich Plunz zukommen lassen möchte, sind: dringende Grüße.

1958

Der Wanderweg

Zu jedem Wochenende empfahlen sie uns in der Zeitung einen Wanderweg: werbende Artikel, mit Skizzen geschmückt, forderten uns auf, die traurige Stadt zu verlassen; sie versprachen uns Gelöstheit auf dem Feld, Besinnung im Birkengehölz, Muße an der alten Mühle, und wir zogen hinaus. Wir zogen hinaus auf den Weg, den ein Angestellter der Zeitung für uns entdeckt, für uns erwandert hatte; immer gelang es uns, dasselbe zu empfinden, was der einsame, wohlbezahlte Wanderer vor uns empfunden hatte, nie wurden wir von ihm enttäuscht. Er zeigte uns die befreiende Schönheit einer Kuhweide, die todmatte Stille eines Weihers, auch die raunende Bedeutung der Denkmäler zeigte er uns; wir verdanken ihm viel.

Zum letzten Wochenende hatten sie sich eine besondere Überraschung ausgedacht, eine zusätzliche Freude: am Ende des Wanderweges, in einem versonnenen Waldcafé, wurde uns die Möglichkeit gegeben, mit dem einsamen Wanderer, der die Schönheit der Vororte für uns entdeckte, gemeinsam Kaffee zu trinken. Es wurde uns in Aussicht gestellt, ihn persönlich kennenzulernen, den Spürer und sanften Sucher, dem wir soviel zu verdanken hatten, – bei Streuselkuchen sollten wir zusammensitzen.

Und darum brachen wir früh auf diesmal, fuhren hinaus, obwohl meine Frau sich nicht in der Lage zu wandern glaubte: ein Erlebnis hatte sie zu sehr mitgenommen.

Schweigend bestiegen wir den Vorortzug, schweigend, die sorgfältige Skizze in der Hand, verließen wir ihn, und während ich die Richtung nach der Skizze bestimmte, starrte meine Frau gleichgültig vor sich hin. Und gleichgültig, mit abwesendem Blick folgte sie mir, als ich den bezeichneten Weg gefunden hatte; der Weg führte in Knicks hinein, vorbei an wildem Brombeergebüsch, vorbei an der befreienden Weite eines Kartoffelackers.

»Siehst du«, sagte ich, »das ist das Kartoffelfeld, das er meinte. Wir sind auf dem richtigen Weg! Diese Kartoffeln meinte er.«

»Ja«, sagte sie gleichgültig.

»Von hier aus kann man das Elektrizitätswerk sehen, auch den Schornstein der Gummifabrik. Diese Aussicht hat er extra angegeben. Siehst du?«

»Ja«, sagte sie, »oh ja, ich sehe.«

Es war ein trockener Lehmweg, dem wir folgten, ein Weg mit tiefer, hartgefahrener Wagenspur, in dessen Mitte die hartgetretene Spur der Hufe lief – langsam, die Skizze griffbereit, folgten wir diesem Weg. Er führte uns über einen Bauernhof, über einen der letzten, die sich im unmittelbaren Schatten der Stadt erhalten hatten: unser Blick verweilte auf ihm, wie der einsame Wanderer es in seinem Artikel empfahl. Unser Blick verweilte auf einer Pappelgruppe, fand Erholung auf einer Wiese, ruhte nachdenklich auf einem wettertrüben Stein, der eine Stelle bezeichnete, auf der Bismarck einen Hirsch geschossen hatte. Nie hätten wir dies entdeckt, wenn es nicht der einsame Wanderer für uns gefunden hätte. Voll Dankbarkeit dachte ich an ihn, stellte mir seine einsamen Wege vor, sein sanftes Suchen, und mein Dank verband sich mit einer stillen Bewunderung.

»Siehst du«, sagte ich, »diesen Stein hat er für uns entdeckt. Und so etwas kann nur entdecken, wer noch ein Auge hat und Geduld, und wer das Wandern liebt. Er tut es.«

»Es war furchtbar«, sagte meine Frau, »ich kann es nicht vergessen.«

»Was war furchtbar?«

»Der Mann«, sagte sie, »der Mann im Auto. Ich kann es nicht vergessen. Ich zittere immer noch.«

»Der Spaziergang wird dich beruhigen«, sagte ich.

»Du warst nicht dabei«, sagte sie, »du hast es nicht gesehen. Es war einer von diesen nervösen, rotgesichtigen Männern, die in den großen Autos sitzen.«

»Bismarck hat den Hirsch vor über siebzig Jahren geschossen«, sagte ich. »Damals wimmelte es hier sicher von großen Hirschen.«

»Du hättest dabeisein sollen«, sagte meine Frau. »Wir hatten grünes Licht, wir durften über die Straße, aber er versuchte es noch. Er kam um die Ecke und fuhr auf uns zu. Er sah uns, aber er fuhr nicht langsamer. Als ob er uns haßte, so sah er aus in dem schwarzen, großen Auto.«

»Er hatte keine Geduld«, sagte ich, »jeder ist kein Wanderer.«

»Wir liefen auseinander, obwohl wir grünes Licht hatten. Aber ein Mädchen mit ihrem Roller kam nicht so schnell fort, und wir dachten, er werde es überfahren. Doch er konnte noch halten. Er hielt und steckte sein rotes Gesicht raus und schrie das Mädchen an! O Gott, du hättest dabeisein sollen. Ich kann es nicht vergessen.«

»Schrecklich«, sagte ich. »Aber da ist das Storchennest auf der alten

Telegraphenstange. Siehst du es? Auch das hat er in der Skizze eingezeichnet, sehr genau und sehr liebevoll.«

Wir gingen unter dem Storchennest vorbei, weiter zu einem Gehölz und dann überquerten wir die Schienen. Freundlich, wie der Artikel es versprach, grüßte ein sauberes Bahnwärterhäuschen herüber – es war Verlaß auf die Schönheit, die der einsame Wanderer für uns aus der Landschaft auswählte, wie immer hatten wir nichts auszusetzen. Und je näher wir dem versonnenen Waldcafé kamen, desto mehr beschäftigte ich mich mit ihm; unaufhörlich versuchte ich mir vorzustellen, wie er aussah, wie der Mann beschaffen war, der uns mit sorgfältiger Liebe, schauend und suchend, die schönsten Wege eröffnete: je näher wir dem Waldcafé kamen, desto entschiedener wurde meine Ungeduld.

Wir gingen bereits in einer Gruppe, fröhlich strömten die Wanderer der gemeinsamen Kaffeetafel zu; vor uns und hinter uns, von überall her erklang fröhliche Unterhaltung: die Bruderschaft der Wanderer war unter sich. Und dann bogen wir in das Gartencafé ein; Blumen standen auf gedeckten Tischen, Blumen wurden an die Frauen verteilt, und gesunde, kräftige Kellnerinnen führten uns zu den Plätzen. Aller Augen waren auf einen einzelnen Tisch gerichtet, er stand dicht neben der Terrasse, ein Stuhl war schon besetzt, besetzt von einer lächelnden jungen Frau, die ihre Hände ineinander preßte.

»Das ist seine Frau«, sagte jemand. »Bestimmt ist das seine Frau.«

Eine der kräftigen Kellnerinnen brachte Kaffee an unsern Tisch, einen Teller mit frischem Streuselkuchen, und ich begann, den Kuchen zu verteilen. Doch als ich meiner Frau ein Stück auf den Teller schob, sah ich, daß sie aufgestanden war; starr stand sie da, regungslos, auf ihrem Gesicht lag eine scharfe Bitterkeit. Sie blickte zu dem Tisch an der Terrasse hinüber. Dort stand ein Mann, lächelnd und rotgesichtig, ein Mann in taubengrauem Anzug, mit kleinen schwarzen Augen.

»Was ist?« sagte ich erstaunt, »warum bist du aufgestanden?«

»Komm«, sagte sie, »komm schnell. Laß alles liegen und komm.«

»Warum denn? Warum jetzt schon?«

»Das ist der Mann aus dem schwarzen Auto.«

Sie ging vor mir durch das Gartencafé, schnell und hochaufgerichtet, und ich wagte nicht, zurückzusehen. Aber ich ahnte, bereits in dieser Sekunde, daß ich künftig meinen eigenen Wanderweg suchen müßte.

1958

Unter Dampf gesetzt
Über die finnische Sauna

Auf dem Schiff gab es keine Sauna. Duschen gab es da, kalte und warme, schlichte Wannenbäder; nie waren sie besetzt, der gestrichene Boden der Wanne trocken, aufgesprungen, die Hähne fest zugeschraubt, keine Tropfen zeugten von frischer oder gar häufiger Benutzung. Gemieden, ja mit hochmütiger Verachtung gestraft, so erschienen die Duschen, erschienen die schlichten Wannenbäder, keinem Körper durften sie zu einfacher Wohltat verhelfen, keinen abgespannten Geist erquicken, der von zehrender Verhandlung nach Hause fuhr, nach Finnland. Traurig ist das Dasein von Badeeinrichtungen auf finnischen Schiffen.

Ja, auf dem Schiff schon, auf dem kleinen, sauberen, uralten Dampfer, merkte ich, lange bevor die finnische Küste in Sicht kam, daß schlichte Bäder ein Schattendasein führen, für den absoluten Finnen nur so viel Bedeutung haben wie auf Kuba die politische Opposition. Nur im Notfall würde er ein gewöhnliches Bad betreten, und das auch nur mit anhaltendem Widerwillen und dauerhaftem Selbstvorwurf: Schon auf dem Schiff erfuhr ich es. Und mit der Verachtung für das schlichte Wannenbad erfuhr ich etwas vom Triumph der Sauna, von ihrer Bedeutung dortzuland.

Oh, sie freuten sich alle schon darauf, meine finnischen Mitpassagiere, Hochstimmung setzte ein, je näher wir der Küste kamen, fröhliche Erwartung. Es ging nach Hause, und das schien nur zu bedeuten: in die schmerzlich entbehrte Sauna.

Mitleid überkam sie, als sie erfuhren, daß ich es mit der traurigen Dusche versucht hatte; ihre Anteilnahme ging so weit, daß sie mich einluden, drei, vier Einladungen zu gleicher Zeit, jedoch nicht, um gemeinsam zu essen, spazierenzugehen oder Pilze zu sammeln, sondern alle luden mich ein, in ihre Sauna zu kommen, mit ihnen zusammen zu saunieren. Ein junger Ingenieur lud mich dazu ein, ein lederhäutiger Greis, selbst eine sehr reife Dame zeigte sich von Mitleid erfüllt und lud mich ein zur gemeinsamen Sauna. Nie, versicherten sie, nie würde ich ein gewöhnliches Bad mehr betreten, wenn ich erst die vielfältige Wohltat der Sauna erfahren hätte. Ihre Versicherungen waren so bestimmt, die Schilderungen des Saunalebens so schwelgerisch, daß ich mir ihre Sauna ungeduldig vorzustellen begann: Ich dachte an die römischen Thermen, sah mich bereits auf lockerem Ruhebett, gesalbt von den strohblonden Töchtern Suomis, von ihrer sportlichen Anmut umgeben. Ich sah mich schon Tage, Wochen, ja vielleicht mein ganzes Leben in der Sauna zubringen; denn fühlte ein Römer sich nicht in den Thermen zu Haus? Entstand die Politik, die Rom zur Weltmacht führte, nicht im Lavendelduft moussierender Bäder? Und wurden die angenehmsten Geschäfte nicht geschlossen, während eine kleine, wohlerfahrene Hand die Stirn frottierte, den Rücken verständig behandelte? Ich nahm die Einladungen an.

Ein höflicher Richter war mein Gastgeber, ein breitwangiger, untersetzter Mann um die Fünfzig, glatthäutig, sehr glatthäutig; liebevoll nahm er sich meiner an, lud mich ein in sein Landhaus, er versprach, mich in das Zeremoniell der Sauna einzuführen, mir die Augen zu öffnen für ihre vielfältige Wohltat.

Als wir dann draußen waren, draußen an einem verfilzten Wald, vor einem flachen, schilfgesäumten See, wo das Landhaus lag, suchte ich sofort nach dem Ort der vollkommenen Erquickung. Ich konnte ihn nicht entdecken. Ich fragte meinen Gastgeber, und er deutete auf ein kleines, braungetünchtes Holzhaus und sagte: »Das ist die Sauna.« – »Das«, fragte ich, »das«, sagte er höflich und mit versonnenem Blick. Das Holzhaus stand unmittelbar am See, von fettglänzenden Erlen umgeben; harmlos sah es aus, wie ein schmucker Schuppen, eine gepflegte Bude, und es war so klein, daß ich unwillkürlich überlegte, wie die strohblonden Töchter Suomis, die mich salben, verständig massieren sollten, darin Platz finden könnten. Mein Gastgeber hatte zur Saunazeremonie noch einige Freunde mitgebracht, ein Kapitän war darunter, ein Direktor, auch zwei stumme, wohlerzogene Söhne hatte er mitgebracht – auf seine Großmutter mußte er schweren Herzens verzichten, da sie verreist war, sonst wäre auch sie dabeigewesen. Höflich lächelten wir uns zu, rauchten Zigaretten und blickten auf die Stätte vollkommener Erquickung: Rauch stieg aus der braungetünchten Bude auf, giftgelber Qualm, der kräuselnd durch die Erlen strich; das einzige Fenster war blind. Es war kalt. Ein kalter Wind kam auf. Ich begann zu frieren. Mein Gastgeber kam zu mir und sagte: »Wir haben eine Redensart in Finnland, wir sagen: ›Wenn die Sauna nicht mehr hilft, das Schröpfen und der Schnaps, dann kann man sterben, ohne sich Vorwürfe machen zu müssen, eine Therapie versäumt zu haben.‹ Wenn die Sauna nicht mehr hilft, hilft nichts mehr.« – »Ich werde es mir gut merken«, sagte ich und blickte gespannt auf die schmucke

Bude, die soviel Wohltat bereithalten sollte – und nicht nur Wohltat, sondern nebenbei wohl auch das belebendste Elixier der Welt. Wir schnippten nacheinander die Kippen fort, höfliche Blicke trafen mich, Blicke der Aufforderung. Ich sah auf meine Uhr: Es war neun Uhr abends. Um mich herum wurden die Hemden abgestreift, rutschten Hosen zu Boden, die Hose des Kapitäns, die Hose des Direktors und die Hose meines Gastgebers; lächelnd standen die Herren da, in eindrucksvoller Kreatürlichkeit.»Es ist soweit«, sagte mein Gastgeber leise,»der Augenblick ist da.«

Höflich sahen die Herren zu, wie ich mich auszog, sie nickten beifällig, wenn ein Stück nach dem andern fiel, und ihre Gesichter zeigten Genugtuung, als ich nackt und zitternd zwischen ihnen stand. Sie drückten mir die Hand. Sie komplimentierten mich unter Formen weltläufiger Höflichkeit zur Sauna.

Ich hatte den Vortritt. Eine höfliche Hand öffnete die Tür, drückte mich mit sanftem Zwang hinein, und ich dachte – konnte ich überhaupt noch denken, nein reagieren, panisch reagieren? –, das war das einzige, wozu ich noch fähig war: fliehen, raus hier, nur fliehen, das wollte ich. Als ob sie mir einen glühenden Pfahl in die Luftröhre gestoßen hätten, so fühlte ich mich nach dem Eintritt in ihr Heiligtum: Eine heiße, trockene, würgende Luft fiel mich an – zugegeben, sie war auch würzig –, und vor dem Auge wurde es schwarz.

Was hatten sie mit mir vor? Ich sah, soweit es noch möglich war, flehend in ihre Gesichter, hilfesuchend, ich hielt nach einer Lücke zwischen ihnen Ausschau, aber zwischen ihnen war keine Lücke, und alle Gesichter lächelten mir höflich zu. Ihre Höflichkeit zwang mich zu bleiben. Der letzte schloß die Tür. Ein irdener Rundofen in einer Ecke, in der anderen ein Bottich mit Wasser, an der Wand, stufenförmig, drei Holzbänke; war dieser kleine hölzerne Käfig schon der Ort vollkommener Erquickung? Freundlich schubsten sie mich zur Bank, nötigten mich, Platz zu nehmen, und ich setzte mich mit dem glühenden Pfahl in der Brust.

»Sie werden die ganze Zeremonie kennenlernen«, sagte mein Gastgeber,»ich hoffe, es macht Ihnen Freude.« – »Sicher«, stöhnte ich,»es macht mir ungeheure Freude.« Die Herren setzten sich auf die stufenförmige Bank, legten die Hände auf die Knie, beobachteten mich und lächelten mir liebenswürdig zu. Ich versuchte zurückzulächeln mit dem glühenden Pfahl in der Luftröhre. Meine Haut begann sich zu verfärben, Kochwurstfarbe anzunehmen, sie dehnte sich, schwoll und schwoll, gleich, dachte ich, gleich macht es pfffft, irgendwo platzt es, und dann entweicht alles zischend aus dir wie aus einem geöffneten Ventil. Soweit kam es nicht. Zu gegebener Zeit erhob sich mein Gastgeber, schöpfte mit einer Pütz Wasser aus dem Bottich und schleuderte das eiskalte Wasser gegen den irdenen Ofen. Ein Knall, ein Zischen, und in der fauchenden Dampfwolke, die sich löste, glaubte ich Luzifer auffahren zu sehen. Dampf hüllte uns ein, unsichtbar waren die höflichen Gesichter der Herren – stockte der Atem? Verweigerten Herz und Lunge die Arbeit? Etwas bereitete sich in mir vor, etwas staute und sammelte sich, ich spürte es genau, und dann, nachdem der Gastgeber eine zweite Pütz Wasser gegen den Ofen gegossen hatte, brach es von innen aus: Der Hals öffnete sich, die Stirn öffnete sich, alles tat sich auf und gab frei, woraus der Mensch zu über zwei Dritteln besteht – Wasser. Wie viele Durstige können damit getränkt werden; literweise brach es aus, rann kribbelnd in Bächen ab – welch ein Wasser-Reservoir ist der Mensch! Unhörbar quellend trat es hervor, und besorgt blickte ich an mir herab, erwartete zu schrumpfen oder zusammenzufallen. An den Füßen, ja, auf dem gebogenen Zementfußboden, sammelte sich das Wasser, floß sacht in eine Rinne, gewann an Kraft und strömte zu einem Abflußrohr in der Wand. Erschrocken und gelähmt, vor allem aber gelähmt, starrte ich auf das Abflußloch – war das schon Todesangst?

Ich blickte so fasziniert darauf, daß ich nicht merkte, wie mein Gastgeber aufstand – plötzlich aber riß es mich aus melancholischem Sinnen, riß mich auf die Beine, die Hände schlössen sich zu Fäusten, die Fäuste nahmen Abwehrstellung ein: Ah, während ich gebannt dagesessen hatte, schlug mir mein höflicher Gastgeber eine Pütz Wasser um die Ohren, eiskaltes Wasser, forsch gegossen, wie ein Dolch traf es mich, der Schock riß mich hoch. Ich wollte zur Tür stürzen. Doch die Herren auf der Bank lächelten höflich und nickten mir anerkennend zu. Und mein Gastgeber reichte mir die Pütz und bat mich, ihm nun die gleiche Wohltat zu erweisen, »als willkommene Abkühlung«, wie er meinte, und so keuchte ich zum Bottich, füllte die Pütz und – wo waren meine Kräfte geblieben? War die Pütz aus Blei? Zitternd stemmte ich sie über den geröteten Rücken meines Gastgebers, kippte sie langsam um, ein dünner, eiskalter Strahl ergoß sich auf den Richter, und er schaute sich um, erstaunt, ein wenig unwillig, ich goß nicht forsch genug, der Herr vermißte die »willkommene Abkühlung«. »Ist es nicht wunderbar«, fragte er, »es geht einem durch und durch.« – »Zweifellos«, hauchte ich, »zweifellos.« – »Das ist die original Finnische Sauna«, sagte er. »Ich spüre es«, sagte ich mit dem glühenden Pfahl in der Brust. »Die beste Medizin«, sagte er.

Und ich dachte: Überstehen ist alles, und ließ mich auf meine Bank fallen. Als ich vorübergehend bei Atem war, sagte ich – in der Hoffnung, daß nach der willkommenen Abkühlung die Folter beendet sei –: »Darf ich die Handtücher holen? Wenn die Herren wünschen, hole ich sie gern, sehr gern«, und ich erhob mich und wollte zur Tür. »Es beginnt doch erst«, sagte mein Gastgeber. Wieder zischte Wasser gegen den Ofen, fuhr Luzifer aus der fauchenden Dampfwolke, die uns verhüllte, und die Quellen öffneten sich. Gleichmütig, wie die Physik es vorschreibt, sammelte sich das Wasser in der Rinne, gab dem sanften Gefälle nach und wanderte zum Abflußrohr, das in den See führte. Ich blickte mir nach, wie ich davonrieselte, murmelte meinem verflüssigten Teil einen schwachen Gruß zu, bis es mich, unvermutet, wieder hochriß. In meditierender Wehmut klatschte eine neue Pütz Wasser gegen meinen Rücken, ich hob die Fäuste, doch Fäuste öffnen sich vor höflich lächelnden Gesichtern. Erschöpft verhalf ich dem Gastgeber zu der gleichen Abkühlung und fragte schnell: »Werden vielleicht die Handtücher gewünscht?«

Niemand wünschte sie – außer mir. Alle Herren, der Kapitän, der Direktor, mein Gastgeber und die stummen, wohlerzogenen Söhne – alle lächelten, seufzten unter belebender Wohltat, sie drehten ihre Schenkel, kniffen an den Zehen herum, kratzten sich unaufdringlich, für sie war es vollkommene Erquickung. Und während der Kapitän und der Direktor zu politisieren begannen – ich hörte mehrmals schnell hintereinander: Mao Tse-tung, Mao Tse-tung –, beugte sich mein Gastgeber zu mir und bat mich sehr höflich um Entschuldigung. »Wofür«, fragte ich, »wofür bitten Sie mich um Entschuldigung?« – »Weil wir hier keine Frauen zur Hand haben.« – »Wozu brauchen wir hier Frauen?« fragte ich matt. »Zum Abseifen«, sagte er. »In den größeren Saunen bei uns werden wir von Frauen abgeseift. Leider ist meine Großmutter verreist, sie hätte es übernommen.« – »Schade«, sagte ich, »hoffentlich hat sie eine gute Reise.«

Mein Gastgeber erhob sich, machte eine, wenn auch nur angedeutete Verbeugung der Höflichkeit, und als ich ratlos zu ihm aufsah, sagte er: »Ich bedaure zutiefst, daß keine Frau hier ist; erlauben Sie deshalb, wenn ich Sie nun abseife. Ich werde bemüht sein, mein möglichstes herzugeben. Darf ich bitten?« – »Bitte«, sagte ich. Er führte mich zum Fenster, schlug mir eine Pütz Wasser um die Ohren, worauf ich mir nur mit Mühe meine Besinnung erhalten konnte, und dann begann er sein möglichstes beim Abseifen herzugeben. Meine Stirn ruhte auf dem Fensterkreuz, und ich erschauerte plötzlich, als die Seife mich berührte: Nein, es war keine gewöhnliche Seife, zumindest keine, womit Filmsternchen ihren milchigen Teint erzeugen, ein riesiger Block von Kernseife war es, kiloschwer, in der Größe einer 15-cm-Langrohrgranate, und er stemmte die Seife hoch und gab sein möglichstes her auf meinem Rücken.

Ich schloß die Augen, die Stirn schlug rhythmisch gegen das Fensterkreuz, der Körper schüttelte sich – hatte indes nicht mehr die Kraft, sich aufzubäumen, zu protestieren, und als ich nichts mehr zu spüren glaubte, nur noch Knetmasse in seinen Händen war, da setzte er den Seifenblock auf den Boden und nahm eine Bürste. Ich vermute, er wollte meine Haut als Souvenir behalten, denn die Bürste, die der nahm, war auch keine gewöhnliche Bürste: Ein Piassava-Besen schien es zu sein oder eine solide Drahthaarbürste, mit der man den Rost von Leitungsrohren bürstet.

»Die Handtücher«, keuchte ich.

»Bitte«, sagte mein Gastgeber höflich, »bitte, wir sind erst mitten in der Zeremonie, und zunächst fände ich es ausnehmend liebenswürdig, wenn Sie nun auch mich abseiften, vorausgesetzt natürlich, daß Ihre Güte soweit reicht.« Reichte sie soweit? Ich sammelte Kraft, konzentrierte mich wie ein Hammerwerfer, dann stemmte ich den Block Kernseife hoch, ließ ihn den Rücken meines Gastgebers hinuntergleiten – schlapp, zu schlapp für ihn, der sich umwandte und mich erstaunt und sorgenvoll musterte. Als sein Rücken leidlich mit Seife bedeckt war, nahm ich die Drahtbürste, wedelte erschöpft, vor allem unsystematisch herum, nein, ich brachte die Seife nicht zum Schäumen. Verausgabt, besonders aber verzweifelt, stülpte ich zum Schluß eine Pütz Wasser über den Richter und hauchte: »Jetzt doch aber die Handtücher!« – »Jetzt gehen wir in den See«, sagte er, »wir dürfen das Zeremoniell nicht unterbrechen.«

Die anderen Herren, die sich ebenfalls abgeseift hatten, gingen an uns vorbei zur Tür, sie gingen durch die Erlen, betraten einen Steg und sprangen durchaus elegant ins Wasser. Schwimmend durchquerten sie den Schilfgürtel und schwammen hinaus auf den dunklen See. Wir standen noch auf dem Steg, ich sah zu den Wäldern hinüber – waren es die Wälder, in denen Nurmi trainiert hatte für seine unsterblichen Läufe? Fliehen, jetzt fliehen, mit Nurmis Ausdauer, seiner enormen Schrittweite.»Bitte, nach Ihnen«, sagte mein Gastgeber und zeigte aufs Wasser.

»Oh«, sagte ich,»diesmal wollen wir doch vergessen, daß ich Ihr Gast bin. Ich lasse Ihnen gern den Vortritt!«

»Sie sind mein Gast«, sagte er,»nur zu.«

»Kann man hier springen?« fragte ich.

»Sicher«, sagte er,»es ist tief genug. Im Augenblick treiben ja keine Eisschollen.«

»Nein«, sagte ich,»schade, es ist kein Eis zu sehen.«

»Vor drei Wochen hatten wir noch Eis.«

»Dann hätte ich früher kommen sollen«, sagte ich.

Mein Gastgeber sprang zuerst, verschwand unter Wasser und tauchte prustend im Schilf auf und rief mit einer Stimme, die nichts als Behagen verriet:»Bitte, ich warte auf Sie.« Ich schloß die Augen. Ich sprang. Und in der Zeit, in der ein Schwimmender sich umdreht, stand ich wieder auf dem Steg.

»Kommen Sie nicht mit?« rief mein Gastgeber.

»Ich bin schon wieder zurück«, rief ich,»es war wunderbar, eine willkommene Abkühlung!« Ich stand auf dem Steg, beobachtete die schwimmenden Herren, die noch schwimmend politisierten, immer wieder hörte ich Mao Tse-tung, Mao Tse-tung.

Als sie zurückkehrten, fanden sie das Wasser zu warm, und auch ich fand das Wasser zu warm, und wir gingen durch die Erlen zurück zur Sauna.»Wie war's, meine Herren«, fragte ich,»darf ich jetzt die Handtücher holen?« Sie schüttelten höflich die Köpfe, mein Gastgeber drückte mich mit sanftem Zwang wieder in den Dampfkäfig hinein, eine Pütz voll Wasser zischte gegen den irdenen Ofen, und abermals verabschiedete ich, was aus dem Körper hervorbrach. War es immer noch nicht genug? Wollten sie es auf die Spitze treiben?

Einer der stummen, wohlerzogenen Söhne kam mit einem Arm voller Saunabesen herein, sorgfältig geschnittenen Birkenreisern, die noch Laub trugen. Die Besen waren handlich, nicht länger als der Ellenbogen eines Mannes, und der Sohn verteilte die Besen und kletterte auf die oberste Bank, wo es nicht unbedingt heißer ist als in Luzifers glühender Residenz. Ich roch an dem Besen, er duftete nach frischem Laub. Lächelnd beugte sich mir mein Gastgeber zu und sagte sehr höflich:»Erlauben Sie, daß ich Ihren Rücken bearbeite und vorzugsweise die Stellen, die aus natürlichem Grunde schwer zu erreichen sind. Vorn, denke ich, können Sie es selbst besorgen. Es ist einfach: Man peitscht sich aus.«

Und mit dem letzten Wort zog er mir den ersten Schlag über den Rücken, so daß ich auffuhr und er mich beschwichtigend ansah. Kurz fielen seine Schläge, knapp aus dem Handgelenk; ich geißelte mich vorn, wedelte schlaff über meine Knie, wedelte vor meinem Gesicht, um mir Luft zuzuschanzen.

Dann bot er mir seinen Rücken an, ich schlug ihn beidhändig, klatschend fiel der Besen auf ihn nieder – es war nicht scharf genug, entsprach nicht dem Zeremoniell, und von neuem traf mich der erstaunte und unwillige Blick über die Schulter. Er entschuldigte sich bei mir, winkte seinen Söhnen und schärfte ihnen ein, ihre ganze Jugend in die Schläge zu legen; sie taten es, und mein Gastgeber krümmte sich in wohligen Schauern.

Erschöpft vor mich hin wedelnd, sonderbar angezogen von dem Abflußrohr, ergoß sich wiederum eine eiskalte Pütz Wasser über mich: Diesmal sprang ich nicht auf, keine Faust ballte sich, mein Wille war gebrochen. Ja, ich lächelte in wortloser Qual. Und als mein Gastgeber sagte:»Nun können wir die Handtücher brauchen«, nickte ich nur langsam, erhob mich zögernd und schwankte zur Tür und hinaus.

Wir frottierten uns gegenseitig zwischen den Erlen. Ich sah auf meine Uhr: Es war eine halbe Stunde vor Mitternacht. Wir rauchten, der Gastgeber verschwand noch einmal in der Sauna, und als er zurückkehrte, brachte er eine riesige Pfanne mit, in der, rötlich gedunsen, zwei armdicke Würste lagen. Der Gastgeber zerschnitt die Würste, verteilte die Stücke und holte einen ganzen Kasten Bier, und wir tranken das Bier und aßen die Würste und unterhielten uns interessant über die Sauna.

Wir standen lange zusammen, die Nacht war auf einmal warm, der Kapitän machte den Vorschlag zu fischen, und als wir das Boot losbanden, merkte ich, daß ich nur meine Turnhose trug und nicht mehr fror. Und ich spürte plötzlich noch mehr: eine vielfältige Wohltat, Leichtigkeit und vollkommene Erquickung und ein unbegreifliches

Gefühl von Neugeborensein, wie sie nur eine Institution der Welt gewährt: die Finnische Sauna.

1958

Tagtraum der Tiere

Aus dem Park kam Musik. Ein strenger Frauenchor sang, sang nicht süß oder heiter oder leichtsinnig, sondern ernst, mahnend: der Frauenchor, der über Lautsprecher meinen Schritt beeinflußte, sang eindringlich zum Ruhm der Schöpfung. Der Gesang zwang meinen Schritt zum Tor, mahnte mich zu einem Besuch der vierbeinigen oder geflügelten Schöpfung, und ich kaufte eine Eintrittskarte und durfte passieren. »Wir Tiere danken für deinen Besuch«, versprach ein Plakat – es trug keine Unterschrift, kein Initial, und ich dachte, vielleicht hat die scheue Gazelle dies Plakat geschrieben oder ein Marabu in seiner abgründigen Weisheit, vielleicht auch ein aufgeklärtes Perlhuhn; jedenfalls fand ich mich persönlich angesprochen, warm willkommen geheißen: auch die Tiere gehen mit der Zeit, auch die vierbeinige oder geflügelte Schöpfung kann nicht auf public relation verzichten.

Unter dem mahnenden Gesang des strengen Frauenchors ging ich einen Kiesweg hinab, der Gesang kam hoch aus den Birken, er stimmte mich ein, er bereitete mich darauf vor, einen innigen Wechselblick mit der sprachlosen Schöpfung zu tauschen, mich wiederzufinden und ahnungsvoll zu begreifen im Blinzeln des Tierauges – das Herz arbeitete mit, es begann vorschriftsmäßig. Hier bin ich, so dachte ich, weniger Mensch als Wesen unter Wesen, und unter solchem Fühlen erreichte ich den Zaun, hinter dem ein halbes Dutzend Zebras stand. Die Zebras empfingen mich kopfnickend. Aus träumerischen Augen blickten sie mich an. Träumten sie von sonnigen Steppen? Sie rührten sich nicht, starrten nur herüber, und als ich ihnen zuwinkte, begann ein Zebrafohlen anmutig zu äpfeln.

Der Frauenchor schwang sich zu ernstem Jubel auf. Ich ging weiter, stellte mich zu einer Schulklasse, die vor dem Gehege der Bären stand. Zwei Bären bewegten sich mit täppischer Grazie über den Boden, umarmten sich, rangen in knurrender Bärenliebe miteinander; gegenseitig bissen sie sich in die Ohren, ließen die Pranken die krallenbewehrte Sprache der Liebe sprechen, ah, es war ein Bild tapsiger Zärtlichkeit

und wonniger Plumpheit. Bis dann der Lehrer sagte:»Ursus«, sagte er,
»heißt der Bär.« Die Tiere ließen plötzlich voneinander ab, eine Bä-
renschnauze näherte sich einem Bärenohr, beide Tiere sahen herüber,
und auf einmal wandten sie sich ab und trotteten in eine Höhle, die
nicht unbedingt dunkler war, als Bärenhöhlen zu sein pflegen. Die
Klasse schob sich weiter, schob mich mit, ein schöner Pfau schrie
fürchterlich, verschwand tuckend im Gebüsch. Wir marschierten über
eine Brücke und hinauf zu einem Eisenrohrgatter. Ich konnte nicht
sehen, was in dem Gatter lebte, ich sah nur Uniformen davor, Marine-
Uniformen, die ganze Besatzung eines amerikanischen Kreuzers hatte
sich hier versammelt. Warum photographierten sie so hingebungsvoll?
Was gab es da zu sehen? Wir zwängten uns durch die verbündete
Flotte: ja, und jetzt sah ich ihn, einen Büffel, ein sehr altes Herrchen
von einem Büffel, zeitgrau, urtümliche Lendenkraft – Dunkles dräu-
end, lag er im Schatten. Woran dachte er? An friedliches Äsen auf
randlosen Savannen? An die verschollenen Kriegsschreie jagender Indianer? Oder dachte der Büffel daran, daß er sein Englisch so weit
vergessen hatte, daß er die Matrosen nicht mehr ansprechen konnte?
Er erhob sich. Die Auslöser der Photoapparate klickten unaufhörlich.
Der Büffel stieß einen ächzenden Laut aus, er klang wie»Uff«oder»die
Sache ist erledigt«. Dann drehte er sich um und ließ sich nieder und
wandte uns den imposanten Rücken zu.

Die Flotte gab der Schulklasse Geleitschutz, die Klasse schob mich
mit, und gemeinsam, in Dwarslinie, wogten wir zum Raubtierhaus.
Die Tiger schliefen, die Löwen schliefen. Ein Panther schlief auf einem
Ast. Schliefen sie wirklich? Die Flotte reizte den Gegner, lockte ihn
durch Zuruf und Drohung – hinter der Sicherheit der Stäbe, versteht
sich. Ja, die Flotte war auf der Hut, während sie Tiger, Löwen und
Panther aus dem Traum holen wollte: Wachsamkeit ist alles. Und jetzt,
ich sah es deutlich, öffnete sich ein Tigerauge, langsam, bedeutsam, ich
sah es genau: ein Auge, unheimlich und vielsagend wie Rußland, es
schweifte in die Runde, ohne ein Gefühl, eine Empfindung preiszugeben, die Flotte wechselte einen Blick, auch ich tauschte einen Blick,
und, wahrhaftig, jetzt blinzelte es einmal, ehe es sich wieder schloß.
Wem hatte das Blinzeln gegolten?

Eine dänische Reisegesellschaft war eingetroffen, ein Sparklub aus
Aarhus oder Sonderburg, auch sie erhielt Geleitschutz, und unter dem
ernsten Frauenchor zogen, drängten und stolperten wir zu den Vögeln.

Und wir umringten einen Marabu, grüßten ihn, seine Weisheit war Trauer; traurig, mit schräg gelegtem Kopf musterte er uns. Ein Fisch lag vor ihm, doch er fraß ihn nicht. Er beachtete ihn auch nicht. Er stieß einen Laut aus, der so klang wie das Geräusch einer Drahtbürste auf Eisen, sicher war es ein melodiöses ägyptisches Wort, ein melodiöser Befehl, denn bald darauf stelzte aus einem Haus eine Marabufrau heran. Auch ihre Weisheit war Trauer, auch sie musterte uns teilnahmsvoll, dann teilten sie sich den Fisch, schluckten ihn und schluckten etwas Schlamm hinterher, offenbar die Majonäse der Marabus. – Aus dem Papageienhaus kam Gelächter. Ein Papagei rief:»Lora, Lora, Seefahrt tut not!« Woher konnte er es wissen? Die Flotte war einverstanden und kaufte Erdnüsse für ihn, die er auf die Erde schmiß.

Vor den Giraffen erwartete uns die Belegschaft eines Betriebes, freundlich nahm sie uns auf. Wir hoben die Köpfe, richteten die Blicke nach oben, wo in reiner Patriarchenluft die Giraffenhälse endeten. Die Giraffen fraßen aus sehr hochgehängtem Brotkorb, musterten uns sanft mampfend, musterten besonders eine kleine, säbelbeinige Frau, und plötzlich riß eine der Giraffen ein Bündel Heu aus dem Korb und ließ es vor die Frau fallen:»Da«, schien die Giraffe sagen zu wollen, »nimm hin und iß von dem hochgehängten Überfluß der Welt.« Die Frau lachte. Die Flotte und die dänische Reisegesellschaft lachten. Nur die Giraffe lachte nicht. Hatte sie es ernst gemeint?

Gemeinsam zogen wir zu den Teichen der Seehunde, wo die Fütterstunde begann. Hier gab sich die Schöpfung elegant und gefräßig: naßpelzig, heringsfett, so robbten Seehunde auf einen überhängenden Felsen hinauf. Auf dem Felsen stand ein Wärter in goldbetreßter Wärteruniform. Er trug einen Schnauzbart. Er sah gedient aus. Ruhig ließ er die Tiere herankommen, scharfe Befehle erklangen, und die Seehunde, diese eleganten Rekruten, kamen»bei Fuß«. Der Wärter lächelte triumphierend, er hatte ihren Willen besiegt, ihre Gier gebändigt; er genoß seinen Triumph. Die Macht, die er über sie ausübte, lag in einem Eimer voller Fische. Einzeln warf er die Fische ins Wasser, worauf die Seehunde sich auf kürzestem Wege vom Felsen stürzten, ohne Rücksicht aufeinander – erst kommt das Fressen, ja. Mit eleganter Gier schossen sie durch das aufschwappende, schäumende Wasser. Die Schulklasse klatschte, die Flotte beobachtete sorgfältig ihre Manöver und photographierte. Der Sparverein schwieg, und ich, ich versuchte an die sieben Gebote zu denken, die die Tiere sich auf Orwells Farm gegeben hatten. Waren es erfüllbare Gebote? Das dritte Gebot hieß: Kein Tier soll Kleider tragen; das vierte: kein Tier soll in einem Bett schlafen; das fünfte: kein Tier soll Alkohol trinken; das sechste – und das sechste zeigte mir, wie schwer es auch für die sprachlose Schöpfung ist, Gebote einzuhalten –: kein Tier soll ein anderes Tier töten. Nein, alle Tiere sind nicht gleich, und die Seehunde schon gar nicht. Nasse Kugelköpfe hoben sich über Wasser, verwunderte Blicke trafen uns, und als sie die Marine entdeckten, gingen sie auf Tauchstation. Vielleicht hielten sie die Photoapparate für handliche Wasserbomben.

Der strenge Frauenchor sang uns zum Affenfelsen hinüber. Der Sparklub schloß Taschen und Handtaschen, man hatte zuviel über diebische Dreistigkeit gehört. Ein Werkmeister der Belegschaft übernahm es, die Affen in Stimmung zu bringen. Das Bild? Ah, das Bild, das sie boten, war lausende Friedfertigkeit, kratzendes Glück sozusagen: der Alte lauste seine Äffin, die Äffin das Kind, und das Kind lauste genüßlich das Baby – jeder lebende Pelz hat seine Läuse. Das Lausen ist die Meditationszeit der Affen. Der Werkmeister respektierte das nicht. Er warf einen Apfel hinüber, warf dann Nüsse hinterher, eine reife Banane – nichts schreckte die Affen auf. Der Werkmeister überlegte. Schließlich trat er näher heran, streckte den Affen eine Hand hin und lockte sie auf volkstümliche Art. Lockte sie so anhaltend, bis der äffische Familienvorstand das Lausen unterbrach und dem Werkmeister mit sehr schnellem Griff die Nickelstahlbrille vom Gesicht riß. Der Sparklub blickt zufrieden, er hatte recht behalten. Der Affe sprang zurück, biß in die Brille, roch an ihr und setzte sie unvermutet auf. Durch die Brille blickte er uns eine Sekunde an; dann stieß er einen verzweifelten Schrei aus, Schrei der Warnung, einen Schrei kreatürlicher Angst, worauf seine Familie das Lausen unterbrach und sich in heilloser Flucht empfahl.

Gerade rechtzeitig kamen wir noch zurück an die Brücke, woher irgend jemand das Auftauchen eines Ichthyosauriers gemeldet hatte. Wir schwärmten aus. Wir blickten suchend auf das schwarze, moorige Wasser. Und tatsächlich, in einer Ecke hob sich ein flossengezackter Rücken aus dem Wasser, eine Schnauze kam zum Vorschein, blinde Augen – die Augen der Geschichte? Es war einer von den Burschen, die, wie Thomas Mann sagte, eine Raumverdrängung hatten, wie sie hienieden nicht schicklich ist. Die Zunge – groß genug, um Ragout für eine ganze Kreuzerbesatzung abzugeben – hing schlaff aus dem Maul. Der kleine Kopf war moosbewachsen. Ja, ihr kleiner Kopf und die Leichtfertigkeit der

Überspezialisierung waren schuld daran, daß sie in die Kreide und damit in existentielle Schwierigkeiten kamen. Tiefsinnig glotzte uns das Scheusal an. Welche Mahnung ging von ihm aus? Bewegte es die Lippen zu einer lange gehüteten Lebensregel? Natürlich nicht: der Kamerad aus der Vorzeit war aus Zement. Das Scheusal war nur Modell. Ein Trompetenstoß schreckte uns auf. Die Trompete von Vionville? Nein, diese Trompete war mit dem Rüssel geblasen, und wir zogen hinüber zu den Elefanten. Die Schulklasse erreichte die hüfthohe Mauer zuerst, Frühstücksbrote flogen hinüber, Äpfel, Kekse, die ganze Stärkung des Geistes: runzlige Rüssel mit rosiger Öffnung rollten herüber, alt wie ein Stabreim, große Köpfe nickten uns zu, lange Ohren fächelten Kühle: die Elefanten bedankten sich. Bedankten sie sich? Einer von ihnen, der im Hintergrund blieb, die Kekse verschmähte und statt dessen einen Baum fraß, brach unvermutet den Stamm aus, trottete heran und schleuderte ihn gegen einen braungebrannten Mann. Kannte der Elefant den Mann? War es vielleicht ein Elefantenjäger? Elefanten haben ein ungewöhnliches Gedächtnis. Ah, der Stamm flog über unsere Köpfe, ich duckte mich und zog mich diskret zurück. Unter dem Gesang des strengen Frauenchors ging ich zurück zum Tor, am Plakat vorbei, auf dem die Tiere für meinen Besuch dankten: ja, ich hatte mich wiedergefunden, einen Wechselblick mit der Schöpfung getauscht. Und ich hatte erfahren: nichts an den Tieren ist fremd.

1958

Unter der Insektenglocke

Kostspielig ist das Leben in der finnischen Tundra. Das Land ist leer, wie es sich für eine Ödmark gehört, jede Hütte ist ein Stützpunkt, jede Andeutung einer Straße gilt als Weg zum Nachbarn, und der Nachbar liebt nichts mehr als seine Einsamkeit. Hotels sind rar, eine Bleibe ist ein Glücksfall, und falls man doch etwas findet, bezahlt man die eindringliche Trostlosigkeit mit gepfefferten Preisen. Das ist verständlich.

Ich aber wollte die Ödmark billiger haben. Und so nahm ich den Rat eines französischen Freundes an, der mir von einem wunderlichen Baron erzählt hatte: dieser Baron, so erfuhr ich, lebe auf einer verwachsenen Insel in einem entlegenen See, er sei ein Fischer, ein ebenso bewundernswerter Müßiggänger, und er besitze außer einer riesigen

Frau und einem akademischen Bruder eine Holzhütte, die er an Leute abzutreten bereit sei, welche ihm bevorzugte Gastgeschenke in die Ödnis bringen. Und ich erfuhr, daß man geradezu anatolische Gastfreundschaft, und das heißt Gastfreundschaft auf Lebenszeit, mit drei besonderen Gastgeschenken erwerben könne, nämlich mit altem Kognak, schweren Brasilzigarren und drittens mit erlesener pornographischer Literatur. Sorgsam wählte ich die Geschenke aus, ich war entschlossen, Herz und Gastfreundschaft des wunderlichen Barons zu gewinnen. Vorsichtshalber bat ich den französischen Kollegen, der seit vielen Sommern mit nomadisierenden Lappen an jenen See zieht, mich bei dem Baron anzumelden.

Von Kemi aus, dem friedlichen Lachshafen am Bottnischen Meerbusen, fuhren wir nach Norden, fuhren über flimmerndes Geröll, über mahnende Schlaglöcher, die den Fahrer zuverlässig aus dem Schlaf weckten, ihm Kurzweil verschafften. Das Land war grün, auf den Seen lag ein düsterer grüner Schimmer, und selbst der Horizont zeigte eine grünliche Färbung:»Grün, wie lieb' ich dich, Grün«, gestand Lorca. Drehend, stoßend und rollend trieb Schnittholz die schnellfließenden Ströme hinab, wirbelnde Reise, durch Felsschluchten, durch die Strömungen eiskalter Seen; Vögel ruhten auf den Stämmen aus, Elche verfolgten ihr Kreisen in heftigen Strudeln – wo hatte die Reise begonnen, wo würde sie enden? In ruhigen Buchten wurden Stämme gesammelt, zu Flößen zusammengeschlagen. Wir sahen Holzflößer beim Abstoßen, sahen, wie sie die überspülten Flöße in den Fluß zwangen, auf Schnellen zutrieben, wo das Wasser die Flöße hinabdrückte, so daß es aussah, als gingen die Männer, durch fabelhafte Macht begünstigt, über den Strom. Ich dachte an den Baron in der Wildnis: würde ich ihn finden? Und würden meine Gastgeschenke ausreichen, um eine Holzhütte zu bekommen? – Der natürliche Reichtum Lapplands besteht aus Holz und Zeit, und da hier jeder eine erstaunliche Menge davon besitzt, so nahm ich mir kurzerhand von dem letzteren und beschloß, in bequemen Etappen mein Ziel zu erreichen, die Insel des Barons.

Es wurden sehr bequeme Etappen. Eine brennende Sonne herrschte, keinen Tag unter dreißig Grad, in der Nacht keine Abkühlung, und es gab einsame, waldumgürtete Seen, und in den Seen Fische, wie sie sich der Bruder in Petro ein Leben lang wünscht. Die Sonne empfahl sich nicht zur Nacht, umrundete nur das Holzhaus und blieb: es war die

Zeit der taglichten Nächte, Mittsommerzeit. Meine Frau sorgte dafür, daß die Etappen noch bequemer wurden, und es gab Tage, an denen wir von der Insel des Barons kaum noch sprachen: der lappländische Sommer war stärker, verdrängte alles, was sich nicht auf ihn bezog, jede Empfindung, jede Sorge, jeden Gedanken.

Der lappländische Sommer hatte gerade begonnen. Und mit ihm begann etwas – doch ich will in rechtschaffenem Nacheinander erzählen, was an einem Abend geschah. Es war ein trockener, ein heißer Abend, die Luft war ohne Bewegung, kein Laut war zu hören, und wir stiegen durch zähe Flechten, über verrottete Bäume zum See hinab. Ein Ren zuckelte vor uns her, es ließ sich treiben, gemächlich, ohne sonderliche Furcht. Der Boden wurde weich und federnd; unten am See quatschte und schwankte er sumpfig. Und dann, auf einmal, hörten wir einen Ton, er klang nicht wie Sphärenmusik, nicht wie Äols Harfe; es war ein Ton, wie wir ihn in dieser Art nie zuvor gehört hatten: auf- und abschwellend, zutiefst charakterlos, so hörte er sich zunächst an; dann, während wir verstört lauschten, änderte sich der Ton, ging über in ein böses, haarfeines Sirren – ein Ton nadelspitzer Heimtücke – woher kam er nur? Wir warfen die Angeln nicht aus. Wir lauschten. Das Sirren nahm zu: nähte da eine ganz besonders widerwärtige Nähmaschine? Stammte das Geräusch von einer sowjetischen Geheimwaffe, die über den leeren Himmel Lapplands sirrte? Der nächste Schritt brachte es an den Tag. Ja, beim nächsten Schritt stäubte es vor uns auf, startete wolkengleich, wobei das Sirren noch schärfer, noch schriller und bösartiger wurde: der brennende lappländische Sommer präsentierte dem Reisenden gewissermaßen seine Gegengabe: Mükken, nicht mehr und nicht weniger.

Nun ist eine Mücke unter gewöhnlichen Umständen nichts Furchtgebietendes oder gar ein Schrecknis wert; im Gegenteil: zeigt sich am warmen Sommerabend zufällig eine Mücke in unserem Garten, so wird sie freundlich vermerkt, ihr Flug beobachtet, ja, ihr Erscheinen wird vielleicht sogar als schöner Einbruch der Natur in die Großstadt gefeiert. Das zufällige Erscheinen einer Mücke in unserem Garten führt bereits das Denken zu Rousseau, und wenn es eine Möglichkeit gäbe: meine Frau würde die Mücke überreden, für uns einen ganzen Sommer zu sirren.

In Lappland indes ist es anders. Was vor unseren Füßen wolkengleich aufstieg, es war nicht eine, es waren nicht hundert oder tausend Mükken: es war ein ganzer Mückenstaat – wobei allerdings differenziert und gesagt werden muß, daß die Zahl nicht etwa den Angehörigen eines Beneluxstaates entspricht, sondern dem mit imponierender Fruchtbarkeit gesegneten Reiche Chinas. Nach vorsichtigen Schätzungen gibt es 600 Millionen Chinesen – mit gleicher Zurückhaltung geschätzt, werden es ebenso viele Mücken gewesen sein, die der lappländische Sommer an unserem See zum Ausschlüpfen ermuntert hatte. Es waren offensichtlich neue Mücken, das heißt, sie schwirrten in der Blüte ihrer Jugend, und damit in der Zeit ihres vorzüglichen Appetits.

Die Wolke erhob sich also, trübte unseren Gesichtskreis, und auf- und absirrend begann sie uns einzuschließen. Erschrocken blickten wir uns an. Vor uns, über uns, hinter uns: Mücken wie Wände; man konnte hineingreifen, zufassen, ja, und die Hand war voller Mücken: wie Käse unter einer Glasglocke, so standen wir unter der Glocke der Insekten, und von überallher, so schien es, von den schwankenden Ufern des Sees kamen immer neue herangesirrt – wie auf einen geheimnisvollen Befehl. Mücken waren plötzlich im Mund, Mücken krabbelten in der Nase – wir hatten unsere erste Begegnung mit den Herrschern über die lappländische Ödmark. Und dann hielten es die sirrenden Herrscher für an der Zeit, eine erste Demonstration ihrer nadelfeinen Macht zu geben: der Angriff begann.

Solch ein Mückenangriff ist in vertrauten Zonen eine Bagatelle; man schlägt zu, und die Sache ist entschieden. In Lappland ist auch das anders: Man schlägt zu, man hebt die Hand, um an anderer Stelle abzuwehren, doch augenblicklich lassen sich Hunderte von Mücken dort nieder, wo der Schlag gerade gesessen hatte: verzweifelt dachte ich an Shiwa, dachte an den maliziös-sinnenden Gott, der über acht Hände verfügt: mit acht Händen müßte man schlagen können, doch würden sie genügen? Es sticht nicht nur an der Stirn, an den Wangen, an den Lippen, am Hals und im Nacken, durch die Hosen stechen sie, durch die Segeltuchschuhe, durch das Hemd, stechen zu gleicher Zeit, hingebungsvoll, unentmutigt: wie die Türken bei Gallipoli, so greifen sie an. Und wieder dachte ich: ähnlich wird es beginnen, in vergleichbarer Art wird sich der Insektenstaat auf der Erde etablieren; hierher, in einen lappländischen Sommer, sollte man die Produzenten utopischer Schreckensliteratur bringen, die sich am Schreibtisch ausdenken, wie der Anfang des universalen Insektenreiches aussieht. Hier fänden sie Augenschein genug.

Wir liefen zurück. Die Mücken verfolgten uns. Wir liefen über den schwankenden, glucksenden Sumpfboden, die flechtenbedeckten Hügel hinauf durch den Wald zum Weg. Eine Fahne von Mücken verfolgte uns. Verfolgte sie uns? Waren es nicht andere Mücken, die jetzt von der Erde hochstoben? Ja, es waren andere, die sich auf unsere Spur setzten. Wir flohen bis zum Auto, knallten die Türen zu und schnupften und husteten Mücken. Doch sie waren bereits im Auto. Sie griffen an, und wir fuhren mit offenen Fenstern, um dem Fahrtwind zu überlassen, was wir nicht schafften.

Das war die erste Begegnung. Doch wir gaben nicht auf. Wir blieben. Wir blieben, da wir unseren fischreichen See, dies petrische Paradies, nicht preisgeben wollten. Nachts fuhr ich allein hinaus, ging durch den Wald den Hügel hinab zum See. Es war sehr warm. Und als die Mückenwolke aufstob, zog ich die Kapuze über den Kopf, schloß das Hemd, steckte die Hosen in die Stiefel: jetzt waren nur die Hände unbedeckt und das Gesicht. Ich befestigte einen schweren Blinker an der Schnur, warf ihn in das moorige Wasser, beim zweiten Wurf erfolgte ein Biß, ein Schlagen an der Angel: der erste Hecht saß fest. Doch während ich ihn drillte, griffen sie an.

Unter einer grauschimmernden Schicht von Mücken verschwand meine Hand, Mücken stürzten sich auf die Stirn, auf die Augen. Ich schlug nach ihnen, tötete hundert, zehntausend warteten nur, daß ihnen Platz gemacht würde – mit scharfem Sirren griffen sie an. Ich ließ die Kurbel der Rolle los, der Hecht riß die Schnur herunter, scherte zu einer Bucht hinüber, in der umgestürzte Bäume lagen: sollte er verschwinden. Ich zog an und merkte, daß er im Gestrüpp festsaß, und sofort legte ich die Angel hin und schlug mit beiden Händen nach den Mücken. Ich drehte die Arme nach Windmühlenart, doch sie unterflogen meine Abwehr. Ich gab auf. Ich ließ den Blinker und den Hecht im See und folgte dem Ufer zu einer Stelle, wo ein schiefergrauer Felsen lag. Dort wird es besser sein, dachte ich, und es erschien zunächst besser. Ich warf die Angel aus, als ein scharrendes Geräusch hinter mir erklang, ich sah mich um, und über mir, auf dem schiefergrauen Felsen, sah ich einen Mann sitzen; er trug einen Rucksack, eine Ballonmütze und, an der dünnen Lederschnur an der Hüfte, das rotschaftige Lappenmesser. Es war Nacht, und der Mann saß bewegungslos auf dem Felsen, döste so vollkommen vor sich hin, daß sich in seinem lederhäutigen Gesicht nichts regte, als ich einen Gruß hinüberrief und dann mit der Hand winkte. Er antwortete nicht. Jetzt hatten die Mücken mich wiederentdeckt, sie setzten zu einem spielerisch anmutenden Angriff an: ich streckte die Angel, ich kapitulierte. Auf dem Rückweg streifte ich den schwermütig dösenden Mann. Er blickte nicht auf. Er antwortete auch diesmal nicht auf meinen Gruß. Und er schlug auch nicht nach den Mücken, die ihn – zwar nicht so zahlreich – attackierten. Am nächsten Mittag saß der Mann immer noch da, unverändert in seiner Haltung, intensiv dösend – was war ihm zugestoßen? War er ein Denkmal für den Angriffsgeist der Mücken? Ich habe es nie erfahren.

Was wir jedoch an jedem Morgen erfuhren, das waren interessante Veränderungen unserer Gesichter, ja, jeden Morgen prüften wir, wie weit unsere Gesichter noch übereinstimmten mit der Vorstellung, die wir von ihnen hatten. Meine Frau prüfte mein Gesicht, und ich prüfte ihr Gesicht, und jedesmal wurden wir dabei vielsagend überrascht: von zahlreichen Stichen getroffen, schwoll einmal das linke Auge zu, dann wieder das rechte, die Stirn nahm Formen an, die einem Relief der Karpaten glichen, der Balkanerberge oder, wenn es mild abgegangen war, den Hängen der Waldai-Höhen; unsere Lippen schwollen interessant an, der Handrücken deformierte sich erstaunlich: die Veränderungen, die wir durch die Mückenstiche erfuhren, waren vielfältig; die Überraschungen, die wir einander bereiteten, unterhaltsam. Und wir spürten, daß wir Teig waren zwischen den Stacheln der zierlichen Herrscher, die Mücken Lapplands formten uns, wenn auch nicht nach ihrem Bilde, so doch nach Belieben.

Anscheinend aber formten sie nicht jedermann; denn an einem Abend am See trafen wir einen fischenden Lappländer, einen alten, mageren Mann mit verbrannter Haut, der, während er die Angel auslegte, nicht unausgesetzt um sich schlug, sich offenbar keine acht Hände wünschte wie der maliziös sinnende Gott Shiwa. Reglos saß er da, wir standen unter der Insektenglocke. Vielleicht, dachte ich, vielleicht haben sie aus diesem Alten bereits alles herausgeholt mit ihren Rüsseln und lassen ihn nur deshalb in Frieden angeln, weil bei ihm nichts mehr zu holen ist. Ja, ich konnte die Mücken verstehen, daß sie, wenn sie schon zu wählen hatten, sich für uns entschieden, für ein – sozusagen – frisch importiertes westdeutsches Beefsteak: immerhin war es ein schmerzhafter Vorzug, den wir genossen.

Wir begrüßten den freundlichen Alten, schütteten unsere Fische in seinen Eimer und blickten ihn fasziniert an, denn obwohl ihn die Mücken in dichter Wolke umkreisten, wurde er nicht angegriffen. Wir fragten ihn nach der Lösung des Rätsels; er schenkte uns eine Flasche Öl, braunes, stinkendes, sämiges Öl, wir schmierten unsere Gesichter ein, mehrmals – und als hätte ein Zauberer sein Mutabor gesprochen, so ließen die Mücken von uns ab. Zwar umkreisten sie uns ärgerlich, schrillten mitunter dicht am Ohr vorbei, doch der Gestank des Öls nötigte sie zum Respekt. Sie griffen nicht mehr an. Verschaffte das Öl uns auch eine gewisse Befreiung – Chanel Nr. 5 war es nicht, und von Zeit zu Zeit war es notwendig, das Gesicht im See zu waschen; denn sobald das Öl in die Augen geriet, fürchtete man nicht viel mehr, als daß sie ausbrennen müßten. Die gelegentlichen Fluchtreflexe, die zuerst wegen des Gestanks aufkamen, wurden seltener – es ist nicht so einfach, sich selbst davonzulaufen –, die Mücken ließen sich ertragen; die Fische bissen, wie sie nur an lappländischen Seen beißen: wir schoben die Abfahrt zu der Insel des wunderlichen Barons noch weiter hinaus. Mit Hilfe des Öls waren wir der Mücken unversehens Herr geworden.

Die Hitze hielt an. Der lappländische Sommer gab sich sizilianisch, und in seiner trockenen Heftigkeit ließ er eine neue Überraschung ausschlüpfen: eine weitere Insektenüberraschung. Wieder war es an einem See, an einem Abend, in der sublimen Düsternis und Stille; wir stiegen die Böschung hinab, rieben die Gesichter mit dem hervorragend stinkenden Öl ein und warfen die Angeln aus. Wütend sirrten die Mückenwolken über uns, doch sie überwanden sich nicht zum Angriff. Und dann, auf einmal, die erschrockene Verwunderung über ein jähes, schmerzhaftes Brennen auf der Wange, ein unwillkürlicher Schlag, und ich merkte, krümelklein, daß etwas zwischen den Fingern war, ein schwarzer Insektenleib, in Öl getunkt. Nein, es war keine Mücke, die Mücken respektierten das Öl, es mußte ein anderes Insekt sein. Wieder ein schmerzhaftes Brennen, diesmal auf dem Augenlid, gleich darauf auf dem Unterarm: es konnten keine Mücken sein, denn an der Stelle des Stiches bildete sich ein flammend roter Punkt mit einem schwarzen Zentrum, der Punkt war nicht größer als der Punkt einer Stecknadel. Aber welches Insekt war es? Zuerst ging es uns wie mit der Jägermütze in den Bilderrätseln: sie ist mit Sicherheit vorhanden, aber noch nicht entdeckt.

Wir legten die Angeln aus der Hand, wir entblößten den Unterarm vollends und offerierten ihn dem unsichtbaren Feind. Mit Geduld geködert, kam der erste zum Vorschein: ein fliegender Käfer war es, offensichtlich zur abscheulichen Familie der Zecken zählend, harter kleiner Kopf, Beutelleib, ein Insekt von beträchtlicher Widerwärtigkeit. Doch der Kopf war nicht nur hart, es war gewissermaßen ein Korkenzieherschädel, mit dem sich der Bursche mit imponierender Flinkheit in die Haut schraubte, und wenn man, um dem Schmerz zu begegnen, nach ihm schlug, so brach der Hinterleib ab, der Korkenzieherkopf stak im Fleisch, und was sich daraus entwickelte, es war etwas anderes als das, was in jenem Schlagertext gemeint ist: I've got you under my skin. Wenn der Schlager behauptet: ich spüre dich unter meiner Haut, so ist damit eine köstliche Gefühlsinfektion gemeint, und was sich daraus entwickelt, ist durchaus im Sinne des Familien-Ministeriums. In Lappland indes bedeutet: I've got you under my skin, daß einem die Korkenzieherschädel der Zecken unter der Haut sitzen, und das ist nicht der Anfang ministeriell geförderter Seligkeit, sondern, viel schlichter, der Beginn einer eiternden Wunde.

Natürlich, wir konnten es den Zecken nicht verargen, auch sie sind verurteilt, zu leben, sie müssen sehen, wo sie bleiben, und was ihnen über den Weg läuft, erscheint ihnen gerade recht, um attackiert zu werden. Und sie taten es, wie ich neidvoll gestehe, mit todessüchtigem Elan: die schreckhafte Windmühlenbewegung unserer Arme hinderte sie nicht, der Rauch des Tabaks wehrte sie nicht ab, und schon gar nicht das stinkende, brennende Öl, das die Mücken von uns fernhielt. Die Zecken sind furchtloser. Mit selbstmörderischer Furchtlosigkeit, ja, wie Kamikaze-Piloten, die sich auf einen Flugzeugträger stürzen, so stürzten sie sich auf uns, die Korkenzieherköpfe schraubten sich ein, und ein Schlag besiegelte ihr Schicksal. Ich habe großen Respekt vor der Verwegenheit der Zecken von Lappland. Doch so sehr ich sie als Einzelkämpfer bewunderte, so sehr fürchtete ich sie in schwärmender oder vielmehr zuckender Wolke. Ihr Flug hat etwas Zuckendes, Unstetes, nie Erwartetes, und als sie in der Hitze des lappländischen Sommers in Wolken erschienen, sannen wir auf Flucht. Denn die Zecken suchten sich ihr Revier nicht am See: sie waren überall, jagten im Wald, auf den Wegen und vor dem Haus. Sie fanden eine Möglichkeit, unter Hose und Hemd zu geraten, mit ihren Korkenziehern bohrten sie sich durch die Maschen des Strumpfes – gab es keine Möglichkeit der Abwehr gegen sie?

Es gab eine Möglichkeit. Ein junger, athletischer Holzflößer, ein vergnügter Berserker, zeigte sie uns an einem Tag, als wir zusammen im Motorboot den Strom hinauffuhren, an verwachsenem Uferwald vorbei zu einer Lichtung, wo sein Haus stand. Er lud uns zum Essen ein. Und er glaubte es uns schuldig zu sein, zum Essen ein Hemd anzuziehen. Es war ein neues, ein weißes Hemd. Er zog es an, und als er uns den Rücken zudrehte, sah ich, daß das neue Hemd gesprenkelt war von unzähligen Blutflecken, vom Kragen bis zur Gürtellinie. Ich machte ihn darauf aufmerksam: er lachte. Ich fragte ihn, was in aller Welt man tun könne, um diese Zecken loszuwerden.

Ich fragte ihn:»Gibt es etwas gegen die Zecken?«

»Ja«, sagte er lachend,»es gibt etwas: Gleichgültigkeit. Man muß sich nicht um sie kümmern. Wenn sie sich vollgepumpt haben, lassen sie sich fallen, und man ist sie für eine Weile los.«»Das ist eine sehr gute Möglichkeit«, sagte ich.»Es ist die beste«, sagte mein Mann.

Ich beschloß, diesen Wink aufzunehmen. Ich hatte die von Zecken zerstochenen, rotgepunkteten Beine eines kleinen Mädchens gesehen, das sich ebenfalls durch Gleichgültigkeit wehrte. Diese Methode wollte auch ich mir zu eigen machen: es war hoffnungslos. Ich brachte die erhabene Gleichgültigkeit nicht auf, ich schaffte es nicht. Mit den besten Vorsätzen nahm ich Anlauf auf Anlauf, bot mich ihnen an, nahm zähneknirschend, mit geballter Faust in der Tasche, die ersten zwanzig hin: es ist nur eine Sache der Nerven, dachte ich – bis ich einsehen mußte, daß meine Nerven nicht für den lappländischen Insektensommer gemacht sind. Es gab keine Rettung mehr; wir beschlossen, nun endgültig den wunderlichen Baron auf seiner entlegenen Insel aufzusuchen. Im Norden, so sprachen wir uns zu, ist es kühler, und wo es kühler ist, sollte es weniger Insekten geben. Doch je höher wir nach Norden kamen, desto heißer wurde es, und desto zahlreicher wurden die Burschen mit dem zuckenden Flug und dem Korkenzieherschädel.

Das wurden wir bereits beim ersten Picknick gewahr, unter einer Brücke, an einem eiskalten Fluß: alles trugen wir hinab, was zur Annehmlichkeit eines Picknicks gehört, Leberpastete, Obst, Torte, Brötchen und Wurst, wir breiteten alles auf einer Decke aus, ich baute eine Feuerstelle, und da, als ich Wasser schöpfte für den Kaffee, da begann es: eine wachsame Zecke hatte uns ausgemacht, alarmierte die Wolke, die zuckend über uns erschien, eine Wolke von Kamikaze-Insekten, die sich ohne Verständigung und ohne Zögern zum Angriff entschloß, und was bei uns entstand, war, psychologisch gesehen, eine vorbildliche Panik. Wir schlugen die Decke zusammen, zerstörten die Feuerstelle, achteten nicht mehr darauf, daß die Torte sich mit der Leberpastete mischte, die offene Thunfischdose mit dem Käse eine neue Geschmacksverbindung einging – alles, was wir denken konnten, war: Flucht. Und in heilloser Flucht, die zusammengeworfene Decke mit den gemischten Picknickschätzen auf dem Rücken, so liefen wir zum Weg zurück, erreichten das Auto – nun sagen wir: mit Mühe und Not – und versteckten uns vor der zuckenden Wolke. Wir aßen im Auto, bei geschlossenen Fenstern, gegen die einzelne Zecken wütend bumsten und energisch Einlaß forderten.

Langsam, sehr langsam, fuhren wir weiter, es wurde noch heißer, die Insekten noch zahlreicher, und dann kam der Tag, an dem wir den ersten Menschen nach der Insel des wunderlichen Barons fragen konnten. Wir fragten ihn: »Kennen Sie den Baron?« Und er sagte: »Jeder kennt den Baron. Er lebt sonst nur mit seiner Frau, jetzt aber, während des Sommers, ist auch der Bruder des Barons da. Er ist sehr sonderbar.«

Warum«, fragte ich, »ist der Bruder des Barons sehr sonderbar?« Der Mann sagte: »Der Bruder des Barons ist Professor an der Universität von Upsala. Als Forscher hat er einen internationalen Namen.« Ich fragte: »Auf welchem Gebiet denn?«, und der Mann sagte: »Auf dem Gebiet der Insektenforschung. Der Bruder des Barons hat mehrere Bücher geschrieben über Insekten. Und jeden Sommer, wenn die Insekten ausschlüpfen, kommt er hierher. Und wenn für uns die Plage beginnt, beginnt für ihn die Zeit fröhlichen Forschertums. Der Bruder des Barons hängt mit ehrfurchtsvoller Liebe an Zecken und Mücken. Für ihn sind die Mücken gleichsam die heiligen Kühe Lapplands.«

»Das spricht für ihn«, sagte ich. »Wie man's nimmt«, sagte der Mann. »Ich war selbst einmal Gast des Barons, als sein Bruder, der Insektenforscher, da war. Damals passierte mir ein Mißgeschick, mit dem ich mein Gastrecht auf Lebenszeit verlor: während wir auf der Terrasse saßen, schlug ich nach einer stechenden Mücke. Der Professor verwies mich daraufhin des Hauses. Ja, ein Gast darf sich bei ihm alles herausnehmen, er darf nur nicht den Insekten etwas zuleide tun.«

»Auch das«, sagte ich, »spricht sehr für den Bruder des Barons, es spricht überhaupt für die Liebe zur kleinen Schöpfung.«

Dann setzten wir uns ins Auto und fuhren ohne ein weiteres Wort den Weg zurück, den wir gekommen waren. Wir wollten das fröhliche Forschertum nicht behindern.

1958

Der lange Abschied

Schwer ist es, in Lappland einen Lappen zu finden. Ich war unterwegs. Ich sah Dänen in Dänemark, Schweden in Schweden, Finnen in Finnland: auch auf dem Land waren Leute, das Land war in jemandes Besitz, es wurde verwaltet, verteilt und verschoben, wurde von Blicken gestreift, von Hoffnungen und Enttäuschungen. Das Fahrrad eines Landbriefträgers lehnte an einer hölzernen Brücke, es sprach für die Anwesenheit eines Menschen. Holzflöße trieben kreisend in den Wirbeln eiskalter Ströme; ein Mensch hatte sie zusammengeschlagen. Die stehenden Netze in einem moorigen Waldsee hoben die Einsamkeit auf. Sie wiesen auf die Nähe eines Menschen. Überall: auf dänischem Land, wo rosige Gebirge aus Schweinespeck wuchsen; in den wilden Gärten Schwedens, wo sie Erze ernteten; an den Wegen Finnlands, wo leuchtende Berge von Holzspänen lagen: überall versprach das Land die Nähe eines Menschen. Lappland gibt dieses Versprechen nicht.

Wir waren in Lappland unterwegs, um einen Lappen zu finden. Der junge finnische Ingenieur, der mich begleitete, hatte mir einen zugesagt, er hatte mir einen Lappen versprochen, wie man sich ein Geschenk zum Geburtstag verspricht, und nun durchstreiften wir das Land auf der Suche nach seinen wandernden Besitzern. Wir fanden keine Spur. Wir streiften durch Zwergbirken, durch baumlose Tundra, wir zogen an Sümpfen vorbei, wir suchten an flechtenbedeckten Hängen schwarzer Waldseen: kein Lappe, nicht einmal ein Läppchen zeigte sich. Die vollkommene, die großartige Trostlosigkeit Lapplands schwieg. Der Sommer war hart und brennend. Der Himmel war leer. Das einzige Geräusch in der Luft war das böse Gesirr der Insektenwolken: wir gaben die Suche nicht auf. Wir stöberten weiter durch die großartige Trostlosigkeit. Und dann trafen wir Menschen; einen einsamen Autowanderer trafen wir, einen berufsmäßigen Reisenden, auch einen genügsamen Campingfreund trafen wir – nur einen originalen Lappen, wie ihn der Reiseprospekt verheißen, der Ingenieur ihn versprochen hatte: einen Lappen trafen wir vorerst nicht. Wo waren sie?

Welche Wünsche hatten sie verschlagen? Welche Winde vertrieben? Ich dachte an die Kalevala, das Nationalepos der Finnen, dachte an die schlimmen Bannsprüche darin ...

... nun so banne ich dich dort an,
dort in Lapplands weite Öden,
buschlos unbewachsenen Boden,
den nie gepflügten Fluren,
wo kein Mond und keine Sonne,
auch kein Tageslicht dir scheinet ...

War das Volk der Lappen, altem Familiensinn nachgehend, gemeinsam nach Italien gefahren? Hatten sie die äußere Ödmark mit der inneren der Riviera getauscht? Vielleicht, dachte ich, hat sich das ganze Volk der Lappen unbemerkt aus Geschichte und Zeit empfohlen; denn wer würde es schon bemerken? Schließlich ist Lappland keine politische Einheit, keine geographische Einheit; es hat keine Ölquellen und keine Kanäle, es hat weder ein Heer noch bedroht es die Märkte; – und was weiß man überhaupt von der Geschichte der Lappen? Nein, es ist keine strahlende Geschichte, die in den Schullesebüchern Europas zitiert wird: die Lappen schenkten der Welt keinen Cicero, keinen unsterblichen Diktator, ihre Grausamkeiten reichten nicht aus, um die Zeit zu überdauern, sie entdeckten weder den Tuberkelbazillus noch das Schnellfeuergewehr, bauten nicht den ersten Wolkenkratzer, flogen nicht im Nonstop um die Welt; selbst auf eine so bescheidene Erfindung wie das Stahlmantelgeschoß dürfen sie keinen Anspruch erheben.

Und hat es je eine internationale Schlagzeile gegeben, in der das Wort »Lappland« vorkam? Ah, sie lebten immer am Rande der Zeit, im Windschatten der Geschichte, deren gleichmütiges Walten auch von ihnen mit Gleichmut ertragen wurde. Sie hatten keinen Ehrgeiz, ihre Herkunft von Halbgöttern abzuleiten wie die Griechen, sie konnten sich auf keine illustren Stammbäume berufen wie die Römer; sie tauchten auf und waren da, ein Rätselfall für die ethnologische Forschung. Waren sie nun in gleicher Weise verschwunden, wie sie aufgetaucht waren?

Wir suchten weiter in dem leeren Land. Wir fragten einen Polizeiposten nach den Lappen, und wir erfuhren, daß es achtzig Kilometer vom Inari-See entfernt ein Lappendorf gebe, doch die Leute, die in dem Dorf lebten, waren seßhafte Lappen, und seßhafte Lappen bedeuteten uns nicht mehr als seßhafte Hamburger oder seßhafte Stockholmer. Der finnische Ingenieur hatte mir nomadisierende Lappen versprochen, streunende Söhne der Sümpfe, Töchter der Tundren, die ruhelos durch die Wildmark wanderten und für die das Leben darin bestand, unterwegs zu sein: sie wollten wir suchen. Wir standen hoch auf einem hölzernen Wachtturm, der zur Beobachtung von Waldbränden dient. Wir sahen die schweigende grüne Ebene der Kiefernwipfel unter uns, grüne Einöde, aus der nirgends der Rauch eines Feuers stieg. Wir fuhren einen schnellströmenden Fluß hinab. Winzige Goldsplitter fanden wir in dem eiskalten Wasser, ein verlassenes Goldbergwerk, überwuchert von zähen Flechten, bedrängt von der heranrückenden Wand der Tundra: bald würden auch die letzten Spuren verschwunden sein, die hochgemuten Träume, die hier einst geträumt wurden, die Hoffnungen, die alten Wünsche: alles fort. Wir fuhren staubgepuderte Straßen hinauf. Eine Staubfahne stand lange hinter uns wie die Fahne der Resignation, wilde Rentiere grasten neben der Straße, graupelzig, verzottelt, sie musterten uns gleichgültig, ihre Augen hatten schwarze Ringe, ihre weichen Schnauzen mampften träge die Flechten. Die Rentiere flohen nicht.

Meine Erwartung wuchs, und mit der Erwartung die Ungeduld, einem freien Lappen zu begegnen: ja, ich versuchte sie mir vorzustellen, die Söhne der Sümpfe: rauh stellte ich sie mir vor, scheu und geduldig; ich sah sie schon vor mir in meiner Ungeduld: jeder ein glücklicher Einzelgänger, jeder ein Feind der Seßhaftigkeit, ein Verächter der Städte, ich bewunderte schon ihre lautlosen Schritte, sah in ihren Augen die Wonnen der Wildnis, roch schon den würzigen Geruch ihrer Lagerfeuer, staunte schon über die verwahrte Schönheit ihrer Mädchen und nahm teil an ihrem bedeutungsvollen Schweigen, das ein Schweigen dieses Landes war. Ja, auch die Weisheit der Lappen glaubte ich schon kennenzulernen, die traurigen Weisheiten der Nomaden, ihre erwanderten Einsichten, die ein lederhäutiger Lappe preisgab. In meiner Ungeduld hörte ich ihn schon. Und da wir die Erwartung nicht aufgaben, endete unsere Suche mit einem Glücksfall: wir fanden in Lappland Lappen!

Das Glück kam auf einem Motorrad. Es war ein heißer Morgen; die Sonne stand über dem Strom; sie war nicht untergegangen in den taglichten Nächten, und auf einem Weg, auf einem schwankenden, federnden Sumpfweg fanden wir das umgestürzte Motorrad. Es lag da mit laufendem Motor, ein sehr altes Motorrad; die Lenkstange war verbogen, das Schutzblech verbeult und der Gepäckträger abgerissen; doch es lief noch, und der Motor arbeitete mit erschreckender Lautstärke. Das Motorrad war nicht allein. Unter ihm, halb auf der Seite, eine Hand auf dem Gasbügel, lag ein Mann; er lag ruhig da, ohne ein Zeichen von Panik oder Furcht oder Ärger; geduldig, genießerisch fast, drehte er am Gas und lauschte ausdruckslos dem Motorengeräusch. Es war ein sehr alter Mann, und er war gestürzt. Der Alte war untersetzt, säbelbeinig, sein Gesicht schmaläugig, lederhäutig; ich erschrak, als ich ihn an jenem heißen Morgen auf dem Sumpfweg liegen sah, doch ich erschrak weniger über das, was ihm zugestoßen sein konnte, als über seine Kleidung: blau war der Kittel, den er trug, brandrot die Streifen, mit denen der Kittel benäht war, er trug einen bunt gestickten Ledergürtel, ein rotschaftiges Messer; seine Hosen, die in braunen Stiefeln steckten, lagen eng an, und auf dem Kopf saß eine Kappe mit flammend roter Wollquaste. Auf dem Rücken hing ein schlaffer Rucksack. Seine Kleidung war eine Herausforderung an das düstere Grün der Sumpfwälder, an das diktatorische Grün, das über dem ganzen Land und als Schimmer selbst vor dem Horizont lag.

Ich fragte meinen finnischen Freund, was von dem sonderbaren Menschen unter dem knatternden Motorrad zu halten sei, und der finnische Freund sagte, daß der sonderbare Mensch das Geschenk sei, das er mir versprochen hatte: ein originaler Lappe, noch dazu in seiner Tracht. Besorgt, daß der Alte verletzt sein könnte, gingen wir näher heran, um ihm zu helfen, doch der Alte war nicht verletzt, sondern betrunken; seine Augen blickten verstört und ziellos, und sein Mund sabbelte Geheimnisvolles. Waren es Bannsprüche, die er uns entgegenmurmelte? Er blieb unter seinem Motorrad liegen und ließ uns herankommen, und dann, als wir vor ihm standen, als wir uns herabbeugen wollten, stieß der Alte aus der Wildmark wütend seine Faust nach uns, drohte, knurrte, unaufhörlich murmelnd; er tastete nach seinem rotschaftigen Operettenmesser, das im Gepäckträger eingeklemmt war, er versuchte, es herauszuziehen, doch er bekam es nicht heraus, und auf einmal lächelte er, und wir durften den ledernen Alten und sein Motorrad aufheben. Er war sehr betrunken, aber das störte uns nicht: wir hatten in der Wildnis Lapplands einen Lappen getroffen, wir wußten, wieviel das wert war.

Der läppische Alte schwankte voraus, wir folgten ihm mit dem Motorrad, das immer noch knatterte, obwohl es nicht zu benutzen war, und ich blickte verwirrt auf das herausfordernde Kostüm des Alten: wer hatte diese Kleidung entworfen, welcher Schneider sie genäht? Welcher Phantasie waren die brandroten Farben eingefallen, die das düstere Grün der Wildnis schroff durchbrachen? Niilo wußte es, mein finnischer Begleiter: die originale Lappentracht kam auf, als Österreichs Tuchfabriken billige Stoffe nach Lappland schickten, und an der Donau, die schon Lehars musikalische Phantasie beflügelt hatte, schien sie auch entworfen, ja, die österreichische Textilindustrie konnte sich schon früh die Lappenmärkte sichern, denn sie lieferte preiswert. Nur das rotschaftige Lappenmesser, das aus Tradition und in Übereinstimmung mit dem Reiseprospekt am Gürtel getragen wird – das Lappenmesser ist einheimisches Fabrikat. Heute allerdings, so erfuhr ich, liefern auch die schwedischen Tuchfabriken preiswert.

Verwirrt folgte ich dem Alten, dessen Kostüm unter dem Rauschen der Donauwellen konzipiert wurde, schwankend führte er uns, ohne sich einmal umzusehen: das Knattern seines Motorrads ließ keinen Argwohn bei ihm aufkommen, sein Motorrad erzählte ihm knatternd, daß wir noch hinter ihm gingen.

Wir gingen den federnden Sumpfweg hinauf, durch Wände von sirrenden Insekten, und als der Weg endete, gingen wir durch Wald, zwischen niedergezwungenen schäbigen Baumkronen, die mit schwarzer Haarflechte bedeckt waren. Und dann war ein Geräusch in der Luft, das das Sirren der Insekten übertönte, das Knattern des Motorrads zurückdrängte: ein Geräusch wie ferner Donner drang zu uns, rollend, gleichmäßig grummelnd: wir näherten uns den Schnellen des Stroms, hinter denen das Wasser schäumend hinabstürzte. Wir blieben stehen, wir lauschten, und in diesem Augenblick vervollständigte sich unser Glück: auf leichten Schnabelschuhen kam uns die Familie entgegen, eine Lappenfrau mit zwei minderjährigen Läppchen und einem spitzschnauzigen, dickpelzigen Lappenhund. Auch sie trugen Rucksäcke, einen riesigen Rucksack die Lappenfrau, winzige ihre Läppchen – nur der Hund trug keinen Rucksack –, und da auch der betrunkene Alte einen trug, sah es so aus, als ob die Leute in Lappland mit einem Rucksack zur Welt kämen. Und auch sie – die Lappenfrau und ihre Kinder – trugen das Kostüm, das unter dem Rauschen der Donauwellen entworfen wurde: blaue Oberkleidung mit brandroten Streifen,

gestickte Gürtel und die Mütze mit der flammenden Wollquaste –
Lehar wäre mit ihrer Ausstattung zufrieden gewesen.

Ich begrüßte die Lappenfrau, sie war klein, breitwangig und mandeläugig, ihr Haar war gefettet und von bläulicher Schwärze, sie lächelte, und unter ihrem Lächeln entstand in mir das vertraute Bild der
»Lustigen Witwe«. Und nachdem wir auch die Kinder begrüßt hatten,
gingen wir vor bis zum Strom, wo ich jetzt die Kota sah, eine Rund-
hütte aus schmalen Baumstämmen, die Ritzen mit Moos verstopft; wir
waren Gäste in der Sommerwohnung lappländischer Nomaden. Waren wir wirklich Gäste?

Der alte Lappe warf das Motorrad um, sah es streng und zurechtweisend an, und das Motorrad blubberte, verstummte. Dann zog er
die Stiefel aus, setzte sich zu uns und winkte dem dickpelzigen Lappenhund, der schnüffelnd herankam und sich wärmend über die Füße
des Alten legte. Der Alte war der Großvater der Lappenfamilie; er
fröstelte, obwohl die Hitze hämmernd über dem Land lag. Wir rauchten, der Alte rauchte, die Lappenfrau, selbst ihre Läppchen rauchten –
nur der Lappenhund rauchte nicht –, und zuerst unterhielten wir uns
in einer Sprache, die wir alle verstanden – in der Sprache des Lächelns.
Vorbeugend tauschten wir auch ein Lächeln mit dem dickpelzigen
Lappenhund aus. Ich sann schweigend dem Glücksfall dieser Begegnung nach: noch hatte ich nicht die Wonnen der Wildnis in ihrem
Blick entdeckt, noch hatten sie sich nicht als Verächter der Städte
erwiesen, als die freien Söhne der Sümpfe, noch hatte ich nichts erfahren von der narbenbedeckten Weisheit der Nomaden; doch wir
hatten Lappen gefunden, das schien mir einstweilen genug.

Denn Lappland ist zumindest groß, ich hatte es erfahren; Lappland:
das ist das nördliche Skandinavien, zu dem Teile von Schweden, von
Norwegen, von Finnland und der Sowjetunion gehören. Im Westen ist
das Land bergig, waldbedeckt im Süden, und wer nach Norden geht,
findet nur baumlose Tundra und lautlose Sümpfe. Dreißigtausend
Lappen ungefähr gibt es, und jeder von ihnen braucht bei seinem
extensiven Lebenserwerb zehn Quadratkilometer Land. Jeder von ihnen braucht außerdem zum Lebensunterhalt hundert bis zweihundert
Rentiere; solange er das Knacken der Hufgelenke seiner wandernden
Herde hört, darf er zufrieden sein.

Ich sah ausgebreitete Rentierfelle vor der Kota unserer Gastgeber,
roch den strengen Geruch der halbwilden Tiere: unsere Gastgeber

schienen zufrieden zu sein mit der Zahl der Tiere. Unsere Gastgeberin bereitete Kaffee; der Duft heißen, starken Kaffees mischte sich mit dem scharfen Geruch der Rentierfelle. Die Lappenfrau goß den Kaffee aus einem gehämmerten Kessel in die Tassen; würdevoll tat sie es, mit berechneter Feierlichkeit: wie fast alle Nomaden pflegen auch die Lappen eine rituelle Gastfreundschaft. Der Kaffee war sehr gut, nur der Großvater schien ihn nicht sehr gut zu finden, sanft quengelte er vor sich hin, bis ihm die Lappenfrau eine Schwarte geräucherten Rentierspecks hinwarf. Genießerisch tunkte der Alte die Schwarte in den Kaffee, sah zu, wie sich ölige Fettringe bildeten – jetzt erst war sein Genuß makellos, und er trank mit zurückgelegtem Kopf und geschlossenen Augen. Er trank den Kaffee nach Lappenart. Doch gibt es überhaupt eine Lappenart?

Merkwürdig, wir sprechen von Lappenart, obwohl ein Lappe selbst nie daran denken würde, sich als Lappe zu bezeichnen; vielmehr würde er sagen, er und sein Volk seien Sabmek, und das heißt: Sumpfleute. Woher das Wort Lappe kommt, hat man nie schlüssig beweisen können, und die Lappen selbst waren wenig daran interessiert. Wenn man das Wort vom Finnischen herleitet, sagte Niilo, bedeutet es soviel wie »ferngelegenes Land«; geht man indes zum Mittelhochdeutschen zurück, so findet man unter dieser Bezeichnung einen »geistig einfach organisierten« Menschen: gehörten unsere Gastgeber dazu? Und zu welcher der drei Gruppen von Lappen, die die Ethnologen streng schieden, durfte ich unsere Gastgeber rechnen? Waren es Berglappen, Waldlappen oder Fischlappen?

Nach dem Kaffee warfen wir einen Blick in die Kota, die Wände waren roh, auch von innen mit Moos verstopft, die Bänke waren selbst gebaut, das Geschirr war Blechgeschirr: ich war außerstande zu entscheiden, ob meine Gastgeber Berg-, Wald- oder Fischlappen waren.

Der Großvater drängte sich an uns vorbei, zupfte mich am Ärmel und deutete auf ein Bild, das schräg über dem Fensterloch hing: auf dem Bild lächelte müde, in träger Verheißung, Sophia Loren: geh zur Ruh, schien sie zu sagen, komm zur Ruh; vom ganzen Brustbild schien diese träge Aufforderung auszugehen. Doch auch das Brustbild von Sophia Loren konnte mir nicht erklären, welcher ethnologischen Gruppe ich meine Gastgeber zuschlagen durfte: den Berg-, Wald- oder Fischlappen. Da ihre Sprache dem Finnischen verwandt ist, konnte Niilo sich mit unseren Gastgebern unterhalten; er fragte den Alten, woher sie kämen, und der Alte sagte, daß sie von den Tunturis kämen – das ist die finnische Ödweide –, und als er weiter fragte, wohin sie nun wollten, sagte der Alte, daß sie zu den Fjällen wollten – das ist die schwedische Ödweide–; ja, die Rentiere sind sorgfältige Fresser, sie rupfen die Flechten mit der erschreckenden Präzision von Schweizer Uhren, kein Versäumnis unterläuft ihnen, und wenn die Präzisionsfresser eine Gegend abgeweidet haben, so braucht sie mehrere Jahre zur Erholung.

So brauchen aber auch die Lappen für ihre Herden ausgedehnte Gebiete. Grenzen kennen sie nicht. Sie blicken nicht erwartungsvoll nach Straßburg, wo Europas Grenzen geduldig debattiert werden; sie handeln, sie ziehen ohne Paß und Visum, wohin es sie verlangt: von Norwegen nach Schweden, von Schweden nach Finnland und von da sogar unbehelligt in die Sowjetunion. Die Lappen sind die sorglosesten Grenzgänger der Welt, nahezu jede Regierung will ihnen wohl – die schwedische ging so weit, den Lappen milde Steuergesetze zu machen, ihnen Jagd- und Fischrechte freizustellen und ihnen soviel Holzeinschlag in den Staatsforsten zu erlauben, wie zum Eigengebrauch benötigt wird. Viele Regierungen wollen den Lappen wohl, doch es ist das Wohlwollen, das man gegenüber Denkmälern aufbringt, und die Lappen sind wandernde Geschichtsdenkmäler, die gleichsam unter Naturschutz stehen.

Unser Denkmal, der lappische Großvater, schob uns plötzlich aus der Kota hinaus, der Kaffee hatte ihn nüchtern gemacht; ein schnelles Zeichen, und wir folgten ihm, gingen hintereinander am Ufer des Stroms entlang, zu den Schnellen, wo das Wasser drängend zwischen scharfen Felsen floß und weiter unten stürzte und stäubend aufstieg. Der Alte duckte sich plötzlich, auch wir duckten uns, ich spürte meine Halsschlagader klopfen – ja, jetzt würde es beginnen, dachte ich, jetzt würden wir Wildtöter auf dem Wildpfad erleben, der Sohn der Sümpfe würde uns zu Zeugen seiner freien Lebensart machen; jetzt, dachte ich, würde er uns einweihen in die Geheimnisse der Wildnis.

Der Großvater blieb geduckt stehen. Hatte er einen Braunbären entdeckt? Blickte er bereits in das glühende Auge eines Luchses? Oder versuchte er gar, einen Wolf zu bannen? Niilo hatte erzählt, daß diese Tiere noch in Lappland jagten, der Luchs allerdings immer seltener: Wollte der Alte, der unbewaffnet war, uns eine Probe des wilden Jägers geben? Sie sind kühne, sie sind erfindungsreiche Jäger: Sie haben es fertiggebracht, den Adler für die Wolfsjagd zu dressieren – kein Wolf hat eine Chance, wenn er von zwei Adlern gestellt wird –, sie haben sich schon, wie ich erfuhr, nur mit einem Knüppel in ein Wolfsrudel gewagt, haben den Braunbären mit hausgemachten Spießen gejagt, sie haben das Schneehuhn mit der Schleuder geschossen, und von einem Lappen wird erzählt, daß er den flinken Lemming, eine Marderart, mit den Händen fing und erwürgte. Warum duckte sich der Alte, warum lauschte er in die grüne Wildnis? Wieder ein schneller Blick, und wir folgten ihm vorsichtig. Gestürzte, im Sturz verdrehte Baumstämme lagen am Ufer, wie Wäsche, die ausgewrungen wird, waren die Stämme verdreht, und sobald der Fluß sie berührte, gaben sie geräuschlos nach und zerpulverten. Ein Tiergerippe ragte aus den Felsen hervor, weißlich glimmend, sauber, wie von der Zeit geschabt. In der Nähe erklang ein Knacken, ein heftiges Rascheln; wieder blieb der Alte stehen. Und jetzt, ich hörte es deutlich, hörte es durch das gleichmäßige Geräusch des fallenden Wassers: eine Melodie, korrekt gepfiffen, wohlbekannt – den Marsch vom River Kwai. Überrascht, entsetzt vor allem, blickte ich mich um, suchte Niilos Gesicht: War es das Sumpffieber, das mir diese Melodie zutrug? Gehörte es zum Krankheitsbild des lappländischen Sumpffiebers, daß man den River-Kwai-Marsch hörte?

Der finnische Freund nickte mir beruhigend zu und zeigte nach vorn. Ich blickte nach vorn. Am verwachsenen Ufer kam uns ein Mann entgegen, ein Mann in Lappentracht und mit prall gefülltem Rucksack; fröhlich bahnte er sich den Weg. Er pfiff den River Kwai. Der alte Lappe ging ihm entgegen, begrüßte ihn feierlich: Es war sein Sohn, es war der Lappenvater. Auch wir begrüßten ihn, und dann wurde der pralle Rucksack geöffnet. Dinge, die ich nicht erkennen konnte, wanderten in den Rucksack des Alten, und nachdem der Großvater seine Last hatte, erschienen die beiden Läppchen und öffneten ihre winzigen Rucksäcke: Ihnen wurde ebenfalls ein Teil des Gewichts anvertraut – aus Birkenholz geschnitzte Trinklöffel, Holzteller und geschnitzte Platten, auf die Geweihe genagelt werden –, und nach langem Kopfnicken wanderten wir am Strom zurück zur Kota.

Nein, der Lappenvater kehrte nicht von magischem Jagdabenteuer heim, er hatte nicht die Fährte des Braunbären verfolgt, hatte nicht an Manas ewigem Wasser gesessen, um sich im Spiegel der Wildnis schaudernd zu begreifen; er hatte einige Tage in seinem Leinwandzelt zugebracht, drüben an der großen Straße, wo die großen Überlandbusse

Touristen aus aller Welt heranrollten. Dort hatte er sich postiert, Denkmal der Wildnis, dort hatte er sich gegen bescheidene Gebühr photographieren lassen, hatte Andenken verkauft und sich tief in die Seele zweier englischer Damen eingegraben. Die allein reisenden englischen Damen waren so betroffen von seiner Lebensart, daß sie ihn, unter Angabe der Adresse, nach Manchester einluden, zum Studium dortiger Verhältnisse. Der Lappenvater hatte ihnen träumerisch gedankt und in Aussicht gestellt, gelegentlich mit seiner Familie vorzusprechen. Einstweilen jedoch war er heimgekehrt in die Kota, und der Empfang, der ihm zuteil wurde, ließ darauf schließen, daß er aus einem nicht ungefährlichen Frontgebiet heimgekehrt war: Er hatte Urlaub genommen von der Front des Tourismus, um sich in öder Etappe zu erholen.

Wir saßen vor der Hütte, der Lappenvater trank starken Kaffee, in den er eine Speckschwarte tunkte; die Lappenfrau rauchte, ihre Läppchen rauchten, und der Großvater zog sich den dickpelzigen Lappenhund über die Füße und summte ein altes Lappenlied. Was sang er? Es konnte kein trauriges Lied sein. Sang er von dem unscheinbaren Glück Lapplands? Von den kargen Geschenken, die das Land zu geben bereit ist? Nein, es gehört kein Wein zu diesen Geschenken, kein knirschender Käse und keine Oliven, die Armut hat hier keinen empfindlichen Gaumen wie am Mittelmeer, sie hat nicht die kühne Freude an Kombinationen des Geschmacks, kein Lappe wird je in die Geschichte der Feinschmecker eingehen: eindeutig sind die Genüsse dieses Landes, wölfisch und magenschwer. Sind nicht in der Kalevala die Geschenke Lapplands beschrieben, die es für den Streifenden bereithält:

... Dort in Lapplands weiten Öden,
da ist's glücklich zu verbleiben,
lieblich dir herumzuschwärmen,
im Gehölz sind Rentierhirsche,
edle Hirsche dort erhänget,
um den Hungernden zu sätt'gen,
zu verschlingen für den Gier'gen ...
Leber schmeckt, als Brot gegessen,
Weidlich dient das Fett zur Würze,
Lunge taugt, gekocht, als Brühe,
Speck gibt kräftigere Kost auch ...

In das Summen des Alten fiel das böse Sirren der Insekten, in zuckender Wolke griffen sie an, die winzigen, die wahren Herrscher Lapplands; todessüchtig stürzten sich die Mücken auf uns, schraubten sich Zecken in die Haut, mit beiden Händen schlugen wir nach ihnen, aber zwei Hände sind nicht genug. Selbst die acht Hände des maliziös sinnenden Gottes Schiwa wären nicht genug, um den Insekten Lapplands zu begegnen. Unsere Gesichter schwollen, das Genick brannte von den Stichen, nur unsere Gastgeber zeigten eine erhabene Gleichgültigkeit. Bevorzugen die lappländischen Insekten Fremde? Niilo klärte es im Gespräch. Die Lappenfamilie wurde nicht weniger angegriffen, nicht weniger gepeinigt als wir, doch sie wehrte sich durch Gleichgültigkeit und empfahl auch uns die Gleichgültigkeit als das zuverlässigste Mittel gegen die Insekten. Doch unsere Gleichgültigkeit reichte nicht aus.

Ein eindringlicher Essensgeruch strömte aus der Kota, die Lappenfrau schmorte, und ich dachte, daß sie dabei war, am offenen Herd die Lende eines Bären zu schmoren oder die Schulter eines Rentiers: schwelgerisch liefen die Gedanken voraus. Und ich dachte: nun würden wir es erleben: die verbindende Ursprünglichkeit des Essens, die wölfische Schönheit eines Mahls in der Wildnis, ich sah uns bereits am offenen Herd hocken, hörte tropfendes Fett in den Flammen zischen, ja, auch das Lutschen genießerischer Münder hörte ich bereits, das trockne Knacken der Knochen und die Geräusche zufriedenen Schluckens – die ganze räuberische Seligkeit einer wilden Mahlzeit stellte ich mir vor.

Dann trat sie an den Eingang, um uns zu rufen, und ich sah, daß die Lappenfrau eine Nylonschürze trug. Der Tisch war gedeckt. Es gab keine Bärenlende und keine Rentierschulter. Es gab Rindfleisch mit Kartoffeln. Es gab einen Mehlpudding hinterher. Und der Lappenvater erzählte, daß er sein Rentierfleisch gegen die dreifache Menge Rindfleisch eintausche: Dank der Touristen, die Lappland nicht verlassen dürfen, ohne vom Fleisch des Ren gekostet zu haben, sei der Kurs so günstig. Und die Lappenfrau erzählte, daß sie mit dem elektrischen Küchenherd das Essen schneller bereitet hätte, doch der elektrische Herd sei in ihrem Winterquartier geblieben, ebenso wie der Motorroller. Den Motorroller fahre jetzt ihr jüngster Bruder, der das Lappen-College besucht.

Der Zug der Zeit ist stärker. Auch die Lappen haben eingesehen, daß es andere, bessere, leichtere Möglichkeiten der Lebensbehauptung gibt; diese Möglichkeiten beginnen mit der Seßhaftigkeit, mit der selbstverständlichen Teilhabe an der Zivilisation. Niilo, der finnische Freund, sagte mir, daß es Lappen gibt, die in den Erzgruben arbeiten, und er erfuhr, daß einige Lappen, sozusagen die Seidentücher der Gesellschaft, im eigenen Hubschrauber ihre riesigen Herden kontrollieren. Und es hilft wenig, daß beispielsweise die schwedische Regierung, die den Lappen durch Gesetze so viele Rechte einräumte, auch ein Gesetz erließ, das die Lappen zu ihrer angestammten Lebensweise verpflichtete: Der Zug der Zeit ist stärker, die letzten Nomaden Europas treten ab.

Doch ich wollte, ich konnte es nicht glauben, ich war bei ihnen zu Gast, und ich gab die Erwartung nicht auf, daß sie sich durch ein Zeichen oder durch eine Tat als die Söhne der Sümpfe erweisen würden, als die kleinwüchsigen Lieblinge der Wildnis. Erwartete ich zuviel? Wem zuliebe sollten sich die Lappen von Rentierfleisch ernähren, wie die Tradition es befiehlt? Für wen sollten sie sich an die Pflicht gebunden fühlen, dunkler Trommelmagie anzuhängen? Wer durfte es ihnen auferlegen, dem nomadisierenden Dasein, seinen geringen Genugtuungen und großen Bedrängnissen, die Treue zu halten?

Die Lappen sind nicht zu der Welt gegangen. Die Welt ist zu ihnen gekommen. Und aus dieser Begegnung haben sie gelernt: sie haben mit der Empfänglichkeit, mit der Anfälligkeit wandernder Völker begriffen, daß das Leben auch anders, daß es angenehmer gelebt werden kann. Obwohl die christliche Mission die Lappen bereits im 17. Jahrhundert erreichte, haben sich bis heute heidnische Anbetung und heidnischer Brauch erhalten. Doch wie es scheint, steht der heidnische Brauch ihrem Sinn für die neue Aufklärung nicht im Wege: einfache Völker lernen schnell und überspringen leicht ganze Epochen der Geschichte. Einfache Völker zeigen, daß sich selbst geschichtliche Entwicklung überspringen oder nachholen läßt. Hatten meine Gastgeber es getan? Waren der Großvater, die Lappenfrau und der Lappenvater Stelzenläufer der Geschichte? Ich fand keine Zeit, daran zu denken.

Der Lappenvater lud uns zum Fischen ein. Wir gingen durch den Wald hinab zum Strom. Wir schoben ein hochbordiges Boot ins Wasser, das zwischen den Büschen am Ufer gelegen hatte, kletterten zu dritt hinein und stießen ab in das schnell strömende Wasser. Der Alte blieb zurück, und mit ihm die Lappenfrau und die beiden Läppchen: reglos standen sie in ihren herausfordernden Kostümen vor der grün verfilzten Wand des Sumpfwaldes, sie blickten uns nach, wie wir in den Strom scherten, und als wir die Mitte erreicht hatten, verschwanden sie lautlos. Der Lappenvater ruderte. Ich blickte den Strom hinauf, der von zerrissenen Ufern eingeschlossen war: bis knapp vor das Wasser war der verfilzte Wald herangewandert, eine düstergrüne Schlucht, ein lautloser und zäher Usurpator, dem es nicht darauf ankam, daß die erste Welle der Stämme von strömendem Wasser zu Tode gezerrt wurde, immer wieder drängte er vor, wuchs er an gegen den Strom, der sich seine Opferrate nahm und sie, mit Ästen und Wurzeln, kreisend zu den Schnellen hinabtrieb. Das Wasser war dunkel, von den Trichtern kleiner Wirbel bedeckt. Über unsichtbaren Felsblöcken wölbte es sich drängend. Wir überquerten den Strom, ließen uns am Ufer entlangtreiben bis zu einem schwarzen, träge fließenden Nebenarm, der mehrere Buchten mit stehendem Wasser hatte.

In einer Bucht legten wir an. Wolken von Mücken und Zecken stoben schrillend auf, sie gingen ohne Warnung zum Angriff über, kühn und zahlreich wie die Völker von Dschingis Khan –, wir versuchten, ihnen mit Gleichgültigkeit zu begegnen. Doch meine Gleichgültigkeit beeindruckte sie weder moralisch noch in ihrem Appetit; ein deutsches Beefsteak ist keine Alltagskost für die Mücken Lapplands. Wir zogen das Boot auf Land. Wir steckten die Stöcke zusammen, befestigten die Rollen an den Angeln und beobachteten dabei das Wasser, auf dem die Ringe von Fischen erschienen, die beim Schnappen nach Insekten die Oberfläche durchbrachen.

Der Lappenvater hatte keine Wurfangel. Bedächtig kramte er aus seinem Rucksack einen selbstgebauten Holzschlitten heraus, nicht größer als eine Zigarrenkiste, einen Schlitten mit Seiten- und Höhensteuer und einer langen Leine. An einem Querstab des Schlittens war die Schnur befestigt, an der in einigem Abstand die künstlichen Fliegen hingen. Wir begannen zu werfen, und der Lappenvater bog das Blechstück, das als Seitensteuer diente, auseinander, setzte den Schlitten ins Wasser und ließ ihn hinaustreiben in den schwarzen Fluß. Er ließ die Leine über den Zeigefinger laufen. Der Schlitten trieb mit der Strömung ab und die Leine straffte sich. Er blieb am Boot. Wir gingen den Fluß hinab. Und unser Erschrecken plötzlich, als wir einen Mann vor einem Zelt sitzen sahen, es war ein Holzflößer, ein fröhlicher Berserker, der auf zwei Ingenieure wartete, mit denen er den Strom vermessen sollte für ein geplantes Elektrizitätswerk.

Er blieb fröhlich, bis wir ihm sagten, daß wir mit einem Lappen über den Strom gekommen seien; jetzt lächelte er in sanftem Spott, eine nachsichtige Verachtung erschien auf seinem Gesicht, er grunzte, er imitierte ironisch das Brummen der Rentiere, hob seine Finger geweihförmig vor die Stirn: ja, es war die alte Verachtung noch, die alte Geringschätzung, mit der die Seßhaften auf die Nomaden herabblicken.

So hatten die Griechen auf die wandernden Hirten Persiens herabgeblickt, die Römer auf die ziehenden Familien Nordafrikas: der uralte Hochmut der Seßhaften, der Landbesitzer und Landverwalter, hat sich in seinen Resten noch erhalten. Es ist ein fataler Hochmut. Er läßt die Lehre außer acht, die die Seßhaften immer von nomadisierenden Völkern erhalten haben und auch noch heute erhalten, da das Nomadentum immer mehr aufzuhören beginnt: unter den blinden Augen der Geschichte besteht nur, wer disponibel bleibt. Die Griechen haben sich zu Tode gesiegt, das reiche Rom lebte von ungedeckten Schecks auf die Zukunft –, sie wurden schließlich überlebt von denen, die sie einst geringschätzten, von der wandernden Armut, die disponibel hält. Die Verachteten blieben länger, weil sie ihr Leben auf Abschied gründeten ...

... Nichts sonst ist, das mich erkenne, –
Abschied nehme ich von allem,
Land und Wald mit deinen Beeren,
Raine draußen samt den Blumen,
Hügeln samt den Heidekräutern,
Seen samt den hundert Inseln.
tiefe Sunde samt den Schnäpeln,
hohe Hügel samt den Fichten,
Waldesschluchten samt den Birken! ...

Sorgfältig sind die Abschiede in der Kalevala beschrieben. Auch wir verabschiedeten uns sorgfältig von dem fröhlichen Berserker, gingen schnell wieder am Ufer zurück, bis zu der Bucht, wo das Boot lag und der Lappenvater auf uns wartete: wir konnten nicht fischen, die Insektenwolken, die uns angriffen, verhinderten es. Der Lappenvater sah uns entgegen, er war bereit, der seltsame Schlitten steckte schon im Rucksack. Ein knappes Dutzend Laxörings außerdem, gesprenkelte Burschen aus der temperamentvollen Familie der Salmoniden. Wir kletterten ins Boot. Wir stießen ab. Und dann, als wir draußen auf

dem Strom, fast schon in der Mitte waren, geriet das Boot in einen
mächtigen Wirbel, die Ruder zwangen es nicht mehr heraus, hielten es
nicht einmal: lautlos drehte das Boot sich um sich selbst, wurde unvermutet hinausgetragen aus dem Wirbel und stromabwärts gedrückt,
auf die Schnellen zu, auf die Fälle, wo das Wasser stürzte und stäubend
aufstieg. Was uns erwartete, ließ sich absehen, es war ein Vollbad ohne
Gelegenheit zum Genuß. Ich winkte dem Lappenvater zu, ich wollte
auf die Ducht, um mit ihm zusammen zu rudern und das schnell
treibende Boot zu halten, doch der Lappenvater gab die Ducht nicht
frei, er blickte gleichgültig den Schnellen entgegen, mit der erhabenen
Gleichgültigkeit, mit der er die Insekten ertrug: was war in ihn gefahren? Welcher Geist hatte von ihm Besitz genommen? Wir waren auf
Manas ewigem Wasser: Wollte er uns auf kürzestem Wege zu Mana
bringen? Und als ich das sorgenvoll dachte, zog er die Ruder ein, ja, er
zog sie ein mit großartiger Ergebenheit, mit tadelloser Verfallenheit an
unser Schicksal, und er blickte voraus und lächelte, während das Boot
zügig auf die Fälle zutrieb. War es das todessüchtige Lächeln im An-
gesicht von Mana? Geheimnisvoll ist der Glaube der Lappen. Die Bibel
genügt nicht ihrem Glaubensbedürfnis, ihrem sonderbaren Verlangen
nach Welthilfe und Verehrung; auch als Christen achten sie darauf,
vorsichtshalber gute Beziehungen zu ihren argwöhnischen Berggöt-
tern zu pflegen, auf gutem Fuß mit den Mächten der Sümpfe und des
Wassers zu stehen. Sie glauben immer noch an die Kraft der Medizinmänner und an die Magie der Trommel. Sie haben gelernt, daß eine
doppelte Frömmigkeit nicht schaden kann; doch es ist keine Rückver-
sicherung im Glauben, sondern zwiefache Ergebenheit in ein zwiefach
armseliges Los.

Was hatte der Lappenvater vor? Später erst merkte ich es, als wir an
Land waren und auf die Fälle zurückblickten; der Lappe wußte, daß es
hoffnungslos war, zu rudern, er wußte außerdem, daß die Fälle in
regelmäßigen Abständen eine Gegenströmung hervorrufen, die in
mehreren kurzen Wellen den Strom hinaufläuft. Die Gegenströmung
ist stärker als der Strom. Sie erfaßte das Boot kurz vor den Schnellen.
Sie schlug es quer und drückte es zum Ufer, und da begann auch der
Lappe zu rudern und brachte uns mit einigen Schlägen an Land.

Wir gingen zur Kota, weckten den Großvater: er zog die Fische auf
einen Drahtspieß und machte ein flaches Feuer an, und um die Feuerstelle herum steckte er die Spieße mit den Fischen in die Erde. Die

Fische schwitzten und rösteten knisternd. Das Holzfeuer brannte gleichmäßig. Wir saßen unmittelbar vor dem Feuer, wo die Insekten uns nicht erreichten. Die beiden Lappenkinder saßen rauchend vor der Kota, jedes hielt ein aufgeschlagenes Buch auf dem Schoß, ein Lesebuch offensichtlich, über das sie sich gebeugt hatten und sanft, fast anmutig, stritten. Ihr anmutiger Streit galt einem Wort, vielleicht seinem Sinn oder seiner Betonung: Sie konnten ihren Streit mit Geduld austragen, denn sie brauchten den Sinn, die Betonung des ungewissen Wortes erst zum nächsten Winter zu wissen, wenn sie in ihr Standquartier zurückkehren und eine der acht Nomaden-Volksschulen besuchen würden. Ja, im Winter ziehen sie in festes Quartier, dann finden ihre jauchzenden Jahrmärkte statt, im Winter besuchen sie die braunroten oder weißen Holzkirchen, ihre uralten und tiefsinnigen Lappenmärchen werden dann erzählt: Erst der klirrende lappländische Winter erlöst sie aus nomadischer Rastlosigkeit.

Der Alte kniff in die Filets der Fische, lutschte die Finger ab; die Fische waren gar, und er machte eine weite einladende Bewegung, als ob er uns freistellen wollte, die ganze Welt als Gastgeschenk anzunehmen. Ein Ruf zur Kota, und im Eingang erschien die Lappenfrau, breitwangig, lächelnd, sie trug ein bedrucktes Schultertuch, ihr Haar war straff gekämmt, ihr Lappenkostüm geglättet – ja, sie war schön, eine sinnende Lappenschönheit.

Schnuppernd kam sie ans Feuer, und jetzt sah ich, daß auf ihr Schultertuch teure Zigarettenmarken gedruckt waren und angerissene Zigarettenpackungen, aus denen eine Zigarette herausragte und sich einem verwöhnten Raucher anbot: Auf dem Nacken empfahl sich Camel, auf der linken Schulter eine Chesterfield, und ich sah, daß sich den Platz der Wirbelsäule Philip Morris reserviert hatte.

Stolz trug die Lappenfrau das Schultertuch. Es war ein Tuch der Erinnerung. Es erinnerte sie an die Zeit, als eine Filmgesellschaft in der Wildmark erschien und zuerst das Land durchstreifte nach den Winkeln, die am meisten hergeben. Und als sie die Winkel gefunden hatten, die am meisten hergeben, suchten die Filmleute unter den stumm staunenden Lappen Komparsen aus. Nein, es genügte ihnen nicht, Lappen schlechthin zu verpflichten, es mußten besondere Lappen sein: Über-Lappen. Die Filmleute sortierten das stumm staunende Volk wie Erbsen, nur Über-Lappen wurden gebraucht, eindringliche Gesichter, schöne und furchtgebietende Gesichter, die obendrein photogen sein mußten – in den geheizten Kinos von Lübeck, von Lüdenscheid und Hameln sollten sie als die sprechenden Gesichter der Wildmark erscheinen. Die Leute in Lüdenscheid würden sicher protestieren, wenn man ihnen beliebige Gesichter zumutete, Wildmark-Gesichter, die nicht ausgewählt waren. Und so fand das Erbsenlesen statt, und unsere Gastgeberin wanderte ins Filmkröpfchen. Mandeläugig, breitwangig, das bläulich-schwarze Haar gefettet, durfte sie als schweigende Komparsin auftreten. Und schweigend verfolgte sie die Geschichte, die die Filmleute – unter Aufbietung ihrer unermüdlichen Phantasie – eigens für Lappland ersonnen hatten, eine dringende, eine echte Geschichte, die wie keine andere geeignet gewesen wäre, Lapplands Rolle in der Welt zu zeigen: Die Filmgeschichte erzählt von einem schönen Findlingsmädchen, das, obwohl Lappen es großziehen, schließlich doch keinen Sumpfsohn glücklich macht, sondern, heiratsfähig geworden, die Liebe an einen fremden Kaufmannssohn wendet: Eine typisch lappländische Geschichte, die den Kinobesucher in Lüdenscheid mit den wichtigsten Problemen des Landes vertraut macht ... Während jener Filmarbeit kaufte sich die Lappenfrau das mit Zigarettenmarken bedruckte Seidentuch. Sie trug es mit selbstverständlichem Stolz, nahm zwischen uns am Feuer Platz und zog einen am Spieß gerösteten Fisch aus dem Boden, und wir saßen friedlich zusammen und lösten rosa schimmerndes Fleisch von den Gräten.

Wieder fühlte ich mich unter dem Zwang der Frage, welcher ethnologischen Gruppe unsere Gastgeber zuzuschlagen seien: den Berg-, Wald- oder Fischlappen, ich wollte, ich mußte es herausbekommen, und da sie selbst keinen Anhaltspunkt dafür lieferten, nicht einmal dadurch, daß die Lappenfrau in einem Film mitgewirkt hatte –, wandte sich Niilo direkt an sie. Er fragte die Familie, ob sie sich, alles in allem, den Berg-, Wald- oder Fischlappen zurechne, und die Familie blickte uns, alles in allem, in so tiefer Verstörtheit an, daß mir die Frage leid tat. Doch die Frage blieb, und später fand ich heraus, daß meine Gastgeber weder Berg-, Wald- noch Fischlappen waren, sondern – was ihren Wert noch erhöhte – eine seltene Art von Übergangslappen: Sie gehörten nicht eindeutig zu den an Zahl immer geringer werdenden nomadisierenden Berglappen, ich durfte sie nicht ohne Gewissensbisse den Waldlappen zurechnen, die zum großen Teil seßhaft geworden sind und gegen die Annahme, daß es sich um arme Fischlappen handelte, sprachen mehrere Indizien. Meine Gastgeber waren Halbnomaden.

Ein Knacken erklang im Holz, ein Scharren und Stöbern, und wir lauschten, denn jeder Laut in Lappland hat unerwartete Bedeutung, verdient Aufmerksamkeit deshalb, weil sonst nur summende Stille über dem Land liegt. Wir horchten, und nach einer Weile sahen wir ein Rudel Rentiere gemächlich über den Weg wechseln: graupelzig die Alten, mit stumpfen Geweihen, die Felle der Jungtiere leuchteten in füchsischem Rot: die wandernden Fleischtöpfe der Lappen. Sie wanderten zum Strom hinab, und der Großvater erhob sich eilig und verschwand im Wald, um sie aus der gefahrvollen Richtung zu bringen.

Das Rentier ist nicht nur der wandernde Fleischtopf, für den Lappen ist es auch ein wanderndes Versorgungsarsenal: Aus den leichten Fellen der Tiere wird die Winterkleidung geschneidert, Decke, Schlafsack, Riemen und Zeltbespannung geben sie her; Knochen und Geweihe werden ausgekocht und dienen als Schnitzmaterial; selbst die Hufe werden verwendet, aus den Hufen schneiden sie sich ihre Knöpfe. Niilo fragt den Lappenvater nach dem Preis eines Rentiers, und der Lappenvater sagte, daß man 350 Mark für ein Rentier rechnen müsse, doch der geheime Wert für den Lappen sei noch größer.

Im Gegensatz zu den Wüstennomaden, die längst die Geldwirtschaft betreiben, lebt der Lappe von Naturalwirtschaft, und darum hat das Rentier für ihn einen besonderen Wert. Und wie sehr der wandernde Besitz des Lappen gefährdet ist, hat sich in jenem schlimmen Winter gezeigt, als etwa zwanzigtausend Rentiere von Wölfen zerrissen wurden. Ja, und jetzt hörten wir den Alten deutlich singen, es war ein Yuoik, den er sang, ein stoßweises, einfaches Lied, das für seine Tiere bestimmt war, die Tiere kennen den Yuoik ihres Besitzers. Was aber sang er ihnen vor? Welcher Text sollte die Tiere aus der Richtung bringen? Ich verstand den Text nicht, und der finnische Freund verstand ihn nur unvollkommen, und unvollkommen lautete er:

Weg vom Strom, ihr alten Ochsen,
oh, warum die Rentierochsen ihre gute Rentierflechte
nicht woanders suchen können,
denn ihr alten Rentierochsen seid doch keine Lachse.

Sein Gesang klang jetzt auffordernd, gebieterisch, er klang wie Lemminkäinens Ruf in der Kalevala:

... Auf hier, was an Lappenmännern,
alles hinter Hiisis Rentier,
alles, was an Lappenweibern,
das soll alles Kessel spülen;

Was da ist an Lappenkindern,
das soll alles Späne sammeln;
Was da ist an Lappenkesseln,
das soll dieses Rentier kochen ...!

Doch ein Rentier brauchte nicht gekocht zu werden, die Tiere änderten die Richtung, und unser Großvater kam zurück. Er rieb seinen sehnigen Hals und blickte auf die Lappenfrau und dann zur Kota. Der Alte hatte Brand, quälenden Nachdurst. Stumm verlangte er etwas zu trinken. Ich tastete nach meinem Rucksack, in dem eine Schnapsflasche verstaut war, ich zog sie nicht heraus, ich dachte an die Warnungen, die Niilo mir gegeben hatte: Schnaps ist das beste Geschenk für die Lappen, doch soll man es erst beim Abschied überreichen. Der Alte seufzte. Die Lappenfrau stand auf und verschwand, und ich dachte, daß sie mit einem Getränk der Wildnis zurückkehren würde: Ich sah schon den sämigen Trunk träge in einem Becher schwappen, Zaubertrank aus wildem Honig, scharfen Beeren und Feuer, auch den Rausch glaubte ich schon zu ahnen, den das dunkle Getränk hervorruft. Würde uns der Rausch die Augen öffnen, uns den finsteren Geist der Wildnis preisgeben? Würde er uns die Zeichen der Medizinmänner verstehen lassen, die von den Lappen auch heute noch aufgesucht werden, wenn es nötig ist, Bären zu bannen, Hautekzeme zu heilen?

Unruhig blickte ich auf das Getränk, das die Lappenfrau in einem Krug ans Feuer brachte, in hölzerne Trinklöffel goß und uns lächelnd anbot. Das Getränk schmeckte wie Bier. Es war Bier. Enttäuscht trank ich aus – wollten die Entzauberungen kein Ende nehmen? Hatte ich die falschen Erwartungen? Wir tauschten Zigaretten, wir legten trockenes Birkenholz ins Feuer und tranken auf gegenseitiges Wohl: das Wohl klang traurig. Tranken wir zu spät darauf?

Der Lappenvater schleppte seinen Rucksack heran und eine Felltasche, er begann sie mit Dingen vollzustopfen, die ich bereits in den Glasvitrinen eines fashionablen Hotels gesehen hatte: Holzteller mit einem eingebrannten Gruß aus Lappland, aus Rentiergeweihen gefertigte Kerzenleuchter mit einem Gruß aus Lappland, Messergriffe, aufgespitzte Fellschuhe, Knöpfe und Jagdtaschen: alles mit einem Gruß aus Lappland. Die Grüße waren im Preis inbegriffen. Wer würde sie empfangen? Die sehnigen Damen aus Manchester? Junge Franzosen, die es in rätselhaftem Zivilisationsüberdruß immer häufiger nach Lappland zieht? Oder würde der eingebrannte Gruß Osnabrück erreichen, die Kommode eines Volksaktionärs?

Der Lappenvater verpackte alles gewissenhaft, auf seinem Gesicht lag ein Ausdruck von pflichtgetreuer Ergebenheit; ja, er mußte zur Kota hinaus, zurück in die Stellung, und wo sich der Tourismus vollzieht, da ist Frontgebiet. Und diese Front läuft über die ganze Welt. Auch durch Lappland, durch die letzte Wildmark Europas läuft sie: schon haben die Touristenvereine Wanderwege markiert, Hütten und Hotels errichtet, und bald wird es nicht mehr nötig sein, eine Lappenfamilie in der Ödnis mühevoll aufzustöbern –, bald werden sich die Vereine in der Lage sehen, die Begegnung mit originalen Lappen im Pauschalpreis zu garantieren. »Kungsleden« heißt der Wanderweg, den der schwedische Touristenverband bereits markierte, Königsweg. Doch werden es Könige sein, die durch die schweigende Schönheit der Wildmark ziehen? Werden sie mit der selbstverständlichen Genugtuung von Königen sagen können: es ist fremd, doch es ist mein? Kann uns die vollkommene Ödnis überhaupt noch eine Antwort geben, die wir verstehn? Ich beobachtete den Lappenvater, wie er den Rucksack zuschnallte, zuversichtlich tat er es, mit der verdeckten Zuversicht eines Soldaten oder Kaufmanns.

Dann war er fertig, und er nahm langwierigen Abschied von seiner Lappenfrau, von den Läppchen und vom Großvater, zeremoniellen Abschied auch von uns und vom dickpelzigen Lappenhund. Aber er ging noch nicht. Plötzlich schien er sich an etwas zu erinnern, er klinkte die Karabinerhaken des Rucksacks aus, verschwand lächelnd in der Kota, während wir vor dem Feuer warteten. Woran hatte er sich beim Abschied erinnert?

Bald erschien er wieder im Eingang, einen schwarzen Kasten in den Händen, aus dem uns eine Linse böse anfunkelte. Ah, er photographierte uns zweimal, auch wir durften ihn und die Familie photographieren, ohne Gebühr sogar, und nachdem wir dafür gesorgt hatten, daß dieses Erlebnis nicht mehr verlorengehen konnte, warf er sich den Rucksack um, nahm die Felltasche und ging winkend davon. Wir blieben stehen, bis sein Schritt unhörbar wurde, die Melodie, die er pfiff, verklang. Würden wir ihn wiedersehen? Und würden wir ihn so wiedersehen, wie er uns verließ an jenem Tag am Strom, in der grünen Einsamkeit der lappländischen Ödnis, in der letzten Freiheit des Sumpfwaldes? Ich dachte daran, und ich dachte, daß ich wahrscheinlich nicht überrascht sein würde, wenn ich ihn dereinst als Busschaffner wiedertreffen würde, der meine Fahrkarte knipst, als Hüttenvater, der mir ein Lager anweist, oder als uniformierten Verkehrspolizisten, der, ein lappländischer Alexander, den Knoten des Verkehrs durchschlägt. Wird es so sein? Oder wird die Ödmark bestehen bleiben? Sie kann nur bestehen, wenn ihr durch Einsicht überlassen wird, was ihr gehört:

... Laß den Watenden die Sümpfe,
laß das Land den Wanderfüßen,
laß den Ruhenden die Wälder,
laß die Heide Heidegängern,
laß den Speicherfußweg Wandrern,
laß den Zaunweg Gassengängern,
Höfe allen Hofbewohnern,
den dran Lehnenden die Wände,
Äcker Elchen zu belaufen,
Forste Luchsen zu durchschleichen,
Waldung Gänsen zu bewohnen,
Buschwerk Vögeln auszuruhen.

Die Kalevala nennt es. Und ich dachte auch daran, als wir uns von der Lappenfamilie verabschiedeten, von der Lappenfrau zuerst, und zuletzt vom Lappenhund. Der Großvater hob das Motorrad auf, trat den Starthebel durch und schüttelte den Kopf. Das Motorrad sprang nicht an. Er sprach mahnend auf es ein, drohte ihm, bat – worauf der Motor blubbernd antwortete und gleich darauf verstummte. Der Großvater gab es auf. Mit schmerzlichem Ausdruck, als ob er eine Zurechtweisung erhalten hätte, blickte er uns an: war ihm der Evangelist Laestadius eingefallen, der die Lappen mit der Strenge des Glaubens vertraut machte und ihnen verbot, Freude am Unwesentlichen zu empfinden?

Ich gab den Schnaps der Lappenfrau, wir gingen den federnden Sumpfweg zurück, und der Alte ging hinter uns her. Fellgeruch war in der Luft, die Rentiere konnten nicht weit sein. Das Geräusch des stürzenden Wassers wurde leiser und verstummte, und wir gingen durch das bedrohte Schweigen, durch die bedrohte Schönheit Lapplands. Der Himmel war leer. Es war windstill. Nein, es war zu früh, Abschied zu nehmen: noch lag die vollkommene Stille über dem Land, noch griff die Tundra die Straße an und die Sümpfe luden nicht ein. Die großartige Trostlosigkeit Lapplands zog sich noch nicht zurück. Sie behauptete sich. Sie ließ jeden Nachruf als verfrüht erscheinen. Doch sie ließ ihn nicht als unmöglich erscheinen, sondern nur als verfrüht. Und auf einmal waren wir allein. Lautlos, unbemerkt war der Alte hinter uns verschwunden, mit den lautlosen Schritten des alten Jägers. Es war der letzte Eindruck der Wildnis.

1958

Lieblingsspeise der Hyänen

Er saß mit dem Rücken zur Wand, unter dem präparierten Kopf eines Keilers, und neben ihm saßen die beiden Frauen. Ich hörte, wie die Frauen auf ihn einsprachen, hörte schon vom Eingang der Kneipe her den Vorwurf in ihren Stimmen, die drohenden Ermahnungen, die sie in sein junges, bewegungsloses Gesicht hineinsprachen: abwechselnd, ungeduldig, in milder Empörung redeten sie auf ihn ein, und er saß da und schwieg. Der junge Amerikaner sagte kein Wort, als die beiden Frauen gleichzeitig aufstanden; er erhob sich nicht, sah sie nicht an, als sie ihre Taschen nahmen, ein Paket unter seinen Tisch schoben und untergehakt an mir vorbei zum Ausgang gingen. Sehr fest hielten sie sich untergehakt, gingen tuschelnd vorbei, und ich sah ihre saubere, rosige Haut, ihre gepflegten Haare, auf denen sie die gleichen Hüte trugen, flache Hüte, die aussahen wie Spiegeleier mit Veilchen. Noch einmal sah ich sie draußen an der Scheibe vorbeigehen, Arm in Arm, mit der Zärtlichkeit verschworener Freundinnen, und beide lächelten.

Wir waren allein. In scharfem Zug trank er sein Glas aus, bestellte einen doppelten Kognak nach, rauchte und saß mit bewegungslosem Gesicht unter dem präparierten Kopf des Keilers, der aus künstlichen

Augen, mit erstarrtem Grinsen durch den Zigarettenqualm sah. Die gekrümmten Hauer wirkten spröde, ausgetrocknet; sandfarben bogen sie sich zu den Augen hinauf. Ich trank einen einfachen Kognak, blickte zu ihm hinüber: brütend und athletisch saß er da, ein jung aussehender Mann in offenem Kamelhaarmantel, mit kraftvoll gebürstetem Haar. Er sah gut aus; er erinnerte mich an den Mann auf dem Plakat, der von Freunden beneidet wird, weil er von seiner Frau ausschließlich sportliche Unterwäsche geschenkt bekommt.

Er setzte einen Fuß auf das Paket, das die beiden Frauen ihm anvertraut hatten; das Hosenbein wurde hochgezogen, gab den gummierten Rand einer Socke frei, ein Stück des Beins, das glatthäutig war, muskulös. Mehrmals kam der magere Kellner an seinen Tisch, stellte ein volles Glas hin, trug das leere fort, und ich sah, daß es immer Doppelte waren, die er in scharfem Zug, ohne sein Gesicht zu verändern, trank. Schließlich schien ihm der Kellner leid zu tun; er ließ sich eine Flasche bringen, goß selbst ein und stellte die Flasche auf den verkratzten Marmortisch.

Und jetzt wandte er sich um; als ob er beim Klirren der Flasche auf dem Marmortisch erwacht wäre, hob er den Kopf, blickte die rauchgeschwärzte Tapete an, entdeckte den Keilerkopf über sich und dann mich in meiner Ecke. Traurig lächelte er mir zu. Ich erwiderte das Lächeln, er zeigte mit dem Daumen über sich auf den Keiler und sagte: »Wissen Sie, wann er zum letztenmal zu trinken bekam?«

»Heute morgen«, sagte ich.

»Gut«, sagte er, »dann ist nichts zu befürchten.«

Überraschend hob er die Flasche an, hielt sie mir einladend entgegen: »Wie wär's«, sagte er, »bevor der da oben Durst bekommt« – und ich nahm mein Glas und zog an seinen Tisch. Ein Geruch von sehr gutem Rasierwasser umgab ihn; sein Hals war faltenlos, nirgendwo in seinem Gebiß konnte ich eine Plombe entdecken. Sicher goß er mein Glas voll, sagte »also«, und wir tranken aus. »Worauf?« fragte ich.

»Auf alles, was wir hassen«, sagte er. Während er sprach, wippte die Zigarette zwischen seinen Lippen. Er hatte braune, schräg geschnittene Augen, dünne Brauen, und ich sah, daß sein Gesicht unter den Augen faltenlos war. »Noch einen?« fragte er.

»Langsam«, sagte ich.

»Sie kommen bald zurück. Wir sollten fertig sein, wenn sie wieder hier sind. Es wird nicht sehr lange dauern.«

»Also gut«, sagte ich, »einverstanden.«

Wieder füllte er die Gläser, warf einen Blick durch die Scheibe und zog seinen Mantel aus, indem er halb aufstand, die Arme steif nach hinten streckte und den Mantel herabrutschen ließ. Ich fing seinen Blick auf und fragte: »Zum ersten Mal in Deutschland?«

»Nein«, sagte er, »ich nicht, aber meine Frau und meine Tochter. Sie sind zum ersten Mal hier.«

»Ihre Tochter?«

»Marjorie, ja. Sie sind gerade unterwegs, um Schuhe zu kaufen.«

»Es gibt solide Schuhe hier«, sagte ich.

»Ah«, sagte er angewidert, »sie haben sich überall Schuhe gekauft, in Paris zuerst, dann in Italien und jetzt hier.« Ein Ausdruck von resignierter Verachtung erschien auf seinem Gesicht, eine müde Erbitterung, und er rieb die kleine Glut von der Zigarette und warf die Kippe in den Aschenbecher, daß es stäubte.

»Schuhe«, sagte er verächtlich, »wohin wir auch kommen, wollen sie zuerst Schuhe sehen. Als ob Europa nichts anderes zu bieten hätte als Schuhläden. Diese Reise wäre ein Grund, damit ich zeitlebens barfuß ginge. Ich hasse sie.«

»Machen Sie eine Erholungsreise?« fragte ich.

Er sah mich überrascht an, mit einem Ausdruck von Wohlwollen, der mich erschreckte; eilig füllte er mein Glas nach, schnippte er uns zwei Zigaretten aus seiner Packung, zündete sie an, und ich spürte, daß er etwas mit mir vorhatte. Sein junges Gesicht schob sich über den verkratzten Marmortisch heran, stärker wurde der Geruch des sehr guten Rasierwassers: »Ich hasse sie«, sagte er, »keiner kann sich vorstellen, wie ich sie hasse.«

»Auch Ihre Tochter«, fragte ich, »auch Marjorie?«

»Es ist kein Unterschied zwischen beiden, zumindest besteht für mich kein Unterschied: sie sind Frauen.«

Er seufzte, schob die leicht geöffneten Lippen nach vorn, so daß es aussah, als wollte er über eine heiße Suppe blasen; die Augäpfel röteten sich an den Rändern, eine Gänsehaut fuhr über sein Gesicht, ein Schauder, hervorgerufen durch Alkohol und Erinnerung; etwas Mühsames lag in seiner Haltung, mühsam versuchte er, das Herabfallen des linken Augenlids zu verhindern, das Abgleiten seines Blicks – er begann, betrunken zu werden. Ich dachte an die Frauen, mit denen er reiste, an ihre rosige Haut, dachte an ihre verschworene Zärtlichkeit

447

und daran, daß ich sie zunächst für Schwestern gehalten hatte; und
während ich sie noch einmal vor mir sah, tuschelnd, untergehakt, in
ihrer herausfordernden Gesundheit, merkte ich, daß ich Mitleid für
ihn empfand. Und ich sagte:»Es tut mir sehr leid.«
»Danke«, sagte er, »es war nicht umsonst, jetzt weiß ich, was ich zu
tun habe, und ich werde es tun. Jetzt bin ich aufgewacht. Diese Reise
hat mir die Augen geöffnet.«
»Eine Reise ist manchmal gut dafür.«
»Nachbar«, sagte er, »es war eine Reise, die ich jedem Mann wünsche, der etwas von Frauen hält.«
»Hat's Ärger gegeben?«
»Wir sind nicht rübergekommen, um Schuhe zu kaufen, Nachbar.
Zuerst sind wir nach Paris gefahren, weil man in Paris ankommt, aber
da wollten wir nicht bleiben. In die Nähe von Bernay wollten wir, rauf
in die Normandie, zu einer flachen Waldwiese vor einem schnellen
Fluß; das war besprochen. Während des Krieges, im Morgengrauen
Anfang November, mußten wir notlanden auf dieser flachen Wald-
wiese bei Bernay, mit zerschossener Benzinleitung. Ich war Pilot, und
ich wollte noch einmal diese Wiese sehen, von der ich nichts hielt und
die uns nicht enttäuschte, als ich die Maschine aufsetzte und kurz vor
dem schnellen Fluß zum Stehen brachte. Ich wollte diese schäbige
Wiese sehen, die uns hinterher, nachdem wir die Leitung geflickt hatten, sogar wieder starten ließ. Das war der Grund, warum wir in die
Nähe von Bernay wollten.«
»Und?« fragte ich.
»Ich habe sie nicht wiedergesehen«, sagte er. »Wir blieben in Paris,
sie konnten sich nicht trennen, sie kauften Schuhe. Wir kamen aus
dieser Stadt nicht raus, bis die Zeit, die wir für Frankreich hatten,
vorbei war. Wir sind nach Italien gefahren; die kleine Wiese habe ich
nicht gesehen.« Er sprach leise, ohne Verachtung jetzt, ohne Erbitterung, seine Stimme hatte etwas Gleichgültiges, den Ton wirkungsvoller
Sachlichkeit; sie glich einer Stimme, die ich manchmal im Radio höre –
von fern her aus unsichtbarem Verlies erreicht sie mich, setzt eine
Beziehung voraus, läßt keine Möglichkeit des Einwandes und will
nicht mehr, als daß man ihr recht gebe. Ich gab ihm recht; ich war auf
seiner Seite, weil die Frauen mit der rosigen Haut verhindert hatten,
daß er seine Wiese zu sehen bekam, das bange Glück erfuhr, die Narben der Landespur wiederzufinden, und ich nickte ihm beistimmend

zu. Er füllte die Gläser nach, trank seinen Doppelten in scharfem Zug
aus und lächelte resigniert.

»Und in Italien?« sagte ich.

»Die Italiener machen die besten Schuhe«, sagte er. »Marlene Die-
trich kauft ihre Schuhe in Italien und Soraya auch, und wer nur etwas
auf sich hält, der sollte seine Schuhe bei den Makkaronis kaufen.«

»Kannten Sie Italien?«

»Nachbar«, sagte er, »als ich nach Italien kam, hatte ich die zweit-
höchste Auszeichnung. Und jetzt sind wir wieder hingefahren, weil ich
einen Mann suchen wollte. Ich weiß nicht, wie er heißt, weiß nur, daß
er am Berg über einer Brücke wohnen muß. Damals gaben sie mir den
Auftrag, die Brücke zu zerstören, und ich flog hin, um es ihnen zu
besorgen, aber während des Angriffs erschienen Schafe auf der Brücke,
eine ganze Herde im Staub unter mir und ein Mann, der die Schafe
trieb. Wir konnten nicht warten, konnten die Schafe nicht bitten, die
Brücke zu verlassen; wir besorgten den Auftrag, und während des
Rückflugs schon nahm ich mir vor, später den Mann, der die Schafe
trieb, aufzusuchen und ihm etwas zu bringen.«

»Lebte er?«

»Wir haben Schuhe gekauft«, sagte er. »Ich habe den Mann nicht
gesehen, weil sie mich nicht hinfahren ließen. Sie konnten allein ausgehen, sie kauften ohne mich ein, doch wenn sie zurückkamen ins
Hotel, wollten sie mich vorfinden. Sie glaubten sterben zu müssen,
bekamen nervöse Zusammenbrüche und Hautausschlag, wenn ich
nicht auf sie wartete. Oh, ich hasse sie, ich hasse diese sanften Anklagen, ihre weichen Vorwürfe, und am meisten hasse ich sie, wenn sie auf
ihre Schutzlosigkeit anspielen oder sich an den sogenannten Gentleman in uns wenden ... Kennen Sie die Lieblingsspeise der Hyänen,
Nachbar? Es sind Schuhe, bei Gott ...«

Die Zigarette wippte zwischen seinen Lippen, der Rauch ringelte sich
an seinem Gesicht vorbei, stieg hoch und staute sich unter dem draht-
borstigen Kopf des Keilers, dessen Schnauze so weit geöffnet war, daß
die rissige Gipsmasse im Zungenbett rosa hervorschimmerte. Mit
schmerzlichem Wohlwollen sah mich der junge Amerikaner an, füllte
mein Glas nach, forderte mich freundlich auf, auszutrinken, und ich
trank. Sein Gesicht war leicht gedunsen vom Alkohol, sein Blick nicht
mehr zielsicher, doch seine Stimme veränderte sich nicht. Seine Stimme war leise, sprach mit wirkungsvoller Sachlichkeit auf mich ein, und

ich wagte nicht, nach einem Einwand zu suchen – ich gab ihm recht
wie jener Stimme im Radio.

»Und von Italien sind Sie zu uns gekommen?«

»Ja«, sagte er, »von Italien hierher. Und ich betete unterwegs, daß
Wolken von Ameisen über die deutschen Schuhläden herfallen möchten – mein Gebet wurde nicht erhört, Nachbar. Als sie den ersten
Schuhladen sahen, blieben sie stehen, doch diesmal gab ich es nicht so
schnell auf; diesmal steht für mich etwas auf dem Spiel.

Vierzig Kilometer von hier, nach einem Angriff auf diese Stadt, haben sie mich abgeschossen, das ganze Leitwerk wurde wegrasiert, so
daß wir Mühe hatten, auszusteigen. Aber ich kam raus, der Fallschirm
öffnete sich gut, und ich schwebte runter und sah schräg unter mir den
Fluß. Doch gleich darauf, nachdem sich mein Fallschirm geöffnet hatte, fiel Charles auf mich zu: die Arme ausgebreitet, hinter sich, schlagend und flatternd, die Leinen und den Schirm, der sich nicht öffnete.
So stürzte er herunter, und ich glaubte, er werde auf meinen Schirm
fallen. Aber er streifte ihn nicht einmal, sauste neben mir vorbei; ich
konnte seine Leinen fassen und festhalten. An meinem Fallschirm landeten wir beide im Fluß. Charles war verwundet, er ertrank.«

»Das war vierzig Kilometer von hier?«

»Nicht weiter. Damals hörte der Krieg für mich auf. Und jetzt will
ich rausfahren an das Grab von Charles und ihm sagen, daß ich hier
bin. Wir waren Freunde schon in der Schule. Seit vier Tagen sind wir in
dieser Stadt, und ich bin immer noch nicht rausgefahren zu ihm ... oh,
ich hasse sie. Aber jetzt weiß ich, was ich zu tun habe.«

Heftig ergriff er die Flasche, drückte zu; ich sah seine Knöchel weiß
werden, sah, wie sich sein Mund schmal zusammenzog, und plötzlich
legte er sich zurück, versetzte dem Paket unter dem Tisch einen Fußtritt. Das Paket rutschte zwischen meinen Stuhlbeinen hindurch,
rutschte weiter durch den Mittelgang der Kneipe bis zur braunen Filzportiere des Eingangs.

»Schuhe«, sagte er, »auch da sind Schuhe drin; die Lieblingsspeise
der Hyänen.«

Der magere Kellner schob argwöhnisch seinen Kopf durch die Schiebetür der Küche.

»Zahlen!« sagte der Amerikaner. Der Kellner kam, und er zahlte.

Als er ohne Hast seinen Mantel anzog, sah ich draußen, hinter der
Scheibe, die beiden Frauen aus einem Taxi aussteigen: eilig, mit ihren

flachen Hüten, die so aussahen wie Spiegeleier mit Veilchen. Eine von ihnen – ich konnte nicht entscheiden, ob es Marjorie war oder ihre Mutter – trug an einem Bindfaden ein Paket. Sie schlugen die Filzportiere zurück, hoben ohne Erstaunen das Paket auf, das dort lag, und kamen an unseren Tisch. Er war sehr ruhig. Er ließ sich von einer der Frauen gleichgültig auf die Wange küssen. Sein Gesicht war bewegungslos, als sie ihm beide Pakete über den verkratzten Marmortisch schoben, wortlos nahm er sie auf. Ich wartete, wartete auf irgend etwas, von dem ich glaubte, daß es geschehen müsse, doch es geschah nichts. Er sah mich nur einmal an, mit einem Blick unergründlicher Dankbarkeit, dann gingen sie zum Taxi: er wußte, was er zu tun hatte.

1958

Wie ich Interessenvertreter wurde

Wir luden den wichtigen Mann ein, und der wichtige Mann kam: zornig wie Savonarola und nervös wie Vivien Leigh – so sprach er den ganzen Abend über seine Arbeit, über seinen Beruf; von Engpässen erzählte er, von zehrenden Verhandlungen und großem Verdruß, und während er erzählte, wachte meine Frau schweigend darüber, daß ihm nichts fehlte. Sanft schob sie Käseschnitten auf seinen Teller, häufte gesalzene Nüsse vor ihm auf, gab mir ein besorgtes Zeichen, wenn ihm der Wein auszugehen drohte: ihre sanftmütige Sorgfalt erinnerte mich, was auf dem Spiel stand. Er aber, der wichtige Mann, erzählte; der Wein milderte nicht seinen Zorn, der Käse siegte nicht über seinen Verdruß – den ganzen Abend sprach er von den Strapazen seiner Stellung, von der einsamen Not, Entscheidungen zu fällen, von Mühe und gutbezahlter Freudlosigkeit; nie, dachten wir, wird er den Käse bemerken und meine Erwartung.

Aber schließlich bemerkte er doch etwas; spät, im Hausflur, als er schon das Lächeln des Abschieds lächelte, kam er darauf zurück. Mild gestimmt legte er mir seine Hand auf die Schulter, freundlich, mit leicht gesenktem Gesicht, schaute er mich an; und dann forderte er mich auf, ihn zu besuchen. Er bat mich, in sein Büro im Fernsehhaus vorbeizukommen, ohne Furcht und Hemmung sollte ich dort aufkreuzen, beim Portier, falls ich Schwierigkeiten hätte, einfach seinen Namen nennen: der Name Molz würde mir weiterhelfen, mit seinem

Namen auf den Lippen würde ich mich hinaufhangeln können in sein Büro. Und der wichtige Mann gab mir einen kleinen Schlag, joviale Dankbarkeit für den Abend – er hatte den Abend genossen, ich aber, ich hatte ihn genutzt.

Und ich ging zu ihm in sein Büro im Fernsehhaus, überwand das Mißtrauen des Portiers, hangelte mich mühelos, mit seinem Namen auf den Lippen, über alle Hindernisse hinweg: am Namen Molz hangelte ich gleich in meine neue Stellung. Obzwar ich ihn selbst nicht sehen konnte, hatte er alles vorbereitet für mich, aus dem Verborgenen hatte Molz geplant, mir die Mühsal des Anfangs zu ersparen versucht; ich brauchte nur einzusteigen.

Und ich fing an; unter dem Glanz seines Namens, der selbst aus der Ferne zu mir drang, begann ich, richtete die Redaktion ein, die sich mit »Fragen der Gegenwart« beschäftigen sollte. Wir sollten der Zeit auf den Fersen bleiben, ihre Druckstellen suchen, an ihr zeigen, was Anlaß zur Sorge gab. Irma half uns dabei. Als besonders erfahrene Sekretärin wurde sie uns zugeordnet, und mit Schwermut und Teekocher ließ sie sich bei uns nieder. Irma war von Anfang an dabei, litt an ständigen Kopfschmerzen, die am frühen Nachmittag zu Unwohlsein und Schwermut führten, aber am Vormittag konnte sie das Telephon bedienen, Verbindungen herstellen: der Vormittag war ihre Stärke.

Wir nutzten diese Stärke aus, wir spürten der Gegenwart am Vormittag nach, und wir begannen mit einer Sendung über die großen Hochstapler: woher sie kommen, fragten wir, was sie bedeuten, und zum Schluß gaben wir eine Übersicht und Schilderungen von Hochstaplern in der Literatur – unser Angriff auf die Gegenwart war eröffnet.

Aber der so frohgemut begonnene Angriff begann unverhofft zu stocken; wir erhielten einen Brief zu dieser Sendung, geöffnet schon und von Molz selbst mit grüner Tinte abgezeichnet, mit der Bitte um Stellungnahme. In unserer Sendung hatten wir einen berühmten Hochstapler genannt, dessen Vater Schaumweinfabrikant war. Der Brief, von einem Verband unterschrieben, der die Interessen der Schaumweinfabrikanten wahrnahm – der Brief forderte uns nun auf, eine Erklärung abzugeben, was wir mit dieser Sendung beabsichtigt hätten.

Ich diktierte Irma diese Erklärung, ich versicherte, daß wir keine böswillige Absicht gehabt hätten gegenüber dem Stand der Schaumweinfabrikanten, ich bekräftigte, daß wir keinen hätten herabsetzen wollen, und ich vergaß nicht, zu bemerken, daß ich selbst gelegentlich Schaumwein trinke; ein Durchschlag der Erklärung ging an Molz.

Und nachdem wir die Interessenvertreter dieses preiswerten und prickelnden Getränks beschwichtigt hatten, suchten wir weiter nach den Druckstellen der Gegenwart, trieben auftragsgemäß eine Inventur der dunklen Punkte. Und diesmal leuchteten wir hinter den Vorhang gewisser Bauspargesellschaften, zeigten ihr heimliches Gebaren, ihre sonderbaren Gewohnheiten; wir nannten keine Namen dabei. Doch obschon niemand namentlich erwähnt wurde, schienen sie sich alle betroffen zu fühlen; Briefe kamen, mehr als zwei Dutzend Briefe von den Interessenvertretern der Gesellschaften: Einige baten um Richtigstellung, einige verlangten Genugtuung, zwei drohten sogar. Alle Briefe waren über Molz gelaufen, der wichtige Mann hatte sie gelesen, abgezeichnet, Vermerke gemacht; meinetwegen hatte er sich mit ihnen befaßt: Zum ersten Mal empfand ich ihm gegenüber ein schlechtes Gewissen. Und während ich die Briefe der Interessenvertreter beantwortete, mit erschrockener Höflichkeit beantwortete, benommen noch von der ausgedehnten Empörung, die ich als Einzelner in so starken Verbänden hervorgerufen hatte, – während ich die Wogen des Unmuts zu glätten versuchte, beschloß ich, künftig vorsichtiger zu sein.

Aber alle Vorsicht half nichts, meine Umsicht brachte nichts ein; was immer wir taten, wofür wir uns auch entschieden – unsere Sendungen wurden verfolgt, und dann kamen die Briefe der Interessenvertreter.

Zeigten wir in einer Sendung, woraus mitunter Seife gemacht wird, so stellten die Interessenvertreter der Seifenhersteller augenblicklich richtig; erwähnten wir das Wort »Photographieren«, so hörte die gesamte betroffene Industrie argwöhnisch mit, beschwerten wir uns über den Geruch der Fischmehlfabriken an heißen Tagen, so klagte man uns an, wir wollten einen ganzen Berufszweig ausrotten.

Manchmal genügte schon ein Name, ein Wort in besonderem Zusammenhang, um einen Stapel von Briefen herauszufordern. Manchmal kamen die Interessenvertreter sogar ins Büro: Männer von einer Privateisenbahn kamen, Delegierte von Krankenkassen, der Pressechef einer Friseurinnung, Gewerkschaftler kamen und Beauftragte von Schutzverbänden, und eines Tages erschienen mehrere Offiziere in Zivil, um das Porträt ihres Generals richtigzustellen. Was wir auch taten, nichts war wohlgetan, die Angreifer wurden zu Angegriffenen.

Immer noch liefen die Briefe über Molz; wie am ersten Tag zeichnete er sie ab, versah sie mit Vermerken, gelegentlich verwies er mich auch. Ich nahm mir seine freundlichen Verweise zu Herzen, ich war traurig, daß ich ihm zusätzlich Sorgen machte in der freudlosen Einsamkeit seiner Stellung, ich war um so trauriger, als er mir jeden Tag Gelegenheit gab zur Bewunderung. Ja, ich bewunderte seine biegsame Klugheit, seine Kunst, zu manövrieren: wie ein Kanute erschien er mir, der die schäumenden Wildwasser der Interessengewässer meisterte. Und da Bewunderung sich schon eingestellt hatte, dauerte es auch nicht mehr lange, bis Molz mein Vorbild wurde. Ich wollte ihm die Sorgen ersparen, die ich ihm zusätzlich durch all die Beschwerdebriefe bereitete. Ich wollte mich seiner würdig erweisen. Ich wollte es ihm gleichtun.

Lange überlegten wir, wie wir den Kriegszustand mit den Interessenvertretern beenden könnten, bis Irma in ihrer schwermütigen Fraulichkeit Rat fand. Irma schlug vor, angesichts des gespannten Verhältnisses zu einer Aussprache einzuladen, um mit den Interessenvertretern in lockerem Gespräch zu klären, welche »Fragen der Gegenwart« ohne Scherereien gestellt werden könnten. Jeder von uns war einverstanden, und so luden wir alle erreichbaren Interessenvertreter ein. Wir schoben die Tische in der Redaktion zusammen, beschafften Stühle, beschafften Tischdecken aus der Requisitenkammer, und Irma schmückte die Tische mit Blumen, besorgte Pflaumenkuchen und kochte Kaffee.

Pünktlich, oder doch ohne nennenswerte Verspätung, erschienen sie, und es waren ausnahmslos gutgekleidete, freundliche Herren meist reiferen Alters und zufriedenstellend verheiratet. Obwohl jeder von ihnen die Interessen einer anderen Gruppe, eines anderen Verbandes oder Unternehmens vertrat, schienen sie voller Wohlwollen füreinander: viele legten dem Gesprächspartner einen Arm um die Schulter, oder sie zeigten sich gegenseitig die Photographien ihrer Kinder. Selten habe ich soviel offenes Entgegenkommen erlebt wie unter den Interessenvertretern.

Nur als ich dann zu reden begann, schloß sich etwas, und ich glaubte, Visiere fallen zu hören. Aufmerksam hörten sie mir zu, als ich unsere Themen schilderte, die wir in der Sendereihe »Fragen der Gegenwart« für die nächste Zeit vorgesehen hatten. Sie unterbrachen mich nicht ein einziges Mal, aßen nur unseren Kuchen und saßen da in einer Haltung unbarmherzigen Zuhörens. Sie sprachen erst, nachdem ich mich gesetzt hatte; da allerdings mit einer Leidenschaft, die weder Pflaumenkuchen noch Kaffee gemildert hatten.

Gegen jedes Thema hatten sie die faszinierendsten Einwände zu erheben, variationsreiche Bedenken, frühere Proteste – ich hatte kein Thema auf meiner Liste, das ohne Einwand geblieben wäre. Gegen unseren Plan, eine Gemeinschaftssendung mit einem osteuropäischen Land zu machen, erhob ein Vertreter der landsmannschaftlichen Interessen Einspruch; unsere Absicht, gegen den unbedachten Konsum vorzugehen, unsere Projekte »Straßenbau« und »Haarwuchsmittelindustrie«, »Sport« und »Soldatenverbände«: alles, alles wurde unter größten Bedenken angehört, es erfolgten Warnungen und Einsprüche. Die Interessenvertreter gaben nicht nach, zäh verteidigten sie sich. In meiner Verzweiflung fragte ich sie, bei welchem Thema denn keine Interessen für sie auf dem Spiel stünden; sie lachten und sagten, solch ein Thema gibt es nicht. Ich bat sie, an einem Programmentwurf mitzuarbeiten, ich forderte sie kameradschaftlich auf, mir anzuvertrauen, wogegen sie nicht protestieren würden. Sie überlegten sorgfältig und fanden nichts – außer der Sonne, den Fixsternen und einigen Milchstraßen-Nebeln. Gegen alle anderen Fragen der Gegenwart erhoben sie Bedenken. Ich fragte, ob sie wüßten, daß damit die Sendereihe »Fragen der Gegenwart« praktisch beerdigt sei. Sie zuckten höflich mit den Schultern und schwiegen.

Als ich ihnen preisgab, daß meine weitere Arbeit sich damit erübrige, nickten sie beifällig, und ein silberhaariger Interessenvertreter erhob sich und fragte mich, ob sein Verband etwas für mich tun könne. Sie hätten einen dringenden Mangel an einer Persönlichkeit, die ihre, das heißt: die Interessen der Interessenvertreter wahrnehme. Verblüfft nahm ich es zur Kenntnis, sah mich ratlos im Raum um, als ich plötzlich, sozusagen in heilloser Überraschung, an einem Ecktisch Molz entdeckte, der mir auffordernd zuwinkte. Er saß mitten unter den Interessenvertretern, und sein Lächeln war reine Zustimmung. Ich nahm das Angebot an.

1958

Der Anfang von etwas

Mühsam kam Harry Hoppe die Pier herab. Mit vorgelegtem Oberkörper, in einer Hand einen Pappkoffer, in der andern einen verschnürten Karton, so stemmte er sich gegen das böige Schneetreiben, das schon in der Dunkelheit jenes Silvestermorgens eingesetzt hatte. Kalt zog es von den Speichern her, von den naßglänzenden Bergen der Bunkerkohle; Eisschollen trieben im schwarzen Wasser des Stroms, kreisten in der Strömung, schrammten splitternd an der Mauer entlang; Böen fuhren scharf über sie hin, riffelten, krausten die offenen Stellen des Wassers zwischen den treibenden Eisschollen. Unter dem Schneetreiben kam Hoppe hervor, nur ein Schatten zuerst, eine mühsame Ankündigung seiner selbst; kam hervor auf der äußersten Kante der Pier, angestrengt, mit gesenktem Gesicht, und gegen die Stöße des Winds, der seine Arme mit den Gepäckstücken auseinanderzuzwingen suchte, den Mantel gegen den Körper preßte, kam er unaufhaltsam herab bis zur grünen Zollbude. Als er im Windschutz der Zollbude war, blickte er zum ersten Mal auf, und er blickte in das graue Gesicht eines Mannes, der mit der Schulter an der Bude lehnte und ihn beobachtete. Es war ein alter Mann in schmieriger Joppe, mit riesigen Schuhen an den Füßen; ein schlapper Rucksack, aus dem oben eine Wasserwaage heraussah, hing über seinem Rücken; zwischen den Händen hielt er eine bläulich schimmernde Säge, die in der Mitte mit Sackresten umwickelt war. Reglos stand er da, nur der vernarbte Stummel seines Zeigefingers bewegte sich, glitt knapp über das bläulich schimmernde Band der Säge. Hoppe setzte den Koffer ab, den verschnürten Karton, er stäubte den Schnee aus dem Halsausschnitt, klopfte die Schuhe an der Holzbude ab und trat nah an den Mann mit der Säge heran, der ihn aufmerksam und argwöhnisch beobachtete. Aus dem Windschatten sah Hoppe den Weg zurück, den er gekommen war, sah über die treibenden Eisschollen und den Strom hinab: schräg ging der Schnee nieder, wie hinter gespannten Schnüren eines weißen Gitters verbarg er das andere Ufer, die Werft, die kahle Böschung; wirbelnd stob der Schnee auseinander, wenn Böen in das Gitter einschlugen, wurde explosionsartig hochgeworfen und flach niedergedrückt auf das Wasser. Während sein Gesicht dem Strom zugekehrt war, blickte Hoppe aus den Augenwinkeln auf den Alten, der in argwöhnischer Reglosigkeit dastand, nur mit dem Stummel des Zeigefingers leicht über die Säge rieb.

»Mieser Tag«, sagte Hoppe, und er drehte sich um, so daß er den Alten fast berührte, musterte ihn einen Augenblick und sprach dann in das graue Gesicht hinein: »Mein Schiff ist weg, es hat hier gelegen, an dieser Pier … es kann noch nicht lange her sein. Es ist ein Feuerschiff, wir waren zur Reparatur in der Werft.« Der Mann mit der Säge schwieg, sein Gesicht bewegte sich nicht, reglos lehnte er an der Budenwand.

»Hier hat es gelegen«, sagte Hoppe und wies auf die schmutzige Pier, »an dieser Stelle war es festgemacht. Vielleicht haben Sie es gesehen, es kann noch nicht lange her sein, daß sie ausliefen.«

»Nix«, sagte der Alte, »nix«; er schluckte, schüttelte den Kopf, so als habe er nie etwas gesehen, und selbst wenn er etwas gesehen hätte, er nicht bereit wäre, das in diesem Augenblick oder überhaupt jemals zuzugeben. Sein Zeigefinger lag jetzt still auf dem Blatt der Säge, sein Blick löste sich vom andern und lief über den Strom, woher klagend, verstümmelt durch das Schneetreiben, die Rufsignale einer Barkasse zu ihnen drangen. Die Barkasse blieb unsichtbar.

»Sie können nicht lange weg sein«, sagte Hoppe.

Der Alte schwieg und sah abweisend über ihn hinweg, hob gleichgültig die Schultern, starrte auf die kreisenden Eisschollen, die glattgespült waren an den Rändern, von milchiger Bläue und die in ihrer Mitte verkrustete Schneeklumpen trugen, Holzstücke oder zerbeulte Blechdosen.

»Es hat keinen Zweck«, sagte Hoppe, und er spürte, daß er es zu sich selbst sagte, »es lohnt sich nicht, zu warten. Jetzt werden sie bald auf Position sein: ich geh nach Haus.« Er nahm den Koffer auf, den verschnürten Karton, sah noch einmal den Strom hinab, nickte gegen den Rücken des reglos dastehenden Alten und ging. Er ging zwischen den Speichern hindurch, über einen schienendurchschnittenen Platz und eine Bergstraße hinauf, in der dreckige Kinder ein lautloses Spiel spielten: schweigend, ärgerlich warteten sie, bis er vorbei war. Im Windschutz einer bröckeligen Mauer ging er die Bergstraße zu Ende, durchquerte zugige Anlagen, ging weiter zu einem U-Bahnschacht und bog in eine Straße ab, die nur aus Buden bestand, aus Kneipen und natürlich geheizten Varietés. Zischend flog ein Knallfrosch über eine Mauer, lag glimmend einen Augenblick da, erhob sich plötzlich unter wilden kleinen Explosionen und wurde auf die Straßenbahnschienen hinausgeschleudert.

Hoppe blieb stehen, er wandte sich um, sah unschlüssig auf den schwarzen U-Bahnschacht, auf die gedrungene Frau in dem langen Mantel, die auf einem Klapphocker vor dem Eingang Zeitungen verkaufte, und während er zurücksah, dachte er: ›Sie wird es früh genug erfahren, früh genug.‹

Weich erschien Annes Gesicht vor ihm, ein blasses Brötchengesicht, das nur aus Sauberkeit und Vorwurf bestand; er dachte an sie, hörte ihre Stimme, den immer gleichen, anklagenden Tonfall, der jeden Satz zu einem müden Kommando machte, er dachte an den seufzenden Überdruß ihrer Bewegungen, wenn sie die Krümel von seiner Tischseite ablas, Zigarettenasche vom Stuhl fegte; an ihren Blick dachte er, in dem die frühe Enttäuschung über die Ehe lag, und noch in der Erinnerung daran merkte er, wie er bereits weiterging durch die Straße der Buden und Kneipen.

Von fernher, aus der Stadt, waren dumpfe Detonationen zu hören, Kanonenschläge, die erstickt klangen im Schneetreiben; Hoppe erschrak jedesmal. Eine alte, sehr geschminkte Frau kam auf ihn zu, in einem Arm trug sie eine Milchflasche, im andern einen fetten gelben Hund; sie sah ihn mit einem drohenden Gesichtsausdruck an, er trat zur Seite, und sie bog hinter ihm ab in einen Torweg. An einem planierten Ruinenplatz vorbei ging er die Straße fast ganz hinab, begegnete mißmutigen Gesichtern, erwartungsvollen, roch den würgenden Geruch siedenden Bratenfetts, der aus den zugigen Buden herausdrang. Ein Schwärmer schoß schräg hinter ihm in die Luft, schraubte sich mit panischem Heulton in die Höhe und zerplatzte: die Straße der Buden und Kneipen kündigte schon Silvester an.

Hoppe blickte auf seinen Karton, er war angedunkelt von Feuchtigkeit, an der Unterseite war die Pappe durchgeweicht, die Schnur schnitt in die Finger. Langsam scherte er aus, ging auf ein nasses Eisenrohrgeländer zu und stieg die Zementstufen zu einer Kellerkneipe hinab. ›Sie wird es früh genug erfahren,‹ dachte er, ›und wenn Anne erfahren hat, daß ich das Schiff verpaßt habe, wird sie mir die Schuld geben und aufhören zu reden, so wie ihre Mutter aufgehört hatte mit ihr zu reden, wenn sie sie bestrafen wollte. Schweigen ist für sie nie etwas anderes gewesen als eine Strafe. Sie wird schon früh genug damit anfangen ...‹ Er setzte den Karton ab, drückte den gerillten Türdrücker nach unten und spürte, wie der Drücker leicht und geräuschlos nachgab, und als er ihn losließ, öffnete sich die Tür, und vor dem

Hintergrund einer braunen Filzportiere, dicht vor ihm, stand ein Mann mit Schirmmütze, dessen Gesicht von blauen Punkten gesprenkelt war wie von einer Ladung Schrot. Überrascht sahen sie sich an, dann ging der Mann an ihm vorbei, die Zementstufen hinauf auf die Straße. Hoppe schlug die Filzportiere zur Seite und betrat die Kneipe, trat in einen dämmrigen Raum, der von einem warmen, süßlichen Geruch erfüllt war; der Boden war mit Sägespänen bestreut, die Tischplatten waren geschrubbt, matt schimmerten sie in der Dämmerung. Der Wirt, ein riesiger Mann in grauem Pullover, stand hinter der Theke, wie auf Lebenszeit eingezwängt stand er da, blickte jetzt von seiner Zeitung auf, musterte Hoppes Schuhe, seinen Mantel und das Gepäck und lächelte.

»Kein guter Tag«, sagte er.

»Nein«, sagte Hoppe.

Er setzte sich an einen geschrubbten Tisch. Über ihm, mit starren, rötlichen Augen, schwamm ein ausgestopfter Sägefisch träge durch den Zigarettenqualm; sanft drehte er sich in knarrenden Drähten. An der Decke lief eine flackernde Rußspur entlang, lief quer durch den Raum und verschwand hinter dem angelaufenen Rohr eines Kanonenofens. Der Tisch neben dem Kanonenofen war besetzt; ein Mann und eine Frau saßen an ihm; prüfend sahen sie zu Hoppe hinüber, einige Sekunden nur, dann begannen sie sich flüsternd zu unterhalten.

»Paula«, rief der Wirt, ohne von der Zeitung aufzublicken. Hinter einem Vorhang antwortete eine Frauenstimme, ein Topfdeckel schepperte, hastige Schritte erklangen hinter dem Vorhang, ein schwacher Fluch; unwillig wurde der Vorhang zur Seite geworfen, und eine Frau kam hinter der Theke hervor, eine junge Frau in schwarzem Pullover, mit weißer Schürze und zaghaftem Lächeln. Lächelnd kam sie an Hoppes Tisch, drückte ihren Leib gegen die Tischkante, wartete, und auf einmal verschwand das Lächeln von ihrem Gesicht, wurde überdeckt von einem leisen Erschrecken, das sie unwillkürlich zurückweichen ließ.

»Harry«, sagte sie, »oh, Harry.«

»Ja«, sagte er, und er sah an ihr vorbei in einen Reklamespiegel, in dem verschwommen sein Gesicht erschien: das aschblonde Haar, die steile und breite Stirn und die tiefliegenden Augen, eingerahmt von den goldenen Buchstaben einer Schnapsreklame. Gleichgültig blickte er das müde Gesicht an, es war noch jung, rotgefroren von der Kälte draußen, am Kinn klebte ein Papierschnipsel, mit dem eine Rasierwunde abgedeckt war.

»Wußtest du, daß ich hier bin?« fragte Paula.

»Nein«, sagte er, »ich wußte es nicht. Ich bin zufällig hier hereingekommen. Ich hab mein Schiff verpaßt heute morgen.«

»Du bist zur See gefahren?« fragte sie.

»Nein, ich war auf einem Feuerschiff, eine Wache nur. Wir lagen draußen am Minenzwangsweg, bei den wandernden Bänken.«

»Und jetzt?«

»Jetzt nichts«, sagte er. »Wir waren zur Reparatur im Dock, und sie sind zu früh ausgelaufen oder ich bin zu spät an die Pier gekommen.«

»Ich arbeite jetzt hier«, sagte sie, »seit damals. Ich mußte etwas anfangen.«

Er nickte, sah in ihr blasses Gesicht, auf den kleinen aufgeworfenen Mund, der an die lauschenden Münder draller Friedhofsengel erinnerte. Das schwarze Haar war glatt zurückgekämmt, um den faltenlosen Hals trug sie eine dünne Kette. »Was möchtest du?« fragte sie.

»Schnaps«, sagte er, »einen klaren Schnaps und eine Brühe.«

»Die Brühe taugt nichts«, rief der Mann, der am Ofentisch saß, und wiegte warnend den Kopf. Er war betrunken. Seine Augen standen knopfartig hervor, und sein spitz zulaufendes, kinnloses Gesicht gab ihm das Aussehen einer Ratte.

»Also?« fragte Paula.

»Beides«, sagte Hoppe, und sie drehte sich um, streifte mit strengem Blick den kleinen Betrunkenen und ging hinter den Vorhang. Die rauchigen Wände der Kneipe waren mit Photographien bedeckt, in doppelter Reihe zogen sie sich um den ganzen Raum, und jetzt entdeckte Hoppe, daß es Photographien von berühmten Freistilringern waren: starräugig, das Kinn angezogen, mit ausgelegten Fäusten blickten sie auf die Tische hinab, musterten jeden, der dort saß, mit finsterer Feindseligkeit. Der kleine Betrunkene beobachtete, wie Hoppe die Reihe der Photographien entlangsah, und er rief verächtlich: »Sägemehl, die haben nischt als Sägemehl im Kopp, und ihr Bizeps is mit Luft gefüllt. Frag nur Henrietta, mein Junge, die weiß es.«

»Halt die Fresse«, sagte Henrietta. Sie richtete sich seufzend neben ihm auf, eine schwere Frau mit talgiger Haut, fett, Bitterkeit im jungen Gesicht; sie steckte in einem abgetragenen Pelzmantel, der sie umschloß wie ein durchgescheuertes Fell. Ihre fleischigen Finger krümmten sich in die Handflächen hinein, die Halsschlagader pulste. Sie warf das dichte, stumpfe Haar zurück, hob die Mantelecken auf und nahm einen Schluck.

»Wo ist denn dein Jankel Bubescu«, krähte der kleine Mann neben ihr, »er wollte doch wiederkommen. Seit drei Jahren wartest du, daß er zurückkommt. Und nun? Und nun? Vielleicht hat jemand die Luft aus seinem Bizeps gelassen, und die Luft aus seinem Gedächtnis dazu. Vielleicht ist aus deinem Panther von Przemysl ein alter Fahrradschlauch geworden.«

»Er wird wiederkommen«, sagte Henrietta leise.

Der kleine Betrunkene mit den Knopfaugen lachte.

»Warum?« rief er, »warum meinst du, daß er wird wiederkommen?«

»Weil er der feinste Mann ist, den es gibt. Noch nie ist in dieser Stadt ein so nobler Mann gewesen wie Bubescu, keiner reicht an ihn heran.«

»Ein Feigling war er, mit nischt wie Sägemehl im Kopp. Drei Jahre hat er dich warten lassen, und diese Jahre sind futsch, diese Jahre sind fftt.«

Der Wirt blickte ruhig von seiner Zeitung auf, blickte den Kleinen an und sagte: »Bubescu war ein feiner Mann, mehr ist in diesem Lokal nicht über ihn zu sagen.«

»So sieht das Lokal auch aus«, sagte der Kleine und stieß einen Pfiff aus, dünn und durchdringend wie eine Ratte.

»Kümmer dich um deinen Dreck«, sagte Henrietta.

Der Vorhang hinter der Theke bewegte sich, bauschte sich, Paula kam heraus, ging mit verstörtem Lächeln an Hoppes Tisch, setzte eine Tasse dampfender Brühe vor ihn hin, ein Glas Schnaps, und während sie noch servierte, sagte sie – und Hoppe wußte, daß sie sich das, was sie sagte, hinter dem Vorhang überlegt hatte: »Ich werde heiraten, Harry.«

Er antwortete nicht, er hob das Glas, nickte ihr zu und trank; angestrengt legte er den Kopf zurück, ließ den Alkohol über seine schmerzenden Backenzähne rinnen und schluckte und schüttelte sich.

»Immer noch die Zähne?« fragte sie.

»Ich hab's aufgegeben«, sagte er, »sie sehen sehr gut aus, aber alle sind lose. Zum Schluß bleibt mir nur die Zunge, um die Wunden zu lecken.«

»Hat die Behandlung nicht geholfen, damals?«

»Uns hilft keine Behandlung mehr«, sagte Hoppe, »wir können uns nur noch neu machen lassen, mit allem neu. Was uns fehlt, ist ein neuer Anfang.«

»Du bist schrecklich, Harry.«

Sie setzte sich vorsichtig auf einen Stuhl neben ihn, sah auf sein Gepäck am Tischbein, sah zu, wie er in der Brühe rührte, Nudeln und gehacktes Grünzeug hochbrachte und dann, mühselig, mit geschlossenen Augen, die Brühe zu schlürfen begann. Scharf zog er die Brühe ein, schob die Lippen vor, zog kühlende Luft nach, jeder Schluck erleichterte ihn.

»Und du, Harry«, fragte sie ihn, »bist du verheiratet?«

»Ungefähr«, sagte er.

»Wie ist das, wenn man ungefähr verheiratet ist?«

»Man kann sich alles dabei denken.«

»Du hättest nicht kommen sollen, Harry.«

»Ich gehe gleich wieder.«

»Du brauchst nicht zu gehen, nicht weil ich hier bin. Es würde nichts ändern.«

»Dann bring mir noch einen Schnaps«, sagte er.

Paula stand auf, bückte sich; sie hob den Karton auf, trug ihn wortlos zum Kanonenofen hinüber und stellte ihn so ab, daß die vor Feuchtigkeit schwarze Unterseite dem Ofen zugekehrt war, in dem die Glut knackte und summte. Hoppe beobachtete sie dabei aus den Augenwinkeln, rührte in der Brühe, dachte: ›Bis hierher also, und jetzt fängt es an wie damals.‹

Sie stand hinter der Theke, füllte sein Glas, und als er in ihr Gesicht blickte, lächelte sie; dann brachte sie das volle Glas, nahm das leere vom Tisch und blieb zögernd, eine Hand unter der sauberen, verwaschenen Schürze, neben seinem Stuhl stehen.

»Ich muß dich sprechen«, sagte er.

»Es geht nicht, hier nicht.«

»Dann später, nur irgendwann heute.«

Sie antwortete nicht. Sie wandte sich um und verschwand mit dem leeren Glas hinter dem Vorhang, der sich für einen Augenblick bauschte und wieder zurückfiel.

Ein verfrorenes Mädchen mit einem Packen Zeitungen kam in die Kneipe, es trug Wollstrümpfe, braune Fingerhandschuhe, an denen Daumen und Zeigefinger abgeschnitten waren: scheu bewegte es sich durch die Kneipe, knickste vor dem Wirt, legte eine Zeitung auf die

Theke und ging hinaus, nur von einem saugenden Geräusch begleitet, das ihre Gummischuhe hervorriefen.

Hoppe trank, hielt den Kopf schräg und ließ den Alkohol über seine Zähne rinnen, als der kleine Betrunkene in der Ofenecke aufstand und rief:»Wie heißt du? Woher kommst du eigentlich?« Er zwängte sich heraus, kam schwankend an Hoppes Tisch, rückte einen Stuhl zurecht und setzte sich und sah ihn mit mißtrauischem Interesse an. Dicht über dem Tisch schob sich das kinnlose Gesicht heran. Unter dem Tisch bumste sein Fuß gegen Hoppes Pappkoffer.

»Ein mieser Koffer is das«, sagte er, »willst du verreisen damit?«

»Ich wollte.«

»Und was is nu?«

»Nun ist nichts, nun bleib ich hier.«

»Kein feiner Tag zum Hierbleiben. Gehörst du auf einen Dampfer?«

»Ja.«

»Und? Warum bist du nicht auf deinem Dampfer?« Er versetzte dem Sägefisch einen Schlag, der Fisch schlug herum, bewegte sich knarrend in den Drähten und pendelte sich aus.

»Hast du deinen Dampfer verpaßt?« fragte er, und, als Hoppe schwieg:»Freu dich nicht zu früh, mein Junge, ich habe viele gekannt, die den Dampfer wechseln wollten und dann glaubten, alles vor sich zu haben. Freu dich nur nicht zu früh.«

Er rückte vom Tisch ab, ging, indem er sich auf Stuhllehnen und Tischkanten stützte, durch die Kneipe zur Ofenecke, wo Hoppes Karton trocknete. Geringschätzig sah er auf den Karton hinab, ungestützt, sein Körper schwankte vor und zurück, neigte sich zur Seite, so daß es aussah, als werde er mit dem Gesicht gegen den heißen Ofen kippen, doch er fiel nicht, fing jedes Schwanken, jede Bewegung, die ihn hinabzog, durch eine heftige Gegenbewegung auf, und plötzlich schlug er seinen rechten Fuß in die durchgeweichte Unterseite des Kartons: die Schuhspitze durchstieß die Pappe, der Karton prallte krachend gegen den Ofen, und unter der Wucht seines eigenen Schlages taumelte der kleine Betrunkene zurück bis zur Theke. Als er mit dem Rücken gegen die Theke stieß, schnellte ein riesiger Arm an den Bierhähnen vorbei, selbsttätig, als ob er zu keinem Körper gehöre, eine Hand schlug in den oberen Rand der Jacke, hob den kleinen Mann schnürend hoch; dann sah Hoppe den Schatten einer anderen Hand, die schnell durch die Luft fuhr und mit der Kante eine Stelle zwischen Hals und Schlüsselbein traf. Der kleine Betrunkene blickte erstaunt, ungläubig. Er lächelte fassungslos, und dies Lächeln stand auf seinem Gesicht, als ihn die Hand, die ihn schnürend festhielt, ruckartig fortstieß. Er drehte sich einmal um sich selbst und sackte über einen Tisch.

»Es tut mir leid«, sagte der Wirt, »ich habe es zu spät gesehen.«

»Der Karton hat ausgedient«, sagte Hoppe.

»Gib Ludi meinen Kognak«, sagte Henrietta. Sie reichte das Kognak-Glas über den Tisch, der Wirt nahm es ihr ab, trug es langsam zu dem schwach stöhnenden Mann, der mit dem Gesicht auf der Tischplatte lag. Hoppe half dem Wirt, Ludi umzudrehen und ihm den Kognak einzuflößen.

»Er ist ein guter Kerl«, sagte der Wirt. »Nur heute hat er seinen schlechten Tag.«

»Soll ich ihn nach Hause bringen?«

»Er ist hier zu Hause.«

Paula schlug den Vorhang zurück und sah erschrocken auf den kleinen Mann. Sein Gesicht war verzerrt, die Lider nicht ganz geschlossen. Ein dünner Speichelfaden floß aus seinem Mund. Schluckend bewegte sich der Adamsapfel den gelblichen Hals hinab. Hoppe spürte, wie sich Paulas Finger um seinen Unterarm schlossen, ihr Erschrecken sich im wachsenden Druck der Finger fortsetzte.

»O Gott, Harry«, sagte sie.

»Ihm geht's gut«, sagte Hoppe, »zumindest nicht schlechter, als es einem in seiner Lage gehen kann. Er kommt gleich wieder zu sich.«

Der Wirt zog den kleinen Mann hoch, strich über die ausgezehrten Wangen, roch an ihm und ließ ihn zufrieden auf den Tisch zurücksinken. Ohne ein Wort kehrte er zu seiner Zeitung hinter der Theke zurück.

»Ich werde bald abgelöst«, sagte Paula leise.

»Um so besser.«

»Wollen wir dann irgendwohin gehen?«

»Sicher. Wohin du willst.«

»Ich freue mich, Harry.«

»Ja.«

Die Tür der Kneipe öffnete sich, sie hörten es nicht, merkten es nur an der Zugluft, die hereinströmte; eine kleine, schmutzige Hand schob sich durch die Filzportiere, nichts als eine Hand, die hastig zwei, drei giftgrüne Papierkügelchen auf den Fußboden der Kneipe schleuderte, Knallerbsen, die mit violetter Stichflamme explodierten. Paula schlich

zur Tür, doch bevor sie die Portiere erreicht hatte, wurde die Tür
lachend zugeknallt, und sie hörten fliehende Schritte draußen auf der
Treppe. Paula kam zurück.

»Es ist schrecklich«, sagte sie.

»Heute ist Silvester«, sagte Hoppe.

»Warum müssen sie nur knallen?«

»Weil es heute erlaubt ist.«

»Ich muß jetzt gehen.«   **465**

»Ich warte«, sagte er.

Der kleine Mann mit dem Rattengesicht bewegte sich auf dem Tisch,
er hob zuerst die Lider und blinzelte, richtete sich dann auf, lächelte
erstaunt in die Runde. Er rieb sich den Hals. Er wischte mit dem Ärmel
über den Mund. Zart strich er über den Sägefisch, fauchte ihn freundlich an.

»Fühlst du dich gut?« fragte Henrietta.

»Sehr gut, Henrietta. Woll'n wir ein Spielchen machen?«

»Machen wir ein Spiel.«

»Kein Wort mehr gegen Jankel Bubescu«, sagte er, »der hatte was im
Hemd.«

Sie gingen zu einem Spielautomaten, der neben der Glasvitrine hing.
In der Vitrine lagen Zigaretten, mit Gurken garnierte Sülzkoteletts, ein
angeschnittener Räucheraal, dessen Pelle sich zu krausen begann,
Dropsrollen und Tabakpakete. Sie steckten Groschen in den Schlitz des
Automaten, drückten einen Hebel herunter, bis es knackte; flirrend
drehten sich die Scheiben mit den Zahlen, wurden schneller, bis keine
Zahl, kein Trennungsstrich mehr zu erkennen war; ruckartig drückten
sie einen Knopf hinein, die Umdrehung der Scheibe wurde langsamer,
stieß klickend an und ließ ein Lämpchen aufflammen, und manchmal,
wenn das Geräusch des Automaten schon verstummt war, wenn die
Stille schon Verlust zu bedeuten schien, Aufforderung und neuen Einsatz, dann erfolgte mit herausfordernder Verzögerung ein Rasseln, ein
stoßweises Klimpern, und durch den überdachten Schlitz spuckte ihnen der Automat einige Groschen zurück. Hoppe sah zu, wie sie spielten, hörte Hebel knacken, hörte den nachschwingenden Ton springen-
der Stahlfedern, das Summen der rotierenden Scheiben; er beschloß,
ein Spiel zu machen. Doch bevor er noch aufstand, hob der Wirt den
Kopf, sah sich um, und da er nur Hoppes Blick fand, sagte er zu ihm
von der Theke her: »Das paßt zu diesem Tag.«

»Was? Was ist los?«

»Was hier steht«, sagte der Wirt. »Sie haben ein Schiff gerammt draußen in der Mündung, wieder diese Panamesen mit einem ihrer Tanker; mittendurch und unter Wasser gedrückt und keiner gerettet.«

»Wann war das?« fragte Hoppe.

»Es steht in der neuen Zeitung, morgens im Schneetreiben und in der Dunkelheit ist es passiert. Es war ein Feuerschiff, eins von den alten Reserveschiffen, das unterwegs war zu seinem Liegeplatz. Die Totenliste ist gleich mitgeliefert: die ganze Besatzung, alle elf.«

»Elf?« fragte Hoppe.

»Ihre Namen sind gedruckt. Zwei haben sie aufgefischt, aber sie sind gestorben an Bord von diesem Panamesen.«

Hoppe stand auf, ging an die Theke, nahm schweigend die Zeitung und drehte sie um, und was er zuerst sah, war das Bild seines Schiffes: der hohe Laternenträger in der Mitte, die beiden Masten mit den Wanten, der gestutzte Bugspriet, der das Feuerschiff einem verkümmerten Segler ähnlich machte, und mitschiffs auf der Bordwand, groß und bis zur Wasserlinie hinabgezogen, erkannte er den Namen, las: ›Lund II‹. Er stand und starrte auf die Zeitung. Er strich mit den Fingern über das Bild, sah das Schiff ruhig an langer Ankerkette dümpeln, dachte: Brodersen, der alte Thieß, sah den Blinkstrahl gleichmäßig durch die Nacht kreisen, hörte Jörgensen von der Makrelenangel am Heck rufen, das Rumpeln der Eisschollen an der Bordwand draußen ...

»Ist was?« fragte der Wirt.

»Nichts«, sagte Hoppe.

Er legte die Zeitung hin, las die halbfett gedruckten Namen der Toten, las: Harry H., 32 Jahre, verheiratet, und dann las er nicht weiter. Er schob die Zeitung dem Wirt zu, die Zeitung rutschte in eine Bierlache, weichte durch, verfärbte sich. Der Wirt hob sie schnell heraus, schwenkte sie hin und her und schüttelte den Kopf. Hoppe ging an seinen Tisch zurück, er setzte sich, er kramte aus der Hosentasche eine zerknitterte Packung Zigaretten hervor, schnippte eine Zigarette raus, rollte sie auf der Tischplatte grade und steckte sie wieder in die Packung. Er dachte: ›... ich muß eine Zeitung kaufen, die Alte am U-Bahnschacht kann nicht wechseln, zehn Pfennig klein, allein nachlesen ... ‹, hob den Pappkoffer auf den Tisch herauf, ließ nacheinander die Schlösser aufschnappen und senkte den Kopf hinter dem hochgestellten Deckel. Tastend fuhren die Finger am inneren Kofferrand entlang, bohrten sich unter den kreuzweis verschnürten Inhalt: der blaue Pullover, die Strickmütze, glatt und kalt der Wachstuchbeutel mit dem Rasierzeug. Hoppe zerrte den Wachstuchbeutel heraus, legte ihn auf einen Stuhl und schloß den Koffer und stellte ihn unter den Tisch. Bewegungslos saß er da im Dämmer der Kneipe.

»Du«, sagte der kleine Betrunkene, »was ist? Was ist mit dir und einem Spielchen?«

»Jetzt muß ich gehen«, sagte Hoppe.

»Is nichts?«

»Später vielleicht.«

Er zahlte beim Wirt, schob den Wachstuchbeutel in die Manteltasche und holte aus der Ofenecke seinen Karton; eilig bog er die gerissene Pappe über dem Loch zurecht, beklopfte die Unterseite und nahm Koffer und Karton in eine Hand.

»Bis später«, sagte er. Der Wirt nickte.

Draußen streute ein schnurrbärtiger Invalide Asche auf die Zementstufen der Kneipe, Hoppe wartete, beobachtete, wie der böige Wind die Asche in kleinen Fahnen von der Schaufel riß, hörte den knirschenden Schritt des Invaliden, der sorgfältig, ohne ihn zu beachten, weiterstreute, und während er wartete, spürte er, wie die kalte Luft stechend seine bloßen Zahnhälse traf. Die letzte Schaufel Asche stäubte über Hoppes Schuhe, der Invalide drehte sich um, warf die Schaufel in den Marmeladeneimer und stieg knirschend die Stufen hinauf. Hoppe stieg ihm nach. Als er oben auf der Treppe war, hörte er seinen Namen. Paula stand vor der Tür, zusammengekrümmt unter einem Kälteschauer. Schnell kam sie herauf, blieb eine Stufe unter ihm und blickte ihn an.

»Gehst du schon?« fragte sie.

»Ich komme zurück.«

»Wann?«

»Gleich, Paula. Geh wieder hinein.«

»Ich muß dich sprechen, Harry.«

»Ich weiß. Es dauert nicht lange.«

Er ging die Straße zurück, die er gekommen war, vorbei an Buden und Kneipen, an Jungmühlen, schäbigen Varietés, vor denen jetzt goldbetreßt, die breiten Hände in Fingerhandschuhe gezwängt, stramme Portiers standen. Weiter an kleinrädrigen Wagen vorbei, alten Zirkuswagen, in denen Liebesratgeber und Würstchen verkauft wurden, vorbei an dem durchhängenden Catcherzelt, das der Wind schüttelte, zum U-Bahnschacht. Er gab der gedrungenen Zeitungsfrau einen Groschen, zog unter einer Persenning, die schützend über den Klapphocker gedeckt war, eine Zeitung hervor und trat hinter eine Betonwand. Er schlug die Zeitung auseinander. Er suchte das Bild seines Schiffes, und während er suchte, glaubte er, daß alle Vorübergehenden ihn ansahen, alle Gesichter sich aus ihren Vermummungen hoben, argwöhnisch, starr vor heimlichem Verdacht und heimlicher Vermutung. Hoppe faltete die Zeitung wieder zusammen und schob sie in die Brusttasche. Durch die zugigen Anlagen ging er zur Bergstraße, unter schwarznassen Bäumen, an nacktem Gebüsch vorbei, das die Wege flankierte, er ging bis zur bröckeligen Mauer, als ihm zwei Kinder den Weg verstellten.

»Du mußt uns helfen«, sagte ein Junge.

»Ich habe keine Zeit«, sagte Hoppe.

»Wir spielen Volltreffer«, sagte der Junge.

»Dann spielt weiter.«

»Wir können nicht weiterspielen«, sagte der Junge, »Rudi fehlt. Seit dem letzten Volltreffer ist er weg. Wir suchen ihn schon zwei Stunden, aber keiner kann ihn finden.«

»Das kann vorkommen«, sagte Hoppe, und er drängte die dreckigen Kinder zur Seite, ging die Straße hinab und wieder zur Pier, wieder in den Windschatten der grünen Zollbude. Der Mann mit der Säge war verschwunden. Hoppe setzte das Gepäck ab, lehnte sich mit der Schulter gegen die Budenwand und zog die Zeitung heraus. Und er las alles noch einmal; noch einmal sah er das angedunkelte Bild seines Schiffes, den gekappten Bugspriet, der ihn immer an das abgeschnittene Horn eines Hornfischs erinnerte ... hörte ihre Stimmen, Brodersens Stimme, Jörgensens Stimme ... verfolgte das kreisende Licht über dem grün aufschimmernden Wasser ... die Schatten nachts aufkommender Schiffe ... draußen vor den wandernden Bänken, an langer Kette am Minenzwangsweg ... las und las: Harry H., 32 Jahre, verheiratet. Er dachte an Anne, dachte: Jetzt wird Evers bei ihr sitzen mit Bügelfalten und warmer Anteilnahme, wird ihr schonend beibringen, daß ihr Mann, einer unserer Besten, einem Unglücksfall zum Opfer fiel – Kontorvorsteher Evers mit gutsitzendem Kummer, Kummer nach Maß, ja ihr Mann war einer der Besten, und wir werden helfen, wo zu helfen ist, sein Andenken in Ehren halten.‹

Hoppe blickte über den Strom: Wind und Schnee, er blickte hinab auf die treibenden Eisschollen, knüllte die Zeitung zusammen und warf sie in den Strom. Er steckte sich eine Zigarette an. Er lehnte rauchend an der fensterlosen Bude, sah sich plötzlich um, trat aus dem Windschatten heraus und spähte die Pier hinab, musterte die Luken der Speicher, stand und lauschte auf das schleifende Geräusch einer fernen Straßenbahn; dann trat er zurück, hob ohne Zögern den Karton an und ließ ihn knapp neben der Pier zwischen die Eisschollen fallen: ein tiefes ›Wumm‹ drang zu ihm herauf, ein Laut wie ein tiefes zufriedenes Aufseufzen. Ruhig ergriff er den Pappkoffer, führte ihn nach hinten, diskusgleich, schnellte aus der Hüfte hervor und schleuderte den Koffer mit verlängertem Armschwung auf den Strom hinaus. Der Koffer traf eine Eisscholle, schrammte über sie hinweg und rutschte ins offene Wasser. Er sank nicht. Er sog sich mit Wasser voll und trieb, eingeklemmt von Eisschollen, den Strom hinab. Hoppe wartete, bis Koffer und Karton hinter dem weißen Gitter des Schneetreibens verschwunden waren, dann schnippte er die Kippe der Zigarette fort und ging langsam durch das Schneetreiben zur Stadt hinauf.

1958

Risiko für Weihnachtsmänner

Sie hatten schnellen Nebenverdienst versprochen, und ich ging hin in ihr Büro und stellte mich vor. Das Büro war in einer Kneipe, hinter einer beschlagenen Glasvitrine, in der kalte Frikadellen lagen, Heringsfilets mit grau angelaufenen Zwiebelringen, Drops und sanft leuchtende Gurken in Gläsern. Hier stand der Tisch, an dem Mulka saß, neben ihm eine magere, rauchende Sekretärin: alles war notdürftig eingerichtet in der Ecke, dem schnellen Nebenverdienst angemessen. Mulka hatte einen großen Stadtplan vor sich ausgebreitet, einen breiten Zimmermannsbleistift in der Hand, und ich sah, wie er Kreise in die Stadt hineinmalte, energische Rechtecke, die er nach hastiger Überlegung durchkreuzte: großzügige Generalstabsarbeit.

Mulkas Büro, das in einer Annonce schnellen Nebenverdienst versprochen hatte, vermittelte Weihnachtsmänner; überall in der Stadt, wo der Freudenbringer, der himmlische Onkel im roten Mantel, fehlte, dirigierte er einen hin. Er lieferte den flockigen Bart, die rotgefrorene, mild grinsende Maske; Mantel stellte er, Stiefel und einen Kleinbus, mit dem die himmlischen Onkel in die Häuser gefahren wurden, in die ›Einsatzgebiete‹, wie Mulka sagte: die Freude war straff organisiert.

Die magere Sekretärin blickte mich an, blickte auf meine künstliche Nase, die sie mir nach der Verwundung angenäht hatten, und dann tippte sie meinen Namen, meine Adresse, während sie von einer kalten Frikadelle abbiß und nach jedem Bissen einen Zug von der Zigarette nahm. Müde schob sie den Zettel mit meinen Personalien Mulka hinüber, der brütend über dem Stadtplan saß, seiner ›Einsatzkarte‹, der breite Zimmermannsbleistift hob sich, kreiste über dem Plan und stieß plötzlich nieder. »Hier«, sagte Mulka, »hier kommst du zum Einsatz, in Hochfeld. Ein gutes Viertel, sehr gut sogar. Du meldest dich bei Köhnke.«

»Und die Sachen?« sagte ich.

»Uniform wirst du im Bus empfangen«, sagte er. »Im Bus kannst du dich auch fertigmachen. Und benimm dich wie ein Weihnachtsmann!«

Ich versprach es. Ich bekam einen Vorschuß, bestellte ein Bier und trank und wartete, bis Mulka mich aufrief; der Chauffeur nahm mich mit hinaus. Wir gingen durch den kalten Regen zum Kleinbus, kletterten in den Laderaum, wo bereits vier frierende Weihnachtsmänner saßen, und ich nahm die Sachen in Empfang, den Mantel, den flockigen Bart, die rotweiße Uniform der Freude. Das Zeug war noch nicht ausgekühlt, wohltuend war die Körperwärme älterer Weihnachtsmänner, meiner Vorgänger, zu spüren, die ihren Freudendienst schon hinter sich hatten; es fiel mir nicht schwer, die Sachen anzuziehen. Alles paßte, die Stiefel paßten, die Mütze, nur die Maske paßte nicht: zu scharf drückten die Pappkanten gegen meine künstliche Nase; schließlich nahmen wir eine offene Maske, die meine Nase nicht verbarg.

Der Chauffeur half mir bei allem, begutachtete mich, taxierte den Grad der Freude, der von mir ausging, und bevor er nach vorn ging ins Führerhaus, steckte er mir eine brennende Zigarette in den Mund: in wilder Fahrt brachte er mich raus nach Hochfeld, zum sehr guten Einsatzort. Unter einer Laterne stoppte der Kleinbus, die Tür wurde geöffnet, und der Chauffeur winkte mich heraus.

»Hier ist es«, sagte er, »Nummer vierzehn, bei Köhnke; mach sie froh. Und wenn du fertig bist damit, warte hier an der Straße; ich bring nur die andern Weihnachtsmänner weg, dann pick ich dich auf.«

»Gut«, sagte ich, »in einer halben Stunde etwa.«

Er schlug mir ermunternd auf die Schulter, ich zog die Maske zurecht, strich den roten Mantel glatt und ging durch einen Vorgarten auf das stille Haus zu, in dem schneller Nebenverdienst auf mich wartete. ›Köhnke‹, dachte ich, ›ja, er hieß Köhnke damals in Demjansk.‹ Zögernd drückte ich die Klingel, lauschte; ein kleiner Schritt erklang, eine fröhliche Vorwarnung, dann wurde die Tür geöffnet, und eine schmale Frau mit Haarknoten und weißgemusterter Schürze stand vor mir. Ein glückliches Erschrecken lag für eine Sekunde auf ihrem Gesicht, knappes Leuchten, doch es verschwand sofort; ungeduldig zerrte sie mich am Ärmel hinein und deutete auf einen Sack, der in einer schrägen Kammer unter der Treppe stand.

471

»Rasch‹, sagte sie, »ich darf nicht lange draußen sein. Sie müssen gleich hinter mir kommen. Die Pakete sind alle beschriftet, und Sie werden doch wohl hoffentlich lesen können.«

»Sicher‹, sagte ich, »zur Not.«

»Und lassen Sie sich Zeit beim Verteilen der Sachen. Drohen Sie auch zwischendurch mal.«

»Wem«, fragte ich, »wem soll ich drohen?«

»Meinem Mann natürlich, wem sonst!«

»Wird ausgeführt«, sagte ich.

Ich schwang den Sack auf die Schulter, stapfte fest, mit schwerem, freudebringendem Schritt die Treppe hinauf – der Schritt war im Preis einbegriffen. Vor der Tür, hinter der die Frau verschwunden war, hielt ich an, räusperte mich tief, stieß dunklen Waldeslaut aus, Laut der Verheißung, und nach heftigem Klopfen und nach ungestümem »Herein!«, das die Frau mir aus dem Zimmer zurief, trat ich ein.

Es waren keine Kinder da; der Baum brannte, zischend versprühten zwei Wunderkerzen, und vor dem Baum, unter den feuerspritzenden Kerzen, stand ein schwerer Mann in schwarzem Anzug, stand ruhig da mit ineinandergelegten Händen und blickte mich erleichtert und erwartungsvoll an: es war Köhnke, mein Oberst in Demjansk. Ich stellte den Sack auf den Boden, zögerte, sah mich ratlos um zu der schmalen Frau, und als sie näher kam, flüsterte ich: »Die Kinder? Wo sind die Kinder?«

»Wir haben keine Kinder«, antwortete sie leise, und unwillig: »Fangen Sie doch an.«

Immer noch zaudernd, öffnete ich den Sack, ratlos von ihr zu ihm blickend: die Frau nickte, er schaute mich lächelnd an, lächelnd und sonderbar erleichtert. Langsam tasteten meine Finger in den Sack hinein, bis sie die Schnur eines Pakets erwischten; das Paket war für ihn. »Ludwig!« las ich laut. »Hier!« rief er glücklich, und er trug das Paket auf beiden Händen zu einem Tisch und packte einen Pyjama aus. Und nun zog ich nacheinander Pakete heraus, rief laut ihre Namen, rief einmal »Ludwig«, und einmal »Hannah«, und sie nahmen glücklich die Geschenke in Empfang und packten sie aus. Heimlich gab mir die Frau ein Zeichen, ihm mit der Rute zu drohen; ich schwankte, die Frau wiederholte ihr Zeichen. Doch jetzt, als ich ansetzen wollte zur Drohung, jetzt drehte sich der Oberst zu mir um; respektvoll, mit vorgestreckten Händen kam er auf mich zu, mit zitternden Lippen. Wieder winkte mir die Frau, ihm zu drohen – wieder konnte ich es nicht. »Es ist Ihnen gelungen«, sagte der Oberst plötzlich, »Sie haben sich durchgeschlagen. Ich hatte Angst, daß Sie es nicht schaffen würden.«

»Ich habe Ihr Haus gleich gefunden«, sagte ich.

»Sie haben eine gute Nase, mein Sohn.«

»Das ist ein Weihnachtsgeschenk, Herr Oberst. Damals bekam ich die Nase zu Weihnachten.«

»Ich freue mich, daß Sie uns erreicht haben.«

»Es war leicht, Herr Oberst; es ging sehr schnell.«

»Ich habe jedesmal Angst, daß Sie es nicht schaffen würden. Jedesmal ...«

»Dazu besteht kein Grund«, sagte ich, »Weihnachtsmänner kommen immer ans Ziel.«

»Ja«, sagte er, »im allgemeinen kommen sie wohl ans Ziel. Aber jedesmal habe ich diese Angst, seit Demjansk damals.«

»Seit Demjansk«, sagte ich.

»Damals warteten wir im Gefechtsstand auf ihn. Sie hatten schon vom Stab telephoniert, daß er unterwegs war zu uns, doch es dauerte und dauerte. Es dauerte so lange, bis wir unruhig wurden und ich einen Mann losschickte, um den Weihnachtsmann zu uns zu bringen.«

»Der Mann kam nicht zurück«, sagte ich.

»Nein«, sagte er. »Auch der Mann blieb weg, obwohl sie nur Störfeuer schossen, sehr vereinzelt.«

»Wunderkerzen schossen sie, Herr Oberst.«

»Mein Sohn«, sagte er milde, »ach, mein Sohn. Wir gingen raus und suchten sie im Schnee vor dem Wald. Und zuerst fanden wir den Mann. Er lebte noch.«

»Er lebt immer noch, Herr Oberst.«

»Und im Schnee vor dem Wald lag der Weihnachtsmann, mit einem Postsack und der Rute, und rührte sich nicht.«

»Ein toter Weihnachtsmann, Herr Oberst.«

»Er hatte noch seinen Bart um, er trug noch den roten Mantel und die gefütterten Stiefel. Er lag auf dem Gesicht. Nie, nie habe ich etwas gesehen, das so traurig war wie der tote Weihnachtsmann.«

»Es besteht immer ein Risiko«, sagte ich, »auch für den, der Freude verteilt, auch für Weihnachtsmänner besteht ein Risiko.«

»Mein Sohn«, sagte er, »für Weihnachtsmänner sollte es kein Risiko geben, nicht für sie. Weihnachtsmänner sollten außer Gefahr stehen.«

»Eine Gefahr läuft man immer«, sagte ich.

»Ja«, sagte er, »ich weiß es. Und darum denke ich immer, seit Demjansk damals, als ich den toten Weihnachtsmann vor dem Wald liegen sah – immer denke ich, daß er nicht durchkommen könnte zu mir. Es ist eine große Angst jedesmal, denn vieles habe ich gesehn, aber nichts war so schlimm wie der tote Weihnachtsmann.«

Der Oberst senkte den Kopf, angestrengt machte seine Frau mir Zeichen, ihm mit der Rute zu drohen; ich konnte es nicht. Ich konnte es nicht, obwohl ich fürchten mußte, daß sie sich bei Mulka über mich beschweren und daß Mulka mir etwas von meinem Verdienst abziehen könnte. Die muntere Ermahnung mit der Rute gelang mir nicht.

Leise ging ich zur Tür, den schlaffen Sack hinter mir herziehend; vorsichtig öffnete ich die Tür, als mich ein Blick des Obersten traf, ein glücklicher, besorgter Blick: »Vorsicht«, flüsterte er, »Vorsicht«, und ich nickte und trat hinaus. Ich wußte, daß seine Warnung aufrichtig war.

Unten wartete der Kleinbus auf mich; sechs frierende Weihnachtsmänner saßen im Laderaum, schweigsam und frierend, erschöpft vom Dienst an der Freude; während der Fahrt zum Hauptquartier sprach keiner ein Wort. Ich zog das Zeug aus und meldete mich bei Mulka hinter der beschlagenen Glasvitrine, er blickte nicht auf. Sein Bleistift kreiste über dem Stadtplan, wurde langsamer im Kreisen, schoß herab: »Hier«, sagte er, »hier ist ein neuer Einsatz für dich. Du kannst die Uniform gleich wieder anziehen.«

»Danke«, sagte ich, »vielen Dank.«

»Willst du nicht mehr? Willst du keine Freude mehr bringen?«

»Wem?« sagte ich. »Ich weiß nicht, zu wem ich jetzt komme. Zuerst

muß ich einen Schnaps trinken. Das Risiko – das Risiko ist zu
groß.«

1958

Küste im Fernglas

Lauschend kam der dicke Burow aus dem Gasthaus heraus, als über
der glatten morgendlichen Bucht das Tuckern der auslaufenden Fischkutter erklang. Schwerfällig, angetan nur mit Hose und kragenlosem
Hemd, stieg er die Zementstufen der schäbigen Veranda hinab, ging
lauschend weiter durch das kalte Gras, überquerte den Hügel und trat
unter das Teerdach des zur Bucht offenen Schuppens. Bedächtig zog er
aus einer Hosentasche ein Fernglas hervor, setzte sich auf einen Hauklotz und hob das Glas an die müden, geröteten Augen: scharf, in
ausgestochenen Scheiben, erschien die Steilküste auf der anderen Seite
der Bucht; körniger, kreidiger Fels wurde deutlich, steile Rinnen, die
der Regen gerissen hatte, und über der Steilküste, hingebogen vom
ewigen Wehen des Ostwindes, tauchten in den münzrunden Aus-
schnitten Strandkiefern auf, schräge Stämme mit niedergezwungenen
Kronen, die bis zum äußersten Ende der Bucht wuchsen, dort, wo die
Steilküste jäh abwinkelte. Suchend senkte der Mann das Glas, senkte es
so weit, bis er die schwarzen ausgespülten Löcher unten am kreidigen
Felsen erkannte; weiter lief sein Blick, weiter am Fuß der Felsen entlang, über das flache grauschimmernde Wasser, aus dem sich einzelne
Felsbrocken heraushoben, rundgewaschen von der See. Ohne abzusetzen, richtete er das Glas hinaus auf das Wasser: draußen, wo die
Steilküste abwinkelte, krauste und riffelte es sich, warf kurze Wellen im
Zusammenstoß zweier Strömungen; zur Mitte der Bucht hin wurde
das Wasser dunkler, tiefgrün über der Fahrrinne, die in der Mündung
des Flusses lag, und auf seiner Seite, wo das Land flach zur See auslief,
mit einem breiten, sandigen Strand, hatte das Wasser einen hellbraunen Schimmer. Suchend lief sein Blick darüber hin, streifte die kleinen
Fischkutter, die unter gleichmäßigem Tuckern in Kiellinie ausfuhren,
und glitt jetzt prüfend den Sandstrand hinab: ein zerschlagener Kutter
erschien in den ausgestochenen Scheiben des Fernglases, die von der
Sonne gebleichten Trockenpfähle für die Netze, die beiden Landungs-
stege dann und schließlich das Dorf. Friedlich lagen die Fischerkaten

da. Räuchertonnen standen hinter den angebauten Schuppen, Stapel von Bretterzeug, weißgewaschenes Schnittholz, das sie aus der See gefischt hatten. Eine schmutzige Linie lief durch den Sand: verdorrter Tang, den der letzte Sturm auf Land geworfen hatte, Lappenreste, verrostete Schachteln und zerbrochene Korkstücke – eine Markierung, die der letzte Sturm wie zur Erinnerung daran zurückgelassen hatte, wie weit er hinaufgeschlagen war auf den Strand.

Bis zur Mündung des schnell fließenden Flusses suchte der Mann die Bucht ab, bis zur Stelle, wo das Land allmählich zu steigen, sich zu erheben begann und als Steilküste die eine Seite der Bucht begrenzte. Wie jeden Morgen suchte er ergebnislos. Seufzend stand er vom Hauklotz auf, ein schwerer Mann mit bekümmertem Karpfengesicht; Müdigkeit in den Augen, Müdigkeit um den kleinen, trockenen Mund, so stand er frierend in der klaren, kalten Luft jenes Morgens. Sein Gesicht war blaß; es hatte die Blässe eines angedünsteten Fisches, und eine Spur von verstörter Traurigkeit zeigte sich auf ihm. Langsam kam er aus dem Schuppen hervor, steckte das Fernglas in die Hosentasche, stopfte den schmalen Lederriemen nach und stand und sah mit bloßem Auge auf die gekalkten Wände der Katen hinab. Die Wände leuchteten in der frühen Sonne. Zögernd, nach einem schnellen Blick zum Gasthaus hinüber, trat Burow auf den ausgefahrenen Sandweg, der zu den sauberen, gekalkten Katen hinabführte, zwischen ihnen hindurch und weiter bis zu den Landungsstegen. Ohne Eile ging er, während das Glas bei jedem Schritt gegen seinen Oberschenkel stieß, den Sandweg hinab; Fische, Kistenholz und Teer strömten einen strengen Geruch aus, der immer stärker wurde, je näher er den Katen kam. Die Katen waren grob verputzt, dickwandig, mit kleinen Fenstern zur Seeseite hin, Fenster wie Gucklöcher; vor den Fenstern hingen grobe, gehäkelte Gardinen; und in die rauchigen, schwarzen Türpfosten waren Kerben eingeschnitten, eckige Zahlen, eckige Namen. Ausgetreten, gesprungen manchmal waren die Steintreppen, die in die lichtlosen Flure führten; neben den Steintreppen standen Bänke, kurz, gedrungen, mit trockenen Fischschuppen bedeckt, die weißgrau schimmerten. Ruhig ging der Mann an den alten Katen vorbei, an den angebauten Schuppen, die gefüllt waren mit gespaltenem Holz, mit Säcken voll Sägespänen, und in denen an breiten Haken in der Längswand schwere Riemen hingen, Drahtrollen und Stangen mit Aalgabeln. An einer Feuerstelle vorbei, auf der ein Kessel zum Kochen der Netze stand, ging er hinunter zum

Strand, zu dem zerschlagenen Kutter, den sie aus dem Wasser geschleppt hatten. Die Spanten des Kutters standen in der Luft, gebogen und ausgedörrt wie Rippen. Burow sah, daß jetzt auf dem zertrümmerten Bug des Kutters ein Mann saß, ein Alter mit speckiger Joppe, mit Schirmmütze und nikotingelbem Bartkranz. Den Oberkörper auf einen Stock gestützt, blickte er über die Bucht, blickte den Kuttern nach, die mit dumpf tuckerndem Geräusch hinter der Steilküste verschwanden. Der Alte war mager. Es war Feddersen. Burow erkannte ihn wieder, und er ging langsam, mit knirschenden Schritten auf ihn zu. Leicht hob der Alte den Stock zum Gruß, sein Kopf begann zu nicken, die wässrigen Augen schlossen sich fast ganz unter einem freundlichen Grinsen, das die Haut straffte, sein Gesicht starr und maskenhaft machte. Feddersen war der älteste Fischer im Dorf. Seine Haut war trocken und ausgezehrt, die Gelenke steif, die Finger gekrümmt, er sah aus, als ob ihn das Salz der See überkrustet, eingepökelt hätte.

»Nu«, machte er freundlich, »nu«, und hob fragend die Schultern. »Wieder nichts«, sagte Burow leise. Das müde Gesicht mit den geröteten Augen senkte sich: »Alles habe ich abgesucht, die Steilküste drüben, die Mündung, die ganze Bucht; wieder nichts. Ich werde sie nicht mehr sehen.«

Der Alte blickte sorgfältig den Strand hinab, zur Steilküste hinüber und weit über die Bucht; er hob den Stock dabei, drehte ihn langsam in Hüfthöhe, beschrieb einen offenen Kreis: niemals stand der Stock still, und der Mann stieß ihn wieder in den Sand und schüttelte den Kopf.

»Nu«, machte er, »nu.«

»Vor der Bucht war es«, sagte Burow. »Am Ausgang der Bucht sind sie gekentert, und da ist sie ertrunken. Das Boot wurde angetrieben, auch ein Kissen wurde angetrieben – nur sie nicht, meine Frau hat keiner gefunden.«

Der Alte hustete, schluckte angestrengt; eine kleine Öffnung entstand im nikotingelben Bart: »Im Frühjahr«, sagte er freundlich, »im Frühjahr wird sie antreiben der Wind. Das Frühjahr is gut dafür; dann steht der Wind auf der Bucht und bringt alles an Land. Aufs Frühjahr is Verlaß, Herr.«

Ein mildes Erschrecken glitt über das müde Gesicht Burows, zeigte sich in den traurigen Augen.

»Nein«, sagte er, »ich bin nur gekommen, um sie zu begraben. Bis zum Frühjahr kann ich nicht warten, ich muß zurück in mein Geschäft.«

»Aufs Frühjahr is man mehr Verlaß als auf den Herbst«, sagte der Alte. »Is schön bei uns im Frühjahr, große Aale, geräucherte Flundern.«

Burow trat an ihn heran, suchte seinen wässrigen Blick, roch den strengen Geruch des Alten, einen Geruch nach Fischen und Kautabak, und er sprach flüsternd in das hautstraffe Gesicht hinein: »Sie war nicht allein im Boot, aber von ihm hört man gar nichts, niemand weiß, was mit ihm geschehen ist, mit dem Vertreter, der sie rausgebracht hat. Vertreter war er, weiter nichts; mit ihm ist sie weggegangen, an einem Sonnabendmorgen, am Tag, wo am meisten zu tun ist. Ein kleiner Vertreter war er, der nichts hatte als sein Fixum und seine Bügelfalten. Vom Segeln verstand er nichts: nur das Boot wurde angetrieben und das Kissen. Niemand weiß, was mit ihm geschehen ist.«

»Im Frühjahr«, sagte der Alte, »im Frühjahr steht der Wind auf der Bucht und bringt alles an Land, auch Vertreter. Im Frühjahr is man viel zu finden hier, da is schon manch einer überrascht worden. Was sich die Fische nicht holen und die Strömung nicht fortnimmt, das bringt der Wind alles an Land.«

Er hustete, würgte, sein Gesicht verfärbte sich; krampfhaft umschlossen die Finger den Stock, so daß die Knöchel weiß anliefen, dann spuckte er kräftig aus und lächelte. Lächelnd wartete er, bis sich sein Atem beruhigte, der Druck auf der Brust nachließ. »Im großen Frühjahr is alles besser«, sagte er mühsam, »wenn man nur erst der nächste Winter vorbei is.«

Das Tuckern der Fischkutter war nicht mehr zu hören, nacheinander waren sie hinter der Steilküste verschwunden; leer lag die Bucht jetzt da, durchschnitten von dem tiefgrünen Streifen der Flußmündung, auf dem treibende Möwen saßen, Heringsmöwen mit gelben Schnäbeln, roten Augen und schiefergrauen Flügeln. Sie saßen auf dem glatt strömenden Wasser, ließen sich hinaustreiben aus der Bucht und kehrten in kreischendem Flug wieder zur Mündung zurück.

Burow sah hinüber zu einer kreischenden Gruppe von Möwen, als er unvermutet eine Berührung spürte, eine kurze streifende Berührung vom Stock des Alten; überrascht wandte er sich um. Der Alte machte ihm ein vergnügtes Zeichen, hinter sich zu blicken, zu den Katen, ein Zeichen auch, nicht zu sprechen, und er blickte stumm in die Richtung, in die der Stock wies. Die verschrammte Eisenspitze des Stockes zitterte leicht, sie zeigte auf eine Kate mit tief herabgezogenem Schilfdach, auf ein niedriges Seitenfenster, aus dem behutsam, ruckweise ein verschnürter Karton gestoßen wurde. Lautlos beinahe fiel der Karton in den Sand, und gleich darauf erschien das mißtrauische Gesicht eines Jungen neben dem Türpfosten: blondes, stumpfes Haar, breite Wangen und starke Kiefer, die an die großen Kiemen eines Kaulbarsches erinnerten; hastig lauschte der Junge über die Bucht, horchte in die Kate zurück und schlüpfte schließlich barfuß die Steintreppen hinab und um die Ecke der Kate zu seinem Karton. Er griff mit beiden Händen unter die Schnur des Kartons, hob ihn hoch und entfernte sich rückwärts gehend von der Kate; rückwärts gehend näherte er sich den Männern, bis er sich plötzlich instinktiv umwandte und erschrocken den Alten entdeckte und Burow. »Nu«, machte der Alte vergnügt, »nu«, und mit fröhlichem Glucksen sagte er: »Is man zu früh zum Reisen, Jungchen, solltest bis zum großen Frühjahr warten.«

Der Junge sah ihn zaudernd mit erschrockenem Lächeln an, er sah zur Kate zurück und dann, forschend und unruhig, in das blasse Karpfengesicht Burows, in die vor Müdigkeit geröteten Augen, die ihn rätselhaft musterten, mit rätselhaftem Vorwurf.

»Ich – ich muß weiter«, sagte der Junge.

»Nein«, sagte Burow, »du bleibst hier. Du gehst jetzt nicht weg. Du wirst mir erst sagen, woher du den Schal hast: es ist der Schal meiner Frau.«

Der Alte legte den Kopf auf die Seite, neugierig, freundlich grinsend betrachtete er den Schal, den der Junge lose gebunden über einem verwaschenen Leinenhemd trug.

»Woher hast du den Schal?« fragte Burow.

Der Junge nickte zur Bucht hinüber; er stand jetzt in lauernder Haltung da, fluchtbereit, den Karton in beiden Händen.

»Hast du den Schal gefunden?«

»Vater«, sagte der Junge, »er hat ihn rausgeholt mit den Dorschangeln, der Schal war an zwei Haken fest.«

»Gib ihn her. Es ist der Schal meiner Frau; sie hat ihn von mir.«

Vorsichtig trat der Junge einen Schritt zurück, duckte sich, wandte sich unerwartet um und lief, den Karton gegen die Brust gedrückt, den Strand hinauf; lief weiter, ohne sich umzusehen, über den flachen Grünstrich, zwischen angepflockten Ziegen vorbei, weiter um die Katen herum bis zum Sandweg, der ansteigend am Schuppen des Gasthauses vorbeiführte und durch einen lichten Buchenwald hinaus aus dem Dorf. Auch als er auf der Höhe des Gasthauses war, dieses vernachlässigten, fremdartigen Hauses, das aussah wie eine Geschwulst des Hügels, sah er nicht zurück, lief mit seinem Karton und der Angst. Burow machte keinen Versuch, ihn einzuholen.

»Nu«, guckste der Alte, »nu«, und er drückte sich vom Gerippe des Kutters ab, ging stockend in Richtung der Flußmündung, und Burow folgte ihm. Der Sand knirschte unter ihren Schritten. Eine Seeschwalbe stürzte wie ein Geschoß ins Wasser, tauchte auf und flog davon. »Es war ihr Schal«, sagte Burow, »sie hat ihn zum Urlaub bekommen.«

»War in der Dorschangel«, sagte der Alte, »schön festgehakt, so fest wie der Matrose damals mit den feinen Stiefeln: vier Jahr, Herr, hab ich die Stiefel können tragen. Und der Bosack hat die Hosen können brauchen. Im Frühjahr is oft was drin in den Angeln, was paßt.« »Ich wollte sie nur begraben«, sagte Burow. »Wenn sie nicht tot wäre — wahrscheinlich wäre ich dann nicht gekommen. Aber sie muß ertrunken sein, sonst hätte sie sich gemeldet.«

Sie gingen bis zum Fluß vor der Mündung, sie blickten schweigend den schnell strömenden Lauf des Flusses hinauf; lautlos floß er heran, zerrend an überhängendem Weidengestrüpp, an losem Astgeflecht; heftig schwankte, zitterte Hechtkraut in der Strömung, Blätter trieben vorbei, kleine Grasinseln, die, von den Strudeln erfaßt, herumgewirbelt und gegen das Ufer gedrückt wurden, einen Augenblick nur, denn gleich riß das drängende Wasser sie wieder los, führte sie zur Mitte, drehend, ein grünes Karussell auf dem dunklen Lauf des Flusses.

Burow zog das Fernglas aus der Tasche, hob es an die Augen, während der Alte ihn grinsend beobachtete; langsam drehte sich das Glas, und jetzt, ja, jetzt erschien in dem münzrunden Ausschnitt ein laufender Junge mit einem Karton auf der Schulter, über die zerrissene Steilküste lief er dahin, auf einem schmalen Weg, der in die Strandkiefern führte. Und bevor er noch die Strandkiefern erreicht hatte, sah Burow eine Frau sich von der Erde erheben, sah, wie sie auf den Jungen zutrat und ihm das Paket abnahm. Er erkannte sie wieder, es war seine Frau. Er beobachtete, wie sie dem Jungen etwas gab und dann allein zu den Strandkiefern ging und in einer Bodenwelle verschwand. Der Alte zupfte ihn am Ärmel.

»Is da was?« fragte er.

»Nein«, sagte Burow, »da ist nichts.«

»Wer ertrinkt, is man tot«, sagte der Alte freundlich.

»Ja«, sagte Burow.

1958

Silvester-Unfall

Träge hockte sie neben der schwach leuchtenden Tischlampe, das Gesicht auf die Tür zur Küche gerichtet. Sie hörte ihn in der Küche hin und her gehen, hörte ihn in erzwungener Fröhlichkeit mit sich selbst reden – wobei sie spürte, daß alles, was er vor sich hinredete, für sie bestimmt war –, und während sie horchend dahockte, in dem großgeblümten Kittel, mit den massigen Schultern und ihrer trägen Verzweiflung, dachte sie, daß es sein letztes Silvester war. Das Licht per Lampe schnitt einen Halbbogen aus ihrem Körper heraus, erhellte eine Hälfte des knolligen, kartoffelartigen Gesichts, des schlaffen Halses; das Licht fiel auf die linke Seite ihres formlosen Körpers, auf die lose im Schoß ruhenden Hände und weiter hinab auf die Füße, die in altmodischen, kaum getragenen Schuhen steckten. Sie zuckte zusammen, wenn in der Küche eine Schranktür zuflog, griff forschend nach ihrem Knoten im Nacken, besorgt, daß er sich gelöst haben könnte, und legte die Hände wieder in den Schoß. Sie wartete dort, wo er sie niedergedrückt hatte auf den Hocker, bevor er in die Küche gegangen war: den Rücken gegen die Nähmaschine gelehnt, die geschwollenen Beine auf einer Fußbank, und griffbereit unter der Lampe ein Glas Rotwein, das er ihr als Trost dafür hingestellt hatte, daß sie aus der Küche verbannt war. Die alte Frau rührte das Glas nicht an.

Hinter ihrem Rücken lief das Radio. Die Alte hörte nicht zu; geduldig blickte sie auf die braune Tür zur Küche, hinter der Topfdeckel klappten, Geschirr klirrte, sie horchte auf das heftige Rattern des Wasserhahns, erschauerte, wenn Mummer in gewaltsamer Vergnügtheit seine Selbstgespräche begann, oder legte beschwichtigend einen Ellenbogen über ihre schwere Brust, sobald es in der Küche still wurde. Dann, als sie es nicht vermutete, öffnete er die Tür und trat mit leicht vorgestreckten Händen in den Türrahmen.

Eine warme Essenswolke strömte an Mummer vorbei in die Stube, und er stand da in seinem alten, schäbigen Kellnerfrack: ausgezehrt, schwärzlich im Gesicht, gewaltsam grinsend, ein leichter Mann mit einer Jockey-Figur, alt und doch von unschätzbarem Alter; seine Stirn war schweißbedeckt. Triumphierend sah er die Frau an, rieb die Handrücken am Frack ab; dann ging er tänzelnd auf sie zu, zog sie vom Hocker und bot ihr seinen Arm.

»Ich lasse bitten«, sagte er.

»Rudolf, Rudolf«, sagte die Frau, und auch in ihrer Stimme lag träge Verzweiflung. Sie schlappte an seiner Seite durch die Stube, fühlte das Zittern seines Arms, den kalten Druck des Rings in ihrer Hand, und sie sah, daß auf seinem Gesicht immer noch das gewaltsame Lächeln lag, starr und unverändert, so als sei es hineingeschnitten worden in die schwärzliche Haut seines Gesichts. Zusammen gingen sie in die Küche an den Tisch, den Mummer gedeckt hatte. »Rudolf«, sagte sie, »Rudolf«, sagte es kopfschüttelnd, mit müdem Vorwurf, doch er hörte es nicht, bugsierte sie um den Tisch herum zu ihrem Stuhl wie ein Schlepper, der eine schwerfällige Schute an die Pier drückt.

Mummer legte die Hände auf ihren gewölbten Rücken, zwang sie sanft nieder. Dann trug er das Essen auf den Tisch, das er zubereitet hatte: wiegend den Teller mit geriebenem Meerrettich, in kreisendem Schwung die Schüssel mit den Kartoffeln, die Buttersauce, glasiggelb, und zuletzt fischte er aus einem Topf gedünstete Karpfenstücke, ließ sie abtropfen und packte sie triumphierend auf angewärmte Teller. Eifrig bediente, versorgte er sie, mit dem berufsmäßigen Eifer und dem Handtuch über dem Arm, so wie er vor ihr die halbe Welt bedient hatte: die von der Seeluft ewig hungrigen Passagiere der *Patria*, die Besucher der Zoo-Gaststätten, jahrelang, später die wissensdurstigen Kunden im Landungsbrücken-Restaurant, und nach dem Krieg, als sie ihn in den Wartesaal holten, die ungeduldigen Reisenden, denen er mit Eifer und Handtuch Heißgetränke servierte, gestowte Rüben. Lässig setzte er die Teller mit den Karpfenstücken auf den Tisch. Es waren die flach aufgeschnittenen Kopfstücke, von denen eine dünne Dampfwolke hochstieg. Die Augen waren geronnen, quollen weißlich hervor; das Maul war offen wie in grinsender Gier, die Haut des Fisches hatte eine blaßblaue Färbung. Die Frau starrte auf ihr Kopfstück, an dem Gewürznelken klebten, Pfefferkörner, sie glaubte durch den Dampf das Kopfstück grinsen zu sehen, und sie hob die Hände auf den Tisch und schob den Teller behutsam von sich fort. Mummer merkte es nicht, er entkorkte eine Weinflasche, füllte die Gläser und lächelte triumphierend und hob sein Glas: »Auf unser Silvester, Lucie.«

»Rudolf«, sagte sie. Sie tranken und sahen sich dabei an.

»Ich sollte eine Rede halten«, sagte er.

»Nicht, jetzt nicht.«

»Eine Rede auf unsern Silvesterkarpfen.«

»Tu es nicht, Rudolf.«

»Ich sollte sagen, daß das Alter des Karpfens nach Sommern gerechnet wird, daß er aber nur im Winter schmeckt.«

»Ja, ja.«

»- und daß es im Winter keinen Tag gibt, an dem der Karpfen so schmeckt wie an Silvester.«

»Hör auf«, sagte die Frau, »sei endlich still. Ich will vom Sommer nichts wissen und nichts vom Winter. Von mir aus können sie alle Karpfen zu Seife machen.«

Heftig schob sie ihren Teller noch weiter über den Tisch, nah zu ihm hin.

»Es ist Silvester«, sagte er.

»Ja, ... ja, ich weiß, ich seh es dir an, daß Silvester ist. Du siehst aus wie Silvester persönlich.«

Zum ersten Mal verschwand das gewaltsame Lächeln auf seinem Gesicht, er saß jetzt gekrümmt da, die knochigen Handgelenke gegen die Tischkante gestützt, den Blick auf den ziehenden Dampf gerichtet, der aus den Fischstücken hochstieg. Er fror. Er nahm einen Schluck aus seinem Glas, stand auf und trat schräg hinter ihren Stuhl, in der Haltung, in der er sein Leben lang schräg hinter Stühlen gestanden hatte: höflich, erwartungsvoll und bereit. Und da der massige Rücken sich nicht bewegte, das knochige Gesicht sich nicht umwandte zu ihm, ging er dicht an die Frau heran, beugte sich so weit über den Tisch, bis sie ihn bemerkte, und dann sagte er, als wollte er sie auf die Spezialität des Hauses aufmerksam machen: »Ich weiß, Lucie, ich weiß, daß sie mir höchstens noch ein halbes Jahr geben. Sie haben es mir nicht gesagt, ich habe es erfahren, zufällig ... Aber ich werde ihnen zeigen, daß sie sich verschätzt haben; ich werde es bestimmt bis zum Herbst schaffen, Lucie, bis zum zweiten Oktober ... Wenn ich fünfundsechzig bin, bekommen wir von der Versicherung das ganze Geld ... dann müssen die blechen und voll auszahlen. Vielleicht denken sie, daß sie mit der Hälfte wegkommen, wenn ich vor dem fünfundsechzigsten sterbe ... aber diesen Gefallen tue ich ihnen nicht ... Ich werde es schaffen, Lucie ... du kannst dich auf mich verlassen ... Ich werde ihnen nicht die Freude machen, dir nur die Hälfte auszuzahlen ... diese Schakale in ihren Glashäusern ... «

Über ihnen wurde die Spülung eines Klosetts gezogen, rauschend schoß das Wasser durch die Rohre, es gluckerte in der Wand, dann schlug eine Tür zu, und es war wieder still. Draußen war es dunkel geworden. Das Schneetreiben und der Wind hatten nachgelassen. Schwarz und schlaff stand das Catcherzelt auf dem Ruinenplatz, wie ein Segel, ein Segel der Nacht, das keinen Wind fand.

»Glaub mir, Lucie, ich schaffe es.«

»Klar«, sagte die Frau, »was denn sonst.«

Sie betastete den Knoten, zu dem ihr dünnes Haar im Nacken zusammengesteckt war, strich den Kittel glatt und angelte sich von der anderen Tischseite den Teller mit dem Karpfenkopf; munter krümelte sie Meerrettich auf ihren Teller, packte Kartoffeln auf; goß glasige Buttersauce über das Karpfenstück, alles mit heiterer Ungeduld, kleine Zischlaute ausstoßend, und als sie fertig war, sah sie ihn verwundert an, weil er immer noch schräg hinter ihrem Stuhl stand, in der Haltung höflicher Bereitschaft. Jetzt erschien ein unsicheres Lächeln auf seinem Gesicht, er verbeugte sich, ging schnell zu seinem Stuhl und füllte ebenfalls seinen Teller.

»Hoffentlich schmeckt der Fisch«, sagte er.

»An solchem Tag muß er schmecken.«

Sie aßen, sahen sich immer wieder an; die alte Frau schnaufte, stieß Zischlaute des Behagens aus, nickte in nachsichtiger Anerkennung. Er trank ihr zu, steif; wortlos, mit vorgeneigtem Oberkörper, wie sie sich auf dem Schnelldampfer *Patria* zugetrunken hatten. Die Frau räumte die Backen des Fischkopfes aus, nahm den Kopf und belutschte ihn gewissenhaft und wischte die klebrigen Finger am Kittel ab.

Plötzlich wandten beide gleichzeitig das Gesicht zur Tür, schnell, erschrocken, sahen dorthin, ohne etwas vernommen zu haben, in dem geheimen, blitzschnellen Einverständnis, mit dem Vögel gleichzeitig auffliegen, und sie erblickten einen jungen Mann an der Tür, der lässig dalehnte, blond, schmalbrüstig, eine Zigarette schräg übers Kinn und die Arme vor der Brust verschränkt.

»Oh, Ben«, sagte die Frau, »warum mußt du immer so leise gehen?

Warum mußt du uns immer erschrecken? Wer soll dir das nur abgewöhnen?«

»Ein Schleicher ist er«, sagte Mummer.

»Kann man noch was zu essen kriegen?« fragte Ben.

»Ich denke, du hast gegessen.«

»Nur Brot, keinen Karpfen. Ruth wird sicher auch gleich kommen,
ich traf sie unten am Zelt.«

»Dann sind alle beisammen«, sagte die Frau.

Ben kniff die Zigarette über dem Ausguß aus, hängte schweigend
sein Jackett über die Stuhllehne, beobachtete seinen Vater, der ein
Karpfenstück aus dem Topf fischte, es schwungvoll servierte und
schräg hinter Bens Stuhl stehenblieb; und nachdem er einen Augenblick dort gestanden hatte, sagte er: »Mehr gibt's nicht. Iß langsam,
damit du etwas davon hast.«

Während Ben aß, leerte er den Grätenteller, goß der Frau Wein ein,
stellte noch einen sauberen Teller auf den Tisch und legte einige Stücke
auf, die er bereits auf seinem Teller entgrätet hatte.

»Für wen is'n das?« fragte Ben.

»Für deine Schwester«, sagte Mummer.

»Ich denke, Ruth hat schon gegessen.«

»Satt wird man nur zu Hause.«

Er stellte den Teller auf die Herdplatte, deckte einen Aluminium-
deckel über ihn. Dann ging er ans Fenster, stemmte beide Arme gegen
die feuchten Wände und sah hinab in die schwarze Schlucht des Hofes,
der zur Straße hin offen war und in den Ruinenplatz überging, auf
dem das Catcherzelt stand. Die elektrischen Bogenlampen über der
Straße blinkten jetzt klar und kalt. Im Raum unter der Küche begann
ein Grammophon zu spielen, durch den Fußboden, den Linoleum-
belag hindurch hörten sie die Stimme des Sängers, der darüber klagte,
daß die Sterne zu weit sind, zu weit … Er fand keinen Trost für die
Entfernung, seine Stimme wand sich in melodiöser Qual und konnte
auch zum Schluß nichts Angenehmeres mitteilen, als daß die Sterne zu
weit sind, zu weit. Vom Flur her erklangen Schritte, gingen vorüber,
Schlüssel klimperten, eine Tür schnappte auf und fiel zu.

»Ruth«, sagte Ben, »jetzt ist sie nach Hause gekommen.«

In diesem Augenblick trat Ruth in die Küche. Sie war siebzehn,
hochhüftig, ihr Körper schmächtig; das hübsche Gesicht unter dem
verstrubbelten Haar hatte etwas Verstohlenes und Räuberisches, einen

Ausdruck von versteckter Wachsamkeit. Sie trug einen roten, sackförmigen Pullover, schwarze Hosen, die eng an den Schenkeln saßen, über den Knien ausgebeutelt waren, und ihre Füße steckten in schiefhackig gelatschten Wildlederschuhen. Erschöpft ließ sie sich mit dem Rücken gegen die Wand fallen, pustete mit vorgeschobener Unterlippe über ihr Gesicht, kam dann schlaksig näher.

»Auf dem Herd steht ein Teller für dich«, sagte Mummer.

»Karpfen, ich weiß. Man riecht es schon im Hausflur. Na, du herrlicher Bruder? Schmeckt es? Dann will ich dich nicht allein essen lassen.«

Sie setzte sich an den Tisch, wollte wieder aufstehen, um den Teller zu holen, doch da war Mummer schon am Herd: flink, mit lächelndem Eifer bediente er Ruth, brachte den Meerrettich in ihre Nähe, die Buttersauce, auf der jetzt gelbliche Flocken schwammen, ging hin und her hinter ihrem Stuhl, schenkte ein Glas halbvoll ein, wedelte mit dem Handtuch Krümel vom Tisch. Unten erfolgte eine Explosion am Catcherzelt, hart wie ein Hammerschlag. Die Fenster klirrten leise. Sie beachteten die Explosion nicht, hoben nicht einmal den Kopf; schweigend aßen sie zu Ende, tranken die Gläser aus, während Mummer sie unaufhörlich, mit lächelnder Beflissenheit bediente.

Nach dem Essen räumten sie nicht weg, stellten nur die Teller zusammen, warfen die Bestecke in die Kartoffelschüssel und gingen in die Stube. Ruth suchte Musik im Radio, auch aus dem Radio kam die klagende Stimme des Sängers, der aufschluchzend feststellte, daß die Sterne zu weit sind, zu weit. Mummer bugsierte die alte Frau zu ihrem Hocker neben der schwach leuchtenden Tischlampe. Er drückte sie nieder, schob die Fußbank unter ihre geschwollenen Füße, legte das Strickzeug in ihren Schoß. Ben stand unentschlossen an der Tür.

»Was ist denn?« fragte Ruth. »Ich denke, heut ist Silvester.«

»Auf den Tag genau«, sagte Mummer.

»Es sieht aber gar nicht so aus. Es passiert überhaupt nichts ... Ben, merkst du etwas von Silvester bei uns?«

»Ich verzieh mich«, sagte Ben, »weck mich zur Knallerei.«

»Nein, bleib hier, wir werden irgendwas machen. Wir können doch nicht so sitzen und warten, bis es zwölf ist. Silvester ist doch nicht zum Warten da, oder?«

»Mach'n Vorschlag«, sagte Ben.

»In einer Stunde spricht der Kanzler«, sagte Mummer.

»Wer?« fragte Ruth.

»Ihr könntet Blei gießen«, sagte die Frau.

Sie beschlossen, Blei zu gießen. Ben sägte in der Küche von einem Bleirohr schmale Scheiben herunter, schnitt die Scheiben mit dem Messer kaputt, während Ruth eine Schüssel mit Wasser, ein Licht und einen alten Löffel in die Stube brachte. Sie setzten sich auf den Boden zu Füßen der alten Frau, auch Mummer in seinem schäbigen Kellnerfrack setzte sich und zündete das Talglicht an; flackernd warf das Licht ihre vagen Schatten an die Wand, auf ovale Familienbilder, einen gerahmten Ehrenbrief, auf den farbigen Druck des Schnelldampfers *Patria* – ließ die abgesägten, scharfkantigen Bleistücke an den Schnittflächen aufblitzen, als Ben eine Handvoll auf den Sisalteppich rollte; dann legte Ruth den Löffel neben das Blei und zog ihre Hand schnell zurück.

»Und was kommt jetzt?« fragte sie.

»Der Anfang«, sagte Mummer.

»Ich fange nicht an.«

»Einer muß anfangen.«

»Ben.«

»Und wer erklärt uns das Zeug?« fragte Ben.

»Mutter kann das am besten«, sagte Ruth.

Ben nickte, nahm den Löffel, legte stumm zwei Bleistücke hinein und führte den Löffel in die Flammenspitze; rußend schlug die Flamme hoch, flackerte, leckte in den Löffel hinein, beruhigte sich endlich. Lautlos warteten sie, beobachteten, wie die Bleiklümpchen zusammensackten und wie unter der stumpfen Kruste eine glänzende Zunge hervorkam, sehr langsam und zuckend. Die Alte nahm die Nickelbrille ab, die sie zum Stricken aufgesetzt hatte, und legte einen Ellenbogen auf ihre schwere Brust. Ruth setzte sich auf die Hände, drückte die Zähne in ihre Unterlippe; Mummer rührte sich nicht. Taxierend blickte Ben auf die Schüssel, die bis zum Rand mit Wasser gefüllt war, versicherte sich, daß sie nah genug stand. Seine Hand zitterte, das flüssige Blei schwappte leicht in der Mitte des Löffels, rann vollends unter der stumpfschimmligen Haut hervor und sah jetzt glatt aus und glänzend.

Er fühlte die Hitze im Löffelstiel, einen brennenden Druck, sein Mund verzog sich, die Lippen schoben sich vor, als wollte er über das flüssige Blei blasen, aber er hielt den Löffel, hielt alles, was glänzend in ihm schimmerte: das Metall und seine Erwartung und das, was die Alte für ihn herauslesen würde – so lange, bis auch das meiste von der

Kruste weggeschmolzen war. Da ließ er den Löffel seitwärts abkippen, steil, wie ein getroffenes Flugzeug abkippt; zischend plumpste das Blei in die Schüssel, klirrte am Grund, und noch einmal zischte es, als Ben den Löffel hinterherwarf. Er atmete auf, schlenkerte seine Hand und steckte nacheinander die Fingerkuppen in den Mund. Mummer und Ruth beugten sich über die Schüssel, blickten auf den Grund, auf ein blankes Ding, das wie eine Zwischenform zwischen Galgen und Klosett aussah, mit gleichem Recht aber auch wie ein Rückgrat mit großer Schleife. Ohne hinzuschauen sagte Ben: »Hoffentlich lohnt sich das nächste Jahr, sonst kann es meinetwegen gleich ausfallen.«

»Eine Hose mit einem Propeller unten«, sagte Ruth,

»Die will sicher fliegen«, sagte Ben.

»Ben fliegt nach Mallorca«, sagte Ruth.

»Gib mal her«, sagte die Frau, »ich kann es so nicht erkennen.«

Mummer fischte den gegossenen Gegenstand aus der Schüssel, und die Alte drehte und betrachtete ihn sorgfältig unter der Lampe.

»Du mußt achtgeben, Ben«, sagte sie nachdenklich.

»Bei der Flugreise?«

»Hier ist eine Faust, Ben, und dann etwas, was ich nicht erkennen kann. Es ist aber da. Du mußt vorsichtig sein im nächsten Jahr, Ben.«

Sie legte das blanke Bleistück auf die Nähmaschine und sah Ben mit einem Ausdruck dringenden Kummers an.

»Jetzt ist Ruth an der Reihe«, sagte Ben.

»Nein«, sagte Ruth, »ich noch nicht, ich zuletzt. Zuerst möchte ich sehen, was ihr gießt.«

»Soll ich?« fragte Mummer, und bevor er noch auf eine Antwort wartete, füllte er den Löffel mit abgesägten Bleistücken und hielt ihn in die Flamme. Triumphierend blickte er um sich, zwinkernd und selbstgewiß.

Sein ausgestreckter Arm bewegte sich nicht, lag vollkommen ruhig da, als ob eine Stockgabel ihn stützte. Verstohlen seinem Blick ausweichend, beobachtete Ruth ihren Vater, wie er dasaß und sich zu schaurigem Triumph zwang, ihnen zuzwinkerte, wobei sein Gesicht sich einseitig verzerrte, gleich einer Maske, die auf jeder Hälfte anders geschnitzt ist, und sie sagte unwillkürlich: »Nein«, hob das Gesicht, streckte die Hand nach dem Löffel aus und fuhr fort: »Ich möchte jetzt gießen, bitte, laß mich jetzt. Man darf doch den Löffel wechseln?«

»Wenn das Blei noch nicht geschmolzen ist«, sagte die Frau.

»Du kommst nach mir dran«, sagte Ruth, nahm Mummer den Löffel ab, ließ das Blei flüssig werden über der unstet brennenden Flamme und goß, goß ein Stück, das aussah wie ein Pudding mit Hörnern. Die Alte drehte und begutachtete das gegossene Bleistück, wendete es feierlich, tastete über die hornartigen Erhebungen: tonlos entschied sie, daß etwas Bestimmtes auf das Mädchen zukomme, etwas, das sich nicht genau erkennen lasse, aber »es ist im Anzug«, sagte sie. Dann ließ sie sich den Löffel reichen, untersuchte auch ihn und stellte fest, daß es Zeit sei, das Bleigießen zu unterbrechen und die Berliner zu essen, die in einer Schüssel im Herd standen.

Mummer trug die Berliner herein, ging von einem zum andern und bot aus der Schüssel an. Der Teig war warm unter der braunen Haut, der Zuckerguß klebte an den Fingern, und wenn sie hineinbissen, quoll Marmelade aus ihren Mündern hervor, beschmierte die Finger, die Mundwinkel. Ben ging in eine dämmrige Ecke, lautlos, mit seinen schleichenden Schritten; er setzte sich in einen Armstuhl und aß und starrte auf seinen Vater, der die Schüssel nicht aus der Hand ließ, eifrig hin und her ging zwischen ihnen und anbot.

»Du solltest dich hinsetzen«, sagte Ben aus der Ecke.

»Es geht gleich wieder los«, sagte Mummer, »nach den Berlinern wird weitergegossen, und zuerst bin ich dran.«

»Wir sollten aufhören damit«, sagte Ben.

»Warum?«

»Weil es langweilig wird. Es ist für jeden was im Anzug, das genügt. Genauer brauchen wir's nicht zu wissen. Mehr ist ungesund.«

»Ist denn im Radio nichts?« fragte Ruth. Sie drehte an den Knöpfen, es knackte, ein schwingender Jaulton drang aus dem Lautsprecher, dann eine raunende Männerstimme. »Wird nur geredet«, sagte Ruth.

»Das ist der Kanzler«, sagte Mummer.

»Wir werden alle Blei gießen«, sagte die alte Frau; sie wischte sich die Krümel vom Kinn, faßte nach ihrem Knoten und ließ in der anderen Hand den Löffel wippen. »Was wir angefangen haben, machen wir zu Ende, solange das Blei reicht.«

Mummer stellte die Schüssel auf die Nähmaschine. Triumphierend ließ er sich neben dem Licht nieder, scharrte einige Bleistücke in den Löffel und hielt sie in die Flamme.

»Da kommt ein Schnelldampfer raus«, sagte Ruth, »zumindest die *Patria*.«

Bens Augen glühten in der dämmrigen Ecke, er starrte schweigend auf seinen Vater, auf den leicht zitternden Löffel, über dem die Flamme manchmal zusammenschlug, und er dachte an das, was er wußte, und sprang plötzlich auf, als wollte er in letzter Sekunde etwas verhindern, und sagte:»Hör auf jetzt. Mehr brauchen wir nicht vom neuen Jahr zu wissen. Gib mir den Löffel.«

»Gleich bin ich fertig«, sagte Mummer

»Das ist alles Quatsch«, sagte Ben.

»Die Kruste ist gleich verschwunden.«

»Wir wollen was anderes machen«, sagte Ben.

»Gleich«, sagte Mummer.

Ben stand dicht neben seinem Alten, sah das schwärzliche Halbprofil seines Gesichts, das knochige Handgelenk, das steif aus den Ärmeln herausragte, und ohne ein Wort oder eine Warnung streckte er seine Hand aus, packte das knochige Gelenk des Alten und zwang es zu sich herüber. Die Flamme richtete sich steil auf, als sich der Löffel, der sie niedergedrückt hatte, unter dem Zwang nach oben hob. Das flüssige Blei schwappte gegen den Löffelrand. Ben spürte den unvermuteten Gegendruck in dem Gelenk, das er gepackt hielt, und mit einem Ruck versuchte er, die Hand, die den Löffel hielt, von der Schüssel wegzuziehen. Das flüssige Blei schwappte über den Löffelrand. Er sah die fallenden silbernen Tropfen. Er hörte das Zischen auf seinem Handrücken, noch bevor er den Schmerz empfand und losließ, was er gepackt hatte. Die Bleitropfen sprangen beim Aufprall flach auseinander, und seine Hand sah aus wie von kleinen silbernen Blättern bedeckt. Und als er in seine Ecke zurückwankte, die Finger in den Unterarm gepreßt, den Mund aufgerissen und stumm vor überwältigendem Schmerz, drang aus dem Radio das Ticken einer Uhr, das die letzten Sekunden des alten Jahres zählte, freigab wie eine Frist zu Abschied und Herausforderung und Vorbereitung, und draußen stiegen gegen die sternlose Schwärze der Nacht Raketen auf, Leuchtkugeln, Heuler und rotierende Sonnen.

»Ben«, rief das Mädchen erschrocken, »oh, Gott, Ben, was ist denn passiert?«

»Das neue Jahr hat begonnen«, sagte die Frau.

1958

Lehmanns Erzählungen
oder
So schön war mein Markt
Aus den Bekenntnissen eines Schwarzhändlers (1959)

I

Die Not ist meine schönste Zeit. Schon früh erkannte ich, welche Möglichkeiten der Mangel birgt, die Knappheit an allen Dingen; schon als Schüler war mir der Unterschied vertraut zwischen Haben und Nicht-Haben, und nicht nur dies: ich habe einen Gaumen für spezifische Not, spüre eine gewisse schöpferische Erregbarkeit, sobald irgendwo ein quälender Bedarf besteht; kurz gesagt, Armut ist mein höchstes Glück. Nichts inspiriert mich tiefer als die Not der anderen, niemals ist meine Phantasie so zuverlässig, als wenn es darum geht, den Mangel der anderen zu beheben – schon als Junge merkte ich es. Ich merkte es beispielsweise, wenn sich meine jüngere Schwester, sobald sie nichts mehr hatte, Sahnebonbons von mir lieh: bereitwillig half ich ihr aus der Verlegenheit, allerdings mußte sie diese Verlegenheit extra bezahlen. Ich bekam die doppelte Anzahl von Bonbons zurück. Und ich stieß auf die schöpferischen Möglichkeiten des Mangels, als sich mein Vater gegen Monatsende den Rest meines Taschengeldes pumpte, zögernd zuerst, dann mit einträglicher Regelmäßigkeit; ich half ihm, wo ich konnte, denn er zahlte pünktlich fünfzig Prozent Zinsen und war mir sicher.

So erwarb ich bereits im zarten Alter die Erkenntnis, daß die Not viele Vorzüge hat, und daß sie den, der auf sie baut, nicht nur ernährt, sondern auch in seinen Begabungen fördert. Denn Begabung ist nötig, um all die Chancen wahrzunehmen, die sich aus dringendem Mangel ergeben.

In Zeiten des Überflusses stirbt die Phantasie, nichts wird uns abverlangt an Überlegung, an Abenteuer, an Ungewißheit; wem es an irgend etwas mangelt, der drückt die Klinke des nächsten Geschäfts und deckt seinen Bedarf. Diese Zeit ist nicht meine Zeit. Wie einfallslos, wie degeneriert und unkünstlerisch erscheint unser Markt: überschwemmt von Angeboten, überwacht von Preisbehörden, besucht von Leuten, die jederzeit wissen, was sie brauchen und wieviel sie für die Mark bekommen. Überall ist man sich des Wertes gewiß und des

Gegenwertes; keine Unsicherheit, kein Zaudern und blitzartiges Zupacken, und auf allen Gesichtern, die ich auf dem weißen Markt des Überflusses sehe, liegt die gleiche Freudlosigkeit, die gleiche träge Selbstgewißheit und der gleiche Überdruß. Die Sinne sind nicht mehr geschärft, das helle, räuberische Bewußtsein ist nicht mehr auf Beute gerichtet: die große Zeit ist vorbei, die Zeit der wundervollen Not.

Damit ist meine Zeit vorbei: der Überfluß hat alle meine Begabungen außer Kraft gesetzt, der Wohlstand hat meine Fähigkeiten verkümmern lassen – alles, was mir bleibt, ist die Erinnerung und die Sehnsucht. Ja, an kühlen Abenden habe ich oft Sehnsucht nach der Zeit der Not, erinnere ich mich an das Abenteuer meines Marktes – des Schwarzen Marktes –, und stumm vor Rührung denke ich an den Ruhm, den ich mir damals erwarb. Der Schwarze Markt war mein Metier.

Ich war für ihn geschaffen, wie Churchill für den Posten eines Kriegspremiers geschaffen war. Meine Fähigkeiten wurden immer vollkommener, und ich näherte mich meiner Vollendung. Schon begann man sich in einigen Hamburger Kreisen ehrenvolle Namen für mich auszudenken, als der Tag hereinbrach, der meine gesamte Muskulatur lähmte: der 20. Juni 1948, der schmähliche Sonntag der Währungsreform.

Seitdem habe ich gewartet, gehofft, daß meine große Zeit wiederkehre – bisher ist sie nicht wiedergekehrt. Ich finde nur noch den Trost der Erinnerung. Erinnerung ist das einzige, was mich wach und aufrecht hält, doch da auch sie – ich spüre es – mehr und mehr an Schärfe verliert wie alte Photographien, möchte ich alles aufschreiben, zum Nutzen eines Gleichgesinnten, für mich selbst aus Notwehr. Wäre ich ein Dichter wie Whitman, würde ich sagen:»Ich singe den Schwarzen Markt« –, doch ich bin nur ein Künstler des Mangels, und ich möchte nur aufschreiben, wie alles gewesen ist: mein Markt, mein Ruhm, mein Untergang. Ich möchte, da ich die nötige Schwermut des Erzählers zu besitzen glaube, anfangen, wo es begann, und enden, wo einstweilen alles endete.

Zuerst kamen Autos mit hohen Offizieren vorbei, Tag und Nacht; dann kamen Omnibusse mit nicht sehr hohen Offizieren, dann Pferdewagen, und zum Schluß staubgepuderte Soldaten ohne Waffen, die Tag und Nacht an dem Gutshof vorbeimarschierten, in dem unser Marinestab damals untergebracht war. Die Offiziere in den Autos und

Omnibussen sahen enttäuscht aus, saßen mit schweigender Bitterkeit in den Lederpolstern, während die Soldaten uns zuwinkten und lachten und riefen, daß der ganze Mist vorbei sei. Alle, die müde und lachend vorbeimarschierten, riefen es uns zu, Tag und Nacht, und schließlich muß es unser Admiral gehört haben, denn er nahm sein Auto und fuhr enttäuscht weg. Und nachdem er weg war und die waffenlosen Soldaten nicht aufhörten zu rufen, daß der ganze Mist vorbei sei, setzte sich unser Korvettenkapitän mit den verschiedenen Leutnants in den Omnibus und fuhr ebenfalls enttäuscht weg. Für den Bootsmann war kein Pferdewagen da, so verließ er uns zu Fuß, und während draußen noch immer Soldaten vorbeimarschierten, rief der letzte Stabsgefreite die Schreiber und Burschen zusammen und erklärte uns, daß nun alles vorbei sei. Er führte uns ins Magazin und forderte uns auf, von den Sachen so viel zu nehmen, wie wir tragen konnten, denn hinterher wollte er den Rest in die Luft sprengen. Wir suchten hastig nach Sahnemilch, nach Kognak, Zigaretten und Büchsenschokolade – aber seltsamerweise fanden wir nur Sauerkraut in Dosen und Erbsen und allenfalls fettes Schweinefleisch. Die besseren Sachen mußten offenbar termingerecht ausgegangen sein. Als ich mit meinem Seesack ankam, war nicht einmal mehr fettes Schweinefleisch da, und ich suchte verzweifelt herum, bis ich eine riesige Pappkiste fand, die man offenbar auch schon vor mir entdeckt, doch, weil nichts darin zu finden gewesen war, mit Fußtritten in eine Ecke geschubst hatte, denn quer über die Kiste zogen sich Schrammen von Stiefelsohlen hin – wie Stigmen der Enttäuschung. Ungeduldig öffnete ich die Kiste, sah, daß sie gefüllt war mit Sahnelöffeln, Hunderten von Sahnelöffeln in rosa schimmerndem Seidenpapier, und gerade als ich ihr den letzten Fußtritt geben wollte, rief der Stabsgefreite von unten, daß die Sprengung vorbereitet sei. Verzweifelt sah ich mich um; nichts war in der Nähe als Sauerkraut und ein Gebirge von grauer RIF-Seife, deren Anblick schon genügte, um ein Schaudern hervorzurufen. So zwängte ich – vor der Wahl, entweder ohne etwas umzukehren oder mit dem absurden Reichtum der Sahnelöffel in Sicherheit zu gelangen (denn etwas mußte ich doch mitnehmen) – zwängte ich also die Pappkiste mit Hunderten von Sahnelöffeln in meinen Seesack, schwang ihn auf die Schulter, brach nahezu unter dem Gewicht zusammen, doch die Gefahr, die bereits Hölderlin in ähnlichem Zusammenhang erwähnte, gab mir die rettende Kraft: ich ließ den Seesack die Treppe hinunterfallen und sprang hinterher, gerade noch rechtzeitig genug. Später, nach der Sprengung, habe ich die Löffel gezählt, es waren zweihundertvierzig, oder zwanzig Dutzend, und mit ihnen auf dem Rükken zog ich die Straßen, die auch die lachenden Soldaten gezogen waren, die uns so oft zugerufen hatten, daß der ganze Mist vorbei sei. Auch die Soldaten brachten etwas aus dem Krieg nach Hause: Konserven, Kugellager, Schnaps, Werkzeuge oder Zigaretten, und einer, der vom Nordkap kam, vertraute mir an, daß er sich zehntausend Stopfnadeln aus einem Schneidermagazin geholt hatte, bevor es in die Luft gesprengt worden war: jeder schleppte etwas nach Hause, die seltsamste Beute manchmal, doch Sahnelöffel hatte keiner, Sahnelöffel hatte nur ich, und ich verdankte diesen überraschenden Besitz lediglich dem Umstand, daß unser Marinestab zwei Jahre in Dänemark stationiert gewesen war. So war ich, als der Friede losbrach, Eigentümer von zweihundertvierzig Sahnelöffeln, ein Besitz, der mich anfangs ständig irritierte, denn einmal haßte ich Sahne, und zum anderen glaubte ich mich überwinden zu können, Schlagsahne, wenn es schon sein mußte, auch mit einem schlichten Löffel zu essen. Das verwirrte mich zunächst sehr, und es gab Stunden, Mittagsstunden in hämmernder Hitze, in denen ich, was sonst keineswegs üblich ist, meinen Besitz verfluchte. Doch ich brachte es nicht übers Herz, mich von ihm zu trennen, vor allem deswegen nicht, weil ich die Sahnelöffel mit der Zeit als ein ausgefallenes Honorar ansah, mit dem man mich für den ganzen Mist bezahlte, in dem ich gesteckt hatte. Ich behielt es also bei mir, zog in südliche Richtung und erreichte in frischem Frieden die Freie und Hansestadt Hamburg.

Da ich mich nicht entscheiden konnte, ob die Stadt mir gefiel, marschierte ich zum Bahnhof, ging in den Wartesaal und schob den Seesack unter den Tisch und stellte einen Fuß drauf, so wie alle, die ich sah, einen Fuß auf ihren Koffer, ihren Karton oder Beutel gestellt hatten. Ich bestellte eine warme Steckrübensuppe, einen Steckrübensalat hinterher, und während ich aß, kam ein kleiner Junge an meinen Tisch, Rotz und Fröhlichkeit im Gesicht; er beobachtete mich durch das blaßgrüne Glas einer Flasche, schnitt mir Grimassen, dann tauchte er, nestelte unter dem Tisch an meinem Seesack, und bevor ich ihn wegjagen konnte, hatte er drei Sahnelöffel in der Hand, mit denen er zu seiner Mutter rannte. Seine Mutter riß ihm die Löffel aus der Hand und brachte sie mir unter Entschuldigungen zurück.

Als ich bezahlen wollte, den verdrossenen Kellner heranwinkte, fiel sein Blick sofort auf die Sahnelöffel. Überraschend beugte er sich zu mir herab und flüsterte:»Wieviel?«Und ich flüsterte zurück:»Wieviel was?«, und er legte eine Schachtel englischer Zigaretten auf den Tisch, legte fünfzig Mark dazu und strich die Löffel ein und fragte:»Einverstanden?«Ich verstand schneller, als ihm angenehm sein konnte, obwohl ich mir Mühe geben mußte, meine Verblüffung zu verbergen. Ich brachte einen Ausdruck von Zögern, von Unentschiedenheit in mein Gesicht, worauf er zwanzig Mark zulegte und ging. Instinktiv hob ich meinen Seesack auf, nahm ihn fest zwischen die Knie – so als sei mir in diesem Augenblick erst bewußt geworden, welch einen Schatz ich bei mir hatte.

Meine Verblüffung schwand und schwand nicht: in welch eine Zeit war ich hineingeraten? Was hatte es zu bedeuten, daß man nur Sahnelöffel auf den Tisch zu legen brauchte, um sofort ein Angebot zu erhalten? War das die neue Währung? Trugen die Leute neuerdings vielleicht Sahnelöffel in der Lohntüte nach Hause? Ich studierte die Speisekarte, in der Meinung, es herrsche ein Überangebot an Sahne, zu der man nur entsprechende Löffel brauchte, doch auf der Speisekarte waren lediglich Heißgetränke erwähnt, Räucherfischpaste und die dralle Steckrübe in vierundzwanzig Variationen. Wahrscheinlich, sagte ich mir, ist in meiner Abwesenheit ein Vorhaben Nietzsches ausgeführt worden, eine Umwertung aller Werte, bei der Löffel einen neuen Kurs erhalten hatten. Neugierde, und zwar schöpferische Neugierde, erwachte in mir, die Freie und Hansestadt Hamburg begann mir zu gefallen, und mit zweihundertsiebenunddreißig blanken Dingerchen auf dem Rücken beschloß ich, ein Zimmer zu suchen.

Das Wohnungsamt war wegen Überfüllung geschlossen, doch ich konnte warten, legte mich neben die rote Backsteinmauer, nahm meinen Seesack als Kopfkissen. Ich schlief nicht ein, denn ständig kamen Leute vorbei, wütende, schimpfende, aufgebrachte Zeitgenossen, die ergebnislos verhandelt hatten und nun die interessantesten Flüche hören ließen. Ich merkte mir einige der Flüche für alle Fälle, dann wurde ein neuer Schub reingelassen, wälzte sich unendlich langsam durch die Korridore, verteilte sich vor Zimmertüren, an denen Pappschilder mit Anfangsbuchstaben angeklebt waren, und schließlich stand ich in einem kahlen Raum, sah mich einem feindseligen, zerknitterten Gesicht gegenüber, das sozusagen lippenlos geworden war vom vielen Nein-

Sagen. Argwöhnisches Warten, während ich, nach einem sehr höflichen Gruß, meinen Seesack bumsend absetzte, die Schnur aufzog und – wortlos, ohne Eile – eine Handvoll Sahnelöffel aus dem rosafarbenen Papier wickelte. Mit schöner Selbstverständlichkeit legte ich das blitzende Zeug auf den Festungstisch, hinter dem, unerreichbar, das feindselige Gesicht stand. Jetzt blickte ich es mit der mir eigenen, großäugigen Melancholie an und sagte leise: »Nun bin ich zurückgekommen. Ich habe mir erlaubt, unterwegs an Sie zu denken. Es ist nur ein kleiner Gruß von vorn.« Darauf senkte ich den Blick, sah zwei gelbliche, magere Hände über dem Tisch erscheinen und nach den Sahnelöffeln, es waren sieben, schnappen, wie ein Fisch nach einem Insekt schnappt, sah weiter, wie meine Löffel herabgezogen wurden in die Dämmerung heimlicher Schubladen, und als ich den Kopf wieder hob, sah ich ein nachdenkliches Gesicht vor mir.

»Ich habe nur ein unheizbares Zimmer.«

»Es wird reichen«, sagte ich, in Gedanken an die zweihundertdreißig Sahnelöffel, die noch im Seesack steckten.

Dann empfing ich meinen Einweisungsschein, wechselte einen warmen Händedruck und machte mich vergnügt pfeifend zu meinem neuen Heim auf, mißtrauisch verfolgt von den Blicken der Wartenden.

Meine Wirtin, eine schwermütige, athletische Frau, empfing mich im Kittel, blickte flüchtig auf den Einweisungsschein und zeigte mir mein Zimmer. Sie hatte einst bei der weiblichen Polizei gedient, war norddeutsche Judo-Meisterin gewesen, doch aus irgendeinem Grund hatte sie vorzeitigen Abschied genommen. Zur Begrüßung kochte sie Kaffee. Ich schenkte ihr einen Sahnelöffel, den sie lange betrachtete und mir dann zurückgeben wollte, weil sie glaubte, er sei zu kostbar. Als ich ihr anvertraute, wieviel ich davon besaß, verschwand sie für kurze Zeit und kehrte mit einer Flasche wieder, die zu einem Drittel mit Schnaps gefüllt war. Wir tranken den Schnaps, worauf ich mich auf die kratzige, rote Plüsch-Couch legte und acht Tage liegenblieb. Meine Wirtin versorgte mich. Geschäftig ging sie hin und her, brachte Tee, Käsebrote, manchmal auch Fleisch und Honig; sanft servierte sie, sanft trug sie ab, und nach acht Tagen war ich ausgeschlafen und hatte die Wirkung des Alkohols überwunden. Während ich mich vergnügt über dem Ausguß rasierte, brachte sie das Frühstück herein, und bei diesem Frühstück vollzog sich sozusagen die Wiedergeburt eines jungen Mannes aus dem Geiste des Mangels.

Sie – meine Wirtin – gestand mir, daß sie während meiner achttä-
gigen Müdigkeit mehrere Sahnelöffel eingetauscht hatte, auf dem
Schwarzen Markt, wie sie sagte, und sie erinnerte mich an Käse, Fleisch
und Honig, die sie dafür bekommen hatte. Von ihr hörte ich den
Ausdruck zum ersten Mal: »Schwarzer Markt«; ich muß gestehen, daß
ich einen Augenblick lang an Brikett dachte, doch nur einen Augenblick, denn ich empfand sofort eine eigentümliche Sympathie für diesen Ausdruck, eine unerklärliche Hingezogenheit – etwa wie Rimbaud
zu illegalen Waffengeschäften.

Ich wiederholte unhörbar diesen Ausdruck, der auf Geheimnis und
Vorteil zu verweisen schien, und später, nachdem ich gefrühstückt,
nähere Auskünfte erhalten und mir – für alle Fälle – einige Sahnelöffel
eingesteckt hatte, zog ich los, um den Schwarzen Markt leibhaftig zu
erfahren. Meine Wirtin hatte mir die Straße beschrieben, in der mein
Markt stattfand, eine stille Trümmerstraße, in der einst Villen gestanden hatten; ich fuhr hin, glücklich und verwirrt. Ah, ich werde diese
erste Begegnung nie vergessen, die sonderbare Überraschung, die ich
erlebte! Ich hatte nichts vor. Ich wollte nur sehen, und ich sah mehr,
als ich erwartet hatte.

Die Sonne schien. Die Straße war still, ohne Verkehr. Nirgendwo ein
Stand, eine Marktbude; nur Männer und Frauen, die – und das mutete
einen Fremden zunächst rätselhaft an – auf und ab schlenderten, gelassen nach außen hin, wenn auch eine versteckte Wachsamkeit in
ihren Gesichtern lag. Sie gingen vorbei, ohne einander anzusehen, mit
vorgegebener Gleichgültigkeit. Niemand schien in Eile. Auch ich ging
die stille Straße hinab, schlendernd wie die anderen. War das der
Markt, den ich erträumt hatte? Wo war das Geheimnis, wo der Vorteil?
Und wie erfolgte der Handel? Aufmerksam ging ich weiter, und dann,
ja, dann merkte ich es: ich hörte die Vorübergehenden leise sprechen,
es klang wie Selbstgespräche, so daß ich an Kinder denken mußte, die,
wenn man sie zum Einkaufen schickt, unaufhörlich wiederholen, was
sie mitbringen sollen: einen Liter Milch, einen Liter Milch ...

Auch die Leute, die sich hier gelassen aneinander vorbeischoben,
wiederholten unaufhörlich denselben Spruch, als fürchteten sie, sie
könnten ihr Stichwort vergessen. Ich hörte genau hin, hörte Stimmen,
die im Vorbeigehen ehrgeizlos flüsterten: »Brotmarken« oder »Näh-
garn«, hörte eine Frau, die mit gesenktem Blick nur ein einziges Wort
sagte: »Marinaden, Marinaden«, ein Greis murmelte: »Bettzeug«, ein

rotgesichtiges Mädchen: »Amis«. Jede Stimme empfahl ehrgeizlos etwas anderes: Schuhe, Fischwurst, Stopfnadeln – vielleicht waren es die vom Nordkap –, Uhren, Schinken, Kaffee und Eipulver. Niemand gab sich aufdringlich, marktschreierisch – wie wohltuend war doch die Diskretion meines Marktes. Ich empfand, während ich leise »Sahnelöffel, Sahnelöffel« zu flüstern begann, die tiefere Bedeutung dieses Vorgangs: die Nachfrage übertraf das Angebot bei weitem, der Mangel triumphierte, bestimmte den Kurs, und die Zeitgenossen bewiesen, daß sie dem Mangel gewachsen waren. Eine Revision der alten Werte hatte stattgefunden, die Not setzte den Preis fest. Man bezog, was man gerade effektiv brauchte, und nicht, was man zu brauchen glaubte – nicht mehr. Der unmittelbare Bedarf hatte den Vorrang. Die Bezahlung wurde von gegenwärtigem, nicht von zukünftigem Verlangen bestimmt, und was besonders zu Ehren kam, war die uralte Praxis der ersten Märkte – der Tausch. Ich selbst wurde es gewahr, denn nachdem ich mehrmals »Sahnelöffel, Sahnelöffel« geflüstert hatte, setzte sich mir ein hagerer Mann auf die Spur, drängte mich hinter eine geborstene Mauer, wo ich – nur aus Spaß und Neugierde – ein Angora-Kaninchen eintauschte. Allerdings trug ich es nicht nach Hause, sondern stieß es gleich gegen wollenes Unterzeug ab, erhielt dafür wieder englische Zigaretten und bezahlte mit ihnen drei Flaschen Bratenöl, das sich indes, später zu Hause, als Torpedoöl herausstellte. Doch obzwar die Bratkartoffeln das Bild einer Seeschlacht vor meinem Auge hervorriefen, war ich mit allem zufrieden, was ich für den Anfang erfahren hatte. Ich war auf den Geschmack gekommen. Die erste Begegnung hatte mich bereits elektrisiert. Ein Ziel begann sich deutlich abzuzeichnen, die Zuversicht einzustellen, daß ich dieses Ziel erreichen würde. Ich hatte ohne Anstrengung einen Beruf gefunden. Das Abenteuer konnte beginnen.

497

II

Mit dem Ruhm ist es wie mit dem Kapital: das erste Guthaben erwirbt man sehr mühsam, von einer gewissen Höhe ab braucht man nichts mehr zu tun; dann vermehren sich Ruhm und Kapital mit der überzeugenden Fruchtbarkeit der Natur. Auch mein Anfang war von Mühe nicht frei. Zwar besaß ich noch über zweihundert Sahnelöffel, die aus dem Magazin meines Marinestabes stammten, doch ich kann nicht sagen, daß sie ausreichten, um meinen Ruf auf dem Schwarzen Markt zu begründen. Ich benutzte sie allenfalls zu gelegentlichen Subalterngeschäften – tauschte etwa eine Matratze ein, ein Bild (Heidelandschaft) und eine Kiste Margarine, aber es gelang mir einstweilen nicht, einen interessanten Namen zu erwerben, sozusagen eine Gütemarke meines schwarzen Wappenschildes. Das erfolgte erst später, und zwar anläßlich einer Siegesfeier, die unsere alliierten Freunde in ihrem Victory-House feiern wollten. Diese Siegesfeier verhalf mir zu unerwartetem Prestige, und ich kann ohne Eitelkeit sagen, daß mich ein ganzes Bataillon der berühmten »Wüstenratten«, das sich in Nordafrika so bemerkenswert hervorgetan hatte, als Künstler des Mangels feierte – was natürlich nicht verborgen blieb und auf meinen Markt zurückschlug.

Jene Siegesfeier, welche unsere alliierten Freunde zu feiern entschlossen waren, litt unter einem überraschenden Mangel: es fehlte ein gewisses Quantum Schnaps, ohne den ja – was jeder weiß – auch ein strahlender Sieg eine melancholische Angelegenheit werden kann; und außerdem handelte es sich bei den Teilnehmern der Feier um »Wüstenratten«, bei denen man chronischen Durst schon beim Klang des Namens voraussetzen darf. Ich erfuhr das von Allan, einem sehr liebenswürdigen Korporal, den meine Wirtin, schwermütig und athletisch, eines Tages in die Wohnung brachte. Allan war Kantinen-Korporal, was für den Instinkt meiner Wirtin sprach – wenngleich ich es ihr auch nicht allzu hoch anrechnete, da sie ja ehedem bei der weiblichen Polizei gedient hatte. Jedesmal, wenn Allan uns besuchte, war er tadellos gepolstert mit Schokolade, Konserven und Büchsenkaffee, und während wir ihn am Anfang in ungestümem Spiel Zentimeter für Zentimeter absuchten, begnügten wir uns später damit, zuzusehen, wie er lakonisch die Feldbluse hochzog und seine Mitbringsel auf den Boden plumpsen ließ – gleichsam ein lustloses Wunderhorn.

Seine Lustlosigkeit war an jenem Abend besonders groß, als er uns anvertraute, daß eine Siegesfeier zwar terminiert war, daß aber alle seine Kameraden ihr ohne Freude entgegensähen, da pro Mann nur eine drittel Flasche Whisky vorgesehen sei. Wir, meine Wirtin und ich, empfanden freundschaftliches Bedauern, ja, da es sich um nicht vorhandenen Alkohol handelte, sogar Mitleid; schließlich hatte bereits Dostojewskij, der vom Trinken etwas verstand, verlautbart: Mann, Mann, ohne Mitleid geht es nicht.

Da es mir wirklich leid getan hätte, wenn die berühmten »Wüsten-ratten« auf ihrer Siegesfeier gewissermaßen mit einer Fatamorgana hätten vorliebnehmen müssen, forschte ich verzweifelt nach einer Möglichkeit, um das ganze Bataillon – bildlich gesprochen – zu einer Zisterne zu führen.

Ich fand keine Möglichkeit; doch in leichtsinniger Kühnheit sprang ich plötzlich auf – so wie möglicherweise Entdecker aufspringen, wenn sie einen Bazillus unverhofft ausgemacht haben – und sagte zu Allan: »Sorry, Allan, daß ihr für die Siegesfeier keinen Schnaps habt, sehr sorry. Aber macht euch keine Sorgen. Ich werde ihn beschaffen, und zwar für alle, fürs ganze Bataillon.« Allan reichte mir spontan die Hand, meine Wirtin jedoch musterte mich mit durchdringender Skepsis. Ich gestehe, in diesem Augenblick war ihre Skepsis ange-bracht. Ein wesentliches Element des Schwarzen Marktes ist die Über-raschung, ist der Zufall; d. h. man kauft zunächst einmal nicht das, was man gerne will, sondern was sich zufällig oder günstig bietet. Der schönste Markt herrscht immer da, wo man den Augenblick am Schwanz packen kann. Worauf hatte ich mich nur eingelassen mit meinem leichtfertigen Versprechen? Würde mein Markt solch ein An-gebot bereithalten? Nachdem Allan gegangen war, machte meine Wir-tin mir die erwarteten Vorwürfe; sie liefen an mir herunter wie Wasser an einer Ente. Ich spürte nichts als eine Chance und setzte auf sie.

Am nächsten Morgen bereits machte ich mich auf in die Trümmer-straße, wo – lautlos, argwöhnisch und diskret – der Schwarze Markt stattfand. Wachsame Gesichter schoben sich vorbei, ich hörte die halb-lauten, monoton geflüsterten Angebote: »Marinaden, Marinaden«, hörte eine Frauenstimme sagen: »Socken für den Winter«, Angebote, die ich nicht zur Kenntnis nahm.

Eine begründete Unruhe begann mir zuzusetzen: ich dachte an die anberaumte Siegesfeier, an ein durstiges Bataillon von »Wüstenrat-ten«, das sich auf die Feier freute, weil es meinem Versprechen ver-traute. Ich hatte vier Tage Zeit. Ich ging die Straße hinauf und hinab, horchte auf die Stimmen und kalkulierte Preis und Gewinn: vier Schachteln Zigaretten wollten die »Wüstenratten« pro Flasche zahlen; eine Schachtel kostete hundertzwanzig Mark, eine Flasche Schnaps zweihundertvierzig –: zügig rechnete ich alles durch und kam zu dem Ergebnis, daß ich bei rund fünfhundert Flaschen beiläufig tausend Schachteln Zigaretten für meine schöpferische Begabung erhalten würde, wenn sie den akuten Mangel der »Wüstenratten« aufhob. Triumph der Gelegenheit! Mit der Erregbarkeit des Künstlers tat ich mich um. Es sah schwarz aus. Obwohl ich – bis auf eine kurze Mittagspause – den ganzen Tag arbeitete, hörte ich nur zweimal eine Stimme »Alkohol« murmeln: einmal war es ein unrentabler Krönungskognak aus der Zeit Napoleons, den eine gebildete alte Dame anbot; beim zweiten Mal handelte es sich um einen Kanister Brennspiritus – von einem Mann offeriert, der wie ein hungernder Feuerschlucker aussah, der seine eiserne Ration abstoßen wollte. Nach kurzer Vergewisserung verzichtete ich auf beides.

Schon wollte ich den Schwarzen Markt verlassen, als – in der Dämmerung – doch noch das Glück kam. Dieses Glück – das sich allerdings später nicht als vollkommen rein erwies – kam in Gestalt einer kräftigen, energischen Frau, die wie eine Fregatte durch die Trümmerstraße segelte, selbstgewiß um sich blickte und, ohne eine Hand vor den Mund zu nehmen, »Fusel« sagte, »prima Fusel.« Sie sagte nicht Kognak oder Schnaps oder Alkohol, sondern »prima Fusel«, und das klang wie eine aufrechte Untertreibung, hinter der sich, wie mir schien, ein sozusagen köstlicher Tropfen verbarg. Als sie es zu mir sagte, hob ich den Kopf, nickte und gab ihr durch mein Nicken zu verstehen, daß ich interessiert sei. Von diesem Augenblick an schwieg sie, gab mir Gelegenheit, mich auf ihre Spur zu setzen, und sie ging vor mir her zu einer Kneipe. An einem Ecktisch nahmen wir Platz, und wir schüttelten uns die Hand wie alte Bekannte oder Komplizen – eine Wahrnehmung, die ich später noch oft machen sollte: der Schwarze Markt verband die Zeitgenossen in einer ganz bestimmten Art von Rabentraulichkeit. Er rief tatsächlich etwas wie eine schwarze Familiarität hervor. Man kam ohne große Vorverständigung zueinander. Außerdem beeinflußte er in gewisser Weise auch die Sprache, zeigte ein überraschendes Vokabular. Beispielsweise sagte die Fregatte, als wir uns am Ecktisch niederließen: »Anita enttäuscht nicht. Auf wieviel Pullen willst du stehen?« Ich zögerte, dachte, daß sie mir bestenfalls zehn Flaschen würde überlassen können, doch um meinen Bedarf anzuzeigen, sagte ich träumerisch: »Fünfhundert.«

Sie stutzte nicht einen Augenblick, sagte vielmehr ohne Verwunderung: »Fünfhundert, bis wann?« »Bis morgen«, sagte ich. »Bei Überstunden wird's möglich sein«, sagte sie. »Fünfhundert?« fragte ich skeptisch. »Die Pulle zu zweihundertfünfzig«, sagte sie. »Zu zweihundert«, sagte ich. »Zu zweihundertvierzig«, sagte sie. »Abgemacht«, sagte ich, denn damit waren wir auf dem Preisniveau, das ich kalkuliert hatte. Bevor wir uns noch über die Einzelheiten verständigten, machte mir Anita ein neues, überraschendes Zusatzangebot. Sie sagte: »Ich habe einen feinen Posten Unterröcke; bei gleichzeitiger Abnahme verbilligt sich die Flasche um 40. Diese Qualität.« Sie zog ihren Rock leicht an, unter dem sie ein halbes Dutzend Unterröcke von einwandfreier Qualität trug, doch ich konnte mich zu dem Koppelgeschäft nicht entschließen. Wenn meine Auftraggeber Schotten gewesen wären, hätte ich ohne Zögern abgeschlossen, die »Wüstenratten« aber trugen Hosen; und so durfte ich voraussetzen, daß in diesem Fall kein gerichteter Mangel bestand. Ich zog, zum Zeichen meines Verzichts, ihren Rock über das Angebot und verabredete die Bedingungen unseres abgeschlossenen Geschäftes. Anita gab mir eine Adresse, nannte eine Stunde, zu der ich mit einem Jeep dort aufkreuzen und warten sollte – Bezahlung bei Entgegennahme der Ware –, dann tranken wir einen Grog zusammen, politisierten ein wenig und verabredeten uns für den entscheidenden Abend.

Allan war pünktlich. Er erschien mit dem Kantinen-Jeep, auf dem die Zigaretten verstaut waren, und in glücklicher Erregung fuhren wir los und suchten die angegebene Adresse. Wir fuhren auf und ab, ohne die Nummer zu finden, die Anita genannt hatte. Es waren kaum Häuser in der Gegend, und die Nummer 28–30 gehörte, auch wenn wir es zunächst nicht glauben wollten, dem Naturkunde-Museum, das reglos, in schweigender Düsternis vor uns lag.

Enttäuscht hielten wir schließlich, setzten uns eine Frist und warteten, und auf einmal, nie werde ich es vergessen, segelte Anita in weißer Schürze durch den Säulengang, lautlos wie der Fliegende Holländer. Sie kam einige Stufen herab, hielt Ausschau; dann winkte sie mir, und ich ging hinauf. Wortlos ergriff sie meine Hand, führte mich durch dunkle Korridore, in denen es muffig roch, eine Steintreppe hinab, bis es kalt und zugig wurde und ich merkte, daß wir im Keller waren. Vorsichtig drückte sie eine Tür auf. Der Raum war erleuchtet, und was ich sah, verschlug mir für einen Augenblick die Sprache.

Ein sehr junger und ein sehr alter Mann, beide in weißen Kitteln, waren damit beschäftigt, ein endloses Spalier von runden, dickwandigen Glasbehältern zu öffnen, Behältern, wie sie zum Anschauungsunterricht in den Schulen Verwendung finden. Eine einzige, nackte elektrische Birne brannte, und in ihrem Schein bemerkte ich, daß viele der Behälter gefüllt waren: Frösche schwammen darin, von der Kaulquappe bis zum großen Mutterfrosch; wie Ringelwürmer aussehende Tiere, Fische, schwarze Vipern, flockig gewordene Tierleichen. Hastig kippten die Männer den Inhalt der Gläser in ein riesiges Sieb, das über einem Bottich hing. Sie summten bei der Arbeit ein Lied. Die toten, glitschigen Tiere häuften sich auf dem Sieb, tropften gemächlich ab. Ich sah, daß die Glasbehälter säuberlich beschriftet waren, roch einen dunstigen Alkoholgeruch.

Anita beobachtete mich triumphierend, wies dann in eine Ecke, in der eine große Anzahl abgefüllter Flaschen stand, und sagte:»Vierhundertfünfzig sind o. k., Junge. Garantiert prima Fusel. Den Rest müssen wir noch abgießen.« Ich blickte rechtschaffen verstört auf die heillose Szenerie und dachte an das Bataillon von »Wüstenratten«, an ihre Siegesfeier, auf die sie sich bereits freuten. Meine gequälte Phantasie trug mir Bilder zu: Kaulquappen im Glas, flockiges, rosiges Fleisch eines seltenen Fisches, das eine »Wüstenratte« plötzlich entdeckte; schaudernd drehte ich mich um.

»Was ist los?« fragte Anita.»Das ist prima Ware. Davon wird bestimmt dein ganzes Bataillon besoffen.«

»Die Tiere«, sagte ich.»Den Tieren macht das nichts aus«, sagte Anita, »die sind tot.«»Aber der Geschmack«, sagte ich, »der ganze Schnaps schmeckt doch nach Ringelwürmern und Laubfröschen.« »Keine Spur«, sagte Anita, »das ist Ia Präparieralkohol, hochprozentig, nur ein bißchen bräunlich geworden, aber das macht nichts: jetzt sieht er gerade wie ein alter, abgelagerter Kognak aus. Probier mal.« Sie hielt ein Glas unter das heftig tropfende Sieb, wartete, bis es zur Hälfte gefüllt war und reichte es mir.»Versuch mal, schmeckt sehr gut.« Ich winkte ab, sie setzte das Glas an, trank es mit einem Schluck aus, seufzte genießerisch und wischte sich den Mund ab.»Der Schnaps ist für eine Siegesfeier bestimmt«, sagte ich.»Sehr gut«, sagte Anita, »wir können ihn Victory-Schnaps nennen. Wer ihn trinkt, vergißt ihn nie.« Dann schob sie mich zur Seite, nahm das Sieb vom Bottich, warf die Tiere in einen Metalleimer und machte sich daran, leere Flaschen abzufüllen. Dabei fiel sie in die Melodie ein, die ihre beiden Gehilfen summten.

Während sie die letzten Flaschen abfüllten, ging ich zurück zu Allan, der draußen wartete, hochfuhr, als er mich sah und voll glücklicher

Erwartung fragte:»Alles fein, ja? Die Siegesfeier muß doch nicht ausfallen?« Ich sah ihn lange an, bevor ich antwortete. Nein, ich brachte es nicht übers Herz, seine Freude auf die Siegesfeier zu schmälern. Ich nickte und bestätigte:»Alles fein. Gleich können wir aufladen.« Ich tat es um so leichter, als ich Anita selbst hatte trinken sehen – das genügte mir, zumal ich nicht annehmen wollte, daß die»Wüstenratten« empfindlicher sein könnten als Anita.

Wir warteten noch einen Augenblick, dann stiegen wir beide hinab in die Kellergewölbe, tasteten uns vor, bis wir Anita fanden, dann machte Allan die Schnapsprobe. Er blickte auf die Flaschen, die in Zehnerreihe auf der Erde standen, beugte sich herab, bat Anita, eine bestimmte Flasche zu öffnen. Sie tat es mit strahlendem Eifer. Ich wandte mich ab. Ich hielt den Atem an, als ich das Gluckern der Flasche hörte, trat unwillkürlich zur Seite, so als könnte sich jeden Augenblick eine Explosion ereignen, doch zu meiner Verwunderung hörte ich Allan seufzen, wie Anita geseufzt hatte, und er stieß mich in die Rippen und sagte:»Alles fein, alles fein.«

Sodann fuhren wir den Jeep auf den Hof an ein Kellerfenster, und während Allan und die beiden Gehilfen den Schnaps aufluden, regelte ich mit Anita den geschäftlichen Teil; das heißt, ich zweigte mein Honorar von tausend Schachteln Zigaretten für mich ab. Ich war mir bewußt, daß ich, mit den Sahnelöffeln zusammen, nunmehr über ein zufriedenstellendes Anfangskapital verfügte. Heute wäre das ein völlig profaner Besitz, in meiner Zeit jedoch, in der Zeit des Schwarzen Marktes, bedeuteten Zigaretten und Sahnelöffel so viel, daß man sich dem Abenteuer der Zukunft getrost stellen konnte.

Immerhin, da jener Markt schwarz war, lief jeder, der auf ihm tätig war, etliche Risiken, denn es versteht sich von selbst, daß Sicherheits-Garantien – die dem Leben heute alle Spannung nehmen – nicht so ohne weiteres zu erhalten waren. Ich persönlich nannte die Zeitspanne zwischen dem Verkauf und dem Augenblick, da der Kunde unwiderruflich außer Sichtweite war, die Qual des freien Schußfelds. Man wird verstehen, warum: wenn man sich nämlich – auch nur für kurze Zeit – aus den Augen verloren hatte, dann war man in Sicherheit, jeder Umtausch ausgeschlossen. Kein Geschäft konnte dann rückgängig gemacht werden. Man mußte nur, wie gesagt, das freie Schußfeld hinter sich bringen.

Was nun die Siegesfeier der »Wüstenratten« betrifft, so endete das

Schußfeld – in übertragenem Sinne – an dem Tag, an dem alle, die von Anitas »prima Fusel« getrunken hatten, erwachen würden. So lag ich verstört und gespannt in meinem Zimmer; an Schlaf war nicht zu denken. Immer wieder zog es meine Gedanken zum Victory-House. Was würde sich dort ereignen? Welche Überraschungen würde die Feier bringen? Unruhig wälzte ich mich in meinem Bett, und als ein Jeep unten auf der Straße hielt, laute Stimmen meinen Namen riefen, sprang ich auf und zog mich schnell an. Ich beschloß, mich dem Verhängnis zu stellen. Zwei mir fremde »Wüstenratten«, die stark nach Anitas Fusel rochen, kamen herein, forderten mich freundlicher, als ich gedacht hatte, auf, mitzukommen. Ich ging mit und nahm zwischen ihnen im Jeep Platz. Wieder trug meine Phantasie mir quälende Bilder zu: Soldaten, die sich mit Schmerzen am Boden wanden, andere, die der Fusel irre gemacht hatte, und wieder andere, die, aller natürlichen Hemmungen beraubt, ihre Offiziere folterten. Schließlich kann niemand die Folgen absehen, die ein Alkohol verursacht, in dem jahrelang Frösche gelegen haben, seltene Sandvipern und Ringelwürmer. Lallend zogen mich die Soldaten vor dem Victory-House aus dem Jeep, führten mich eine Treppe hinauf in einen riesigen Saal. Und in dem Augenblick, da ich den Saal betrat, sprang Allan auf einen Tisch, zeigte auf mich und rief etwas, was ich in meiner Erregung nicht verstehen konnte. Jedenfalls setzte ein ohrenbetäubender Lärm ein, Jubel, Pfiffe der Anerkennung gellten, Mützen flogen durch die Luft und zumindest zweihundert »Wüstenratten« drängten sich, um mir die Hand zu schütteln oder mich sogar zu umarmen. Zwei gingen so weit, mir ihre Orden, die sie sich redlich verdient hatten, an die Jacke zu stecken. Schließlich aber kam ein schnauzbärtiger Offizier schwankend auf mich zu, winkte, worauf ein Steward mit zwei Gläsern und einer von Anitas Flaschen erschien. Auf einen Wink schenkte er ein. »Ich trinke jetzt«, so sagte der Offizier, »auf den Zauberer, dem wir die Stimmung dieser Feier zu verdanken haben, auf den Mann, der uns diesen vortrefflichen Schnaps besorgt hat. Ah!«

Ich sah schaudernd in mein Glas, in dem leicht eine braune, flockige Flüssigkeit schwappte. Was sollte, was konnte ich tun? Ich trank, trank mit geschlossenen Augen. Und der Schnaps ... schmeckte wirklich vortrefflich.

III

Bitter sind oft die Zeiten der Lehre – auch für einen Schwarzhändler. Auch ich lernte die Nöte des Anfangs kennen, mußte einstecken, probieren, den Irrtum anerkennen, der unser aller Lehrer ist. Auch ich mußte zunächst dankbar annehmen, was der Zufall mir brachte, mußte also gleichsam mit den Knochen des Augenblicks vorliebnehmen. Gewiß, ich verfügte bereits über ein passables Grundkapital, rund zweihundert Sahnelöffel und tausend Schachteln Zigaretten, und die fünfhundert Flaschen Präparieralkohol, die ich den »Wüstenratten« zu ihrer Siegesfeier verschaffen konnte, begründeten meinen Ruf als Magier des Schwarzen Markts; doch einstweilen galt ich allenfalls als Talent.

Ich mußte die Waren, die ich beschaffte, noch berühren. Ich mußte mich um jedes Geschäft selbst kümmern. Ich konnte noch nicht wählen. Und jeder, der nicht frei wählen kann, was er tun oder lassen möchte, wird mir beipflichten, daß dies ein zehrender Zustand ist. Aber, wie gesagt, auch ein Schwarzhändler bleibt nicht von der Mühsal der Lehrzeit verschont, muß sich unterwerfen und, nur zu oft, eine dürftige Gelegenheit ausnutzen.

Solch eine Gelegenheit ergab sich für mich einmal, als ich auf einem Poller am Hafen saß, unter schwächlicher Sonne, und auf das öltrübe Wasser blickte. Ich dachte an eine Auseinandersetzung, die ich mit meiner schwermütigen, athletischen Wirtin gehabt hatte, eine beinahe wortlose Auseinandersetzung, die sich an jedem Monatsersten ergab: sie wollte keine Miete von mir annehmen, ich aber drängte darauf, zu bezahlen. Sie sagte etwa: »Wenn man denkt, wie du und ich zusammenleben, dann ist es eine Beleidigung, wenn du Miete bezahlen willst.« Und ich antwortete ständig: »Es gibt keine Art von Zusammenleben, die Korrektheit ganz und gar ausschließt.« Daraufhin lächelte sie jedesmal schmerzlich und behandelte mich achtundvierzig Stunden lang mit vorwurfsvollem Schweigen.

Um diesem Schweigen also zu entgehen, war ich an den Hafen gefahren, saß auf einem eisernen Poller und blickte auf den Strom. Es war ein warmer Tag, ich hatte das Jackett ausgezogen, die Ärmel hochgekrempelt, und ich befand mich durchaus in der gleichen Stimmung wie jener Dichter, der gesagt hat: »... und nichts zu suchen, das war mein Sinn.« Doch wer schon selbst nicht sucht, ist beileibe noch nicht sicher davor, daß er nicht von andern gesucht wird. Plötzlich sah ich einen gedrungenen Schatten vor mir, und bevor ich mich noch umdrehte, spürte ich rauhe Fingerkuppen, die leicht, mit einer seltsamen Anerkennung, über meinen Bizeps fuhren, dann eine Hand, die vorsichtig auf meine Schulter klatschte. Eine durchaus nicht unsympathische Stimme sagte:»Liegen allerhand Kräfte brach bei dir, was?«

Jetzt wandte ich mich um und sah einen schmächtigen, grinsenden Kumpel mit stumpfem Haar und bläulich gesprenkelten Wangen. Er trug ein zerknautschtes Jackett, einen fleckigen Binder und auf dem Binder eine Ansteckperle, wie ich sie in dieser Größe nie zuvor gesehen hatte. Auf seinem Gesicht lag ein Ausdruck vergnügter Gerissenheit. Ich war wehrlos gegen die eigentümliche Hingezogenheit, die ich sofort für ihn empfand.»Wenn du willst«, sagte ich,»werde ich dir die Hälfte des Pollers abtreten. Es sitzt sich gut hier.«»Bin nicht scharf darauf«, sagte er.»Aber du könntest mir was anderes abtreten: die Hälfte von deinem Bizeps, das würde mir schon reichen. Wenn du nicht gerade Senator bist, solltest du das tun, es lohnt sich.«

Jetzt sah ich mir den Kumpel genauer an, und auch er musterte mich mit freimütiger Offenheit, eindringlich forschend und taxierend. Schließlich fragte er:»Also?«»Ich habe nie etwas gegen Sachen, die sich lohnen«, sagte ich. Er nickte. Er lächelte, nickte und war zufrieden. Der allgemeine Mangel damals bewirkte, daß man rasch zueinander fand; man war auf gleiche Wellenlänge geschaltet; ein langwieriges Prüfen, Abtasten, Ausnehmen – das war nicht nötig. Der Schwarze Markt, mein Lieblingsmarkt, sorgte für den kürzesten Weg zueinander.

Mein Kumpel bot mir eine halbe Zigarette an, ich gab ihm Feuer, und dann schlenderten wir gemächlich plaudernd – wir plauderten über die Eigenarten des Bajonett-Angriffs –, schlenderten also zu einem trübsinnigen, fünfstöckigen Mietshaus, das die tobsüchtigen Bomben verschont hatten und in dem mein Kumpel wohnte. Er wohnte im fünften Stock. Seine Frau – ich vermute, es war seine Frau – öffnete, ein blondes, schweres Mädchen mit fettigem Haar, das, sooft ich es sah, ein pausbäckiges Baby im Reitsitz auf der Hüfte trug.

Wir gingen zuerst ins Wohnzimmer, sahen eine Weile auf die Trümmerwiese unter uns, dann deutete er auf eine Photographie an der Wand, die meinen Kumpel in Uniform zeigte, mit einem sogenannten Ritterkreuz um den Hals.»Diese Blechkrawatte«, sagte er,»hat sich bezahlt gemacht: einen Monat dick zu rauchen, sechshundert Zigaretten.« Dann schob er mich in die Küche.

Das erste, was ich in der Küche entdeckte, entdecken mußte, war der Sarg. Es war kein neuer Sarg, doch tadellos erhalten, mit Messingleisten beschlagen. Er stand halb unterm Tisch, und ich sah, daß die Politur beschlagen war von Küchendämpfen. Verschreckt, aufrichtig verstört blieb ich stehen, während seine Frau – oder das Mädchen, das ich für seine Frau hielt – gleichgültig in einem Grießbrei rührte, der für das auf der Hüfte reitende Baby bestimmt war. Ich starrte auf den Sarg. Ich sagte:»Herzliches Beileid. Wen hat's denn bei euch erwischt?« Er lächelte kummervoll.»Unsere Oma«, sagte er.»Sie stirbt jede Woche einmal, jeden Dienstag.«»Ist der Sarg gefüllt?« fragte ich.»Heute ist nicht Dienstag«, sagte er.

Nachdem das Baby, gefüttert, auf der bemerkenswerten Hüfte eingeschlafen war, tranken wir Kaffee, und beim Kaffee erläuterte mir mein Kumpel, wofür ich ihm meinen Bizeps abtreten sollte. Wenn ich mich recht erinnere, sagte er etwa folgendes:»Du weißt, Junge, wie schwierig es heute ist, an ein gutes Stück Schweinebraten zu kommen. Manchmal sieht es fast so aus, als ob es keine Schweine mehr gibt – zumindest haben sie Seltenheitswert bekommen, wie alles, was gut ist. Immerhin, es gibt noch welche, und ich erinnere die Leute daran, wie Schweinebraten schmeckt. Wir haben unsere festen Abnehmer.«»Schlachtet ihr hier in der Küche?« fragte ich.»Erraten«, sagte er.»Ein Kumpel von mir – er ist Landfriseur in Holstein – bringt das Zeug am Montagabend her. In einer Nacht muß alles fertig sein, denn am Dienstag warten schon unsere Kunden darauf; das Pfund bringt sechzig bis achtzig Piepen.« »Und wie transportiert ihr das Zeug weg?« fragte ich. Er streichelte nachdenklich den Sarg und sagte:»Wir lassen Oma sterben.«»Gute Idee«, sagte ich,»nur, Oma stirbt ziemlich oft, oder?«»Die Leute im Haus haben sich an die häufigen Todesfälle bei uns gewöhnt; es sind alles Kunden. Nein, in dieser Hinsicht haben wir keine Sorgen. Was wir brauchen, ist ein Kumpel, der ungefähr soviel geladen hat wie du.« »Mich habt ihr«, sagte ich.

Somit war ich engagiert, und ich fand eine Gelegenheit, neue, durchaus interessante Kenntnisse zu erwerben: zu den Erfahrungen im Schwarzhandel gesellten sich handgreifliche Erfahrungen im Schwarzschlachten. Meine schwermütige, athletische Wirtin vergaß sofort ihren Groll; sie bot sich an, neue Kunden zu werben, und fand auch einige unter ihren Judo-Partnern und ihren Polizei-Freundinnen von ehedem. Für die Arbeit, die ich verrichtete, erhielt ich einen in jeder Weise gerechten Deputat-Anteil am Schweinefleisch. Ich trug ihn in einem Rucksack nach Hause, der vorsichtshalber mit Ölpapier ausgeschlagen war; meine Wirtin übernahm es, die guten Stücke zu schmoren, einzukochen und weniger gute an die geworbenen Kunden zu verteilen, das Pfund zu sechzig bis achtzig Mark.

Jeden Montag abend erwarteten wir voller Ungeduld den Landfriseur, der auf seinem Fahrrad-Anhänger ein halbes Dutzend Ferkel hereinbrachte, die wir in die Küche meines Kumpels hinauftrugen. Mein schmächtiger Kumpel schlachtete sie. Ich rasierte die Tierchen in der Waschbalje, in der kurz vorher das pausbäckige Baby gebadet worden war. Nach der Borstenrasur folgte das Tranchieren: ein strenger Geruch erfüllte die Küche, die Fenster beschlugen, Dampf hüllte uns ein, während ich schlitzte, säbelte und hackte. Das blonde Mädchen mit dem fettigen Haar kochte Kaffee, drehte Zigaretten, die sie uns zwischen die Lippen schob, kontrollierte die Straße und lauschte an der Tür zum Treppenhaus, und sobald eines der rosigen Ferkel zerlegt war, pfiff ich, worauf sie zu uns kam und die portionsgerechten Stücke im Sarg verstaute. Manchmal, mitten in der Nacht, in unserer hektischen Arbeit, begann das kräftige Baby zu schreien, so schrill, so durchdringend, daß ich fürchtete, die ganze Stadt würde davon aufwachen; darauf trug das Mädchen ihr schreiendes Baby herein, und der pausbäckige kleine Kerl beruhigte sich erst, wenn er einen Ringelschwanz oder ein Ferkelohr zum Spielen bekam. Ja, ich sehe ihn noch rittlings auf der bemerkenswerten Hüfte seiner Mutter sitzen, ein Schweineohr zwischen den krummen, kleinen Wurstfingern, das er wie Buntpapier auseinanderzog und uns dadurch anzublicken versuchte und winzige, irre Schreie des Entzückens ausstieß. Das Baby verstörte mich mehr als der Gedanke an die Folgen einer Entdeckung, und ich genoß jedesmal die Erleichterung, die sich einstellte, wenn ich das Haus am Morgen verließ, zu einer Zeit, da die ersten Arbeiter verdrossen ihrer Frühschicht zustrebten. Ich genoß es so sehr, daß ich nicht das Gewicht des Rucksacks spürte, in dem mein Deputatfleisch verstaut war. Meine Wirtin, die während dieser Zeit mehr als fünfzig Gläser Fleisch für uns einkochte, muß den irrtümlichen Eindruck gewonnen haben, daß ich jedesmal von einem fröhlichen Schlachtfest heimkehrte, auf dem es alles andere geben mußte als siedende Ängste.

Wie immer, ich lernte bei dieser köstlichen schwarzen Machenschaft vieles hinzu. Ich festigte meinen Ruf als verläßlicher Fleischlieferant. Nebenher wurde ich gleichsam ein perfekter schwarzer Handwerker, der bei dem allgemeinen Mangel sehr rasch die Meisterwürde erwarb. Ich bin sicher, daß nur der Schwarze Markt solche verschütteten Begabungen zum Vorschein brachte – eine Vermutung, die mir in Erzählungen oft genug bestätigt wurde. Ach, wie viele Talente brachte die Zeit der schönen Not zum Vorschein: Juristen entpuppten sich als kundige Tabakpflanzer, ein Standesbeamter wurde zum Ernährungswissenschaftler, indem er herausfand, daß Kartoffeln sich in Kaffeesatz braten lassen; ein Matrose wurde zum Kenner orientalischer Teppiche, nur weil er Mittelsmann sein durfte, und jede Hausfrau wurde zur Küchen-Muse, die den Gaumen überlistete und etwa panierte Selleriescheiben als Kalbfleisch auf den Tisch brachte. Der Mangel weckte unsere Phantasie, ließ uns überraschende Fähigkeiten entdecken, die zu besitzen wir nie geglaubt hatten. Nur Tüchtige konnten sich bewähren, und es stellte sich heraus, daß es zu keiner Zeit mehr Tüchtige gab als in der Zeit des Schwarzen Marktes. Die schöpferische Initiative im kleinen war nie größer als damals, und wie oft wurde aus einem gemeinhin lethargischen Menschen ein regelrechter Beschaffungskünstler – was sich eigentlich nur mit Sophokles erklären läßt, der ja festgestellt hat: »Das Unheimlichste aber ist der Mensch.«

Daß auch ich mir mitunter unheimlich wurde, dürfte der besonderen Erwähnung kaum wert sein. Oft genug gab ich mir selbst Anlaß zum Staunen über das, was ich fertigbrachte, doch einmal – und ich werde es nie vergessen – gab ich mir Anlaß zur Selbstbewunderung: es war der Morgen, an dem unserem schwarzen Schlachten ein Ende gesetzt wurde.

Ich erinnere mich genau, sehe uns noch dastehen, in Dampf gehüllt, mit blutigen Schürzen, säbelnd und hackend, und ein strenger Geruch von Innereien und ein süßlicher Geruch von Blut zogen durch die Küche und unaufhaltsam ins Treppenhaus. An jenem Morgen hatten wir bereits sechs allerliebste Spanferkel verarbeitet, das Fleisch im Sarg verstaut, zwei Ferkel aber schwammen noch im heißen Wasser in der Balje. Und während ich kräftig die blonden Borsten von ihrem Rücken rasierte, trat plötzlich die Frau, bzw. das Mädchen, von dem ich annahm, daß es die Frau meines Kumpels war, in die Küche und erklärte in einem Zustand erstarrter Furcht: »Sie kommen.« Und als ob die

Furcht es ihr unmöglich machte, noch mehr zu sagen, wies sie mit der Hand auf das Fenster, von dem man auf die Trümmerwiese blickte. Mein Kumpel folgte sofort ihrem Wink, sprang ans Fenster, wischte eine Ecke blank und sagte beinahe tonlos: »Es stimmt. Sie kommen tatsächlich.« Nun begann es auch mich zu interessieren, und ich fragte, ohne die scharfe Rasur zu unterbrechen: »Wer kommt da eigentlich?« »Stell dich hierhin«, sagte mein Kumpel, »dann wirst du alles sehen.« So trat ich ans Fenster und entdeckte unten auf der Straße im Trümmergelände einen riesigen Möbelwagen, der von zwei mageren Polizisten flankiert war. »Wollen die Fleisch holen?« fragte ich. »So'n Möbelwagen wäre 'ne gute Verteilerstelle.« »Was du da siehst«, sagte mein Kumpel, »ist die Zwangseinweisung: unsere neuen Mieter. Wir haben uns lange gewehrt, offenbar ohne Erfolg. Sie sollen unser Wohnzimmer haben, ausgerechnet heute.« »Die respektieren nicht mal Omas Begräbnis«, sagte ich. »Schau dir das an«, sagte mein Kumpel, »sie kommen tatsächlich«, und dann, heftig und erregt: »Schnell weg mit dem Fleisch. Weg mit allem.« Er riß eines der rasierten, allerliebsten Ferkel aus der Wanne und feuerte es, nachdem er einige ratlose Blicke durch die Küche geworfen hatte, unter ein altes, giftgrünes Küchensofa. Das zweite Ferkel riß er mir aus den Händen, stürzte auf den Korridor, kehrte verwirrt zurück, stürzte abermals hinaus, und dann bemerkte ich, wie er mit dem Fuß einen schäbigen, mit Wachstuch ausgeschlagenen Kinderwagen heranzog, das Ferkel hineinwarf und die Kissen darüber deckte. Sodann kam er armfuchtelnd zurück, deutete auf den Sarg, wir schlossen ihn, hoben an und wuchteten das Fleischlager in die Toilette, wo wir es hochkant stellten. »Noch etwas?« fragte er. »Mein Deputat«, sagte ich. Er zog mich in die Küche, wo das ruhige, blonde Mädchen Blut von den Kacheln wischte, kippte eine große Schüssel voller Fleisch in meinen Rucksack, schnürte ihn hastig zu, hob ihn an und schubste mich zur Tür. »Los, Alter«, sagte er, »dich können wir jetzt nicht brauchen. Verschwinde mit deinem Deputat. Sieh zu, wie du durchkommst.«

Und bevor ich mich noch bedanken konnte, knallte er die Tür zu. Ich stand draußen im Treppenhaus. Zurück konnte ich nicht, also mußte ich tun, was Cäsar bereits in ähnlicher Lage getan hatte: über meinen Rubikon springen.

Gemächlich zündete ich mir eine Zigarette an und stieg dann, ein bekanntes Morgenlied pfeifend, die Treppe hinab. Wahrscheinlich hätte ich nicht gepfiffen, wenn ich gewußt hätte, daß mein Rucksack gerissen war und das Blut gleichmäßig auf meinen Mantel tropfte. Doch, wie gesagt, ich wußte es nicht, und ich brachte es fertig, mir den Anschein eines vergnügten Frühaufstehers zu geben, für den die Morgenstunde Gold im Munde hat. So gelangte ich bis zur Tür und wollte gerade hirausschlüpfen, als einer der mageren Polizisten unmittelbar vor mir auftauchte. Ich lächelte ihn an, plinkerte und sagte schlicht: »Guten Morgen, Herr Polizeipräsident«, worauf er lächelte und mich gehen ließ. Allerdings nur zwei Schritte, dann rief er mich zurück, griff unwillkürlich zur Pistolentasche, als er sah, mit welcher Regelmäßigkeit Blut aus meinem Rucksack tropfte. »Wen haben Sie da drin?« fragte er.

Mein Kumpel hätte darauf gewiß »unsere Oma« geantwortet; ich hielt jedoch solch eine Antwort für ausnehmend unschicklich und erwiderte statt dessen mit dem bekannten Dichterwort: »Das Glück war niemals mit den Hohenstaufen.« Dann nahm ich den Rucksack ab. »Aufmachen«, befahl der Polizist, doch ich war schon dabei. Besonnen öffnete ich den Rucksack, faßte hinein, zog den Kopf eines Ferkels heraus, auf dem, zu meiner heillosen Verwunderung, ein abgründiges und zufriedenes Lächeln lag. Um die leicht geöffnete Schnauze spielte tatsächlich ein Lächeln, was mich für eine Sekunde nachdenklich machte. Sogleich fand ich jedoch in meine Lage zurück, trat auf den Polizisten zu und drückte ihm, der völlig überrascht war, den Schweinskopf in die Hände. »Bitte«, sagte ich leise, »Ihre Frau täte gut daran, ihn mit Nelken zu schmoren, vielleicht auch mit einem Lorbeerblatt.«

Ihm hatte es die Sprache verschlagen. Er sagte kein Wort, als ich meinen Rucksack aufnahm; er rief mich nicht zurück, als ich davonging: betroffen grübelnd starrte er auf den Schweinekopf, auf dem dies gewisse Lächeln lag. Natürlich weiß ich, wieviel ich diesem Lächeln zu verdanken habe.

IV

Die Not schärft nicht allein die Phantasie, lenkt nicht nur das Denken auf derlei Wünsche wie Sattwerden und Warmwerden, vielmehr ruft die Not auch bizarre Bedürfnisse wach, läßt uns seltsame Handlungen vollbringen, weckt unseren Sinn für erhabene Unnützlichkeit. Das bedeutet soviel, daß mein Markt keineswegs nur profanen Zielen diente, daß er sich nicht darin erschöpfte, eine Arena des primitiven Materialismus zu sein. Im Gegenteil: oft genug erlebte ich Szenen von einer gewagten, wenn auch krausen Poesie, die sich, geistesgeschichtlich gesehen, vielleicht als Vorstufe eines gediegenen Surrealismus bezeichnen läßt. So sah ich beispielsweise in meiner Straße des Schwarzen Marktes eine Dame von zerschlissener Eleganz, die auf dem Rücken ein Zwölfender-Hirschgeweih trug, das sie an den Mann zu bringen hoffte; ich sah zwei junge Burschen, die einen riesigen Spiegel sanft spazierentrugen; ich sah einen Herrn mit einem Vogelbauer, in dem eine Flasche eingesperrt war – vielleicht war sie mit Torpedoöl gefüllt –; einen Invaliden traf ich, der von roten Fahrradschläuchen umwickelt war wie Laokoon von seinen Schlangen, und einmal stieß ich auf eine Frau, die mit dem Lächeln der Mona Lisa Mausefallen anbot, in denen Brotmarken eingeklemmt waren. Szenen von sonderbarem Reiz! Ich hatte ein Auge, sie wahrzunehmen und mitunter auch zu genießen, obschon ich jetzt damit zu tun hatte, die vielen Grüße zu erwidern, die mich erreichten, sobald ich meinen Markt abging. Denn man kannte mich nun bereits, ich hatte einen beträchtlichen Ruf, der für einen Händler, und gar für einen Schwarzhändler, nicht ohne Bedeutung ist.

Die Anerkennung, die ich genoß, machte es möglich, daß ich nunmehr wählen durfte, ich konnte akzeptieren oder zurückweisen, ich hatte die Phase der Zwangsgeschäfte überwunden.

Diesen unbestreitbaren Vorzug verdanke ich unter anderem folgenden Tatsachen: es gelang mir, dem verzweifelten Direktor einer Privatklinik Matratzen für vierundzwanzig Betten zu verschaffen, obwohl es in der ganzen Stadt nachweislich keine neuen Matratzen gab. Ferner hatte ich Erfolg darin, einem bekümmerten Pastor vierhundert Gesangbücher schwarz zu besorgen – woran ich nicht mehr verdiente als einen Gänsebraten und den Segen des milden Mannes. Sodann hatte ich eine glückliche Hand, als es darum ging, zwölf englische Armee-Lastwagen zu verkaufen, von denen ein mir befreundeter Garagen-Offizier behauptete, daß sie überzählig seien. Einen Mißerfolg hatte ich lediglich mit einem hübschen Posten Panzergranaten. Ich hatte sie von meinem alliierten Freund als Pfand für Schnapslieferungen erhalten, und trotz mühevoller Versuche konnte ich keinen Interessenten dafür finden. Von diesem Mißerfolg abgesehen, fügte sich sonst alles zum Annehmbaren, der Gewinn strömte von allen Seiten auf uns zu, so daß ich mich eines Tages in der Lage sah, meiner schwermütigen, athletischen Wirtin eine neue Gummimatte zu schenken, auf der sie, die ehemalige norddeutsche Judo-Meisterin, aus Herzenslust trainieren konnte. Als ihr Lieblingspartner durfte ich mich oft von ihr aufs Kreuz schmeißen oder lapidar außer Gefecht setzen lassen.

Ich erwähne dies, weil es während einer Judo-Stunde war – ich hielt meine Wirtin gerade energisch umklammert, und sie setzte gerade zu einem Befreiungsgriff an –, als es heftig an unserer Wohnungstür klingelte und jener Kumpel auftauchte, der mich zu einem der seltsamsten Geschäfte aufmunterte, auf die ich mich je einließ. Es war ein hochgewachsener, hektischer Kumpel, der hereinkam, ein nervöser Kettenraucher, der nichts bemerkte und den auch nichts befremdete, nicht einmal die Judo-Garnitur, in der wir an die Tür gegangen waren.

»Du bist meine letzte Rettung«, sagte er, »wenn du mir nicht helfen kannst, kann mir keiner helfen. Ich muß dich sprechen.« Ich sah ihn betroffen an und fragte nach einer Weile: »Woher, wenn ich fragen darf, hast du meine Adresse?« »Man hat sie mir empfohlen«, sagte er. »Mehrere Leute meinten, da kann nur Holger-Heinz Lehmann helfen – und das bist du doch?« »Allerdings«, sagte ich, sagte es nicht ohne Genugtuung, denn ich sah, wie es mit meinem Marktwert bestellt war. Höflich bat ich den hektischen Kumpel in die Küche – ich halte mich mit Vorliebe in der Küche auf –, bot ihm einen Stuhl an und lauschte seiner sprudelnden Rede, aus der ich erst nach und nach erfuhr, mit welch einem gewagten Wunsch der Mann zu mir gekommen war.

Mein Besucher, den ich leider nicht immer wörtlich zitieren kann, sagte ungefähr folgendes zu mir: »Mein Vater wird fünfundsiebzig, nicht wahr? Er ist krank, er liegt im Bett, nicht wahr? Trotzdem will die Familie groß feiern. Bei fünfundsiebzig ist es ja auch angebracht. Wir haben den Alten gefragt, nicht wahr, was er sich wünscht zum fünfundsiebzigsten Geburtstag. Weißt du, was er sich wünscht? Ein Denkmal, nicht wahr, ein richtiges, ausgewachsenes Denkmal – nicht von ihm selbst, sondern irgendein schönes Denkmal, auf das er von seinem Fenster aus blicken kann. Mein Alter nämlich ist Präsident eines Heimatbundes, und so, nicht wahr, erwartet er ein Denkmal, das Bezug hat zu seiner Heimat. Bist du mitgekommen bis hier? Also«, so meinte der hektische Kumpel weiter, »was wir brauchen, ist ein ausgewachsenes, volljähriges Denkmal, nicht wahr? Das allein würde den Alten aufrichten, gesund machen, ihm neue Kräfte geben. Er hat uns erklärt, daß er bereit wäre, das Bett zu verlassen, wenn er sein Denkmal bekäme, irgendein solides Denkmal. Damit würdest du, nicht wahr, in gewisser Weise Gutes tun. Ich habe den ganzen Schwarzen Markt abgeklappert – die Leute meinten: ein Denkmal, das könntest nur du besorgen.«

An dieser Stelle schwieg mein Besucher, und ich fragte träumerisch in das Schweigen hinein:»Womit«, fragte ich,»willst du so ein Denkmal bezahlen?«»Zunächst mit Marmelade«, sagte der Kumpel,»mein Bruder hat eine Marmeladenfabrik. Außerdem könnte ich mit Zigaretten bezahlen, mit Zuzugsgenehmigungen, Fettmarken und einem nicht unbedeutenden Posten Taschenkämme, prima Horn. Vielleicht wäre mein Vetter bereit, noch einige Kisten Wachskerzen locker zu machen; jedenfalls sind wir willens, uns das Denkmal einiges kosten zu lassen.«»Handelt es sich um Bienenwachs?« fragte ich.»Bestes Bienenwachs«, sagte der Kumpel, worauf ich mich erhob, ihm die Hand gab und sagte:»Das Denkmal wird rechtzeitig zum Fünfundsiebzigsten geliefert werden. Dein Vater wird zufrieden sein, und ihr hoffentlich auch. Wir halten Wachskerzen und Taschenkämme fest.«

Nachdem ich das gesagt hatte, bedankte sich der Kumpel ungestüm und verließ uns. Ich machte mir eine Notiz in meinem Terminkalender.

Hätte ich gewußt, worauf ich mich bei dem Denkmalsgeschäft eingelassen hatte, wäre die Notiz mir nicht so beiläufig von der Feder geflossen, und ich hätte mein argloses Selbstvertrauen eingebüßt. Vieles war mir auf dem Schwarzen Markt möglich gewesen, und so folgerte ich, daß es mir auch möglich sein müßte, ein Denkmal zu besorgen. Es war eine durch und durch leichtsinnige Folgerung, und meine Lage konnte ich zunächst nicht anders bezeichnen als durch das Dichterwort:»Anfangs wollt' ich fast verzagen, und ich glaubt', ich trüg es nie ...«

Überall ließ ich durchblicken, daß ich an einem ausgewachsenen Denkmal dringend interessiert sei; ich erschöpfte alle Möglichkeiten des Schwarzen Marktes – ohne Resultat. Es war einfach kein Denkmal aufzutreiben, und ich war sicher, an die Grenzen meines Marktes gelangt zu sein. Zwar erhielt ich einige Ersatz-Angebote, beispielsweise eine Büste von Röntgen, dem die Entdeckung der Röntgenstrahlen zu danken ist, sodann einen gut aussehenden Mausoleums-Engel aus

Sandstein, und schließlich sogar ein Sortiment von Schaufensterpuppen, ich konnte mich jedoch nicht entschließen, diese Dinger als Denkmäler anzusehen und zu verkaufen. Melancholie begann mich heimzusuchen, und ich war nahe daran, an der universalen Ergiebigkeit meines Marktes zu zweifeln.

Da begegnete ich Bernard, einem verschmitzten Pionier-Offizier der »Wüstenratten«, der im Zivilberuf Schauspieler war und in seinen Mußestunden Spielzeugpuppen aus aller Welt sammelte. Wir empfanden eine freundschaftliche Zuneigung füreinander, saßen oft im Zimmer meiner Wirtin zusammen, und eines Abends, nie werde ich es vergessen, erhielt Bernard einen Anruf: ich sah, wie ein Leuchten über sein Gesicht zog, wie er vor Glück und Ungeduld zu hampeln begann, und dann rief er: »Meine Jungens haben etwas für mich entdeckt.« »Puppen?« fragte ich. »Wahrscheinlich« sagte er, »jedenfalls etwas, von dem sie glauben, daß es mich interessieren könnte. Wenn du willst, komm mit.«

Sofort war ich bereit, wir sprangen in seinen Jeep und fuhren in der Dämmerung eine Ausfallstraße hinaus, die parallel zum Strom lief. Unterwegs begann Bernard von seiner Puppensammlung zu schwärmen, besonders von einer dickbäuchigen, nur handgroßen Zulu-Puppe, die, wie er sagte, »ein Geheimnis hat, ein verdammt lustiges Geheimnis.« Er hoffte, daß seine Jungens nun etwas für seine Sammlung entdeckt hätten, so fuhr er schnell, und wir erreichten alsbald einen Fabrikzaun, suchten nach der Einfahrt und fuhren auf den Hof. Eine »Wüstenratte« erwartete uns. Wir stiegen aus. Wir ließen uns an einer Mauer entlangführen, in der kalter Brandgeruch steckte, und als wir die Mauer hinter uns hatten und ein großer Platz vor uns lag, blieben wir in spontanem Erschrecken stehen: der ganze Platz war voll von einem Spalier riesiger, mattglänzender Kerle, die Pickelhauben trugen, Säbel schwangen, mit gestreckter Hand westwärts deuteten; einige saßen auf Pferden, anderen standen auf Sockeln, und diese schreckliche, schweigende Versammlung schien in diesem Augenblick den Atem anzuhalten. »Barmherzigkeit«, sagte Bernard, »das ist doch nicht möglich.« Der Posten lächelte. »Wir dachten, Sir«, sagte er »es könnte Sie interessieren, Sir. Sie sammeln doch so'n Zeug. Hier ist alles auf einem Haufen, Sir.« Bernard schwieg, von Ratlosigkeit gepeinigt, und nach einer Weile sagte er ärgerlich: »Das sind keine Puppen, Menschenskind, das sind Denkmäler!« »Entschuldigung, Sir«, sagte der

Posten, »ich dachte, Sie sammeln so was.« »Denkmäler«, flüsterte ich träumerisch. »Was haben die hier zu suchen?« fragte Bernard, und ich spürte, wie seine Enttäuschung in Wut umschlug.

»Das ist so, Sir«, sagte der Posten, »man hat diese Denkmäler hierhergebracht aus ganz Germany. Hier wurden sie eingeschmolzen, dann wurden Granaten aus ihnen gemacht, oder Führungsringe für Granaten. Diese hier wurden vom Frieden überrascht.«

Bernard ging versunken durch das Spalier der riesigen, säbelschwingenden Kerle. Plötzlich drehte er sich um und sagte: »Morgen wird der Schmelzofen wieder angemacht, verstanden?! Und alles, was eine Pikkelhaube trägt oder einen Säbel schwingt: rein in den Ofen. Auch alles, was nach Militär aussieht: rein in den Ofen.«

Sodann fuhren wir schweigend zurück, Bernard tief enttäuscht, ich aber glücklich und erregt über den unverhofften Fund und nach einem Plan grübelnd, wie ich eines der Denkmäler abzweigen könnte. Ich witterte einen hundertprozentigen Reingewinn. Es konnte nicht schnell genug gehen, zumal da ich wußte, welch ein Schicksal Bernard all den Denkmälern zugedacht hatte, und noch in derselben Nacht verständigte ich eine Freundin, die einen Lastwagen laufen hatte, besprach mich mit einigen Helfern, und morgens, unmittelbar nach der Sperrstunde, fuhren wir abermals hinaus zur Schmelzfabrik, auf deren Hof das düstere Spalier pickelhaubentragender, säbelschwingender Denkmäler stand. Ich handelte in Übereinstimmung mit meinem Plan, den ich sorgsam erdacht hatte. Als der Posten herauskam – er erkannte mich sofort wieder –, zog ich ihn in ein umständliches Gespräch; wir nahmen einen herzhaften Schluck aus meiner Taschenflasche, rauchten eine Zigarette, und während dieser Zeit luden meine Gehilfen ein Denkmal des Großen Kurfürsten, das ich ihnen genau bezeichnet hatte, auf den Lastwagen. Es war das einzige zivile Denkmal; der Große Kurfürst trug einen federbesetzten Schlapphut, eine Jagdtasche quer über der Brust, und ans spähende Auge gesetzt hielt er ein riesiges Fernrohr, durch das er offensichtlich die fliehenden Schweden beobachtete. Schon auf den ersten Blick war mir dies Denkmal bekannt vorgekommen, ich glaubte, es in Ostpreußen gesehen zu haben auf einem Hügelchen, von dem aus der Große Kurfürst zufrieden auf das winterliche Kurische Haff starrte, über dessen Eisfläche sich die fliehenden Schweden entfernten. Jedenfalls stach mir das Denkmal, das einzige zivile, sofort ins Auge. Und während ich mit dem Posten plauderte, luden meine Gehilfen den Kurfürsten auf den Lastwagen. Dann, zu gegebener Zeit, kam ich auf den Zweck meines Besuches zu sprechen: ich bat den Posten, einen Blick auf die Ladefläche meines Lastwagens zu werfen und sagte ungefähr so zu ihm: »Sir Bernard«, so sagte ich, »hat gestern befohlen, alle Denkmäler in den Schmelzofen zu stekken. Ich besitze auch ein Denkmal, von dem ich nicht weiß, was ich mit ihm anfangen soll. Am angenehmsten«, sagte ich, »wäre es mir, wenn ihr dieses Ungetüm gleich mit in den Schmelzofen stecktet.« Der Posten der »Wüstenratten« inspizierte eingehend meinen Kurfürsten, dann sagte er: »Das ist ein Zivilist. Er sieht sehr gemütlich aus, und außerdem hat er keine Pickelhaube und keinen Säbel. Warum willst du diesen netten Zivilisten in den Schmelzofen stecken? Ich würde es mir überlegen.«

»So ein Denkmal«, sagte ich darauf, »nimmt ziemlich viel Platz weg, darum möchte ich es gern in den Ofen gesteckt sehen.« »Nein«, sagte die »Wüstenratte« einigermaßen barsch, »wir werden froh sein, wenn wir diese Burschen hier alle im Feuer haben. Denen geschieht es recht mit ihren Pickelhauben und Säbeln. Aber was du bringst, ist eine ehrenwerte Zivilperson, ich schätze: ein leidenschaftlicher Jäger. Ich bin selbst Jäger. Und darum möchte ich dir den guten Rat geben, diesen Burschen, der sicher Hasen beobachtet, wieder mitzunehmen.« »Kommt dieser Rat«, so erkundigte ich mich, »einem Befehl gleich?« »Warum?« fragte der Posten argwöhnisch. »Nun«, so sagte ich, »wenn es ein Befehl ist, so würde ich ihn selbstverständlich ausführen und das Denkmal wieder mitnehmen.« »Es ist ein freundschaftlicher Rat«, sagte der Posten. »Das reicht mir«, sagte ich, worauf ich meinen Gehilfen ein Zeichen gab. Sie kletterten auf die Ladefläche, wir fuhren los, und zwar fuhren wir in eine Siedlungsgegend, in der es intensiv nach Kohl roch. Dort wohnte mein Auftraggeber, der hochgewachsene, hektische Kumpel.

Mit dem mir eigenen Ausdruck von träumerischem Triumph klopfte ich, und als er vor mir stand, wies ich auf den Lastwagen, von dem meine Gehilfen das riesige Denkmal des Großen Kurfürsten herunterwuchteten. Doch nun erlebte ich etwas Seltsames: anstatt Freude zu zeigen, eine Spur von Zufriedenheit, hob der Kumpel erschrocken die Hände und wich instinktiv zurück, wobei er sich schüttelte wie unter einem Kälteschauer. Das Dichterwort, das ich zur Übergabe leise flüstern wollte – es hieß: »Für das, was kommt, sorge mit wachsamem Sinn« – das Dichterwort, wollte ich sagen, blieb mir im Halse stecken, als ich die panische Besorgnis meines Kumpels entdeckte. »Was ist denn?« fragte ich so schroff wie möglich. »Gefällt dir dies Denkmal etwa nicht?« Er nickte, hörte jedoch nicht auf zurückzuweichen, daß ich gezwungen war, ihn mit einem Judogriff festzuhalten. Ich spürte, wie er zitterte. »Was ist denn los?« fragte ich noch einmal. »Um Himmels willen«, sagte er, »das ist es. Das ist das Denkmal, das bei uns zu Hause stand, der Große Kurfürst. Er beobachtet die fliehenden Schweden. Mein Großvater hat für das Denkmal gesammelt.«

»Um so besser«, sagte ich.

Er indes hob resigniert die Schultern und stöhnte:

»Diesen riesigen Klotz, wo sollen wir ihn aufstellen? Wo sollen wir nur hin mit dem Burschen?«

»In den Garten«, sagte ich, »oder aufs Dach. Dein Vater wünscht sich doch ein Denkmal zum Fünfundsiebzigsten.«

»Sicher«, sagte er zerknirscht, »sicher.«

Er wagte nicht mehr, auf den mattglänzenden Koloß zu blicken, zog mich ins Haus, wies lustlos auf das Honorar, auf einen Stapel Wachskerzen und einen anderen mit Taschenkämmen. Meine Gehilfen brachten das Honorar zum Auto. Den Großen Kurfürsten ließen wir im Vorgarten stehen.

Später, Wochen später, erfuhr ich, daß der alte Vater des Kumpels augenblicklich genas, als er das heimatliche Denkmal erblickte. Er ließ eine Bank unter ihm anbringen, saß da oft, bis er sich eine Lungenentzündung holte und starb.

Bald darauf wurde der Große Kurfürst von Schrottdieben gestohlen; sie zersägten und verkauften ihn. Ich aber denke, wenn es mich in jene Gegend verschlägt, immer wieder an dieses seltsame Denkmalsgeschäft, und ich empfinde den Stolz, den ich aus der ganzen Aktion für mich ableiten darf.

V

Der Mensch wird nicht nur durch das bezeichnet, was ihm möglich ist, sondern in gleicher Weise durch das, was ihm unmöglich ist: der Schwarze Markt vermittelte mir diese Einsicht schon sehr zeitig. Mein Markt öffnete mir die Augen darüber, daß nicht nur wir selbst handeln, sondern daß wir auch, ohne es sogleich zu erfahren, gehandelt werden. Jeder von uns hat einen eigenen, durchaus schwankenden Kurswert, jeder steht zu Markte, wird, auch wenn er es nicht spürt, feilgeboten, gekauft oder umgetauscht – und zwar ebenso in schwarzer wie in weißer Währung. Gelegentlich werden wir gehandelt wie Gogols »Tote Seelen« und merken es nicht, merken es erst, wenn wir verspätet erwachen und dann feststellen, daß wir einem neuen Besitzer, einem neuen Herrn oder Fürsten zugeschlagen sind. Manchmal allerdings wissen wir ebensowenig davon, daß wir gleichsam unter der Hand, zur eigenen Überraschung, einen neuen, besseren Kurswert bekommen haben, ohne zu erfahren, woraufhin. Plötzlich sind wir gesucht, umworben, womit ich lediglich sagen möchte, daß niemand allzu voreilig Selbstsicherheit an den Tag legen sollte. Mein Markt, der Schwarze Markt, lehrte mich, daß es nicht ratsam ist, seiner selbst und seiner Taxe allzu sicher zu sein.

Um persönlicher zu werden: zwar hielt ich mich für ein Talent, das in der Lage war, auch einen aparten Mangel zu beheben; zwar wußte ich, daß man mir auf dem Schwarzen Markt ein gewisses Gütezeichen zugesprochen hatte – was ich nicht wußte, und was mich in glücklicher Weise erschrecken ließ, war die Tatsache, daß einige beispielhafte Transaktionen mir den Ruf eingebracht hatten, gewissermaßen ein Rastelli des Schwarzen Marktes zu sein, ein Künstler von beträchtlichen Beschaffungsqualitäten. Das wurde mir bei verschiedenen Gelegenheiten zu verstehen gegeben, und es wurde mir schonungslos demonstriert, als eines Tages Benno Ortscholenko auftauchte und mich für ein Geschäft interessierte, bei dem zweihunderttausend Papiermark zu verdienen waren.

Ich hatte zwar nichts von Benno, dafür aber hatte er etliches über mich gehört, offenbar genug, um abends in unserer Wohnung zu stehen. Er stand am Fenster, als ich eintrat, kehrte uns seinen Rücken zu, seinen massigen Nacken, der einen würfelartigen Kopf trug. Benno war kurzbeinig, untersetzt, seine Hände übermäßig behaart. Sein Gesicht zu schildern ist mir nicht möglich, denn ich habe es nie gesehen. Benno stand am Fenster und blickte in die fallende Dämmerung – so verhandelten wir: er sprach leise auf die Straße hinaus, ich sprach gegen seinen imposanten Rücken, eine Methode, die mich an die Worte Falstaffs erinnerte: »Das bessere Teil der Tapferkeit ist Vorsicht.« Ja, aus Gründen der Vorsicht verbarg Benno mir sein Gesicht, doch was er beabsichtigte, wurde trotzdem klar genug. Benno Ortscholenko sprach ungefähr folgendermaßen: »Wenn du hast Freide – wir können drehen – wie sagt man? – ein Dingsbums können wir drehen. Du kannst besorgen Lastauto, ich kann besorgen Silber. Wenn wir laden Silber auf Lastauto und bringen chierher, jeder wird verdienen serr gut.«

Und in seiner freundlichen, weichen Redeweise erläuterte er dann das Geschäft, das mir zweihunderttausend Papiermark einbringen sollte:

In einem Laubwald bei Kassel hatte Benno einen Posten Silber liegen – silberne Bestecke, Leuchter, Uhrengehäuse und Manschettenknöpfe; er hatte es einfach dort liegen, doch er konnte seinen Besitz nicht genießen, da er keine Möglichkeit fand, ihn über die Zonengrenze zu bringen, denn damals gab es noch eine amerikanische und eine britische Zone. Solche Schätze, die man besaß, ohne über sie verfügen zu können, waren damals nichts Ungewöhnliches. Ebenso schwierig wie die Beschaffung von etwas, war der Transport von etwas; der Transport, insbesondere der schwarze Transport, war eine Kunst für sich, die nicht hoch genug eingeschätzt werden konnte. So ergab sich denn oft der Fall, daß jemand etwas besaß, ohne diesen Besitz handhaben zu können, weil es ihm an Transportmöglichkeiten gebrach.

Benno entwickelte mir den Plan mit dem Silber-Transport ausführlich – mehrere Käufer hielten sich schon bereit –, und nachdem er gegangen war (er sprang einfach behende auf die Straße hinab), ließ ich mir von meiner Wirtin Tee kochen und kalkulierte noch einmal Schwierigkeiten und Gewinn. Ich gestehe, daß wir über den Gewinn ausführlicher sprachen als über die Schwierigkeiten.

Gleichwohl, bei diesem Unternehmen hielt ich es für ratsam, meine Wirtin mitzunehmen, und nicht nur sie: da es zu mir gedrungen war, daß die Amerikaner verläßliche Kindernarren sind, liehen wir uns von dem Kumpel, der mich in die Kunst des Schwarzschlachtens eingeführt hatte, jenes kräftige, mittlerweile gewachsene Baby, das während unserer nächtlichen Fleischerarbeiten so laut geschrien hatte. Da die Rolle des Babys fest in unseren Plan eingebaut war, blieb mir nichts anderes übrig, als meinem Kumpel ein Honorar zuzusichern, eine Leihgebühr für das dralle Kleinkind. Es sollte sich an der britisch-amerikanischen Zonengrenze bewähren. So machten wir uns, nach gewissenhaften Vorbereitungen, auf den Weg: meine Wirtin, ein Chauffeur, das gemietete Baby und ich, um in einem kühnen schwarzen Transport Bennos Silber auf den Markt zu bringen.

Der Lastwagen fuhr mit Holzgas. Das Wetter begünstigte unsere Reise so sehr, daß wir, während wir uns der Zonengrenze näherten, in zufriedener Stimmung mehrere bekannte Wanderlieder sangen. Das kräftige Baby schlief. Es wachte auch nicht auf, als wir den amerikanischen Kontrollposten passierten: zwei hochgewachsene Soldaten durchsuchten das Auto, blickten flüchtig in unsere Papiere und ließen uns, nachdem sie das Baby scherzhaft gekniffen hatten, passieren.

Die Hinfahrt verlief so, wie ich mir die Rückfahrt von ganzem Herzen wünschte, und an einem windstillen, warmen Nachmittag langten wir bei Bennos Mittelsmann an. Das heißt, der Mittelsmann war vorübergehend in Haft, doch seine Frau vortrefflich eingeweiht, und sie führte uns in den Laubwald bei Kassel, in dem der Posten Silber versteckt lag. Der Chauffeur und ich folgten ihr. Ohne Zaudern, ohne ein Zeichen von Unsicherheit führte sie uns in das Gehölz, führte uns auf Umwegen dorthin, so daß wir schließlich die Orientierung verloren. Vor einem Blätterhaufen blieb die Mittelsdame stehen, lächelte versonnen und zog zwei kurzstielige Spaten aus dem Laub, worauf sie uns aufforderte, ohne übertriebenen Lärm zu arbeiten. Wir gruben an einer bezeichneten Stelle, und schon nach wenigen Stichen stießen wir auf eine Schicht Ölpapier, dann auf alte Teerpappe, auf Zementsäcke und wasserdichte Leinwand, und nachdem wir die Schutzdecke entfernt hatten, stießen wir auf eine vergrabene Badewanne, die, wie Benno vorausgesagt hatte, mit Silber gefüllt war: mit Bestecken, Leuchtern, Uhrengehäusen, Konfektschalen und Manschettenknöpfen – alles aus einwandfreiem 888er Silber. Betroffen sahen wir uns an, mit einem Zögern, das für unsere bange Frage nach der Herkunft dieses Silbers stand; allein die Frau unseres Mittelsmannes fühlte sich zeitlich gedrängt; mahnte unaufhörlich zur Eile, und so schleppten wir den Schatz portionsweise zum Lastauto, wuchteten zuletzt die Badewanne auf die Ladefläche und machten uns auf die Rückreise, das heißt auf den Teil der Fahrt, der eigentlich das ganze Risiko barg.

Zunächst irritierte mich die mit Silber gefüllte Badewanne außerordentlich, doch da wir keine anderen Gefäße bzw. Behälter hatten, fand ich mich schließlich damit ab und applaudierte dem Einfall meiner Wirtin. Decke und Kissen und dann das kräftige Kleinkind auf das Silber zu legen. So begann unser Abenteuer.

Wenn ich mich recht erinnere, war unsere Rückreise ein permanentes Abenteuer, das sogleich begann, als wir, vom frühlingshaften Gehölz kommend, auf eine Chaussee hinauffuhren. Es dämmerte bereits, und wir befanden uns unversehens in einer Kolonne überschwerer amerikanischer Panzer. Offenbar verwirrten wir die Panzerfahrer durch unsere Manöver, vielleicht hielten sie uns auch für ein Agenten-Auto, wenigstens dauerte es keine Viertelstunde, bis ein Jeep der Militärpolizei uns aus der Kolonne herauswinkte und stoppte. Da Panzerkolonnen sich nur schwer überzeugen lassen, kamen wir dieser Aufforderung nach, wobei wir durchaus nach den Prinzipien Gandhis handelten. Wir stoppten also und fanden uns augenblicklich einem penetranten Interesse der Militärpolizei ausgesetzt. Sie prüften umständlich, was zu prüfen war: unsere Papiere, die Papiere des Autos, und zuletzt wollten sie auch die Ladung prüfen. Sie hätten sie gewiß geprüft, wenn sie nicht, rechtzeitig genug, das muskulöse Baby entdeckt hätten, das auf dem Posten Silber lag. So begnügten sie sich damit, den Kleinen – er hieß übrigens Karl Zopp – zu kitzeln und schalkhaft zu kneifen, worauf das Baby mit drohendem Brummen reagierte. Erleichtert legte ich meine Hand auf das Knie meiner Wirtin, erleichtert nickte ich dem Chauffeur zu. Der kleine Kerl hatte die Situation unstreitig gerettet, und nachdem die Militärposten uns angewiesen hatten, die Vorbeifahrt der Panzer abzuwarten, sprangen sie von der Ladefläche hinab. Schon wollte ich, von würgendem Druck befreit, Zigaretten herumreichen, als es hinter uns klirrte, rollte und klapperte. Erschreckt wandte ich mich um, und das, was ich sah, war geeignet, mein Blut sei es gefrieren, sei es sieden zu lassen: das stämmige Kleinkind, Karl Zopp, das Baby, das wir als Alibi mitgenommen hatten, stand aufrecht auf dem Posten Silber, balancierte da auf der Badewanne und hatte etwas in der Hand, womit es jetzt, einen dunklen Laut der Wut ausstoßend, auf einen der Militärposten warf, der ihn so liebevoll gekitzelt hatte: es war eine silberne Konfektschale, die unser Kleinkind dem Polizisten in den Rücken warf. Der wandte sich um, duckte sich instinktiv, als ob diesem Geschoß ein Angriff folgen könnte, und tatsächlich: Karl Zopp hatte schon etwas Neues in der Hand, ein silbernes Messer, mit dem er ächzend ausholte, doch unser Chauffeur war schneller, gab ein Beispiel von seltener Geistesgegenwart: mit einem Ruck fuhr er an, so daß der kleine zornige Bursche hinter uns das Gleichgewicht verlor, umkippte und rücklings auf den Posten Silber fiel. Das Messer entglitt seiner Hand. Doch er gab noch nicht auf; obwohl wir fuhren und rasch an Fahrt gewannen, suchte er nach einer Möglichkeit, sich für die zärtlichen Knüffe und Kitzeleien zu rächen, und er feuerte silberne Uhrengehäuse und Manschettenknöpfe wahllos auf die Chaussee, bis meine Wirtin zu ihm sprang und ihn außer Gefecht setzte. Zunächst erwogen wir ernstlich, das Kleinkind zu fesseln, denn unser Karl suchte unablässig nach einer Möglichkeit, an die silbernen Wurfgeschosse zu gelangen. Aber wir konnten uns nicht dazu entschließen. Meine Wirtin nahm ihn auf den Schoß, hielt ihn in einem seltenen Klammergriff und ließ ihn brüllen, was er hingebungsvoll und tränenlos tat.

So fuhren wir eine Weile und warfen unsere Gedanken voraus zur Zonengrenze, an der uns die entscheidende Kontrolle ja erst bevorstand, fuhren also, bis wir auf einmal, mitten in einem Dorf, argwöhnisch die Köpfe hoben und uns bekümmerte Blicke zuwarfen, denn der Holzgasmotor blubberte und zischte, gab ein Geräusch von sich, das wie ein warnendes Murren klang, so daß der Chauffeur zu stoppen gezwungen war, ausstieg, in dem Holzofen herumstocherte und schließlich zu uns kam und enttäuscht sagte: »Der Motor macht's nicht mehr. Schluß. Bis hierher und nicht weiter.« Ich blickte meine Wirtin an, und dabei fielen mir die Worte des Dichters ein: »Es kann ja nicht immer so bleiben, hier unter dem wechselnden Mond.« Diese Worte gaben mir meine Handlungsfreiheit wieder. Auch ich stieg aus, stocherte im Holzgasofen, und, nachdem ich entdeckt hatte, daß hier nichts zu machen war, entschied ich mich dafür, auf den nächsten Zug umzusteigen. Da wir glücklicherweise auf einer abschüssigen Chaussee waren, ließen wir das Lastauto zum Bahnhof rollen, trugen die Wanne mit dem Silber auf den Bahnsteig – das Kleinkind obendrauf – und verabschiedeten unseren Chauffeur, der es vorzog, bei seinem defekten Auto zu bleiben. Wir lösten ordentliche Fahrkarten und warteten auf den nächsten Zug, und obwohl wir mehr als drei Stunden zu warten hatten, verlief die Zeit ungemein rasch, da wir alle Hände voll zu tun hatten, den kleinen Kerl davon abzuhalten, mit massiven silbernen Gegenständen nach dem Stationsvorsteher zu schmeißen, dessen Mütze er verlangt hatte, aber nicht bekam.

Endlich kam der Zug. Der Chauffeur, der Stationsvorsteher und zwei Bahnpolizisten halfen uns, die Wanne, auf der Karl jetzt schlief, ins Abteil zu bugsieren, wobei alle Beteiligten so behutsam wie möglich arbeiteten, um den Kleinen nicht zu wecken. Natürlich wunderte ich mich sehr darüber, daß Karl, unser Baby, schlief; indes, später habe ich erfahren, warum ...

In ihrer Verzweiflung wußte sich meine Wirtin nicht anders zu helfen, als dem Kleinen eine Schlaftablette zu geben. Er schlief ruhig auf dem Posten Silber, und so fuhren wir der Grenze entgegen, der entscheidenden Kontrolle. Außer uns saß noch eine gebildete Dame im Abteil – zumindest sah die Dame gebildet aus. Innig lächelnd blickte sie den schlummernden Karl an, streifte uns dann mit einem anerkennenden Blick, als wollte sie uns zu dem braven Burschen gratulieren. Meine Wirtin und ich hatten nichts dagegen. Dann trat ein, was ich erwartete und was viele erwarten dürfen, die mit einem schlummernden Baby unterwegs sind: die alte, gebildete Dame nahm Karl zum Anlaß für ein Gespräch. Lächelnd erkundigte sie sich nach Karls Alter, nach seinen Krankheiten und der Anzahl seiner Zähne, fragte auch nach der Zusammensetzung seiner Ernährung, worauf meine Wirtin jedesmal mit verblüffender Sachkenntnis antwortete. Später vertraute sie mir an, daß sie diese Kenntnisse in Lehrgängen zur »Ersten Hilfe« gewonnen hatte, die sie einst als Polizistin durchlaufen mußte. Aus derlei höflichen, leisen Erkundigungen der gebildeten alten Dame ergab sich ein Gespräch, und während dieses Gesprächs spürte ich, daß die Unruhe der alten Dame mit der abnehmenden Entfernung zur Zonengrenze wuchs. Ihr Gesicht rötete sich, ihre Hände suchten hoffnungslos nach einem Versteck. Schließlich beugte sie sich vor, zuckte hilflos mit den Achseln und sagte ängstlich: »Was meinen Sie? Ist die Kontrolle scharf an der Grenze?« »Warum?« fragte ich so gelassen wie möglich. »Ich habe etwas bei mir«, sagte sie, »dort im Koffer, etwas, das mitzuführen wahrscheinlich verboten ist.« »Ach«, sagte ich, »wenn man's recht bedenkt, ist heute alles verboten. Wir müssen versuchen, trotz der Verbote zu leben.« »Gewiß«, sagte sie, »doch ich habe etwas bei mir, das speziell verboten ist.« »Kaffee?« fragte ich. »Nein«, sagte sie, »einen Silberbarren, ein hübsches, massives Ding von vier Pfund. Ich habe den Barren eingetauscht.«

Das Schweigen, das darauf folgte, wird jeder deuten und ermessen können, der einen Gaumen für Situationen hat. Heimlich krampften sich meine Finger in den Unterarm meiner Wirtin. Mir fiel nichts mehr ein, nicht mal ein Dichterwort, und meine Wirtin war es, die den Zustand meiner Verstörtheit glücklich überspielte. Ich faßte mich erst wieder, als der Zug seine Geschwindigkeit verringerte und in den Grenzbahnhof einlief. Erst der Augenblick dringender Gefährdung belebte mich wieder, gab mir meine Überlegenheit zurück. Der Zug hielt. Türen wurden geöffnet. Rufe erklangen. Die alte, gebildete Dame hatte ein Taschentuch in den Händen, an dem sie zog und zerrte. Die Schritte der Kontrollbeamten kamen näher, wir hörten sie bereits im Nachbarabteil. Die alte, gebildete Dame öffnete den Druckknopf ihres gehäkelten Kragens. Und dann, als die Schritte auf uns zukamen, lehnte meine Wirtin ihren Kopf an meine Schulter und blickte so zärtlich wie möglich auf das schlummernde Kleinkind, wodurch wir den unwiderlegbaren Eindruck einer armen, aber glücklichen Familie hervorriefen. »Haben Sie illegale Waren?« fragte eine Stimme. Ich hob den Kopf, sah mit der mir eigenen, großäugigen Melancholie den Beamten an – ein Gesicht übrigens, das mir spontan mißfiel. Dieser Mann, ich erkannte es sofort, war entschlossen, zu suchen, zu schnüffeln, er verfügte über keine Großmut, und so sagte ich in zureichender Not: »Diese Dame hat Silber. Schauen Sie mal in ihrem Koffer nach, da ist ein ganzer Barren drin.« Der Kontrollbeamte sah mich skeptisch an, ließ dann den Koffer öffnen und entdeckte tatsächlich einen Silberbarren von zirka zwei Kilo. Berufsmäßiges Glück erfüllte ihn, als er den Barren beschlagnahmte. Er verschwand und kümmerte sich nicht mehr um unser Abteil.

Kurz darauf fuhr der Zug an. Die alte, gebildete Dame lag in einem ohnmachtähnlichen Zustand tief seufzend in ihrer Ecke. Ein Schimmer von mythischer Menschenverachtung lag auf ihrem Gesicht. Erst nach einer halben Stunde öffnete sie die Augen und sah mich an. Ich merkte, daß sie etwas sagen wollte, jedoch keine Worte fand. Diese Zeit benutzte ich, um zu der Badewanne zu gehen und unter dem schlafenden Kind silberne Gegenstände im Gewicht von etwa sechs Pfund hervorzuziehen. Ich legte das Silber neben der Dame auf die Bank und sagte: »Die überzähligen Pfunde sind für den Schreck. Danke, danke vielmals.« Darauf dauerte es nicht lange, bis wir zu einem herzlichen Gespräch zurückfanden. Die alte Dame lud uns zu Streuselkuchen ein. Wir nahmen die Einladung an.

Benno erkannte die sechs Pfund Silber als Schwund an, und ich mußte noch lange an das Dichterwort denken: »Hand wird nur von Hand gewaschen; wenn du nehmen willst, so gib.«

VI

Mit Kummer verfolgte ich die neueren Versuche, jedes Risiko aus der Welt zu verbannen, dafür zu sorgen, daß bei allem, was man tut, kein Wagnis mehr besteht. Der Marktgänger von heute will – im Gegensatz zum Teilnehmer am Schwarzen Markt – vor allem Sicherheit. Er fürchtet sich vor Enttäuschungen. Er fürchtet sich vor dem Irrtum. Er will um jeden Preis Gewißheiten haben, und dabei übersieht er, daß ein Markt der absoluten Gewißheiten ein Markt der Langeweile ist. Ich bin nicht für einen Markt geschaffen, auf dem es keine Abenteuer mehr gibt, keinen Aufruhr, keine Gefahr. Der weiße Markt ist nicht meine Stärke, obwohl sich heute offenbar so viele mit ihm zufriedengeben. Nein, ich brauche einen anderen Markt zu meinem Glück, den Schwarzen Markt, eingedenk des Dichterworts: »Sein Schicksal schafft sich selbst der Mann.« Dazu stehe ich, auch wenn ich zugeben muß, daß ich selbst einmal das Opfer der natürlichen Gefährdung wurde, welcher sich jeder aussetzte, der den Schwarzen Markt besuchte.

Ich glaube, ich sagte schon bei früherer Gelegenheit durchaus zutreffend, daß der Schwarze Markt eine Art Frontgebiet war, oder doch ein Niemandsland, in dem mehr als eine Gefahr auf uns wartete. Wer hier landete, handelte unter einer latenten Bedrohung, wobei ich allerdings hinzufügen muß, daß Augenblicke der Bedrohung ein prächtiger Humus für Geschäftsabschlüsse sind. Die Angst ist der beste Kaufmann: Kapazitäten werden das bestätigen. Die natürliche Bedrohung, so möchte ich einmal sagen, oder das unsichtbare Damoklesschwert, das täglich über meinem Schwarzen Markt hing, bestand darin, daß zu jeder, das heißt auch zu unpassender Zeit, eine Razzia möglich war. Und obwohl man sich darauf einstellte, solche Möglichkeit in Kauf nahm und in entsprechender Weise von ihr beeinflußt wurde, war man doch jedesmal ärgerlich überrascht, wenn man unter die arglistigen Netze einer Razzia geriet.

Auch ich blieb von dieser Möglichkeit nicht verschont. Ich erinnere mich genau: es war ein Märztag, warm wie im Juli, und meine athletische, schwermütige Wirtin hatte mich ins Milchgeschäft geschickt, um Sahne für den Morgenkaffee einzutauschen. Die Sonne schien wirklich so ausgiebig, daß ich dachte, irgend jemand habe sie bewogen, ihre Wärme schwarz abzugeben, und nichtsahnend, solchen heiteren Gedanken hingegeben, schickte ich mich an, mit meiner Milchkanne den Schwarzen Markt zu überqueren, als die Razzia mich ereilte. Sie hatten die Razzia vor dem Frühstück angesetzt. Das Verfahren war befremdlich einfallslos: man riegelte die Straße ab, Pfiffe aus Trillerpfeifen ertönten, unangenehme Kommandos, und wohin das Auge sich auch wandte, überall tauchten, wie Igel aus der Furche, hämische Polizisten auf, die uns verzweifelte Hasen überlegen anlächelten.

Nicht nur die Straße, das ganze Viertel war abgesperrt, und wem es gelang, gleichsam aus den Maschen der Netzflügel zu entwischen, der landete unweigerlich im Schleppsack. Ich brauche nicht zu erwähnen, daß jede Art von Bedrohung sich auf mich derart auswirkt, daß alle Kräfte meiner Geistesgegenwart aufgeboten werden. Mit einer Entrüstung, die durch Höflichkeit vertieft war – ohne ein Zeichen der Panik übrigens oder eingestandener Furcht –, mit höflicher Entrüstung also suchte ich mir den nächstbesten Polizeikommissar aus, ging auf ihn zu und sagte frei mit Luther:»Was Sie thun, kann ich nit verstahn.« Auf diese klassische Beschwerde winkte er schroff und befahl:»Rauf auf's Auto, los!« Und schon waren zwei Kriminalbeamte zur Stelle, die mich, unter Anwendung eines Polizeigriffs, zu einem Lastauto transportierten. Mit Hilfe der Judo-Kenntnisse, die meine Wirtin mir beigebracht hatte, machte ich mich souverän frei und folgte den Beamten mit mürrischer Freiwilligkeit. Sie brachten mich auf einen Lastwagen, nötigten mich, mit zirka fünfundzwanzig Personen auf der Ladefläche Platz zu nehmen und fuhren uns ins nächste Polizeirevier, auf dem man uns dann, sauber nach Anfangsbuchstaben getrennt, eingehend untersuchte.

Ich stand etwa in der Mitte der Schlange, und was mich erfüllte, das war Protest, ein Protest, der unaufhörlich wuchs, sich anstaute und den herauszuschleudern ich mir vornahm, sobald ich an der Reihe sein würde. Ich glaubte mir diesen Protest um so mehr leisten zu können, als ich den Schwarzen Markt lediglich mit der Absicht überquert hatte, Sahne für den Morgenkaffee zu holen.

Und dann war ich an der Reihe, wollte gerade damit beginnen, meinem Unmut freien Lauf zu lassen, als ein niederer Polizeibeamter mich mit beträchtlichem Geschick abklopfte und, zu meiner Überraschung, aus meiner Brusttasche etwa zwölf Zuzugsgenehmigungen herauszog, aus meiner Hosentasche eine Schachtel Navy Cut, aus den Gesäßtaschen das Bargeld, das ich gerade bei mir trug: keine große Summe, vielleicht – alles in allem – vierzehntausend Mark. Stumm legte der niedere Polizeibeamte die Fundsachen auf den Tisch. Ich brauchte nichts mehr zu sagen, vielmehr begnügte sich der Schnellrichter mit einem Wink, worauf man mich für wert genug befand, ins Untersuchungsgefängnis eingeliefert zu werden.

Es war ein kleines, unscheinbares und armseliges Untersuchungsgefängnis, von einer so ins Auge fallenden Dürftigkeit, daß es spontan mein Mitleid hervorrief. Der Raum, in den mich ein alter, mißvergnügter Wärter einschloß, war von einer Schäbigkeit, die mich faszinierte: rieselnder Mörtel, durchgelegene, harte Matratzen, Zugluft, Blechnäpfe, elektrische Fassungen ohne Birnen, wackelige Schemel, gegen dies alles konnte ich nur mit dem Dichterwort aufbegehren: »Raum, ihr Herrn, dem Flügelschlag einer freien Seele.« Doch von meinem Flügelschlag nahm niemand Notiz, nicht einmal mein Zellengenosse, ein gleichgültiger, verhärmter Baumschulenarbeiter, den man bei dem Versuch, tausend junge Lebensbäume auf dem Schwarzen Markt abzuliefern, dingfest gemacht hatte. Seinen Zustand, den ich den ganzen Tag über zu ertragen hatte, möchte ich als eine Art quälender Verwunderung bezeichnen: Bruno, so hieß der Baumschulenarbeiter, hatte von den Chancen des Schwarzen Markts gehört, war gleich mit mehreren Lastern angekommen und wunderte sich nun, daß nicht alles so gegangen war, wie er das erhofft hatte.

Allein also mit Brunos grübelnder, quälender Verwunderung, dachte ich während des ersten Tages an nichts anderes als die Sahne, die meine Wirtin vermissen würde. Doch meine Wirtin erfuhr rasch, wo ich mich befand. Sie erschien, um mich über die Schäbigkeit meiner Umwelt hinwegzutrösten. Außerdem unterrichtete sie mich über den Fortgang der laufenden Geschäfte, wesentlicher Geschäfte übrigens, von denen ausgeschlossen zu sein ich zunächst als äußerst mißlich empfand. So vieles war vorbereitet, angebahnt, daß ich es mir schwerlich erlauben konnte, aus dem täglichen Wirken herausgerissen zu werden, doch, wie ich alsbald merkte, handelte meine schwermütige, athletische Wirtin durchaus in meinem Sinne, und schließlich war ich ja noch immer vorhanden.

In meiner Zelle besprachen wir die dringenden Fälle: die Zuckerladung eines Liberty-Schiffes, das sich der Biskaya näherte, mußte verkauft werden, da die Zuckerpreise fielen; ein Waggon Kunsthonig mußte an die Verteiler gebracht werden; ein Posten amerikanischer Armee-Stiefel mußte gegen Eipulver umgetauscht werden, und ich entschied es in der Zelle des Untersuchungsgefängnisses. Auch in schäbiger Gefangenschaft legte ich die Hände nicht in den Schoß, immer eingedenk der Maxime:»Im Glück nicht stolz sein und im Leid nicht zagen, das Unvermeidliche mit Würde tragen.«

Wir – meine Wirtin und ich – waren noch in flüsterndem Gespräch befangen, als lächelnd, unter Verbeugungen, jedenfalls ohne seine Berufsverdrossenheit, der Wärter erschien und eine elektrische Birne einschraubte. Sodann trug er zwei bequeme Stühle herein, brachte ein Tischtuch, brachte eine Vase mit Blumen, und zuletzt servierte er uns dampfenden Tee und Streuselkuchen. Verwirrt sah ich ihm zu, noch verwirrter aber war Bruno, als er die Annehmlichkeiten gewahrte, zu denen uns der Wärter verhalf. »Was ist los?« fragte er. »Du bist wohl ein großes Tier, was?« – worauf meine Wirtin sagte: »Ich habe mir erlaubt, Ihnen den Aufenthalt zu erleichtern.« Sie lächelte wehmütig, forderte den Wärter mit einem entsprechenden Blick auf, sein Bestes an Mühewaltung herzugeben.

Den exakten Preis, den meine Wirtin für seine Mühewaltung bezahlt hatte, habe ich nie erfahren. Gleichwohl: die Zunahme an Komfort, an individueller Verwöhnung war enorm. Nachdem meine Wirtin gegangen war, brachte uns der Wärter neue Matratzen, brachte auch eine Fußbank, die zur Entspannung der Beine nicht unwichtig ist. Dann nagelte er sogar ein Bild an die Wand, eine Reproduktion freilich, auf der man den eindrucksvollen Untergang eines Lloyd-Postdampfers beobachten konnte. Ich erlaubte mir, diesen Untergang symbolisch auszulegen: was da in den Wellen verschwand, war für mich das schäbige, dürftige Gefängnis-Dasein.

Aus unserer Zelle also lenkte ich die Geschicke meiner schwarzen Geschäfte; der Wärter übernahm die Vermittlung, kleinere Botendienste, die Vollstreckung lag bei meiner Wirtin. Flugs spielte sich alles zufriedenstellend ein, und da ich nichts entbehrte, gab ich meinem angestammten Hang zur Mildtätigkeit nach und wurde – was ich nicht ohne Eitelkeit feststellen darf – der Mäzen unseres kleinen, schäbigen Untersuchungsgefängnisses. Den Wärter machte ich glücklich, indem ich ihm eine garantiert neue Dienstuniform auf dem Schwarzen Markt besorgen ließ – ein Geschenk, womit er nie mehr zu rechnen wagte. So standen ihm bei der Überreichung Tränen der Rührung in den Augen, und seine Frau ließ mir durch ihn, zum Zeichen bescheidener Dankbarkeit, einen Teller Kartoffelpuffer schicken, zu denen ich allerdings das Fett geliefert hatte. Ferner machte ich alle Insassen auf unserem Korridor glücklich, indem ich, zum Zeichen der Solidarität, englische Zigaretten an sie verteilen ließ, woraufhin eine Wolke süßlichen Qualms zu uns hereinstrich, was soviel wie eine aromatische Danksagung schien. Schließlich ließ ich der Küche Fett und dem Direktor des Untersuchungsgefängnisses eine kostbare Hölderlin-Ausgabe zukommen.

Es versteht sich von selbst, daß solch ein spürbares Mäzenatentum nicht unbemerkt bleiben konnte, und so war ich nicht überrascht, als der Direktor mir eines Tages seinen Besuch ansagte. (Schon das war ungewöhnlich, da der Direktor ja im allgemeinen einen Untersuchungsgefangenen zu sich zitierte.) Er ließ sich also melden und erschien kurz darauf: ein ernster, korrekter Mann mit bläulichen Tränensäcken und blondem Haar. Sein Name war Jens Uwe Kienappel. Gleich, nachdem er Platz genommen hatte, entdeckte ich die Spuren heimlicher Verzagtheit auf seinem Gesicht, später einen auf die Zukunft gerichteten, gleichsam engagierten Kummer.

Wir tauschten landläufige Höflichkeiten aus, boten uns gegenseitig Rauchwaren an – ich ihm: eine Senior Service; er mir: mit Zuckerwasser bespritzten Eigenbau, und dann holte er zu vorsichtigem Dank aus. Nein, er scheute sich nicht, mir zu sagen, wie sehr er mir zu Dank verpflichtet sei für die diversen Stiftungen und Schenkungen, für alle Beweise meiner Mildtätigkeit, die eine neue Stimmung unter den Insassen, für die er ja verantwortlich sei, hervorgerufen hätte. Sanft wehrte ich ab. Der Direktor nickte vielsagend und nahm gern eine zweite Senior-Service-Zigarette aus meiner Schachtel. Dann erschien der Wärter in seiner neuen Uniform, führte Bruno unter einem Vorwand hinaus, und nun, da wir allein waren, vertraute mir Jens Uwe Kienappel seinen Kummer an, den ich so früh auf seinem Gesicht entdeckt hatte. Der Grund seines Kummers war simpel: der Direktor erwartete eine Inspektion, und zwar hatte man ihn vorgewarnt, daß eine ministerielle Kommission, die sich mit der Lage der Untersuchungsgefängnisse in Norddeutschland befassen sollte, in das von ihm geleitete Haus stehe. Wenn auch nicht jeden Tag, so sei doch jede Woche mit ihrem Erscheinen zu rechnen, sagte er. Wörtlich: »Ich weiß mir nicht mehr zu helfen. Wenn die Kommission hier erscheint, wird man Mängel entdecken, die so beträchtlich sind, daß man einen Menschen wird finden wollen, dem man dafür die Verantwortung zuschieben kann. Wer wird dieser Mensch sein? Ich! Man wird mir alles zur Last legen: undichte Fenster, rieselnden Mörtel, defekte Öfen, kärgliche Toiletten und einen Speisezettel, der vieles zu wünschen übrigläßt. Und sobald man es mir zur Last gelegt hat, wird man mich gehenlassen, eine Möglichkeit, von der man in ähnlichen Fällen ausgiebig Gebrauch gemacht hat. Einen Mann zu entlassen, um Übelstände zu beseitigen, ist eine wohlfeile Möglichkeit. Aber ich hänge an meinem Beruf, verstehen Sie?«

Ich verstand und sagte: »Jeder hängt an seinem Beruf, oder sollte doch an ihm hängen.«

Der Direktor drückte mir warm die Hand und sprach dann davon, was alles er versucht habe, um die Zustände in seinem Untersuchungsgefängnis zu verbessern. Überall hatte er sich bemüht, Schlosser und Heizungsmonteure zu verpflichten, doch alle hatten höflich abgelehnt, wegen Arbeitsüberlastung, wie sie offiziell schrieben: aber für mich bestand kein Zweifel, daß sie sich nur deshalb geweigert hatten, weil der Direktor nicht in der Lage war, sie auf schwarze Weise zu entlohnen. Seine Mittel – es handelte sich ausschließlich um Papiermark – reichten nicht aus, und auf seine Bitten an die Gefängnisbehörden, ihm Seife oder Dauerwurst zu schicken, damit er die Handwerker bezahlen könne, hatte man ihm eine Verwarnung erteilt. Kienappel war am Ende, sein Vorrat an Ideen erschöpft. Ich merkte, daß legitime Verzweiflung ihn zu mir geführt hatte sowie die Aussicht, daß die ministerielle Kommission in sein Haus stand.

Die Verzweiflung eines andern hat mich seit je angerührt, und diesmal rief sie zusätzlich meinen Ehrgeiz wach. Ich erhob mich, reichte dem Direktor die Hand und versprach, seine Sorgen zu meinen Sorgen zu machen, und zwar mit einer Dringlichkeit, die für den schleunigen Erfolg garantiert. Sodann lud ich den Verzweifelten zu einem Likör ein, und danach trennten wir uns mit einer angedeuteten Umarmung.

Kaum war der Direktor fort, da ließ ich den Wärter rufen, schickte ihn zu meiner Wirtin, und der Wärter brachte meine Wirtin in einem Polizei-Auto zu mir. Wir verhandelten nur kurz, denn meine Wirtin besaß als ehemalige weibliche Polizeikraft eine gut ausgebildete, instinktive Reaktionsfähigkeit. Und am nächsten Tag bereits zogen mehrere Trupps von Handwerkern in das kleine, armselige Untersuchungsgefängnis: Glaser, Maurer, Tischler und Installateure, die in einer Weise zu Werke gingen, daß sie durchaus die Forderungen des Dichterworts erfüllten: »Frisch Gesellen, seid zur Hand.« Ein Hämmern, Schleifen, Bohren und Klopfen begann, daß mehrere Untersuchungsgefangene lärmkrank zu werden drohten und Proteste laut werden ließen; ich mußte diese Leute beschwichtigen, und ich tat es, indem ich ihnen Rauchwaren und kalorienhaltige Zusatzkost verschaffte, die sie über den Lärm brachten. Und die Handwerker, mit Kunsthonig und Eipulver vor dem geistigen Auge, gaben ihr Bestes her, was zur Folge hatte, daß unser Untersuchungsgefängnis rapide ein anderes Gesicht anzunehmen begann. Täglich besuchte mich der Direktor, Jens Uwe Kienappel; unsere Gespräche, auch unsere Liebe zur Literatur, brachten uns einander näher, und eines Abends zeigte er mir ein Photoalbum mit Familienbildern, die ich aufmerksam betrachtete. Dann zogen die Handwerker ab und ließen ein Haus zurück, das sich, ohne sonderliche Übertreibung, mit einem dieser gefälligen skandinavischen Wohnheime bestimmt hätte messen können: es machte einen derartigen Eindruck, daß Bruno nahe daran war, Stolz zu empfinden.

Und an dem Tag, da Bruno nahe daran war, erschien die Kommission: drei Herren – wie mir der Direktor später sagte –, die auf alles gefaßt waren. Um so größer war ihr Erstaunen, als sie durch das Gebäude geführt und auf die neue Einrichtung hingewiesen wurden. Ihr Wesen schlug in Begeisterung um, als der Direktor sie einlud, von der Gefängniskost zu probieren. Diese Mahlzeit dauerte zwei Stunden. Und als dann die Kommission in meine Zelle trat – der Direktor hielt sich im Hintergrund und plinkerte mir zu –, da hatte ich das eigentümliche Gefühl, daß einer der Herren verlangend, mit eingestandener Sehnsucht unseren Raum musterte. Wahrscheinlich hätte er, wenn auch nicht alles, so doch einiges dafür gegeben, hier Untersuchungsgefangener zu sein.

Es entsprach nur unserer Erwartung, daß Direktor Kienappel eine Belobigung erhielt und bald darauf befördert wurde. Mich vergaß er nicht. Er bot mir an, Ehren-Insasse des Untersuchungsgefängnisses auf Lebenszeit zu bleiben – eine Auszeichnung, die ich aus einer Laune annahm. Außerdem setzte er sich dafür ein, daß meine Verhaftung als Irrtum anerkannt wurde.

Heute wäre dies alles nicht mehr möglich. Mein Markt, der Schwarze Markt, hat aufgehört zu bestehen, einstweilen zumindest. Die Zeit des Abenteuers ist vorläufig dahin, und ich habe meine Schwermut ausgenutzt, um ein wenig aus dieser Zeit zu erzählen. Wird sie wiederkehren? Wie immer – einen Trost hat jetzt der Dichter Herder zur Hand: »Was die Schickung schickt, ertrage! Wer ausharret, wird gekrönt!«

1959

Barackenfeier

Damals lebten wir in einer Baracke mit Tarnanstrich, sieben Familien in sieben Räumen, und von den alten Jegelkas trennte uns nur eine Wand aus zerknittertem Packpapier. Wie eine Ansammlung von reglosen Schiffen lagen die Baracken in der verschneiten Ebene, leichte, hölzerne, transportable Bauwerke, kühn konzipiert von den Architekten des 20. Jahrhunderts, Gemeinschaftswasserleitung, Gemeinschaftstoilette, dazu von außen ein Tarnanstrich: weiße gezackte Zungen, dunkelgrüne hochschlagende Flammen, rostrote ungleichschenklige Dreiecke – gegen Sicht waren wir sehr gut geschützt. Nachdem die Feuerwerker verschwunden waren, die hier während der letzten Kriegsjahre getarnt an einer Mehrzweck-Mine gefeilt hatten, machten sie die Baracken zu einem Auffanglager, zweigten ein Rinnsal von dem großen Treck ab und ließen die Baracken einfach vollaufen, bis jeder Winkel ausgenutzt war. Auch Mama wurde hier aufgefangen wie all die andern, die das Trapez der Geschichte verfehlt hatten; wir erhielten einen der sieben Räume und dekorierten ihn mit den Sachen, die Mama während der ganzen Flucht mitgeschleppt hatte: mit dem Elchgeweih, dem riesigen Küchenwecker und dem Vogelbauer, in dem sie jetzt Papier aufbewahrte.

Wir hatten so viel zu tun, um satt zu werden, warm zu werden, daß wir uns um kein Datum kümmerten, und wir hätten auch nichts von Weihnachten gemerkt, wenn nicht Fred zurückgekommen wäre aus dem Donezbecken. Nur weil sie ihn zu Weihnachten aus der Gefangenschaft entlassen hatten, wußten wir, daß es uns bevorstand; doch obwohl wir es nun wußten, erwähnten wir es nie, forschten nicht heimlich nach Wünschen, handelten nicht lieb hinterm Rücken. Fred machte sich ein Lager aus Zeitungspapier, deckte sich mit seiner erdgrauen Wattejacke zu und schlief Weihnachten entgegen, vier Tage und vier Nächte, während Mama und ich frierend herumgingen und verhalten mit den alten Jegelkas zankten, um für Fred Ruhe zu schaffen.

Als uns der Heilige Abend ereilt hatte, war immer noch kein Wort über Weihnachten gefallen, doch jetzt stand Fred auf, hauchte die Eisblumen vom Fenster, blickte lange über die traurige Landschaft Schleswig-Holsteins und zu dem rötlichen Himmel über der Stadt; dann ging er hinaus, rasierte sich über dem Gemeinschaftsausguß, und als er zurückkam, sagte er:»Ich fahr' mal in die Stadt rüber.«

Gegen Mittag spürte ich, daß Mama mich am liebsten rausgeschickt hätte, doch sie sagte nichts, und da nahm ich mir einen der kratzigen Zuckersäcke, verschwand heimlich, stapfte durch den Schnee zum Bahndamm, stieg den Bahndamm hinauf, dort wo die Steigung beginnt und die Züge langsamer fahren. Hinter einem Baum, einem harzverkrusteten Fichtenstamm, wartete ich. Es begann heftig zu schneien, und die Schienen blinkten matt in der Dämmerung. Ich trampelte, um die Füße warm zu bekommen, denn es war wichtig für den Sprung auf den fahrenden Zug; der Fuß mußte den Sprung kalkulieren, verantworten: mit einem gefühllosen Fuß war man verraten wie der kleine Kakulka, der sich enorm verschätzte und es bezahlen mußte.

Den D-Zug, der wie ein Büffel durch das Schneetreiben donnerte, ließ ich in Ruhe, aber der Güterzug dann: von weitem schon hörte ich ihn rattern, schlingern, und ich kam hinter dem Baum hervor, machte mich fertig zum Sprung. Ich fühlte mich nicht sehr sicher, denn ich hatte kein verläßliches Gefühl im Sprungbein, doch ich war entschlossen, den Güterzug anzugreifen. Und da kam er heran: eine schwarze, drohende Stirn, die durch das Schneegestöber stieß, die Lokomotive, der Tender, auf dem die Kohlen lagen, die uns Wärme bringen sollten an den Weihnachtstagen. Ich streckte die Hände aus, suchte nach dem Gestänge; in diesem Augenblick hörte ich den Ruf des Heizers, sah sein Gesicht oder vielmehr das Weiße seiner Zähne, und ich entdeckte den gewaltigen Kohlenbrocken, den er über dem Kopf hielt und jetzt zu mir herabschleuderte. Der Heizer wußte, daß wir manchmal an der Steigung des Bahndammes warteten, wenn die Kohlenzüge kamen: diesmal hatte er auf uns gewartet.

Ich schob den gewaltigen Brocken in den Zuckersack, rutschte den Bahndamm hinab, stapfte durch den Schnee zu den getarnten Barakken und blieb zwischen den Erlen stehen, als ein Schatten den Lehmweg herunterkam. Es war Fred.»Schnell«, sagte er,»ich kann nicht so lange draußen bleiben.« Er zeigte auf eine Zigarrenkiste; der Deckel hatte eine Anzahl von Luftlöchern, und im Kasten kratzte und scharrte und flatterte es. Gemeinsam betraten wir die Baracke, schoben uns zu unserm Appartement. »Woher kommst du?« fragte ich Fred. »Vom Schwarzen Markt«, sagte er, »das ist eine sehr gute Einrichtung.« In unserm Raum hatte sich etwas verändert. Es war da eine ganz gewisse Verwandlung erfolgt Auf einer Bierflasche steckte eine Kerze, und das Elchgeweih, das Mama als wesentliches Fluchtgepäck mitgeschleppt hatte, war mit Tannengrün behängt. Auch an den Wänden hing Tannengrün, nur der Küchenwecker war nackt und ungeschmückt – vielleicht, weil man kein Tannengrün an ihm befestigen konnte. Aber es hatte sich noch mehr geändert, und ich brauchte eine Weile, bis ich merkte, daß der Vogelbauer fehlte. »Wo ist denn der Käfig?« fragte Fred. »Hier«, sagte Mama und ließ uns in einen Topf blicken, in dem ein weißliches Stück Speck lag; »ich habe den Käfig eingetauscht gegen den Braten. Das ist mein Geschenk.« – »Und das ist mein Geschenk«, sagte Fred und gab Mama die Zigarrenkiste, in der es kratzte und scharrte und flatterte. Vorsichtig öffnete Mama die Kiste, doch nicht vorsichtig genug; denn als sie den Deckel lüftete, schoß ein Dompfaff heraus, kurvte durch den Raum und ließ sich erschöpft auf dem Küchenwecker nieder.

Jetzt wandten sich beide mir zu, blickten auf den Sack, forschend, räuberisch, und da erlöste ich den Kohlebrocken mit dem Hammer. Wir heizten ein, daß der Kanonenofen glühte und das Packpapier, das uns von den alten Jegelkas trennte, zu knistern begann vor Hitze; und dann brachte Mama den geschmorten, glasigen Speck auf den Tisch: schweigend aßen wir, mit fettigen Mündern; nur unser Seufzen war zu hören, mit dem wir die Wärme in uns aufnahmen, ein tiefes, neiderregendes Seufzen über die unermeßliche Wohltat, die uns geschah, und Fred zog seine erdbraune Wattejacke aus, ich den Marinepullover, so daß wir schließlich nur im Hemd dasitzen konnten – winters in einer Baracke im Hemd! – und auch jetzt noch die Wärme spürten, die unsere Gesichter rötete, das Blut in den Fingern klopfen ließ. Und dies vor allem spüre ich, wenn ich an das Weihnachten von damals denke: die erbeutete Wärme, und ich höre Mama sagen: »Daß sich keiner, ihr Lorbasse, unterstehen mecht', das Fensterche aufzumachen oder de Tier: den schmeiß ich eijenhändig raus, daß er Weihnachten haben kann mit de Fixe, pschakref.«

1959

Die Dicke der Haut

Brunswik hatte einen Masseur ins Haus bestellt, und ich fuhr noch vor dem Frühstück raus zu ihm und meldete mich an: Ich wurde bereits erwartet. Ein verhärmtes Mädchen öffnete, führte mich eine Treppe hinauf, führte mich zu einer schmalen Tür und klopfte und ließ mich rein. Er lag auf einer fellbedeckten Couch, regungslos, mit schlapp herabhängenden, fleischigen Armen. Brunswik lag auf dem Gesicht. Sein weiches Rückenfleisch schimmerte sanft im Fensterlicht, tief gefaltet war der saubere Nackenspeck, hochgedrückt zur Seite das hängende Kinn: Der Atem ging schnell und angestrengt. Von unten erklang das Jaulen eines Hundes.

»Kommen Sie«, sagte Brunswik, »fangen Sie an.«

»Ja«, sagte ich, »sofort«, und ich machte mich fertig zur Massage. Leicht tatschte ich kleine Spritzer der Fettcreme auf seinen Rücken, auf die weichen Hüften, den Nacken, und jedesmal zuckte er unter der kühlen Berührung des Fettes zusammen, unter dem geringen Druck meiner Fingerkuppen.

»Gleich«, tröstete ich ihn, »gleich ist es vorbei.«

Er richtete sein Gesicht auf und nickte, und ich sah, daß Brunswik sehr jung war.

Wieder erklang, laut und auflehnend, das Jaulen des Hundes unter uns, und als ich dem Jaulen nachlauschte, sagte Brunswik: »Von mir aus können Sie beginnen.«

Und ich begann: Milde verstrich ich die Fettcreme, rieb sie in die gelbliche Haut, griff behutsam in das weiche Rückenfleisch und zog eine Drucklinie herab, während er leise seufzte und keuchte.

»Gut«, seufzte er, »so ist gut.«

In diesem Augenblick jaulte der Hund auf wie unter einem plötzlichen Schmerz, und ich sagte: »Hören Sie das?«

»Ja«, sagte er, »ich höre.«

»Der scheint was zu haben, der Hund.«

»Sicher«, sagte Brunswik, »er hat Hunger. Der Hund jault vor Hunger, das ist in jeder Woche so. Er wird sich schon daran gewöhnen.«

»Ihr Hund«, fragte ich.

»Ja«, sagte er.

Ich entdeckte neben dem tief im Rückenspeck liegenden Schulterblatt einen Knoten, weich setzte ich an, drückte mit dem Handballen, schob den Knoten mit dem Daumen auf: Brunswik stöhnte jetzt, schlug sein Gesicht aufs Kissen, aber ich ließ nicht nach.

»Da sitzt es«, sagte ich.

»Ja«, sagte er, »da an der Schulter.«

Ich ließ die Fingerkuppen sorgfältig den Konturen des Knotens nachspüren, trommelte schwach, drückte dann wieder, bis Brunswik leise aufschrie.

»Ist genug«, bat er, »nicht mehr da.«

Schweigend nahm ich mir die andere Schulter vor, und als der Hund unten zu winseln begann, fragte ich: »Was fehlt Ihrem Hund?«

»Nichts«, seufzte er, »gar nichts. – Aber das tut ihm gut, wenn er hungert. Anderthalb Tage in der Woche muß er hungern. So ein Hund muß wissen, von wem er das Futter bekommt, und daß das Futter nicht etwas Alltägliches ist. Außerdem ist Hunger gut für Hunde. Wer seinen Hund liebt, muß ihn hungern lassen.«

»Sicher«, sagte ich, »aber anderthalb Tage sind viel.«

Und ich walkte und knetete jetzt das hängende Hüftfleisch, rollte es beidhändig zwischen Daumen und Zeigefinger, kniff und zupfte, und Brunswik schloß unter der schmerzhaften Wohltat die Augen.

Er röchelte leise, das pünktliche Gefühl unwiderstehlicher Schläfrigkeit stellte sich ein: Gleich, dachte ich, gleich wird er einschlafen. Ich knetete die schlappen, fleischigen Arme durch, strich mit langem Druck bis zum Bizeps hinauf – oder doch bis zu der Stelle, wo sich sonst der Bizeps befindet: Ein kleines, wohliges Stöhnen drang aus Brunswiks Mund, ein unartikuliertes Heimweh nach Schlaf.

Plötzlich erklang das Jaulen des Hundes, erklang hell und ungeduldig, ein Jaulen der Freude. Brunswik hob mißtrauisch den Kopf, lauschte, und als dem Jaulen ein erregtes Gebell folgte, erhob er sich, winkte mir, an meinem Platz zu bleiben, und trat ans Fenster. Und während er mißtrauisch dastand und hinablauschte, sah ich ihn an: die weißen, muskellosen Beine, den hängenden Hüftspeck, den fahlen und gewölbten Nacken; rasch senkte und hob sich die weiche, unbehaarte Brust, aufmerksam bewegten sich die kleinen Augen in den blassen Fettpolstern: Das freudige Gebell des Hundes wiederholte sich nicht.

Müde kam Brunswik zur Couch zurück, lachte schwach, wälzte sich auf die Felldecke und nickte mir zu, die Massage fortzusetzen. Und als ich mit den Handkanten seine Hinterbacken bearbeitete, fest klopfte, um das Fleisch zu straffen, wurde die Tür geöffnet. Das verhärmte Mädchen schaute herein, atemlos, mit den großen Augen der Furcht. Ich unterbrach das Klopfen, und Brunswick fragte: »Ist das Frühstück fertig?«

»Ja«, sagte das Mädchen leise.

»Habt ihr alles bekommen? Warmen Räucheraal, frische Mayonnaise?«

»Es ist alles da«, sagte das Mädchen. »Den Aal schickt uns jetzt die Räucherei, jeden Morgen.«

»Wir sind gleich fertig«, sagte Brunswik.

»Aber der Hund«, sagte das Mädchen.

»Er bekommt erst morgen mittag was.«

»Nein«, sagte das Mädchen, »der Hund, ich glaube, der Hund stirbt. Irgendwer hat ihm etwas über den Zaun geworfen. Und er hat es gefressen, und jetzt liegt er unter den Johannisbeeren und zuckt. Vielleicht haben sie ihm etwas Giftiges gegeben, weil er immer so jaulte.«

»Ich werde nachsehen«, sagte ich, »ich geh mal runter.«

Das Mädchen brachte mich runter, zeigte mir den Garten und die schwarzen Johannisbeeren, und unter dem Busch lag der Hund. Es war ein magerer, braungefleckter Hund: Friedlich, die Pfoten ausgestreckt, so lag er auf der Seite im Gras unter den Johannisbeeren. Die Schnauze war leicht geöffnet, winzige, grünliche Schaumblasen standen an seinen Lefzen: Der Hund zuckte jetzt nicht mehr, er war tot.

»Was soll ich mit ihm machen?« fragte das Mädchen.

»Gar nichts«, sagte ich.

Langsam ging ich zum Haus zurück, in das Couchzimmer, wo mein Zeug war. Brunswik war verschwunden. Ich packte alles zusammen, zog den Regenmantel an, nahm meine Aktentasche und ging hinaus auf den Flur. Und jetzt ging eine Tür auf, die Tür zum Frühstückszimmer: Brunswik saß allein an einem Tisch, saß, nur mit einem gestreiften Bademantel bekleidet, vor seinem Kaffee, vor Platten mit Räucheraal, Wurst, Geflügel, feinem Speck und Eiern, und während er mit einem Löffel Mayonnaise auf ein Brot kleckste, lächelte er mich an und rief: »Bis morgen, bis morgen um dieselbe Zeit.«

»Ja«, sagte ich, »ja.« Aber ich wußte, daß ich log.

1959

Der längere Arm

»Immer, wenn du Pech hast«, sagte Ruth Eisler gereizt, »denkst du gleich an diesen alten Godepiel. Du glaubst wohl, er habe nichts anderes zu tun, als für dein Pech zu sorgen.«

»Er hat nichts anderes zu tun«, sagte Eisler, »oder doch nichts Besseres.«

Sie saß ihm gegenüber und beobachtete, wie er aß: eine junge Frau, in dünnem, gestreiftem Kleid, blond, mit einem Ausdruck müder Mißbilligung. Ihre Haut war großporig, in den fleischigen Händen, die sie auf dem Tisch gefaltet hielt, erschienen kleine Dellen. Sie sah zu, wie er mit heftigen Bewegungen Marmelade auf den Toast kleckste, den blauen Kunststofflöffel mürrisch durch die Eierschale stieß, und mit unhörbarem Seufzen blickte sie auf die Krümel und die kleinen, gezackten Splitter der Eierschale neben seinem Teller – so als kalkulierte sie bereits das Maß an Arbeit, das er ihr heute hinterlassen würde.

»Jetzt muß er aufhören«, sagte Eisler. »Nun hat er uns erledigt. Wenn ich meine Papiere von der Firma habe, bleibt ihm nichts mehr. Die Entlassung ist das letzte, was er uns besorgte.«

Während er sprach, sah er in die Tasse hinein, auf den leicht schwappenden, ölig schimmernden Kaffee. Eisler trug ein weißes Hemd mit gestärktem Spitzkragen, einen engsitzenden Flanellanzug; sein Nacken war sauber rasiert.

»Ich weiß nicht, was er jetzt noch vorhat«, sagte er, »aber alles, was bisher gewesen ist, haben wir ihm zu verdanken. Er hat uns geschafft.«

Im Nachbarhaus begann die Schleifmaschine zu arbeiten, mit der sie den Fußboden abzogen; ein Jaulen drang zu ihnen, ein hohes, ratterndes Sirren wie von einem riesigen gefangenen Insekt, das seine harten Flügel wundstieß, und die Frau zog ihr Kleid zusammen, als ob sie plötzlich zu frieren begonnen hätte, während er ruckartig die Tasse absetzte.

»Du hast ihn nicht gesehn«, sagte Eisler, »du weißt ja nicht einmal, wie Godepiel aussieht. Ah, du solltest dabeigewesen sein damals; sein Gesicht: gütig, väterlich, ein echtes Kaufmannsgesicht, ausgetrocknet in der Korrektheit seines Versicherungsinstitutes. Vielleicht war's auch ein feinsinniges Gelehrtengesicht. Hanseatische Kaufleute haben ja fast alle Gelehrtengesichter, wenigstens liest man das zu ihrem Jubiläum in der Zeitung. Trocken und korrekt, ja; und in seinem Gesicht war zu lesen, daß alle Unglücksfälle, gegen die man bei ihm versichert war, vorbildlich nach Tabelle vergütet wurden.« Er unterbrach sich, sah sie erwartungsvoll an.

»Hör auf, Eisler«, sagte die Frau. In den letzten beiden Jahren ihrer Ehe hatte sie damit angefangen, ihn bei seinem Nachnamen zu nennen – lange bevor alles mit Godepiel begonnen hatte. Sie blickte sich schnell um, als ob sie etwas suchte, womit sie sich beschäftigen könnte, nur um ihm nicht zuhören zu müssen; doch ehe sie sich erhob, begann es wieder, setzte ein wie eine Grammophonnadel, die mehrere Rillen der Platte übersprungen hat, so daß sie, einem stärkeren Zwang nachgebend, sitzenblieb.

»Du willst es nicht hören«, sagte er, »aber ich bin es nicht allein, der von Godepiel erledigt wurde. Wenn ich mich recht erinnere, leben wir beide von meinem Gehalt.« Einlenkend legte er eine nach oben geöffnete Hand auf den Tisch und lächelte. Die Frau blickte nicht auf. »Ruth«, sagte er, »komm her, Ruth.«

Die Schleifmaschine kreischte jetzt auf wie eine Bandsäge, die einen verborgenen Nagel erwischt hat. Gleich darauf war wieder nur das Sirren zu hören.

»Du brauchst dir keine Sorgen zu machen«, sagte Eisler. »Das ist das letzte, was Godepiel tun konnte. Sie haben mich entlassen, weil er es wollte, aber ich werde bald etwas Neues haben; du weißt selbst, daß sie heute überall Architekten brauchen. Vielleicht wird es uns sogar besser gehn als jetzt ... Ich werde es schon machen, Ruth.«

»Sicher«, sagte sie gequält, »du wirst es schon machen, Eisler.«

»Und eines Tages werde ich Godepiel alles zurückzahlen.«

»Ich weiß, du hast es jeden Morgen gesagt.«

Er hauchte auf seine großen Manschettenknöpfe, polierte sie am Jackettärmel und stand auf und trat hinter den Stuhl seiner Frau. Unsicher blickte er auf sie hinab; er haßte es, sie vorwurfsvoll zurückzulassen, wenn er fortging, aber diesmal wußte er, daß er lange brauchen würde, um ihre müde Mißbilligung, diese träge Verachtung, die sie für ihn zu empfinden schien, aus der Welt zu schaffen. Er überlegte, ob er es versuchen sollte, sie umzustimmen, bevor er fortging, und er legte die Hände auf ihre Schulter und sagte: »Godepiel ist jetzt am Ende, aber wir, wir fangen erst an. Einmal werden wir den Kasten aufmachen, und dann wird er was erleben. Er hat sich ausverkauft. Wir aber haben unsern Trumpf noch in der Hand.«

»Hör auf, Eisler«, sagte sie müde, »du hast nichts mehr in der Hand.«
»Du weißt genau, was ich meine; du hast es selbst gesehn.«
»Es ist nichts mehr da«, sagte sie, ohne ihn anzublicken, »der Kasten
ist leer.«

Er zog die Hände von ihrer Schulter, trat zögernd zurück, stand eine
Weile reglos hinter ihr, und sie hielt die Aufschläge ihres Ausschnitts
sehr fest über der Brust zusammen und wartete schweigend. Er fragte
leise – und sie hörte die Drohung in seiner Stimme –:
»Ist der Schädel weg, Ruth?« Sie nickte.
»Hast du ihn aus dem Kasten genommen?«
»Ja«, sagte sie, »ich habe ihn herausgenommen und fortgebracht.«

Er ging um sie herum, seine Hand schoß blitzschnell vor, und er hob
ihr Gesicht und zwang sie, ihn anzusehen. »Weißt du, was du getan
hast? Ich glaube es nicht; ich kann mir nicht denken, daß meine eigene
Frau das Beweisstück verschwinden läßt, für das ich alles in Kauf
nahm. Du kannst das nicht getan haben.«
»Warum nicht?« fragte sie.
»Weil ich es mir aufgehoben hatte für einen einzigen Augenblick, in
dem ich Godepiel alles zurückzahlen wollte, was er uns getan hat.«

Ihr Wangenfleisch schob sich unter seinem gewaltsamen Griff an
den Backenknochen auf, sie suchte aus seinem Griff herauszukom-
men, bog den Kopf hin und her, doch er hielt sie sehr fest und beugte
sich über sie und sagte: »Wo ist er? Wo?«
»Laß mich los«, sagte sie.
»Weißt du, was du getan hast? Ja, weißt du das?«
»Ja«, sagte sie, während sie den Kopf nach hinten warf und aus seiner
Klammer herauskam. Und mit einem Ausdruck ihrer trägen Verach-
tung: »Und jetzt hör mir zu, Eisler, jetzt möchte ich dir etwas sagen.«
»Ach, ich könnte dich ...«, sagte er.
»Ja«, sagte sie müde, »ich weiß; später kannst du es tun, aber jetzt
setz dich hin und hör mir zu.«

Die Schleifmaschine rumpelte, als ob von einer Schütte Kohlen in
einen Keller polterten, sirrte wieder und arbeitete mit einem durch-
dringenden Pfeifton weiter, und Eisler preßte beide Hände auf seine
Ohren und schloß verzweifelt die Augen. Sein Mund war geöffnet,
doch kein Laut drang aus ihm, so als fehlte ihm selbst die Kraft zu
einem Stöhnen.
»Hör mir zu«, sagte die Frau. »Du wolltest wissen, warum ich den

Schädel wegbrachte. Gut, Eisler, ich habe ihn weggebracht, damit uns nicht dasselbe noch einmal passiert.«

»Was«, sagte er gereizt, »was soll uns noch einmal passieren?«

»Das will ich dir sagen, hör mir nur zu; ich hatte Angst und Phantasie und von allem genug, um diese Geschichte verstehen zu können, und da ich in ihr drinstecke, habe ich mir lange überlegt, welche Rolle jeder von uns darin spielt. Und soviel weiß ich jetzt: der alte Godepiel mit seinem edlen Kaufmannsgesicht spielt nicht die schäbigste Rolle.«

»Wer denn?« fragte Eisler scharf.

»Als ihr das alte Bürohaus abgerissen habt, damals – du weißt; Godepiels Privatversicherung seit drei Generationen –, da bist du auf die Trümmer gestiegen, und in einem Winkel zwischen Balken und Mauerbrocken fandest du den Schädel.«

»Nicht nur den Schädel«, sagte er vorwurfsvoll. »Ich fand ein ganzes Skelett. Du mußt schon genauer sein.«

»Wart nur ab; Schädel oder Skelett: du fandest in dem alten, verwinkelten Bürohaus, das eure schwingende Eisenkugel zusammenschlug, die Spur von irgend etwas, denn der Schädel oder das Skelett lag in einem Hohlraum, und du sahst natürlich sofort, daß der Schädel an einer Stelle zersplittert war von einem Schuß. Du hast den andern nichts gesagt von deiner Entdeckung.«

»Wem hätte ich es sagen sollen?«

»Du hast den Schädel in die Aktenmappe gesteckt und bist damit nach Hause gekommen und hast auch mir nichts erzählt von deiner Entdeckung.«

»Es gibt Dinge, die ein Mann für sich behalten muß«, sagte Eisler schnell und in einem Ton ärgerlicher Abwehr.

»Sicher«, sagte sie, »und als du das Ding hier zu Hause hattest, kamst du auf diese Idee, auf die nur ein Mann wie du kommen kann. Du bist zum alten Godepiel rausgefahren, und in deiner Tasche wurde der Schädel wahrscheinlich immer schwerer – oder? Und du hast dich bei ihm melden lassen – Architekt Eisler von der Glunz-Bau AG –, hast seinen Sherry getrunken, und als es dir an der Zeit schien, hast du dein Mitbringsel für ihn ausgewickelt – statt Blumen.«

»Das mußt du aufschreiben«, sagte Eisler. Überlegen lächelnd zündete er sich eine Zigarette an, behielt sie zwischen den Lippen, und der Rauch kräuselte sich an seinem gedunsenen Gesicht vorbei und zwang ihn, die Augen zu Schlitzen zusammenzuziehen. »Red nur«, sagte er mit einer hochmütigen Handbewegung, »wenn du fertig bist, komme ich dran.«

»Der alte Godepiel war sehr höflich, und er war sicher auch zu dem Schädel mit der Einschußstelle sehr höflich und merkte anscheinend gar nicht, was du ihm gebracht hattest. Du warst gewiß erstaunt, als der korrekte Kaufmann dein verstecktes Angebot überhörte und offenbar nicht begreifen konnte, was es für seinen Namen, sein privates Versicherungsinstitut bedeuten könnte, wenn du deine Entdeckung ausposaunt hättest. Schließlich würde ich mich auch nicht so gern bei einem Mann versichern lassen, in dessen Büro Skelette eingemauert sind – eine Reklame ist das nicht unbedingt.«

Sie unterbrach sich, sah ihn forschend an, merkte, daß er sehr sicher und in einer Haltung lässiger Überlegenheit dasaß, und sie fuhr fort: »Du hast ihm genau zu verstehen gegeben, was dieser Schädel wert war, und als er nicht darauf einging ...«

»Hör auf«, sagte Eisler plötzlich. Er nahm die Zigarette aus dem Mund.

»Warum«, sagte sie, »wir wollen doch nur feststellen, welche Rolle jeder von uns spielte.«

»Du hast etwas vergessen. Ich habe Godepiel gesagt, daß sein Vater diesen Schädel sofort erkannt hätte. Was ich in dem alten Bürohaus gefunden habe, war das Skelett meines Großvaters. Mein Großvater war Teilhaber von Godepiels Vater, und du weißt, daß er eines Tages verschwand.«

»Ja, ich weiß es«, sagte die Frau, »ich habe es von dir gehört. Doch obwohl es dein Großvater war, den du in der Aktentasche zu Godepiel brachtest, schien der träumerische Kaufmann immer noch nicht zu verstehen, warum du gekommen warst und wodurch er deine Entdeckung aufwiegen könnte. Er schien überhaupt nichts zu verstehen, auch als du wieder fortgingst und den Schädel mitnahmst, mit dem du Godepiel gelegentlich daran erinnern wolltest, wieviel er dir wert war.«

»Von Geld ist nie die Rede gewesen«, sagte Eisler.

»Man kann über Geld sprechen, ohne dies Wort zu gebrauchen, und ihr habt die ganze Zeit nur darüber gesprochen, denn ihr habt euch sehr gut verstanden, alle beide – so gut, wie man sich unter Leuten eures Schlages nur versteht. Es ist nichts offen geblieben, und auf deine Anfrage kam prompt eine Antwort.«

»Welche Antwort?« fragte er und sah sie haßerfüllt an, mit dem verblüfften Haß eines Mannes, der sich von seiner Frau durchschaut fühlt.

»Dieser Kaufmann mit dem feinen Gelehrtengesicht hat dir gezeigt, welch ein schäbiger Anfänger du bist«, sagte sie. »Natürlich wußte er, was für ihn auf dem Spiel stand – ah, er kannte den Wert dieses Schädels genau. Aber er taxierte den Wert insgeheim; es gehört zu den Spielregeln, das entscheidende Interesse zu verbergen und den Partner ›kommen zu lassen‹, wie man sagt. Du hast die Spielregeln verletzt, weil du nur an Barzahlung dachtest, und er hat dir die Antworten gegeben, die du verdienst. Verstehst du, Eisler? Er wollte dir deinen Fund nicht abkaufen, weil es ihm Freude machte, dir zuerst eine Lehre zu erteilen. Er hat sie dir erteilt.«

Der Mann saß zusammengesunken da, den massigen Nacken gebeugt; er wollte etwas sagen, doch die Schleifmaschine sirrte auf wie ein Metallbohrer, und er winkte kapitulierend ab und preßte die Zähne aufeinander.

»Godepiel ließ dich ziehen mit deinem wertvollen Großvater in der Aktenmappe«, sagte die Frau, und auf ihrem Gesicht lag der Ausdruck eines traurigen Triumphes. »Er ließ dich einfach gehen, als ob dein Fund ihn überhaupt nicht interessierte; doch wie sehr er ihn interessierte, haben wir ja bald zu spüren bekommen, als wir plötzlich einen neuen Hausbesitzer hatten und aus der Wohnung rausmußten. Weißt du noch, wie lange wir brauchten, um zu erfahren, wer der neue Hausbesitzer war? Ja? Siehst du; das war die erste Antwort auf dein schäbiges Angebot.«

»Hör endlich auf«, sagte Eisler, »ich weiß das schließlich selbst.«

»Aber du hast es vergessen. Und als dein Modell für die neue Siedlung auf einmal nicht mehr unter den letzten fünf Entwürfen war, obwohl die Jury vorher ...«

»Ist mir alles bekannt«, sagte er, ohne sie anzublicken.

»Siehst du, und jetzt hat er dir wieder eine Antwort auf dein Angebot gegeben: in der Firma haben sie dir die Papiere in die Hand gedrückt. Godepiel wollte dir nur die Lehre erteilen, daß man seine Möglichkeiten prüfen muß, bevor man so etwas anfängt. Seine Antwort war deutlich genug. Du bist ein schäbiger Anfänger, Eisler.«

Er hockte unbeweglich da, schob dann tastend seine Hand zu ihr hinüber und fragte, indem er in die Tasse blickte: »Was soll denn werden, Ruth?«

Sie musterte seine Hand mit Widerwillen, doch ohne Erstaunen; sie wußte, daß diese Hand kalt und feucht war, und sie ließ sie liegen und sagte:»Ich bin hingegangen und habe ihm den Schädel gebracht. Nach allem, was gewesen ist, hat er einen Anspruch darauf. Wenn du alles zusammenrechnest, hat er ihn jetzt bezahlt.«

Er stand auf und trat hinter sie und begann, ihre Schultern leicht zu massieren, und er spürte, wie sie unter dem ersten Druck seiner Finger zusammenzuckte.

»Was bezahlt ist, ist bezahlt«, sagte sie leise.

»O Gott«, sagte er, »was soll ich denn tun, Ruth?«

»Trink deinen Kaffee aus«, sagte sie, »ich kann ihn nicht wegschütten.«

1959

Ein Freund der Regierung

Zu einem Wochenende luden sie Journalisten ein, um ihnen an Ort und Stelle zu zeigen, wie viele Freunde die Regierung hatte. Sie wollten uns beweisen, daß alles, was über das unruhige Gebiet geschrieben wurde, nicht zutraf: die Folterungen nicht, die Armut und vor allem nicht das wütende Verlangen nach Unabhängigkeit. So luden sie uns sehr höflich ein, und ein sehr höflicher, tadellos gekleideter Beamter empfing uns hinter der Oper und führte uns zum Regierungsbus. Es war ein neuer Bus; ein Geruch von Lack und Leder umfing uns, leise Radiomusik, und als der Bus anfuhr, nahm der Beamte ein Mikrophon aus der Halterung, kratzte mit dem Fingernagel über den silbernen Verkleidungsdraht und hieß uns noch einmal mit sanfter Stimme willkommen. Bescheiden nannte er seinen Namen – »ich heiße Garek«, sagte er; dann wies er uns auf die Schönheiten der Hauptstadt hin, nannte Namen und Anzahl der Parks, erklärte uns die Bauweise der Mustersiedlung, die auf einem kalkigen Hügel lag, blendend unter dem frühen Licht.

Hinter der Hauptstadt gabelte sich die Straße; wir verloren die Nähe des Meers und fuhren ins Land hinein, vorbei an steinübersäten Feldern, an braunen Hängen; wir fuhren zu einer Schlucht und auf dem Grunde der Schlucht bis zur Brücke, die über ein ausgetrocknetes Flußbett führte. Auf der Brücke stand ein junger Soldat, der mit einer

Art lässiger Zärtlichkeit eine handliche Maschinenpistole trug und uns fröhlich zuwinkte, als wir an ihm vorbei über die Brücke fuhren. Auch im ausgetrockneten Flußbett, zwischen den weißgewaschenen Kieseln, standen zwei junge Soldaten, und Garek sagte, daß wir durch ein sehr beliebtes Übungsgebiet führen.

Serpentinen hinauf, über eine heiße Ebene, und durch die geöffneten Seitenfenster drang feiner Kalkstaub ein, brannte in den Augen; Kalkgeschmack lag auf den Lippen. Wir zogen die Jacketts aus. Nur Garek behielt sein Jackett an; er hielt immer noch das Mikrophon in der Hand und erläuterte mit sanfter Stimme die Kultivierungspläne, die sie in der Regierung für dieses tote Land ausgearbeitet hatten. Ich sah, daß mein Nebenmann die Augen geschlossen, den Kopf zurückgelegt hatte; seine Lippen waren trocken und kalkblaß, die Adern der Hände, die auf dem vernickelten Metallgriff lagen, traten bläulich hervor. Ich wollte ihn in die Seite stoßen, denn mitunter traf uns ein Blick aus dem Rückspiegel, Gareks melancholischer Blick, doch während ich es noch überlegte, stand Garek auf, kam lächelnd über den schmalen Gang nach hinten und verteilte Strohhalme und eiskalte Getränke in gewachsten Papptüten.

Gegen Mittag fuhren wir durch ein Dorf; die Fenster waren mit Kistenholz vernagelt, die schäbigen Zäune aus trockenem Astwerk löcherig, vom Wind der Ebene auseinandergedrückt. Auf den flachen Dächern hing keine Wäsche zum Trocknen. Der Brunnen war abgedeckt; kein Hundegebell verfolgte uns, und nirgendwo erschien ein Gesicht. Der Bus fuhr mit unverminderter Geschwindigkeit vorbei, eine graue Fahne von Kalkstaub hinter sich herziehend, grau wie eine Fahne der Resignation.

Wieder kam Garek über den schmalen Gang nach hinten, verteilte Sandwiches, ermunterte uns höflich und versprach, daß es nicht mehr allzu lange dauern würde, bis wir unser Ziel erreicht hätten. Das Land wurde hügelig, rostrot; es war jetzt von großen Steinen bedeckt, zwischen denen kleine farblose Büsche wuchsen. Die Straße senkte sich, wir fuhren durch einen tunnelartigen Einschnitt. Die Halbrundungen der Sprenglöcher warfen schräge Schatten auf die zerrissenen Felswände. Eine harte Glut schlug in das Innere des Busses. Und dann öffnete sich die Straße, und wir sahen das von einem Fluß zerschnittene Tal und das Dorf neben dem Fluß.

Garek gab uns ein Zeichen, Ankündigung und Aufforderung; wir zogen die Jacketts an, und der Bus fuhr langsamer und hielt auf einem lehmig verkrusteten Platz, vor einer sauber gekalkten Hütte. Der Kalk blendete so stark, daß beim Aussteigen die Augen schmerzten. Wir traten in den Schatten des Busses, wir schnippten die Zigaretten fort. Wir blickten aus zusammengekniffenen Augen auf die Hütte und warteten auf Garek, der in ihr verschwunden war.

Es dauerte einige Minuten, bis er zurückkam, aber er kam zurück, und er brachte einen Mann mit, den keiner von uns je zuvor gesehen hatte. »Das ist Bela Bonzo«, sagte Garek und wies auf den Mann. »Herr Bonzo war gerade bei einer Hausarbeit, doch er ist bereit, Ihnen auf alle Fragen zu antworten.«

Wir blickten freimütig auf Bonzo, der unsere Blicke ertrug, indem er sein Gesicht leicht senkte. Er hatte ein altes Gesicht, staubgrau; scharfe, schwärzliche Falten liefen über seinen Nacken; seine Oberlippe war geschwollen. Bonzo, der gerade bei einer Hausarbeit überrascht worden war, war sauber gekämmt, und die verkrusteten Blutspuren an seinem alten, mageren Hals zeugten von einer heftigen und sorgfältigen Rasur. Er trug ein frisches Baumwollhemd, Baumwollhosen, die zu kurz waren und kaum bis zu den Knöcheln reichten; seine Füße steckten in neuen, gelblichen Rohlederstiefeln, wie Rekruten sie bei der Ausbildung tragen.

Wir begrüßten Bela Bonzo, jeder von uns gab ihm die Hand, dann nickte er und führte uns in sein Haus. Er lud uns ein, voranzugehen, wir traten in eine kühle Diele, in der uns eine alte Frau erwartete; ihr Gesicht war nicht zu erkennen, nur ihr Kopftuch leuchtete in dem dämmrigen Licht. Die Alte bot uns faustgroße Früchte an, die Früchte hatten ein saftiges Fleisch, das rötlich schimmerte, so daß ich am Anfang das Gefühl hatte, in eine frische Wunde zu beißen.

Wir gingen wieder auf den lehmigen Platz hinaus. Neben dem Bus standen jetzt barfüßige Kinder; sie beobachteten Bonzo mit unerträglicher Aufmerksamkeit, und dabei rührten sie sich nicht und sprachen nicht miteinander. Nie trafen ihre Blicke einen von uns. Bonzo schmunzelte in rätselhafter Zufriedenheit.

»Haben Sie keine Kinder?« fragte Pottgießer.

Es war die erste Frage, und Bonzo sagte schmunzelnd: »Doch, doch, ich hatte einen Sohn. Wir versuchen gerade, ihn zu vergessen. Er hat sich gegen die Regierung aufgelehnt. Er war faul, hat nie zu etwas getaugt, und um etwas zu werden, ging er zu den Saboteuren, die überall für Unruhe sorgen. Sie kämpfen gegen die Regierung, weil sie glauben, es besser machen zu können.« Bonzo sagte es entschieden, mit leiser Eindringlichkeit; während er sprach, sah ich, daß ihm die Schneidezähne fehlten.

»Vielleicht würden sie es besser machen«, sagte Pottgießer. Garek lächelte vergnügt, als er diese Frage hörte, und Bonzo sagte:

»Alle Regierungen gleichen sich darin, daß man sie ertragen muß, die einen leichter, die andern schwerer. Diese Regierung kennen wir, von der anderen kennen wir nur die Versprechungen.«

Die Kinder tauschten einen langen Blick.

»Immerhin ist das größte Versprechen die Unabhängigkeit«, sagte Bleiguth.

»Die Unabhängigkeit kann man nicht essen«, sagte Bonzo schmunzelnd. »Was nützt uns die Unabhängigkeit, wenn das Land verarmt. Diese Regierung aber hat unsern Export gesichert. Sie hat dafür gesorgt, daß Straßen, Krankenhäuser und Schulen gebaut wurden. Sie hat das Land kultiviert und wird es noch mehr kultivieren. Außerdem hat sie uns das Wahlrecht gegeben.«

Eine Bewegung ging durch die Kinder, sie faßten sich bei den Händen und traten unwillkürlich einen Schritt vor. Bonzo senkte das Gesicht, schmunzelte in seiner rätselhaften Zufriedenheit, und als er das Gesicht wieder hob, suchte er mit seinem Blick Garek, der bescheiden hinter uns stand.

»Schließlich«, sagte Bonzo, ohne gefragt worden zu sein, »gehört zur Unabhängigkeit auch eine gewisse Reife. Wahrscheinlich könnten wir gar nichts anfangen mit der Unabhängigkeit. Auch für Völker gibt es ein Alter, in dem sie mündig werden: wir haben dieses Alter noch nicht erreicht. Und ich bin ein Freund dieser Regierung, weil sie uns in unserer Unmündigkeit nicht im Stich läßt. Ich bin ihr dankbar dafür, wenn Sie es genau wissen wollen.«

Garek entfernte sich zum Bus, Bonzo beobachtete ihn aufmerksam, wartete, bis die schwere Bustür zufiel und wir allein dastanden auf dem trockenen, lehmigen Platz. Wir waren unter uns, und Finke vom Rundfunk wandte sich mit einer schnellen Frage an Bonzo: »Wie ist es wirklich? Rasch, wir sind allein.« Bonzo schluckte, sah Finke mit einem Ausdruck von Verwunderung und Befremden an und sagte langsam:

»Ich habe Ihre Frage nicht verstanden.«

»Jetzt können wir offen sprechen«, sagte Finke hastig.

»Offen sprechen«, wiederholte Bonzo bedächtig und schmunzelte breit, so daß seine Zahnlücken sichtbar wurden.

»Was ich gesagt habe, ist offen genug. Wir sind Freunde dieser Regierung, meine Frau und ich; denn alles, was wir sind und erreicht haben, haben wir mit ihrer Hilfe erreicht. Dafür sind wir ihr dankbar. Sie wissen, wie selten es vorkommt, daß man einer Regierung für irgendwas dankbar sein kann – wir sind dankbar. Und auch mein Nachbar ist dankbar, ebenso wie die Kinder dort und jedes Wesen im Dorf. Klopfen Sie an jede Tür, Sie werden überall erfahren, wie dankbar wir der Regierung sind.«

Plötzlich trat Gum, ein junger, blasser Journalist, auf Bonzo zu und flüsterte:»Ich habe zuverlässige Nachricht, daß Ihr Sohn gefangen und in einem Gefängnis der Hauptstadt gefoltert wurde. Was sagen Sie dazu?« Bonzo schloß die Augen, Kalkstaub lag auf seinen Lidern; schmunzelnd antwortete er:»Ich habe keinen Sohn, und darum kann er nicht gefoltert worden sein. Wir sind Freunde der Regierung, hören Sie? Ich bin ein Freund der Regierung.«

Er zündete sich eine selbstgedrehte, krumme Zigarette an, inhalierte heftig und sah zur Bustür hinüber, die jetzt geöffnet wurde. Garek kam zurück und erkundigte sich nach dem Stand des Gesprächs. Bonzo wippte, indem er die Füße von den Hacken über die Zehenballen abrollen ließ. Er sah aufrichtig erleichtert aus, als Garek wieder zu uns trat, und er beantwortete unsere weiteren Fragen scherzhaft und ausführlich, wobei er die Luft mitunter zischend durch die vorderen Zahnlücken entweichen ließ.

Als ein Mann mit einer Sense vorüberging, rief Bonzo ihn an; der Mann kam mit schleppendem Schritt heran, nahm die Sense von der Schulter und hörte aus Bonzos Mund die Fragen, die wir zunächst ihm gestellt hatten. Der Mann schüttelte unwillig den Kopf: er war ein leidenschaftlicher Freund der Regierung, und jedes seiner Bekenntnisse quittierte Bonzo mit stillem Triumph. Schließlich reichten sich die Männer in unserer Gegenwart die Hand, wie um ihre gemeinsame Verbundenheit mit der Regierung zu besiegeln.

Auch wir verabschiedeten uns, jeder von uns gab Bonzo die Hand – ich zuletzt; doch als ich seine rauhe, aufgesprungene Hand nahm, spürte ich eine Papierkugel zwischen unseren Handflächen. Ich zog sie langsam mit gekrümmten Fingern ab, ging zurück und schob die Papierkugel in die Tasche. Bela Bonzo stand da und rauchte in schnellen, kurzen Stößen; er rief seine Frau heraus, und sie, Bonzo und der Mann mit der Sense beobachteten den abfahrenden Bus, während die Kinder einen mit Steinen und jenen farblosen kleinen Büschen bedeckten Hügel hinaufstiegen.

Wir fuhren nicht denselben Weg zurück, sondern überquerten die heiße Ebene, bis wir auf einen Eisenbahndamm stießen, neben dem ein Weg aus Sand und Schotter lief. Während dieser Fahrt hielt ich eine Hand der Tasche, und in der Hand die kleine Papierkugel, die einen so harten Kern hatte, daß die Fingernägel nicht hineinschneiden konnten, sosehr ich auch drückte. Ich wagte nicht, die Papierkugel herauszunehmen, denn von Zeit zu Zeit erreichte uns Gareks melancholischer Blick aus dem Rückspiegel. Ein schreckhafter Schatten flitzte über uns hinweg und über das tote Land; dann erst hörten wir das Propellergeräusch und sahen das Flugzeug, das niedrig über den Eisenbahndamm flog in Richtung zur Hauptstadt, kehrtmachte am Horizont, wieder über uns hinwegbrauste und uns nicht mehr allein ließ.

Ich dachte an Bela Bonzo, hielt die Papierkugel mit dem harten Kern in der Hand, und ich fühlte, wie die Innenfläche meiner Hand feucht wurde. Ein Gegenstand erschien am Ende des Bahndamms und kam näher, und jetzt erkannten wir, daß es ein Schienenauto war, auf dem junge Soldaten saßen. Sie winkten freundlich mit ihren Maschinenpistolen zu uns herüber. Vorsichtig zog ich die Papierkugel heraus, sah sie jedoch nicht an, sondern schob sie schnell in die kleine Uhrtasche, die einzige Tasche, die ich zuknöpfen konnte. Und wieder dachte ich an Bela Bonzo, den Freund der Regierung: noch einmal sah ich seine gelblichen Rohlederstiefel, die träumerische Zufriedenheit seines Gesichts und die schwarzen Zahnlücken, wenn er zu sprechen begann. Niemand von uns zweifelte daran, daß wir in ihm einen aufrichtigen Freund den Regierung getroffen hatten.

Am Meer entlang fuhren wir in die Hauptstadt zurück, der Wind brachte das ziehende Kußgeräusch des Wassers herüber, das gegen die unterspülten Felsen schlug. An der Oper stiegen wir aus, höflich verabschiedet von Garek. Allein ging ich ins Hotel zurück, fuhr mit dem Lift in mein Zimmer hinauf, und auf der Toilette öffnete ich die Papierkugel, die der Freund der Regierung mir heimlich anvertraut hatte: sie war unbeschrieben, kein Zeichen, kein Wort, doch eingewickelt lag im Papier ein von bräunlichen Nikotinspuren bezogener Schneidezahn. Es war ein menschlicher, angesplitterter Zahn, und ich wußte, wem er gehört hatte.

1959

Ball der Wohltäter

Nur deine Unterschrift, sagte Puchta, deine volle, leserliche Unterschrift, dann darfst du dich ausziehen und hinlegen, darfst sogar mit Schuhen ins Bett gehen, und ich werde mich erkenntlich zeigen und dir die Flasche bringen, die ich dir gestern noch vorenthielt. Du fühlst dich nicht in der Lage? Entschuldige, doch es gelingt mir nicht, dies zu glauben: seinen Namen kann man in jedem Zustand schreiben; der Analphabetismus wurde ja gerade deshalb so vorzüglich bekämpft, damit jeder in der Lage ist, einen Schuldschein zu unterschreiben, und mehr verlange ich nicht von dir, Barbara Bredow, nur diese Bestätigung, daß du mir sechshundert Mark schuldest, den Preis für die Eintrittskarte, die dich berechtigte, auf dem Wohltätigkeitsball zu erscheinen. Und du erinnerst dich doch wohl wo, und fast möchte ich auch sagen: wem du in der letzten Nacht erschienst, und zwar so wirkungsvoll, daß man schon viel für dich empfinden muß, um dein Erscheinen vergessen zu können. Also unterschreib!

Sehr gut, das ist eine zulässige Frage: du willst zunächst wissen, warum ich dich nicht vorher unterschreiben ließ, gestern abend schon, als ich dir die Karte brachte, noch vor dem Ball. Zu meinem Bedauern kann ich diesmal nicht unter mehreren Antworten wählen, so wie in besseren Tagen, und darum mußt du mit der dürftigen Wahrheit vorliebnehmen. Willst du es wirklich wissen? Dann hör mir zu und schau mich an, schau mich an, damit du noch einmal den Mann siehst, der so phantasielos war, auch dann noch auf deinen Namen zu setzen, als alle anderen dich bereits wie eine Art Legende zu Lebzeiten behandelten. Hast du nie bemerkt, wie ungläubig, wie verwirrt und beinahe ärgerlich einige Leute reagierten, als sie erfuhren, daß du immer noch am Leben bist? Natürlich wünschten sie nicht deinen Tod, aber sie hätten jede Erinnerung an deine Legende einer leibhaftigen Begegnung mit dir vorgezogen, und zwar alle: Kessler, Grodeck und der gewaltige Knoop von Knoop & Overbeck. Wahrscheinlich haben sie dir auch deshalb keine Chance mehr gegeben, weil sie nur zu gut wußten, daß es niemandem gelingt, es mit seiner Legende aufzunehmen; ich wußte es nicht oder mißtraute doch dieser Regel so sehr, daß ich die Karten für den Ball sozusagen blind kaufte wie eine sichere Aktie. Ich hatte erfahren, daß sie alle auf dem Wohltätigkeitsball sein würden, Kessler, Grodeck und Knoop, und ich empfand für die Strafgefangenen von Kiriganda, denen der Erlös des Balls ja zugedacht war, eine unvorhergesehene persönliche Sympathie – einfach weil durch sie eine Chance für dich entstand. (Vielleicht erinnerst du dich, daß Kessler und die andern zuletzt nicht einmal auf deine Briefe antworteten, daß deine Telephongespräche in den Vorzimmern deiner einstigen Freunde ausliefen, obwohl, und ich selbst habe sie gesehen, deine Photographien von ihren Wänden herunterlächelten und zwar mit der einladenden Traurigkeit, die deine Spezialität war.) Wie meinst du? Ich habe nichts dagegen, wenn du den Kauf der Eintrittskarte eine Kapitalanlage nennst, zumindest erschien mir der Ball als lohnende Investition, und darum suchte ich dich hier in dieser schäbigen Pension auf, wo wir uns auch zum letztenmal gesehen hatten. Es schien mir ausgeschlossen, daß du inzwischen die Wohnung gewechselt haben könntest; ich kam herein, und bevor ich noch zu dir kam, ging ich in die Küche und kochte Kaffee, schmierte dir Brote, und es stellte sich heraus, daß mein Argwohn recht behielt: du lagst im Bett, lauschtest auf das summende Geräusch des laufenden Plattenspielers, auf dem keine Platte lag. Das sind Vorgeschichten? Warte nur ab und täusche dich nicht: für die meisten endet das Leben in Vorgeschichten, und es zeigt sich, daß sie vollkommen ausreichen, um uns zu widerlegen.

Jedenfalls hatte ich Mühe, dich auf nüchternen Magen zu überzeugen; erst nachdem du den Kaffee getrunken, alles Brot gegessen hattest, begannst du einzusehen, welch eine Chance dieser Ball bot, der zum Wohl der Strafgefangenen von Kiriganda veranstaltet wurde. Er gab dir Gelegenheit, mit all denen zusammenzukommen, die du immerhin zwei Jahre lang ergebnislos zu erreichen versucht hattest, darunter den gewaltigen Knoop von Knoop & Overbeck.

Erinnerst du dich? Wir haben eines deiner Kleider ausgeliehen von deiner Wirtin (du hattest es ihr als Pfand für nicht bezahlte Miete überlassen), dann hast du dich angezogen, und während du vor dem Spiegel saßest, legte ich eine Platte auf, deine letzte Platte: weißt du noch, wie du zusammenzucktest, wie du erschrocken die Hände auf die Ohren preßtest? Du hattest Angst, dich selbst zu hören, deiner

Stimme zu begegnen, bis ich dich zwang, es zu tun; ich mußte dich rücksichtslos daran erinnern, was auf dem Spiel stand. Diese Rücksichtslosigkeit schien sich zu lohnen, denn nach einer Weile – stell dir vor – sahst du glücklich aus, zum ersten Mal in zwei Jahren; glücklich, das heißt: du ertrugst dich. Das soll nicht wahr sein? Dann mußt du dir abgewöhnen, nur ein Unglück als Wahrheit anzusehen. Immerhin sah ich dich lächeln mit deiner einladenden Traurigkeit (vielleicht war es auch nur eine vorsichtige Imitation deines einstigen Lächelns), und ich war plötzlich zuversichtlich, so fuhren wir nach Bellkamp hinaus. Das ist dir bekannt? Ich langweile dich? Um so besser: jetzt weiß ich zumindest, daß du mir folgen kannst; außerdem solltest du dankbar sein für jeden Augenblick der Langeweile – die Selbstabnutzung wird nachweislich geringer, sobald wir uns langweilen.

Wir fuhren also hinaus nach Bellkamp, es hatte geregnet, und ein neuer Regen lag in der Luft, wir fuhren an duftlosen Gärten vorbei, und du wünschtest dir ein Leichentuch aus Astern. Ich empfand diesen Wunsch als unangebracht; es erschien mir vorerst wichtiger, über Verhaltensmaßregeln zu sprechen, und soweit ich mich erinnere, habe ich dir die notwendigsten eingebleut. Du versprachst mir, diese Regeln zu beherzigen, versprachst es noch einmal bei der Auffahrt, als die riesigen Polizisten aus dem Säulenschatten traten und uns einwinkten. Weißt du noch, ja? Wir wunderten uns über die Anwesenheit der Polizisten, und als einer seinen Kopf durch das Wagenfenster steckte, glaubtest du, er wolle uns auffordern, den Mund zu öffnen, um unsere Zähne nachzuzählen; doch er dirigierte uns nur zum Notparkplatz und salutierte.

Als wir hineingingen dann (unter dem Licht, das aus den angestrahlten Kastanien zurückfiel), bliebst du hinter mir, verbargst dich – aus Furcht, zu viele würden dich schon im Eingang entdecken, wiedererkennen, aber nichts erfolgte, wir marschierten ohne Aufenthalt in den Saal, in Kiellinie den Gang hinab zu unserem Tisch neben dem festlichen Gummibaum. Eine Kapelle spielte, bemerkenswert temperamentlos, wie du sagtest, und wir vermuteten, daß man den Musikern eine Zulage abgelehnt hatte. Wir bestellten etwas zu trinken und taten, was die anderen taten: gingen mit den Augen auf die Suche, sorgfältig, von einem Tisch zum andern, mit der Bereitschaft zu schnellem Lächeln, doch die bekannten Gesichter waren selten. Wir versuchten die Zahl der Nelken zu schätzen, mit denen der Saal und die Tische geschmückt waren; wir stritten uns leise, einigten uns dann auf die Zahl achttausend. Du hast recht, wir saßen zuerst wie geborgt da, und das Vernünftigste, was wir hätten tun können, wäre wirklich Trinken gewesen – wenn wir es uns hätten leisten können. Du hieltest es nicht mehr aus?

Hör mir zu, ich werde dir etwas sagen. Es kommt nicht allein darauf an, daß wir auf etwas verzichten, sondern wann wir auf etwas verzichten. Du warst nach einer halben Stunde betrunken, nicht schwerwiegend, aber betrunken, und ich hatte eine Menge zu tun, dich von der Flasche wegzuhalten. Gott sei Dank hatte es bis dahin niemand außer mir bemerkt. Du aber warst nicht mehr ganz fähig zu bemerken, wie wach, wie aufmerksam und kontrolliert sich die andern verhielten: diese Einleitung zum Wohltätigkeitsball war ein einziges stummes Befragen, stummes Messen und Handeln, es war eine festliche Börse, auf der jeder unbemerkt einen Kurswert erhielt, gekauft oder abgestoßen wurde. Ich bestellte dir Beefsteak-Tatar und eine Grapefruit, zwang dich, beides zu essen, und während du aßest, erzählte ich dir, was im Saal vor sich ging: man entdeckte einander, man winkte sich zu, zog an andere Tische. Ein Vorhang ging in die Höhe, gab eine Bühne frei, auf der eine Kapelle in golddurchwirkten Boleros saß, junge Leute, die verdrossen auf ihren kinnlosen Meister blickten, der sich für sie verbeugte. Es war das Show-Orchester, das zu spielen begann, als draußen ein strömender Wolkenbruch niederging. Ich bin durchaus deiner Meinung: die goldenen Boleros spielten besser als ihre Kollegen; ihre Leidenschaft schien angemessen bezahlt zu werden, und ihnen ist es auch zu danken, daß allmählich das entstand, was man volkstümlich Stimmung nennt.

Du indes bliebst davon verschont, du fragtest mich sogar – erinnerst du dich noch, ja? – ›warum sind wir eigentlich hier, Fred?‹, und ich mußte dich flüsternd darüber belehren, daß da, wo sich eine gewisse Gesellschaft trifft, die Spielregeln des Frontgebietes zu empfehlen sind: eingraben, warten, wer zuerst sieht, ist im Vorteil. Die Männer, zu deren Wohl der Ball veranstaltet wurde – die Strafgefangenen von Kiriganda –, hätten es dir bestätigen können. Ich forderte dich auf, dich zu amüsieren, riet dir dringend, Heiterkeit anzulegen – warum? Hast du es immer noch nicht begriffen? Wenn du akzeptiert werden willst, mußt du ihnen zwar immer einen geringen Vorsprung lassen (einen Vorsprung an Heiterkeit oder an offizieller Würde), doch alles kommt nur darauf an, daß du ihnen so erscheinst, wie sie dich haben wollen. Du bist ihr Spiegel, den sie brauchen, um sich selbst zu kontrollieren. Du wolltest nicht tanzen, doch auch dazu zwang ich dich, und weißt du noch, wer es war, der dich aus meinen Armen an seinen Tisch zog? Immerhin Igor Kessler, und ich muß sagen, daß dieser Verlust mir angenehm war, schließlich hatte dein alter Freund Kessler von jeder Platte, die ihr zusammen machtet, über hunderttausend verkauft. Ich konnte euer Gespräch nicht hören, sah nur, daß er dich küßte, ein wenig nachlässig zwar, doch im Sinne alter Freundschaft. Hat er dir gesagt, warum er deine Briefe unbeantwortet ließ? Wußte er eine Erklärung dafür, daß er telephonisch nicht für dich zu erreichen war? Er gab dir zu trinken, und er wußte, was er tat: als ich dich holte (endlich; denn ich sah, was sich ankündigte), blicktest du mich wütend voller Weigerung an, ich aber blickte auf ihn, und ich spürte seine Erleichterung, als ich deinen Arm packte – so fest, daß du geschrien hättest, wenn du nicht betrunken gewesen wärst – und dich in unsere Ecke führte. Wie meinst du? Ich war grausam? Vielleicht wirst du eines Tages dahinterkommen, warum wir unsere Grausamkeit zuerst immer die spüren lassen, die uns sehr nahestehen. Du konntest oder wolltest nicht erkennen, daß man sozusagen auch im Dienst da sein kann, wo man sich amüsiert, und dieser Wohltätigkeitsball war ohne Zweifel ein Stück Arbeit, forderte wohlüberlegtes Verhalten.

Erinnere dich nur, welche Veränderungen im Saal vor sich gingen, als ein Redner angekündigt wurde; niemand – außer dem Redner selbst – war darüber erfreut, niemand fühlte sich in der Lage oder hatte Lust, eine halbe Stunde schweigend zuzuhören, und doch gaben sich alle den Anschein, als hätten sie auf diese Rede gewartet, als dünkte sie sie der Höhepunkt des Balls. Gesichter senkten sich, Finger stützten nachdenkliche Stirnen, Blicke richteten sich auf die Bügelfalten oder voll dunkler Sympathie auf den Redner. Weißt du noch, wer es war, der mit einem Schnellhefter in der Hand auf die Bühne kletterte? Dein alter Freund Heino Grodeck. Hatte er nicht selbst einmal zu den Insassen von Kiriganda gehört? Ich glaube, er erwähnte es; immerhin, als er dort stand und sprach, war er der Chef der zweitgrößten Schallplattenfirma mit weitverzweigten Verbindungen. Er sprach fließend, sprach deutlich; wer ihm zuhörte, verstand den Sinn des Balls, erfuhr, daß das Lager von Kiriganda in einem Birkenwald lag, daß da seit zwölf Jahren ein Kanal gegraben wurde, der die Verbindung zwischen zwei Seesystemen herstellen sollte. Warum jetzt? Warum soll ich nicht weitererzählen? Du brauchst dein Gesicht nicht mit den Kissen zu bedecken. Du verlangtest eine Antwort von mir, und ich möchte dir eine ausführliche Antwort geben.

Während Heino oben auf der Bühne stand und sprach, winktest du ihm zu; ich merkte es zuerst nicht, ich fühlte nur, daß er dich ansah und daß auch andere seinem Blick folgten und dich ansahen, und auf ihren Gesichtern lag alles, was sie in diesem Augenblick von dir hielten. Er konnte dir weder seinen Ärger, noch sein Befremden oder gar seine Verachtung zeigen – er mußte reden –, doch die andern taten es für ihn, während du nicht aufhörtest, zu winken und seinen Vornamen zu zischen, bis ich deine Hände unter den Tisch zog und sie dort festhielt. Du hast es nicht so gemeint?

Mein liebes Kind, bei allem, was wir tun, sollten wir die verschiedenen Möglichkeiten der Auslegung berücksichtigen; niemand ist uns so wohlgesonnen, daß er bereit wäre, sich zu fragen, ob wir etwas anders gemeint haben könnten. Nach seiner Rede kam dein Heino herab, ging an unserem Tisch vorbei ... o ja, er hörte deinen Anruf genau, man hörte ihn an allen Tischen unter der Bühne: wie konntest du dich darüber wundern, daß er nicht zu dir kam? Du selbst hattest ihm keine andere Möglichkeit gelassen, als vorüberzugehen. Das wäre eigentlich der Moment gewesen, um den Ball zu verlassen, doch die Gesetze der Schwerkraft haben etwas Rätselhaftes, und ich weiß auch nicht, warum wir noch blieben. Ich sah ein, daß du jetzt etwas trinken mußtest, zumindest konnte ich nicht allein trinken. Die Bolerojacken mühten sich, die Stimmung wiederherzustellen, die Grodeck mit seiner Rede naturgemäß unterbrochen hatte; ihre Mühe war nicht vergebens, und wir hatten tatsächlich den Eindruck, daß Geben seliger denn Nehmen sei: Wohltätigkeit schaffte Stimmung.

Wir tanzten oft zusammen, und in einer Pause gabst du zwei Autogramme, um eines wurdest du gebeten, das andere schenktest du dem überraschten Kellner. Er hatte dich erkannt? Das ist möglich, er stand ja gewissermaßen in unserem Alter. Ja, und dann kam der Augenblick, wo du wach zu werden schienst, zumindest glaubte ich dein Interesse erkannt zu haben für die beiden Entdeckungen, die Heino Grodeck auf die Bühne vors Mikrophon brachte. Er stellte sie vor. Du hieltest nicht sehr viel von ihrem Gesang, nanntest die beiden Zwitscherobst, und in der Tat: die Mädchen hatten eine geradezu unangenehme Gesundheit. Besonders die Blonde ging mir auf die Nerven, die mit dem starken Gebiß, und ich mußte unwillkürlich an die einladende Traurigkeit denken, mit der du sangst, und ich brauche dir nicht zu sagen, wofür ich mich entschied. Eben, der Beifall, den das Zwitscherobst erhielt, verwirrte mich genauso. Wenn du schwermütig werden willst, brauchst du heute nur eine Leistung mit ihrem Beifall zu vergleichen: welche Aufschlüsse werden dir da zuteil! Ich soll nicht weitererzählen? Dir ist doch alles bekannt, und ich tue nichts anderes, als dir dein Erscheinen auf dem Ball in Erinnerung zu rufen – einfach damit du einsiehst, warum mir an deiner Unterschrift gelegen ist. Es war jedenfalls lange nach dem Auftritt dieser singenden Pfirsiche: du standest plötzlich auf, nicktest mir zu, und ich glaubte, du wolltest zur Toilette. Nicht ohne Sorge sah ich dich den Gang hinabgehen. Ich begann mißtrauisch zu werden, als der kinnlose Bandmaster ans Mikrophon trat und dich ankündigte:»Auf eigenen Wunsch singt für Sie…« Vielleicht hättest du nicht gesungen, wenn du gesehen hättest, wie ich erschrak, und du kannst sicher sein, daß ich nicht mit dir dorthin gegangen wäre, wenn ich gewußt hätte, daß du singen würdest. Jetzt war es an mir, Furcht zu haben vor der Wiederbegegnung mit deiner Stimme. Du warst betrunken, du wolltest singen, und es gelang dir, ans Mikrophon zu kommen. Weißt du, wie du sangst? Es ist dir gleichgültig, gewiß, aber vielleicht wird es dich doch interessieren, daß deine Vorstellung eine einzige fatale Imitation dieser gesunden Pfirsiche war: du bewegtest die Hüften wie sie, machtest die gleichen Schritte, legtest den gleichen Truthahntucker in die Stimme – du warst faszinierend unerträglich. Hast du nicht gemerkt, daß niemand, niemand im ganzen Saal klatschte? Du aber ergriffst das Mikrophon, als wolltest du es nie mehr preisgeben, kündigtest einen zweiten Schlager an; ich mußte wegsehen und sah, wie der gewaltige Knoop von Knoop & Overbeck sich erhob und den Saal verließ – wahrscheinlich, um sich zumindest die Erinnerung an deine Legende bewahren zu können. Soll ich dir sagen, an welch ein Symbol es mich denken ließ, als du die Mikrophonstange an deinen Körper preßtest? Gut, dann haben wir uns verstanden. Wer weiß, wie lange du auf der Bühne gestanden und ausgeübt hättest, was du für Gesang hieltest. Jedenfalls solltest du dich nachträglich bei dem kinnlosen Jungen bedanken, denn er verschaffte dir einen sehr guten Abgang: er lud dich zur Pause ein und spendierte dir einen Schnaps. Wie meinst du? Ich zerrte dich ins Auto? Meinetwegen: mein Zerren war in diesem Fall lediglich eine Art gewaltsamer Überredung, und ich bin froh, daß es mir gelang. Ich brachte dich sicher durch den Wolkenbruch nach Hause. Es ist anzunehmen, daß der Wohltätigkeitsball jetzt vorbei ist. Hörst du mir noch zu, oder bist du schon eingeschlafen? Noch nicht? Dann darf ich meine Bitte wiederholen und dich auffordern, diesen Zettel zu unterschreiben: es handelt sich, wie gesagt, um sechshundert Mark; das ist der Preis für die Eintrittskarte. So – danke; und nun wünsche ich dir eine gute Nacht, beziehungsweise einen guten Tag.

1959

Die Lampen der Eskimos
oder Die Leiden eines Spezialisten

An alles haben die Architekten meines Instituts gedacht, sogar an die Aussicht: frei läuft der Blick über die Alster, über die salzweißen Segel auf unserem Binnensee, streift Fährhäuser, Ruderclubs und vollkommene Versicherungsbauten, in denen alle Mißgeschicke der Hamburger zuverlässig aufgefangen und vergütet werden.

Nach dem Umbau der ehemaligen Hassebrouk-Villa zu unserem Institut fanden wir wirklich alles, was unsere Arbeit erleichterte, und meine Studenten und ich atmeten auf, als wir aus dem baufälligen Bodenraum der Universität, in dem wir so viele Jahre hatten zubringen müssen, hier herüberziehen durften – belohnt durch ein Gebäude, das alle Ansprüche erfüllte, verwöhnt durch Zuwendungen, die nunmehr im rechten Verhältnis zum Institut standen und uns erlaubten, in unserer Forschungsarbeit großzügiger zu sein. Die Alster vor dem Fenster, in der Nachbarschaft lautloser, melancholischer Villen, gingen wir mit Leidenschaft unserer dringenden Aufgabe nach, und ich würde ihr auch heute noch nachgehen, wenn ich nicht jene Reise gemacht hätte, von der ich nichts mitbrachte als einwandfreie Zweifel.

Seitdem ich von jener Reise zurück bin, finde ich nicht mehr die Kraft, dort wieder anzufangen, wo ich aufgehört habe; eine redliche Niedergeschlagenheit, eine Verbitterung, die so groß ist, daß sie einen gewissen Messinggeschmack in meinem Speichel hervorruft, hindern mich daran, die zweckmäßige Schönheit meines Instituts zu erkennen, meine Arbeit fortzusetzen – zumindest mit der Selbstverständlichkeit, mit der ich es einst tat. Schließlich ist das mindeste, was durch diese Reise geschehen ist, die Zerstörung eines Lebenswerks.

Ich gebe zu, daß ursprünglich das Gegenteil geschehen sollte. Als die Hamburger Eisvogel-Reederei einen Grönland-Liniendienst eröffnete und zur Jungfernfahrt auch einen Wissenschaftler einlud, kostenlos daran teilzunehmen, glaubte ich, einer strahlenden Bestätigung, der Krönung meiner wissenschaftlichen Arbeit entgegenzufahren. Ich war nicht erstaunt, daß die Wahl auf mich fiel; denn es ist bekannt, daß mein Institut seit langem im Dienst der Grönlandforschung steht oder doch einen entscheidenden Teil dieser Forschung übernommen hat, nämlich das Sachgebiet: Lampen und Dochte der Torngasuk-Eskimos.

Sechzehn Jahre widmete ich mich dieser Aufgabe, zog Mitarbeiter heran, gründete ein Institut, und da wir unser Ziel mit zufriedenstellender Leidenschaft verfolgten, stellten sich alsbald auch Genugtuungen ein: Anfragen aus vielen Ländern erreichten uns, der englische Völkerkundler Bancroft besuchte unser Institut; wer immer sich in der Welt mit Lampen und Dochten der Torngasuk-Eskimos beschäftigt, mußte unsere geleistete Arbeit zur Kenntnis nehmen. Es erschien uns schließlich nur selbstverständlich, daß viele Doktorarbeiten unserem Institut gewidmet wurden und daß die Forscher Rink und Blau in einem Vorwort versicherten, daß ihr Standardwerk ›Heimkultur der Eskimos‹ (Oslo 1956, 2. Bd.) ohne unsere Hilfe nicht zustande gekommen wäre. Wir allein verfügten über die gesamte einschlägige Literatur, und außerdem über die einzig vollständige Sammlung von Lampen und Dochten der Torngasuk, deren Gründung und fortlaufende Bereicherung ich bescheiden für mich in Anspruch nehmen darf: Flachdochte und offene Runddochte, Dochte aus Baumwolle, Leinen und Seehundsfell, geflochtene und gedrehte Dochte, selbst nicht imprägnierte Dochte mit interessanten Mißbildungen sind in unserer Sammlung reichlich vorhanden.

Aber vollkommener, umfangreicher noch als unser Material an Torngasuk-Dochten ist die Sammlung der Lampen: von frühen Tranbehältern mit einer Öffnung zum Eingießen bis zur modernen Saug- oder Drucklampe; von elliptischen Zierfunzeln bis zur großen Heizlampe mit Luftzug: sämtliche Leuchtmaterialien, die je von den Torngasuk-Eskimos gebraucht wurden oder noch gebraucht werden, sind in mehreren Exemplaren im Ausstellungsraum unseres Institutes vorhanden, darunter kostbare Flammengebläse, die nur bei gemeinschaftlichem Tabakgenuß in Gebrauch genommen wurden.

Doch damit gab ich mich nicht zufrieden. Ich hatte den Ehrgeiz, in meine Sammlung nicht nur feststehende Typen von Lampen und Dochten aufzunehmen, sondern auch aufschlußreiche Variationen, besonders geglückte oder mißglückte Exemplare, Funzeln mit Fehlern, Schäden, Schwächen, um auf diese Weise ein vollständiges Panorama der Beleuchtungskultur schaffen zu können.

So schrieb ich an meinen Mittelsmann in Umiuki, schrieb an M-Whan, wie ich es so oft in den verflossenen Jahren getan hatte, denn M-Whan – übersetzt heißt sein Name einfach ›Rohfleischesser‹ – verdanke ich die ganze Sammlung, die unser Institut zu dem gemacht hat, was es ist. M-Whan war wie immer bereit, auf Dollarbasis zu helfen, schickte wöchentlich eine Kiste, legte seine Spesenrechnungen bei und versprach, weiter durch Ostgrönland zu streifen und überall, wo sich Torngasuks niedergelassen hatten, nach ihren Lampen und Dochten zu fahnden.

Die Korrespondenz mit ›Rohfleischesser‹ verlief keineswegs regelmäßig; manchmal mußten wir ein halbes Jahr auf Antwort warten, eine Zeit, in der wir ihn auf winddurchfegten Schneeflächen für uns unterwegs glaubten; manchmal erhielten wir zwei einsilbige Telegramme auf einmal, in denen er um Vorschuß bat, und zwar weniger für sich selbst als zu dem Zweck, den Besitzer einer seltenen, irdenen Lampe zu schmieren; mitunter brachte das Lastauto der Lieferfirma auch gleich drei mannshohe Kisten zum Institut.

Doch obwohl er nie einen Termin einhielt und in letzter Zeit seine Spesenrechnungen erheblich heraufsetzte – er begründete dies mit den steigenden Preisen für Därme, die als Fenster dienen, und für Domino- und Brettspiele, die über lange Wintereinsamkeit hinwegtrösten –, blieben wir ›Rohfleischesser‹ treu; denn mit der freundlichen Klugheit und der schnellen Auffassungsgabe seines Volkes hatte er absolut begriffen, woran meinem Institut gelegen war. Selbstverständlich benachrichtigte ich ihn sofort, als unser Forschungsetat vergrößert wurde – was zur Folge hatte, daß umgehend mit einem dänischen Schiff vierzehn Kisten in unserem Hafen ankamen.

In einer Kiste fand ich eine Photographie von M-Whan, mit herzlicher Widmung für mich; ein durchreisender amerikanischer Missionar hatte die Photographie aufgenommen – sie zeigte ›Rohfleischesser‹

lächelnd in einem Kajak, angetan mit einem Rentierfellmantel, die Harpune aus Walfischknochen erhoben. Später erhielt ich noch eine zweite Photographie, die ihn in einer Sommerjacke aus Seehundsfell darstellte, beim Essen von Beeren und Wurzeln und einer dunklen Masse, die wir als den Inhalt eines Rentiermagens analysierten. Ich ließ beide Photographien einrahmen, sie fanden einen Platz im Ausstellungsraum des Instituts.

Sechzehn Jahre arbeitete ich mit M-Whan zusammen, und in dieser Zeit entstand unsere Sammlung, entstand aber auch eine Freundschaft zu dem Angehörigen eines armen, bedürfnislosen Volkes, das sich selbst als Inuit bezeichnet, was soviel heißt wie ›Menschen‹. Als nun die *Robbe*, das Flaggschiff der Eisvogel-Linie, die Leinen loswarf zur Eröffnung des Grönland-Dienstes, hoffte ich, durch diese Reise einem doppelten Ziel nahezukommen. Ich rechnete mit der Bestätigung meiner Hypothese, wonach es zwischen 1789 und 1812 einen allgemeinen Verfall in der Lampenkultur der Torngasuk-Eskimos gegeben haben muß; zweitens hoffte ich ungeduldig auf eine Gelegenheit, unserem Aufkäufer ›Rohfleischesser‹ zu begegnen und eine Freundschaft persönlich zu bekräftigen, die in Briefen bereits so lange bestand. Ich hatte eine Urkunde meines Instituts im Gepäck, die ich ihm in Anerkennung seiner Dienste überreichen wollte, ferner einige Geschenke, die mir für einen Seehundjäger und Fallensteller geeignet erschienen; unter anderem Taschenmesser mit Korkenzieher, ein handliches Beil sowie eine Sturmlaterne. Die *Robbe* war ein tüchtiges Schiff mit verstärkten Spanten; die Färöer Inseln mit Island kamen in Sicht und blieben achteraus, und vier Stunden vor der fahrplanmäßigen Zeit liefen wir in den Scoresbysund ein, geblendet von der unerträglichen Helligkeit der Gletscher. Während wir Anker warfen, schoß ein Wasserflugzeug über die Gletscher heran, umrundete uns, ging mit schäumender Spur in der Fahrrinne zu Wasser.

Eine Barkasse nahm den Piloten auf, ging neben der *Robbe* längsseits und nahm Passagiere, Post und Gepäck über und brachte uns zum Landesteg. Auf der Fahrt saß ich neben dem Piloten, einem sportlichen Fünfziger, der unter seiner saloppen Fliegerkombination einen englischen Flanellanzug trug und mir so eigentümlich bekannt vorkam, daß ich ihm mit aller Freimütigkeit ins Gesicht sah. Er ertrug es mit der natürlichen Höflichkeit seines Volkes und nickte mir beim Aussteigen zu.

Zwei vermummte Frauen stritten sich lautlos um mein Gepäck, einigten sich lautlos und führten mich zu einem Hotel, vor dem ein vermummter Portier erschien, meine Koffer nahm und die Frauen vertrieb. Ich fragte ihn, ob es sehr kalt sei für diese Jahreszeit, und er sagte sprichwörtlich:»Anadyr, Anadyr, Angekok« – wörtlich etwa: Das Schneehuhn hat immer rote Augen, womit er darauf anspielte, daß es hier nie allzu warm werde.

Unter den gedämpften Klängen des River-Kwai-Marsches, der aus dem Lautsprecher drang, führte er mich in mein Zimmer, von wo ich augenblicklich Erkundigungen über den Aufenthalt von M-Whan einzog und dabei erfuhr, daß Rohfleischesser zwar nicht zu Hause sei, jedoch zurückerwartet werde. Man nannte mir eine Adresse, Gyndefasa-Gletscher, worauf ich ein Hundegespann mietete und hinausfuhr, ungeduldig, bereit, mit meinem wissenschaftlichen Lieferanten das karge Igluleben für einige Tage zu teilen, und, wenn es sein mußte, ihm sogar beim Schlagen der Robben behilflich zu sein.

Über ein blendendes, schneeverwehtes Geröllfeld näherten wir uns dem Gletscher, und als der Schlitten um einen Felsvorsprung bog, sah ich ein geräumiges Landhaus mit Garage, einen langen Landungssteg und daneben einen auf Pfählen ruhenden Schuppen für ein Wasserflugzeug. Verwirrt ließ ich die Leine fahren, die Hunde zogen gemächlicher, und gemächlich und verwirrt fuhren wir auf das schmiedeeiserne Tor zu.

Man hatte mich bereits entdeckt. Eine Frau mit sehr kleinen Füßen, mit straffem, buttergefettetem Haar – sie trug ein knappes italienisches Kostüm –, empfing mich freundlich und führte mich ins Haus. Ihr Gesicht war breit und platt, der Schädel hatte die typisch pyramidale Form der Torngasuk-Eskimos. Lächelnd nannte sie ihren Namen: M-Whun, was soviel bedeutet wie ›Rohfleischesserin‹.

Sie fragte mich nicht nach dem Zweck meines Besuchs, ließ mich statt dessen meinen Lieblings-Whisky wählen, schaltete die indirekte Beleuchtung ein, und wir saßen und tranken Whisky und blickten auf den Fjord. Ich machte ihr ein Kompliment über die skandinavischen Möbel und über die geschickte Lichtanlage, und Rohfleischesserin nickte und sagte, daß ihr Haus seit kurzem ein eigenes kleines Elektrizitätswerk besitze, mit dem sie ihren Mann überraschen wollte, den sie aus Florida zurückerwarte.

»Unga, Unga, Pöki«, sagte sie, also: Müde wird der Schlittenhund im

Alter – was soviel bedeutete, daß ihr Mann eine Erholung nötig hatte. Plötzlich erhob sie sich mit traurigem Lächeln, sagte, daß sie zu ihren Pflichten zurückkehren müsse, und lud mich ein, ihr zu folgen. Wir durchquerten das Haus und betraten eine geräumige Werkstatt, in der ein Dutzend fleißiger Torngasuk-Mädchen arbeitete und scheu grüßte, als wir eintraten. Ihre geschickten Hände hämmerten, schleiften, putzten und drehten; ein Mädchen montierte, ein anderes packte, ein drittes schlug Kisten zusammen – sie ließen sich nicht unterbrechen.

Ich nickte ihnen anerkennend zu, bis ich auf einmal meinen Namen sah, den eines der Mädchen gerade mit schwarzer Tusche auf ein Adresserplakat malte: jetzt begann mich die Produktion zu interessieren. Und ich sah, daß das, was die geschäftigen Hände herstellten, Lampen und Dochte waren: antike Tranbehälter und phantasievolle Schmuckfunzeln, die ein schönes Mädchen pausenlos entwarf; ferner Flachdochte und Runddochte und gedrehte Dochte, in die künstlich interessante Mißbildungen hineingearbeitet wurden. Eine Zwergin hatte nichts anderes zu tun, als Leuchtmaterial in Dreck zu tauchen, eine Gelbhäutige warf komplette Ölbehälter an die Wand, setzte die Scherben geschickt zusammen und leimte sie, und eine Minderjährige beschäftigte sich damit, Dochte aus Seehundsfell zu imprägnieren, und all das wanderte in bereitstehende Kisten, die an mein Institut adressiert waren.

Selbstzufrieden deutete die Rohfleischesserin über die Werkstatt. »In den ersten Jahren genügten zwei Mädchen«, sagte sie, »doch da eine große Nachfrage besteht, müssen wir bald anbauen.« »Haben Sie alle Lampen und Dochte hier hergestellt?« fragte ich, worauf sie erwiderte: »Was die Brandgans benötigt, macht sie selbst« – womit sie die Rechtmäßigkeit ihres sozialen Aufstiegs begründen wollte.

Ich sah, wußte und sah, wohin der Etat meines Instituts gewandert war; ich zweifelte nicht daran, daß die ganze Sammlung meines Instituts in geschickter Heimarbeit entstanden war; und in meiner Verzweiflung war natürlich kein Platz mehr für den Plan, die Hypothese zu bestätigen, wonach es zwischen 1789 und 1812 einen allgemeinen Verfall in der Lampenkultur bei den Torngasuks gegeben haben muß.

Eilig und verzweifelt, ohne den ›Rohfleischesser‹ getroffen zu haben, verließ ich das Landhaus unter dem Gyndefasa-Gletscher, nichts anderes mitnehmend als belegten Kummer, die Verbitterung, die auch jetzt noch andauert, während ich die salzweißen Segel auf der Alster

563

beobachte. Was soll ich tun? Unser Etat wurde erst kürzlich wieder erhöht, und gerade wurde mir gemeldet, daß im Hafen vier neue Kisten mit Lampen und Dochten der Torngasuk eingetroffen seien. In jedem Fall müssen wir die Kisten öffnen – vielleicht ist unter der Sendung doch ein interessantes Stück.

1959

Das Feuerschiff

Sie lagen und lagen fest bei den wandernden Sandbänken. Seit neun Jahren, seit dem Krieg lag ihr Schiff an langer Ankerkette fest, ein brandroter Hügel auf der schiefergrauen Ebene der See, muschelbedeckt, von Algen bewachsen – bis auf die kurzen Zeiten in der Werft lag es da, während der heißen Sommer, wenn die Ostsee glatt und blendend und zurückgedämmt war, und in all den Wintern, wenn wuchtige Seen das Schiff unterliefen und Eisschollen splitternd an der Bordwand entlangschrammten. Es war ein altes Reserve-Feuerschiff, das sie nach dem Krieg noch einmal ausgerüstet und hinausgeschickt hatten, um die Schiffe vor den wandernden Bänken zu warnen und um ihnen einen Ansteuerungspunkt zu geben für den Minenzwangsweg.

Neun Jahre hing der schwarze Ball in ihrem Mast, der anzeigte, daß sie auf Position waren, kreiste der Blinkstrahl ihrer Kennung über die lange Bucht und über die nächtliche See bis zu den Inseln, die sich grau und flach wie ein Ruderblatt am Horizont erhoben. Jetzt waren die Minenfelder geräumt, das Fahrwasser galt als sicher, und in vierzehn Tagen sollte das alte Feuerschiff eingezogen werden. Es war ihre letzte Wache.

Die letzte Wache sollte noch vor den Winterstürmen enden, die mit kurzen, wuchtigen Seen in die Bucht hineinschlagen, die lehmige Steilküste unterwaschen und auf dem flachen Strand eine verkrustete Markierung aus Tang, Eissplittern und pfeilförmigem Seegras zurücklassen. Bevor die Stürme einsetzen, ist die Ostsee hier draußen vor der langen Bucht ruhig; die Dünung geht weich und gleitend, die Farbe des Wassers wird schwarzblau. Das ist eine gute Zeit für den Fischfang: in Schwärmen zucken die getigerten Rücken der Makrelen knapp unter der Oberfläche dahin, der Lachs geht an den Blinker, und in den

Maschen des Grundnetzes stehen die Dorsche fest, als ob ein Jagdgewehr sie hineingeschossen hätte. Es ist dann auch höchste Zeit für die Küstenschiffahrt, für die gedrungenen Motorsegler, für Windjammer und Holzschoner, die mit einer letzten Decksladung Grubenholz oder geschnittenen Planken oben von Finnland runterkommen und weiterziehen in ihre Winterverstecke. Das Fahrwasser vor der langen Bucht und zwischen den Inseln ist voll von ihnen vor den Stürmen, und vom Feuerschiff sehen sie die tuckernde, schlingernde, mühsame Prozession vorüberziehen zu den Sicherheiten hinter dem Horizont; und wenn sie verschwunden sind, kommen die Sturmmöwen herein und die schweren Mantelmöwen, einzeln zuerst, dann in kreischenden Schwärmen, und sie umkreisen das Feuerschiff, ruhen sich auf seinen Masten aus oder gehen nieder auf das Wasser, auf dem der rötliche Widerschein des Schiffes liegt. Als ihre letzte Wache begann, war die See fast leer von den schlingernden Holzschuten, nur einige Nachzügler kamen noch vorbei, klemmten sich unter den Horizont, und auf dem Feuerschiff sahen sie jetzt fast nur noch die weißen Eisenbahnfähren, die morgens und abends schäumend hinter den Inseln verschwanden, schwere Frachter und breitbordige Fischkutter, die gleichgültig an ihnen vorbeiliefen.

An jenem diesigen Morgen war nichts in Sicht. Das Feuerschiff dümpelte träge an langer Ankerkette, die Strömung staute sich drängend am Rumpf, und ein grünes, schwefelgrünes Glimmen lag auf der See. Mit dem schwingenden Pfeifgeräusch ihrer Flügel strich ein Zug Grauenten knapp über dem Wasser am Schiff vorbei und zu den Inseln hinüber. Die Ankerkette rieb sich, knirschte in den Klüsen, wenn die weiche Dünung das Schiff anhob, und es entstand ein Geräusch, als holte ein Bügelstemmeisen verrostete Nägel aus einer Kiste. Die durchlaufende Dünung klatschte gegen das Heck. Eine breite Schaumspur zog sich von der Bucht gegen die offene See hin wie eine weißliche Ader, in der schwappend Blasentang trieb, algenbedeckte Holzstücke, Kraut, Korkstücke und eine auf- und abtanzende Flasche. Es war der zweite Morgen auf ihrer letzten Wache.

Als Freytag die Kajütentür öffnete, sah er zum Ausguck hinauf. Der Mann auf Ausguck setzte das Glas nicht ab; langsam kreisend, als hätten sie ihn mit den Füßen an Deck genietet, drehte sich sein Oberkörper, drehte sich nur in den Hüften, ohne daß seine Füße sich bewegten, und Freytag wußte, daß nichts los war, und trat hinaus in den diesigen Morgen. Er war ein alter Mann mit magerem Hals und hautstraffem Gesicht, seine wäßrigen Augen tränten unaufhörlich, wie in Erinnerung an eine verzweifelte Anstrengung; obwohl sein untersetzter Körper gekrümmt war, verriet er noch etwas von der Kraft, die einst in ihm gesteckt hatte oder immer noch in ihm steckte. Seine Finger waren knotig, sein Gang säbelbeinig, als hätten sie ihn in seiner Jugend auf einer Tonne reiten lassen. Bevor er Kapitän des Feuerschiffs wurde, hatte er sechzehn Jahre ein eigenes Schiff auf der Lumpenlinie geführt, nach unten runter in die Levante; damals hatte er sich angewöhnt, mit einer halbgerauchten, kalten Zigarette im Mund herumzulaufen, die er während des Essens neben den Teller legte.

Er lehnte sich mit dem Rücken gegen die Kajütentür, die kalte Zigarette wanderte wippend zwischen den Mundwinkeln hin und her, und er sah zu den Inseln hinüber, über die Schaumspur, die sich gegen die offene See hinzog, und dann zu der Wracktonne, neben der die Spieren eines im Krieg versenkten Schiffes aus dem Wasser ragten; und als er so dastand, spürte er, wie die Tür hinter ihm geöffnet wurde; ohne sich umzudrehen, trat er zur Seite, denn er wußte, daß es der Junge war, auf den er gewartet hatte. Freytag hatte keinen gefragt, hatte keine Erlaubnis eingeholt; als Kapitän hatte er den Jungen einfach mit rausgenommen zur letzten Wache, aus dem Krankenhaus weg, er wußte, daß es der Junge war, auf den er gewartet hatte.

Freytag hatte den blassen, hochgewachsenen Jungen mit dem gehetzten Blick im Bett liegen sehen, und nachdem er auf dem Gang mit dem Arzt gesprochen hatte, war er zurückgekommen und hatte zu Fred gesagt: »Morgen kommst du mit raus auf Station«, und obwohl der Junge weder zurückwollte in die Baracke, wo er als Thermometerbläser arbeitete, noch auf Freytags Schiff, war er jetzt an Bord und auf Station.

Fred ließ die Kajütentür zufallen, die sich mit zischendem Sauggeräusch schloß, und musterte den Alten mit einem gehetzten, feindseligen Blick aus den Augenwinkeln. Er redete ihn nicht an; er stellte sich neben ihn und wartete in einer Haltung schweigsamer Feindseligkeit: nie, solange er denken konnte, hatte er anders neben seinem Alten gestanden, damals nicht, als er ihm bis zur Schulter reichte, und auch jetzt nicht, da er ihm von oben in den lose sitzenden Kragen hineinsehen konnte, unter dem ein Streifen glatter, verbrannter Haut begann, der sich über den ganzen Rücken bis zur Hüfte zog.

Seitdem er erfahren hatte, was damals unten in der Levante geschehen war – zu der Zeit, als sein Alter die Lumpenlinie fuhr und er
selbst noch zur Schule ging –, war er fertig mit ihm, ohne daß sie je
darüber gesprochen hätten oder daß es für ihn nötig gewesen wäre,
darüber zu sprechen.

Sie standen schweigend nebeneinander, sie kannten sich zu gut, als
daß der eine etwas vom anderen erwartet hätte, und wortlos, mit einem kurzen Nicken des Kopfes, forderte Freytag den Jungen auf, ihm
zu folgen. Hintereinander kletterten sie auf den gelben Laternenträger
hinauf, sahen die verzerrte Spiegelung ihrer Gesichter auf dem harten,
gerundeten Glas; sie blickten über die See und auf das Deck des Schiffes hinab, dessen dümpelnde Bewegungen sie hier oben stärker spürten als unten, und Fred sah, wie die schwere, durchhängende Kette
klatschend ins Wasser tauchte, wenn die Dünung sich zu ihr hinaufreckte. Er sah auch den Mann mit der schwarzglänzenden Krähe am
Bug stehen und hörte seinen Alten sagen: »Das ist Gombert. Er hat es
immer noch nicht aufgegeben; zu Weihnachten will er der Krähe das
Reden beigebracht haben, und zu Ostern soll sie einen Psalm aufsagen.« Fred antwortete nicht, gleichgültig beobachtete er den Mann am
Bug, der eifrig auf die Krähe einsprach, die mit beschnittenen, schlapp
weghängenden Flügeln an Deck hockte. »Sie heißt Edith«, sagte Freytag, »Edith von Laboe.«

Dann kletterte er hinab, Fred hinter ihm, und sie gingen schweigend
zur Funkbude hinüber, fanden Philippi vor dem Funkgerät, einen kleinen, schmächtigen Mann in verwaschenem Pullover, der den Kopfhörer umhatte, in einer Hand einen Bleistift hielt, mit der anderen
Zigaretten auf dem Tisch rollte.

»Er gibt die Stromabmessung durch«, sagte Freytag, »den Seegang
und den Wetterdienst.«

Philippi wandte sich nicht zu ihnen um, obwohl er ihre Schatten auf
der Wand und auf dem mit Tabakkrümeln bedeckten Tisch sah; er
kümmerte sich nicht um den Lautsprecher, aus dem ein Knistern ertönte, ein trockenes Knacken, als ob Heuschrecken über ein Blechdach
wanderten; ruhig saß er in seinem fensterlosen Schapp da und sagte
nach einer Weile: »Hier ist schon gelüftet«, und rückte seine Kopfhörer
zurecht.

»Das ist die Funkbude«, sagte Freytag, »nun hast du auch sie gesehen«, und er schob den Jungen mit der Schulter vom Eingang weg, zog

die auf Rollen laufende Tür zu und sah sich um und überlegte, was Fred noch nicht gesehen hatte, seitdem er an Bord war. Er blickte über sein Schiff, und es kam ihm zum ersten Mal alt und verdammt vor – ein Schiff, das nicht frei war und zu anderen Küsten lief, sondern wie ein Sträfling an langer Kette lag, von dem riesigen Anker gehalten, der tief im sandigen Grund steckte, und Freytag fand nichts, was er dem Jungen noch hätte zeigen können. Unentschieden hob er die Schultern. Er sah über sein Schiff wie ein Mann über flaches Land. Er zog ein Taschentuch heraus, wickelte es um die eine Hand und schob die umwickelte Hand wieder in die Tasche; einen Augenblick lauschte er zum Jungen zurück, der schräg hinter ihm stehengeblieben war; er hörte nichts, und er schloß die umwickelte Hand zur Faust und spürte, wie der Stoff über den knotigen Fingergelenken spannte. Sein Blick fiel auf den Ausguck, der das Glas abgesetzt hatte und sich an die Schiefertafel lehnte, auf der an diesem Morgen noch nichts angeschrieben war, und er winkte Fred, ihm zu folgen. Ihre Schritte klirrten auf den eisernen Stufen des Niedergangs; die Stufen waren rostig, verbeult und ausgetreten, die Riffelung, die den Sohlen Halt geben sollte, war abgeschliffen und kaum zu erkennen. Nacheinander stiegen sie hinauf, Freytag voran, und der Ausguck stand an der Schiefertafel und beobachtete, wie ihre Köpfe über dem Deck erschienen und wie ihre Schultern emportauchten und ihre Körper, bis sie sich zuletzt vom Geländer abstemmten und neben ihm landeten.

Fred hatte Zumpe noch nie gesehen, er wußte nur, daß der Mann, den er auf Ausguck traf, während des Krieges auf einem Erzfrachter torpediert wurde und darauf neunzig Stunden im zerschlagenen Rettungsboot trieb und von allen für tot gehalten wurde – Freytag hatte es ihm erzählt; und er hatte ihm auch gesagt, daß Zumpes Frau damals eine Todesanzeige aufgab, die Zumpe selbst, als er dann zurückkam und sie las, für so schäbig hielt, daß er seine Frau verließ. Jetzt trug er seine eigene Todesanzeige ständig bei sich, in einer zerknitterten Brieftasche, und er zeigte sie grinsend herum: ein gelbliches Stück Papier, weich und fleckig geworden zwischen vielen Daumen und Zeigefingern.

Auf der Überfahrt, als sein Alter ihm von den Männern erzählte, die er auf dem Schiff treffen würde, hatte Fred zum ersten Mal von Zumpe gehört, und nun standen sie sich gegenüber, gaben sich die Hand, und Fred fühlte die hornharten, krallenartigen Finger des Mannes zwischen den seinen. Die zu kurzen Glieder, der zu kurze Hals und der schwere Kopf verliehen Zumpe etwas Zwergenhaftes; sein Nacken war tief gefaltet, das Gesicht wulstig.

»Gib ihm das Glas«, sagte Freytag.

Zumpe zog den dünnen Lederriemen über seinen Kopf und reichte Fred das Glas, der es ohne Eile annahm und in seinen Händen drehte.

»Schau durch«, sagte Freytag, »da drüben sind die Inseln.« Die Männer wechselten einen Blick, und der Junge hob das schwere Glas an die Augen und sah in scharfen, ausgestochenen Scheiben den Inselstrand und den sandfarbenen Damm zwischen den Inseln, und hinter dem Damm, salzweiß und ruhig gleitend, erkannte er ein Segel, das zu keinem Boot zu gehören, sich über den Damm zu bewegen schien. Fred bog die beiden Gläser um das Stahlgelenk zusammen, so daß die münzrunden Scheiben sich ineinanderschoben, bis sie sich deckten, und nun sah er über die Inseln hinweg, drehte sich in den Hüften, sah die Wracktonne und die Spieren des gesunkenen Schiffes durch den scharfen Kreis wandern und wieder aus ihm heraustreten, während er das Glas weiterdrehte gegen die offene See. Die Schaumspur zog durch den Kreis, eine stürzende Möwe, die mit angewinkelten Flügeln ins Wasser schlug, und vor dem diesigen Horizont erkannte er die aufschimmernden Kronen treibender Wellen. Dann saß er fest, unterbrach plötzlich die kreisende Bewegung, als ob er einen Widerstand gefunden hätte, und die Männer sahen, wie er das Glas absetzte, es sofort wieder hob, schnell an der gezackten Mittelschraube zu drehen begann, und sie traten nah an ihn heran und blickten in die Richtung, in der Fred suchte. Sie entdeckten nichts. »Was ist?« sagte Freytag.

»Ich habe nichts gesehn«, sagte Zumpe.

»Ein Boot«, sagte Fred, »ein Motorboot. Ich glaube, es treibt.«

Er erkannte deutlich das graue Boot, das quer zur See lag und abtrieb und dabei hochgetragen wurde von der Dünung; er erkannte auch in der scharfen, ausgestochenen Scheibe, daß das Boot besetzt war und daß einer der Besatzung breitbeinig auf der hölzernen Motorhaube stand und etwas hin- und herschwenkte.

»Ja«, sagte Fred, »es ist ein treibendes Boot, und da sind Männer drauf.«

Zumpe nahm ihm das Glas aus der Hand, seine Oberlippe zog sich krausend hoch und entblößte seine starken Schneidezähne, als er das Glas vor die Augen setzte, einige Sekunden hindurchsah und es ohne ein Wort weitergab an Freytag; auch Freytag sah nur einige Sekunden hindurch, gab dann das Glas dem Jungen zurück und sagte: »Wir setzen das Boot aus.«

»Das Boot ist gestrichen«, sagte Zumpe.

»Dann setzen wir das gestrichene Boot aus«, sagte Freytag. »Die Farbe ist noch nicht ganz trocken.«

»Du kannst sie darauf aufmerksam machen«, sagte Freytag, »aber erst hol sie rein. Vielleicht ist es ihnen sogar gleichgültig, welch ein Boot sie reinholt.«

»Allein?«

»Nimm Gombert mit, er kann dir helfen. Von mir aus frag auch seine Krähe; vielleicht hat auch Edith Lust, mitzukommen.«

Zumpe trat zum Niedergang, etwas Mühsames lag in seinen Bewegungen, etwas Eckiges und Ruckhaftes, und während er hinabtauchte, beobachtete Fred das Boot, das quer gegen die offene See hintrieb.

»Sie treiben in der Strömung«, sagte Freytag, »es geht eine starke Strömung von der Bucht nach draußen, sie sitzen mittendrin.«

Der Junge schwieg, und Freytag fuhr fort: »Im Sommer manchmal, wenn die Segelboote vorbeiziehen, kannst du sehen, wie stark sie ist: bei leisem Zug, auch bei flauer Brise ist die Strömung noch stärker als der Wind und drückt die Boote raus.«

»Sie geben uns Zeichen«, sagte Fred, der ununterbrochen durch das Glas sah.

»Wir werden sie reinholen«, sagte Freytag, »es geschieht nicht zum ersten Mal.«

»Ich sollte mitfahren«, sagte Fred.

»Es ist besser, du bleibst hier.«

Unten an den Klappdavits erschienen jetzt Zumpe und Gombert, sie wuchteten das Boot aus den Klampen, schwenkten es aus und brachten es mit einer Kurbel zu Wasser. Das Boot war nur noch an der Vorleine fest und schrammte gegen die Bordwand des Feuerschiffes. Während Gombert übers Fallreep ins Boot kletterte und die Ruderpinne nahm, warf Zumpe den Motor an, löste die Vorleine und hockte sich auf den Bodenbrettern hin, so daß nur sein Kopf über die Bordkante hinausragte: knatternd legten sie ab, drehten in kurzem Bogen, mit wirbelndem Kielwasser hinaus zu dem treibenden Boot.

Fred beobachtete durch das Glas, wie sie über die Dünung ritten und dann in der Schaumspur entlangfuhren, die ihr Boot für einen Augenblick aufschlitzte, und er sah, wie das weißliche Band sich hinter ihnen schloß und wie das Boot flacher und kürzer wurde, bis es schließlich flach wie eine Decksplanke war, über der sich nur der massige Rücken von Gombert erhob. Sie hielten auf das treibende Boot zu, und als sie es erreicht hatten, sah Fred, wie sie es langsam umrundeten, dann darauf zustießen und längsseits gingen; dreimal sah er die Umrisse einer Gestalt sich erheben und zusammenfallen, und er sagte zu Freytag:»Es sind drei; sie steigen um. Ich möchte nur wissen, was das für Leute sind.«

»Wir werden es bald wissen«, sagte Freytag.»Sie werden sich bei dir bedanken, denn du hast sie ausgemacht. Vielleicht wollten sie zur Insel rüber und hatten Pech.« Fred wandte sich schnell zu ihm um, sah ihn dastehen mit der kalten Zigarette zwischen den Lippen, die Hände in den Taschen.

»Willst du das Glas?« fragte er.

»Nein«, sagte Freytag,»du hast sie ausgemacht, und jetzt sollst du dabei sein, wenn sie reinkommen. Behalt das Glas.«

Der Junge hob das Glas wieder an die Augen; er merkte, wie sein Alter einen Schritt näher herankam, ihn lange von der Seite ansah; er spürte sein Verlangen, mit ihm zu reden, hörte ihn scharf einatmen und dann sehr leise sagen:»Das ist sehr gut für dich, Fred, ich hätte es schon früher tun müssen, längst hätte ich dich rausnehmen sollen zu einer Wache, denn nirgendwo findest du solch eine Luft wie hier. Für deine Lungen gibt es nichts Besseres, Fred. Du wirst es merken, wenn wir zurückkommen.«

Der Junge schwieg. Draußen scherten die Boote auseinander, und er dachte, daß sie das treibende Boot aufgeben wollten, aber dann drehte es langsam bis auf Kiellinie, und Fred wußte, daß sie es festgemacht hatten und hereinbrachten.

»Im Sommer hätte ich dich rausnehmen müssen«, sagte Freytag, »dann ist die Luft noch weicher, es gibt viel Sonne, und die Sicht ist gut.«

Fred entdeckte, daß das graue Boot, das sie in Schlepp hatten und hereinbrachten, größer war als ihr eigenes, in dem jetzt fünf Männer saßen; es schien ein Rettungsboot von einem großen Passagierdampfer zu sein, mit dünnen Haltetauen an den Seiten und einem sonngebleichten Fender am Bug.

»Hörst du, was ich sage?« fragte Freytag.

»Ja«, sagte Fred, »ich habe alles mitbekommen.« Nun konnte er

Gombert an der Ruderpinne erkennen, Zumpe im Bug und die drei Männer, die zwischen ihnen hockten; ohne das Glas abzusetzen oder sich zu seinem Alten umzudrehen, fragte er:»Was werden wir mit ihnen machen?«

»Das wird sich zeigen«, sagte Freytag.»Wir schicken sie so schnell wie möglich an Land. Wir haben kein Hotel an Bord. Spätestens geben wir sie dem Versorgungsboot mit. Die ganze Wache können sie hier nicht bleiben.«

Die Boote kamen näher, deutlich war die straffe Verbindungsleine zu sehen, deutlicher wurden die Gesichter, und jetzt erschien auch Rethorn zwischen den Davits, und Soltow, der Maschinist. Rethorn trug eine gebügelte Khakijacke, gebügelte Hosen und einen braunen Binder, er war Steuermann, und sie hatten ihn an Bord des Feuerschiffes nie anders erlebt als gestärkt und gebügelt. Schließlich, als die Boote in Rufweite waren, kam auch noch Trittel heraus, ihr Koch, ein magerer Mann, der magenleidend aussah und die mageren Hände unter der vorgebundenen, mehlbestaubten Schürze gefaltet hielt. Sie standen zwischen den Davits und erwarteten die Ankunft der Boote, die auf das Heck des Feuerschiffs zuhielten, in knappem Bogen beidrehten und längsseits kamen. Leinen klatschten herunter, sie machten die Boote fest, und jetzt stiegen Freytag und der Junge den Niedergang hinab und gingen ebenfalls zu den Davits, wo, bis auf Philippi, der in seinem Funkschapp saß, die ganze Besatzung versammelt war.

Fred lehnte an der Kurbel, er blickte auf die Taue des Fallreeps, in die Zug kam und die wie neues Leder knarrten unter der Belastung des ersten Mannes, der von unten aus dem Boot zu ihnen an Bord stieg.

Als erster kam Doktor Caspary: ein klobiger Siegelring kündigte ihn an, er saß auf dem Mittelfinger der behaarten Hand, die zuerst über der Bordkante erschien, sich fest um das Tau legte, zog und an den Knöcheln weiß wurde vor Anstrengung, bis die andere Hand nachfaßte und sein Gesicht sich heraufschob, ein lächelndes Gesicht unter buschigen Augenbrauen, das unrasiert war, von einer wasserbesprühten Sonnenbrille verdeckt. Rethorn half ihm an Bord, und Doktor Caspary sah sich lächelnd um, ging zu jedem der Männer und stellte sich jedem lächelnd vor. Dann trat er ans Fallreep, und zusammen mit Rethorn half er den anderen, an Bord zu kommen: einem Riesen mit bläulicher Hasenscharte, kragenlosem Hemd und einem Ausdruck blöder Zärtlichkeit, und nach ihm halfen sie einem langhaarigen jungen Mann, der angewidert zusammenzuckte unter der Berührung von Rethorn, zur Seite trat und den Ärmel seines Jacketts glattstrich.

Sie stellten sich nicht vor, aber Doktor Caspary schienen Vorstellungen Freude zu machen, und er zeigte mit einem Daumen auf den Riesen, sagte: »Herr Kuhl, Eugen Kuhl«, worauf Eugen heftig nickte, und mit dem andern Daumen zeigte er auf den langhaarigen Burschen und sagte: »Edgar Kuhl. Die Herren sind Brüder.« Edgar musterte Doktor Caspary mit einem Blick voll geringschätziger Zurückweisung; er gab keinem die Hand, sah keinem der Männer ins Gesicht; nur als Freytag sie aufforderte, ihm in die Messe zu folgen, wandte Edgar blitzschnell den Kopf, als wollte er sich überzeugen, daß niemand hinter ihm ging.

Freytag führte sie in die Messe, in einen holzverschlagenen Raum, dessen Wände von Wimpeln bedeckt waren, von Seestichen und den angedunkelten Porträts längst vergessener Kapitäne; schweigend holte er Gläser aus einem Wandschrank, eine halbe Flasche Kognak, stellte sie auf den Tisch und deutete einladend auf die festgeschraubten Armstühle. Der Riese mit der Hasenscharte hob das leere Schnapsglas an die Augen, den Stiel auf Freytag gerichtet; angestrengt blickte er hindurch, seufzte, dann erschien ein sanftes, idiotisches Grinsen auf seinem Gesicht: »Ein Huhn«, sagte er, »du siehst genau wie ein großes Huhn aus«, und er schob ihm das Glas entgegen, und Freytag füllte es. Alle setzten sich um den Tisch, nur Edgar blieb an der Tür stehen, lehnte da mit verschränkten Beinen, in einer Haltung lässiger Aufmerksamkeit. Er hatte ein Fallmesser mit stehender Klinge in der Hand und begann, an seinen Fingernägeln zu arbeiten, wobei er die Männer am Tisch beobachtete.

»Was ist?« sagte Freytag. »Nicht auch ein Glas?«

»Er trinkt nie«, sagte Doktor Caspary. »Solange ich ihn kenne, rührt er nichts an – und läßt sich auch nicht anrühren. Ich vermute, Eddie hat ein Gelübde abgelegt. Wir aber sind nicht gebunden, und ich möchte mich mit diesem Schluck dafür bedanken, daß Sie uns aufs Trockene brachten.«

»Er hat euch ausgemacht«, sagte Freytag, »der Junge.«

»Ihr Sohn?« fragte Doktor Caspary.

»Ja, er hat euch zuerst gesehen.«

»Ich werde es nie vergessen«, sagte Doktor Caspary. Er stieß mit Fred, mit Freytag und Rethorn an, nickte dem Riesen aufmunternd zu, und alle tranken.

Das klickende Geräusch der Kurbel erklang an den Davits draußen, wo sie das Boot einholten, Stimmen und zurechtweisende Rufe, und Eddie trat argwöhnisch von der Tür an ein Bulleye, sah einen Augenblick hinaus und ging wieder auf seinen Platz zurück.

»Es war keine große Aktion«, sagte Freytag. »So was kann hier immer passieren, denn draußen geht eine starke Strömung.«

»Wir trieben seit der Morgendämmerung«, sagte Doktor Caspary, »Gottseidank war die See friedlich, nicht wahr, Eddie?«

Wieder traf ihn ein kurzer Blick voll geringschätziger Zurückweisung, den er jedoch nicht zu bemerken schien; er trug immer noch die Sonnenbrille, die jetzt von kleinen, stumpfen Flecken gesprenkelt war – die letzten Spuren des Salzwassers –, und auf seinem Gesicht lag immer noch das Lächeln, das er vor sich hergetragen hatte, als er an Bord geklettert war.

»Nein«, sagte Freytag, »es war keine große Aktion. Es war nicht mehr als ein Unfall zur Übung.«

»Sehr gut«, sagte Doktor Caspary, »das war es: ein Schiffbruch zur Probe. Hoffentlich haben Sie uns nicht auch nur zur Probe rausgeholt.«

»Wir werden ein Boot anrufen«, sagte Freytag, »es kann Sie zu einem Hafen bringen, nach Kiel oder nach Flensburg oder zu den Inseln rüber. In jedem Fall bleibt uns das Versorgungsboot.«

»Es kommt in vier Tagen«, sagte Rethorn.

»Vier Tage also«, sagte Freytag, »wenn wir vorher keine andere Möglichkeit finden.«

Er füllte die Gläser nach, als hätte er sich damit abgefunden, daß die Männer vier Tage an Bord bleiben müßten, und als wollte er nun auf diese vollendete Tatsache trinken; doch Doktor Caspary sagte: »Wir möchten Ihnen das nicht zumuten. Wir wollen keine vier Tage hierbleiben, und wir legen keinen Wert darauf daß Sie ein Boot für uns anrufen. Soweit ich mich erinnere, haben wir selbst ein Boot. Die Wasserkühlung funktioniert nur nicht. Wenn das hier repariert werden kann, verlassen wir Sie.«

»Wenn wir ein Boot anrufen«, sagte Freytag, »einen Fischkutter vielleicht, der Sie reinbringen kann, dann wären Sie schon morgen an Land.«

»Wir sind nicht daran interessiert«, sagte Doktor Caspary. »Oder bist du daran interessiert, Eddie?«

Eddie machte eine verneinende Bewegung mit dem Fallmesser.
»Und du, Eugen?«

Der Riese betrachtete Doktor Caspary zärtlich und schüttelte den Kopf, und in einem Tonfall, als schnitte sein gespaltener Mund jedes seiner Worte entzwei, sagte er: »Nicht interessiert.«

»Damit steht es fest«, sagte Doktor Caspary, »Sie werden kein Boot anrufen; es genügt durchaus, wenn Sie uns helfen, unser Boot zu reparieren.«

»Wollen Sie sehr weit?« fragte Freytag.

»Nach Faaborg«, sagte Doktor Caspary, »zwischen den Inseln hindurch. Wir werden dort erwartet.«

Er drehte die Hand mit dem klobigen Siegelring auf dem Tisch, betrachtete ihn mit schräggelegtem Kopf und begann nach einer Weile, den Ring anzuhauchen und ihn in der Hüfte zu polieren, wobei er ihn von Zeit zu Zeit prüfend musterte, die Hand flach über den Tisch gestreckt. Der Riese mit der Hasenscharte beobachtete das voll zärtlicher Anteilnahme, und auch Freytag, Rethorn und Fred sahen zu, wie Doktor Caspary den Siegelring polierte, der wie eine glänzende Geschwulst auf seiner behaarten Hand saß. Draußen erklang ein Geräusch wie ein Hammerschlag auf Holz, das Boot setzte sich mit einem Ruck in den Klampen fest, die Kurbel schwang lose zurück, und auf Deck klirrten die Leinen mit den Spannschrauben, die sie über das Boot zogen.

»Werden Sie uns helfen können?« fragte Doktor Caspary. »Unser Maschinist ist bereits in Ihrem Boot«, sagte Rethorn.

»Soltow?« fragte Freytag.

»Ich habe ihn runtergeschickt«, sagte der Steuermann, »Zumpe hilft ihm.«

»Gib mir noch einen Schnaps, du«, sagte der Riese zu Freytag, »einen kleinen nur, nicht mehr, als in eure kleinen Gläser reingeht.«

Doktor Caspary machte Freytag ein Zeichen, winkte heimlich ab, und sagte: »Ich würde nicht mehr trinken, Eugen. Es ist kein sehr gutes Zeug, und alles, was nicht sehr gut ist, sollten wir nicht trinken. Davon werden die Zähne locker, Eugen.«

Der Riese schaute ihn verblüfft an, dann warf er Freytag einen empörten Blick zu und verbarg das Glas unter seiner schweren Hand.

»Ja«, sagte Doktor Caspary, »das ist richtig, Eugen, so ist es gut.«

Eugen schob das Schnapsglas von sich fort, wischte sich mit dem

Ärmel über die schweißbedeckte Stirn; er erhob sich, zog sein kurzes, zerknittertes Jackett aus, hängte es über die Stuhllehne und setzte sich wieder.

»Ja«, sagte Doktor Caspary sanft, »ja, Eugen.«

Er hob den Kopf, denn Eddie trat plötzlich von der Tür weg und blieb halb geduckt unter dem Bulleye stehen, so, als erwarte er eine Gefahr, und sein Blick und sein Messer waren auf die gefirnißte Tür gerichtet, die sich jetzt zu einem Spalt öffnete, langsam, pendelnd, als hätte sie nicht eine Hand, sondern der Wind aufgedrückt, bis auf einmal das wulstige Gesicht von Zumpe erschien und vom Spalt her sich dem Tisch zuwandte, an dem die Männer saßen. Freytag erhob sich unwillkürlich.

»Ist etwas geschehen?« fragte Doktor Caspary.

»Der Kapitän soll in den Funkraum kommen«, sagte Zumpe.

»Ich habe es geahnt«, sagte Freytag. Er zwängte sich heraus, ging zur Tür, als ihn eine Hand am Ärmel zurückzog: Doktor Caspary hielt ihn lächelnd fest und sagte: »Nur damit Sie es nicht vergessen, wir sind wirklich nicht daran interessiert, daß Sie ein Boot für uns anrufen. Sie haben unsere Entscheidung gehört. Wenn unser Boot wieder in Ordnung ist, fahren wir sofort weiter.«

»Ich habe verstanden«, sagte Freytag.

»Sehr gut«, sagte Doktor Caspary. »Es geschieht nicht oft, daß man sich so rasch versteht.«

Zumpe wartete draußen, bis Freytag neben ihm war, und schloß die Tür zur Messe. Schweigend ging er ihm voraus zur Funkbude, die Funkbude war leer, die Geräte abgeschaltet. »Wo ist Philippi?« sagte Freytag.

Zumpe nickte mit dem Kopf zum Fallreep hinüber, wo sie das Boot der Männer festgemacht hatten und reparierten und von woher nun eine verstümmelte Unterhaltung zu ihnen drang. Er lauschte einen Augenblick, zog Freytag in die Funkbude hinein und drehte den Schlüssel um. Sie standen reglos in der Dunkelheit, standen dicht nebeneinander und hörten nichts als ihre Atemzüge, und dann knackte der elektrische Schalter und das Licht flammte auf. Zumpe bückte sich, öffnete einen Klappschrank, lauschte, zerrte ein Bündel hervor, lauschte abermals und hob das Bündel auf und legte es auf den Tisch, ein längliches Bündel, in Segeltuch eingeschlagen und mit dünnen Lederriemen fest verschnürt. Ohne ein Wort begann Zumpe die Riemen zu lösen; er schlug das Segeltuch auseinander, stieß auf mattglänzendes, ölgetränktes Papier, schlug auch dies auseinander – eilig, mit geübten Griffen, so, als habe er es bereits einmal getan –, und dann tauchte seine Hand tastend und raschelnd unter eine zweite Schicht Papier, lag still da, begann langsam, ruckend zu ziehen und zog eine Maschinenpistole hervor, die er am Lauf gepackt hielt. Der Lauf schimmerte bläulich unter dem elektrischen Licht.

Zumpe legte die Pistole auf den Tisch, wieder fuhr seine Hand tastend unter das ölgetränkte Papier.

»Es ist noch nicht alles«, sagte er, »jetzt kommen die besseren Sachen, für Liebhaber«, und er zog eine Schrotflinte mit abgesägtem Lauf heraus und legte sie ebenfalls auf den Tisch. Die Schrotflinte hatte einen geschnitzten Schaft, der mit Silber beschlagen war, und Zumpe strich mit seinen kurzen Fingern über den Schaft und sagte: »Wie kühl sie ist, wie sich das anfühlt.«

»Woher habt ihr das Zeug?« fragte Freytag.

»Ich fand es in ihrem Boot«, sagte Zumpe. »Sie hatten es unter den Bodenbrettern versteckt, und ich habe während der ganzen Fahrt darauf gestanden.«

»Bring es zurück«, sagte Freytag.

»Alles?«

»Bring es zurück. Es geht uns nichts an, was sie in ihrem Boot haben.«

»Wir sollten sie nicht weglassen«, sagte Zumpe.

»Wir werden sie so schnell wie möglich abschieben«, sagte Freytag.

»Es geht uns nichts an, woher sie kommen und wohin sie wollen.«

»Sie sind bewaffnet«, sagte Zumpe, »ich sah es, als sie umstiegen.«

»Ich weiß«, sagte Freytag, »ich habe es auch gesehen.«

»Wir sollten sie hierbehalten, bis das Versorgungsboot kommt, und wenn sie von Bord sind, sollte Philippi mit der Hafenpolizei sprechen.«

»Ich will Ruhe haben auf der letzten Wache«, sagte Freytag.

»Wir können ein Boot anrufen«, sagte Zumpe.

»Sie sind nicht daran interessiert.«

»Wir sind sieben, und sie sind drei«, sagte Zumpe.

»Du hast vergessen, ihre Pistolen zu zählen.«

»Und dies hier«, sagte Zumpe und fuhr liebkosend über den Schaft der abgesägten Schrotflinte.

»Es ändert nichts«, sagte Freytag, »sie haben die Patronen in der Tasche; und nun bring das Zeug zurück – alles.«

Zögernd stand Zumpe da, blickte ratlos auf Freytag, der die kalte Zigarette zwischen den Lippen wippen ließ, dann drehte er sich um und begann alles wieder einzupacken und mit den dünnen Lederriemen zu verschnüren.

»Was ist mit ihrem Boot«, sagte Freytag, »könnt ihr die Wasserkühlung reparieren?«

»Es ist nicht die Wasserkühlung«, sagte Zumpe. »Die Welle ist zum Teufel. Soltow hat sie ausgebaut und ist dabei, sie wieder einzubauen, weil nichts zu machen ist.«

»Nichts?«

»Nichts«, sagte Zumpe.

»Warum hast du das nicht gleich gesagt?«

»Du hast mich nicht danach gefragt.«

»Das ändert alles«, sagte Freytag. »Und nun bring das Zeug ins Boot und sag Soltow, er soll weiterarbeiten, oder zumindest so tun, als ob er weiterarbeitet.«

»Was soll denn nun steigen?« fragte Zumpe.

»Das Mittagessen.«

Ein Fischkutter lief dicht am Feuerschiff vorbei, grauweiß und mit rauschender Bugsee; das harte Klopfgeräusch des Motors hallte über die See, und der Mast wanderte an den Bulleyes der Messe vorbei wie ein weißer Zeiger. Der Riese mit der Hasenscharte war der einzige, der noch aß, der den vorbeilaufenden Kutter nicht beachtete; eifrig häufte er glasige Nudeln auf seinen Teller, pickte mit der Gabel die kroß gebratenen Speckstücke aus der tiefen Aluminiumschüssel; er schnappte die hängenden Nudeln von unten weg, indem er den Kopf drehte und das Gesicht zur Decke hob, und er war sehr zufrieden, während er aß.

Freytag, Rethorn und der Junge beobachteten den starr vorbeiwandernden Mast des Fischkutters. Doktor Caspary hob nur einmal den Kopf, blickte dann lächelnd auf Eugen und polierte den klobigen Siegelring leicht in der Hüfte.

Seit Eddie die Messe verlassen hatte, war kein Wort mehr zwischen ihnen gefallen; wie in Erwartung einer Nachricht saßen sie da und spürten in ihren Körpern, wie sich das Schiff weich hob und senkte in der Dünung. Eddie war noch vor dem Essen hinausgegangen, und sie konnten ihn am Fallreep stehen sehen, lässig gegen die Wanten gelehnt, mit dem Messer an den Fingernägeln arbeitend.

Der Himmel war heller geworden, eine schmutzig-rötliche Spur lief über ihn hin, und draußen krauste sich das Wasser unter aufkommenden Windstößen. Die Inseln traten nun flach und klar hervor, der Widerschein des Feuerschiffes auf der See bekam schärferen Umriß, glucksend schlugen durchgelaufene Wellen gegen das Heck, schwappten noch einmal hinauf. Die Wracktonne neben den Spieren des gesunkenen Schiffes stand schräg in der Strömung, wippte und pendelte, während das drängende Wasser an der Verankerung zerrte.

Der Riese schluckte und seufzte und schob den leeren Teller zu Freytag hinüber, sein Gesicht verzog sich, er wischte sich mit dem Handrücken über den gespaltenen Mund. »Nun?« sagte Doktor Caspary sanft. »Es hätte besser sein können«, sagte Eugen, »das Fett war kalt, und die Nudeln schmeckten wie Engerlinge.«

»Es ist ein Lieblingsessen auf See«, sagte Doktor Caspary.

»Hier läßt es sich essen«, sagte Eugen.

Das Tuckern des Fischkutters draußen setzte aus, und Doktor Caspary sah argwöhnisch auf Freytag, erhob sich plötzlich, trat an ein Bulleye, ohne den Kapitän aus den Augen zu lassen, doch bevor er zum Kutter hinausblickte, setzte das Tuckern wieder ein. Doktor Caspary lächelte und ging zu seinem Stuhl zurück.

»Ich dachte schon, Sie haben sich Besuch eingeladen«, sagte er, und, da Freytag schwieg: »Wir haben nichts dagegen. Oder hast du etwas dagegen, Eugen?«

»Nein«, sagte der Riese, »nichts« und schüttelte lange den Kopf und starrte aufmerksam auf die kalten, glasigen Nudeln in der Aluminiumschüssel, als ob er sie zählte.

»Ihre Vorgänger?« fragte Doktor Caspary und zeigte auf die angedunkelten Porträts der Kapitäne, mit denen eine Wand der Messe bedeckt war.

»Ja«, sagte Freytag, »das sind meine Vorgänger.«

»Sie sehen traurig aus, sehr traurig: alle haben einen schwermütigen Blick, und die Lippen – ein Zug von Bitterkeit liegt auf ihren Lippen. Haben Sie es gesehen? Woran liegt das?«

»Sie hatten zu wenig Besuch«, sagte Freytag, »oder zu wenig zu trinken.«

»Sie sind der erste, der anders aussieht.«

»Ich kann mich in dieser Hinsicht auch nicht beklagen.«

»Sehr gut«, sagte Doktor Caspary. »Ich habe die größte Hochachtung vor Leuten, die zufrieden sind, auch wenn ich nicht weiß, was davon zu halten ist.«

»Er hat sehr wenig Nudeln gegessen«, sagte Eugen und sah Freytag vorwurfsvoll an. »Viel zu wenig.«

»Ich habe gleich entdeckt, wie traurig Ihre Vorgänger von der Wand blicken«, sagte Doktor Caspary. »Sie sehen alle aus, als ob sie unzufrieden waren. Vielleicht lag das an diesem Schiff?«

»Das Schiff ist alt, aber zuverlässig«, sagte Freytag. »Es hat mehr Stürme hinter sich als irgendein anderes Schiff, das ich kenne.«

»Aber es liegt fest«, sagte Doktor Caspary. »Es ist hier an den Grund gefesselt und kommt nicht los und liegt im Sommer und Winter hier, während die andern vorbeiziehen. Doch ein Schiff muß unterwegs sein zwischen den Häfen, es muß fort sein und wiederkommen, es muß etwas erzählen können. Mit einem Schiff muß man die Fremde treffen. Dies Schiff wurde gleich für die Kette gebaut, man hat es auf Kiel gelegt, um einen zuverlässigen Gefangenen zu haben, dem jeder Hafen versperrt ist.«

»Wie ein Lebenslänglicher«, sagte der Riese.

»Die andern sind unterwegs, und Sie sind an der Kette«, sagte Doktor Caspary, »vielleicht haben Ihre Vorgänger deshalb so traurige Gesichter: diese Gefangenschaft unter dem gleichen Horizont, unter derselben Küste.«

»Gefangene haben auch ihre Macht«, sagte Freytag. »Die Herren sind viel mehr von ihren Gefangenen abhängig als die Gefangenen von den Herren. Wenn wir nicht wären, dann hätten Sie hier einen gut beschickten Schiffsfriedhof, und überall in der Bucht würden die Spieren untergegangener Schiffe heraustehen wie Nägel aus einem Fakir-Brett. Die ganze Bucht wäre voll von Wracks, und draußen, wo die Minenfelder waren, würden sie nebeneinander oder sogar übereinander liegen. Die andern können nur unterwegs sein, weil wir an der Kette liegen und sie sich verlassen können auf unsere Kennung. Wo ein Feuerschiff liegt, ist etwas los. Sie wissen das, und sie werden wach, sobald sie uns sehen.«

»Aber die andern sind frei«, sagte Doktor Caspary.

»Die andern sind abhängig von uns«, sagte Freytag. »Wir haben sie in der Hand, und wir können sie, wenn wir wollen, auf die Sandbänke schicken oder ins Minenfeld oder in ein Fahrwasser, in dem sie über Nacht Schrottwert erhalten. So sieht es aus«, sagte Freytag, »nicht anders.«

Fred und Rethorn wechselten einen Blick, sie wollten zu gleicher Zeit aufstehen, als der Riese seinen Zeigefinger gegen sie ausstreckte, sie vorwurfsvoll anblickte und sagte: »Und ihr? Warum seid ihr so still? Ihr habt noch nichts gesagt und wollt jetzt weg.«

Ein Schrei hallte über das Deck, dann ein klatschendes Geräusch, als ob ein nasses Netz kraftvoll ausgeschlagen wird, und Freytag und Doktor Caspary fuhren blitzschnell auf, während Eugen sich instinktiv im Stuhl herumwarf und sich duckte, und dann flog die Tür auf, krachte gegen die Wand der Messe, und bevor sie zurückschlug, taumelte Zumpe mit vorgestreckten Händen herein und fiel über den Tisch. Der festgeschraubte Tisch fing ihn auf und winkelte seinen Körper in der Hüfte, die wulstige Stirn schlug auf die Holzplatte. Zumpes Arme lagen lang neben seinem Kopf, so daß er in der gewinkelten Haltung eines Mannes dastand oder dahockte, der sich mit einem Kopfsprung ins Wasser stürzen will; und bevor Rethorn noch bei ihm war oder er selbst den Kopf gehoben hätte, erschien Eddie am Eingang, beide Hände auf seinem Nacken, das gefettete Haar in der Stirn und scharf durch die Zähne atmend, als müßte er einen Schmerz aushalten. Rethorn wartete, bis er in der Messe war, er sah jetzt, daß Eddie kein Messer trug, und ging ihm entgegen und zog den Kopf in die Schulter ein. Langsam duckte er sich. Eddie nahm die Hände nicht von seinem Nacken.

»Paß auf«, sagte Freytag warnend, und Rethorn wandte sich um und blickte in das schweißglänzende Gesicht Eugens, in die kleinen gelblichen Augen, die ihn in dieser Sekunde an die Augen einer Ziege erinnerten, und er sah den trockenen Speichel in den Mundwinkeln des Riesen. Eugen hatte die Finger einer Hand gespreizt; in der andern hielt er eine automatische Pistole. Sein Mund war offen, und die entblößten Zähne schimmerten weiß.

»Komm, du«, sagte er zu Rethorn, »ich mag dich so gern. Wir haben so fein zusammengesessen. Setz dich wieder hin. Schnell, du, schnell, geh auf deinen Platz und laß Eddie zufrieden, meinen kleinen Bruder. Willst du nicht?«

»Bitte«, sagte Doktor Caspary höflich, »bitte nehmen Sie Platz. Es verhandelt sich angenehmer im Sitzen.«

Eddie war dicht an Zumpe herangetreten, der reglos mit dem Gesicht auf dem Tisch lag, und ohne seine Hände vom Nacken zu nehmen, sah er auf ihn herab und sagte:

»Er hat mich angerührt.« Er hat mich geschlagen«, und er trat mit dem Fuß in Zumpes Kniekehle, so daß das Knie des reglos daliegenden Mannes gegen die Kante des Tischbeins schlug, wobei sich sein Oberkörper wie in einem Reflex hob und wieder zurück auf die Tischplatte sackte.

»Hören Sie auf«, sagte Freytag, und noch einmal zu Doktor Caspary: »Sagen Sie ihm, daß er aufhören soll.«

»Hör auf, Eddie«, sagte Doktor Caspary sanft.

»Er hat mich angerührt«, sagte Eddie, »er wollte mich mit einem Strick niederschlagen.«

»Ist etwas passiert?« fragte Doktor Caspary.

»Er hat mit den andern im Boot gearbeitet«, sagte Eddie, »ich stand oben und sah ihnen zu, wie sie da rumfummelten – die herrlichsten Ingenieure, die die Seefahrt gesehen hat.«

»Ist das Boot fertig?« fragte Doktor Caspary.

»Es wird nie fertig«, sagte Eddie. »Mit diesen beiden hat die Seefahrt einen sehr guten Fang gemacht, und wenn alle Maschinisten so wären, hätten wir eine großartige Marine an Land. Sie haben nur mit dem Hammer gearbeitet.«

»Was ist mit dem Boot?« fragte Doktor Caspary ungeduldig.

»Wir können es abschreiben. Ich habe zugesehen, wie sie rumfummelten und dauernd die Köpfe zusammensteckten, bis der hier« – er nickte zu Zumpe hinunter –, »irgend etwas losmachte und über Bord gehen ließ. Ich glaube, es waren die Zündkerzen. Ich habe ihn raufgeholt, und wenn ich nicht aufgepaßt hätte, dann wäre ich jetzt nicht hier. Mit einem Strick hat er zugeschlagen, er hat mich angerührt.« Und er holte wieder mit dem Fuß aus und trat Zumpe ins Schienbein.

»Laß ihn zufrieden, Eddie«, sagte Doktor Caspary. »Setz dich hin, und du setzt dich auch hin, Eugen.«

Der Riese setzte sich und schob die automatische Pistole in die Gesäßtasche; Eddie ging zur Tür zurück, lehnte sich an und stand mit verschränkten Beinen da.

»Ich muß gehen«, sagte Rethorn, »ich habe zu tun.«

»Du kannst gehen«, sagte Freytag.

Rethorn wartete, bis Doktor Caspary ihn ansah und bestätigte: »Sie können gehen, aber erinnern Sie Ihren Funker – wir sind nicht daran interessiert, daß er ein Boot anruft.« Dann verließ Rethorn und mit ihm Fred die Messe, und Freytag beugte sich über Zumpe, hob ihn vom Tisch auf und drückte den schlaffen Körper in einen der festgeschraubten Armsessel. Freytag tätschelte sein Gesicht, ruckte an seinen Schultern, bis Zumpe sich schüttelte und aufrecht sitzen blieb, ohne jedoch seinen Blick zu heben oder zu sprechen.

»Hier bin ich«, rief Eddie, »wir sind noch nicht von Bord.«

»Laß ihn zufrieden jetzt«, sagte Doktor Caspary. »Wir müssen uns um das Boot kümmern.«

»Er weiß am besten, was damit los ist«, sagte Eddie von der Tür. »Hast du versucht, den Motor anzuwerfen?«

»Mit diesem Boot kommen wir nicht einmal zu den Inseln.«

»Das ist schade«, sagte Doktor Caspary, »in gewisser Hinsicht sogar unangenehm – ich meine für Sie, Kapitän. Sie wollten uns bei der Reparatur helfen.«

Freytag schwieg.

»Und Sie sehen, was daraus geworden ist«, fuhr Doktor Caspary fort. »Einer Ihrer Männer war offenbar nicht mit Ihrer Absicht einverstanden. Er hat verhindert, daß wir in unserem Boot weiterfahren können. Es war ein Fehler, denn nun sind wir gezwungen, uns Ihr Boot zu leihen. Wir werden in Faaborg erwartet, und ich sehe keine andere Möglichkeit, rechtzeitig dort zu sein, als mit Ihrem Boot. Wir werden es wieder aussetzen.«

Freytag sah schnell zu den Davits hinüber, in denen ihr Boot festgezurrt hing, und er erkannte den Rücken von Soltow, der sich über den Motor gebeugt hatte, und für einen Augenblick auch Soltows Hand auf der Bordkante und in der Hand einen schweren Schraubenschlüssel. Als er den Kopf zurückwandte, merkte er, daß auch Doktor Caspary zu den Davits sah, und zum ersten Mal fühlte er sich frei von diesem Blick, der ihn durch die fleckige Sonnenbrille immer und überall zu erreichen schien. »Ah«, sagte Doktor Caspary, »ich vermute, nun hat auch Ihr Boot Schaden.«

»Es ist ein altes Beiboot«, sagte Freytag.

»Ich weiß; darum versteht es auch, was wir sagen.«

»Sie können unser Boot nicht nehmen«, sagte Freytag, »wir sind darauf angewiesen.«

»Es ist mir unangenehm: wir sind aber auch darauf angewiesen. Wir werden erwartet.«

»Nicht unser Boot.«

»Wir wollen es nur leihen«, sagte Doktor Caspary.

»Das Boot wird nicht ausgesetzt.«

Doktor Caspary lächelte, polierte nachdenklich den Siegelring in der Hüfte, dann richtete er sich auf und sagte: »Geht raus und untersucht das Boot, und wenn es in Ordnung ist, bringt es zu Wasser.« Er deutete auf Zumpe. »Nehmt ihn mit, er ist der erste, der euch helfen wird. Ich möchte mit dem Kapitän einen Augenblick allein sprechen.«

Die Brüder traten an Zumpe heran, jeder von einer Seite; sie hakten ihn unter, hoben ihn hoch und verließen die Messe, wobei Zumpes Füße kaum den Boden berührten.

»Sie werden das Boot nicht aussetzen«, sagte Freytag, als sie allein waren. »Sie wissen, was es für uns bedeutet, wenn wir ohne Boot sind.«

»Es bedeutet Ihnen genausoviel wie uns«, sagte Doktor Caspary. »Und darum mache ich Ihnen einen Vorschlag, Kapitän. Sorgen Sie dafür, daß wir hier wegkönnen, und Sie haben Ihre Ruhe. Versuchen Sie nicht, uns an die Kette zu legen wie Ihr Schiff, und vor allem: warnen Sie Ihre Leute. Wenn die Leute Ihre Anweisungen sabotieren, könnte etwas geschehen, das nicht in Ihrem Interesse liegt. Ich habe meine Gründe, Sie zu warnen, denn ich allein kenne Eugen und seinen Bruder. Sorgen Sie dafür, daß wir hier wegkönnen, bevor wir ungeduldig werden.«

»Und was geschieht, wenn ihr ungeduldig werdet?« fragte Freytag. Doktor Caspary zog eine lange Zigarettenspitze heraus, ein Etui; gewissenhaft schraubte er eine Zigarette in die Öffnung der Spitze, zündete sie an und sagte, nachdem er mehrmals flüchtig inhaliert hatte: »Wollen Sie es darauf anlegen, Einzelheiten zu erfahren?«

»Soll ich Ihnen sagen, woher ihr kommt?« fragte Freytag.

»Es ist mir bekannt«, sagte Doktor Caspary.

»Sie wollen die Wahrheit nicht hören.«

»Die ganze Wahrheit ist reizlos«, sagte Doktor Caspary, »ich hatte zeitlebens einen gewissen Ehrgeiz, immer nur die halbe Wahrheit zu erfahren und auch zu sagen. Wenn ich das nicht getan hätte, wäre ich vor Langeweile umgekommen.«

»Ihr habt etwas auf dem Kerbholz und wollt verschwinden.«

»Sehen Sie«, sagte Doktor Caspary, »ich wußte, daß Sie nicht mehr sagen können als die schlichte Wahrheit. Ein Grund mehr, daß wir hier wegkommen.«

Sie wandten sich gleichzeitig zu einem offenen Bulleye, vor dem plötzlich ein Schatten auftauchte, lautlos und drohend, ein Schatten, der quer über den Tisch der Messe fiel, eine Sekunde zwischen ihnen lag wie eine Grenze und verschwand, ehe sie noch entdeckten, zu wem er gehörte. Kein Schritt, kein Wort war zu hören, nur die Geräusche des Wassers draußen, das glucksend gegen das Schiff geworfen wurde.

»Sprechen Sie mit Ihren Leuten«, sagte Doktor Caspary. »Es empfiehlt sich, und wir ersparen uns Überraschungen, die wir nicht unbedingt wünschen. Sie merken selbst, daß es notwendig ist.«

Eddie betrat die Messe und blieb an der Tür stehen. Er hatte das Fallmesser in der Hand, winkte aus dem Gelenk ein ›Nein‹ und sagte: »Es ist nichts mit ihrem Boot. Wir brauchen es nicht auszusetzen.«

»Es hat ebenfalls Motorschaden, vermute ich«, sagte Doktor Caspary.

»Aus lauter Sympathie«, sagte Eddie.

»Dann verzichten wir auf die Boote und halten uns an die letzte Möglichkeit.«

»Was verstehen Sie unter der letzten Möglichkeit?« fragte Freytag.

»Ihr Schiff«, sagte Doktor Caspary. »Sie werden den Anker einholen lassen, und Sie werden uns mit dem Feuerschiff hinüberbringen und unter der Küste absetzen. Wenn es Sie geniert, werden wir nachts fahren. Vielleicht wird Ihr Schiff Ihnen dankbar sein: zum ersten Mal wird es frei zum Horizont fahren und endlich fremdes Wasser unter den Kiel bekommen.«

»Wissen Sie, was das bedeutet?« sagte Freytag nach einer Weile. Er nahm die kalte Zigarette aus dem Mund, zerdrückte sie zwischen den Fingern und warf sie auf den Fußboden.

»Eine bequeme Überfahrt«, sagte Doktor Caspary, »angenehmer jedenfalls als in einem offenen Boot.«

»Wissen Sie, was es bedeutet, wenn ein Feuerschiff seinen Platz verläßt?« wiederholte Freytag. »Können Sie sich das vorstellen?«

»Ich hatte über manches zu klagen, doch nie über einen Mangel an Phantasie«, sagte Doktor Caspary. »Ich kann mir vorstellen, daß die Kollegen, die von weither kommen, überrascht sein werden, wenn Sie nicht mehr da sind. Vielleicht werden sie auch verwirrt sein, wenn Sie ihnen nicht heimleuchten. Schlimmstenfalls können die andern ja Anker werfen und warten, bis Sie wieder zurück sind.«

»Wenn ein Feuerschiff seine Position verläßt, hört für die andern die Sicherheit auf.«

»Es gibt auch Leute, die ein Verlangen nach Unsicherheit haben.«

»Dies Schiff darf seinen Platz nicht verlassen, ohne daß es die Direktion erfährt.«

»Die Direktion braucht es nicht zu erfahren.«

»Es kommen Schiffe rein«, sagte Freytag, »sie steuern uns an.«

»Dann müssen sie eben ihren Weg vorübergehend allein finden.«

»Wissen Sie, was das in diesem Fahrwasser bedeutet?«

»Meine Phantasie reicht dafür aus.«

»Sie werden uns niemals zwingen, unsere Position zu verlassen, keinen von uns.«

»Das wissen Sie jetzt schon?« sagte Doktor Caspary.

»Er ist ein kluges Kind«, sagte Eddie von der Tür.

»Und Sie werden es auch nicht wagen«, sagte Freytag. »Wissen Sie, was erfolgt, wenn sie auf dem ersten Schiff feststellen, daß wir nicht auf Position sind?«

»In Faaborg erübrigt sich diese Frage.«

»Sie würden es sofort melden, und es würden Suchschiffe auslaufen und Flugzeuge aufsteigen, und sie hätten uns, bevor ihr von Bord wärt.«

»Wir haben es noch nicht probiert.«

»Dann probieren Sie es«, sagte Freytag. »Holt den Anker auf und setzt das Hilfssegel und fahrt los. Uns werdet ihr nicht zwingen.«

»Hat das Schiff etwa auch Maschinenschaden?« fragte Doktor Caspary.

»Das Schiff hat keine Maschine«, sagte Freytag. »Es ist nicht für Fahrt eingerichtet, sondern für die Kette.«

»Der geborene Gefangene«, sagte Doktor Caspary.

»Ich warne Sie«, sagte Freytag, »wenn dieses Schiff seine Position verläßt...«

»Was dann?«

»Dann wird es Folgen geben, die niemand übersehen kann. Wenn ein Schiff draußen untergeht, dann ist es ein einzelnes Unglück und gehört zu dem Preis, den die Seeleute zahlen müssen, aber wenn ein Feuerschiff von seinem Standort verschwindet, hört die Ordnung auf See auf.«

»Ordnung, Kapitän, ist der Triumph der Phantasielosen; wir sind auch hier anderer Meinung. Und jetzt mache ich Ihnen wieder einen Vorschlag. Gehn Sie zu Ihren Leuten, sprechen Sie mit ihnen. Wir sind bereit, mit unserm Boot zu fahren, und sehen Ihr Schiff als letzte Möglichkeit an. Aber damit wir uns nicht an die letzte Möglichkeit halten müssen, ist es notwendig, daß unser Boot repariert wird. Sprechen Sie also mit Ihrem Maschinisten, und sagen Sie ihm auch, daß wir erwartet werden, und, da wir nicht allzu unhöflich dastehen möchten, daß die Sache eilig ist. Ich möchte Ihnen keine Frist nennen, aber Sie dürfen annehmen, daß wir uns eine Frist gesetzt haben. Mit Ihrer Erlaubnis werden wir in der Messe wohnen; es ist erstaunlich, was einem nicht alles unter dem Zwang der Verhältnisse gemütlich erscheinen kann.«
Doktor Caspary lächelte, und Freytag verließ ohne Antwort die Messe, ging blicklos an Eddie vorbei, der lässig vor ihm zurückwich, trat hinaus auf das Mittelschiff: eine Rauchwolke stand am Horizont, locker und vom Wind auf das Wasser gedrückt; Gombert war auf Ausguck; am Strand der Insel wimmelten schwarze Punkte um einen breiten schwarzen Körper, der aussah wie ein Boot; das Brummen eines Flugzeuges war in der Luft, und auf dem Wasser, das eisengrau war gegen die offene See, von bläulicher Schwärze gegen die Küste hin, wanderten langsame Schatten. Trittel saß mit einem Zockler an der Reling; er trug eine Joppe über seinem weißen Zeug, und das Holzstück, von dem die Schnur mit dem blitzenden Zinnfisch ins Wasser führte, hob und senkte sich ruckhaft in seiner Hand, schlug zu den Seiten aus. Unter seinem Klappstuhl schimmerten die gesprenkelten Leiber von Dorschen, die er bereits gefangen hatte. An den Davits entdeckte Freytag den Riesen mit der Hasenscharte, der breitbeinig dastand und über Bord pißte und jetzt die abgesägte Schrotflinte trug, die er lose in die Hüfte eingezogen hatte. Freytag wich ihm aus und ging zur Kammer von Rethorn.

Als er die Kammer betrat, sah er Rethorn mit aufgeknöpfter Jacke in der Koje liegen, und vor ihm, auf einem Hocker, saß Fred.

Freytag spürte, daß sie miteinander geredet hatten und nun, da er vor ihnen stand, nicht bereit waren, weiterzureden; ruhig zog er die Mütze vom Kopf und setzte sich auf die Bettkante. Er schnippte sich eine Zigarette aus Rethorns Packung und zündete sie an und saß reglos zwischen dem Mann und dem Jungen.

»Wir haben uns sehr guten Besuch eingeladen«, sagte Rethorn nach einer Weile.

»Wir laden ihn auch wieder aus«, sagte Freytag.

»Der prominenteste Besuch, seitdem ich an Bord bin.«

»Hast du etwas gehört?«

»Sogar im Radio wurden die Herren erwähnt, zumindest zwei von ihnen. Merkwürdigerweise stimmen nicht nur die Beschreibungen, sondern auch ihre Namen.«

»Wann hast du's gehört?«

»Am Schluß der Nachrichten haben sie es durchgegeben. Unser Besuch kommt aus Celle, zwei Brüder, beide bewaffnet, vor beiden wurde gewarnt – also nicht sehr viel Neues für uns. Einer von ihnen hat einen Briefträger erschossen. Die Posttasche wurde noch nicht gefunden.«

»Ich möchte wissen, was mit dem andern los ist«, sagte Freytag, »mit diesem Doktor Caspary oder wie er heißen mag.«

»Es wurden nur zwei erwähnt, die Brüder. Sie sind mittags geflohen, am hellichten Tag, und aus einem immerhin doch berühmten Zuchthaus.«

»Doktor Caspary und die beiden andern passen nicht zusammen.« Rethorn richtete sich auf und begann, seine Jacke zuzuknöpfen, angelte sich dann die Schuhe und schnürte sie zu und blickte Freytag erwartungsvoll an. »Wann sollen wir sie festnehmen?« fragte er.

Freytag sah überrascht und mit gequältem Lächeln auf, zuckte die Achseln; er sah an Rethorn vorbei, starr und abwesend, sein Blick fiel auf die weißgelackte Wand der Kammer, das hautstraffe Gesicht war ohne Bewegung so, als sähe er etwas, was ihn alles vergessen ließ: den Mann, den Jungen und die Frage, und so blieb er zwischen ihnen sitzen, bis Rethorn mit einem Satz aus der Koje sprang, ihn antippte und sagte:

»Wann also?«

»Wann, ja«, sagte Freytag.

»Von mir aus kann es gleich sein.«

»Was willst du tun?« fragte Freytag müde.

»Wir nehmen sie uns nacheinander vor.«

»Einzeln«, sagte der Junge, »wenn sie nicht darauf gefaßt sind.«

»Eine Pistole ist immer auf etwas gefaßt«, sagte Freytag. Jetzt stand Fred auf, lauschte einen Augenblick an der Tür, hockte sich in der Mitte der Kammer zu den Füßen seines Vaters hin und flüsterte: »Du darfst sie nicht fortlassen, du weißt, wer sie sind, und jetzt ist es zu spät. Wenn wir wollen, kommen sie nicht von Bord. Wir setzen sie fest und schicken sie mit dem Versorgungsboot an Land.«

»Ja«, sagte Freytag, »ja, genau so hört sich die einfachste Rechnung an.«

»Was meinst du damit?« fragte Fred.

»Willst du nicht?« fragte Rethorn.

»Ich weiß nicht«, sagte Freytag. »Es ist nicht so leicht, sich mit einer Gewehrmündung zu unterhalten. Du kannst sie nicht überzeugen.«

»Was willst du denn?« fragte Fred schroff und schnellte empor und trat neben Rethorn, der sich in einem Ausguß die Hände wusch.

»Ich will Ruhe haben auf der letzten Wache«, sagte Freytag, »Ruhe, ja. Und ich will, daß wir alle heil an Land zurückkommen, wenn das Schiff eingezogen wird. Es soll keiner fehlen beim Einlaufen.«

»Hast du gesehen, was sie mit Zumpe gemacht haben?« fragte Rethorn, während er sich die Hände abtrocknete und an den Fingergelenken zog, daß es knackte.

»Ich war dabei«, sagte Freytag. »Zumpe hat einen Fehler gemacht.«

»Ja«, sagte Rethorn verächtlich, »er hat einen Fehler gemacht, und der bestand darin, daß er hinausfuhr und ihr Boot herbrachte. Er hätte sie treiben lassen sollen.«

»Ich würde sie noch einmal reinholen«, sagte Freytag. »Ich würde keinen auf See lassen, auch nicht, wenn ich weiß, wer es ist.«

»Einer ist ein Mörder«, sagte Fred. »Willst du ihn fortlassen? Vielleicht möchtest du ihm noch eine Wärmflasche ins Boot geben.«

»Hör auf, so zu reden«, sagte Freytag leise. »Du gehörst nicht zum Schiff.«

»Der Junge hat recht«, sagte Rethorn. »Wir dürfen sie nicht von Bord lassen. Wir müssen verhindern, daß sie nach drüben kommen. Wir können es tun.«

»Und wenn ihre Pistolen anderer Meinung sind«, sagte Freytag und starrte wieder auf die weißlackierte Wand. Rethorn zog seinen Binder nach, strich mit den Handballen das Haar an den Schläfen glatt und sagte:

»Wir werden etwas tun, es ist unsere Pflicht.«

Freytag hob müde die Schultern. »Hör auf«, sagte er, »dies Wort kotzt mich an. Ich kann es nicht mehr hören, ohne daß ich Brechreiz bekomme.«

»Also«, fragte Rethorn, »was schlägst du vor? Wovon wird dir nicht übel?«

»Soltow wird ihr Boot reparieren. Er kann es in der Bordwerkstatt tun.«

»Ist das dein Ernst?« Fred blickte überrascht auf den Alten herab, ein Ausdruck der alten Feindseligkeit, der alten Verachtung erschien auf seinem blassen Gesicht; eilig wandte er sich zur Tür, legte die Hand auf den Drücker, doch er blieb.

»Du willst sie also an Bord lassen«, sagte Rethorn, während er sich mit einer Taschenbürste die Aufschläge seiner Hose zu säubern begann.

»Ich will die ganze Besatzung an Land bringen«, sagte Freytag, »nichts weiter.«

»Du weißt, was das bedeutet«, sagte Rethorn. »Du hast die Verantwortung.«

»Ich will, daß keiner von uns beim Einlaufen fehlt. Und darum wirst du mit Soltow sprechen. Er soll ihr Boot reparieren. Er soll sich beeilen. Das ist alles.«

Es wurde dunkel in der Kammer. Regen prasselte gegen das Bulleye, und über der See lag ein schwaches, aufzuckendes Leuchten wie von tausend kleinen Explosionen.

Nachts, als er dalag, die kalte Zigarette im Mund, die Arme unter dem Kopf verschränkt und zu dem Bett hinüberblickend, in dem der Junge schweigend dalag wie er selbst – nachts lauschte er wieder auf das knackende Geräusch der festgehakten Tür.

Seit der Zeit auf der Lumpenlinie damals konnte Freytag nur bei offener Tür schlafen, er selbst öffnete sie und hakte sie fest, doch der Haken steckte nur lose in der Halterung und knackte und ruckte bei den dünenden Bewegungen des Schiffes. In dieser Nacht hörte er auch den Wind in den Wanten und das Klirren der Kette im Kettenkasten. Nach dem Regen war die See glatt und glanzlos gewesen, bis dann von Land her ein böiger Wind aufgekommen war, der das Wasser schnell wieder aufwarf, mit kurzen Wellen gegen das Schiff drückte. Freytag hatte gewartet, bis die große Eisenbahnfähre hinter den Inseln verschwunden war, dann war er hinabgegangen, hatte nur Hose und Jacke ausgezogen und sich im Unterzeug aufs Bett gelegt; unbedeckt lag er da, horchte auf das Knacken des Türhakens, auf die knarrenden, knisternden und ziehenden Geräusche in den Spanten des Schiffes, und sah zu Fred hinüber, der sich zusammengekrümmt und gegen die Wand gedreht hatte. Seitdem sie die Kammer von Rethorn verlassen hatten – Freytag allein, der Junge lange nach ihm mit dem Steuermann –, hatten sie nicht mehr miteinander gesprochen, und obwohl Freytag merkte, daß der Junge jetzt wach lag, machte er keinen Versuch, ihn anzusprechen – wie er auch nicht erwartete, daß Fred etwas zu ihm sagen würde. Er spürte die Zurückweisung, die Enttäuschung noch in dem Schweigen, das jetzt bestand; auch in der Stille der Kammer war die alte Feindseligkeit spürbar, und Freytag dachte an den Markt in Dschibuti, wo sich zwei, die etwas auszumachen haben, unter ein schwarzes Tuch zurückziehen und schweigend fortsetzen, was sie redend begonnen haben.

Er wußte, daß er nicht einschlafen würde, er lag und wartete, bis er die Schritte von Zumpe hörte, der Gombert auf Ausguck ablöste, dann stand er auf und zog sich an. Die Schritte von Gombert entfernten sich nicht – dröhnende Schritte auf dem weißgewaschenen Deck, die er immer hörte, wenn sich die Männer oben ablösten –, und er glaubte, sie nun stehen zu sehen: flüsternd, wachsam, in eine Nock gedrückt und unablässig die Messe beobachtend, deren Bulleyes abgedunkelt waren. Vorsichtig, als ob er es vermeiden wollte, den Jungen zu stören, verließ er die Kammer und trat an Deck und blieb im Schatten der Tür stehen: der Himmel war bedeckt, die Luft feucht und kalt. Gegen die offene See hin lief der scharfe Blinkstrahl ihrer Kennung, der vom Turmmast schneidend auf das dunkle Wasser fiel, schmal und bestimmt war in der Nähe, breit und immer schwächer zum Horizont und schließlich endete wie eine Spur im Sand, die der Wind gelöscht hat. Das Wasser blitzte und flimmerte unter dem harten Licht, ein stechender Widerschein ging von ihm aus wie von verbrauchtem Öl in der Sonne, und die Gischt der zusammenstürzenden Wellen löste sich in einem Funkeln auf. Das Licht schlug eine Schneise in die Dunkelheit über dem Wasser; Seevögel trieben quer in sie hinein, erhoben sich erschreckt, gingen im Dunkeln wieder erschöpft zu Wasser und hinterließen beim Aufsetzen eine schäumende Landespur. Freytag blickte voraus auf den hochgezogenen Bug und auf den verkürzten Bugspriet, der ihn schon das erste Mal, als er zu seinem Schiff hinausfuhr, an das zur Hälfte abgeschnittene Horn eines Hornfisches erinnert hatte und jetzt wieder daran erinnerte; der verkürzte Bugspriet verlieh dem

Schiff plumpe Züge, machte es einem Segler ähnlich, der irgendwo aufgelaufen und dabei zusammengedrückt worden war. Auf den Inseln drüben flammten die Scheinwerfer eines Autos auf, schwenkten herüber und erloschen in dem Augenblick, in dem auch der Blinkstrahl des Schiffes endete und der Laternenträger wieder dunkel und gedrungen aufragte.

Freytag stieß sich mit der Schulter von der Wand ab und trat aus dem Schatten; von Backbordseite, wo die Kombüse lag, hörte er tappende Schritte, einen Fluch und einen unterdrückten Verständigungsruf, und er ging hinüber und blieb vor dem Schott der Kombüse stehen. Er zweifelte nicht, daß sie drinsaßen, doch er ging nicht hinein, sondern blieb neben dem Schott stehen, wickelte das Taschentuch um die knotigen Fingergelenke und schob die Hand in die Tasche. Er machte keinen Versuch, am Schott zu lauschen, doch selbst, wenn er den Versuch gemacht hätte, wäre nichts zu ihm gedrungen, denn ihre Verständigung – und er wußte, daß sie sich jetzt verständigten – erfolgte so lautlos, als ob sie nur Zeichen gebrauchten. Nach einer Weile verließ er seinen Platz und stellte sich unter die Wanten, von wo er das Schott der Kombüse im Auge behielt, und wenn der Blinkstrahl aufflammte, duckte er sich unter die Reling. Wasser sprühte über das Vorschiff, traf kalt und fein sein Gesicht, er spürte die Feuchtigkeit im Nacken und auf seinen Lippen, doch er blieb dort unter den Wanten, bis das Schott aufsprang und der erste herauskam.

Der erste war Philippi. Hinter ihm kamen Rethorn und Soltow heraus, und Freytag sah, wie sie sich flach gegen die Wand preßten und so dastanden, in einem Spalier regloser Drohung. Ein Wink – er konnte nicht erkennen, wer es war, der mit einem gebogenen Gegenstand winkte –, und sie schlugen hintereinander den Weg zur Messe ein. Alle waren bewaffnet. Freytag folgte ihnen, er ging aufrecht in dem harten Licht, das vom Turmmast über das Deck fiel, ging ohne Zuruf, ohne Warnung hinterher, bis Soltow seinen Schritt hörte, sich geduckt umwandte und ihn erkannte und in der Sekunde des Erkennens einen leisen Pfiff ausstieß. Soltow blieb stehen, schob einen Vierkantschlüssel in den Ärmel hinauf; auch Rethorn und Philippi legten den Arm an den Körper, drehten ihre Handflächen nach außen und verbargen ihre Schlagwaffen, als sie Freytag erkannten. Sie standen sich gegenüber, sahen einander ohne Überraschung, doch mit offener Mißbilligung an

– so, als hätten sie insgeheim damit gerechnet, sich zu begegnen, und gleichzeitig solch eine Begegnung verwünscht. Rethorn zeigte mit dem Daumen in Richtung zur Messe und sagte:

»Laß uns dahin, in einer halben Stunde sind wir fertig mit ihnen. Es dauert nicht länger.«

»Ich würde unter Deck gehen an eurer Stelle.«

»Wenn du nicht mitmachen willst, dann laß uns rüber«, sagte Rethorn. »Du kannst dich raushalten aus allem, wir besorgen das allein.«

»Geht unter Deck«, sagte Freytag.

»Hast du vergessen, wer auf dem Schiff ist?«

»Ich habe nichts vergessen.«

»Zwei von ihnen schlafen«, sagte Rethorn. »Nur der Blöde ist wach und sitzt unter dem Ventilator, wie er besser nicht sitzen kann.«

»Ich denke, ihr habt mich verstanden.«

»Warum bist du dagegen?« sagte Rethorn.

»Geht unter Deck. Ich bin nicht daran interessiert, daß Gombert morgen einen von euch in Segeltuch näht.«

»Dann ...«

»Ja?«

»Wir werden es versuchen«, sagte Rethorn.

»Aber nicht auf diesem Schiff«, sagte Freytag, »nicht solange ich Kapitän bin.«

Er schwieg, verblüfft über das, was er gesagt hatte, denn in all den Jahren, in denen er ein Schiff geführt hatte, war es nie vorgekommen, daß er mit seiner Stellung an Bord drohen mußte, und an Rethorns Haltung, auch an der Haltung der andern, die ihn mit skeptischer Verwunderung musterten, merkte er sofort, daß etwas geschehen war, was er nicht beabsichtigt hatte.

»Verschwindet«, sagte er, »geht mit euren Totschlägern schlafen.«

»Ich würde sie in die Werkzeugkammer bringen«, sagte plötzlich eine Stimme, »da gehören sie hin und nicht ins Bett.«

In der offenen Tür der Messe stand Doktor Caspary, hinter ihm, die abgesägte Schrotflinte in der Hüfte, Eugen Kuhl, der zustimmend grinste und, nachdem Doktor Caspary lächelnd hinausgeschlendert war, die Tür von innen schloß. »Ist etwas los auf Deck?« rief Zumpe vom Ausguck.

»Nichts«, antwortete Doktor Caspary. »Wir stellen nur die Nachteile der Nachtarbeit fest.«

»Kommt«, sagte Rethorn, und er, Philippi und Soltow gingen zum Achterschiff, wobei jeder von ihnen einen Arm steif nach unten hielt, so daß es aussah, als trüge jeder von ihnen eine Prothese. Aufgeräumt blickte Doktor Caspary ihnen nach, bis sie verschwunden waren, dann wandte er sich zu Freytag und sagte:»Ich habe gut geschlafen, doch ihre Stimmen weckten mich.«

»Das tut mir leid«, sagte Freytag.

»Ah«, sagte Doktor Caspary,»es ist eine Erfahrung, die ich schon früh gemacht habe: gerade da, wo man vor dem Lärm sicher zu sein glaubt – auf dem Land, auf dem Wasser, auf einer Insel –, quält er einen erst recht, wenn auch auf andere Weise: hier herrscht das einzelne Geräusch, und eine gewisse Stimme reicht bereits aus, um einen Krampf im Gehirn hervorzurufen.«

»Ich muß rauf zur Brücke«, sagte Freytag.

»Darf ich Sie begleiten?«

»Ich kann Sie nicht daran hindern.«

»Das stimmt«, sagte Doktor Caspary.»Es hört sich merkwürdig an, doch es trifft zu.«

Sie stiegen zur Brücke hinauf, und Freytag öffnete ein Schapp, dessen Wände mit Seekarten bedeckt waren und in dem nur ein breiter Tisch stand und ein Stuhl. Der Tisch war mit einer dicken Glasplatte bedeckt, unter der ebenfalls eine Seekarte lag. In einem Regal schräg hinter dem Stuhl lagen Bücher und obenauf eine Kladde mit verstärktem Pappdeckel.

Doktor Caspary zog die Kladde heraus, schlug sie auf, trat unter die elektrische Birne und begann flüchtig zu lesen.

»Ihr Logbuch?« fragte er.

»Ja«, sagte Freytag.

»Es enthält alles, was an Bord passiert, nicht wahr?«

»Alles.«

»Fürchterlich«, sagte Doktor Caspary.»Die Zeit eines Schiffes muß fürchterlich sein, wenn jeder Tag und jedes Ereignis so festgehalten werden – alles ist nachzuschlagen, keine Lücke, kein Geheimnis. Hier wird das Leben zu einer einzigen Buchhaltung.«

»Es hat seine Vorteile«, sagte Freytag.

»Ah«, sagte Doktor Caspary,»ich habe immer versucht, besondere Ereignisse zu vergessen, zu verwischen. Am liebsten hätte ich jeden Tag damit begonnen, die Spuren des vorhergehenden zu löschen; denn was soll man von einem neuen Tag erwarten, der noch im Schatten des alten steht?«

»Eine Abrechnung«, sagte Freytag.

»Sehr gut«, sagte Doktor Caspary lächelnd und, nach einer Pause und indem er vorblätterte zur letzten Eintragung: »Ich vermute, daß wir auch schon die Ehre hatten, in Ihrem Buch zu erscheinen.«

»Noch nicht«, sagte Freytag.

»Wollten Sie es jetzt nachholen?«

»Ich bin gezwungen dazu. Alles, was an Bord passiert, gehört ins Logbuch.«

Doktor Caspary nickte traurig, tippte mit dem Zeigefinger auf den Pappdeckel des Logbuchs und sagte:

»Das sind die Fallen, die wir nicht merken: die Fallen der Ordnung. Wir haben uns so schrecklich daran gewöhnt, wie Ihr Schiff sich an die Kette gewöhnt hat.«

»Ich muß jetzt arbeiten«, sagte Freytag.

»Ich weiß«, sagte Doktor Caspary, »Sie wollen den Ereignissen auf den Fersen bleiben. Aber wie wäre es, wenn Sie unsern Besuch nicht erwähnten, einen weißen Fleck ließen, so daß später niemand mehr entscheiden kann, was wirklich passiert ist? Sie sollten es versuchen, Sie sollten einfach alles ausfallen lassen: wie Sie uns rausholten, welches Wetter herrschte, was an Bord geschah – nichts sollte in Ihrer Buchhaltung erwähnt werden, und auf einmal würde Ihr Schiff ein Geheimnis haben, einen dunklen Punkt. Man würde dann später einmal sagen: damals, auf dem Feuerschiff, kurz vor den Winterstürmen – aber niemand würde etwas Genaues wissen.«

»Geben Sie mir das Logbuch«, sagte Freytag.

»Und dann?«

»Alle Ereignisse an Bord gehören hinein.«

»Auch unser Besuch?«

»Ja«, sagte Freytag, »alles.«

»Wir sind aber nicht daran interessiert, erwähnt zu werden. Obwohl ich gespannt wäre, welche Zensuren Sie uns geben würden, legen wir keinen Wert darauf, in Ihr Buch eingesperrt zu werden. Ich bin sicher, daß wir uns verstanden haben.«

»Geben Sie mir das Buch«, sagte Freytag.

Doktor Caspary legte das Logbuch auf den Tisch und begann, den Siegelring mit weichen, mechanischen Bewegungen in der Hüfte zu polieren und die Hand, an der der Ring steckte, ebenso mechanisch von Zeit zu Zeit unter die nackte elektrische Birne zu heben. Dabei verfolgte er, wie Freytag das Logbuch an sich nahm, es aufschlug, darin blätterte und es schließlich zuklappte und ins Regal stellte, ohne eine Eintragung gemacht zu haben.

»Wir haben uns verstanden, Kapitän«, sagte Doktor Caspary. »Wahrscheinlich gibt es keinen an Bord, mit dem ich mich so gut verstehe wie mit Ihnen.«

Es klang sehr überzeugend, klang wie ein Geständnis, und Freytag hob überrascht das Gesicht und sah den Mann erwartungsvoll an, und er glaubte auch für einen Augenblick zu erkennen, daß Doktor Caspary bereit war, ihm etwas zu erklären oder anzuvertrauen, doch dann erschien wieder das maskenhafte Lächeln auf seinen Zügen, lautlos und plötzlich, so wie sich der Spiegel der See verändert, und Freytag erhob sich und ging hinaus auf die Brücke.

»Darf ich mich zu Ihnen stellen?« sagte Doktor Caspary.

»Ich kann Sie nicht daran hindern«, sagte Freytag.

Unter der sternlosen Schwärze des Horizonts standen die Lichter eines aufkommenden Schiffes, wanderten langsam herauf, hoben sich wie das Periskop eines auftauchenden U-Bootes, mühsam, gleichmäßig, so daß es aussah, als erhöbe sich das Schiff vom Grunde der See. Der Blinkstrahl des Feuerschiffes zuckte ihm entgegen wie ein weisender Arm, erlosch und flammte wieder auf.

»Sehen sie uns drüben?« fragte Doktor Caspary.

»Wir sind der Ansteuerungspunkt«, sagte Freytag. »Sie sehen uns auf fünfzehn Seemeilen.«

»Demnach richten sie sich nach uns.«

»Sie richten sich nach der Kennung des Schiffes«, sagte Freytag.

»Sehr gut«, sagte Doktor Caspary, »ich habe Sie verstanden. Die andern richten sich nach der Kennung, die Sie geben. Es ist ihnen gleichgültig, wer an Bord des Feuerschiffes ist, solange sie ihre Kennung erhalten, die ihren Kurs bestimmt. Solange an diesem Mast das Licht aufflammt, sind die Männer auf den anderen Schiffen zufrieden, denn sie glauben, daß damit die Ordnung auf See besteht. So ist es doch?«

»Ja«, sagte Freytag, »so ungefähr.«

»Die andern kümmern sich also nicht darum, wer ihnen die Kennung gibt?«

»Sie erhalten die Kennung, die sie brauchen«, sagte Freytag, »die sie an den Bänken vorbeibringt zum Hafen – alles andere geht sie nichts an.«

»Gut«, sagte Doktor Caspary, »dann würde es auch den andern nichts ausmachen, wenn sie die Kennung von meinen Leuten bekämen, statt von Ihren.«

»Was haben Sie vor?«

»Nichts. Ich versuche nur, dahinterzukommen; ich versuche mir vorzustellen, was es bedeutet, daß die andern von Ihrem Feuerschiff nur die Kennung erwarten, sonst nichts. Wer für die Kennung sorgt, ist ihnen gleichgültig.«

»Solange der Kurs stimmt und Sicherheit besteht, kann es ihnen gleichgültig sein.«

»Und wenn er plötzlich nicht mehr stimmt, wenn sich die Kennung überraschend ändert, heimlich, ohne Ankündigung – was werden die andern tun? Wahrscheinlich das, woran sie gewöhnt sind: sie werden die Kennung aufnehmen, sie empfangen und, ohne mit der Fahrt herunterzugehen, auf den Sandbänken auflaufen. Erst wenn sie mit dem Kiel festsitzen, werden sie merken, daß sie etwas versäumt haben: sich für die zu interessieren, die ihnen die Kennung verschaffen.«

»Dafür sind wir da«, sagte Freytag, »und drüben wissen sie, daß sie sich auf uns verlassen können. Bisher haben wir sie sicher reingebracht.«

»Sie sind aber nicht mehr allein an Bord«, sagte Doktor Caspary.

»Das habe ich gemerkt«, sagte Freytag.

»Da drüben aber wissen sie nichts davon«, sagte Doktor Caspary und deutete auf das Schiff, das hell erleuchtet und mit glimmender Bugsee näher kam, um sie quer zu passieren.

»Wir haben sie in der Hand, und wir brauchen nicht sehr viel zu tun, um sie auf die Sandbänke zu schicken. Sie würden sich doch sicher nach dem richten, was wir ihnen rübergeben?«

»Ja«, sagte Freytag, »sie würden sich danach richten.«

»Mehr wollte ich nicht wissen, Kapitän. Nehmen Sie eine Zigarette?«

Freytag zeigte mit dem Finger auf die kalte Zigarette, die er zwischen den Lippen hielt, schüttelte den Kopf und hob das Nachtglas an die Augen und blickte zu dem Schiff hinüber. Es war ein Passagierdampfer mit erleuchtetem Mitteldeck und zwei Reihen erleuchteter Bulleyes, die wie Ketten von kleinen Monden durch die Dunkelheit glitten, sanft und feierlich. Der Dampfer hatte die Wracktonne passiert, lief jetzt querab, und Freytag erkannte die gekreuzten goldenen Schlüssel am Schornstein, das Reedereiabzeichen; er erkannte Schatten, die sich hinter den Bulleyes bewegten, eine Frau, die sich kämmte, Männer, die eine Persenning vom vorderen Luk zerrten, und er dachte, was drüben geschehen würde, wenn der Kiel knirschend in den Sand glitte, wenn eine Erschütterung durch das Schiff liefe, die Schraube es peitschend, wie die Schwanzflosse eines gestrandeten Wals, in wütender Anstrengung immer weiter in den zähen Grund drückte; er glaubte die Schreie zu hören, die Schritte auf den Gängen, wenn das Licht ausfiele, und dann das Splittern von Glas, Holz und Geschirr und das Rauschen aus dem Maschinenraum, von wo sie starken Wassereinbruch melden würden. Er setzte das Glas wieder ab, legte es in die Halterung und wandte sich zu Doktor Caspary um.

»Solange wir an Bord sind«, sagte er, »können sich die andern auf uns verlassen.«

»Es ist gut, daß Sie davon überzeugt sind«, sagte Doktor Caspary, »so werden Sie dafür sorgen, daß sich daran nichts ändert und unser Boot fertig wird.«

Freytag schloß die Augen, legte die Hände auf das nasse Brückengeländer, stand schweigend wie unter einer Anstrengung da und sagte nach einer Weile:

»Was auf diesem Schiff auch passieren wird, es wird nie seine Position verlassen. Alles andere kann geschehen, aber nicht das. Das Schiff bleibt hier.«

»Sie haben es in der Hand«, sagte Doktor Caspary.

Freytag antwortete nicht, er beugte sich über das Brückengeländer hinab, blickte auf das Deck, wo eine Gestalt sich bewegte, seufzend, mit schleifendem Schritt; die Gestalt – Freytag erkannte, daß es der Mann mit der Hasenscharte war – ging unter ihm vorbei zum Fallreep, blieb eine Sekunde stehen, schwang sich über Bord und tauchte langsam weg; dann schrammte das Boot, das an der Vorleine festhing, dröhnend gegen die Bordwand, ein Sprunggeräusch drang zur Brücke herauf, und Freytag wußte, daß in diesem Augenblick nur noch zwei auf dem Feuerschiff waren, Doktor Caspary neben ihm und Eddie in der Messe.

»Das war Eugen«, sagte Doktor Caspary, »er ist ins Boot geklettert, um etwas zu erledigen«, und, während er Freytag mit schräggelegtem Kopf ansah: »Jetzt sind nur noch zwei von uns an Bord: ich schätze, Sie haben auch gerade daran gedacht, Kapitän.«

»Ja, ich habe daran gedacht«, sagte Freytag.

»Und haben Sie sich entschlossen?«

»Wozu?«

»Ich bin unbewaffnet«, sagte Doktor Caspary. »Ich hasse es, mit vollgestopften Taschen herumzulaufen; außerdem habe ich nur wenig Kraft und war nie ein Schläger. Solange ich lebe, habe ich nie eine körperliche Auseinandersetzung kennengelernt, nicht einmal als Junge auf dem Schulhof.«

»Soll ich Sie deswegen bedauern?« fragte Freytag, »oder was erwarten Sie?«

»Daß Sie wie ein Mann reagieren sollten, der jeden Tag auf diesem Schiff Buchhaltung führt.«

»Und was verstehen Sie darunter?«

»Sie könnten jetzt dafür sorgen, daß nur noch einer von uns an Bord ist: Eddie in der Messe.«

»Hören Sie zu«, sagte Freytag, »ich bin vielen Männern in meinem Leben begegnet, ich habe gesehen, wie sie aufstiegen und etwas wurden und untergingen, und ich habe alles an ihnen verstehen können, auch die Art, wie sie starben; doch Sie kann ich nicht verstehen, Sie sind der erste, von dem ich nicht weiß, was ich von ihm halten soll. Sie passen nicht zu den beiden andern, Sie sind ein Fall für sich.«

»Das stimmt«, sagte Doktor Caspary, »und ich hatte auch immer den Ehrgeiz, ein Fall für mich zu sein. Ich habe mich stets darum bemüht.«

»Es ist Ihnen auch gelungen«, sagte Freytag, und er griff plötzlich nach dem Glas, setzte es an und blickte achteraus, wo auf der eisengrauen See, wiegend und in langer Kette, rechteckige Papierstücke trieben, die schwach in der nun einsetzenden Dämmerung schimmerten und unmittelbar unter der Oberfläche träge zur Küste hin wanderten wie Schnitzel, die auf einer Jagd zur Markierung des Pfades ausgestreut werden. Wenn das Licht des Feuerschiffs aufflammte, blitzte das Wasser über den Papierstücken; einige kreisten hinter dem Heck in den Strudeln der Strömung, und von den Stücken, die am weitesten entfernt waren, hatten sich mehrere mit Wasser vollgesogen, sanken und trieben sinkend gegen die Küste hin, und in der Dunkelheit der Tiefe glommen sie wie treibende tote Fische. Die wiegende Kette der Papierstücke reichte weit in die Dämmerung über der See hinein, und Freytag verfolgte sie durch das Glas vor und zurück, vor und zurück; dann blickte er, ohne das Glas abzusetzen, aus den Augenwinkeln zu Doktor Caspary hinüber und sah, daß er im Windschatten lehnte und ebenfalls den wiegenden Zug der Papierstücke verfolgte. »Sehen Sie das?« fragte Freytag.

»Ja« sagte Doktor Caspary.

»Was ist das?«

»Briefe. Meine Freunde haben eine ganze Tasche voll von Briefen ins Boot gebracht. Ich vermute, daß Eugen unten sitzt und sie auf diesem Wege abschickt.«

»Wenn der Wind nicht dreht, werden sie vielleicht morgen schon den Strand bedecken«, sagte Freytag. »Einige zumindest«, und er dachte an das, was Rethorn ihm erzählt hatte, an den Briefträger, den einer von ihnen erschossen hatte und dessen Brieftasche verschwunden war; und er dachte auch, daß der erste, der die Briefe am Strand finden würde, argwöhnisch genug sein müßte, um seine Entdeckung herumzutragen, worauf sie sich an Land entschließen würden, Suchkommandos über die Bucht zu schicken.

»Sie haben recht«, sagte Doktor Caspary – und Freytag erschrak, als er wieder seinen Gedanken traf –, »wenn der Wind und die Strömung sich nicht ändern, wird der Strand morgen mit Briefen bedeckt sein, und wahrscheinlich wird schon der erste, der sie entdeckt, dafür sorgen, daß man sich nach dem Absender erkundigt.«

Doktor Caspary verließ eilig die Brücke, und diesmal folgte ihm Freytag; sie gingen vor bis zum Fallreep, beugten sich über die Reling und sahen den Riesen am Boden des Bootes sitzen, die abgesägte Schrotflinte neben sich und zwischen den ausgestreckten Beinen einen Stapel von Päckchen und Briefen, die er einzeln von oben abnahm, aufriß, durch einen Kniff auseinanderdrückte wie eine Lohntüte und, nachdem er Zeige- und Mittelfinger suchend in den Umschlag gezwängt hatte, mit knappem Schwung aus dem Handgelenk über Bord segeln ließ. In einige Umschläge fuhr er nur tastend hinein, andere riß er ganz auf, faltete Briefe auseinander, drehte und wendete sie in seiner Hand, und einmal unterbrach er seine Tätigkeit, um etwas in seine Brusttasche zu schieben. Freytag konnte nicht erkennen, was es war, das der Mann da unten verschwinden ließ, doch er wußte, daß Eugen nach Geldscheinen suchte und daß er zumindest einen gefunden hatte.

Doktor Caspary beobachtete ihn eine Weile, bevor er ihn anrief und höflich überredete, keinen Brief mehr ins Wasser zu werfen. »Es ist nicht gut. Eugen«, sagte er, »drüben an Land werden sie die Briefe finden und sich aufmachen, um den Absender zu suchen, und sie brauchen nur den treibenden Briefen zu folgen, um hierher zu finden.« Eugen hörte aufmerksam zu, und Doktor Caspary redete sehr höflich zu ihm hinab, machte ihm Komplimente – »ein Mann wie du kann so etwas rasch einsehen« –, bis der Riese zustimmend nickte, Päckchen und Briefe in eine Posttasche scharrte und mit Tasche und Flinte wieder an Bord des Feuerschiffes kletterte, wo er die Briefe Doktor Caspary übergab.

»Es sieht vielleicht so aus, als ob wir eine Poststation aufmachen wollten«, sagte Doktor Caspary, »aber Sie brauchen nichts zu fürchten, Kapitän – hier an Bord wollen wir keinen Schalter einrichten. Außerdem fehlt uns ein Sonderstempel, der in diesem Fall angebracht wäre.«

»Dafür werden Sie bezahlen müssen«, sagte Freytag. »Alle, die diese Briefe geschrieben haben und empfangen sollten, werden eines Tages ihre Forderungen stellen.«

»Sie irren sich«, sagte Doktor Caspary, »bei der Post hat niemand etwas zu fordern; was einmal in ihrer Obhut ist, kann nicht zurückverlangt werden: mein Freund weiß es.«

Er schwieg, denn ein Schatten hoppelte über das Deck und zwischen die Beine der Männer, so daß sie instinktiv auseinandertraten, und gleich darauf hörten sie Gomberts Schritte und seine werbende Stimme: »Edith«, rief er, »komm, Edith, komm«, und während er sich geduckt näherte, ein schnappendes Geräusch mit den Fingern hervorrufend, hoppelte die Krähe um die Füße der Männer, wobei einer der schlapp weghängenden und beschnittenen Flügel über das Deck schleifte.

»Komm, Edith, komm«, lockte Gombert, und Eugen wiederholte echohaft, »komm, komm«, und stupste die Krähe mit dem abgesägten Lauf der Flinte.

»Eine Saatkrähe«, sagte Doktor Caspary.

»Vorsicht«, rief Gombert, »treten Sie nicht auf ihren Flügel.«

Die Krähe hockte zwischen den parallelstehenden Füßen des Riesen, den graphitfarbenen, an der Spitze angesplitterten Schnabel leicht geöffnet und das bläulich schimmernde Gefieder gesträubt.

»Vorsicht«, sagte jetzt auch Freytag, »es ist eine wertvolle Krähe, sie kann sprechen.«

»Der Wert des Sprechens hängt von den Texten ab«, sagte Doktor Caspary.

»Was kannst du denn?« fragte der Riese. »Kannst du das Gesangbuch aufsagen oder ein Märchen erzählen? Los, fang mal an, flüstere mir was ins Ohr.«

»Sie beherrscht sicher das Leuchtfeuerverzeichnis«, sagte Doktor Caspary.

»Komm, Edith, komm«, sagte Gombert lockend.

Eugen bückte sich, senkte langsam eine Hand, deren Finger zangenartig gespreizt waren, so, als wollte er sie wie eine Gabel auf den Hals der Krähe stoßen, doch bevor er sie berührte, reckte sich der Vogel, schnappte hinauf und hieb den angesplitterten Schnabel in den Handballen des Mannes, der erschrocken zurückzuckte und dabei die Krähe, die sich festgebissen hatte, mit emporriß. Der scharfe Schnabel riß den Handballen auf; die Krähe plumpste wieder auf Deck, reckte den Hals zu einer Schluckbewegung und blieb, nachdem sie sich kräftig geschüttelt hatte, ruhig sitzen. Eugen betrachtete seine blutende Hand, preßte und betastete sie erstaunt, und auf einmal schlossen sich seine gelblichen Ziegenaugen zu einem Spalt, seine Hand schoß diesmal so schnell herab, daß die Krähe sich duckte wie ein Huhn, das gegriffen wird. Er packte sie am Hals und warf sie über Bord. Die beschnittenen Flügel klatschten in schnellem und hoffnungslosem Schwingen, und es klatschte noch einmal, als der gefiederte Körper aufs Wasser schlug. Die Krähe tauchte nicht unter, die ausgebreiteten Flügel fingen den Sturz ab und begannen jetzt verzweifelt zu schlagen, während die Krallen in wilden Laufbewegungen über das Wasser ruderten wie die kleinen Füße eines Bleßhuhns, das sich in die Luft zu erheben versucht und es nicht kann, weil sein Körper zu schwer ist. Eine schmale Bahn von Gischt und Blasen entstand dort, wo die Krähe sich schlagend und rudernd über das Wasser bewegte, eine Bahn, die zunächst gerade vom Schiff wegführte, dann in immer enger werdenden Kreisen endete; zuletzt schlug nur noch ein Flügel.

»Sie ruft nicht einmal um Hilfe«, sagte Doktor Caspary. Der Mann mit der Hasenscharte hob das Gewehr und schoß, die Schrotladung schmetterte in den Körper der Krähe und auf das Wasser und riß eine flache Fontäne hoch. Der Flügel des Vogels streckte sich, tauchte unter Wasser und hing schlaff herab.

»Ihr fiel nichts mehr ein«, sagte Eugen, lud die Flinte, wandte sich blitzschnell zu Gombert um und sah ihn ruhig auf sich zukommen mit geöffneten, ein wenig vorgestreckten Händen.

»Paß auf«, rief Freytag.

»Komm, Edith, komm«, sagte der Riese, wobei er Gomberts Stimme imitierte.

»Bleib stehn«, sagte Freytag.

»Komm«, sagte der Riese, »komm ganz nah heran.«

Er hielt die abgesägte Flinte in der Hüfte, den Finger am Abzug, den Lauf auf Gomberts Bauch gerichtet, und seine Augen wurden schmal. »Geh zurück, Gombert«, sagte Freytag. »Noch zwei Meter«, sagte Eugen und legte den Kopf zurück; seine Zungenspitze fuhr einmal über den gespaltenen Mund, seine blutende Hand griff stützend unter den Lauf der Flinte.

»Gombert!« sagte Freytag scharf.

Gombert blieb ratlos stehen, senkte die Arme; ein Zucken lief durch sein hängendes Gesichtsfleisch. Er blickte auf den Lauf der Flinte, drehte sich um und trat an die Reling und sah hinab auf den schwarzen, schlapp in der Dünung treibenden Körper der Krähe, die langsam achteraus wanderte wie die schimmernde Kette der Briefe.

»Ich fürchte, Kapitän«, sagte Doktor Caspary, »es wird Zeit, daß wir hier wegkommen; meine Freunde sind schon ungeduldig. Sorgen Sie dafür, daß unser Boot fertig wird, und denken Sie daran, daß wir uns eine Frist gesetzt haben. Was wir uns ersparen können, zählt als Gewinn.«

Die Nebelbank über der langen Bucht: mittags, als sich der Nebel von den Inseln her gegen das Schiff bewegte, wurde das Wasser glatt und marmorschwarz, der Bug des Feuerschiffes warf eine steile, brandrote Silhouette, Stille lag auf der See, und die Sonne stand matt und strahlenlos über der Nebelbank. Das helle Ping-Ping eines kleinen Hammers tönte über das Schiff, und in regelmäßigen Abständen der tiefe, warnende Heulton der Nebelsirene, der von der Brücke dröhnend in das fließende Weiß eindrang und in echolosen Schwingungen über die Bucht lief. Wie eine Glocke lag der Nebel über dem Schiff, wie eine flache Kuppe, die sich unaufhörlich veränderte, den Laternenträger und die Masten verbarg, wehend über die Aufbauten zog und sich auf das Wasser hinabwälzte.

Freytag stand auf der Brücke und lauschte dem stampfenden Maschinengeräusch eines Schiffes nach, das immer näher und näher ge-

603

kommen war, eine Weile querab erfolgte und sich jetzt seewärts entfernte, ohne daß er oder Zumpe, der als Nebelposten auf dem Bug stand, das Schiff gesehen hätten. Das stampfende, mahlende Geräusch wurde schwächer, war nur als leichtes Dröhnen vorhanden, als Erinnerung dann, bis es schließlich verschwand.

»Er ist weg«, sagte Freytag leise.

Hinter ihm trat Philippi aus dem Kartenschapp, als ob er auf dieses Stichwort gewartet hätte. Gleichgültig schnippte er eine Zigarettenkippe ins Wasser, stellte sich gleichgültig neben Freytag und schob die Hände in die Taschen und senkte sein Gesicht. »Wir sind fertig«, sagte Freytag, »mehr wollte ich nicht von dir: gib nichts durch als deine Meldungen, verabschiede dich, wie du dich immer verabschiedet hast, und mach sie auf der Direktion nicht mißtrauisch. Es gibt keine besonderen Ereignisse an Bord.«

»Wenn man dir zuhört und die Augen schließt, könnte man es glauben«, sagte Philippi.

»Ich weiß, was ich zu tun habe«, sagte Freytag.

»Herzlichen Glückwunsch«, sagte Philippi.

»Geh jetzt und gib deine Meldungen durch.«

»Vorher bitte ich aber um eine Unterschrift.«

»Wozu? Du hast bisher alle Meldungen selbst unterschrieben.«

»Ich brauchte auch nicht die Augen zuzumachen, wenn ich sie durchgab.«

»Ich unterschreibe«, sagte Freytag.

Philippi nickte und verließ grußlos die Brücke, ein spöttisches Lächeln auf seinem Habichtsgesicht; krachend flog die auf Rollen laufende Tür des Funkraums auf, schloß sich mit gleicher Heftigkeit, und Freytag trat in das Kartenschapp, setzte sich an den Tisch und legte sich mit dem Oberkörper auf die Glasplatte. Kalt spürte er das Glas gegen Wange und Schläfe drücken, spürte seinen Atem auf dem Handrücken, und unter den tiefen Heultönen der Nebelsirene empfand er ein Gefühl fröstelnder Müdigkeit. Er stand auf, öffnete die Tür und hakte sie fest, dann legte er sich abermals, die Arme unter der Brust verschränkt, auf den Tisch und versuchte zu schlafen.

Er schlief nicht ein. Er öffnete die Augen und lag wach da und blickte auf seine knotigen Fingergelenke, auf den kupfernen Schimmer, der über dem weichen Haar seines Handrückens lag, auf die dicke Glasplatte, die von seinem Atem trichterförmig beschlug, und er dachte an die alte weiße Stadt unten in der Ägäis. Er überraschte sich selbst dabei, daß er an sie dachte, erschrak, denn er hatte lange geglaubt, sie aus seiner Erinnerung verloren zu haben, doch nun breitete sie sich terrassenförmig unter dem Vorgebirge und war da in der grausamen Helle: die Stadt, in der die Wurzeln seines Gedächtnisses für immer liegen würden. Vom Fallreep her drangen Rufe zu ihm hinauf, ein scharfer Luftzug wie von einer Kette schnell fliegender Enten strich über das Schiff. Er dachte an die Stadt, die sich den nackten Berg eroberte, ihre Hütten immer höher vorschickte bis zu den violetten Schatten unter dem Gipfel, und er sah ihre Spiegelung auf dem hellgrünen Wasser: die gedrungene, blendende Kirche, die weißen Hütten mit den Dachgärten, auf denen Wäsche zum Trocknen hing, der Schuppen, der gegen das Meer gewinkelte, schützende Arm der Pier; und er glaubte das Donnern des Zuges zu hören, der durch die Schlucht ins Hinterland fuhr. Und während er es zu hören glaubte, näherte sich ein Schritt dem Kartenschapp, ein Schritt, der aus verzweifelter Ferne zu kommen schien, fiel und fiel und sich mit unerträglicher Langsamkeit näherte, so, als zögere er, das Ziel zu erreichen, oder als fehle es ihm an Kraft, an Sicherheit: hart und echolos auf Deck, schleifend im Backbordgang, entschieden dann auf dem eisernen Niedergang – so kam er näher, und Freytag dachte an die alte weiße Stadt und hörte den quälenden Schritt, doch er blieb liegen über der kalten Glasplatte des Kartentisches, bis der Schritt auf der Brücke erklang. Müde richtete er sich auf und blickte zur offenen Tür: im Türrahmen stand Fred.

»Ah«, sagte Freytag, »du bist es. Es hörte sich an, als ob du ganz von der Küste gekommen wärst und es nie schaffen würdest bis hier herauf.«

Der Junge antwortete nicht, streifte den Alten mit einem Blick schweigsamer Feindseligkeit, trat ins Kartenschapp und hakte die Tür aus und schloß sie.

»Willst du dich nicht setzen?« fragte Freytag.

»Ich habe selten so gut gestanden«, sagte Fred.

-Freytag lächelte und ließ die kalte Zigarette im Mundwinkel wippen. »Kann ich dir helfen?« fragte er.

»Ich brauche deine Hilfe nicht«, sagte Fred. »Ich möchte dir etwas sagen.«

»Ich weiß«, sagte Freytag, »ich habe damit gerechnet.«

»Etwas, was ich dir schon sehr lange sagen möchte.«

»Ja, ich weiß: du hast lange auf diesen Augenblick gewartet, und nun glaubst du, daß er gekommen ist.«

»Einmal mußte ich mit dir sprechen.«

»Ja.«

»Wir haben nicht viel zu besprechen. Ich möchte dir nur sagen, daß ich jetzt glaube, was sie damals erzählten und nicht aufgehört haben, bis heute zu erzählen. Jetzt ist mir alles klar. Zuerst habe ich es nicht geglaubt und habe immer wieder versucht, zu vergessen, was sie erzählten, aber nun weiß ich, daß alles stimmt.«

»Was soll stimmen?« fragte Freytag.

»Daß du Natzmer im Stich gelassen hast damals. Du hast nichts getan, um ihn zu befreien und zurückzuholen; du bist ohne ihn an Bord gegangen, weil ...«

»Weil?«

»Du bist feige«, sagte Fred. »Du hast Natzmer im Stich gelassen, weil du Angst hattest, daß dir selbst was passieren könnte; ja, das stimmt, ich weiß es jetzt: du hast nichts getan, um ihn zurückzuholen, so wie du auch jetzt nichts tust, weil die andern bewaffnet sind.«

»Dann weißt du mehr als ich«, sagte Freytag, »und ich war dabei.«

»Man braucht nicht dabeigewesen zu sein, um Bescheid zu wissen.«

»Und worüber weißt du Bescheid?«

»Ich habe es oft genug gehört«, sagte Fred, »die ganze Geschichte und die Rolle, die du in dieser Geschichte gespielt hast – damals, als du auf der *Klintje* fuhrst.«

»Wir hatten Getreide an Bord«, sagte Freytag, »zwölfhundert Tonnen Weizen, und wir kreuzten zwischen den Inseln unten in der Ägäis.«

»Als du ohne Natzmer an Bord zurückkamst, wollte die ganze Besatzung an Land und ihn rausholen, aber du warst dagegen, und ihr fuhrt ohne ihn ab.«

»Erzählen sie das?« fragte Freytag mit resigniertem Lächeln.

»Ich weiß, daß es so war«, sagte Fred. »Ihr habt lange draußen vor der Stadt gekreuzt, und als ihr festmachtet, haben sie euch mit Steinen empfangen und mit Latten, in denen Nägel steckten. Keiner von euch wagte sich von Bord, auch du nicht, aber als du zur Kommandantur befohlen wurdest, mußtest du das Schiff verlassen, heimlich, im Morgengrauen, und du nahmst Natzmer mit und Lubisch, deinen Steuermann.«

Der Junge unterbrach sich in der Erwartung, daß der Alte etwas sagen, ihn berichtigen werde, er blickte ihn herausfordernd an, mit offener Verachtung, doch Freytag saß da in einer Haltung apathischen Zuhörens, schwieg und nickte unmerklich, und der Junge fuhr fort: »Ihr drei gingt von Bord – das stimmt doch? –, im Morgengrauen, als sie noch nicht mit Steinen und Latten vor dem Schiff waren; es war viel zu früh, die Kommandantur noch geschlossen, und ihr wolltet euch in der Nähe der Kommandantur verstecken und dort warten, bis sie geöffnet wurde. Sag ruhig, wenn etwas nicht stimmt; ich möchte, daß du alles hörst, was ich weiß, damit Klarheit zwischen uns besteht. Ihr schlicht euch zur Kommandantur, sie war geschlossen, und es war kein Versteck in der Nähe, wie ihr geglaubt hattet; dafür wurdet ihr aber von den anderen erwartet, die euch abfingen und rausbrachten in die Schlucht; sag, wenn etwas nicht stimmt. Dort in der Schlucht haben sie Natzmer gefesselt und ihm Seewasser eingeflößt; er lag auf dem Felsen in der Sonne, zwei Tage lang, und ihr wart die ganze Zeit dabei und habt seinen Hunger gesehn und habt gehört, wie er euch rief. Nach zwei Tagen brachten sie dich und Lubisch zurück, das Schiff war ausgelaufen und ankerte auf Reede, und sie zeigten auf das Schiff, warfen euch ins Wasser und befahlen euch, hinauszuschwimmen. Du schwammst hinaus, aber Lubisch tauchte und versuchte, sofort an Land zurückzukommen und in die Schlucht, in der Natzmer immer noch gefesselt lag. Lubisch versuchte es so lange, bis sie auf ihn schossen und ihn in die Schulter trafen, während er schwamm; sag nur, wenn etwas nicht stimmt. Und als die ganze Besatzung an Land wollte, um Natzmer rauszuholen, da hast du es verhindert; du hast befohlen, den Anker einzuholen, du hast Natzmer im Stich gelassen, weil du Angst hattest vor ihren Gewehren. Du bist feige.«

Fred blickte gespannt auf seinen Vater, ohne Erschrockenheit über das, was er gesagt hatte; er erwartete etwas, von dem er nicht wußte, wie es sich äußern würde: schroffe Zurückweisung oder Erbitterung oder Zorn; er rechnete damit, daß sein Vater automatisch zur Selbstverteidigung übergehen, ihm eine Reihe sauberer Gründe aufzählen würde, aber es erfolgte nichts, er sah ihn nur apathisch dasitzen, gekrümmt, die knotigen Finger auf der Glasplatte und er trat unwillkürlich einen Schritt auf ihn zu, beugte sich vor und fragte: »Hast du alles gehört? Ich bin fertig; mehr hatte ich nicht zu sagen, mehr kann man nicht sagen.« Freytag bewegte die Lippen, als wollte er, bevor er zu reden anfing, sichergehen, daß das, was er zu sagen vorhatte, auch zu hören sein werde; dann fragte er:

»Erzählen sie das?«

»Ja«, sagte Fred, »das wird erzählt; ich habe es schon vor Jahren gehört, von Natzmers Sohn, von Elke Lubisch, und immer, wenn ich Lubisch selbst sah mit seinem steifen Arm, dachte ich daran, und ich ging nie an seinem Haus vorbei, wenn er auf der Bank saß.«

»Von ihnen hast du's gehört«, sagte Freytag.

»Ich habe es von allen gehört«, sagte Fred, »in meiner Klasse wußte es jeder.«

»Hast du sie gefragt?«

»Sie haben mich gefragt.«

»Und du hast ihnen erzählt, was du von denen wußtest, die nicht dabeiwaren?«

»Es reichte«, sagte Fred.

»Kann sein«, sagte Freytag, »vielleicht ist es genug, wenn man die Wahrheit in kleinen Mengen erfährt. Wer die Hälfte weiß, weiß auch etwas.«

»Ich brauchte dich nicht mehr zu fragen«, sagte Fred.

»Lubisch war auch dabei«, sagte Freytag. »Du hättest ihn fragen können, wenn er auf der Bank vor seinem Haus saß, du hättest ihm nicht auszuweichen brauchen.«

»Er hätte dasselbe erzählt«, sagte Fred.

»Er kann nicht dasselbe erzählen, niemand kann dasselbe erzählen, was ein anderer schon erzählt hat; von Lubisch hättest du eine andere Geschichte zu hören bekommen, denn er war dabei.«

»Er hätte nur bestätigt, was ich schon wußte, und ich hatte Angst vor dieser Bestätigung.«

»Nein«, sagte Freytag, »Lubisch hätte anders begonnen als du und anders aufgehört. Er hätte dir gesagt, daß wir zwölfhundert Tonnen Weizen an Bord hatten, als wir mit der *Klintje* runterfuhren, zwölfhundert Tonnen, die für das Hungergebiet bestimmt waren. Lubisch wußte es; und er wußte auch, daß wir kurz vor dem Hafen neue Order von der Reederei erhielten, wonach wir außer Sichtweite des Hafens kreuzen und warten sollten. Du hättest mich nicht zu fragen brauchen, um das zu erfahren; Lubisch hätte es dir auch gesagt, und von ihm hättest du auch gehört, daß wir einen Griechen an Bord hatten, der aus dem Hungergebiet von der Insel stammte; Kaxi nannten wir ihn, weil keiner seinen Namen, der so ähnlich klang, behalten konnte. Kaxi war der stärkste Mann an Bord, der arbeitete, wie ich nie einen Menschen habe arbeiten sehen, und als wir Weizen für seine Insel luden, ließ er sich nicht ablösen und arbeitete, bis die ganze Ladung an Bord war.«

»Dieser Grieche spielt keine Rolle«, sagte Fred.

»Warte nur ab«, sagte Freytag, »wenn du Lubisch gefragt hättest, wüßtest du, welch eine Rolle Kaxi spielte; denn als wir den Kurs änderten, den Weizen nicht an Land brachten, sondern zwischen den Inseln kreuzen mußten, kam er zu mir und bat mich, in den Hafen einzulaufen. Ich sagte ihm, daß ich eine Order von der Reederei hätte, zu kreuzen, und er sagte, daß die Reederei nur warten wollte, bis die Weizenpreise noch höher gestiegen wären; ich konnte ihm nicht helfen.

Wir kreuzten mehrere Tage, und an einem Abend schien der Grieche verrückt geworden zu sein; er kam zu mir und fragte mich, ob ich in den Hafen einlaufen würde, wenn es ihm gelänge, die ganze Besatzung im Zweikampf zu besiegen – er war einfach verrückt geworden bei dem Gedanken an seine Leute. Und Lubisch hätte dir erzählt, daß ich Kaxis Vorschlag in der Messe weitergab und daß alle dafür waren, denn nichts ist so öde wie das Kreuzen und Warten auf neue Order. Wir hatten Sonne und eine ruhige See, auf dem Mitteldeck wurden Matten ausgebreitet, Natzmer wurde zum Schiedsrichter gewählt, ja, und an den Abenden, wenn es kühler wurde, meldeten sich Männer aus der Besatzung, um gegen den Griechen zu kämpfen. Er besiegte alle, die sich gemeldet hatten, und als ich allein übriggeblieben war, begriff ich, daß unsere Abmachung soviel galt wie ein Versprechen und daß ich dies Versprechen würde einlösen müssen, wenn es mir nicht gelang, ihn fertigzumachen.«

»Hast du ihn besiegt?« fragte Fred.

»Ich weiß nicht«, sagte Freytag. »Lubisch hätte dir erzählt, daß fast die ganze Besatzung an Deck war, als ich gegen ihn antrat. Zuerst hatte ich ihn unten, dann saß er rittlings auf mir und versuchte, meine Hände auseinanderzubringen, mit denen ich ihn würgte, und als er es geschafft hatte, drückte ich ihn hoch und rollte zur Seite, worauf ich ihn in einen einfachen Nelson bekam, aber er konnte sich befreien, indem er einen Zug in seine Schulter und in seinen Nacken brachte, daß ich glaubte, er würde mir den Arm herausreißen. Dann, als ich ihn in der Beinschere hatte und seine Halsschlagader zuschnürte, geschah, was alle von der Besatzung sahen und was auch Lubisch sah: Kaxi lag halb auf mir, so daß es schien, als könnte er mich erdrücken, und in diesem Augenblick schlug Natzmer zu. Ich habe es nicht gesehen, aber Lubisch sah, wie Natzmer dem Griechen mit einer Holzleiste ins Genick schlug, ich war nicht begeistert davon, obwohl ich wußte, daß der Erste mir nur helfen wollte – seine Gegenwehr hörte sofort auf, er blieb mit dem Gesicht nach unten liegen, und drei von uns mußten ihn runterbringen und weckten ihn mit einer Pütz Seewasser. Am nächsten Morgen, als die Küste für kurze Zeit in Sicht kam, sprang der Grieche über Bord.«

»Hat er es geschafft bis an Land?«

»Ja«, sagte Freytag, »und vierundzwanzig Stunden später erhielten wir Order, in den Hafen einzulaufen und die Ladung zu löschen; und wir wurden empfangen, wie du es gesagt hast: mit Steinen und Latten, in denen Nägel steckten. Kaxi war noch vor uns in die Stadt gekommen, und sie wußten, daß wir mit dem Weizen an Bord gekreuzt hatten; sie wußten alles – wie Lubisch dir bestätigt hätte, wenn du ihm nicht ausgewichen wärst, und von ihm hättest du auch erfahren können, daß die Leute auf der Insel unseren Weizen am liebsten ins Wasser geschüttet hätten, denn für sie war es dreckiger Weizen. Wenn die Kommandantur nicht bewaffnete Männer an die Pier geschickt hätte, wäre kein Zentner von der Ladung an Land gekommen, aber ich muß dir sagen – und Lubisch würde es auch erwähnt haben –, daß die Männer von der Kommandantur insgeheim genauso dachten wie die andern, auch für sie war es dreckiger Weizen, der entladen wurde, und sie redeten nicht mit uns und drehten uns den Rücken zu, während sie das Löschen bewachten. Wir alle mißtrauten ihnen. Und nachdem die Ladung gelöscht war, wurden wir aufgefordert, zur Kommandantur zu kommen – Natzmer, Lubisch und ich –, sie nannten uns eine Zeit am Vormittag, obwohl sie sahen, daß wir an einem Vormittag nicht zwei Schritte über die Pier gehen konnten, ohne mit Steinen bombardiert, von nägelbesetzten Latten zerschlagen zu werden, und so gingen wir schon in der Morgendämmerung von Bord, bevor noch die Stadt erwachte und die Leute sich vor dem Schiff versammelten. Heute glaube ich, daß die Aufforderung nicht von der Kommandantur kam, auch wenn ein Gendarm sie überbrachte; denn später hat die Kommandantur kein Interesse mehr für uns gehabt, obwohl sie erfahren haben sollte, was passiert war. Lubisch war dabei, als wir zu dritt von Bord gingen und in der Straße, in der die Kommandantur lag, von bewaffneten Männern gezwungen wurden, auf einen Lastwagen zu steigen, der uns rausbrachte in die Schlucht, in der es keine Häuser gab. Oberhalb des Eisenbahndammes hörte der Weg auf, der Lastwagen hielt, und als wir absprangen, stand Kaxi da mit einer Holzleiste in der Hand. Er gab Natzmer den Schlag zurück, ohne ein Wort zu sagen; auf seinen Wink fesselten sie den Ersten, flößten ihm Seewasser ein und legten ihn auf die Felsen in die Sonne. Dort lag er zwei Tage und eine Nacht, und wir hockten mit den andern im Halbkreis um ihn herum, aßen und tranken nichts während der ganzen Zeit – auch sie selbst aßen und tranken nichts –, und wenn wir uns rührten, griffen sie nach ihren altmodischen Revolvern, die vor ihren Füßen lagen. Weder sie noch wir sprachen miteinander in diesen beiden Tagen und in dieser Nacht, keiner durfte sich entfernen – wenn er sich erleichtern wollte, mußte es dort geschehen, wo er gerade hockte; nein, wir hörten kein Wort; alles, was wir hörten, war das Donnern der Eisenbahn, die abends durch die Schlucht fuhr, und die Rufe der Raubvögel, die hoch über der Schlucht kreisten, sonst nichts. Sie zwangen uns, dazuhocken und auf Natzmer zu blicken, der gestreckt in der Fesselung auf den heißen Felsen lag – Lubisch war neben mir, und er hätte es dir erzählt, wenn du ihn gefragt hättest. Und wenn er seine Erinnerung ertragen hätte, dann wüßtest du jetzt, daß er nichts anderes tat als ich: dahockte und schwieg, und vielleicht an den Schlag dachte, mit dem Natzmer den Griechen in einem Augenblick erledigte, in dem meine Lage besser war, als er geglaubt hatte. Ich erzähl dir nur, was Lubisch erzählen müßte, wenn sein Gedächtnis nicht porös geworden ist. Er hätte dir gesagt, daß wir in der zweiten Nacht auf den Lastwagen steigen mußten – er und ich, nicht Natzmer –, daß sie uns zurückfuhren in die Stadt und dann die Uferstraße hinaus zu den Klippen, wo sie uns die Böschung hinabtrieben und uns die Lichter der *Klintje* zeigten, die ausgelaufen war und draußen auf der Reede ankerte. Kaxi war nicht mehr dabei. Die Männer, die uns begleitet hatten, warfen uns von den Klippen ins Wasser und standen oben mit ihren altmodischen Revolvern und sahen zu, wie wir schwammen. Lubisch schwamm hinter mir, und nachdem wir so weit von Land entfernt waren, daß sie uns nicht mehr hören konnten, redete er davon, an Land zu schwimmen und zur Schlucht zurückzukehren, um Natzmer zu suchen, aber ich wußte, daß sie oben auf den Klippen standen und nur darauf warteten:

ich machte nicht mit. Und ich glaubte auch, daß er es aufgegeben habe, bis ich auf einmal merkte, daß er nicht mehr hinter mir schwamm, und dann hörte ich die Schüsse, hörte seinen Schrei; und ich drehte um und tauchte nach ihm, während sie auf uns schossen. Wir schwammen mehr als drei Stunden. Als wir an Bord kamen, war Lubisch bewußtlos.«

»Lubisch hat es versucht«, sagte Fred.

»Ja«, sagte Freytag, »und später an Bord wollten sie es auch versuchen, sie wollten zusammen an Land und Natzmer rausholen, obwohl wir neue Order hatten für Rotterdam. Einige dachten sogar, daß die Kommandantur sich an der Suche nach Natzmer beteiligen werde – dieselben Leute, die lieber nägelbesetzte Latten getragen hätten als die Gewehre, die uns schützen sollten. Wir hatten keine Waffen, und ich hielt auch damals nichts von dem Versuch, eine Revolvermündung zu überzeugen. Ich habe alles der Reederei übergeben und unserem Agenten – mehr konnte ich nicht tun; denn das Schiff hatte neue Order, und ich wollte die Besatzung zurückbringen.«

»Aber Natzmer ist nicht zurückgekommen«, sagte Fred. »Die Reederei hat Formulare ausgefüllt, und der Agent hat die Formulare zur Kommandantur gebracht und das alles war genau soviel wert, als wenn ihr die Formulare über Bord geworfen hättet.«

»Natzmer war nicht mehr zu helfen. Du kannst immer in eine Lage kommen, in der dir nichts zu tun bleibt als dies: Formulare auszufüllen und sie weiterzugeben, obwohl du genau weißt, daß du ebensoviel erreichst, wenn du sie über Bord wirfst.«

»Das paßt zu dir«, sagte Fred. »Du hast nichts riskiert und warst nie bereit, etwas zu riskieren. Ehe du etwas versuchst, erkundigst du dich nach den Garantien, und du würdest nie etwas gegen einen Verbrecher tun, bevor er dir sein Ehrenwort gegeben hat, daß ihm die Munition ausgegangen ist. Dann erst kommt deine Stunde.«

»Das hast du dir gut überlegt«, sagte Freytag.

»Es stimmt«, sagte Fred, »jetzt weiß ich es.«

»Du weißt nichts«, sagte Freytag. »Solange du glaubst, daß die einzige Möglichkeit eines unbewaffneten Mannes darin besteht, sich mit Gewehrmündungen einzulassen, halte ich nichts von dem, was du weißt. Ich werde dir etwas sagen, Junge: ich war nie ein Held, und ich möchte auch kein Märtyrer werden; denn beide sind mir immer verdächtig gewesen: sie starben zu einfach, sie waren auch im Tod ihrer

Sache noch sicher – zu sicher, glaube ich, und das ist keine Lösung. Ich habe Männer gekannt, die starben, um damit etwas zu entscheiden: sie haben nichts entschieden, sie ließen alles zurück. Ihr Tod hat ihnen selbst geholfen, aber keinem anderen. Wer keine Waffen hat und keine Gewalt, hat immer noch mehr Möglichkeiten, und manchmal glaube ich, daß hinter diesem Wunsch, sich um jeden Preis den Gewehrmündungen anzubieten, der schlimmste Egoismus steckt.«

»Das interessiert mich nicht«, sagte Fred, »ich will nur eins wissen: warum hast du Rethorn und die andern weggeschickt, als sie versuchten, die drei zu fassen?«

»Ich habe es dir gerade gesagt.«

»Und wenn sie es geschafft hätten?«

»Dann würde Gombert sie heute in Segeltuch einnähen; das wäre, was sie geschafft hätten.«

»Du willst also nichts gegen sie unternehmen?«

»Ich will, daß das Schiff seine letzte Wache beendet und daß alle an Bord sind, wenn wir einlaufen – nicht mehr, und darum wird auf diesem Schiff nichts getan ohne meine Zustimmung.«

»Das ist alles«, sagte Fred, »ich bin fertig.«

»Ich habe damit gerechnet«, sagte Freytag.

»Dann hast du dir Überraschungen erspart.«

»Einer wird sie erleben an Bord«, sagte Freytag mit resigniertem Lächeln, und er stand auf, als der Junge das Kartenschapp verließ, folgte ihm auf die Brücke, kletterte hinter ihm den Niedergang hinab und blieb unten im Backbordgang stehen und blickte ihm nach, wie er durch den Nebel zum Vorschiff ging: rasch, aufgerichtet, mit tackenden, echolosen Schritten; blieb stehen und wartete, bis er im träge ziehenden Nebel verschwunden war, und schlenderte dann zum Fallreep und beugte sich über die Reling.

Die Leine, an der sie das havarierte Boot festgemacht hatten, hing schlaff im Wasser, fächelte sanft hin und her wie der lange, graue Fühler eines Tiers, lautlos, schlangenhaft, als wollte es den algenbewachsenen Rumpf des Schiffes abtasten. Freytag blickte an der Leine entlang, in die Richtung, in der sich das Boot im Nebel befinden mußte und aus der er das Ping-Ping des kleinen Hammers gehört hatte, als er mit Philippi auf der Brücke war. Jetzt war alles still, er konnte keinen Schatten erkennen, keinen Umriß, und soweit er sehen konnte, führte die Leine nicht aus dem Wasser heraus zum Bug des Bootes. Leise rief er hinab, rief

Soltows Vornamen, doch er erhielt keine Antwort. Auch an Deck des Feuerschiffs erschien niemand, als er rief, und er blickte argwöhnisch auf die schlapp im Wasser fächelnde Leine, die allmählich tiefer zu sinken schien, schwang sich plötzlich auf das Fallreep und kletterte hinab. Er ergriff die Leine, holte langsam die Lose durch und wartete, daß ein Ruck erfolgen, der Widerstand des Bootes sich melden würde; mit leisem Rauschen schleifte die Leine am Rumpf entlang auf ihn zu, lange, viel zu lange, so daß er, bevor er noch das Ende in der Hand hielt, wußte, daß etwas mit dem havarierten Boot geschehen war, und als dann das Ende kam – aufgedröselte, wie von einem Beilhieb durchschlagene Fasern –, zog er es herauf und untersuchte es und lauschte in den Nebel, als vermutete er, daß das von der Leine abgeschnittene Boot noch in der Nähe trieb. Dann holte er Schwung und schleuderte die Leine wieder hinaus und hörte, wie sie klatschend aufs Wasser fiel. ›Rethorn‹, dachte er, ›er und kein anderer hat das Boot abgeschnitten, und wenn es doch Soltow getan haben sollte, dann stammt zumindest die Idee von Rethorn. Er wollte die Falle zuklappen lassen, und darum hat er ihnen ihr Boot genommen. Er wird es abstreiten, aber er allein hat es getan. Seit dem ersten Tag war er gegen mich.‹ Freytag kletterte das Fallreep hinauf an Deck, wo er sich wieder zurückwandte und in die Nebelbank lauschte, die über dem Schiff und über der Bucht lag, und jetzt dachte er an Doktor Caspary und die andern und versuchte sich vorzustellen, wie sie reagieren würden, wenn sie das Verschwinden des Bootes bemerkten. Er glaubte Doktor Caspary dastehen zu sehen mit der fleckigen Sonnenbrille, den klobigen Siegelring mechanisch an der Hüfte polierend, und er glaubte seine Stimme zu hören, diese weiche, klare Stimme, die so höflich klang, wenn sie drohte. Langsam ging er zur Messe. Er klopfte, ein breites Gesicht erschien hinter einem Bulleye, automatisch, so wie die Gesichter der ›Pappkameraden‹ auf einem Schießstand automatisch über der Böschung erscheinen, vorsichtig wurde eine Tür geöffnet, der Mann mit der Hasenscharte tauchte im Spalt auf, und mit heftigem Nicken seines Kopfes forderte er Freytag auf, hereinzukommen. Doktor Caspary saß am Tisch und legte Patience; in einer Ecke der Messe, auf zusammengestellten Stühlen, schlief Eddie, die Maschinenpistole am Kopfende, so daß er sie liegend erreichen, im Liegen hätte feuern können. Eugen kehrte zurück zu seinem Platz am Tisch, wo die Emailletasse mit dampfendem Kaffee stand und von wo er grinsend das Spiel beobachtete.

Freytag sah sofort, daß es seine Karten waren, mit denen Doktor Caspary spielte, und er sah auch, daß der kleine Glasschrank, in dem er seine Karten aufbewahrte, offenstand.

»Es geht nicht auf«, sagte Doktor Caspary nach einer Weile, »nein, es geht nich⁻. Aber was sollte man auch von einem Spiel halten, in dem es nicht die Chance der Enttäuschung gibt.«

»Ich muß mit Ihnen sprechen«, sagte Freytag.

»Ist unser Boot fertig?«

»Nein.«

Ruhig schob Doktor Caspary die Karten zusammen, klopfte sie zu einem Packen zurecht und schob den Packen in eine Schutzhülle. »Ich bin berei⁻«, sagte er.

»Sie haben keine Möglichkeit mehr, von diesem Schiff wegzukommen«, sagte Freytag.

»Darf ich fragen, worauf sich Ihre Annahme stützt?«

»Ihr Boot ist weg«, sagte Freytag, »jemand hat es von der Leine abgeschnitten.«

»Ich denke, Ihre Leute wollten es reparieren; Eugen dachte dasselbe, nicht wahr, Eugen?«

»Es treibt im Nebel«, sagte Freytag, »und jetzt wäre es hoffnungslos, das Boot zu suchen. Wir würden es nicht finden.«

»Sie sehen aus, als ob Sie besorgt wären deswegen, Kapitän.«

»Ich hielt es nur für angebracht, es Ihnen zu sagen.«

»Ich schätze es hoch ein, aber ich war darauf vorbereitet. Ich hatte sogar schon früher damit gerechnet.«

Verblüfft wandte Freytag sich um, sein Blick lief durch die Messe, als ob er irgendwo ein Anzeichen, eine Erklärung für Doktor Casparys Gleichgültigkeit zu finden hoffte und er wickelte das Taschentuch um seine Hand und spannte den Stoff durch einen Druck seiner Finger.

»Ich weiß nicht, ob Ihr Boot zur Küste treibt oder mit der Strömung hinaus.«

»Es ist unerheblich, was mit einem Boot geschieht, das man nicht mehr besitzt«, sagte Doktor Caspary.

»Sie waren auf das Boot angewiesen«, sagte Freytag.

»Aber wir hatten uns vorbehalten, zu wählen.«

»Sie haben keine Möglichkeit mehr, von diesem Schiff wegzukommen.«

»Der Augenschein spricht dagegen, Kapitän, Sie haben Ihr Boot übersehen, und Sie haben nicht daran gedacht, daß das Schiff selbst, Ihr Feuerschiff, notfalls segeln kann, wenn's auch nur für die Kette eingerichtet ist.«

»Ich habe Ihnen bereits gesagt, daß dieses Schiff nie seine Position verlassen wird, solange ich an Bord bin.«

»Und wenn Sie jetzt zu raten hätten – was würden Sie uns raten?«

»Geben Sie es auf«, sagte Freytag, »stellen Sie sich. Selbst wenn Sie das Boot noch hätten: Ihre Chance nach Faaborg oder sonstwohin zu kommen, ist so gering geworden, daß es sich nicht mehr lohnt, und sie wird von Stunde zu Stunde geringer.«

»Sehen Sie Kapitän, darin unterscheiden wir uns: Sie halten nichts von der Unsicherheit, und ich halte nicht sehr viel von der Sicherheit; je geringer unsere Chance in Ihren Augen ist, desto mehr bin ich bereit, auf sie zu setzen. Dafür sprechen sogar gewisse Erfahrungen. Ich hatte einmal einen Schmuggler unter meinen Klienten, der auch während des Krieges seinem mühseligen Beruf nachging; und zwar suchte er sich für seine Grenzgänge gewissenhaft die Abschnitte der Front aus, auf denen das schwerste Störfeuer lag. Er kam immer durch, während sein Kompagnon, der ruhige Abschnitte vorzog, von einem nervösen Vorposten erschossen wurde. Ich denke, wir haben uns verstanden wie zuvor, und nun werden Sie wohl nicht erwarten, daß wir eine Chance aufgeben, deren Kostbarkeit eben darin besteht, daß sie so gering ist. Ich hoffe, daß Sie sofort Ihr Boot reparieren lassen und es uns billigerweise zur Verfügung stellen.«

Freytag nahm die kalte Zigarette aus dem Mund, zerdrückte und zerrieb sie zwischen den Fingern und fragte dann:

»Waren Sie Rechtsanwalt?«

»Unter anderem bin ich Rechtsanwalt«, sagte Doktor Caspary und machte gegen Freytag eine seltsame ironische Verbeugung.

Gombert hockte im Bug des Bootes, das in den Davits hing, und beobachtete das nächtliche Gewitter über der Küste: die harten Risse der Blitze, die wie mineralische Adern in der Dunkelheit aufzuckten, die tiefe Schwärze des Horizonts, das schwache Violett der Wolkenränder; stumpf und glanzlos lag die See unter dem abziehenden Schauer da, selbst der Schaum der Wellen leuchtete nicht, zog grau, nebelgrau über die Einöde des Wassers, und die Kennung des Feuerschiffs schien ihre Schärfe, ihre Härte und Kraft eingebüßt zu haben und blinkte unsicher zur Bucht hinaus wie eine Lampe, deren Batterie alt und verbraucht ist. Er hockte in seinem Ölzeug im Boot, hatte zwei wütende Schauer über sich ergehen lassen; er hatte den aufkommenden Wind wahrgenommen, der die Ankerkette gestrafft, die Nebelbank auseinandergetrieben hatte, und während der ganzen Zeit hatte er den schweren metallenen Marlspieker in der Hand gehalten wie einen plumpen Dolch. Niemand an Bord wußte, daß er hier hockte, geduldig und bereit, den Marlspieker vor sich, dessen dornartige Form sich gut der Hand einpaßte; gleich nach dem Essen hatte er sich unbemerkt ins Boot geschwungen, den Kopf eingezogen und so – den Oberkörper gekrümmt, die Beine weggestreckt – wartend dagesessen. Das Schiff tauchte brechend ein, ohne jedoch Wasser überzunehmen, der Laternenträger und die Masten schwankten, ritzten im Schwanken eine kurze, steile Schrift in den Himmel: gleichförmige Signale, Chiffren, die alle Masten auf See untereinander austauschten. Manchmal hob Gombert vorsichtig den Kopf über das Dollbord und blickte in Richtung zur Messe und über das Mitteldeck, und wenn ein Geräusch erfolgte, kniete er sich hin und schloß die Finger fest um das nasse Metall des Marlspiekers. Er dachte an den Zettel, den er an Eugen adressiert und durch den Luftschacht in die Messe geworfen hatte, kurz vor dem Abendbrot, als Doktor Caspary mit Freytag auf dem Achterschiff war; er hatte sich nicht überzeugen können, ob der Riese ihn gleich gefunden und gleich gelesen hatte, doch er wußte, daß der Zettel nicht im Schacht steckengeblieben, sondern in die Messe hinabgefallen war. Gombert war nicht sicher, ob Eugen das, was er ihm geschrieben hatte, für sich behalten werde; vielleicht hatte er den Zettel sofort Doktor Caspary gezeigt, und dann wartete er jetzt umsonst. Vielleicht aber hatte er alles mit seinem Bruder besprochen – eine Möglichkeit, mit der Gombert rechnete –, und dann würde nicht der Riese, sondern eventuell Eddie zu den Davits kommen und sich überzeugen wollen, ob das, was Gombert geschrieben hatte, zutraf. Er hatte Eugen geschrieben, daß Doktor Caspary versuchen wollte, allein aus der Falle herauszukommen; ein Mann der Besatzung, den er bezahlt hätte, sollte ihm dabei helfen, das Boot zu Wasser zu bringen. Sobald Doktor Caspary die Messe nachts verließe, sollte Eugen ihm nicht folgen, sondern sofort zum Boot kommen und warten. Gombert hoffte nur, daß das Mißtrauen unter ihnen groß genug war.

Vier Stunden hockte er in dem Boot und lauschte, und er hörte nur

Zumpes Selbstgespräche, die er auf Ausguck führte, Rethorns Schritte im Backbordgang, den Wind und das Zerspellen des Wassers, wenn das Schiff eintauchte. Er sah auf seine Uhr, setzte sich eine Frist und schob die Frist immer wieder hinaus. Er dachte nicht mehr an die Einzelheiten, die er auszuführen hatte, sobald einer von ihnen – der mit der Hasenscharte oder sein Bruder – unter dem Boot erscheinen sollte; zuerst hatte er daran gedacht und jede Bewegung oftmals vollzogen: die blitzschnelle Drehung im Boot, das Hochstemmen auf den Knien, den Ausgangspunkt der Hand, die den Marlspieker hielt, und das Niederstoßen mit der ganzen Kraft des Körpers – nun sah er auf die Uhr und dachte an eine letzte Frist.

Das Gewitter entlud sich weit über Land, so daß er nur die Blitze sehen, den Donner nicht hören konnte. Ein Kriegsschiff lief mit abgeblendeten Lichtern und in hoher Fahrt vorbei und schnitt eine weißgrüne Linie in die lange Bucht. Die flachen Aufbauten verschwanden rasch in der Trübnis. Über den Inseln lag eine unentschiedene Helligkeit, die erste Blässe eines heraufkommenden, kalten Morgens. Auf dem Schiff rührte sich nichts.

Gombert richtete sich auf und schwang sich aus dem Boot. Er schob den Marlspieker in die Tasche seines Ölzeugs, ging zum Achterschiff, um die Strömung zu messen, kam auf Steuerbordseite wieder zurück und ging geduckt unter den dunklen Bulleyes der Messe vorbei und den Gang hinab zur Toilette. Als er vor der verkratzten Wand des Pissoirs stand, hörte er hinter sich die Pendeltür schwingen, dann einen knirschenden Schritt auf den geriffelten Fliesen, und jetzt schob sich eine Gestalt ans Nebenbecken. Gombert erkannte das Profil von Doktor Caspary.

»Ist das Gewitter vorbei?« fragte er.

»Es sieht nicht so aus«, sagte Gombert.

»Man hört aber nichts mehr.«

»Wahrscheinlich erholt es sich über der Küste und kommt wieder zurück.«

»Das wäre ein gutes Wetter, um zu segeln«, sagte Doktor Caspary.

»Ja«, sagte Gombert.

»Würden Sie uns helfen? Wir wollen in die Nähe von Faaborg; vor der Küste können Sie uns absetzen und zurückfahren zu Ihrem Liegeplatz.«

»Das müssen Sie mit dem Kapitän besprechen«, sagte Gombert.

»Ich habe Sie gefragt.«

»Ich habe nichts zu sagen.«

»Und wenn Sie etwas zu sagen hätten?«

»Wenn ich etwas zu sagen hätte, dann würde ich euch am Mast aufziehen, alle drei; und ich würde euch dort hängenlassen, bis wir einlaufen. Einen würde ich mir allerdings gesondert vornehmen.«

»So«, sagte Doktor Caspary lächelnd, »dann brauche ich also nicht betrübt zu sein, daß Sie noch nicht Kapitän sind. Es tut mir leid, aber unter diesen Umständen möchte ich es mir lieber versagen, Ihnen alles Gute für Ihre Karriere zu wünschen.«

»An Ihrer Stelle würde ich mir etwas anderes wünschen«, sagte Gombert.

»Ich tue es bereits«, sagte Doktor Caspary.

Sie drehten sich zur gleichen Zeit um, sahen einander betroffen an, als wären sie sich erst jetzt begegnet, und Gombert handelte wie in einem Reflex, den nur vollkommene Überraschung hervorruft: sein Arm zuckte hoch, die rechte Faust krachte gegen Doktor Casparys Kiefer, die linke schlug nach und schmetterte voll in sein Gesicht, so daß er mit ausgebreiteten Armen nach hinten fiel, wobei sein Hinterkopf im Sturz knapp den Beckenrand streifte. Er fiel auf den Rücken, die Sonnenbrille zersprang auf den Fliesen. Sein Körper krümmte sich und drehte sich in der Krümmung auf die Seite; Gombert kniete sich neben ihm hin und horchte auf den Gang hinaus, bevor er einen Arm unter den Nacken des Mannes schob und sein Gesicht aus dem Schatten emporhob. Ein Auge war geschlossen, das andere, das stark tränte, blickte ihn starr und gleichgültig an mit allmählich verschwimmendem Blick, und Gombert sah, daß es ein Glasauge war. Er horchte abermals, nur die Pendeltür schwang unregelmäßig hin und her, auf dem Gang blieb es still. Jetzt begriff er, was geschehen war, und überlegte, was geschehen könnte, wenn einer von ihnen – oder wenn auch Freytag – in die Toilette hereinkommen sollte, und einen Augenblick dachte er daran, zu verschwinden und den Mann liegenzulassen; doch vielleicht, dachte er, könnte das der Anfang für alles sein, ein befreiendes Signal, das die andern aufnehmen würden und das auch Freytag anerkennen würde, nun, da es einmal gegeben war und nicht mehr rückgängig gemacht werden konnte. Und er hob den Körper von den Fliesen auf, drückte ihn gegen die Wand des Pissoirs und brachte seine Schulter so darunter, daß der Körper einknickte und austariert über ihr lag.

Er brauchte nur eine Hand, um den Körper von Doktor Caspary auf seiner Schulter festzuhalten; in die andere nahm er den Marlspieker, drückte mit seiner Spitze die Pendeltür auf, verließ die Toilette und trat auf den schwach erleuchteten Gang hinaus. Unter den Bulleyes der Messe vorbei trug er Doktor Caspary über Deck, dann zur Brücke hinauf; er öffnete das Kartenschapp, ließ den schlaffen Körper von seiner Schulter auf den Stuhl gleiten, fand eine alte Signalleine in einem Regal und zog sie heraus, während er mit einer Hand den Körper festhielt, der sich zur Seite neigte und zu kippen drohte. Scharf fesselte er Doktor Caspary an den Stuhl, trat zurück, wie ein Maler zurücktritt, der sein Bild begutachtet, prüfte den Sitz der Fessel, trat wieder vor und verknotete die Signalleine am Stuhlbein. Als er sich aufrichtete, glaubte er die Spur eines Lächelns auf Doktor Casparys Gesicht zu entdecken oder die Ankündigung eines Lächelns, so daß er sich instinktiv über ihn beugte, ihn aufmerksam, mit Neugier und Widerwillen, betrachtete wie einen Käfer, der sich eine Zeitlang totgestellt hat und sich nun zu rühren beginnt. Und während er so über ihn gebeugt stand, hörte er Zumpes Stimme von der Tür, eine Stimme, in der unterdrückte Freude lag, Zustimmung und flüsternder Eifer.

»Hast du den Blöden erwischt?« fragte er flüsternd von der Tür.

»Komm rein und mach das Schott dicht«, sagte Gombert.

»Das ist ja der Überschlaue«, sagte Zumpe enttäuscht.

»Ich dachte, du hättest einen von den andern beiden.«

»Der ist genau soviel wert«, sagte Gombert, »ohne ihn sind sie aufgeschmissen.«

»Hoffentlich ist ihnen das auch klar«, sagte Zumpe.

»Wir werden sie nacheinander kriegen«, sagte Gombert, »hübsch der Reihe nach, und den Großen behalte ich mir selbst vor. Jetzt ist der Anfang gemacht.«

»Weiß Freytag Bescheid?«

»Noch nicht. Aber wenn er es erfährt, muß er zu uns stehen. Jetzt kann er uns nicht zurückpfeifen.«

»Soll ich Rethorn holen?«

»Nein«, sagte Gombert. »Ich gehe zu Freytag runter und wecke ihn und sage ihm Bescheid.«

»Dann bleibe ich hier«, sagte Zumpe.

»Paß auf ihn auf«, sagte Gombert, »und wenn jemand kommt, schließ das Schapp zu.«

»Bei mir ist er sehr gut aufgehoben«, sagte Zumpe und zog den Schlüssel ab und steckte ihn in die Tasche. »Geh ruhig zu Freytag und sag ihm, was er zu tun hat.«

»Nimm den Marlspieker«, sagte Gombert.

Er gab Zumpe den schweren Marlspieker und verließ die Brücke, und Zumpe stellte sich mit dem Rücken vor die Tür des Schapps, sah auf das Deck hinab, in den kalten trüben Morgen über der Bucht. Hängende Wolkenfahnen bedeckten den Horizont, der Wind wurde stärker, sprühendes Flugwasser fegte über das Vorschiff, prasselte gegen den vorderen Mast und in feinen Tropfen bis zur Brücke hinauf. Die große Eisenbahnfähre verschwand hinter den Inseln.

Obwohl er das Verlangen hatte, in den Kartenraum zu treten und den gefesselten Mann zu sehen, blieb er draußen, um vor der Tür auf Gomberts Rückkehr zu warten, aber dann erfolgte ein ruckendes, polterndes Geräusch, das Seufzen, das ihn fürchten ließ, der Gefesselte sei mit dem Stuhl umgekippt, und so öffnete er doch die Tür und trat in den Kartenraum. Doktor Caspary saß immer noch auf seinem Stuhl; er ruckte an seiner Fessel und stemmte die Füße auf den Boden und versuchte, sich stemmend und ruckend mit dem Stuhl seitwärts zu bewegen. Es schien ihm nicht darauf anzukommen, die Fessel loszuwerden, er wollte sich nur zur Seite bewegen, und er setzte seinen Versuch fort, ohne Rücksicht darauf, daß Zumpe vor ihm stand. Keuchend, mit zurückgelegtem Kopf und gestrafftem Hals, ruckte er zentimeterweise vorwärts. Zumpe beobachtete ihn erstaunt, setzte ihm die Spitze des Marlspiekers ins Genick und sagte: »Bleib ruhig sitzen. Man wird dir früh genug Bewegung verschaffen.«

»Helfen Sie mir«, sagte Doktor Caspary.

»Was ist los? Was fehlt dir?«

»Das ist ein Spiegel«, sagte Doktor Caspary und wies mit dem Kopf auf einen rechteckigen Rasierspiegel, der in Sitzhöhe über dem Tisch hing.

»Laß nur hängen«, sagte Zumpe.

»Ich will hineinsehen«, sagte Doktor Caspary.

»Du hast einen sehr schönen Hals«, sagte Zumpe.

»Helfen Sie mir.«

»Du siehst auch gut aus«, sagte Zumpe. »Ich habe mir immer überlegt, wie ein Herr aussehen müßte – jetzt weiß ich es; wenn es überhaupt so etwas wie Herren gibt, dann müssen sie so aussehen und so sein wie du: auch wenn er gefesselt ist, braucht der Herr einen Spiegel, und es würde ihm großen Kummer machen, wenn er einen unrasierten Hals in die Schlinge legen müßte. Stimmt's?«

»Drehn Sie den Stuhl etwas zur Seite, oder stellen Sie den Spiegel auf den Tisch.«

»Wir haben aber keinen Friseur an Bord«, sagte Zumpe.

»Ich brauch keinen Friseur«, sagte Doktor Caspary, »ich brauch nur den Spiegel.«

»Darf ich fragen, wozu?«

»Früher habe ich oft vor dem Spiegel gesessen und in mein Gesicht gesehen; es war sogar zeitweilig eine Lieblingsbeschäftigung von mir.«

»Solch eine Beschäftigung füllt einen Herrn auch aus«, sagte Zumpe.

»Ich saß mit einem Revolver vor meinem Spiegelbild und zielte auf das Gesicht, das ich sah: auf diese Stirn, auf diese Augen, zielte auf das Kinn oder zwischen die Lippen; stundenlang konnte ich so sitzen und das Gesicht unter dem Revolver betrachten.«

»Den Spiegel kannst du kriegen«, sagte Zumpe.

»Mehr brauch ich nicht«, sagte Doktor Caspary.

Zumpe nahm den Spiegel vom Haken, stellte ihn auf den Tisch und überzeugte sich davon, daß Doktor Caspary sein Gesicht im Spiegel sehen konnte, dann sagte er: »Der Revolver wird zu gegebener Zeit nachgeliefert«, ging hinaus und schloß den Kartenraum ab.

Gombert kam immer noch nicht zurück, obwohl Zumpe geglaubt hatte, seine Schritte nun hören zu müssen. Er lauschte am Niedergang, ging in die Brückennock und beobachtete das Deck, und nach einer Weile hörte er die Schritte von zwei Männern und dachte, daß Gombert mit Freytag zur Brücke heraufkam. Er trat an den Niedergang, um sie zu erwarten. Die Schritte kamen den Backbordgang herab, setzten aus, waren wieder zu hören, und jetzt sah er die beiden Brüder unten am Niedergang erscheinen, Eddie vorn, nervös, argwöhnisch, die Maschinenpistole in die Hüfte eingezogen; hinter ihm Eugen, müde, eine Zigarette schräg übers Kinn; sah, wie sie stehenblieben, zurücklauschten und, bevor Zumpe noch verschwinden konnte, gleichzeitig das Gesicht hoben und ihn reglos anstarrten; sie starrten ihn weder erstaunt noch überrascht oder verwirrt an, sondern so, als ob sie was Bestimmtes von ihm erwarteten, einen Zuruf oder eine Bewegung, vielleicht sogar eine augenblickliche Handlung, und wahrscheinlich wären sie unter ihm vorbeigegangen, wenn er ihrem erwartungsvollen

Blick standgehalten und nichts getan hätte; doch plötzlich zog Zumpe seinen Oberkörper zurück und trat nach hinten in die Brückennock, und gleich darauf hörte er sie kommen. Er nahm den Marlspieker fest in die Hand, blickte auf den Einschnitt des Niederganges, und da erschienen sie auf der Brückenplattform: der kurz hin- und herschwenkende Lauf der Maschinenpistole, Eddie und dann sein Bruder. Sie begannen, die Brücke zu untersuchen, sie gingen an Zumpe vorbei zur anderen Brückennock, flüsterten, zeigten hinab auf das Boot in den Davits; kamen zurück, ohne ihn aus den Augen zu lassen, und jetzt kamen sie zu ihm.

»Wo ist unser Mann«, fragte Eddie.

»In der Messe«, sagte Zumpe, »dort hat er sich eingemietet.«

»Er muß hier sein«, sagte Eddie.

»Auf der Brücke hat niemand etwas zu suchen«, sagte Zumpe.

»Hab keine Angst«, sagte der Riese, »wir tun deiner Brücke nichts; wir haben uns auch die Füße abgetreten.«

»Sag, wo er ist«, wiederholte Eddie.

»Ihr seid doch sonst so allwissend«, sagte Zumpe, »warum wißt ihr nicht auch dies?«

»Hier ist eine Tür«, sagte der Riese und bewegte den Drücker und versuchte, die Tür zum Kartenraum zu öffnen.

»Nimm deine Flossen da weg«, sagte Zumpe. »Niemand hat im Kartenraum etwas zu suchen, nur der Kapitän und der Steuermann.«

Eugen wiegte den Kopf, lachte ein stoßartiges, blödes Lachen und rüttelte wieder an der Tür, so daß Zumpe unwillkürlich näher kam, den Marlspieker griffbereit in der Tasche.

»Mach auf, du«, sagte Eugen, »schnell, oder es wird etwas passieren.«

»Nimm deine Flossen vom Drücker«, sagte Zumpe.

»Komm, du Zwerg, mach auf«, sagte Eddie.

»Dazu hat nur der Kapitän ein Recht und der Steuermann.«

»Und wir«, sagte Eddie. »Was wir dir sagen, ist genausoviel wert wie alles, was dir dein Kapitän sagt. Du bist wohl noch nicht dahintergekommen.«

»Er hat eine sehr lange Leitung«, sagte Eugen, »zu lang für seine Körpergröße.«

Der Riese rüttelte noch einmal an der Tür, beugte sich dann zum Schlüsselloch hinab, während Eddie auf sein Gesicht sah, als hoffte er dort sogleich lesen zu können, was sein Bruder im Kartenraum entdeckte, und in dieser Sekunde zog Zumpe den Marlspieker aus der Tasche und holte aus. Er hatte den Punkt bereits im Auge – einen Punkt zwischen Eddies Schulter und Hals –, den die Spitze des Marlspiekers treffen sollte; doch bevor die Hand niederfuhr, wandte Eugen, der den gefesselten Mann im Kartenraum sofort gesehen hatte, den Kopf, sah die emporgerissene Hand über der Schulter seines Bruders und versetzte ihm einen knappen Stoß mit dem Ellenbogen, daß Eddie gegen das Brückengeländer taumelte, sich mit dem Rücken auffing und wieder abdrückte wie ein Boxer vom Seil, und in dieser Bewegung schoß er.

Schräg von unten nach oben zog der Lauf der Maschinenpistole, kleine zerrissene Flammen vor der Mündung; die Geschosse sägten in Zumpes Körper von der Hüfte bis zum Schlüsselbein, schleuderten ihn in die Brückennock zurück wie ein Sturmstoß, und er sah erstaunt aus, als er in die Knie ging, einen Augenblick sehr erstaunt dahockte und dann aufs Gesicht fiel. Seine Füße scharrten leicht auf der Brückenplattform, die hornharten, krallenartigen Finger tasteten zur Seite.

»Siehst du«, sagte Eugen traurig, »siehst du.«

Eddie schob die ausgeworfenen Patronenhülsen mit dem Fuß zur Seite und sagte:

»Schnell, sie werden gleich kommen. Wir müssen etwas tun.«

»Der Doktor ist hier drin«, sagte Eugen.

»Dann mach die Tür auf.«

»Ich hab es versucht«, sagte Eugen, »aber die Tür ist stärker.«

»Weg da«, sagte Eddie, »nach hinten.«

Er hielt den Lauf der Maschinenpistole schräg gegen das Türschloß und feuerte; die Leiste splitterte, Querschläger sirrten über das Deck. Dünner Rauch entwickelte sich an der Einschußstelle. Mehrere Stöße feuerte er gegen das Schloß, und die Kugeln hieben es auseinander und sprengten die Tür auf.

Während Eddie den Lauf zum Niedergang schwenkte, trat Eugen in das Kartenschapp und band Doktor Caspary los, der sich zuerst schmunzelnd die Handgelenke massierte, dann das Genick, dann eine Zigarette aus seinem Etui nahm, sie sorgfältig in die Spitze schraubte und anzündete.

»Danke, Eugen«, sagte er höflich. »Das ist etwas, was ich dir nicht vergessen werde.«

»War's schlimm?« fragte Eugen besorgt.

»Nur enttäuschend«, sagte Doktor Caspary. »Es fällt ihnen nichts ein; in allem, was sie zeigen und tun, sind sie gediegen, erschreckend gediegen, in ihrer Phantasie und in ihren Straftaten.«

»Wir müssen abhauen«, sagte der Riese.

»Warum? Nun können wir doch in Ruhe frühstücken.«

»Draußen liegt einer und guckt nach unten«, sagte Eugen. »Der Zwerg, er hat's nicht besser haben wollen.«

»Ich habe es gehört«, sagte Doktor Caspary.

»Kommt raus da«, rief Eddie von der Brücke.

»Gleich wird Eddie ärgerlich«, sagte Eugen.

»Dann wollen wir rausgehen«, sagte Doktor Caspary.

Stimmen der Besatzung auf Deck, als sie das Kartenschapp verließen; Freytags Stimme, die belegte Stimme von Rethorn und die verstörten Rufe des Kochs: »Es hat geschossen, hier wurde geschossen«, und dann Schritte unten und Getrappel auf dem Niedergang, bis Freytags Gesicht sich über die Plattform hob. Freytag stutzte, als er Eddie entdeckte und den Lauf der Maschinenpistole, der auf ihn gerichtet war, doch er tauchte nicht weg, hob sich langsam weiter empor, zäh, angestrengt, als verlangte die Mündung, in die er blickte, all seine Kraft; kam hinauf, bis die Kante des Niedergangs seinen Oberkörper abschnitt, blieb stehen, zögerte, sah jetzt auf den mit gespreizten Beinen dastehenden Mann, der ihn mit vollkommener und unberechenbarer Ruhe beobachtete und dann leise sagte: »Nicht weiter.«

Freytag gehorchte. Die Warnung gab ihm ein Gefühl der Sicherheit, er spürte, daß er die Grenze erreicht und, solange er sie nicht überschritt, kaum etwas zu erwarten hatte, und er löste seinen Blick von Eddie, sah über die Brücke und in die Nock, in der Zumpe lag: die Hände flach auf die Plattform gedrückt, als habe er seinen Körper im Sturz auffangen wollen.

»Geh zurück«, befahl Eddie. »Verschwindet alle und wartet, bis wir unten sind. Wir kommen jetzt runter.«

»Bitte«, sagte Doktor Caspary, »machen Sie den Niedergang frei.«

Wieder gehorchte Freytag, schob sich langsam nach unten; eine flüsternde Beratung, und die Schritte mehrerer Männer entfernten sich im Backbordgang, so daß sie keinem begegneten, als sie – Eddie voran und zum Schluß Doktor Caspary – hinabstiegen und in die Messe gingen, die der Riese vorsorglich abgeschlossen hatte. Erst als sie die Tür zur Messe hinter sich zugezogen hatten, traten Freytag, Gombert und Rethorn aus der Kombüse, wo sie gewartet hatten, und stiegen auf die Brücke hinauf.

Gombert kniete sich neben Zumpe hin und drehte ihn um; unter seinem Körper lag der Marlspieker, den er ihm selbst gegeben hatte, und von der Hüfte bis zur Schulter hinauf zog sich ein blutiger Streifen wie die Andeutung einer Schärpe, die die Geschosse in ihn hineingesägt hatten. Auf seinem Gesicht lag immer noch der gleiche Ausdruck gequälten Erstaunens, starr und endgültig, eingeschnitten wie in eine Maske. Sie nahmen die Mützen ab und sahen auf Zumpe hinab; dann kniete Freytag sich hin, öffnete Zumpes Jacke und leerte seine Taschen; legte eine Pfeife auf Deck, ein Bordmesser, verzinkte Nägel und eine verbeulte Tabakdose und zuletzt die von der Geschoßgarbe durchlöcherte Brieftasche. Er klappte die Brieftasche auseinander, fand den fleckigen Zeitungsausschnitt hinter dem Cellophanstreifen und wußte, daß es Zumpes Todesanzeige war, die er jedesmal hatte kreisen lassen, sobald Neue an Bord gekommen waren. Er steckte alles ein und richtete sich auf.

»Bring ihn runter«, sagte Freytag zu Gombert.

»Wohin?«

»Bring ihn ins Segelschapp.«

»Soll ich alles fertigmachen?« fragte Gombert.

»Warum fragst du?«

»Wenn das Versorgungsboot kommt – es könnte ihn mitnehmen an Land.«

»Ich weiß nicht«, sagte Freytag. »Zuerst bring ihn runter.«

Gombert hob den Toten an den Schultern an und schleifte ihn zum Niedergang, und Freytag stieß die hin- und herschlagende Tür des Kartenraumes auf, legte alles, was einst Zumpe gehört hatte, auf den Tisch und bedeckte es mit dem Logbuch.

»Was willst du tun?« fragte Rethorn. »Wir müssen seinen Tod melden, die Direktion muß es erfahren, und Zumpes Angehörige müssen es auch erfahren.«

»Er hatte keine Angehörige«, sagte Freytag. »Ich weiß nicht, wo er rumsaß und was er machte, wenn wir in der Werft waren; ich weiß nur, daß keiner auf ihn wartete.«

»Dann muß es die Direktion erfahren«, sagte Rethorn.

»Er hat nicht aufgepaßt«, sagte Freytag, »Zumpe hat sich nicht an das gehalten, was wir abgemacht hatten.«

»Sag nur, daß du ihm die Schuld gibst für alles.«

»Nein«, sagte Freytag, »ihm nicht, aber dem Mann, der im Nebel das Boot abgeschnitten hat. Wenn Soltow ihr Boot repariert hätte, dann wären sie jetzt von Bord und wir könnten unsere Meldung abgeben und dafür sorgen, daß sie keine zwanzig Meilen weit kommen.«

»Ich habe das Boot nicht abgeschnitten«, sagte Rethorn.

»Wer dann?« rief Freytag.

»Ich nicht, und ich habe auch keinem gesagt, daß er das Boot abschneiden soll. Ich gebe dir mein Wort.«

»Du weißt, wieviel ich von deinem Wort halte«, sagte Freytag verächtlich.

»Ich war es nicht«, sagte Rethorn.

»Laß mich allein«, sagte Freytag. »ich kann dich jetzt nicht brauchen.«

Er ließ Rethorn stehen, zog den Stuhl heran, setzte sich und blickte auf das Logbuch, und dann nahm er es in die Hand und schlug es auf. Lange las er die letzten Eintragungen, er selbst hatte sie gemacht, doch nun muteten sie ihn wie aus einer fremden Zeit an, von einem anderen Mann als dem geschrieben, der er jetzt war oder zu sein glaubte: die Seenachrichten, die Wettermeldungen, die Schiffsbewegungen in der Bucht – alles kam ihm unglaublich vor, und der ewig wiederkehrende Schluß – keine besonderen Ereignisse – erschien ihm wie eine bequeme Lüge, mit der er seine Versäumnisse zu decken versucht hatte oder seine Unfähigkeit, wirklich alles zu erfahren, was sich ereignet hatte; und während er das empfand, faltete er das Logbuch auseinander und begann zu schreiben. Früher hatten zehn Zeilen genügt, um einen Tag abzustreichen und loszuwerden; jetzt – und er merkte es erst, als die ganze Seite voll war – war es nötig, einen Extrabogen anzuheften, den er hinter die Datumsseite legte und mit einer Klammer befestigte. Er schrieb alles auf, das, was er selbst gesehen und gehört hatte: seine Anordnungen notierte er, die Handlungen der Besatzung und das Verhalten der drei Schiffbrüchigen – vom ersten Tage an. Er glaubte, weder seine Vermutungen ausgelassen zu haben noch die entscheidenden Stellen der Gespräche, die er aus dem Gedächtnis zitierte, und nachdem er vier Seiten über den ersten Tag geschrieben hatte, hatte er das Gefühl, daß dieser Tag noch nicht abgeschlossen war und daß immer noch etwas fehlte.

Plötzlich hob er den Kopf. Die Tür mit dem zerschossenen Schloß schlug nicht mehr; ein Fuß hatte sich in den Spalt geschoben, eine

Hand um die zersplitterte Leiste gelegt. Freytag schloß das Logbuch sofort, legte es ins Regal zurück und holte das Zeug, das in Zumpes Taschen gewesen war, mit einer wischenden Armbewegung zu sich heran. Er spürte, wie die Tür schräg hinter ihm geöffnet wurde, fühlte die Nähe des eintretenden Mannes, seinen unterdrückten Atem, doch er blickte sich nicht um, obwohl ihn die fremde Anwesenheit herumzuzwingen suchte. Und dann hörte er die weiche, klare Stimme von Doktor Caspary.

»Ich muß noch einmal zurückkommen«, sagte er, »ich habe damit gerechnet, Sie zu stören, doch ich mußte Ihnen sagen, wie sehr ich den Vorfall bedaure.«

»Es war kein Vorfall«, sagte Freytag, »es war Mord.«

»Sie vergessen, daß es in Notwehr geschah.«

»Was ich gesehen habe, habe ich gesehen.«

»Was einer sieht, reicht nicht aus.«

»Gehn Sie fort«, sagte Freytag, »gehn Sie zu Ihren Leuten.«

»Meine Leute bedauern ebenfalls, was geschehen ist.«

»Sie und Ihre Leute haben nie etwas bedauert.«

»Vielleicht haben Sie recht«, sagte Doktor Caspary. »Wahrscheinlich haben wir nie etwas bedauert, denn wer bedauert, will nicht vergessen, und wir wollen gründlich vergessen; darin gleichen sich meine Leute – wie Sie meinen – und ich. Trotzdem bin ich hier heraufgekommen, um Ihnen wenigstens zu sagen, daß das, was geschehen ist, nicht zu geschehen brauchte.«

»Ist das alles?« fragte Freytag.

»Nein«, sagte Doktor Caspary höflich, »keineswegs. Ich habe Ihnen noch etwas anderes zu sagen. Wir haben uns entschlossen, Sie zu verlassen; unglücklicherweise können wir nicht die Tür öffnen und gehen, denn es ist beileibe nicht jedem gegeben, über Wasser zu wandeln. Wir sind dabei auf Hilfe angewiesen, und wenn Ihr Beiboot nicht in zwei Tagen fertig ist, werden Sie uns helfen, mit dem Schiff dort hinzukommen, wo wir hinwollen. Wir werden uns Ihre Hilfe sichern, Kapitän, seien Sie davon überzeugt. Ich kenne Ihre Antwort und Ihre Überzeugung – lassen Sie es nicht so weit kommen, daß Sie erfahren müssen, wieviel beide wert waren. Es gibt etwas, das stärker ist als alle Überzeugungen – im Ernstfall zumindest.«

»Sie kommen sich sehr stark vor, ich weiß; so wie Sie redet man, wenn man einen Revolver in der Tasche hat, aber ich möchte Sie einmal hören, wenn Sie unbewaffnet wären oder wenn auch wir Waffen hätten.«

»Was Sie feststellen, ist nicht neu, Kapitän: so wie heute ein Revolver den Satzbau verändern kann, so hat schon die erste Schleuder dafür gesorgt, daß sich der Umgangston zwischen Menschen änderte. Wer Waffen hat, findet immer ein anderes Verhältnis zur Sprache als ein Unbewaffneter. Übrigens habe ich mich entschlossen, auch etwas einzustecken – obwohl ich jedes Gewicht in der Tasche hasse; vielleicht sagen Sie das Ihrem Mann, der die Toilette gerade für gut genug hielt, mich niederzuschlagen. Ich hoffe nur, daß es ohne Ihr Wissen geschah.«

»Täuschen Sie sich nicht«, sagte Freytag, »täuschen Sie sich ja nicht: wenn Sie versuchen sollten, den Anker dieses Schiffes mit Gewalt hochzuholen, dann werden Sie etwas erleben. Alles können Sie an Bord versuchen, aber nicht das. Sie werden sich wundern.«

Doktor Caspary entdeckte den Federhalter auf dem Tisch, blickte zum Logbuch im Regal, nahm es heraus, schlug es auf und begann zu lesen. Das Gestell der Sonnenbrille war mit dünnem Draht geflickt, ein Glas fehlte, so daß sein Gesicht jetzt eulenhafte Züge trug. Er las ohne Reaktion zu Ende, was Freytag geschrieben hatte, dann legte er das Logbuch auf den Tisch und riß die Seiten heraus.

»Sie erlauben doch«, sagte er. »Ich handle nur in Übereinstimmung mit meiner Ansicht, daß es Ihrem Schiff guttäte, endlich ein Geheimnis zu haben, einen dunklen Punkt. Außerdem wissen Sie bereits, daß wir an unseren Spuren nicht sonderlich interessiert sind.«

»Das Versorgungsboot«, rief Rethorn vom Ausguck zur Brücke hinüber.

»Das Versorgungsboot kommt«, sagte Freytag und erhob sich. »Was bedeutet das?« fragte Doktor Caspary.

»Genau das, was Sie gehört haben«, sagte Freytag und erhob sich. »Das Versorgungsboot kommt längsseits.«

»Also Besuch«, sagte Doktor Caspary.

»Angenehmer Besuch«, sagte Freytag.

»Bleibt das Boot lange hier?«

»Das liegt an uns«, sagte Freytag, »und daran, wieviel wir zu erzählen haben.«

»Ich fürchte, Sie haben nicht allzuviel zu erzählen.«

»Es gibt immer etwas zu erzählen.«

»Sehr gut«, sagte Doktor Caspary. »Wir werden die Messe räumen und hier heraufziehen, auf die Brücke – zumindest für die Dauer Ihres Besuches. Sie kennen unsere Lage, Kapitän, und Sie wissen, wozu sie uns unter Umständen zwingen könnte. Berücksichtigen Sie das bei Ihren Erzählungen.«

»Was verlangen Sie?« fragte Freytag.

»Daß Sie das verschweigen, worauf es Ihnen ankommt – so wie es in einer guten Erzählung der Fall ist. Man braucht nicht alles zu verstehen, und einige Ungewißheiten muß man in Kauf nehmen. Wenn Ihr Besuch Fragen stellt oder sich zu wundern beginnt, dann verweisen Sie ihn aufs Lexikon.«

»Sie sind…«

»Ja, was wollten Sie sagen?«

»Ich wünsche mir, euch einmal zwischen die Finger zu kriegen«, sagte Freytag, »euch alle drei, hintereinander oder wie ihr es haben wollt, offen, von Mann zu Mann, und dann möchte ich mich mit euch unterhalten. Ihr würdet so klein werden, so klein.«

»Irren Sie sich nicht, Kapitän: eine gewisse Größe des Menschen wird nicht nur durch seine Beweggründe, sondern auch durch seine Anatomie garantiert.«

Freytag legte das Logbuch zurück an seinen Platz und ging hinab zum Fallreep, wo ein Teil der Besatzung stand und das Versorgungsboot erwartete, das tief im Wasser liegend direkt auf sie zuhielt. Der lang vorgezogene Bug des Versorgungsbootes schnitt durch die Wellenkämme, drückte das Wasser bis zu den schmalen Stoßfendern auf; schlingernd kam es von achtern auf, gewann an Breite, und nun winkte einer im Heck mit der Hand, stand auf, nahm die Ruderpinne zwischen die Schenkel und manövrierte das Boot stehend ans Fallreep.

Ohne den Kopf zu wenden, blickte Freytag zur Brücke hinauf und sah die beiden Brüder hinter der Brüstung geduckt dastehen und wußte, daß sie ihre Waffen in der Hand hatten. Bevor die Leine klatschend hinabfiel zum Versorgungsboot, gab Freytag Gombert ein Zeichen, sprach auf ihn ein, und Gombert trat zu jedem, der am Fallreep stand, und flüsterte ihm etwas zu; dann kamen die Männer aus dem Versorgungsboot an Deck, zwei Männer in schweren Joppen, hochgewachsen, schlecht rasiert; sie trugen schwarze Schirmmützen auf dem Kopf und die Hosen in den Stiefeln. Sie sagten »Moin« und schoben die Hände in die Taschen und witterten in Richtung zur Messe.

»Wenn ich hier nicht was zu trinken bekomme«, sagte der eine, »verdurste ich auf der Stelle. Mir ist einfach schwarz vor Durst.«

»Also gehn wir in die Messe«, sagte Freytag.

Zuerst tranken sie Rum mit Tee und saßen unter den angedunkelten Porträts ehemaliger Feuerschiffs-Kapitäne, während die anderen Güter und Post aus dem Versorgungsboot übernahmen. Freytag schob ihnen eine Kiste mit sehr guten Zigarren hinüber, holte eine Flasche sehr guten Kognak, und sie klopften ihre Pfeifen aus und ließen die Tassen mit Rum und Tee stehen, und einer von ihnen sagte:

»Im allgemeinen bekommt man im Ausverkauf nur Nusch; bei euch ist es umgekehrt. Ihr fahrt die bessern Sachen auf beim Winterschlußverkauf.«

»Wie fühlt man sich auf der letzten Wache?« fragte der andere. »Anders als sonst«, sagte Freytag. »Ich kann mir gar nicht vorstellen, daß wir hier weggehen.«

»So hab ich's mir gedacht«, sagte der eine.

»Kennst du Bohnsack?« fragte der andere. »Er lag mit seinem Schiff draußen vor dem Kanal, und als sie es einzogen, hat er sich die Aufbauten von seinem alten Dampfer, den sie abwracken wollten, an Land setzen lassen; er hat sie gekauft und hat sich alles so eingerichtet wie auf seinem Schiff. Es ist genau wie an Bord. – Willst du dir auch so was zulegen?«

»Ich weiß nicht«, sagte Freytag, »noch sind wir nicht an Land.«

»Es dauert aber nicht mehr lange.«

»Ich wäre froh, wenn ich alles hinter mir hätte.«

»Warum trinkst du nichts?« fragte der eine. »Es ist ein sehr guter Kognak, und außerdem deiner.«

»Nicht jetzt«, sagte Freytag.

»Dann auf euer Wohl«, sagte der andere.

Sie tranken, seufzten, dann sagte der eine von ihnen:

»Wir sollten uns von dem Kasten verabschieden, bevor er eingezogen wird.«

»Das ist nicht nötig«, sagte Freytag.

»Nur einen Rundgang«, sagte der andere.

»Trinkt noch was«, sagte Freytag.

»Eine gute Idee«, sagte der eine und roch mit geschlossenen Augen an einer Zigarre.

»Ich hab euch auch was mitgebracht«, sagte der andere, »ein Abschiedsgeschenk.« Er hob vorsichtig einen runden Pappkarton auf den Tisch, löste die Schnur und forderte Freytag auf, den Deckel abzuheben.

»Eine Torte?« fragte Freytag.

»Wie gehabt«, sagte der eine, »diesmal nur mit Kirschen.«

»Ich würde sie schnell essen, denn in den letzten drei Tagen werden viele längsseits kommen, und dann könnt ihr eine Konditorei aufmachen, soviel Torten werden sie euch an Bord bringen.«

»Ich werde Trittel suchen, damit er uns einen Kaffee kocht«, sagte Freytag.

»Laß man«, sagte der andere, »das kann ich besorgen, dabei sehe ich mich gleich ein bißchen um.«

»Ich finde ihn schneller«, sagte Freytag. »Ich bin gleich wieder zurück. Nehmt euch in der Zwischenzeit noch einen Kognak.«

»Keine Einwände«, sagte der eine.

»Bei euch ist es so gemütlich wie zu Hause«, sagte der andere. »Darum will ich die Gemütlichkeit auch nicht stören.«

»Hier liegt eine Patrone«, sagte der eine. »Schrot. Schießt ihr Enten?«

Freytag nahm ihm die Schrotpatrone aus der Hand.

»Fred hat sie verloren«, sagte er, »mein Junge. Ich habe ihn mit an Bord.«

»Mach schnell«, sagte der andere, »sonst trinken wir die ganze Flasche aus.«

»Ich weiß nicht, was ich mehr bewundern soll«, sagte Doktor Caspary zu Freytag, »Ihre Vorsicht oder Ihre Standfestigkeit. Jedenfalls wären Ihre Freunde ohne Ihre Hilfe kaum ins Boot gekommen, während Sie selbst den Eindruck machen, als ob Sie sich in der ganzen Zeit ausgeruht hätten. Glauben Sie, daß das Versorgungsboot sicher zurückfindet?«

»Das braucht nicht Ihre Sorge zu sein«, sagte Freytag.

»Aber es sind doch Ihre Freunde«, sagte Doktor Caspary; »und sie hatten eine bemerkenswerte Schlagseite, als sie von Bord gingen. Wenn ich einen Anlaß dazu hätte, würde ich mir Sorgen machen.«

Freytag saß auf einem Klappstuhl, der mit Segeltuch bespannt war, sah dem vage blinkenden Hecklicht des Versorgungsbootes nach, das sich in der fahlen Nachmittagsdunkelheit entfernte; sie hatten zweimal zusammen Kaffee getrunken und vor dem Kaffee und zum Kaffee

Kognak, und die hochgewachsenen Männer in den Joppen hätten vergessen, daß sie zurückmußten, wenn Freytag sie nicht daran erinnert hätte. Jahrelang waren sie hinausgeschlingert zum Feuerschiff, doch nie hatten sie sich so festgesoffen wie diesmal; zuletzt hatte keiner mehr vor ihnen geredet: schweigend, mit hängenden Augenlidern hatten sie sich gegenübergesessen, von Zeit zu Zeit ihre Körper, die vornüberzusacken drohten, schreckhaft gestrafft, wobei sie sich wieder fanden und, auf ein schnalzendes Kommando, ihre Gläser ergriffen. Unter dem aufgestützten Arm des einen Mannes hindurch hatte Freytag die Tür der Messe beobachtet, an seinen geröteten Ohren vorbei durch das Bulleye geblickt, und als der Wind sich legte, fahle Dunkelheit über die Bucht fiel und Freytag wußte, daß sie etwas zu erwarten hatten, war er aufgestanden und hatte die Männer zum Boot gebracht und war zur Brücke hinaufgegangen. Das Pfeifen in den Antennendrähten hatte aufgehört, das Schiff lag unbeweglich da an langer Ankerkette. Zwei Tümmler zogen vorbei, schnellten sich in die Luft, tauchten gekrümmt ein, kamen mit kleiner, zischender Fontäne wieder hervor; sie schwammen zur offenen See hinaus und schnitten eine Spur über das glanzlose Wasser. Die See war jetzt ohne Widerschein, stumpf und grau; das dunkle Blau des Inselstrichs war verschwunden, das warnende Grün der Wracktonne, nirgendwo das stechende, kupferne Aufblitzen bewegten Wassers, und die Küste, die wie eine flimmernde Spiegelung über dem Horizont gestanden hatte – so, als schwebe sie stahlgrau über dem Wasser –, sank mit der fahlen Dunkelheit und kam außer Sicht. Sie gaben Seewarnnachrichten durch.

633

Doktor Caspary legte den schmalen Lederriemen des Fernglases über seinen Nacken; er trug einen Stuhl aus dem Kartenschapp heraus, machte gegen Freytag eine Geste, mit der er um Einverständnis bat, und setzte sich. Lange beobachtete er das Versorgungsboot durch das Glas, sah das vage Licht immer tiefer auf die See hinabsinken, bis es schließlich herkunftslos über das Wasser zu gleiten schien, trübe, unsicher flackernd, und dann kippte es plötzlich flach in die See und blieb verschwunden.

»Ich schätze, nun werden sie bald an Land sein«, sagte Doktor Caspary. »Jedenfalls kommen sie noch vor dem Wetter nach Hause. Sie glauben doch auch, Kapitän, daß wir etwas zu erwarten haben?«

»Sie haben eine Menge zu erwarten«, sagte Freytag.

»Es trifft mich nicht unvorbereitet«, sagte Doktor Caspary. »Ich erwarte immer etwas; seit vielen Jahren rechne ich jeden Tag mit einem ganzen Bündel von Quittungen.«

»Die werden Sie bekommen«, sagte Freytag, »vielleicht schon bald.«

»Umso besser«, sagte Doktor Caspary. »Ein Schuldner rechnet schließlich damit, gelegentlich einen Wechsel zu sehen; wenn er zu jedem Termin ausbleibt, beginnt man argwöhnisch zu werden und fragt sich, was dahinterstecken mag.«

»Man wird Sie schon nicht vergessen«, sagte Freytag.

»Ich bin nicht so zuversichtlich«, sagte Doktor Caspary. Freytag hatte bisher über die Brüstung hinausgesprochen, ohne Doktor Caspary anzublicken; jetzt drehte er sich um und sagte: »Ich bin in meinem Leben Männern begegnet, die mir zuwider waren, wenn ich sie nur ansah – Typen, die ich am liebsten als Kielschwein hinter dem Schiff gehabt und durch alle Wasser der Erde geschleift hätte, aber keiner war mir so zuwider wie Sie. Ich frage mich manchmal, ob so etwas wie Sie überhaupt einen Vater gehabt haben kann.«

»Sie werden lachen«, sagte Doktor Caspary, »ich hatte einen; und da Sie sich schon nach ihm erkundigen: er war sogar ein bekannter, frommer Mann, wenigstens bei denen, die unterwegs sind – bei den Reisenden in der Eisenbahn. Da Sie selbst die Eisenbahn wenig benutzt haben, dürften Sie ihn kaum kennen, aber viele würden sich sofort erinnern, wenn der Name meines Vaters genannt wird. Nicht lange nach dem ersten Krieg hat mein Vater auf fast allen Bahnhöfen Norddeutschlands Kioske aufstellen lassen, in denen Südfrüchte und religiöse Schriften verkauft wurden; auf den Kiosken stand groß: ›Erfrischungen für alle Wege‹, und darunter etwas kleiner: ›Vertrau‹ dich Reinhold Caspary an.‹ Das stand auch auf den Obsttüten, während die religiösen Schriften Titel hatten, die auf den Zustand eines Reisenden Bezug nehmen. Sie hießen etwa: ›Alle Wege führen zu Dir‹, oder ›Die Reise durchs Nadelöhr‹, und einmal las ich die Überschrift: ›So süß bringt nur Er dich ans Ziel‹ – worunter man durchaus meinen Vater und seine Blutapfelsinen verstehen konnte. Die Kioske ließen sich gut an; mein Vater hatte erkannt, daß der Mensch in der Eisenbahn mehr vom Durst als vom Hunger geplagt wird, und dieser bescheidenen Erkenntnis verdankte er sein Vermögen.« Doktor Caspary schwieg lächelnd, zündete sich eine Zigarette an und fuhr fort: »Sie sind der erste Mann, Kapitän, dem ich dies erzähle; es geschieht überhaupt zum ersten Mal, daß ich von meinem Vater spreche. Ich hielt nicht viel von ihm.«

Freytag sah sich überrascht um: wie einmal schon, so klang es auch diesmal überzeugend und wie ein Geständnis, und er hatte das Gefühl, daß Doktor Caspary ihn nicht nur unterhalten wollte. Er sagte – und im Augenblick, da er es sagte, merkte er, daß es etwas anderes war als das, was er zu sagen vorhatte: »Ihr Vater wird genausoviel von Ihnen gehalten haben.«

»Das stimmt«, sagte Doktor Caspary. »Er hat es mir oft genug zu verstehen gegeben, und bald nachdem mein Vater ein Vermögen erworben hatte, verpachtete er die Kioske, vergrub sich in seinem Zimmer und zeigte nur noch zweierlei Interessen: die Bibel und unsere Familiengeschichte. Was die Heilige Schrift angeht, so wurde er ein bekannter Bibelausleger, dessen Kommentare zu den alttestamentarischen Prophetien gern von Sonntagsblättern gedruckt, allerdings, wie mein Vater zu verstehen gab, zu schlecht bezahlt wurden. Was unsere Familiengeschichte betrifft, so mußte mein Vater bekümmert entdecken, daß sie nicht bis zu den Kreuzzügen hinabreichte, und nicht nur dies; beim Stöbern fand er etwas, das seinen Kummer noch vertiefte: alle vierzig Jahre – das fand er heraus, und er eröffnete es uns an meinem sechzehnten Geburtstag – tauchte in unserer nicht sehr bemerkenswerten Familie ein bemerkenswerter Querschläger auf, ein Gewohnheitsdieb, ein Betrüger, ein Mörder – wobei er allerdings hinzufügte, daß es sich ausnahmslos um begabte Querschläger gehandelt habe. Das Fazit, zu dem er gelangt war, faßte er in die Worte: ›Jetzt sind gerade wieder vierzig saubere Jahre vorbei‹, und darauf wußte er nichts anderes zu tun, als mich eindringlich und stumm befragend anzublicken, obwohl er mit demselben Recht meinen Zwillingsbruder Ralph hätte anblicken können. Jedenfalls tat ich an jenem Abend folgendes: ich trat vor einen Spiegel und entdeckte einen Fremden.«

Ein heftiger Windstoß fuhr über das Schiff und brausend über das Wasser, das sich zu riffeln begann wie Wellblech, aufgeworfen wurde und, während weite Flächen der Bucht noch glatt und glanzlos waren, als ob ein unsichtbarer Zaun sie schützte, krausend in Richtung zur Küste lief. Das Schiff schien sich zu heben unter dem Stoß, torkelte leicht und schwojte, und der Bugspriet drehte langsam, als suchte er sich in die Richtung zu bringen, aus der ein neuer Stoß erfolgen könnte. Ein polterndes Geräusch drang aus dem Kettenkasten im Vorschiff. Gombert räumte die Back auf und ging nach vorn und blickte auf die

Kette hinab, die durchhängend zum Grund führte. Hinter den Inseln warf ein Küstenschoner Anker.

»Jetzt scheint es wohl zu beginnen«, murmelte Doktor Caspary gleichgültig. Freytag schwieg und schlug den Kragen seiner Joppe hoch.

»Immerhin«, sagte Doktor Caspary, »Sie können sich vorstellen, wie mir zumute war, als mich mein Vater so eindringlich anblickte. Es hatte fast den Anschein, als ob er mich für berufen oder auserwählt hielt, den nun fälligen Querschläger in der Familientradition abzugeben. Ich kann nicht sagen, daß ich darüber erschrak; ich begann lediglich, mich mit diesem Gedanken zu beschäftigen – ohne daß ich etwa damit anfing, in meinem Zimmer Fliegen zu quälen, und als mein Zwillingsbruder sich später für das juristische Studium entschied, entschied auch ich mich dafür. Wir saßen in denselben Kollegs, schrieben dieselben Arbeiten, und etliche Leute – mein Vater allerdings ausgenommen, denn er starb während unseres Studiums – sahen bereits voraus, daß unsere bis dahin übereinstimmenden Bemühungen zu einem Anwaltsbüro mit dem Briefkopf ›Caspary & Caspary‹ führen würden.

Fast hätten diese Leute auch recht behalten, doch dann – und mir fallen dabei die alttestamentarischen Prophetien ein, die mein Vater so gern kommentierte – verlangte unsere Familientradition ihre Schuldigkeit. Ich muß sagen, das erste Mal handelte ich ganz instinktiv, beziehungsweise spontan; zufällig war ich Zeuge einer Erpressung geworden; ich empörte mich gegen den Erpresser und fand keine andere Möglichkeit, ihn zu bestrafen, als ihn meinerseits zu erpressen. Da er sich damit abfand, hielt ich mich in diesem Fall für gerechtfertigt; gleichzeitig aber empfand ich so etwas wie eine größere, generelle Rechtfertigung für mein zukünftiges Tun in dieser Hinsicht – die größere Rechtfertigung ging von meiner Familie aus: die Tatsache, daß gerade wieder vierzig ›saubere‹ Jahre vorbei waren und ein Querschläger erwartet wurde, ließ mich annehmen, daß meine Familie mir gleichsam auf dem Vorwege alles bewilligen werde, was einer unrühmlichen Ausnahme zugestanden werden muß: besondere Leiden, besondere Laster und eine besondere Moral.

Da man sich auch bei der Wahl seiner Verbrechen vergreifen kann, ließ ich mir Zeit und plante mit Umsicht. Um etwas Bemerkenswertes zustande zu bringen, muß man unabhängig sein – eine Voraussetzung, die überall gilt und die ich dank meines Vaters erfüllte, der mich – wer weiß – eines Tages vielleicht sogar selbst dazu gebracht hätte, für die Erfüllung des Familiengesetzes zu sorgen ... Hören Sie mir noch zu? Gut ... Ich begann also, meine Neigungen zu beobachten, meine Bedürfnisse, und stellte bald fest, daß ich unter einem ansehnlichen Lebenshunger litt; ich wollte erfahren, was einem Mann nur möglich ist zu erfahren; ich wollte mehr aufnehmen, sammeln und an mich reißen, als in einem Leben, in einer Existenz zu schaffen ist. Wir sind alle Leibeigene unseres Selbst, gefangen wie das Insekt im Bernstein, wir sind gekreuzigt an dies eine Leben, und jede fremde Erfahrung müssen wir erst durch die Festungstore unseres Ichs einschmuggeln. Das paßte mir nicht; ich wollte nicht nur ich sein, nur in dieser armseligen Identität mit Wolfram Caspary leben, und so begann ich, mir systematisch mehrere Leben zuzulegen ... Interessiert es Sie noch, ja? ...«

Doktor Caspary machte eine Pause, rieb den klobigen Siegelring in der Hüfte, nachdenklich, als wollte er eine Staubschicht der Erinnerung fortwischen, dann legte er Freytag eine Hand auf die Schulter und deutete mit der andern auf einen treibenden Gegenstand in der Dunkelheit.

»Da«, sagte er, »sehen Sie das?«

Es war ein matt schimmernder Gegenstand, der von den kurzen heftigen Seen vorbeigetrieben wurde, und Freytag erhob sich und sah ihm nach, ohne ein Wort zu sagen. Der Bug tauchte jetzt tief ein und nahm Brecher über, deren Wasser schäumend über das Mitteldeck spülten, und das Schiff ruckte hart an der Kette und schien sich aufzubäumen in seiner Fesselung. In den Antennendrähten und in den Wanten pfiff der Wind, auf den Inseln flammten Lichter auf, die unsicher herüberblinkten. Die See war mit Schaumkronen bedeckt.

›Er ist verrückt‹, dachte Freytag, ›er ist einer von denen, die man zu heiß gebadet hat. Das ist genau einer von diesen Burschen, denen das Leben nicht ausreicht, weil sie nicht eine einzige Sache zustande kriegen.‹

»Sehen Sie«, sagte Doktor Caspary – und er hob seine Stimme, um sich besser verständlich zu machen –, »so fand ich einen Ansatzpunkt für das, was ich vorhatte: ich legte mir drei Leben zu. Eins fiel mir gewissermaßen in den Schoß, oder es wurde mir wie eine Speise gebracht, die ich zwar nicht bestellt hatte, aber so gut aussah, daß ich mich dennoch entschloß, sie zu essen: das Leben meines Zwillingsbruders Ralph. Ich nahm es an, nachdem wir zusammen mit unserm Segelboot in der Elbmündung gekentert waren. Da ich unsicher war, wieviel ich mir als Schwimmer zutrauen durfte – Sie wissen, daß Ertrinkende mit Vorliebe klammern –, wagte ich nicht, meine wenigen Kräfte bei einer Hilfeleistung zu verschwenden, die wahrscheinlich doch umsonst gewesen wäre. Ich rettete mich mit Ach und Krach ans Ufer, mein Bruder ertrank. Ich übernahm seine Anwaltspraxis, ließ mich selbst für tot erklären und fand ein Leben als hamburgischer Rechtsanwalt ... Hören Sie? Ich bin noch nicht fertig ...«

Freytag war aufgestanden, trat nun ins Kartenschapp und befestigte die hin- und herschlagende Tür. Eine Weile blieb er im Kartenschapp, kam dann wieder heraus und sah über das Schiff, das schwer übernahm, sich nach jeder See schüttelte und aufrichtete wie nach einem Schlag. Die kalte Zigarette zwischen seinen Lippen war naßgesprüht, und er schmeckte den bitteren Tabaksaft. Wie ein greller Pfeil zuckte das Licht ihrer Kennung in die niedrige Dunkelheit, erlosch und flammte wieder auf. Draußen auf der offenen See wurden Blinksignale gewechselt.

»Das war das erste Leben, das ich mir zulegte«, sagte Doktor Caspary.

»Es genügt«, sagte Freytag und musterte den Mann mit einem Blick aufmerksamer Verachtung.

»Nun kommt das zweite.«

»Sie können es später Ihrem Richter erzählen«, sagte Freytag, »ich habe keine Zeit.«

»Interessiert Sie mein Leben nicht?« fragte Doktor Caspary.

»Mehr, als Ihnen angenehm sein kann«, sagte Freytag, »aber ich habe jetzt keine Zeit. Ich muß mich um das Schiff kümmern. Wir bekommen Sturm in der Nacht.«

»Darf ich hier oben bleiben?«

»Machen Sie, was Sie wollen.«

»Noch eins, Kapitän. Ihr Steuermann hat nicht das Boot abgeschnitten. Ich war es; ich selbst habe die Leine gekappt und das Boot hinausgestoßen in den Nebel.«

Freytag, der bereits am Niedergang war, drehte sich um und kam zurück.

»Warum haben Sie das getan?« fragte er.

»Oh«, sagte Doktor Caspary, »ich wollte nur einen zweiten Schiffbruch verhindern; ich wollte vermeiden, daß wir nur einen Kilometer weit kommen und dann liegen bleiben; ein guter Maschinist kann das so einrichten. Ich wollte ganz sichergehen, Kapitän, und ich glaube, daß es für uns keine bessere Garantie gibt, ans Ziel zu kommen, als wenn wir mit Ihnen fahren, mit dem Feuerschiff: darum habe ich unser Boot abgeschnitten. Es sah mir zu sehr nach einer Mausefalle aus – wie mir auch Ihr Beiboot zu sehr nach einer Mausefalle aussieht. Können Sie das verstehen?« Freytag erkannte, womit Doktor Caspary in diesem Augenblick rechnete; er sah, wie er sich unwillkürlich duckte, eine Hand in die Tasche seines Jacketts schob und in der Tasche etwas betastete und ruhig hielt.

»Also?« fragte er. »Wann kann ich Ihnen weitererzählen, Kapitän? Ich möchte Ihnen gern weitererzählen. Nie zuvor habe ich einen Menschen getroffen, dem ich mich in gleicher Weise anvertraut hätte wie Ihnen, Kapitän; woran mag das liegen? An der Uneingeschränktheit, mit der wir uns verstehen? An Ihrer und an unserer Lage? Oder möchte ich Ihnen deshalb alles über mich erzählen, weil wir uns gegenseitig in der Hand haben? Jeder Mensch gleicht seinem Gegner, zu keinem findet er ein intimeres Verhältnis.« Freytag antwortete nicht. Er drehte sich um und stieg den Niedergang hinab, und er wußte, daß Doktor Caspary über ihm stand und ihm lächelnd nachblickte. Er ging in seine Kammer, zog Seestiefel an, seinen Gummimantel, setzte eine wollene Mütze auf; dann stand er lauschend da, horchte auf das Knistern in den Spanten, auf die knackenden Geräusche in der Schiffswand, während er sich am Eisenrohrgestänge seines Bettes festhielt. ›So hat er es gemerkt‹, dachte Freytag, ›er hat gespürt, was ich vorhatte, denn Soltow kann es ihm nicht gesagt haben, und Soltow ist der einzige, der es wußte. Er hat alles durchschaut: daß wir sie nur abstoßen wollten, eine Meile raus auf die Bucht, wo sie wie auf einem Tablett gelegen hätten für das Polizeiboot. Damit ist es also vorbei, und er wird uns zwingen wollen – na ja, er und die andern werden uns zwingen, auf die Back zu gehen, und sie werden dastehen mit ihren Gewehren und Pistolen, alle drei, und die Läufe ihrer Waffen werden hin- und herschwenken und uns zeigen, was wir tun sollen. Sie werden es versuchen, sie haben keine andere Möglichkeit fortzukommen. Jetzt müssen wir darauf gefaßt sein.‹

Das Schiff sackte unter ihm weg und hob sich, als wollte es sich senkrecht auf den Bugspriet stellen, er wurde gegen das Bettgestänge geschleudert, stützte den Anprall mit blitzschnell vorgezogenen Händen ab und hörte, wie die Stühle über den Boden rutschen und gegen die Wand krachten. Wenn das Schiff einbrach, ertönte ein dumpfer Knall, und ein Zittern lief durch den Rumpf wie ein Schauer. Wieder sackte das Schiff weg und holte schwer über; die Spindtür flog auf, Freds Koffer rutschte aus dem obersten Fach und schollerte durch den Raum. ›Vielleicht ist das die Zeit‹, dachte Freytag, ›die Zeit des Sturms kann eine Änderung bringen. Jetzt müssen wir etwas Neues versuchen.‹ Er überlegte, ob er zu Philippi hinaufgehen und mit ihm sprechen sollte, obwohl er wußte, was erfolgen würde, sobald die Direktion ihre Lage erfahren hätte. Sie würden ein Polizeiboot schicken und ihn und die Besatzung auffordern, mit der Polizei zusammenzuarbeiten, und die Direktion würde nicht zweifeln, damit den besten Rat gegeben zu haben. Doch er brauchte sich nicht anzustrengen, um vorauszusehen, was an Bord geschehen würde, sobald das Polizeiboot vor dem Schiff erschien. Er dachte an Gombert und an das, was er einzuleiten versucht hatte, als er Doktor Caspary in das Kartenschapp brachte; damals war Freytag dagegen gewesen, weil er seinen eigenen Plan hatte, aber würde er jetzt, da sein Plan nicht mehr galt, auch noch rückgängig zu machen versuchen, was Gombert – oder ein anderer von der Besatzung – tun würde, weil er sich genötigt fand, einen Anfang zu machen? Freytag dachte daran, ohne sich zu entschließen. Er legte den Koffer und die Stühle aufs Bett, ging mit angewinkelten Ellenbogen den Gang hinab und weiter zum Vorschiff und nach unten in die Segelkammer. Das Schiff trudelte stark. Er ließ sich auf alle viere hinab, kroch zur Segelkammer und hörte jetzt, wie das Wasser auf das Vorschiff schmetterte, er hörte es so deutlich und spürte es so nah, daß er unwillkürlich den Kopf einzog. Hastig griff er nach dem Drücker, stieß die Tür zur Segelkammer auf; seine Hand tastete an der Wand hinauf, dorthin, wo sich der Lichtschalter befinden mußte; er drehte den Schalter herum, das Licht flammte nicht auf. Tastend, mit vorgeschobenen Händen, kroch er in die Segelkammer, hockte sich hin, den Rücken gegen die Wand gestützt und drehte abermals den Lichtschalter um – es blieb dunkel, und er hockte nur da und dachte an Zumpe, der vor ihm oder neben ihm in der stickigen Dunkelheit zwischen den Notsegeln lag. Würde Caspary sie zwingen, die Notsegel zu gebrauchen?

Einen Augenblick war er sicher, einen Schritt zu hören, einen Fluch und das Poltern eines Körpers im Gang, und er glaubte, an der Stimme Fred erkannt zu haben, und wartete, doch bis zur Segelkammer kam niemand nach vorn. Er verließ die Segelkammer, kroch auf allen vieren zurück und stieg hinauf ins Funkschapp. Es war leer. Er betrat die Brücke, und auch hier traf er niemand – obwohl er damit gerechnet hatte, Doktor Caspary anzutreffen –, und als er zum Ausguck hinüberwollte, stellte sich ihm Eddie in den Weg. Freytag erkannte ihn sofort: Eddie hielt sich mit einer Hand am eisernen Geländer fest, in der andern trug er die Maschinenpistole, deren Lauf er Freytag mühsam in die Hüfte drückte. Freytag lächelte, als eine See das Schiff anhob und niederwarf, so daß Eddie gegen das Geländer prallte, aufstöhnte und die Pistole zurückriß.

»Was ist los?« schrie Freytag.

»Mein Bruder ist weg«, schrie Eddie.

»Ich habe ihn nicht gesehen.«

»Er ist weg!«

Eddie winkte auffordernd, sie traten in den Windschutz, hielten sich fest und näherten ihre Gesichter einander – so weit, daß sie die Wärme ihres Atems zu spüren glaubten.

»Wo ist er?« rief Eddie.

»Ich habe keine Zeit, auf ihn aufzupassen«, sagte Freytag. Eddie machte eine wütende Bewegung.

»Ich finde ihn«, rief er drohend.

»Vielleicht hat er sich verlaufen«, rief Freytag. »Ihr kommt so selten aus der Messe raus.«

»Ich werde es nachholen«, rief Eddie und wandte sich ab und verschwand stolpernd in der Dunkelheit. Freytag blieb stehen im Windschutz, sah über das Achterschiff; die Wolken zogen so niedrig über die Bucht, daß der Blinkstrahl der Kennung sie traf; auf der See leuchtete es von Schaumkronen, die sich hochreckten und glitzernd auseinanderwarfen. Regen war in der Luft, der Wind nahm an Stärke nicht zu. ›Er ist vorsichtig und bewaffnet‹, dachte Freytag, ›und bei ihm wird keiner versuchen, was Gombert bei Caspary versuchte. Wahrscheinlich liegt er in der Latrine und kotzt.‹ Er beschloß, zu den Toiletten hinunterzugehen und danach Fred zu suchen. In den Vertiefungen der eisernen Plattform standen Pfützen, und sprühendes Flugwasser traf prasselnd, wie Hagel, sein Gesicht, als er aus dem Windschatten trat und überlegte, wie er am sichersten zum Niedergang käme. Er blickte auf die Plattform, sah, daß die Entlüftungsklappe zur Kombüse offenstand, und glaubte, den Duft von sehr gutem Kaffee wahrzunehmen. Ein schwacher Lichtschimmer lag auf der schräggestellten Klappe. Freytag bückte sich, den Rücken gegen die Bank mit den Schwimmwesten gestemmt, das Flugwasser fegte über ihn hinweg, die Wärme legte sich auf sein Gesicht wie eine offene Hand. Vor dem langen geschrubbten Tisch unten in der Kombüse saßen Trittel und Eugen und tranken Kaffee, sie saßen sich an einer Ecke des Tisches gegenüber; Trittel trug auch jetzt seine Kochmütze, die einen langen, drohenden Schatten warf, der sich über die Decke und über die Wand bewegte, sobald der Koch aufstand und neuen Kaffee vom Herd holte. Sein zerfurchtes Gesicht, sein magerer Nacken und die mageren Arme hatten in dem unsicheren Licht eine grünliche Farbe. Wenn die Töpfe und Deckel in ihren Halterungen zu scheppern begannen, hob er sein Gesicht und blickte sie stumm an, als wollte er sie verwarnen. Nie sah er auf den Mann mit der Hasenscharte. Eugen hatte seinen Oberkörper auf den Tisch gestützt, hielt den dampfenden Kaffee vor seinem Gesicht und trank in kleinen, scharfen Zügen. Über die Emailletasse hinweg grinste er Trittel an, ohne mit ihm zu reden. Aus seiner Gesäßtasche ragte der Knauf eines großkalibrigen Revolvers.

Freytag beobachtete sie, lauschte und wartete darauf, daß einer von ihnen etwas sagte, doch er hörte nichts, sah nur das grinsende Gesicht von Eugen und Trittels grünliches Gesicht mit den blicklosen Augenschatten, und er zog sich wieder empor, ging über die Plattform zum Niedergang hinab und schließlich in seine Kammer zurück.

Fred lag angezogen auf dem Bett. Er rührte sich nicht, hob nicht den Kopf, als sein Alter reinkam, er blieb einfach liegen, die Füße gespreizt unter dem Bettgestänge, um nicht herausgeschleudert zu werden. Freytag trat an das Bett des Jungen heran, sah auf ihn herab und sagte: »Fred.«

Der Junge richtete sich schweigend auf, zog seinen Pullover über den Gürtel, sprang aus dem Bett.

»Wohin willst du?« fragte Freytag.

»Nach draußen«, sagte Fred tonlos.

»Draußen ist kein Wetter für dich«, sagte Freytag. »Ich würde liegenbleiben und schlafen.«

»Das kann ich zu Hause«, sagte Fred.

»Vielleicht hätte ich dich dort lassen sollen.«

»Warum?« sagte Fred. »Ich finde es sehr interessant hier. Etwas Besseres hättest du mir gar nicht bieten können. Ich habe eine Menge erfahren hier.«

»Merk dir, was du sagst, du wirst unvorsichtig«, sagte Freytag.

»Laß mich vorbei«, sagte Fred.

Freytag drückte sich gegen die Spindtür und ließ Fred vorbei, der draußen auf dem Gang unentschlossen stehenblieb, zurücksah, dann in die Richtung verschwand, in der die Kammern von Philippi und Rethorn lagen.

›Warum bin ich hier?‹ dachte Freytag. ›Warum suchte ich ihn, warum lauf ich herum und such einen von ihnen? Ist es soweit, daß sie alle gegen mich sind? Warum bin ich nicht auf der Brücke? Ich wußte doch, wie er mir antworten würde. Warum also?‹

Ein langer, wippender Schatten auf der Wand, der ihm vertraut vorkam, und bevor Freytag sich umdrehte, wußte er, daß es der Schatten von Trittels Kochmütze war, die wie ein mehlweißer Lampion über dem zerfurchten Gesicht stand, verbeult und leicht zusammengesackt.

»Komm«, sagte Freytag, »komm nur rein«, und er drehte sich um und sah Trittel, wie er ihn nie zuvor gesehen hatte: keuchend stand der Koch an der Tür, die Lippen aufgerissen, die Augen starr vor schweigendem Entsetzen; sein Adamsapfel fuhr schluckend den Hals hinab, seine Hände bewegten sich heftig unter der Schürze, ruckten, verschränkten sich, während der magere Körper schwankte. Er blieb neben der Tür stehen, als wagte er nicht, die Kammer von Freytag zu betreten.

»Komm rein«, befahl Freytag und schloß hinter dem Koch die Tür. Trittel gehorchte, kam mit schleppenden, unsicheren Schritten auf das Bett zu, mit einem Ausdruck verstörter Unterwürfigkeit. »Setz dich hin«, befahl Freytag.

»Es ist passiert«, sagte der Koch. Er rieb seine Hände unter der Schürze, blieb vor Freytag stehen und fiel plötzlich vor ihm auf die Knie.

»Du mußt mir helfen«, sagte er mit zurückgeworfenem Kopf, »jetzt ist es passiert.«

»Was?«

»Es ging auf einmal los, ich weiß nicht, wie es kam.«

»Sag, was passiert ist«, befahl Freytag.

»Ich fühl es noch in der Hand«, sagte der Koch, »wie er sich hochwarf ins Messer.«

»Ihr habt zusammen Kaffee getrunken.«

»Hast du es gesehn?« fragte Trittel erschrocken.

»Nein«, sagte Freytag, »ich sah nur, daß ihr zusammen Kaffee trankt.«

»Er kam herein und wollte Kaffee haben«, sagte der Koch leise, »ich hatte warmen Kaffee und gab ihm welchen, und wir tranken zusammen.«

»Steh auf«, sagte Freytag, »komm, setz dich aufs Bett.«

»Zuerst sagte er nichts, und dann fing er von Zumpe an und fragte, ob wir ihn auf Eis gelegt hätten oder was wir mit ihm machen wollten.«

»Liegt er oben bei dir?« fragte Freytag.

Trittel schüttelte den Kopf. »Er trank seinen Kaffee und ließ mich nicht aus den Augen, und nachdem er seinen Kaffee getrunken hatte, wollte er etwas zu essen haben. Ich gab ihm Brot und Ölsardinen, und er aß, und während er aß, konnte ich hin- und hergehen, ohne daß er mich beobachtete, und auf einmal dachte ich an euch und glaubte, daß ihr es erwarten würdet von mir, und daß ihr es auch tun würdet an meiner Stelle. Ihr hättet es doch getan, nicht wahr?«

»Was ist passiert?« fragte Freytag.

»Ich hatte mich gerade vorher rasiert – ich weiß, daß du es nicht leiden kannst, wenn ich mich in der Kombüse rasiere – und ich sah das Rasiermesser daliegen und wollte es nehmen, aber ich brachte es nicht fertig. Ich nahm das andere Messer. Als ich ihn traf – ich fühle es noch in der Hand –, wollte er aufspringen, doch er kam nicht mehr hoch und fiel neben den Hocker. Ihr hättet es doch auch getan, oder? Mein Gott, sag doch, was du getan hättest?«

»Wo ist er jetzt?« fragte Freytag.

»Er ist nicht mehr an Bord«, sagte Trittel, »ich habe ihn rausgetragen, und eine See nahm ihn mit. Jetzt sind nur noch zwei in der Messe.«

»Ja«, sagte Freytag, »jetzt sind nur noch zwei da.«

»Du mußt mir helfen«, sagte der Koch. »Du wirst mir doch helfen, ich habe es doch für euch getan, für dich und die andern und für Zumpe. Sag doch etwas!«

»Es ist geschehen«, sagte Freytag.

»Hätte ich es nicht tun sollen?«

»Wir werden es erfahren«, sagte Freytag, »bald.«

Es kam kein Sturm auf in der Nacht. Als der Regen einsetzte, kalt und strömend wie ein Wolkenbruch, ließ der Wind nach; die See wurde ruhiger, und gegen Morgen ging der Küstenschoner unter den Inseln ankerauf. Nur die Dunkelheit, eine niedrige Dunkelheit blieb, und hoch über dem Schiff wehte ein mächtiger Zug durch die Luft. Freytag schlief auf dem Stuhl im Kartenschapp, als Gombert die Mine entdeckte, hereinstürzte und ihn wachrüttelte und ihm das Glas gab. Zuerst fand und fand er sie nicht, obwohl er nur den Ausschnitt absuchte, den Gombert bezeichnete; doch dann sah er die schwarze Kappe mit den Hörnern leicht aus dem Wasser herausstoßen, sah das träge, plumpe Pendeln des schwarzen Körpers, das Überschwappen des Wassers, und auf einmal tauchte die Mine weg, ohne eine Spur zu hinterlassen. Der Bug des Feuerschiffes wies auf die offene See, und die Mine trieb auf sie zu, schwankend, mit marternder Langsamkeit, wie der plumpe Körper eines toten Tieres, den die See entführt. Jedesmal, wenn sie weggetaucht war, hatte Freytag Mühe, sie wiederzufinden; manchmal kam sie so weit hoch, daß die schwarze Rundung erkennbar war; manchmal verriet nur das Aufschwappen des Wassers, wo sich die Mine befand. Mitunter blieb sie längere Zeit verschwunden, so daß Freytag dachte, sie sei gesunken und werde nie mehr hochkommen, und dann stießen unvermutet die Bleikappen ihrer Hörner aus einer Welle. Ungeduldig stand Gombert neben ihm, während er die Mine beobachtete.

»Siehst du sie?« fragte er immer wieder, und Freytag sagte: »Ja, ich sehe sie.«

»Sie treibt auf uns zu«, sagte Gombert.

»Ich sehe es«, sagte Freytag.

Er setzte das Glas ab, die Mine war sechshundert Meter vom Schiff entfernt und trieb sehr langsam auf sie zu.

»Glaubst du, daß sie hier rankommt?« fragte Gombert.

»Es sieht so aus«, sagte Freytag.

»Vielleicht taugt sie nichts mehr. Kann sein, daß sie durch die lange Zeit im Wasser unbrauchbar geworden ist.«

»Wir können es abwarten«, sagte Freytag, »wenn sie losgeht, war sie in Ordnung.«

»Ich denke, sie haben alles geräumt hier, und draußen vor der Bucht ist das Wasser minenfrei.«

»Es ist minenfrei – bis auf einige, die sie nicht gefunden haben.«

»Und was sollen wir tun?«

»Wir müssen sie dazu bringen, daß sie einen Bogen ums Schiff macht oder sich entschließt, unterzugehen, bevor sie hier ist.«

Er gab Gombert das Glas zurück, fuhr sich mit den Fingern übers Gesicht, holte die halbe Zigarette aus dem Kartenschapp und verließ die Brücke. Freytag ging zur Messe hinab. Seitdem er von Trittel erfahren hatte, was nachts in der Kombüse geschehen war, hatte er Doktor Caspary nicht gesehen, er hatte auch Eddie nicht mehr gesehen. Zweimal klopfte er mit der Faust gegen die Tür, das scharrende Geräusch von Stuhlbeinen erfolgte, die über den Boden gezogen wurden, dann öffnete Doktor Caspary die Tür und blieb im Spalt stehen. Er lächelte überrascht. Er sagte: »Es tut mir leid, aber ich kann Sie jetzt nicht reinlassen; einer meiner Freunde ist noch nicht soweit. Kann ich etwas für Sie tun?«

»Ich muß mit Ihnen sprechen«, sagte Freytag.

»Worüber? Ich denke, zwischen uns ist alles klar?«

»Würden Sie rauskommen an Deck? Ich möchte Ihre beiden Freunde nicht stören.«

»Sie sind gesund und brauchen viel Schlaf.«

»Hoffentlich schlafen sie nicht beide zu gleicher Zeit«, sagte Freytag.

»Zu gegebener Zeit werden beide wach sein«, sagte Doktor Caspary.

Freytag merkte, daß er log, spürte auch, daß Doktor Caspary etwas zu verbergen suchte: eine Unsicherheit, eine bestimmte Enttäuschung, und in diesem Augenblick wußte Freytag, daß der Mann, der ihm mit der geflickten Sonnenbrille gegenüberstand, aus Furcht log.

»Das Schiff ist in Gefahr«, sagte Freytag leise.

»Ich weiß«, sagte Doktor Caspary, »aber in einer Gefahr befinden wir uns immer; mittlerweile sollten wir uns daran gewöhnt haben. Noch etwas?«

»Wir brauchen Ihre Hilfe«, sagte Freytag.

»Dazu muß ich mich kämmen«, sagte Doktor Caspary, »einen Augenblick, warten Sie auf mich.«

Er verschwand, kehrte nach kurzer Zeit wieder und ließ, indem er die Hände vorstreckte, seinen Jackettärmel auf den Unterarm rutschen – als Zeichen, daß er bereit sei zu helfen.

»Kommen Sie mit«, sagte Freytag.

Sie stiegen zur Ausguck-Plattform hinauf, Freytag nahm Gombert das Glas ab und reichte es Doktor Caspary; dann wies er mit der Hand in die Richtung, in der die Mine trieb, und sagte:

»Sehen Sie durch das Glas; Sie werden finden, was ich meine. Sehen Sie genau hin: eine Mine treibt auf uns zu, ungefähr fünfhundert Meter vom Schiff.«

Doktor Caspary trat einige Schritte zur Seite, bevor er das Glas ansetzte und die See beobachtete.

»Ja«, sagte er, »ich sehe sie – jetzt ist sie wieder weg.«

»Sie treibt auf das Schiff zu«, sagte Freytag. »Und wie kann ich Ihnen helfen?« fragte Doktor Caspary. »Soll ich die Mine überreden, in eine andere Richtung zu treiben? Oder soll ich sie mit Worten entschärfen?«

»Das betrifft Sie genauso wie uns«, sagte Freytag.

»Sehr gut«, sagte Doktor Caspary. »Es gibt also etwas, vor dem wir gleich sind; auf einmal kann eine Lage eintreten, die uns vergessen läßt, welche Verhältnisse an Bord bestehen. Plötzlich sind wir alle Gefangene einer Lage, in der wir aufeinander angewiesen sind.«

»Sie treibt langsam«, sagte Freytag, »wir haben noch Zeit.«

»Vielleicht taugt sie ja nichts«, sagte Gombert.

»Es gab Minen, die lagen zwanzig Jahre im Wasser, und zwanzig Jahre sind Schiffe über sie weggefahren, und als man sie vergessen hatte, da gingen sie eines Tages los.«

»Wie also soll ich Ihnen helfen?« fragte Doktor Caspary.

»Wir müssen sie abschießen«, sagte Freytag, »bevor sie zu nah am Schiff ist. Wenn Sie es nicht wollen oder Ihre Freunde, dann werde ich es tun.«

»Sehen Sie, Kapitän, darin liegen die Vorzüge, bewaffnet zu sein: wenn eines Tages eine Mine auf Sie zutreibt, können Sie sich das Ding bequem vom Leibe halten.«

»Werden Sie uns helfen?« fragte Freytag.

»Ich werde mit meinen Freunden sprechen«, sagte Doktor Caspary, »und wenn sie einverstanden sind, werden wir etwas tun.«

Lächelnd verschwand er nach unten in die Messe, und Gombert sah Freytag von der Seite an und sagte: »Ich hätte das nicht getan an deiner Stelle.«

»Was hättest du denn getan?«

»Ich weiß nicht«, sagte Gombert, »aber dies nicht. Ich hätte mir nicht helfen lassen von ihnen.«

»Du kannst manchmal irgendwo drinstecken«, sagte Freytag, »wo dir nur dein Gegner helfen kann. Ich persönlich würde ihre Hilfe nie annehmen, aber das Schiff braucht sie, und das Schiff ist wichtiger als alles andere.«

»Hast du Zumpe vergessen?«

»Ich habe nichts vergessen.«

»Wer wird die Mine abschießen«, fragte Gombert, »der Blöde oder sein Bruder?«

»Sein Bruder«, sagte Freytag, »und das wird das letzte Mal sein, daß er schießt. Ich kann dir nicht mehr sagen als dies.«

»Ist etwas passiert?«

»Ja, es ist etwas passiert, und du wirst es früh genug hören.«

Jetzt traten Eddie und Doktor Caspary an Deck, und sie winkten ihnen, herzukommen. Eddie wies das Glas zurück, das Freytag ihm reichen wollte; er beobachtete mit bloßem Auge die See, mehrere Schritte von den Männern entfernt; aus seinen Bewegungen war jede Lässigkeit verschwunden, auf seinem Gesicht lag ein Ausdruck müder Brutalität. Flüchtig blickte er in die Richtung, in der die Mine trieb, er konnte sie nicht finden, und als Doktor Caspary sie ihm zeigte, winkte er den Männern, noch weiter zurückzutreten; dann legte er die Maschinenpistole auf die Reling, zielte und wartete.

Keiner sah mehr auf ihn; alle standen und beobachteten schweigend, mit peinigender Erwartung die Stelle auf dem Wasser, an der die schwarzen Hörner erscheinen mußten. Als sie erschienen, feuerte Eddie, und die Kugeln zirpten über das Wasser; eine Kette von Fontänen wurde hochgerissen, fünfzig oder sogar hundert Meter vor der Mine, die nach dem Feuerstoß wegsackte wie ein Körper, der in Deckung geht. Eddie schubste die leeren Patronenhülsen mit dem Fuß außenbords, zog die Maschinenpistole in die Schulter ein und wartete, und jetzt wurde die Mine hochgetragen, so daß ihr schwarzes oberes Rundprofil deutlich über dem Wasser war. Eddie feuerte zwei Stöße und zog dabei hoch, und sie hörten deutlich den Aufprall der Geschosse auf dem metallenen Körper, und sie sahen die Fontänen rings um die Mine.

»Sehr gut«, rief Doktor Caspary, »du hast sie getroffen, Eddie.«

»Der Dreck geht nicht los«, sagte Eddie.

»Man muß die Hörner treffen«, sagte Gombert.

»Kluges Kind«, sagte Eddie, »das hätte mir meine Oma auch gesagt.«

Die Stelle, an der die Mine jetzt träge rollte und trieb, wurde durch hochschwappendes Wasser bezeichnet; sie mußte knapp unter der Oberfläche sein, und diesmal wartete Eddie nicht, bis sie auftauchte, sondern zielte und schoß, setzte ab und schoß noch einmal. Und da sammelte sich die See wie unter einem gewaltigen Griff, brach auf, hob sich bebend, als stiege ein Berg aus dem Wasser; eine Fontäne aus Gischt und Schaum schoß empor, schien einen Augenblick stillzustehen und schnellte dann, wie durch neue Kraft weitergetrieben, abermals hoch. Ein Schauer lief über die See, eine Druckwelle folgte ihm, und das tonnenschwere Gewicht des Wassers, das die Explosion hochgerissen hatte, fiel klatschend zurück.

Eddie starrte ungläubig auf das Ereignis, das er selbst hervorgerufen hatte, und Doktor Caspary rieb mit kurzen, eckigen Bewegungen seinen Siegelring in der Hüfte und sagte: »Sehr gut, Eddie. Das war das Beste, was ich von dir gesehen habe.«

»Sie taugte doch etwas«, sagte Freytag zu Gombert, »sie war noch brauchbar.«

»Hätte ich nicht gedacht«, sagte Gombert.

»Seid ihr bedient?« fragte Eddie, während er die Maschinenpistole in die Hüfte einzog, davonging und im Davongehen den Lauf über die Gruppe der Männer schwenkte. »Geh zu Trittel«, sagte Freytag zu Gombert, »er soll mir Kaffee auf die Brücke bringen.«

»Mit zwei Tassen«, ergänzte Doktor Caspary, der plötzlich den Kopf hob, lächelte und auf Rethorn zuging, der mit verschränkten Armen unter den Wanten stand. Sie gaben sich die Hand, sie sprachen miteinander und blickten zu der Stelle hinaus, wo die Mine hochgegangen war.

Freytag stieg zur Brücke hinauf, blicklos an den Männern seiner Besatzung vorbei, die, als die ersten Schüsse erfolgten, an Deck gekommen waren und die Explosion der Mine beobachtet hatten. Er spürte ihre Mißbilligung und ihre Erwartung, er spürte ihr Verlangen nach einem Zeichen, nach einer Aufforderung oder nur danach, eingeweiht zu werden in das, was er selbst vorhatte. In ihrer Haltung lag die Enttäuschung über jede ausgebliebene Aktion, für die sie ihn verantwortlich machten. Er spürte es noch, als er auf der Brücke stand und zu ihnen hinuntersah. ›Sie werden es nicht begreifen‹, dachte er. ›Sie werden nicht verstehen, daß ihretwegen nichts geschehen darf. Wenn wir etwas anfangen, sind sie die ersten, die bezahlen müssen.‹ Regenschleier wehten über die

Bucht, verdeckten die Inseln, verdeckten den Horizont. Ein Flugzeug zog hoch und unsichtbar über sie hinweg, und ein dumpfes Rollen lief über die Bucht, das vom Artillerie-Übungsplatz an der Küste herüberkam. ›Ein guter Himmel für Dorsche‹, dachte Freytag. ›Wenn sie nicht hier wären, würde ich den Zockler rauswerfen.‹ Er ging zum Niedergang, sah Trittel mit dem Kaffee heraufkommen, den er an Freytag vorbei ins Kartenschapp trug, mit verstörter Unterwürfigkeit servierte und danach, das Tablett in der Hand, rückwärts verschwand.

»Leg dich jetzt hin«, sagte Freytag.

Der Koch wandte sich erschrocken um, nickte, wollte zum Niedergang und wich gleich wieder zurück, als er Doktor Caspary entdeckte, der, eine gewaltsame Munterkeit zur Schau tragend, auf die Brücke kam.

»Ich will nichts von Ihnen«, sagte Doktor Caspary, »allenfalls eine Tasse Kaffee.«

»Ist gut, Karl«, sagte Freytag, und Trittel klemmte sich an den Männern vorbei. Sie standen sich gegenüber und tranken schwarzen Kaffee, fühlten den warmen Dampf auf ihren Gesichtern und den heißen Druck im Innern nach dem ersten Schluck. Wieder bot Doktor Caspary dem Kapitän eine Zigarette an, wieder lehnte Freytag ab, indem er auf die kalte Zigarette wies, die er flach gepreßt hatte zwischen seinen knotigen Fingern.

»Sie schulden mir noch etwas, Kapitän«, sagte Caspary und setzte die Tasse ab. »Sie schulden mir noch Zeit als Zuhörer. Ich glaube, daß ich Ihnen noch nicht alles erzählt habe über mich.«

»Von manchen weiß man genug, wenn sie schweigen«, sagte Freytag.

»Von manchen – aber nicht in meinem Fall«, sagte Doktor Caspary.

»Warum wollen Sie mir das erzählen?«

»Ich weiß nicht genau, Kapitän. Ich vermute aber, daß ich in Ihnen einen Mann getroffen habe, der mir am nächsten kommt. Unsere Nähe ergibt sich nicht aus dem, worin wir übereinstimmen, sondern aus der Vollkommenheit, mit der wir uns in jeder Hinsicht widersprechen. Sie würden erschrecken, wenn Sie wüßten, wie sehr ich Sie verstehe und wie nah wir uns gegenüberstehen. Ihr Leben, Kapitän, wäre das einzige, das ich noch hätte führen können, wenn ich mich nicht für mein Leben entschieden hätte, oder für meine drei Leben. Vom ersten erzählte ich Ihnen ja – es bestand darin, daß ich als mein eigener Bruder dessen Anwaltspraxis übernahm. Nun, und das zweite

Leben ergab sich aus dem ersten. In der Anwaltspraxis gewann ich
rasch die Einsicht, daß jedem Menschen ein schuldhaftes Verhalten
nachzuweisen ist, wenn man es nur darauf anlegt. Jeder, aber auch
jeder taugt als Angeklagter: Reiche und Arme, Witwen und Waisen.
Nehmen Sie einen beliebigen Menschen, und ich garantiere Ihnen,
daß sich etwas bei ihm finden läßt, wofür er nach landläufigem Recht
zwei Jahre sitzen muß – und das bei nicht einmal drakonischer Straf-
zumessung. Daß noch nicht die ganze Welt ein einziger Gerichtshof
geworden ist, liegt nur an der Überarbeitung der Richter und daran,
daß es vorderhand keinen gibt, der sie selbst unter Anklage stellt.
Sehen Sie, und so fand ich ein neues Leben: ich wollte herausbekommen, worin der Unterschied zwischen denen liegt, die man faßt und
vor Gericht stellt, und denen, die zwar Angeklagte sind, aber frei
herumlaufen. Ich wollte in Erfahrung bringen, wieviel man tun, wie
viele Verbrechen man begehen kann, ohne daß es sich im Gesicht
ausprägt oder gleich das Gericht interessiert. So führte ich neben
meinem Anwaltsleben ein Leben als – ja, ich muß sagen: als freier
Zuchthäusler. Unter dem Namen eines bekannten Impresarios zog
ich das größte Gerichtsunternehmen – Sie werden sagen: Erpresser-
geschäft – auf, das es je in Westdeutschland gegeben hat. Ich spezialisierte mich darauf, das Leben von besonders angesehenen und
scheinbar ehrenwerten Leuten zu erforschen und ihnen dann das
Ergebnis meiner Bemühung mit einer Rechnung zuzuschicken. Sie
werden erstaunt sein: eine einzige Rechnung ist zurückgekommen –
doch nur, weil der Angeklagte verstorben war –, alle anderen wurden
bezahlt. Allerdings muß ich sagen, daß ich in meinem Privatgericht
jede nur erdenkliche juristische Akribie gebrauchte, und ich bezweif-
le, daß ein ordentliches Gericht sorgfältiger in seiner Beweisaufnahme
vorgehen kann, als ich es tat. Ich will nicht übersehen, daß ich meinen Erfolg auch der Tatsache zu verdanken habe, daß wir heute im
Zeitalter der Juristen leben – in dem beinahe jeder kleine Chef, bevor
er mit seiner Sekretärin schläft, seinen Rechtsbeistand anruft und sich
nach den juristischen Folgen erkundigt. Immerhin, mein zweites Leben brachte mir einen Erfolg, wie ich ihn als Anwalt nicht finden
konnte. Das dritte Leben schließlich, das ich von dem zweiten finan-
zierte, führte ich als bescheidener Werftunternehmer. Den Tod meines Bruders vor Augen, spezialisierte ich mich in meiner Werft darauf, verschiedene Typen von unsinkbaren Rettungsbooten entwickeln

zu lassen – für Passagierdampfer, für Fischkutter, für Schiffbrüchige schlechthin. Das Boot, in dem Sie uns auffischten, ist übrigens eigenes Fabrikat, ein älteres Versuchsmodell.«

»Und die beiden?« fragte Freytag, der bisher anscheinend interesselos zugehört hatte.

»Sie meinen die Brüder Kuhl?«

»Ja.«

»Ich bin ihnen aus meinem zweiten Leben verpflichtet. Unsere Beziehungen gehen über eine Freundschaft hinaus.«

»Das sieht man euch an«, sagte Freytag, »ihr seid wie geschaffen füreinander.«

»Eugen fühlt sich nicht sehr wohl heute«, sagte Doktor Caspary.

»Es wird an der reinen Luft hier liegen«, sagte Freytag.

»Mag sein, mir bekommt die Luft auch nicht sehr. Es wird Sie erstaunen, Kapitän, doch ich habe bereits das Gefühl, zu lange an Bord zu sein.«

»Ich schätze, es geht Ihnen nicht allein so«, sagte Freytag, »andere haben auch dies Gefühl.«

»Hören Sie zu«, sagte Doktor Caspary, und er blickte sich schnell um, als wollte er sichergehen, daß niemand außer ihnen beiden auf der Brücke war; dann faßte er Freytag am Arm und zog ihn in die Brückennock.

»Ich möchte Ihnen etwas sagen, Kapitän, offen, nur unter uns.« Er sprach mit verändertem Tonfall, und Freytag glaubte, jetzt auch in seiner Stimme Furcht zu erkennen. »Ich möchte Ihnen ein Angebot machen, Kapitän, ein Angebot, wie Sie es nie in Ihrem Leben bekommen haben. Wenn Sie mir helfen, wegzukommen, bezahle ich Sie dafür. Bringen Sie mich zur Küste – ich werde Ihnen die Stelle zeigen, wo Sie mich absetzen können –, und ich zahle Ihnen dreißigtausend Mark. Ich habe das Geld hier, und wenn Sie einverstanden sind, könnte ich Sie sofort auszahlen.«

»Erscheinen Sie sich selbst nicht teurer?« fragte Freytag.

»Ich kann erhöhen«, sagte Doktor Caspary, »wieviel? Bestimmen Sie es selbst.«

»Für Sie allein oder auch für Ihre Freunde?«

»Für mich *und* für meine Freunde.«

»Das wollte ich wissen«, sagte Freytag.

»Ihr Schiff ist ohnehin auf der letzten Wache; es wird eingezogen und nie mehr hierher zurückkehren. Ein letzter Umweg würde nichts für Sie bedeuten, aber das, was er Ihnen einbringt, könnte Ihnen eine angenehme Pensionszeit sichern. Was halten Sie von diesem Angebot, Kapitän?«

»Interessiert es Sie, ja?« fragte Freytag.

»Nennen Sie Ihre Bedingungen.«

»Ich kenne keine Bedingungen. Ich denke an den Mann, der unten liegt in der Segelkammer, und den ihr erschossen habt: das ist euer Angebot. An dieses Angebot halte ich mich und an nichts anderes. Ich habe es annehmen müssen, weil mir keine Wahl blieb, aber ihr könnt euch darauf verlassen, daß ihr ein Gegenangebot bekommt. Vergessen Sie alles, was Sie mir sagten, und versuchen Sie nicht, es mir noch einmal zu sagen.«

»Werden wir nie zusammenfinden, Kapitän?«

»Sie sagten doch selbst, daß wir uns so gut verstehen, nicht wahr? Gut, dann verstehen Sie mich auch diesmal: ich denke an nichts anderes, als euch von Bord zu bekommen – so oder so; ich denke an den toten Mann und an den Tag, an dem wir frei sein werden auf diesem Schiff.«

»Sie könnten rasch dahin kommen«, sagte Doktor Caspary. »Mein Angebot bleibt bestehen.«

»Auf diesem Schiff wird niemand solch ein Angebot annehmen.«

»Ich bewunderte schon einmal Ihre Gewißheit – ich bewundere sie wieder.«

»Niemand«, wiederholte Freytag, »und ebensowenig wird dies Schiff seine Position verlassen, bevor wir offiziell eingezogen werden. Das bestimmt die Direktion.«

»Sie sagten es schon, Kapitän.«

»Umso besser, dann können Sie sich eine Enttäuschung ersparen.«

»Hören Sie, Kapitän, ich maße mir nicht an, Ihnen einen Rat zu geben, aber in einer Hinsicht möchte ich Sie – und ich weiß nicht, warum – warnen: ich möchte Sie vor dem Hochmut warnen, eines anderen so sicher zu sein.«

»Kapitän ins Funkschapp!« rief eine Stimme, und Freytag stand einen Augenblick da, als überlegte er, ob er der Aufforderung nachkommen sollte; dann, während, die Stimme Philippis abermals rief: »Kapitän ins Funkschapp«, wandte er sich um und sagte: »Ich möchte nichts verstecken vor Ihnen; Sie sollen Bescheid wissen, was ich von

Ihnen halte und welch ein Ziel ich habe. Ihr werdet verlieren, auch wenn ihr euch noch so stark fühlt.«

Philippi erwartete ihn, und als Freytag die Funkbude betrat, warf er die Rolltür hinter ihm zu, schob den Riegel von innen vor, drehte sich sprunghaft um, die Hände flach gegen die Tür gepreßt. Auf seinem Habichtsgesicht lag der Schimmer einer Genugtuung. Seine Daumen rubbelten über die Tür, so daß ein Geräusch entstand, hohl und bestimmt wie ein lässiger Wirbel auf einer Trommel.

»Also?« fragte Freytag. »Was ist los? Was soll ich?«

»Wenn diese Wache vorbei ist, steige ich aus«, sagte Philippi.

»Wir steigen alle aus, jeder weiß das an Bord.«

»Wir werden nie mehr auf einem Dampfer sein.«

»Hast du mich gerufen, um mir das zu sagen?« fragte Freytag.

»Nein«, sagte Philippi, »das war nur meine Einleitung. Ich wollte dir sagen, daß die Direktion unterrichtet ist. Sie wissen, was los ist an Bord.«

Freytag sah ihn mißtrauisch an, fingerte nach seinem Taschentuch und zog es um die Hand, daß der Stoff über den Knöcheln spannte.

»Sie wissen über alles Bescheid«, sagte Philippi.

»Von wem?«

»Ich habe es durchgegeben«, sagte Philippi. »Die Direktion ist unterrichtet darüber, wer an Bord ist und was geschehen ist. Die Direktion mußte es erfahren.«

»So«, sagte Freytag leise, »sie mußte es erfahren. Du hast das entschieden.«

»Ich hielt es für meine Pflicht.«

»So, du hieltest es für deine Pflicht.«

»Die Direktion hat ein Recht, alles zu erfahren.«

»Und was wird deine Direktion tun – jetzt, wo sie alles erfahren hat?«

»Jedenfalls etwas und mehr, als du getan hast. Sie werden ein Boot schicken.«

»Siehst du, genau das habe ich mir gedacht. Die Direktion wird ein Boot schicken. Und dann?«

»Jetzt wird etwas geschehen«, sagte Philippi, »das mußte ich dir sagen.«

»Du bist wie die andern«, sagte Freytag, »ihr glaubt alle, daß unbedingt etwas geschehen muß. Ihr seid versessen darauf, gleich immer zu handeln; es ist wie eine Krankheit.«

Freytag musterte ihn ohne Erbitterung, mit gelassener Resignation und so gleichgültig, als sehe er durch ihn hindurch auf einen Grund. Nicht er war überrascht, sondern Philippi, überrascht, da die Reaktion ausblieb, auf die er gefaßt, auf die er auch vorbereitet war. Der Ausdruck hartnäckiger Genugtuung auf seinem Gesicht wich einem unsicheren Erstaunen, und er drückte sich von der Tür ab, ging zu seinem Tisch, auf dem eine Kiste mit selbstgedrehten Zigaretten stand, nahm eine, zündete sie an. Er hatte geglaubt, Freytag zu überrumpeln, und nun fühlte er sich selbst überrumpelt durch die Überraschungslosigkeit des Kapitäns.

»Wann schicken sie das Boot?« fragte Freytag.

»Ich weiß nicht«, sagte Philippi.

»Ist es schon unterwegs?«

»Sie haben nichts gesagt.«

»Dann werden wir warten«, sagte Freytag, »warten und uns auf etwas gefaßt machen.«

»Was meinst du damit?«

»Alles, was ich sage.«

Zuerst schickten sie Soltow, und der Maschinist kam herein ins Kartenschapp, während Freytag das Logbuch schrieb, wartete, bewegte sich ungeduldig hinter dem Stuhl und sagte schließlich:

»Sie sind alle vorn am Spill. Sie warten auf dich.«

»Gut«, sagte Freytag, und er schrieb weiter, schrieb die Seiten nach, die er schon einmal geschrieben und die Doktor Caspary herausgerissen hatte, setzte das Logbuch fort bis zu jenem diesigen Abend, und als er fertig war, kam Soltow abermals herein.

»Es wird Zeit, daß du kommst«, sagte er, »sie haben sehr viel Sehnsucht nach dir.«

»Wer?« fragte Freytag.

»Alle«, sagte Soltow. »Wir sind alle vorn am Ankerspill und warten auf dich.«

»Was soll da stattfinden?«

»Du wirst es merken, komm nur mit.«

Freytag legte das Logbuch in den Kartentisch, schloß ab und steckte den Schlüssel ein. Er wußte, daß es der Abend war, an dem die Frist, die Doktor Caspary ihm gesetzt hatte, ablief – ein diesiger Abend, trübe, verwaschen; die See war leer, das Schiff schwojte in der Strömung, ein flauer Wind, der ermüdet schien über den grauen Einöden des Wassers, ließ den schwarzen Ball an der Signalleine schwerfällig hin- und herpendeln, und die Inseln drüben wurden immer flacher, als gingen sie unter in einem Tal der Dämmerung. Freytag hatte nicht geglaubt, daß irgend etwas geschehen werde – vielmehr hatte er damit gerechnet, daß Doktor Caspary sein Angebot wiederholen, den Preis heraufsetzen würde –, und in der Sicherheit dieser Vermutung war er hinaufgegangen ins Kartenschapp und hatte das Logbuch geschrieben und es so weit gebracht, daß es mit dem Abend der Frist abschloß. Zufrieden darüber, sah er Soltow an und fragte: »Wer hat dich geschickt?«

»Er persönlich«, sagte Soltow. »Das nächste Mal wollte er selbst nach dir sehen.«

»Ich komme«, sagte Freytag.

»Es sind nur zwei von ihnen da«, flüsterte Soltow. »Einer fehlt. Ich habe mich schon gewundert, warum er nicht rauskam aus der Messe.«

»Jetzt werden sich manche wundern«, sagte Freytag.

Er ließ Soltow vorausgehen und dachte: ›Du kommst nicht an sie heran; wer nicht handeln will wie sie, ist allein. Sie wollen um jeden Preis etwas tun, denn sie haben Angst vor der Entdeckung, daß sie allein stehen könnten. Ihr Handeln verbindet sie. Wahrscheinlich gibt es nichts, was so stark verbindet wie eine gemeinsame Handlung – wenn's nicht gerade das Übliche ist –, und sie sind krank davon.‹

Schweigend gingen sie den Niedergang hinab, über das verlassene Deck, und Freytag blieb stehen und beobachtete noch einmal mit bloßem Auge die See, in der Befürchtung, daß das Boot, das die Direktion schicken wollte, jetzt auf sie zukommen könnte.

Das Boot war nicht zu sehen, die lange Bucht war leer; eine Ölspur trieb auf die freie See hinaus, glättete das Wasser, führte braunes Gras und Plankenstücke und Astwerk hinaus.

»Komm«, sagte Soltow, »wir warten schon lange genug.«

Freytag folgte ihm zum Vorschiff, wo sie alle am Spill standen, und nun, da sie ihn kommen hörten, ihre Gesichter hoben und ihm entgegensahen, ruhig, unerbittlich, ohne Bedauern; kein Blick ließ ihn los: wie ein Flugzeug nachts in den Fangarmen der Scheinwerfer, so befand er sich im Fangkreuz ihrer Blicke, und ihre Gesichter drehten sich mit ihm, als er herankam, zwischen ihnen hindurchging und langsam wieder zurückkehrte. Er blieb stehen, sah jeden einzelnen an, seine Be-

satzung und die beiden andern und zuletzt Fred, der allein hinter
Gombert stand. Plötzlich trat er auf Gombert zu und sagte:

»Warum bist du nicht auf Ausguck?«

Gombert wich ihm aus, blickte stumm – als ob er es ihm nur so
erklären könnte – zu Eddie hinüber, der mit Doktor Caspary an der
Reling stand; dann zuckte er die Achseln.

»Warum seid ihr alle nicht auf Station, wo ihr hingehört?« fragte
Freytag, und da sie nur standen und ihn schweigend musterten:

»Warum bist du nicht auf Station, Philippi? Und du, Rethorn?« Die
kalte Zigarette wippte zwischen seinen Lippen. Er trat auf Gombert zu.
Er sagte:

»Du gehst jetzt auf Ausguck, oder hast du vergessen, was du zu tun
hast?«

»Der Mann bleibt hier«, sagte Doktor Caspary von der Reling.

»Er fühlt sich hier sehr wohl«, sagte Eddie und nahm die Maschinenpistole fest in die Hüfte.

»Geht auf Station«, sagte Freytag drohend.

Die Männer blickten auf Eddie und auf Doktor Caspary und blieben
– einem instinktiven Gefühl gehorchend, das ihnen Sicherheit zu garantieren schien, solange sie zusammen waren. Sie spürten, daß der
erste, der sich aus der Gruppe entfernte, das größte Risiko laufen würde; so blieben sie und wandten sich sogleich wieder Freytag zu, als habe
er selbst unmittelbar hervorgerufen, was jetzt geschah. Sie schoben
ihm alles zu und überließen es ihm, den Zwang aufzuheben, unter
dem sie gemeinsam standen; ihre Gesichter verrieten es. Und auf keinem der Gesichter fand Freytag ein Zeichen der Bereitschaft, ihm noch
einmal zu folgen oder sich ihm noch einmal anzuvertrauen, in der
Erwartung, daß er mit ihnen zusammen handeln werde, ja, er glaubte
sogar zu merken, daß der Zwang, unter dem sie standen, ihnen willkommen war, da er ihnen die Weigerung erleichterte, zu tun, was er in
diesem Augenblick von ihnen verlangte. Er merkte es, und er drehte
sich zu Doktor Caspary um und sagte:

»Was haben Sie vor? Warum zwingen Sie die Besatzung, hier vorn zu
bleiben? Wir haben zu arbeiten.«

»Ein Mann wie Sie kommt von keinem andern Stern«, sagte Doktor
Caspary mit weicher, wohlklingender Stimme. »Sie wissen, was los ist.
Sie haben Zeit gehabt, sich darauf einzustellen und zu verhindern,
wozu wir uns jetzt gezwungen sehen.«

Blitzschnell sah Freytag zu seiner Besatzung zurück und rief: »Geht auf eure Plätze!«

Sie rührten sich nicht. Keiner folgte seinem Befehl.

»Geben Sie es auf, Kapitän«, sagte Doktor Caspary. »Versuchen Sie nicht, etwas hervorzurufen, wofür Sie nicht die Verantwortung übernehmen können; das paßt nicht zu Ihnen.«

»Was haben Sie vor?« fragte Freytag, obwohl er sah, was geschehen sollte.

»Wir werden den Anker einholen, und Sie werden uns an Land setzen; es ist gleichgültig wo, nur irgendwo an Land. Es wird nicht lange dauern – immerhin kommt Ihr Schiff so zumindest eine Nacht von der Kette.«

»Das Schiff bleibt hier«, sagte Freytag, und zum Maschinisten: »Geh in dein Schapp und mach die Lichter an; es wird Zeit.« Soltow rührte sich nicht.

»Sehen Sie«, sagte Doktor Caspary, »nun verstehn mich Ihre Leute besser als Sie. Sie sollten merken, daß Sie allein stehen. Ich warne Sie, Kapitän.«

»Dann versucht's nur«, rief Freytag, »kommt her und versucht, den Anker raufzuholen. Los, wer von euch will es zuerst probieren?« Er ging zum Spill, stellte sich mit dem Rücken vor den Spillkopf, über den die großgliedrige Ankerkette lief, duckte sich da und hob die Fäuste, bereit, den Spillkopf gegen jeden zu verteidigen.

»Warum kommt ihr denn nicht?« sagte er.

»Nichts ist trauriger als ein Mann, der sich lächerlich macht«, sagte Doktor Caspary. »Sie machen sich lächerlich, Kapitän. Gehen Sie weg vom Spill.«

»Das Schiff verläßt nicht seine Position.«

»Gehen Sie weg vom Spill«, wiederholte Doktor Caspary.

»Komm«, sagte Rethorn plötzlich, »sei vernünftig und komm da weg.«

Freytag sah ihn überrascht und argwöhnisch an. Er nahm die kalte Zigarette aus dem Mund, zerrieb sie zwischen den Fingern und trat unwillkürlich vom Spill weg.

»Ich dachte schon, du hast deine Sprache verloren«, sagte Freytag, »und auf einmal machst du mir sogar Vorschläge.«

»Es sind nicht meine Vorschläge«, sagte Rethorn. »Ich sage nur, was du uns gesagt hast die ganze Zeit.«

»Ah«, sagte Freytag, »du hast also nichts dagegen, den Anker raufzuholen.«

»Einer ist genug«, sagte Rethorn.

»Dann bist du wohl sogar bereit, ihnen zu helfen? Vielleicht hat er dir auch ein Angebot gemacht?«

»Denk daran, was mit Zumpe geschehen ist«, sagte Rethorn.

»Ich denke daran.«

»Dann weißt du genug.«

»Ja«, sagte Freytag, »das weiß ich, im Gegensatz zu dir weiß ich, wann sich etwas lohnt. Ich bin mir im klaren darüber, wozu etwas gut ist und in welchem Augenblick.«

»Fangt Sie an«, sagte Doktor Caspary, und Eddie echohaft: »Los, fangt an!«

Niemand rührte sich. Sie standen sich gegenüber wie in einem ungleichen Duell und schienen nur deshalb zu zögern, weil Freytag zwischen ihnen war. Die stumme Auseinandersetzung schnitt sich in ihm, und solange er dort stand wie ein Magnet, der ihre Aufmerksamkeit an sich riß gleich Eisenspänen, geschah nichts, doch es würde etwas geschehen müssen – und weder er noch die andern zweifelten daran –, sobald er dort wegging. Und wieder begann Rethorn: »Komm weg da, oder hast du vergessen, was du uns selbst gepredigt hast? Es ist die letzte Wache, in ein paar Tagen laufen wir ein.«

»Na und?«

»Es lohnt sich nicht.«

»Er hat dich wohl gekauft«, sagte Freytag. »Du redest, als ob du schon sein Geld in der Tasche hast.«

»Denk daran, was du uns gesagt hast: es soll niemand fehlen an Bord, wenn wir einlaufen.«

»Das hat sich geändert«, sagte Freytag. »Es kann vorkommen, daß man seine Meinung ändern muß, und dieser Augenblick ist jetzt da. Das Schiff bleibt vor Anker.«

»Ich halte mich daran, was du uns vorher gepredigt hast«, sagte Rethorn.

»Fangt an, ihr Denkmäler«, sagte Eddie und trat einen Schritt vor und legte den Finger auf den Abzug. Er entblößte seine Zähne, legte den Oberkörper leicht zurück, spreizte die Beine. Der Lauf der Maschinenpistole wanderte langsam über die Männer hin, blieb dann auf Freytag gerichtet, und bis auf Rethorn schoben sich die andern unwillkürlich nach vorn, als wollten sie den Kapitän in die Sicherheit ihrer Gruppe aufnehmen. Auch Fred bewegte sich unwillkürlich nach vorn, mit diesen gleitenden, gleichmäßigen Bewegungen, mit denen sich Katzen aus einem Bannkreis entfernen. Blaß und aufgerichtet, mit gehetztem Blick stand er nun schräg hinter seinem Alten, eine Hand in der Tasche, die Hand, die den metallenen Marlspieker hielt. »Erwarten Sie nicht, daß ich anfange zu zählen«, sagte Doktor Caspary.

»Warum nicht«, sagte Freytag, »zählen beruhigt, und vielleicht kommt der Anker von alleine hoch, wenn Sie zählen.«

»Zum letzten Mal«, sagte Eddie, »fangt an!«

Rethorn trat ans Spill, legte beide Hände auf den Hebel und blickte auf den verrosteten Schäkel, mit dem die Kette gesichert war und der gelöst werden mußte, damit die Kette eingeholt werden konnte; und bevor Freytag noch bei ihm war, sprang Eddie zwischen sie und hob die Maschinenpistole, um Rethorn bei seiner Arbeit zu decken.

»Macht den Schäkel los«, befahl Rethorn, »wir holen die Kette ein.«

Niemand bückte sich, um den Schäkel loszuschrauben.

»Nimm die Hände vom Spill«, sagte Freytag.

»Sei vernünftig«, sagte Rethorn, »du weißt, was passiert.«

»Ich komme«, sagte Freytag.

»Komm nur«, sagte Eddie, »versuch es.« Er senkte den Lauf, richtete ihn fest in Höhe der Gürtellinie auf Freytag und legte den gekrümmten Finger auf den Abzug. Ratternd sprang der Spillmotor an, arbeitete unter fauchenden Stößen, doch auch jetzt bückte sich niemand, um den Schäkel zu lösen.

Freytags Körper sackte etwas zusammen, als er den ersten Schritt tat und dann, als ob er aus einer Blockierung befreit wäre, weiterging mit mechanischen, schwerfälligen Schritten, auf Eddie zu, hinter dem in vollkommener Deckung Rethorn stand und jetzt den Spillmotor abstellte, der mit heiserem Schleifgeräusch auslief. Und wie treibende Stämme in einem Strom, die durch eine Kette verbunden sind, schwenkten die anderen herum und folgten Freytag in derselben mechanischen und schwerfälligen Art, vielleicht weniger freiwillig als unter einem unwillkürlichen Zwang, der sie nur nachholen ließ, was er tat, so daß Eddie, als er sie alle auf sich zukommen sah, einen Augenblick verwirrt zu Doktor Caspary zurücksah, gleich einem Schwimmer, der in jähem Verdacht den Kopf wendet und zum Ufer zurückblickt. Doktor Caspary lächelte und nickte ihm zu.

»Paß auf«, rief Rethorn.

Freytag ging weiter, den Blick des Mannes suchend, der ihm den Lauf entgegenhielt, er fand den Blick, zog ihn auf sich, und er erkannte in ihm alle Wachsamkeit und Bereitschaft.

»Nicht weiter«, sagte Eddie unvermutet, und mit leiser Stimme: »Nicht weiter.«

Die andern zögerten, blieben stehen, nur Freytag bewegte sich weiter auf ihn zu, zäh jetzt, mit kurzen, mühsamen Schritten, so, als fühle er bereits den Widerstand, der von dem bläulichen Lauf der Maschinenpistole ausging und der für ihn spürbar war wie ein Stock, dessen Spitze gegen sein Bauchfell drückte. Er glaubte unbedingt einen körperlichen Widerstand zu empfinden – nun, da er die Warnung gehört hatte und trotzdem weiterging; und als Eddie schoß – einen einzigen Schuß nur, der nicht anders klang als das Zusammenschlagen zweier Bretter: hell, trocken und fast enttäuschend –, vermutete er eine Sekunde lang nichts anderes, als daß diese Stockspitze, die er als Widerstand zu fühlen geglaubt hatte, nun in ihn eingedrungen war. Er riß beide Hände hoch und preßte sie auf seinen Leib, sein Gesicht verzerrte sich, sein Körper knickte ein, und dann drehte er sich lautlos, fiel auf die Knie und stützte sich mit den Händen ab, und bevor seine Arme nachgaben und durchsackten, hatte Fred den Marlspieker aus der Tasche gezogen; er blickte nicht mehr auf seinen Alten, holte aus dem Gelenk aus und brauchte nur einen halben Schritt zu tun, um Eddie zu erreichen, der den Lauf der Maschinenpistole gesenkt und immer noch auf Freytag gerichtet hatte.

Fred schlug die Spitze des Marlspiekers nicht mit seiner ganzen Kraft in Eddies Rücken, dennoch war er erschrocken und erstaunt darüber, wie tief das dornspitzige Werkzeug in den Rücken eindrang; der Junge war so erschrocken darüber, daß er den Marlspieker losließ und zurückschnellte und Eddie wanken sah – so, wie er die Getroffenen im Kino wanken gesehen hatte, wenn ihnen das gefiederte Pfeilende aus dem Rücken herausstand –, und bevor Philippi ihm noch die Maschinenpistole aus der Hand reißen konnte, stürzte Eddie und begrub die Waffe unter seinem Körper.

»Der andere!« rief Soltow, aber Gombert war schon neben Doktor Caspary. Er packte ihn an den Handgelenken und riß seine Arme auf den Rücken, so daß Doktor Caspary aufstöhnte.

»Jetzt bist du dran«, sagte Gombert.

»Ich sehe es«, sagte Doktor Caspary, »Sie brauchen es mich nicht fühlen zu lassen.«

»Jetzt bekommt ihr alles zurück.«

Während er Doktor Caspary in die Messe stieß und Soltow und Philippi Eddie aufhoben, um ihn ebenfalls in die Messe zu tragen, knieten Fred und der Koch bei Freytag.

Trittel band seine Schürze ab, wickelte sie zusammen und schob sie dem Kapitän unter den Hinterkopf. Oberhalb des Gürtels sah Fred den Blutfleck, der sich im Gewebe des Hemds ausbreitete, und er mußte an Tinte denken, die von Löschpapier aufgesaugt wird.

»Kapitän«, rief Trittel, »Herr Kapitän.«

Bis auf Philippi kamen die andern aus der Messe zurück und stellten sich um Freytag herum; auch Rethorn kam hinter dem Spill hervor, und sie standen alle da, bis Gombert sagte: »Ich bring ihn in seine Kammer.«

Er hob Freytag auf, trug ihn ohne abzusetzen vom Vorschiff runter. Als sie im Backbordgang waren, rief Soltow: »Ein Boot! Es kommt genau auf uns zu.«

»Es kann ihn gleich an Land bringen«, sagte Rethorn.

»Du sei still«, sagte Gombert. »Du sag nie mehr ein Wort hier!«

Er setzte Freytag behutsam ab, Trittel schob seine Schürze unter, und Fred kniete allein bei seinem Alten und sah hinab in das hautstraffe Gesicht, das gespannt war wie unter der Anstrengung eines stummen Protestes. Eine Hand Freytags zuckte, er versuchte, sie zu heben, auf seinen Leib zu pressen, in dem das Feuer durch seine Eingeweide lief; er schaffte es nicht.

»Fred?« fragte er plötzlich, und dann:

»Fahren wir, Fred?«

»Nein, Vater«, sagte der Junge.

»Alles in Ordnung?«

»Alles«, sagte der Junge.

1959/60

Der Sohn des Diktators

Da mein Vater Gongo Gora – sein offizieller Beiname war ›Vater des Volkes und der Berge‹ – schon sehr früh seine Fähigkeiten auch in mir entdeckte, wurde ich mit fünfzehn Jahren stellvertretender Luftwaffenchef, bald darauf erhielt ich Sitz und Stimme in unserer Akademie der Künste, und zu meinem sechzehnten Geburtstag ernannte er mich zum Chefredakteur des Regierungsblattes ›Przcd Domdom‹, was sich zweckmäßig übersetzen läßt mit ›Frohes Erwachen‹. Obwohl diese Stellungen mir einiges zu tun brachten, bestand mein Vater darauf, daß ich nebenher noch die Schule beenden, einen Abschluß erlangen müßte, und um mir den Schulgang zu erleichtern, versprach er, mich nach bestandenem Examen angemessen zu entschädigen; als angemessen empfand er den Posten eines Ministers für Kraft und Energie.

Doch diese versprochene Entschädigung werde ich nun nie mehr erhalten, nie mehr genießen. All die Fähigkeiten, die mein Vater mir vererbte und die er so früh in mir entdeckte, werden keinem höheren Amt unseres Staates mehr zugute kommen; nicht einmal zum Ersten Sekretär der Gewerkschaften wird man mich berufen, denn laut unseren wissenschaftlichen Enzyklopädien und Nachschlagewerken gehöre ich bereits zu den Toten, zu den teuren Toten unserer Nation. Mit siebzehn Jahren – so steht es in den Nachschlagewerken – verlor ich mein Leben in einem Einsatz gegen die aufrührerischen Banden der Ostralniki, und in einer Neuauflage wurde hinzugefügt, daß dies kurz vor meinem Examen geschah und mit der Erschießung eines Schocks gefangener Ostralniki – »räudiger Ostralniki« schrieb die große Staatsenzyklopädie – gesühnt wurde. Bei meinem Staatsbegräbnis konnte ich nicht dabeisein, doch durch die Mauern der Privatzelle, in die mein Vater Gongo Gora mich eigenhändig sperrte, konnte ich die Trauerreden hören, das gepeinigte Schluchzen meiner Mutter Sinaida und die drohenden Rufe des Volkes, das meinen Tod beklagte und das rasche Ende aller Ostralniki forderte.

Nein, meine Aussichten, das Glück der Nation aus einer entsprechenden Stellung zu lenken, haben sich einstweilen verringert oder sind sogar völlig geschwunden. Und wenn ich mich heute, an meinem achtzehnten Geburtstag, frage, wo die Fehler lagen, die ich offenbar gemacht haben muß – Fehler, die öffentlich zu bereuen mir mein Vater wohlweislich keine Gelegenheit gab –, so stoße ich immer wieder auf den Namen meines Lehrers Alfred Uhl. Er ist sozusagen das erste Glied in der Kette von Fehlern, denen ich meine jetzige Lage zuschreiben muß. Ja, alles nahm seinen Anfang bei Uhl, einem ausgezehrten, langgliedrigen Mann mit gelblicher Haut, der meiner Klasse – meist Söhnen von Regierungsmitgliedern, Generalen und verdienten Künstlern – Geschichtsunterricht gab. Er hatte die offizielle Biographie meines Vaters geschrieben, hatte das Geschichtslesebuch der Nation redigiert und war für seine Verdienste zum Ehrenpräsidenten der Historischen Gesellschaft ernannt worden; außerdem war er beauftragt, unser »Who is who?« herauszugeben, eine Arbeit, die seit zwölf Jahren ohne Erfolg geblieben war, da der Kreis der Personen, den er aufnehmen sollte, sich regelmäßig bei Drucklegung des Werkes änderte.

Alfred Uhl war ein fanatischer Anhänger meines Vaters, und ich erinnere mich noch an den Morgen, als er, erbittert über einen Attentatsversuch der Ostralniki, in unsere Klasse kam, die Faust zum Fenster hinaus schüttelte, hin und her ging in schweigender Erbitterung und in kurzen Abständen »Schakale« murmelte, »Schakale«. Doch unverhofft erschien ein Schimmer von Genugtuung auf seinem gelblichen Gesicht; höflich bat er uns, die Hefte hervorzukramen, die Federhalter, schonungslos machte er uns mit seiner Absicht vertraut, eine Arbeit schreiben zu lassen, und triumphierend begründete er das Thema: als Antwort auf den Attentatsversuch sollten wir sämtliche Beinamen meines Vaters nennen, die vom Volk, von der Presse, in Akademien und Kongressen gebraucht werden. Seine Faust verhaltend gegen das Fenster schüttelnd, sagte er: »In den letzten beiden Monaten erlauben sich die Schakale, was sie sich vorher nie zu erlauben wagten. Wir wissen, daß für die letzten Unternehmungen ihr neuer Anführer verantwortlich ist, eine Söldnerkreatur, die sie zärtlich Ostral-Wdinje nennen, den Glückskäfer. Wir wollen jetzt diesen Insekten die Antwort geben, die sie verdienen.« Aufmunternd nickte er uns zu, und ich sah, wie mein Nebenmann die Beinamen meines Vaters ohne Schwierigkeiten aufzuzählen begann: vom ›Vater des Volkes‹ über die ›Leuchte der Hartfaserchemie‹, den ›Wegweiser der Binnenschiffahrt‹ den ›Hilfreichen Freund aller Nichtschwimmer‹ bis zum belebenden ›Kristall des Fortschritts‹. Mein Nebenmann brachte es auf achtundvierzig Namen.

Als dann die Hefte eingesammelt wurden, Alfred Uhl sie flüchtig durchblätterte, geschah, was ich erwartet hatte: fassungslos rief er mich nach vorn, und behutsam fragte er mich, warum ich als einziger ein leeres Heft abgegeben hatte. Ich schwieg, und während er sanft weiterforschte, dachte ich an die Auseinandersetzung, die ich in der Nacht zuvor mit meinem Vater gehabt und in der er mich zum Schluß mühsam zusammengeschlagen hatte; wegen seines Lieblingsgetränks, ›Butor Glim‹, eines Beute-Kognaks von den Ostralniki, von dem ich die letzte Flasche mit der Primaballerina unserer Staatsoper getrunken hatte. Während ich in kalter Wut daran dachte, befragte mich Uhl mild und eindringlich, und als er keine Antwort von mir erhielt, bat er mich, die Beinamen meines Vaters als Hausaufgabe aufzuzählen. Aus verschiedenen Gründen war ich dagegen, doch weil ich zögerte, Alfred Uhl mit diesen Gründen vertraut zu machen, und weil ich erwartete, daß er mich am nächsten Tag unweigerlich nach der Hausaufgabe befragen werde, hielt ich es für vorteilhaft, ihm nicht wieder zu begegnen. So schrieb ich in meiner Eigenschaft als Chefredakteur des Regierungsblattes ›Przcd Domdom‹ (›Frohes Erwachen‹) noch am selben Nachmittag einen Artikel gegen gewisse rückständige Methoden älterer Lehrer. Der Artikel schlug ein, und es vergingen nur wenige Stunden, bis Uhl zum Leiter der Staatlichen Sägewerke ernannt wurde, weit entfernt, in den blauen Wäldern von Pumbal. Einige der freigewordenen Ämter übertrug ich, in Übereinstimmung mit meinem Lieblingsplan, einem Klassenkameraden, Gregor G. Gum, der seit langem zu meinen Vertrauten gehörte.

Da die Ostralniki unter ihrem neuen Anführer Ostral-Wdinje (der Glückskäfer) damals die ganze Nation in Atem hielten, war mein Artikel, waren die Folgen, die er hervorgerufen hatte, rasch vergessen. Wo immer sich etwas ereignete: wo Felder vertrockneten, Bäume vom Borkenkäfer befallen wurden, wo gegenüber der Staatlichen Erfassungsstelle die Zahl der Schweine verschleiert wurde oder ein Auto mit Achsenbruch liegenblieb – überall gab man den Ostralniki die Schuld, und weil das Volk ungeduldig nach Vergeltung rief, beschloß der Generalstab der Luftwaffe, etwas zu unternehmen. Marschall Tibor Tutras, ein gutmütiger Mann mit geschwollenen Füßen und fliehendem Kinn, dem mein Vater den Titel eines ›Wolkenbezwingers erster Klasse‹ verliehen hatte, berief eine Geheimsitzung ein, auf der ich, als sein Vertreter, rechts neben ihm saß. Nachdem er meinen Vater und dessen Beinamen genannt hatte, die er im Hinblick auf die Luftwaffe besaß, machte er den Vorschlag, mehrere Geschwader in das von Ostralniki verseuchte Gebiet zu schicken und dort, über wildem Karst, verbranntem Land, einen Demonstrationsflug zu veranstalten. Unter beifälligem Nicken der anwesenden Offiziere erklärte er: »Seit diese Schakale ihren neuen Anführer Ostral-Wdinje (den Glückskäfer) haben, werden ihre Unternehmungen immer grausamer. Sie operieren mit Sicherheit in Gebieten, die unsere Truppen gerade geräumt haben oder gerade dabei sind zu sichern; als ob sie ihre Agenten in den höchsten Stäben haben, so gehen sie vor. Und darum bin ich für einen abschreckenden Demonstrationsflug mit gelegentlichen Bombardements auf Einzelziele. Um die Gerechtigkeit wiederherzustellen, schlage ich die neuen Napalmbomben vor.« Die Offiziere nickten in vorschriftsmäßiger Begeisterung; nur ich – ich lächelte, wie ich während der ganzen Rede von Tibor Tutras gelächelt hatte. Erschreckt, ängstlich fragte er mich, ob ich nicht seiner Meinung sei – den Vorschlag hatte außerdem mein Vater auf der letzten Kabinetts-Sitzung gemacht –, und ich antwortete ihm, daß der Erfolg solch eines Demonstrationsfluges in keinem Verhältnis zu den Benzinkosten stehen würde, und mit erhobener Stimme fuhr ich fort: »Die Geschwader gehören dem Volk, und das Volk hat es nicht gern, wenn sie ohne greifbaren Erfolg eingesetzt werden.« Die Offiziere nickten, und Tibor Tutras begann ebenfalls in einer Haltung gequälter Nachdenklichkeit zu nicken; und schon war ich bereit, seinen Vorschlag zu vergessen, als er darauf hinwies, daß er meinem Vater zum Wochenende Bericht zu erstatten habe. So war ich gezwungen, schnell zu handeln; ich verbrachte jene Nacht ohne Nadwina Chleb, die Primaballerina unserer Staatsoper, schrieb statt dessen einen Leitartikel für das Regierungsorgan ›Przcd Domdom‹ (›Frohes Erwachen‹), und da ich mir die Vorwürfe gegen die oberste Leitung der Luftwaffe sorgfältig überlegt hatte, kam Tibor Tutras nicht mehr dazu, meinem Vater Bericht zu erstatten; denn zum nächsten Wochenende bereits versetzte ich ihn als Luftwaffenattaché nach Santiago de Chile.

Da ich selbst keine unmäßige Liebe zur Fliegerei habe, verzichtete ich darauf, an die Stelle von Marschall Tutras zu treten; doch weil sein Amt unstreitig eine sogenannte Schlüsselposition darstellte, verwendete ich mich dafür, daß sie von einem weiteren Klassenkameraden, Boleslaw Schmidt, besetzt wurde, der in meinen Lieblingsplan eingeweiht war.

Mit Alfred Uhl, meinem Geschichtslehrer, hatte es begonnen, mit

Marschall Tibor Tutras war es weitergegangen, und in wenigen Wochen gelang es mir, eine Reihe von Inhabern wichtiger Ämter abzuschießen und ihre Positionen mit eingeweihten Klassenkameraden zu besetzen – zumeist Söhnen von Regierungsmitgliedern, Generalen und verdienten Künstlern. Das ging umso leichter, als mein Vater selbst wiederholt in seinen Reden äußerte, daß die Alte Garde müde geworden sei, gefährlich müde, und so genügte in den meisten Fällen ein Leitartikel, in wenigen nur ein Fortsetzungsbericht im Regierungsblatt, um die Angehörigen der Alten Garde durch mir ergebene Klassenkameraden zu ersetzen. Besonders zäh hielt sich der Minister für Volksaufklärung, bis es uns gelang, ihn geheimer Verbindungen mit den Ostralniki zu überführen; während des Frühlings wurde er erschossen.

Mein Vater zeigte sich meiner Aktivität gegenüber sehr aufgeschlossen, er behandelte mich mit Freundlichkeit, bot mir freiwillig von dem ostralnikischen Beute-Kognak ›Butor Glim‹ an, der den gefallenen Feinden des Staates abgenommen wurde. Als ich sämtliche Schlüsselpositionen des Staates mit Klassenkameraden besetzt hatte, die mir ergeben waren, sagte mein Vater einmal zu mir: »Eine Revolution, die sich selbst als historisch empfindet, taugt nichts. Revolutionen müssen andauern‹; worauf ich ihm heftig zustimmte und darauf hinwies, in welchem Umfang ich eine Erneuerung in den höchsten Stellen vorgenommen hatte. In träumerischer Dankbarkeit strich mir mein Vater dafür übers Haar.

So kam der strahlende Tag, an dem mein Vater nach Luhuk aufbrach, in ein wildes, vegetationsloses Gebiet, in dem das größte Kraftwerk der neueren Geschichte eingeweiht werden sollte. Mein Vater selbst wollte die Einweihungsrede halten, wollte an der Spitze des geladenen Diplomatischen Korps über den Staudamm marschieren – obwohl meine Mutter Sinaida ihn darauf hinwies, daß das Gebiet von Luhuk von einzelnen Ostralniki verseucht war. Ja, er nahm sich vor, so lange in der Mitte des Staudamms zu warten, bis er das Donnern der Turbinen unter seinen Füßen hören konnte. »Die Kraft«, sagte er, »liebt die Kraft.«

Ich zog es vor, zu Hause zu bleiben, denn ich hatte keinen Grund, an der Aufrichtigkeit von Ludi van der Wisse zu zweifeln, dem ich das Amt des Leiters des Ingenieurwesens verschafft und der mir versprochen hatte, daß die Bombe in dem Augenblick explodieren werde, da mein Vater und der größte Teil des Diplomatischen Korps auf das Donnern der Turbinen warten würden. So begnügte ich mich damit, mit Nadwina auf der Couch zu liegen, und während sie meine Mathematik-Aufgaben löste, drehte ich uns Zigaretten aus würzigem ostralnikischem Beute-Tabak, der jede Aussicht hat, einen Vergleich mit dem Gold Virginias zu bestehen. Von Zeit zu Zeit ließ ich mir von Nadwina auch die Stirn massieren, da ich als Grund, von der Einweihung des Kraftwerkes fernzubleiben, hämmernde Kopfschmerzen angegeben hatte. Wir beschäftigten uns miteinander bis zum lautlosen Fall der Dämmerung, als ich von der Straße her die Stimmen der Zeitungsverkäufer hörte, die ein Extra-Blatt ausriefen. In spontaner Freude küßte ich Nadwina, lief hinab und riß einer alten Frau ein Extra-Blatt aus der Hand; sodann schloß ich mich im Arbeitszimmer meines Vaters ein, zog die Vorhänge zu und begann in einem Zustand atemlosen Glücks zu lesen. »Bestialisches Attentat der Ostralniki«, hieß die Überschrift, und ich klatschte vor Freude in die Hände und konnte erst weiterlesen, nachdem ich eine Beruhigungszigarette geraucht hatte. Doch dann erschrak ich; mein Blick fiel auf eine Photographie, ich sah mich auf felsigem Boden liegen, gekrümmt und entstellt, ich sah mein blutbeflecktes Gesicht, die zerrissene Uniform, die verbrannten Hände, und im Hintergrund die gewaltigen Reste des gesprengten Staudamms, über dessen Brocken die angesammelten Wasser hinwegschäumten. Verwirrt las ich die Bildunterschrift; die Bildunterschrift besagte, daß die Schakale bei einem heimtückischen Attentat den Staudamm in die Luft gesprengt hatten, daß es jedoch nur mir zu verdanken sei, wenn niemand dabei sein Leben verloren habe.

»Sein Sohn«, so lautete die Bildunterschrift im Auszug wörtlich, »warnte persönlich alle Anwesenden, nachdem er Kenntnis von der Bombe erhalten hatte, und bei dem Versuch, die Bombe selbst zu beseitigen, verlor er sein Leben. Jürgen Gora ist nicht umsonst gestorben.«

Ich verzichtete darauf, den ausführlichen Text zu lesen, ich starrte immer wieder auf die Photographie, die mich als Leiche zeigte – und zwar so tadellos, daß ich nichts daran auszusetzen fand. Und während ich in Gedanken versunken dasaß, trat durch eine Geheimtür, die ich zu schließen vergessen hatte, mein Vater ein, händereibend, aufgeräumt. Er blickte mich ohne Erstaunen an, goß sich ein Wasserglas voll

Beute-Kognak ›Butor Glim‹ ein und sagte mit einer Handbewegung zu mir, der ich an seinem Schreibtisch sitzen geblieben war:

»Dieser Schreibtisch, Jürgen, ist für dich einstweilen zu groß. Noch ist die Schulbank ausreichend.« Ich verstand die Anspielung, doch da mir keine Antwort einfiel, schwieg ich und blickte auf meinen Vater, der einen großen Schluck aus dem Wasserglas nahm, zu mir trat und, als er das Extra-Blatt entdeckte und die Photographie, vergnügt sagte:

»Es war gar nicht leicht, in der Eile einen Burschen aufzutreiben, der dir so ähnlich ist, daß deine Mutter euch nicht unterscheiden könnte; außerdem mußten wir ihn unbemerkt als Leiche herrichten. Aber du siehst: es ist gelungen. Nach dem Schabernack, den du mir spieltest, hatte ich keine andere Wahl.«

»Ludi van der Wisse«, sagte ich enttäuscht.

»Ach«, sagte mein Vater, »Ludi ist nicht schlechter als deine anderen Klassenkameraden: sie waren alle zuverlässige Agenten. Ich konnte sie rasch für mich gewinnen, denn ich tat etwas, was du in deinem Ungestüm vergessen hattest. Ich richtete ihnen ein Bankkonto ein, von dem sie in unbegrenzter Höhe Taschengeld abheben durften. Du hattest es nur bei den Posten gelassen – das war zu wenig.«

»Diese Schufte«, sagte ich.

»Ach«, sagte mein Vater mit zufriedenem Seufzen, »in gewissem Sinne bedaure ich, daß die Epoche der Überraschungen vorbei ist, die du mir bereitet hast. Wie nannten dich deine Ostralniki? Ostral-Wdinje, der Glückskäfer. Für mich bist du ein Mistkäfer. Doch ich muß dir zugestehen, daß du der abgefeimteste Anführer warst, den die Ostralniki je besaßen. – Doch nun bist du, wie die Photographie zeigt, tot.«

Diesmal war ich nicht verlegen; flüsternd, mit gesenkten Augen, fragte ich: »Und Mutter?«

»Deine Mutter zieht sich gerade um: schwarz. Sie weiß nichts.« Nach diesen Worten zog mein Vater einen entsicherten Revolver aus der Tasche und bat mich, ihm vorauszugehen. Ich ging ihm voraus, und er sperrte mich in seine Privatzelle, die er sich für besondere Zwecke hatte einrichten lassen. Obwohl meine Fähigkeiten vorerst keinem Amt mehr zugute kommen werden, fehlt es mir nicht an den kleinen Annehmlichkeiten des Lebens. Ich weiß sie einzuschätzen: an ihnen zeigt sich der Stolz eines Vaters auf seinen Sohn – und ist Vaterstolz nicht auch ein Ausdruck von Liebe?

1960

Der Amüsierdoktor

Nichts bereitet mir größere Sorgen als Heiterkeit. Seit drei Jahren lebe ich bereits davon; seit drei Jahren beziehe ich mein Gehalt dafür, daß ich die auswärtigen Kunden unseres Unternehmens menschlich betreue: wenn die zehrenden Verhandlungen des Tages aufhören, werden die erschöpften Herren mir überstellt, und meinen Fähigkeiten bleibt es überlassen, ihnen zu belebendem Frohsinn zu verhelfen, zu einer Heiterkeit, die sie für weitere Verhandlungen innerlich lösen soll. »Heiter der Mensch – heiter die Abschlüsse«: in diese Worte faßte der erste Direktor meine Aufgabe zusammen, der ich nun schon seit drei Jahren zu genügen suche. Wodurch ich für diese Aufgabe überhaupt geeignet erschien, könnte ich heute nicht mehr sagen, den Ausschlag jedenfalls gab damals meine Promotion zum Doktor der Rechte – weniger meine hanseatische Frohnatur, obwohl die natürlich auch berücksichtigt wurde.

Als Spezialist für die Aufheiterung der wesentlichen Kunden fing ich also an, und ich stellte meine Fähigkeiten in den Dienst eines Unternehmens, das Fischverarbeitungsmaschinen herstellte: Filetiermaschinen, Entgrätungsmaschinen, erstklassige Guillotinen, die den Fisch mit einem – vorher nie gekannten – Rundschnitt köpften, sodann gab es ein Modell, das einen zwei Meter langen Thunfisch in vier Sekunden zu Fischkarbonade machte, mit so sicheren, so tadellosen Hackschnitten, daß wir dem Modell den Namen ›Robespierre‹ gaben, ohne Besorgnis, in unseren Versprechen zu kühn gewesen zu sein. Ferner stellte das Unternehmen Fischtransportbänder her, Fangvorrichtungen für den Fischabfall und Ersatzteile in imponierendem Umfang. Da es sich um hochqualifizierte und sensible Maschinen handelte, besuchten uns Kunden aus aller Welt, kein Weg war zu lang: aus Japan kamen sie, aus Kanada und Hawaii, kamen aus Marokko und von der Küste des Schwarzen Meers, um über Abschlüsse persönlich zu verhandeln. Und so hatte ich denn nach den Verhandlungen die Aufgabe, gewissermaßen die ganze Welt aufzuheitern.

Im großen und ganzen ist es mir auch – das darf ich für mich in Anspruch nehmen – zum Besten des Unternehmens gelungen. Chinesen und Südafrikaner, Koreaner und Norweger und selbst ein seelisch vermummter Mensch aus Spitzbergen: sie alle lernten durch mich die erquickende Macht des Frohsinns kennen, die jeden Verhandlungskrampf löst. Unsere abendlichen Streifzüge durch das Vergnügungs-viertel warfen soviel Heiterkeit ab, daß man sie durchaus als eine Art Massage des Herzens beziehungsweise der Brieftasche ansehen konnte. Indem ich auf nationale Temperamente einging, jedesmal andere Zünd-schnüre der Heiterkeit legte, gelang es mir ohne besondere Schwierig-keiten, unsere Kunden menschlich zu betreuen oder, wenn man einen modernen Ausdruck nehmen will: für *good will* zu sorgen. Auf kürze-stem Weg führte ich die Herren ins Vergnügen. Der Humor wurde mein Metier, und selbst bei dem seelisch vermummten Menschen aus Spitz-bergen war ich erfolgreich und überlieferte ihn dem Amüsement. Ich ging in meinem Beruf auf, ich liebte ihn, besonders nachdem sie mir eine zufriedenstellende Gehaltserhöhung zugesichert hatten.

Doch seit einiger Zeit wird die Liebe zu meinem Beruf durch Au-genblicke des Zweifels unterbrochen, und wenn nicht durch Zweifel, dann durch einen besonderen Argwohn. Ich fürchte meine Sicherheit verloren zu haben, vor allem aber habe ich den Eindruck, daß ich für meine Arbeit entschieden unterbezahlt werde, denn nie zuvor war mir bewußt, welch ein Risiko ich mitunter laufe, welch eine Gefahr. Diese Einsicht hat sich erst in der letzten Zeit ergeben. Und ich glaube nun zu wissen, woraus sie sich ergeben hat.

Schuld an allem ist einzig und allein Pachulka-Sbirr, ein riesiger Kunde von der entlegenen Inselgruppe der Aleuten. Ich erinnere mich noch, wie ich ihn zum ersten Mal sah: das gelbhäutige, grimmige Ge-sicht, die Bärenfellmütze, die zerknitterten Stiefel, und ich höre auch noch seine Stimme, die so klang, wie ich mir die Brandung vor seinen heimatlichen Inseln vorstelle. Als er mir von der Direktion überstellt wurde und zum ersten Mal grimmig in mein Zimmer trat, erschrak ich leicht, doch schon bald war ich zuversichtlich genug, auch Pachulka-Sbirr durch Frohsinn seelisch aufzulockern. Nach einem Wasserglas Kirschgeist, mit dem ich ihn anheizte, schob ich den finsteren Kunden ins Auto und fuhr ihn in unser Vergnügungsviertel – fest davon über-zeugt, daß meine Erfahrungen in der Produktion von Heiterkeit auch in seinem Fall ausreichen würden.

Wir ließen die Schießbuden aus, den Ort, an dem unsere japani-schen Kunden bereits fröhlich zu zwitschern begannen, denn ich dach-te, daß Pachulka-Sbirr handfester aufgeheitert werden müßte, solider sozusagen. Wir fielen gleich in Fietes Lokal ein, in dem sich, von Zeit zu Zeit drei Damen künstlerisch entkleideten. Ich kannte die Damen gut; oft hatten sie mir geholfen, verstockte skandinavische Kunden, die in Gedanken von den Verhandlungen nicht loskamen, in moussierende Fröhlichkeit zu versetzen, und so gab ich ihnen auch diesmal einen Wink. Sie versprachen, mir zu helfen.

Der Augenblick kam: die Damen entkleideten sich künstlerisch, und dann, wie es bei Fiete üblich ist, wurde ein Gast gesucht, der als zivilisierter Paris einer der Damen den Apfel überreichen sollte. Wie verabredet, wurde Pachulka-Sbirr dazu ausersehen. Er ging, der riesige Kunde, in die Mitte des Raums, erhielt den Apfel und starrte die entkleideten Damen so finster und drohend an, daß ein kleines Erschrekken auf ihren Gesichtern erschien und sie sich instinktiv einige Schritte zurückzogen. Plötzlich, in der beklemmenden Stille, schob Pachulka-Sbirr den Apfel in den Mund, das brechende, mahlende Geräusch seiner kräftigen Kauwerkzeuge erklang, und unter der sprachlosen Verwunderung aller Gäste kam er an unseren Tisch, setzte sich und starrte grimmig vor sich hin.

Ich gab nicht auf. Ich wußte, wieviel ich dem Unternehmen, wieviel ich auch mir selbst schuldig war, und ich erzählte ihm aus meinem festen Bestand an heiteren Geschichten, deren Wirkung ich bei schweigsamen Finnen, bei Iren und wortkargen Färöer-Bewohnern erfolgreich erprobt hatte. Pachulka-Sbirr saß da in einer Haltung grimmigen Zuhörens und regte sich nicht.

Irritiert verließ ich mit ihm Fietes Lokal, wir zogen zu Max hinüber, fanden unsern reservierten Tisch und bestellten eine Flasche Kirschgeist. Spätestens bei Max war es mir gelungen, brummige Amerikaner, noch brummigere Alaskaner in Stimmung zu versetzen. Denn im Lokal von Max spielte eine Kapelle, die sich ihren Dirigenten unter den Gästen suchte. Amerikaner und Alaskaner sind gewohnt, über weites Land zu herrschen; das Reich der Melodien ist ein weites Land, und sobald unsere Kunden darüber herrschen durften, löste sich bei ihnen der Krampf der Verhandlungen, und Heiterkeit, reine Heiterkeit, erfüllte sie. Da die Aleüten nicht allzuweit von Alaska entfernt sind, glaubte ich Pachulka-Sbirr in gleicher Weise Heiterkeit verschaffen zu können, und nach heimlicher Verständigung stapfte er zum Dirigentenpult – die Bärenfellmütze, die er nie ablegte, auf dem Kopf und an den Füßen die zerknitterten Stiefel. Er nahm den Stab in Empfang. Er ließ ihn wie eine Peitsche durch die Luft sausen, worauf sich die Musiker spontan duckten. Gemächlich zwang er sodann den Stab zwischen Hemd und Haut, um sich den riesigen Rücken zu kratzen. Ich weiß auch nicht, wie es geschehen konnte: unvermutet jedoch riß er den Stab heraus, zerbrach ihn – offenbar reichte er nicht bis zu den juckenden Stellen seines Rückens – und schleuderte ihn in die Kapelle. Mit düsterem Gesicht, während sich die Trompeten einzeln und bang hervorwagten, kam er an den Tisch zurück. Verzweifelt beobachtete ich Pachulka-Sbirr. Nein, ich war noch nicht bereit, aufzugeben; mein Ehrgeiz erwachte, ein Berufs-Stolz, den jeder empfindet, und ich schwor mir, ihn nicht ins Hotel zu bringen, bevor es mir nicht gelungen wäre, auch diesen Kunden froh zu stimmen. Ich erinnere mich daran, daß sie mich in der Fabrik den ›Amüsierdoktor‹ nannten, und zwar nicht ohne Anerkennung, und ich wollte beweisen, daß ich diesen Namen verdiente. Ich beschloß, alles zu riskieren. Ich erzählte ihm die Witze, die ich bisher nur gewagt hatte, einem sibirischen Kunden zu erzählen – als letzte Zuflucht gewissermaßen. Pachulka-Sbirr schwieg finster. Das finstere Schweigen schwand nicht von seinem gelbhäutigen Gesicht, welche Mühe ich mir auch mit ihm gab. Der Ritt auf einem Maultier, der Besuch in einem Zerrspiegel-Kabinett, erotische Filme und einige weitere Flaschen Kirschgeist – nichts schien dazu geeignet, seine Stimmung zu heben.

Wanda hatte ich mir bis zuletzt aufgehoben, und nachdem alles andere seine Wirkung verfehlt hatte, gingen wir zu Wanda, die allnächtlich zweimal in einem sehr großen Kelch Champagner badete. Auf Wanda setzte ich meine letzten Hoffnungen. Ihre Kinder und meine Kinder gehen zusammen zur Schule, gelegentlich tauscht sie mit meiner Frau Ableger für das Blumenfenster; unser Verhältnis ist fast familiär, und so fiel es mir leicht, Wanda ins Vertrauen zu ziehen und ihr zu sagen, was auf dem Spiel stand. Auch Wanda versprach, mir zu helfen. Und als sie nach einem Gast suchte, der ihr beim Verlassen des Sekt-Bades assistieren sollte, fiel ihre Wahl mit schöner Unbefangenheit auf Pachulka-Sbirr. Ich glaubte, gewonnen zu haben; denn schon einmal hatte mir Wanda geholfen, einen besonders eisigen Kunden vom Baikalsee aufzutauen. Diesmal mußte es ihr auch gelingen! Doch zu meinem Entsetzen mißlang der Versuch. Ja, ich war entsetzt, als Pachulka-Sbirr auf die Bühne trat, vor das sehr große Sektglas, in dem sich Wanda – was man ihr als Flüchtling nicht zugetraut hätte – vieldeutig räkelte. Sie lächelte ihn an. Sie hielt ihm ihre Arme entgegen. Die Zuschauer klatschten und klatschten. Da warf sich Pachulka-Sbirr auf die Knie, senkte sein Gesicht über den Sektkelch und begann schnaufend zu trinken – mit dem Erfolg, daß Wanda sich in kurzer Zeit auf dem Trocknen befand und nun keine Hilfe mehr benötigte. Sie warf mir einen verzweifelten Blick zu, den ich mit der gleichen Verzweiflung erwiderte. Ich war bereit, zu kapitulieren.

Doch gegen Morgen kam unverhofft meine Chance. Pachulka-Sbirr wollte noch einmal die Maschinen sehen, derentwegen er die weite Reise gemacht hatte. Wir fuhren in die Fabrik und betraten die Ausstellungshalle. Wir waren allein, denn der Pförtner kannte mich und kannte auch bereits ihn und ließ uns ungehindert passieren. Düster sinnend legte Pachulka-Sbirr seine Hand auf die Maschinen, rüttelte an ihnen, lauschte in sie hinein, ließ sich noch einmal die Mechanismen von mir erklären, und dabei machte er Notizen in einem Taschenkalender. Jede Maschine interessierte ihn, am meisten jedoch interessierte ihn unser Modell ›Robespierre‹, das in der Lage ist, einen zwei Meter langen Thunfisch in vier Sekunden zu Fischkarbonade zu machen, und zwar mit faszinierenden Schnitten. Als wir vor dem ›Robespierre‹ standen, steckte er den Taschenkalender ein. Er ging daran, den Höhepunkt unserer Leistung eingehend zu untersuchen. Gelegentlich pfiff er vor Bewunderung durch die Zähne, schnalzte oder stieß Zischlaute aus, und ich spürte wohl, wie er diesem Modell zunehmend verfiel. Zur letzten Entscheidung aber, zu dem befreienden Entschluß, unsern ›Robespierre‹ zu kaufen, konnte er offenbar nicht finden, und um Pachulka-Sbirr diesen Entschluß zu erleichtern, sprang ich auf die Maschine und legte mich auf die metallene, gut gefederte Hackwanne. Der Augenschein, dachte ich, wird seine Entscheidung beschleunigen, und ich streckte mich aus und lag wie ein Thunfisch da, der in vier Sekunden zu Fischkarbonade verarbeitet werden soll. Ich blickte hinauf zu den extra gehärteten Messern, die lustig über meinem Hals blinkten. Sie waren sehr schwer und wurden nur von dünnen Stützen gehalten, die mit einem schlichten Hebeldruck beseitigt werden konnten. Lächelnd räkelte ich mich in der Hackwanne hin und her, denn ich wollte Pachulka-Sbirr verständlich machen, daß es auch für den Thunfisch eine Wohltat sein müßte, auf unserem Modell zu liegen. Pachulka-Sbirr lächelte nicht zurück. Er erkundigte sich bei mir, durch welchen Hebeldruck die Messer ausgeklinkt würden. Ich sagte es ihm. Und da ich es ihm sagte, sah ich auch schon, wie die Stützen blitzschnell die Messer freigaben. Die Messer lösten sich. Sie sausten auf mich herab. Doch unmittelbar vor meinem Hals blockierten sie und federten knirschend zurück: die Schnittdruck-Vorrichtung klemmte. Zitternd, zu Tode erschreckt, zog ich mich aus der Hackwanne heraus. Ich suchte das Gesicht von Pachulka-Sbirr: ja, und jetzt lag auf seinem Gesicht ein zufriedenes Lächeln. Er lächelte, und in diesem Augenblick schien mir nichts wichtiger zu sein als dies.

Heute allerdings ist unser Modell ›Robespierre‹ noch mehr ausgereift, die Schnittvorrichtung klemmt niemals, und ich frage mich, wie weit ich gehen darf, wenn wieder ein Pachulka-Sbirr von den Aleüten zu uns kommt. Durch ihn habe ich erfahren, wie groß mein Risiko ständig ist und daß berufsmäßige Verbreitung von Heiterkeit nicht überbezahlt werden kann. Ich glaube, daß ich die Gefahr erkannt habe, denn wenn ich heutzutage an Heiterkeit denke, sehe ich über mir lustig blinkende Messer schweben, extra gehärtet ...

1960

Der Mensch auf dem Meeresboden

Die Geschichte, die ich erzählen will, sollte angemessenerweise wortlos erzählt werden – allenfalls im blubbernden, knarrenden, sanft brummenden Dialekt der Fische. Die Geschichte nämlich spielt im Wasser, genauer im schönen, großen Schweigen, das über dem Meeresgrund liegt, zwischen wallender Unterwasserfauna, lichtlosen Felsschründen, zwischen der ruckartig krabbelnden Meeresspinne und dem glotzäugigen Tintenfisch. Die natürliche Umgangssprache, die hier herrscht, ist Schweigen, und folglich müßte ein angemessener Bericht über diese Welt schweigend gegeben werden ... Da dies aber einstweilen mit Schwierigkeiten verbunden ist, bitte ich um Entschuldigung für den Rückfall in die Sprache. Doch vielleicht kann man heute auch schon ohne Bedenken über diese letzte Welt des Schweigens sprechen; denn so still, so einsam und verschont wie ehedem ist sie nicht mehr. Ja, es spricht sogar einiges dafür, daß die alte Ruhe des Meeresbodens nicht mehr lange bestehen wird.

Mit seinem Hang, immer neue Paradiese der Kurzweil zu entdecken, mußte der Mensch ihn eines Tages annektieren – und diese Annexion ist gerade jetzt in vollem Schwange. Ja, die große Unterwasser-Saison hat angefangen, eine feuchte Passion für den Meeresgrund hat eingesetzt: die neuen Nachbarn im Urlaubsparadies sind Meerbrassen und Muränen ...

Die neue Unterwasserleidenschaft treibt auch bereits seltsame Blüten: In Filmen und Wochenschauen haben wir gesehen, wie man in Florida Modenschauen unter Wasser veranstaltete; wir haben betroffen einem Spaghetti-Wettessen auf dem Meeresgrund zugeschaut; wir waren Zeugen einer Unterwasser-Cocktail-Party und haben verwundert verfolgt, wie man in Neptuns eigener Residenz Delphine zuritt, Karten spielte, sich die Haare schneiden ließ oder sogar die Zähne plombieren ...

Viele Leute, so hat es den Anschein, tun heute, was die kleinköpfigen Reptilien der Vorzeit taten, als sie in die erdgeschichtliche und wohl auch existentielle Kreide gerieten: sie marschierten am Strand auf und gingen nach 50 Millionen Jahren trauriger Landerfahrung zurück ins Wasser, woher sie gekommen waren.

Sie binden den Schnorchel vor, schlüpfen in die Flossen und wedeln in flüssiger Zeitlupenanmut hinab zum fächelnden, gefräßigen, glotzäugigen Vetter ... In der Tat, verfolgt man das flossenreiche Treiben etwa an den Küsten des Mittelmeeres, so hat man gelegentlich den Eindruck, daß sich hier ein organisiertes Heimweh nach dem Mutter-Ozean kundtut, in dessen Wasser die Elemente Natrium, Kalium und Kalzium ja fast in den gleichen Proportionen vorkommen wie im Körper eines Steuerzahlers.

Ja, die Leidenschaft für den Meeresgrund ist allgemein: so etwas wie eine Demokratie unter Wasser kündigt sich an. Wer auf sich hält – oder halten zu müssen glaubt –, macht seine Aufwartung dem naßlockigen Neptun. Und nicht nur dies; schon haben auch die Bürger Neptuns ihre Literatur erhalten: Unterwasser-Leitfäden, Fibeln für Flossenfreunde, Anleitungen zur Unterwasserjagd. Bekennend und erbauend äußert man sich darin über das neue Hoheitsgebiet, erzählt, was man auf dem Meeresgrund zu tun und zu lassen hat: mit einer submarinen Weltanschauung wird das Glück eines Tages vollständig werden.

Nun, auch ich bin in dem feuchten Arkadien gewesen; auch ich fühlte in mir die Elemente Natrium, Kalium und Kalzium nach dem Meerwasser verlangen. Ich wollte, wo kein Untertan, so doch ein Bürger Neptuns werden, und so entdeckte ich eines Tages meine Leidenschaft für den Meeresgrund. Zu meinem Erstaunen wollte sie am gleichen Tag auch meine Frau entdeckt haben, und als Ehepaar mit dem Drang zum Meeresboden im Herzen beschlossen wir, uns auf das neue

Elixier schulmäßig vorbereiten zu lassen. Wir fuhren ans Mittelmeer, und da wir beide schon etliche Kurse zur besseren Beherrschung des Lebens hinter uns hatten, meldeten wir uns auch diesmal ohne Zögern zu einem Kursus für Sporttaucher an, der uns für die neue Bürgerschaft zwischen Stachelrochen und Steingrundel präparieren sollte. Ungeduldig warfen wir uns auf das neue Metier.

Meine Ungeduld war begründet: ich hatte gelesen, was William Beebe, der amerikanische Meeresforscher, über das Unterwasser-Panorama gesagt hatte: Jeder Mensch – so hatte er gesagt –, jeder Mensch sollte dafür sorgen, daß er vor seinem Lebensende irgendeinen Apparat bauen, leihen oder stehlen kann, der ihm erlaubt, einen Blick in diese neue Welt zu tun.

Das war eine vielsagende Ermutigung, denn sie ließ viel erwarten. Doch meine Erwartung, all meine Ungeduld in Richtung auf den Meeresboden, wurde schon am ersten Tag gründlich gebremst, und zwar von keinem anderen als dem Tauchlehrer. Unser Tauchlehrer war Signor John Kwiatkowski, ein athletischer, schwermütiger Mann, der manchmal mit so viel träumerischer Verwunderung dastand, als hätten sie ihn gerade in Pompeji ausgegraben und gezwungen, einen Blick in diese Zeit zu tun. Signor Kwiatkowski, wohlgewachsen, ein Italiener, wie er nicht im Buche steht, bremste also mein Verlangen, gleich auf den Meeresgrund zu steigen, indem er feststellte: »Alles – du verstehn – muß haben seine Zeit. Beim Tauchen ist es wie bei der Meditation: man muß sein vorbereitet, du verstehn? Wir müssen uns vorbereiten auf das Geheimnis, wo wir finden unter Wasser. Alles Leben – du verstehn – kommt daher, wo wir hinwollen, aber erst später, nach der Vorbereitung. Als die Tiere an Land kamen vor langer Zeit, sie haben sich umgestellt von Existenz mit Kiemen auf Existenz mit Lunge. Wir müssen verfahren umgekehrt; bei den Tieren hat es auch gedauert längere Zeit. Also wird es auch bei uns dauern längere Zeit, du verstehn?«

Ich verstand, wenngleich ich nicht wußte, worin die Vorbereitung auf den Meeresgrund bestehen sollte. Ein Schüler, ein Lernender überhaupt, muß ja früher oder später die Erfahrung machen, daß er nicht allein seine Lieblingsfracht laden darf – er muß auch Ballast übernehmen, viel Ballast. Und da ich mir bei einem früheren Kursus, »Die männliche Säuglingsschwester«, so viel Wissensballast erwarb, daß ich gleichsam wider Willen zum Amateur-Biologen wurde, fügte ich mich auch diesmal der Notwendigkeit, Nebenkenntnisse zu erwerben. Meine Frau sagte zwar: »Die wollen uns hier biologisch verändern. Offenbar wollen sie uns zu Gespensterkrebsen machen, die ebenso auf der Erde wie im Wasser leben. Aber nicht mit mir, Fred. Sobald ich Kiemen spüre, klage ich auf Schadensersatz.«

Doch diese Befürchtung erfüllte sich natürlich nicht. Vielmehr lag die Vorbereitung auf das Erlebnis der Unterwasserwelt in den Händen eines gewissen Signor Luigi Luagi, der unsern Kursus für Sporttaucher als Theoretiker betreute. Signor Luagi war ein fanatischer Anhänger des Unterwassersportes, klein, schmächtig, stechäugig und in gewissem Sinne drahtig. Seine Vorträge waren prägnant, und die Art, in der er sprach, glich den Feuerstößen eines älteren MG-Modells. Bereits zwei Stunden nach unserer Einweisung bereitete er uns auf das große Erlebnis des Meeresbodens vor. Er sagte etwa: »Sisisisisi–« und fuhr nach längerer Pause, mit triumphierend zurückgelegtem Kopf, fort: »– früher war für uns die Welt am Ufer des Meeres zu Ende.

Wir begnügten uns mit 145 Millionen Quadratkilometer Festland und hatten wenig oder keine Möglichkeit, die 365 Millionen Quadratkilometer Wasser zu erforschen oder in Besitz zu nehmen. Das hat sich entscheidend geändert. Von Neugier oder aus Interesse getrieben, sind Männer in die Tiefe vorgedrungen, um unsere Kenntnisse von der Welt unter Wasser zu erweitern. Wir haben diese Welt in drei Stockwerke eingeteilt: das Parterre – es reicht vom Grund bis 1 000 Meter unter dem Wasserspiegel – nennen wir die bathypelagische Zone, darüber, von 1 000 bis 200 Meter Tiefe, liegt die mesopelagische Zone, und von 200 Meter bis zur Oberfläche folgt dann die epipelagische Zone. Die Welt unter Wasser liegt in einer Durchschnittstiefe von 4 000 Metern. Sie weist Ebenen auf, Täler, Berge, und wir wissen, daß die tiefsten Abgründe des Meeres tiefer sind als die höchsten Berge des Festlandes hoch.

Zwar gelingt es einem Freitaucher noch nicht, in diese bemerkenswerten Abgründe hineinzukommen – gleichviel: wenn man eine mittlere Betätigungstiefe von 50 bis 60 Meter ansetzt, so steht dem Taucher heute ein Gebiet zur Erforschung offen, das so groß ist wie – sehr groß. Die Wissenschaftler haben bereits mit der Erforschung begonnen, und viele von ihnen tragen einen Taucheranzug: Meeresbiologen, Hydrographen, Ozeanographen, Physiologen, Ernährungskundler, Archäologen und Ingenieure. Auch wir werden eines Tages auf den Meeresgrund hinabsteigen. Doch bis dahin gilt es, noch viel zu lernen.«

So sprach gleich am ersten Tag Signor Luigi Luagi. Die gewissenhafte

Vorbereitung auf die neue Welt hatte begonnen. Zwar durften wir am Strand liegen, durften auch über das Wasser blicken, doch tauchen – das durften wir vorerst nicht. Das blieb den älteren Kursusteilnehmern vorbehalten, die wir beim Austauchen beobachteten. Sie begegneten uns mit nachsichtiger Herablassung. Einer unter ihnen – Bosco hieß er – war ledig und Trompeter am Rundfunk. Regelmäßig brachte er meiner Frau etwas von seinen Unterwasser-Expeditionen mit. Meist handelte es sich um Wesen, die ich nicht kannte, doch der tauchende Trompeter ließ uns den ganzen Vorsprung seines Wissens fühlen, indem er etwa ein Mitbringsel so kommentierte: »Das ist eine von den aufregenden Euphansiiden, eine Garnelenart, die das Wasser mit ihren borstenartigen Auswüchsen durchzukämmen pflegt.« Und jedesmal bedankte sich meine Frau so überschwenglich, umfing ihn, der eine stramme, gummidurchwirkte Badehose trug, mit so versonnenem Blick, daß es mich ärgerte. Ob es Pfeilwürmer waren, Krebslarven oder Kieselalgen: meine Frau nahm sie so glücklich entgegen wie eine Halskette, streichelte das Zeug und sah dem Überbringer in der gummidurchwirkten Badehose lange nach. In einer Auswahl hatten wir den getrockneten Meeresgrund schon auf dem Fensterbrett, ohne selbst unten gewesen zu sein. Der Kursus sah das noch nicht vor. Statt dessen rief uns der schöne, schwermütige Tauchlehrer Kwiatkowski zusammen, um uns in die Kunst des Tauchens einzuweihen.

»Wir unterscheiden«, so sagte er, »berufliches Tauchen und sportliches Tauchen, was wir auch nennen ›Nackttauchen‹ – du verstehn? Der berufliche Taucher, der bis 200 Meter arbeitet, er muß haben Tieftauch-Ausrüstung: also Panzer, Luftgenerator, Helm und so weiter. Wir – du verstehn – sind Nackttaucher, darum unsere Ausrüstung ist minimal und nicht sehr teuer. Alles, was wir brauchen, sind: Maske, Atemschlauch, Schwimmflossen und, wenn wir jagen wollen Fisch, wir noch brauchen Harpune und Pfeil.

So wir sind angelangt beim ersten Kapitel, welches ich möchte überschreiben: die Maske. Du verstehn? Um die Augen zu schützen gegen die Reizwirkung des Meerwassers und um nicht betrogen zu werden von Lichtbrechung unter Wasser, der Nackttaucher muß haben eine Maske. Die Maske muß sein wasserdicht und sich bequem – wie sagt man – anschmiegen, ja, an dem Gesicht. Die beste Maske ist die, die man gar nicht merkt, wenn man sie hat aufgesetzt.

So, das zweite Kapitel ich möchte überschreiben: Atemschlauch oder

Schnorchel. Schlauch kann sein aus Kunststoff, kann sein aus Aluminium, beide sind gut, Kunststoff ist besser. Jedenfalls sie müssen haben biegsames Mundstück, das man bequem festhalten kann im Mund. Der Schlauch – er muß sich vom Mund abbiegen und dann leicht krümmen. Der Gummiriemen der Maske hält ihn fest, du verstehn?

So, letztes Kapitel der Ausrüstung möchte ich überschreiben: die Schwimmflosse. Ist wichtiges Kapitel. Mit Flossen wir schwimmen so elegant und schnell wie Fisch. Wir können kaufen verschiedene Flossen, Hauptsache, sie sind nicht zu kurz, zweite Hauptsache, sie sind nicht zu lang. Drittens dürfen die Flossen nicht sein zu leicht und viertens nicht zu schwer. Gut ist, wenn die Zehen haben viel Platz. Wenn man sie nicht kann ausstrecken, es gibt einen Krampf. Richtig, ich habe vergessen: die Schwimmflossen sind aus Gummi. Schön, und jetzt wollen wir alle zur Übung anlegen die Ausrüstung für Nackttaucher. Aber langsam, wenn ich bitten darf. Wir haben Zeit.«

Ja, und unter den nachsichtig herablassenden Blicken älterer Kursusteilnehmer begannen wir die Ausrüstung zur Probe anzulegen. Mit Maske, Atemschlauch und Flossen nahmen wir Unterwassereleven ein so befremdliches Aussehen an, daß wir uns kaum wiedererkannten.

»Du siehst aus wie ein alter Sägebarsch«, sagte meine Frau zu mir, während ich in ihr eine dicklippige Meeräsche zu erkennen glaubte. Gleichwohl: die Klarscheiben der Masken richteten sich fast alle zur Küste, aufs Meer hinaus, und ich glaubte das Verlangen zu spüren, die gestaute Ungeduld der Schüler, endlich auf den Meeresgrund zu kommen. Dies Verlangen war so groß, daß wir bereits gereizt waren, und ich hätte für nichts garantiert, wenn nicht der Trompeter dagewesen wäre, der meiner Frau faszinierende Pfeilwürmer, Spinnen und Seegurken mitgebracht hatte.

Das allein versöhnte sie, dieser Vorschuß auf den Meeresgrund. Aber der Drang, der Reiz hielt sich hartnäckig, ja wir hielten es kaum noch aus, als der tauchende Trompeter meiner Frau sein Unterwasser-Tagebuch zur Einsicht anvertraute. Als ich hörte, was dieser Trompeter alles erlebt und empfunden hatte, beschloß ich sogleich, auch ein Tagebuch zu führen.

So notierte Bosco beispielsweise: »Heute zum ersten Male unten. Das Gefühl, unter dem Meer zu sein, ist merkwürdig. Man kommt sich so frei vor, wie ein freier Mensch mit Flügeln. Man ist der sturen Formel der Erdanziehung entronnen. Ein Raum ist durchaus da, ist fühlbar. Eine Spannung und ein unbekanntes Vibrieren erfüllen den Körper. Der Atemschlauch wird das einzige Bindeglied mit der oberen Welt. Man schwebt. Der Körper wird ledig. Ich glaubte, die Trompete von Harry James zu hören …«

Doch wir waren noch nicht so fortgeschritten wie der Trompeter Bosco. Wir verharrten bei Trockenschulung und Trockentraining und konnten nichts daran ändern, daß unsere Erwartung bis zum Unerträglichen gestaut wurde. Vor dem Originalerlebnis stand die Kenntnis weitläufiger Tauchmethoden – ein Umstand, der mich dahin brachte, die Biographie unseres Lehrers zu ergründen. Nein, er war kein Deutscher; Signor John Kwiatkowski war ein Amerikaner polnischer Abstammung – auf dem Sprung, die italienische Staatsbürgerschaft zu erwerben. Er hatte das Pensum des Kursus entworfen, und wenn auch nicht allein, so doch in Gemeinschaft mit dem fanatischen Unterwassersportler Signor Luigi Luagi. Dieser Luagi hielt es seinerseits für unentbehrlich, uns, bevor wir die schöne Andersartigkeit des Meeresbodens entdecken durften, sogar in die Geschichte der Nackttaucherei einzuweihen. So belehrte er uns beispielsweise folgendermaßen:

»Alles hat seine Geschichte, Damen und Herren, auch die Taucherei. Bereits vor zweieinhalbtausend Jahren berichtet Herodot von dem Taucher Scyllis, der vom Perserkönig Xerxes geheuert wurde, um Wertgegenstände aus gesunkenen Schiffen heraufzuholen. Ferner berichtet Aristoteles von Schwammtauchern, und Thukydides erzählt, wie es den Griechen gelang, die Verteidigungsanlagen von Syrakus im 3. Jahrhundert v. Chr. mit Hilfe von Tauchern zu zerstören.

Früh hat es bereits eine straff organisierte Taucherzunft auf Rhodos gegeben, und einer unserer Kollegen, der böotische Fischer Glaukos, war so erfolgreich, eine gewisse Unsterblichkeit zu erlangen. Viele Beispiele lassen sich finden und zitieren, Sisisi – so etwa die Speerfischerei unter Wasser, die von den Südseeinsulanern seit vielen Jahrhunderten betrieben wird. Die Geschichte der Taucherei ist alt. Jung dagegen ist die sportliche Taucherei, wie wir sie betreiben oder, sagen wir, betreiben wollen. Sie begann vor dem zweiten Weltkrieg. In der Welt gelten als Begründer des modernen Tauchsports die Japaner. In Europa halten wir die Entwicklung dieser Disziplin den Franzosen zugute.

Vier Namen sind es besonders, die wir uns merken sollten, bevor wir auf den Meeresgrund schwimmen: Louis de Corlieu – er entwickelte adorable Schwimmflossen – sodann: Jacques Yves Cousteau, Frederic

Dumas und Philippe Taillez. Mit selbsterdachten Flossen, Tauchbrillen und Atemrohren, mit hausgemachten Unterwassergewehren experimentierten sie in der Gegend von Marseille. Alle Herren waren von beträchtlicher Erfindungsgabe. Was wir heute genießen, haben sie unter Entbehrungen erprobt.«

Genossen wir es? Wir sammelten Kenntnisse, leicht eingängige Kenntnisse über die Geologie des Meeresbodens, über Tauchausrüstung und Tauchergeschichte, und selbstverständlich verhehlte man uns nicht die Gefahren, die auf jeden Taucher warten. Diese Gefahren erschienen meiner Frau so abwechslungsreich, daß sie beschloß, sich alle zu notieren und auswendig zu lernen – wenigstens stichwortartig. Und mir fiel – überraschend – die Aufgabe zu, sie abzufragen.

Nachdem man uns sorgfältig mit den Gefahren vertraut gemacht hatte, die auf einen Taucher warten, erläuterte man uns noch den Umgang mit Harpune und Unterwasserkamera, machte uns bekannt mit der Behandlung von Stichen, Stacheln und Wunden, zeigte uns Bilder der häufigsten Fischarten und demonstrierte endlich, was bei der Technik der Unterwasserjagd zu berücksichtigen sei. Damit – und ich fühlte mich durchaus so – waren wir vollkommene Nackttaucher, wenn auch erst auf dem Trocknen. Meine Frau meinte dazu: »Warum nicht? Ein Gefühl für alles ist schon da. Ich fühle mich schon wie eine Makrele im Sandkasten, oder, sagen wir, wie ein Anthropode: du weißt doch, die Gliederfüßler, die vor 350 Millionen Jahren als erste ein Element wechselten. Stell dir vor: die Pioniere, die uns den Weg gewiesen haben und von denen wir lernen – unsere Vorbilder waren Krabben, Hummer und ganz besondere Insekten. Heute garnieren wir diese Vorbilder mit Mayonnaise und essen sie mit Zitrone.«

Doch eines Tages war die Zeit der Vorbereitung vorüber. Wir hatten, wenn auch nicht alles, so doch genug erfahren, und Signor John Kwiatkowski und Signor Luigi Luagi hielten uns für präpariert genug, die Bürgerschaft des Meersbodens zu erwerben. So führten sie uns an einem späten Vormittag auf die Klippen, unter durchaus bedeutungsvollem Schweigen. Das Meer war ansehnlich, der Ort unserer Sehnsucht nicht zu erkennen, da Windstärke 1–2 herrschte. Obwohl die Sonne herabbrannte, frösteln wir leicht – offenbar handelte es sich um vorweggenommene Entzückungsschauer, um die vorzeitige Behexung durch die Unterwasserwelt. Unser Tauchlehrer musterte uns, zählte uns insgeheim ab und mahnte:

»Nun wir wollen zeigen, was wir gelernt haben, du verstehn? Und alle hübsch zusammenbleiben. Wir wollen schwimmen im Kreis.« Damit stieg er ins Wasser, und wir watschelten mit angelegten Flossen, Masken und Schnorcheln hinter ihm her – eine Schulklasse von Arthropoden, die ausgezogen war, ein neues Elixier vorschriftsmäßig zu erobern.

Ein Ruck, und ich schwamm; ich steckte den Kopf unter Wasser. Sanft fächelten die Flossen, hielten den Körper in der Schwebe. Und was ich zuerst sah: es war der tauchende Trompeter, der grinsend auf dem Meeresboden saß und zu meiner Frau heraufwinkte. Ich blickte an ihm vorbei, ich suchte das optische Abenteuer, und da, da war es plötzlich. Und ich empfand es genau wie der Trompeter, der seinem Tagebuch anvertraut hatte: ›Cousteau soll gesagt haben, Tauchen ist der zur Wahrheit gewordene Traum vom Schweben. Der Mann hat recht, zumindest kann man das schwer bestreiten. Das Gefühl des Schwebens kommt einem auf höchst merkwürdige Weise bekannt vor. Es sollte sich doch wohl nicht um eine Ur-Erinnerung handeln? Ähnlich merkwürdig ist das Gefühl, durch ein Gitter von Pfeilen zu schwimmen, Lichtpfeilen, die die Sonne zum Grund schießt.

Diese Strahlenpfeile kommen einem so massiv vor, daß man auf ihr Klirren wartet, wenn man hindurchschwimmt und ein kleines, migräneartiges Ziehen im Kopf spürt. Noch merkwürdiger aber ist die Erfahrung, daß man unter Wasser nicht die Stille findet, die man anzutreffen erwartet hat. Es knackt und knistert, rumpelt und klickt; eine ferne Eisenbahn, schreiende Kinder am Strand, das Schraubengeräusch eines Dampfers, alles ist zu hören, zumindest noch in gewisser Tiefe zu hören. Das Meer ist die Ursprungssphäre sämtlicher Lebewesen, und wo Leben ist, ist unweigerlich Lärm.

Das ändert nichts daran, daß die Ursprungssphäre sämtlicher Lebewesen eine – wenn man es genau betrachtet – herausfordernde Schönheit besitzt. Es ist die verheißungsvolle Schönheit des Harems, die sich zunächst in den Farben zeigt: da ist persisches Nachtblau und ein bestimmtes Korallenrot, ein vielsagendes Dämmergrün und ein sanftes Violett. Das alles vor phosphoreszierenden Vorhängen: ein unterseeisches Miramar. Das pfeilförmige Seegras fächelt über den Grund, der Tang wallt in müden, sagen wir, in liebesmüden Bewegungen. In der Flossenspur liegen Perlen wie in einem orientalischen Rosengarten. Die Tiefe, die man empfindet, ist die kühle Tiefe von seidigen Kissen. Kurz gesagt: nie war ich einem Harem näher als unter Wasser, und wenn's mit rechten Dingen zugeht, so muß es etwas wie einen submarinen Eros geben.‹

Ja, es war mir ähnlich zumute wie dem Trompeter, sein Tagebuch sagte nicht zuviel. Und als wir schulmäßig im Kreis herumpaddelten und staunend, wie durch einen Vorhang, in diese herausfordernde Welt blickten, merkte ich, wie sich alles unvermutet erweiterte und wie sich ein Gefühl rätselhafter Verlassenheit einstellte. Doch nicht allein Verlassenheit: plötzlich sah ich einen Fisch, und in einer ebenso spontanen wie unkontrollierten Empfindung schwamm ich auf ihn zu und versuchte, ihn am Schwanz zu packen. Irgend etwas soufflierte mir, daß dies möglich sein müßte. Es war das Hochgefühl, die Bezauberung durch das neue Element. Der Fisch hielt nichts davon und entzog sich mir durch einen lässigen Flossenschlag.

Ich wollte ihn verfolgen, doch ein riesiges, fleischfarbenes Tier schoß auf mich zu und winkte mich nach oben – es war Kwiatkowski. Stumm, vergleichsweise andächtig, zogen wir unsere Kreise und sahen hinab auf ältere Kursusteilnehmer, die einen Kraken ärgerten. Sie bewegten sich so fischgleich, als ob sie nie den Gesetzen der Schwerkraft unterworfen gewesen wären. Wir waren gerade dabei, uns in der neuen Heimstatt umzutun, als ein Geräusch erklang: jaulend und perfide, so daß wir erschreckt auftauchten. Ein Motorboot raste auf uns zu, und wenn ich mich nicht sofort hätte sinken lassen – nie mehr hätte ich einen Friseur nötig gehabt.

So verlief die erste Inspektion in gleicher Weise verwirrend wie glimpflich. Meine Frau bilanzierte, als wir erschöpft am Strand saßen:

»Das reicht mir. Wohin man auch kommt: überall ist schon wer. Der erste Blick auf den Meeresgrund, und wer liegt da? Ein Trompeter!«

»Ich dachte, er sei dir nicht unangenehm«, sagte ich.

»Da unten will ich was anderes erleben«, sagte sie. »Ich hatte mich auf die Stille gefreut. Was muß man erleben? Krach! Ich hatte mich auf die Einsamkeit gefreut. Und was ist? Der ganze Meeresgrund ist bevölkert. Bald werden sie da unten Zeitung lesen und Kaffee kochen. Und außerdem: wenn du hochkommst, um Luft zu holen, macht irgendeine Schiffsschraube Thüringer Mett aus dir. Für mich ist die Unterwasserwelt gestorben.«

Diese frühe Enttäuschung setzte mir zu, trotzdem brachte ich es nicht fertig, sie zu teilen, und den Kursus in einem Augenblick zu verlassen, wo uns der schönste Teil doch erst bevorstand. Ich rief mir noch einmal die ersten Eindrücke von der Unterwasserwelt ins Gedächtnis und beschloß, zu bleiben. Gleichzeitig überlegte ich, wie ich den Unmut meiner Frau dämpfen, wie ich vor allem ihre Neugierde für den Meeresgrund wieder hervorrufen könnte. Ich war keineswegs entzaubert. Nachdem ich gelernt hatte, die herausfordernde Schönheit der Unterwasserwelt zu empfinden – die Farben, das Licht, die Schwerkraftlosigkeit des Körpers –, nahm ich an regelmäßigen Streifzügen teil, auf denen wir die natürlichen Bewohner des Meeresgrundes erkundeten, ihre Arten und Unarten feststellten.

Dabei fanden wir oft Gesellschaft; einem streunenden Maler begegneten wir, der unter Wasser Anregungen suchte, einem Hydrographen, der Wasserproben aus Grotten sammelte, einem jungen Archäologen, der darauf aus war, ein Wrack zu entdecken, aus dem er etliche Amphoren zu bergen hoffte. Zuerst hatten wir noch einige Schwierigkeiten bei der gegenseitigen Vorstellung unter Wasser, später ging es immer besser mit Verbeugung, Händedruck und zeichenhafter Befragung.

Übrigens konnte ich feststellen, daß besonders der deutsche Mensch ein lebhaftes Verlangen zeigte, sich unter Wasser vorzustellen und eine Konversation zu beginnen. Gesellschaftsfreudig waren ebenso Italiener, Franzosen und Dänen, während Engländer auch auf dem Meeresgrund sehr selbstbewußt und einzelgängerisch erschienen. Obschon wir manche Stunde unter Wasser gemeinsam verschweigen ließen, widmeten wir uns doch auch gelegentlich den alteingesessenen Meeresbewohnern. Das heißt: Luigi Luagi charakterisierte in seiner Art Erscheinungsformen und Wesen unserer neuen Nachbarn. So stellte er beispielsweise fest:

»Wohin wir auch gehen, überall sind wir der Nachbarschaft einiger Geschöpfe sicher. Im Wasser erwarten wir die Nachbarschaft der Fische, eine allerdings variationsreiche Nachbarschaft, denn immerhin gibt es weit über dreißigtausend bekannte Arten. Wir haben es allerdings mit weniger Arten zu tun. Die hauptsächlichsten im Mittelmeer sind, mit vielen Unterschieden innerhalb der Familien: Seebarben, Meeräschen, Lippfische, Brassen, Barben, Riffische und Drachenköpfe. Sodann die Familie der Haie, die Familie der Rochen, ferner Krake, Sepia und Kalmar, den Bärenkrebs, die Felsgarnele und die gemeine Sandkrabbe – kurz, es gibt Nachbarschaft genug. Außerdem können wir uns mit den Familien der Seeigel, Seesterne und Muscheln vergnügen. Gebissen kann man von etlichen werden, gestochen eigentlich nur von zweien – wenn man vom Drachenkopf absieht. Das eine, was sticht, ist die kleine Qualle; das andere, allerdings nur beim Auftauchen, die gewöhnliche Wespe. Beide Stiche sind ohne weiteres zu ertragen.

Doch zurück zu den Fischen: das, Damen und Herren, was wie Schwärme von silbernen Zigarren über den Grund zieht, sind Meeräschen. Sie sind ständig in Bewegung, und deshalb ist es so schwer, sie zu jagen. Der günstigste Augenblick ist, wenn sie den Kopf zum Futtern in den Sand stecken. Meeräschen haben viel Kraft und schmecken gut. Was manchmal grün schimmert, manchmal blau und manchmal sogar gelb, schmeckt weniger gut, ist aber genauso schwer zu jagen: ich meine den Lippfisch. Er lebt in Höhlen, Spalten und Felslöchern, darum kostet er manchen verbogenen Pfeil oder zerspellten Dreizack. Bei den Brassen hingegen, die in Familien auftreten und bei denen die großen Exemplare die Funktion von Gouvernanten haben, hat man kaum Glück; es sei denn, man versucht, den letzten Fisch zu schießen. Anders verhalten sich Barsche. Sie denken nicht daran, zu fliehen, bleiben, wo sie sind, und glotzen. Trotzdem ist der Barsch schwer zu erjagen, weil er sich fortwährend und unmerklich bewegt. Ganz uninteressant ist die Jagd auf den Drachenkopf, ein Biest mit Höckern, Beulen und knöchernem Maul. Ihn bekommt man fast immer – nur seine Stacheln sind giftig!

Spaß, viel Spaß, Damen und Herren, finden Sie beim Spiel mit Kraken. Kraken sind ängstlich, und wenn sie keine Möglichkeit zur Flucht haben, blasen sie sich auf, winden und biegen sich, um einen Eindruck von besonderer Fürchterlichkeit hervorzurufen. In solchem Augenblick möchte der Krake sagen: alle Geschichten, die du über mich gehört hast, sind wahr. Sie sind natürlich nicht wahr. Gekocht schmeckt sein Fleisch exzellent, gebraten nicht weniger gut.«

Und er fuhr fort, uns die Eigentümlichkeiten fast aller Fische zu erzählen, auf die wir eines Tages hätten stoßen können. Das gehörte zum Pensum des Kursus und erwies sich später als vollkommen platonisches Wissen, denn natürlich hatten sich die Fische von den Tauch-Eleven längst zurückgezogen. Meine Frau hörte dieser ichthyologischen Schnellaufklärung mit schweigender Erbitterung zu, und nach Luagis Vortrag stellte sie fest: »Da wollt ihr ein sogenanntes Paradies erobern, und was macht ihr? Ihr nehmt eure Harpunen mit und ballert los. Allerfalls laßt ihr euch nachher noch mit der Beute photographieren. Und dann? Auch im Körper der Fische sind die Elemente Natrium, Kalium und Kalzium enthalten. Das sollte euch doch zu denken geben. Wenn ihr die Fische eßt – gut. Aber wenn ihr nur Zielübungen machen wollt: es gibt so viele Leute unter Wasser, die sich dafür eignen. Bring mir doch mal einen durchwachsenen jungen Mann.«

Insgeheim mußte ich ihr recht geben, doch da die Krönung des Tauchsports in der Jagd auf den Fisch liegt – zumindest glaubte ich das damals –, suchte ich meiner Frau zu beweisen, daß die Unterwasserjagd vieles für sich habe und daß man durchaus obligate Risiken laufen kann. Nach allen Vorstufen wollte ich mich nicht um den Inbegriff des Abenteuers bringen lassen. Ich wollte lernen, dem Fisch in jedem Fall nachzustellen. Ich hatte genug erfahren, und unter den mißbilligenden Blicken meiner Frau nahm ich Flossen, Maske und Harpune und zog los, um das Königsgefühl des Tauchsports zu erleben.

Ich kletterte auf einen mit Brandungsschaum bedeckten Felsen, legte die Ausrüstung an und ließ mich langsam ins Wasser. Die Wellen stießen mich hin und her, schubsten mich gegen einen Felsen, manchmal warfen sie mich in einen Wirbel von Luftblasen und Schaum. Es war nicht leicht, Luft zu bekommen, doch als ich endlich Luft hatte, tauchte ich mit gespannter Federharpune und strich neben den Felsen zu einer Bucht hinüber.

Über dem Grund war das Wasser ruhiger. Ich sah kleine fingerlange Fische, die nervös hin- und herzuckten; ich sah mitunter auch einen Schatten, der, als ich näherkam, in einer Felsspalte verschwand. Oben am Strand wußte ich ältere Kursusteilnehmer, die rauchend dastanden und darauf warteten, ihren Spott an den Mann zu bringen. Ich nahm mir vor, es ihnen nicht allzu leicht zu machen, und nachdem ich Luft geholt hatte, ging ich wieder runter und streifte nach einer Beute. Und vor einem sanft wallenden Tangfeld erschrak ich plötzlich, es war ein glückliches Erschrecken, denn ich entdeckte, halb unter dem Tang, einen Flachfisch, wie ich ihn nie zuvor gesehen hatte.

Zuerst hielt ich ihn für eine riesige Scholle oder eine riesige Seezunge, aber das Interesse für die Gattung wurde sofort zurückgedrängt durch das Fieber der Jagd. Versunken in einer Art Unterwasser-Meditation lag der Fisch da. Er kehrte mir überraschenderweise die weiße Seite zu, was mich wunderte. Dann aber sagte ich mir, daß vielleicht alle Flachfische ihre weiße Seite nach oben kehren, wenn sie zu meditieren anfangen. Es bedeutete mir nicht viel, und ich eröffnete – wie man sagt – den Angriff. Tadellos, mit beinah ausgestrecktem Arm, den Ellenbogen leicht angewinkelt, glitt ich auf den Fisch zu – so vorschriftsmäßig, daß Signor Kwiatkowski seine Freude gehabt hätte, und ich dachte an die höhnisch wartenden älteren Kursusteilnehmer am Strand. Wie würden die sich wundern! Sicher, gelegentlich hatte einer von ihnen einen Fisch mit heraufgebracht – aber was waren das schon für Fische! Daumenlange Drachenköpfe, verschüchterte Jungkraken oder einen unmündigen Lippfisch.

Ich stellte mir schon den schweigenden Triumph vor, den ich genießen würde, wenn ich ihnen den riesigen Flachfisch vorweisen könnte. Mit vorgestrecktem Arm zielte ich auf den Fisch, schwamm näher, schwamm heran, bis die Pfeilspitze einen Meter über ihm war: da drückte ich ab. Der Pfeil schlug in das weiße Etwas, und ich stieß, die Leine und den Pfeil und die Beute hinter mir herziehend, nach oben, weil ich kaum noch Luft hatte. Durch die Brandung schwamm ich zu den Felsen. Die älteren Kursusteilnehmer kamen heran, halfen mir, herauszusteigen. Überlegen und wortlos zeigte ich auf die straffe Schnur. Meine Frau holte sie ein, und plötzlich hörte ich sie sagen: »Das ist doch die ›Times‹. Ja, sicher – wahrscheinlich eine Unter-Wasser-Ausgabe. Scheint aber schon älter zu sein, denn hier steht noch was von der Suez-Krise. Immerhin, sauber getroffen, ein Blattschuß in jeder Hinsicht.«

In der Tat, die erste Beute, die ich harpunierte, war ein altes Exemplar der ›Times‹, das offenbar ein englischer Unterwasserjäger verloren hatte. Immerhin hatte dieses Blatt ausgereicht, um mir ein Gefühl der Hochstimmung zu vermitteln, wie man sie nur bei der Jagd über den Meeresboden erlebt. Abgesehen von allem ist die ›Times‹ ja doch ein gutes, ein durchaus lesenswertes Blatt. Ich sah keinen Grund zu übermäßiger Enttäuschung.

Und später, nicht einmal sehr viel später, konnte ich auch die erste Beute vorweisen – einen Tintenfisch, der mich so auffällig umspielte, als wollte er auf sich aufmerksam machen. Ich harpunierte ihn zufriedenstellend. Manchmal denke ich, er war krank oder litt an Depressionen. Doch dann, allmählich, entdeckte ich ein ganz neues – vielleicht auch ganz altes – Verhältnis zur Unterwasserwelt.

Als ich es meiner Frau zu erklären versuchte, meinte sie mit all ihrem praktischen Sinn: »Laß mal: das ist die zweite Kindheit, in der das Mutter-Meer entdeckt wird. Das Meer ist nun eben mal fruchtbarer als die Erde, fruchtbarer und verehrungswürdiger. Hier hat alles seinen Anfang genommen. Hier wurde die Magie des Chlorophylls entwickelt. Hier haben sich die Einzeller spezialisiert. Hier haben die Fluten die ersten Gewächse gewiegt. Vielleicht handelt es sich bei dir um eine Art vorgeburtlicher Erinnerung – und nicht allein bei dir. Vielleicht ist diese ganze Leidenschaft für den Meeresgrund ein Zeichen legitimer Infantilität: Heimweh nach nasser, gelegentlich besonnter Vergangenheit.«

Merkwürdig, wie sich die Erde allmählich abgekühlt hatte – wobei ihre Granitrinde entstand –, so kühlte sich auch die Unterwasserleidenschaft meiner Frau ab. Meine aber blieb. Ich wurde ein alter Kursusteilnehmer, der auf die Neuen, die das Trockentraining aufnahmen, mit der gebotenen Nachsicht blickte. Ich durfte, wenn Not am Mann war, sogar Signor Kwiatkowski vertreten, einmal auch Luigi Luagi. Ich genoß die Anerkennung von Luagi, der mich jedesmal heftig umarmte, und von Signor Kwiatkowski, der mir in träumerischer Dankbarkeit zunickte.

Unbeirrt gab ich mich meiner Hilfstätigkeit hin, und wer weiß, was aus mir geworden wäre, wenn mich nicht eines Tages eine ganz bestimmte Skepsis ereilt hätte. Bedenken stellten sich ein, als an einem Wochenende Autobusse aus Bebra, aus Xanten und Flensburg zu uns kamen, für deren Insassen ich Unterwasserausflüge veranstalten sollte. Autoreifen-, Kunsthonigfabrikanten schickten uns ihre Belegschaften, die ich bei gemeinsamen Spaziergängen auf dem Meeresgrund zu betreuen hatte. Immer mehr wurden es; Schulklassen erschienen und Meisterschulen für Mode, eine Gruppe von Zöllnern erschien, und als dann ein deutscher Architektenstab kam, um zu prüfen, ob man unter Wasser ein Hotel bauen könnte – alles aus widerstandsfähigem, durchsichtigem Glas –, ja, als die Architekten kamen, da wurde ich skeptisch.

Meine Frau unterstützte diese Skepsis, indem sie ein submarines Schreckenspanorama für die Zukunft entwarf. Sie meinte: »Das Beste steht uns noch bevor. Jetzt wird das Meer erst richtig entdeckt. Es wird nicht mehr lange dauern, dann werden sie unter Wasser Rennen veranstalten, boxen, Federball spielen und Denkmäler errichten. Und vielleicht wird es nicht mehr lange dauern, bis dann wieder die Erde stumm und verlassen und unbekannt sein wird – ein Gebiet, das entdeckt werden muß. Wir sollten beizeiten auf die Erde zurückgehen und uns da einen Platz sichern.«

1960

Im Netz der Nachbarschaft

Es führt kein anderer Weg zur Insel Alsen als über Düppel. Wer trocken hinüber will, muß, bevor er die Klappbrücke überquert, an den Düppeler Schanzen vorbei, ja, sogar mitten durch sie hindurch, denn die Wälle und Forts liegen gerecht verteilt, liegen unübersehbar zu beiden Seiten der Chaussee. Niemand kommt daran vorbei, es sei denn, er landet mit einem Boot, mit einem Flugzeug auf der Insel.

Auch wir wollten auf trockenem Weg nach Alsen hinüber, auf die dänische Insel, von der wir wenig gesehen, noch weniger gehört hatten; wir wollten Bürger von Alsen werden, und so mußten wir durch die Düppeler Schanzen hindurch. Nie hätte ich vermutet, daß der grüne, tiefgrüne Rücken des Berges, den wir hinauffuhren, die Düppeler Schanzen trug, doch ein Schild mit roten Buchstaben kündete sie an, und wir mußten den roten Buchstaben glauben und sahen uns an in sanftem Erschrecken, mit dem sanften Schauder, den manche Begegnungen mit der Geschichte hervorrufen. Und schreckhaft fiel mir Podbolec ein, mein stämmiger Geschichtslehrer – Turnen gab er, Geschichte und Erdkunde –, und ich dachte daran, daß man bei ihm die Geschichtszensuren an der Kletterstange, die Erdkundezensuren am Reck aufbessern konnte –, eine Möglichkeit, von der ich ausgiebig Gebrauch gemacht hatte. Doch obwohl die Grundlagen meiner historischen Bildung im wesentlichen von Waden- und Armmuskeln geschaffen wurden, fiel mir, als das Schild die Düppeler Schanzen ankündigte, sofort ein Name ein, ein kostbarer Name, den Podbolec mit einem Ausdruck grimmiger Ehrfurcht zu nennen pflegte: Klinke!

Wenn ihr jemals auf die Düppeler Schanzen kommt, hatte Podbolec uns in Masuren gelehrt, werdet ihr euch prompt erinnern: Klinke.

Ich erinnerte mich prompt des kostbaren Namens, Podbolec triumphierte nach vielen Jahren, und ich dachte, während wir den Berg hinauffuhren, an den Pionier Klinke, der eine Bresche in diese Schanzen gesprengt hatte, indem er, schwer mit Pulver bepackt, gegen die Wälle anlief und zu gegebener Zeit das Pulver auf seinem Rücken zur Explosion brachte, wonach er allerdings keine Möglichkeit mehr fand, sich von der Wirkung zu überzeugen. Ich dachte an Klinke: würden wir seine Spur entdecken? Ein Zeichen seiner geleisteten Arbeit, mit der er so rasch für eine Hinterbliebenenrente gesorgt hatte? Wie würde der Platz aussehen, das Feld, das sich die Geschichte für einen ihrer Tobsuchtsanfälle ausgesucht hatte? Würden wir überhaupt etwas wiederfinden, da doch Geschichte, wie ich lange geglaubt hatte, nur etwas war, was man lernen, hören, was man jedoch nie antreffen konnte? Alle Geschichte, hatte ich geglaubt, ist eine alte Legende, nie geschehen, nie erlitten, eine Legende, die von den Podbolecs hier und da nur wiedererzählt wird und deren mangelhafte Kenntnisse man am Reck, an der Kletterstange wettmachen kann.

Langsam und verwirrt fuhren wir zu den grünen Wällen hinauf, und ich beobachtete meine Frau aus den Augenwinkeln und sah, daß auch sie sich beklommen Fragen stellte: nein, es bestand kein Zweifel mehr: die Geschichte besaß ihre Spielplätze, ihre Bühnen und Arenen, sie hatte sich wirklich ereignet, und was Podbolec erzählt hatte, war keine Legende.

Die Düppeler Schanzen waren namentlich vorhanden. Sie lagen vor uns und waren grün, und wir fuhren sehr langsam auf sie zu, während die Phantasie ungeduldig vorauslief. Zu eindringlich hatte uns Podbolec die Schlacht geschildert, zu grimmig war sein Bericht über das, was sich hier 1864, am 18. April, 10 Uhr morgens – glücklicherweise also nach dem Frühstück –, ereignet hatte, und ich erwartete, oben auf ein graues Feld zu treten. Ich erwartete Schweigen, einen verhangenen Horizont, Schwermut über dem Land; ich war überzeugt, dort oben nur gedämpftes Seufzen zu hören und überall nur Traurigkeiten vorzufinden. Wir bereiteten uns darauf vor, ein altes Schlachtfeld zu betrachten –, das wir betrachten mußten, weil wir nach Alsen hinüber wollten, und der Weg hinauf war wie ein Weg in Quarantäne.

Das erste, was ich vom Schlachtfeld sah, waren die Parkplätze; neu, großzügig, der Landschaft angepaßt und mit Kieselsplitt ausgeschüttet, und ein großes »P«, wie Podbolec es unter unsere Geschichtsarbeiten schrieb, zog uns an. Wir hielten unter dem »P« und stiegen leise aus. Überall standen Busse, Autos und Fahrräder. Es war sehr warm, die Hitze flimmerte über dem Splitt, und die Bäume hatten nur kurze Schatten. Ein kleiner, erhitzter Junge, Rotz und Glück im Gesicht, stapfte vorbei, in beiden Händen eine riesige Eisportion, von der er abbiß und mir dabei aufmunternd zuzwinkerte.

Er verschwand zwischen den Bäumen, von wo uns jetzt eine melodiöse Männerstimme erreichte: melodiös riet sie einem gewissen »Tom Dooley«, sich darauf gefaßt zu machen, daß er am nächsten Tag hängen müsse. Ein abgehetzter Mann mit einem Korkenzieher in der Hand kam auf uns zu, fragte uns verwirrt zuerst auf dänisch, dann auf deutsch, ob wir seine Frau gesehen hätten. Wir schüttelten stumm den Kopf, wir hatten seine Frau nicht gesehen. Ich blickte auf den Korkenzieher und sah, daß auf dem Griff das Bild der Düppeler Schanzen eingedruckt war. Der gehetzte Mann lauschte und ging zu den Bäumen hinunter, wo die melodiöse Stimme Tom Dooleys Sündenregister aufzählte.

Wir sahen uns um, die Schanzen lagen zu beiden Seiten der Straße, grüne, sanfte Wälle, die in der Sonne leuchteten. Ergriffen gingen wir los, machten uns auf den Weg zu der sichtbaren Stätte, auf der die Geschichte, nach Podbolecs Worten, nur »mit gesenktem Blick« erlebt werden kann. Wir kletterten die Hänge hinauf. Sie bildeten ein geschlossenes Viereck, mit einem windstillen, grasbedeckten Platz in der Mitte, über den schmale Trampelpfade führten, und wir standen eine Weile mit gesenktem Blick oben. Dann stiegen wir hinab, und vor uns, in dem windgeschützten Winkel, sah ich den ersten Tisch: einen Picknick-Tisch mit Picknick-Stühlchen dazu, und auf den Stühlen eine picknickende Familie. Die Familie war rotgebrannt von der Sonne. Auf dem Tisch erkannte ich: geräucherten Fischrogen, Brause, hartgekochte Eier, Butterstullen, Tomaten und Kalbsroulade. Wir nickten der wortlos picknickenden Familie zu und gingen zu der kleinen Erhebung, auf der, unter einer Schutzvorrichtung, die alten Grundrisse der Befestigung ausgestellt waren: wo das Magazin lag, wo die Munition, wo schließlich die Kanonen standen – alles war darauf zu sehen, und mit fernem Dröhnen in den Ohren verglich ich Grundriß und Wirklichkeit und entdeckte dabei, unmittelbar zu unseren Füßen, den zweiten Picknick-Tisch. Es war diesmal kein Klapptisch, vielmehr waren die Speisen auf einer Decke ausgebreitet, und um die Decke herum lag eine fröhlich kauende Familie. Auf der Decke erkannte ich: Leberpastete, Milchbrötchen, eine Schüssel mit Butter, verlorenen Schinken, Milchflaschen, und auf einem Teller kalte Koteletts: ja, und die kalten Koteletts erinnerten mich an den Grundriß der Befestigung, es bestand eine verblüffende Ähnlichkeit der Formen. Fröhlich sah die Familie zu uns herauf; wir wünschten guten Appetit und gingen.

Wir gingen zu einem Gedenkstein, und ich dachte, daß er an den kostbaren Namen Klinke erinnern würde, aber der Gedenkstein erinnerte nicht an Klinke, sondern an einen anderen Mann. Vor dem

Gedenkstein, mit schwarzer Samtjacke und schwerer Uhrkette, stand ein alter, betrübter Mann, der seinen Stock in das Gras gestoßen hatte. Forschend blickte er auf den Stein. Wir stellten uns schweigend neben ihn, lasen rasch den eingemeißelten Namen, und da der alte Mann blieb – er war schon lange vor uns dagewesen –, begann ich zu überlegen, was ihn hier festhalten konnte. Vielleicht, dachte ich, hört er für sich die Laute der Schlacht, vielleicht ist er sogar ein alter Artillerie-Offizier, den die Stille so betrübt machte, und während ich das dachte, sah ich, daß eine der runden Kanonenkugeln, mit denen man den Gedenkstein geschmückt hatte, aus der Zementfassung ausgebrochen war. Und da sagte der alte Mann zu mir: »Heute klauen sie alles, selbst Kanonenkugeln. Zu meiner Zeit machte man noch Unterschiede.«

Wir pflichteten ihm bei und blickten uns erschrocken um: Geschrei erklang, fuchtelnde Arme erschienen über den Wällen, Getrappel erschütterte den Boden – eine Schulklasse stürmte die Wälle noch einmal. Hinter ihnen, seufzend unter der Hitze, erschien ihr Podbolec. Auf ein Zeichen wurde der Sturm unterbrochen, die Klasse lagerte sich, und dann wurden Stullen herausgekramt. Äpfel, Tomaten, und kleine, dreckige Hände tauschten Lakritzstangen, langten in Tüten und Körbe, probierten, reichten weiter und verschränkten sich. Einige Brote waren mit Käse belegt, andere mit Wurst, gebratenem Fisch, und ein Junge biß von einem Kaninchenschenkel ab. Wir machten einen Bogen um die hastig essende Klasse, und als wir zurückblickten über das grüne, geschlossene Viereck, entdeckte ich überall in den Winkeln kauende Menschen. An Tischen, auf Gummimatratzen, auf Decken: überall schnappende Kiefer, würgende, schluckende Zeitgenossen; über dem ganzen Schlachtfeld glaubte ich einen sanften Essensgeruch zu spüren. Podbolec, flüsterte ich. Podbolec müßte das sehen.

Und dann gingen wir zur andern Seite der Schanzen hinüber, vorbei an dem Café, das den historischen Namen trägt. Die Fenster boten vorteilhafte Aussicht auf das Schlachtfeld, alle waren besetzt. Ein Sparverein aus Dithmarschen, einen Wimpel auf dem Tisch, saß da und genoß bei eigelbem Blätterteig und extrasahnigem Eis die Aussicht. Allerdings tranken nicht alle Kaffee; einige hatten Gläser mit honigfarbenem Apfelsaft vor sich stehen.

Am Café vorbei, an kleinen Kiosken, in denen die Geschichte auf preiswerten Tellern und Korkenziehern verkauft wird, und dann standen wir auf der Seeseite der Düppeler Schanzen. Die Ostsee war blau, weiße Segel glitten über das Wasser, und ich dachte an Portofino. Von der Zeit gebräunte, riesige Steine, Betonklötze und Bänke waren in der Nähe, doch wir setzten uns nicht, – zumal da schon die besseren Plätze besetzt waren von essenden Familien. Auf einer Bank erkannte ich Sandkuchen und weißliches Schweinefleisch in einem Weckglas, aus dem sich eine Frau im Unterrock würfelartige Brocken mit der Gabel herausbrach. Erstaunt bemerkte ich auch ein Glas mit eingemachten Heringsfilets.

Und auf einmal hatten wir sehr großen Hunger, ich dachte an die Koteletts, die wir gesehen hatten, an geräucherten Fischrogen, Kalbsroulade und Leberpastete, und ich nahm mir vor, künftig nie mehr ein Schlachtfeld zu betreten, ohne etwas Eßbares bei mir zu haben: ich hatte gelernt, welch einen Appetit Geschichte macht.

Meine Frau lenkte mich ab und zeigte nach Alsen hinüber, zur Insel: hinter den schiefergrauen Wassern des Sunds stieg sie auf, mit einem rosafarbenen Schimmer am Horizont, als ob sich dort ein Gebirge aus Schweinespeck erhöbe. Die sandigen Steilhänge erschienen mir wie gewaltige Tortenböden, die weißgelben Anwesen wie Klumpen geschlagener Sahne.

Und während ich wieder über das anmutige Panorama des Schlachtfeldes zurückblickte, die fröhlich picknickenden Familien sah, glaubte ich die Lehre zu begreifen, die sich aus diesem Augenblick ergab: die Leute, die hierher herausgekommen waren, um zu essen, boten ein Beispiel für eine sehr souveräne Haltung gegenüber der Geschichte. Ungezwungen, ganz ohne Pathos, ohne den problematischen Gefühlsüberhang, den unsere Podbolecs immer wieder hervorzurufen bemüht waren, stellten sie sich einem nationalen Datum.

Keine unkontrollierte Ergriffenheit, kein »gesenkter Blick«, wie Podbolec ihn uns abverlangte, sondern ein selbstgewisses, sinnreiches Rendezvous mit der Geschichte: das war das Beispiel jenes Augenblicks. Wer seine Geschichte essend betrachtet, ist ihr auf überraschende Weise gewachsen. Vielleicht sollten wir es auch einmal versuchen, und ich bin sicher: bei Kalbsroulade und Fischrogen schrumpfen alle Denkmäler auf ihr gerechtes Maß zusammen.

Am Anfang waren wir noch überrascht. Wir sahen uns jedesmal betroffen an, wenn fremde Herren auf Mopeds vor dem Haus hielten, abstiegen und gemächlich mit einer freimütigen Inspektion begannen:

wie unser Rhabarber steht, wie die Petersilie und die Stachelbeeren – es schien sie warm zu interessieren. Diese Wärme ihres Interesses dehnten sie auf den ganzen Garten aus, begutachteten Sträucher und Bäume, den Schuppen und die Müllgrube, und nachdem sie sich überzeugt hatten, daß auch das Gras seine alte Neigung verriet, zu wachsen, kamen sie ins Haus. Verwundert lauschten wir, hörten, wie der Besuch eingehend die Küche inspizierte, den Vorratsraum, den Efeu im Flur, hörten ihn nach oben klettern und auf den Balkon treten, von dem aus er befriedigt feststellte, daß die Ostsee noch an ihrem Platz war; sodann hörten wir ihn die Bücherregale durchstöbern, die Elastizität der Matratzen prüfen, den Feuchtigkeitsgrad der Wände, und schließlich, als er mit arglosem Eifer den Nähkasten meiner Frau inspizierte, faßten wir uns ein Herz und wünschten dem freundlichen Fremden »Guten Tag«.

Es bestätigte sich, was wir bereits vermutet hatten: auch er war ein Nachbar, ein weitläufiger zwar – nur acht Kilometer entfernt –; doch da er von uns gehört hatte, wollte er rasch nach dem Rechten sehen, wollte uns willkommen heißen in Dänemark.

Er war nicht der erste, nicht der einzige: bald schon, nachdem wir eingezogen waren, fing uns das große Netz der Nachbarschaft und holte uns ein wie eine fremde, gemäßigt exotische Beute. Keiner bleibt davon verschont. Wer hier lebt, gerät unweigerlich in die Maschen, wird eingebracht in das bestehende System sorgfältiger Nachbarschaftspflege, erlebt die köstliche Mühsal zwischenmenschlicher Beziehungen, – je vollkommener die Einsamkeit, desto geselliger wird der Mensch.

Zunächst aber ist der Neue der Andere. Man gibt ihm Zeit, sich einzurichten, sich an die neue Nahrung und an den unablässigen Wind zu gewöhnen, der Hemd und Jumper aufbläst; man läßt ihm auch Gelegenheit, einige Tage nach Herzenslust zu schweigen. Dann zeigt man ihm an, daß es auch noch andere Lebewesen gibt. Man gibt zu erkennen, daß man sich für ihn interessiert. Und die Qualität dieses Interesses ist einzigartig: vom Preis, den man fürs Haus bezahlt hat, bis zur Sorte der Bettlaken, auf die man sich legt, vom persönlichen Alter bis zur Anzahl der Goldplomben – alles ist erlaubt zu fragen, keine Diskretion blockiert die Neugierde, keine Frage ist so delikat, als daß man sie disqualifizieren müßte. Rechtschaffene Verblüffung: das war am Anfang unsere übereinstimmende Reaktion, als man uns einem erschreckenden Bündel von Fragen auslieferte: ob unser Beruf zum

Leben reicht, wie wir uns bei Gewitter verhalten und was wir über Adenauer denken – die Bekenntnisse fanden kein Ende. Verblüfft gaben wir Auskunft, stillten die faszinierende Neugierde, ließen keinen Rest von Ungesagtem zurück. Selbst unsere Krankheiten als Säugling vergaßen wir nicht zu erwähnen, was von unseren Nachbarn mit ernster, kopfnickender Aufmerksamkeit zur Kenntnis genommen wurde.

Dann waren wir am Ende und unsere Nachbarn im Bilde. Wir glaubten, ihnen durch erschöpfende Auskunft genügt zu haben, und erwarteten, was man nach solch umfassender Herzensergießung zu erwarten hat: Billigung oder Mißbilligung nämlich. Doch wir täuschten uns. Nachdem wir unsere sozialen, politischen, konfessionellen und biographischen Daten an den Mann gebracht hatten, und zwar unter nie erlahmender Anteilnahme, wurden unsere Nachbarn ihrerseits von einem Mitteilungsdrang heimgesucht, der uns hilflos machte. Nun erwarteten sie Fragen, präparierten sich auf Geständnisse, machten sich auf unsere enzyklopädische Neugierde gefaßt, und als wir eine urbane Freimütigkeit des Fragens vermissen ließen, verzichteten sie schließlich auf jede freundliche Herausforderung und begannen, von sich zu erzählen. Sie ließen nichts aus. Ein unwiderstehlicher Drang, zu bekennen, erfaßte sie; sie glaubten, uns nichts schuldig bleiben zu dürfen, packten und packten aus, mit vorbildlicher Offenheit. Vielleicht war es eine Entschädigung für ihre Fragen, eine Aufmerksamkeit, zurückgezahlt in gleicher Münze; vielleicht war es aber auch Billigung, die sich in diesem redseligen Anvertrauen zeigte; jedenfalls erlebten wir so etwas wie eine kosmische Unterrichtung – wobei natürlich vorausgesetzt war, daß der Kosmos an der Bucht vor dem nächsten Dorf zu Ende war. Wieviel Jörn Jörnsen an Pacht bezahlt, warum Urs Ursen seinen Stall angezündet hat; wo die Küken billiger, das Haarschneiden teurer ist; warum Bengt Bengtsen Junggeselle und das Gewitter, wenn es über die Halbinsel kommt, böse ist – eine Flut von Informationen setzte ein. Wehrlos hörten wir zu, ließen uns so gründlich aufklären, daß wir alsbald Ferkelpreise kannten und die sichersten Anzeichen für Regen, das Verhältnis unserer Nachbarn zu Adenauer und das Schicksal von Knud Knudsen, der seit elf Jahren mit einer Gesichtsmaske aus Sackleinen herumläuft. Nichts blieb unerwähnt, nichts blieb uns verborgen. Kühn geworden, fragten wir den Rest, der uns noch zu fehlen schien, heraus; etwa den Ursprung gewisser Narben und den Mindestverbrauch von Feuerzeugbenzin.

Und sodann waren auch wir im Bilde. Der Austausch war abgeschlossen. Ihr Wissen von uns wog unser Wissen von ihnen in jeder Weise auf. Wir erfüllten den uralten, legitimen Anspruch der Nachbarschaft, über den anderen Bescheid zu wissen.

Dies Wissen erleichtert viel und erschwert einiges; denn Urteil und Vorurteil sind unter Umständen identisch, und außerdem handeln wir weit nachgiebiger im Sinne unserer Vorurteile als im Auftrag eines von Emotionen gereinigten Urteils. Jedenfalls, das weitläufige Wissen voneinander legte uns etwas nahe, was uns im Augenblick überraschte: Schweigen nämlich. Wie die Flut bekanntermaßen die Ebbe nach sich zieht, so folgte den Triumphen der Neugierde ein rätselhaftes Schweigen. Zwar erfolgten nach beiderseitigem Anvertrauen regelmäßige Einladungen, doch gesprochen wurde nur noch im Notfall. Diese Praxis einzusehen, fiel uns zunächst schwer: abends, so gegen neun, zogen wir zu den Nachbarn hinüber – oder sie kamen zu uns –, gesprächsbereit, willens, nun, da man alles Persönliche ausgetauscht hatte, sich auch über Allgemeines zu verständigen. Es gibt gewöhnlich fünf Sorten Kuchen und starken Kaffee bei diesen Einladungen, es gibt aber auch sehr teuren Schnaps, und man trinkt Kaffee und Schnaps und schweigt. Man kommt zusammen, um gemeinsam zu schweigen über die Dinge, die man kennt. Allerdings bekundet man von Zeit zu Zeit seine Anwesenheit, etwa, indem man ruckhaft den Kopf hebt, freundlich in die Runde blickt und einmal »jo« sagt, und dann, rasch hintereinander, bis zu zwölf Mal: »jo, jo, jo, jo«. Solch einem Ausbruch wird lebhaft nickend beigestimmt, worauf man wieder intensiv vor sich hinblickt. Wer neu hinzukommt, wird viele Formen des Schweigens entdecken können, wird überrascht sein, auf wie vielerlei Weise man schweigen kann. Ich zögere keineswegs vor der Feststellung, daß meine dänischen Nachbarn einen Vorzug darin sehen, angeschwiegen oder nur mit einem »jo, jo« bedacht zu werden. Und in der Tat, man braucht nicht bis zu archaischer Dämmerzeit zurückzusehen, um zu finden, welch eine exquisite Schmeichelei und welch eine Aufmerksamkeit gegenüber dem Gast im Schweigen liegen können.

Mittlerweile habe ich erfahren, wieviel Teilnahme im Schweigen meiner Nachbarn liegt. Jede Hilfeleistung geschieht wortlos; mancher Dienst, den man dem andern erweist, bleibt anonym. Schweigend kommt ein Mann mit Säge und sägt die toten Äste vom Baum herunter; schweigend schleppt ein anderer Planken für eine Reparatur heran, nagelt sie fest und geht; und ich werde wohl nie erfahren, wer das Boot hoch auf Land zog, als es sich beim Sturm losgerissen hatte. Je weiter man voneinander wohnt, desto näher wohnt man zusammen, und nirgends steht einem der andere so nah wie in abgelegenen Gehöften. Um zu solch einer Nähe zu gelangen, zu einer Haltung, für die anderes Mißgeschick mit eigenem Mißgeschick gleichbedeutend ist, muß man natürlich über den andern Bescheid wissen. Wer aber wissen will, muß fragen; – je mehr, desto zudringlicher. Wie immer, sollte sich dereinst in dieser Gegend ein Neuer ansiedeln, so weiß ich, was ich zu tun habe: ich werde seine Tomaten betasten und sein Porzellan zählen, werde mich nach seiner Umsatzsteuer erkundigen und nach seinem Verhältnis zu General de Gaulle und Sugar Ray Robinson, und sobald er geantwortet hat, werde ich ihm alles Nötige mitteilen, einschließlich der Zahnpaste, die meine Frau benutzt, und wir werden keineswegs anders dabei handeln als im Sinne überlieferter Nachbarschaftspraxis, deren Hohe Schule schließlich das gemeinsame Schweigen ist.

Angenehm ist es, gleichsam vom Strom einer Gesellschaft getragen zu werden, sich einzulassen, einzupassen in ihre Handlungsnormen, Gleicher unter Gleichen zu sein, alle Regungen zu verstehen, das Fremde als fremd und das Übliche als üblich anzusehen. Ich stellte es mir als ein wohliges Gefühl vor, in das warme Zentrum einer Gesellschaft einzudringen, verstanden zu werden, gehalten und gestützt zu werden – der Inbegriff eines soziologischen Eros kündigte sich derart für mich an. Deshalb machten wir das, sobald wir uns auf der Insel eingerichtet hatten, zu unserem definierten Planziel: Wir wollten uns von der Gesellschaft absorbieren lassen, wollten eingehen in sie und wie Plankton selbstverständlich durch sie hintreiben. Plankton: das ewig Treibende, das sanfte Gewiegte, zeigte uns den Idealfall an, und so wie es vom Mutterozean getragen wird, so wollten wir uns von der Gesellschaft der Insel tragen lassen. Meine Frau und ich sprachen ausgiebig darüber, nahmen die Gewohnheiten der kleinsten Teile an, machten den Versuch, ganz auf der Insel heimisch zu werden. Nun gilt es als ausgemacht, daß, wer irgendwo heimisch werden will, sich zunächst gewöhnen muß; er muß seine Fremdheit vergessen, seine mitgebrachten Normen, und in gleicher Weise, wie er das Mitgebrachte verliert, wird ihm das Neue selbstverständlich. Wenn das Neue nicht mehr das Andere ist, dann ist man auf dem Weg, heimisch zu werden, und das Gefühl heimisch zu sein, wird entsprechend legitimiert, sobald man gewisse Gemeinsamkeiten entdeckt. Sie sollten uns die Einfühlung erleichtern.

Wir waren zuversichtlich: Alsen liegt nicht allzu weit von der deutschen Grenze entfernt, die alten Männer erinnerten sich deutlich an die Kaisermanöver, die sie einst in Potsdam, in Königsberg oder Straßburg als deutsche Soldaten mitgemacht hatten, und schließlich gibt es in den meisten Geschäften deutschen Schnaps zu kaufen. So hofften wir, die Gemeinsamkeiten zügig zu entdecken. Außerdem ist Alsen keine anspruchsvolle Insel: der Buchdruck und das Steilfeuergeschütz wurden anderwärts erfunden; Alsen hat keinen Leonardo hervorgebracht, keinen Kardinal, nicht einmal einen einflußlosen König; statt dessen schenkte die Insel der Welt eine diskrete, gemischte Gesellschaft von Bauern, Fischern und Handwerkern, Leute, die gewissenhafte Zeitungsleser sind, ohne den Ehrgeiz zu haben, selbst für Schlagzeilen zu sorgen. Mit der gleichen Selbstverständlichkeit, mit der sie dort lebten, glaubten wir, uns dem Inselleben einpassen zu können. Wir täuschten uns. Alsen, die unscheinbare Insel, hörte nicht auf, uns in Erstaunen zu setzen.

Das erste, was uns anders schien, was unser Erstaunen hervorrief, war das Zeitgefühl auf Alsen. Ich entdeckte es bei der Gelegenheit eines Bootkaufs. Mein Nachbar Jörn Jörnsen hatte mir das breitplankige Ruderboot weit unten am Strand gezeigt, ich wollte es kaufen, und Jörn wollte mir dabei helfen. An einem Sonntagmorgen zogen wir schweigend los, fanden das Boot, Jörn zog es auf Land, kippte es um und begann mit einer gemächlichen Untersuchung. Nachdem er es beklopft, angekratzt und auch berochen hatte, sagte er: »Es ist ein gutes Boot, du kannst es kaufen.« Ich fragte: »Will der Eigentümer denn verkaufen?« »Das glaube ich kaum«, sagte Jörn, »es ist ein gutes Boot.« Ratlos sah ich ihn an, fragte nicht, warum er mir das Boot überhaupt gezeigt hatte. Wir gingen zu dem Gehöft hinauf, in dem der Besitzer wohnen sollte. Ein freundlicher Alter empfing uns, zeigte seine Freude über den unverhofften Besuch und lud uns zu Kaffee und Kuchen ein. Als er hörte, daß ich Deutscher sei, begann er sich zu erinnern: auch er hatte einst an einem Kaisermanöver teilgenommen, war der zweitbeste Schütze der Kompanie gewesen, der Kaiser war in nur acht Meter Entfernung an ihm vorbeigegangen und hatte ihn ruhig angeblickt. Er wollte wissen, ob ich auch zu den besten Schützen der Kompanie gehört hatte. Ich schüttelte den Kopf, faßte mir ein Herz und fragte, ob er das Boot unten auf dem Strand verkaufen wolle. Er sah mich verblüfft an. »Es ist nicht mein Boot«, sagte er und schenkte uns neuen Kaffee ein. Jörn fand nach längerem Verhör heraus, daß das Boot dem Sohn des Alten gehörte, und später machte ich den Vorschlag, zu dritt in den Norden der Insel zu fahren, wo der Sohn des Alten auf einem Hof diente. Gemächlich fuhren wir hin, erreichten den Hof, doch der Sohn war nicht da, war mit dem Motorrad in den Süden der Insel gefahren. Ich war bereit, aufzugeben, es war bereits Mittag, ich hatte ursprünglich nur eine halbe Stunde fortbleiben wollen, aber der Alte sagte: »Wir stellen uns mit dem Auto auf die Chaussee und warten: einmal muß mein Sohn ja hier vorbeikommen.« »Wann?« fragte ich gequält. »Genau läßt sich das nicht schätzen«, sagte der Alte. Wir warteten schweigend, verlagerten nur gelegentlich das Gewicht und sagten »jo –, jo, jo«. Am späten Nachmittag kam ein Motorrad, es war der Sohn, und der Alte blickte mich mit freundlichem Triumph an. Wir setzten uns in den Straßengraben und rauchten, und nach einer Weile fragte ich den Sohn vorsichtig, ob er das Boot verkaufen wolle. Er sagte: »Das Boot ist schon verkauft.« – Nun, später erhielt ich es dennoch.

Als ich endlich zurückkam, erzählte ich meiner Frau, was ich kennengelernt hatte, und auch sie war verwirrt und staunte über das Zeitgefühl auf Alsen. Um hier heimisch zu werden – das begannen wir einzusehen –, mußten wir jede Ungeduld verlieren und anfangen, Zeit nur im Wechsel der Jahreszeiten zu begreifen. Wenn wir auch über diese frühe Wahrnehmung verwirrt waren, so hofften wir doch, alsbald einige tröstliche Gemeinsamkeiten zu entdecken, und wir hofften es besonders, als wir zur Teilnahme an einer Inselhochzeit eingeladen wurden. Eine Hochzeit, so dachten wir, ist ein so selbstverständliches Ereignis, daß wir keine Gelegenheit finden würden, uns zu wundern. Eine Inselhochzeit, so glaubten wir, verläuft wie eine Hochzeit in der Stadt, und wenn uns etwas den Atem verschlagen könnte, dann allenfalls die maisblonde Anmut der Braut. Wie immer, die Braut war es nicht, die uns den Atem verschlug, sondern die Regeln der Inselhochzeit, in die uns Jörn Jörnsen, mein Nachbar, einweihte.

Wir wußten, daß einhundertsechzig Gäste zur Hochzeit eingeladen waren, wir wußten auch, wo sie stattfinden und wie lange sie dauern sollte. Was wir nicht wußten – und worüber unsere Irritation kein

Ende fand – war, daß wir selbst alles bezahlen sollten. Es war also eine Einladung auf unsere Kosten. Jörn Jörnsen las uns den Festschmaus vor, wies uns darauf hin, daß es nachts um drei Kaffee, morgens um sechs Biersuppe geben würde, und dann erwähnte er den ausgemachten Preis: fünfzig Kronen pro Person. »Falls alles nur sechsundvierzig Kronen pro Person kosten sollte«, sagte er, »müßt ihr die vier Kronen abschreiben: die erhält das Paar.« Unentschlossen blickten wir uns an, dann sagte meine Frau: »Ich verstehe immer noch nicht: wir sind also zur Hochzeit eingeladen?« »Ja«, sagte Jörn. »Wir sind also«, sagte meine Frau, »herzlich eingeladen, zu essen und zu trinken?« »So ist es, gut zu essen und zu trinken.« »... doch die Rechnung muß jeder selbst bezahlen. Ich weiß nicht, doch ich habe das Gefühl, daß das eine merkwürdige Einladung ist.« Mein Nachbar Jörn Jörnsen schüttelte den Kopf und sagte: »Was soll, bitte sehr, an dieser Hochzeit merkwürdig sein? Wir finden nichts erstaunliches daran. Jeder, der rechnen kann, wird herausbekommen, daß das Brautpaar eine Menge Geld spart, wenn die Gäste zahlen.« »Gut«, sagte meine Frau, »aber ebensowenig, wie man etwas geschenkt bekommen kann, das einem schon gehört, kann man nicht zu etwas eingeladen werden, was man selbst bezahlt.« »Das soll wohl stimmen«, sagte Jörn Jörnsen, »doch wenn die Gäste ihre Rechnung bezahlen, braucht das Brautpaar sie nicht zu bezahlen.« Dieser Logik wagten wir uns nicht zu widersetzen. Verwundert ließen wir uns auf unsere Kosten einladen, und unsere Vermutungen wurden stärker, daß vieles auf Alsen anders war und daß es schwer sein würde, die Gemeinsamkeiten zu entdecken, auf die wir aus waren. Was auf der Insel als üblich gilt, gilt bei uns in der Stadt keineswegs als üblich, das war das frühe Fazit unserer Lage. Alsen wollte uns einfach nicht selbstverständlich werden, verwirrte uns vielmehr, zwang uns zum Staunen und erinnerte uns so an unseren andersartigen Großstadt-Charakter. Zeitgefühl und Hochzeitsbrauch hatten uns unser Außenseitertum bewußt gemacht –, bald darauf lernten wir etwas anderes kennen, was uns zeigte, daß wir Fremde waren: die bestürzende Familiarität.

Wer auf Alsen ansässig wird, wird sogleich in ein vertrauliches, ungeniertes Verhaltenssystem einbezogen. Man sagt zu jedermann du und redet ihn mit Nachnamen an. Es ist völlig unverfänglich, in den Angelegenheiten des Nachbarn ausgiebig Bescheid zu wissen. Das allgemeine, familiäre Empfinden geht so weit, daß man risikolos in den

Raum treten kann, in dem sich die Nachbarin gerade wäscht. Man ruft kein Befremden hervor, wenn man seine Gebißprothese aus dem Mund nimmt und sie mit der des Nachbarn vergleicht, um die Arbeit zu begutachten, und wer in einem Mann einen Inselbewohner vermutet, kann ihn getrost aus dem heiteren Himmel nach den gegenwärtigen Haferpreisen fragen. Familiarität schließt nun einmal ein, daß man ohne Konventionszwang auskommt, die Karten sind aufgedeckt, es werden gleiche Interessen vorausgesetzt. Wenn wir heimisch werden wollten, mußten wir uns zu dieser Familiarität bekennen – wobei uns weniger der Gedanke zusetzte, daß wir unsere Karten aufdecken sollten, als vielmehr die Scheu, freimütig in die aufgedeckten Karten der anderen zu blicken. Würden wir je den Mut zu einer Familiarität aufbringen, die auch den König einschließt, sobald er seinen Fuß auf die Insel setzt? Jörn Jörnsen überraschte uns eines Tages mit der Bemerkung, daß er mit dem König gesprochen habe. Ich fragte ihn, was er zum König gesagt habe, und Jörg meinte: »Guten Tag. Zuerst wünschte ich ihm guten Tag.« »Und der König?« fragte ich. »Er sagte auch ›guten Tag‹.« »Und das war alles?« »Nein«, sagte Jörn, »nachdem ich ihm guten Tag gewünscht hatte, sagte ich: grüß die Königin.« »Und was sagte der König?« fragte ich. »Danke, wird gemacht.«

Nach solchen Erfahrungen spürten wir, wie schwer es sein würde, unser Ziel zu erreichen – nämlich uns von der Inselgesellschaft absorbieren zu lassen, unmerklich wie Plankton durch sie hinzutreiben. Denn beinahe alles, was wir erlebten, und zwar in unmittelbarer Nachbarschaft, erstaunte oder beunruhigte uns, ließ uns jedenfalls ermessen, wie viele unserer Maßstäbe vom Festland wir aufgeben mußten, um nicht mehr fremd zu sein, es stellte sich nach und nach heraus, daß unsere Normen und die Normen der Inselleute nicht übereinstimmten.

Als meine Frau zum ersten Male Knud Knudsen sah, erschrak sie sehr. Knud trägt seit elf Jahren eine Gesichtsmaske aus Sackleinwand, trägt sie Tag und Nacht, und da wir nichts weiter von ihm wußten, fragte mich meine Frau, ob es vielleicht auf der Insel üblich ist, zu gewissen Jahreszeiten eine Gesichtsmaske zu tragen. Nachforschungen ergaben, daß Knud Knudsen einer unserer interessantesten Nachbarn ist: Er hat einst Sprachen studiert, doch ein Erlebnis, das elf Jahre zurückliegt, erschütterte ihn so, daß er beschloß, die menschliche

Sprache nicht mehr zu gebrauchen. Und da er überdies niemanden sehen will, trägt er die Gesichtsmaske. Wieviel unregelmäßige Verben, wieviel grammatikalische Kenntnisse liegen sozusagen brach in seinem Schweigen. Unser Instinkt sagte uns, daß wir Knud Knudsen nie als selbstverständliche Erscheinung würden ansehen können.

Ebenso würden wir uns nie an einen anderen Nachbarn gewöhnen können, an den Knecht Tage Tagsen, einen hilfsbereiten Mann, auf dessen Gesicht ein ständiger Ausdruck des Lauschens liegt, so als höre er überall Stimmen. Von Tage wissen wir, daß er einen prächtigen Hof angezündet hat, nur weil er mit seinem Bauern nicht übereinstimmte, auf welcher Seite das Vieh zu führen sei. Tage meinte: auf der rechten Seite, der Bauer indes war der Ansicht, daß das Vieh links geführt werden müsse, so wie es Generationen vor ihm getan hatten. Da es zu keiner Einigung kam, ging Tage in die Scheune, hielt sein Feuerzeug unter das Stroh und machte dem ländlichen Dogmenstreit auf seine Art ein Ende. Natürlich begriffen wir, daß für uns nie üblich werden konnte, was für Tage Tagsen üblich war. Und schließlich, das mußten wir uns eingestehen, würden wir es auch nie zu der spezifischen Inselhöflichkeit bringen, von der uns Paul Paulsen ein sinnfälliges Beispiel gab. Es ist eine Höflichkeit, zu der nicht weniger Sinn für Etikette gehört als eine bewundernswerte Kaltblütigkeit. Von Paul Paulsen wissen wir, daß er im Bus über die Insel fuhr und plötzlich bemerkte, wie ein zerstreuter Fremder seine brennende Tabakspfeife in die Tasche schob. Paul Paulsen wartete, bis Qualm aus der Tasche stieg; dann wandte er sich an den Fremden und fragte, wo er geboren sei. Der sagte: »Auf Bornholm.« Dann fragte Paul weiter nach dem Namen und erfuhr, daß der Fremde Christian Christiansen hieß. Endlich erkundigte er sich nach dem Beruf, und nachdem er alles sorgsam bedacht hatte, sagte er: »Fischer Christian Christiansen aus Bornholm, in deiner Tasche brennt's, das Jackett ist schon durchgesengelt.«

Mehrmals debattierten wir über die Formen der Inselhöflichkeit, bis wir einsahen, daß auch sie uns nie selbstverständlich werden könnte, – und zwar ebensowenig wie andere Verhaltensnormen, wie Zeitgefühl, Gastlichkeit, Hochzeitsbrauch und die Weise, einen Streit zu beenden. Wir mußten anerkennen, daß wir Fremde bleiben würden, einstweilen zumindest. Vorerst bestand keine Möglichkeit, heimisch zu werden, einzutauchen in die Gesellschaft, den soziologischen Eros aufzufinden. Die Insel ließ einfach nicht zu, daß wir uns an sie gewöhnten. Doch allmählich begannen wir festzustellen, welch ein Vorzug darin liegen kann, daß man sich nicht gewöhnt, daß man nicht heimisch wird im üblichen Sinne, daß man keine Gemeinsamkeiten auf Schritt und Tritt entdeckt. Allmählich begannen wir zu begreifen, wieviel mehr daran liegt, in Erstaunen gesetzt oder gar beunruhigt zu werden. Wer sich wundert, beginnt zu fragen, und auf Alsen gibt's manchen Grund dazu. Vielleicht tun wir deshalb gut daran, den biederen Ehrgeiz zu unterdrücken, auf dieser unscheinbaren Insel jemals heimisch werden zu wollen. Einstweilen jedenfalls werden wir keinen Versuch dazu unternehmen und uns angenehm verwirren lassen von dem liebenswerten Wunderland Alsen.

1960

Meditationen beim Kniefall

Arbeit ist nicht meine Stärke ... Früh schon rief sie meinen Widerwillen hervor, zwang meine Phantasie zu reger Tätigkeit, um ihren Fallen zu entgehen, forderte jeden Tag eine Höchstform von Argwohn und Scharfsinn, die nötig waren, um allen Drohungen auszuweichen ... Welchen Posten man mir auch anvertraute: Jede Art von Arbeit zehrte an mir, ließ mich mehr und mehr verkümmern – woraus ich mit Recht folgerte, daß ich für etwas anderes geschaffen sein müßte ... Vielleicht liegt das an meinem hanseatischen Temperament, an meiner Fähigkeit, lange geradeaus blicken zu können, ohne mich zu wundern – ich weiß es nicht. Ich weiß nur, daß jede Arbeit Allergien bei mir hervorruft, krankhafte Symptome einer ernst zu nehmenden Abneigung, und so entwickelte ich den verständlichen Wunsch – da ich schon zur Arbeit gehalten war –, mich mit meiner krankhaften Abneigung so gut wie möglich einzurichten. Es gelang mir leidlich, indem ich meinen Hausmeisterposten ganz im verborgenen besetzt hielt, bei wichtigen Besprechungen der sieben anderen Hausmeister gern die Partei der Mehrheit nahm und ferner alles tat, um so unbekannt wie möglich zu bleiben.

Als jüngster Hausmeister der Bundesrepublik tat ich meinen Dienst in sorgfältiger Anonymität, hütete mich vor jedem Ehrgeiz, vor Leidenschaft und Initiative, und da mein Arbeitgeber eine Anstalt öffentlichen Rechts war, hatte ich nicht mehr zu tun, als auf meinem Stuhl im Glaskasten zu sitzen, die Augen offenzuhalten, mitunter zu nicken. Während ich Vorübergehende – etwa freie Mitarbeiter – durchdringend musterte (es ist nur eine Frage der Augenstellung), träumte ich frühen Pensionswonnen entgegen ...

Auf diesem Stuhl im Glaskasten ersaß ich mir ein Anrecht auf den Altersfrieden, indem ich mit den Augen arbeitete, mit meinen Blicken, die mehr als sechshundert Beschäftigte streiften, die jeden Morgen den Eingang passierten, dazu die vielen Besucher, Boten, Kantinenlieferanten, die an mir vorbeimußten ... Lange glückte es mir, die vielen Eintretenden passieren zu lassen, ohne mir etwas dabei zu denken. Doch merkwürdig: Wer lange genug ins Leere sieht, findet plötzlich auch etwas, wird von einem Gedanken heimgesucht, von einer Frage. Auch der Träumende bleibt nicht verschont. Und je öfter, je länger ich aus meinem Glaskasten auf die Leute blickte, desto hartnäckiger drängte sich mir etwas auf: eine Beobachtung zunächst, eine simple Wahrnehmung, die sich dann aber so oft wiederholte, daß sie schließlich zum Problem wurde: Jeden Morgen sah ich aus der Sicherheit meines Aquariums, wie sich Leute begegnen, einander nähern, und zwar unterschiedlich gestellte Leute.

Ich sah sie grüßen und zurückgrüßen; ich sah sie aufeinander zugehen, miteinander sprechen, in verschiedenen Arten auseinandergehen. Ich bemerkte, daß einige versuchten, gesehen, andere – nicht gesehen zu werden. Bei den morgendlichen Begegnungen erlebte ich alle Spielarten der Ehrerbietung, der Gleichgültigkeit, der Verachtung, und zwar so regelmäßig, daß ich nicht umhinkonnte, mir etwas dabei zu denken. Ich begann zu bemerken, daß es viele Formen der Begegnung zwischen »ungleich gestellten« Menschen gibt, Formen, die mitunter befremdliche Bedeutung haben, die enthüllen und verbergen, näherbringen und auseinanderbringen sollen ... In der Begegnung, in der Annäherung und im Gruß entdeckte ich nach und nach ein Abbild für das faszinierende Labyrinth menschlicher Beziehungen.

Mein Glaskasten wurde mit der Zeit mein Beobachtungsstand, von dem ich die Formen menschlicher Begegnungen und Annäherung studierte. Ich wurde bald gewahr, daß diese Begegnung eine sehr aufschlußreiche Handlung ist, daß in ihr mehrere Instinkte zum Ausdruck kommen, vor allem ein Instinkt: das Bedürfnis nach Selbsterhaltung. Die Formen der Begegnung verraten bereits auf den ersten Blick, daß der Mensch sich nicht allein weiß, daß er »den andern«

entdeckt hat, mit dem andern rechnet und sich auf wohlerwogene Weise auf ihn einstellt. Das ganze Zeremoniell der Begegnung besteht nur, weil es »den andern« gibt, dem man etwas anzeigen, etwas zu erkennen geben will.

Die Begegnung zwischen Lebewesen ist vor allem eine Gelegenheit zum Austausch von Erkennungszeichen. Man tauscht Zeichen aus, um sich zu schützen, und ursprünglich ist wohl auch der Gruß eine Schutzvorkehrung: Ich gebe zu erkennen, wer ich bin und wie ich »den andern« einschätze. Es wird niemanden wundern, daß es viele Arten und viele Formen der Begegnung gibt.

In meinem Glaskasten habe ich die Erfahrung gemacht, daß die Formen menschlicher Begegnung und Annäherung vornehmlich dadurch bezeichnet werden, daß es, sozusagen, ungleich gestellte Personen gibt. Der ganze Charakter der Begegnung ergibt sich aus sozialen Rangunterschieden und Höflichkeit, Gesittung, Lebensart: Alles richtet sich, soweit ich es überblicken konnte, nach einer einzigen, beispielhaften Instanz: nach dem sogenannten Vorgesetzten. Das lächelnde Entblößen der Eckzähne, die Verbeugungen, die Solotänze und Figurentänze, das reichhaltige Zeremoniell der Begegnungen ist von dieser Instanz erweckt, auf diese Instanz zugeschnitten. Der Vorgesetzte, den es überall gibt, beeinflußt nicht nur: Er prägt die Formen menschlicher Begegnungen. Er ist, in vielen Gestalten, die heimliche oder öffentliche Ursache für alle Mechanismen der Etikette: Soviel glaube ich aus meinem Glaskasten erkannt zu haben. Und weil ich die Ereignisse täglich vor Augen hatte, suchte ich nach einer Möglichkeit, sie überschaubar zu machen, sie zu ordnen, auf wesentliche Typen zurückzuführen.

Wo die Beobachtung nicht ausreichte, zog ich den Untersuchungsbericht von Gurk und Hickory über Formen menschlicher Begegnungen zu Rate, eine Arbeit, welche die beiden Forscher im Auftrag der jungen amerikanischen Witwe Mabel P. P. Trust verfertigt hatten. Mich interessierte mein Feld so sehr, daß ich beschloß, einen eigenen Bericht zu verfertigen, wobei ich natürlich nicht umhinkonnte, mit Gurk und Hickory in einen Gedankenaustausch zu treten. Merkwürdig, auf einmal glaubte ich, mein Metier entdeckt zu haben, die krankhafte Abneigung gegen alle Art von Arbeit setzte mir nicht mehr so zu: Ich beschloß, meine Beobachtungen und Erfahrungen aufzuschreiben. Und wenn Sie Geduld und Nachsicht genug haben, meine Damen und Herren, dann sind Sie zu meiner Bilanz eingeladen.

Alle Menschen sind gleich – mit Ausnahme der Vorgesetzten … So beginnt der Bericht von Gurk und Hickory über Formen menschlicher Begegnung, deshalb tut jeder gut daran, in seinem Grußpartner einen möglichen Vorgesetzten zu vermuten. Bei einer ersten Begegnung empfiehlt es sich, den Instinkt durch die Vernunft zu korrigieren. Es ist der einfachste Selbstschutz.

Ich erlebte es vor meinem Glaskasten, hörte es durch das ovale Cellophanfenster, auf dem die Worte stehen: »Hier sprechen.« Es war ein Morgen wie sonst, und zwei Männer blieben vor mir stehen, ohne mich vor lauter Gewohnheit zu bemerken …

»Morgen, Max.«

»Morgen.«

»Ganz pünktlich, heute. Ob der Alte schon da ist, Max?«

»Ab heute hat's sich ausgemaxt – nur damit Klarheit zwischen uns besteht.«

»Wieso? Was ist los?«

»Nichts. Nur ab heute bin ich nicht mehr dein Max.«

»Was hab ich dir denn getan?«

»Wir sitzen nicht mehr zusammen. Ich hab das kleine Zimmer bekommen.«

»Sehr gut; dann haben wir endlich einen Platz, wo wir die Flasche verstecken können, ohne daß der Alte gleich darüberfällt, wenn er einmal reinschneit.«

»Das ist leider ein Irrtum. Dein Max mag es nicht so gern, wenn man ohne anzuklopfen bei ihm einfällt. Da ist eine Tür dazwischen, und die geht zuzumachen.«

»Hast du wirklich das kleine Zimmer bekommen?«

»Brieflich, ja: und außerdem noch was anderes.«

»Gehaltserhöhung?«

»Das auch.«

»Gratuliere, Max.«

»Inspektor – nur damit Klarheit zwischen uns herrscht. Und wenn du die Kontrollzettel zusammen hast: Ich bin dafür zuständig, nicht der Alte. Du kannst mit allem zu mir kommen, aber vergiß nicht, anzuklopfen.«

»Du – Inspektor – Max?«

»Es wäre nicht schlecht für dich, wenn du dich daran gewöhnst!«

Ein Vorgesetzter war geboren. Und wenn man sich in die Geschichte des Begrüßungszeremoniells vertieft, mit überlieferten Formen der Etikette beschäftigt – immer, so hat es den Anschein, wurden diese Formen dadurch beeinflußt, daß es, in übergreifendem Sinne, Vorgesetzte gab, die einen besonderen Gruß beanspruchten. Gurk und Hickory machen am Anfang ihres Berichts bezeichnenderweise folgende Feststellung:

Die Formen menschlicher Begegnungen wurden schon in archaischer Zeit durch den Vorgesetzten bezeichnet: den Häuptling eines Clans, einer Wohn- oder Jagdgemeinschaft, einer Sippe, durch den Priester, König oder Priesterkönig eines Stammes. Man nahm an, daß geheimnisvolle Kräfte ihm zur Verfügung stünden, die er schädigend oder segenspendend gegen die ihm Untergebenen wenden könnte. Seine Begabung mit geheimnisvollen Kräften machte ich zum Unterpfand dafür, daß die Lebensbedingungen der von ihm abhängigen Gemeinschaft ihren erträglichen, geregelten, von allen magischen Störungen freien Ablauf nahmen. Der Vorgesetzte in archaischer Dämmerzeit galt daher in doppeltem Sinn als tabu: Weil er ein erträgliches Leben sicherte, mußte er behütet, geschützt werden; weil er aber außerdem über magische Kräfte verfügte, war er gefürchtet. Furchterregend gab er Anlaß, sich vor ihm in Acht zu nehmen. Das doppelte Tabu hatte zwei Konsequenzen: Der Vorgesetzte wurde in überhöhter Weise isoliert und zweitens, da er ja eine Gefahr darstellte, in ein Netz von Vorschriften und vielfachen Verhaltensformen eingesponnen. Bei jeder Annäherung oder Begegnung mußten diese Vorschriften erfüllt, die Verhaltensformen genau eingehalten werden, so entwickelte sich ein Kodex von Umgangsmustern, so entstanden die zeremoniellen Gebräuche menschlicher Begegnungen. Im chinesischen, byzantinischen, im burgundischen und spanischen Hofzeremoniell wurden die Modelle gesellschaftlichen Betragens mit triumphierender Albernheit entworfen und auf die Praxis übertragen.

Soweit gingen Gurk und Hickory in ihrem Bericht zurück, um einige Phänomene menschlicher Begegnung, wie wir sie heute beobachten können, verständlich zu machen bzw. abzuleiten. Ich interessierte mich weniger dafür. Mein Feld war die Beobachtung, die stichhaltige Erfahrung. Und ich erforschte zunächst die verschiedenen Muster der Begegnung, wie ich sie aus meinem Glaskasten wahrnehmen konnte. Wiederum ergab sich, daß die Eigentümlichkeit der Begrüßung an den sozialen Rang der Person gebunden ist. Nach ausgiebiger Beschäftigung fand ich zu folgenden, etwas vereinfachenden Kategorien:

1. Begegnung zwischen niederen Gleichgestellten: verläuft lax, weitgehend unkontrolliert, offener Groll, offene Herzlichkeit. Alles wird gezeigt.

2. Begegnung zwischen höheren Gleichgestellten: verläuft bemüht, aufmerksam, mit gewissenhaftem Lächeln; legere Wertschätzung nach außen; streng darauf bedacht, dem anderen zu verhehlen, daß man ihn für einen Idioten hält.

3. Begegnung zwischen Direktor und sehr Tiefgestelltem: knapper, leutseliger Gruß; mitunter jedoch extrem kollegial – als ob man anzeigen wollte, wie hoch man das Mitspracherecht einschätzt. Sorglose Gleichgültigkeit.

4. Begegnung zwischen Direktor und unmittelbar Nachgestelltem: verläuft unter größter Aufmerksamkeit, Verachtung wird hinter Devotion versteckt; der Direktor gibt den Partnern das Gefühl absoluter Ebenbürtigkeit. Je größer die Rivalität, je akuter die mögliche Nachfolge, desto ungezwungener die Liebenswürdigkeit.

5. Begegnung zwischen Höhergestellten und Tiefergestellten: verläuft flüchtig, zerstreut, unaufmerksam von der einen Seite. Die andere Seite hat Mühe, Mißbilligung und Furcht zu verbergen. Man hält sich gegenseitig für eine Gefahr und befleißigt sich beim Gruß in der Kunst des Wegsehens.

Die letztere Kategorie hat übrigens mittlerweile Gültigkeit für Max und seinen Kollegen bekommen, seitdem Max zum Inspektor aufrückte und ein eigenes Zimmer erhielt. Ihre Begegnungen werden fortan anders verlaufen als zuvor. Auch eine Gesellschaft von Wölfen weiß, was sie dem stärksten Oberwolf schuldig ist: Freud behauptet, gewisse freundschaftliche Begegnungen und Zeichen seien nichts anderes als »Kompensationen verdrängter Angriffslust«. Das heißt: Ehrerbietung, die in so vielen Grußbezeugungen ausgedrückt wird, ist eine instinktive Taktik, um die Macht des anderen für sich einzunehmen. Bezeichnenderweise kulminiert das Zeremoniell der Begegnung in eingestandener Unterwürfigkeit oder doch in vorgegebener Unterlegenheit. Drei ehrwürdige Figuren beweisen das: der Kotau, was im Chinesischen soviel bedeutet wie »mit dem Kopf auf den Boden klopfen«; die ägyptische Entsprechung heißt Senta und verlangt, daß ein Niedriggestellter bei der Annäherung eines Höhergestellten den Boden küssen muß; schließlich die von Alexander dem Großen übernommene Proskynese, die den Kleineren anhält, vor einem »Großen« ausgiebig auf dem Boden zu

kriechen und gewisse Arabesken der Demut zu zeichnen. Eine Schein-
demut natürlich; denn im Grunde war alles ebenso strapaziös wie
schreckliches Theater, erstarrt in künstlichen Formen des Betragens.

Jedenfalls: Alle Beobachtungen, die ich aus meinem Glaskasten
machte und die ich für bemerkenswert neu hielt, stellten sich mehr
oder weniger als uralte Sachverhalte heraus. Ich lernte einzusehen, daß
viele Arten menschlicher Begegnung weit zurückreichen, aus einer
Zeit stammen, da jedermann von Dämonen drangsaliert zu werden
glaubte. So wurde ich beispielsweise Zeuge einer Annäherung zwischen zwei Abteilungsleitern, also höheren Gleichgestellten. Sie bemühten sich, einander einzuladen, mit Frauen, und jeder erläuterte,
welche Ehre es für ihn wäre, den anderen bei sich zu sehen. Es ging hin
und her, ich konnte das Ende nicht erfahren, doch die Bruchstücke
meiner Erfahrung notierte ich und schickte sie an Gurk und Hickory.

Im Grunde enthält jedes große, grausame Zeremoniell – das chinesische ebenso wie das byzantinische und spanische – eine blasphemi-
sche Gleichsetzung von göttlichen und menschlichen Begriffen. Hierin
zeigt sich eine profanierte und säkularisierte Kulthandlung von beträchtlichem Ausmaß. Der Heroisierung des einen entspricht das verstärkte Kreaturgefühl des anderen. Die Forscher Gurk und Hickory
hatten immer eine Antwort bereit, wenn es galt, Eigentümlichkeiten
der Begegnung zu klären. Sie überzeugten mich vor allem darin, daß im
Zeremoniell des Grußaustausches Reste einer Kulthandlung sich zu
erkennen geben, einer mittlerweile verwässerten Kulthandlung. Ich erlebte es sogar, damals, als der Minister unsere Anstalt besuchte, ein
hiesiger Minister. Polizisten waren abgestellt, um die Auffahrt zu zie-
ren, zuverlässige, ältere Beamte, zumeist Familienväter. Ich sah aus
meinem Glaskasten, wie der Minister vorfuhr, ausstieg, sich empfangen
ließ, während sein Wagen mit dem Ministerstander auf einen Parkplatz
fuhr. Einer der Polizisten versäumte, zu grüßen, und hinterher gab es
eine aufschlußreiche Zurechtweisung, die sich etwa so anhörte:

»Wissen Sie, was das ist?«

»Sicher, Herr Minister, das ist ein Autostander.«

»Dann kennen Sie auch Ihre Pflicht, Sie haben den Stander zu grüßen.«

»Den Stander? Ich habe Sie gegrüßt, Herr Minister.«

»Sie haben auch den Stander zu grüßen.«

»Auch wenn Sie nicht im Wagen sind?«

»Auch dann. Es ist der Stander eines Ministers.«

»Aber wenn Sie selbst nicht im Wagen sitzen –«

»Das ist gleichgültig.«

»Dann grüße ich Ihren Chauffeur, und dazu bin ich nicht verpflichtet.«

»Sie grüßen nicht den Chauffeur, sondern den Stander. Und indem Sie den Stander grüßen, grüßen Sie mich – stellvertretend.«

»Der Stander grüßt nicht zurück.«

»Aber der Stander ist das Zeichen eines Ministers, den Sie zu grüßen haben.«

»Der Stander gehört zum Auto.«

»Nein, er gehört zu mir.«

»Aber wenn Sie nicht im Wagen sitzen, Herr Minister –«

»Er zeigt immerhin an, daß ich im Wagen sitzen könnte bzw. einmal in ihm gesessen habe. Deshalb ist es Ihre Pflicht, zu grüßen!«

Es hat in der Tat den Anschein, als liefe das Zeremoniell menschlicher Begegnung und Annäherung vor allem darauf hinaus, den Vorrang des einen gegenüber dem anderen kundzutun. Auch in der Art unseres Grußes, unseres alltäglichen Grußes, verrät sich ein spürbarer, protokollarischer Instinkt: Jeder, der auf sich hält, achtet darauf, die diplomatischen Minimalforderungen zu erfüllen – auch wenn er vorgibt, das Problem des Vorrangs nicht ernst zu nehmen. So beobachtete ich fast jeden Tag folgende Szene: Zwei Männer bemerken sich morgens, gehen mit ausgestreckten Händen aufeinander zu, doch bevor es zum Grußaustausch kommt, geht einer von ihnen am anderen vorbei, die ausgestreckte Hand übersehend; denn er hat plötzlich einen Höhergestellen entdeckt, den er zuerst begrüßen will, obwohl er dabei zu einigen lächerlichen Kurvenschritten gezwungen ist. Doch Komik empfindet man ja nicht, wenn man selbst für sie sorgt. Immerhin, in meinem Glaskasten wurde ich gewahr, wie viele Elemente des diplomatischen Protokolls man in unseren täglichen Begegnungen finden kann. Auch hier spielt die Rangstaffel eine entscheidende Rolle. Wer sie kennt, weiß, was er zu tun hat, wem er den Vortritt lassen muß, wem er Ehrerbietung schuldet.

Was meine zeitgemäßen Erfahrungen betrifft, so muß ich soviel sagen: Je größer der Unterschied im sozialen Rang der Leute, desto mehr Unbequemlichkeit verlangt das Zeremoniell der Annäherung von Tiefergestellten. Die Haltung, die ich zumeist vor meinem Glaskasten feststellte, sieht etwa so aus: Der Oberkörper winkelt leicht nach vorn, die rechte Schulter schiebt sich dem Höhergestellten entgegen wie die Schulter eines Kraulschwimmers, der den Widerstand verringern will; die Aktentasche wechselt sinnlos von einer Hand in die andere, und, was erstaunlich ist, der Gruß hält auch dann noch an, wenn der Vorgesetzte schon mehrere Schritte vorüber ist. Das ist der Gruß in der Bewegung. Anders verläuft naturgemäß die Begrüßung im Stillstand. In diesem Fall zeigt der Tiefergestellte – nachdem er sich zuvor in einem vorsichtigen, tänzerisch anmutenden Bewegungsakt näherte – seltsame Tendenzen zur Starre, zur Versteinerung, zur Ungelenkigkeit. Obwohl mir diese Haltung wie eine Karikatur vorkam, gab sie mir doch soviel zu denken, daß ich meine beiden Forscherfreunde Gurk und Hickory brieflich um Gedankenaustausch bat. Sie antworteten prompt:

Die starre oder versteinerte Haltung ist von ganz besonderer Bedeutung bei allen Formen menschlicher Begegnung. Die Tatsache, daß nach einer tänzerischen Annäherung der Tiefergestellte von einer merkwürdigen Ungelenkigkeit befallen wird, läßt sich durch die Neigung etlicher Lebewesen erklären, sich in Gegenwart eines Überlegenen totzustellen, und wenn nicht gleich tot, so doch in jeder Hinsicht willfährig. Bezeichnend genug, daß die Praxis solcher Begegnungen vor allem beim Militär festzustellen ist. Hier scheint die Begegnung vor allem den Zweck zu haben, das Kreaturgefühl des einen und die Heroisierung des anderen auszudrücken. Und wer sich die Begegnungsetikette des Militärs ein wenig genauer vornimmt, wird noch etwas anderes entdecken. Bei der Annäherung zwischen ungleichgestellten Militärpersonen wird vorzüglich darauf geachtet, daß man sich nicht berührt – selbst ein Unteroffizier fragt, bevor er die Haltung eines Rekruten verbessert: »Darf ich Sie anfassen?« Daher die Versteinerung, und in der Furcht, einander berühren zu können, bekundet sich der uralte Doppelsinn des Tabus: Wie sich der Herrscher vor einem entwürdigenden Kontakt mit dem Untertan hüten muß, so tut auch der Untertan gut daran, sich vor einer gefahrbringenden Berührung des Herrschers zu schützen. Er erstarrt also. Allerdings, diese Auslegung trifft nicht allein für das Militär zu. Sie ist auch durchaus am Platze bei Beduinen und Mauren, die ein so grausames Zeremoniell der Begegnung besitzen, daß sich auch die geduldigsten Fremden strapaziert fühlen. Das Trinken unzähliger Tassen Kaffee ist dabei nicht das

Schlimmste. Ärger sind die vorgeschriebenen Komplimente, die man sehr ausgiebig mit folgenden Rängen zu wechseln hat: Paschas, Valis, Mutessarifs, Mudirs, Kaimakams, Bimbaschis, Scheichs, Kadhudas und Shapackibashis. Schließlich ist das Argument nicht von der Hand zu weisen, daß Araber und Militärs deswegen soviel Wert auf weitläufigen Grußaustausch legen, weil sie keine sonderliche Liebe zur Reflektion empfinden und sich, zumindest dem Vernehmen nach, gelegentlich heimgesucht fühlen von Langeweile.

713

Die Tabu-Gesinnung zeigt sich auch heute noch in unseren Begegnungen. Ja, ich möchte sagen, sie ist in unserer Zeit zu einer überraschenden Spätblüte gelangt. Sie wurde mir deutlich, als ich eines Tages, ohne Ankündigung oder Warnung, zu unserem Direktor gerufen wurde. Nie vorher war ich bei ihm gewesen, hatte ihn sehr selten gesehen, und ich hatte gute Gründe zu der Annahme, daß er, der in entlegenen Zimmern wichtige Entscheidungen fällte, von meiner namentlichen Existenz nichts wußte. Gelegentlich, wenn ich ihn eilig und erschöpft, mit bläulichen Tränensäcken vorbeihasten sah, versuchte ich mir vorzustellen, wie er arbeitete, wo er arbeitete – doch meine Vorstellung reichte nicht aus, um ihn in der Ferne seiner Macht zu finden. Ich erschrak, als ich erfuhr, daß er mich zu sehen wünschte. Meine Irritation war so groß, daß ich meinen Glaskasten verließ, mich neben den Eingang stellte und mit nie gezeigter Sorgfalt Hausausweise prüfte. Wiederholt fragten mich Beschäftigte unseres Hauses, was es auf sich habe mit dieser verschärften Kontrolle, ob etwas vorgefallen sei, wollten sie wissen – ich konnte ihnen nichts sagen. Ich schwieg. Mit einer Kleinlichkeit, die mir selbst auf die Nerven ging, prüfte ich Identitäten – alles im Hinblick darauf, daß der Direktor mich hatte rufen lassen. Immerhin, vorher hatte er noch nie einen Hausmeister zu sich bestellt. So fühlte ich also die Zeit und ging zur festgesetzten Stunde in den Seitenflügel hinauf, in dem, wie ich wußte, der Raum des Direktors lag. Die Tür, hinter der ich ihn vermutete, trug einen weißen Pfeil. Ich folgte dem Pfeil, kam zu einer anderen Tür, auf der »Dr. Bulz« stand und darunter ein schwarzer Pfeil, der mich zu einer dritten Tür zurückwies. Die dritte Tür war verschlossen, doch ein Schild gab mir zu verstehen, daß die Anmeldung nebenan sei, hinter einer vierten Tür, auf der »Sekretariat« stand und darunter die Namen: Schleich und Kienappel. Ich blieb stehen und lauschte und klopfte schließlich bei Schleich und Kienappel, und obwohl ich nichts darauf hörte, trat ich in ein behagliches Büro. Die Sekretärinnen tranken Tee und sahen mich erwartungsvoll an. Ich ging zu ihnen und begrüßte sie mit Handschlag, worauf die Jüngere mir eine Tasse Tee einschenkte, die ältere Sekretärin bedenklich den Kopf wiegte und erklärte:

»Es wundert mich sehr, daß der Chef Sie jetzt bestellt haben soll. Soviel ich weiß, beginnt um diese Zeit die Schaltkonferenz, dann ist Abteilungsleiter-Besprechung, und danach diktiert er bis zum Mittagessen. Na, ich an Ihrer Stelle würde mich nicht lange bei ihm aufhalten. Er ist geradezu dankbar für jede Begegnung, die rasch verläuft. Was meinen Sie, was alles auf seinen Schultern liegt? Merkwürdig, daß er Sie jetzt bestellt hat.«

Es war mir auch merkwürdig, ich konnte keine Erklärung dafür finden. Meine Unsicherheit nahm zu. Ich lehnte eine zweite Tasse Tee ab. Schweiß brach aus meinen Handflächen, als die ältere Sekretärin an die Nachbartür klopfte, für einen Augenblick verschwand und mich dann aufforderte, in das zweite Zimmer zu treten: näher zu ihm, der in terminerfüllter Einsamkeit wirkte. Eine riesige Sachbearbeiterin empfing mich im zweiten Zimmer, bot mir zerstreut einen Stuhl an. Unter einem Hinweis zog sie sich hinter einen Berg von Briefmappen zurück, die ihren Schreibtisch festungsartig absicherten, heimlich prüfte ich meinen Anzug. Plötzlich hob die riesige graue Dame den Kopf:

»Ich hörte, daß der Chef Sie bestellt hat; das wundert mich sehr. Gerade hat die Schaltkonferenz begonnen, und danach ist Besprechung mit den Abteilungsleitern. Ich weiß gar nicht, wo er Sie unterbringen will. Mir soll's egal sein, wenn er eines Tages zusammenklappt. Ich habe ihn oft genug gewarnt. Jedenfalls, ich an Ihrer Stelle würde nicht allzu lange bei ihm bleiben. Und sprechen Sie langsam, wenn er etwas fragt.«

Ich nickte, fingerte nach einer Zigarette, doch da ich keinen Aschenbecher entdeckte, schob ich die Zigarette wieder ins Päckchen zurück. Meine Unsicherheit wuchs. Wie würde die Begegnung mit ihm verlaufen? Ich spürte den Zwang, der sich meiner bemächtigte und mich an nichts anderes mehr denken ließ als an ihn, von dem ich jetzt nur noch durch zwei Türen getrennt war. Zwei Schutzzonen hatte ich bereits überstanden, und während ich meine Gedanken vorauswarf, schien es mir, als könnte ich den Direktor nie erreichen. Entrückt und verklärt erschien er mir hinter einem schützenden Bannkreis, dem man sich zwar nähern, den aber niemand durchdringen kann. Nachdem ich die obligate Zeit gewartet hatte, erhob sich die riesige Sachbearbeiterin, gab mir ein Zeichen, mich still zu verhalten, und öffnete die Tür zum nächsten Raum. Im nächsten Raum saß Dr. Bulz, der persönliche Referent des Direktors, ein elegischer Mann mit wässerigen Augen, dessen Sprache zur Hälfte aus Gesten bestand. Er winkte mich zu sich, ich setzte mich leise hin und sah zu, wie er aus einem sehr großen Etui eine Zigarette nahm und sie anzündete. Ich wagte nicht zu rauchen. Ein Hustenreiz stellte sich bei mir ein, den ich Mühe hatte zu unterdrücken. Ich nahm unbemerkt das Taschentuch zwischen die Hände, während mich Dr. Bulz mit unerträglicher Freimütigkeit musterte – so als wollte er mich auf verborgene Waffen untersuchen. Dann lächelte er zu meiner Überraschung, deutete auf die entscheidende Tür und gab mir folgendes zu verstehen:

»Ich kann Ihnen nicht einmal sagen, welche Laune da drin heute herrscht. Um so mehr möchte ich Ihnen ans Herz legen, in allem Behutsamkeit zu wahren. Offen gestanden, es wundert mich sehr, daß er Sie zu dieser Zeit bestellt hat. Aber – wer kennt sich schon oben aus. Es gibt einige Rätsel, die man nicht lösen kann. Übrigens bin ich sicher, daß Sie es schon machen werden, alles in allem. So, und jetzt werde ich nachsehen, ob der Augenblick gerade günstig ist.«

Es hätte nicht viel gefehlt, und ich hätte mich entfernt – so unnatürlich war der Druck, der auf mir lastete. Ich fand keine Erklärung dafür. Und als Dr. Bulz mir zu verstehen gab, daß die letzte Tür sich geöffnet hatte, verspürte ich einen bemerkenswerten Oberschenkelkrampf, was mir deutlich werden ließ, daß die Begegnung zwischen ungleichgestellten Personen neben den seelischen unbedingt auch körperliche Wirkungen hat. Und unwillkürlich in der letzten Sekunde, die mir blieb, stellte ich mir den Direktor anders denn als gewöhnliche Menschen vor –: Wie ich ihn mir vorstellte, kann ich nicht mehr sagen; ich weiß nur, daß ich damals erwartete, etwas ganz Außergewöhnlichem zu begegnen. Um es kurz zu sagen: der Außergewöhnliche war stark erkältet, und bei meinem Eintritt stellte er eine Flasche Privin weg, wovon er sich gerade reichlich in die Nase hatte laufen lassen. Er begrüßte mich freundschaftlich, gratulierte mir zum Geburtstag und schenkte mir seine Photographie mit Namenszug – eine Sitte, die gerade bei uns eingeführt wurde. Dann schlug er mir eindeutig auf die Schulter, und ich zog ab – enttäuscht, wie man sich denken kann, und mit einem ansehnlichen Vakuum in der Magengrube; denn alles, worauf ich stufenweise vorbereitet worden war, blieb aus.

Ich freute mich über die Photographie meines Direktors, meine Frau hing sie in der Küche auf, und jeden Tag, wenn ich mich überm Ausguß rasierte, schaute mir mein Direktor zu. Doch die Freude über das Bild verflog allmählich, während meine Ratlosigkeit über die Begegnung wuchs. Ich horchte andere Kollegen über ihre Gefühle aus, die sie hatten, als sie zum Direktor bestellt wurden, und die Gleichartigkeit der Gefühle gab mir viel zu denken.

Nach manchen Erfahrungen und Aufschlüssen kam es mir in der Tat so vor, als seien wir in unserem Begegnungszeremoniell auf geradezu faszinierende Weise rückständig. Was ich immer wieder entdeckte, das waren die dunklen Sitten und Gesinnungen tabuerfüllter Dämmerzeit, Gewohnheiten, die man längst für abgelegt und vergessen gehalten hatte.

Es waren, mit Hofmannsthal zu sprechen, »träumeschwere Augenlider« – und zwar von Leuten, die »drunten wohnen«, mithin Augenlider von Tiefergestellten, die sich bei der Annäherung an einen Vorgesetzten mit Schatten überzogen. Es waren Menschen, die auch in den Formen ihrer Begegnungen ausdrückten, daß ihnen an einer Selbsterhaltung gelegen sei. Alles, was ich aus meinem Portiers-Aquarium sah, notierte ich, verglich Szenen, zog meine Schlüsse, und zu gegebener Zeit hielt ich es für angebracht, meine gebündelten Erfahrungen in ein Köfferchen zu legen und damit zu dem befreundeten Forscherpaar Gurk und Hickory zu reisen. Sie bereiteten mir ein herzliches und unvergeßliches Willkommen: Gurk, der etwa nur ein Meter achtundvierzig groß war, empfing mich mit dem alten ägyptischen Gruß, die Hände bis zur Schulterhöhe erhoben, die Handflächen nach außen geöffnet. Hickory dagegen, ein gewaltiger Esser, wie ich später erfahren sollte, entschied sich für die Begrüßungsart der Polynesier, Malaien und Eskimos: also für höfliches Nasereiben und anhaltendes Schnüffeln. Wir aßen zusammen nach der frühen Etikette von Versailles, die noch erlaubte, den Kaffee aus der Untertasse zu schlürfen, zogen uns danach in das Arbeitszimmer der beiden Forscher zurück, wo ich den interessiert Schweigenden mein ganzes Manuskript über Formen menschlicher Begegnung noch einmal vorlas.

1960

Der Verzicht

Mitten in jenem Winter kam er mit Fahrrad und Auftrag hierher, in einer hartgefrorenen Schlittenspur, die ihm nicht erlaubte, den Kopf zu heben und nach vorn zu blicken, sondern ihn unablässig zwang, die Spur, der er sich anvertraut hatte, zu beobachten, denn sobald er aufsah, schrammte die Felge jedesmal an den vereisten Schneewänden entlang, die Lenkstange schlug zur Seite, und wenn er sie herumriß, setzte sich das Vorderrad quer, festgestemmt in der engen Spur, so daß er – in dem langen Uniformmantel, den alten Karabiner quer überm Rücken – Mühe hatte, rechtzeitig abzuspringen. Mühsam kam er den Dorfweg herauf, der an der Schule vorbeiführt, allein und keineswegs eine überzeugende Drohung, vielmehr machte er in der grauen Februar-Dämmerung, vor den rauchfarbenen Hütten unseres Dorfes, den Eindruck eines verzweifelten und verdrossenen Mannes, dem die Spur, in der er zu fahren gezwungen war, bereits mehr abverlangt hatte, als er an Aufmerksamkeit, an Kraft und Geschicklichkeit aufbringen konnte.

Durch die Fenster der Schulklasse sahen wir ihn näherkommen, glaubten sein Stöhnen zu hören, seine Flüche und die Verwünschungen, mit denen er die kufenbreite Spur bedachte und mehr noch sein Los, in ihr entlangfahren zu müssen. Es war Heinrich Bielek. Wir erkannten ihn sofort, mit dem schnellen und untrüglichen Instinkt, mit dem man einen Mann aus seinem Dorf erkennt, selbst in schneegrauer Dämmerung, selbst wenn dieser Mann jetzt eine Uniform trug und einen alten Karabiner quer über dem Rücken: Heinrich Bielek, krank und mit weißem Stoppelhaar – wenn auch nicht so krank, daß sie in jener Zeit auf ihn hätten verzichten wollen. Sie konnten ihn zwar nicht beliebig verwenden oder – ihrem Lieblingswort gemäß – einsetzen, aber er trug ihre Uniform, vermehrte ihre Zahl und gab ihnen die Sicherheit einer Reserve.

Wir beobachteten, wie er sich am Schulhof vorbeiquälte, und glaubten ihn längst am Dorfausgang und unterwegs nach Schalussen oder wohin immer ihn die hartgefrorene Schlittenspur und sein Auftrag führen sollten, als ihn zwei Männer über den Korridor brachten, ihn ins Lehrerzimmer trugen und dort auf ein Sofa niederdrückten. Wie ich später erfuhr, legten sie seinen Karabiner quer über einen verkratzten Ledersessel, öffneten seinen Mantel und sahen eine Weile zu, wie er sich krümmte, nach mehreren Versuchen auf die Seite warf und beide Hände flach auf seinen Leib preßte, ohne einen einzigen Laut, und bevor sie ihm noch anboten, den Arzt aus Drugallen holen zu lassen, richtete er sich wieder auf und beschwichtigte die Männer durch einen Wink: es waren nur die überfälligen Magenkrämpfe, die er schon in der Nacht erwartet hatte und deren Verlauf er so gut kannte, daß er mit dem Schmerz allein fertig zu werden hoffte.

So war es wahrscheinlich auch weniger der Schmerz als der Gedanke an die bläuliche, hartgefrorene Schlittenspur, der ihn später auf dem Sofa im Lehrerzimmer festhielt, neben einer rissigen Wand, unter der Photographie eines uniformierten Mannes mit Kneifer, der sachlich auf ihn herabsah. Obwohl es ihm besser zu gehen schien, erhob er sich nicht, sondern verteilte liegend Zigaretten, ohne selbst zu rauchen, und erwiderte den sachlichen Blick jenes Mannes auf der Photographie, den er für einen Lehrer gehalten hätte, wenn er ihm unbekannt gewesen wäre; doch Heinrich Bielek kannte ihn so gut, daß er selbst die Furcht verstand, die dieser Mann hervorrief oder hervorrufen sollte.

Nachdem er endgültig beschlossen hatte, daß die Magenkrämpfe es ihm nicht mehr erlaubten, in der Schlittenspur weiterzufahren, zog er den schlechtsitzenden Uniformmantel aus, rollte ihn zusammen und schob ihn sich als Kopfkissen unter und musterte aus seinen eichelförmigen Augen die beiden Männer. Er erkundigte sich nicht nach seinem Fahrrad, ein zusätzliches Zeichen dafür, daß er vorerst nicht weiterzufahren gedachte, vielmehr weihte er die Männer in seinen Auftrag ein, wodurch er erreichte, daß beide sich dem unerwünschten Zwang ausgesetzt fühlten, ihm, der ausgestreckt vor ihnen lag, zu helfen.

Das Vertrauen, in das er sie zog, ließ den Männern – einer von ihnen war Feustel, der pensionierte Rektor, ein nach Tabak und Zwiebeln riechender Junggeselle – keine andere Wahl, weshalb sie, noch bevor er sie darum bat, einen Jungen in das Lehrerzimmer riefen und neben das Sofa führten, auf dem Heinrich Bielek lag. Obwohl sie seinen Auftrag kannten, überließen sie es dem Liegenden, ihn an den Jungen weiterzugeben, und als Bielek zu sprechen begann, lag auf ihren Gesichtern ein Ausdruck beflissenen und gespannten Interesses, so als hörten sie alles zum ersten Mal. Der Junge, Bernhard Gummer, mit wulstigem Nacken und schräggelegtem Kopf – jeder bei uns kannte seinen sanften, freundlichen Schwachsinn – starrte auf den alten Karabiner, der quer auf dem Ledersessel lag, und verriet weder durch ein Nicken noch durch einen Blick, ob und wie er den Auftrag oder doch die Verlängerung des Auftrags verstanden hatte, was jetzt Feustel veranlaßte, dem Jungen eine Hand auf die Schulter zu legen und ihn aufzufordern, das, was er gehört hatte, langsam zu wiederholen.

Der Junge enttäuschte sie nicht; ohne das Gesicht zu heben, wiederholte er, daß er nach Schalussen zu gehen habe, zu Wilhelm Heilmann, dem Alteisenhändler, und er sollte ihn hierherbringen, in die Schule, ins Lehrerzimmer, zu dem Mann in der Uniform, zu Heinrich Bielek. Wenn er nicht komme, werde man ihn noch heute holen, es sei dringend. Der ehemalige Rektor richtete sich zufrieden auf, und Bernhard Gummer zog bedächtig seinen Mantel an, setzte die Ohrenschützer auf, lauschte einen Augenblick, als höre er, wie ein Funker, schwache Signale in den Hörmuscheln; dann streifte er die an einer Schnur befestigten Fausthandschuhe über und verließ mit schleppendem Gang die Schule.

Der Junge kannte den Weg, er selbst wohnte in Schalussen, und er kannte auch – wie wir alle – die Hütte von Wilhelm Heilmann und den Schuppen und den Lagerplatz hinter dem Schuppen, auf dem ein Hügel von rostigem Eisen lag: alte Fahrradrahmen, Bleche, braunrotes Drahtgewirr, leere Pumpgehäuse, abgestoßene Hufeisen und zerbeulte Kessel, durch deren Löcher im Sommer der Löwenzahn herauswuchs oder Taubnesseln. Dieser Hügel schien uns mehr ein Wahrzeichen der Heilmanns als ihr Kapital, von dem sie lebten; denn er wurde nie flacher und geringer, wurde nie in unserer Gegenwart auf Lastwagen geladen, wurde nicht einmal, wie Erbsen, nach guten und schlechten Teilen verlesen, sondern lag nur da durch Jahreszeiten und Generationen, ein Hügel der Nutzlosigkeiten. Und doch mußten sie davon leben und gelebt haben, geheimnisvoll und gewitzt; ganze Geschlechter von ihnen hatten altem Eisen vertraut, ernährten sich mit seiner Hilfe, wuchsen heran und ließen den rostroten Hügel wieder den nächsten Heilmanns als Erbe zufallen, die es anscheinend weder mehrten noch minderten, sondern nur darauf aus schienen, es zu erhalten. Unsere Großväter, unsere Väter und wir: Generationen unseres Dorfes stahlen hinten von dem Hügel, wenn sie Groschen brauchten, und gingen vorn zu den Heilmanns und verkauften ihnen, was diese schon dreimal besaßen, wonach unsere Leute nur noch Zeugen wurden, wie der

Krempel wieder auf den Hügel flog, so daß dieser zwar nicht seine alte Form, aber doch sein altes Gewicht hatte, was ihm jene seltsame Dauer verlieh. Obwohl Wilhelm Heilmann allein lebte, zweifelten wir nicht daran, daß eines Tages irgendwoher ein neuer Heilmann auftauchen werde, um den Hügel aus altem Eisen in seinen Besitz zu nehmen – zu übernehmen und zu verwalten wie jenes Holzscheit, an dem das Leben hing.

720   Soviel ich weiß, fand der Junge an jenem Morgen Heilmann lesend im Bett. Er wunderte sich nicht, daß der alte Mann angezogen unter dem schweren Zudeck lag, ging zu ihm, setzte sich auf die Bettkante, schob die Ohrenschützer hoch und wiederholte seinen Auftrag, und nachdem er fertig war und sah, daß der Alte weder Überraschung noch Abwehr oder Furcht zeigte, riet er ihm, sich zu verstecken oder die Hütte zu verschließen, und wenn nicht dies, so doch ein Gewehr zu kaufen, da auch der andere ein Gewehr bei sich hatte, doch Wilhelm Heilmann, der Letzte mosaischen Glaubens in unserer hoffnungslosen Ecke Masurens, lächelte säuerlich, das Lächeln einer ertragbaren und unwiderruflichen Gewißheit, und er schlug das Zudeck zurück und stand auf. Er hatte mit Stiefeln im Bett gelegen. Der Junge ging in die Küche, setzte sich auf eine Fußbank und brach sich ein Stück von einem grauen Hefeladen ab und begann zu essen; er brauchte nicht zu warten, denn der Alte wechselte nur seine Brille, die Lesebrille gegen die Arbeitsbrille, stand schon in der dunklen Küche und forderte den Jungen auf, ihn zu führen. Der alte Mann blickte weder auf die gekalkte Hütte, die er unverschlossen zurückließ, noch auf den schneebedeckten Hügel, unter dem das rostige Erbe der Heilmanns lag, sondern ging dem Jungen voraus neben der Schlittenspur, und unter ihren Schritten krachte der gefrorene Schnee. Vor den Weiden, die mit einer Eisglasur überzogen waren, holte der Junge ihn ein einziges Mal ein und zeigte auf die dunkle, undurchdringbar erscheinende Flanke des Waldes, deutete nur stumm hinüber, wobei seine Geste und seine Haltung nichts als eine heftige Aufforderung ausdrückten; Wilhelm Heilmann lächelte säuerlich und schüttelte den Kopf. Vielleicht wußte er, daß er in unserer Ecke der letzte war, den sie lediglich vergessen oder geschont, wahrscheinlich aber vergessen hatten, was ihn dazu bringen mußte, unversöhnt zu warten bis zu dem Augenblick, da die Reihe an ihn käme. Jetzt, da der Junge ihn holte, war er versöhnt, etwas war erloschen in ihm: seine Wißbegier, die Zweifel, denen er sich ausge-

liefert fand, als sie nacheinander die andern holten – wobei sie oft genug durch Schalussen und an seiner Hütte und seinem Eisenhügel vorbeikamen –, ohne ihm selbst zu drohen oder ihm auch nur anzukündigen, was er insgeheim immer mehr erwartete.

Zwei Jahre dauerte es, bis ihre genaue Grausamkeit sich seiner weniger entsann, als ihn vielmehr hervorholte wie etwas, das man nur zurückgestellt, sich aufgespart hatte für eine andere Zeit. Wilhelm Heilmann hatte damit gerechnet und sich nicht ein einziges Mal die Schwäche der Hoffnung geleistet.

In seiner knielangen erdbraunen Joppe ging er dem Jungen voran, durch das Spalier der rauchfarbenen Hütten zur Schule, die er einst selbst besucht hatte; ging den mit Asche und winzigen Schlackenbrokken gestreuten Weg hinauf, entdeckte das Fahrrad, blieb neben ihm stehen, nickte lächelnd und schob die Hände tief in die Taschen. Bernhard Gummer stellte sich neben ihn, sein Gesicht veränderte und näherte sich dem alten Mann, die aufgeworfenen Lippen bewegten sich, flüsterten etwas dringend und unverständlich, dann wandte er sich um und verschwand in der Schule, ohne zurückzublicken.

Der Alte wartete, bis er das Geräusch der genagelten Stiefel auf dem Korridor hörte, stieß sich mit dem Rücken von der Wand ab und trat dem uniformierten Mann entgegen, der in einer Hand den Karabiner trug, sich mit der andern den Mantel zuknöpfte. »Fertig, Wilhelm?« »Fertig, Heinrich.« Es kam Wilhelm Heilmann nicht zu, mehr zu sagen, und es gab nichts für ihn, das ihm wichtig genug erschienen wäre, als daß er es hätte erfahren wollen; das Wissen, das er in sich trug wie eine Konterbande, übertraf alles, was er von Heinrich Bielek je hätte erfahren können, und so folgte er ihm einfach auf die Landstraße, wandte sich mit ihm um und winkte leicht zur Schule zurück, ging neben ihm durch unser Dorf mit der überzeugenden Selbstverständlichkeit eines Mannes, der den Weg und den Plan des andern kennt und teilt. Sie gingen an der Domäne vorbei, über die alte Holzbrücke, an deren Geländer noch die Schrammen der Erntewagen vom letzten Herbst zu erkennen waren. Auf freiem Feld traf sie ein eisiger Wind, schnitt in ihre Gesichter. Wilhelm Heilmann spürte, wie sein Augenlid zu zucken begann. Ein verschneiter Wegweiser zeigte Korczymmen an, vierzehn Kilometer, Grenzgebiet. Flach über den Schnee lief ihnen der Wind entgegen, trieb eine schmerzhafte Kühle in ihre Lungen, und sie senkten ihre Gesichter und legten den Oberkörper nach vorn. »Es ist nicht der freundlichste Tag«, sagte Heinrich Bielek. »Drüben in den Wäldern wird es angenehmer«, sagte Wilhelm Heilmann. Ein Schlitten mit vermummten Leuten kam ihnen entgegen, sie traten zur Seite, Hände winkten ihnen zu, sie grüßten zurück, ohne zu erkennen, wem ihr Gruß galt. Das Gebimmel der Schlittenglocken verklang in einem Tal.

Als sie die Stelle erreichten, wo der Wald die Straße belagerte, hatte Heinrich Bielek ein Gefühl, als ob ein heißes Geschoß in seinen Magen eindrang; es traf ihn so überraschend, mit einer so vollkommenen Gewalt, daß er beide Hände erschrocken auf seinen Leib preßte, das Fahrrad fallen ließ und auf den Knien in den Schnee sank. Seine Mütze fiel vom Kopf. Das Schweißband rutschte aus dem Kragen heraus. Der Riemen des Karabiners schnürte in seine Brust. Wilhelm Heilmann sah ausdruckslos auf ihn herab, und als ihn ein schneller, argwöhnischer Blick traf, hob er das Fahrrad auf und hielt es mit beiden Händen fest – wie eine Last, die er um keinen Preis loslassen wollte oder dürfte, nur um damit schweigend zu bekunden, daß es ihm weder jetzt noch später darauf ankam, eine Gelegenheit auszunutzen. Es war weder Niedergeschlagenheit noch Schwäche, was er in diesem Augenblick bekundete, sondern das Eingeständnis, auf jede Handlung zu verzichten, die das, was er in seinem Lauschen und in seinen Träumen so oft erwartet, erlebt und durchstanden hatte, ändern könnte. Er hielt das Fahrrad fest und wagte nicht, über sein zuckendes Augenlid zu streichen, stand nur und blickte auf den uniformierten Mann im Schnee, der sich jetzt angestrengt auf alle viere erhob, lange zögerte, als ob er nach der entscheidenden Kraft suchte, die ihn auf die Beine bringen sollte, dann die Hände nah zusammenführte, sich hochstemmte mit einem Ruck, und eine Sekunde bang und ungläubig dastand, ehe er sich mit einer knappen Aufforderung an Wilhelm Heilmann wandte. »Also weiter, Wilhelm«, sagte er.

Sie gingen in der Mitte einer frischen Schlittenspur durch unseren alten Wald, geschützt vor dem eisigen Wind, der hoch durch die Kiefern strich und überall Schneelasten von den Ästen riß, die stäubend zwischen den Stämmen niedergingen. In weitem Abstand neben dem Weg lagen Haufen geschnittener Stämme; die Schnittflächen leuchteten gelblich, zeigten ihnen an, wo die Spur verlief. Wilhelm Heilmann schob das Fahrrad, und der andere nahm den Karabiner ab und trug ihn in der Hand. Sie gingen nebeneinander, bemüht, auf gleicher

Höhe zu bleiben, auch wenn der Weg es erschwerte, auch wenn er sie dazu zwang, schräg aus den Augenwinkeln auf den andern zu achten, nicht so sehr aus Furcht oder aus Mißtrauen, sondern aus dem Verlangen, gemeinsam vorwärtszukommen, sich ziehen zu lassen vom Schritt des andern. Ein fernes Donnern wie von einem Wintergewitter rollte über sie hin; Heinrich Bielek hob den Kopf, lauschte, ohne stehenzubleiben, und sagte leise: »Schwere Artillerie«, worauf Wilhelm Heilmann ausdruckslos hochblickte – mit der gleichen Ausdruckslosigkeit, mit der er den alten Eisenkrempel auf seinen Hügel geschleudert hatte.

Der Wald wurde freier, sie gingen an den gefrorenen Sümpfen vorbei und den Berg hinauf und wieder in den Wald, der sie mit derselben Bereitwilligkeit aufnahm, wie er sich hinter ihnen schloß, und als sie den verrotteten hölzernen Aussichtsturm erreichten, fiel Schnee. Die Straße teilte sich, ein zweiter Wegweiser zeigte Korczymmen an, elf Kilometer. Sie folgten dem Wegweiser wortlos, als hätten sie sich längst auf ein Ziel geeinigt.

Wilhelm Heilmann dachte an den Mann, der ihn führte oder vielmehr überführte, entsann sich dessen einäugigen Vaters, der Kate, in der die Bieleks wohnten, fleißige und geschickte Besenbinder, deren sichtbarster Reichtum dreckige Kinder waren, die im Frühjahr durch die Birkenwälder schwärmten, um elastische Reiser zu schneiden. Er dachte an den Knaben Heinrich Bielek, der auf den Bäumen gesessen hatte, um Lindenblüten für den Tee zu pflücken, der bis spät in den Oktober barfuß gegangen und bei einer Hochzeit unter die Kutsche gekommen war, in der die Braut gesessen hatte. Er entsann sich sogar jener Begabung Heinrichs, die sie damals immer wieder verblüfft hatte, die Begabung nämlich, ein Schnitzmesser mit der Spitze auf seinen Schenkel fallen zu lassen, und zwar so, daß er sich nicht die geringste Wunde beibrachte. Wilhelm Heilmann wurde auf einmal gewahr, daß er zu schnell ging oder daß der Mann neben ihm langsamer wurde. Er blieb nicht stehen, versuchte nur, sich auf den Schritt des andern einzustellen, was ihm jedoch nicht gelang, so daß er schließlich, als er wieder einen Vorsprung hatte, doch stehenblieb, sich umwandte und Heinrich Bielek nicht mehr hinter sich in der Schlittenspur fand, sondern ihn durch den hohen Schnee seitwärts in den Wald stapfen sah, den Kolben des Karabiners als Stütze benutzend. Sofort hob er das Fahrrad an, kehrte zurück, noch bevor ihn der Befehl erreichte, zurückzukehren, und folgte den Fußstapfen, die zu einer Hütte aus Fichtenstämmen führten, wie sie sich unsere Waldarbeiter für den Sommer bauen. Die Tür war nur mit Draht gesichert, sie bogen ihn auseinander und traten in die Hütte, in der auf dem nackten Fußboden vier Strohsäcke lagen. Kein Fenster, kein Ofen, nur ein Bord, auf dem angelaufene Aluminiumbecher standen; in den Pfosten neben der Tür waren Kerben geschnitten, in einer Ecke lag Schnee. Heinrich Bielek ließ sich auf den ersten Strohsack hinab, streckte sich stöhnend aus und deutete stumm auf den Strohsack neben ihm, auf den sich, nachdem er das Fahrrad in die Hütte gestellt hatte, Wilhelm Heilmann setzte, dann seine Brille abnahm und sie sorgfältig am Ärmel der Joppe putzte. Danach stand er auf und ging zur Tür, um sie zu schließen: ein schwacher Befehl rief ihn zurück, und er sah, wie Heinrich Bielek vom Strohsack aus den Lauf des Karabiners auf ihn gerichtet hielt, den Lauf mühsam schwenkte und mitdrehte, während er langsam durch den Raum zu seinem Strohsack zurückkehrte. Die Tür blieb offen. Plötzliche kleine Böen schleuderten Schnee herein. Kalte Zugluft strömte über sie hin.

Der Schmerz hielt Heinrich Bielek fest wie in einem Griff, preßte ihn an den Strohsack, und er schlug mit den Beinen und warf den Kopf hin und her, ohne jedoch den Mann zu vergessen, der neben ihm saß und ruhig auf ihn herabblickte. Er vergaß ihn so wenig, daß er sich jetzt herumwarf und ihn fortwährend aus aufgerissenen Augen anstarrte, erschrocken, abwehrend, denn er erschien ihm durch den Schmerz hindurch riesenhaft vergrößert und in all seiner körperlichen Überlegenheit so sehr auf Flucht aus zu sein, daß er ihn bereits fliehen sah: die erdbraune Joppe hierhin und dorthin zwischen den Stämmen, hinter den Tannen, unerreichbar selbst für die Kugel, und Heinrich Bielek dachte: ›Nicht, Wilhelm, tu das nicht.‹

Dann spürte er, wie sein Koppelschloß ausgehakt, sein Mantel geöffnet wurde, das heißt, er spürte weit mehr die jähe Erleichterung als die einzelnen Vorgänge, die dazu führten. Er ließ den Karabiner los, legte die Hände flach auf seinen Leib und fühlte nach einer Weile, wie der Krampf ihn freigab und der Griff sich lockerte, so fühlbar nachgab, daß er sich hinsetzte, den Rücken gegen die behauenen Stämme der Wand gelehnt. In einem Augenblick, da Wilhelm Heilmann die Hände vor das Gesicht zog, nahm er den Karabiner wieder an sich, legte ihn quer über seine Schenkel.

Sie saßen sich schweigend gegenüber, und beide hatten, nicht länger als einen Atemzug, den Eindruck einer Sinnestäuschung: keiner suchte den Blick des andern, keiner sagte ein Wort; vielmehr schienen sie einander wahrzunehmen durch ihre lauschenden, reglosen Körper, schienen auch im Einverständnis dieser Körper zu handeln, und als sich der eine erhob, erhob sich der andere fast gleichzeitig, stand in der gleichen Unschlüssigkeit da, setzte sich mit dem gleichen Zögern in Bewegung. Gemeinsam traten sie aus der Hütte, später, als es aufgehört hatte zu schneien, traten hinaus ohne Angst und ohne Hoffnung. Wilhelm Heilmann führte das Fahrrad, er dachte nicht an die verlorene Chance, zwang seine Erinnerung nicht zurück zu jenen Minuten, in denen er unbemerkt und risikolos die Hütte hätte verlassen oder tun können, was die absolute Wehrlosigkeit des andern nahelegte. Er ließ Heinrich Bielek vorangehen. Sie gingen weiter durch die Wälder, den Weg nach Korczymmen.

Vor dem Grenzdorf, das Wilhelm Heilmann kannte, aber seit Jahren nicht betreten hatte, bogen sie vom Hauptweg ab und folgten einer ausgetretenen Spur im Schnee, bis sie die klumpigen, gefrorenen Wälle des Grabens erreichten, der mitten durch den Wald lief. Sie hörten das Geräusch von Spitzhacken und Schaufeln und das Krachen von Erdklumpen, die gegen die Stämme geschleudert wurden.

Sie sahen Frauen in Kopftüchern und alte Männer auf dem Grund des Grabens arbeiten und sahen Kinder, die Steine, Wurzeln und harte Brocken von Erde an den Wänden hochstemmten. Wilhelm Heilmann nickte ihnen im Vorübergehen zu. Weit vor ihnen schoß ein Maschinengewehr, und danach hörten sie einzelne Revolverschüsse. Hinter den Wällen standen Posten. Auf einen Wink lehnte Wilhelm Heilmann das Fahrrad gegen einen Baum und ging sofort weiter in die Richtung, aus der sie die Schüsse gehört hatten. Ein junger, breitgesichtiger Mann kam ihnen entgegen, sein Gewehr schräg vor der Brust. Er trat zwischen sie. Er befahl Heinrich Bielek zurückzugehen. Als er sich umdrehte, bemerkte er, daß der Mann in der erdbraunen Joppe, den er weiterzuführen hatte, ihm bereits mehrere Schritte stillschweigend vorausgegangen war.

1960

Der Gleichgültige

Der Finne kam am Monatsende. Ich lag auf dem Küchensofa und rauchte, lag schon einige Stunden im Mantel da und überlegte, ob ich Elsa von der Eisdiele abholen sollte, in der sie als Kellnerin arbeitete. Ich dachte an ihre geröteten, plumpen Hände, die Eisbecher auf die fleckigen Marmortische schoben, Wechselgeld aus der extra breiten Bauchtasche hervorholten, Schokoladensplitter über den Batzen Schlagsahne krümelten; ich dachte an ihre kleinen, dreckigen Geschwister, die in der ersten Zeit unserer Ehe mit wissender Neugierde bei uns herumstrolchten, bis ich sie vertrieb, und die nun jeden Tag vor der Eisdiele lungerten, wachsam, räuberisch, auf das versteckte Zeichen wartend, das einen von ihnen hereinrief zum Empfang der heimlichen Eisportion; und während ich daran dachte, spürte ich eine warme Erschöpfung und beschloß, Elsa zu Hause zu erwarten.

Da klingelte der Finne, ein breiter Mann mit straff gespannter Gesichtshaut, den Staubmantel überm Arm, eine karamellfarbene Diplomatentasche vor sich zwischen den Füßen; lächelnd sah er mich an, schwieg und sah mich an, mit einem Ausdruck freimütiger und ruhiger Abschätzung, und bevor ich ihn noch etwas fragte, nickte er befriedigt, nahm seine Tasche auf, kam herein in die Küche, und mit ihm ein essigsaurer Geruch.

»Uns fehlt nur Geld«, sagte ich, »sonst nichts. Alles andere ist reichlich vorhanden.«

Er schüttelte den Kopf, machte eine verblüffte und zugleich abwehrende Handbewegung, ein Zug gequälten Erstaunens glitt über sein Gesicht – woraus ich schloß, daß ich nicht der erste war, den er in seinen Angelegenheiten besuchte; dann musterte er die Küche, trat an das kratzige Sofa, prüfte die Federung, indem er die aufgestemmten Fäuste ruckartig in den Stoff stieß, und setzte sich schließlich auf den Hocker am Ausguß. Ich blickte auf seinen pflaumendunklen Anzug – die Hosen hatten einen weiten Schlag wie die eines Matrosen, unter dem Jackett trug er einen Rollkragenpullover – und sagte ihm, daß ich nichts ohne meine Frau kaufen oder verkaufen könnte, da sie zur Zeit allein für das Wohlbefinden der Familie sorge, worauf er mir in einer Art schmerzlichen Verstehens zublinzelte, ein Zigarettenetui herauszog und mir eine seiner letzten beiden Zigaretten anbot. Wir rauchten schweigend, er betrachtete aufmerksam den Gasherd, erhob sich

plötzlich und sagte, daß er Finne sei und in der Stadt zu tun gehabt
habe. Sein gedrungener Körper wippte leicht vor und zurück, seine
Lippen öffneten sich, als suchten sie einen vergangenen Geschmack,
und er blickte durch das Fenster auf den verlassenen Kinderspielplatz
unten und nickte schmunzelnd und flüsterte etwas, das ich nicht verstand. Ich spürte die Erschöpfung zurückkehren, dachte an Elsa, die
nun bald kommen mußte, und wandte mich an ihn mit einer Geste
endgültigen Bedauerns. Er verstand diese Geste, die stumme Aufforderung, die in ihr lag; er kam nah an mich heran und fragte, ob ich
bereit sei, ihm unsere Küche zu vermieten. Langsam drehte er sich
dabei um sich selbst und bezeichnete mit ausgestreckten Händen, die
Bescheidenheit seines Wunsches erläuternd, den engen Raum, so als
wollte er sagen: ›Dies nur, nicht mehr.‹ Wenn es keine Elsa gegeben
hätte, wäre ich ohne Zögern darauf eingegangen, doch da ich wußte,
wieviel ihr die Küche bedeutete, wiederholte ich, daß ich in Abwesenheit meiner Frau nichts entscheiden könnte. Unsicher musterte er die
Wände der Küche, auf denen sich verschwommene Flecken wie ver-
blichene Landkarten hinzogen, musterte das Sofa, das Bord, auf dem
Elsas Lockenwickler lagen: er nahm seine Wahl nicht zurück. Er trat an
den Gasherd, drehte prüfend den Hahn auf, ohne ein Streichholz oder
den Anzünder in die Hand zu nehmen, beugte dann seinen Oberkörper hinab in der Hoffnung, das zischende Geräusch zu hören, mit dem
das Gas entweicht. Ich wartete, bis er sich wieder aufrichtete, und
erklärte ihm, daß der Herd noch nicht bezahlt sei und daß wir ihn
abbezahlten, indem wir jedesmal, wenn wir Gas brauchten, zuerst ein
Geldstück in den Schlitz warfen. Diese Erklärung schien ihn zu überzeugen, denn er nickte zustimmend und fragte mich – in einem Ton,
als sei die Entscheidung bereits gefallen –, ab wann er die Küche bekommen könnte, und wie um mir anzuzeigen, daß er den Gasherd
ausgiebig benutzen werde, schob er eine Hand in die Tasche und rieb
einige Münzen gegeneinander. Ich hatte kein Verlangen, mich mit ihm
zu unterhalten, zu erfahren, was er in unserer Stadt zu tun hatte und
was ihn dazu bewog, unsere Küche zu mieten; ich hatte nur das Gefühl, mich raushalten zu müssen aus seinen Angelegenheiten, nichts zu
teilen, kein Wissen, keine Vermutung.

Dann kam er wieder nah heran, ich roch seinen essigsauren Atem,
sah seine entzündeten Augen, denen das auffordernde Zwinkern mißlang: der letzte Anstoß, der letzte Versuch, mit dem er mich zu gewin-

nen hoffte. Schmunzelnd zog er eine safrangelbe Brieftasche heraus, öffnete meine Hand, zählte das gesamte Geld hinein – drei grüne Zwanziger – und schloß meine Hand und schob die leere Brieftasche in sein Jackett. Eine neue Überlegenheit erfüllte ihn, die Überlegenheit des legalen Anrechts, nun, da er mir das Geld hatte zustecken können, und mit einer Vertraulichkeit, die mich nicht erstaunte, legte er einen Arm auf meine Schulter, beobachtete mich schräg von unten, breit und vergnügt, trat zurück und beobachtete mich von vorn, ging einmal um mich herum und sagte, daß er nicht daran denke, uns die Küche für längere Zeit vorzuenthalten. Nur solange es dauere, wolle er dableiben, sagte er; er habe nicht vor, die sechzig Mark abzuwohnen, vielleicht genüge der Rest des Nachmittags.

Die Geldscheine waren echt. Ich schob sie lose in die Manteltasche und beschloß im gleichen Augenblick, Elsa von der Arbeit abzuholen. Der Finne zeigte mir einige Münzen und fragte mich, ob er damit auskäme; da ich unsicher war, legte ich alle Münzen dazu, die ich bei mir hatte, machte eine Bewegung, mit der ich ihm die Küche überließ, zog den Schalknoten fester und ging zur Tür. Bevor ich die Tür schloß, hörte ich, wie er sich auf das Sofa fallen ließ und die Schuhe abstreifte, die mit plumpsendem Laut auf den Boden fielen.

Auf dem Weg zur Eisdiele wechselte ich den ersten Zwanziger, kaufte Zigaretten und Rumkugeln für Elsa, überlegte, ob ich unsere Schuhe vom Schuster holen sollte, die längst fertig waren; doch ich ging an der Werkstatt vorbei, durch den feuchten, nebligen Nachmittag, der zerrissen wurde durch die dröhnenden Schiffssirenen im Hafen. Die kalte, feuchte Luft legte sich deckend auf die Lungen, zerstörte die Frisuren der Frauen, schlug sich auf den Schaufensterscheiben nieder. Auf der Kreuzung vor der Brücke hielt der Unfallwagen; zwei Sanitäter trugen einen Mann mit zerschnittenem Gesicht auf einer Bahre vorbei; Polizisten streuten Bremsspuren mit Mehl aus, maßen und photographierten sie. Ich kaufte eine zweite Tüte mit Rumkugeln, die ich Elsa am nächsten Morgen geben wollte.

Als ich die Eisdiele betrat, kam Elsas Ablösung aus der Dämmerung auf mich zu, eine kleine, knochige Frau in schwarzem Samtkleid; spät erkannte sie mich, sagte, daß Elsa nur zum Fischmann gegangen sei, wies auf ihren Mantel, der noch an der Garderobe hing, und bot mir eine Sofabank neben der Heizung an. Ich wollte nicht warten, nahm Elsas Mantel vom Haken und ging mit dem Mantel über dem Arm zum Fischgeschäft. Das Geschäft lag über der Straße, ich konnte nicht erkennen, ob Elsa im Laden war, doch als eine fleischige, schuppenbedeckte Hand sich in die Auslage schob, zwei geräucherte große Makrelen bei den bräunlichen Kiemen schnappte und mit ihnen verschwand, wußte ich, daß Elsa noch drin war, und ich kannte unser Abendbrot.

Sie sah mich mit kurzem Erstaunen an, gab mir das Einkaufsnetz, zog den Mantel an und hängte sich bei mir ein, und sie lenkte mich instinktiv in die Richtung, in der unsere Wohnung lag. Kurz vor unserer Straße setzte ich ihrem gleichmäßigen Zug, diesem sanften und instinktiven Drängen, einen anderen Zug entgegen; ich spürte, wie unsere Körper leicht auseinanderscherten gleich vertäuten Booten, die in verschiedene Strömungen geraten, spürte ihren zähen Widerstand, ihre Verwunderung, und als ich sie leicht herumriß und in die Straße zum Ausstellungsgelände zwang, blieb sie stehen und sah mich ratlos an.

Ich gab ihr eine Cellophantüte mit Rumkugeln, die sie mißtrauisch in der Hand hielt, ohne davon zu essen. Sie fragte: »Woher hast du das Geld?« Und ich sagte: »Ein Finne hat unsere Küche gemietet, nur kurz, nur vorübergehend, vielleicht nur bis heute abend. Er bezahlte im voraus.« Argwöhnisch zog sie ihren Arm fort, griff nach dem Einkaufsnetz, das ich hinter dem Rücken verbarg, preßte gequält die Handflächen auf ihre Ohren, als ein Flugzeug niedrig über uns hinwegzog. »Komm«, sagte ich, »wir gehen in die Ausstellung; später gehen wir essen und dann ins Kino.« Elsa streckte eine Hand nach dem Netz aus, das ich ihr verweigerte, und fragte: »Was macht er in unserer Küche? Was? Benutzt er den Herd? Hast du aufgeräumt?« Eine Gruppe von Berufsschülern kam vom Ausstellungsgelände auf uns zu, Elsa hängte sich wieder bei mir ein, und ich sagte: »Der Finne ist ein seriöser Mann. Er hat mir sechzig Mark im voraus bezahlt. Komm jetzt, heute bist du mein Gast. Alles andere hat Zeit.«

Nach einer Weile wurde ihr Griff fester, sie suchte mein Handgelenk und umschloß es mit ihren rötlichen, plumpen Fingern, und wir gingen auf die glasgedeckten Hallen der Konditorei-Ausstellung zu. Männer mit zerbeulten Konditormützen, mit weißen Schürzen und Pepitahosen hießen uns am Eingang willkommen, wiesen uns einen groben Kiesweg hinauf, verteilten Handzettel, Werbeschriften, Aufklärungsbroschüren über das ›Wesen der Konditorei‹. Elsa lehnte ihre Wange an meine Schulter, biß von einer Rumkugel ab: ich sah, wie sehr sie die leichte Erregung genoß, in die sie der Besuch, nach dem sie mich so oft gefragt hatte, versetzte. Vor den Ausstellungsvitrinen ließ sie meinen Arm los, glücklich und verwirrt, lief hin und her in planlosem Staunen, stieß die Kuppe des Zeigefingers gegen die gläsernen Vitrinenwände, rief laut meinen Namen, winkte heftig, schoß, noch bevor ich neben ihr war, zu einer neuen Entdeckung, lächelte einem gravitätischen Konditor zu, schmatzte, rieb sich freimütig den Bauch, winkte mir wieder: nichts machte sie glücklicher als Süßigkeiten. Schaumgebäck, Blätterteig und Mürbeteig, die gußglänzenden Türme der Baumkuchen, die flache Last nußbestückter Buttercreme-Torten, Liebesknochen und Negerküsse, selbst die infame, giftige Süße roter und grüner und rosafarbener Fruchtstücke sowie das kranke Weiß von Geschlagenem: alles brachte sie in konfuse Begeisterung, alles schien sie auf der Stelle verschlingen zu können. Sie hatte ihren Argwohn, ihre Enttäuschung über mich vergessen, bis wir in die Halle mit den ausländischen Süßigkeiten kamen, und jetzt, vor einem braunen, anspruchslosen Honiggebäck aus Finnland, wandte sie sich zu mir um, knüllte die leere Cellophantüte zusammen und sagte: »Ich möchte nach Hause; wer weiß, was in unserer Küche passiert. Der Finne ist ganz allein da.« »Nach der Ausstellung wollen wir essen gehen«, sagte ich, »du hast es mir versprochen.« Ein Ausdruck von Unschlüssigkeit erschien auf ihrem weichen Gesicht, das nie etwas verbergen konnte. »Und wenn etwas passiert?« fragte sie. »Wenn er unsere Küche nur gemietet hat, um ...« Sie seufzte, sah mich fest und auffordernd an, lächelte traurig, so als wolle sie mir zu verstehen geben, daß sie zu allem bereit sei, sobald sie die Unsicherheit hinter sich habe, was in ihrer Küche passieren könnte, doch ich sagte: »Dann gehen wir zuerst noch ins Kino«, und sie schwieg und ging mit, ohne sich von ihrem Verdacht völlig befreien zu können.

Im Kino war es warm und feucht; das Papier, in dem die Makrelen steckten, begann durchzufetten. Ich legte das Netz auf den Boden. Die Vorstellung hatte bereits begonnen, der Film einer Sängerin, die der Meinung war, ihre Stimme bei einer bestimmten Gelegenheit verloren zu haben, und die sich nun bemühte, sie auf einer verzweifelten Reise in die Vergangenheit wiederzufinden. Solange sie auf der Suche war, hielt Elsa meine Hand, und am wechselnden Druck ihrer Finger spürte ich, wie sehr sie sich an der Suche beteiligte, die die Sängerin durch Hotels verschiedener Preislagen führte, zu Männern mit unterschiedlichem Einkommen und schließlich in die kleine, kalkweiße Kirche in den Abruzzen, in der sich die Stimme erwartungsgemäß wieder einstellte. Von da ab übernahm die Stimme die Hauptrolle.

Der Druck von Elsas Fingern ließ allmählich nach, und plötzlich erhob sie sich ohne ein Wort, ohne eine Ankündigung, zwängte sich durch die Reihe, als gehöre sie nicht zu mir, ging geduckt zum Ausgang. Ich suchte in der Dunkelheit nach dem Netz, der Sitz klappte wippend zurück, ein leises Murren und Scharren lief durch die Reihe und begleitete mich bis zum Gang. Elsa erwartete mich im zugigen Vorraum des Kinos, nahm mir mit einem raschen Griff das Netz ab, hielt es fest wie eine Beute und nickte mir hilflos zu und ging vor mir her auf die Straße. Ich folgte ihr langsam, machte keinen Versuch, sie einzuholen oder auch nur im Auge zu behalten, während sie in dem sonnengebleichten, dünnen Mantel, den sie zu schließen vergessen hatte, zu unserer Wohnung lief. Das Nebelhorn eines Schiffes erklang wieder, nah und dringend und unmittelbar hinter mir, so daß ich mich umwandte in der Erwartung, den Schiffsbug über dem schwarznassen Asphalt auf mich zukommen zu sehen, einen Bug bis hinauf zu den Isolatoren an den Telephonmasten. Als ich mich umwandte, entdeckte ich in einem Tabakladen die Reklame für eine neue Filterzigarette. Ich kaufte eine Packung zur Probe, trat wieder auf die Straße. Elsa war nicht mehr zu sehen.

Vor der Post reizten einige Kinder einen wilden Alten, dem aus einem Hosenbein ein meterlanger, dreckiger Verband heraushing wie die vergessene Heckleine eines Schiffes, die er, fuchtelnd und drohend, Hand über Hand einzuziehen versuchte, wobei die Kinder ihn störten, indem sie immer wieder auf das Ende des Verbands traten. Sobald er ein Stück eingeholt und unter sein Hosenbein gestopft hatte, sprang ein schöner Junge wohlberechnet auf das noch heraushängende Ende: ein einziger Ruck riß das gewonnene Knäuel wieder hervor. Der Alte drohte stumm, arbeitete stumm, seine Lippen bewegten sich in lautloser Auflehnung; dann erschien ein Polizist und verschaffte ihm Gelegenheit, den Verband geruhsam einzuholen. Der Alte zog sich am Geländer zur Post hinauf, und ich ging ohne Eile zu dem Haus, in dem wir wohnten. Von Elsa war nichts zu entdecken. Die Türen der unteren Wohnungen waren offen, Nachbarn standen davor, die bei meinem Anblick zu sprechen aufhörten, unwillkürlich zurückwichen und sich wie in heimlicher Bestätigung zunickten, und ich spürte, wie sie hervorkamen, als ich die Treppe hinaufging, mich Schritt für Schritt begleiteten bis zum nächsten Flur, auf dem ebenfalls die Wohnungstüren offenstanden, Nachbarn sich aus flüsterndem Gespräch lösten, sobald sie mich erkannten, und mich mit beherrschtem Entsetzen verfolgten. Im ersten Stock nahm ich geringe Spuren von Gasgeruch wahr, der immer stärker wurde, je näher ich unserer Wohnung kam. Auf unserm Flur stürzte eine Frau auf mich zu, ihre Hand fuhr hoch, ihr kleiner Mund öffnete sich zu einem Schrei, doch ich kann mich nicht erinnern, ihren Schrei gehört zu haben. Ich blickte über die Frau hinweg in die anderen Gesichter, und selbst in der ewigen Flurdämmerung konnte ich die schweigende Verachtung auf ihnen erkennen. Bevor ich unsere Wohnung betrat, wußte ich, daß man den Finnen bereits abgeholt hatte.

1960

Der Staatsbesuch

Lucassen hörte den Konvoi, noch bevor er in Sicht kam, griff heftig in die Speichen des Rollstuhls, drehte fast auf der Stelle und fuhr nah an das Eisengitter des Balkons heran, zog dann seine Hände unter den spröden Lederschurz und entsicherte das Gewehr. Er hatte sechzig Sekunden Zeit, genug, um mit dem Ellenbogen den Schurz abzuwerfen, der nicht festgeknöpft war; genug, den Lauf des Gewehrs auf das Geländer zu heben, das wandernde Ziel zu erfassen und, selbst wenn die jähe Spiegelung der Windschutzscheibe ihn einen Augenblick blenden sollte, einige Sekunden mitzudrehen und zu feuern. Das Licht über dem Hafen rief einen leichten Schmerz in seinen Augen hervor, auf der Asphaltstraße funkelten Teerflecken in der Sonne, das dröhnende Signal eines seegehenden Schiffes ließ ihn gequält zusammenzucken.

Motorradfahrer mit weißen Sturzhelmen erschienen am Anfang des Hafenweges, dann der erste Wagen des Konvois, und Lucassen glaubte bereits das Geräusch der sirrenden Räder zu hören, als auch der zweite offene Wagen in den Hafenweg einbog, der dritte, und dahinter wieder die weißbehelmten, beliebten Polizisten auf Motorrädern. Der Konvoi fuhr mit einer Geschwindigkeit von vierzig Stundenkilometern, langsam genug, um dem untersetzten, stiernackigen Ministerpräsidenten

Gelegenheit zu geben, das Händeklatschen der wenigen zu hören, die seinen Besuch begrüßten, – schnell genug, um die Proteste, die Rufe der Mißbilligung zu überhören, mit denen ihn die Mehrzahl unserer Leute empfing.

Er saß im Fond des zweiten Wagens, die kurzen Beine gespreizt, die fleischigen Hände auf den Schenkeln und blickte auf den Hafen, den sie ihn eingeladen hatten, kennenzulernen; blickte mit unergründlicher Freundlichkeit auf das lockere Spalier unserer Leute, die den Hafenweg flankierten: Es waren die gleichen Leute, die für seine Zeitungen und die auch für ihn selbst zur niederen Zoologie gehörten: Er war Gast der Hyänen, Gast des Ungeziefers. Lucassen fuhr in seinem Rollstuhl auf, daß die Federung knackte; eine junge Frau in blauem Arbeitszeug, mit leuchtendem Kopftuch, stürzte auf die Fahrbahn, schleuderte einen Strauß weißer Blumen gegen das zweite Auto. Der Strauß öffnete sich in der Luft wie die rotierende Sonne eines Feuerwerks, die im Zerspringen sprühende Trabanten entläßt; die einzelnen Blätter segelten auf den Asphalt, langsam, viel zu langsam, und das letzte Auto und die Motorräder fuhren über sie hin. Unwillkürlich zog Lucassen das Gewehr an seinen Körper, weg von den gefühllosen Beinen, der Zeigefinger suchte den Abzug, und die Mündung hob sich automatisch und stand gegen das spröde Leder des Schurzes wie ein Pflock.

Der Konvoi näherte sich der neuen Drehbrücke, die von Polizisten bewacht wurde, fuhr unter den scharfen Schatten der Hochbahnüberführung dahin, rollte hinaus in das schmerzende Licht. Der Mann im Rollstuhl legte den Kopf in den Nacken, sah flüchtig an der Fassade des Hauses hinauf, mehr aus einem Reflex als in der Absicht, sich zu vergewissern, ob sie ihn aus den Fenstern oder von den höher liegenden Balkons herab beobachteten; denn er begnügte sich mit der blitzschnellen, flächigen Wahrnehmung der unverputzten Ziegelwand und der schmutzigen Rechtecke der Balkons, auf denen er die Zuschauer mehr vermutete als erkannte oder sogar unterschied, senkte den Blick und fand sein Ziel sofort und unweigerlich wieder, als ob er es mit seinem Lauschen begleitet hätte, während es auf die Drehbrücke zufuhr.

Die Straße war offen gegen den Hafen hin, er hatte kein Gegenüber, und er wußte instinktiv, daß von denen, die neben und über ihm waren und gleich ihm die Kolonne beobachteten, niemand in der Lage war, ihn daran zu hindern, was er zu tun vorhatte. Wenn sie etwas bemerkt hätten, wäre längst die Klingel gegangen, hätte er längst Schläge gegen die Tür gehört, die er vorsorglich abgeschlossen hatte.

Aus zusammengekniffenen Augen sah er die Spitze der Motorradfahrer auf die Brücke hinauffahren, hörte das plötzliche dunkle Dröhnen der Motoren, sah eine andere, eine größere Brücke über einen anderen trägen Fluß: die hölzerne Zollbude am Anfang und in der Mitte den gelackten Schlagbaum, die Grenze. Auch damals, in jenem maßlos trockenen Sommer, brannte die Sonne auf sie herab, so daß sie geblendet die Augen schließen mußten, als der Posten sie aus dem wohltätigen Dämmer des Güterwagens trieb, nicht wütend, sondern mit beinahe sanften Kommandos, aus denen er – und nicht nur er – ein heimliches Mitleid herauszuhören glaubte. Der Schienenstrang endete vor der hölzernen Brücke, die sich noch über den trägen Fluß spannte und deren Pfeiler zum Schutz gegen Eisgang und Hochwasser mit Eisenblech verkleidet waren. Jetzt rollte das erste Auto auf die Drehbrücke, und er hörte in der gleichen Sekunde das sehr viel leichtere Auto der Feldgendarmerie über die Planken der hohen Holzbrücke zum Schlagbaum rollen, mit einem dumpfen, hackenden Geräusch, das so klang, als ob man im Vorübergehen einen Stock über ein nasses Zaungitter zieht. Der alte Posten, der sie von der Hauptstadt her begleitet hatte, blickte zu dem wartenden Auto hinüber und zündete sich eine selbstgedrehte Zigarette an, so als wollte er ihnen zu verstehen geben, daß er selbst keine Eile habe; vielleicht aber wollte er auch damit denen, die im Auto auf die Auslieferung warteten, einen letzten versteckten Beweis seiner persönlichen Mißbilligung geben, einfach indem er die Frist der Männer vergrößerte, die er zu übergeben hatte. Denn er wußte, daß die Männer, die er im Güterwagen hierhergebracht hatte, vor sieben Jahren als Emigranten in sein Land gekommen waren, in die Hauptstadt der Partei, die für sie die Hauptstadt der Welt war. Auch jetzt, da er sie auszuliefern hatte – weil seine Regierung sich in unerfindlichem Ratschluß dazu bereitgefunden hatte –, standen sie ihm näher als die andern, die schweigend hinter dem Schlagbaum warteten.

Lucassen spürte den metallbeschlagenen Schaft des Gewehrs am Körper, sah das zweite Auto mit dem stiernackigen Ministerpräsidenten über die Drehbrücke fahren, unter den Schatten des Bogengestänges hindurch und er fühlte wieder den siedenden Druck und die Übelkeit im Magen, – so wie damals, als der Posten sie endlich über die Brücke trieb und er, Lucassen, nicht wußte, was in diesem Augenblick mehr für ihn zählte: das gleichgültige Achselzucken, mit dem die Partei sie verriet, der sie bereit gewesen waren, alles zu opfern; oder die Angst vor dem, was sie zu Hause erwartete, wo eine Regierung von wissenschaftlichen Henkern ihn und seinesgleichen zu Staatsfeinden erklärt hatte. Er sah in die Gesichter der Feldgendarmen, die im Auto sitzenblieben, als die Kolonne der ausgelieferten Emigranten vorbeizog und er erkannte nichts als ihre blicklosen Augenschatten und die ragenden Gewehrläufe.

Jetzt war auch die Nachhut der weißbehelmten, beliebten Polizisten auf der Brücke, ihr Lederzeug glänzte unter den schrägen Lichtsplittern, die Helmriemen schnürten ins Kinnfleisch. Sobald sie sich in Höhe des überdachten Landungsstegs befanden, würde er den Schurz abwerfen, das Gewehr auf das Geländer heben, oder, ja, das wäre noch besser, den Lauf durch das geschwungene Eisengitter schieben, das Ziel aufnehmen und sich durch einen einzigen Schuß gleichsam zurückholen, worum die Partei ihn gebracht hatte, noch bevor sie ihn opferte. Mit der einzigen Patrone, die im Lauf steckte, wollte er verhindern, daß seine Schmerzen für immer entwertet blieben.

Die Kolonne fuhr an einer Reihe parkender Lastwagen vorbei, die die Polizei an den Straßenrand gewinkt hatte; die Chauffeure bewegten sich aus den Führerhäusern, lachten, winkten und drohten scherzhaft dem stiernackigen Ministerpräsidenten, der sein knolliges Gesicht zu einem Grinsen verzog, seine kurzen Arme grüßend über den Kopf hob. – Nachdem sie den gelackten Schlagbaum passiert hatten, sahen sie hinter der Brücke die bereitstehenden Militärlastwagen und erkletterten sie ohne Kommando und fuhren zwei Tage und eine Nacht, bis sie das Lager erreichten. Sie erhielten nur einmal zu essen, und auf dieser Fahrt büßte Lucassen die Phantasie ein, die seine Angst hervorrief, so daß, als er das Lager und später das Gefängnis betrat, nichts zurückblieb als die unergründliche Gleichgültigkeit, mit der seine Partei ihn ausgeliefert und mehr als ausgeliefert hatte. Er hatte ihr seit seinem sechzehnten Lebensjahr gedient, hatte dafür gesorgt, daß sie nie widerlegt wurde, – jetzt wurde er durch sie widerlegt.

Er krümmte sich hastig zusammen, fühlte eine heiße Welle von zuckendem Schmerz aus seinen Beinen in den Unterleib hinaufschlagen, so wie das erste Mal, als die wissenschaftlich gebildeten Henker ihn einer Spezialbehandlung unterzogen – doch sein Schmerz war nichts als Erinnerung. Er merkte es in dem Augenblick, da er den Lederschurz abwarf und nun sichtbar für alle mit dem Gewehr im Rollstuhl saß, wenngleich er es noch nicht hob, da das zweite Auto, in dem der stiernackige Inbegriff der Partei saß, erst auf der Höhe der Schaufenster war, in denen Schiffsausrüstungen lagen. Er hatte noch sechs oder sogar acht Sekunden Zeit. Fünf Jahre, so lange sie ihren Krieg führten, setzten sie ihn der Spezialbehandlung aus, töteten sein Gefühl in den Beinen, und wenn er hinterher auf der Pritsche lag, dachte er an die Partei, verfiel ihr so regelmäßig und zwangläufig wie ein Eisenspan dem Magnet verfällt: immer entschiedener wurde sein Wunsch, die Partei in Schutz zu nehmen, nur als Irrtum anzusehen, was sie mit ihm getan hatte, obwohl sie – und er hatte zeitlebens danach gehandelt – als irrtumslos galt. Er dachte an sie, und sie half ihm geheimnisvoll zu überstehen.

Die Spitze der weißgekleideten Polizisten näherte sich dem Landungssteg, ging mit der Fahrt herunter: hatten sie etwas entdeckt?

Lucassen täuschte sich. Der Ministerpräsident sprach mit dem Dolmetscher, der Dolmetscher sprach mit dem Ersten Bürgermeister, und alle drei lachten. Die Schmerzen, die er ertrug, lehrten ihn zu unterscheiden zwischen dem, was die Partei ihm bedeutete und dem, was er der Partei bedeutete; er suchte gleichsam solange in der kalten Asche, bis er erschrocken und glücklich die kleinen Glutbrocken seiner Überzeugung wiederfand, und wenn er damals die Kraft gefunden hatte, auszuhalten, so nur mit Hilfe dieses verborgenen Feuers. Solange er dies tat, glaubte Lucassen seine Leiden vor jeder Nutzlosigkeit zu bewahren. Ein Schrei ließ ihn zusammenfahren, ein hoher, irrsinniger Schrei, mit dem ein magerer, betrunkener Mann mützeschwenkend auf die Autokolonne zutorkelte, von einem Motorradfahrer zurückgestoßen wurde, so daß er nach hinten taumelte und von einem Polizisten am Rinnstein mit ausgestreckten Armen, wie ein Liebender aufgefangen wurde.

Doch als er mit gefühllosen Beinen heimkehrte und wieder zu ihnen stieß – in der Hoffnung, daß die Partei seine erlittenen Schmerzen bestätigen würde –, empfingen sie ihn mit Mißtrauen, und mit ihrem erschreckenden Gedächtnis erinnerten sie ihn an seine Auslieferung und bestritten jeden Irrtum: er war nicht zufällig ausgeliefert worden. Sie wiesen ihn nicht zurück, aber sie gaben ihm die Möglichkeit, sich als zurückgewiesen zu empfinden: dadurch verzichteten sie auf jede Begegnung mit ihrem schlechten Gewissen. – Jetzt mußte er das Gewehr heben, den Lauf durch das geschwungene Eisengitter schieben. Lucassen ertrug die Zurückweisung. Sie war leichter zu ertragen als das andere, als die Gewöhnung daran, daß alle Leiden, die man auf sich nimmt, eines Tages korrumpiert, der Lächerlichkeit preisgegeben werden. Sollten all seine Schmerzen eine Beute des Vergessens werden? Der zweite Wagen war auf der Höhe des Landungssteges, jetzt mußte er das Gewehr heben. Er sah die Brust des Ministerpräsidenten, hob den Blick, sah in das knollige Gesicht, fühlte plötzlich die kleinen schlauen Augen auf sich gerichtet, auf sich allein, Augen, die ihn ruhig und befragend musterten, und dann sah er, wie der Ministerpräsident die Hand hob, und ihm, ihm allein winkte wie in rätselhaftem Einverständnis, und Lucassen merkte nicht einmal, wie seine Hand sich vom Abzug löste, sich bis zur Höhe des Balkongitters hob und langsam und in einer Art schwerfälligen und befangenen Winkens den Gruß erwiderte und weiterwinkte, als der Wagen hinter ihm hindurch und vorbei war.

1960

Etappen eines Fiaskos

Soviel blieb von allem übrig, nachdem wir unsere Irrtümer abgezogen, die unbelegten Augenblicke durch unsere Vorstellung vervollständigt hatten: er kam in jenem heißen masurischen Sommer von der Grenze herauf, ohne Begleiter, ohne Gepäck, nicht einmal mit dem prallen verschlungenen Taschentuch in der Hand, das man bei seinesgleichen zu sehen gewohnt war. Er hatte nichts bei sich, was auf seine Herkunft oder auf seine Absichten hätte schließen lassen können: ein kleiner, knochiger Mann in zerknittertem Anzug, mit riesigen, abgeschnittenen Stiefeln an den Füßen und einem Gesicht, in dem nichts zu lesen war als die Weigerung, sich um irgend etwas zu kümmern oder mit irgend jemand über irgend etwas ein Wort zu wechseln. Es gilt als sicher, daß er nicht die gestampfte Lehmchaussee benutzte, sondern durch die Wälder herabkam, die ihn aufnahmen und preisgaben und wieder aufnahmen, und wir vermuten, daß es bereits am Vormittag war, als er unser Gebiet betrat.

Um das Holzfuhrwerk loszuwerden, das ihm unablässig den sandigen Waldweg hinab folgte, kletterte er unter eine niedrige Brücke aus unbehauenen Stämmen, kauerte sich da zusammen und wartete und hörte, wie das hängende Kettenzeug über den Boden schleifte, wie das Fuhrwerk näherkam unter Stößen und Erschütterungen, bis es schließlich auf die Brücke auffuhr, über ihm war: feiner Sand rieselte in sein Gesicht, der Schatten des Holzfuhrwerks bewegte sich ruckend über den Fluß, und die langen Stämme wippten bei der Auffahrt und schlugen krachend auf den Brückenboden. Dann war es vorbei, die schweren Eisenfelgen knirschten durch den Sand, das Schleifgeräusch der hängenden Kette wurde leiser, die kurzen Rufe des Fuhrmanns entfernten sich, und jetzt glitt er die Böschung hinab ans Wasser, trank mehrmals und stieg staubgepudert wieder hinauf. Der Fuhrmann hatte ihn längst gesehen.

Wahrscheinlich gab er den sandigen Weg bereits an der Brücke auf, überquerte die Lichtung, watete durch den Fluß, aus dem er getrunken hatte, drang weiter durch den Wald zum See vor, so daß er zwangsläufig zu den freigeschlagenen Hügeln kommen, die Trümmer des abgestürzten Flugzeuges entdecken mußte, die über die stubbenbesetzten Hänge verstreut waren. Er war nicht der erste, der die Trümmer noch vor dem Suchkommando entdeckte, gleichwohl war er es, der sich ihnen als erster näherte, und zwar, wie der Junge bezeugte, ohne Verwunderung oder Erschrockenheit; vielmehr soll er alles, was er fand, einer sorgfältigen und mißtrauischen Prüfung unterzogen haben, bis er, unmittelbar neben der dichten Schonung, in der auch der Junge lag, das abgebrochene Rumpfende mit dem fast unversehrten Leitwerk sah.

Er kletterte in die Öffnung des Rumpfendes hinein, hörte das schwache Stöhnen, wartete, sah den Schimmer eines Augenpaares, sah ein Gewirr von Kabeln und Kästen und verbogenem Gestänge, sah wieder das Augenpaar, hörte kein Stöhnen mehr, sondern nur noch einen schnellen, gehetzten Atem; bückte sich und kroch weiter in das Halbdunkel des Rumpfendes hinein, die Hände ausgestreckt, die Finger gespreizt. Tastend berührte er einen warmen, reglosen Körper, lauschte, hörte keinen Atem mehr, spürte, selbst als er die Hand auflegte, keine Bewegung in dem eingeklemmten Körper, sah nur den Schimmer des Augenpaares, in dem weder Furcht lag noch Hoffnung. Eine Weile hockte er unbeweglich da, dann rührte sich seine Hand, fuhr unter das verbogene Gestänge, ertastete methodisch den Körper und glitt weich über ihn hin, die Brust hinauf, leicht zur Seite und zart wieder hinab, bis er die Verdickung spürte, das Profil der Brieftasche. Die Finger öffneten sich, wie um Maß zu nehmen, er knöpfte das Jackett auf, schlug den Stoff zurück – immer das ruhige, gleichsam schwebende Augenpaar schräg unter sich –, fand sofort den schmalen Schlitz der Brusttasche, lauschte und zog mit zwei Fingern die Brieftasche heraus. Er blickte zurück gegen die ausgezackte Öffnung des Rumpfendes, beobachtete das Stück schweigender Schonung, ohne Eile allerdings, ohne Erregung, weniger in der Erwartung, etwas zu entdecken, als in einer Gewohnheit, die aus einer anderen Zeit stammte, drehte sich dann auf den Absätzen herum und kroch hinaus und ging jetzt den Weg zurück, den er gekommen war. Vor dem Fluß ließ er sich auf die Knie hinab und trank, trank mehrmals und mit geschlossenen Augen, und erst als er sich erheben wollte, sah er neben dem zerlaufenden Spiegelbild seines Gesichts die kleineren Gesichter zweier Männer auf der blanken Fläche des Flusses.

Er blieb gebückt liegen, beobachtete die Spiegelbilder der Gesichter, erwartete etwas, von dem er nicht wußte, was es war oder sein könnte, fühlte, wie einer der Männer ihn mit dem Fuß anstieß und nickte darauf wie zum Zeichen, daß er ihre Anwesenheit bemerkt habe. Einer der Männer fragte von oben herab, ob er die Trümmer eines Flugzeuges gesehen habe und, ohne eine Antwort abzuwarten, ob die Trümmer in der Richtung lägen, in der sie weitersuchen wollten, worauf er nickte, jedoch so prompt und gleichgültig, daß die Männer spürten, daß er in der gleichen Art zu jeder Frage genickt haben würde, nur um sie loszuwerden. Er zog den Kopf ein, sah, wie die von der Strömung verzerrten Spiegelbilder der beiden Gesichter sich einander näherten, hörte eine flüsternde Verständigung, merkte auf einmal, daß nur noch sein Gesicht auf der Oberfläche des Flusses ihm entgegenblickte, richtete sich auf und sah die beiden Männer in der Richtung verschwinden, aus der er gekommen war. Er grub mit den Händen ein Loch in den Ufersand. Er zog die Brieftasche hervor, entleerte ihren Inhalt in das Loch, fischte einige Geldscheine heraus und verscharrte alles andere, ohne es zu lesen oder die Bilder auf den Ausweisen zu betrachten. Später grub einer der Hunde die Dokumente wieder aus.

Wir zweifeln nicht, daß er selbst seine Absichten änderte oder vielmehr nun erst eine Absicht besaß, nachdem er das Geld – es müssen

mehr als zweihundert Mark gewesen sein – an sich genommen hatte;
denn er kehrte wieder auf den sandigen Waldweg zurück, ruhte sich
aus und kam am Nachmittag den ganzen Weg bis zum Gasthaus an der
Furt herab, von dem er gehört haben mußte. Bei Sonnenuntergang
kam er an.

Das Gasthaus lag weit unterhalb des Dorfes auf der Böschung am
Fluß, dessen Wasser sich hier eine Bucht ausgesägt hatten, in der die
Holzflößer, bevor sie auf die letzte Etappe zu den Sägewerken gingen,
an den Abenden festmachten. Es war ein altes Gasthaus mit kühlem
Steinfußboden, mit einer Reihe von ebenerdig gelegenen kahlen
Schlafkammern; die Wände waren gekalkt, die Decke wurde von
rauchdunklen Holzpfeilern gestützt, in die eine Anzahl Kerben gehau-
en waren, so als ob Männer hier ihre Größe gemessen und sie mit
Messer oder Beil für alle Zeit markiert hätten. Von den blankgesesse-
nen, eisenharten Holzbänken sahen wir hinab auf das Band des Flusses, sahen auf die schwarze Bucht, in der die Flöße lagen, sanft drehend
in den Strudeln.

Wir merkten nicht, wann und wie er hereingekommen war, wir
saßen auf der Böschung, beobachteten, wie neue Flöße eintrafen, wie
die Flößer auf den zusammengeschlagenen Stämmen hinter ihren
Schilfhütten standen und die trägen lautlosen Gefährte in die Bucht
manövrierten, indem sie sich der Strömung anboten und einfach weg-
drücken ließen. Da hob Matutas den Kopf mit dem Instinkt, der einem
Wirt meldet, daß jemand seinen Gastraum betreten hat, stand wortlos
auf, linste durchs Fenster, machte eine Geste der Bekümmerung gegen
uns und ging hinein; – ging hinein und glaubte beim ersten Anblick
des scharfen Profils keinen anderen vor sich zu haben als jenen Hubert, der vor langer Zeit am Grenzbahnhof gearbeitet und dessen ganze Arbeit darin bestanden hatte, importierten Gänsen und Enten gewissenhaft die Flügel zu brechen, wonach sie aussortiert wurden und
weit unter Preis weggingen.

Matutas wiederholte seine Mutmaßung auch später – nachdem wir
ihm bereits bewiesen hatten, daß jener Hubert ausgewandert war –,
gerade so, als setzte er mehr auf seine Erinnerung als auf seine Fähigkeit, Schlüsse zu ziehen. Jedenfalls trat er an den Tisch, an dem der
kleine knochige Mann saß, fragte grinsend, in seiner bedächtigen Art
nach den Wünschen, fing einen Blick auf, der ihn unsicher machte
und mehr als unsicher: er hatte plötzlich das Gefühl einer unbestimm-

ten Unterlegenheit, die so weit ging, daß er diesem Gast mehr erlaubt und mehr erfüllt hätte als anderen, und er widerrief stillschweigend die Vertraulichkeit, mit der er ihn angesprochen hatte, indem er sorgsam aufzuzählen begann, was er ihm bieten könnte.

Der Gast, den er immer noch für Hubert hielt, entschied sich für ein Abendessen; ohne ein Wort, nur durch kurze Bewegungen des Zeigefingers, traf er seine Wahl, nickte und zog sich sogleich zurück hinter die Abwehr seines blicklosen Schweigens. Matutas ging nach hinten, um das Essen zu bestellen, schlich zur Tür zurück und beobachtete durch den Spalt den reglos dasitzenden Mann, als eine Gruppe von jungen Holzflößern die Böschung heraufkam, Burschen mit nackten Oberkörpern, die ihre Hemden und pralle, olivfarbene Leinensäcke in der Hand trugen. Sie hieben einander klatschend auf die Schulter, versuchten, sich die Leinensäcke aus der Hand zu schlagen, stimmten ein Lied an, das sie überraschend abbrachen, schoben und stießen einander in den niedrigen Gastraum, wo sofort einer von ihnen, ein riesiger, schweißglänzender Bursche mit zerstochenem Rücken, Matutas rief und, bevor dieser noch zu ihnen gekommen war, Schnaps für alle verlangte. Ohne sich zu verständigen, steuerten sie auf einen Ecktisch zu, warfen ihre Leinensäcke voraus auf die Bänke, stimmten wieder ein Lied an und packten auf einmal einen der Ihren, rangen mit ihm und versuchten, die Schnur zu zerreißen, mit der er die Hose in den Hüften festgebunden hatte. Sie setzten sich erst, als der Wirt den Schnaps brachte und auf einem Holzbrett eine grünlich schimmernde Leberwurst. Bevor sie ausgetrunken hatten, bestellten sie nach.

Matutas vermutete, daß sie sich in dem Gastraum allein glaubten bis zu dem Augenblick, da er die dampfende Suppe an ihnen vorbeitrug zu dem Fremden, der reglos in der Dämmerung an einem Tisch saß und der sich seinerseits so verhielt, als sei er der einzige Gast, der nicht bemerkt werden könnte, solange er nicht die anderen bemerken wollte. Die Holzflößer schwiegen jetzt, und zwar weniger, weil sie dem Fremden das Schweigen schuldig zu sein glaubten, als aus der Verblüffung darüber, daß sie ihn übersehen hatten, und während er die Suppe aß, spürte er – der ihrem Tisch den Rücken zukehrte – ihre überraschten Blicke, hörte die Männer flüstern und leise lachen.

Nach einer Weile hörte er den ersten Anruf: He, du!; doch er drehte sich nicht um, löffelte seine Suppe mit ruhigem Eifer, vernahm einen zweiten Anruf und überhörte auch diesen, worauf die jungen Holzflößer seufzend ihren Schnaps austranken und nachbestellten. Der Fremde wischte sich mit dem Handrücken über den Mund, zog die Hände vom Tisch und saß da in einer Haltung vollkommener Teilnahmslosigkeit, bis Matutas auf einem Tablett Kartoffeln und eine Schüssel Schwarzsauer hereinbrachte und alles verlegen und dienstfertig vor dem Fremden absetzte. Unsicher drückte der Wirt die Kelle in die sämig schwappende Masse, rührte sie um, brachte Backobst und Gekröse hoch und forderte den Fremden auf, sich zu bedienen.

Als er sich über den Teller beugte, traf ihn etwas an der Schulter, gleich darauf im Genick, und während er aß – Matutas verfolgte alles von hinten –, streifte etwas sein Ohr und fiel neben den Teller. Es war ein Stück Leberwurst. Er wandte sich nicht um, obwohl sie nicht aufhörten, mit kleinen Geschossen auf ihn zu werfen; aß die Schüssel leer, wischte sich den Mund und wartete. Bevor der Wirt die Heringe in saurer Sahne brachte, fühlte er plötzlich, wie seine Bank sich stetig und langsam nach hinten neigte; unwillkürlich umklammerten seine Finger die Tischplatte, doch es war bereits zu spät: die Bank schlug auf den Steinfußboden, hell knallend, mit einem Geräusch wie ein Peitschenschlag, und gleichzeitig, so daß er den Eindruck hatte, er selbst habe dies Geräusch verursacht, schlug er, sich im Sturz halb drehend, mit der Schulter auf.

In der Sekunde, in der er hilflos dalag, die Beine über die jetzt senkrecht stehende Sitzfläche gewinkelt, nahm er ihr Gelächter wahr, doch auch ihr Gelächter reichte nicht aus, um ihn dazu zu bringen, sich nach ihnen umzudrehen. Er stand sehr langsam auf. Er klopfte seinen zerknitterten Anzug ab. Dann stellte er die Bank auf und aß weiter. Sogleich fühlte er wieder die kleinen Geschosse, die sie auf ihn schnippten, sah sie über den Tisch rollen, hörte sie gegen das Fenster klatschen. Sie unterbrachen das Spiel nur, als Matutas hereinkam und die Petroleumlampen ansteckte.

Nachdem er zu Ende gegessen hatte, winkte er dem Wirt, zahlte, und zahlte auch gleich für eine Schlafkammer, in der er eine Nacht bleiben wollte. Und dann, in einem Augenblick, der keine Zeugen hatte als die Betroffenen – die jedoch fort oder stumm waren, als es galt, das Ereignis nachträglich darzustellen –, stand einer der Holzflößer auf, das heißt, wir vermuten, daß er aufstand, an den Tisch des Fremden ging und ihm von hinten mit der flachen Hand auf den Kopf schlug, ihn sodann an den Aufschlägen des Jacketts hochzog und auf den Tisch setzte.

Wir selbst sahen ihn auf dem Tisch sitzen, sein von Schattengittern gezeichnetes Gesicht, in dem nichts vorzugehen schien, sich nichts ankündigte, und wir sahen auch die Verwirrung und gleichsam ratlose Wut im Gesicht des Holzflößers, der jetzt zu seiner Bank ging, den Leinensack öffnete, ein handliches Beil herauszog und dann ein zweites Beil aus dem Leinensack des neben ihm sitzenden Mannes, worauf er wieder an den Tisch des Fremden zurückkehrte und ihm eines der Beile über die Platte zuschob –, mit der Aufforderung, nach draußen zu kommen. Ausdruckslos nahm der Fremde das Beil an sich, rutschte vom Tisch herab, schickte sich an, dem mehr als einen Kopf größeren Mann zu folgen, als Matutas zwischen sie trat und versuchte, dem Holzflößer den Weg zu verstellen, ihn zu warnen und zu beschwören, und es war offenbar, daß all seine Warnungen und Beschwörungen dem Fremden galten, der in hoffnungsloser Unterlegenheit seinen Gegner erwartete. Schließlich packte der Wirt das Beil des Holzflößers, suchte es ihm zu entwinden, doch da kam der Fremde zurück, und eine kurze, ungeduldige Bewegung seines Kopfes reichte aus, um die beiden Männer zu trennen.

Sie traten allein in die lichtgesprenkelte Abendstille, gingen bis zur Böschung am Fluß: der Himmel war unter ihnen, frühe Nebel lösten sich vom Wasser. Der Fremde streckte seine Hand aus, umklammerte den Unterarm des Holzflößers und spürte in der gleichen Sekunde die unwiderlegbare Umklammerung seines Unterarms durch den Gegner und das gleichmäßige Hämmern seines Herzens. Er suchte nicht das Gesicht des Holzflößers. Er wartete teilnahmslos, und das Kommando zum Beginn änderte daran nichts.

1960

Schwierige Trauer

Eine Grabrede auf Henry Smolka

Vielleicht, Vater, hast du gesehen, daß wir weniger erschraken als uns weigerten, zu glauben, was uns die Leitung des Obdachlosen-Asyls schrieb; denn in all den Jahren – und was sollten wir anderes tun? – hatten wir uns damit abgefunden, daß du verschwunden warst und deine Spur für immer unauffindbar bleiben würde: irgendwo zwischen Luknow, wo du aufbrachst, und dem Ziel, das nur du allein kanntest, als ihr in jener eisigen Februarnacht auf den letzten Lastwagen stiegt, der euch zur Flucht verhelfen sollte. Wir hatten uns an deine Verschollenheit gewöhnt und waren auf dem besten Wege, dich und deine Aufgabe zu vergessen, die du damals übernommen hattest und von der wir immer wieder in Gerüchten hörten, und es war keine Hoffnung im Spiel, als wir dich zuerst für vermißt, zehn Jahre später für tot erklären ließen. Wir taten dies deinetwegen und unsretwegen; deinetwegen: weil wir dir die letzte Ehre, vergessen zu werden, verschaffen wollten; und unsretwegen: weil wir uns insgeheim davor schützen wollten, daß du mit deinem absurden Besitz aus der Verschollenheit auftauchst, um uns die Ruhe zu nehmen. Alles, Vater, was wir für dich empfanden, empfanden wir für den Vermißten.

Doch nun bist du aufgetaucht: der einstige Bürgermeister von Luknow, unserer alten Grenzstadt im Osten, starb in einem Obdachlosen-Asyl, wo er unter falschem Namen einen Strohsack besetzt gehalten und eifrig verteidigt hatte gegen die zänkischen Ansprüche alter Schlawiner, starb und begrub bis zuletzt mit seinem Körper den wasserdichten Beutel, in dem, nach deiner Meinung, die Geschichte und das Schicksal unserer Stadt ruhten, oder vielmehr nur das, was von ihrer Geschichte und ihrem Schicksal übriggeblieben war, seitdem du dich in jener Februarnacht davongemacht hattest. Deine Spur ist wieder zum Vorschein gekommen wie eine Spur im Tal der Dünen, die der Wind noch einmal freigefegt hat, bevor er sie endgültig löscht, und du zwingst uns, Vater, uns noch einmal mit dir zu beschäftigen, in deiner Spur zu lesen und uns an die Stunde zu erinnern, in der du die Aufgabe übernahmst, die dich für immer von uns trennte und mit der du uns bis heute nichts hinterlassen hast als Scham, Verlegenheit und eine schwierige Trauer. Wir können dir keine mildernden Umstände zugute halten, denn wir wissen, daß du bis zuletzt nicht ein einziges Mal an deiner Aufgabe gezweifelt hast.

Du warst überzeugt, gleich damals in jener klaren Februarnacht, als dich der Auftrag des Landrats erreichte, das Archiv der Stadt, die Dokumente von Luknows 600jähriger Geschichte vor der Roten Armee in Sicherheit zu bringen. Unsere Soldaten hatten die Stadt bereits verlassen, nur Verwundete waren noch da und Zivilisten, die an den Ausfallstraßen lagen und warteten, warteten auf ein Gefährt, das sie aufnehmen sollte; doch es kam nichts, kein knirschendes Geräusch von

Schlittenkufen, kein Holpern eines Wagenrades auf unserem schäbigen Pflaster, nur das Springen der Eisdecke auf dem See, in die der Frost lange Risse brach. Doch dann, um Mitternacht, näherte sich ein einzelnes Motorengeräusch, bei dem die Wartenden an der Ausfallstraße die Köpfe hoben, sich aus ihren Vermummungen befreiten; es gelang ihnen nicht, den Lastwagen zum Halten zu bringen, und so verfolgten sie ihn bis zum Stadthaus, immer dem schleifenden Motorengeräusch folgend, stellten ihn und bewegten sich nun von allen Seiten auf ihn zu wie Rinnsale, die schwollen und größer wurden durch immer neue Ankömmlinge, an Druck und Strömung gewannen, so daß sie schließlich verrückten und den Wagen festkeilten, der mit der Ladefläche gegen die Treppe des Stadthauses stand. Du, Vater, standest oben auf der Treppe, neben dir das bewaffnete Begleitkommando, das die wogende Mauer der Körper zurückhielt, und während ihr dort standet, luden andere das Archiv der Stadt auf die Ladefläche: Kisten mit Dokumenten, Urkunden, Briefen, Bündel von Manifesten, Aufrufen, von gehaltenen und gebrochenen Verträgen – der letzte Bürgermeister von Luknow ließ die Geschichte seiner Stadt verladen, ließ ihre weder ruhmvolle noch ruhmlose Vergangenheit in Sicherheit bringen, weil ihr glaubtet, über die Stadt verfügen zu können, solange ihr über ihre Geschichte verfügtet. Dabei hattet ihr nur übersehen, daß die Geschichte alles enthält außer jener blinden Gerechtigkeit, die ihr – ohne selbst allzu gerecht zu sein – in eurer Überheblichkeit voraussetztet. Und als die ganze verbürgte Vergangenheit von Luknow verstaut war, fuhrt ihr davon, mit Drohungen und Gewalt durch die Mauer der Leiber, die den Lastwagen bis zuletzt umschloß; du sahst, wie einige sich festhielten wie an einem Floß, mitliefen, bettelten und euch schließlich verfluchten; war Greta nicht unter ihnen? Habt ihr mit den Kolben eurer Gewehre auch auf ihre Hände geschlagen, bis sie sich lösten? Greta war sechzehn damals, sehr blaß, von dieser träumerischen Traurigkeit, die euch mißtrauisch machte, so daß ihr es nicht allzu gern saht, wenn ich mit ihr zusammen war – weißt du noch, Vater, ja? Hast du auch sie zurückgestoßen in die Dunkelheit, hast du sie mit den andern aufgegeben, weil dir die Vergangenheit Luknows kostbarer erschien als das Leben der Wartenden? Bedeutete dir die Urkunde über den abgewiesenen Tatareneinfall mehr als Greta? Ihr wart die letzten, die Luknow verließen, verlassen konnten in jener Nacht, und ihr fuhrt durch unsere Wälder nach Norden zur Küste, mit eurem absurden

Fluchtgepäck, das euch dereinst einen absurden Anspruch erleichtern sollte, und wo ihr euch befandet, da war auch die Stadt, die ihr entleert hattet von ihrer Geschichte. Vielleicht glaubtet ihr damals, den anderen Soldaten nicht mehr überlassen zu haben als kaltes Gestein, zeugenlose Wände, eine leere Stadt, in die erst wieder Leben käme, sobald die Stimmen der Vergangenheit zurückkehrten – ihr täuschtet euch.

Mit der fliehenden Front zogt ihr nach Norden, und noch vor dem Haff, in einem verschneiten Tal, erwischte euch ein Flugzeug, flog euch zweimal an und schoß den Lastwagen in Brand, wonach ihr nur eine Kiste und mehrere Bündel mit Dokumenten retten konntet. Ihr habt den Chauffeur nicht begraben, ihr ließt ihn im ausgebrannten Führerhaus stecken, verschafftet euch einen Schlitten, ludet die verringerte, angekohlte Vergangenheit Luknows auf und zogt weiter am Haff entlang zu den vereisten Piers von Pillau. In einem Güterwagen, Vater, mußtet ihr vier Tage und vier Nächte auf ein Schiff warten, und während dieser Zeit gingst du daran, den verbliebenen Bestand an Geschichte zu sichten, den Verlust zu notieren. Was war verlorengegangen? Die Zeugnisse der Pest in Luknow, oder das gesiegelte Dokument, mit dem einer der schwammigen Herzöge von Kolsk das damalige Dorf Luknow seiner zwölfjährigen Mätresse überschrieb? Oder hatte unsere Stadt die Urkunden über ihren großen Sohn Fittko eingebüßt, jenen General während der Grenzkriege, der alle Gefangenen eigenhändig tötete? Hatte Fittko nun nie mehr gelebt? Du führtest Buch über den Verlust an Vergangenheit, Vater, du bilanziertest das Kapitel an Geschichte, das euch verblieben war, dir und deinem letzten Helfer, Sbrisny, dem Invaliden, der dich begleitete. Und ihr bekamt ein Schiff; obwohl die Pier voll von Verwundeten war, gelang es dir, einen Dringlichkeitsschein zu erhalten, der euch erlaubte, mit der Kiste und den Bündeln an Bord zu gehen; vier Verwundete blieben zurück, wurden für die Zeugnisse von Luknows Tradition geopfert. Es war ein alter Holzschoner, der euch rausbrachte und westwärts über die Danziger Bucht bis zur Reede von Swinemünde, wo ihr Anker warft und im Morgengrauen, beim Schwojen an der Kette, Berührung mit einer Mine fandet, endgültige Berührung, die das Schiff in Höhe des Maschinenraums auseinanderriß, so daß es in zwei Teilen wegsackte. Niemand hatte Gelegenheit, etwas zu retten, niemand außer dir: du warst in dem Floß, das du schweigend ausersehn hattest für solch einen Fall, mit all deiner umständlichen und manchmal unerträglichen Sorgfalt, und zur größeren Ehre Luknows verzichtetest du auf Sbrisny und nahmst einige Bündel von Urkunden ins Floß, wahllos, denn die Katastrophe ließ dir keine Zeit. Die Kiste versank. Der träge Zug des Wassers schwemmte die Papiere hinaus, trieb sie lautlos über den Grund wie tote Fische – Luknows verflossene Schicksale. Das Salzwasser tilgte die Schrift: der große Brand unserer Stadt hatte nicht stattgefunden, eine Hungersnot hatte es nie gegeben, kein Zeugnis sprach mehr davon, welche namentlich erwähnten Herren einst das Recht gehabt hatten, jeden Unbekannten zu töten, der ihr Land betrat. Und ihr hättet nie mehr belegen können, daß Luknow einst die Spielschulden des mächtigen Wranka übernahm, denn auch seine Quittungen waren in der Kiste.

Du aber, Vater, glaubtest, noch genug im Floß zu haben, so daß du Sbrisny zurückließest, wie du Greta zurückgelassen hattest, du gelangtest an den Strand, schlepptest die dezimierte Geschichte in die Dünen, blicktest nicht auf die Reede hinaus, sondern zogst weiter, als du deiner Kraft wieder vertrauen zu können glaubtest. Du hattest dem Landrat versprochen, die Aufgabe zu übernehmen, und du hieltest dich an dies Versprechen, erkanntest nichts anderes an. Du hattest dich gegen jeden Zweifel durch deine Überzeugung geschützt, für Luknow zu handeln, und du zogst weiter nach Westen, gelangtest durch deine List, die du so kunstgerecht tarnen konntest, auf die Puffer des letzten Zuges, der Swinemünde verließ. Und du überstandest die Fahrt, auch wenn du wieder einen Teil unserer Geschichte einbüßen mußtest: bei einer unvorsichtigen Bewegung rutschte ein Bündel aus deinen klammen Fingern, fiel in den Schnee zwischen den Schienen, wurde vom Wind erfaßt, über den Damm gewirbelt und wie riesige Schneeflocken über das flache Land. Verloren war auch dies: das Zeugnis eines frühen Bürgermeisters, der einst die Stadt retten wollte, indem er sich in einen Zweikampf mit dem Führer der Angreifer einließ und verlor; die Beurkundung einer öffentlichen Blendung von aufsässigen Knechten und all die anderen gegebenen, beglaubigten und gezeichneten Dokumente, die vom Glück und Unglück, vom Triumph und der Schande unserer Stadt Kunde gaben. Bis dahin, bis auf die Puffer des Zuges, hatten wir deine Spur verfolgt, und zwar weniger aus Anteilnahme – denn dazu gabst du uns keinen Anlaß –, als um die letzte Bestätigung für unseren Glauben zu erhalten, daß der verhängnisvollste Irrtum deines Lebens die Überzeugung war, die Geschichte einer Stadt wöge das Leben eines einzigen Menschen auf.

Dann bliebst du verschollen, zogst durch das Land auf der verzweifelten Suche nach deinem Auftraggeber, Stück um Stück der Geschichte Luknows ging verloren: die Zeit der Besetzung, der Aufstände, der drohenden Erscheinungen am Himmel, und zuletzt blieb nur noch der wasserdichte Beutel, den du in deinem Argwohn an der Haut fühlen mußtest Tag und Nacht. Auch wenn du das Gegenteil erreichen wolltest, durch dich erst wurde die Vergangenheit unserer Stadt in alle Winde gestreut, ihre mittelmäßige Geschichte, die ihr so hoch schätztet, weil ihr die Gegenwart insgeheim verachtetet. Wir wissen nicht, Vater, wohin dich dein Weg führte, nachdem du den Zug verlassen hattest; wir haben auch nicht den Wunsch, es zu erfahren. Das Obdachlosen-Asyl, in dem du starbst, schickte uns deinen Napf und dein Besteck, eine Blechdose mit Kleingeld und Kippen und den Beutel, in dem die Reste von Luknows vergangener Zeit steckten. Wir legen keinen Wert darauf. Wir verachten sie nicht, aber wir fühlen auch keinen Grund, ihr das Geringste zu opfern oder gar für sie einzutreten, wie du für sie eingetreten bist. Hier, nimm deinen Beutel und fahr wohl.

1960

Das Lächeln von San Antonio

Die Fischer von Peñiscola halten sehr viel von San Antonio: sie bebezweifeln nicht, daß ihr Heiliger gegebenenfalls ein guter Steuermann wäre, ein scharfäugiger Ausguckposten, ein großer Netzflicker und Mechaniker für den trocken fauchenden Bordmotor. Sie halten eine Menge von seinem Geschick, von seinem Spürsinn, und wahrscheinlich wünschen sie sich den erlauchten Kumpel manchmal als Sprecher bei den Fischauktionen, damit er für bessere Preise sorge. Viele in Peñiscola haben wirklich das allerbeste Verhältnis zu San Antonio; er ist kein weltfremder Heiliger für sie, kein Herr aus fernen, verriegelten Paradiesen, kein anämischer Tugendwächter; im Gegenteil: hier ist man überzeugt, daß Antonio den gleichen Wein bevorzugt und in gleicher Weise auf die hämmernde Mittagshitze flucht.

Darum huldigt das ganze Dorf einmal im Jahr San Antonio, huldigt ihm fröhlich, aufgeräumt, übermütig; dieser Heilige ist ihr Mann, und Ostern gehört ihm. Ihm zu Ehren werden solide Fischtorten gebacken, Haare geschnitten, Ziegenkäse eingelegt, knarrende Schuhe angezogen. Wer zu Ostern im Dorf ist, wird von Erwartung angesteckt wie von einer fröhlichen Krankheit.

Wir waren Ostern in Peñiscola, und auch wir blieben nicht verschont vom glücklichen Aufruhr, von Ungeduld, vom Eifer der Vorbereitungen für das Fest zu Ehren San Antonios. Eine Wolke siedenden Bratenöls lag über dem alten spanischen Dorf; wir sahen Fischer auf der Pier, die sich gegenseitig sorgfältig kämmten, und zwischen den Hütten wieselten eilige Frauen mit Kummen voll gepumpten Mehls, voll geliehenen Zuckers. Die Leute des Dorfes zwinkerten uns zu im Hinblick auf San Antonio, ließen uns einen Muschelkuchen probieren, luden uns zum Wein ein, und auch das Geschrei kleiner Rotznasen, die scharf und unerbittlich gewaschen wurden, erklang im Hinblick auf San Antonio. Wir waren damals die einzigen Fremden, und jeder lud uns ein, an San Antonio sein Gast zu sein. Der Wirt von der Kneipe lud uns ein, Fischer und Weinbauern luden uns ein, nur die Guardia civil lud uns nicht ein. Die Guardia schien auch nicht voll fröhlicher Erwartung im Hinblick auf San Antonio: mißmutig, zurückweisend machten sie ihre Patrouillen, die lackglänzenden Hebammenhelme auf dem Kopf, über der Schulter altmodische Karabiner. Wie einsame, gefährliche Vögel standen sie reglos auf Feldern, am Strand oder im Straßengraben – nein, der Heilige Antonio war offenbar nicht ihr Mann. Die Guardia civil schien einen anderen Heiligen zu haben, einen mit knarrenden Gamaschen vielleicht und mit einem als Talglicht getarnten Karabiner.

Als San Antonio endlich hereinbrach, wurden wir von Stimmen unter dem Fenster geweckt: einzeln und in Gruppen, zumeist in Gruppen, zogen die Leute des Dorfes hinaus, alle in bestem Zeug, niemand barfuß. Sie waren geschmückt und rasiert, trugen Bündel von Kerzen, schleppten Kartons, Beutel und Taschen mit sich, riesige Pakete, die jetzt schon durchfetteten. Es war sehr heiß, und die dunklen Schweißflecken unter den Achseln wurden größer. Hastig machten wir uns fertig und traten hinaus, schlossen uns einer Gruppe schwerer, singender Frauen an, die zu Ehren San Antonios ihr Haar gefettet hatten. Hinter uns kamen blasse Kinder in Lackschuhen, denen wieder eine Gruppe geputzter Fischer folgte, und ich erkannte auch den grimmigen Einäugigen, der so aussah, als hätte er zumindest vierzehn Silbergaleonen für Spanien eingebracht. Fröhlich winkte er uns zu.

Der Zug, lang und unregelmäßig, bewegte sich durch das Dorf zur

Küste hin, dann einen felsigen Küstenweg entlang bis zu einem ausgetrockneten Flußbett, in dem die heiße Luft zitterte. Von hier aus ging es ins Land, zunächst über die weißgewaschenen Kiesel des Flußbetts, ansteigend dann zu einem Weg, der nur aus gemahlenem Staub bestand und uns aufwärts führte in die Berge. Weit vor uns, weit hinter uns: überall das Leuchten bunter Seidenkleider, ferner Gesang; das ganze Dorf wanderte in die Berge zu San Antonio, der auf einer verbrannten Kuppe eine Kapelle hatte. Wir verließen den pulvrigen Weg, klommen eine steile, heiße Anhöhe hinauf, Kinder, Männer und üppige Frauen, die seufzend, mit geröteten Gesichtern mitmarschierten. Die Sonne traf uns von vorn, erschwerte den Weg zu San Antonio, aber niemand fluchte, niemand verwünschte die Hitze; von überall her hörte man Witze, vergnügte Zurufe, Ermunterungen: der Osteraufstieg zu San Antonio war ein fröhlicher Aufstieg.

Nur der Guardia civil schien der Aufstieg kein Vergnügen zu machen; verdrossen marschierten sie neben den Gruppen oder standen, eine argwöhnische Postenkette, auf hochgelegenen Felsen und beobachteten aus Felsengesichtern den krabbelnden, glücklichen Ameisenzug. Mißtrauten sie der Freude? Fühlten sie sich bedroht durch das Lachen? Mißbilligten sie den Gesang, weil ihr Heiliger, wie ich mir denken kann, andere Töne als Huldigung bevorzugt?

Ich beobachtete die Leute aus dem Dorf, sah, wie sie schnell und gleichgültig zu den Männern von der Guardia civil hinüberblickten, ohne Reaktion, ohne ein einziges Wort. Sie schienen sie wahrzunehmen und im gleichen Augenblick zu vergessen. Kein Schatten fiel auf das Glück, das San Antonio verhieß; die ragenden Gewehrläufe schienen die Freude nicht beeinträchtigen zu können.

Ich hörte ein Schnaufen hinter mir, drehte mich um, sah den grimmigen Einäugigen auf mich zukommen, der so aussah, als hätte er vierzehn Silbergaleonen erobert. Er grinste freundlich, gab mir die Hand, und wir stiegen zusammen weiter. Vor der Schlucht entdeckten wir schräg über uns wieder einen Doppelposten der Guardia, reglos wie Telegraphenstangen standen die Männer am Hang und bewachten die Prozession, maßen die Freude im Hinblick auf San Antonio. Ich zeigte mit dem Daumen zu ihnen hinauf und fragte den Einäugigen: »Was hält der Heilige Antonio von ihnen?« und der Einäugige lächelte, massierte seinen Hals und sagte: »San Antonio wird es ihnen zeigen, vielleicht bald, vielleicht später. Antonio weiß gut Bescheid.«

Wir stiegen drei Stunden lang in die Berge, zuletzt fanden wir einen Weg, der in den Fels geschlagen war, und wir folgten ihm, eingeschlossen in einer lockeren Prozession der Freude. Wir brachen Zweige ab, wie es die andern taten, trugen sie hinauf zur Kuppe und warfen sie San Antonio hin. Ich konnte sein Standbild nicht erkennen, denn ein Haufen von duftenden Zweigen hatte es vollkommen überdeckt; ich bedauerte es sehr, daß ich das Gesicht des Heiligen nicht sehen konnte, den die Leute aus dem Dorf für ihren allmächtigen Verbündeten hielten, dem zu Ehren sie sich die Haare geschnitten und solide Torten gebacken hatten. Ich versuchte mir das Gesicht vorzustellen: ein ausgezehrtes Fischergesicht, das schweißüberströmte Gesicht eines Weinbauern oder das träumerische Gesicht eines Schafhirten – es gelang mir nicht.

Musik erklang auf der Bergkuppe oberhalb von San Antonios Standbild, wir gingen hinauf und sahen Männer mit Männern tanzen und Frauen mit Frauen. Alte Leute lagen auf dem Boden und erholten sich von der Not des Aufstiegs; weißgekleidete Kinder, wie Engel geschmückt, machten Pipi. Jahrmarktsbuden, an denen ein aufkommender Wind rüttelte, standen neben der kleinen Kapelle, Buden, in denen es Wein gab und Käse und ein Gebäck von infamer Süße. Esel spazierten frei durch die vergnügte Menge, gefesselte Kaninchen und gefesselte Hühner lagen auf dem Platz vor der Kapelle. Eine ziellose Erregung lag auf vielen Gesichtern, Freude und ein Ausdruck von glücklicher Verwirrung. Rufe, Lachen und Gesang erklang auf der Bergkuppe, und in der offenen Kapelle brannten tausend Kerzen während der Messe.

Nur die Guardia civil wurde von der glücklichen Erregung nicht erfaßt; aufmerksam, mit wehenden Umhängen, die ihre Waffen verbargen, standen sie an den Rändern der Kuppe und kontrollierten die Ausgelassenheit, den österlichen Frohsinn, der San Antonio gefiel. Ich versuchte mir vorzustellen, was sie mit San Antonio tun würden, wenn er persönlich erschiene – auch das gelang mir nicht, denn von allen Seiten winkte man uns zu, lud uns zum Wein ein, brach riesige Stücke von bräunlichen Fladen ab, verfolgte sorgfältig, wie die Fremden aßen und tranken.

Plötzlich war die Sonne fort, ein kräftiger Wind schüttelte die Buden, und der Einäugige zwinkerte mir zu und flüsterte lächelnd: »San Antonio.« Niemand schien den Wind zu bemerken, der Gesang hörte nicht auf, die Tänzer unterbrachen nicht ihren Tanz – lediglich die Posten der Guardia civil zogen ihre Umhänge fester und blickten sich verdrossen um. Der Gesang hörte auch dann nicht auf, als niedrige Wolken gegen die Bergkuppe zogen, die ersten Tropfen fielen und schließlich ein strömender Wolkenbruch niederging. Alle, die oben waren, waren sofort durchnäßt, Hemden und Kleider wurden dunkel vor Nässe, doch sie tanzten weiter und sangen. San Antonio war nah, und niemand, der heraufgekommen war, zweifelte daran.

Da wir unsicher waren, wie weit uns Antonio vor einer Lungenentzündung bewahren konnte, stiegen wir als erste ab, und als wir zum Standbild kamen, bemerkten wir, daß der Wind die schmückenden Zweige auseinandergeworfen hatte. Ich sah zum erstenmal Antonios Gesicht: ein schmales, nachdenkliches Gesicht, sehniger Hals, leicht geöffnete Lippen; und ich hatte das Gefühl, daß auf diesen Lippen für einen Augenblick ein ironisches Lächeln lag. Da wir Gäste waren, hatte er gegen unseren Abstieg offenbar nichts einzuwenden.

Wir stiegen ab in heftigem Wolkenbruch, Nebel hingen in der Schlucht, und auf unserem Weg kamen uns singende Burschen auf Maultieren entgegen. Sie trugen Rosen im Haar, auch die Maultiere waren mit Rosen geschmückt: San Antonio rief sie, und sie wußten, wieviel sie ihm zu verdanken hatten und ritten ihm singend entgegen.

1961

Ein Männerspaß

Warum verabschieden sie sich so hastig, warum schweigen sie jedesmal ungeduldig und befremdet, wenn ich es ihnen erzähle: verstehen sie es nicht? Nehmen sie es uns übel, weil wir mitgingen an jenem Abend und aus vorbereitetem Versteck erlebten, was Flesch uns versprochen hatte? Kennen sie wirklich keine andere Antwort darauf als ein gequältes, ratloses Lächeln, mit dem sie sich alle so abrupt verabschieden?

Dabei ist doch alles nur so geschehen, hat sich so ereignet: kurz vor Feierabend rief der Chef an, bat mich, in unsere Kantine hinabzukommen, die nie völlig leer wird, und ich ging hinab. Wir arbeiten in einem riesigen ehemaligen Flakbunker, den das Fernsehen gemietet hat; dort, zwischen nackten Betonmauern, die mit erschreckender Sorgfalt errichtet wurden, liegen unsere Probestudios, die Requisitenkammer, Räume für den Friseur und die Kantine. Ein sanfter Pilzgeruch hält sich hartnäckig in den lautlosen Gängen – die letzte Erinnerung an den Champignon-Züchter, der den Bunker vor uns benutzt hatte, bis er pleite ging. Die Munitionsaufzüge sind zu Fahrstühlen umgebaut, Beförderungslast sechzehn Personen, und wo sich einst der Feuerleitstand befand, liegt heute die Kantine, ein kahler, sargähnlicher Raum, der die Essensdünste unerbittlich bewahrt und in dem das Licht einen grünlichen Schimmer hat, die Besucher grünliche Gesichter und Hände erhalten.

Ich zog die splittersichere Tür auf, trat ein, entdeckte den Chef und ging an seinen Tisch, auf dem eine Bierlache grünlich stand wie Erbrochenes. Neben dem Chef saß Flesch mit schweißglänzendem Gesicht und Ziegenaugen, ein stämmiger Mann, der unaufhörlich leise mit der Zunge schnalzt und sich von Zeit zu Zeit schreckhaft umsieht, als erwarte er, jemanden hinter seinem Stuhl zu entdecken, der ihn bedroht. Der Chef drückte mich auf einen Stuhl, bestellte mir ein Bier und einen Schnaps, begann achtsam seinen Schenkel zu massieren, nachdem er Flesch durch ein kurzes Vorstrecken seines Kinns aufgefordert hatte, mich einzuweihen; und Flesch schob sein Gesicht heran, zwinkerte, seufzte dringlich, nahm einen scharfen Schluck aus seinem Glas, sprach wieder unter Zwinkern auf mich ein: leise, schwerzüngig, flüsternd, ein kleines, kaltes Auge auf den Chef gerichtet, der Begeisterung nickte, heftige Zustimmung nickte, das Ende der Einweihung nicht erwarten konnte und mich fortwährend stumm befragte: Na, ist das nichts?

Während Flesch mich einweihte, blickte ich zur Ecke, in der Nina saß, aufrecht und gründlich, Nina vom Empfangstisch, die jetzt in kühler Zurückgezogenheit ein doppeltes Bon-Essen verschlang, den kleinen Finger weggespreizt vom Metallöffel. Es gab Kohl mit Einlage.

Als Nina sich schließlich das zitternde Puddingquadrat auf beschrifteter Untertasse heranzog, hob sich Fleschs Gesicht seufzend zurück, er zog den Hals ein, rieb sich die Hände in vielversprechender Weise, und der Chef sagte nur: »Das wird 'n Ding« und winkte mir eine neue Lage heran.

Warum sollte ich nicht mitgehen, warum mich unter einem brüchigen Vorwand ausschließen, da Flesch uns etwas versprochen hatte, was in keiner Tagesschau erscheint; und warum dieses jähe Befremden über einen Männerspaß, der nichts voraussetzt als gesunde Organe.

Jedenfalls blieben wir sitzen, einig, bereit, ließen uns ein Kartenspiel kommen, neuen Schnaps, saßen und spielten gegen die Zeit mit verständigem Blinzeln. Es war noch zu früh.

Nina riß einen Bon ab, schob ihn unter den Teller, schritt harten takkenden Schritts achtlos an den Tischen vorbei: fernes Gesicht, abweisendes, unerreichbares Gesicht, scheppernd fiel die splittersichere Tür hinter ihr zu. Auch andere, die vom Feierabend in der Kantine überrascht wurden, brachen auf, schlossen ihre Aktentaschen, trugen grüne Gesichter zum Ausgang, auf denen keine Genugtuung lag, kein helles Selbstbewußtsein: die Arbeitszeit wird bei uns kampflos geregelt. An einem Tisch neben der Theke stritt ein Regisseur mit zwei betagten Schauspielern, die beide strenge Zigarren rauchten, über die Auffassung einer Rolle; sie hatten schon mittags dagesessen, und mittags hatte ich schon den Satz gehört, den der Regisseur auch jetzt immer wieder ausrief: »Aber das Fernsehen hat andere Gesetze!« – worauf die betagten Schauspieler jedesmal einen melancholischen Saurierblick wechselten.

Plötzlich warf Flesch die Karten hin, erhob sich ohne Ankündigung, verglich seine Uhr mit der Kantinenuhr, nickte uns auffordernd zu. Wir gingen hinaus. Der Munitionsaufzug war leer, hing verlassen in dem zugigen Schacht, breit und verschrammt; gleichzeitig sprangen wir auf die Plattform, der Chef drückte den Knopf, und ruckend, schlingernd, wie ein Schüttelrost setzte sich der Aufzug in Bewegung, trug uns empor zur höchsten Etage, auf der die Requisitenkammer liegt. Flesch hatte den Schlüssel, doch bevor er aufschloß und uns eintreten ließ, lauschte er an der eisernen Tür, grinsend, mundoffen, dann schüttelte er leicht den Kopf und öffnete, ließ uns mit einer knappen Handbewegung den Vortritt, und ich hörte, wie er hinter uns wieder abschloß. Seine warme, fleischige Hand an meinem Gelenk: er zog uns durch die schmale, nur von einem Rotlicht erleuchtete Kammer, vorbei an Ständern und Kleiderpuppen, an kalten Truhen, zog uns behutsam zu dem vorbereiteten Versteck, einer hüfthohen Deckung aus Kisten und Kartons, drückte uns dort nieder auf den Betonboden und blinzelte eine heitere Warnung aus seinen Ziegenaugen.

Der unbemerkte Einzug war gelungen, der Chef kicherte verhalten, fummelte an der Deckung, um für ein unbehindertes Blickfeld zu sorgen. Flesch rieb sich die Hände erwartungsfroh. Ich rollte Wallensteins Mantel fest zusammen und fand Bequemlichkeit auf ihm: so warteten wir in verläßlichem Hinterhalt.

Rot brannte über der Tür die unverkleidete elektrische Birne, warf ein sanftes Licht auf Kostüme und Uniformen, die an langen Ständern hingen und wie eine Galerie von Erhängten anmuteten: die Körper waren verschwunden, doch im Stoff schien sich die erlittene Qual für alle Zeiten zu bewahren: in den resigniert herabhängenden Ärmeln, den gekrümmten Schultern, den gewaltsamen Falten. Wir warteten geduldig, rauchten nicht, sprachen nicht, spürten keine Müdigkeit, stießen uns manchmal an und lachten auf Vorschuß. Der Schnaps, den wir getrunken hatten, verhinderte, daß wir die Kühle des Betons empfanden.

Keiner von uns war überrascht, als auf einmal das Schloß knackte, die Tür geräuschlos geöffnet wurde, nicht ganz geöffnet, nur einen handtuchbreiten Spalt – als verdächtig, zeugend von Heimlichkeit, Verbotenem, von versteckter Absicht zumindest. Der Chef knuffte mich leicht, Flesch legte seine Hand auf meinen Arm: Ruhe, Ruhe, jetzt keine Bewegung, jeder Laut wäre Verrat, könnte den Spaß verderben. Etwas hatte sich angekündigt, war schon da, ohne sichtbar zu sein, zögerte nur, vergewisserte sich vielleicht, oder hatte sogar schon unsere Anwesenheit geheimnisvoll entdeckt – nein, keine Besorgnis, da kam es bereits, schob sich durch den Spalt mit Hohlkreuz, war flach und lang, gut und gern zwei Meter lang, und niemand von uns brauchte zu raten, wer es war. Wir erkannten Trude sofort, eine hochgewachsene Sekretärin, sahen ihr knochiges Gesicht, die starken Zähne mit der Gebißklammer, das stumpfe Haar. Sie hatte keine Ähnlichkeit mit Soraya, hatte überhaupt mit niemandem eine Ähnlichkeit, es sei denn, mit dem gehobelten Pfosten einer Klopfstange; ihre Bewegungen waren linkisch, weit hergeholt, ihr Schritt steif und staksend. Mit ihrem flachen Gesäß drückte sie die Tür zu, lehnte sich einen Augenblick hochaufgerichtet an, die dünnen Arme seitwärts weggestreckt, das Gesicht unmittelbar unter dem Rotlicht, so daß wir die fliehende Reihe der oberen Schneidezähne sehr gut sehen konnten. Sie schloß die Augen, eine bange Zufriedenheit erschien auf ihrem Gesicht, dann ein Ausdruck panischer Freude; sie schluckte, kaute und schluckte, stieß sich unvermutet mit dem ganzen Körper von der Tür ab, strählte mit den Fingern ihr Haar, stakste hastig in eine Ecke, in der das Licht sie nicht erreichte, und begann dort, tätig zu werden.

Trude, die lange Sekretärin aus der Materialausgabe, machte sich an einem Stapel Kartons zu schaffen, wir hörten es, hörten sie seufzen dort im Dunkeln, glücklich stöhnen, und dann war es still. Es wurde still, als sich die Eingangstür zum zweitenmal öffnete, nicht zaghaft, sondern selbstsicher, forsch beinahe, und wieder knuffte mich der Chef, und Flesch tippte mir mit dem Zeigefinger auf die Schulter: Achtung, da kommt noch etwas, jetzt ist doppelte Vorsicht geboten. Flesch, der alles schon einmal erlebt hatte, suchte unsern Blick, erwartete Anerkennung, dankbare Bestätigung, daß er uns nicht zuviel versprochen hatte – er suchte Bestätigung im falschen Augenblick, denn wir beobachteten die Tür vergnügt und atemlos.

Erna erschien, eine verwachsene, mißmutige Frau, energisches Bürogesicht, rechthaberisch geworden in einem Leben zwischen Diktat und Ablage, unheimlich für jeden Mann. Sie war unsere älteste Sekretärin. Selbstsicher sah sie sich um, lauschte, verschwand hinter einem Ständer und zog sich aus mit einigen geschickten Griffen, öffnete einen Karton, den sie zu kennen schien. Sie bückte sich, zog ein Kleidungsstück heraus, ein Wams, ein Jägerwams mit handlichem Hirschfänger, und legte es an auf selbstverständliche Art. Sorgfältig zupfte sie das Wams unterm Gürtel zurecht, verbesserte den Sitz und stand reglos da: Erna, der Freischütz.

Dann trat sie hinaus auf den Gang, unter das sanfte, rötliche Licht, lächelnd, spielerisch, ein werbender Jäger; das mißmutige Bürogesicht war nicht mehr zu entdecken, ebensowenig der rechthaberische Zug: träumerisch wartete Erna, bis von dorther, wo die Lange sich stumm verhielt, ein Rascheln erklang, ein kleiner Ausruf der Überraschung, und jetzt krallten sich die Finger des Chefs in meinen Oberarm, und ich preßte den Handrücken gegen die Lippen. Trude schlüpfte auf den Gang, nein, wehte auf den Gang hinaus in fallendem Brautkleid, unhörbar, schwebend, sagen wir: mit schwermütiger Grazie; Trude, die doch zwei Meter lang war und nicht wußte, wohin sie mit ihren Gliedmaßen sollte, war plötzlich gewichtlos, gelenkig, trug den Schleier anmutig, mit ängstlichem Hoffen. Das Brautkleid war zwar zu klein, reichte hier und da nicht, aber es genügte, um die Lange zu verwandeln. Sie blieb stehen, entdeckte Erna, den halslosen Jäger, schwebte zurück in gemachtem Erschrecken, als ob sie sich verbergen wollte, doch Erna hatte etwas gemerkt, war bei ihr mit einem Satz und hielt sie fest. Trude wehrte sich nicht. Ein Arm legte sich um ihre hochsitzende Taille, Ernas sehniger Arm, der sie wieder zurückholte auf den Gang, wo beide sich mit Blicken maßen unter dem rötlichen Licht.

Der Chef stupste mich vor Vergnügen, Flesch änderte vorsichtig seine Haltung, als Erna den Kopf der Langen sacht zu sich herabzog, sich auf die Zehenspitzen erhob und etwas zu flüstern begann, das wir nicht verstehen konnten; es mußte jedoch etwas Angenehmes gewesen sein, denn Trude lächelte selbstvergessen, nickte, drohte ohne Überzeugung. Und dann faßten sie sich bei den Händen, sahen einander an und begannen nach einer unhörbaren Musik – oder doch nach einer nur für sie hörbaren Musik – zu tanzen. Sie tanzten fast auf der Stelle, tanzten mit seltsam erschöpften Bewegungen, den Oberkörper zurückgelegt, die Augen geschlossen.

Flesch und ich spürten, daß der Chef mit einem Lachausbruch kämpfte, und wir machten ihm Zeichen, wegzusehen, um nicht zu zerstören, was da vor sich ging. Der Tanz ging zu Ende, beide standen sich gegenüber, gingen aufeinander zu und umarmten sich locker, worauf Erna die Lange zu einer der kalten Truhen zog. Sie setzten sich eng zusammen, nahmen sich bei der Hand und blickten in ihre Gesichter, und auf ihren Gesichtern lag jetzt ein Ausdruck von schmerzlichem Glück. Wer weiß, was sie dachten; jedenfalls schienen sie sich etwas dabei zu denken: ihre Gesichter näherten, ihre Wangen berührten sich, Ernas straffe, Trudes knochige Wange. Unvermutet hob die Zweimeterbraut den Kopf: hatte sie das stoßweise Kichern des Chefs gehört? Sie zog nur den Schleier fest, änderte ihren Sitz und ließ sich hintenüber sinken und lag nun rücklings auf der blanken Truhe, still und flach. Erna hatte sich erhoben, die Hand am Hirschfänger – wollte der Freischütz sein Wild annehmen? Nein, Erna setzte sich wieder, nahm Trudes Kopf in den Schoß und strich ihr über das stumpfe Haar, streichelte tröstend ihre Wangen. Sie schienen einander zu trösten, denn Trude flüsterte ihrem Freischütz zärtlich etwas zu, vielleicht bewegten sich auch nur ihre Lippen, breite, trockene Lippen, offen gehalten durch die fliehende Zahnreihe. Flesch grinste mich an und machte eine eindeutige Bewegung: wart nur ab, wart nur ab, aber es geschah noch nichts, wir erlebten einstweilen nur ihre gegenseitige Tröstung. Der Hirschfänger baumelte an Ernas grünbestrumpftem Schenkel, die Waffe war lästig, immer wieder warf Erna sie zurück, zerrte sie hinter sich.

Dann summte Erna. Ihre Stimme, in der am Tage etwas Drohendes lag, klang jetzt weich und traurig; sie summte wahrscheinlich ein Lied von etwas Verlorenem, Unwiederbringlichem, wiegte dabei den Kopf und blickte über die flache Lange hinweg, die regungslos lag und bedeckt vom Schleier. Sie blickte über sie hinweg, erinnerte sich an etwas, unterbrach ihr Summen und hob Trudes Kopf ruckartig hoch. Erna, der Jäger, sprang auf, ging mit kleinen, energischen Schritten hin und her, die Hände auf dem Rücken; dabei stieß sie Warnungen aus, sagte »Wehe« und »Wenn du« und »Nimm dich in acht«.

Die Riesenbraut lauschte gehorsam. Sie sammelte eine Ecke des Schleiers in ihrer Hand, preßte das Gewebe zusammen, und auf einmal rutschte sie weich von der Truhe und kniete sich hin. Erna war zur Stelle. Sie nahm Trudes Gesicht in ihre Hände, betrachtete es mahnend, bog es zum Licht. Und jetzt kniete auch Erna sich hin, unmittelbar vor der Braut, schloß die Augen und deutete langsam, beinahe feierlich, auf eine ihrer straffen Wangen und wartete, und Trude schob ihr knochiges, großes Gesicht heran, zitternd, die Lippen gespitzt, da lachte der Chef. Es war ein luftarmes, explosives Lachen, das Flesch nicht weniger erschrecken ließ als mich, ein Lachen, das zu lange gestaut worden war und nun durchbrach, kräftig und unaufhaltsam, so daß ich den Chef unwillkürlich mit dem Ellenbogen anstieß. Ich erreichte nichts. Ich stand auf und blickte zu den beiden Sekretärinnen, ebenfalls lachend, und ich sah, wie die Lange in ihrer feierlichen Kußbewegung innehielt, nicht einmal sehr erschrak, sondern nur innehielt, sich leicht erhob und fortwehte vom Gang, während Erna sich hinter Kartons versteckte. Die große Braut schwebte unter gewelltem Schleier zur Wand, dorthin, wo sie eine Fensteröffnung gebrochen hatten, vierzehn Meter über der Erde. Sie stieß das Fenster auf, schwang sich auf die Betonbank – keineswegs überstürzt, eher besonnen, verhalten in ihrem Schweben – wandte sich nicht ein einziges Mal um und sprang. Wir glaubten, das Geräusch des stürzenden Körpers zu hören, das Flattern des Brautkleides – etwas anderes hörten wir nicht.

Noch am selben Abend erfuhren wir, daß die Lange Fleschs Schwester war.

1961

Vorgeschichte

– Kannst du dir vorstellen, Christina, daß Bard hier an einem Sonntagmorgen vor neun Jahren aus dem Bus stieg, fremd und ohne Gepäck, nicht einmal eine Rückfahrkarte in der Tasche? Aber so war es; er kam an und war da, ein Mann, dem niemand ansehen konnte, daß sein Lieblingswort ›ich‹ war: unrasiert, in schäbigem Anzug und mit seinem kleinen infamen Lächeln, das seine Wünsche offenbarte, bevor er sie aussprach. Ich sah ihn, ehe ich seinen Namen kannte; er stand allein auf dem Halteplatz, nachdem der Bus weitergefahren war, nicht ratlos oder unglücklich, sondern eher staunend, mit einer gewissen herablassenden Neugierde, wie so ein Mann aus der Metropole eine Provinzstadt am Sonntagmorgen ansieht. Tatsächlich, Christina, ich habe Bard vor allen andern gesehen, im Augenblick seiner fast unbemerkten Ankunft, und ich beobachtete, wie er ein Kind zu sich heranwinkte, ein kleines Mädchen, dem er den Arm um die Schulter legte und von dem er sich zum Hotel begleiten ließ.

– Dann sah ich ihn eine Woche lang nicht; ich hatte ihn längst vergessen oder glaubte ihn bereits aus der Stadt, als es an unsere Tür klopfte. Es war der nächste Sonntag. Ich ging selbst an die Tür, um zu öffnen, und da stand mein Mann mit seinem kleinen, infamen Lächeln, grüßte und sah mich sehr lange an mit unerträglichem Schweigen, und wahrscheinlich gab ich ihm Grund dazu, indem ich nicht verbergen konnte, daß er mir bekannt war. Auch jetzt lag auf seinem Gesicht der Ausdruck einer vorsichtigen Herablassung, ich spürte eine seltsame Unterlegenheit, ich hatte Angst. Er trug immer noch denselben Anzug, ein ungebügeltes Hemd ohne Krawatte, doch das bemerkte ich kaum oder nur insofern, als seine Kleidung im Gegensatz stand zu der herausfordernden Sicherheit seines Verhaltens. Ich sehe noch dies Gesicht vor mir – blaß, weich und ebenmäßig – und höre noch seine Stimme, die geläufige Höflichkeit, mit der er sich nach Vaters Befinden erkundigte.

– Du wirst es mir nicht glauben, Christina, aber ich spürte damals einen Schauer, einen Schauer von Gewißheit, den vielleicht nur mein Körper empfand; noch bevor es geschah, kannte ich die Art seiner Umarmungen und die Zärtlichkeit, zu der er fähig war. Er wollte Vater sprechen; ich sagte, daß Vater in seinem Arbeitszimmer sei, darauf wiederholte er seinen Namen und sah mich an, und ich ging und benachrichtigte Vater, daß Besuch für ihn da sei. Vater rechnete mit keinem Besuch, er bat mich, den Mann für den nächsten Tag ins Büro zu bestellen, und schickte mich zur Tür, wo Bard sich alles ohne Enttäuschung anhörte, mit der vollkommenen Höflichkeit, die er nun mal beherrscht, und dann sah er mich wieder freimütig an und fragte mich schließlich, ob ich vielleicht vergessen hätte, Vater den Namen des Besuchers zu nennen. So ging ich noch einmal ins Arbeitszimmer, nannte Vater den Namen, und diesmal kam er selbst an die Tür. Ich sah Vater weder zögern noch erschrecken, er kam ungeduldig an die Tür, wie um etwas rasch zu regeln, das ihm lästig war, und ich benutzte diesen Moment, um Bard klarzumachen, wie wenig willkommen er mir selbst war. Ich war kaum in meinem Zimmer, da hörte ich, wie Vater Bard hereinbat und wie beide in das Arbeitszimmer gingen, in dem Vater sonst niemanden empfing außer Doktor Lund, und ich konnte mir nicht vorstellen, welch ein Vertrauen es war, das sie verband: Bard war doch nur halb so alt wie Vater und vier Jahre älter als ich.

Sie blieben da unten im Arbeitszimmer den ganzen Vormittag, lautlos und unbemerkt, obwohl seine Anwesenheit im Haus spürbar war, unsere Stimmen veränderte, unsere Schritte beeinflußte; sie saßen bei verschlossenem Fenster und herabgelassenen Jalousien, und ich hatte manchmal das Gefühl, daß dort ein Kampf stattfand, eine geheimnisvolle Auseinandersetzung, bei der es um mehr ging als Geld; denn wenn es nur um Geld gegangen wäre, hätte Vater ihn in sein Büro in der Sparkasse bestellt und nicht zwei Stunden seines Sonntagvormittags geopfert, eine Zeit, die er sonst unerbittlich für sich beanspruchte. Sobald eine Tür im Haus geöffnet wurde, stürzte ich ans Fenster in der Hoffnung, ihn weggehen zu sehen, doch ich täuschte mich jedesmal: er blieb, und je länger er da war, desto größer wurde mein Argwohn, daß er bei dem, was zwischen Vater und ihm vorging, gewann oder doch alles zu seinen Gunsten entschied, mit seiner geläufigen, unergründlichen Höflichkeit und dem kleinen, infamen Lächeln. Damals kannte ich ihn ja nicht mehr, als du ihn heute kennst, Christina, aber es genügte anscheinend, um bereits auf etwas gefaßt zu sein. Seine Gegenwart rief eine besondere Unruhe hervor, nicht eine bestimmte Furcht, weißt du, sondern nur Unruhe, und die bestand darin, daß du dir selbst unwillkürlich Rechenschaft gabst über das, was du in der vergangenen Woche getan hattest.

– Es ist verrückt, aber immer, wenn Bard mich so freimütig anschaute, begann ich damit, mich zu rechtfertigen, und es erging nicht nur mir allein so. Schon an jenem Sonntag erhielt ich einen Vorgeschmack davon: ich dachte nur an Vater und daran, was ihn und Bard hätte verbinden können, und unwillkürlich tastete ich mich durch Vaters Biographie auf der Suche nach einem Erlebnis oder nach einer Begegnung, erinnerte mich an Namen, die er genannt hatte – ich fand keinen Anhaltspunkt. Nie war der Name Bards aufgetaucht, und gerade das machte uns besorgt, ließ uns zu gleicher Zeit eine unbestimmte Bedrohung empfinden, Mutter nicht weniger als mich; während er dort unten lautlos mit Vater verhandelte, glaubte ich, daß er mit jeder Minute mehr gewönne, und darum entschloß ich mich, ging hinab, klopfte an die Tür des Arbeitszimmers. Ich mußte mehrmals klopfen, bis Vater öffnete; dann stand er vor mir in einer Haltung von unabänderlicher Resignation, müde, mitgenommen, mit einem Blick, der sofort preisgab, was ich in ihm suchte: die Niederlage. Vater hatte verloren, das sah ich, ohne zu wissen, worum es gegangen war, und ich fand die Bestätigung, als ich Bards Gesicht im Hintergrund erkannte, das ebenmäßige Treibhausgesicht, das gezeichnet war von den Lichtgittern, die die Jalousien warfen. Und ich erhielt die letzte Bestätigung, als Vater tonlos sagte, daß sein Besucher zum Mittagessen bleibe, worauf sich Bard ironisch-gehorsam verneigte.

– Er blieb, Christina, mit einer Selbstverständlichkeit, als seien wir ihm diese Einladung schuldig gewesen, und ich erinnere mich, daß er uns während des Essens von einem seiner Freunde in der Hauptstadt erzählte, einem gutmütigen Walroß, wie er sagte, das von Beruf ›Trauernder‹ war. Der Vater dieses berufsmäßig ›Trauernden‹ soll Staatsanwalt gewesen sein und Erbe einer kompletten Walfangflotte. Während Bard von diesem Freund erzählte, beobachtete ich nur Vater, und ich sah, daß er grinste und sich amüsierte – oder vorgab, sich zu amüsieren –, so beflissen, weißt du, qualvoll bemüht; denn er konnte nie etwas anderes sein als er selbst, ein gravitätischer Sparkassen- und Bankdirektor, der nie lachte, auf keinen Witz einging und dafür eine Überzeugung hatte: in seinen Augen rechtfertigte das Leben kein Gelächter, und damit vertrat er selbst fast ein Prinzip des ›Trauernden‹, über den er jetzt grinste.

– Natürlich hätte ich ihn fragen können, woher er Bard kannte, doch ich fürchtete, ihn zu einer Lüge zu zwingen oder in Verlegenheit zu versetzen, darum sagte ich nichts, obwohl mir diese plötzlich kindische Heiterkeit auf die Nerven ging. Andererseits tat mir Vater leid, es wäre dir genauso gegangen, Christina; er hatte die Heiterkeit eines Geschlagenen, der über die Späße seines Bezwingers lacht oder lachen zu müssen glaubt, um ihn bei guter Laune zu halten.

– Und in dem Maße, in dem Vater mir leid tat, begann ich Bard zu hassen, ihn, dem es gelungen war, uns alle zu verändern, indem er uns zu gewissen Fragen veranlaßte, die uns untergruben. Ich taxierte ihn unaufhörlich, dachte mir Berufe aus, die er gehabt haben könnte, versuchte mir vorzustellen, wodurch es ihm gelungen war, Vater in die Hand zu bekommen – er hatte ihn offensichtlich in der Hand –, während Mutter allmählich, nachdem sie ihn lange genug verstohlen gemustert hatte, Gefallen an seiner Höflichkeit und seinen Erzählungen fand und ihm auffordernd zunickte, mehr Fleisch zu nehmen. Das war Mutters entscheidende Sympathieerklärung: wenn sie einen Gast beim Essen aufforderte, mehr Fleisch zu nehmen. Na ja, was ihr an Intelligenz fehlte, hat sie durch Liebe ersetzt. Obwohl er spürte, wie wenig er mir willkommen war – ich versuchte so gleichgültig gegen ihn zu sein wie nur möglich –, ließ er sich nichts anmerken. Seine Sicherheit nahm keinen Schaden.

– Auf einmal schien dann Vater das Gefühl zu haben, uns eine Erklärung schuldig zu sein; er blickte zu Boden, sein Mund zuckte, und mit leiser Stimme sagte er, daß er sich freue, nach einigen Jahren Bard wiederbegegnet zu sein, den er auf einer Reise in die Hauptstadt kennengelernt habe. »Gemeinsame Ansichten über verschiedene Probleme verbinden uns«, sagte er. Bard sei hierhergekommen, weil er Hilfe brauche; da er, Vater, Bards Fähigkeiten kenne, falle es ihm leicht, die gewünschte Hilfe zu gewähren: »Ich habe Bard zu meinem Mitarbeiter gemacht, er fängt morgen in der Bank an.« Danach hob er das Gesicht, sah Bard an mit einem vergewissernden Blick, und Bard zuckte lächelnd die Achseln: hier bin ich, so sieht's aus, nun probiert's doch, euch mit mir abzufinden. In unserem Schweigen stand Vater auf. Draußen war es windstill. Eine wärmelose Sonne stand über dem Fjord. Vater öffnete die Fenster, blieb reglos stehen und atmete tief: so, Christina, lernte ich meinen Mann kennen.

– Du wirst dich wundern, doch am Anfang war ich es, die einiges für Bard unternahm, und nicht nur einiges, sondern alles. Ich tat es, obwohl ich erfuhr, was mit ihm geschehen war, bevor er zu uns kam und uns alle veränderte. Vielleicht geschah es nur, weil ich ihn zunächst so haßte – sein Lächeln, seine herablassende Höflichkeit, vor allem aber seine Art, in der er mit Vater umging. Bard hatte ihn vollkommen in der Hand, er beherrschte ihn, wie er wollte; dennoch verbarg er seine Überlegenheit und tat unaufhörlich so, als ob er von Vater abhinge. Natürlich tat Vater mir leid, besonders dann, wenn er mir morgens begegnete mit der Müdigkeit durchwachter Nächte, wenn er nickte, ohne aufzusehen, und wortlos das Haus verließ; doch am nächsten Abend verachtete ich ihn, als ich sah, mit welch widerwärtigem Eifer er sich um Bards Wohlbefinden sorgte und wie er, der auch Bards Vater hätte sein können, sich um gewisse Vertraulichkeit bemühte. Wir waren deshalb nicht erstaunt, als er uns an einem Morgen sagte, daß er Bard vorgeschlagen habe, aus dem Hotel auszuziehen und bei uns zu wohnen. Wir waren nicht überrascht.

– Mutter ging stillschweigend in das Zimmer hinauf, um den Einzug vorzubereiten; ich ging fort. Ich hatte nur noch den Wunsch, herauszubekommen, was sie verband, welch ein Geheimnis es war, das sie teilten – auf so unterschiedliche Weise, daß der eine seine erschreckende Überlegenheit daraus empfing, der andere seine Niederlage.

– Bard arbeitete nun in der Bank, aß bei uns, wohnte bei uns, und zu all dem hatte er nicht mehr als vierzehn Tage gebraucht; was ihm noch zu fehlen schien, war ich. Und ich wollte besonders geschickt sein, Christina, glaubte mit aller Klugheit und Vorsicht handeln zu müssen. Ich fuhr dorthin, woher er gekommen war.

– Du wirst dir denken können, daß ich kein sehr gutes Gefühl dabei hatte, als ich losfuhr, um in seiner Vergangenheit zu graben, aber ich mußte erfahren, was es zwischen Vater und ihm gab und woher Bards Einfluß stammte, ich mußte ihm auf die Spur kommen. Dieser verdammte Wunsch führte mich schließlich zu Bard selbst; denn dort, woher er gekommen war, erfuhr ich nichts, obwohl ich verschiedene seiner Freunde ausfindig machte, auch Walroß, den feisten, berufsmäßig Trauernden. Sie alle schwiegen mit bedeutungsvollem Grinsen, sobald ich sie nach Bard fragte, und das Walroß, das mich in einem kalten Zimmer im Bett empfing, drehte das Gesicht zur Wand und sagte: »Hör auf damit, komm lieber rein und wärm mich!« Ich kam ohne Ergebnis zurück, nur mit der Erinnerung an das bedeutungsvolle Grinsen; zuletzt war ich auf ihn selbst angewiesen. Bard vermied es nicht, mir zu begegnen, aber es schien ihm auch nichts daran zu liegen;

eine gleichgültige, etwas herablassende Höflichkeit war alles, was er mir entgegenbrachte. Es hatte den Anschein, als ob er von mir weder etwas erwartete noch befürchtete.

– Manchmal, wenn ich schon im Bett lag, hörte ich ihn aus Vaters Arbeitszimmer heraufkommen, wo beide getrunken hatten, und ich überlegte, ob ich ihn stellen sollte. Ich stand auch bereits hinter der Tür, hörte den sorglosen Schritt näherkommen, ließ ihn vorbei. Wenn er nur einmal vor meiner Tür gezögert hätte, wäre ich draußen gewesen, doch er tat es nie; achtlos ging er vorbei zu seinem Zimmer, und dann hörte ich nichts mehr, kein Tappen, kein Seufzen, keines der Geräusche, die man verursacht, wenn man schlafen geht. Sobald Bard sein Zimmer betrat, schien er zu erstarren oder sich aufzulösen, so daß ich mitunter glaubte, er suche etwas hinter dieser selbstauferlegten Lautlosigkeit zu verbergen, und immer, wenn es still wurde, wenn er da, aber nicht zu sehen war, wuchs das Gefühl für die Bedrohung, die wie ein unbeweglicher Schatten auf dem ganzen Haus lag.

– Heute weiß ich, daß Bard damals nichts anderes tat als arbeiten, hartnäckig, umsichtig, mit der Gewissenhaftigkeit, die sein Vorhaben erforderte: lautlos dunkelte er das Fenster ab, setzte sich an den Tisch, zog die Ordner und Papiere heraus, die er sich in einem geliehenen Koffer täglich von der Bank mitbrachte, und begann zu lernen. Er verließ sich nie auf sein Glück. Er mißtraute allen Geschenken des Zufalls. Was er gewann oder eroberte, war immer ein Ergebnis seiner methodischen Anstrengung; selbst der Aufmerksamkeit, mit der er Mutter behandelte, lag ein Plan zugrunde.

– Ich weiß nicht, Christina, warum ich so lange brauchte, um ihn zu stellen – wahrscheinlich aber, weil ich mich insgeheim vor dem fürchtete, was er zu erzählen hätte. Und als es dann geschah … Es war an einem Sankt-Hans-Tag, und unten am Fjord bis zur Küste hin brannten die Feuer. Ich weiß noch, daß ich mit Vater hinabging zu den Klippen; sie waren warm, und ich zog die Schuhe aus. Wir saßen alle in einem Kreis um das Feuer, aßen Bratwurst und tranken Bier. Zuerst hatte das Feuer noch seinen eigenen Wind, der den Rauch plötzlich flach gegen uns warf, wir mußten immer wieder die Plätze wechseln. Damals warst du nicht dabei, Christina. Als das Feuer dann niederbrannte, rückten wir näher heran, faßten uns bei den Händen und sangen; auch Vater sang, und er küßte mich und forderte mich auf, mich zu freuen.

– Ich hatte den Eindruck, daß er selbst sich freute, zum ersten Mal, seitdem Bard bei uns war. Sein großes schwitzendes Gesicht schwankte hin und her im Schein des Feuers, er zog die Jacke aus, schleppte Bier heran und Wurststücke auf Spießen, drückte meine Hand. Und als wir über das Feuer sprangen und tanzten, war er einer der ersten; er erhielt Beifall, wenn er seine Körpermasse über das Feuer brachte, und er genoß diesen Beifall.

– Er war es, der Bard zu mir brachte. Auf einmal zog er ihn heran, half mir, aufzustehen, und ließ uns allein mit einem Blick: also tut etwas, macht etwas wie die andern. Wir tanzten barfuß auf den Klippen am Feuer, nur einmal, keiner von uns sagte ein Wort. Ich ging zu meinem Platz zurück. Bard verschwand auf der andern Seite des Feuers, ich verlor ihn aus den Augen, bis er auf Birgit stieß oder sie auf ihn; von da an tanzten sie jeden Tanz. Vielleicht erinnerst du dich noch, daß Birgit einmal meine beste Freundin war, sie mit ihrer Trägheit und Wärme und mit all dem weichen Fleisch; es ging so weit, daß wir die gleiche Frisur trugen, die gleichen Kleider, und wir verglichen unsere Busen.

– Sie tanzten zusammen, Bard und sie, gingen ans Wasser hinab und erfrischten sich, ich beobachtete sie genau, und je länger es dauerte, desto heftiger wurde der Wunsch, ihn zu stellen, ihn aufzubrechen, um an das zu gelangen, was ihn mit Vater verband. Plötzlich war die Sicherheit da, das Zutrauen, das mir so lange gefehlt hatte; ich stand einfach auf, suchte seinen Blick und sagte ihm, daß ich ihn sprechen möchte. Er kam sofort mit. Wir entfernten uns vom Feuer, gingen schweigend auf den Klippen entlang bis zu dem glatten Grund, wo die Trockengestelle stehen, er immer hinter mir, lächelnd, seine Schuhe und Strümpfe in den Händen.

– Es fiel nicht auf, denn du weißt, wie man fortgeht an Sankt-Hans, solange wie's dauert, und wiederkommt, und du kennst die Art, in der man den Zurückkehrenden am Feuer prüfend betrachtet, gerade als müßte man ihm etwas ansehen können, na ja. Unter den Trockengestellen drehte ich mich um und wollte etwas sagen und wußte nicht wie; denn sein Gesicht verriet, daß er meine Fragen kannte und Antworten darauf bereithielt, nicht erst seit jenem Abend. Mag sein, daß er meine Frage durch mein Schweigen aufnahm, jedenfalls sagte er, bevor ich den Mund aufgemacht hatte, daß ich besser daran getan hätte, zu ihm zu kommen, als mich bei seinen Freunden zu erkundigen – wenn ich schon darauf aus sei, alles über ihn zu erfahren.

– Das sagte er ohne Vorwurf, Christina, auch ohne Spott. Also muß- te er erfahren haben, daß ich unterwegs gewesen war, um in seiner Vergangenheit zu stöbern; desgleichen muß ihm auch meine Erfolg- losigkeit bekannt gewesen sein. Kannst du dir denken, wie mir darauf zumute war und daß mir nichts einfiel; denn ehe ich damit gerechnet hatte, war es ihm gelungen, mich bloßzustellen.

– Wie hätte ich mich schließlich ihm gegenüber rechtfertigen sollen für meine Reise in seine Vergangenheit, da ich doch nichts in der Hand hatte, nichts anderes hätte sagen können als: ich hatte das Gefühl, mir war so oder es hatte den Anschein. Ist das schon genug? Auf einmal hatte ich keine andere Möglichkeit mehr, als ihm zuzuhören, seine vorgefaßten Antworten hinzunehmen, die ich von seinen Freunden nicht hatte bekommen können.

– In unserem Rücken das Feuer, die helle Nacht, das ruhende Was- ser, und Bard erzählte mir, nur durch mein Schweigen aufgefordert, von seinem Unglücksfall, der sein Leben verändert hatte; das heißt: er nannte es einen Unglücksfall, womit er einen Teil seiner Verantwor- tung zurückwies. Wahrscheinlich habe ich dir die Geschichte schon einmal erzählt: der vorgetäuschte Banküberfall in der Hauptstadt, bei dem er als Junge mitmachte. Er ließ die Leute herein, sollte nieder- geschlagen und gefesselt werden, und da der Niederschlag ihm selbst nicht überzeugend genug erschien, brachte er sich eine Kopfwunde bei, die ihn zwang, mehrere Wochen im Krankenhaus zu liegen. Das nannte er seinen ›Unglücksfall‹, wobei er sich einerseits als Verführten bezeichnete, andererseits, in geschickter Selbstanklage, als halb Ge- strauchelten, was in mir überraschend eine Art von Teilnahme her- vorrief, die ich einfach nicht erklären konnte. Das ist wirklich etwas, was Bard beherrscht: die Kunst der Selbstanklage, nicht aufdringlich, nicht zu versteckt, sondern sanft und ausgewogen, auf beinahe an- steckende Art, so daß du versucht bist, dich sogleich selbst vor die Brust zu schlagen und zu bekennen. Wirklich, Christina, das habe ich bei Bard gelernt: wenn wir das Vertrauen eines Menschen prompt gewinnen wollen und sich keine andere Chance bietet, dann ist eine gemäßigte Selbstanklage das beste Mittel.

– Und als Bard mir so von seinem ›Unglücksfall‹ erzählte, glaubte ich auf einmal sogar ein Gefühl der Dankbarkeit haben zu müssen. Ver- stehst du das? Ich sprach ihn für mich nicht nur frei, sondern fühlte mich ihm verpflichtet, und das führte dazu, daß ich nicht mehr so viel fragte wie am Anfang. Seit diesem Tag erschien mir Vater auch anders als zuvor, meine Sehweise hatte sich geändert: jetzt sah ich ihn nur noch heiter und schweißglänzend vor dem Hintergrund des Feuers, sah seine fröhliche Geschäftigkeit, hörte seine Aufforderungen, mich zu freuen. Dies Bild prägte sich nun ein, und der plumpe, gravitätische Körper, der sich zum Anlauf duckte und dann knapp über die Flammen sprang mitten in den Beifall hinein. Ja, Christina, so sehen die Schlußfolgerungen aus, die das Herz zieht: das Gedächtnis erklärt sich bereit, Opfer zu bringen.

– Immerhin konnte ich ihm beweisen, daß ich nicht stumm war; ich erinnerte ihn an den Aufbruch, und als wir zum Feuer zurückkamen, musterten sie uns freimütig mit eindeutigen Blicken, mir war, als ob ich nackt, wehrlos und nackt in den Kreis eintrat. Ich fühlte mich gut, wenn dir das was sagt. Ich machte keinen Versuch, ihre Vermutungen zurückzuweisen, obwohl noch einige Wochen vergingen, ehe sie recht erhielten.

– Es ist lächerlich, Christina, doch als ich zum ersten Mal in meinem Zimmer mit ihm schlief, war immer noch der Gedanke dieser absurden Verpflichtung im Spiel, jedenfalls eine ganz andere Art der Teilnahme, als sie sonst üblich ist.

– Das war die erträglichste Zeit: als wir noch nicht verheiratet waren und ich davon träumte, ihn zu ändern. Natürlich dachte ich weniger daran, mich ihm anzugleichen, als ihn selbst dazu zu bringen, gewisse Eigenschaften abzulegen. Ach, Christina, ich mußte erst lernen, welch eine Anmaßung darin steckt, einen Menschen ändern zu wollen. Einen anderen zu erziehen, das ist die beste Gelegenheit zur Selbsttäuschung: wir genießen die hervorgerufenen Veränderungen und übersehen völlig dabei, daß auch wir selbst uns ändern. Ich konnte damals Bard nie sehen, wie er wirklich war, sondern immer nur so, wie ich ihn haben wollte.

– Mir ging es genau so, wie es Mutter gegangen war: auch sie sah Vater nie, wie er wirklich war. Wenn er unentschlossen war, zweifelte, wenn er gravitätisch und seufzend das Haus verließ, lächelte sie mit all ihrer naiven Gläubigkeit und sagte: du schaffst es, du hast es doch immer geschafft. Sie konnte sich einfach keinen Konflikt vorstellen, dem er nicht gewachsen war, kein Problem, das er nicht meistern würde. Für sie war Vater der verläßliche, sieghafte, vertrauenswürdige Mann, der durch nichts unterwandert werden konnte, und weil sie sich ihn so wünschte, konnte sie an seinem wirklichen Leben nicht teilnehmen. ›Du schaffst es, du hast es doch immer geschafft‹ – das war ihr ganzer Beitrag.

– Das kleine, infame Lächeln, der Spott seines Blicks und die methodische Aufmerksamkeit – was hätten sie schon bewirken und was mich lehren sollen? Wir waren jede Nacht zusammen, und ich wußte, daß Vater es wußte, also billigte.

– Es war nicht Bard, der zuerst vom Heiraten sprach, sondern ich, Christina, ich fing davon an und war enttäuscht, weil er nicht gleich zustimmte und runterging zu Vater. Heute weiß ich, daß auch sein Zögern und die anfängliche Abwehr zu seinem Plan gehörten: er machte sich einfach klein, Christina. Er hatte eine ganz bestimmte Art, sich klein zu machen – wie manche, die sehr hoch spielen –, er ging nicht so weit, sich als ungeeignet darzustellen, er gab mir nur geschickt zu verstehen, wie wenig mich erwartete, wenn wir verheiratet wären: ein beamtetes Leben, erhebliche Verzichte, na, und nicht zuletzt das Unberechenbare in ihm selbst. Das war die beste Bestätigung für mich, die ich hören konnte; denn du weißt ja, wie wir sind: wir wollen gern etwas in Kauf nehmen, wir brauchen eine Spanne der Überraschungen, einen Streifen Niemandsland zwischen Mann und Frau. Wir mißtrauen doch dem Vollkommenen, weil es mitunter etwas Unmenschliches hat.

– Jedenfalls, wir einigten uns, indem ich ihn überzeugte, und dann ging ich zu Vater, um es ihm beizubringen. Ich erinnere mich noch genau, ich ging in sein Büro in der Sparkasse, fand ihn dort sitzen unter dem riesigen, vergilbten Bild des Lloyd-Paketdampfers, auf dem Frauen mit seidenen Taschentüchern schweren Möwen zuwinken. Vater hing an dem Bild. Ich glaubte, ihm eine Freude zu machen, doch er sah mich auf einmal an mit ruhigem, beherrschtem Entsetzen, gerade so, als gäbe es keine Nachricht in der Welt, die für ihn Schlimmeres bedeuten könnte als meine Heirat mit Bard, allerdings lag in seinem Entsetzen auch bereits eine Kapitulation: er hatte das Unabänderliche erkannt und sich vorzeitig damit abgefunden.

– Es war peinlich. Du hättest ihn sehen sollen, wie er sich aufrichtete, steif und gewichtig, die Schreibtischplatte erfaßte, Daumen nach oben; sein unterlaufender Blick suchte etwas, er begann leise zu schnaufen, und dann sagte er nichts anderes als: ›Du mußt es wissen. Viel Glück.‹ Danach kam er zögernd hinter dem Schreibtisch hervor, der ihm einen

Rest von Schutz und Sicherheit zu geben schien, legte mir seine Hände auf die Schultern und küßte mich mit einer verzweifelten Zärtlichkeit: du weißt nicht, warum. Mein Vater, Christina, der kein Fest ausließ, der überall gesucht war wegen seiner behäbigen Würde – er gehörte zu jeder Feier wie die Lorbeerbäume in den Kübeln –, schien sich vor dem Fest zu fürchten, das mir galt und doch auch ihm.

– Ich spürte wieder, daß Bard ihn in der Hand haben mußte, das alte Mißtrauen war wieder da, doch auch unser Mißtrauen nutzt sich allmählich ab, und so unterließ ich es auch diesmal, ihn nach seiner Verbindung mit Bard zu fragen. Es war die letzte Gelegenheit – ich versäumte sie. Vielleicht hätte er mir in seiner Verzweiflung anvertraut, wozu er sonst nicht den Mut gehabt hatte, ich weiß es nicht; ich weiß heute nur, daß seine Angst ihn davor zurückhielt, sich gegen etwas aufzulehnen, was er nicht nur mißbilligte, sondern sogar haßte. Frag mich nicht, wie viele Masken er trug: als er mich zur Tür brachte, nahm sein Lächeln schon wieder zu, und als er sich übers Geländer beugte und mir nachwinkte, mußte ich annehmen, daß seine erste Reaktion nur ein Irrtum gewesen war.

– Er hatte einfach zu viele Möglichkeiten, du wußtest nicht, woran du dich halten solltest bei ihm ...

– Jedenfalls brachte er mich so weit, daß ich ihm mehr zutrauen mußte, als ihm angenehm sein konnte: schließlich weißt du, was auf meiner Hochzeit geschah, wofür er sorgte.

– Das war ein Tag, Christina, der nie aufhören wird für mich. Und ich ahnte es, fühlte es im voraus, daß sich da etwas vorbereitete: eine Stimmung entstand, ein Stau; der Tag begünstigte eine Entladung, es war der Tag, Christina, es war das bevorstehende Ereignis der Hochzeit, das so befreiend wirkte. Natürlich war alles vorhanden und angelegt in uns, jeder war seine Möglichkeit, nur der Stoß fehlte noch.

– Mein Hochzeitstag brachte den Augenblick. Ich merkte es schon am Morgen, als wir beim Frühstück saßen; Vater behandelte Bard, wie er ihn nie zuvor behandelt hatte oder zu behandeln gewagt hätte. Eine erbitterte Ironie, eine aggressive Verachtung erfüllten ihn; er reizte Bard durch Anspielungen, die wir nicht verstanden, er gab ihm zu verstehen, daß er nicht beliebt war bei den Herren der Stadt, er zweifelte an seinen Fähigkeiten, für eine Familie zu sorgen – nie zuvor hatte Vater so mit Bard gesprochen. Und ich bewunderte Bard. Ich konnte ihm ansehen, wie ihm zumute war; ich wußte, daß er sich hätte wehren können, wenn er es gewollt hätte, doch er verzichtete darauf, er steckte nur ein und schwieg. Er ließ sich nicht verleiten, nicht herausfordern zu dem, worauf Vater es abgesehen hatte in seiner Verzweiflung. Ausgerechnet an diesem Tag, scheint mir, hatte Vater seine wahren Gefühle entdeckt und sich für die Ehrlichkeit entschieden; kannst fast den Eindruck haben, daß er in letzter Minute bemüht war, ein Konto an Aufrichtigkeit zu erwerben.

– Das war gewiß der Grund, warum er sich weigerte, Bard nach der Kirche die Hand zu geben und neben ihm zu sitzen später beim Essen. Sie saßen sich gegenüber, und wenn ihre harten, wissenden Blicke sich begegneten, schien es mir mitunter, als ob jeder sich selbst im andern begegnete. Und als er dann aufstand zu seinem Trinkspruch ... noch heute, Christina, zieht sich etwas in mir zusammen, wenn ich daran denke, wie Vater sich erhob mit herabgezogenen Lippen, steifnackig dastand und jeden einzelnen musterte, abschätzig und befragend, bevor er sein Glas hob und in die erwartungsvollen Gesichter hineinsprach mit seiner Kapitänsstimme, was ich immer hören werde: ›Liebes Kind, liebe Freunde: wer glaubt, sich freuen zu können, der freue sich; wer anderer Meinung ist, ist auch willkommen. Eine Hochzeit ist ein Tag des Abschieds. Prost!‹

– Ja, das war alles, was er sagte mit gravitätischer Unbestimmtheit, und er setzte sich und genoß die allgemeine Verblüffung. Was mich nur wunderte, war, mit wieviel Haltung Bard dies ertrug; ich hätte verstehen können, wenn er die Gesellschaft, das Haus, die Stadt verlassen hätte an diesem Tag.

– Aber das Schlimmste stand uns noch bevor, und du weißt, was ich meine: deine Eltern waren doch auch dabei. Auch deine Eltern waren im Garten wie wir alle, es regnete einmal nicht, und zwischen den Bäumen stand ein kaltes Büfett, Lampions hingen vor der Hecke, der traurige Madsen, der gerade Ferien hatte, bediente das Grammophon, es hatte den Anschein, als sei durch den trockenen Abend eine genügsame Fröhlichkeit aufgekommen. Immerhin kamen einige Leute zu mir und sagten: ›Freu dich, dieser Abend ist ein Erfolg.‹

– Du brauchst mir nicht zu sagen, was von solchen Feststellungen zu halten ist, natürlich sind auf jeder Gesellschaft Leute, die ihren Schätzpreis erkunden wollen, aber nach allem, was geschehen war, mußte ich doch glücklich sein über die Wendung, die mein Tag genommen hatte. Es wurde getanzt, es wurde enorm gegessen und getrunken, liegt darin nicht ein Erfolg für die Gastgeber?

– Ich konnte mich nicht ständig um Bard kümmern, ich hatte eine Menge zu tun, doch immer, wenn ich ihn suchte, fand ich ihn allein im Schatten der Veranda, er lehnte dort rauchend und bewegungslos, niemand vermißte ihn, niemand zog ihn hinab zu einer der Cliquen, die kleine Glut der Zigarette im Dunkeln erinnerte mich fortwährend daran, daß er ausgeschlossen, nicht akzeptiert war – und das an dem Tag, der doch auch ihm gehörte.

– Anfangs war ich nur enttäuscht, aber dann hatte ich solch eine Wut, daß ich beschloß, Vater zu holen, damit er sich um Bard kümmerte: ich suchte ihn im Garten überall und im Haus, und je länger ich ihn suchte, desto wütender wurde ich, und schließlich hatte ich den Verdacht, daß er mein Fest verlassen hatte und in die Stadt gegangen war. Ich fragte alle – niemand wußte, wo er war, und zuletzt, als ich an Bards Zimmer vorbeikam, sah ich dies Stück Papier an der Tür kleben, las in Vaters penibler Handschrift die Worte: Herein, ich bin tot.

– Sicher, Christina, es klang wie ein makabrer Witz, doch die Tür war verschlossen, und als Bard sie gewaltsam öffnete ... Vater war tot. Bard schnitt ihn ab von seinem Gürtel, an dem er sich erhängt hatte, Bard wollte ihn auffangen, doch Vater stürzte auf ihn mit seinem ganzen Gewicht, drückte und zwang ihn nieder, als ob er ihn endlich im Tod überwältigt hätte mit seinen schweren, schlappen Armen ...

– Bald jährt sich sein Todestag, bald jährt sich auch der Tag unserer Hochzeit, den wir nie gefeiert haben. Acht Jahre, Christina, und vielleicht sollte ich wieder anfangen, mich für die Verbindung zu interessieren, die zwischen Vater und Bard bestand: was meinst du? In den letzten Jahren vergaß ich es offenbar.

– Übrigens läuft Bards Zug jetzt bald ein; ich glaube, ich muß mich fertigmachen und dann zur Bahn, um ihn abzuholen. Kommst du mit, Christina?

1961

Der Spielverderber

Die Wunde ist nicht tief, nur ein langer Schnitt in der Schulter, der sich schließen wird, ohne daß ich ihn gesehen oder betastet hätte, ein sauberer Schlitz, der schon an den Rändern zu jucken beginnt, und das ist ein gutes Zeichen. Nicht so zaghaft, ziehen Sie den Verband fest an, noch strammer, ja, dann einen Knoten über der Brust und eine Schleife – so wie ich es selbst gemacht habe in den letzten Tagen, machen mußte, wenn der Junge nicht kam. Es ist nicht leicht, eine Wunde zu verbinden, die man nicht sehen kann, man müßte mit dem ganzen Körper sehen können in gewissen Augenblicken. Soll ich den Daumen draufhalten? ... Da, jetzt gucken Sie wieder auf die kantige Fessel an meinem Handgelenk, verwirrt und unschlüssig wie vorhin, als Sie mich hier fanden: lassen Sie sich nicht beunruhigen.

Sobald ich in der Lage dazu bin, werde ich versuchen, mein Handgelenk von diesem verhängnisvollen Schmuck zu befreien. Schütteln Sie nicht den Kopf, als ob es Ihnen nichts ausmachte – wir alle zögern, überprüfen uns selbst, wenn wir etwas für einen Menschen empfinden sollen, der von den Behörden öffentlich gekennzeichnet ist. Ich spüre die Unruhe, die die gebrochene Fessel in Ihnen hervorruft; ich verstehe Ihr Schweigen, es würde mir genauso gehen ... Jedenfalls danke ich Ihnen für die Hilfe, die Sie mir gebracht haben; Sie verstehen etwas davon, Sie haben Erfahrung, und Sie haben vor allem Mut, daß Sie als Mädchen zu uns herauskommen.

Sie sind die neue Fürsorgerin? Dann muß ich Ihr Erscheinen noch mehr bewundern; denn wahrscheinlich wissen Sie, was der alten zustieß, die von ihrer zähen Güte hier herausgeführt wurde, bis es eines Tages geschah. Keine Furcht? Nun, vielleicht kommt die Furcht mit den Erfahrungen, mit der Phantasie.

Danke, ich bleibe hier liegen: der Junge hat mir das Lager gemacht, aus alten Zeitungen und dem Autositz, den er auf dem Müllabladeplatz gefunden hat; mehr brauche ich nicht. In gewisser Weise bin ich sogar gern hier; ganz recht: es ist ein ausgedienter Güterwagen, den man aufgebockt hat; dort drüben stehen noch mehrere unter den Erlen, Veteranen, die nicht umzubringen sind, in denen es sich gut wohnen läßt. Ich wenigstens fühle mich wohl in dieser kühlen, sargähnlichen Reinlichkeit, ich bin darin aufgewachsen, habe früh meine Entdeckungen gemacht. Schauen Sie nur hinaus: wirken die bewohnten Güterwagen nicht vertrauensvoller als die Buden und Lauben, zeitloser als die plumpen Wohnwagen, deren Räder bis zu den Naben eingesackt sind? – Manchmal, wissen Sie, in der Dämmerzeit, wenn Nebel von der Elbe herüberziehen und den kleinen Erlenwald durchfluten, muß ich beim Anblick dieser Unterkünfte an eine Ansammlung ausgedienter Schiffe denken, die vom Meer ausgeschlossen sind. Wie eine Bucht der Verbannten erscheint mir diese Niederung, in der man reglos steht und stromabwärts lauscht auf die Verheißungen der freien See. Doch das ist sicher eine Täuschung.

Durchaus, man kann Hamburg von hier noch sehen, zumindest nachts die Lichtglocke über der Stadt.

Es besteht nur eine Busverbindung. Die Gleise drüben auf dem Damm sind stillgelegt, außerdem – schauen Sie mehr nach links – sind sie blockiert durch ausrangierte Lokomotiven, die man hier abgestellt hat. Gleich hinter dem Erlenwald, die rauchenden Hügel da, das ist der Abladeplatz; und dort unten kommen Sie zur Elbe ...

Wer diesen Platz entdeckte? Ich weiß es nicht, ich vermute nur, daß es jemand war, der seine Schwächen kannte und mit ihnen allein sein wollte; wahrscheinlich kaufte er zum Vorzugspreis einen der alten Güterwagen, oder er baute sich eine der Buden aus Treibholz, Kistenbrettern und Wellblech; vielleicht kam er auch mit dem Wohnwagen hierher, hörte nichts, sah nichts und entschied sich zum Bleiben. Natürlich hatte er nicht bedacht, daß wir unaufhörlich darauf aus sind, uns denen anzuschließen, deren Schwächen wir teilen, und so war eines Tages ein zweiter da, ein dritter, sie kamen einzeln oder mit Familie, als ob sie einem Geruch gefolgt wären oder einem rätselhaften Verständigungston.

Unglücklich, meinen Sie? Im Gegenteil; ich glaube, wir alle hier stimmen darin überein, daß die Tage des Unglücks vorüber sind, weil niemand gezwungen wird, sich mit seinem Nächsten zu befassen. Für uns gibt es keinen Nächsten, und das ist die sicherste Voraussetzung zum Glück. Vielleicht sind es Verbannte, aber die Verbannung ist ihnen erwünscht, sie haben sich freiwillig dafür entschieden ... Als Fürsorgerin wissen Sie ja, welche famosen Leute wir sind; für Sie sind wir Asoziale, schwierige Mieter, schwierige Bürger, Einzelgänger, deren Stärke nicht die Arbeit ist, ohne Gemeinsinn und auf keinen Fall in der Lage, sich anzupassen. – Sicher, Sie haben es nicht gesagt, aber etwas Ähnliches haben Sie doch wohl gelernt.

Dieser Ton? Es ist das Warnsignal eines Schleppzugs, dort unten, hinter den Erlen zieht er stromabwärts, tiefgeladen und hoch versichert wie alles, was für Hamburg bestimmt ist. In dieser Stadt fürchtet man nichts so sehr wie das Risiko, und erstaunlich früh widmet sich der Hamburger seinen wichtigsten Beschäftigungen: er prüft die Wetterkarte und läßt sich versichern ... Aber Sie müssen achtgeben, Ihre Haarspange ist aufgegangen, Sie werden sie verlieren.

Ja, das ist richtig: wir nennen unseren Winkel Klein-Paris, aus Notwehr natürlich, mit einer Art ironischer Zärtlichkeit; vielleicht aber auch nur deswegen, weil niemand von uns Paris kennt. Mit demselben Recht könnten wir uns nämlich Klein-Moskau nennen oder Klein-Kapstadt, und das Mißverständnis wäre nicht geringer.

Natürlich sind nicht alle diese Prachtbauten bewohnt, einige stehen leer, verlassen und aufgegeben von ihren Eigentümern, die sich – mit Hilfe Ihrer Behörde übrigens – für ein sogenanntes ordentliches Leben entschieden haben. Solche Abgänge gibt es von Zeit zu Zeit.

Einverstanden, lassen wir das ... Sehen Sie, zwischen den Kronen der Erlen gleitet etwas vorbei, stromabwärts: der Schleppzug, der sich ankündigte; und dort am Wasser – beugen Sie sich etwas vor – kauert der Junge. Er hilft mir beim Anlegen des Verbandes, er bringt mir zu essen, nicht regelmäßig, sondern nur dann, wenn er sich meiner erinnert, zufällig, doch täglich.

Ich habe ihm die Fessel versprochen, sobald ich sie losgeworden bin. Ich liebe dies flache Land, torfbraun, und in der Elbe spiegeln sich hier nur ziehende Krähenschwärme und der matte Glanz der Erlen. Kein heiterer Strom, nein, keine Ufer, die uns zum Leichtsinn überreden – wie meinen Sie?

Eine Verkehrsader? Sicher, unter Kaufleuten ist man der Ansicht, daß bei der Erschaffung der Welt auch auf ihre Interessen Rücksicht genommen wurde ... Die Dämmerung kommt, es wird kühl; die Kühle steigt aus dem sumpfigen Land; bald werden in Klein-Paris die Lichter aufflammen, und die Buden dieser Niederung werden im Dunkel schwimmen wie ruhende Barken. Die Nähe des Meeres verwandelt alles unwillkürlich, ruft manche Sinnestäuschung hervor: das ist – für mich wenigstens – die Zeit der unentschiedenen Augenblicke, in denen die Grenze zwischen Land und See aufgehoben wird. So etwas wie eine erträumte Vereinigung erfolgt, die Niederung wird zum Meeresgrund, über den namenloses Plankton treibt.

Ich interessiere Sie? Warum? Wenn Sie wissen wollen, woher die Fessel an meinem Handgelenk stammt: ich bin zufällig bei einer Maßnahme der Polizei zu nah herangekommen. Das ist alles … Aber ich kann mir wohl denken, warum ich Sie interessiere: Sie glauben, ich passe nicht hierher, Sie halten mich gewiß für eine Milieu-Attraktion, für einen Außenseiter unter den Außenseitern, der unverschuldet in diesem Winkel sitzt.

Das würde mich nicht wundern, das habe ich sogar vermutet. Doch ich muß Ihnen sagen, daß ich hier zu Hause bin, hier aufwuchs, im Schatten dieser Erlen, zwischen diesen phantasievollen Unterkünften, mit Gemeinschaftswasserleitung und Gemeinschaftsklosett. Hier kennt man mich, ohne sich mit mir zu beschäftigen; dies ist der einzige Ort, an dem man mich nicht für einen Fremden hält. Glauben Sie nicht, in mir den Mann gefunden zu haben, der das Musterbeispiel einer Bekehrung abgeben könnte! Wir alle hier – das weiß ich – fürchten nichts so sehr wie eine amtliche Erlösung. Versuchen Sie niemanden gegen seine Überzeugung zu bessern! Ich sage Ihnen das, weil ich Ihnen Erfahrungen ersparen möchte, die Ihre Vorgängerin eines Tages machen mußte …

Sie müssen einmal versuchen, sich an die Stelle eines Menschen zu versetzen, den alle Welt bessern, bekehren und überzeugen will. Jahraus, jahrein erinnert man ihn an seine Schwächen und droht unablässig, ihn davon zu heilen. Still! Hören Sie? … Da ist es wieder, der Pfiff einer Ratte; in der Dämmerung kommen sie von dem Müllgebirge, streifen durch die Niederung auf der Suche nach Abwechslung, kräftige Landratten, die manchmal zu zweit operieren; zumindest sah ich, wie zwei von ihnen einen riesigen Fischkopf wegschleppten, sehr geschickt, in imponierender Zusammenarbeit. Geben Sie mir den Knüppel, für alle Fälle. So, jetzt können sie kommen …

Ob die Wunde schmerzt? Ah, es ist zu ertragen, sehr viel leichter als in der ersten Nacht; die heißen Stiche haben aufgehört, der Schmerz ist vorbei, und nun klopft es nur und spannt in der Schulter. Sie müßten das Klopfen spüren können, wenn Sie Ihre Fingerkuppen leicht – wollen Sie es mal versuchen?

Nicht wahr, man spürt durch den Verband, wie die Wunde arbeitet; das strahlt aus über den ganzen Rücken. Dieser lange Schnitt – es war kein Messer, wie Sie vielleicht denken, war auch keine Kugel, die nur eine Wunde riß im Fleisch und das Rückgrat schonte; daß ich hier liege, verdanke ich einer Schlepperschraube, die mich unter Wasser erwischte mit einem scharfen kupfernen Flügel ...

Judith – die junge Frau dort am Schuppen ist Judith; sie nimmt zur Nacht die Wäsche ab, obwohl sie noch klamm ist, sie wird auch die Leine abnehmen und die Klammern einsammeln in ihrer Schürzentasche, und sie wird alles in den Schuppen bringen mit Hilfe ihrer internationalen Töchter.

Wir nennen sie so; bei uns sagt man, daß Judith das Andenken an die drei Besatzungsmächte lebendig erhalten will, die entscheidend an ihren Töchtern beteiligt sind.

Vielleicht wundern Sie sich, daß ich hier so gut Bescheid weiß. Ach, wissen Sie, hier weiß jeder Bescheid, die Armut hat nichts zu verbergen, zumindest nimmt man sich nicht die Mühe, etwas zu verbergen; die Türen stehen offen, weil niemand die Befürchtung hegt, durchschaut zu werden. Man gibt alles über sich preis, um dann endgültig in Ruhe gelassen zu werden. Sehen Sie, die Fessel interessiert Sie doch mehr, als Sie zugeben wollen; es ist übrigens eine gewöhnliche Polizeifessel, wie sie heute allgemein in Gebrauch ist. Überraschenderweise kann ich mit gefesselten Händen schlafen ...

Sie wollen also wissen, worin mein Vergehen besteht, beziehungsweise was ich verbrochen habe – doch, man kann es so nennen, und ich möchte sogar noch mehr sagen, nämlich, daß es sich bei mir um Vergehen aus Veranlagung handelt, was soviel heißt, daß weder erzieherische noch abschreckende Strafen etwas ändern werden. Ich werde immer rückfällig werden.

Wie es begonnen hat? So wie fast alles beginnt: mit einem Staunen oder einem Schaudern, zumindest aber mit einer vollendeten Tatsache. Als wir hierherkamen nach dem Krieg – meine Mutter, meine Brüder Boris und Bruno und ich –, war ich fünf Jahre alt; wir bezogen eine der hängenden Villen aus gutem Wellblech, die gerade frei war, und da wir müde waren von der Wanderschaft aus dem Osten, entschlossen wir uns, in Klein-Paris zu bleiben. Meine Mutter war erfahren im Warzenzauber, sie heilte Gürtelrose durch Handauflegen, hatte Erfolg bei der Behandlung gewisser Krankheiten durch Besprechen; damit brachte sie uns durch. Ihr Arbeitszeug ruhte in einem Marmeladeneimer: gerissene weiche Lappen, getrocknete Pflanzen, Flaschen, die gefüllt waren mit Flüssigkeiten, in denen etwas schwamm und schwebte, die Rippen des Rosenblatts, Geraspeltes vom Kuhhorn oder flockig gewordene Zweigspitzen des Kirschbaums. Außerdem lag in dem Eimer ein Schreibheft voll von Ratschlägen und Rezepten, die mühsam zusammengetragene Weisheit der Fernheilung, die Mutter kostenlos anbot, sobald sie erfuhr, daß Persönlichkeiten wie Churchill oder Max Schmeling krank geworden waren.

Da ich damals sehr schwächlich war, brauchte ich nicht mitzuarbeiten; meine Lieblingsbeschäftigung bestand darin, mit beiden Füßen in einem riesigen alten Schuh zu stehen und die kalten Lokomotiven zu beobachten. Ich hörte Stimmen dabei und sah, was die Lokomotiven erlebt hatten.

Das hatte schon etwas mit meiner Veranlagung zu tun. Allerdings, zuerst waren es immer andere, die meine Veranlagung bemerkten und daraus ihre Schlüsse zogen. So hatte meine Mutter schnell heraus, daß ich mit fünf Jahren jedes Datum kannte; die Folge davon war, daß meine Familie mich gewissermaßen als lebenden Kalender benutzte. Ich fand nichts dabei, daß mein Gedächtnis in der Lage war, auch entlegene Daten und Ereignisse aufzubewahren, und zwar mit einer Zuverlässigkeit, die selbst hinter Lexiken nicht zurückstand. Abgesehen davon, daß ich jedes Tagesdatum verläßlich kannte, war mir der Geburtstag von Hindenburg ebenso geläufig wie die Gründung der Stadt Königsberg, das Datum der Schlacht von Kunersdorf nicht weniger als der nächste Termin für die Ausgabe von Rationierungskarten ... Ich wußte das und fand nichts dabei.

Es konnte mich nicht belasten, da ich selbst damals weder die Vorteile noch die Nachteile meines Gedächtnisses kannte. Einstweilen bedeutete mir mein Gedächtnis nichts, da nur andere sich seiner bedienten. Unter uns, ich wußte nicht einmal, daß ich ein Gedächtnis besaß, und meine Leute, die es zur Orientierung befragten, benutzten es so selbstverständlich wie ein Werkzeug. Jedenfalls war es schon früh als Anlage vorhanden, ich hatte es mitgebracht in diese Niederung, ohne zu wissen, welch eine seltene Krankheit ich eingeschleppt hatte: eine Art gesammelter und – ja, man kann sagen: schmerzlich klarer Erinnerung an Namen, Begebenheiten und Jahre, auch an verschollene, auch an entlegene. Und da Sie sich von Berufs wegen für mich interessieren, darf ich Ihnen anvertrauen, daß die Wurzel meiner Vergehen ausschließlich in meinem Gedächtnis zu finden ist. Ein Phänomen, meinen Sie? Ich sei ein Phänomen? Ich würde es nicht so nennen, einfach, weil man sich mit einem Phänomen zu rasch abfindet, achselzuckend zufriedengibt. Ich hoffe nur, daß Sie noch ein anderes Interesse für mich haben, beziehungsweise daß Sie sich nicht mit dieser Tatsache zufriedengeben ... Immerhin, in der ersten Zeit bestand für mich kein Anlaß, unter meinem Gedächtnis zu leiden. Ich zog mit meinem riesigen Schuh, den ich auf dem Abladeplatz gefunden hatte, durch diese Niederung, und wo es mir gefiel, da stellte ich ihn hin, schlüpfte mit beiden Füßen hinein und war glücklich, im Schilf des toten Arms, am Ufer der Elbe, unter den fettig glänzenden Erlen, am liebsten jedoch vor den kalten, zerschossenen Lokomotiven, auf denen meine Brüder mit Meta Gorny ›Vater, Mutter und Kind‹ spielten. Manchmal begleitete ich meine Mutter auf dem Weg zu ihren Patienten, und ich assistierte ihr, indem ich beispielsweise die Anzahl der Tropfen nannte, die ein Mann mit Haarausfall einnehmen mußte, desgleichen überließ sie es meinem Gedächtnis, die ausstehenden Honorare zu speichern: vertrauensvoll senkte sie alle Daten in mich hinein – ohne die Befürchtung, ich könnte sie enttäuschen ...

Warum sehen Sie mich so an?

Warum erschrecken Sie?

Sie kennen meinen Namen? Das ist möglich, schließlich hat sich ja die Presse meinen Fall nicht entgehen lassen ... Das stimmt, ich heiße Joseph Wollina. Wie heißen Sie? Sofia?

Wie Ihr Haar glänzt unter dem Licht der Bogenlampe. Jedenfalls, in jenen frühen Jahren war es so, wie ich's Ihnen sagte: meine Veranlagung war vorhanden, doch ich nahm sie weder wahr, noch wußte ich etwas damit anzufangen. Das änderte sich später in der Schule; drüben in Uhlenbusch bin ich zur Schule gegangen, auf der andern Seite der Elbe. Nun sollen Sie allerdings nicht glauben, daß es mir Vergnügen bereitete, die Schule zu besuchen.

Wissen Sie, ich langweilte mich. Jedesmal, wenn wir neue Lehrbücher erhielten, setzte ich mich in den Schatten der Lokomotive und las sie durch, und von diesem Tag an beherrschte ich das Pensum des Schuljahrs.

Sagen Sie noch nicht, das sei beneidenswert, warten Sie ab. – Die Kameraden, die in meiner Nähe saßen – meist kräftige Bauernjungen, die müde waren von der Arbeit –, machten sich mein Gedächtnis zunutze und beglichen meine Hilfe mit Naturalien; mein Lehrer, Eugen Pienkogel, bevorzugte mich vom ersten Augenblick an – ich war sein Lieblingsschüler, in mir glaubte er den handgreiflichen Erfolg seiner Lehre zu sehen, mich rief er auf, sobald eine Inspektion unser Klassenzimmer betrat. Er glaubte lange, daß ich mir das vorhandene Wissen mühsam und geduldig angeeignet hatte.

Nun, ich wollte Ihnen erzählen, daß Eugen Pienkogel mich eines Tages bat, ihn nach Hause zu begleiten und die Aufsatzhefte in seine Wohnung zu tragen, es war ein Vorzugsdienst. Wir gingen nebeneinander auf dem Wulst des Deiches, stiegen zu seinem Haus hinab, und dort sah ich die alte englische Standuhr, ein mannshohes Gehäuse mit beschlagenem Zifferblatt aus Messing. Mit den Heften unterm Arm blieb ich vor der alten Uhr stehen, ich las die Jahreszahl 1824, ich spürte einen leichten Schmerz im Hinterkopf, spürte ein Schwächegefühl in den Beinen – etwas, das später oft wiederkehrte –, und plötzlich ergab sich ein Name, er setzte sich unwillkürlich zusammen, der Name des letzten Besitzers dieser Uhr: Siegfried Berendson.

Ich flüsterte diesen Namen, und mein Lehrer stutzte und sah mich an, kam argwöhnisch näher, betroffen und argwöhnisch, nahm mir die Hefte ab, zog mich zu sich heran: »Wiederhole«, sagte er, »wiederhole den Namen« – und ich wiederholte ihn und wußte, daß es der Name von Pienkogels Kollegen war; der hatte emigrieren müssen. Mein Lehrer ließ mich los, beobachtete mich lange, dann fragte er: »Woher weißt du das? Wer hat es dir erzählt?« Und ich sagte ihm, daß es mir niemand erzählt hatte. Er glaubte es nicht ... Natürlich hätte jede bescheidene Lüge meinen Lehrer beruhigt, aber mir fiel einfach keine ein, und als er drohend zu wissen verlangte, woher ich den Namen kannte, sagte ich schlicht: aus dem Gedächtnis.

So ist es, damals entdeckte ich mein Gedächtnis zum erstenmal, oder sagen wir: ich erkannte den Unterschied zwischen dem Gedächtnis der anderen und meinem eigenen Gedächtnis. Es beunruhigte mich jedoch noch nicht, da ich die Folgen meiner Veranlagung noch nicht kennengelernt hatte. Ich machte auch keinen bewußten Gebrauch von ihr, abgesehen davon, daß ich das Pensum in der Schule stillschweigend aufnahm und mit zehn Jahren von keinem Lehrer mehr in Verlegenheit gebracht werden konnte ...

Zunächst können Sie sich denken, daß ich niemals mehr in den Genuß kam, die Aufsatzhefte für Eugen Pienkogel nach Hause zu tragen. Er widmete mir keine Aufmerksamkeit in der Klasse, zumindest nicht die Art von Aufmerksamkeit, die ein Lehrer für seinen Schüler aufbringen sollte; wenn mich sein Blick streifte, so lagen in ihm lediglich Unsicherheit und Mißbilligung. Manchmal allerdings, in Augenblicken unerklärlicher Gerechtigkeit, forderte er mich auf, seine Lehre zu bestätigen, die ein eigensinniger Bauernjunge nicht einsehen wollte – worauf ich mich erhob und sagte: es stimmt. Damals machte ich übrigens die Feststellung, daß mein Gedächtnis nicht nur mir allein gehörte; was in ihm bereitlag, das waren nicht allein Daten und Begebenheiten, die ich persönlich erfahren hatte, vielmehr schien es mir mitunter, als habe mein Gedächtnis auch die Erinnerungswerte anderer Leute übernommen.

Das verstehen Sie nicht ganz? Ich auch nicht, unter uns gesagt, und bei allem, was ich Ihnen erzähle, müssen Sie einen Rest von Ungeklärtem in Kauf nehmen. Schauen Sie, eines Tages beispielsweise fand ich ein dreckiges, unvollständiges Exemplar von Miltons »Verlorenem Paradies« auf dem Abladeplatz; soweit ich es gelesen habe, kann ich es auswendig, und dabei verstehe ich nicht ein einziges englisches Wort.

Eben ... das ist merkwürdig ... Immerhin, mit Hilfe meines Gedächtnisses verdiente ich das erste Geld meines Lebens, Karl Tumler gab es mir, ein verdrossener Sozialbeamter, der für Klein-Paris zuständig war und uns regelmäßig besuchte, um hier nach dem Rechten zu sehen. Sein amtliches Mitgefühl schlug sich in Tabellen nieder, in kniffligen Fragebogen, die er für seine Vorgesetzten ausfüllen mußte. Er hatte bald heraus, daß die Angaben, die ich ihm über die Leute in der Niederung machte, genauer und zuverlässiger waren als alles, was er in den Buden und Lauben erfahren konnte. Ob es sich um Geburtstage handelte, um die Höhe der Rente oder um die Anzahl der Kinder, bei mir wurde er gut bedient, deshalb brachte er mir eine Tüte Puffreis mit und gab mir zwanzig Pfennig und ließ sich von mir diktieren ...

Was meinen Sie? Wie ich meine ganze Jugend hier zubringen konnte? Die wahre Lebenskunst besteht darin, keinerlei Verpflichtungen anzuerkennen; ich glaube, diese Kunst beherrschten wir, und in Klein-Paris wurde sie in besonderer Weise gefördert. Zu dieser Lebenskunst gehört übrigens eine ganz bestimmte Abneigung, die wir alle hier teilen: die Abneigung gegen die Arbeit; anders gesagt, wir halten Arbeit nicht für unsere Stärke und lernen schon früh, ihren Fallen zu entgehen ...

Freunde, ja, ach, wissen Sie, Freunde hatte ich nur so lange, wie sich mein Gedächtnis nicht meldete. Sobald es mir gewisse Daten und Begebenheiten zutrug, die ich nicht für mich behalten konnte, wurden meine Freundschaften schwierig oder hörten auf. Schließlich kann man niemandem zumuten, sein ganzes Leben vor einem Spiegel zu verbringen. Meinen besten Freund, Jens Matthiessen, verlor ich beispielsweise nach dem ersten Besuch im Haus seiner Eltern. Es war der dreizehnte Geburtstag von Jens, zu dem man mich eingeladen hatte, seine Schwestern waren auch da, träge, wohlgenährte Geschöpfe, deren Körperwärme lange auf den Stühlen zurückblieb, auf denen sie gesessen hatten. Da es regnete, gingen wir nach dem Kaffee in den geräumigen Keller hinunter, um zu spielen. Wir spielten im Dunkeln ein Spiel, bei dem es darauf ankam, einen andern festzuhalten, sorgfältig abzutasten und zu erraten, wer es war, den man festhielt; die Schwestern von Jens spielten es sehr gern. Und ich weiß noch, als ich zusammengekrümmt lag auf dem Kokshügel, die vorsichtigen Schritte hörte, als ich lauschend die süße, stickige Luft atmete, die die Lunge beleidigte, spürte ich auf einmal wieder das Schwächegefühl, den ziehenden Schmerz im Hinterkopf: ich achtete nicht mehr auf die näherkommenden Schritte, ich verdarb das Spiel. Zu deutlich hörte ich das Stöhnen, sah ein Augenpaar voll glänzender Angst, das knochige, blasse Gesicht eines jungen Soldaten, der neben mir lag – oder neben mir hätte liegen können – in dreckiger Uniform. Es war ein junger Deserteur, der sich in den letzten Tagen des Krieges hier versteckt gehalten hatte, zehn Tage und Nächte, bis Jens Matthiessens Vater unruhig wurde und schließlich der Feldgendarmerie einen Wink gab. Mein Gedächtnis erinnerte sich an ihn, an die Angst, die er litt, an seinen Hunger und an die Schlaflosigkeit; es war, als ob man mir aufgetragen hätte, mich an ihn zu erinnern in diesem Augenblick, mich, aber auch die andern. Mit steifem Rückgrat rutschte ich von dem Kokshügel hinunter ... Natürlich habe ich Jens' Vater an den Deserteur erinnert, später, als wir oben waren und Abendbrot aßen. Wissen Sie, was er tat? Er sorgte dafür, daß ich meinen besten Freund verlor, er verbot ihm jeden Umgang mit mir.

Übrigens: ich muß Ihnen sagen, ich habe in meinem Leben auch schon gearbeitet, und zwar gerade so lange, um meine Abneigung bestätigt zu finden gegen jegliche Art regelmäßiger, bezahlter, geschützter Tätigkeit. Meine Berufswahl hing eng zusammen mit dem Tätigkeitsbereich meiner Mutter – was nicht heißt, daß ich bei ihr die Kunst erlernte, eine Gürtelrose durch Handauflegen zu heilen; vielmehr vermittelte sie mich als Krankenträger in das große graue Krankenhaus St. Bertha. Das war notwendig geworden, nachdem man es für angebracht gehalten hatte, meine Brüder Boris und Bruno für einige Jahre festzusetzen.

Weshalb? Nun, ich möchte sagen, wegen ihrer Ungeduld bei der Erwartung des Geldbriefträgers, der allmonatlich zu uns in die Niederung kam: meine Brüder waren ihm entgegengegangen bis zur Höhe der Fähre, empfingen ihn dort, und da es Unstimmigkeiten zwischen ihnen gab über die Höhe der Auszahlung, blieb ihnen keine andere Wahl, als den Geldbriefträger gewaltsam zu überzeugen.

So kam es, daß ich eines Tages einen Leinenkittel trug und die Bahre mein Handwerkszeug wurde. Vordermann war Albert, ein ehemaliger Matrose, ich war Hintermann, und als Trägerpaar, das aufeinander abgestimmt war, stiegen wir in Dachwohnungen hinauf, betätigten uns auf Verkehrskreuzungen, und manchmal seilten wir unsere Bahre auch durch Lichtschächte ab. Was meine Arbeit beeinträchtigte, war die konsequente Verachtung, die Albert mir vom ersten Tag an zeigte, immerhin doch mein Partner, der ebenso auf mich angewiesen war wie ich auf ihn ...

Sicher, ich fand das auch befremdlich, vor allem die unaufhörlichen Bemühungen, mich seine Verachtung spüren zu lassen, indem er etwa die Bahre anwinkelte – wobei mehrere Kranke abrutschten – oder indem er die Bahre nach dem Prinzip der Pleuelstange bewegte, wobei die Hilflosen seekrank zu werden drohten. Gott sei Dank dauerte das nicht allzu lange.

Was soll ich Ihnen sagen: mein Gedächtnis machte mich schließlich unbeliebt, obwohl es zunächst den Anschein hatte, als sei ich gerade wegen meiner Veranlagung höchst willkommen ...

Das war an einem Morgen, als die Flucht eines Patienten festgestellt wurde; während der Chefarzt und seine Begleitung erstaunt vor dem leeren Bett standen, trat ich dazu und zeigte mich in der Lage, sämtliche Personalien des Geflohenen zu nennen.

Der Chef wunderte sich da noch nicht, doch als ich ihm alle gemessenen Fieberwerte des Patienten nannte, musterte er mich interessiert und bestellte mich in sein Zimmer, wo er mein Gedächtnis ins Kreuzverhör nahm. Die Folge unserer Gespräche war, daß ich, gegen geringe Gebühr, den Studenten des psychiatrischen Kollegs als Anschauungsperson diente. Nur zweimal allerdings. Dabei erfuhr ich, daß die Außenfläche des Hinterhauptlappens, die sogenannte okzipitale Zone, neben dem Sehzentrum auch die Zentren der Erinnerung enthält; am meisten scheint wohl aber im mittleren Assoziationszentrum los zu sein, wo sozusagen die höheren Funktionen beheimatet sind: Phantasie und Intelligenz ...

Der kritische Augenblick sozusagen ergab sich damals aber, als der Chefarzt mich aufforderte, die Namen von zwei Dutzend seiner Patienten, die er rasch hintereinander nannte, mit Kreide an die Tafel zu schreiben, und zwar in genauer Reihenfolge. Selbstsicher begann ich, doch während ich den letzten Namen schrieb, spürte ich das Schwächegefühl, das etwas ankündigte, und mein Gedächtnis öffnete und erweiterte sich, trug mir andere, unerwähnte Namen zu, die ich unter mechanischem Zwang an die Tafel schrieb, mühselig, angestrengt, mit brennenden Augenlidern, zur Verwunderung der Studenten, zur Besorgnis des Chefs, der mir plötzlich die Kreide aus der Hand schlug, das Experiment unterbrach und auf die Tafel starrte, wo geheimnisvolle Namen standen, ukrainische, polnische und tschechische Namen: Marjan Zdziechowski, oder Teodor Stamma, oder Jan Zopotoki ...

Ich bewundere Ihren Scharfsinn; ja, das waren Namen von Menschen, die auch einst Patienten des Chefs gewesen waren, während des Krieges.

Nach diesem Vorfall sah der Chef keine Möglichkeit, mich weiter zu beschäftigen – was durchaus in meinem Sinne war. Ich kehrte zurück in diese abseitige Niederung, saß oft dort auf den Lokomotiven unter den sprunghaften Winden ...

Ich kann Ihnen versichern, daß es mir nicht schwerfiel, auf einen Beruf zu verzichten. Jeder Morgen hier draußen hat seine bestimmten Verheißungen, mit jeder Nacht kommen schwierige Träume, sie fordern einen freien Mann. Außerdem fand ich damals in Klein-Paris eine Beschäftigung, die mir genug abverlangte; diese Beschäftigung hieß Meta. Vielleicht erinnern Sie sich, daß ihr Vater verhaftet wurde wegen Landfriedensbruchs – ein wendiger Alter mit rotem, wildem Gesicht, das der Ärger verkniffen hatte. Sommers und winters trug er einen langfallenden Mantel aus Schafsfell, und an dem höhnischen Triumph seiner Augen konnten wir erkennen, ob seine letzte Unternehmung Erfolg gehabt hatte. Er haßte alles, was fest, was angebunden war; nachts ging er in den Fischereihafen und warf die Leinen festgemachter Dampfer los, die daraufhin in den Strom hinaustrieben; er befreite Hunde, die vor Geschäften angebunden waren, oder löste die Bremsen von Autos, die auf Bergstraßen parkten.

Warum er das tat? Er hielt es für seine Lebensaufgabe ... Nachdem man ihn abgeholt hatte, erschien Meta an einem Sonntagmorgen mit unsicherem Lächeln unter den Erlen; sie, die ihr Alter verborgen gehalten hatte hinter den mit Putzwolle abgedichteten Wänden seiner Blechvilla, bot sich zum ersten Male gemächlich in der Sonne an, und wir alle staunten. Als sie sich zeigte in ihrem verwaschenen Baumwollkleid, blaß und dünnbeinig, aber bereits von erkennbarer und geltender Schönheit, erschienen auf mehreren Gesichtern hier in der Niederung gewisse Entwürfe.

Ich weiß es genau: sie war sechzehn und bis dahin nur wenige Male gesehen worden, immer in Abwesenheit ihres Vaters, der gerade den Landfrieden brach. Ihr Lieblingsplatz wurde der Rahmen einer Tür, den der Strom hier angeschwemmt hatte, dort stand sie lange, und ihr Schatten fiel genau wie vom Zeiger einer Sonnenuhr ...

Meta und ich, wir begegneten einander vielsagend auf dem gesplitterten Türrahmen am Ufer, wir kamen aus verschiedenen Richtungen und trafen auf dem Platz zusammen mit der schweigenden Selbstverständlichkeit von Vögeln, die einen Ast teilen; vielleicht sollte ich noch erwähnen, daß in ihrem Blick Wachsamkeit lag und ein begründeter Argwohn.

Ich gerate ins Schwärmen? Gut, wenn Sie diesen Eindruck haben, dann will ich nicht mehr sagen, als daß Meta und ich, gewissen Nöten gehorchend, eine Interessengemeinschaft gründeten, die unter anderem auch gemeinsame Heimarbeit einschloß. Meta fand eine Verbindung zum Statistischen Landesamt, für das sie Adressen schrieb, Tabellen ausfüllte, das heißt, sie brachte die Aufträge nach Hause und überließ es mir, sie zu erledigen; mit Hilfe meines Gedächtnisses arbeiteten wir zügig und fehlerlos ...

Wir bildeten eine unmündige Familie ...

Sie irren sich, ich trauere ihr nicht nach, gleichwohl habe ich einen Anlaß zu nachdenklicher Trauer, das weiß ich, das habe ich längst eingesehen ...

Worin dieser Anlaß besteht? Ich dachte, Sie wüßten es bereits – nun, ich kann es Ihnen sagen: Sie haben sicher schon erfahren, welche Wohltat, welche Möglichkeit darin liegt, vergessen zu können; sobald unsere Erinnerung verschüttet wird, erhalten wir eine Chance, uns selbst freizusprechen. Ich habe diese Chance weder gekannt, noch habe ich von ihr Gebrauch machen können. Aus dem einfachen Grund, weil mein Gedächtnis jeden Wunsch vereitelte, vergessen zu können. Die Außenfläche meines Hinterhauptlappens, die die Zentren der Erinnerung enthält, bewahrt leider alles – was zur Folge hatte, daß ich mich nicht nur selbst bezichtigte, sondern immer in die Verlegenheit kam, auch andere unwillkürlich, sogar widerwillig bezichtigen zu müssen. Und darin besteht denn auch der Grund meiner Trauer: daß ich die Menschen, die mir nahestanden, an Vergehen erinnerte, die sie längst glücklich vergessen zu haben glaubten ... Genug! Ich konnte Meta nicht ersparen, was ich anderen nicht erspart hatte, das Gedächtnis kennt kein Mitleid, und so kam der Augenblick, in dem der leichte Schmerz im Hinterkopf auftrat und ich Meta anvertraute, daß der alte Landfriedensbrecher nicht ihr Vater war. Obwohl ich voraussah, was diese Nachricht in ihr hervorrufen würde, mußte ich sie ihr anvertrauen, ein sanfter, stetiger Zwang ließ mir keine Wahl; nie hinderte mich etwas daran, das Wissen meines Gedächtnisses preiszugeben: keine sichtbare Beunruhigung, kein Unglück, nicht einmal die feindselige Ablehnung, auf die ich selber stieß.

Wir saßen auf dem gesplitterten Türrahmen am Ufer, beobachteten einen gedrungenen, mühsam vorbeimahlenden Schleppzug, die wirre weiße Schrift der Möwen über ihm: da sagte ich ihr, daß ihr Vater Lukosius bei uns gewohnt hatte, nur ein halbes Jahr nach dem Ende des Krieges. Ich erzählte ihr, daß er einen gefärbten Uniformmantel getragen hatte und Soldat gewesen war sein Leben lang: in Litauen – er stammte dorther –, dann in der Heide bei Lüneburg und später überall, wo sie ihn gebraucht hatten. Vor dem braunroten Güterwaggon, in dem er wohnte, hatte er den ganzen Tag in der Sonne gesessen und Holzschwerter geschnitzt für die Kinder von Klein-Paris. Der ausgebrochene Frieden hatte ihn zuerst schwermütig gemacht, nach einiger Zeit auch jähzornig; und es fiel ihm nichts anderes ein, als zu trinken; Präparieralkohol übrigens, in dem flockige Reste von Lebewesen schwammen wie in den Fläschchen meiner Mutter. Außerdem erfuhr Meta von mir, daß Lukosius ihre Mutter zur Zeit der Schwangerschaft auf einem Spaziergang methodisch an die Elbe führte und sie oberhalb der alten Fähre umsichtig hineinstieß, ohne indes zu erreichen, was er erreichen wollte ...

Meta hörte mir zu mit ausgestreckten Beinen und zurückgelegtem

Kopf, regungslos; dann kauerte sie sich zusammen wie zu einem Sprung, aufmerksam, schmaläugig, entschieden für etwas. Über dem Heck des Schleppkahns stoben die Möwen auf, als ob der Schiffer sie gleichzeitig in die Luft geworfen hätte. Ich spürte, daß ich Meta verlieren würde oder schon verloren hatte; trotzdem tat ich nichts, um ihre Entscheidung rückgängig zu machen, sondern erzählte ihr noch, daß Lukosius eines Nachts den Waggon anzündete, mit benzingetränkten Lumpen, und dann nach Straßburg fuhr, zur Annahmestelle für die Fremdenlegion. Da hatte Meta beschlossen, ihn zu suchen und zu finden. Wir waren so gut wie verheiratet und stellten dar, was man beinahe eine Familie nennen konnte, doch das galt nicht mehr, zählte und besagte nichts gegenüber dem Wunsch, Lukosius aufzuspüren, ihren Vater. Sie weinte nicht. Alles, was sie mir gegenüber zeigte, war ein Gefühl der Erbitterung, und sie gab mir zu verstehen, daß ich schuld sei an der großen Unruhe, die sie erfaßt hatte. Was mich jedoch am tiefsten traf, das war ihr Bekenntnis, daß sie es mit mir ohnehin nicht ausgehalten hätte ein Leben lang ...

Ganz recht, sie fürchtete sich vor meinem Gedächtnis ... Meta selbst drückte es so aus: »Mecht nur mal wissen, Menschenskind, woher du weißt, was kein andrer nich weiß. Wenn du einen so anglubschst von schräg, dann ieberlegt man sich gleich, was man getan hat und was nich, das stört mich, das kann keiner nich aushalten.« Ich wollte sie nach Hamburg begleiten – sie verschwand ohne Abschied, ihr Lager war kalt.

Später, viel später, habe ich dann allerdings etwas von Meta gehört. Nachdem sie sich einige Jahre nicht gemeldet hatte, erhielt ich überraschend einen Brief aus Sidi-bel-Abbès. Alles, was ich erfuhr, war, daß es ihr gut gehe, und auf einer Photographie, die sie beigelegt hatte – Meta vor schattenlosen, geriffelten Sanddünen – konnte ich erkennen, daß sie schwanger war ...

Ich fürchte, es beginnt zu regnen, kommen Sie ruhig näher zu mir.

Was dort in der Ecke klebt? Haben Sie es nicht gesehen? Es ist ein Plakat, das der Junge drüben auf dem Müllabladeplatz fand und hier anklebte; es zeigt Weinberge, Adenauer, Maultiere und scheint zugleich für die griechischen Inseln Reklame zu machen und an den Besuch des Kanzlers dort zu erinnern ...

Reisen, meinen Sie ... O ja, nachdem Meta fortgefahren war, bin ich manchmal nach Hamburg gereist, in vierzig Minuten schafft man es mit dem Bus bis ins Zentrum.

Eine offene, eine aufgeschlossene Stadt, dieses Hamburg, in dem alles maßvoll ist: die Weisheit und die Träume, die Götter und das Mitleid. Auch die Verbrechen übersteigen nicht das erträgliche Maß. Am liebsten fuhr ich bei Nebel nach Hamburg, ging durch die Straßen und ließ mich vom Ton der dröhnenden Schiffssirenen verfolgen, die die Stille über der Stadt zerreißen. Weil mir die Stadt im Nebel gefiel, gab ich übrigens eines Tages der Versuchung nach und wurde Klein-Paris untreu ...

Ja, ich hielt mich auch einmal in der Stadt auf, nur vorübergehend, versteht sich, gerade um einzusehen, daß mir alles andere gelingt, nur keine Anpassung ... Nämlich, die einzige Möglichkeit, der Arbeit halbwegs zu widerstehen, bestand für mich darin, die Beschäftigungen häufig zu wechseln: ich war Stromableser beim Elektrizitätswerk, arbeitete als Verkehrszähler und kurze Zeit auch für das offizielle Adreßbuch – ausnahmslos Tätigkeiten, bei denen mein Gedächtnis mir zustatten kam und meine Abneigung gegenüber der Arbeit erträglich machte. Während meiner Tätigkeit für das offizielle Adreßbuch kam ich auch zum ersten Mal in die Zeitung. Ein alter, resignierter Reporter hatte mein Gedächtnis entdeckt und schrieb eine Lokalspitze über mich, die in einer Rubrik erschien, die sich ›Menschlich gesehen‹ nennt. Was mich betrifft, so wäre er der Wahrheit näher gekommen, wenn er den Titel ins Gegenteil gewandt hätte. Immerhin, die Spitze verfehlte nicht ihre Wirkung: meine Kollegen mieden mich, schwiegen in meiner Gegenwart, und selbst Rolf-Günther Bunz, der bis dahin mein Kumpel gewesen war, zog sich allmählich von mir zurück.

Was das schlimmste ist: ich kann ihn verstehen, ich kann einsehen, daß ihm keine andere Wahl blieb, als mich zu schneiden. Das Mißtrauen, das ich hervorrief und das mich umgab, bestätigte nur meine asoziale Veranlagung; es ließ mich erkennen, daß ich ein Außenseiter war und es so lange bleiben würde, wie es mir nicht gelang, mein Gedächtnis zum Verstummen zu bringen ...

Sie wissen natürlich längst: manchmal ist mir das Gedächtnis auch unangenehm vorgekommen, vor allem, was gewisse Resultate angeht ... Stellen Sie sich beispielsweise einen Stadtteil vor an einem trüben Mittag, eine leere, bescheidene Villengegend, kein Verkehr, und mein Vorgesetzter und ich gehen nebeneinander die Straße entlang, es war übrigens ein Routinebesuch, der uns Aufschluß über eventuelle Änderungen von Adressen bringen sollte. Einige der Villen waren zerbombt, die Ruinen jedoch aufgeräumt, planiert, in Ordnung gebracht, ja, es waren ordentliche, solide Ruinen, in die wir stiegen, um nach verschollenen Namen zu fahnden. Manchmal entdeckten wir neben Notausgängen eine halb erloschene Schrift, eine verstümmelte Adresse, die sich im Regenschatten über all die Jahre erhalten hatte. Meistens allerdings fanden wir keinen Anhaltspunkt, so daß mein Gedächtnis einspringen mußte – immer unter Begleitumständen, wie Sie sie bereits kennen. Der Vorgesetzte trug die Ergebnisse ein. Langsam arbeiteten wir uns die Straße hinunter, und dabei näherten wir uns der verschonten Villa, in der mein unmittelbarer Vorgesetzter wohnte.

Ich merkte wirklich nicht, daß er beunruhigt war, sonst hätte ich gewiß versucht zu schweigen, doch dann standen wir vor seinem Grundstück, das Schwächegefühl ergriff meinen Körper, ich schloß vor Anstrengung die Augen ... Ich hatte zuerst auch gedacht, daß hier alles in Ordnung sei, doch mein Gedächtnis gab den Namen eines Mannes preis, der die Villa einst unter Zwang hatte verkaufen müssen ...

Glauben Sie mir, ich hatte nichts gegen meinen Vorgesetzten, es lag nicht in meiner Absicht, ihn an etwas zu erinnern, was seine Sorgen vergrößerte, und freimütig, wie ich Ihnen bisher alles erzählt habe, möchte ich Ihnen anvertrauen, daß ich selbst am meisten unter dem litt, was aus den Verliesen der Erinnerung hervorkam. Ohne Freunde, von Kollegen gemieden, von dem Mädchen verlassen, das all meine Interessen teilte, ja, gefürchtet und mißbilligt und angesehen als eine Art Störer der Stadtruhe – wem kann das gleichgültig sein? Immer, wenn ich unbekannten Menschen begegnete, begann ich mich vor dem Augenblick zu fürchten, in dem mein Gedächtnis sich unweigerlich meldete ...

Was mein Vorgesetzter tat? Er tat etwas, worauf ich am wenigsten vorbereitet war, und was mich in die Lage einer glorreichen Verzweiflung brachte: er bot mir Geld an für mein Schweigen.

Ich verließ meinen Arbeitsplatz und verbrachte einen Sommer dort unter den rostigen Lokomotiven und im Schilf des toten Arms. Wenn ich Geld brauchte, inspizierte ich den Müllabladeplatz, streifte zwischen den rauchenden Hügeln umher; man kann mühelos von dem leben, was manche für wertlos halten. Eine Sache gewinnt ja erst ihren Wert durch geheiligte Übereinkünfte; da wir hier außerhalb der meisten Übereinkünfte leben, haben wir die Freiheit, den Wert einer Sache selbst zu bestimmen ...

Einer der Gründe für meine Zurückgezogenheit lag natürlich in dem Wunsch, mich zu schonen, nicht an Vergessenes zu rühren. Ich fürchtete mich wahrscheinlich davor, die Festungstore der Erinnerung aufzustoßen und in Gräben und Schächte zu blicken, wo alles das noch lag, was unser Bewußtsein beschädigen konnte ...

Aber vielleicht können Sie mir sagen, was ich hätte tun sollen nach all diesen Erfahrungen, und vor allem: was man erfolgreich unternehmen kann gegen sich selbst. Das heißt nicht, daß ich mich verändern möchte: ich will lediglich den bitteren Geschmack auf meiner Zunge verlieren – was soviel bedeutet, daß ich alle Gelegenheiten ausschließen möchte, in denen mein Gedächtnis mich heimzusuchen beginnt. Das ist doch verständlich? Glauben Sie nicht, daß ich mich für weniger betroffen, für weniger schuldlos halte als andere Leute, deren Erinnerung ich freilege. Ich bin so weit gekommen, daß ich das Gedächtnis für ein kleines Meisterwerk des Teufels halte, mit dessen Hilfe es uns unaufhörlich zu verstehen gibt, daß der Mensch genügt, um dem Menschen Höllen zu Lebzeiten zu errichten. Was liegt näher, als uns dieser unangenehmen Mitgift zu entledigen!

Sehen Sie, Sofia, deshalb kann ich auch nicht den Mann verurteilen, dem ich die kantige Fessel an meinem Handgelenk unmittelbar verdanke. Es fehlt mir sogar nicht an Bereitschaft, ihn zu verteidigen ...

Den Namen können Sie durchaus erfahren. Es ist H. P. Hansen, der Chef der Reederei, die nach dem Kriege ein Vermögen mit Schrott verdiente. Später, als die Schrottfahrten weniger rentabel wurden, verlor er zwei Schiffe bei leichtem Sturm vor der marokkanischen Küste; die Versicherungsgesellschaften trösteten ihn mit mehreren Millionen. Als ich in seinem Büro die gerahmte Photographie eines dieser Schiffe sah – *Eenares* hieß es und war ein Fünfzehnhunderttonner mit Kohlenfeuerung –, spürte ich, unvermutet, den Schmerz im Hinterkopf, und unter mechanischem Zwang flüsterte ich, was mein Gedächtnis mir zutrug: die Vorgeschichte des erfolgreichen Unglücks, den Verlauf und die erträglichen Folgen ...

Nein: nicht H. P. Hansen hörte es, sondern sein schlagkräftiger Sekretär, der meine Worte so verstand, wie ich sie bestimmt nicht gemeint hatte ...

Er war der Meinung, daß ich die ehrenwerte Firma erpressen wollte; was sonst sollte er annehmen, zumal von jedem Wissen, das andere von uns haben, eine Bedrohung ausgeht, manchmal schon eine Anklage? Und wie sollen wir die schonen, die uns bedrohen? H. P. Hansen jedenfalls war nicht der Mann, der eine Bedrohung genießen konnte, worauf sich heute ja viele verstehen – er schätzte mich richtig ein, er erkannte sofort, daß wir nicht Leute entschuldigen dürfen, die uns gefährden. Er erkannte vor allem, was er sich selbst schuldig war.

Er erstattete Anzeige, und dabei handelte er in vollkommener Übereinstimmung mit all den andern, denen ich begegnet war und die sich gleich ihm verletzt fühlten. Ich zweifle nicht daran, daß er sich auf die Zustimmung vieler berufen konnte, sogar auf Metas Zustimmung.

Ich sah in der Flucht keine Chance, darum blieb ich hier, lag dort hinter den Erlen in der letzten Hütte und beobachtete, wie sie von den kalten, zerschossenen Lokomotiven herabkamen: zwei Polizisten und ein Hund. Es war ein windiger Tag, der Wind arbeitete im Blech, und ich sah ihnen entgegen und wußte, daß sie zu mir kamen, nicht nur im Namen von H. P. Hansen, sondern auch all derer, die mein Gedächtnis bedroht hatte. Ich beobachtete, wie die Polizisten zu geschulter Zangenbewegung ansetzten, zu zweiseitigem Kniff gegen die Hütte, in der ich lag. Hinter den Fenstern und Gucklöchern von Klein-Paris tauchten plötzlich Gesichter auf, na ja ... Es war eine formal einwandfreie Verhaftung, gegen die Polizisten läßt sich nichts sagen. Die Fessel: gebräuchliche Handschellen aus tadellosem Metall plus Kette, hier, Sie können sich überzeugen ...

Natürlich weiß ich, was die Polizisten mit mir vorhatten; sie wollten mich ihren beliebten Hamburger Kollegen übergeben, und dazu führten sie mich den krustigen Lehmweg hinunter zum Liegeplatz der Fähre ... Sie sind für Genauigkeit, das habe ich gemerkt, also gut: wir gingen zum Liegeplatz, wo auf einem Faß der Fährmann hockte, achtlos und mürrisch: ein steif wirkender Mann in viel zu großer Joppe, mit eisgrauem Haar, das verklebt und verfilzt war wie ein Schaffell im Herbst. Wir stiegen auf die Fähre, um überzusetzen von Kove nach Uhlenbusch; die Strömung schob das Wasser hoch an den zerschrammten Seiten und drückte uns fort, nachdem der Fährmann die Leinen losgeworfen hatte ...

Außer uns waren noch andere an Bord: ein Mann mit einem Pferd, einem Grauschimmel, und ein Auto standen unmittelbar vor dem Sperrbalken. Das Drahtseil straffte sich unter Stößen und Schwingungen, ruckte hart, daß die Tropfen absprangen. Wir sahen den Schleppzug rechtzeitig; gemächlich dampfte er auf uns zu, viel zu langsam, als daß wir die Gefahr hätten erkennen können, in der wir uns befanden. Der Strom ist breit genug zwischen Kove und Uhlenbusch. Der Schleppzug war ausweichpflichtig ...

Wenn Sie über das Unglück gelesen haben, dann wissen Sie ja alles ...

Es herrschte gute Sicht, als der Schleppzug uns in der Mitte des Stroms rammte.

Sie begreifen das nicht? Ich kann das verstehen; ich brauche nur daran zu denken, wie ich zum ersten Mal auf einem Fahrrad saß: den sanften Weg vom Bahndamm dort kam ich gefahren, wollte auf den Platz, auf dem niemand war außer Meta Gorny, Meta mit einem vollen Wassereimer auf dem großen Platz, und ich fuhr ihr mit dem Vorderrad genau zwischen die Beine ... Die Fähre kenterte, die Leinen sprangen, wir wurden unter Wasser gedrückt. Es wird Sie nicht überraschen, daß ich meine Begleiter dabei verlor; schließlich waren meine Hände gefesselt, und ich mußte sehen, wo ich blieb. Die Strömung drückte mich an den Schlepper heran; von seiner Schraube stammt die Wunde, ein sauberer Schnitt, wie gesagt, der gut heilt ...

Es wurden alle gerettet, bis auf mich; selbst der Grauschimmel und sein Besitzer und auch der mürrische Fährmann erreichten das Ufer oder wurden an Bord des Schleppzuges geholt. Ich wurde hinabgetrieben bis zur Landzunge, zog mich zu den Weiden hinauf, blieb dort aufmerksam liegen und verfolgte die Rettungsaktion, die mir galt, eine eifrige, eine gewissenhafte Aktion; um mich zu finden, suchten sie die Buchten ab, liefen über den schwarzen, ölschimmernden Sand der Ufer, tasteten mit Stangen den schlammigen Grund toter Arme ab und zogen Leinen mit stählernen Haken durch das Wasser ...

Der Junge war es übrigens, der mich fand, und der mir in der Dunkelheit half, hier heraufzukommen, nachdem ich ihm die Fessel feierlich versprochen hatte. Er wird sie bekommen ...

Da, die Scheinwerfer über dem Land: das ist der letzte Bus. In vierzig Minuten sind Sie in Hamburg, der Lieblingsstadt Merkurs, in der auch die Götter bürgerlich geworden sind ...

Natürlich werde ich mich freuen, wenn Sie morgen wiederkommen; Sie finden mich hier, in diesem Güterwagen, zu jeder Zeit ...

Nein, nein, diese Zuversicht kann ich nicht teilen: weder morgen noch übermorgen wird die Welt anders aussehen, für mich wird sich nichts ändern. Mein Körper wird seinen Trumpf ausspielen, ich werde gesund werden, ich werde mich von diesem Lager erheben und in einen Tag neuer Entmutigung hinaustreten, ereilt von meiner Schwäche, die manchen als Stärke erscheint. Wer Paradiese erreichen will, muß vorher das Gedächtnis verbannen ... Seien Sie nicht so sehr überzeugt, daß ich Ihr Wohlwollen verdiene. Überlegen Sie sich's gründlich.

Ich werde schlafen ...

Leben Sie wohl.

1961

Uwes mißmutiger Gang

Mißmutig kommt Uwe oder Jens oder Kai die Zementtreppe hinab, mit der schicken Verdrossenheit seiner siebzehn Jahre; die Schultern hängen, der Körper ist gebeugt: der hochgewachsene Knabe sieht solide und bekümmert aus. Er verläßt das Haus, eines der Häuser in meiner Straße, die alle von der gleichen klotzigen Schlichtheit sind. Altbauvillen, in der einst und auch heute noch blonde Kaufleute lebten beziehungsweise leben, Makler, Helfer in Steuersachen.

Der Weg durch den blumenlosen Vorgarten ist durch geriffelte Fliesen markiert, die Sohle braucht Halt, die Kaufmannssohle, die dünne Maklersohle; auf dem handtuchbreiten Rasen ziehen Drosseln Würmer aus der Erde. Sie fliehen vor Uwe nicht. Er läßt die eiserne Pforte krachend zufallen, seine Verdrossenheit berechtigt ihn dazu, er ist nicht verpflichtet, dafür zu sorgen, daß seine Straße eine stille Straße bleibt. Ihn scheint zu frieren. Er zieht den Hals ein, schiebt die Hände in die Taschen, senkt das Gesicht, ein blasses, schönes Lehrlingsgesicht, bekümmert und leer. Mit schurfendem Schritt schiebt er an der Tanzschule vorbei; auch die Tanzschule findet in einer Kaufmannsvilla statt: mißmutige junge Gesichter lauschen einem Silberhaar, das »Wesen des Tangos« wird dort erklärt; die Worte sind nicht zu verstehen. Der magere Herr mit dem Silberhaar mutet wie ein müder silberner Fisch in einem Aquarium an.

Uwe blickt einmal hoch, als er am trüben Polizeirevier vorbeischiebt; das Polizeirevier ist der einzige Fremdkörper in der Straße, es ist ein Backsteinbau, scheint kein Parkett zu besitzen, und statt des Mindest-Rasens gibt es eine Auffahrt. Im Schein grüner Milchglaslampen sieht er rauchende Polizisten; sie dösen, sie warten, sie warten anscheinend auf ein saftiges Gangsterstück – aber wird es hier geschehen? Haben hier nicht alle Vergehen etwas Solides, Bescheidenes; sind sie nicht so schlicht wie die Fassaden der Altbauvillen?

An der Kreuzung liegt das einzige Trümmergrundstück, es ist immer noch nicht aufgebaut, denn der Eigentümer lebt in Amerika, und der Eigentümer gibt keine Erlaubnis zum Aufbau. Neben dem Trümmergrundstück haben sich Geschäfte aufgetan, die einzigen Geschäfte in meiner Straße; elegante Buden sind es, die hier nur vorläufig stehen. Uwe würdigt sie keines Blickes. Er überquert die asphaltierte Kreuzung, mißmutig und achtlos; Autos müssen seinetwegen scharf bremsen, er hört sie bremsen, doch er blickt nicht auf. Die Kronen mächtiger Buchen sind vom Licht der Straßenlampe erfüllt.

Ein Makler in Reitertracht steigt aus seinem Auto aus; er darf lächeln, er hat einem Lebewesen die Sporen gegeben. Morgen früh wird er nicht mehr lächeln: im Vorübergehen bricht Uwe die Wagenantenne ab. Uwe empfindet keine Genugtuung darüber, es hat ihm nicht einmal Spaß gemacht; er tat es lediglich, weil die Antenne ihn »störte«.

Vor der kleinen Kirche bleibt er stehen: ein langes, erschütterungsfreies Auto hält neben ihm, ein Straßensofa, ein kostbarer Sarg, natürlich vom Konsularischen Korps. Freimütig blickt er die zierliche dunkle Frau an, blickt durch sie hindurch auf den Wagen: das Modell ist ihm unbekannt, doch allem Anschein nach handelt es sich um eine »Wuchtbrumme«. Vor der Kirche parken die interessantesten Modelle, nicht nur an Sonntagen. Auch am beliebigen Feierabend bekommt man hier ausgefallene Typen zu sehen, die sonst nur unter kalifornischem Himmel kreuzen.

Der Parkplatz vor der Kirche ist der exotische Ort in meiner Straße. Wofür wird die zierliche Frau Beistand erflehen? Wofür Abbitte leisten? Ihr kostbarer Sarg schafft zwohundertachtzig in der Stunde, Uwe ist befriedigt, latscht weiter an den gleichmäßig soliden Häusern vorbei zum Park, zum Mindest-Park, auf den die Straße zuführt. Eine alte Frau kommt ihm entgegen, sie preßt ihre Handtasche unwillkürlich gegen ihren mageren Körper. Gelächter ist auf dem einzigen Hügel im Park zu hören, Uwe geht schneller. Die Wärterin der Bedürfnisanstalt macht Feierabend; die Schlüssel klimpern in ihrer Schürzentasche.

Uwe geht den gewundenen Weg hinauf, er hört die Musik aus dem Kofferradio, erkennt die Silhouetten von fünfzehn oder zwanzig anderen Uwes und Elkes, die bereits zu tanzen begonnen haben. Er richtet sich auf, seine Schultern heben sich, sein junger Körper strafft sich. Er hebt auch das Gesicht, und auf seinem blassen, leeren Gesicht ist keine Bekümmerung mehr, keine Verdrossenheit. Er empfängt einige Schulterschläge und beginnt zu lächeln.

1961

Schicksale eines Geheimfonds

Verschwiegenheit war immer meine Stärke. Erstaunlich früh wurde diese Eigenschaft an mir bemerkt, wurde bewundert und empfohlen, – was zur Folge hatte, daß ich mich einem reichhaltigen Angebot von Vertrauensämtern gegenübersah: im kinderreichen Elternhaus zunächst, in der Schule dann, auf der Universität – überall, wo Vertrauen zu vergeben war, fiel die Wahl unweigerlich auf mich. Ließen meine anderen Fähigkeiten mitunter auch zu wünschen übrig, meine Verschwiegenheit ersetzte sie alle, glich sie aus. Große Begabungen sind unzuverlässig, gefährlich, sie bedrohen das Gleichgewicht: darin stimmten alle meine Vorgesetzten überein, und darum bevorzugte ihr Vertrauen den Mann, der zwar keine außerordentlichen Fähigkeiten besaß, dafür aber den Eindruck vollkommener Verschwiegenheit machte. Mir selbst blieb meine Stärke nicht verborgen; nachdem ich sie erkannt hatte, bildete ich sie aus, feilte an ihr, ersann eine Methode, die es mir möglich machte, zu reden, ohne das geringste preiszugeben; ferner eignete ich mir einen bestimmten Gesichtsausdruck an, der meine Zuverlässigkeit jedermann ins Auge springen ließ, meine Verschwiegenheit gleichsam sichtbar machte.

Meine Erwartungen wurden nicht enttäuscht: ich durfte dabei sein, wenn mein Vater Weihnachtseinkäufe für meine Geschwister machte; ich war verschwiegener Zeuge einer Lehrerkonferenz, in der man sich auf die Sitzenbleiber einigte, schließlich wurde ich der bevorzugte Partner von Studenten, die ihre geheimen Nöte, ihre Befürchtungen und Hoffnungen zu diskutieren begehrten. Meine Verschwiegenheit machte mich beliebt, sie empfahl mich zeitig in Ämter, und ich betrachtete es nur als schöne Zwangsläufigkeit, daß auch meine Berufswahl auf einem Gebiet erfolgte, auf dem ich meine natürlichen Fähigkeiten ausgiebig einsetzen konnte.

Ich war keineswegs überrascht, als ich, ein junger Referendar, zu unserem Regierungspräsidenten gerufen wurde, einem schwerfälligen Mann mit würfelförmigem Kopf und hängenden Augenlidern. Er lud mich zu einem Pillkaller Nikolaschka ein, seinem Lieblingsgetränk, das aus Branntwein mit Leberwurst bestand und das der Regierungspräsident nur in Gegenwart von Leuten trank, die sein Vertrauen bereits genossen oder dazu ausersehen waren, es zu erhalten. Mit religiösem Ernst erkundigte er sich nach dem letzten Dienstgrad meines Vaters, nach den Schlachten, an denen mein Vater teilgenommen hatte, und da ich in der Lage war, Tannenberg zu nennen, Suwalki und Kczszk, da ich außerdem nicht in Verlegenheit war, einige Auszeichnungen zu erwähnen, begann der Regierungspräsident alsbald in vertraulichem Ton zu sprechen und legte mir seine schwere, beringte Hand auf die Schulter.

795

In vertraulichem Ton schilderte er die Stellung, für die er mich geeignet hielt: ich sollte den Geheimfond der Landesregierung verwalten, ein Kapital im Dunkeln, ein Konto, das namentlich nie in Erscheinung trat und für Zwecke bereitgestellt war, die niemanden etwas angingen, – es sei denn den Regierungspräsidenten und den bevorzugten Kreis von Leuten, die sein Vertrauen besaßen. Er fragte, ob ich bereit sei, diese Stellung zu übernehmen, ich nickte mehrmals entschieden, und darauf legte er mir beide Hände auf die Schulter, ließ mich unwillkürlich sein Gewicht fühlen und sagte:»Verschwiejenhait, Härr Räfendar, Verschwiejenhait: jähbs mehr von ihr auf dä Wält, dann wirde nich so viel jeschabbert wärden. Ich bejlickwinsche Se.«

So wurde ich in sehr frühem Alter verantwortlicher Hüter eines Geheimfonds, an dessen wechselvoller Geschichte ich mehr als dreißig Jahre teilgenommen habe. Meine Verschwiegenheit rechtfertigte die Wahl des Regierungspräsidenten. Ich bezog ein Büro, in dem Arbeit vorgetäuscht werden mußte, ein Scheinbüro, das zu allen Mutmaßungen Anlaß geben durfte außer dem Verdacht, daß bei uns der Geheimfond verwaltet würde. Natürlich bekamen auch wir den Geheimfond nie zu Gesicht, weder in bar noch als Scheck; er lag wohlverwahrt in der Dämmerung bewachter Verliese, eine abstrakte Größe, ein unsichtbarer Schatz, der uns nie blendete, nie in Versuchung brachte, von dem wir nur wußten, daß er vorhanden war auf Abruf. Mein Schreibtisch aus Rosenholz sah nie eine Zahl, und Elma, meine kränkelnde, hochgewachsene Sekretärin, hielt sich so konsequent an die Vorschriften, daß sie jedesmal zögernd aufblickte, sobald sie nur die Ziffern in einer Datumszeile anzuschlagen hatte. Wir waren niemandem zur Auskunft verpflichtet, wir waren ein selbständiges Büro, und um uns gegenseitig aufzumuntern, abzulenken, verfielen Elma und ich darauf, einander Briefe zu schreiben, – was später dazu führte, daß wir heirateten. In den ersten Jahren, bis neunzehnhundertneunundzwanzig, blieb mein Geheimfond vor jedem Zugriff verschont; unberührt lag er in feuersichern Stahlkammern, eine Größe von erhabener Zwecklosigkeit, die durch nichts wirkte als durch ihr Vorhandensein. Elma und ich, wir sprachen regelmäßig an Sonntagvormittagen über unseren Geheimfond; wir fühlten uns verbunden mit ihm, er war uns ans Herz gewachsen, und wir glaubten ihn gegen alle Ansprüche undurchsichtiger Begehrlichkeit zu verteidigen, – worin mich der Regierungspräsident mit hängenden Augenlidern bestärkte. Deshalb kam es einer schmerzhaften Überraschung gleich, als ich eines Tages, im Jahre neunzehnhundertneunundzwanzig, aufgefordert wurde, den Zugang zum Geheimfond zu öffnen.

Am Morgen jenes trüben Tages hatte mich ein offener Landauer zum Regierungspräsidenten gebracht, in dessen Vorzimmer der Landesjägermeister wartete, ein sanftmütiger Mann mit großporiger Haut und nervösem Gesichtszucken, der jedermann hartnäckig einen selbstgemachten Schnupftabak aufdrängte: zu dritt stiegen wir auf den Wagen, fuhren durch den klebrigen, blätternassen Herbst zum Jagdpark für die Gäste der Landesregierung. Wir fuhren zu einer Lichtung, hielten dort, folgten dann schweigend dem Landesjägermeister durch kniehohes schwarzschimmerndes Gestrüpp, bis wir ein Geräusch hinter uns hörten, ein hartes Knacken von Zweigen und ein friedfertiges Grunzen. Ich sah mich um, erkannte ein Rudel von Wildschweinen, das rasch näher kam; kraftvoll trabten die Tiere auf uns zu, warfen spielerisch die massigen Köpfe, und die Keiler entblößten die Hauer, wodurch ihre Schnauzen einen freudig-grinsenden Zug erhielten.

Der Regierungspräsident, der Landesjägermeister und ich blieben stehen und erwarteten die Tiere, die ohne Scheu herankamen, uns berochen, sich streicheln und scharf kratzen ließen, dann die Schnauzen senkten und neben unseren Sohlen zu wühlen begannen, wobei sie uns ständig vom Fleck drängten. Bekümmert, erschüttert sogar blickte der Landesjägermeister auf die Wildschweine, – seine Erschütterung war glaubwürdig; er hatte uns bewiesen, daß die Klagen der ausländischen Gäste, die die Landesregierung in ihren Jagdpark einlud, zu

Recht bestanden: die Wildschweine erschienen nicht wild genug, forderten dem Jäger nichts ab und verschafften ihm deshalb auch keine Genugtuung. Seufzend kraulte der Landesjägermeister einem Keiler den Nacken und sagte: »Jagen mecht ma schon, aber wer mecht jagen ein Haustier? Das Prinzche aus Holland hat schon Rächt: unsere Wildschwaine, da könnt man ejal Haushiehner schießen, das is dassälbe. Wenn die hohen Härren sich verjniejen sollen bei uns, da missen schon andere Wildschwaine her, vielleicht aus Bessarabien, die machen was her.«

Auf der Rückfahrt nahmen wir diese Anregung auf, bekümmert durch den Augenschein, und der Regierungspräsident schlug vor, mit Hilfe des Geheimfonds einige Dutzend Wildschweine aus Bessarabien zu kaufen. »So rejeln wir das mit Verschwiejenhait,« sagte er, »und es entstehen keine sozialen Unruhen.« Ich versuchte behutsam zu opponieren, schlug vor, zunächst Preisangebote über weißrussische, bayrische und lettische Wildschweine einzuholen, doch da der Landesjägermeister vom Charakter der bessarabischen Tiere überzeugt war, war mein Widerspruch verschwendet. Die Nützlichkeit unseres Geheimfonds, zu dessen Hüter ich berufen war, erwies sich, soweit ich mich erinnern kann, zum ersten Mal beim Besatz des staatlichen Jagdparks mit bessarabischen Wildschweinen.

Der Geheimfond schrumpfte nicht, verlor nicht an Bedeutung, obwohl ihm eine ansehnliche Summe entnommen wurde – doch keineswegs spürbar oder sichtbar entnommen wurde; vielmehr war jede Auszahlung ein geheimnisvoller Akt: sobald ein Beschluß vorlag, wurden verschlüsselte Kontrollzettel geschrieben, weitergeleitet und an höherer Stelle wieder entschlüsselt; danach wanderten die Kontrollzettel über eine Kette von Unterschriftsberechtigten, bis sie, oft gestempelt und signiert, in einem Panzerschrank landeten und erst von hier aus bewirkten, daß in die rissige Hand eines bessarabischen Wildtreibers Münzen fielen. Bargeld kam immer erst beim letzten Glied der Kette zum Vorschein: bei den Kurieren, die nach Rußland geschickt wurden; bei dem Drucker, der Flugblätter zur Grenzlandfrage druckte; bei dem Baumeister, der ein herausforderndes Ehrenmal in Kczszk setzte. Allmählich wurde die Ausstrahlung meines Geheimfonds größer, seine Anziehungskraft wuchs, und die Bewerber wurden zahlreicher.

Unter diesen Bewerbern wird mir eine Erscheinung aus den dreißiger Jahren unvergeßlich bleiben: feierlich betrat ein Mann mein Büro, dem beide Ohrmuscheln zur Hälfte weggeschlagen waren; sein Mund war lippenlos, seine Hände glatt und fleckig, und bei jedem Schritt, den der Bewerber machte, trat ein knirschendes Geräusch auf. Er grüßte wortlos, legte eine Aktentasche auf den Tisch, zog Landkarten hervor und legte sie im ganzen Zimmer aus, worauf er Elma und mich herbeirief, uns vielsagend anblickte und dann mit seinem glatten, fleckigen Zeigefinger stumm die Grenzen unseres Landes nachzeichnete. Sein trockener Finger bewegte sich so eilig über die Landkarten, daß ich fürchtete, er könnte Feuer fangen. An mehreren Stellen unterbrach er die Bewegung, der Finger fiel klopfend aufs Papier, und der Mann – er hieß Alexander Firz – stöhnte auf und schüttelte abwehrend den Kopf. Nachdem er die Grenzen unseres Landes auf diese Weise anschaulich gemacht hatte, entwickelte er einen »Plan zur Hebung des Wehrgedankens«, dem sich weder Elma noch ich aus Überzeugung verschließen konnten. Unsere Grenze hatte zuviele dünne Stellen. Wir befürworteten eine Begegnung mit dem Regierungspräsidenten, und wie wir erwarteten, wurden Mittel aus dem Geheimfond beschafft, die dem »Wehrgedanken« dienten. Ich kann Firz nicht vergessen, weil er mich nach seinem Besuch bat, ihm beim Schnüren seines Korsetts behilflich zu sein, das er wegen einer Erweichung des Rückgrats zu tragen gezwungen war.

War ich anfangs noch unsicher gewesen, wozu der Geheimfond vonnöten sei, so lernte ich alsbald einzusehen, zu wievielen Diensten er taugte: da Landtage und Parlamente sich darin erschöpften, Mitsprache zu fordern und öffentliches Handeln zu befürworten, blieb dem Regierungspräsidenten gar nichts anderes übrig, als sich einen Geheimfond anzulegen. Er war kein Freund von Debatten und Reden, auch vermied er jeden Streit nach Möglichkeit. Der Geheimfond versetzte ihn in die Lage, ohne Aufhebens das zu tun, was er allein für notwendig hielt. Ein Geheimfond macht den Menschen unabhängig.

Die einzige Gefahr, in die mein Geheimfond geriet, tauchte kurz vor dem Kriege auf.

Jahrelang hatte er uns erlaubt, Pläne zu verwirklichen, auf die die Öffentlichkeit nur hindernd eingewirkt hätte, und dabei hatte sich die unsichtbare Substanz nie verringert. In dem Maße, in dem vom Geheimfond genommen wurde, schien er auch zu wachsen und sich aufzufüllen; ich hatte mir zu befürchten abgewöhnt, daß er jemals zur Neige gehen könnte.

Doch kurz vor dem Kriege ließ mich der Regierungspräsident rufen, reichte mir nachdenklich die schwere, beringte Hand und ließ den Professor hereinbitten, dessen Institut seit langem aus unserem Geheimfond lebte. Es war ein »Institut zur Bearbeitung der slawischen Frage«, und der Professor, ein unscheinbarer Mann mit teigigem Kindergesicht und angeklebtem Mittelscheitel, begann unaufgefordert auf die Erfolge seines Instituts hinzuweisen: »Es ischt uns gelunge«, sagte er, »die slawische Frage bewußt zu mache: dafier is kain Preis zu hoch.«

Der Regierungspräsident pflichtete ihm mit müdem Kopfnicken bei und empfahl dem Professor, bei der »Bearbeitung der slawischen Frage« etwas sparsamer zu wirtschaften. »Dä Jehaimfong leidet an Schwund«, sagte er. Ich erschrak; ich sah meine Stellung gefährdet, außerdem war ich persönlich erschüttert, denn ich hatte zu lange geglaubt, daß ein Geheimfond keiner Gefahr ausgesetzt sei. Der Professor mit dem teigigen Kindergesicht hatte diesen Glauben widerlegt: die Zuwendungen, die er für sein Institut erhielt, waren so groß, daß die Substanz des Fonds angegriffen wurde. Als verantwortlicher Hüter stellte ich ihn in Gegenwart des Regierungspräsidenten zur Rede, forderte ihn so knapp wie möglich auf, sich zu rechtfertigen, worauf der Professor mit überlegenem Lächeln einging. Er begründete seinen riskanten Anspruch gegenüber dem Geheimfond mit der Geburtenfreundlichkeit der Slawen: »Wir kämen mit bescheideneren Mitteln aus«, sagte er, »doch da sie viele sind und täglich zunehmen, müssen wir schon auf wirksamen Summen bestehen.«

Wer weiß, welch ein Schicksal unser Geheimfond genommen hätte, wenn nicht der Krieg gekommen wäre und mit ihm eine Verlegung des »Instituts zur Bearbeitung der slawischen Frage«. Der Krieg lenkte die Aufmerksamkeit ab, er brachte andere Probleme, andere Bewerber; unser Geheimfond diente nunmehr eindeutigen und durchsichtigen Absichten: er speiste Spione in Stockholm, niedere Agenten lebten von ihm, Saboteure in neutralen Häfen. Selbstverständlich wurde der Geheimfond vom ersten Kriegstag an entschieden erhöht, ohne daß einer von uns den Zuwachs sinnlich wahrnehmen konnte. Ich beklage die Gestaltlosigkeit nicht; denn gerade sie hatte zur Folge, daß unser Geheimfond nicht in der Wirrnis der letzten Kriegszeit abhanden kam wie soviel greifbarer Besitz.

Da zu seinen Eigenschaften die Unauffindbarkeit gehört, war unser

Geheimfond auch unverlierbar, unzerstörbar. Man konnte ihn weder vergessen noch in die Tasche stecken, und so reiste er auf der Flucht selbstverständlich mit, wenngleich niemand hätte sagen können, wo er sich befand: er lag unbemerkt auf einem Schlitten, gelangte an Bord eines Schiffes, das ihn über die Ostsee brachte, gelangte wieder von Bord und blieb verschollen, solange niemand Zeit fand, sich um ihn zu kümmern. Gerechtigkeit legt mir auch nahe, festzustellen, daß in den ersten Nachkriegsjahren das Interesse für den Geheimfond äußerst gering war, da man sich darauf beschränkte, elementare Bedürfnisse zu stillen. Ich überstand diese Jahre in der schleswig-holsteinischen Landwirtschaft; es fiel mir nicht leicht, auszuharren, und zwischen erster Heu- und Rübenernte wartete ich auf die Bildung einer neuen Regierung.

Ich wartete nicht umsonst. Der Geheimfond, der am Tag der Währungsreform abgewertet worden war wie jedes andere normale Kapital, brauchte einen verschwiegenen Hüter: man entsann sich meiner, man rief mich in die kleine Hauptstadt, und ich sagte dankend zu.

Umsichtig wählte ich ein Büro in der kleinen fremden Stadt, wählte Möbel und Mitarbeiter, die ich, durch Erfahrung bestärkt, auf einen Grundsatz verpflichtete: jedermann abzuweisen, der unsympathisch wirkte. Unter dem niederen Horizont Schleswig-Holsteins war in mir der Entschluß gereift, den Geheimfond vor allen dunklen Personen zu bewahren, ihn nur für saubere Zwecke offenzuhalten. Das glaubte ich mir schuldig zu sein und ihm.

Der erste Bewerber erschien, während Elma und ich Tee tranken: es war Alexander Firz, der uns feierlich begrüßte, und, nachdem er eine Tasse Tee erhalten hatte, auf den ruhigen Strom hinausblickte und mehrmals hintereinander »Frieden« sagte. Sodann machte er uns mit einem Plan bekannt, dem wir uns aus Überzeugung nicht verschließen konnten, mit dem Plan nämlich »zur Abschaffung des Wehrgedankens«. Leise klagte er über Schmerzen im Rücken; ich versprach ihm, eine Begegnung mit dem Minister zu befürworten, wonach er einige Worte über die Sinnlosigkeit der Grenzen fallen ließ.

Nach ihm erschienen auffallend viele Ausländer, darunter einige, die nicht ausgemacht sympathisch wirkten; ich konnte mich ihrem Begehren nicht widersetzen, da sie Anweisungen des Ministers bereits in der Hand hatten. Überhaupt waren in den ersten Jahren Ausländer die häufigsten Besucher, die sich um den Geheimfond bemühten, und zwar berufslose Ausländer; die wenigen Inländer waren in der Mehrzahl Publizisten ohne Einkommen, die mit gewissen Aufgaben betraut zu werden wünschten.

Elma und ich, wir hatten viel freie Zeit, und wir schrieben uns im Büro Briefe, wie wir es einst getan hatten. Unsere Ehe, die in den Landarbeiter-Jahren mehrere Risse erhalten hatte, gewährte uns wieder ein ordentliches Glück; der tägliche Umgang mit dem Geheimfond übte einen wohltätigen Einfluß aus. Vergnügt empfingen wir ehemalige Kuriere, magere Agenten und Drucker von geheimen Aufträgen; wir luden sie zum Tee ein, befürworteten ihre Wünsche, und der Geheimfond ernährte sie. Ich fühlte mich mit dem Fond stark verbunden wie in der ersten Zeit, ich glaubte an seine Rechtmäßigkeit, an seinen guten Kern, – selbst als eines Tages der Professor mit dem teigigen Kindergesicht erschien, um Mittel für sein »Institut zur Behandlung der skandinavischen Frage« zu erhandeln. Der Professor war stark gealtert, doch seine Intelligenz und sein Mittelscheitel hatten nicht von ihrer Genauigkeit eingebüßt. Er nannte uns die Gründe, warum die skandinavische Frage »brennend« geworden sei; wir stimmten ihm zu. Über seine Pläne wurde nicht gleich entschieden, monatelang lagen sie unter den »schwebenden Fällen«.

Es gelang mir, dem Geheimfond eine neue Bestimmung zu geben. Ich machte ihn zu einem demokratischen Geheimfond und wachte darüber, daß nicht unliebsame Elemente aus ihm gespeist wurden. Mein Glaube war fest.

Doch seit kurzem ist mein Glaube erschüttert, meine Zuversicht: das Lebenswerk, das ich mir schuf, fordert auf einmal meinen ganzen Argwohn heraus. Etwas ist geschehen, das meinen Zweifel hervorrief, so daß ich mich mit dem Gedanken trage, vorzeitig in Pension zu gehen, dem Geheimfond den Rücken zu kehren. Schuld daran ist nicht die letzte Werbe-Illustrierte, in der mein Minister als vegetarischer Löwe auftritt, ebensowenig der alte Landesjägermeister, der für jagende Freunde der Regierung seltene Fasanenarten mit Hilfe des Geheimfonds einkauft –, schuld daran ist Alexander Firz, der bei seinem letzten Besuch wiederum Landkarten mitbrachte, auf denen die Dichte der Bevölkerung eingetragen ist.

Fordernd klopfte er mit seinem glatten fleckigen Finger auf unbesiedelte Räume und legte uns ein Expose vor »Zur Hebung des Wehrgedankens«. Ich las das Exposé: es überzeugte mich nicht. Ich gab es Firz zurück und suchte ihm zu erklären, daß sich auch ein Geheimfond besser im Frieden entwickelt. Er lachte höhnisch und trat in einen Hungerstreik, wodurch er einflußreiche Persönlichkeiten für sich gewinnen konnte. Jetzt muß ich damit rechnen, daß er das Geld bekommt; falls er es bekommt, könnte es dazu führen, daß mich der niedrige Himmel Schleswig-Holsteins wieder als Landarbeiter sieht, – eine Vorstellung, die zu ertragen meine Kräfte übersteigt. Da halte ich es schon für besser, vorzeitig in Pension zu gehen.

1962

Sonntag eines Ranchers

Ich hielt mich für vorbereitet. Ich kannte die Ranch, ohne dagewesen zu sein. Bereitwillig hatte ich mich mit Welt versorgen lassen, und unter den angebotenen Bildern, stehenden und bewegten Bildern, hatte ich mir auch das Bild einer Ranch im westlichen Amerika ausgesucht. Das Bild hat sich langsam zusammengesetzt, es war mit mir gereist, und als wir durch die lautlose Nacht von Wyoming fuhren, glaubte ich, an einen längst bekannten Ort zu fahren, in ein versunkenes Kinderland, in dem es keine Fremdheit gab.

Musik, ich glaubte, mit einem Male Musik zu hören, als ich neben der Frau des Ranchers saß, die mich hinausfuhr: – ein Sänger berichtete von seinem Heimweh zu den blauen Bergen, ein anderer beklagte den Tod eines berühmten Sheriffs, und von rhythmischem Hufschlag begleitet, sehnte sich ein dritter nach Tennessee zurück, das er offenbar hatte lassen müssen. Groß ist das Heimweh deutscher Sänger nach dem Mittleren Westen, groß und unendlich vervielfältigt, und wer davon gehört hat, kann den Gegenstand der Sehnsucht nicht mehr loswerden, ihm senkt sich ein Bild in die Seele wie mir, ein trauliches Bild, das zu seinem Besitz wird.

Wir fuhren durch dies Land, durchkreuzten es um Mitternacht. In den Kurven schwenkte das Licht der Scheinwerfer von der Straße ab, wanderte schnell über das gelbe Gras der Prärie, und immer wieder sah ich funkelnde Augenpaare im Lichtkegel, Blicke voll jäher, glänzender Angst knapp über dem Boden. Es war sehr warm. Die Frau des Ranchers, eine ältere, untersetzte Frau, eine gütige, strenge Mutter, die mir von Zeit zu Zeit unter dem künstlichen Blumenhut knapp zulächelte, hatte längst meine Erschöpfung bemerkt. Sie stellte keine Fragen. Sie erklärte mir nicht die Dunkelheit über Wyoming. Sie rauchte. Sie überließ mich meiner wohltuenden Erschöpfung und steuerte den Wagen mit einer Hand. Und ich dachte voraus an die Ranch, auf die sie mich eingeladen hatte, spontan und wortarm, mit amerikanischer Offenherzigkeit. Sie war achtzig Kilometer gefahren, um mich abzuholen, und brachte mich nun die achtzig Kilometer hinaus zur Ranch. Würde ich mein Bild wiederfinden? Würde alles so sein, wie ich es mir vorstellte?

Maggy, die Frau des Ranchers, fuhr auf einmal langsamer, spähte aufmerksam in die Dunkelheit, und nach einer Weile sagte sie: »Da, da war er.« Sie sagte es mit Genugtuung und leichter Erregung, und ich dachte, daß das, was sie in der Dunkelheit erkannt hatte, zumindest ein lauschender Büffel war, ein geduckter Präriewolf oder ein Indianer, und nachdem auch mich Erregung ergriffen hatte, fragte ich: »Wer war da?« Und sie sagte: »Der Gedenkstein, Fred. Der Stein bezeichnet den alten Weg, den die Trecks genommen hatten, hinüber nach Kalifornien. Haben Sie den Stein erkannt?« – »Fast«, sagte ich, »es hat nicht viel gefehlt.«

Ich blickte hinaus und über das dunkle Land: kein Licht, keine Feuer, keine Geräusche, vor allem kein Gesang. Aber das Land, das hier noch die narbige Spur der Ochsenkarren trug, erschien mir keineswegs leer und unbewohnt: unter dem dunklen Himmel Manitus blieben die Erinnerungen jung, Erinnerungen an Mut und Aufbruch, an Durst und Unternehmungsgeist, an Kühnheit und gewaltsame Tode.

Maggy lächelte mir knapp zu, ich mußte jetzt etwas sagen, und ich sagte: »Morgen ist Sonntag.« Die Frau des Ranchers sah mich erstaunt an und fragte: »Bedeutet das was Besonderes?« Und ich sagte: »Sonntag, nicht mehr und nicht weniger. Morgen erlebe ich einen Sonntag auf der Ranch.« Verwirrt schüttelte sie den Kopf, hob ihr Gesicht, das von Güte und Strenge sprach, wandte ihre Aufmerksamkeit der geschwungenen, einsamen Teerstraße zu, auf der im Scheinwerferlicht immer wieder der plattgefahrene Balg eines Tieres auftauchte, eines Kaninchens, eines Skunks oder Marders.

Auf einmal bremste Maggy, fuhr eine sanfte Anhöhe hinauf, ich öffnete ein Tor und schloß es sogleich hinter dem Auto, und dann fuhren wir einen steinigen Weg hinab. Der hartgefederte Wagen rumpelte, das Steuerrad schlug hart nach beiden Seiten aus. Ungeduldig drehte ich mein Fenster herab, es war nichts zu erkennen. Wir fuhren über Prärieboden in ein Tal hinunter, das Auto hielt, hielt zwischen dunklen, stillen Gebäuden, kein Stern zeigte sich über Wyoming, und Maggy, die Frau des Ranchers, die strenge, untersetzte Mutter, nahm mich an die Hand und zog mich zum Wohngebäude hinüber.

Sie zog mich auf die Veranda, wo ich nach dem Schaukelstuhl des Großvaters tastete, als ich plötzlich erschrak und mich totstellte, in der Bewegung innehielt: zwei riesige, langpelzige Hunde, verdrossene Wächter, hatten sich lautlos erhoben, stießen ihre kalten Schnauzen gegen meine Beine und begannen mit der Untersuchung. Einer richtete sich auf, stieß mir die Vorderpfoten in den Rücken und prüfte eingehend meinen spezifischen Geruch vom Hals bis zur Hüfte, leise knurrend befaßten sie sich mit mir, einer mißtraute meiner Pfeife und schnappte danach, der andere verdächtigte meine Schuhe, die er scharf beleckte, und ich stand bewegungslos da, bis Maggy sagte: »Jetzt kennt ihr ihn: das ist Fred.«

Sie zog mich in das dunkle Wohnhaus der Ranch, es roch nach Sauberkeit und Lederzeug, roch nach Kuchenteig. Meine ausgestreckte Hand berührte einen Gewehrständer, ich zählte vier oder sechs Läufe. Ich berührte ein Buch in der Dunkelheit und glaubte, entweder die Bibel oder »Vom Winde verweht« berührt zu haben. Dann knackte ein Lichtschalter, wir standen vor dem Bett des Ranchers, der uns geblendet entgegensah, mir, geblendet vom Licht, eine Hand entgegenstreckte. »Hei, Fred«, sagte er, und ich sagte: »Hei, Slim«, und etwas anderes brauchte nicht mehr gesagt zu werden; Wortlosigkeit bezeichnet das Einvernehmen der Männer im Mittleren Westen.

Ich stieg in mein Zimmer hinauf. Unten auf der Veranda hörte ich etwas wie Flüstern – wahrscheinlich flüsterten die Hunde über meinen spezifischen Geruch. Es beunruhigte mich nicht. Ich hatte meine Ranch erreicht, auch wenn ich sie noch nicht gesehen hatte. Ich war Gast. Ich fühlte mich sehr geborgen und schlief einem Ranch-Sonntag entgegen, nicht traumlos: ich träumte von der Ranch, träumte, daß ich hier nie mehr fortkäme, da es, trotz verzweifelter Suche, keine Mittel zur Rückkehr gab.

Ein Geruch weckte mich, ein unwiderstehlicher Geruch nach heißem Kaffee, Pfannkuchen und gebratenem Speck. Der Geruch befreite mich von meinem Traum, schärfte meine Ungeduld, zu erfahren, wo ich wirklich war, und ich stürzte ans Fenster und stieß es auf: ich war auf »meiner Ranch«. Es war die Ranch, die in meiner Vorstellung bestanden hatte, die Ranch heißer Jugendwünsche: der große Freund Shane kam hier vorbei, Fuzzy sah listig nach dem Rechten und der Mann aus Laramie. Hier erklang das große Jippy-Yeh! Es war die Ranch, von der die deutschen Sänger sangen, nach deren entlegenem Glück sie sich melodiös zurücksehnten.

Zwischen niedrigen Büschen leuchtete etwas auf, ich erwartete, deutsche Sänger in blauen Seidenhemden hervorkommen zu sehen, doch es waren zwei Kinder, ein Mädchen und ein Junge, die einen blauen Emaillekessel trugen. Ein Ting-Tong aus der schön verfallenen Schmiede gab es nicht, dafür gab es manchen sonntäglichen Vogelruf und quiekende Signale von Wasserratten, die in eine Falle des Ranchers geraten waren. Scheune und Stall standen offen. Vom Ende des Tals, von dorther, wo die tiefgrünen Schatten der Kiefern den Berg hinaufstiegen, näherte sich eine kleine, träge Staubwolke, und ich erkannte einen kleinen Zug von Rindern, der von zwei Cowboys flankiert war. Sie kamen zur Ranch. Von der Sonne getroffen, blitzten silberne Knöpfe und Beschläge bis zu mir herüber, und ich nahm das als blitzende Aufforderung und ging nach unten.

Das Buch, das ich in der Dunkelheit berührt hatte, lag auf einer Kommode, und ich sah, daß ich mich geirrt hatte, denn es war weder die Bibel noch »Vom Winde verweht«, sondern die Ausgabe eines Buchklubs, in der sechs Romane in Kondensform vereinigt waren. Ich fand auch den Gewehrständer wieder, in dem Slim, der Rancher, seine schweren Büchsen aufhob; ich nahm eine in die Hand: sie war geladen. Die helle, große, von der Sonne durchflutete Küche war leer, nirgendwo erkannte ich die Spur von Maggys früher Tätigkeit, obwohl alle Gerüche hier ihren Ursprung hatten. Die Gerüche drangen aus den mannshohen, vollautomatischen Küchenrobotern, in denen es leise summte und mitunter knackte. Mehrmals sagte ich »Guten Morgen«, doch ich erhielt keine Antwort, weder von Maggy noch von den elektronischen Angestellten, und so ging ich auf die Veranda hinaus.

Der Zug der Rinder war näher gekommen, ich konnte bereits die Gesichter der Cowboys erkennen, sonnenverbrannte, verschlossene Gesichter, und auf einmal erschrak ich glücklich, denn es waren die Gesichter von Glenn Ford und James Stewart. Schweigend trieben sie die Tiere auf, trieben sie zu einem Lastzug, der hinter der Scheune stand. Sie trugen braune Reitstiefel, breitkrempige Hüte und Halstücher – Colts trugen sie nicht. Jetzt tauchten auch die Kinder an der Scheune auf und Maggy und Slim, und auch Larry erschien, der Sohn des Ranchers, sowie eine junge Frau mit schwarzem, fettglänzendem Haar und gleichmütigem Gesichtsausdruck, an der ich indianische Züge zu erkennen glaubte. Larry war blauäugig und hochgewachsen, er erinnerte mich sehr an Alan Ladd. Gemeinsam nahmen sie den Zug der Tiere in Empfang, trieben Stück für Stück auf den Lastwagen hinauf, rasch und sachgemäß; dann fielen Klappen, Verschlußketten rasselten, und der Lastzug fuhr davon: das Sonntagsfrühstück der Ranch konnte beginnen.

Selbstverständlich und überwältigend ist die Gastfreundschaft im Mittleren Westen. Bereitwillig öffnet man sich dem Gast, läßt ihn teilhaben am eigenen Leben und Wohlbefinden – weniger an eigenen Sorgen –, verschafft ihm alle erreichbaren Annehmlichkeiten. Vor allem aber ist man bemüht, ein ganz bestimmtes Gefühl von ihm fernzuhalten: das Gefühl nämlich, einsam zu sein, allein zu sein, ein Fremder unter Heimischen. Alle, die ich an diesem Morgen begrüßte, bemühten sich darum, waren auf ihre Weise bestrebt, mir das Gefühl der Fremdheit zu nehmen: der Rancher und seine Frau, Larry und das Mädchen mit den indianischen Zügen, die Kinder und auch die Cowboys.

Slim rief uns zum Frühstück zusammen, die Familie und die Cowboys saßen bereits an einem langen, ovalen Tisch, nur Maggy fehlte. Maggy besprach sich mit den Küchenrobotern, schaltete, drehte an Knöpfen, öffnete Klappen und Röhren und trug dann das Frühstück auf, das berühmte Ranch-Frühstück, das man auch in Restaurants in der Stadt bestellen konnte: mit Fruchtsäften beginnt es, dann gibt es Toast mit Butter und Konfitüren, gebratenen Speck, Schinken, gebratene Eier, Pfannkuchen mit braunem Ahorn-Sirup, und zu allen Herrlichkeiten flossen Ströme von Kaffee. Jeder nahm sich wortlos von allem, niemand wurde aufgefordert, und wir aßen mit schweigendem Behagen, und zum Schluß sagte Slim, der Rancher: »Das ist nämlich so, Fred: wenn ich irgendwo draußen bin, habe ich sofort Sehnsucht nach einem Ranch-Frühstück.«

Draußen auf der Veranda näherten sich tappende Schritte, ich erwartete, endlich den Großvater zu sehen, dies unumgängliche Möbelstück einer Ranch, dies Bündel von Weisheit, Erfahrung und freundlicher List. Und als die Schritte verklangen – es mußten wohl die

Hunde gewesen sein –, fragte ich Slim, wo der Großvater dieser Ranch sei, und er lachte und sagte: »Ich, Fred, ich bin der Großvater.«

Und er erzählte mir, daß ein Rancher vieles in einem sein muß: Veterinär und Mechaniker, Handelsmann, Schlosser, Zimmermann, Brandmeister und, wenn es sein muß, eben auch Großvater. Slim aß weiter, während er erzählte; der alte Mann aß genußvoll und mit freimütig bekanntem Behagen, immer flacher wurde der Turm der Pfannkuchen, der Teller mit Speck leerte sich. Später einmal, sagte er, werde ich im Schaukelstuhl sitzen und in die Sonne blinzeln – so wie du es erwartest, Fred. Aber vorerst komme ich nicht dazu, vorerst muß ich mich um die Tiere kümmern.

Er blickte nach draußen, über den flammenden Talboden, helläugig, schmaläugig, mit dem Blick des Fährtensuchers, des Treckführers, des erfahrenen Kundschafters, von dessen Aufmerksamkeit alles abhängt. Dann erhob er sich und beendete das Sonntags-Frühstück. »Kommt, Jungens«, sagte er, und zu mir: »Heute wollen wir dem Gesetz genügen, Fred, heute brennen wir die Tiere.« – »Brennen?« fragte ich. »Brandzeichen«, sagte er, »das ist Vorschrift. Die jungen Tiere müssen gekennzeichnet werden.«

Wir gingen nach draußen, standen in dem schmerzhaften Licht und sahen über das friedvolle, entlegene Tal, während die Kinder nicht schnell genug ihre Pferde herausführen konnten. Sie schwangen sich hinauf, fegten ohne Sattel davon, und ich mußte an die Furcht der Griechen denken, die beim Anblick der ersten Reiter glaubten, Mensch und Pferd seien ein Wesen. Auch Glenn Ford und James Stewart saßen auf, dann Slim und Larry, und sie entfernten sich mit rhythmischem Hufschlag.

Träumerisch sah ich ihnen nach, als ein Pferd an meinem Hals schnupperte, ein Pferd, das die Indianerin still am Zügel für mich bereithielt. »Es ist Ihr Pferd«, sagte sie ausdruckslos, und sie wiederholte es mehrmals, ohne meine Einwände zu beachten, meinen dringenden Hinweis, daß dies ein Irrtum sein müsse. Durch ihr beharrliches Dastehen zwang sie mich schließlich, auf das Pferd zu steigen, es war ein kleiner, zottiger Renner, ein verständiger Mustang, der mich trug und der anscheinend genauso neugierig war auf das, was ich vorhatte, wie ich neugierig war auf die Pläne des Pferdes mit mir. Aufgesessen blieben wir auf der Stelle. Das Pferd setzte sich nicht in Bewegung. Es hatte keine Gangschaltung, achtete weder auf ein englisches noch auf ein deutsches Kommando, und so bat ich die Indianerin um Hilfe. Die Indianerin flüsterte mit dem Pferd, raunte ihm etwas zu, vielleicht ein spöttisches Wort, vielleicht eine verschlagene Aufforderung, und der kleine, zottige Prärie-Renner warf nickend den Kopf und trabte mit mir los. Wir trabten über historisches Land, über das Land des Büffels und des brennenden Speers, trabten durch alte Jagdgründe, und ich behielt die flachen Kuppen der Hügel im Auge, Plätze, auf denen die Reiter der Sioux und der Scouts einst erschienen waren und den fliehenden, gekrümmten Rücken der Herde nachgeblickt hatten.

Weit verstreut graste das braunweiß gefleckte Vieh, einige der Tiere waren bis zum Wald vorgedrungen, streiften dort zwischen den Kiefern auf Nahrungssuche, und ich stellte mir vor, wie leicht es sich hier als Viehdieb arbeiten lassen müßte. Ich fragte Slim nach den Viehdieben, und er sagte, daß er selbst noch nie ein Tier einbüßen mußte. Er besaß etliche hundert Stück Vieh, die Tiere wanderten frei durch das Tal und durch die Ausläufer des Waldes, und noch nie hatte er eins verloren. Wenn ein Tier in der Herde eines Nachbarn auftauchen sollte, würde er es irgendwann zurückerhalten, denn schweigend und selbstverständlich geschieht die Nachbarschaftshilfe im Mittleren Westen.

Mein kleiner, zottiger Mustang war offenbar befreundet mit dem Pferd von James Stewart, es folgte ihm überallhin, ohne Weisung, ohne Befehl, und wir ritten durch den Kiefernwald, spürten Jungtiere mit ihren Müttern auf und trieben sie ins Tal. Der Cowboy hatte ein Lasso am Sattel hängen, doch er gebrauchte es nie: die Muttertiere waren willig an diesem Sonntag, und die Jungen trabten ihnen folgsam hinterher ins Tal, wo Slim und die andern die Tiere zu einem Zug formierten. Wir entdeckten einen tiefen, kühlen See zwischen den Kiefern, Biber und Wasserratten glitten von treibenden Stämmen ins Wasser, Wildgänse erhoben sich. Wir stiegen ab, legten uns auf die Erde und tranken von dem eiskalten Wasser.

Nachdem wir alles durchstreift hatten, ritten wir auf die Ebene zurück. Die Sonne stand hoch. Die stampfenden Schritte der Tiere warfen rötlichen Staub auf. Die Cowboys zogen ihre Halstücher vor den Mund. Mit indianischem Geheul kamen die Kinder den Hang hinabgefegt, tief an den Hals ihrer Pferde geduckt, ohne Sattel reitend, und die Herde erschrak und setzte sich in Galopp. Diese Sekunde des

Schreckens und der Panik hatten einst Indianer und Viehdiebe ausgenutzt, heute war es nur ein spielerischer Anritt, gleichwohl waren die Tiere von Angst ergriffen, und beunruhigt, dichtgedrängt stampfte der Zug durch das Tal, über die klappernde Holzbrücke und dann in die vorbereiteten Gatter bei der Ranch.

Brandgelbe, langpelzige Katzen saßen auf dem Gatter, warteten mit philosophischer Ruhe, während sich neben dem Eingang die riesigen Hunde postiert hatten, die die zögernden Tiere gleichsam hineinbissen. Die beiden Cowboys ritten in das geschlossene Gatter hinein und trennten gewaltsam die Jungtiere von den Muttertieren, sie arbeiteten in einer Staubwolke, die die Sonne kaum durchdrang. Slim holte aus einem Schuppen Eimer, Messer und Pinsel. Holte auch die schweren Brandeisen und legte sie in ein Holzfeuer, das wir am Bach angezündet hatten. Zuletzt wurde die Gitterpresse fertiggemacht, ein Gerät, das nach oben geöffnet war und dessen Wände mit einer Kurbel zusammengedrückt werden konnten. Alles war vorbereitet zum »Brennen der Tiere«, einer Hauptarbeit des Ranchers, doch bevor wir damit begannen, rief Maggy uns zum Essen ins Haus.

Aus dem Haus drangen jetzt Schüsse, Geheul, wildes Wiehern und harter Hufschlag. Ich erschrak. Ich blieb auf der Veranda stehen. Ein scharfer Anruf erfolgte und wieder ein Schuß und darauf ein bemerkenswertes Ächzen. Glenn Ford stieß mich lächelnd hinein, und wir sahen die Kinder auf dem Boden des Wohnzimmers liegen und auf den Fernsehapparat blicken. Fuzzy hatte gerade einen Überfall der Pferdediebe abgewehrt, er stand bis zu den Knien in einem Fluß und drückte den letzten der Ganoven mit zahnlosem Grinsen unter Wasser, taufte ihn grinsend zu Tode.

Die elektronischen Küchenmeister hatten auf Maggys Befehl ein schmackhaftes Essen bereitet, es gab Elch-Steak, Reh-Steak und Lammkeule, dazu verschiedene Sorten Kohl, Tomaten und eine große, mit Currypuder bestreute Kartoffel, schließlich gab es Eiscreme, Zitronenkuchen und Kaffee. Während wir aßen, wurde im Nebenzimmer eine Postkutsche erfolgreich überfallen, und eine blonde, kurzstirnige Lady teilte Kinnhaken aus und arbeitete dem Sheriff so sehr in die Hände, daß er sie nicht mehr missen mochte. Ein Chor von amerikanischen Sängern segnete ihren Bund. »Kommt, Jungens«, sagte Slim, »wir müssen uns beeilen.«

Wir gingen zu den Gattern, denn wir wollten keine Zeit verlieren.

Auch der Rancher muß rechnen, die Zeit überschlagen, er ist heute gezwungen, wirtschaftlich zu denken und wirtschaftlich zu produzieren, denn das Angebot an Fleisch ist groß. Unübersehbar sind die Viehmärkte von Omaha, und auf den Futterplätzen bei Eaton werden regelmäßig 40 000 Stück Vieh auf dem Weg zum Schlachthof genudelt.

Die schweren Köpfe gesenkt, reglos in einer Ecke versammelt, erwarteten uns die Muttertiere; die Kälber und jungen Bullen schoben sich erregt durcheinander, suchten den schützenden Hintergrund. Furcht hatte sie befallen, die alte Furcht des Fleisches, womöglich ahnte das Fleisch die Wahrheit, die ihm bevorstand. Die Messer lagen bereit, die Eisen glühten im Feuer; das Brennen konnte beginnen, ein Brennen, das Gesetz ist. Die Hitze sammelte sich auf dem staubigen Boden, die Luft zitterte und flimmerte über die Prärie. James Stewart stieg steifhüftig über die Sperrbalken, die Jungtiere wichen vor ihm zurück, stampften auf der Stelle, und der Cowboy mit dem mühsamen, etwas schleppenden Leinwandgang schwang ein Lasso, suchte sich einen Bullen aus und warf sein Lasso scharf und genau. Langsam zog er den Bullen aus der zitternden Mauer der Tierleiber, zog ihn zu einem Laufgitter und bugsierte ihn hinein, und dann trieb er ihn voran bis zur Gitterpresse.

An der Gitterpresse stand ich. Ich bewegte achtsam die Kurbel, von beiden Seiten legte sich ein eisernes Gitter um den Körper des Bullen, umgriff ihn, umklammerte ihn, hielt ihn endgültig fest. Die Muttertiere beobachteten alles mit gesenkten Köpfen. »Die Eisen«, sagte Slim, und das kleine Mädchen und der Junge liefen zum Feuer und holten die Eisen. Die Eisen, glühende, scharfe Initialen, die jeder kannte, jeder respektierte, senkten sich nacheinander auf das verklebte, schweißnasse Fell des Bullen, ruhig führte Slim sie nach unten, und dann zischte es auf, giftgelber Qualm riß sich vom Körper los, ein scharfer Gestank stieg hoch. Tiefer senkte Slim die Eisen, sie bissen sich durch das Fell, fanden das Fleisch und kennzeichneten es, brieten ihm das Initial des Besitzers unverlierbar ein, und jetzt, da das Eisen die nackte Haut erreichte, bäumte sich das Tier im Gestänge auf, warf den Kopf und erprobte die Kraft seiner Muskeln an den Gittern.

Ich mußte die Kurbel festhalten. Ich mußte die Kurbel nach unten drücken. Dem Bullen gelang es, den Kopf hochzuwerfen, ich sah seine verdrehten Augen und den Schaum vor dem Maul, der luftig aussah wie ein Taschentuch aus Brügge. »Wie lange hält sich das Brandzei-

chen«, fragte ich Slim, und er sagte: »Lebenslänglich.« Er reichte die
Eisen den Kindern zurück, die in einer Stafette zwischen Feuer und
Gitterpresse hin und her wechselten, dann nahm er das Messer, Larry
legte eine Schlinge um den Kopf des Bullen und zog an, das Tier schrie,
die Muttertiere antworteten.

Slim packte ein Ohr, machte zwei Schnitte, schnitt ein sauberes,
fingerlanges Triangel heraus, ein braunbehaartes Dreieck, das er achtlos in die Luft warf. Darauf hatten die Hunde gewartet und die lang-
pelzigen Katzen: die sprangen nach dem Stück des Ohrs, mehrere
Körper streckten sich danach, Zahnreihen schlugen in schnappender
Gier aufeinander, und in enttäuschter Wut jagten die Hunde die
brandgelben Katzen durch das Gatter. Der gezeichnete Jungbulle
schrie, Blut tropfte in seine Augen, auf sein schweißnasses Fell, was die
riesigen Hunde erregte.

Heftig und sachkundig arbeitete der Rancher weiter, er ließ sich
einen Fuchsschwanz reichen und sägte dem Bullen die Hornspitzen
ab, sägte tief am Kopf, das Tier röchelte und stöhnte heiser, und Slim,
der hagere, schweigsame Rancher, kam mir wie der verbissene Priester
eines erbarmungslosen Gottes vor, eines fernen Fleischgottes in Chicago, der Zeichen und Opfer beanspruchte, der Qualität forderte: in
seinem Namen wurden die wehrhaften Attribute der Männlichkeit
abgesägt. Und in seinem Namen, weil es ihm gefiel, mußte der junge
Bulle noch mehr einbüßen, er mußte alles verlieren, was ihn zur selbst-
bewußten, selbständigen Kreatur machte: ein wandelnder Fleischtopf
mußte er werden, ein wandelndes Beefsteak, ohne Begierden, ohne
Charakter.

Slim schmierte eine dunkle Masse auf die Kopfwunden und sagte:
»Öffne die Gitterpresse, Fred. Vorsichtig.« Ich bewegte die Kurbel, die
Gitter hoben sich vom Körper des Bullen. Larry kniete sich mit seinem
Lasso hin, in der Hand eine vorbereitete Schlinge. Der Bulle spürte,
daß die Fessel nachgab, und mit einem Satz sprang er aus der Presse,
streckte den kräftigen Körper im Sprung: in dieser Sekunde warf Larry
sein Lasso um das Hinterbein des Bullen und zog blitzschnell zu, so
daß der Sprung unterbrochen, der Körper des Tieres aus der Sicherheit
gebracht wurde: es landete auf dem Rücken, und Larry kniete auf ihm,
warf das Ende des Lassos der Indianerin zu, die es um einen Balken
legte und festhielt. Larry zwang die Hinterbeine des Tieres auseinander, und Slim stieß das Messer in den Körper, machte einen langen,

sauberen Schnitt. Das Tier bäumte sich auf, zitterte, warf mit dem flachliegenden Kopf den Staub auf. Die Muttertiere schrien, als hätten sie selbst die Wunde empfangen. Slim pinselte eine Tinktur auf die Wunde, der Strick wurde gelöst, das Tier sprang auf und fegte durch das Gatter, mit seinen Hinterbeinen wild auskeilend. Er fegte zwischen die Muttertiere, preßte sich in ihren Schatten, ihre Wärme, schoß plötzlich, von einer neuen Welle des Schmerzes erfaßt, wieder hervor, kurvte durch das Gatter, von den Hunden verfolgt, die die Wunde erregte. Einer der Hunde kam ihm zu nah, der Ochse keilte mit wütender Kraft aus, erwischte den Hund an der Schnauze. Ich hörte es krachen und sah den Körper des Hundes gegen die Balken fliegen und dort liegenbleiben in einer Ohnmacht, die nur wenige Sekunden dauerte, dann kam er wieder auf die Beine, blinzelte verständnislos und trottete zu uns.

Wir hatten bereits ein neues Tier in der Gitterpresse, die glühenden Eisen senkten sich nieder auf das verklebte Fell, zischend stieg giftgelber Qualm auf, und danach flogen wieder Triangel aus den Ohrlappen in die Luft. Und wieder riß das Lasso den Bullen nieder, Slim stieß das Messer zwischen die Beine, keuchend, kraftvoll; er tat einen sorgfältigen Schnitt, nahm dem Fleisch seinen Charakter, befreite es von seinen Bedrängnissen und seinen Risiken.

Feuer, Staub, Sonne, der Geruch nach Blut und verbranntem Fleisch, das Röcheln der Tiere, ihre Rufe, das Gebell der Hunde und ihre kurzen Ohnmachten, wenn sie von einem keilenden Huf getroffen wurden: auch dies gehörte zum Sonntag des Ranchers. Ein Tier nach dem anderen wurde von James Stewart in das Laufgitter geschickt, hineingedroschen mitunter, die glühenden Eisen arbeiteten für das Gesetz. »Es ist wichtig, Fred«, sagte Slim nach einer Pause zu mir, »wenn wir eine gute Fleischqualität haben wollen, müssen wir kastrieren.« – »Das leuchtet mir ein«, sagte ich. Glenn Ford meinte ermunternd: »Sie schmecken gut, Fred, fast so gut wie das entsprechende Zeugs vom Hammel. Wir nennen sie die Austern der Rocky Mountains. Geröstet schmecken sie wunderbar.« Später sah ich ein, daß der Cowboy mir nicht zuviel versprochen hatte.

Mehrere Dutzend Tiere brannten wir an diesem Sonntag, kennzeichneten sie im Namen des Eigentums, kastrierten sie zum Lobe der Fleischqualität, auf daß der Gaumen eines Managers in Detroit und der Gaumen eines weltbekannten Schattens in Hollywood beim Verzehr des Steaks nicht beleidigt würden. Bis zur Dämmerung brannten wir.

In einem herausfordernden Blau fiel die Dämmerung über die Prärie, es war ein verheißungsvolles Blau, nicht das Blau der See oder des Himmels oder gar der Kornblume, sondern das Blau, das die deutschen Sänger in ihren Sehnsuchtsliedern vom Mittleren Westen erwähnten: durch diese Farben ritten sie, in ihr träumten sie von endlicher Wiederkehr. Die Cowboys öffneten jetzt nach getaner Arbeit die Gatter, trieben die gezeichneten Tiere ins Tal hinaus, und ich sah dem Zug nach, sah die Jungtiere sorglos und übermütig neben den Alten trotten, ein Zug von veredelten und charakterlosen Steaks. Nichts verriet mehr die ausgehaltenen Schmerzen, nur freundlicher Friede umgab den trottenden Zug und eine Genügsamkeit, von der die Sänger erzählen.

Wir wuschen uns im Bach und gingen zum Wohnhaus hinüber, in dem der elektronische Küchenmeister ein Abendbrot bereitet hatte: Hammelbein, Preiselbeeren, Kartoffelpüree, Quellwasser, kalifornischen Wein und zum Abschluß Erdbeerkuchen und Kaffee. Bis auf Slim, den Rancher, aßen alle lustlos; die Cowboys stocherten versonnen im Essen wie Leinwandmenschen, die man ja selten eine Gabel zum Mund führen sieht. Die Kinder aßen nur Kuchen und stürzten ins Nebenzimmer zum Fernsehen: sie mußten Fuzzy helfen, einen Eisenbahnräuber dingfest zu machen, der den Ausgeraubten zu seinem Vergnügen Talglichter auf den Kopf stellte, um sie aus Gründen des Trainings herunterzuschießen. Plötzlich fragte Slim: »Na, Fred, ist es nett auf einer Ranch?« Und ich sagte: »O ja, es ist sehr nett.« Und Maggy und die anderen nickten, sie waren mit meiner Antwort zufrieden.

Draußen hielt ein Auto, wir gingen auf die Veranda hinaus und begrüßten den ambulanten Kaufmann, der mit großen Kartons und Tüten gekommen war; er brachte Eier, Mehl, Käse, brachte auch Fleisch, und Maggy fing meinen fragenden Blick auf und sagte: »Wir müssen alles vom Kaufmann haben, wir Rancher produzieren nur lebendes Fleisch.« Der Kaufmann trug die Sachen ins Haus hinein, verstaute sie und mixte sich etwas zu trinken; dann kam er auf die Veranda, und wir standen und blickten über das dunkle Tal zu den unbestimmten Schatten der Rocky Mountains. Da brannten keine Feuer wie im Lied, der Himmel war sternenlos und das sehr schwache Licht, das hinter der Ebene am Horizont stand, bezeichnete eine unterirdische Abschußrampe für interkontinentale Raketen. Slim sagte zum Kaufmann: »Fred kommt aus Deutschland.« Und der Kaufmann sah mich erstaunt und wohlwollend an, und nach einer Weile sagte er: »Wolkswäggen«, und ich antwortete: »Ja, Volkswagen.« Nachdenklich schwenkte er das Glas in der Hand und sagte: »Bier.« Und ich antwortete: »Auch Bier.« Damit waren genug Höflichkeiten gewechselt, und wir gingen zu den Wagen und fuhren zur Konferenz.

Slim sagte es: »Jetzt fahren wir zur Konferenz, Fred.« Er selbst steuerte den Wagen durch die Dunkelheit, und in meiner Ungeduld suchte ich mir vorzustellen, welch eine »Konferenz« es sein könnte, die am Sonntag in der Prärie stattfinden sollte. Mehr als fünfzig Kilometer fuhren wir durch Büffelland, über die Ebene der verlorenen Söhne: sonderbar ist das Verhältnis des Amerikaners zu großen Entfernungen: er ist an sie gewöhnt, mitunter verliebt er sich in sie – wie ein Charakter von Tennessee Williams. Wo sollte die Konferenz stattfinden? Welchem Gegenstand gelten? Würden wir auf dem Grund einer Schlucht, im Schein von Feuern sitzen, um über eine Ausdehnung der Länder zu verhandeln? Oder sollten Jagdbezirke neu verteilt werden?

Wir fuhren in die kleine Stadt, hielten vor der Schule und stiegen in den geräumigen Keller hinab, in dem Leitungsrohre unverkleidet an der Decke entlangliefen. Ich mußte an Sitzungsräume von Illegalen denken, von Aufrührern, sozialen Verschwörern, doch die Gesichter der Leute, die uns erwarteten, sprachen gegen solch eine Annahme: es waren freie, offene Gesichter von Leuten, die Rancher waren wie Slim, mein Gastgeber. Einige der Männer trugen Reitstiefel, enge Hosen und breite Hüte, sie trugen an Stelle des Schlipses einen dicken, dekorierten Schnürsenkel, der mit einem verschiebbaren Metallschlößchen zusammengehalten wurde. Ein Lächeln genügte als Begrüßung, ein »Hei«, die knappe Nennung eines Vornamens. Ich war zu Gast auf einer abendlichen Sitzung der Rancher-Genossenschaft.

Ein junger Rancher mit einem Holzhammer hatte den Vorsitz, er eröffnete den Abend und gab einem Mann das Wort, der gerade von einer Reise durch die großen Städte des Ostens zurückgekehrt war. Dieser Mann sprach eine Stunde lang von Fleisch, von Steaks, die er in Boston, New York und Washington gegessen hatte; er erzählte den aufmerksamen Zuhörern, warum ihm einige Steaks gut, andere miserabel geschmeckt hatten; er verurteilte gewisse Steak-Qualitäten und entwarf das ideale, das Traum-Steak, das auf jeden amerikanischen Teller gehöre, und je länger er sprach, mit sachlicher Eindringlichkeit, desto vollkommener rief er ein Bild in mir hervor: der ganze Kontinent der neuen Welt als ein einziges, lebengründendes Steak. Alles stand und erhob sich auf dem Steak: Häuser, Fernsehtürme, die Broadway-Theater und die Freiheitsstatue, Steaks wurden geboren, Tote in Steaks begraben. Das Steak garantierte den Bestand der Welt, es war die Welt.

Und der Redner, der seine Reise im Zeichen und unter dem Blickwinkel des Steaks gemacht hatte, kam dann auf die Großschlachter zu sprechen, und er sagte, daß die Großschlachter nicht mehr als ein viertel Cent am Pfund Fleisch verdienten – wenig genug, wenn man an das Risiko denke, das sie zu tragen hätten.

Der Redner ermunterte seine Freunde, die Großschlachter nicht unbedingt als Großverdiener anzusehen und daraus ein Mißtrauen abzuleiten, vielmehr, sagte er, komme es darauf an, zusammenzuarbeiten, um der Welt eine neue Grundlage zu geben, und diese Grundlage sollte heißen: das Steak.

Die Anwesenden applaudierten, und auch ich applaudierte aus Überzeugung, durchdrungen von der Einsicht, daß die Wahrheit im Steak liegt.

Dann fiel der Hammer. Der offizielle Teil der Sitzung war vorüber, und wir tranken Kaffee, aßen belegte Sandwiches, auf denen zu meiner Überraschung keine Steaks prangten, sondern nur Leberwurst. Wir umringten den Redner, stellten ihm Fragen, und er gab bereitwillig Auskunft, wiederholte seine Bekenntnisse zum Steak, zum Kontinental-Steak. Spät nahmen wir Abschied, verließen den Kellerraum der Schule, traten hinaus in die Nacht. Schweigend stiegen wir ins Auto und fuhren in die Prärie hinaus zur Ranch. Slim knipste das Radio an, fand nichts, knipste es wieder aus. Das Licht der Scheinwerfer kreiste in Kurven über das gelbe Land, wanderte über Hügel, auf denen lauschende Gazellen standen.

Wir fuhren langsam, und es fiel kein Wort zwischen uns, bis Slim auf einmal mit leichter Erregung sagte: »Da, Fred, da war er.« – »Wer?« fragte ich, und er sagte: »Der Gedenkstein. Der Stein bezeichnet den alten Weg, den die Trecks genommen haben auf dem Weg nach Kalifornien.«

»Ah, der Stein«, sagte ich, und er darauf: »Hast du ihn gesehen?« – »Fast«, sagte ich wieder, »es hat nicht viel gefehlt.«

1963

Ihre Schwester

Wenn sie nicht gewesen wäre, diese feierliche Alte, wären mir die Gänge leichter gefallen, hätte es mir nichts ausgemacht, mit dem letzten Brief in der Hand ins Büro zu gehen, um mir die neuen Vorschläge anzuhören. So aber wartete ich, verzögerte jedesmal mein Erscheinen, denn ihr gegenüberzusitzen, aus ihren knotigen, vielberingten Fingern Bilder und Personalien entgegenzunehmen, ihre schleppende Stimme zu hören, mit der sie die Vorzüge ihrer Kandidatinnen erläuterte – all das rief bei mir eine natürliche Abwehr, eine leichte Übelkeit hervor. Wenn sie, knochig und elegant, vom Büro in den Salon ihres Instituts trat, in dem Ehen angebahnt wurden, erschauerte ich prompt, fühlte mich schon gereizt und betrogen, und wenn sie sich neben der Schiebetür aufrichtete, feierlich lächelnd, auf einen kostbaren, gelackten Stock gestützt, ganz in Schwarz, und um den Hals einen gestickten Spitzenkragen, dann mußte ich an eine feinsinnige Giftmischerin denken, aus französischer Provinz.

Aber nachdem ich zum zweiten Mal durch das Lehrerexamen gefallen war, hatte ich beschlossen zu heiraten, und von ihr, von Mechthild Tiefenbach, wurde gesagt, daß sie auch anspruchsvolle Ehen zustande bringe: so landete ich bei ihr. Unter dem Eindruck der spontanen Abneigung, die ich für sie empfand, war ich zwar vorübergehend auf ein anderes Eheinstitut ausgewichen, doch die Angebote, die ich dort erhielt, hatten mich so mutlos gemacht, daß ich stillschweigend zu ihrer Kundenschar zurückkehrte. Ich lernte nicht, sie zu ertragen, aber indem ich Kraft opferte, gelang es mir, sie in Kauf zu nehmen. Schließlich war es nicht sie, die ich heiraten wollte.

Und nach dem zweiten mißglückten Versuch, das Lehrerexamen zu machen, war ich nicht nur entschlossen zu heiraten; ich hatte auch bereits feste Vorstellungen von meiner zukünftigen Partnerin, sie war, sozusagen, im Entwurf fertig. Ich hatte der Alten meine Wünsche genannt, freimütig und sachlich, und ich erschrak ein wenig über die Schnelligkeit, mit der sie mich verstand, oder doch zu verstehen vorgab. Ihr kleines Gesicht mit der straffen, gefleckten Haut ging in einem wissenden Lächeln auf; es gelang ihr, Sätze, die ich bedachtsam begonnen hatte, in meinem Sinne zu Ende zu sprechen, und flüsternd, mit einwandfreier Inständigkeit, faßte sie meine Wünsche zusammen, indem sie feststellte: Herr Studienrat, zu Ihnen gehört ein wertvolles

Menschenkind! Sie hatte die Fertigkeit, so etwas auszusprechen, ohne daß man Anstoß daran nehmen konnte.

Ich hatte es aufgegeben, sie darauf hinzuweisen, daß ich kein Studienrat war, daß ich es nie sein würde, denn hartnäckig, mit träumerischer Verachtung, war sie über all meine Einwände hinweggegangen, hatte nicht aufgehört, mich Studienrat zu nennen und mir, nach feierlicher Ankündigung, wertvolle Menschenkinder vorzuführen. (Diesmal aber ... Die Partnerin, die Ihnen entgegengelebt hat ... Sie bedürfen einander ...) Fünf Partnerinnen, die die Alte mir empfohlen hatte, waren bereits in der engeren Wahl gewesen. Ich war ihnen begegnet, ich hatte sie geprüft. Eine hatte sich um neun Jahre jünger gemacht, die andere besaß nicht das geringste Interesse für mein Lieblingsfach, für Geschichte; die Übersetzerin spielte zu früh auf ihre Erfahrungen an, und der Tochter von Klose – in Hamburg weitläufig bekannt unter Herings-Klose – konnte man nicht nur die durchstandenen, sondern auch die bevorstehenden Krankheiten ansehen. Ein unwillkürliches Interesse hatte ich nur für Gudrun, doch sie verabschiedete sich überstürzt, nachdem sie kaum fünf Minuten mit mir im Botanischen Garten gewesen war.

Der enttäuschende Ausgang dieser fünf Begegnungen nahm mir nicht den Mut, ich wollte mir Zeit lassen, mit Umsicht und Ausdauer vorgehen, das war ich allein meinem Alter schuldig, einem Alter, in dem ich unter glimpflichen Bedingungen Studienrat gewesen wäre. Ich hätte eher auf eine Heirat verzichtet, als mich, unter der Nötigung eines Wunsches oder eines Augenblicks, mit einem erkannten Mangel einer Partnerin abzufinden. Wer sich abfindet, sage ich mir, der hat nicht nur sich selbst, der hat auch den Partner aufgegeben. Im November bin ich neunundzwanzig geworden, nach einem Studium von sechzehn Semestern, und soweit ich ein Bild von mir habe, ist es das Bild eines ausgeglichenen, korrekten Mannes, gesund, leicht vornübergebeugt bei einer Körpergröße von einem Meter zweiundneunzig, um Klarheit bemüht und davon überzeugt, daß jeder sein Leben zu rechtfertigen hat. Auch durch eine Heirat läßt sich ein Leben rechtfertigen.

Das letzte Angebot, das Frau Tiefenbach mir machen konnte, lag zwei Monate zurück. Jetzt hatten wir Juni, kühl, regnerisch, wenn auch die Gefahr von Nachtfrösten abgewendet schien. Mit ihrem Brief in der Tasche (Heute möchte ich Sie freundschaftlich bitten ... Diesmal

sprechen alle Anzeichen und Einzelheiten ... Mit herzlichem Händedruck) ging ich zum Institut, ging durch die Anlagen an der Alster,
solide Anlagen, die den Enten gehörten, den fauchenden Schwänen.
Durch heftig schlagende Bewegungen meines Mantels trieb ich sie ins
Wasser, dorthin, wo sie ihre schmückende Aufgabe erfüllen.

Das Institut für Ehe-Anbahnung lag hoch über den Anlagen, eine
festungsartige Villa mit schmalen, langen Fenstern, in verwaschenem
Braun, mit spielerisch verteilten Schießscharten und zwei kugelför-
migen Buchen neben dem Eingang, die den Eintretenden um Vertrauen baten. Eine streng wachende Pappel auf dem Rasen erschwerte
allerdings das Vertrauen. Wie jedesmal forderte mich die Sekretärin
auf, im Salon zu warten. Also ging ich dort hinein und bereitete mich
auf das Erscheinen der Alten vor. Und sie kam, kam wie erwartet, in
schwarzem Samtkleid mit Spitzenkragen, den gelackten Stock in der
Hand, und auf den Lippen, die nadelfeine Risse hatten, ein feierliches
Lächeln. Ich nehme an, da hätte sich mancher gefragt, wie ihr ver-
storbener Mann einst beschaffen war und wie sie zusammen gelebt
hatten. Ihr Haar war zart getönt, so nennt man das wohl; da stritt sich
ein violetter Schimmer mit einem herrschsüchtigen Grau. Sie bot mir
ihren herzlichen Händedruck, einen langen aufmunternden Blick,
auch berührte sie mich leicht an der Schulter.

Ihr gegenübersitzend, in einem der mit Seide bezogenen Sessel, lag
mir daran, rasch zur Sache zu kommen; so nestelte ich ihren Brief aus
der Tasche und glättete ihn mit eiligen Fingern. »Diesmal«, sagte sie,
»diesmal werden Sie erwartet«, und in einem weihevollen Komplizen-
tum, das ich mir unter anderen Umständen verbeten hätte, nickte sie
mir zu. Sie sagte: »Zwei Lehrerinnen. Schwestern«, und ich darauf,
nicht ohne Erstaunen: »Zwei? Und Lehrerinnen? Und Schwestern? Wie
darf ich mir das denken?« »Sie leben sehr zurückgezogen«, sagte die
Alte, »in sehr guten Verhältnissen, doch zurückgezogen.« »Es sind immerhin noch zwei«, sagte ich. »Nur die ältere ersehnt eine Heirat«, sagte
sie, »nur eine der Schwestern wünscht sich einen Gefährten, Herr Studienrat.« Da gab es nichts zu zweifeln, sie hatte das wörtlich gesagt, und
es kostete sie keine Energie, solch einen Satz auszusprechen. »Und
welch eine Rolle«, fragte ich, »spielt in dieser Angelegenheit die jüngere
Schwester?« »Eben«, sagte Frau Tiefenbach, »die jüngere Schwester: sie
hat nur die Rolle der Kundschafterin übernommen, der Mittlerin. Sie
sucht einen Partner für ihre Schwester, ohne Auftrag, heimlich.«

»Gibt es ein Bild von der älteren Schwester?« fragte ich.

»Nein«, sagte sie. »Geschieden?« »Nein.« »Bettlägerig?« »Nein.« »Wie alt?« fragte ich. »Sechsundzwanzig«, sagte sie. Auch das Alter meiner im Entwurf vorhandenen Partnerin war festgelegt, sechsundzwanzig war die Grenze.

Ich war einverstanden, war zu einer Begegnung mit der jüngeren Schwester bereit, ohne Beunruhigung allerdings, mit mäßiger Erwartung. Ich schlug den Tee aus, den die Alte mir anbot, forschte nach weiteren Einzelheiten, nach Hobby, Herkunft, Einkommen – doch darüber konnte sie nichts sagen. Sie zog den Stock zu sich heran, nahm ihn zwischen ihre mageren Schenkel und blickte mich voller Genugtuung an, so als ob sie mich neu erschaffen hätte oder doch zumindest mein bevorstehendes Glück. Auf ihrer Seite waren die Freude, die Unruhe, die notwendige Erregung – Äußerungen, die eigentlich ich hätte zeigen müssen, doch es gelang mir nicht, es konnte mir nicht gelingen, denn zu sorgfältig war mein Entwurf bereitet, zu genau hatte ich darauf geachtet, daß mir keine Überraschungen, Ungewißheiten und schmerzlichen Entdeckungen zustießen. Ich wollte nicht getäuscht werden, und ich wollte selbst niemanden enttäuschen. Ich wollte mir das Verhängnis ersparen, das so viele vor mir sich nicht ersparen konnten, weil sie nicht die ungeheuerlichen Möglichkeiten bedacht hatten. Ich meine, bevor ich nach einer Uhr in der Badeanstalt tauche, versichere ich mich, ob da auch wirklich eine Uhr hineingefallen ist.

Also ohne Vorbereitung, ohne Plan, das will besagen: ohne zusätzlichen Plan und besondere Vorbereitungen fuhr ich zum Botanischen Garten, wo eine Begegnung mit der Schwester meiner eventuellen Partnerin vereinbart war. Mein Vorschlag, den die Alte weitergegeben hatte, war sogleich angenommen worden. Der Eintritt war kostenlos. Ein betagter Wärter forderte freundlich zum Betreten des Gartens auf; er schien über jeden Besucher Freude zu empfinden. An einer Bude beim Hauptbahnhof hatte ich zwei Bratwürste gegessen, hatte eine Tasse heiße Brühe getrunken; ich fühlte mich wohl. Die kühlen Fallwinde, die das Wasser der künstlichen Teiche kräuselten, machten mir nichts aus, ebensowenig der prasselnde Tropfenfall, mit dem ragende Äste mich begrüßten. Im Vorübergehen bemerkte ich, daß der Regen den Steinpflanzen zugesetzt hatte; in schmalen Rinnen hatte er die Erde weggewaschen, hatte da eine Wurzelschau vorgenommen, auch waren einige der gelben Namensschilder weggerissen.

Dann entdeckte ich die Spur auf dem Weg, eine frische Spur, die eine feuchte Erde bewahrte und die mir vorauslief zu der verabredeten Bank über der Brücke. Die Spur verriet nichts, was mich befremdet oder voreingenommen hätte: die Schrittweite normal, der Abdruck gleichmäßig, sauber, nur die Spitzen zeigten eine leichte Verkantung, waren etwas nach innen gerichtet, doch das machte der Eindruck des Absatzes wett, der von Behutsamkeit zeugte, von Beherrschung.

820   Sie saß auf der Bank oberhalb der Brücke. Sie trug einen Regenmantel. Ihr Haar fiel glatt auf die Schultern, war schwarz, meinetwegen von strenger, spanischer Schwärze; der bläuliche Schimmer stellte sich erst bei schräger Sonne ein. Die Augen hell, von unbestimmbarem Blau; Jochbein gut ausgeprägt; Lippen leicht geöffnet, dazu ein wenig gerundet wie zu einem Pfiff; Kinn weich und unentschlossen; Nase und Stirn in gewagtem Winkel zueinander; Abstand zwischen den Augen etwas zu weit, was den Eindruck heiterer Melancholie hervorrief: es ist unwahrscheinlich, daß ich mich in einer Einzelheit irre. So sah ich sie zum ersten Mal, und bis auf die Körpergröße – ein Meter und zweiundfünfzig – entsprach sie meinem Entwurf, obwohl sie ihm nicht zu entsprechen brauchte, denn sie war ja die jüngere Schwester, die Kundschafterin, wie die Alte sie genannt hatte. Scheu, verstört, ängstlich beinahe nahm sie mich zur Kenntnis, betrachtete mich mit ruckhaften Bewegungen von den Schuhen bis zum Scheitel, wobei sie zum äußersten Ende der Bank rutschte –, biß einmal vor Verlegenheit in ihren Handballen, strich sich mit starrem Zeigefinger die Wange herunter, auch atmete sie in eine lose geschlossene Faust hinein. Sie hieß Karen Beierlein und betrachtete mich wie ein fremdes, ungewohntes, vielleicht erschreckendes, jedenfalls verblüffendes Wesen.

Ich wurde unsicher, beinahe mißvergnügt, hätte mein Erscheinen fast bedauert. Doch anstatt dies zu tun, lächelte ich, ein wenig säuerlich, aber ich lächelte. Sie war vierundzwanzig und unterrichtete an einer Volksschule (erstes bis drittes Schuljahr). Ihre Lieblingsfächer waren Rechnen und Turnen; ihr geschichtliches Interesse galt den Befreiungskriegen.

»Darf ich Sie Konrad nennen?« fragte sie plötzlich.

Ich blickte sie überrascht an, zögerte, aber hatte schon genickt. Das Nicken ließ sich nicht widerrufen, ich ärgerte mich, ich machte mir Vorwürfe, war wütend über meine unwillkürliche Zustimmung; und da geschah etwas, was mir nie hätte passieren dürfen. Was war es nur?

Ich hörte mich auf einmal sagen, daß ich nicht meinetwegen, sondern im Auftrag meines besten Freundes neben ihr saß; für ihn hätte ich diese Mission übernommen – gerade wie sie in Mission ihrer älteren Schwester gekommen sei. Und ich lächelte, spielte mit meinen Händen und sagte:»Sie müssen es verstehen.« Sie sah mich staunend, nicht ungläubig an, warf den Kopf zurück und fragte:»Ist er verreist?«»In Niendorf an der Ostsee«, sagte ich,»bei seinen Verwandten. Er bereitet dort sein Examen vor.«»Am Strand?« fragte sie leise. Und ich darauf: »Er hilft in der Gärtnerei seiner Verwandten.«»Meine Schwester ist am Rhein«, sagte sie, und, nach einer Pause:»Mit ihrer ganzen Klasse. Eine Klassenreise, wie in jedem Jahr.«

Da saßen wir, jeder mit seiner Aufgabe, auf der Bank oberhalb der Brücke im Botanischen Garten, und sie schwieg jetzt und schien unerreichbar in ihrem verängstigten Schweigen, wischte nicht die Tropfen von ihrem Gesicht, die der Wind von den Ästen herabschüttelte, wie Erbsenfall auf die Bank trommeln ließ. Ich stand auf, erkundigte mich nach dem nächsten Schauer, der hoch über der Alster schon bereitet wurde; darauf hinweisend, schlug ich ihr einen Spaziergang vor und womöglich den Besuch in einem Café. Damit war sie einverstanden.

Wir gingen nebeneinander zum Ausgang, sie hielt sich an meinem Ärmel fest, um nicht auszurutschen, machte, ohne mich loszulassen, knappe Sätze über Pfützen und Rinnsale, und ich spürte, wie sie zitterte und nicht aufhörte, mich zu beobachten von schräg hinten. Wenn ich mich unvermutet umsah, erschrak sie, und sie war fast schön in ihrem Erschrecken, das sollte ich erwähnen, schön inmitten ihrer kleiner Angst. Der betagte Pförtner, der uns hinausgehen sah, zwinkerte mir vertraulich zu, spielte vielleicht auf ein gemeinsames Wissen an; da erschien es mir angebracht, seinen Blick nicht zu verstehen.

Es war nicht leicht für mich, den Schritt zu finden, der uns gleichmäßig vorwärtskommen ließ, also ohne daß der eine schlendern, der andere traben mußte. Ich schaffte es schließlich, indem ich den Fall des Schrittes hinauszögerte, einfach nach Art des englischen Präsentiermarsches. Und um nicht von ihr zu verlangen, daß sie mir jedes Wort mit erhobenem Gesicht und zurückgelegtem Kopf hinaufrief, knickte ich sacht in den Knien ein, verlagerte mein Gewicht zu ihrer Seite. In dieser Anstrengung war ich geübt.

Natürlich gingen wir gleich ins Café. Ich bestellte Tee und Schaumgebäck, sie, nach leiser Entschuldigung, coffeinfreien Kaffee. »Wie lange bleibt Ihre Schwester am Rhein?« fragte ich. »Oh«, sagte sie, »zwölf Tage. Sie wollen sich den Limes ansehen.« »Ist sie gern Lehrerin?« »Sie wollte es schon werden, als sie fünf war.« »Das ist früh«, sagte ich, und sie, nach einem schnellen, besorgten Blick: »Sie empfindet ihren Beruf nicht als Arbeit. Es ist kein Zwang für sie. Es ist Freude.« »Ein Bild«, sagte ich freimütig, »haben Sie es nicht zufällig in Ihrer Handtasche?« »Ein Bild kann ich Ihrem Freund schicken«, sagte sie, worauf ich erwiderte: »Geben Sie es mir, das genügt.« Sie rauchte nicht, sie nahm nicht von meinem Schaumgebäck, obwohl ich sie mehrmals dazu einlud. Sie trank gleichmäßig, in winzigen Schlucken von ihrem coffeinfreien Kaffee, setzte geschickt die Tasse ab, zerrte spielerisch am Riemen ihrer Handtasche. Ein beschrifteter Spiegel bot mir ihre Rückansicht, das glattfallende schwarze Haar, den überraschend kräftigen Rücken unter der blauen Strickjacke. Um keine allgemeine Frage zu stellen, erkundigte ich mich nach der Größe ihrer Schwester und erfuhr, daß sie ein Meter vierundsiebzig war; ihre Lieblingsfächer waren Geschichte und Zeichnen, ihr Hobby Wandern und Lesen, im Sommer auch Schwimmen. »Sie ist wunderbar«, sagte Karen auf einmal, ohne zu bemerken, daß mir mit solchen allgemeinen Auskünften nicht gedient war, »Ulla ist wirklich wunderbar.« Ich sagte: »... wenn wir dies einmal voraussetzen – was läßt sich aus ihrer Kindheit erzählen?« »Oh«, sagte sie, »als Kind konnte Ulla keine Ungerechtigkeit ertragen. Wenn sie sich ungerecht behandelt glaubte, verweigerte sie die Nahrungsaufnahme, tagelang.« »Das ist sympathisch«, sagte ich. »Und sparsam«, sagte sie, »Ulla begann immer schon am Neujahrstag für das nächste Weihnachtsfest zu sparen. Außerdem, alle Kinder bei uns erkannten sie als Schiedsrichter an, und das sollten Sie Ihrem Freund sagen: sie ist fair, großzügig und fair. Und ihre Geduld verdient Bewunderung.« »Ich weiß«, sagte ich. Und sie nachdenklich: »Ich wünschte, ich wäre so wie sie.«

Sie war nicht mehr so verstört, bewegte sich weniger abrupt, auch erschrak sie nicht mehr so oft, wenn mein Blick sie traf; nur ihre Scheu blieb. Und sie begann von ihrer älteren Schwester zu erzählen, sprunghaft, schwärmerisch, mit unaufhörlicher Bewunderung (Oh, einmal im Winter ... Krank war sie nie, es sei denn ... Mit einem Kollegen hätte sie sich fast verlobt ... Ach ja, und die Schüler, die sie liebten, haben einmal ...), bot mir planlos Einzelheiten und Erinnerungen an, und ich hörte ihr zu und beobachtete sie, blickte durch sie hindurch und ließ an ihrer Stelle die bewunderte Schwester entstehen, wobei ich nur Karen auf einsvierundsiebzig wachsen, ihre Augen braun werden ließ, ihr glattfallendes Haar einfach hochband (denn Ulla trug einen ›Dutt‹, wie sie sagte), und es gelang mir auch: Ulla war da. Ich hatte ein Bild von ihr, und das Bild entsprach meinem Entwurf. »Ich kann mir Ihre Schwester gut vorstellen«, sagte ich. »Ja«, fragte sie glücklich, »ja, wirklich?« »Ich verstehe, warum Sie sie so bewundern«, sagte ich. »Sie ist auch wunderbar«, sagte sie, »in allem; erzählen Sie es Ihrem Freund. Er wird niemanden finden, der so ist wie Ulla.«

Plötzlich sprang sie auf, ging zur Kellnerin, zahlte ihren Kaffee und wäre ohne Abschied verschwunden, wenn ich sie nicht zurückgehalten hätte. »Wohin wollen Sie? Wir sind doch noch nicht fertig.« Diese Frage war wohl sehr dringend geraten, denn sie sah mich erstaunt und zurechtweisend an, war jetzt in einem Zustand kühlen und, von mir aus, beherrschten Flammens, und sie sagte: »Ich muß nach Hause. Kann sein, Ulla ruft an.«

»Sprechen Sie noch nicht mit ihr darüber«, sagte ich.

»Aber Ulla muß es doch wissen«, sagte sie.

An der Art, wie sie ihren Regenmantel zuknöpfte, erkannte ich, daß sie entschlossen war zu gehen; so benutzte ich die Zeit, in der sie ein Kopftuch umband, ihr einen Vorschlag zu machen fürs Wochenende: gemeinsamer Besuch im Planetarium mit gemächlichem Gespräch über das, was uns betraf. »Um drei am Eingang?« »Mhm«, sagte sie. Ihre Hand erwiderte nicht den Druck meiner Hand, als sie sich verabschiedete; verwirrt brach sie auf, lief blicklos am Fenster vorbei zur Straßenbahn.

Ich bestellte einen zweiten Tee und überlegte, wie ich aus meiner Lage herauskommen könnte, in die ich mich selbst, wider Willen, hineingebracht hatte. Ich mußte die Sache mit dem Freund widerrufen, aber wie? Einmal mit Namen versehen, war er vorhanden, und wer kann es sich leisten, jemand ohne Angabe der Adresse verreisen zu lassen? Ulla war vorstellbar in ihrer Erscheinung, in ihrer Eigenart und Körpergröße, ich war bereits mit ihr vertraut, fühlte mich schon zäh und gewaltsam mit Beschlag belegt – welch einen Freund sollte ich mir da für sie ausdenken? Ich beschloß, mich selbst zu schildern, so deutlich, so hinweisend, daß ich Karens unausbleiblichen Verdacht auf mich lenken mußte, und im entscheidenden Augenblick wollte ich auch bereit sein, mich zu erkennen zu geben. Im Planetarium, beschloß ich.

Wir trafen uns nicht im Planetarium. Am Tag unserer Verabredung, während ich in meiner Bude panierte Selleriescheiben briet – eine Lieblingsspeise, die es in keinem Lokal gibt –, klopfte es an meiner Tür, scheu, ausdauernd, jedenfalls ohne zunehmende Stärke, so daß ich zunächst glaubte, ich selbst sei es, der diese Geräusche am elektrischen Kocher verursachte. Als ich schließlich entdeckte, daß an die Tür geklopft wurde, dachte ich: das kann nur Frau Burdan sein, meine Wirtin, die mir die Mahnungen der Staatsbibliothek oder die neuesten Photographien ihres zweijährigen Neffen hereinreichen möchte. Für Begegnungen mit ihr habe ich ein besonderes Gesicht übrig – einen Ausdruck entsetzten Staunens, möchte ich mal sagen, der sie so bestürzt macht, daß sie mich zuerst um Entschuldigung bittet, bevor sie ihren Wunsch äußert; dies Gesicht also setzte ich auf, ging, mit der Gabel in der Hand, zur Tür und öffnete. Auf dem Korridor stand Karen, der ich nie meine Adresse gegeben hatte. Ich nahm die Gabel unwillkürlich zwischen die Zähne, als ich sie vor mir sah: scheu, schreckhaft, dabei eine drängende Eile verratend; da konnte ich mich vor Überraschung doch nur rückwärts bewegen, was sie wiederum als Einladung ansah, einzutreten. Sie kam wahrhaftig herein und sagte: »Ich muß Sie sprechen, Konrad«, und ging zu dem einzigen, schlaffen Sessel in meinem Zimmer, sah nicht die Bücher, die dort lagen, setzte sich und bemerkte die Bücher auch dann nicht, als diese sich mit der Polsterung unter ihr senkten. Ich zog das Kabel aus der Steckdose, unterbrach den Farbwechsel der Selleriescheiben in der Pfanne, auch gelang es mir, ein Fenster aufzustoßen. Ich war so überrascht, daß ich ihre ersten Worte überhörte und sie bitten mußte, neu zu beginnen. Immerhin hatte ich erkannt, daß der dringende Wunsch, mit mir zu sprechen, ihr Interesse an meinen Verhältnissen überwog.

»Ich nehme an«, sagte ich, »Sie wollen mir eine Absage bringen, Sie können nicht zum Planetarium kommen.«

»Ich habe mit Ulla gesprochen«, sagte sie, »ich habe ihr alles erzählt. Vielleicht kommt sie früher zurück.«

»Warum sind Sie verhindert heute nachmittag?« fragte ich, und sie darauf: »Ulla hat mich um eine Gefälligkeit gebeten. Ein Lehrerball; ich muß für sie hingehen.« Da meinte ich etwas verkniffen: »Sie nehmen ihr wohl vieles ab, Ihrer Schwester?« »Alles«, sagte sie, und es klang glücklich. »Für Ulla kann ich alles tun.«

Sie roch nicht den eindringlichen Selleriegeruch, hörte wohl auch nicht das erlöschende Knistern des Fetts in der Pfanne. Kein prüfender Blick nahm den durchgetretenen Teppich, den mit grauer Kruste bezogenen Tauchsieder, die Bücher, das Schuhgestell, das treue Fahrrad hinter dem Vorhang zur Kenntnis. Nur mich sah sie mit all ihrer Scheu und kleinen Angst, und die waren glaubhaft. Routine im Übersehen hatte sie jedenfalls nicht.

Nun war es für sie zu spät, festzustellen, daß sie auf meinen Büchern saß, so unterließ ich auch jeden Hinweis, verfolgte nur, wie sie hastig ihre Tasche öffnete, kramte, ein Bild herauszog, ein gerahmtes Bild, das sie mir lächelnd entgegenhielt: Ulla. Die Photographie zeigte Ulla mit einem Gartenschlauch in der Hand, sie trug ein Gartenkleid, im Hintergrund waren Gartenmöbel, sie selbst befand sich in einem Garten, auf einem Schild am Gartenzaun las ich: Dr. med. dent. H. Beierlein. Drohend richtete Ulla den Gartenschlauch auf den Betrachter, lachte, zeigte beim Lachen kleine, aber überzeugende Zähne, stemmte ein Bein vor, bog ihren Körper leicht zurück. Da das Bild gerahmt war, fragte ich: »Soll ich es haben?« und rasch und mich selbst verbessernd: »Oder mein Freund?« »Es ist mein Bild«, sagte sie, »es steht auf meinem Schreibtisch. Ich wollte es Ihrem Freund nur zeigen.«

»Mein Freund«, sagte ich bedächtig, denn jetzt schien mir der Augenblick gekommen, ihr zu sagen, daß es keinen Freund gab, »Sie kennen meinen Freund doch gar nicht.« Sie zuckte die Achseln. »Vielleicht«, sagte sie verstört, »ist er so wie Sie?« Und da sagte ich, auf Ullas Bild blickend: »Etwas unterscheidet er sich schon von mir. Er ist kleiner, nicht viel, aber kleiner. Er ist nicht blond. Er ist nicht Wilhelmsburger. Er ist anders.« »Das macht nichts«, sagte sie, und beschwichtigend: »Machen Sie sich keine Sorgen deswegen.« Fast hätte ich geschwiegen, aber ich konnte nicht, wollte nicht, ich gab den Worten nach und vielleicht meinem Ärger, sagte etwas, was ich zu sagen nie vorgehabt hatte, beispielsweise: »Mein Freund ist athletisch und einsam, müssen Sie wissen. Er schließt schwer Bekanntschaften, hat kein Verhältnis zum Geld, doch er ist musikalisch. An den Festtagen des Jahres betrinkt er sich.« »Wer mit Ulla lebt, wird verändert«, sagte sie ruhig darauf.

Da drehte ich mich zu meinem erkalteten Lieblingsgericht um, schloß das Kabel an, hob die Pfanne auf den Kocher, lockerte mit einem Bratenlöffel die Selleriescheiben. Sie soll sehen, was du fertigbekommst, dachte ich, vielleicht entschließt sie sich, eine Scheibe zu probieren und wird hinterher feststellen, was Frau Burdan immer in einem Ton schluchzender Bewunderung feststellt: Also, das schmeckt wie Kalbfleisch, also. – Sie aß nichts. Sie sprang auf, nahm Ullas Bild an sich, ließ es in der Tasche verschwinden. »Seien Sie mir nicht böse, Konrad«, sagte sie, »ich muß jetzt für Ulla einspringen.« »Das Bild«, sagte ich, »können Sie es mir nicht hierlassen?« »Ich trenne mich nicht leicht von ihm«, sagte sie und holte das Bild wieder hervor, betrachtete es meinetwegen mit Entzücken, bevor sie es auf mein Bett legte. »Wir – wir sehen uns bald wieder«, sagte sie. »Ich möchte Sie einladen. Wir fahren nach Niendorf raus, an die Ostsee, und dort besuchen wir Ihren Freund. Morgen hole ich Sie ab. Um zwei, ja?« Sie hockte sich neben den Kocher hin, fächelte sich mit senkrecht gestellter Hand den Duft der brutzelnden Selleriescheiben zu, kniff die Augen zusammen, spielte Genuß, öffnete die Augen und nickte mir eine verstümmelte Anerkennung zu, dann ging sie eilig zur Tür. »Ich werde Ulla erzählen, wer ihr Freund ist: Karl Lamprecht.«

Lustlos aß ich die Selleriescheiben aus der Pfanne, betrachtete dabei unablässig Ullas Bild, sah mich in das Bild hinein, machte mich zu ihrem Gegenüber, dem das Lachen galt und die Drohung mit dem Gartenschlauch. Na, Ulla, dachte ich, zwinkerte ihr zu und fühlte mich verstanden. Während der ganzen Mahlzeit betrachtete ich die Photographie und war verblüfft über die Vertrautheit, die sich zwischen uns ergab, freute mich darüber, wie schnell eine Verbindung zustande kam, und ich strich mit dem Zeigefinger über das Bild, wischte es dann mit dem Handballen sauber und glaubte sie sagen zu hören: Es ist doch nicht schlimm, daß du hinter einem erfundenen Freund in Deckung gingst. Das kann ich doch verstehen, Konrad. Jeder hat ein Schutzbedürfnis.

Zum ersten Mal war ich Ulla dankbar. Ich versprach ihr, den Freund endgültig zu streichen. Und da hörte ich sie sagen: Bitte, tu das, Konrad, Karen verdient es, sie verdient alles, meine kleine Schwester: sie ist wunderbar. Darum zeig ihr, wie das Leben sein könnte, das genügt.

Das verwirrte mich natürlich. Ich spreche sonst nie mit Personen auf Photographien.

Zuerst wünschte ich, es wäre Ulla gewesen, die neben mir im Bus nach Niendorf saß, es wären ihre vollgestopften Plastiktaschen, Badelaken, Zeitschriften und Cremeschachteln gewesen, die ich durch den warmen Sand zum Strand hinabtrug. Dann aber sagte ich mir, daß es Karen war, der ich eine Erklärung schuldete, und so fand ich mich mit ihrer Anwesenheit ab und vertröstete sie auf den Abend, an dem ich sie dem vorgegebenen Freund gegenüberstellen wollte. »Er ist tagsüber nicht auffindbar«, sagte ich. Wir mieteten einen Strandkorb und zogen uns um, das heißt, wir hatten beide die Badeanzüge schon zu Hause untergezogen und legten nur unser Zeug ab. Sie verfolgte scheu, doch aufmerksam, wie ich mich auszog, bat mich, ihren Rücken einzucremen und bot sich ohne Zeitverlust der Sonne an. Ich hielt es für angebracht, sie vor den Folgen eines Sonnenbrandes zu warnen, darauf antwortete sie nicht. Sie wagte nicht, sich ganz auszustrecken, zu lockern, sich entspannt der Mattigkeit zu überlassen; immer war etwas an ihr gespannt oder aufgestützt, immer war ein Bein oder ein Arm in Bereitschaft.

Ich erkundigte mich nach Ullas finanziellen Verhältnissen, und sie nannte ohne Zögern Höhe des Gehalts, Höhe der Zulagen, Höhe der Abzüge und die einmal zu erwartende Höhe der Pension. Karen erwähnte auch die Summe, die Ulla bei einer Heirat von ihrem Vater zu erwarten hatte – sie lag bei fünfunddreißigtausend. Desgleichen sprach sie von einer Erbschaft und von einer Verpflichtung, die Ulla gegenüber einem unmündigen, elternlosen Vetter übernommen hatte. Mehr automatisch denn aus dringendem Interesse fragte sie darauf mich nach den finanziellen Verhältnissen, in denen mein Freund lebte. »Unter vernünftigen Bedingungen«, sagte ich da, »wäre ihm das Einkommen eines Studienrats zuzubilligen.« Diese Auskunft befriedigte sie, denn sie forschte nicht weiter; sie zerrte unaufhörlich an ihrem Badeanzug, der sie in der Gesäßfalte kniff.

Der warme Sand, das Flimmern, eine freimütige Sonne, der ständige Wind: sie legten Schlaf nahe, aber ich konnte nicht schlafen, ich dachte an Ulla, die mit ihrer Klasse am Rhein war. Ich dachte so ausschließlich an sie, daß es mir kaum auffiel, wie ich Frage auf Frage stellte und von Karen geduldige Antworten erhielt, so prompte und genaue Antworten, daß ich mich auf ihre Rückkehr freute und auf die erste leibhaftige Begegnung.

Auf einmal berührte sie mich an der Schulter, ließ eine Handvoll warmen Sand auf meine Haut rinnen, nein, das ist unwahrscheinlich, sie berührte mich wohl nur unabsichtlich, als sie sich erhob, den Gummizug ihrer Badehose tiefer hinabzerrte, tiefer nach dem Schenkel schnappen ließ; dann blinzelte sie mich an, zeigte stumm auffordernd aufs Wasser, und wir stiegen über Beine, Rücken, Hälse zum Strand, und hinter mir sagten sie: der Lange, guck nur mal, was sich der Lange als Stütze mitgebracht hat. Abkühlen, allmählich ins Wasser stelzen, das war noch nie meine Gewohnheit; ich stürze mich mit Vorliebe ins Wasser, nehme Anlauf, stampfe, dabei scharfe Spritzer emporreißend, geradewegs zur Tiefe hinaus, springe zuletzt, drehe und schiebe mich, bis der Widerstand zu groß wird; dann tauche ich unter. So stürzte ich mich auch diesmal hinaus, und als ich zu Karen zurücksah, war sie nicht hinter mir, stand auch nicht am Strand, sondern ging zu der Holzbrücke, die damals noch zu einem Sprungturm hinaufführte. Ich erriet ihren Plan, schwamm, die Wellen von der Seite, auf die fahle Holzbrücke zu, deren Pfähle mit quellenden Algen besetzt waren. Ich hatte den Wunsch, ihr etwas zuzurufen, doch ich bin kein sehr guter Schwimmer, ich war zufrieden, daß ich vorwärtskam, und schwimmend sah ich, wie Karen zum Sprungturm ging, langsam die Treppe hinaufstieg, mich suchte, mir zuwinkte und schließlich aufs Brett trat. Ich versuchte, Wasser zu treten, die Wellen vereitelten es, rieten mir gewaltsam, weiterzuschwimmen, und schwimmend beobachtete ich dann, wie andere sie beobachteten in Erwartung ihres Sprunges; da waren einige spöttische Standbilder darunter.

Karen jedenfalls erprobte die federnde Eigenschaft des Bretts, wippte auf und nieder mit gestrecktem Körper, trat dann zurück, lief an, schnellte sich empor, hockte sich tadellos zusammen zum gehockten zweifachen Salto, streckte glücklich den kleinen Körper nach der Drehung, allerdings streckte sie ihn nicht genug: bis zu mir drang das klatschende Geräusch aufschwappenden Wassers, als sie mit dem Gesicht, mit dem Bauch auf das Wasser schmetterte. Ich meine, da brauchte niemand zu lächeln, auch wenn der zweite Teil des Sprunges mißlungen war.

Mit kurzen Stößen schwamm ich zur Holzbrücke, um Karen zu beglückwünschen, streifte die quellenden Algenbärte, hörte das Meer gegen die Pfähle klopfen. Ich fand eine Leiter und stieg hinauf. Sie war nicht zu entdecken. Sie war noch nicht wieder aufgetaucht. Ich lief zum Sprungturm, und da tauchte sie auf zwischen zwei Männern, die sie fest an den Armen gepackt hielten, die sie schoben und stießen, die schon zum Ponton hinaufriefen: Macht Platz! Einen Arzt. Hebt sie rauf! Ihr Haar fiel naß und glatt in den Nacken, es wirkte wie angeklebt. Sie war bewußtlos, als mehrere Hände – nicht meine – sie auf den Ponton hoben. In sachten Stößen quoll Wasser aus ihrem Mund. Ein Mann in weißem Drillichzeug, mit weißer Tuchmütze stieß mich zur Seite, kniete neben Karen hin, hob und senkte ihre Arme und drückte ihre Hände auf dem Bauch zusammen.

Als sie an mir vorbeigetragen wurde und über die Holzbrücke zum Krankenauto, war sie immer noch bewußtlos, und der weißgekleidete Mann rief einer sehr großen Frau zu: »Gehirnerschütterung, Gehirn – ja.« Ich hielt ihn am Ärmel fest, deutete zu unserem Strandkorb hinüber und sagte: »Ihre Sachen, sie liegen da. Soll ich sie holen?« »Schnell«, sagte er barsch, denn er hatte die Befehlsgewalt auf selbstverständliche Weise übernommen, und mit einer flatternden Geste: »Schnell doch!« Der Chauffeur des Krankenwagens nahm Karens Sachen an sich, und ich erhielt Namen und Anschrift des Krankenhauses.

Natürlich wäre ich mitgefahren ins Krankenhaus, aber wer war ich schon, worauf konnte ich mich berufen, um den kleinen Klappsitz zu fordern, der neben der Bahre, einer auf Schienen ruhenden Bahre, angebracht war? Welche Erklärung sollte ich abgeben in diesem Augenblick? Welche Gründe nennen, um sie zu erreichen und um als Betroffener anerkannt zu werden? Ich zog mich an, nachdem das Auto verschwunden war. Ich fuhr allein zurück.

Und ich dachte, während ich allein zurückfuhr, an Ullas Bild, an das Gartenbild, sah den Zaun vor mir, das Schild Dr. med. dent. H. Beierlein. Meine Haut brannte unter dem Hemd, meine Fußsohlen brannten. Wieviel Schuld hatte ich daran, daß alles soweit gekommen war? Das Flimmern der Autobahn, der blendende Schmerz und die Kühle, immer diese Kühle, die ich spüre, wenn etwas mit mir geschieht: alles bewegt sich dann von mir weg, ziemlich fern, erlangt eine erhebliche Klarheit in der Ferne.

Ich fuhr gleich nach Volksdorf hinaus, fand die genaue Adresse im Telephonbuch und ging die lautlose Straße hinab, die gesprenkelt war mit Sonnensplittern. Was ich zu sagen hatte, wußte ich. In einigen Gärten wurde Kaffee getrunken. Unter einer Buche schwang ein kleines Mädchen auf einer Schaukel, das weiß ich noch. An einem Holzzaun ein Schild. (Guten Tag, Herr Dr. Beierlein. Mein Name ist … Ich bin gleichermaßen in doppelter Eigenschaft … Sowohl Ulla als auch Karen … Danke), und ich sah, daß es das gleiche Schild war wie auf der Photographie. Es ging kein Wind hier unten, der Garten war verlassen, der Schlauch nicht zu entdecken. Das Haus war alt. Seine Südseite war mit wildem Wein bewachsen. Ich entdeckte den Anschluß für den Wasserschlauch.

Die Klingelanlage am Tor hielt mich auf, ich drückte den Knopf, hörte eine schnurrende Antwort aus dem Haus, ging über schmale Steinplatten zu der vernachlässigten Terrasse. Ich wartete, bis er kam, ein kleiner, vergnügter Mann mit tänzerischen Bewegungen: Guten Tag, Herr Dr. Beierlein. Mein Name ist ... Er zeigte schmunzelnd auf einen Gartenstuhl, bot mir ein Getränk an, eine Zigarre, doch ich lehnte beides ab. Ich sprach. Ich sprach immerzu, und er betrachtete mich sorgsam und dann teilnahmsvoll, in einer Art zaghafter Trauer. Er unterbrach mich nicht ein einziges Mal. Er ließ mich zu Ende sprechen, dann nahm er meine Hand und zog mich ins Haus. Er zog mich eine Treppe hinauf, über einen Flur zu einer Tür, die er mit einem Ruck öffnete. »Ullas Zimmer?« fragte ich. »Herein«, sagte er, »kommen Sie herein.«

Es war Karens Zimmer, und überall, auf dem Schreibtisch, auf dem Fensterbrett, auf den Bücherregalen sah ich Photographien von Ulla, und alle waren gerahmt. »Warum?« fragte ich. Er sah mich teilnahmsvoll an, legte seine Hand auf meinen Arm und sagte: »Ulla – sie ist vor drei Jahren ertrunken. Es geschah auf einer Klassenreise. Am Rhein. Sie wollte einen ihrer Schüler retten, der von der Strömung abgetrieben wurde.« »Vor drei Jahren?« sagte ich. »Sie müssen wiederkommen«, sagte er, »bitte, Sie müssen wiederkommen. Versprechen Sie's mir.« »Vor drei Jahren«, sagte ich. »Am nächsten Wochenende vielleicht«, sagte er, »denn jetzt will ich zu Karen hinausfahren. Versprechen Sie es mir?« Ich versprach, es. Vorgestern versprach ich es ihm. Heute habe ich eine Ausnahmegenehmigung beantragt. Wenn ich sie erhalte – und ich zweifle kaum daran –, werde ich zum dritten Mal ins Examen steigen; diesmal will ich mich länger darauf vorbereiten, zumindest ein ganzes Jahr.

1964

Die Breite der Wune

Der Steputat, der Konopka und mein Großonkelchen, e gewisser Bartholomeyzik, hatten zwischen Weihnachten und Neujahr nuscht, aber auch rein nuscht zu tun, als sich de Schlorren vollzukippen mit ihrem Koppskiekelweinche. Sie saßen, sagen wir mal, im Wirthaus »Zagel«, nahmen hier e Schlubberche und da e, aßen kein Schwarzsauer, keinen Kumst, sondern hukten und schlubberten nur still, bis auf einmal, ich mein: es war der Konopka, ein richtiger Pachulke, zu schabbern anfing. Da schabberten wohl das Weinche mit und der Kaddik-Schnaps, den er vorher geschlubbert hatte, denn dieser Pachulke pörschte sich, wie er bei Stiemwetter is mit dem Schlitten ieber den zugefrorenen See gefahren, mittem Zweispänner. Da war, sagte er, nuscht ausgestirnt, duster war es, schmaddrig, bossig, der Schnee stiemte man nur so, als er fuhr ieber das Eis. Und er sagte wie da pletzlich im Eis war eine Wune, vielleicht acht Meter breit, eine rein offene Stelle, sodaß er nur hat rufen kennen Herrjehchen! Er plierte auf de Wune, nahm Maß, ließ den Penter auf de Pferdchens sausen und hotzte auf die Wune zu, welche, wie er sagte, acht Meter soll breit jewesen sein. De Pferdchens, sie haben jesprungen, der Schlitten, er schlackerte sein Gewicht ab, und alles kam gut ieber de Wune, nur hinterher, meinte dieser Konopka, fiehlte er sich durchgestuckert.

Darauf nahm Steputat, e ziemlicher Plobucht, das Wort; war vielleicht schon e bißche beschnorchelt, wollte sich vielleicht auch nur schobben im Gespräch, jedenfalls schabbert er los, wie er mit dem Schlitten is jefahren bei Schlackwetter ieber den zugefrorenen See. Das Eis, meinte er, war schon rubblig, auch pladderte es, und er saß auffem Schlitten und freite sich auf Flinsen, da gewahrte er eine Wune, welche soll jewesen sein vierzehn Meter breit. Da half kein Plinsen und kein Trappsen, Pranzeln schon gar nicht, also hat er den Pferdchens de Peitsche jejeben und konnte es, dieser Plobucht, nach seiner Aussage bedingsen, daß er is rieberjekommen mit Pferd und Schlitten ieber de Wune, welche vierzehn Meter breit war.

Kaum hatte er sich zurückgelehnt, da schlackerte mein Großonkelche, der Bartholomeyzik, das Schweigen ab, fiehlte sich bedimpelt, war auch wohl bedutt was anlangt die Breite der Wune, und dreibastig, wie er war, erzählte er, wie er im Februar is jefahren mit dem Schlitten ieber das Eis. Er will jedacht haben an warme Suppe mit Spirgeln, an

warme Wuschen und so weiter, bis sich pletzlich im Stiem eine Wune
vor ihm auftat von achtundreißig Meter Breite. Da gabs, meinte er, nix
zu drucksen und zu drellen, rieber mußte er, und er schicherte de
Pferdchens, machte den Schlitten schneller, denn de Wune wurde nich
enger beim Plieren. So, dachte der Bartholomeyzik, erstmal bis hierher, und er machte eine Pause, um den beiden Schlusohren Jelejenheit
zu geben, die Breite der Wune zu ermessen. Der Konopka und der
Steputat, se waren rein bedutt, waren aber auch bossig, weil nämlich,
in ihren Augen, das Großonkelche de Wune hat e bißche zu breit
werden lassen. Darum fragen se: Na, und denn sprangen de Pferdchens mit dem Schlitten, na und denn? Worauf der Bartholomeyzik
sagte: Na, und denn bin ich abjeblubbert, ertrunken.

1964

Das Schlüsselwort

In diesem Herbst hatte Artur dem Jungen aber auch nichts erspart, das
ist sicher. Wenn er die Arbeit verteilte auf dem windlosen Grund der
Kiesgrube und feststellte: ich brauche zwei Mann zum Schichten der
Steine – der Junge war dabei. Mußte im Regen Lehm abgeräumt werden, waren Schienen zu verlegen oder Loren nach Feierabend zu säubern, dann wußten alle, die er durch ein knappes Nicken eingeteilt
hatte, wen er zuletzt nehmen würde. Und du, natürlich. Das war schon
halb abgewandt gesprochen, beiläufig und blicklos, das überraschte uns
nicht, und schien es manchmal wirklich so, als wolle er auf den Jungen
verzichten, so trat dieser selbst unwillkürlich einen Schritt vor oder
rührte sich einfach aus Gewohnheit oder in sicherer Erwartung, worauf
Artur mit seiner leisen Stimme nur sagte: Ach ja, und du. Wurde gar nur
ein einziger gebraucht für eine unzumutbare Arbeit, so brauchten wir
nicht den Blick zu senken, in den Kniegelenken nachzugeben oder ein
unauffälliges Gesicht zu machen, denn wir waren daran gewöhnt, daß
Artur seine kleinen grauen Augen auf niemand Besonderes richtete,
einen Moment zögernd dastand und dann seinen langen Körper aufrichtete und entschied: Du, ja, Posener. Damit sprach er nur aus, was
wir erwartet hatten und was auch der Junge selbst in seinem stetigen
Lauern erwartet hatte, er, der ebensowenig widersprach oder Rückfra-
gen stellte wie alle andern, nachdem Artur etwas entschieden hatte.

Da konnte es doch nicht ausbleiben, daß der Junge dem hageren Mann nachblickte oder unbemerkt in dem reglosen, gelben Gesicht forschte, das weder von Vergeltung belebt noch von Genugtuung erfüllt war, wenn die leise Stimme befahl: Du, du auch natürlich. Und erkundigen, erkundigen mußte er sich doch gleichfalls nach dem Mann, dem er nie etwas getan, den er nie zuvor gesehen hatte und dessen ruhiger Haß ihn hier auf einmal traf und sich seiner bei jeder Gelegenheit erinnerte. Sie hatten doch nie ein Wort ausgetauscht über sich selbst, keiner hatte sich dem andern zu erkennen gegeben, nichts verband sie miteinander, und doch war gleich am ersten Tag diese Spannung zwischen ihnen, vielleicht das Ergebnis einer sehr feinen Witterung, ein wortloser Austausch von Signalen, mag sein. Jedenfalls ertrug dieser Junge mit den schnellen Augen alles geduldig, muckte nicht auf, widersprach nicht, gab nicht einmal, etwa durch beleidigtes Dastehen, zu erkennen, daß er sich ungerecht behandelt fühlte; und das wäre ihm möglich gewesen. Seine einzige Antwort auf den stummen, beharrlichen Haß lag in dem fast hypnotischen Interesse, das er für Artur zeigte: starr sah er ihm über den Rand der Lore entgegen, blickte ihm lange über die Schulter nach, und nachts lag er wach auf seiner Pritsche und lauschte in die Ecke des Schlafsaals, in der Artur lag. Im Schlafsaal, ja, im Eßsaal, bei der Arbeit: überall beobachtete und belauschte er Artur, verfolgte ihn mit seinem hypnotischen Interesse, geradeso, als erwarte er etwas, von dem er selbst nicht wußte, was es sein könnte. Er beschuldigte ihn nicht. Er verteidigte ihn nicht. Er hörte nur zu, starr vor Erregung, wenn über Artur geredet wurde, danach verzog er sich und machte den Eindruck eines Mannes, der all dessen erst innewerden mußte, was er gehört hatte. Kann sein, er versuchte sich selbst aufzuklären in solchen Augenblicken, setzte eine Vergangenheit zusammen oder suchte auf dem Grund seiner Erinnerung: wo nur, wo nur und wann?

Dabei wußten sie wohl doch nicht mehr übereinander, als wir alle über jeden von ihnen wußten, über den Jungen, dem zwölf Jahre zuerkannt waren, weil er Autofallen gebaut und das Pech gehabt hatte, daß im zweiten Wagen, einem Kleinbus, den er zum Halten zwang, zwölf Polizisten saßen, die gerade von einer Schießübung zurückkehrten; und über Artur, bei dem sie schließlich auf eine Zahl von hundertundvier Jahren gekommen waren, nachdem sie alles berücksichtigt und addiert hatten, darunter einen bewaffneten Überfall auf die Passagiere einer im Flug befindlichen Verkehrsmaschine.

Wie der Junge unser Mitleid hatte manchmal, so besaß Artur unsere
Bewunderung; in ihm sahen wir die Dauer der Gefangenschaft, er war
so ein Monument, ein lebendes Mahnmal der Haft, das sich selbst
zusätzlich mit einem unsichtbaren, privaten Gitter umgeben hatte;
doch was die Bewunderung für ihn noch überwog, das war die Furcht
vor ihm. Da gab es einige in der Kiesgrube bei Segeberg, die hielten in
ihrem Blick eine Entschuldigung bereit, wenn er vorüberging, die
Standfestigkeit ließ allgemein nach, die Schaufeln veranstalteten einen
Wettbewerb untereinander, Loren entleerten sich mit einem einzigen
Zischgeräusch im Schwung, denn alle begriffen, was es bedeuten
konnte, wenn die hagere Gestalt stehenblieb, wenn die kleinen grauen
Augen sich festsahen, lange, unerträglich lange, so daß der Angese-
hene, weil er den Blick nicht mehr ertragen konnte, von sich aus zu
reden begann; mach doch schon, sag, was dir mißfällt. Nur der Junge,
der Junge war der einzige, der sich nicht vor ihm zu fürchten schien,
der ihn vielmehr mit seinem fassungslosen und – ja, das ist wahrscheinlich – schmerzhaften Interesse bedachte vom Morgen, wenn
Artur die Gefangenen der Außenstelle im Auftrag eines Aufsehers zur
Arbeit einteilte, bis zum Abend, wenn Artur die Kolonne zu den Baracken führte; und dies Interesse nahm auch dann kein Ende, nachdem im Schlafsaal das Licht ausgegangen war. Es bestimmte seine
Handlungen, führte ihn durch den Tag, gab ihm jedenfalls eine gleichbleibende Richtung; das Interesse für Artur hörte nie auf und dehnte
sich natürlich auch auf den einzigen Mann aus, mit dem Artur länger
sprach als mit jedem andern, auf den Aufseher Benno Bultwein. Daß
sie ihn als Aufseher genommen haben! Dieses aufgeweichte Weißbrot,
Benno Bultwein, der an nichts anderes dachte als daran, seinem
schweren, birnenförmigen Körper Erleichterung zu verschaffen, den
Kragen zu öffnen, die Beine zu entlasten, sich hinsacken zu lassen im
kühlen Bereich der Kiefern, oben am zerrissenen Rand der Kiesgrube.
Aber er war unser Aufseher. Er ging Nachtwachen und Tagwachen. Er
erinnerte uns in seiner schlecht sitzenden, fleckigen Uniform daran,
wer er war und wer wir waren – Benno Bultwein mit seinem hängenden Doggengesicht und dem warmen Kummer in seinen Augen, er
duzte uns, lieh sich manchmal Zigaretten von den Gefangenen, und als
im Sommer der schwedische Baron floh, konnte er vor Kummer einen
Tag nicht essen – das behaupteten sie in der Küche. Was er tun konnte
für uns, das tat er, das muß wohl erwähnt werden, und nicht zuletzt,

daß er an manchem Morgen Artur die Hand drückte, ziemlich schmiegsam und dauerhaft und ganz gewiß auch erleichtert.

Er und seine Kollegen hatten Artur von ihrer Macht abgegeben, hatten ihn, dessen Lebenserwartung das Strafmaß nur verhöhnte, beauftragt, den Gefangenen ein Ältester zu sein, sie ein bißchen zu regieren, und Artur tat es und erhielt dafür bescheidene Vorrechte. Aber er hätte es auch ohne Vorrechte getan, und er wäre auch ohne Auftrag der Barackenälteste gewesen, einfach weil er war, wie er war, und weil die Zahl von hundertundvier Jahren genug auf sich aufmerksam macht, einen selbstverständlichen Respekt fordert, möchte ich sagen. Wenn es nach Benno Bultwein gegangen wäre – er hätte Artur nicht nur einen kleinen Schluck von seiner Macht gegönnt; er hätte sie ihm ganz übertragen, das wissen wir heute, der Junge hat da einiges aufgedeckt, was keiner sich vorzustellen gewagt hätte.

Es mußte ja soweit kommen, daß er eines Tages doch mehr wußte als wir, einfach, indem er nicht nachgab in seinem beharrlichen Lauern und Lauschen, und zwar nicht aus Feindseligkeit, wie gesagt, sondern weil er gebannt und hypnotisiert schien bei jeder Begegnung mit Artur. Er sah lange genug hin, er hörte lange genug zu, vielleicht nicht ganz so wehrlos und instinktiv, wie es mitunter den Anschein hatte, denn schließlich begann er sich auf etwas einzulassen, was einen eigenen Plan verriet.

Jedenfalls lauschte er in jener Nacht nicht zufällig zu Arturs Pritsche hinüber, streifte die Decken nicht zufällig ab, als er bemerkte, wie Artur sich vorsichtig erhob und reglos dastand wie ein Pfosten, sich dann rasch anzog und barfuß, die Schuhe in der Hand, den Schlafsaal verließ. Das hatte der Junge doch schon vorher erlebt, nehme ich an, allerdings ohne selbst aufzustehen, die notwendige Zeit zu lauschen und sich dann ebenfalls anzuziehen und, mit den Schuhen in der Hand, dem hageren, großen Mann zu folgen.

Diesmal tat er es, tappte an der Holzwand entlang durch den Schlafsaal, öffnete die Tür und schlüpfte hinaus. Der kreisende Scheinwerfer interessierte sich für die Kiefern, kreiste über die Kieswand, forderte den abgestellten Loren schräge Schatten ab, konnte der alten Holzbrücke an der Straße nach Bleeken kein Vertrauen schenken, so wurde der Junge nicht aufgehalten, er lief in den toten Winkel der Baracke, duckte sich, zog die Schuhe an, hörte flüsternde Stimmen am Zaun und warf sich auf die Erde. Da brauchte er nur liegenzubleiben und zu warten, um nach einer Weile Artur und Benno Bultwein auszumachen, die nah, viel zu nah am Zaun waren, und brauchte nur ein wenig Kaltblütigkeit aufzubringen, um Zeuge zu werden, wie Artur über den Zaun stieg, sich drüben hinwarf und den Scheinwerfer leer ausgehen ließ, dann aufsprang, die Straße nach Bleeken überquerte und im Graben verschwand. Ihm war auch nicht entgangen, daß der Aufseher das Stichwort für den Sprung gegeben hatte und danach am Zaun auf und ab lief, so als suchte er nach einem Ausgang, um Artur folgen zu können.

Der Junge blieb nicht länger liegen, er kehrte in die Baracke zurück und streckte sich auf seiner Pritsche aus, lag wach in Erwartung des unvermeidlichen Alarms, und wußte doch gleichzeitig, daß es keinen Alarm geben würde. Er lag so lange wach, bis ein kühler Luftstrom von der Tür ihn erreichte, und als er den Ellenbogen aufstützte und zu Arturs Ecke blickte, sah er die ragende Gestalt reglos neben dem Pritschengestell und glaubte die kleinen, grauen Augen auf sich gerichtet, kurz vor der Dämmerung. Zurück, er ist zurückgekehrt, dachte der Junge, er mit seinen hundertundvier Jahren hatte Aufseher, Zaun und Scheinwerfer hinter sich gelassen, ohne einen Alarm auszulösen, er hat darauf verzichtet, seinen Vorsprung auszunützen, eine Frist von vier oder sogar fünf Stunden, und nicht nur dies: mit Umsicht und List war er in dem sumpfigen Graben zurückgekommen, hatte mit bedachten Sprüngen die Straße überquert, dem Scheinwerfer ein Schnippchen geschlagen, war schließlich über den Zaun gestiegen, als wäre nichts geschehen. Die Rückkehr, dachte der Junge, wird nicht leichter gewesen sein als der begünstigte Ausbruch, und dachte wohl auch: warum? Am nächsten Morgen dann drückte der Aufseher Benno Bultwein Artur die Hand, und zwar auf dauerhafte, sichtbar erleichterte Weise.

Der Junge behielt alles für sich. Das, was er gesehen hatte, veränderte ihn nicht – es sei denn, daß er nun weniger Lust zu haben schien, uns nach Feierabend seine Tricks mit Münzen, Streichhölzern und Karten zu zeigen; er ließ sich jetzt sehr lange bitten, und seinen mageren schnellen Fingern, die sonst nie versagt hatten, mißglückte auf einmal die eine oder andere Vorführung; weil er selbst abwesend war, nehme ich an, waren seine Finger nicht bei der Sache. Mit seinen Blicken suchte er Artur, dachte sich vor zur nächsten Nacht, fühlte sich womöglich schon im toten Winkel der Baracke liegen, denn nachdem er Artur einmal gefolgt war, folgte er ihm wieder und wieder, sah ihn, auf einen Wink des Aufsehers, über den Zaun steigen, über die Straße nach Bleeken springen, immer gewitzter als der kreisende Scheinwerfer, und bevor die Dämmerung einsetzte und Benno Bultwein abgelöst wurde, traf ihn der Strom der kühlen Luft, und er beobachtete Arturs Rückkehr. Am Tag erduldete er den stummen beharrlichen Haß: wer wird heute die Loren reinigen?

Ach ja, du.

Allmählich, denke ich, erfuhr der Junge so viel, daß er den Zwang spürte, auch den entscheidenden Rest zu erfahren, und darum wagte er viel in der Nacht, schlich näher an den Zaun heran, bis er die Worte verstehen konnte, die Artur und Benno Bultwein wechselten. Ihr Erkennungswort, das sie sich im Dunkeln zuriefen, hieß ›Johannesthal‹, und dies Wort rief Artur auch immer dann, wenn er jenseits des Zaunes lag und darauf wartete, vom Aufseher das verabredete Zeichen zur Rückkehr zu erhalten. Der Junge hörte es erstaunt und wieder mit fassungslosem Interesse, denn der kleine Ort, in dem er seine Kindheit und Schulzeit verbracht hatte, hieß Johannesthal, ein entlegenes, allgemeines Nest, dessen Name jeder schon einmal gehört zu haben glaubte, ohne jedoch zu wissen, wo es liegt. Er selbst hatte immer auf eine entsprechende Frage zeitsparend geantwortet: Johannesthal bei Lötzen.

Als er so den Namen seines Heimatortes Mal für Mal als Erkennungs-, als Schlüsselwort genannt fand, muß ihn das zutraulich oder bedenkenlos oder verrückt gemacht haben, jedenfalls drückte er sich eines Nachts vom Boden ab, ließ den Aufseher Benno Bultwein herankommen und sagte leise: »Johannesthal.« Da hatte Artur gerade die alte Holzbrücke nach Bleeken passiert. Der Aufseher antwortete auf diesen Anruf mit einem erschrockenen Seufzen, wandte das hängende Doggengesicht sichernd nach allen Seiten, kam ungläubig näher, nicht wütend, sondern nur ungläubig, sichelte mit loser Hand in Brusthöhe: zurück, schnell zurück in den Schatten, erkannte den Jungen und fragte: »Du? Was machst du hier am Zaun?« Der Junge schwieg einen Augenblick, er hatte keine Erklärung, er sagte abermals: »Johannesthal.« »Was meinst du damit?« fragte der Aufseher, und der Junge: »Ich komme aus Johannesthal, ich bin da geboren.« Benno Bultwein zuckte die Achseln, blickte zur alten Brücke hinüber, auf der Scheinwerfer sich ausruhte, nahm das Gewehr von einer Schulter auf die andere, dann aber, dann sagte er: »Drei, Menschenskind, mit dir sind wir drei aus Johannesthal: der Artur, ich und du.«

Doch auf einmal sah der Aufseher dem Jungen prüfend ins Gesicht, das ging zu prompt, das hätte jeder sagen können: ich bin aus Johannesthal, und nach einem sichernden Blick begann er denn auch, einige Fragen zu stellen, ließ sich den Namen der Halbinsel nennen, forschte nach Johannesthaler Straßen, Plätzen und Geschäften und mußte einsehen, daß der Junge aus Johannesthal war. »Herrje«, sagte er, »herrje, du bist der dritte.«

Der Junge nutzte den Augenblick der Freude, das ist denkbar. Er wußte, was Benno Bultwein für die Gefangenen empfand, er kannte die Hilfsbereitschaft, die waghalsige Güte dieses birnenförmigen Mannes, und er wußte, daß dieser Aufseher mehr von Mitleid hielt als von Gerechtigkeit. Er sagte einfach: »Ich muß raus, für ein paar Stunden, ich hab was zu regeln draußen.« Der Aufseher seufzte vor Kummer. »Mein Wort«, sagte der Junge, »daß ich zurück bin, bevor deine Wache endet.« Der Aufseher wischte sich über Hals und Nacken, bog in qualvoller Unentschiedenheit den Körper zur Seite. »Mein Versprechen als Johannesthaler«, sagte der Junge, und der Aufseher, der zischte, als ob er unter Dampf stand, war da besiegt, ein letzter Widerstand verriet sich nur in der Bemerkung: »Aber nicht heute, hörst du, heute nicht.« Daran war dem Jungen auch nicht gelegen.

Er wollte knapp hinter Artur den Zaun übersteigen, wollte ihn vor sich sehen, ihm folgen auf dem Grund des sumpfigen Grabens und durch die Schonung und wohin immer Artur sich wenden mochte, denn nur seinetwegen wollte er raus. Um den Aufseher nicht zu beunruhigen, wartete er mehrere Nächte ab, in denen er Artur allein gehen ließ, auch wenn er wie sonst wach lag und die Rückkehr des Mannes erwartete, dessen Haß sich seiner bei der Verteilung der Arbeit nach wie vor erinnerte. Fünf oder sieben Nächte ließ er so vorübergehen, dann stand er von seiner Pritsche auf, gleich, nachdem Artur den Schlafsaal verlassen hatte, schlich hinaus, drückte sich in den Schatten der Baracke. Wir hatten Herbstnebel in diesen Tagen, der legte sich vor die Baracken und ließ sie in fremden Augen aufschwimmen wie seltsame Schuten. Der Scheinwerfer zuckte hinein in die trägen Schwaden, ließ sich von zwei weiteren Scheinwerfern Mut machen, die zu beiden Seiten des Tors erhöht aufgestellt worden waren. Die Geräusche der Eisenbahn, die der Wind manchmal von Bleeken herübergebracht hatte, waren in dieser Zeit nicht zu hören.

Der Junge wartete, lauschte. Er schlängelte sich zur Ecke der Baracke vor. Die Lichtbündel der Scheinwerfer schnitten sich spielerisch in der Luft. Endlich der Anruf, das Schlüsselwort, das Flüstern wie in vergangenen Nächten. Und dann sah er Artur weniger in den Zaun als in den Nebel hinaufsteigen, sah ihn springen und hörte das Geräusch des Aufschlags. »Johannesthal«, rief der Junge scharf, aber leise, und dann noch einmal: »Johannesthal!« Der Aufseher drehte sich zu ihm um und erschrak: o Gott, jetzt auch noch er, wenn das nur gutgeht. »Also was ist?« »Heute«, sagte der Junge, »du hast mein Wort: ich bin zurück vor der Ablösung.« Da dachte der Aufseher wohl: geh nicht, Posener, verlang das heute nicht von mir, und unbeabsichtigt sagte er: »Bleib zuerst liegen drüben, warte den Scheinwerfer ab, und auf ›Johannesthal‹ läufst du.« »Ich verspreche«, sagte der Junge, und der Aufseher: »Los!«

Arturs Vorsprung durfte nicht wachsen, er war schon über die Straße gesprungen, also hinauf auf den Zaun, wie der Draht zittert, das schwingt und wippt, der nasse, glitschige Draht erprobt die Festigkeit der Krampen, noch eine Hand zwischen die Stacheln, einen letzten Schritt, einen Stemmschritt, jetzt springen, weich, locker, in Erwartung des Aufpralls, und dieser Schlag, dieses Dröhnen im Körper: das ist die andere Seite. »Schwör mir«, rief der Aufseher leise. »Alles in Ordnung«, sagte der Junge und blieb liegen, bis der Scheinwerfer ihn übersehen und Benno Bultwein ihm das Stichwort zugerufen hatte.

Wie leicht der Lauf fällt, dachte er, wie sicher der Sprung über die Straße gelingt. Er blickte nicht zurück auf die im Nebel schwimmenden Baracken, über denen die Scheinwerfer spielerisch ein Spitzzelt errichteten. Das Wasser spritzte auf, als er im Graben landete und geduckt vorlief zur alten Brücke. Artur stand im Wasser und erwartete ihn, Artur lockte zwischen den Weiden und gab ihm hastige Signale, auf der Böschung stand Artur, lehnte neben den Telegrafenstangen, war hinter der Fichte, winkte hinter einem Kieshaufen, und als der Junge die Schonung erreichte, war Artur überall. Er blieb stehen und lauschte, er erwog, zur Sandstraße zurückzukehren, die nach Bleeken führte, seine Hosenbeine waren naß bis zu den Knien hinauf, das nasse, gestreifte Drillichzeug klebte auf der Haut.

Soviel wissen wir aber nun, daß er Artur dann auf dem Bahndamm entdeckte, wie er aufrecht, ungehetzt zwischen den Schienen ging in Richtung Bleeken, worauf der Junge diagonal die Schonung durchquerte und in einem Augenblick wieder vor dem Bahndamm stand, in dem Artur gerade vorüberkam. Danach folgte er ihm in zulässigem Abstand.

Noch vor der Station von Bleeken verließ Artur den Bahndamm, kletterte die Böschung zur Hälfte hinab, blieb stehen und lauschte lange und ging dann, schräg gegen die Böschung gelehnt, unter die kleine Eisenbahnbrücke, die die schwach strömende Bleeke überspannt. Der Junge wartete, sah Artur nicht hervorkommen, überquerte nach einer Weile den Bahndamm und ging auf der andern Seite zur Brücke, behutsam, auf eine Hand gestützt. Nichts kündigte ihn an. Zuletzt legte er sich gegen die Böschung, bereitete jeden Schritt vor, indem er mit der Schuhsohle seitlich den Boden ritzte, bis er Halt fand. Dann hatte er den stumpfen Lauf des Flusses unter sich, noch eine Wendung, und er konnte unter die Brücke sehen.

Er erkannte den Mann sofort. Artur lag auf dem Bauch, oben im äußersten Winkel, der durch das eiserne Gestänge und das künstlich hochgezogene Ufer der Bleeke gebildet wurde, lag dort und tastete mit beiden Händen den Boden ab. Die Kappen seiner Schuhe lösten in ruckender Bewegung Erde und kleine Steine, die in den Fluß fielen. Ein stoßartiger Laut der Enttäuschung drang zu dem Jungen herab und immer wieder das Klatschen der fallenden Hand, die den Boden dort oben abklopfte. Da richtete der Junge sich auf, so gut es ging, und rief: »Jan?« und nach einer Sekunde scharf und befehlend: »Jan!« Der Mann bewegte sich nicht mehr. »Komm runter!« rief der Junge. »Ich warte hier, ich geh nicht weg, bis du kommst«, worauf der Mann sich wortlos unter dem Gestänge hervorzwängte, sehr gemächlich und achtsam, und sich dann auch nicht einfach hinabrutschen ließ, sondern, die Schuhkappen in die Erde schlagend, Schritt für Schritt tiefer kam, bis er neben dem Jungen war. Sie sahen sich an, schweigend, maßen sich mit Blicken dort unter der Brücke, beide mehr überrascht und außer sich als darauf aus, etwas zu tun, und der Junge sagte: »Du bist Jan, ja, du bist Jan. Du bist nicht Artur, du bist mein Bruder Jan.« »Was willst du hier?« fragte der Mann drohend. Und der Junge: »Sag, daß du Jan bist, ich weiß es. Ich spüre es genau.« Und der Mann wieder: »Wie bist du rausgekommen?« »Jan, nicht?« sagte der Junge. »Auch wenn sie dich alle Artur nennen: für mich bist du Jan.« »Laß meine Hand los«, sagte der Mann, und dann: »Verschwinde! Verschwinde, wo du hingehörst.« »Komm mit«, sagte der Junge, »wir sind draußen jetzt, wir haben drei Stunden Vorsprung.«

»Laß mich zufrieden«, sagte der Mann, »verschwinde.« »Dann sag
mir, daß du Jan bist!« Der Mann sah ihm nah ins Gesicht, mit einem
Blick voller Zorn und Trauer, und sagte: »Hör zu, du Scheißer, wenn
ich Jan wäre, dann müßte ich dich in diesen Fluß stoßen und dafür
sorgen, daß du nie wieder hochkommst. Zu den Fischen und Schlingpflanzen müßte ich dich befördern ... wenn ich Jan wäre. Das hast du
verdient. Du warst der einzige, den Jan nie begraben hat in seinem
Gefühl. Du warst der einzige, an den er gedacht hat, manchmal, wenn
er aufwachte. Jan ist sehr weit gegangen in allem, was dich betraf, zu
weit ... und jetzt ... hör auf und verschwinde. Red ja nicht von den
Hoffnungen, die Jan in dich gesetzt hatte.«

Der Junge machte eine Bewegung auf den Mann zu, doch der Mann
hatte plötzlich einen Stock in der Hand, setzte die Spitze auf die Brust
des Jungen und flüsterte: »Genug, hörst du? Nun ist es genug.« Das
war für den Jungen noch kein Grund aufzugeben, meine ich, und als
da der Güterzug, fern noch, aber schon bestimmbar, von beiden
gleichzeitig ausgemacht wurde und beide gleichzeitig denselben Gedanken zu haben schienen, sagte der Junge: »Ich komm mit dir, Jan,
wohin du willst. Laß es uns versuchen.« Der Mann lächelte resigniert
und sagte: »Wir gehen zurück. Benno wartet auf uns.« »Er ist Aufseher«, sagte der Junge. »Er ist aus Johannesthal«, sagte der Mann, und:
»Wie wir aus Johannesthal.«

Der Güterzug kam näher, und hätte der Junge ihn nicht gehört, er
hätte das Nahen des Zuges an der Haltung des Mannes erkennen können, an der Spannung, an der unwillkürlichen Bereitschaft: da sammelte sich schon die Kraft zum Sprung, da schätzte das Auge schon
den Abstand, und die Hand streckte sich nach der Geländerstange zum
Bremserhaus. »Warum nicht?« fragte der Junge, und der Mann: »Weil
wir nicht vorbereitet sind, so haben wir keine Chance.« »Und warum
kommst du hierher?« fragte der Junge. »Um vorzubereiten, Kleiner: sie
weiß, was ich brauche, und sie weiß auch, was sie alles hierherbringen
muß, dort oben unter der Brücke wird es liegen, eines Tages. Sie hätte
es schon tun sollen, aber etwas muß ihr dazwischengekommen sein.«

»Und dann wirst gehen, Jan?« fragte der Junge. »Ja«, sagte der
Mann, »und wenn du noch einmal Jan zu mir sagst, kommst du heute
nicht ins Lager zurück.« »Du wirst sowieso allein gehen«, sagte der
Junge, »in jedem Fall«; und er horchte auf den Zug und trat einige
Schritte zurück, doch der Mann folgte ihm sogleich und warf den

Stock mit einer schnellen Bewegung des Unterarms in den Fluß. »Sei vernünftig«, sagte er und dachte wohl: nicht, Kleiner, nicht so, und wenn du es versuchst, dann werde ich dich eben gewaltsam überzeugen ...

Zwanzig Jahre, schätze ich, trennten den Mann von dem Jungen, da war es nur selbstverständlich, daß der Junge seine Möglichkeit erprobte: mit einem Sprung nahm er die Böschung, griff mit den Händen ins Gras, stampfte, rutschte ab, gewann ein paar Meter und rutschte wieder zurück. Der Mann versuchte, sich auf ihn zu werfen, doch er erwischte nur sein Fußgelenk, das war genug: mit beiden Händen umspannte er es, drückte zu, fing alle Schläge und Stöße ab und setzte das ganze Gewicht seines Körpers ein, um den Jungen zurückzuhalten, und dabei preßte er sein Gesicht flach gegen die Böschung. Schwächer wurden die Schläge und Stöße, mit denen der Junge sich zu befreien versuchte. Er ließ die Grasbüschel los. Er rutschte zurück.

Auf halber Höhe der Böschung blieben sie liegen, fest nebeneinander jetzt, rührten sich nicht, achteten nur aufeinander, ohne sich anzublicken, mit der feindseligen Aufmerksamkeit ihrer Körper. »Sei vernünftig«, sagte der Mann warnend nach einer Weile; da war der Junge über ihm, schlug zu mit der Kante einer Hand, traf den Mann ins Genick und traf ihn am Schlüsselbein, und als sei dies nicht genug, riß er ihn an den Schultern vom Boden hoch und warf den Körper gegen die Böschung, drückte sein Gesicht in die Erde.

Der Güterzug kam in einer Schleife aus dem Wald heraus, bremste schon ab. Der Junge hob den Kopf und sah dem Zug entgegen. Er stieg über den Körper des Mannes und versuchte, auf den Damm hinaufzusteigen, als sich wieder, unerwartet für ihn, die Fessel um sein Fußgelenk legte, zwei Hände, die zudrückten, die er nicht loswerden konnte und die ihn straucheln und zurücksacken ließen. Diesmal rutschten sie die Böschung hinab, und es war der Mann, der zuerst auf den Beinen war, doch er tat nichts, er blickte besorgt auf den Jungen, der sich mühsam erhob, eine Hand auf seinen Leib preßte und dadurch den Mann veranlaßte, näher zu treten, sich herabzubeugen, da schlug der Junge abermals zu, ein einziges Mal. Der Schlag traf den Mann im Gesicht. Er warf ihn zurück gegen den Telegrafenmast, wo sich der Körper in einer Art panischem Erstaunen blitzschnell aufrichtete und dann zusammenfiel.

Wer weiß, ob es nicht auch ein ähnliches, vielleicht ein erschrockenes Erstaunen war, das den Jungen dastehen ließ, einfach dastehen, ohne Genugtuung oder jähe Erleichterung, während der Güterzug herankam und vorüberfuhr; er sah nicht einmal auf den Zug, betrachtete nur erschrocken und starr den Mann, der dort gekrümmt unter dem Mast lag, ein unscheinbares Bündel, das nicht einmal in der Lage war zu stöhnen. Jedenfalls brauchte er sehr viel Zeit, um auf den Mann zuzugehen, ihn zu betasten, seinen Kopf zwischen die Hände zu nehmen und schließlich den hageren Körper aufzuheben und ihn zurückzutragen über den Bahndamm, keuchend durch die Schonung zum Weg und dann zur alten Holzbrücke.

Er trug den Mann den sumpfigen Graben entlang. Die Scheinwerfer entwarfen keine ruhigen Lichtfiguren, sie zuckten in schnellen Schwenks hierhin und dorthin, stachen den Umkreis ab, hastig, bevor ihnen die endgültige Dämmerung überlegen war. Wenn er nur dort steht, dachte der Junge, wenn er nur das Stichwort gibt an der verabredeten Stelle am Zaun. Der Nebel erhob sich über die Teerpappdächer der Baracken, gab dafür dem Blick ihre gegossenen Fundamente frei, die anmuteten, als stünden sie auf dem Grund der See. Der Junge wußte, daß er ein Stück ungedeckt vorlaufen mußte gegen den Zaun, mit dem Mann auf der Schulter; also jetzt, laßt mich nicht im Stich, Beine, laß mich nicht im Stich, Herz, nur dies kleine Stück, dann wird Benno mir helfen, dann wird Benno mir morgens die Hand geben, so wie er ... Artur die Hand gegeben hat, Artur, ja. Die Scheinwerfer balgten sich mit dem Nebel. Er lief unter ihnen hindurch. Und er rief, noch vor dem Zaun rief er: »Johannesthal«, und Benno antwortete: »Johannesthal, herrje, zum letzten Mal: Johannesthal.«

Aber dann war es doch Benno Bultwein, der Aufseher, der am nächsten Tag zu dem Jungen ging und ihn aufforderte, Arturs Stelle einzunehmen, mit allen Pflichten und Vorrechten. »Für einige Wochen«, sagte der Aufseher, »bis Artur wieder gesund ist.« »Das geht nicht«, sagte der Junge. »Artur«, sagte der Aufseher, »Artur selbst hat dich vorgeschlagen, und wir geben sehr viel auf sein Wort.«

1964

Der Beweis

Er maß und maß. Schon den ganzen Morgen war er dabei, die ›Bertha II.‹ zu vermessen, seinen plumpen, geduldigen Lastkahn, den er, mit Hilfe immer nur eines einzigen Leichtmatrosen, durch Flüsse und Kanäle geführt hatte mehr als zweiunddreißig Jahre. Langsam und gewissenhaft nahm er Maß, mit eigensinniger Sorgfalt, ließ sich vom Meterband die Breite bestätigen, bewies dem Frachtraum seine Länge, las am fallenden Band die Höhe ab und trug alles in ein Notizbuch ein, während ich, sein einziger Leichtmatrose, auf dem Vorschiff saß, ganz betäubt von dem Licht und der Hitze über dem Ufer. Wir lagen vor den Schleusen fest, müssen Sie wissen, und der Sommer machte die Elbe schwarz, ließ den Spiegel weit unter normal fallen und buk die Algen auf den Steinen tot, und in den zitternden Luftschichten war ein Geruch von Brand und Verwesung. Sein bedächtiger Schritt unten in der Kühle der Frachträume war das einzige Geräusch, das ich auf dem warmen Eisendeck hörte, allenfalls ein leichtes Klatschen, wenn er das Meßband auf die Bodenbretter fallen ließ. Zweimal hatte ich ihn gefragt, ob ich ihm helfen solle, zweimal hatte er schweigend abgewinkt, und so saß ich und sah ihm beim Vermessen seines gedrungenen Lastkahns zu, seiner ›Bertha II.‹, die bewandert war in Ufern, Schleusen und Hebewerken.

Albert Schull maß den Abstand zwischen den Spanten, die den Frachtraum wie schwarze Rippen umschlossen, maß dann den Boden und die Höhe bis zum Deck und noch einmal bis zu den Luks, und ruhig, ohne Verblüffung oder Groll, das Notizbuch gegen die eiserne Bordwand gelegt, machte er seine Eintragungen, wonach er weder rechnete noch überlegte, sondern sich sogleich hinkniete und mit geduldiger Genauigkeit die Winkel ausmaß und die gewonnenen Werte ausdruckslos in sein Buch schrieb. Ich war da nicht mißtrauisch, war nicht beunruhigt, als er so sein Schiff vermaß, das möchte ich Ihnen versichern, obwohl ich mich natürlich hätte fragen können, wozu er, ausgerechnet vor der letzten Frachtübernahme, vor dem allerletzten Auftrag, die Abmessungen seiner ›Bertha‹ überprüfte, dieses behäbigen, ausgedienten Flußpferds, das längst zum Abwracken bestimmt war, vielleicht sogar schon einen Termin hatte, zu dem es an der Schrott-Pier erscheinen sollte.

Seit vierzehn Monaten nannte ich ihn ›Kapitän‹. Seit vierzehn Mo-

naten war ich Albert Schulls einziger Leichtmatrose und auf den Süß-
wasser-Reisen, auf denen ich für ihn arbeitete, hatte er mich nie neugierig auf sich machen können. Er stammte aus dem Osten, ich glaube,
aus Nikolaiken oder Schwentainen, war untersetzt und breitwangig
wie die Leute dort, hatte ein fleischloses Gesicht, graue Augen, deren
Blick einen nie unsicher machte, auch wenn etwas von vergnügter List
in ihnen lag, eine harmlose Verschlagenheit. Wenn er das Ruder hielt,
sanft, gar nicht wie ein Kapitän, wenn er, von der Brücke, mit den
Schleusenwärtern sprach, breit, höflich, als ob er sie mit der Stimme
streichelte, dann fiel es mir jedesmal schwer, in ihm den Schiffsführer
zu sehen, und ich, ich brauchte nur von der Arbeit aufzublicken und
ihm zuzulächeln, damit ich sein Lächeln als Antwort erhielt. Eisgang
auf den Flüssen, Regenböen, zerrende Strömungen: nichts brachte ihn
außer sich, nicht die winterlichen Schrammen, die ›Bertha‹ sich zuzog,
nicht die sinkenden Frachtraten. An trüben Morgen, auch unter nebligen Ufern, wenn wir vorbeituckerten an unbelebten Dörfern, womöglich nur Leergut an Bord, stand Albert Schull auf der Brücke,
zufrieden und genügsam wie die Leute in Nikolaiken oder Schwentainen.

Ich wußte wirklich nicht, wozu er unten war und sein Schiff vermaß,
hin und her ging zwischen den blendenden Sonnenquadraten auf dem
Boden des Frachtraums, ohne Eile, ohne Seufzen vor allem, an diesem
harten Sommertag ohne Seufzen, denn über den Luks und über dem
eisernen Deck zitterte die Luft, und das Licht machte einen ganz verrückt und durchschlug sogar die geschlossenen Lider. Meinem kleinen, breitwangigen Kapitän schien das nichts auszumachen, er ertrug
die Hitze, wie er die Kälte ertrug, und er war außerdem noch tätig in
seiner pfefferfarbenen Jacke, mit der verschossenen Tuchmütze auf
dem Kopf, und ich brauchte, nebenbei gesagt, nicht daran zu zweifeln,
daß er diesmal vergessen hatte, die beiden Garnituren seines wollenen
Unterzeugs auszuziehen, die er immer auf dem Leib trug.

Es ging mich nichts an, warum er auf einmal sein Schiff vermessen
wollte, jetzt noch, kurz vor der letzten Frachtübernahme, kurz vor
dem Abwracken, denn seit mehr als zweiunddreißig Jahren kannte er
doch seine ›Bertha‹ und ihre Verdrängung und Ladefähigkeit, und alle
ihre altmodischen Abmessungen standen doch in den Schiffspapieren
und mußten ihm vertraut sein. Ich saß in der Sonne auf dem Vorschiff, die Füße in einer Pütz mit lauwarmem Wasser, den Kopf im

Schatten der baumelnden Wäsche; so schlief ich ein, und ich verschlief den Augenblick, in dem Albert Schull aus dem Frachtraum heraufstieg und in die Kajüte ging mit den neu gewonnenen Zahlen in seinem Notizbuch.

Ein sengender Wind, der von den Ufergärten herüberkam, weckte mich. Ich stand auf, blickte in die Luke hinab, meine Fußsohlen brannten auf dem warmen Eisen, auf dem Wasser funkelte es wie altes Öl. Ich wußte gleich, daß er in der Kajüte war, in dem niedrigen, holzverkleideten Raum, in dem er auf selbstgefertigten Ständern seine Topfpflanzen zog, an die er von Zeit zu Zeit mahnende Ansprachen richtete. Kein Bild, kein Buch, keine persönliche Erinnerung waren in der Kajüte zu finden, nur Schrank, Bett und Tisch, ein Drehstuhl mit Armlehne und, wie gesagt, schwere Topfpflanzen, die in ihrer gedrungenen Robustheit ›Berthas‹ Natur zu entsprechen schienen. Albert Schull saß vor dem Tisch, auf dem er Papiere und Pläne ausgebreitet hatte, saß unbeweglich da, mit dunklem Gesicht, mit gespannten Schultern, seine Augen waren fast geschlossen, sein Kopf vorgestreckt, so, als lauschte er. Leise drückte ich das Fenster auf, wartete schweigend, in der Hoffnung, er werde sich umwenden, doch er blieb sitzen in dieser Haltung mühsamen Lauschens, und da fragte ich: »Haben Sie was für mich, Kapitän?« »Zieh dich an«, sagte er. »Jetzt?« fragte ich, »jetzt gleich?« »Sofort«, sagte er, »zieh man dein bestes Zeug an, Jungche. Setz die Mitze auf, wir missen an Land. Mach das Bootche klar.« »An Land?« fragte ich zum Fenster hinein. »Ja, Jungche«, sagte er, »wir missen an Land.« Und ich noch einmal: »Ist etwas geschehen? Etwas Schlimmes?« »Ja«, sagte er und sagte es gegen die Wand.

Ich ging in meine Kammer und zog mich an, meine Haut brannte unter dem Stoff, der Sommer machte eine Schmiede aus meiner Kammer, die Luft glühte, und immerzu fiel ein Hammer. Dann machte ich das Boot klar und ging in die Kajüte, wo Albert Schull schon auf mich wartete, angetan mit einem fleckenlosen, geschonten Zweireiher, schwarz mit grauen Streifen. Er hatte die Mütze gegen einen Hut getauscht. Er hielt eine Aktentasche in der Hand. Der Tisch war aufgeräumt, und die feucht schimmernde Erde in den Töpfen verriet, daß er den Pflanzen Wasser gegeben hatte. »Was ist passiert?« fragte ich. »Genug«, sagte er. »Wo wollen wir hin?« »Wo's Gerechtigkeit gibt, Jungche, aufs Frachtbüro, da wollen wir hin.« »Was für 'ne Gerechtigkeit?« fragte ich.

Er seufzte, machte eine resignierte Handbewegung, stieg mir voraus aufs Deck und dann wortlos ins Boot hinab, das ich hinüberwriggte zum Anlegesteg, stehend und knapp aus den Handgelenken, ganz geblendet von der Sonne auf dem schwarzen Wasser. Albert Schull saß regungslos auf der mittleren Ducht, hielt die Aktentasche auf den Knien, und so wie er dasaß in dem Licht und in dem unaufhörlichen Mittag, hatte er etwas von einer lächerlichen Würde, von einer komischen Feierlichkeit. Er ließ mich das Boot festmachen, schritt feierlich, blicklos über den Landungssteg, wartete auf der Straße, ohne sich nach mir umzusehen. Hintereinander gingen wir durch den Staub zur Haltestelle des Busses, und dort berührte er mich einmal, indem er meine Hände aus den Taschen zog.

Wir fuhren mit dem Bus in die Stadt, er löste die Fahrscheine für uns beide, suchte uns einen Platz aus und untersagte mir, ein Fenster zu öffnen. Unsere Körper schwankten, hüpften, kippten im gleichen Rhythmus zur Seite. »Zum Frachtbüro?« fragte ich. Er klopfte mit loser Hand auf die Aktentasche. »Welche Gerechtigkeit?« fragte ich, und Albert Schull, mein Kapitän seit vierzehn Monaten, wandte mir sein dunkles Gesicht zu und sagte leise: »Zuwenig, Jungche, Bertha is man zu klein vermessen: das hab ich ausgerechnet.« »Zu klein?« fragte ich. Er nickte. Er sagte: »Um acht Tonnen zu klein. Sie haben sie vermessen mit zweihundertvierundfünfzig Tonnen, aber sie hat eigentlich zweihundertzweiundsechzig. Sie haben einen Fehler gemacht beim Vermessen und beim Registrieren. Ist sicher, Jungche, ist ganz sicher.« Er klopfte wieder auf die Aktentasche und fuhr fort: »Wer sehn möchte Beweise, Beweise hab ich genug. Wer lesen kann, wird sich schnell überzeugen.« »Acht Tonnen?« fragte ich. »Acht Tonnen«, sagte er. »All die Jahre?« »All die Jahre.« Er drückte die schäbige, unverschließbare Aktentasche an seinen Leib. Er sah da zuversichtlich aus, möchte ich sagen, und sein breitwangiges Gesicht erschien mir entspannt, verbarg keinen Plan. Ich wußte, was er von mir jetzt erwartete, und ich sagte: »Acht Tonnen durch all die Jahre, das gibt eine gute Zahl.« »Viele Fahrten«, sagte er. »Wenn sie anerkannt werden«, sagte ich. »Unberechnete Fracht«, sagte er, und ich darauf, ganz erledigt von dem Sommer: »Verloren, vielleicht ist alles verloren.«

Wir stiegen am Hauptbahnhof um und noch einmal am Rathaus, und ich sah, daß Albert Schull nicht mehr angesprochen werden wollte, daß er erkennbar rechnete, acht Tonnen Überfracht durch zweiunddreißig Jahre, nicht immer, aber doch so oft, daß die Zahl, die sich als Forderung ergab, Bewunderung und Erschrecken zugleich hervorrief oder doch hervorrufen würde ... acht Tonnen, die ihm fehlten, die unberechnet geblieben waren, wann immer er nach registrierter Ladefähigkeit gefahren war, und obwohl er zu wissen schien, daß der genaue Verlust sich nie mehr würde errechnen lassen, reichte bereits das ungefähre Resultat aus, um meinen Kapitän, sagen wir mal, vor eine Aufgabe zu stellen, der er alles unterordnete. Kein Groll, auch kein vermuteter Triumph bestimmten seine Schritte, als er mir vorausging zum sechsstöckigen Backsteingebäude unserer Genossenschaft, in dem das Frachtbüro ein Stockwerk besetzt hielt; er schritt gleichmäßig, aufrecht, allenfalls ein wenig steif dahin, so als sei er überzeugt davon, daß man ihm die beanspruchte Gerechtigkeit gebührenpflichtig durch einen Schalter hinausreichen werde. Der invalide Portier im Glashaus widerlegte ihn nicht darin. Er winkelte seinen Arm hoch an, streckte die Hand durch die Sprechklappe und begrüßte uns notdürftig, doch herzlich, und wies uns hinauf in einen kühlen Flur.

Ich hatte damit gerechnet, daß Albert Schull mich mitnehmen würde überallhin und daß er mich als Zeugen wünschte bei jedem Gespräch, doch in der schattigen Kühle des Flurs wies er auf eine Bank, sagte: »Wart da, Jungche«, nickte mir zu, verschwand in der Anmeldung und ließ mich allein. Ich saß und wartete und rauchte, bis einer kam und mir das Rauchen verbot, danach saß ich nur und horchte, stellte mir vor, wie Albert Schull hinter den Türen verhandelte mit Hilfe der Papiere und der neuen Maße, wie er geduldig sprach in seinem breiten gemütlichen Tonfall und zuletzt, als sprechenden Beweis, womöglich noch sein Maßband auf den Tisch legte. Mehrmals öffneten sich Türen, Männer traten heraus, gingen eilig, aufgeräumt oder nachdenklich, an mir vorbei, nur mein Kapitän kam und kam nicht. Da fragte ich mich, warum er mich mitgenommen hatte, denn den Weg, sagte ich mir, hätte er doch auch allein gefunden, aber da wußte ich ja noch nicht, welchen Dienst er von mir erwartete. Einmal trat er mit einem hünenhaften Beamten, der seine Papiere trug, auf den Korridor, aber nur, um hinter einer anderen Tür zu verschwinden; er hatte keinen Blick für mich, kein Lächeln wie sonst. Mir wurde es peinlich, so lange zu warten, denn eine große, gesäßlose Sekretärin, die anscheinend in mehreren Zimmern zu tun hatte, musterte mich mit zunehmender Mißbilligung, sooft sie an mir vorbeiging.

Ich hielt aus, ich blieb sitzen und stellte mir den dramatischen Beweis vor, den Albert Schull lieferte, um sich Gerechtigkeit zu verschaffen, Gerechtigkeit für acht unberechnete Tonnen Fracht, die er für einen unbekannten Teilhaber durch zweiunddreißig Jahre gefahren hatte. Ich tat es so lange, bis ich hungrig wurde und erwog, eine heiße Wurst in der Kantine zu essen, doch da kam er, kam ohne seine Aktentasche und die Beweismittel, und an seiner Haltung, an seinem Gang und an seinem Gesicht erkannte ich, daß ich einen veränderten Kapitän hatte. Er kam mit kleinen, heftigen Schritten auf mich zu, stöhnte, ergriff meinen Arm, drückte zu, als ob er sich Erleichterung davon erhoffte; dann stieß er mich zum Ausgang. »Umsonst?« fragte ich, »alles umsonst?« Er antwortete nicht, schien nicht einmal meine Frage gehört zu haben. Der Portier rief uns etwas zu, streckte seine Hand durch die Sprechklappe; Albert Schull hörte nichts, sah nichts, trieb mich mit Stößen und Blicken in die Sonne hinaus und weiter zur Haltestelle des Busses. Ich kannte da Albert Schull nicht so gut, als daß ich gewußt hätte, daß er allem Unvorhergesehenen durch Schweigen begegnete, und zwar durch ein nennenswertes Schweigen, denn es mutete zugleich bedrohlich und hilflos an. So fuhren wir zurück, er schweigend neben mir, mit schmalen Augen und Händen, die darauf aus waren, etwas zu umfassen und zu drücken, und was er erreicht oder nicht erreicht hatte, das behielt er für sich. Sein gelegentliches Stöhnen enthielt nicht mehr als Andeutungen, konnte da noch beliebig gedeutet werden. Eile, Eile war das einzige, was ihm anzumerken war und vielleicht auch eine nicht näher zu bezeichnende Gewalt, der er sich widersetzte. Er ließ es geschehen, daß ich ein Fenster im Bus öffnete, wahrscheinlich bemerkte er es nicht einmal, obwohl die strömende Fahrtluft sein Gesicht traf, in seinem dünnen Haar einen Sturm verursachte.

Als wir den Bus verließen und den Strom sehen konnten, wenn auch noch nicht unsere ›Bertha‹, machte ich wieder einen Versuch, fragte einfach: »Anerkannt? Haben sie Berthas Taillenweite anerkannt?«, worauf er mich nickend aufforderte, in die ›Goldene Schleuse‹ hinüberzugehen, in diese Kneipe, in der es mich zu jucken begann, sobald ich mich nur auf eines der fleckigen, altmodischen Sofas gesetzt hatte. Er verlangte es mit einem Ausdruck, der keinen Widerspruch zuließ; das war mir neu, und ich tat, was er wollte.

Die ›Goldene Schleuse‹ war immer besetzt, immer von den gleichen

Leuten, die an den fleckigen Sofas festgeklebt waren und ihre Kähne vergessen zu haben schienen, die unten im toten Arm nebeneinander vertäut waren. Sie saßen im Hemd da, die Mütze auf dem Kopf, hatten nichts miteinander zu reden, nur wenn ein Neuer hereinkam, dann sahen sie sich fest an ihm und unterhielten sich mit ihren Blicken. Wir gingen an ihnen vorbei zur Theke, Albert Schull verlangte zwei Flaschen Bier, ergriff seine Flasche hastig und begann zu trinken, ohne mir zuzuprosten. Während er trank, blickte er durch den Raum, auf die festgeklebten Leute, und auf einmal setzte er die Flasche ab, stöhnte, trat ruhig an einen Tisch heran, an dem eine mächtige Warnboje saß, die aussah wie ein Schiffer, und mein Kapitän hob die Flasche, goß den Rest Bier mitten auf den Tisch, daß es nur so spritzte und schäumte und eine schmutzige Lache entstand. Die Warnboje, die aussah wie ein Schiffer, nahm nicht einmal die Hände vom Tisch, sah nur unbewegt zu, wie das Bier über die Tischplatte schäumte. Das hatte Albert Schull nicht erwartet. Er setzte die Flasche auf den Tisch und zog der Warnboje die Mütze über die Augen, warum auch nicht, und stand dann zitternd da und beobachtete, wie die Boje sich belebte und erhob und gar nicht aufhören wollte, sich zu erheben. Da machte mein Kapitän ein Gesicht, als ob er erleichtert sei, packte seine Flasche, hieb ihr an der Kante des Tisches den Boden ab. Erleichtert sah er aus, sagte ich, aber Sie müssen auch wissen, daß er den Eindruck eines Mannes machte, der außer sich sein wollte und es nicht konnte.

Die Warnboje schlug ein einziges Mal zu. Albert Schull hatte keine Verwendung für den scharfkantigen splittrigen Flaschenhals. Er ließ ihn fallen im Sturz, und er stürzte so, daß ich ihn auffangen konnte. Auf seinem breitwangigen Gesicht lagen weder Überraschung noch Schmerz, dafür glaubte ich, eine Art listiger Zufriedenheit zu erkennen in der entscheidenden Sekunde, in der er bemerkte, daß ich ihn festhielt.

Jedenfalls hatte er dafür gesorgt, daß ich dabei war und er selbst jemanden hatte, der ihn hinausschleppte und, über die staubige Uferstraße, durch die entzündete Luft zum Anlegesteg hinab. Ich bettete ihn ins Boot. Ich stützte seinen Kopf auf die mittlere Ducht, so daß sein Gesicht von der Sonne getroffen wurde. Und er sah auch jetzt noch zufrieden aus, während er vor mir lag. Dann wriggte ich uns zu ›Bertha‹ hinüber.

In der Kajüte lächelte er mir zu, mit seinem alten, freundlichen und verschlagenen Lächeln, und seine Stimme war sanft wie immer, als er sich bei mir bedankte. Es mußte ihm sehr gut gehen, denn er bot mir von einem Schnaps an, den er selbst nur selten trank, und ich, sein einziger Leichtmatrose, konnte nicht ablehnen. Und er entsann sich auf einmal, daß er mir noch eine Antwort schuldete: »Ach ja, Jungche«, sagte er, »ja, du hast mich vorhin nach dem Schiff gefragt.« »Nach den Abmessungen«, sagte ich. »Ich habe ihnen alles dagelassen«, sagte er, »die alten und die neuen Abmessungen.« »Alles umsonst?« fragte ich. »Sie halten mich für verrückt«, sagte er, »sie haben man die Beweise gar nicht gelesen, nur zugehört haben sie mir, und dann leise gesprochen und mich angesehen, wie man einen Verrückten ansieht.« »Sieht ihnen ähnlich«, sagte ich, und er darauf: »Aber sie werden sich wundern, Jungche. Sie werden Augen machen, wenn ich ihnen den letzten Beweis liefere.« »Welchen Beweis?« fragte ich. »Den letzten«, sagte er, »du wirst schon sehen«, und er lächelte zufrieden, wie man vielleicht am Sonntagvormittag lächelt. »Meine Abmessungen haben sie nicht überzeugt, etwas anderes wird sie überzeugen.« »Die Werft?« »Wart ab.« »Der Zoll?« »Wart nur ab.« Da sah ich ihn lange und genau an, und ich hielt ihn nicht für verrückt.

Einen zweiten Schnaps schenkte er nicht ein, und so ging ich in meine Kammer, zog mich wieder um und machte alles klar zum Passieren der Schleusen, und als ich ihn am Ruder sah, sanft, gar nicht wie ein Kapitän, als ich ihn mit dem Schleusenwärter sprechen hörte, vergnügt, in seiner anspruchslosen Höflichkeit, begann ich mich zum ersten Mal vor dem Beweis zu fürchten, den er ausspielen wollte, um seine Gerechtigkeit für unberechnete acht Tonnen zu erhalten.

Ohne Verzögerung gingen wir durch die Schleusen und tuckerten an kochenden Ufergärten vorbei, an Pontons, auf denen Teerzungen funkelten, tuckerten an schlaffen Schilfgürteln vorbei, in denen der Nachmittag brütete, hinab zum Elektrizitätswerk und dann zu unserem Frachtkai, wo sie uns schon erwarteten. Albert Schull fuhr ein sehr gutes Anlegemanöver, ich konnte die Leinen einfach hinübergeben, und gleich nachdem wir festgemacht hatten, zogen sie die Tore des Schuppens auf: die letzte Frachtübernahme begann.

Diesmal mußte ich an Deck bleiben, und mein Kapitän stieg selbst in den Frachtraum hinab, etwas, was er noch nie getan hatte in den vierzehn Monaten, in denen ich bei ihm war, und er half dort unten in dem heißen Käfig beim Auspicken und Stauen, flitzte hin und her in seiner pfefferbraunen Jacke, ermunterte, korrigierte und befahl. Wir nahmen eine Spendenfracht über, die für ein Erdbebengebiet bestimmt war, Kisten mit medizinischen Geräten und Impfstoffen und sogar ein ganzes Hilfslazarett, und natürlich geschnürte Ballen von getragener Kleidung, auch Schuhe, auch Konserven. Wir sollten all das Zeug in den Hafen bringen, wo es von einem Schnellfrachter übernommen werden sollte, und Albert Schull arbeitete, als sei ein Verwandter von ihm unter den Leuten, die die Spenden nötig hatten. Nichts war ihm anzumerken, nicht die Unruhe, die die Entdeckung der ungenauen Maße hervorgerufen hatte, nicht die Erbitterung oder Enttäuschung über seine fehlgeschlagenen Verhandlungen, und Sie werden verstehen, wenn ich sage, daß er mir einfach zu folgenlos über alles hinweggekommen schien. Sichtbare Enttäuschung oder meinetwegen die deutliche Beschäftigung mit einem neuen Entwurf hätten mich jedenfalls sorgloser gemacht.

Während wir die Spendenfracht übernahmen, machte hinter uns schon der nächste Kahn fest. Auch er wurde mit Spenden beladen. Auch er sollte das Gut zu dem Schnellfrachter hinbringen. Wir machten nur eine Kaffeepause, und Albert Schull war es, der sie als erster beendete, händereibend hinabstieg und dort wie ein Stauervize arbeitete bis zur Dämmerung und durch sein stetiges Drängen auch erreichte, daß wir bei Beginn der Dunkelheit voll waren und ablegen konnten.

Wir drehten also in den Strom, ich stand neben dem Ruderhaus, nur mit einer Turnhose bekleidet; ich stand und rauchte und beobachtete aufkommende Lichter und zitternde Lichtpfeile auf dem schwarzen Wasser. So ließ sich der Sommer vergessen. Albert Schull stand am Ruder, sanft, beherrscht wie immer – eine Beherrschtheit, die in seinem Gesicht lag und den Händen, die das Ruder hielten. Das abgeknickte Rohr des Auspuffs vibrierte. Friedlich tuckernd, mit funkelndem Kielwasser glitten wir stromabwärts. »Werden wir nachts entladen?« fragte ich ins Ruderhaus hinein. Ich erhielt keine Antwort. »Soll Bertha gleich entladen werden?« wiederholte ich, und er darauf: »Frag nicht soviel, Jungche, ruh dich aus.« Er blickte aufmerksam voraus, und ich legte mich auf eine Persenning hinter dem Ruderhaus, dort, wo unter mir die Schraube das Wasser walkte und die gefettete Ruderkette lief. Ich sah zu den erleuchteten Häusern am Ufer, dachte mich in sie hinein, entwarf mir so abendliches Familienleben und merkte dabei nicht, wie

›Bertha‹ ihren Kurs änderte, leicht nur, ohne daß die Kette sich viel bewegte. ›Bertha‹ lief tuckernd, gleichmütig und in spitzem Winkel aus dem Fahrwasser raus, riß eine der wippenden Bojen aus der Verankerung; die Boje trudelte neben der Bordwand vorbei, schlug wie zum Abschied gegen das Heck, gerade dort, wo ich lag, so daß ich aufsprang und zum Ruderhaus stürzte, um Albert Schull darauf aufmerksam zu machen; doch ich schaffte es nicht bis zu ihm, denn das Schiff hob sich unter mir, wuchs mit seinem Deck und den Bordwänden aus dem Wasser, gleichmäßig, geräuschlos – ›Bertha‹, dies träge, gedrungene Flußpferd, dieser Veteran der Kanäle und Ströme, sie hob ihre dunkle Masse aus dem Wasser, drückte und drückte sich empor mit all der Fracht in ihrem Bauch, und jetzt hörte ich einen Laut, der so klang, als wenn eine Diamantspitze Glas schneidet, nur noch fordernder, rücksichtsloser und vielfach verstärkt, ich hörte etwas knirschen und knakken, sah den Bug des Kahns sich aufrichten gegen den dunklen Himmel und die Lichter am Ufer geradewegs niedersinken, ich wollte etwas rufen und konnte es nicht. Dann erhielt ›Bertha‹ einen Schlag unter Wasser, sie ruckte heftig, schien zu schnaufen und ein wenig zu sacken, so, als sei sie angeschlitzt worden, und ihre drängende Bewegung wurde kraftlos, verlief sich; schließlich krängte sie und blieb, immer noch mit hochgerecktem Bug und schrägem Deck, liegen.

Zuerst dachte ich, ich sei eingeschlafen, denn Sie müssen wissen, daß Albert Schull alle Bänke und Untiefen und versetzenden Strömungen kannte, und ich wußte von ihm, daß er mit seiner ›Bertha‹ nie festgesessen hatte in den zweiunddreißig Jahren. Aber das schräge Deck und das Knacken im Schiff und all die Leute, die sich im Lichtschein am Ufer versammelten, bewiesen mir, daß wir schwer aufgelaufen waren und quer zur Strömung festlagen. Außerdem hörte ich ein burbelndes Geräusch aus dem Frachtraum, von dorther, wo wir das Leck empfangen hatten, durch das Wasser einbrach.

Ich wollte etwas tun und wußte nicht, was, stürzte dann doch zum Ruderhaus und fand Albert Schull still, mit aufgestützten Beinen auf seinem Schemel hocken. Ich brauchte mich nicht zu versichern, brauchte ihn auf nichts aufmerksam zu machen, denn seine vergnügte List, die harmlose Verschlagenheit, mit denen er mir entgegenblickte, sagten mir, daß er alles wußte, und mehr als dies: daß alles geschehen war nach seinem Plan. Aber ich sagte dennoch: »Wir sitzen fest, Kap'tän, wir haben ein Leck«, und er: »Ja, Jungche.« »Bertha ist leckgeschlagen«, wiederholte ich. »Bertha, ja«, sagte er gemütlich, und nach einer Weile: »War ihre letzte Fahrt.« »Aber die Ladung«, sagte ich. »Ruhig, Jungche«, sagte er, »sie werden schon längsseits kommen in der Frühe und die Ladung bergen.« Und erwartungsvoll: »Dann wird sich alles zeigen.« »Soll ich das Boot aussetzen?« fragte ich, und er, mit seiner furchtbaren Ruhe: »Laß man, wir bleiben an Bord. Sinken können wir hier nicht.« Die Langsamkeit seiner Stimme, die Ruhe seiner Hände und diese tatenlose Geduld reizten mich, und ich rief: »Ihr Beweis, nicht! Das ist wohl der Beweis!« »Wart ab, Jungche«, sagte er. »Die Fracht«, sagte ich. »Wart doch ab.«

Da kam mir unser Unglück vor wie die einzige Notwendigkeit, derentwegen er noch lebte, und ich ging in meine Kammer, um nachzusehen, was da beim Auflaufen geschehen war.

Ich sah ihn erst am Morgen wieder, bevor er umstieg auf die flache Schute der Bergungsfirma, die längsseits gekommen war. Er gab mir die Hand und sagte leise, vergnügt und mit einer irren Zuversicht: »Bei der Bergung rechnen sie genau.«

Dann stieg er um, und ich hörte erst wieder von ihm in der ›Goldenen Schleuse‹, wo sie anscheinend alles wissen. Sie wußten, daß sein Schiff wirklich zweihundertzweiundsechzig Tonnen hatte, acht Tonnen über seine Vermessung; in der Bergung arbeiten sie genau, doch als Albert Schull das erfuhr, war seine ›Bertha‹ längst zerschnitten und zerschweißt.

1964

Die Glücksfamilie des Monats

Sie rangen miteinander vor unserem Fenster. Ihre dünnen, nackten Beine stemmten, spreizten sich, machten heftige Ausfallschritte; sie schmiegten sich schön und fest aneinander, suchten sich durch Druck zu überzeugen und dann wieder durch die plötzliche Aufhebung jeden Drucks; schleudernd öffneten sie eine Falle, setzten stampfend auf und stolperten leicht, und dabei scharrten sie mit ihren Schuhen über den trockenen Schulhof und rissen den Staub hoch. Sie rangen lautlos, und es war einstweilen nur die Arbeit ihrer Beine zu sehen, eine schnelle, durchschaubare und ganz und gar erbitterte Arbeit; was ihre Arme taten und ihre Körper, das war nicht immer zu sehen, denn die obere

Kante unseres Fensters schnitt sie in der Hüfte ab. Manchmal allerdings, wenn ein Rücken sich wegduckte, war da ein Schulranzen zu erkennen und das Profil eines Gesichts, und es zeigte sich ein brauner Pullover, der eine Manchesterjacke umarmte, und für Sekunden sah man auch offene, stumme Münder, stumm vor Anstrengung, und Blicke voll erstaunter Not und Drohung und Trotz.

Sie rangen vor unserem Fenster, während wir aßen, und mein Alter, der Pedell der Schule, tat und sagte nichts, vielmehr verfolgte er den Kampf genau und mit quälendem Interesse, so als fürchte er sich davor, in einem bestimmten Augenblick eingreifen, sich zumindest äußern zu müssen. Er kaute langsam zu Ende. Achtlos trank er seinen Kaffee. Er saß starr und hoch aufgerichtet da, mit gerötetem Gesicht, aus schmalen Augen den kleinen, anonymen Kampf verfolgend, und wie immer, wenn etwas geschah, was er nur beobachtete, bewegten sich seine Lippen, bewegten sich aufgeregt und schnappend und unter kleinen platzenden Geräuschen. Seit seiner Verschüttung hatte er eine Sprachstörung und die Gewohnheit, Ereignisse, die er beobachtete, mit einem unwillkürlichen, heftigen Kommentar seiner Lippen zu begleiten; es war kein Wort zu verstehen, dennoch war ihm anzusehen, wie er bezeichnende Worte unaufhörlich suchte und sammelte, gerade so, als könne er sich auf sein Auge nicht verlassen und müsse, damit das Geschehene auch wirklich geschah, Worte zum letzten Beweis bilden. Er mußte einfach alles mit seinen Lippen wiederholen und aufnehmen, ungehört, nur für sich und mit Worten, die niemand verstand, die nur zu vermuten waren.

855

Es war durchaus ein schmerzhafter Eifer, mit dem seine Lippen den kleinen, verbissenen Kampf draußen auf dem Schulhof wiederholten, wiederholten und so für ihn erst stattfinden ließen, und weil er unsere Blicke auf sich fühlte, stand er auf, ging vor das offene Fenster und umfaßte mit beiden Händen die Eisenstäbe. Der braune Pullover war jetzt öfter zu sehen. Zwei Beine mit heruntergerutschten Kniestrümpfen stemmten nicht mehr so überzeugend wie am Anfang, sperrten und widersetzten sich nicht, sondern hakelten nur, stolperten, fanden jedenfalls keine Standfestigkeit. Dann fiel ein Schulranzen. Mein Alter hob eine Hand, deutete auf den Ranzen, wollte etwas sagen, doch es gelang ihm kein Wort. Langsam, wie enttäuscht über sich selbst, zog er seine Hand zurück. Die Beine standen jetzt schräg gegeneinander wie in einem waghalsigen Tanzschritt, jedes ein Hindernis für das andere, und sachte, als ob ein zunehmendes Gewicht sie niederdrückte, gaben sie nach, knickten ein, und dann stürzten die beiden Körper auf den Schulhof. Die Manchesterjacke war gleich obenauf. Ein Arm hob sich und fiel herab, hob sich und fiel abermals. Da war ein Stöhnen zu hören und ein trockenes Scharren von Absätzen.

Mein Alter umspannte fest die Eisenstäbe am Fenster. Seine Lippen bewegten sich erregt, schafften und schafften sich Worte, untaugliche Worte, die noch nicht fertig schienen, die mehr gedacht als artikuliert waren und hoffnungslos auf den Lippen verliefen. Er konnte nie in einem beliebigen oder doch von ihm selbst gewünschten Augenblick sprechen seit seiner Verschüttung; immer mußte die rasende Bemühung seiner Lippen vorausgehen, ein fast panischer Erwerb vom Silben, bis allmählich ein Stau entstand oder doch ein Überfluß, da erst gelang ihm das erste fertige Wort. Doch danach konnte er nicht innehalten; einmal gelungen, folgten dem ersten Wort in zwanghaftem Strom andere Worte, schnell, hingerissen, er schien gar nicht mehr mit reden aufhören zu wollen, und es hatte den Anschein, als wollte er die plötzliche Fähigkeit, Worte zur Verfügung zu haben, grenzenlos ausbeuten.

Wir konnten sehen, wie er sich den nötigen Überfluß erarbeitete, den Kopf zur Seite warf, und endlich, endlich rief: »Auf- auf- aufhören wollt ihr wohl aufhören hab ich gesagt und sofort aufhören und Schluß und aufhören oder soll ich euch beibringen und du dich kenn ich doch bist mir schon einmal aufhören ...«

Die Manchesterjacke erhob sich darauf zögernd, und auch der braune Pullover wurde sichtbar. Eine Hand hob den Schulranzen auf. Die dünnen zerschrammten Beine standen so ein wenig ratlos vor unserem Fenster, während mein Alter neu ansetzte zu variationsreichen Warnungen und Drohungen. Da bückte sich einer, und gleich darauf der zweite: sie, die bisher miteinander gerungen hatten, hockten sich hin und verbündeten sich stillschweigend, grinsten in unsere Pedellwohnung hinein, und auf einmal rief der erste, die Sprachnot meines Alten nachmachend: »Ka- Ka- Kakadu«, worauf der zweite, echohaft, antwortete: »Ka- Ka- Kakadu«, und schließlich vereinigten sich ihre Stimmen, und mit freimütiger Verachtung in ihren Gesichtern riefen sie in gleichem Rhythmus: »Ka- Ka- Kakadu.«

Mein Alter wußte, daß sie ihn in der Schule Kakadu nannten, und er konnte sich nicht abfinden damit; er litt so sehr darunter, daß man nicht einmal Kakadu zu rufen brauchte, um ihn außer sich zu bringen; es genügte, wenn ein Schüler Lora-Lora sagte oder Ara oder Jako, und mein Alter verlor die Fassung, forschte zornig und sprachlos nach dem Übeltäter, immer nahe daran, sich zu unbedachten Handlungen hinreißen zu lassen. Das aber hatte er wohl noch nie erlebt: daß jemand vor dem Fenster hockte und ihm mit gepreßter Stimme, gleichmütig skandierend, den verhaßten Namen zurief, das Wort, unter dem er so litt und das er so fürchtete. Seine Lippen zitterten. Er wandte sich an uns mit einer großen, hilfesuchenden Geste, schoß herum, griff hoch in die Eisenstäbe und fand kein Wort, fand nur zu einem Ausdruck schmerzhaften Staunens. Ich wollte zur Tür, aber mein Alter war schneller. Er stieß mich zur Seite, stürzte auf den Korridor hinaus und überließ es mir, ans Fenster zu treten. Die beiden waren verschwunden. Ich ging achselzuckend zu Mutter, die am Tisch sitzen geblieben war, und sagte: »Verstehst du das? Weißt du, warum?«

857

»Er weiß es, das genügt«, sagte sie.

»Aber dieser Name? Was besagt schon dieser Name?«

»Für ihn viel«, sagte sie.

»Er kann doch einfach weghören.«

»Einfach?«

»So tun, als ob es ihn nicht trifft.«

»So tun?«

»Frag doch nicht so«, sagte ich, »du weißt schon, wie ich's meine. Wenn er sich nicht angesprochen fühlt, braucht er nicht zu leiden.«

»Aber er fühlt sich angesprochen, das ist es eben. Er muß sich angesprochen fühlen.«

»Warum?«

»Weil er sonst noch mehr allein wäre«, sagte sie. »Und jetzt – hole ihn. Sie haben ihn schon zweimal verwarnt. Hole ihn, bevor er sich hinreißen läßt ...«

Es klopfte mehrmals, ich bemerkte es nicht gleich. Ich blickte auf sie, die sich so verständnisvoll in seinem Unglück eingerichtet hatte, daß sie ruhig weiteraß und mich nun durch einen Blick aufforderte, zur Tür zu gehen und zu öffnen. Ohne Eile ging ich hinüber, erwartete, einen Schüler oder Lehrer zu treffen, der einen Schlüssel brauchte, der etwas aus der Schulapotheke verlangte, doch draußen auf dem Gang, unter den stoffverkleideten Leitungsrohren, stand ein Paar, das zu glücklich lächelte, als daß es im Auftrag der Schule hätte gekommen sein können. Die Reporterin war Mitte Vierzig, untersetzt. Sie hatte dichtes, stumpfes, blondes Haar, eine griesige Haut, dunkle Augen. Sie stand mit leicht gespreizten Beinen da, hielt vor dem Bauch eine lackglänzende Handtasche und einen riesigen Blumenstrauß, wippte leicht und legte ein Vertrauen in ihr Lächeln, das mir durch nichts gerechtfertigt schien. Neben ihr, mit eingezogenem Kopf, etwas zerstreut, doch gleichfalls lächelnd, stand der Photograph, ein riesiger junger Mann, in dessen gebeugten Oberkörper sich kreuz und quer Trageriemen einschnitten, an denen Kameras hingen, lederne Taschen und Etuis. Durch Zug und Gegenzug seiner Ausrüstung wurden die Ärmel seines Jacketts hoch über die Handgelenke geschoben, so daß seine schwarzen, mit arabischen Schriftzeichen bedeckten Manschettenknöpfe zu sehen waren.

Noch bevor ich etwas sagen konnte, reichte mir die Reporterin herzlich, ungeduldig die Hand, zwinkerte mir aufmunternd zu, als ob sie mich auf eine Überraschung aufmerksam machen wollte. Sie sagte: »Edith Pohl-Malesius. Ich bin Reporterin. Sind Ihre Eltern zu Hause?«

Ich nickte, worauf der Photograph einen brennenden Zigarettenstummel in die linke Hand nahm, mir mechanisch die rechte anbot, nicht seinen Namen nannte, sondern in einem Ton, in dem eine heitere Warnung lag, feststellte: »Ich mache die Bilder und so weiter.«

Es lag ihnen nichts daran, mein Erstaunen, meine Verwirrung aufzuheben. Sie waren es gewohnt, das gleiche Erstaunen vorzufinden, wo immer sie auftauchten, die gleiche Verwirrung und Ratlosigkeit. Es schien mir sogar, daß ihnen meine Ratlosigkeit Freude machte, etwa wie einem Weihnachtsmann die Ratlosigkeit dessen Freude macht, dem er gegen jede Erwartung einen Sack mit Geschenken anschleppt. Jedenfalls kündigte ihr Lächeln bereits eine Entschädigung für die Ungewißheit an, die ihr Besuch hervorrief. Ich bat sie einzutreten, horchte rasch den Gang hinab, doch von meinem Alten war nichts zu hören. Beide traten zu Mutter, die immer noch ruhig aß und in genußreichen Zügen ihren Kaffee trank. Sie begrüßten sie, wie sie mich an der Tür begrüßt hatten, brauchten die gleichen Worte, worauf Mutter unachtsam nickte, von ihrem Wurstbrot abbiß, den Blick senkte und kaute.

Da sagte die Reporterin: »Wir sind hier, Frau Steputat, um Ihnen eine gute Nachricht zu bringen.«

»Und um zu gratulieren und so weiter«, fügte der Photograph hinzu.

»Da Sie Leser unserer Zeitung sind«, sagte die Reporterin, »wissen

Sie, daß wir zwölfmal im Jahr eine Glücksfamilie des Monats wählen. Für diesen Monat hat die Redaktion Sie gewählt: Herrn und Frau Steputat.«

»Meine herzlichsten Glückwünsche«, sagte der Photograph.

»Auch ich gratuliere«, sagte die Reporterin, »Sie wissen sicher, was diese Wahl bedeutet: einen Monat lang, in jeder Woche einmal, dürfen Sie sich ein Ereignis aussuchen, an dem Sie gern teilnehmen möchten: von einer Premiere in der Staatsoper bis zum lateinamerikanischen Liebesmahl mit dem Bundespräsidenten. Die Redaktion macht alles möglich und übernimmt die Kosten.«

»Und alles wird im Bild festgehalten«, sagte der Photograph.

»Damit Ihnen kein Lohnausfall entsteht«, sagte die Reporterin, »wird die Redaktion Ihnen einen entsprechenden Betrag überweisen. Sie wird Ihnen einen Wagen zur Verfügung stellen für die Hin- und Rückfahrt. Falls es nötig ist, übernehmen wir auch die Kosten für die offizielle Kleidung ... Und nun noch einmal: herzlichen Glückwunsch. Und diese Blumen für Sie.«

»Wobei ich mich anschließe«, sagte der Photograph.

Ich stand schräg hinter ihnen, während sie sprachen, sah, daß die Reporterin sehr nachlässig gekleidet war, helle Flecken von Puder auf dem Kragen ihrer Jacke hatte und ein kreuzweise geklebtes Pflaster am Hals. Der Photograph suchte nach einer neuen Zigarette, fand keine, nahm wortlos die Handtasche der Reporterin, öffnete sie, kramte sich eine Zigarette heraus und zündete sie an. Beide blickten nun erwartungsvoll auf Mutter, die mit gesenkten Blicken dasaß, die Blumen betrachtete und sich doch äußern mußte zu ihrem Glück. Sie sprang nicht auf, aß nicht schneller, geriet in keinerlei Erregung, stieß nicht einmal, obwohl die Nachricht es wert gewesen wäre, einen zufriedenen Seufzer aus, sondern beendete, in schweigendem Einverständnis mit sich selbst, ihr zweites Frühstück, blickte mich an und sagte: »Hol Vater. Wahrscheinlich ist er im Chemiezimmer.«

Verblüfft wartete ich. Ich konnte mir nicht erklären, woher sie wußte, daß er im Chemiezimmer sein sollte, doch sie wiederholte: »Im Chemiezimmer. Hol ihn.« Ich ging hinaus. Ich war nur auf Urlaub zu Haus; doch mein Alter hatte mich so oft durch die Schule geführt, daß ich die Lage der Klassen kannte und wußte, wo der Zeichensaal war, wo das Physikzimmer, das Chemiezimmer. Elektrische Klingeln schrillten fordernd, tobsüchtig, als hätten sie ein Fiasko und nicht die neue Stunde anzukündigen. Ich ging den Gang zu Ende, stieg aus dem Keller hinauf, lauschte und konnte seinen Schritt nicht hören auf den geriffelten Fliesen. Keine Unruhe, keine Besorgnis, denn ich sagte mir, daß er die Jungen nicht gestellt hatte, nie hätte stellen können. In der Zeit, die er brauchte, um von seiner Pedellwohnung zum Eingang zu kommen, konnten sie jedes Klassenzimmer erreichen, hastig den Ranzen abschnallen, untertauchen. Wenn er sie aber doch gestellt hatte und sich hinreißen ließ zu etwas, was er nicht einmal durch seine Sprachstörung begründen konnte? Wenn er ihnen in seiner erregten Wortlosigkeit, in all seinem hilflosen Zorn mehr getan hatte als den beiden Brüdern, die er damals verprügelt und dann in den Heizungsraum eingesperrt hatte? Nur seine schwere Invalidität hatte ihm damals seine Stellung erhalten, und die persönliche Fürsprache des Direktors.

Ich lauschte am Lehrerzimmer, doch da wurde keine Verhandlung geführt, kein Verhör, wie es denkbar gewesen wäre. Merkwürdig, wie zuverlässig ich seine sprachlose Gegenwart spüren konnte, ich hätte sie auch hier gespürt. Seit seiner Verschüttung, seit dem Tag, an dem er die Fähigkeit verlor, über seine Worte zu bestimmen, hatte es meinen Alten verändert und uns mit ihm: bevor wir einen Raum betraten, meine ich, konnten wir sagen, ob er sich bereits darin aufhielt. Dieser kleine breitschultrige Mann mit den weit auseinanderstehenden Augen, der gewohnt war, Nützliches zu denken, der jahrelang aus Freude und Überzeugung an der Erfindung neuer Seifen und Haarwaschpulver gearbeitet hatte – in einer Ecke unserer Küche, in der es so eindringlich roch, daß Mutter sie nur flüchtig benutzte: mein Alter bot nicht mehr das Bild zerstreuter Freundlichkeit und planloser Güte. Er war unberechenbar geworden. Er war mißtrauisch geworden. Er konnte einen so lange schweigend ansehen, bis man sich einer Tätigkeit entsann, die man fortsetzen mußte. Wir wußten alle, daß er sich in der Schule keiner Beliebtheit mehr erfreute.

Ich stieg zum Chemiezimmer hinauf, las den Stundenplan, der an die Tür gepinnt war: Chemieunterricht fand erst am frühen Nachmittag statt. Ich beugte mich zum Schlüsselloch hinab, blickte hindurch und sah meinen Alten am Katheder vor leeren Tischen sitzen; er saß krampfhaft und unbeweglich da, doch seine Lippen arbeiteten … Seine Lippen wiederholten immer die gleiche angestrengte Schnappbewegung, so als läge ihm daran, Herrschaft nur über ein einziges Wort zu gewinnen, das ihm in diesem Augenblick alles bedeutete. Ich konnte nicht hören, welch ein Wort es war, ich sah nur, daß er es wieder und wieder artikulierte, gegen die leeren Tische hin, gegen das Fenster und zur Tür hin, hinter der ich stand. Ich klopfte und trat ein. Er erhob sich ohne Erstaunen, ließ mich näher kommen und machte eine Geste, die besagen sollte: wie du siehst, sie sind mir entwischt, wobei seine Lippen sich schmerzhaft zur Seite öffneten, Lippen, die von einem Angelhaken durchbohrt und geklammert schienen. Ich nahm seinen Arm. Ich sagte vielversprechend: »Komm. Komm nach unten. Unten wartet etwas auf dich. Eine schöne Überraschung«, und gegen einen unbestimmten Widerstand, den er mir entgegensetzte, zog ich ihn hinaus auf den Korridor, lächelte ihm zu, und als ich sah, daß eine neue Spannung ihn ergriff, ließ ich ihn los und erzählte ihm, was geschehen war. Ich erwähnte alles. Ich gratulierte ihm. Ich behandelte ihn wohl schon unwillkürlich wie ein Mitglied der Glücksfamilie des Monats, also zwinkernd, mit scherzhafter Hochachtung, schmeichelnd. Er ging darauf ein, er ließ es sich spaßhaft gefallen, während er seine Schritte beschleunigte, auf kürzestem Weg hinabstieg zu unserer Wohnung und an der Tür nicht einen Augenblick stehenblieb, sondern sogleich öffnete mit einem Ausdruck vergnügten und unschuldigen Triumphes: hier bin ich, hier ist der Mann, den sie suchen. Er wollte etwas sagen, doch die Reporterin kam ihm zuvor. Sie sagte: »Herzlichen Glückwunsch, Herr Steputat«, und der Photograph: »Gleich noch einmal. Die ersten Aufnahmen hätten wir ... Auch in meinem Namen: herzlichen Glückwunsch und so weiter.«

Mein Alter ging um den Tisch, setzte sich neben Mutter, die nicht mehr aß, und legte ihr bedachtsam eine Hand auf die Schulter, bereit, sich von der Reporterin aufklären oder einweisen zu lassen. Sein Gesicht verriet eine ständige Bereitschaft, etwas auszurufen; was seinen Lippen nicht gelingen wollte, versuchten die Augen möglich zu machen. Nickend, amüsiert und unaufhörlich nickend hörte er sich an, was die Reporterin ihm zu sagen hatte, rutschte auf seinem Stuhl hin und her, schnaufte, machte belustigt abwehrende Handbewegungen und verstand alles sehr rasch und willigte in die Wahl ein. Ausgelassen morste er Mutter einige Signale mit flacher Hand auf die Schulter: mach doch ein anderes Gesicht, mach es halblang, nun sei doch mal eine Glücksmutter des Monats. Aber sie saß nur da in ihrer gedankenvollen Behäbigkeit, nicht unglücklich, das möchte ich nicht sagen, aber auch keineswegs versucht, mitzuspielen.

Nachdem die Reporterin alles gesagt und sich eine Zigarette angezündet hatte, blickte sie erwartungsvoll auf meinen Alten, der sich erhob, auf sie zuging, breit den Mund öffnete und sich auf einmal ruckhaft abwandte, dann den Kopf in den Nacken warf und würgte, einfach Worte halbwegs hervorwürgte, wobei er schlenkernde Bewegungen machte wie ein Jagdhund, der einen Hasen quer im Maul trägt. Die Reporterin warf dem Photographen einen schnellen, fassungslosen Blick zu, der Photograph antwortete darauf, indem er die Achseln zuckte, während mein Alter immer noch würgte und schlenkernde Bewegungen machte, als habe er seine Zähne in sperrende Worte geschlagen, die er totbeißen wollte, bevor er sie ablegte. Mutter sagte nichts, und ich nahm mir nicht das Recht, etwas zu sagen. Wir warteten. Dann wandte mein Alter sich um, warf eine Hand hoch und meinte aufgeräumt: »-tz, tz-tz-, tzausgezeichnet was Sie zu sagen haben nur worin besteht denn das Glück ausgezeichnet nu lassen Sie mal sehen Ihr Angebot lassen Sie das Glück wir wollen doch mal sehen.«

»Mit Vergnügen«, sagte die Reporterin, »wir haben alles mitgebracht.«

Die Reporterin schien erleichtert, daß mein Alter zu Worten gefunden hatte, und sah ihn sogar mit gespielter Bewunderung an, wie er vor ihr stand mit den Händen in der Hüfte. Aus ihrer Handtasche, deren Schloß immer aufsprang, zog sie ein Notizbuch, blätterte darin, stieß mit dem Zeigefinger zu, sagte: »Hier – das ist der Ereigniskalender für diesen Monat.«

»Da ist allerhand los, will ich meinen«, sagte der Photograph.

»Vom Staatsbesuch bis zum Stapellauf.«

»Und Sie haben die freie Auswahl.«

»In jeder Woche ein glückliches Ereignis.«

»Das im Bild festgehalten wird.«

»Suchen Sie sich aus, wo Sie dabeisein möchten. Wir machen alles möglich.«

»... ak, ak, acht«, machte mein Alter.

»Trachtenfest. Wenn Sie wünschen, können Sie an der Sitzung der Kommission teilnehmen, die das Internationale Trachtenfest vorbereitet«, sagte die Reporterin.

»Da dreht man sich im Kreise und so weiter«, sagte der Photograph.

»... er darf keine Rheinländer sehen«, sagte Mutter plötzlich, »die erregen ihn unnötig.«

Ich blickte schnell und erstaunt zu ihr hin und merkte, daß sie drohend vor sich hin lächelte in ihrer wachsamen Behäbigkeit, was meinen Alten dazu brachte, ihr mit einem schnalzenden Geräusch zu antworten, ihr das Notizbuch zu zeigen und sie an den Schwierigkeiten der Wahl teilnehmen zu lassen.

»Bdu, bdu auch doch auch«, sagte Vater.

»Klar«, sagte Mutter mit einer Art von grimmiger Freude, »ich komm mit. Ich möcht auch mal raus hier.«

»Sie sind mitgewählt«, sagte die Reporterin.

»So hab ich's auch verstanden«, sagte Mutter.

»Das war die Aufnahme!« rief der Photograph plötzlich.

»Ball der Werbung ist mir zu anstrengend«, sagte Mutter, »aber hier, das soll wohl Donnerstag heißen: Ostafrika-Tag. Da möchten wir teilnehmen erst einmal. Zur Probe vielleicht.«

Mein Alter sagte: »Owa- Owa ich wollte schon immer ng ng einen richtigen Owambo begrüßen ausgezeichnet und mich erkundigen nach dem Einfluß der Sonne auf das Gd, Gd ...«

»Ist das mit Erhard?« fragte Mutter.

»... Geld wollte ich sagen Einfluß der Sonne auf das Geld tja«, sagte mein Alter.

»Soviel ich weiß«, sagte die Reporterin, »wird der Ostafrika-Tag von der Ostafrika-Gesellschaft veranstaltet. Jährlich. Dabei werden die traditionellen freundschaftlichen Beziehungen gefestigt. Es ist wirklich ein festliches Ereignis, das Sie sich ausgesucht haben.«

Sie einigten sich auf den Ostafrika-Tag, besprachen Kleidung, Fahrtmöglichkeit, Spesen, während der Photograph mit lauerndem Interesse die Pedellwohnung erforschte und hektisch photographierte, was ihm ins Auge sprang: das mit Gitterstäben gesicherte Kellerfenster, die Sitzecke, das strenge Spalier der Gries-Sago-Mehl-Graupenbehälter, alles lauernd und hastig und voll glücklicher Beutegier, als sei er auf einer Photo-Safari. Mein Alter bot ihnen Heidelbeerschnaps an, beide lehnten ab. Sie lehnten auch den Tee ab, den Mutter aufgießen wollte; denn die Reporterin hatte es eilig, sie brauchte beide zu einem Interview. Sie zog einen Block aus ihrer Manteltasche, lieh sich von mir einen Bleistift und setzte sich an den Tisch und begann, Fragen zu stellen, die ausnahmslos Mutter beantwortete. Es waren geläufige Fragen, möchte ich meinen, nicht allgemein, nicht chronologisch, sondern eher gefärbt und einstimmend, Fragen, die meinen Alten zu etwas machten, was er zwar auch war, aber doch nur teilweise. Durch ihre Fragen machte die Reporterin meinen Alten zu einem leidenschaftlichen Hausmeister, zu einem Pedell aus Berufung, der fröhlichen Pausenlärm, Klingelzeichen und das Getrappel kleiner Schritte brauchte, um leben zu können. Sie sagte etwa: »An Nachmittagen mit einem großen Schlüsselbund durch die leere Schule zu gehen ... Fundsachen einzusammeln ... letzte Worte auf den Tafeln zu entziffern ... den fröhlichen Lärm zu bemerken, der sich in kühlen Korridoren für immer gefangen hat: das garantiert doch fast Jugendlichkeit. Oder Glück, Herr Steputat, Glück?«, worauf mein Alter gedankenvoll lächelte und Mutter feststellte: »Mein Mann wollte immer schon Pedell werden. In keinem anderen Beruf würde er das leisten, was er hier in der Schule leistet.«

»Das habe ich wissen wollen«, sagte die Reporterin.

Sie machte sich nur wenige Notizen, und ich hatte das Gefühl, daß sie auch diese nicht brauchte, um ihr Interview mit der Glücksfamilie zu schreiben. Unter ihren Fragen verwandelten sich die Leute, erhielten einen zustimmenden Blick, dachten beistimmende Gedanken, gewannen eine sanfte Einsicht in sich selbst und waren einverstanden mit den Ergebnissen dieser Einsicht. Plötzlich sagte der Photograph: »Von mir aus, Süße, können wir fahren. Ich hab alles im Kasten.«

»Ich denke, ich bin auch fertig«, sagte die Reporterin, und zu Mutter: »Übrigens, der Artikel wird schon morgen erscheinen. Sie erhalten natürlich ein Belegexemplar.«

Sie verabredeten sich sodann für Donnerstag, die Reporterin verabschiedete sich mit langsamer Stimme und dauerhaftem Händedruck, der Photograph hängte sich Kamera, Taschen und Etuis um, dann gingen sie, und ich brachte sie hinaus. Ich brachte sie bis zur Treppe, blieb stehen, die Reporterin kehrte zurück, und während sie mir die Hand gab, fragte sie: »Ist es sehr schlimm?«

»Was? Was meinen Sie?« fragte ich.

»Wird er es schaffen?« fragte sie. »Seine Stimme. Seine Not, wenn er sprechen muß.«

»Wußten Sie es nicht?« fragte ich.

»Es tut mir leid. Wir können nur hoffen.«

»Worauf?«

»... daß es leichter geht mit den Worten ... Wir – wir wußten es nicht vor der Wahl«, sagte die Reporterin.

»Los, Süße, nimm deine Ständer in die Hand«, rief der Photograph. Sie entzog mir sacht ihre Hand, sah mich teilnahmsvoll an und folgte dem Photographen, während ich in die Wohnung zurückging, zur Glücksfamilie. Sie saßen sich schweigend gegenüber, mein Alter lächelnd, Mutter nicht fröhlich und ratlos oder verwundert, wie es ihr in diesem Augenblick vielleicht auch zugekommen wäre, sondern besorgt, unruhig, abwartend, als hätte sie auf einem Stuhl Platz genommen, der für einen anderen reserviert war, und rechnete nun damit, zu einem Platzwechsel aufgefordert zu werden. Und dann sagte Mutter: »Was soll der Mist? Die mit ihrer Glücksfamilie. Jetzt sitzen wir drin«, worauf mein Alter erstaunt den Kopf hob, sie vorwurfsvoll anblickte, aufstand, hin- und herging in verständnisloser Erbitterung und nach intensiver Vorbereitung feststellte: »Gdu ein einva warst einverstanden zu spät verst verst doch selb sagen ...«

»Ich hätte sie nicht reingelassen«, sagte Mutter versöhnlich, »aber du bist einverstanden. So bin ich auch einverstanden.«

»Mittu mit nur vier Wochen Wochen«, meinte mein Alter, »och ok vier Wochen Glück werden wir schon mittu aushalten bdu aushalten länger dauert es ja nicht ja ...«

»Du hast recht«, sagte Mutter. »Vier Wochen werden wir's schon aushalten. Und vielleicht können wir's brauchen. Ich mache ja mit. Darum sei ruhig jetzt. Sei ruhig.«

Da blickte mein Alter zufrieden, blickte selbstgefällig und ging an den Schrank, um sein Jackett zu wechseln. Vergessen, vollkommen vergessen war seine Empörung, die hilflose Wut über die beiden Jungen; die Wahl zur Glücksfamilie des Monats erfüllte ihn mit so viel Genugtuung, daß nichts anderes mehr galt. Ich selbst hatte den Eindruck, daß er diese Wahl für ein rechtmäßiges Verdienst hielt, für eine Auszeichnung, die er sich durch persönliche Leistungen erworben hatte: er war weder verblüfft noch verstört, als ihm, nachdem das Interview erschienen war, zuerst der Direktor, dann das Kollegium der Schule gratulierte; er nahm für uns abgegebene Blumen ohne überraschten Dank an, und wenn Bekannte ihn beglückwünschten, nickte er beiläufig und kommentierte den Glückwunsch mit der Geste: es wurde Zeit, daß dies geschah.

Mutter indes gewöhnte sich so eine erzwungene, unwirsche Heiterkeit an. Sie nahm Glückwünsche aufmerksam zur Kenntnis, mit schräggelegtem Kopf, sie hörte mit spöttischer Andacht zu, wenn man sie Glücksmutter des Monats nannte, und massierte sich dabei den mächtigen Nacken und stellte ein Bein zurück. Seufzen, das hatte sie immer gekonnt, und in dieser Zeit brachte sie es fertig, lautlos und gleichsam ununterbrochen zu seufzen, indem sie ihren gedrungenen Körper verzog, eine Schulter auslud. Nur wenn mein Alter im Zimmer war, wenn er sprachlos und selbstgefällig den Tisch umrundete, ließ sie nichts von Sorge merken, sondern starrte ihn aufmunternd an und blinzelte ihm zu, vergnügt und vielsagend. Es konnte da geschehen, daß sie schnaufte und etwa sagte: »Nur ruhig, du Glückskäfer. Nicht die Hand ausstrecken. Alles nah rankommen lassen. Und langsam, alles langsam begreifen, hörst du?«

Mein Alter zählte die Blumensträuße, die abgegeben wurden. Er heftete sorgfältig Briefe ab, die eingingen, darunter eine Einladung zu einem kostenlosen Urlaub auf Pellworm. Er schnitt das gedruckte Interview aus und rahmte eine Photographie, die ihn mit erhobenem Schlüsselbund zeigte – so einladend, daß es aussah, als wolle er dem Betrachter die sieben Türen zur Freude aufsperren. Der Photograph hatte diese Aufnahme bei einem zweiten Besuch gemacht, bei dem er meinen Alten außerdem in der Turnhalle, im Biologiezimmer, im Heizungskeller und im Lehrmittelraum photographiert hatte. Diese Photographien erschienen auf einer Sonderseite unter der Schlagzeile: Dies ist meine Welt. Ich meine, nach der Wahl zur Glücksfamilie des Monats geschah schon einiges.

Aber die Höhepunkte stellten ohne Zweifel die vier Ereignisse dar, die sich jede Glücksfamilie aus dem Ereigniskalender aussuchen durfte. Sie hatten sich als erstes Ereignis den Ostafrika-Tag vorgenommen, und ich weiß noch, wie die Reporterin an jenem Donnerstag in einem schmuddeligen schwarzen Kostüm erschien, um sie abzuholen. Kameradschaftlich begutachtete sie Mutters Kleid, sammelte Haare vom Jackett meines Alten ab, korrigierte und lobte und prüfte, und man mußte den Eindruck haben, daß sie in sehr freundschaftlicher, fast intimer Beziehung zueinander standen, die drei: sie sprachen und verhielten sich, als erwarte sie draußen eine aufmerksame, fordernde Welt, der sie sich gewachsen zeigen müßten. Als sie hinausgingen, nahm die Reporterin Mutters Arm, so gingen sie zu dem wartenden Auto, wurden photographiert, durften einsteigen und fuhren davon.

Sie fuhren zum Hotel ›Dar-es-Salam‹ an der Alster, wo man auf den

Ostafrika-Tag eingerichtet war, wußte, was dieser Tag beanspruchte an rechter Art. Unlöslich, so stand in der Zeitung, war die Geschichte des Ostafrika-Tages mit dem Hotel ›Dar-es-Salam‹ verbunden, die Geschichte des einen war die Geschichte des andern, und der Geschäftsführer konnte das mit Anekdoten belegen. Der Geschäftsführer konnte einen zweifelnden Besucher in das Ostafrika-Zimmer führen, in dem die Geschichte des festlichen Tages unter Glas an den Wänden hing: Photographien von einem Kaiser, von Kanzlern und Präsidenten, die auf unterschiedliche Weise aus dem Auto stiegen, um die Schirmherrschaft über den Ostafrika-Tag auszuüben. Außerdem hingen Flaggen da, Wimpel und Waffen und Stiche von übersonnten Forts, unter deren seewärts gerichteten Kanonen gedrungene Schiffe beladen wurden. Auch Mutter und mein Alter wurden beim Aussteigen photographiert, wurden vom Geschäftsführer und vom Präsidenten des Ostafrika-Tages begrüßt, knapp willkommen geheißen und in das Ostafrika-Zimmer geleitet, wo schweigsame, intelligente Kellner erfrischende Getränke servierten. Während Mutter sich an der Wand hielt, ausdruckslos die steilen Brüste junger ostafrikanischer Mädchen betrachtete, die von Photographien herablächelten, tat mein Alter sich um, erwiderte überraschte Blicke, versah sich mit einem Dauerlächeln und bot sich jedermann für einen Gruß an, für ein Nicken. Er mit seinem Gesicht, das jeder schon mal bei einer Gelegenheit gesehen zu haben glaubte, stellte sich in der Tat so auf, daß viele ihm für alle Fälle die Hand schüttelten, und die Reporterin, die bei ihm war, gab ihm wohl zu verstehen, daß dies eine ganz gewöhnliche Aufmerksamkeit war gegenüber einem Glücksvater des Monats.

Man wartete auf das Staatsoberhaupt, doch das Staatsoberhaupt erschien nicht, sondern ein Mann, der ihm sehr ähnlich war, den gleichen Gang, den gleichen Blick, die gleiche Kopfhaltung hatte und vorbereitet schien, die gleiche Rede wie das Staatsoberhaupt zu halten. Er wurde mit Beifall empfangen, das schien er gewohnt zu sein, denn er wartete ohne Verlegenheit, bis ihn Schweigen umgab, der Präsident des Ostafrika-Tages ihn willkommen hieß und ihm ohne Gedächtnishilfe die Anwesenden persönlich vorstellte. Alle wurden mit dem gleichen spitzmündigen Lächeln begrüßt und mit laschem, versonnenem Handschlag, nur bei den afrikanischen Gästen änderte sich der Gruß: die offizielle Rechte griff nach der Hand des Gastes, die Linke umspannte gleichzeitig das dunkle Handgelenk, und auf und ab, auf und ab schüttelte man sich die Hände, wortlos, doch ausdrucksvoll. Grüße austauschen, das beherrschte der Mann, der dem Staatsoberhaupt ähnlich war, er arbeitete sich mit gleichbleibendem Interesse durch das zwanglose Spalier, ließ Mutter nicht aus und sah meinen Alten so nachdenklich an, als ob sie beide ein Jugenderlebnis teilten.

Mein Alter erwiderte diesen Gruß fest zerstreut, denn er kam und kam nicht von den farbigen Gästen los, von breitnasigen, narbenge-zeichneten Männern und ihren so spöttisch lächelnden, kräuselhaa-rigen Frauen, die er so unverhohlen und amüsiert anstarrte, als rech-nete er jeden Augenblick mit einer unerhörten Begebenheit. Vielleicht erwartete er, daß sich einer der dunklen Gäste in jähem Entschluß seiner Kleidung entledigte, daß einer zu brüllen oder an seinem Schuh zu knabbern begann – ich weiß es nicht. Ich weiß nur, daß er den farbigen Gästen eine herausfordernde Aufmerksamkeit schenkte, die auch nicht nachließ, als nach der Begrüßung das ostafrikanische Lie-besmahl begann. Die Reporterin saß neben meinem Alten, achtete darauf, daß er zweimal Suppe und zweimal Fleisch erhielt, und ich vermute, daß sie ihm nur deshalb so ausführlich von ihrem Beruf erzählte, um seine Aufmerksamkeit von den farbigen Gästen abzuzie-hen.

Dann sprach der Präsident des Ostafrika-Tages, der unter anderem sagte: »... eigenes Schicksal kann auch vor fremden Küsten liegen ...«

Nach ihm ergriff der Mann das Wort, der dem Staatsoberhaupt ähn-lich sah. Eindringlich bemerkte er:

»Heute gibt es weniger Analphabeten in Ostafrika als noch vor hun-dert Jahren.«

Der Geschäftsführer des Hotels ›Dar-es-Salam‹ sprach nicht, doch er führte einen Redner zum Pult, der zunächst über die Tradition des Ostafrika-Tages sprach und plötzlich, am Ende seiner Rede, sagte: »Und wie vielleicht einige von Ihnen wissen, haben wir heute noch weitere Ehrengäste unter uns; ich meine Herrn und Frau Steputat, die Glücksfamilie des Monats. Möge das Glück, das auf sie gefallen ist, auch unserer Verbindung erhalten bleiben, zum Wohl unserer Länder, zum Wohl aller.«

So angesprochen, zog es meinen Alten von seinem Stuhl hoch, und zwar mehr aus Überraschung als aus Höflichkeit, er starrte den Redner an, fühlte, wie er die Blicke der Gäste auf sich sammelte, und dann bemerkte er eine rasche, offerierende Geste, der Redner überließ ihm die Aufmerksamkeit und das Wort, brachte meinen Alten jedenfalls unbeabsichtigt in die Lage, länger als üblich dazustehen. Er blieb einfach stehn im Zentrum des Schweigens, lange, viel zu lange, ließ so die Erwartung wachsen und setzte sich immer noch nicht, obwohl sein Dastehen jetzt schon ein Versprechen bedeutete, daß er einlösen mußte durch ein Wort. Vielleicht kam ihm das Schweigen auch wie eine drängende Aufforderung vor; er setzte sich nicht. Er schloß die Augen, warf den Kopf hin und her, machte zunächst langsame, schnappende Bewegungen und ließ dann seine Lippen zittern, seine Lippen verfärbten sich und wurden schmal und scharf vor Begehren nach dem ersten Wort. Die Reporterin suchte etwas in ihrer Tasche und fand es nicht. Gefaßt blickte Mutter vor sich hin, während mein Alter seine panische Bemühung fortsetzte, schräg blickte, heftig zuckte, seine Lippen schnell über etwas zu stülpen versuchte und würgend, mit hervortretenden Halsmuskeln einen Ton ausstieß, einen verstümmelten Klageton, der das Hindernis beseitigte, den ungenauen Strom befreite. Glücklich, glücklich über die Gäste blickend, ließ er seine Lippen zur Ruhe kommen, das Zucken hörte auf, und er sagte:

»Dawi dafür dawi daß wir in dieser Versammlung danken für die rng ehrenvolle Einladung zum Osta osta Tag zum Ostafrikatag ja denn für mich gehört zum Glück Kaffee ja undi undi Kaffee und ich möchte sagen Sonne ...« Das sagte mein Alter, und der Mann, der dem Staatsoberhaupt glich, schmunzelte, worauf auch seine Begleitung schmunzelte und der Präsident des Ostafrika-Tages. Und mein Alter erkannte das Schmunzeln, nahm es für sich in Anspruch und fuhr mit erhobener Stimme fort: »... dn dn die Sonne gehört doch zum Glück gehört doch wowo wow im Namen meiner Frau danken für die ehrenvolle nach Afrika Einladung nach Afrika ja iß iß heiß mir ist schon heiß beinahe ja Ton Tradition ...«

Ein Kellner lachte plötzlich, und eine Frau, die meinem Alten gegenübersaß, lachte ebenfalls, und überall nickten sie sich vergnügt zu und bissen sich auf die Lippen. Einmal am Wort, wollte mein Alter die Kette nicht reißen lassen, da war wieder der alte Zwang, der ihn sprechen und sprechen ließ, gerade als fürchtete er, jedes Schweigen könnte den unwiderruflichen Verlust der Sprache bedeuten. Schnell, hingerissen und genußvoll, ja, auch genußvoll, redete er weiter, und plötzlich sprang eine farbige Frau auf, sprang auf vor Furcht oder sogar Entsetzen, eine alte Negerin, preßte beide Hände auf die Ohren und schrie. Sie wird in ihrer Landessprache geschrien haben, jedenfalls stockte mein Alter, sah sie verblüfft an, wollte noch etwas sagen, doch es gelang ihm nicht. Es gelang ihm nicht. Der Präsident des Tages nickte ihm zu: danke, setzen Sie sich, und mein Alter setzte sich verständnislos neben die Reporterin und sah zu Mutter hinüber, die ihm alles erklären sollte. Mutter wich seinem Blick aus. Still aß sie ihren Fruchtsalat, trank wortlos ihren Kaffee, und auch später, als das Auto der Redaktion sie zurückbrachte, konnte sie ihm nichts erklären.

Die Reporterin war es, die zum Aufbruch mahnte, sie brachte beide nach Hause und verfolgte mit beunruhigten Blicken meinen Alten, der hin und her ging, der sich selbstzufrieden die Hände rieb, der sich wohl zu fühlen schien in seinem feierlichen Anzug. Er war nicht enttäuscht, daß er den Ostafrika-Tag gewählt hatte, das möchte ich meinen, und er konnte nicht verstehn, warum Mutter zu der Reporterin sagte: »Nun ist's genug. Nun haben wir wohl unsere Pflicht getan als Glücksfamilie.«

»Kein Ereignis mehr?« fragte die Reporterin.

»Ich denke, wir sollten zufrieden sein«, sagte Mutter.

»Wollen Sie nicht noch mal in den Ereigniskalender sehen? Für alle Fälle?«

Da winkte Mutter ab, und es hatte den Anschein, als sei die Reporterin selbst nicht sehr unglücklich darüber; sie klappte ihren Kalender zu, wollte ihn wegstecken, doch mein Alter nahm ihr den Kalender aus der Hand, blätterte darin und sagte zu Mutter: »Fff – F – Fidu Fidu ...«

»Du kannst deine Freude haben, von mir aus«, sagte Mutter, »aber laß mich zu Hause. Laß mich zu Hause. Wenn du hinwillst zu einem Ereignis, dann geh allein.«

Darauf sagte mein Alter: »Letz nok letztes Mal noch ja nur noch tz ...« Sein Finger wanderte schon die Zeilen entlang, seine Lippen versuchten, die vorgeschlagenen Ereignisse zu artikulieren, und dann hielt er inne, schob Mutter den Kalender hin, klopfte mit der Fingerkuppe auf ein Datum: hier, dies, dies meine ich, laß uns hingehn zum letzten Mal. Es war Mutter anzusehen, daß sie auf einmal eingewilligt hatte in ihrer bedachtsamen Art, die Glücksmutter wollte den Glücksvater des Monats nicht allein lassen, doch es war ihr gleichgültig, welch ein Ereignis mein Alter ausgesucht hatte; mechanisch, zwangsläufig würde sie ihn begleiten, ohne Erwartung.

Das zweite Ereignis, das sie sich als Glücksfamilie des Monats aus-

gesucht hatten, war ein Stapellauf, kein großer, festlicher, aufsehener-
regender Stapellauf, sondern die Taufe eines Fischdampfers, eines
hochbordigen Heckfängers, der ohne Sirenen zu Wasser gelassen werden sollte. Wieder holte die Reporterin sie ab, und im Hafen erwartete
sie der Photograph, der sie kaum zur Kenntnis nahm, der nur mürrisch nach einem bewegten Hintergrund suchte, vor dem er sie photographieren konnte. Er ließ sie nebeneinander-, hintereinanderge-
hen, er verlangte meinem Alten einen sehnsüchtigen Blick ab, er
zwang sie, einander zu begrüßen wie nach langer Reise, und winkend,
Mutter photographierte er winkend vor einem Dückdalben.

Die Redaktion hatte dafür gesorgt, daß sie einen Platz auf einem der
Schlepper erhielten, der den Fischdampfer, sobald er abgeglitten wäre,
an den Haken nehmen, abfangen und an die Ausrüstungspier bringen
sollte. Der Schlepper lag bereits unter Dampf. Der Schlepperführer
selbst begrüßte sie und half ihnen an Bord, wo es ein heißes Getränk
gab, während sie schon quer über den Strom zur Werft fuhren, dorthin, wo das Schiff auf dem Schlitten lag. Der Schlepper drehte bei, trieb
leicht an den Helligen vorbei, so daß sie von Bord aus die Taufkanzel
sehen konnten und sogar den Ministerialdirigenten, dessen Frau den
Dampfer taufen sollte. Bereitwillig ließ sich mein Alter photographieren, schrieb seinen Namen ins Bordbuch des Schleppers, stand breitbeinig auf der Brücke und auf dem achteren Deck, wo sie die Leine
übernehmen würden. Mutter saß in der Kajüte und warf nur selten
einen Blick hinaus auf den Strom und zu den Helligen hinüber, auf
denen sich jetzt etwas ankündigte: da erschienen Leute mit Hämmern
neben dem Schiffsrumpf, Arbeiter liefen über Deck zum Spill, vom
Vorschiff wurde eine Leine hinabgelassen, und auf die Entfernung
konnte man sich denken, daß da eine sehr große, sehr erstaunliche
Beute geteilt werden sollte. Es sprach der Ministerialdirigent, er sprach
in Vertretung des Wirtschaftsministers in ein Mikrophon, und er rief,
mit starker persönlicher Anteilnahme, aus: »... darum hängt die Zukunft unserer Ernährung von der Zukunft der Fischereiwirtschaft ab!«

Um der Rede folgen zu können, trat mein Alter auf die Brückennock, verfolgt von den Blicken des Schlepperführers und seiner Besatzung, die ihn nicht nachsichtig oder achtlos behandelten, sondern
aufgeräumt, augenzwinkernd, als verbinde sie etwas, das sie nicht auszusprechen wagten. Doch die Rede war kurz, der Ministerialdirigent
mußte an diesem Tag noch ein zweites Schiff ablassen, und so bat er

seine Frau ans Mikrophon und reichte ihr die Sektflasche. Die Tauf-
patin rief etwas mit hoher Stimme, ließ die Flasche an schwingendem
Seil gegen das Schiff schlagen, ein Hurra erscholl und dann kurze
Hammerschläge, wonach das Schiff zu gleiten begann, immer schneller, immer ungeduldiger zu gleiten begann, mit dem Heck eintauchte
und das trübe Wasser gewaltsam aufstaute, aufschob an der Bordwand,
so daß es sich schäumend überschlug und in Wellen auseinanderlief.

»Abi ab achtung schwimmt schwimmt«, rief mein Alter erregt und
zeigte auf das Schiff, das gut abkam und eintauchte und stetig gleitend
auf sie zukam. Der Photograph arbeitete jetzt ununterbrochen. Er gab
stumme Weisungen. Er kletterte aufs Brückenhaus, sprang zum Bug,
photographierte meinen Alten vor dem Ereignis des Stapellaufs, und
zum Schluß bat er ihn aufs Heck, wo sie die Leine des Fischdampfers
übernahmen und auf den Haken legten. Der Dampfer glitt immer
noch, doch jetzt scherte der Schlepper aus und zog an, und die gleitende Bewegung wurde schwächer, ging in ein Zittern über, in ein
Beben aus Unentschiedenheit, bis die Kraft des Schleppers gewann.
Die Stahltrosse straffte sich und wurde starr. Der Schlepper drehte,
nahm Kurs auf die Ausrüstungspier. Mutter stand mit der Reporterin
auf der Brücke, es entging ihr nichts, nicht die plötzliche Leere der
Helligen, die Krängung des Schleppers nicht, und nicht das abgewand-
te Lachen der Besatzung, wenn mein Alter zu sprechen versuchte.
Begeisterung erfüllte den Photographen. Er sagte zur Reporterin:
»Graphik, Süße, das ist die Graphik der Arbeitswelt.« Und er photographierte meinen Alten unter und neben der straffen, schrägen Trosse, vor dem folgenden, steilen Bug, hinter den Wanten des Schlepper-
mastes. Sie hatten die Ausrüstungspier fast erreicht, als die Trosse
sprang. Sie brach vor dem Haken, befreite sich blitzschnell aus der
Fessel, geladen mit Kraft und Zug, eine armdicke Trosse, die sich in der
Luft krümmte und dann flach über Deck peitschte mit einem unscheinbaren Knall. Die springende Trosse traf meinen Alten in der
Seite, so schnell, so scharf, daß er lautlos fiel und liegenblieb unter der
Reling, wo sie ihn zuerst übersahen, da der Dampfer hinter ihnen all
ihre Aufmerksamkeit verlangte. Und sie nahmen auch zuerst den
Dampfer ins Schlepp, bevor sie meinen Alten an ein Unfallboot ab-
gaben, das ihn ins Hafenkrankenhaus hinüberfuhr.

Mutter ließ mich rufen, und ich fuhr zum Krankenhaus, wo ich sie
traf in ihrer stummen, behäbigen Wachsamkeit. Die Reporterin und

der Photograph hatten sie gerade verlassen, wollten jedoch später noch einmal wiederkommen. Wir saßen in einem Wartezimmer neben der Loge des Pförtners. Ich fragte: »Wie kam es nur? Wo hat es ihn getroffen?«

»Es ist vorbei«, sagte Mutter.

»Womit?«

»Seine linke Seite gelähmt.«

»Gelähmt?« fragte ich.

»Und die Sprache. Der Arzt sagt, er wird nicht mehr sprechen können.«

»Nie mehr?«

»Er hat die Sprache verloren«, sagte Mutter.

»Das kann doch nicht sein.«

»Seine Sprache«, sagte Mutter, »jetzt wird ihn keiner mehr hochnehmen. Keiner wird mehr lachen über ihn. Vielleicht ist das sein Glück.«

»Er wird sie wiederfinden, seine Sprache. Bestimmt«, sagte ich.

»Wenn er nichts mehr sagen kann, werden sie ihn in Frieden lassen«, sagte Mutter; sie hob den Kopf und sah mich an, und in ihrem Blick lag keine Verzweiflung. Sie nickte mir zu. Sie setzte sich langsam zurück, steckte die Hände zusammen, senkte das Gesicht, als richtete sie sich auf dauerhaftes Warten ein.

1964

Der sechste Geburtstag

Alfred hatte den Vorschuß bekommen. Er hatte ihn mir nicht gleich gegeben, als er von der Arbeit kam; er hatte das Geld bei sich behalten bis zum nächsten Morgen, und da erst, als ich ihn zur Tür brachte und er mich zum Abschied küßte wie früher, gab er mir den offenen Umschlag. Ich spreizte den Umschlag mit zwei Fingern auseinander, sah rasch, daß es lauter kleine Scheine waren, wollte ihm einen Schein davon geben, doch er schüttelte lächelnd den Kopf, klopfte mit den Fingerkuppen auf seine Brusttasche, als ob er auf ein Geheimnis anspielte, auf eine geheime Barschaft. Ich wußte, daß er log, und ich wollte ihm einen Schein in die Jackentasche stecken. Er fing meine Hand ab, schob sie zurück und sagte ruhig: »Kauf ihm ein Geschenk,

Maria, das schönste, das du findest. Frag ihn noch einmal, was er sich wünscht, und dann kauf es ihm. Ich laß mir die letzten Stunden freigeben.«

Ich versprach es ihm, und ich versprach, nichts zu trinken an diesem achtzehnten April, den wir uns auserwählt hatten, um Richards sechsten Geburtstag zu feiern. Zuerst hatten wir den Geburtstag Anfang Mai feiern wollen, wenn Alfred sein Gehalt bekommen hätte, doch der Arzt meinte, je früher, desto besser, und so hatten wir Richard an einem Mittwoch damit überrascht, daß wir am Freitag seinen Geburtstag feiern wollten, und natürlich geriet der Junge außer sich, redete nur noch in Wünschen, die er wachsen und wachsen ließ, ohne einen einzigen zu verwerfen. Ich staunte manchmal darüber, woher er wußte, was alles man sich wünschen konnte, mir wären so viele Wünsche nicht eingefallen, ich komme immer in Verlegenheit, wenn ich Wünsche äußern soll.

Nachdem Alfred gegangen war, räumte ich die Wohnung auf, duschte, zog das blaue Kostüm an und ging ins Kinderzimmer, wo Jutta am Fußende von Richards Bett stand und schweigend die Bewegung von Tieren nachmachte, die sie ihn raten ließ; natürlich versuchte Jutta, ihn seine Unterlegenheit spüren zu lassen, indem sie darauf achtete, daß ihre Bewegungen nicht eindeutig, unmittelbar bezeichnend waren, weswegen es ihm auch nicht gelang, das gemeinte Tier zu nennen. Ich unterbrach ihr Spiel. Ich zog Jutta an mich, spürte ihren drängenden unwillkürlichen Widerstand, doch ich ließ sie nicht los, zog sie zum Kopfende des Bettes. Alles an ihr verriet eine unerhörte Aufmerksamkeit, eine fast feindliche Wachsamkeit, und wenn ich manchmal ihr elfjähriges Gesicht sah, erkannte ich das Alter in ihm. Ich hielt sie sehr fest und hörte Richard fragen: »Wann geht der Geburtstag los?«, und ich hörte mich antworten: »Am Nachmittag, wenn wir alle zusammen sind.« »Gut«, sagte er, »dann paß bloß auf, daß 'n rotes Tischtelephon dabei ist: das wünsch ich mir nämlich auch noch. Wenn das nicht dabei ist, will ich auch nichts anderes.« Ich nickte und ließ alles offen, glaubte sicher zu sein, daß er die früher geäußerten Wünsche längst vergessen hatte, und ich bat Jutta, bei ihm zu bleiben, und ging, um für die Geburtstagsfeier einzukaufen.

Die Straßenbahn war überfüllt, aber ich mußte sie nehmen, denn der Bus war fort, und ein kleiner Alter mit Igelgesicht und Knopfaugen drängte mich durch den Gang nach vorn. Er sabberte und saugte an einer Zigarre, die er nie aus dem Mund nahm, paffte stoßweise kleine Wolken in meinen Nacken, drückte seine Aktentasche gegen mein Gesäß. Die Luft war warm und verbraucht. Beim Anfahren ruckte die Bahn so stark, daß die Stehenden gegeneinandergeschubst wurden, und dabei stemmte der Alte seinen Ellenbogen gegen meine Hüfte. Ich hatte Mühe, mein Gesicht vor einer Berührung mit einem feuchten, stark riechenden Federgewirr zu bewahren, das eine Frau vor mir auf ihrem Hut trug. Meine Knöchel schwollen, meine Lippen brannten. Auf einem Plakat empfahl ein genußerfahrener Kahlkopf die Vorzüge einer Matratze. Ich sah auf meine Hand hinab, sah, daß sie zitterte, und wußte, warum ich dieser Fahrt sowenig gewachsen war; mit einem einzigen Schluck hätte ich sie leichter ertragen.

875

Ich stieg nicht vorzeitig aus, fuhr durch bis zum Hauptbahnhof und verließ dort die Straßenbahn und prüfte mein Gesicht im Spiegel eines Pfefferminzautomaten, flüchtig, nicht unzufrieden, da flogen Sandspritzer gegen meine Beine, gelber, ganz und gar künstlich anmutender Sand, den ein junger Arbeiter geworfen hatte. Der Junge lag auf den Knien in seiner schwarzen Manchesterhose, er verlegte dort Platten, zementfarbene Rhomboide, die er behutsam festklopfte. Er lächelte mir zu, schnell und gemein, und fuhr augenblicklich in seiner Arbeit fort.

Ich ging zu den großen Kaufhäusern hinüber, sah mich auf mich selbst zukommen in der Schaufensterscheibe und mußte die Augen schließen in dem Strom von warmer Luft, der aus dem Eingang der WUKA herausdrang. Ein festlich gekleideter, scharf gekämmter Mann trat auf mich zu, ich verstand kaum ein Wort, blickte nur auf seine belegte Zunge: er wies mir den Weg zur Spielwarenabteilung. Er hielt mir die Tür zum Lift auf, der mich in den dritten Stock brachte, in dem die Stimmen, die Schritte und Bewegungen mich weniger verwirrten, erträglicher waren. Das Licht bildete glänzende Lachen auf dem Fußboden des sehr großen Raumes. Eine Verkäuferin schritt langsam auf mich zu, musterte mich herablassend.

»Bitte?« fragte sie in einem Ton, als sei mein Besuch ihr lästig, und ich sagte: »Ich weiß noch nicht. Darf ich mich mal umsehn?« – Mit einem hochmütigen Nicken teilte sie mir ihr Einverständnis mit und schritt würdevoll zu ihrer Kollegin zurück. Sie schenkte mir keinen Blick, als ich an den Ständern mit Bällen vorbeiging, weiter zur Puppenabteilung und zu den Regalen mit Stofftieren. Achtzig Mark lagen in dem weißen Umschlag, ich war entschlossen, sie auszugeben, und ich wußte, daß dies in Alfreds Sinne war.

Die erste Schwäche trat in dem Augenblick auf, als ich die Sheriff-Uniform sah, den Pistolengurt, die ärmellose Jacke und den goldenen Stern; es war die Uniform, die er sich gewünscht hatte, doch ich sah ihn darin keine Viehdiebe zuhauf treiben oder schulpflichtige Bankräuber durch das Treppenhaus verfolgen, vielmehr sah ich Richard in der Uniform im Bett liegen, ein sehr leichter, regloser und sehr apathischer Sheriff, so geschwächt durch die Leukämie, daß er nicht einmal die Pistole halten konnte. Ich kaufte die Uniform nicht. Ich hielt mich an der Tonbank fest und kaufte sie nicht.

Die Verkäuferin beobachtete mich jetzt. Ich bat sie herüber, ließ mir ein Xylophon zeigen mit goldenen und silbernen Scheiben, fragte, nur um etwas zu fragen, ob man das Instrument einem sechsjährigen Jungen schenken könnte, der seinem Alter voraus sei, worauf die Verkäuferin mir wortlos die Klöpfel gab und mich aufforderte, den Klang auszuprobieren. Ich ließ die Klöpfel auf die Scheiben fallen, lauschte der schwebenden Heiterkeit der Töne, und konnte mich nicht zum Kauf entschließen. Die Verkäuferin zeigte mir lustlos einen Modellbaukasten, der Richard angeleitet hätte, ein Schiff, den ersten atomgetriebenen Frachter der Welt, auszuschneiden, maßstabgerecht zu leimen, und wieder wagte ich nicht den Kauf: ich sah das zusammengeleimte Pappmodell in seinem Zimmer stehen, sinnlos und ohne Eigentümer, nur eine zusätzliche Erinnerung, und so winkte ich ab.

Ich wußte, unter welchen Umständen mir ein Kauf leichter gefallen wäre. Die Schwäche kehrte wieder, eine kleine unbestimmte Übelkeit. Meine Haut sträubte sich gegen etwas oder verlangte etwas. Ich spürte ein wohlvertrautes Schwindelgefühl. Ungeduldig wandte die Verkäuferin sich ab, und ich blickte zur Galerie der Stofftiere, und auf einmal hatte ich tatsächlich den Eindruck, als duckten sie sich, kauerten sich zusammen aus Furcht, von mir gekauft zu werden.

Plötzlich fragte die Verkäuferin: »Wie wär's mit einer Eisenbahn? Davon wurde noch kein Junge enttäuscht.« »Er hat sie sich sogar gewünscht«, sagte ich, und das zurechtweisende Lächeln der Verkäuferin besagte: Warum-denn-nicht-gleich-so? Sie führte mich zu einer Tischplatte, auf der eine Eisenbahn montiert war, drückte gleichgültig auf einen Knopf, und darauf setzten sich Züge in Bewegung, Signale schnellten hoch, kleine Birnen flammten auf, doch da hatte ich schon das Interesse verloren: die Bahn kostete über zweihundert Mark. Und ich dachte daran, daß in einem halben oder einem dreiviertel Jahr, wenn geschehen wäre, was der Arzt vorausgesagt hatte, die ganze Apparatur in eine Kiste und auf den Boden wandern würde, in eine endgültige Dämmerung, in ein ungestörtes Vergessen. Ein billigeres Modell, das nur zweiundsiebzig Mark kosten sollte, wollte ich nicht kaufen, ich weiß nicht mehr, warum.

Ich dachte an Richard, an die Arglosigkeit, mit der er darauf eingegangen war, seinen Geburtstag, der auf den zweiten September fiel, am achtzehnten April zu feiern; kein Zögern, kein Bedenken, kein Mißtrauen waren auf seiner Seite gewesen, im Gegenteil; als wir sagten, Freitag hast du Geburtstag, da rechnete er so mit planlosem Eifer an seinen Fingern, blickte auf und nickte, als müsse er das Datum bestätigen. Nur Jutta war eingeweiht; wir hatten ihr nicht gesagt, warum wir den Geburtstag um Monate vorverlegt hatten, wir hatten ihr nur zu erkennen gegeben, daß es sehr notwendig sei, und sie war bereit, zu schweigen und mitzuspielen.

Auf einmal erschien es mir zweifelhaft, ob ich mich überhaupt für einen Kauf würde entscheiden können, und ich erwog, Alfred in seinem Übersetzerbüro anzurufen und ihn zu bitten, herüberzukommen. Die Uniformen, Musikinstrumente, Modellbaukästen und Eisenbahnen – sie kamen mir als Geschenk ungeeignet vor, sinnlos, nicht dem Zustand des Jungen angemessen. Etwas hinderte mich daran, zu kaufen, was Richard sich selbst gewünscht hatte, ein Gefühl, ein jäher Argwohn, wir könnten uns bloßstellen mit einem ungeeigneten Geschenk. Da Alfred sich den Nachmittag freinehmen wollte, gab ich den Plan wieder auf, ihn jetzt herüberzubitten, und ich ging an den Ständern und Regalen entlang, prüfte, verwarf, erwog und verwarf abermals, bis ich in einem Holzkasten das rote Tischtelephon entdeckte. Ich kaufte es, ohne nach dem Preis zu fragen, zum Telephon gehörte eine fünf Meter lange, rot-weiß geflochtene Schnur, es lief über Batterien, und man konnte wirklich mit ihm von Zimmer zu Zimmer telephonieren. Es kostete zweiundvierzig Mark.

Ich spürte eine unerwartete Erleichterung, nun, nachdem ich das erste Geschenk, das wichtigste Geschenk, besorgt hatte. Die schmerzhafte Spannung ließ nach, die Empfindlichkeit meiner Haut, und es gelang mir mühelos, ein Zeichenbuch, einen Farbkasten und ein Spiel

– ›Der kleine Bergsteiger‹ – auszuwählen. Während die Geschenke eingepackt wurden, bezahlte ich und behielt zwölf Mark zurück und beschloß, einen Kaffee zu trinken, bevor ich nach Hause fuhr.

Im achten Stock hat die WUKA ein Restaurant, ich fuhr mit dem Lift hinauf, wunderte mich, wie gut das Restaurant schon am Vormittag besucht war, wie viele Leute schon am Vormittag warme Mahlzeiten aßen. Ich fand nur noch einen leeren Tisch in der Mitte, setzte mich und wartete auf den Kellner, indem ich die Getränkekarte las, las bis zu dem Augenblick, in dem ich mich dringend beobachtet fühlte. Was war denn geschehen, was wollten sie alle von mir? Wodurch erregte ich ihr Interesse? Alle an den Nebentischen, kleine untersetzte Frauen, alte Männer, selbst Kinder musterten mich, nicht lächelnd oder beiläufig, sondern befremdet fast, mit interessiertem Befremden. Ich konnte ihr Interesse weder erklären noch zurückweisen, ich mußte schlucken, mein Gesicht brannte. Da kam der Kellner, und ich hörte mich sagen: »Kaffee-Kognak«, hörte ihn diese Worte gleichgültig wiederholen, und ich hob die Tasche mit den Geschenken auf meinen Schoß, machte mich sinnlos, für die andern unerkennbar, an den Päckchen zu schaffen.

Die Blicke wurden noch strenger, das Interesse noch fordernder, als der Kellner mir auf einem Kunststoff-Tablett Kaffee, Kognak servierte: was wollten sie nur von mir? Meine Hand bewegte sich zur Tasse, sie zitterte, doch ich konnte die Bewegung nicht widerrufen. In kurzen Schlucken trank ich von dem heißen Kaffee, setzte die Tasse ab, sah auf das Kognakglas, auf dessen Rand die leicht schwappende Flüssigkeit eine Spur hinterlassen hatte wie von langsamen, öligen Tropfen. Ich berührte das Glas nicht.

Ich zahlte und ging; fuhr mit dem Lift hinab, prüfte in einem beschrifteten Spiegel mein Gesicht und fand keinen Grund für die Aufmerksamkeit, die ich hervorgerufen hatte. Im Bus, der mich nach Hause brachte, nahm niemand Notiz von mir, und auch Jutta, die mich bei meiner Rückkehr mit ihrer stumm befragenden Skepsis empfing, fiel nichts an mir auf. Sie nahm mir die Tasche ab, verschwand damit in der Küche, wo gleich darauf Papier knisterte, woher ein unterdrückter Ausruf zu hören war und besagte, daß sie dabei war, die Geschenke für Richard auszupacken. Sie war mit den Geschenken einverstanden. Sie gefielen ihr so sehr, daß sie mich bat, ihr zum Geburtstag die gleichen Dinge zu schenken, einschließlich des Würfelspiels ›Der kleine Bergsteiger‹.

Ich versprach es ihr, und dann bereiteten wir gemeinsam das Essen vor.

Alfred kam pünktlich. Er hatte etwas von sich aus gekauft, eine Taschenlampe mit Gummikanten, die Jutta sogleich zu den andern Geschenken legte. Er küßte mich an der Tür, so wie früher. Er schien mir anzusehen, daß ich mein Versprechen gehalten hatte, jedenfalls unterließ er es, sich zu vergewissern. Vieles an seiner Art und an seiner Haltung erinnerte mich an früher, half mir in vieler Hinsicht, um diesem Tag, diesem sechsten Geburtstag gewachsen zu sein.

Nach dem Essen zog Richard sich an und wurde aus dem Kinderzimmer verbannt. Alfred war bei ihm, während ich mit Jutta die Vorbereitungen zur Feier traf: wir machten aus der Lampe einen Lampion, zogen Konfettischlangen durch das Zimmer, deckten den Tisch und legten einen Halbbogen aus Blumenköpfen dort, wo Richard sitzen würde. Jutta stand viel herum und beobachtete mich bei den Vorbereitungen, und auf einmal sagte sie: »Vielleicht freut er sich gar nicht.« »Warum«, sagte ich, »warum soll er sich nicht freuen?« »Wenn er merkt, daß heute gar kein Geburtstag ist.« »Er hat selbst nachgerechnet«, sagte ich, »und deshalb wird er nichts dagegen haben.« »Aber der Tag stimmt nicht«, sagte sie, »eigentlich muß er noch warten bis zum September.« »Er kann nicht warten«, sagte ich. »Und wir?« fragte sie. »Wir tun, was er sich gewünscht hat«, sagte ich, »wir feiern seinen Geburtstag.«

Ich merkte, daß Jutta mit unserer Entscheidung nicht einverstanden war, daß sie einen Vorbehalt machte und sich am liebsten geweigert hätte mitzufeiern, nicht weil es ihr schwerfiel, Richard diesen Tag zuzugestehen, als vielmehr deshalb, weil wir diesen Tag nicht an seinem ordentlichen Datum feiern wollten. Ich mußte sie bitten, mußte sie sogar verwarnen, in unserem Sinne mitzuspielen. Danach spürte ich solch ein Schwindelgefühl, daß ich ins Badezimmer ging, Wasser über meine Handgelenke laufen ließ. Ich versicherte mich, daß mein heimlicher Vorrat noch in seinem Versteck war, rührte jedoch nichts an.

Bevor die Feier begann, steckte Jutta die Kerzen an, und wir holten Richard und Alfred herüber, und Alfred mußte vor unseren Augen, unter dem Gelächter des Jungen, zunächst eine Blume essen, weil er eine Wette verloren hatte. Er aß sie unter fröhlichen Krümmungen und Verrenkungen. Richard klatschte dazu. Dann gab es die Geschenke, das heißt, wir führten Richard zu einem Stuhl, und er fetzte das

Papier nur so herunter, sagte kein Wort, sah sich nicht um, arbeitete hastig und verbissen, hielt sich mit keinem Geschenk, das er ausgewickelt hatte, auf, sondern nahm gleich das nächste Päckchen zur Hand. Mit zufriedenem Nicken legte er die Geschenke auf den Fußboden, schnell, aber nicht achtlos, und zuletzt packte er das rote Tischtelephon aus: jetzt sah er sich zum ersten Mal um. Er setzte sich auf den Boden, hob den Hörer ans Ohr, lauschte, winkte uns, ganz still zu sein, verzog sein Gesicht, lächelte und sagte: »Ich höre ihn. Ich höre ihn genau.« »Was sagt er denn?« fragte Alfred. »Es geht ihm gut«, sagte Richard.

Alfred bückte sich, nahm den Hörer, lauschte und sagte: »Er meint, wir sollten jetzt den Geburtstagskuchen probieren; er will sich erst wieder melden, wenn wir gegessen haben«, worauf Richard nur einmal kurz lauschte und die Auskunft bestätigte. »Ich möchte ihn auch einmal hören«, sagte Jutta. »Jetzt nicht«, sagte Richard, »er ist fort. Jetzt sagt er nichts.« Mit einer unduldsamen Bewegung verbot er ihr, den Hörer aufzunehmen, und wir setzten uns an den Tisch, aßen Apfelkuchen und tranken Kaffee, und Alfred zwinkerte mir zu wie einst. »Ich werde die Schnur verlegen«, sagte er, »ich ziehe sie von hier bis zur Küche, und dann werden wir sprechen.« »Nicht nötig«, sagte Richard, »ich höre ihn auch so. Ich hör ganz genau, was er sagt.« »Du kannst gar nichts hören«, sagte Jutta, »denn zuerst muß das Telephon angeschlossen werden. Und es muß jemand mit dir sprechen.« »Mit mir hat jemand gesprochen«, sagte Richard, »er hat gesagt, es geht ihm gut.« Eine heimliche Erregung ergriff ihn, er weigerte sich zu essen, wartete widerwillig, bis wir fertig waren und er zu seinem Telephon zurückkehren konnte.

Alfred und er verlegten sodann die rotweiße Schnur, sie reichte über den Korridor in die Küche, und wir hatten keine Möglichkeit, das Geschirr hinauszutragen: wir durften uns nicht bewegen, durften nicht sprechen, als die Verbindung erprobt wurde. Beide Türen wurden geschlossen, die Telephonierenden lagen auf dem Fußboden in der Küche und im Kinderzimmer, und die Lautstärke, in der sie sich verständigten, hätte ausgereicht, vier Türen zu überwinden. Lächelnd gab Alfred mir den Hörer, blieb neben mir hocken, und während ich mich bei Richard brüllend erkundigte, wie das Wetter bei ihm sei, stützte Alfred mich und hielt mich fest. Da war wieder der Druck auf dem Magen, ich ließ ihn weitersprechen, erhob mich, ging hinaus auf den

Korridor und öffnete behutsam die Tür zum Kinderzimmer, öffnete sie nur, ging aber nicht hinein, sondern lehnte mich aufgerichtet gegen die Wand. »Ich auch einmal«, sagte Jutta, »bitte, laß mich auch einmal.« Richard antwortete nicht, und ich hörte Jutta drängen: »Bitte, Richard, jetzt bin ich dran. Du darfst auch mit meinen Sachen …« »Weg«, sagte Richard, »laß mich.« »Gut«, sagte Jutta, »dann sag ich dir, was du nicht weißt: du hast heute gar nicht Geburtstag! Es stimmt nicht, es stimmt nicht: dein Geburtstag ist im September.« Ich ging nicht zu ihnen hinein, wartete auch nicht auf Richards Antwort, die Übelkeit wurde so groß, daß ich ins Badezimmer ging, nicht einmal abschloß, sondern einfach nur einen Schluck nahm und die Flasche sofort wieder wegstellte und auf den Korridor trat, wo ich Richard brüllen hörte, begeistert, dem Spiel hingegeben. Ich wischte mir die Lippen ab, zündete eine Zigarette an, als Alfred lächelnd aus der Küche kam, auf Zehenspitzen zu mir, dann etwas flüstern wollte und es nicht tat, sondern einfach an mir vorbeiging, als hätte er mich gar nicht dort stehen sehen.

1964

Nachzahlung

Wie immer, wenn es nach Hause ging, machte Josef Tubacki sein Spiel: tänzelnd bewegte er sich um unsere Karre, nahm den breiten, aus Leinwand geschnittenen Ziehgurt quer über die Schulter, scharrte freudig, sprang an, prustete auch, bäumte sich schön im Geschirr auf und keilte spielerisch mit seinen ungleichen Sandalen aus, und das trieb er so lange, bis ich die Schubstange anhob und rief: »Hüh, Josef, hüh!« Da zog er ungestüm an, er mit seinen zweiundsechzig Jahren warf sich in den Gurt, machte einige, wenn auch mehr angedeutete Galoppsprünge, und in ungeduldigem Einverständnis warf er mir ein verstümmeltes Wiehern herüber, das ich mit einem Schnalzen erwiderte. Die Karre ruckte an. Die beiden großen Räder mit dem abgeplatteten, blankgehämmerten Eisenbeschlag rollten noch nicht, sie schlugen vielmehr knirschend zu einer Seite aus, gerade so, als wollten sie sich feststemmen, quer legen zur Fahrtrichtung, doch gegen diese eigensinnige Beharrung setzte Josef Tubacki sein Körpergewicht ein: tief ließ er sich in den Ziehgurt fallen, schnaubte, ließ seine Arme zu

Pleuelstangen werden, bearbeitete die Straße mit seinen ungleichen Sandalen, bis die Räder den Widerstand aufgaben, sich überschlugen, leicht und immer leichter rollten. Dann richtete er sich im Gurt auf und blickte prüfend auf die Ladefläche unserer Karre, umfaßte alles mit einem Blick: die geschnürten Stapel alten Papiers, die Körbe mit den leeren Flaschen, baumelnde Kessel und Kannen, alte und sehr alte Schuhe, die verzurrte Last vollgestopfter Säcke und die erregenden Gelegenheitsfunde: einen Lampenschirm vielleicht, eine brauchbare Mütze, ein Geweih oder ein schwarzweißes Katzenfell. Hatte alles seine Ordnung auf der Ladefläche, drohte da nichts zu rutschen oder zu fallen, ließ er zufrieden den Kopf hängen und trabte, bei leichtem Übergewicht, glücklich den Elbbrücken entgegen, heimwärts.

Wir rollten durch ungewohnte, nie zuvor besuchte Straßen, fernab von der vertrauten Nähe des Hafens, seinem erfrischenden Luftzug. Immer kühner, immer verzweifelter stießen wir nach Hamburg hinein auf der Suche nach neuen Sammelplätzen, denn hatte man uns erst zu Ostern mit einem Preissturz für alte Flaschen überrascht, so sprach man schon zu Pfingsten dem Altpapier schroff ein Drittel seines Wertes ab: Die Metallpreise fielen zwar noch nicht, doch ein geheimes Beben war schon festzustellen, ein feines Schwanken und Zittern, das auch die Preise für Altgummi bedrohte. Da blieb uns doch nichts anderes übrig, als neue Straßen zu erobern, tief in die Stadt vorzudringen, die Tonnen des Schauspielhauses ebenso zu inspizieren wie die fündigen Kübel der namhaften Hotels. Wenn die heimischen Märkte ermatten, meine ich, blickt der Kaufmann unwillkürlich zum Horizont.

Von weit her rollten wir heimwärts, kamen von Hamm oder vom Grindel, zufrieden für den Augenblick, wenn auch nicht sorglos gegenüber der Zukunft: Josef Tubacki im Ziehgurt, ich zwischen den Schubstangen unserer Karre. Ich gebe zu, es war nicht einfach, den farbblinden Josef mit den Zeichen und Regeln des Verkehrs vertraut zu machen; in der ersten Zeit verschlangen gebührenpflichtige Verwarnungen mitunter einen ganzen Tagesverdienst, doch Strafen und geduldige Aufklärung hatten erreicht, daß Josef das Spiel der Ampeln schließlich beachtete, sich einprägte, daß Rot oben, Grün unten ist und daß Rot einfach bedeutet: Wart ein Weilchen. Nur an den Tagen seiner religiösen Besessenheit konnte es noch geschehen, daß er sich über Ampeln, Schilder und Gebote hinwegsetzte, deshalb versicherte ich mich vor jeder morgendlichen Ausfahrt seiner Gemütslage, und wenn er etwa, in seiner Sunowoer Tonart, erklärte: »De Härr is jekommen und fiehlte Hunger, da hab ich jeteilt mit ihm dem letzten Bickling« – da nahm ich selbst vorsorglich den Ziehgurt über die Schulter und machte den Vordermann. Doch das ereignete sich nicht öfter als zweimal in der Woche, an den andern Tagen konnte ich auf Josef zählen, sichergehen, daß er die Sprache der Ampeln verstand und ihre Weisungen anerkannte.

Das rhythmische Klatschen seiner Sandalen lief uns also voraus, wir rollten über eine warme Asphaltstraße zügig unter gewöhnlichen Kastanien, überholten ein Fahrrad mit Anhänger, fügten uns dem Druck des Kreisverkehrs und wurden auf einmal in eine Einbahnstraße abgedrängt, die wir nicht kannten, von dort gerieten wir in eine Sackgasse, wurden abermals in eine Einbahnstraße hineingezwungen und durch wagemutige Erdarbeiten auf einen Damm umgeleitet, der zwar ein Pflaster, doch keinen Namen hatte. Josef, einmal im Zug, auf seine Weise unbändig und ausdauernd, wenn es nach Hause ging, fuhr halbe Achten heraus, ließ die Karre über den Damm schlingern, entschloß sich sogar zu einigen Trabschritten, als wir eine Eisenbahnlinie überquerten. Wie immer beeilten wir uns, noch vor dem Berufsverkehr über die Brücken zu kommen und die Funde des Tages beim Großhändler abzuliefern. Den Damm entlang, plötzlich durch baumlose Straßen, die von neuen Mauern eingeschlossen waren, und da wußte ich, daß wir uns verfahren hatten. »Prrr«, machte ich, »prrr, Josef.« Er hielt unwillig an, kopfnickend, scharrend. »Wir haben uns verfahren«, sagte ich, »hier geht es nicht zu den Brücken.«

Er wollte sogleich wieder anziehen, doch ich winkte ab, ich bat ihn, neben der Karre zu warten, während ich ging, um mir die Straßennamen anzusehen. Die Namen bestätigten nur, daß wir uns verfahren hatten: sie endeten auf -redder, auf -koppel und -hoop, Endungen, mit denen ich noch nie etwas hatte anfangen können; sie bezeichneten einen neuen Stadtteil, in dem man auf einen Ruf keine Antwort bekommen hätte, so sauber, so erschreckend klar und leblos war alles. Man hatte Lust, den Kragen hochzuschlagen. Die Mauern schlossen Fabrikhöfe ein, von denen nicht das beruhigende Geräusch von Arbeit herüberdrang. Die Tore, mit Eisenspitzen bewehrte Drahtgitter, waren geschlossen. Aus keinem der streng warnenden Schornsteine drang gemütlicher Qualm: da mußte man sich doch fremd und unterlegen vorkommen und den Wunsch verspüren, aus dieser Gegend ohne Zögern zu verschwinden.

Hastig kehrte ich zur Karre zurück, sagte noch im Gehen: »Hüh, Josef, hüh«, doch vorn war niemand, der sich in den Gurt legte, freudig ansprang und zog: Josef stand nicht im Geschirr. Josef hatte es geheimnisvoll erreicht, daß ein Tor sich für ihn öffnete, er stand bereits auf dem Boden der Fabrik, vor einem sechseckigen, gläsernen Pförtnerhaus, eine Hand starr, sagen wir: fordernd, in die Luft gestoßen und auf einen kauenden Portier einsprechend, der Josefs fordernde Hand übersah und sich darauf beschränkte, hin und wieder träge den Kopf zu schütteln. Den unvermeidbaren Augenblick des Erstaunens stand ich da und sah zu, dann rief ich Josef an, rief mehrmals und erreichte, daß er sich mir zuwandte und, heftig gestikulierend, herüberkam. Ich fragte ihn, was sein Gespräch mit dem Portier zu bedeuten habe, worauf er mich zur Mauer zerrte, auf ein Schild wies, mit seinen Handknöcheln fordernd auf das Schild klopfte und sagte: »De Fabriek, Mänschenskind, ich kennt schweren, das is de Fabriek.«

Das emaillierte Schild, möchte ich meinen, war die eingetragene Schutzmarke einer Hutfabrik; es zeigte einen sehr großen, sehr festlichen Hut, aus dem eine Anzahl immer kleiner werdender Hüte verschiedenen Musters herausfielen, nach denen sich gestreckte Männerhände verlangend reckten. Über das Schild verteilt waren die Buchstaben NGHW, was, wie ich später erfuhr, Norddeutsche Groß-Hutwerke bedeuten sollte; es war in Augenhöhe angebracht, die Farben waren schwarz-weiß.

Da Josef immer erregter wurde, immer neue Gesichter aufzog, ein glückliches und ein anklagendes, ein verwirrtes und ein bittendes Gesicht, fragte ich ihn, woher er die Fabrik kannte. Er sagte: »Na woher? Na aus dem Kriej. Hier ham se mich reinjezwungen damals, un' ich hab missen arbeiten all de Jahre. Am Schild erkenn ich se wieder, das hing auch damals da, obwohl wir nich ham Hiete jemacht, nich mal Mitzen, sondern Helme un' Knepfe.« Ich sagte: »Ach, Josef, das ist vorbei, laß uns nach Hause fahren«, worauf er sich über den kurzgeschorenen Graukopf strich, mich zärtlich ansah und sagte: »Wirst nich fier mejlich halten, Valentin, aber de Fabriek schuldet mir noch was. Un' wenn de jenau wissen willst, was se mir schuldet: sind zweiundneinzig Mark achtzig; die schuldet se mir aussem Kriej.«

Ich legte dem gleichaltrigen Josef eine Hand auf die Schulter. Ich sagte: »Das ist vorbei, Josef. Dein Geld, das hat der Wind. Und jetzt komm.«

Doch Josef wollte nicht kommen. Er blieb neben dem Schild stehen, klopfte daran mit seinen Knöcheln und wiederholte mir den Namen der Fabrik und die Summe, die sie ihm schuldete aus einer Zeit, in der die Fabrik selbst weit außerhalb der Stadt gelegen hatte, in einem sandigen Tal der Heide. Und er erzählte, daß er nach dem Krieg mehrmals hinausgefahren sei, um sein Geld abzuholen, doch nie habe er einen Menschen treffen können, der mit der Fabrik zu tun hatte. Wörtlich sagte er: »Dem Härrn hat jefallen, mir de Adrässe von de Fabriek erst heite zu jeben.«

Nun ist es so, daß es sowohl Josef als auch mir gelingt, uns gegenseitig rasch zu überzeugen, eine Tatsache, die unsere fünfzehnjährige Freundschaft und Zusammenarbeit stillschweigend gefördert und begünstigt hat. Wir haben die gleichen Gründe. Wir sind mit den gleichen Zweifeln gewappnet. Draußen in der Siedlung, in dem sogenannten Kistendorf, wo wir eine leichte Bleibe bewohnen, grüßen wir die gleichen Nachbarn. So ist es nur selbstverständlich, daß wir auch mit den gleichen Hoffnungen ausgerüstet sind.

Daher brauchte Josef mich nicht langwierig auf die Vorteile hinzuweisen, die einem Besitzer von zweiundneunzig Mark achtzig erwachsen. Es genügte ihm festzustellen: »Wir kennten dem Karrje Gummiräder kaufen; wir kennten de Ladefläche verbreitern; wir kennten auch mit diesem Jäld ein janz neies Karrje kaufen«, da war ich schon überzeugt und folgte ihm zum Pförtnerhaus, ließ auf dem kurzen Weg eine freundliche Vision entstehen: ein gummibereiftes, wendiges Wägelchen mit einer aufgeteilten Ladefläche, mit einer Flaschen-, Papier- und Metall-Abteilung und einer Abseite für Allgemeines. Ich sah uns leicht in entlegene Straßen vorstoßen, in nie durchstreifte Gegenden, in denen Spaliere überquellender Mülltonnen auf uns warteten; so vollgestopft waren die Behälter, daß die Deckel nicht mehr schlossen und die Behälter breit zu lächeln schienen.

Der Pförtner nickte uns heran. Ihm war anzusehen, daß er gern den genauen Grund unseres Besuches gewußt hätte, doch Pförtner, das habe ich erfahren, muß man sich unterwerfen durch mürrisch vorgebrachte Andeutungen, deshalb sagte ich nur: »Buchhaltung, der Herr« – ich deutete auf Josef – »hat Ansprüche!« »Hauptgebäude«, sagte der Pförtner dienstbar, »Zimmer zweihundertvier«, und gleichzeitig zog er an einer Schnur, ein schwarz-weiß gelackter Schlagbaum richtete sich ernst auf, bedrohte uns eine Sekunde, bis wir vorbei waren. Wir gingen über einen leeren, zementierten Platz, zwischen schmalen gläsernen Hallen, aus denen schwache Schlagermusik drang, passierten die Kantine und standen vor dem Hauptgebäude, das auf Säulen ruhte, mit blauen Mosaiken geschmückt war und unter dem leuchtende Wasserspiele vor leeren Bänken stattfanden. Langsamer wurde Josefs Schritt, er nahm meinen Arm, er schluckte, blieb stehn vor Betroffenheit, schwankte, wollte wahrscheinlich umkehren, doch ich zog ihn weiter zu dem Marmoraufgang und fragte einen sehr jungen, eleganten Pförtner nach Zimmer zweihundertvier. Der elegante Pförtner führte uns zum Fahrstuhl und beschrieb uns den Weg. Als wir allein waren, sagte Josef: »Kennen wir nich, Valentin, lieber verzichten auf meine Ansprüche?« »Jetzt nicht mehr«, sagte ich, und er darauf: »Aber de Unkosten, de se jehabt haben, de Unkosten fier das schene Häusje un' de neien Hallen un' den Springbrunnen: da wern se doch selbst Schulden ham, denn alles, mecht ich meinen, muß doch bezahlt wern mit Hiete. De Helme frieher, de ich jemacht hab, de mußte jeder tragen, aber de Hiete wolln erst mal verkauft sein.«

Ich brauchte Josef nicht zu antworten, wir stießen die Tür des Fahrstuhls auf, vor uns lag das Zimmer zweihundertundvier. Wir klopften und traten ein, nachdem wir, in wortlosem Einverständnis, die sehr langen Kippen aus einem Wandaschenbecher eingesteckt hatten. Eine müde, blonde Frau empfing uns, skandierte meinen Bericht mit ihrem Kugelschreiber auf der Tischplatte, starrte, mit sichtbarem Widerwillen, Josef an und erklärte sich schließlich für unzuständig und wisperte mit einem Brillenträger, auf dessen Tisch ein Tennisschläger lag. Der Mann mit der spezialgeschliffenen Brille nickte, erhob sich, kam zu uns und wählte ein gequältes Lächeln als Form seiner offenen Abneigung.

»Mein Freund hier«, sagte ich also wiederum – und ich spürte, daß Josef dabei litt –, »hat einst in dieser Fabrik gearbeitet, und zwar mehrere Jahre während des Krieges. Man hat ihn dazu gezwungen und so weiter: denn er stammt aus Sunowo. Ein Rest seines Lohns in Höhe von zweiundneunzig Mark achtzig konnte damals zum Schluß nicht mehr ausgezahlt werden; nun bittet er um Nachprüfung und so weiter. Er ist auch mit einem Scheck einverstanden. Der genaue Name ist Josef Tubacki.«

Nachdem ich das gesagt hatte, lächelte der Mann nicht mehr; stumm wies er auf zwei Stühle, wartete, bis wir uns gesetzt hatten, und verschwand hinter einer gepolsterten Tür. Ich meine, er hatte ein Recht, dort hineinzugehen, er klopfte nicht einmal an, verschwand und kehrte nach zwei, drei Minuten mit einem riesigen Mann wieder, der sich hektisch umsah, nichts zu sehen und zu begreifen schien und vor lauter Ungeduld, jemanden zu begrüßen, dem Brillenträger selbst heftig die Hand schüttelte. Der behielt die Hand in der seinen, zog den riesigen Mann zu uns, zu den Besucherstühlen und machte eine entschiedene präsentierende Geste: »Hier, diese Herren meine ich.«

Wir hatten uns schon erhoben. Ich wiederholte, allerdings in kürzerer Fassung, was ich bereits der blonden Frau und dem Mann mit der Brille gesagt hatte, das verstand der Riese, das erweckte seine Teilnahme, denn er senkte den Blick, legte Josef seine schwere Hand auf die Schulter, hätte die Hand dort womöglich vergessen, wenn nicht ein Spocht hereingekommen wäre, das ist: ein zierlicher, forscher, vor allem väterlich wirkender Mann, bei dessen Eintritt sich die Schreibtische von selbst zu ordnen schienen. Da endeten Gespräche und begonnene Bewegungen, alle Gesichter wandten sich dem Spocht zu, der an den Riesen herantrat, sich ein ›Guten Tag, Herr Zoelle‹ wünschen ließ, väterlich nickte und, nachdem er Josefs Sandalen erstaunt betrachtet hatte, den Grund unseres Besuches erfahren wollte. Nach einem Wink, den der Riese mir erteilte, ergriff ich dankbar das Wort, und in der ausführlichen Fassung schilderte ich Herrn Zoelle, dessen Teilnahme alles übertraf, Josefs Schicksal: sein Mißgeschick im fernen Sunowo, seine Verbringung in den Westen, die zwangsweise Einteilung zur Arbeit und, natürlich, den augenblicklichen Erwerb. Zum Schluß erwähnte ich die Lohnsumme, die die Fabrik Josef schuldete.

Herr Zoelle, der bei meiner Schilderung auf und ab gegangen war und nicht mehr gesagt hatte als: »Ich verstehe, ich verstehe vollkommen«, entließ plötzlich mit einem Nicken den Riesen, warf einen verhaltenen Gruß in die Runde und forderte Josef und mich auf, ihm zu folgen. Heimlich stieß ich Josef an, und dieser Anstoß bedeutete: jetzt geht's zur Kasse. Doch wir gingen an der Kasse, auf die mehrere Pfeile hinwiesen, vorbei, fuhren mit dem Fahrstuhl zum Dachgarten hinauf, auf dem weißgekleidete Kellner Schach spielten, gingen weiter zum wohnlichen Büro von Herrn Zoelle. Wir durften uns setzen. Wir durften zum Horizont blicken, wo ich sogleich die Elbbrücken ausmachte, die sich schwarz und dauerhaft spannten, so, als sollten sie nicht nur

Ufer, sondern auch Zeitalter miteinander verbinden. Die Fenster, die bis zum Boden hinabreichten, standen offen; man hätte sich ohne größere Anstrengung hinabstürzen können – eine Möglichkeit, die Herr Zoelle vielleicht noch nicht bedacht hatte. Während er telephonierte, sah ich hinüber zum Dachgarten, sah, wie ein Kellner sich verdrossen vom Schachspiel erhob, ein Tablett aufnahm und es zu uns hereintrug: Tee, Sandgebäck, Zigarren. »Stärken Sie sich«, sagte Herr Zoelle, ohne den Telephonhörer aus der Hand zu legen, und wir stärkten uns und brannten uns danach handliche Zigarren an.

Herr Zoelle war zu weit von uns entfernt, als daß wir seine Fragen und Antworten hätten verstehen können, ich erkannte lediglich, daß er unerläßliche Gespräche führte, denn er schloß seine Augen dabei und machte mit dem rechten Fuß Bewegungen, als gelte es, einen brennenden Zigarettenstummel auszutreten. Als er endlich zu uns trat, lächelte er. Er schien erfreut darüber, daß wir den Tee getrunken, das gesamte Gebäck gegessen hatten. Mit jäher Anerkennung reichte er Josef die Hand, übergab ihm einige illustrierte Broschüren und Mitteilungsblätter und sagte: »Als alter Angehöriger unseres Betriebes werden Sie gewiß unsere Arbeit mit Interesse begleiten; diese Schriften informieren Sie über Neuanfang und Aufstieg.« Er schwieg. Es klopfte. Ein Kassierer trat herein, verbeugte sich, kam mit vorbereiteter Zahlungsanweisung und einem Umschlag an unseren Tisch und wartete auf ein Zeichen von Herrn Zoelle, doch Herr Zoelle gab noch nicht das Zeichen, er sagte vielmehr erfreut zu Josef: »In unserer Personalabteilung, die ich selbst einmal geleitet habe, geht nichts verloren. Ihre Angaben treffen zu. Und nun darf ich Sie bitten, zu unterschreiben: im Namen der Fabrik erhalten Sie für unvergessene Dienste eine einmalige Abfindung von zweihundertfünfzig Mark.«

Nun meine ich, daß man um so schneller unterschreibt, je höher der Betrag ist, und ich erwartete von Josef nichts anderes, als daß er den dargebotenen Kugelschreiber nahm, seine Unterschrift hinwarf und den Briefumschlag einsteckte. Doch zu unserer Überraschung erhob sich Josef, blickte hilfesuchend auf die Tür und sagte mit einnehmender Bekümmerung: »Verzeihung, aber soviel Jäld, das steht mir nich zu. Ich mecht nur bitten um das, was verbucht ist. Un' verbucht sind zweiundneinzig Mark achtzig, wie ich weiß.« »Lieber Freund«, sagte Herr Zoelle wahrhaftig, »diese Summe enthält eine Anerkennung Ihrer geleisteten Arbeit«, worauf Josef, in beharrlicher Bekümmerung, entgegnete: »Sone Anerkennung, de hab ich nich verdient, wirklich nich. Nämlich ich war der Schlechteste an unserm Arbeitstisch. Somit mecht ich nur bitten um die Auszahlung des verbuchten Jäldes.«

»Wenn Sie Ihre Arbeit selbst so einschätzen«, sagte Herr Zoelle, »dann betrachten Sie einfach diese Summe als besondere Form unseres Dankes.« Mir war es peinlich, ich nickte Josef auffordernd zu, doch er sagte mit unwiderlegbarer Trauer: »Ich hab Zeijen, die kenn bestätigen, daß ich kein Dank nich verdien. Somit mecht ich nur bitten um die Auszahlung des verbuchten Jäldes.« Jetzt konnte ich einsehen, warum Herr Zoelle seufzte, selbst einen Moment hilfesuchend auf die Tür blickte, dann jedoch, mit hartnäckiger Güte, sagte: »Warum sollen wir's verbuchen, zumal die verbuchte Summe die kleinere Summe ist?« Darauf sagte Josef: »Was verbucht ist, mein ich, hat aufjehört. U' ich mechte, daß mein Aufenthalt hier in de Fabriek ein Änd findet.«

Zum Zeichen, daß er entschlossen war, zu einem solchen Ende zu gelangen, legte er die brennende Zigarre mit hinweisendem Verzicht auf den Aschenbecher. Herr Zoelle blickte den Kassierer an, und der Kassierer verließ mit Zahlungsanweisung, Kugelschreiber und Briefumschlag das wohnliche Büro.

Wenn Herr Zoelle jetzt zwei Hilfskräfte gerufen, uns verabschiedet und obendrein verboten hätte, den Boden der Fabrik zu betreten – ich hätte mich nicht gewundert; auch wäre ich nicht erstaunt gewesen, wenn sich die zierliche, väterliche Erscheinung über Josef sichtbar enttäuscht gezeigt hätte. Statt dessen bat er uns um die Erlaubnis zu telephonieren, schloß wieder die Augen, trat wieder unsichtbare, brennende Zigarettenstummel aus, zerrte an der Schnur, als wollte er ihr beweisen, daß sie zu kurz sei. Ihm war anzusehen, daß er Mühe hatte, irgend jemanden zu überzeugen, doch schließlich schien es ihm gelungen zu sein, er lächelte erleichtert, wandte sich uns zu und legte auf. »Herr Tubacki«, so sagte er zu Josef, »der Direktion ist es nicht verborgen geblieben, daß ein Mitarbeiter aus alten Zeiten und gewissermaßen dunklen Tagen heute in diesem Hause ist. Wir stehen zu der Verpflichtung gegenüber unseren alten und ältesten Mitarbeitern. Wir erkennen ihre Leistung an. Wenn Sie sich einstweilen auch nicht entschließen können, die Abfindung anzunehmen, so hoffen wir doch, daß Sie uns die Freude machen, vielleicht für zwei Tage in unserem Gästehaus zu wohnen, das gerade fertig geworden ist. Ihr Freund ist ausnahmsweise mit eingeladen.«

Schon zögerte Josef wieder, wand sich in Bekümmerung, und er hätte auch diese Großherzigkeit mißverstanden, wenn ich ihm nicht ein resolutes Signal auf den Beckenwirbel getrommelt hätte. Mach schon, hieß das Signal, los, sag zu. Und da meinte Josef: »Na scheen u' gut. Aber das Karrche, das kenn wir nich ieber Nacht vor dem Eingang parken, weil da is Parkverbot.« Hilfsbereit erwiderte Herr Zoelle darauf: »Ich werde meinen Chauffeur schicken, er wird Ihr Gefährt neben dem Gästehaus parken, dort haben Sie es jederzeit vor Augen.« Weil Josef schwieg, dankte ich für dieses Angebot.

Herr Zoelle selbst führte uns zum Gästehaus, das, wie er sagte, im Landhausstil errichtet sei und vierundzwanzig Gästen der Fabrik Platz bot. Er machte uns auf Gemälde aufmerksam, erklärte uns das Klingelsystem, über das man Wünsche äußern konnte, und übergab uns einem Hausmeister, der sich anbot, für unsere Bequemlichkeit zu sorgen. Da wir die einzigen Gäste der NGHW waren, erhielten wir das Zimmer, von dem aus man die Wasserspiele vor dem Hauptgebäude beobachten konnte. Weil das Josef gleichgültig zu sein schien, übernahm ich es wiederum, dafür zu danken. Dann waren wir allein.

Josef setzte sich. Ich brannte mir eine Zigarre an, von denen reichlich herumlagen, ging um Josef herum, der zu wissen schien, warum er jetzt schuldbewußt schwieg und ein Zucken unter dem Auge nicht loswerden konnte. Er saß ziemlich steif da und unzugänglich, hielt die Hände im Schoß gefaltet. So, wie ich mit Josef stehe, konnte ich nicht für mich behalten, was mich bewegte, also sagte ich: »Beinahe das Dreifache haben sie dir angeboten, und du wolltest es nicht haben.« »Wollen schon«, sagte er, »aber kennen.« »Und warum konntest du es nicht?« »De Härr war dajegen«, sagte er. »Ausdrücklich?« fragte ich. Und er darauf: »Ausdrücklich; nämlich er hat jesagt: du sollst nich bejehren, Josef, was dir nich zusteht. So hab ich nich unterschrieben.« »Aber es ist dir doch schwergefallen«, sagte ich. »De Härr hat's auch jemerkt«, sagte er, »darum hat er festjehalten meinen Arm.«

Ich sah ein, daß es zwecklos war, weiter mit Josef zu rechten, gegen den aufzukommen, der Josefs Arm festgehalten hatte, als es zur Unterschrift gehen sollte. Ich trat ans Fenster und sah zu, wie ein uniformierter Chauffeur mißmutig unsere Karre auf den Parkplatz schob, an unserer Fracht schnupperte, den Kopf schüttelte und sogar einen Ausdruck feinen Ekels zeigte, bevor er die Räder mit einem Stein blockierte. Sodann erfreute ich mich an den Wasserspielen und an dem bläulichen Glitzern der Mosaiken an dem Hauptgebäude, die – das erkannte ich erst jetzt – Stationen aus der Kulturgeschichte des Hutes darstellten. Ich bin ein ausdauernder Bewunderer und hätte die Zeit gern in müßigem Staunen zugebracht.

Aber die Direktion, der nicht nur unser Wohl, sondern wahrscheinlich auch unsere Kurzweil am Herzen lag, schickte einen wortkargen, feierlichen Menschen, der uns durch die Fabrik führen sollte. Ungewiß, was danach folgen würde, versah ich mich vorsichtshalber mit Zigarren, stieß den in brütender Trauer befangenen Josef an, und wir beide ließen uns zunächst die Duschräume zeigen, die Sporthalle, in der die Werksmannschaft trainierte, einen anmutigen Ziergarten sowie eine permanente Kunstausstellung, die nur Werke von Betriebsangehörigen zeigte. Nach einem kurzen Besuch der Kantine, in der uns eine Stärkung serviert wurde, betraten wir durch einen Lichthof das Hut-Museum, wo uns Kopfbedeckungen aus verschiedenen Jahrhunderten meinetwegen: gefangennahmen. Da lagen, in verschlossenen Glasvitrinen, eine phrygische Mütze und ein thessalischer Hut, der flache Binsenhut einer Römerin, ferner Lodenhüte aus grober Wolle, der sogenannte Gugelhut, den Jäger und Reisende im vierzehnten Jahrhundert trugen; Barette, die zuerst vom gesteiften spanischen, danach vom Rubenshut und schließlich vom breitkrempigen schwedischen Schlapphut verdrängt wurden. Vom Dreimaster bis zum Markgrafenhut: alles war vorhanden, und zum Schluß durften wir in eine erhöhte Vitrine blicken, die mit einer Alarmanlage gesichert war: in ihr lag eine braune, halbeiförmige Kappe, die Petrus beim Fischen getragen hatte. Gern hätte ich einige Fragen gestellt, doch die waltende Stille und das wortkarge Wesen unseres Führers hielten mich davon ab.

Josef, das merkte ich, drängte zu den Werkshallen hinüber, und als wir sie endlich betraten, ließ er mich mit unserem Führer allein, ging zu den Arbeitern an den Bürst- und Filzmaschinen, befragte sie, unterhielt sich mit Männern am Krempelzylinder und an der Enthaarungsanlage. Mit einem alten, verwachsenen Meister, der die Spindeln bediente, tauschte er Hand- und Schulterschlag, flüsterte mit ihm, zog noch einen zweiten Meister heran, während ich in Andeutungen erfuhr, daß die größte Filzfähigkeit die Haare der Ziege, des Hasen, der Bisamratte und der Fischotter garantieren; auch ließ ich mich über die Arbeit der Haarblasmaschine und über das Walken und Walzen unterrichten. Nachdem wir die Hallen durchquert hatten und Josef wieder zu uns gestoßen war, überreichte uns unser Führer im Auftrag der Direktion zwei Hüte; Josef erhielt einen Veloursfilz, ich einen wasserdichten Tuchhut. Danach wurden wir ins Gästehaus zurückgebracht, wo Josef enttäuscht seinen Hut auf den Tisch warf und sich so vernehmen ließ: »Heitzutage, da kenn se aber auch alles jebrauchen. Ich hab jefragt, ob se uns nich mechten ablassen die enthaarten Fälle. Mechten schon, sagten se, aber de brauchen wir sälber. Auch nich aus Freindschaft, hab ich da jefragt, worauf mein alter Meister man nur sagte: Freindschaft, de wohnt im Wald. In der janzen Fabriek, Valentin, jiebt's keine Abfälle.«

Ich hatte mir schon gedacht, daß die Direktion ihre Verpflichtung uns gegenüber ernst nahm, uns zumindest nicht vergaß und dafür sorgte, daß es uns an nichts mangelte; deshalb war ich nicht verblüfft, als eine junge Zofe mit Blumen erschien, später mit Gesellschaftsspielen, und mein Erstaunen war nur mäßig, als Herr Zoelle selbst uns zum Essen abholte. Man legte großen Wert darauf, daß wir uns nicht einsam fühlten. Man trank Josef zu. Man lud ihn ein, die Werksmannschaft beim Training zu beobachten, und ich glaube heute noch, daß der Werkschor der NGHW nur seinetwegen zusammentrat. Wie pfleglich und bedacht man uns behandelte, mag außerdem daraus hervorgehen, daß Herr Zoelle, kurz bevor er sich zur Nacht von uns verabschiedete, überraschend Füllfederhalter und Zahlungsanweisung aus der Tasche zog, beides Josef hinhielt und sagte: »Vielleicht haben Sie es sich überlegt mittlerweile: wir sind immer noch bereit, Ihnen die erwähnte Abfindung auszuzahlen.« Ich meine, da hätte Josef die Unterschrift schon aus Dankbarkeit gelingen müssen. Er aber wand sich in Bekümmerung, sein Augenlid zuckte heftig, und er sagte: »Verzeihung, Herr Zoelle, Verjebung und Verzeihung, aber ich mecht nur bitten um de Auszahlung des verbuchten Jäldes.«

Wäre ich da Herr Zoelle gewesen, ich hätte Josef genau so argwöhnisch und wachsam angesehen, und wahrscheinlich hätte ich auch meinem Mißmut Lauf gelassen und festgestellt: »Sie wissen doch, welch ein Aufwand zu jeder Verbuchung gehört. Und außerdem wäre dies ein Präzedenzfall: andere könnten sich darauf berufen.«

»Siehst du«, sagte ich zu Josef und fügte hinzu: »Versteh doch, was man von dir erwartet.« Josef schüttelte resigniert den Kopf. Er nahm beide Hände auf den Rücken, suchte festen Stand für seine Sandalen, drückte in mehrfacher Hinsicht mühsame Weigerung aus. Er bestand auf Verbuchung, auch wenn andere sich darauf berufen könnten. Herr Zoelle steckte unentmutigt, wenn auch rasch, Füllfeder und Zahlungsanweisung weg und sagte: »Na, morgen ist ja auch noch ein Tag.« Danach wünschte er uns eine gute Nacht und ging. Ich unterließ es, Josef zu beeinflussen, weil ich längst gemerkt hatte, unter wessen unüberwindbarem Einfluß er bereits stand. »Dann schlaf mal gut« war alles, was ich sagen konnte, wobei ich für mich fest auf Josefs rechnerischen Sinn vertraute, der sich zu gegebener Zeit melden würde.

Vielleicht hätte Herr Zoelle nach dem Frühstück den Versuch machen sollen, Josef zur Unterschrift zu veranlassen; denn nach dem Genuß duftenden Weißbrots, verschiedener Konfitüren und einer Platte Butterkuchen erschien Josef mir besonders mild, versöhnlich, nachgiebig. Nach dem vollkommenen Frühstück, das die junge Zofe uns serviert hatte, war er weich, will ich meinen, doch Herr Zoelle erschien nicht, wurde die Chance nicht einmal gewahr, da er uns nur seinen Chauffeur schickte mit dem Auftrag, uns in den Hafen zu fahren. Dort erst trafen wir ihn, zierlich und forsch, an Bord des Motorschiffes »Bürgermeister Poppe«, das für einen Betriebsausflug gemietet war. Das Schiff hatte über die Toppen geflaggt, ein werkseigenes Jazz-Quartett hatte sich auf dem Achterdeck eingerichtet, auf der Brücke war ein Mikrophon installiert. Herr Zoelle begrüßte jeden persönlich, das muß gesagt werden, vom geringsten Bürstenarbeiter bis zum Filzmeister gab er jedem die Hand, und nachdem mehr als vierhundert Betriebsangehörige an Bord waren, gab er auch das Zeichen, die Leinen loszuwerfen. Die Fahrt ging elbabwärts.

Fröhlich sein, das konnten die Angehörigen der Norddeutschen Groß-Hutwerke; ihr Lachen, ihr Gesang, auch ihr eindrucksvolles Jauchzen begleiteten die Fahrt, wurden vom Wind über die Elbe getragen, brachen sich an den lautlosen Wohnhängen von Blankenese. Da blieb manch einer auf der Elbuferpromenade stehen und schaute, wenn nicht neiderfüllt, so doch betroffen zu uns herüber, zu dem bewimpelten Schiff, dessen Fracht an diesem Tag nichts anderes war als Fröhlichkeit. Von aufkommenden Tankern, Schleppzügen, selbst von einem Kran winkten uns Männer zu. An Bord selbst wurde nicht nur ein Ereignis durch das andere abgelöst, sondern einwandfrei übertroffen, so wurde das zweite Frühstück durch das Mittagessen übertroffen, der Vormittagstanz durch den Tanz zur Kaffeepause, die Reden der Abteilungsleiter durch die Rede von Herrn Zoelle. Auch Josef steigerte sozusagen sein Verhalten. Hatte er zunächst nur mit seinen ungleichen Sandalen den Takt zur Musik geklopft, so ließ er sich jetzt mit einer bewährten Walzarbeiterin auf der Tanzfläche sehen, hielt sie da in sicherem Griff und ließ sich mit ihr photographieren.

Den Höhepunkt des Ausfluges aber brachte die Rückreise. Querab von Glückstadt geschah es: die Maschinen wurden gestoppt, vielleicht auch nur auf kleine Fahrt gestellt, jedenfalls querab von Glückstadt wurde um Ruhe gebeten, Herr Zoelle trat ans Mikrophon, nur der Wind verstummte nicht in den Wanten, und dann sprach Herr Zoelle. Er wollte nicht viel sagen, er wollte danken. Von der Brücke herab verteilte er den Dank der Direktion an die verdienten Mitarbeiter: »Wo wären wir ohne die Leistungen der alten Mitarbeiter«, rief er aus, und davon durften sich viele betroffen fühlen. Einige, die namentlich aufgerufen und zur Brücke gebeten wurden, erhielten sodann Anerkennungsgeschenke, Taschenuhren mit vergoldetem Sprungdeckel, und ich war ergriffen und so, als plötzlich Josefs Name genannt wurde, als man ihn heraufbat und ihm die Uhr aushändigte im gewagten Licht der Abendsonne über der Elbe. Erst als meine Handflächen zu brennen anfingen, merkte ich, wie ich klatschte, so tief hatte mich Begeisterung ergriffen. Die Walzarbeiterin ging so weit, Josef auf die Wange zu küssen. Ich meine, mit den wenigen fühlten sich alle ausgezeichnet, dies und gemeinsamer Gesang auf der Heimfahrt führte uns zusammen, so daß ich ganz für mich mit dem Gedanken spielte, bei einer Verschlechterung meiner Lage eine Arbeit in den NGHW anzunehmen.

Zumindest erfüllt, Wind im Haar und mit redlicher Erschöpfung kehrten wir zurück und genossen die Flasche Burgunder, die uns die Zofe aufs Zimmer gestellt hatte. Josef hatte sich aufs Bett geworfen, ich überließ mich meiner zufriedenen Erschöpfung in zwei gegeneinandergeschobenen Sesseln. Schweigend rauchten wir unsere Martha-Magellani, eine Brasil extra, von der, wie ich mich überzeugt hatte, auch im Nebenzimmer reichlich herumlagen. »Da kann man sehen«, sagte ich zu Josef, »Betriebstreue.« Und er antwortete: »Alles mit Hieten, Valentin.«

Liegend wollte er mir zutrinken, als es forsch an die Tür klopfte, und ohne daß wir Herein gesagt hätten, trat Herr Zoelle ein, winkte uns ein Um-Gottes-willen-bleiben-Sie-liegen zu, prüfte lächelnd unseren Zustand. Er sah schnell ein, daß unsere Zufriedenheit uns ganz widerstandslos gemacht hatte, darum griff er nach einigen beiläufigen Vorfragen in die Tasche, zog, ohne mich zu überraschen, Füllfeder und Zahlungsanweisung heraus, näherte sich dem liegenden Josef und sagte: »So. Und zum Abschluß dieses Tages erhalten Sie, lieber Herr Tubacki, Ihre wohlverdiente Abfindung.«

Diesmal hatte ich wirklich damit gerechnet, daß Josef handeln würde, wie man's von ihm erwartete, er, der ehrend erwähnt, der beschenkt und ausgezeichnet worden war, hätte sich doch endlich auch zu einer Gefälligkeit bereit finden müssen, doch anstatt zu unterschreiben, verbarg er krampfhaft seine Hände auf dem Rücken, warf den Kopf abwehrend zur Seite, krümmte sich wohl auch und sagte: »Unmeglich, achottje, rein unmeglich.« »Warum denn nur?« fragte Herr Zoelle. »Ich kann doch nur s Jäld nehmen, das verbucht ist«, sagte Josef. Da trat, möchte ich mal sagen, Herr Zoelle aus sich heraus und stellte fest: »Verbuchen heißt: offiziell anerkennen, heißt: ein Beispiel geben. Wenn wir so verfahren, wie Sie es wünschen, geben wir ein Beispiel für viele andere. Verstehen Sie?« Josef sagte nicht, ob er verstand. Er wiederholte: »Sind doch nur zweiundneinzig Mark achtzig, da hab ich Anspruch drauf, u' was mehr is, da is de Härr dajegen.« »Darf ich feststellen«, fragte Herr Zoelle sachlich, »daß es Ihnen unmöglich ist, auf unser großzügiges Angebot einzugehen?« Josef nickte bekümmert. »Unmeglich«, flüsterte er, »aber es fällt nich leicht, u' ich mechte vielmals bitten um Verjebung.« »Heißt das«, so vergewisserte sich Herr Zoelle, »daß es Ihnen auch unmöglich bleiben wird?« »Wird bleiben«, flüsterte Josef, »aber wird nich leicht sein.«

Nachdem Josef das gesagt hatte, gab es für Herrn Zoelle einfach keinen Grund, zu grüßen, bevor er das Zimmer verließ, auch konnte ich verstehen, daß er blicklos an unserer Karre vorbeiging, die wohlblockiert auf dem Parkplatz des Gästehauses stand. Er verschwand und trug seine sprachlose Enttäuschung zum Hauptgebäude hinüber. Ich trat ans Fußende des Bettes, in dem Josef sich immer noch krümmte, sah lange auf meinen Gefährten hinab und dachte: man müßte einen Schmalfilm von ihm drehen und ihm dann im Bild zeigen, wie er sich verhält, einmal und noch einmal und immer wieder: das würde ihn vielleicht zur Einsicht bringen. Mein Gute-Nacht-Wunsch blieb aus.

Ich schlief unruhig, und meine Unruhe behielt recht: denn am nächsten Morgen erschien nicht die junge Zofe mit Weißbrot, Konfitüren und warmem Butterkuchen, sondern es erschienen gleich der

Hausmeister und die Zofe, und während der Hausmeister uns eröffnete, daß das Zimmer nicht mehr frei sei, begann die Zofe, mit wortloser Verbissenheit die Betten abzuziehen. Wo das geschieht, bleibt man nicht gern. Wir schlenderten auf den Hof. Wir prüften die Fracht unserer Karre, als der elegante Pförtner aus dem Hauptgebäude zu uns kam und uns bat, das Zimmer zweihundertvier aufzusuchen. Ich dachte, so wird sich doch noch alles wenden, und ich sprach dringend auf Josef ein, mahnte ihn, entwarf flüchtig eine freundliche Vision für die Zukunft: Gummiräder für unsere Karre, eine verbreiterte Ladefläche, Abteilungen für verschiedene Funde. Ich ergriff seine Hand und hörte nicht auf zu sprechen. Er wand sich ganz schön, und auf einmal, mit Tränen in den Augen, erwiderte er den Druck meiner Hand, wandte mir sein rundes, trauriges Gesicht zu und sagte: »Dann aber nur fier dich, Valentin. Fier dich werd ich unterschreiben.« Das war mein schwierigster Sieg.

Zuversichtlich betraten wir das Zimmer zweihundertvier. Wir wurden bereits erwartet. Der Mann mit der spezialgeschliffenen Brille erhob sich, lächelte gequält wie ehedem, kam heran und blätterte Josef etwas in die Hand, wobei er vergaß, ihm einen Kugelschreiber zu reichen. Er zögerte erst eine Weile, ehe er sagte: »Ihre Papiere. Wir haben sie herausgesucht. Nach den letzten Angaben stehen Ihnen zweiundneunzig Mark achtzig zu. Auf der andern Seite haben Sie zuletzt nicht entrichtet: Wehrsteuer, Spenden für OG, WHW, NLP, die Reichssondersteuer und die Kriegssteuer, macht zusammen einhunderteine Mark und fünfundvierzig Pfennig. Demnach schulden Sie dem Werk acht Mark, fünfundsechzig Pfennig.« Josef durfte die Papiere als Belege behalten.

Da Zahlen für sich sprechen, brauchten wir uns nicht länger aufzuhalten, wir gingen nach draußen, nahmen die Sonne auf die Schulter, ich spannte mich vor die Karre, und Josef trat zwischen die Schubstangen. Man sage nicht, da sei ein Fehler in der Rechnung gewesen; noch während wir hinausrollten, überlegte sich Josef, in welcher Form er das Geld überweisen wollte. Als wir am Pförtnerhaus vorbeirollten, stand da so ein schüchterner Kumpel und redete, und wir hörten ihn tatsächlich sagen: »Alte Ansprüche, alte Ansprüche.« Da rechnete ich damit, daß Josef anhalten würde, doch der stetige Schub von hinten hörte nicht auf.

1964

Die Schärfe der Kufen

Natürlich soll alles leicht und schlank sein beim Eis-Segeln, und so hatten wir Sperrholz für die Sitze genommen, Bambus für den Mast, und als Segel zogen wir eine rote Leinwand auf: die stand für nettes Wagnis und Gefahr. Drei Schlittschuhe, die wir an leichtes, aber hartes Holz genagelt hatten, spielten die Kufen – zwei an den Seiten, einer achtern unter dem luftigen, schmalen Kreuz –; als Steuerpinne hatte sich uns ein trockener, halber Stiel angeboten, und was an Tauwerk nötig war, hatte einst Postsäcke zusammengehalten. Alles war schlank und gewichtslos, ein offener Entwurf, den der Wind zu vollenden hatte, ein Angebot an den Fallwind bei der Domäne, eine Aufforderung für den verläßlichen Wind in der Baranner Bucht. Ohne Eindruck und Gewicht, war unser Eisschlitten eher eine Verheißung oder Möglichkeit als schon ein Versprechen, und wir trugen ihn eilig und mühelos zum eisverkrusteten Steg des Bootshauses am Lyck-See hinab.

Da war eine Ungeduld im Schlitten, eine Neigung zum Gleiten, obwohl er noch nicht unter dem roten Segel stand, sondern nur ungetakelt im böigen kalten Wind, der ihn gleich anfiel und erprobte. Und als ich das Segel setzte, mußte Rudi den Schlitten halten, so ruckte und schüttelte er sich; immer gefährdet, seitlich wegzukippen, umzuschlagen, immer darauf aus, über das schieferdunkle, nur von schmalen, sichelförmigen Wehen bedeckte Eis davonzuflitzen. Das Segel schlug gleich und flatterte und verlangte dringend nach einer Erlaubnis, und da nickten wir uns zu und schoben an und sprangen auf.

Der Wind war aufrichtig, er bewies uns gleich seine Unzufriedenheit und drückte uns zur Insel mit dem weißen Gefängnis hinüber, aber wir waren anscheinend glücklich, zogen die Mantelspitzen über die Knie, lernten entspannt zu sitzen, doch ja, wir waren glücklich, während die Notkufen knisterten und drei sehr schmale, scharfe Linien in das dunkle Eis schnitten, die unsere sichtbare Spur darstellten. Wir ließen dem Wind seinen Einfall und waren einverstanden mit dem Kurs, glitten hart, angestrengt, jedenfalls weniger schnell, als wir gedacht hatten, auf das weiße Gefängnis zu, parallel zur Brücke und dem befestigten Damm, den glasiertes Weidengesträuch flankierte. Unterhalb des Dammes lagen auf hölzernen Böcken kieloben die Ruderboote, die uns der Verleiher im Sommer für eine halbe Stunde überließ, wenn wir sie am Vormittag leer schöpften; ihre Kiele waren mit Reif gepudert wie mit Farin, Lacke und Farbe lösten sich da schon unter dem scharfen Fingernagel des Frosts, und die Boote sahen jetzt gar nicht aus, als ob man etwas mit ihnen erleben könnte. Sie kamen mir unbegabt vor für den See, und ich stellte mir vor, daß sie ertrinken könnten – so, wie sie dort lagen unterhalb des Dammes hinter dem schiefgedrückten Bootssteg, für dessen graugescheuerte Pfähle das Eis eine kurzfristige Garantie gegeben hatte: im Frühjahr würden sie ersetzt werden müssen.

Das fordernde Rot unseres Segels konnte den Wind nicht beeindrucken, der uns stetig zur Insel hinüberzwang, das weiße glitzernde Gefängnis wachsen und wachsen ließ, bis wir auf einmal in seinen Schatten gerieten, ausglitten, mit schlaffem, nur noch fächelndem Segel unter den Blicken der Gefangenen lagen, die die Fenster besetzt hielten. Ich glaube, die Gefangenen baten uns stumm, weiterzufahren; sie wünschten sich, uns in Bewegung zu sehen. In der stillen Beharrlichkeit, mit der sie uns beobachteten, lag die Aufforderung, ihnen das nutzlose Glück der Bewegung vorzuspielen. Aber Rudi hatte etwas am achteren Steuerschlittschuh auszusetzen, dessen Drehfähigkeit er zunächst biegend und hämmernd verbesserte, bevor wir von neuem anschoben, aufsprangen und zu den vergitterten Fenstern hinaufwinkten, hinter denen unser Winken langsam, fast nur angedeutet, erwidert wurde. Weit vor uns in Richtung Sybba, dort, wo die tiefste Stelle unseres Sees sich befinden sollte, brachte der Wind die schmalen Schneewehen in Aufruhr, sammelte sie, warf sie stäubend in die Luft, machte sich zierliche Kreisel aus ihnen und entrollte sie zu unterwürfigen Wimpeln, die er dann dem Schilf schenkte. Dorthin wollten wir, und wir glitten aus dem Windschatten des weißen Gefängnisses hinaus, und gleich drückte ein unglaubliches Knie auf uns, der Bambus bog sich und knackte, der Schlitten hob sich seitlich, ließ eine Kufe frei in der Luft hängen, und das Segel war einverstanden mit der Kraft, die es prüfte. Jedesmal, wenn wir über Risse im Eis glitten, die der Frost besorgt hatte, ruckte und hüpfte der leichte Schlitten, und ich hatte schon Angst, die Kufen würden von den Blöcken abbrechen, doch wir sackten nicht durch.

Wir flitzten knapp vor dem braunen Schilfgürtel, parallel zum verschneiten Uferweg, zunächst am Böhmer-Denkmal vorbei, wo rostige Konserven, Flaschen und Zeitungen, deren Schrift nur noch schwach oder schon gelöscht war, an den Sommer erinnerten, an behäbiges und freimütiges Badeleben, das sich aus unerklärlichen Gründen für einen Ort entschieden hatte, an dem der Major Böhmer ertrunken war und wo Binsen, Schilf und kauzig gewachsene Kalmuswurzeln lediglich eine sehr schmale Bucht freigaben, deren Wasser trübe war, deren Grund die samtene Glätte des Schlamms besaß. Jetzt hockten Angler auf ihren Holzkästen dort, gekrümmt unter dem Wind, manche mit kaltem Glitzern im Schnauz, und sie hoben und senkten den kurzen Stock mit der Schnur, blickten in die gezackte, sorgsam geschlagene Wune, neben der hartgefrorene Fische lagen. Schwerfällig wandten sie sich um bei unserem scharfen Kufengeräusch, doch sie hatten noch nicht einmal die Warnung überdacht, da waren wir schon leicht und rot vorbei und ließen sie zurück gegen einen Hintergrund nackter Erlen.

Das Eis seufzte unter den Kufen, deren Spur klar und dünn war, von drei Diamanten gerissen, die der Wind führte mit Hilfe unseres Gewichts. Warum nur keine anderen Eissegler zu sehen sind, dachte ich und dachte: der See gehört uns allein und er eignet sich als unser Besitz mehr als alles andere, weil er so schnell ist unter uns oder wir auf ihm. Wir zitterten nur und verlangten nach mehr, als wir an der steilen Böschung des Rennplatzes vorüberflogen, dort, wo das feldgraue Unglück exerzierte und sich bereit machte und wo wir unter Schnee, Dreck und vergeßlichem Sand leere Patronenhülsen suchten – rasch und spielerisch vorbei, und gleich darauf, vor dem verläßlichen Wind der Baranner Bucht, in leichtem Bogen Richtung Sybba zur tiefsten Stelle des Lyck-Sees, der sich, wie viele der dreitausend Seen in Masuren, bei der Ablagerung des Moränenschuttes gebildet hatte, wem das etwas sagt.

Jetzt machte der Wind aus unserem Schlitten einen Vogel, er warf und schleuderte uns nur so über das dunkelglänzende Eis, stellte uns schräg, drückte den Bug – oder doch das, was wir an unserem Brettkreuz den Bug nannten – aus dem Kurs, und überstäubte uns mit trockenem Hagelschnee, so daß wir keine Zeit hatten, der Tiefe des Sees innezuwerden. Diese feinen, stechenden Schmerzen überall: das war die Freude, und das war auch die Angst, daß das Tauwerk reißen könnte, aber die gewachsten Schnüre vibrierten nur im Wind und ließen sich nicht ihre Spannung nehmen, sosehr wir auch geschüttelt wurden, nein, nicht geschüttelt, sondern mit einem unglaublichen Katapult über das

Eis geschossen, zur Wittko hin, zu der flachen Halbinsel, wo ein gemütlicher Schießstand war und wo sie an Sommertagen, das Bier in Reichweite, ihren Pappkameraden gemütliche Herzschüsse beibrachten. Da sahen wir die Besen im Eis, Stangen mit einem Strohwisch dran, und wir verstanden die Warnung. Rudi befahl etwas der Pinne, und die Pinne überzeugte sogleich den achteren Steuerschlittschuh, worauf wir mit knatterndem Segel abdrehten. Wir fuhren um die Wittko herum. Wir fuhren so, daß wir uns nicht festhalten mußten, und wir waren sehr glücklich und sprachen kein Wort miteinander.

Eine Bucht öffnete sich, doch wir fuhren nicht hinein, denn die Bucht war gefüllt mit geschnittenen Kiefernstämmen, die im Eis festgefroren waren, ein ganzes Floß war festgefroren, und die Flößer waren zu Hause, tranken Nikolaschka und verwechselten ihre Kinder. An den Stämmen, deren Schnittflächen gelblich leuchteten, saß eine beratende Versammlung von Krähen, die sich bei unserem Anblick protestierend erhob, sich mit hochgestellten Flügeln dem Wind anbot, Richtung Sperrholzfabrik abwinkelte. Wie mochte unser Schlitten von vorn aussehen? Wie von der Seite? Man müßte sich selbst sehen können, dachte ich, hier und da, beteiligt und unbeteiligt: dann wäre das Gefühl vollkommen und die Einsicht in das Geheimnis dieser Bewegung, die sowohl dem Gleiten entsprach wie dem Flug.

Vor den Stämmen lagen höhere und breitere Schneewehen, doch sie zwangen uns nicht zum Halten, verringerten nur unsere Fahrt. Ich blickte auf das dunkle Eis, das mehr als einen halben Meter dick war und in seinem Innern, in einem ganz und gar durchsichtigen Gefängnis, Luftblasen und Binsen und Borkenstücke gefangenhielt. Der Grund des Lyck-Sees allerdings war nicht zu erkennen. Vielleicht hätte ich ihn erkannt, wenn wir angehalten hätten, doch wir hatten nur den Wunsch, eilige Erfahrungen mit dem See zu machen, und so flogen wir nach Sybba hinunter.

Da waren Arbeiter einer Brauerei beim Eisschneiden. Sie hatten sich ein Viereck abgesteckt, gekennzeichnet, und dann sägten sie mit einer Handsäge gleich große Blöcke aus dem Eis, fischten sie mit Bootshaken auf, schoben die Blöcke knirschend zum Ufer, wo andere Männer sie in Empfang nahmen und über Gleitbalken auf einen Schlitten luden. Die Blöcke schimmerten und gefielen mir sehr, und ich fand sie durchaus geeignet für ein Spiel, obgleich ich das Spiel mir selbst nicht vorstellen konnte.

Wir winkten den Arbeitern zu, die nicht zurückwinkten, sondern nur dastanden mit ihrer schwerfälligen Bedenklichkeit, und wir mochten sie nicht, nein, und wie wenig wir darauf angewiesen waren, daß sie zurückwinkten, zeigte Rudi ihnen, indem er unseren Eisschlitten nach Sybba lenkte gegen die grünschwarze Flanke des Waldes. Dort fuhren wir dicht ans Ufer, kreuzten ein bißchen, immer auf und ab vor den Buden, Fischkästen und Netzstangen der Sybbaer Fischer. Weil niemand zu sehen war, wendeten wir und segelten am Wind zurück – etwas gekränkt, das muß ich wohl zugeben. Aber auf der winterlichen Seepromenade waren Leute zu erkennen, und wir nahmen Kurs auf sie, hielten auf Lyck zu, das sich dem östlichen Ufer anschmiegte auf seiner ganzen Länge, vom Wasserturm bis zur Mündung des Lyck-Flusses. Ich dachte daran, jemanden, den wir gar nicht kannten, zu einer Fahrt einzuladen, das wäre etwas gewesen, aber außer Rudi und mir hätte niemand auf unserem Eisvogel Platz gefunden.

Wieder an der Wittko vorbei, der Wind ließ nach, und als der Schlitten plötzlich hüpfte und stumpf ruckte, sah ich im Eis eine Anzahl toter, festgefrorener Wildenten, über deren steife Körper unsere Kufen nur so hinschnitten. Es waren zwanzig oder sogar dreißig Wildenten, die im Schlaf festgefroren waren. Ich hätte gern angehalten und mir eine Ente aus dem Eis gehackt, aber der Schlitten machte einen Satz, als ob er elektrisch gezündet wäre, schien sich hochzustellen und ohne Berührung mit dem Eis Ohles Flußbadeanstalt zuzufliegen. So schnell wie wir hatte sich noch niemand der Flußbadeanstalt genähert. Das befestigte Ufer erwachte aus seiner Starrheit und stürmte auf uns zu, und wir entbehrten nichts mehr, außer vielleicht einigen Zuschauern, aber sonst nichts. Ich sah das Sprungbrett, die Umkleidekabinen und die zierlichen Papierkörbe, die an Bäume genagelt waren, obwohl meine Augen tränten, und dann sah ich auch, auf der hölzernen Seufzerbrücke, einen Mann, doch er überquerte die Brücke nur, ohne uns zu bemerken.

Es ist wahr, ich hatte nicht gedacht, daß unser Eisschlitten sich so aufbäumen, so taumeln könnte wie kurz vor der Flußbadeanstalt, doch der Wind stellte mühelos den Mast schräg und das Bretterkreuz, so daß ich abrutschte und auf dem Rücken über das Eis trudelte, bis mich eine Schneewehe auffing. Aber Rudi ließ sich nicht abwerfen, das erkannte ich, er bot alles auf, um den Schlitten mit einem Manöver gegen den Wind zu stellen, doch Pinne und achterer Steuerschuh ließen sich nicht von ihm überzeugen, und er flog der Flußmündung zu, der offenen, geriffelten Stelle, die nie fror, weil da die Strömung dem Eis widersprach. Er flitzte in das offene Wasser, und ich dachte, der Wind werde ihn unaufhörlich weitertragen.

Aber dann sackte der Schlitten durch, mitten im Wasser schlug er auf und wippte, und das Segel flatterte nur mäßig, neigte sich tief und tiefer.

Es verlor sein Rot.

Es wurde schwarz vor Nässe, noch bevor es flach und erstaunlich langsam ganz niedergedrückt wurde.

1965

Osterspaziergang mot.

An der verkratzten Wand der Unterführung läuft noch ein Gehsteig entlang, einen Meter breit und für Fußgänger gedacht, so ein schmales Handtuch von Sicherheit, das sie uns vor Jahren in ihrer Großmut zugestanden haben. Aber inzwischen sind ihnen Bedenken gekommen, hat sich der Argwohn eingestellt, daß dieser Gehsteig nicht genug und rentabel begangen wird. Für ein Hindernis halten sie ihn jetzt, für eine Verkehrsfalle, die es den Autos schwermacht, einander auszuweichen in der Unterführung, und darum drückten sie mir einen Block in die Hand, einen kräftigen Bleistift und setzten mich zu Ostern auf die Böschung, um zu bestätigen, wieweit ihr Argwohn auch für den Feiertag zutrifft. Denn für den Alltag traf er bereits zu, das hatte ihnen mein Vorgänger mit triumphierenden Zahlen bestätigt; wenn ich noch ihre Feiertagsbedenken stützte, wäre die Zukunft des Gehsteigs entschieden: die Zukunft des Gehsteigs war in meiner Hand.

Früh zur Stichzeit saß ich auf der Böschung, saß herzklopfend da und blickte das schwarze, wie geölt daliegende Band der Asphaltstraße hinab, die durch eine überschwemmte Wiese schnitt, an traurigen Äckern vorbeilief und abwinkelnd hinter einer Kiefernschonung verschwand, dort, wo die Heide anfängt. Aufmerksam, rauchend vor Nervosität, lauschte ich in den Ostermorgen hinein, der die Entscheidung bringen sollte; ich blickte nicht auf den ramponierten Gehsteig hinab, ich wollte mich nicht beeinflussen lassen: Unparteiisch wollte ich bleiben, ein sauberer Schiedsrichter, nicht mehr.

Und zunächst tauchte ein schäbiger Lastwagen mit Milchkannen auf, rumpelnd zog er vorbei, am riesigen Steuer ein Kerl mit Ballonmütze, die schräg von oben wie ein graues Ei aussah: Ich machte einen Strich, gab das Eins-zu-null gegen den Gehsteig. Donnernd, mit einem Geräusch wie ein fernes Gewitter, verschwand der Lastwagen in der Unterführung. Ausruhend wollte ich mich zurücklehnen, als von der andern Seite ein grünes Dreirad hervorkam, schnurrend und schiefrädrig; EILTRANSPORTE stand auf der Kastenwand, und auf der Ladefläche oben hockten zwei schwere Frauen mit einigen Kindern: Erwartung lag auf den Gesichtern der Kinder, quengelnde Ungeduld: wann kommt die Heide? Wann können wir Eier suchen? Schnurrend zogen sie die Asphaltstraße hinab – ich machte den zweiten Strich. Und während ich noch auf den Strich blickte, flitzte etwas Rotes vorbei, flach und plötzlich, so eine Kaulquappe auf Rädern; nur ein flatternder Schal war zu sehen. Jaulend fegten sie davon, als wollten sie ihre Eier auf Elba suchen, Greifeneier, Krokodileier: auf Elba grünet Hoffnungsglück. Drei zu null stand es gegen den schmalen Gehsteig.

Ein Schwirren ertönte jetzt, kam näher; eine schlimme Wolke von Riesenmücken schien es zu sein, angriffslustig, stechbereit: vier, sechs, elf junge Leute auf Mopeds surrten aus der Unterführung heraus und die Straße hinab zur Heide. Heiter waren ihre Gesichter, sie hatten gut gefrühstückt, Handwerker-, Laufburschenfrühstück, sie fühlten sich wohl in der Gruppe, stark und zu allem in der Lage: jetzt wolln wir mal dem Hasen den Pelz abziehn. »Aus dem hohlen, finstern Tor dringt ein buntes Gewimmel hervor« – war es bunt? Die jungen Leute trugen Lederzeug, Sturzhelme und Stulpenhandschuhe; zu viert nebeneinander wimmelten sie davon. Ich konnte die ersten Fünferkolonnen mit einem Querbalken ausstreichen.

Plötzlich, ohne daß ich seine Annäherung bemerkt hatte, entdeckte ich ein einzelnes Reh vor der überschwemmten Wiese. Woher war es gekommen? Wer hatte für den holden, belebenden Anblick gesorgt? Hatte die gütige Hand Walt Disneys das Reh hingestellt? Gewissenhaft beobachtete ich es, merkte mir, in welcher Stellung es stand und den Kopf wandte; ich gab mich dem Anblick so vollkommen hin, daß das Reh beinahe meine Zuverlässigkeit erschüttert hätte, doch ich bin weitsichtig und konnte noch erkennen, daß es vier Autos waren, die hupend durch die Unterführung geschossen waren. Ich beschloß, das Vertrauen, das sie in mich gesetzt hatten, zu rechtfertigen.

Ich registrierte einen Bus, der mit offenem Sonnendach vorbeifuhr; ein Leichtmotorrad, an dessen Lenkstange eine Kiste befestigt war mit der Aufschrift »LESEMAPPE«, schließlich eine ehrwürdige Chausseewanze, die einer umfangreichen Familie den Osterspaziergang ermöglichte. Alle fuhren vorbei, keiner hielt, um das Reh zu beobachten: der Bus nicht, der singende Mütter in die Erholung transportierte, nicht der verkniffene Alte, der auf seinem Leichtmotorrad wie auf einem Rasiermesser saß, und auch die Familie in der Chaussewanze entdeckte das Reh nicht. Enttäuscht machte ich meine Striche.

Unvermutet hielt doch einer, so ein fahrbarer Diwan kam sehr leise heran und hielt; ich sah, wie die Scheibe heruntergekurbelt wurde, sah ein ernstes Gesicht; und hörte sogar die Worte:»Reh«, hörte ich,»Reh dort vorne.« Ein fragendes Mädchengesicht erschien an der Scheibe, einen Augenblick nur, dann fuhren sie wieder an, das Ei im Wald zu suchen: kosmisches Lebensei, Eierhandgranate.

Überrascht sah ich auf meinen Block, auf die unwiderlegbaren Striche, die über die Zukunft des jämmerlichen Gehsteigs entscheiden sollten. Hatten sie nicht schon entschieden? Ich dachte:»Sieh nur, sieh, wie behend sich die Menge durch die Gärten und Felder zerschlägt!« Wo zerschlug sie sich? Ich blickte auf den staubgepuderten Gehsteig runter, dessen Zukunft in meiner Hand war, und auf einmal spürte ich, daß es niemanden gab, der für ihn eintrat; auf einmal merkte ich auch, daß ich ein besonderes Gefühl für ihn empfand, er hatte mich beeinflußt, ich war nicht mehr unparteiisch. Und je mehr Striche ich für Autos machte, desto dringender, desto sehnsüchtiger begann ich nach einem Spaziergänger Ausschau zu halten; immer wieder blickte ich zur Kiefernschonung hinüber, ob sich von dort einer näherte, kletterte von Zeit zu Zeit die Böschung hinauf, um zu erkunden, wie es auf der andern Seite aussah. Eine Kompanie, dachte ich, eine Kompanie auf gemeinsamem Osterspaziergang wäre die Sache; dann stünde dies Spiel schon anders, und mein Gehsteig wäre nicht in so hoffnungslosem Rückstand. Eine Herde von Heidschnucken würde auch schon eine Menge aufholen, alles, was nicht motorisiert war, könnte für meinen Gehsteig sprechen, ihn sogar retten, aber es kam einfach nichts. Schließlich, während ich immer neue Fünferkolonnen auf der mot.-Seite durchstrich, begann ich mir persönlich einen Osterspaziergänger zu wünschen; ich brauchte einen, mußte ihn haben schon aus psychologischen Gründen, denn wenn ich ihnen eine Liste ablieferte, auf der kein Fußgänger registriert war, könnten sie vielleicht annehmen, ich hätte die ganze Zeit gepennt, ich mißgönnte den Fußgängern den Gehsteig. Doch »aus der Straßen quetschender Enge« knatterten, pufften nur die Mitglieder der rollenden Bruderschaft.

Ein Kleinbus kam aus der Unterführung heraus; eine querlaufende Aufschrift an seinen Seiten fragte:»Warum sind Menschen mit vollem Haarwuchs begehrt?« Dicht hinter dem Kleinbus, ungeduldig hupend, folgte ein anderer Firmenwagen; auf der Asphaltstraße lieferten sie sich ein fröhliches Oster-Rennen.

Und jetzt war Musik in der Luft; ein offener Lastwagen tauchte auf, besetzt mit einer Jazzband; sie spielten »roll on, Mississippi, roll on«; und rollten zur Heide.

Und dann erschrak ich fast. Aus der Kiefernschonung löste sich ein Mann, ein Spaziergänger mit Rucksack, und kam die Straße herab. Ich empfand nichts als ein atemloses Glück, ungestüm überlegte ich, ob ich den Strich schon jetzt machen sollte; denn er war mir ja sicher, er würde, wie er da stetig herabkam, den Fußsteig benutzen, unwissend seine Stimme für ihn abgeben und das erste kleine »Ja« sagen zu seiner Zukunft. Wenn ich nicht auf die Autos zu achten gehabt hätte, wäre ich ihm entgegengegangen, hätte ihn aus Dankbarkeit über den Fußsteig geführt. »Hier ist des Volkes wahrer Himmel.« Ich zählte seine Schritte, bangte ihm entgegen, und vor Freude winkte ich ihm zu, als er mich entdeckt hatte. Ich kletterte von der Böschung hinab und erwartete ihn. Er trug knielange Hosen, war ein älterer Mann und, wie er lächelnd sagte, Student. Ich zeigte ihm das Reh, bot ihm eine Zigarette an, und nachdem wir einen Augenblick miteinander gesprochen hatten, gestand ich ihm mein Glück. Bescheiden wehrte er ab. »Das ist mein Beruf«, sagte er, »ich bin berufsmäßiger Wanderer in den Ferien, im Auftrag einer Illustrierten. Sicher kennen Sie mein Bild; es erscheint in der Rubrik ›Egon wandert für Sie‹. Egon bin ich.« Ich ließ ihn stehen, ich spürte, wie er den Kopf hinter mir schüttelte; enttäuscht kletterte ich die Böschung hinauf. Ich machte keinen Strich für Egon, kein ›Ja‹ für den Gehsteig; ich saß und wartete bis zur Stichzeit, malte Fünferkolonnen für Autos, strich sie durch, und hielt verzweifelt Ausschau nach einem Spaziergänger. Doch niemand kam, der den Gehsteig gerettet und mich glücklich gemacht hätte, selbst ein Ehrentor, sozusagen, blieb aus. Die Niederlage war eindeutig. Auch eine Kompanie auf dem Osterspaziergang könnte den Rückstand nicht mehr aufholen, ein Bataillon allenfalls, doch das in Friedensstärke. Und da Heidschnucken nach einem besonderen Schlüssel gezählt werden mußten – eins zu vier – konnten sie das Unheil auch nicht mehr abwenden; und was sollte die Schäfer veranlassen, gerade jetzt, gerade mir zuliebe die Tiere durch die Unterführung zu treiben?

Traurig lagen die Äcker da, die überschwemmten Wiesen, wie ein Abbild dessen, was ich empfand. In meiner verstörten Traurigkeit dachte ich einmal daran, ihr Vertrauen, das sie in mich gesetzt hatten, zu mißbrauchen: ich selbst wollte hin- und hergehen auf dem ramponierten Gehsteig, jedesmal einen Strich für mich machen – aber wie oft hätte ich gehen müssen? Und wenn ein Zusatzkontrolleur mich beobachtete? Ich ließ alle Hoffnung fahren.

Und als die Zeit gekommen war, ging ich zu ihnen, legte ihnen den kräftigen Bleistift auf den Tisch, den Block mit den Ziffern, und sie starrten darauf, sahen sich bedeutungsvoll an und fragten mich: »Nicht einer?«

»Nicht einer«, sagte ich.

Und ich wußte, was ich sagte.

1965

Ein Grenzfall

Der junge Zöllner schiebt sein Fahrrad die Strandpromenade entlang. Mittags fährt es sich schlecht hier. Wenn er zum Dienst geht, stürmen die Sommergäste die Mittagstische und die neuen, hochgebauten Hotels. In Strandjacken, in Shorts, in Badeanzügen wimmeln sie über die Promenade. Kinder reißen sich immer noch mal los, um ihre blöden Gummitiere zu holen. Strandbälle fliegen zu den muschelbesetzten Sandburgen hinüber. Ein paar Kerle, die ihre quengelnden Gören huckepack schleppen, sehen nicht nach rechts, nicht nach links. Der junge Zöllner bleibt mitunter stehen, um rotgebrannte Frauen oder Mädchen in feuchten Badeanzügen vorbeizulassen. Es ist schon ziemlich happig, was die so von sich geben. Jedenfalls vergeht einem die Lust, ihnen auf den Sonnenbrand zu klatschen, wenn man sie reden hört. Auf ihren dünnen, steilen Absätzen staksen sie in ihre Zimmer, stoßen die Fenster auf und hängen enge Badeanzüge zum Trocknen raus. Keine von ihnen merkt, daß der Strand jünger und freundlicher wirkt, wenn sie abgeschoben sind. Tang, Treibholz und Seegras haben nun mal auf dem Strand mehr zu suchen als Liegestühle, Nivea-Fahnen und all so'n Zeug.

Der junge Zöllner schiebt sein Fahrrad zu einem Stand, in dem ein schweigsamer Bursche Brause verkauft, kalte Fischklopse, Ansichtskarten und halbverfaultes Obst. Zwei Gören versuchen ein dreckiges Plastikboot gegen eine Eisportion einzutauschen. Der Besitzer des Stands nimmt das Boot, prüft es und schmeißt es in den Sand. Senge, sagt er, Senge ist das einzige, was ihr dafür kriegen könnt. Der Zöllner läßt sich eine Flasche Brause geben. Am Glas kleben noch die Fusseln des Handtuchs. Er trinkt, setzt das Glas ab und bittet um ein Stück Eis, und der Bursche wirft ihm ein Stück Eis ins Glas und glotzt ihn feindselig an, als ob er nun ruiniert sei oder so. Der Zöllner schiebt die Mütze ins Genick. Er wendet das Gesicht ab und trinkt und sieht hinaus auf den Fjord, in dessen Mitte die Grenze verläuft. Draußen dümpeln Segelboote in der Flaute. Die »Albatros«, ein altmodischer Vergnügungsdampfer, den sie für Betriebsausflüge aufgemöbelt haben, kommt mit Besoffenen von den Inseln zurück. Der Zöllner gießt den Rest der Brause ins Glas. Es zischt und kocht um den Eiswürfel, und als er das Glas ansetzt, prickelt es auf der Oberlippe. Aus einem Strandkorb hängen ein paar Mädchenbeine, lange braune Ständer, die wohl jemand vergessen hat. Wie geht das Geschäft, fragt der Zöllner, und der Bursche am Stand sagt: belemmert, und kämmt sich ausdauernd über seinem Würstchenkessel.

Der Zöllner bezahlt die Brause und sagt kein Wort zum Abschied. Er schwingt sich aufs Fahrrad. Ein Bus mit vierundzwanzig Krankenschwestern kommt auf ihn zu, die Krankenschwestern winken und johlen und brüllen ihm etwas nach. Er erkennt sein Spiegelbild auf der langsam vorbeirollenden Metall- und Glaswand des Busses. Es stinkt nach Fischen und Benzin. Auf einer Mauer sind Fischkästen gestapelt, sie trocknen in der Sonne. Breitbeinig, mit großen Schweißflecken unter den Achselhöhlen, sitzt eine Frau allein im warmen Sand, glotzt auf den Fjord und ißt einen Korb leer. Unten am Wasser, im feuchten Sand, gräbt ein Angler nach Sandwürmern. Ein Frauenstrumpf hängt an einem trockenen Ast, die ganze Ferse des Strumpfes ist durchgeblutet. Der junge Zöllner fährt die Strandpromenade zu Ende, steigt ab, schiebt sein Fahrrad gebeugt einen mit ausgewachsenen Buchen bewaldeten Berg hinauf. Das ist der kürzeste Weg. Er könnte auch durch den Fischereihafen, an den Schienen entlang, die Buchenallee hinauf, an der Kiesgrube vorbei zum Zollgebäude. Das Zollgebäude, von miesen Dienstbaracken umgeben, liegt auf der Kuppe des Berges; davor ist ein Fahrradständer für zwölf Fahrräder und eine Fahnenstange. Von den Fenstern im ersten Stock kann man auf den versauten Strand hinuntersehen, auf den dunklen Fjord und die bewaldeten Inseln, wo sich die Betriebsausflügler mit zollfreiem Alkohol vollsaufen. Aus Kiel, aus Hamburg, sogar aus Hannover kommen sie herauf, um sich hier vollzusaufen. Sechs Baracken stehen um das Hauptgebäude herum. Für alle genügt eine Fahnenstange.

Der junge Zöllner hebt sein Fahrrad in den Ständer, blockiert das Hinterrad und geht über den leeren, sandigen Platz zu seiner Baracke, um sich zum Dienst zu melden. Im trüben Korridor, der an den Gang eines uralten Schiffes erinnert, trifft er Reinhart, der mit ihm zusammen die Prüfung bestanden hat, und der sich, wie er, zum Dienst melden will. Der junge Zöllner fragt Reinhart: Wie geht's dem Lütten? Reinharts einziger Sohn hat ein Metallputzmittel getrunken und liegt im Krankenhaus. Etwas besser, sagt Reinhart.

Sie gehen ins Büro. Alex hat Aufsicht. Gott sei Dank soll der alte Hund bald einen Tritt bekommen und in Pension geschickt werden. Das Büro ist ein langgestreckter Raum mit niedriger Decke; ein schwarzer Kanonenofen steht da, ein Besucherstuhl, zwei Hocker, an einer Wand haben sie eine Spindreihe aufgehängt. Alex raucht nicht, trinkt und hustet nicht. Er redet vorsichtig. Die dringenden Fragen stellt er mit den Augen. Keiner hat ihn je fluchen hören, und wenn er seinen Kaffee aus dicker Porzellantasse trinkt, spreizt er fein den kleinen Finger weg. Er lebt mit seiner Schwester zusammen und läßt sich von ihr die Stullen schmieren. Solange er noch hier herumsitzt mit seinen blankgewetzten Hosen, ist er Manteuffels Vertreter. Manteuffel selbst hockt zum Glück im Hauptgebäude, der kann jeden verrückt machen mit seiner Leidenschaft für sogenannte innere und äußere Sauberkeit und ähnliche Scherze.

Der junge Zöllner grüßt Alex, tritt an ein Schlüsselbrett und nimmt den Schlüssel zu seinem Spind. Er schließt sein Spind auf, das noch nicht vollgestopft ist wie die Spinde der älteren Zöllner, die darin warme Schals, Tabak und sogar Hustensaft aufheben. Er langt tief hinein, taucht fast mit der rechten Schulter ins Spind und schnappt sich das verkratzte Lederetui mit dem Fernglas. Er zieht das Etui am

Riemen heraus; das Etui fällt, schlägt gegen seinen Schenkel, er fängt es mit dem Riemen auf. Der junge Zöllner kehrt Alex den Rücken zu und öffnet das Etui. Das Etui ist leer. Hastig durchsucht er das Spind, tastet und klopft es ab, aber außer ein paar Merkblättern und ähnlichem Mist ist nichts drin. Das Fernglas ist weg.

Alex hat schon gehört, wie er mit der flachen Hand das Spind abklopfte. Jetzt äugt er erstaunt zu dem jungen Zöllner herüber. Ist was, fragt er, und noch einmal: Suchst du was? Der junge Zöllner schüttelt den Kopf. Vorsichtig schließt er das leere Etui, hebt den Riemen über den Kopf, läßt das Etui vor seiner Brust baumeln. Alles in Ordnung, sagt er und schließt langsam das Spind ab und hängt den Schlüssel ans Brett. Das Etui ist sehr leicht. Es hüpft vor seiner Brust. Er legt eine Hand darauf und drückt es nach unten. Aus den Augenwinkeln sieht er zu Reinhart hinüber, der immer noch vor seinem Spind steht. Reinhart hat sein überscharfes Fernglas vor der Brust hängen und liest eines der kleingedruckten Merkblätter, die jedem auf die Nerven gehen.

Der junge Zöllner geht zum Schreibtisch, wartet schweigend, bis Alex die Kopien der Anforderungsliste gelocht und abgeheftet hat, dann sagt er: Ich nehm den Strand bis zur Mole und das Grenzstück im Wald. Wie gestern. Während er spricht, hält er das leere Etui fest. Alex nickt, ohne aufzusehen. Er radiert. Er radiert mit weichen Fingern und pustet die dreckigen Gummikrümel so über den Tisch, daß sie in den Papierkorb fallen. Ich hab's verstanden, sagt Alex und dreht sich nach Reinhart um, der mit dem Merkblatt nicht fertig wird. Du nimmst die Bucht, sagt er zu Reinhart, und sagt auch: Hier ist noch was für dich, worauf Reinhart nur grunzt und lesend näher kommt.

Die Hand auf dem zerschrammten Etui, verläßt der junge Zöllner mit einem Kopfnicken seine Dienststelle. Auf dem Korridor lauscht er einen Augenblick und hat wohl das Gefühl, daß sie auch drinnen lauschen, darum latscht er aus der Baracke. Er geht langsam über den leeren, sandigen Platz zum Fahrradständer. Bevor er sein Fahrrad heraushebt, grüßt ihn so ein vergnügter, rotwangiger Kerl, der immer auftritt wie unter Festbeleuchtung. Manteuffel kreuzt immer auf, wenn man ihn nicht braucht. Wieder eingelebt, Tabert, fragt er, und der junge Zöllner erschrickt und sagt nur: Ja. Manteuffel ist damit zufrieden. Er hat's eilig wie immer und rudert zur Materialbaracke rüber. Wenn der mal einen Flecken im Anzug hat, ist er für jede Arbeit ungeeignet.

Die Wipfel der Buchen regen sich, ein leichter Wind ist aufgekommen; über den Fjord gehen jetzt gemächlich Segelboote. Wolken sind nicht in Sicht. Der junge Zöllner fährt die Buchenallee hinab. Familien wandern zum Strand runter, um ihn noch mehr zu versauen. Eine magere Göre, die sich einen Sandeimer auf den Kopf gestülpt hat, versperrt ihm mit ausgestreckten Armen den Weg. Er reißt das Fahrrad herum, legt einen Zahn zu und kreuzt die Schienen.

Auf der Ringstraße ist kein Verkehr. Er strampelt im Schatten sehr alter Kastanien. Über manche Balkons haben sie gestreifte Markisen gespannt, darunter sitzen Frauen im Unterrock und Männer mit offenen Hemden. Vor einem Neubau bremst er. Er läßt das Fahrrad am Rinnstein stehen, läuft ins Haus und klingelt mehrmals hintereinander bei Tabert. Eine junge, schwarzhaarige Frau öffnet ihm. Sie erschrickt. Er schiebt sie zur Seite, schließt die Tür und hört sie fragen: Um Gottes willen, was ist passiert? Der junge Zöllner reißt das Etui auf; hält es ihr hin und sagt: Da! Siehst du was? Mein Dienstglas – es ist weg. Vor vierzehn Tagen die Pistole; heute das Glas. Die Frau geht langsam rückwärts, zu einem Stuhl. Sie braucht sich nicht umzusehen, bevor sie sich setzt, denn alle Entfernungen in der Wohnung sind instinktiv vermessen. Mein Gott, sagt sie, das hat uns grade noch gefehlt. Sie wollen mich fertigmachen, sagt er, irgend jemand will mich fertigmachen. Du mußt es melden, sagt sie, und dann: Warum hast du es nicht gleich gemeldet? Der junge Zöllner steckt sich eine Zigarette an, schmeißt das Streichholz durchs Fenster und überzeugt sich, daß das Dienstfahrrad noch am Rinnstein steht. Melden, sagt er, bei Manteuffel einen Diebstahl melden? Der macht doch mich dafür verantwortlich, daß sie mir etwas geklaut haben. Als persönliche Beleidigung sieht der es an, wenn man einen Diebstahl meldet, weil das seine verdammte innere und äußere Sauberkeit bedroht. Denk nur an die Pistole! Manteuffel glaubt noch heute, daß ich sie selbst verscheuert habe. Einen Diebstahl begehen oder melden – für ihn ist das die gleiche Sache. Aber wie, fragt die Frau, wie konnte das nur passieren? Ganz einfach, sagt der Zöllner, das Fernglas war im Spind, und der Schlüssel zum Spind hing am Brett. Es muß einer von uns gewesen sein. Mein Gott, sagt sie, und dir muß es passieren, ausgerechnet dir. Warum kann das nicht Reinhart passieren, oder Bungert oder diesem widerlichen Pischmikat, der nicht mal richtig Deutsch kann? Wenn ich's melde, sagt er, hab ich alle gegen mich. Ich kann's mir einfach nicht leisten.

Zuerst die Dienstpistole und jetzt das Fernglas, alles in vierzehn Tagen. Und wenn wir ein Glas kaufen, sagt sie. Frag mal, was so'n Ding kostet, sagt er, und wovon willst du es bezahlen? Das ist noch nie dagewesen: in vierzehn Tagen zwei solche Sachen; die glauben mir doch nicht. Aber wir müssen doch etwas tun, sagt die Frau, und der Zöllner darauf: Ich hab Dienst, ich darf gar nicht hier aufkreuzen.

Er reibt die Glut von der Zigarette. Er legt die halbe Zigarette auf den Radioapparat und latscht ohne ein weiteres Wort raus und schwingt sich auf sein Stahlroß. Die Frau lüftet die Gardine und starrt ihm nach, wie er davonfährt: steif die Ringstraße runter und dann um die Ecke zum Gehölz. Er öffnet den Kragen. Vor seiner Brust baumelt das leere Etui. Der Riemen schneidet nicht wie sonst in den Nacken. Am Eingang zum Gehölz ist ein Parkplatz, darauf steht eine Erfrischungsbude, die Frau Puhl gehört. Wer hier seine Brause trinkt, bekommt glatt ihre Lebensgeschichte aufgetischt. Jedem Kunden quatscht Frau Puhl die Ohren voll mit ihrer Lebensgeschichte, in der die Kantine einer Marineartillerie-Schule den größten Raum einnimmt. Sie hat einfach nicht alle beisammen.

Der junge Zöllner fährt auf dem Hauptweg durchs Gehölz, das in der Saison ein richtiger Saustall ist. Wenn die Sommergäste nicht am Strand rumlungern, kommen sie hier herauf, um sich zu lagern und so weiter. Wo die lagern, da kann man gleich die Städtische Müllabfuhr hinschicken. Eine Schar von Gören, der zwei Nonnen mit weißen Hauben voransegeln, kommt ihm entgegen. Die Gören winken ihm zu. Eine Nonne ruft: Das ist ein Zollbeamter, Kinder; er hütet unsere Grenze. Sonst ist im Gehölz nicht viel los heute. Die meisten zieht's zum Strand.

Hinter dem Gehölz geht's bergab, über eine Brücke, an einem schattigen Fluß entlang in den Wald, wo die Grenze verläuft. Ein paar Kerle in Manchesterhosen, mit Gummistiefeln an den krummen Beinen – bei dieser Hitze Gummistiefel! – lassen ihre Motorsägen kreischen und pfeifen. Sie säubern Stämme vom Astwerk. Sie verständigen sich durch Zeichen, langsame Zeichen, wie alte Paviane sie geben. Der junge Zöllner steigt ab und bietet ihnen einen Gruß an, doch keiner der Paviane antwortet. Er schiebt das Fahrrad einen schmalen Pfad entlang, aus dem sich gedrungene Wurzeln heben. Hier kann niemand fahren. Der Pfad führt zur Grenze und an der unscheinbaren Grenze entlang, die nur durch einen mistigen Graben vorgestellt wird.

In einer Schonung schlägt ein Köter an: das ist Hasso. Er heißt nun mal so. Hasso läuft an langer Leine, die Bungert in der Hand hält, Bungert zwängt sich aus der Schonung und grinst und läßt den jungen Zöllner herankommen. Er hat sein Glas vor der Brust hängen. Er stiert auf seine Armbanduhr und fragt: War was unterwegs? Im Büro, sagt der junge Zöllner, ich kam nicht gleich weg. Das Fernglas, das Bungert offen vor der Brust hängen hat, könnte sein Glas sein. Er hat es nicht gekennzeichnet, aber an der Mittelschraube könnte er es wiedererkennen. Wir haben einen Wink von drüben bekommen, sagt Bungert. Sprit, fragt der junge Zöllner, und Bungert darauf: Transistorgeräte – vielleicht versuchen sie's in unserm Abschnitt. Drüben warten sie auch schon – durchs Glas kannst du sie erkennen. Hasso schnüffelt und schnuppert an dem jungen Zöllner herum, manchmal schnappt er sich jaulend ins Fell und beißt da Flöhe tot. Angenehm hört es sich nicht an, wenn der Köter seine gelben Hauer gegeneinanderbewegt und sabbernd das Fell durchkämmt. Ich hab außerdem den Strand bis zur Mole, sagt der junge Zöllner. Gut, sagt Bungert, ich schieb jetzt ab. Er wischt sich mit dem Taschentuch über Stirn und Nacken, klopft seine Uniform ab und verkürzt die Leine. Er tippt grüßend an die Mütze und zerrt den Köter, der wie blödsinnig zu scharren anfängt, zum buckligen Pfad.

Der junge Zöllner lehnt das Fahrrad an einen Baum. Er öffnet das Etui und untersucht es, aber außer dem grauen, ledernen Putzlappen ist da nichts zu finden. Er steckt den Putzlappen in seine Rocktasche und beginnt, das Etui mit Sand zu füllen. Es ist warmer, lockerer Sand, den er neben dem Pfad zusammenkratzt. Er wiegt das Etui auf ausgestreckter Hand, schließt es und hängt es sich um. Er latscht die Grenze ab bis zum Hünengrab und spürt bei jedem Schritt das Gewicht des Etuis.

An der Grenze ist nichts los heute, die Kollegen von drüben lassen sich nicht blicken. Der Himmel ist immer noch wolkenlos. Im Unterholz knistert die Hitze. Er steigt auf das Hünengrab hinauf und blickt über die Waldlichtung nach drüben. Er raucht eine Zigarette, knipst sie aus und steckt die lange Kippe in die Schachtel zurück. Eine Dampfsirene dröhnt gedämpft vom Fjord herauf. Über die Waldlichtung drüben schiebt ein Kerl eine Schubkarre. Der junge Zöllner klettert vom Hünengrab runter, schiebt das Fahrrad zum Hauptweg, sitzt auf und fährt zur Chaussee und dann weiter zum Hafen.

Im kleinen Hafen hat die »Albatros« mit den Betriebsausflüglern festgemacht. Fast alle, die von Bord gehen, schwanken. Zwei Burschen schleifen eine besoffene Alte über den Laufsteg, alle drei haben blöde Papierhüte auf. Ein junges Mädchen steht spreizbeinig mit leicht eingeknickten Knien an der Reling und übergibt sich. Wie aus einer Röhre schießt das Erbrochene aus ihrem Mund und platscht in das stille, sonnenüberglänzte Hafenbecken. Irgendwo auf dem altmodischen Dampfer wird immer noch gesungen. Ein Wurstmaxe empfiehlt den besoffenen Ausflüglern brüllend seine Würstchen.

An der Mole liegt eine feine Segelyacht. Der junge Zöllner tippelt da raus und bleibt über der Yacht stehen. Eine schwere Frau in Shorts, mit stark geäderten Schenkeln, liegt schlaff und tot auf geblümten Kissen. Sie ist barfuß. Sie hat zwei verwachsene Zehen. Neben ihr auf der Heckbank liegen Zigaretten, und da liegt in einem hellbraunen Etui ein Fernglas. Er lehnt das Fahrrad an einen Poller. Das Fahrrad fällt um, und die tote blonde Frau erwacht von dem Lärm und lächelt, ganz bedusselt von der Sonne. Sie können hier nicht über Nacht liegenbleiben, sagt er. Keine Sorge, sagt sie, wir gehn bald raus, mein Sohn holt nur Obst und Sonnenöl. Sie langt nach der Zigarettenpackung, öffnet sie, reicht sie ihm hinauf, doch er lehnt ab. Er hockt sich auf der Steintreppe hin und gibt ihr Feuer. Das Fernglas könnte das gleiche Format haben wie sein Glas, vielleicht auch die gleiche Schärfe. Trinken dürfen Sie wohl auch nicht, sagt die Frau. Nein, sagt er, trinken nicht. Aber eine Aufnahme, sagt die Frau, darf ich Sie bitten, eine Aufnahme von mir zu machen? Sie brauchen nur den Auslöser runterzudrücken. Von mir aus, sagt er.

Sie turnt schwerfällig in die Kajüte runter. Wie sie das aushält mit dem hochgepreßten Busen und den kneifenden Shorts. Ihre Haut ist griesig. Man hat nichts davon, sie sich gründlich anzusehen. Unten nimmt sie einen Schluck aus einer Flasche und wischt mit dem Handrücken über den breiten Mund. Sie schnappt sich einen Kamm, kämmt das stumpfe Haar, dann kommt sie mit ihrem Photoapparat zurück. Er knipst sie vor dem Mast, er knipst sie zur Sicherheit an der Pinne und mit verschränkten Armen vor dem Rettungsring. Danach legt sie los mit »ganz herzlichem Dank« und so weiter. Der junge Zöllner winkt ab und murmelt etwas. Ein gutes Glas haben Sie, sagt er. Keine Ahnung, sagt sie, das Glas gehört meinem Sohn. Er nimmt das hellbraune Etui von der Heckbank und fragt: Darf ich mal? Sie bringt ihre träge Masse in Ruhestellung. Klar, sagt sie.

Er hebt das Glas an die Augen, stellt die Trennschärfe ein, blickt über den Fjord hinaus bis zu den kahlen Inseln, von denen die Ruderboote der Angler ins tiefere Wasser hinausstreben. Weit draußen tauchen die grauen Aufbauten eines Minensuchers auf. Langsam schwenkt er über den Fjord zum Strand. Segelboote ziehen vorbei. Er erkennt den Kopf eines Schwimmers. Parallel zum Strand fahren ein paar von diesen elenden Motorbooten. Hinter einer Strandburg tauchen Köpfe auf, wie Seehunde aus einer Welle. Im Schutz seines Korbes zieht ein silberhaariger Sommergast seine Badehose aus. Er hat hängende Hüften, einen hängenden Hintern. Die Buden und Stände sind von Gören und jungen Leuten belagert. Überall am Wasser stehen brüllende Kinder. Kinder können einem den ganzen Urlaub versauen, weil sie sich entweder den Fuß aufschneiden oder auf die Toilette geschleppt werden wollen oder weil ihnen eines der blöden Gummitiere wegschwimmt. Vor dem Fischgeschäft hält die Karre von der Räucherei. Bungert verläßt das Geschäft.

Ein sehr gutes Glas, sagt der junge Zöllner. Das will ich meinen, sagt ein arroganter Bursche mit Seglermütze, der hinter ihm aufgekreuzt ist. Die Frau rappelt sich wieder auf. Sie nennt den riesigen Burschen »Liebling«. Sie sagt: Hast du auch Sonnenöl, Liebling, worauf der Liebling freundlich grunzt und mit seiner wasserdichten Einkaufstasche an Bord springt. Ich hab sogar Notraketen, sagt er, drüben in der Werft bekommt man alles, neu oder gebraucht, im Magazin. Wir dürfen hier nicht liegenbleiben an der Mole, sagt sie, und der junge Zöllner legt das Glas auf die Heckbank und sagt: Festmachen schon; nur über Nacht können Sie hier nicht liegenbleiben. Er grüßt, packt sein Fahrrad, dreht es herum und latscht zum Hafen zurück.

Im Bauch der »Albatros« singen immer noch besoffene Betriebsausflügler. Neben dem Laufsteg findet eine dieser verrückten Abschiedsszenen statt: mehr als achtzig Ausflügler sagen sich da gegenseitig auf Wiedersehn. Ein Kerl im Regenmantel hat einen Hustenanfall, doch das hindert ihn nicht, andern die Flosse zu drücken. Zu den öffentlichen Toiletten ist eine endlose Prozession unterwegs. Vor dem Eingang warten die Leute in Viererreihe. Der junge Zöllner überquert die Schienen. Er geht am Haus der Hafenverwaltung vorbei. Das Haus ist ziemlich verdreckt und runtergekommen. Auf dem Fensterbrett liegen tote Fliegen. Die Gardinen sind nicht nur mies, sondern auch zerrissen. Er sieht erst gar nicht hinein, er geht zu den Schuppen hinüber und von dort an einer leeren Slipanlage vorbei zur Werft.

Ein Arbeiter kriegt nicht mal sein Maul auf, als der Zöllner ihn nach dem Magazin fragt. Nur mit seinem Kopf macht er eine sparsame Bewegung in eine bestimmte Richtung. Das genügt auch. Hinter Hügeln von Ventilen, Kolben und Rohren und all dem ausgedienten Mist liegt das Magazin. Es ist eine ziemlich große Bude mit zwei Stockwerken und einem Teerpappendach. Neben dem Eingang hängt ein Verbotsschild, darunter ist eine Klingel. Der Zöllner drückt den Klingelknopf. Drinnen rasselt und tobt ein elektrischer Klöppel, daß man am liebsten abhauen möchte. Wie Alarm hört sich das an, gleich wird die Hafenpolizei erscheinen und ohne Anruf schießen, und so weiter.

Endlich kommt der Verwalter. Es ist ein befehlsgewohnter Alter in fleckigem Tuchmantel, mit ausgetretenen Schuhen an den Füßen und stark behaarten Händen. Komm rein, sagt er zum Zöllner und zieht ihn in die Bude und schließt hinter ihm die Tür ab. Sie steigen eine luftige Treppe hinauf. Sie gehen in ein behelfsmäßiges Kontor mit Oberlicht. Der Verwalter packt einen gelben Ordner mit Listen weg. Er setzt sich und nimmt einen Schluck aus einer Blechtasse. Womit kann ich dem Zoll dienen? fragt er. Eine Hängematte, sagt der Zöllner, ich bin auf der Suche nach einer billigen Hängematte. Kann gebraucht sein. Tut mir leid, sagt der Verwalter, die letzten Hängematten hab ich ans Kinderheim verkauft. Ich denke, bei euch kann man alles kriegen, sagt der Zöllner, vom Mast bis zur Schraube. In vierzehn Tagen krieg ich wieder Hängematten, sagt der Verwalter, wenn's weiter nichts ist. Der junge Zöllner nickt, geht zur Tür, dreht sich noch mal um und fragt ruhig: Und ein Glas? Ein gebrauchtes Fernglas? Du hast doch eins, sagt der Verwalter. Ich suche es nicht für mich, sagt der Zöllner.

Der Verwalter dreht sich weg, geht zu einem Regal und hebt einen Karton heraus. Er stellt den Karton auf den Tisch. Obendrauf liegen Lappen und ölverschmierte Arbeitshandschuhe. Suchend kramt er alles zur Seite, hebt eine kleine Steuerbordpositionslaterne heraus, zuletzt bringt er ein zusammengeschlagenes Handtuch zum Vorschein. Er schlägt es auseinander und hält dem jungen Zöllner ein Glas hin und sagt: Hundertfünfzig, und du hast es. Es ist ein sehr gutes Glas. Ich hab's gerade reinbekommen. Der Zöllner nimmt das Glas. Er bewegt es im Gelenk. Er sieht auf die Mittelschraube und erkennt, daß die mattgraue Schutzfarbe da zur Hälfte weggekratzt ist. Seine Hand beginnt zu zittern. Es ist sein Fernglas. Wenn du es mal prüfen willst, sagt der Verwalter. Wer beliefert euch mit so guter Ware, fragt der Zöllner.

Geschäftsgeheimnis, sagt der Verwalter, und dann: Weil du es bist, hundertdreißig. Ich weiß nicht, sagt der Zöllner, ich muß es mir noch mal überlegen. So was geht schnell weg, sagt der Verwalter, und der Zöllner gibt das Glas zurück und sagt: Ich komm wieder, ich muß nur mal ausrechnen, wo ich den Zaster einspare. Aber von mir aus: es ist so gut wie gekauft. Der Verwalter wickelt das Glas in das Handtuch, legt es in den Karton und stellt den Karton ins Regal. Zurücklegen kann ich es nicht, sagt er. Ich beeil mich, sagt der junge Zöllner. Er gibt durch ein Handzeichen zu verstehen, daß er den Weg hinaus allein findet. Er steigt die Treppe hinab und schließt die Tür auf. Draußen packt er sein Fahrrad mit einer Hand in der Mitte der Lenkstange. Der stumme Arbeiter glotzt ihm lange nach, wie er davongeht zum Hafen und in Richtung Strandpromenade.

Das Fjord-Café ist von Halbstarken besetzt. An den Tischen im kleinen überwachsenen Vorgarten ist kein Platz mehr frei. In Badehosen und Bikinis hocken die Halbstarken da herum und können sich glatt den ganzen Nachmittag an einer Brause festhalten. Aus den Lautsprechern in den Linden singt Lemmy Baboo. Die Halbstarken geraten regelrecht in Trance, wenn Lemmy singt. Jetzt kann man am besten ihre Haltungsschäden studieren. Einige Burschen tragen Schnürsenkelschlipse um den nackten Hals. Die Mädchen haben klobige falsche Ringe an den Fingern. Der junge Zöllner geht vorbei. Er hört, wie jemand sagt: Da geht 'ne grüne Gurke. Er könnte stehenbleiben, in den Vorgarten gehen, sich den Satz wiederholen lassen und, wenn er wollte, einem Burschen mit Hängeschultern die Fresse polieren. Er latscht vorüber. Er blickt auf den Fjord hinaus, in dessen Mitte hier die Grenze verläuft. Ein Zollkutter von drüben patrouilliert mit kleiner Fahrt ins offene Wasser hinaus. Es ist hier nicht sehr viel los.

Plötzlich bleibt er stehen. Aus dem Fischgeschäft kommt eine junge, schwarzhaarige Frau. Sie schleppt eine volle Einkaufstasche. Sie trägt ein dünnes rotes Kleid und Sandalen an den nackten Füßen. Offenbar ist sie noch nicht fertig mit ihren Einkäufen, sie ist nie fertig mit ihren Einkäufen. Dicht vor den Schaufenstern geht sie die Promenade entlang. Im Vorübergehen prüft sie die Auslagen, begrabbelt da einen Blumenkohl, untersucht Pfirsiche auf dunkle Stellen. Der junge Zöllner folgt ihr vorsichtig. Er weiß, daß sie jetzt Puddingpulver, jetzt Marmelade, jetzt Brot, jetzt Käse kauft. An einem pilzförmigen Stand trinkt sie eine Tasse Kaffee. Mit ihrem Kopfschütteln hat sie es abgelehnt, Kuchen zu essen. Sie zahlt hastig. Dann geht sie zum Schaufenster eines Optikers. Sie setzt die Einkaufstasche ab. Sie sieht sich die ausgestellten Ferngläser an.

Der Zöllner lehnt sein Fahrrad an einen Baum, geht von hinten an sie heran, sie sieht ihn im Spiegelbild der Scheibe und dreht sich schnell um. Sie lächelt, als ob er sie ertappt hätte, und sagt nichts weiter als: Ich bin gerade beim Einkaufen. Er zieht sie um das Eckfenster. Er beobachtet die Strandpromenade, dann sagt er: Wir müssen aufpassen, im Dienst haben die das nicht gern. Ich habe Bungert getroffen, sagt sie, und er: Ich weiß, wo mein Glas ist. Ich hab es gerade in der Hand gehabt. Hast du es wieder, fragt sie erstaunt. Nein, sagt er, aber ich weiß, wo es ist. Man hat es mir angeboten, für hundertdreißig Mark. Dein Glas? Mein Glas, sagt er und steckt sich eine Zigarette an. Drüben in der Werft, sagt er, der Verwalter in der Werft hat es mir angeboten. Und von wem hat er's, fragt sie. Wenn ich das wüßte, sagt er, wenn ich das wüßte, wären wir weiter. Aber es muß einer von uns gewesen sein. Das kannst du doch melden, sagt sie, du kannst es Manteuffel persönlich melden. Er schüttelt den Kopf. Er sagt: Es ist nichts bewiesen damit. Willst du es dann vielleicht zurückkaufen, fragt sie, dein eigenes Glas zurückkaufen? Ich muß es tun, sagt er, ich hab so eine Ahnung, als ob ich es tun muß. Es ist furchtbar, sagt sie, und er, schon unterwegs zu seinem Fahrrad: Es kann heute später werden, warte nicht auf mich. Er winkt der Frau zu, und die Frau winkt zurück und geht langsam hinter ihm her.

Der junge Zöllner fährt wieder zurück durch den Hafen zur Werft. Wer ihn von weitem fahren sieht, könnte denken, der hat seinen Dienst hinter sich oder muß Verstärkung holen oder so etwas.

Auf dem unübersichtlichen Gelände der Werft, zwischen rostigen Kesseln und zerschlagenen Aufbauten steigt er ab, duckt sich und schüttet den Sand aus seinem Etui. Er reinigt das Etui mit dem Taschentuch; dann fährt er zum Magazin und drückt den Klingelknopf, der in beiden Stockwerken Alarm auslöst. Er sieht sich um. Der stumme Arbeiter ist verschwunden, vielleicht haben sie ihn als Galionsfigur an einen Bug geleimt. Fern am Wasser fährt ein Kran entlang. Der Kranführer brüllt und regt sich auf, um zwei Seeleute von den Schienen zu jagen. Der Himmel bewölkt sich. Bald wird die Sonne fort sein. Der Zöllner klingelt noch einmal, und jetzt hört er den Schritt des Verwalters auf der Treppe, jetzt auf dem Gang. Der Verwalter öffnet die

Tür. Er bleibt im Eingang stehen. Ich möchte das Glas, sagt der Zöllner, ich bin zurückgekommen, weil ich es kaufen möchte. Der Verwalter schnalzt bedauernd mit der Zunge. Es ist weg, sagt er, ich hab's eben verkauft. Das kann nicht sein, sagt der Zöllner, und der Verwalter darauf: Wenn ich's dir sage, vor zehn Minuten ging das Ding weg. Einer von euch hat's gekauft, wenn du's genau wissen willst. Von uns? fragt der Zöllner, wie sah er aus? Ich merk mir keine Gesichter, sagt der Verwalter, er war jung, das ist alles, was ich dir sagen kann. Der Verwalter zuckt die Achseln. Hängematten in vierzehn Tagen, sagt er. Ja, sagt der Zöllner, ist gut.

Die Tür schließt sich vor ihm, und er murmelt etwas gegen die Tür und bleibt länger stehen als üblich. Er steckt sich eine Zigarette an. Er öffnet das leere Etui vor seiner Brust und schließt es wieder. Die »Albatros« läuft mit nüchternen Betriebsausflüglern zu ihrer letzten Tagestour aus. An Bord stehen ein paar Kerle mit Ferngläsern und glotzen auf zwanzig Meter die Zurückbleibenden an. Drüben vor den Hotels halten einige Busse. Die Leute, die aussteigen, schleppen sich gleich zu den Kneipen und Freßlokalen, in denen man das ganze Zeug aus dem Fjord vorgesetzt kriegt: Sprotten, Muscheln, Dorsche und Aale. Wenn man sieht, wie die Leute da von den Bussen reinströmen, weiß man, wovon die Kneipen leben, die dicht an dicht stehen mit ihren hochtrabenden Namen. Fjordblick heißen sie oder Fjordkeller, und eine nennt sich sogar Fjordtröpfchen. Viele von denen, die mit den Bussen herkommen, kriegen den Fjord selbst überhaupt nicht zu sehn. Zu Hause wissen sie nur noch, wieviel sie gesoffen haben.

Der junge Zöllner streift am Spalier der Kneipen entlang. Er fährt zur Chaussee, die den Wald durchschneidet. Er hält an der gleichen Stelle, an der er immer absitzt. Staubige Autos rollen in Kolonnen vorbei. In vielen sitzen Burschen mit nackten Oberkörpern. Verschwitzte Frauen hocken spreizbeinig auf den Beifahrersitzen und stieren auf die flimmernde Chaussee. Einige der mistigen Autos tragen an der Kühlerhaube Rentiergeweihe, bei andern sind die Scheinwerfer mit Birkenzweigen verdeckt. Auf den meisten Rücksitzen liegen erhitzte Gören, die sich im Schlaf besabbern. Es ist nicht leicht, über die Chaussee zu kommen, keiner hält an.

Drüben im Wald, hinter der Schonung, wird es stiller. Die Paviane mit ihren Motorsägen haben Feierabend gemacht oder Kaffeepause, vielleicht sind sie auch auf den Zweigen weggeturnt. Auf einer Lichtung sitzen ein Langer und eine träge Breite im Badeanzug. Der Lange saugt sich am Gebiß des Mädchens fest, das den Kopf nach hinten geworfen hat wie unter einem Würgegriff; gleich wird der Nackenwirbel brechen. Der Zöllner sieht weg, blickt auf den Boden, als ob er den genauen Verlauf der Grenze bestimmen müßte. Auf der andern Seite ist nichts los. Nur einmal winkt ihm ein Kollege von drüben zu, mustert ihn durchs Glas, winkt noch einmal und schiebt ab. Heute kontrolliert ihn niemand. Die Transistorgeräte sind längst drüben – wenn nicht, werden sie nächste Woche rübergebracht.

Er geht weiter auf dem Pfad neben der Grenze bis zum kleinen Waldsee. Er wirft eine Kippe in den stinkenden See. Auf der andern Seite des Sees steht Pischmikat und grinst. Sie gehen aufeinander zu. Sie geben sich die Hand. Pischmikats Frau ist seit zwei Jahren in der Klapsmühle, weil sie aus jedem unbewachten Kinderwagen Säuglinge klaute. Der hat es schon gehabt, daß er nach dem Dienst vier unbekannte Säuglinge im Schlafzimmer fand. Er besucht seine Frau und bringt ihr Obstkuchen und Saft, weil sie immer Durst hat.

Hast du Reinhart gesehen, fragt er. Reinhart ist vorbeigesaust hier, als ob sie wären hinter ihm her. Nein, sagt der junge Zöllner, ich hab ihn nicht gesehn. Hat nur gelacht und ist gerannt, und weg war er, sagt Pischmikat. Er hat doch die Bucht heute, sagt der junge Zöllner, und Pischmikat darauf: Mir hat er keine Auskunft gegeben, nur vorbeigerannt ist er. Nahm er dich nicht mit? Er ist jung wie du, ist Anfänger wie du, da möchte man vieles allein machen. Sie setzen sich ans Ufer des kleinen, stinkenden Sees. Das Wasser ist dunkel und brühwarm. Sie tauschen Zigaretten aus und sitzen und beobachten schweigend die Grenze. Plötzlich sagt Pischmikat: Was will der Alex nur von dir? Warum will er dich fertigmachen? Ich weiß es nicht, sagt der junge Zöllner, vielleicht weil ich den Diebstahl der Pistole gleich gemeldet hab, ohne mit ihm darüber zu reden. Er hat was gegen dich, sagt Pischmikat. Ja, sagt der junge Zöllner, ja, ich weiß. Solltest nach Feierabend ein Bier mit ihm trinken, sagt Pischmikat. Kann sein, sagt der junge Zöllner, ich werd ihn mal einladen. Sie sitzen eine Weile schweigend nebeneinander, dann stehen sie schweigend, ohne Verabredung, auf, nicken sich zu und gehen in verschiedene Richtungen davon.

Der junge Zöllner geht weiter an der Grenze entlang bis zum verlassenen Gehöft. Hier endet sein Bezirk. Das Gehöft ist fensterlos, in den Mauern geplatzt, die nackten Räume werden als Toilette benutzt.

Bei Regen kann man sich hier unterstellen. Er umrundet das Gehöft, steht und lauscht in den verwilderten Garten, alles ist still. Er sieht auf die Armbanduhr. Ruhig beobachtet er ein rechteckiges Feld und den Rand einer Schonung. Es wird dämmrig. Jenseits der Grenze kläfft ein Köter, ein anderer antwortet ihm aus großer Entfernung. Der junge Zöllner kehrt zu seinem Fahrrad zurück und schiebt es zu einem breiten, sandigen Waldweg, der von der Grenze wegführt.

920 Der Weg ist zerfahren von den Rädern der Holz-Lastwagen. An den Seiten liegen gefällt Stämme, bereit zum Abtransport. Das Geländer einer Brücke, die über einen mageren Bach führt, ist eingedrückt. Kühl ist der Sand und feucht auf dem Weg unter den Bäumen. An Fahren ist nicht zu denken. Bis zur Kreuzung muß er das Fahrrad schieben, bis zur alten gepflasterten Chaussee. Jetzt geht's bergab, an verdreckten Fabrikhöfen vorbei. An allen Mauern hängen Fruchtsaft-Plakate. Die Fjord-Zeitung macht Reklame für sich. Man kriegt schon genug von dieser Gegend auf der kurzen Fahrt von der Kreuzung bis zur Unterführung. Arbeiterinnen pfeifen hinter ihm her, sie tragen sehr enge Röcke, man kann darunter die dreieckigen Slips erkennen, deren Gummizug in den Oberschenkel schneidet.

Er fährt durch die Unterführung, an der Endstation der Straßenbahn vorbei und, ohne den Freihafen zu berühren, die Buchenallee hinauf. Im Zollgebäude oben auf dem Berg brennen die ersten Lichter. Auch in einigen Dienstbaracken sind Lichter aufgeflammt. Der junge Zöllner steigt ab, blickt hinab in die Kiesgrube. Auf dem Grund stehen zwei Lastwagen. Sie stehen sich mit laufenden Motoren und brennenden Scheinwerfern gegenüber, als würden sie gleich aneinandergeraten. Vor einer Bude stehen ein paar Kerle und rauchen. Aus dem Zollgebäude ist Radiomusik zu hören, nein, nicht aus dem Zollgebäude, sondern aus dem Buchenwald. Tagsüber haben die Sommergäste den Strand versaut, jetzt müssen sie im Wald Krach machen. Gott sei Dank wird es bald Herbst.

Der Innendienst hat schon Feierabend gemacht. Über den sandigen Platz latschen zwei Frauen vom Reinemach-Kommando; sie machen einen Heidenlärm und fuchteln mit den Armen. Vor dem Abschied fällt ihnen am meisten ein: eine halbe Stunde brauchen sie, um endlich loszukommen voneinander. Am Rande des Platzes flammen die großen Bogenlampen auf. Der Zöllner sitzt auf. Er fährt das letzte Stück bis zur Baracke und lehnt sein Fahrrad gegen die Wand. Er geht den

trüben Korridor entlang, in einem Raum wird telephoniert. Er öffnet
die Tür zum Büro. Alex sitzt gebeugt und leise schnaufend über einem
Stapel blauer Mappen, die er mit Skriptol beschriftet. Auf seiner Aktenmappe liegt fein zusammengefaltet Butterbrotpapier – vermutlich
ist er die ganze Dienstzeit mit dem gleichen Bogen ausgekommen. Der
junge Zöllner angelt sich das Dienstbuch, grüßt Alex, läßt sich an einer
Ecke des Schreibtisches nieder. Alex sieht ihn gleichgültig an, schnappt
sich die blauen Mappen und steht auf. Ich geh mal zum Hauptgebäude
rüber, sagt er. Ist gut, sagt der junge Zöllner. Alex schlurft mit seinen
beschrifteten Mappen raus. Der Zöllner macht seine Eintragung. Er
schließt das Dienstbuch und legt es in eine Schublade.

Dann tritt er an das Schlüsselbrett, hebt den Schlüssel zu seinem
Spind ab. Er öffnet sein Spind. Langsam hebt er den Riemen über
seinen Kopf und nimmt das leere Etui in die Hand. Er schiebt sein Etui
tief in das Spind hinein und blickt sich schnell um: draußen schlurft
Alex unter dem Licht der Bogenlampen zum Hauptgebäude hinauf.
Das Schlüsselbrett ist nur zwei Schritte entfernt. Jeder Haken hat seine
Nummer. Er hebt den Schlüssel Nummer 5 ab und öffnet Reinharts
Spind. Vorn liegt ein Stapel von blödsinnigen Merkblättern, daneben
das Etui mit dem Fernglas. Auf dem Gang draußen ist es still, im
Nebenzimmer telephoniert Michelsen immer noch. Der junge Zöllner
öffnet Reinharts Etui, holt das Glas heraus, sieht auf die Mittelschraube und erkennt, daß die mattgraue Schutzfarbe zur Hälfte weggekratzt
ist. Es ist sein Glas. Er wirft das leere Etui in Reinharts Spind, schließt
ab und hängt den Schlüssel ans Brett. Dann steckt er sein Glas in sein
Etui und schiebt das Etui tief in den Spind hinein und schließt ab. Er
zieht die metallene Klammer von seiner Hose und drückt die Klammer
in der Hand zusammen. Auf einer Karte gegenüber der Tür verfolgt er
noch einmal die Wege, die er heute gemacht hat.

Michelsen von nebenan kommt herein und pult sich am Ohrläpp-
chen; er fragt: Ist Alex nicht hier? Im Hauptgebäude, sagt der junge
Zöllner und begleitet Michelsen hinaus. Sie gehen schweigend den
Gang entlang, draußen geben sie sich die Hand. Sie trennen sich. Unten am Fjord sind die Kneipen erleuchtet. Alle sind bevölkert von
Sommergästen, die sich zur Nacht vollsaufen. Die Kneipenwirte brauchen sich jedenfalls nicht selbst anzupumpen. Die ganze Strandpromenade wimmelt von vergnügten Sommergästen, die unter Johlen
und Pfeifen zu einem Lokal hinschieben, dort, wo im Freien getanzt

wird. Der junge Zöllner fährt nach Hause, führt das Rad in den zugigen Flur und blockiert es am Eingang zum Keller. Er hat die Erlaubnis des Hauswirts. Er klingelt ein einziges Mal bei Tabert, bevor er die Tür selbst aufschließt und sie hinter sich zufallen läßt. Vor der Garderobe zieht er seine Jacke aus und hängt sie über einen Drahtbügel. Dann geht er ins Wohnzimmer. Am kleinen Tisch vor dem Radio sitzen Reinhart und seine Frau; beide trinken Bier. Endlich, sagt die Frau, wir warten schon eine halbe Stunde auf dich. Sie steht auf, holt ein Glas und eine Flasche Bier und schenkt ihm ein. Er setzt sich ohne ein Wort. Reinhart hat dir etwas zu erzählen, sagt die Frau, etwas, was dich sehr interessiert. Der junge Zöllner antwortet nicht. Auch Reinhart wurde etwas gestohlen, sagt die Frau, aber er hat es wieder zurück. Ich mußte einfach zu dir kommen, sagt Reinhart, ich hoffe, du hast nichts dagegen. Reinhart hat einen Verdacht, sagt die Frau. Der junge Zöllner nimmt eine halbe Zigarette vom Radio und steckt sie sich an. Er öffnet sein Hemd über der Brust. Wir finden ihn, sagt Reinhart, wir kriegen ihn bestimmt. Der kann sich auf was gefaßt machen. Reinhart hat das Schloß an seinem Spind präpariert, sagt die Frau. Der junge Zöllner steht auf, geht zum offenen Fenster und sieht auf die Kastanien hinab. Die Farbe ist blau und rot, sagt die Frau, die bleibt drei Tage an den Fingern, man kann sie nicht abwaschen. Wer es auch sein wird, sagt Reinhart, ich frag erst gar nicht, ich erledige es selbst. Wir werden alles rauskriegen, sagt die Frau. Der junge Zöllner hebt seine Hand vorsichtig über dem Fensterbrett. Erstaunt sieht er auf seine Fingerkuppen. Jetzt werden wir alles erfahren, sagt die Frau, und der junge Zöllner, ohne sich umzudrehn: Hoffentlich.

1966

Die Augenbinde

Der Korrektor unterbrach das Spiel. Er schob die Karten zusammen, warf sie auf den Fenstertisch und wischte sich langsam über die Augen, hob dann sein Gesicht und blickte durch das Abteilfenster in die Dunkelheit draußen. Das war erst Wandsbek, sagte einer der beiden anderen, worauf der Korrektor die Karten wieder aufnahm, sie mit dem Daumen zum Fächer auseinanderdrückte und schweigend ausspielte. Nach zwei Stichen, die er abgeben mußte, schob er abermals die Karten zusammen, ließ sie leicht klatschend gegen das Fenster fallen und sagte: Es steht in keinem Buch, ich hab überall nachgeschlagen. Du bist am Ausspielen, sagte einer der beiden anderen, ein alter Mann mit Stahlbrille. Es war einfach nicht zu finden, sagte der Korrektor. Fang nicht wieder an, sagte der Mann mit der Stahlbrille, ich hab's grad vergessen. Also spielen wir oder spielen wir nicht, sagte der Rothaarige.

Sie spielten weiter. Sie spielten schweigend wie an jedem Abend, wenn sie im letzten Vorortzug saßen, der Hamburg verließ, jeder erfüllt von seiner Müdigkeit und dem Wunsch, auf der Heimfahrt nicht sich selbst überlassen zu sein. Zwanzig oder sogar dreißig Jahre hatten sie sich so nach Hause gespielt, nicht gleichgültig, aber auch nicht erregt, drei Männer aus der geduldigen Gemeinschaft der Pendler, die sich beinahe zwangsläufig gefunden hatten und die sich nun in einer Art instinktivem Einverständnis immer wieder fanden, immer im vorletzten Abteil, das sie mit knappem Gruß betraten und auch wieder verließen.

Sie spielten lautlos, keinem schien daran gelegen, auch nur ein einziges Wort über Gewinn oder Verlust zu verlieren, und dann war es wieder der Korrektor, der das Spiel unterbrach. Man muß es doch herausbekommen, sagte er, man muß doch wohl erfahren können, wie sich Tekhila schreibt.

Ich gebe, sagte der Rothaarige.

Warum mußt du das wissen, sagte der Mann mit der Stahlbrille. Manches möchte man herausbekommen, sagte der Korrektor. Wozu?

Man sollte nicht alles lassen, wie es ist.

Heb ab, sagte der Rothaarige und verteilte.

Morgen erscheint die Sache, sagte der Korrektor. Tekhila wird viermal genannt in der Geschichte, und jedesmal wird es anders geschrieben.

Ich höre, sagte der Rothaarige.

Ist das ein Dorf, fragte der Mann mit der Stahlbrille und steckte seine Karten zusammen. Tekhila heißt ein Dorf in einer Geschichte, sagte der Korrektor.

Wer hat mehr als zwanzig? fragte der Rothaarige.

Sie sahen in ihre Karten, keiner konnte mehr als zwanzig entdecken, und dem Rothaarigen gehörte das Spiel. Der Regen sprühte gegen das Abteilfenster. Der Zug fuhr langsamer jetzt, bremste neben einem leeren, schlecht beleuchteten Bahnsteig; sie hörten Türen zufallen und dann hastige Schritte auf Steinfliesen. Als der Zug wieder anfuhr, war der Korrektor an der Reihe zu geben, und der Mann mit der Stahlbrille fragte: Warum ausgerechnet Tekhila?

Ich weiß nicht, sagte der Korrektor und hob das graue, unrasierte Gesicht.

Kennst du Tekhila?

Nein.

Zieht's dich dorthin?

Nein.

Was also?

Sie sind blind, sagte der Korrektor, in Tekhila sind alle blind: sie werden blind geboren und wachsen heran und heiraten und sterben blind. Es ist eine alte arabische Augenkrankheit.

Spielt die Geschichte in Marokko, fragte der Mann mit der Stahlbrille. Nein, sagte der Korrektor, ich weiß nicht. Er ließ seine Karten achtlos auf dem Fenstertisch liegen und wischte sich über die Augen, während die anderen ihr Blatt betrachteten und es gleichzeitig zusammenschoben, resigniert, abwinkend.

Der dicke Hund ist bei dir, sagte der Rothaarige.

Sie heißt »Die Augenbinde«, sagte der Korrektor.

Wer?

Die Geschichte, die Geschichte da in Tekhila. Es ist eine alte lederne Augenbinde, die der Bürgermeister aufbewahrt.

Für wen, fragte der Mann mit der Stahlbrille und legte seine Karten ebenfalls auf den Fenstertisch. Ich weiß nicht, sagte der Korrektor, vielleicht für jeden in Tekhila. Es ist ein kleines Dorf auf einer Ebene, wenig Schatten, ein Fluß mit lehmtrübem Wasser geht da vorbei, und die Leute, die blinden Einwohner von Tekhila, arbeiten auf ihren Feldern.

Beginnt so die Geschichte, fragte der Mann mit der Stahlbrille.

Nein, sagte der Korrektor, die Geschichte beginnt anders. Sie beginnt im Haus des Bürgermeisters. Der Bürgermeister nimmt eine lederne Augenbinde vom Haken. Es ist dunkles, fleckiges Leder und staubig, und der Bürgermeister wischt die Binde an seiner Hose sauber. Er poliert sie mit seinen Fingerspitzen, und dann verläßt er das Haus. Vor seinem Haus sitzt ein Korbflechter bei der Arbeit. Der Bürgermeister hält ihm die Augenbinde hin, läßt ihn das kühle Leder betasten; der Korbflechter springt erschrocken auf und folgt dem Bürgermeister, sie gehen gemeinsam über den Platz und die krustige Straße hinab zu den Feldern, und überall, wo sie einem Mann begegnen, bleiben sie stehen, der Bürgermeister hält ihm stumm die lederne Augenbinde hin, läßt ihn erschrecken.

Und jeder folgt ihm, sagte der Rothaarige.

Ja, jeder, der die Augenbinde betastet, erschrickt und folgt dem Bürgermeister, sagte der Korrektor. Sie unterbrechen ihre Arbeit oder ihr Nichtstun. Sie fragen nicht. Sie folgen ihm einfach, und der Bürgermeister selbst sagt kein einziges Wort, während er die Männer von Tekhila sammelt oder auf sich verpflichtet, indem er ihnen die Augenbinde hinhält, und zuletzt hat er alle Männer des Dorfes hinter sich.

Und so beginnt die Geschichte, fragte der Mann mit der Stahlbrille.

So ähnlich, sagte der Korrektor, morgen steht sie in unserem Blatt. Morgen kannst du sie nachlesen. Tekhila wird viermal genannt und jedesmal anders geschrieben.

Und der Kerl mit der Augenbinde, fragte der Rothaarige.

Wer?

Der Bürgermeister und alle, die er hinter sich hat – wo ziehen die hin?

Zur Schule, sagte der Korrektor. Es ist Mittag, ich glaube, Mittag, und sie ziehen schweigend zur Schule und umstellen das Gebäude. Sie fassen sich bei den Händen und bilden einen Ring. Sie stehen lauschend da, sie erproben hier und da die Festigkeit des Ringes. Ihre Bereitschaft, ihre stumme Verständigung, die Schnelligkeit, mit der sie das Schulgebäude umstellen – alles scheint darauf hinzudeuten, daß dies nicht zum ersten Mal geschieht. Ruhig stehen sie in der Sonne, und dann löst sich der Bürgermeister aus dem Ring und geht auf das Gebäude zu. Er klopft. Der blinde Lehrer von Tekhila öffnet, und der Bürgermeister läßt ihn die lederne Augenbinde betasten. Der Lehrer bittet ihn ins Haus. Er weiß, daß das Haus umstellt ist. Er fragt: »Wer?«, und der Bürgermeister sagt: »Dein Sohn«. Der Lehrer sagt: »Das glaubt ihr doch selbst nicht«, und der Bürgermeister darauf: »Wir haben Beweise.« Sie reden leise auf dem Flur, einer versucht den anderen zu überzeugen oder zu überlisten. Der Bürgermeister verlangt den Sohn des Lehrers zu sprechen. Der Lehrer bietet unaufhörlich Garantien für seinen Sohn an.

Was hat er angestellt, der Sohn, fragte der Mann mit der Stahlbrille.

Mir kannst du dieses Nest schenken, sagte der Rothaarige.

Während die beiden reden, sagte der Korrektor, erscheint der Sohn
plötzlich, nein, er ist schon da, er steht oben und hört den Männern
zu, und auf einmal sagt er zu seinem Vater: »Es stimmt. Du weißt es
nicht, aber es ist geschehen. Seit dem Unglück damals, als unser Boot
kenterte und wir gegen die Felsen trieben – seit diesem Tag kann ich
sehen.«

Steht das so in der Geschichte, fragte der Mann mit der Stahlbrille.

Nein, sagte der Korrektor, aber so ähnlich oder vielleicht doch so.
Beide Männer befehlen dem Sohn herabzukommen; er weigert sich, er
bleibt oben auf der Treppe stehen, und da er zu wissen scheint, was ihn
erwartet, sagt er zum Bürgermeister: »Ja, ich kann seit acht Wochen
sehen, damit ihr das nur wißt, und seit acht Wochen kenne ich Tekhila.« Er fordert sie auf, zu ihm heraufzukommen. Er lädt sie höhnisch
ein, ihn zu fangen. Der Lehrer bespricht sich leise mit dem Bürgermeister, und dann steigen beide zum Jungen hinauf, der mühelos vor
ihnen flieht und der, während er flieht, ihnen ein Angebot macht.

Was für ein Angebot, fragte der Rothaarige.

Morgen könnt ihr's nachlesen, sagte der Korrektor. Der Junge will
ihnen die Möglichkeiten von Tekhila zeigen, er will ihnen helfen, noch
mehr herauszuholen für sich. Vor ihnen zurückweichend, erzählt er,
was er in acht Wochen entdeckt hat.

Und das interessiert sie nicht, sagte der Rothaarige.

Sie verstehen ihn nicht, sagte der Korrektor.

Das ist einzusehen, sagte der Rothaarige und ließ seine Karten
schnurrend über den Daumen laufen.

Jedenfalls treiben sie den Jungen nach oben, sagte der Korrektor, er
flieht gemächlich vor ihnen her, und sie folgen ihm schweigend und
dicht nebeneinander; sie treiben oder drücken ihn vor sich her, der
Junge öffnet das Bodenfenster – nein, das ist unwahrscheinlich: er
öffnet ein Fenster, klettert hinaus, hängt mit gestrecktem Körper da
und läßt sich dann fallen. Der Fall, der Aufschlag wird von den anderen gehört, sie scheinen darauf gewartet zu haben. Sie nehmen sich
sehr fest bei den Händen. Sie rücken zusammen. Wie sie da stehen!
Mit lauschenden Gesichtern, gekrümmt, einen Fuß vorgestemmt, als
müßten sie einen Ansturm auffangen. So stehen sie da, während der
Junge sich mit schmerzendem Knöchel erhebt. Er entdeckt den Ring,
der ihn und das Haus umgibt. Er blickt den Kreis der lauschenden
Gesichter entlang, sucht sich zu erinnern: wie heißt der, wer ist dieser,

wo ist die schwächste Stelle. Dann duckt er sich, läuft an, sie hören ihn kommen und verstärken unwillkürlich den Griff. Der Junge wirft sich gegen den Ring. Der Ring gibt nach und fängt ihn auf und umschließt ihn, er steckt drin wie ein Fisch in der Reuse. Sie nehmen ihn in ihre Mitte, halten ihn fest, bis der Bürgermeister dazukommt.

Mit der ledernen Augenbinde, sagte der Mann mit der Stahlbrille.

Mit der Augenbinde, sagte der Korrektor. Aber sie legen ihm die Augenbinde noch nicht an; sie führen oder schleppen ihn durchs Dorf, durch Tekhila. Sie zögern nicht. Sie wissen, was geschieht. Alles kommt dir vor wie eine Wiederholung. Jedenfalls bringen sie ihn raus zu dem alten Schöpfwerk draußen vor den Feldern.

Da beraten sie, sagte der Rothaarige.

Nein, sagte der Korrektor, sie beraten nicht. In der Geschichte beraten sie überhaupt nicht. Der Bürgermeister ruft nur einen Mann auf. Es ist ein Mann, von dem du sofort weißt, der hat einschlägige Erfahrungen. Dieser Mann hat eine gedrehte Schnur in der Tasche. Er bindet den Jungen am Balken des Schöpfrades fest; dann legt er ihm die lederne Augenbinde an, und während er das tut, merkst du, daß sie das gleiche mit ihm selbst gemacht haben, vor langer Zeit.

Steht der Junge allein am Balken, fragte der Mann mit der Stahlbrille.

Ein Maultier, sagte der Korrektor, am anderen Ende des Balkens ist ein Maultier festgebunden. Die Männer von Tekhila warten, bis alles getan ist. Das Maultier zieht an, der Junge geht mit, Runde für Runde.

Wie lange, fragte der Rothaarige, wie lange wird er die Augenbinde tragen?

Solange es nötig ist, sagte der Korrektor.

Vielleicht müssen sie es so machen in Tekhila, sagte der Mann mit der Stahlbrille.

Ja, sagte der Korrektor, vielleicht müssen sie es.

Ich werd es nachlesen.

Viermal wird Tekhila genannt, und jedesmal schreibt es sich anders.

Das sieht dem Nest ähnlich.

Ja, das sieht ihm ähnlich; ich hab überall nachgeschlagen, ich konnte nichts finden.

Überhaupt nichts, fragte der Mann mit der Stahlbrille.

Doch, sagte der Korrektor, ein paar Namen, die sich so ähnlich anhören wie Tekhila.

Der Rothaarige steckte die Karten ein, blickte durchs Abteilfenster und nahm seine Aktentasche aus dem Gepäcknetz. Es lohnt sich wohl nicht mehr, zu geben, sagte er.

Nein, sagte der Korrektor, es lohnt nicht mehr.

1966

Die Schmerzen sind zumutbar

Wir sind noch nicht einmal mit dem Stubenreinigen fertig, wir beide von der Vernehmung, da erscheint sein Adjutant. Der Adjutant läßt sich von Erich Meldung machen, hört genau zu, viel genauer und sorgenvoller als sonst, mustert uns mit skeptischer Neugierde, auch mit Mißtrauen, gibt sich mit unserer Vorderansicht nicht zufrieden und umrundet uns, sehr langsam umrundet er uns und prüft uns auch von hinten, so daß Erich und mir bald klar ist: das wird kein gewöhnlicher Tag. So lange hat sich sein Adjutant noch nie mit uns beschäftigt.

Die langsamen Bewegungen, die Aufmerksamkeit, das spickende Mißtrauen sagen uns gleich: der hat was auf dem Herzen; und daß wir uns nicht täuschen, beweist er uns durch die Art, wie er unser Werkzeug durchmustert, auf das wir mitunter zurückgreifen müssen. Schweigend, mit gesenktem Gesicht geht er zum Streckbrett hinüber, betrachtet nachdenklich Wippe und Nagelbank, begrüßt stumm Schläuche, Stricke und elektrische Kabel, schenkt auch den Klemmen und Ledergürteln sein Interesse, die sich in einwandfreier Disziplin anbieten. Der Adjutant sagt kein einziges Wort, er nickt nicht einmal. Steif bewegt er sich, zögernd, er ist bedrückt. Wir erwarten etwas von ihm, erwarten sogar etwas Bestimmtes – nennen wir es ruhig Anerkennung; die hat Erich durchaus verdient für den erfolgreichen Bügeltisch, den er selbst entwickelt hat. Aber sein Adjutant mustert und prüft nur alles, wobei er sich augenscheinlich vor Berührungen hütet, und dann geht er wieder stumm hinaus.

Wir blicken uns an, wir lösen uns aus der Spannung und wollen gerade mit der Deutung des Besuchs beginnen, als sein Stabschef erscheint. Auch der Stabschef läßt sich von Erich Meldung machen; auch der Stabschef betrachtet uns genauer und sorgenvoller als sonst, geht um uns herum, läßt sich hinten erklären, was wir ihm vorne schuldig bleiben; zuletzt befiehlt er uns, die Hände zu heben. Wir heben die

Hände. Der Stabschef dreht die Innenflächen nach oben, er beginnt zu lesen. Die Lektüre gibt die nötigen Auskünfte, er lächelt vorsichtig, sein Mißtrauen scheint teilweise widerlegt. Der Stabschef hat unsere Hände mit Gewinn gelesen. Er drückt sie sacht nach unten und sieht sich um, vielleicht wird er ein anerkennendes Wort für den Bügeltisch übrig haben, den Erich entwickelt hat. Der Stabschef wendet sich unentschlossen unserem Werkzeug zu, als der Bursche des Oberbefehlshabers mit zwei Wolldecken, einer Flasche Cognac und Zigaretten erscheint. Der Bursche zwinkert uns zu, für sein Zwinkern ist er bekannt. Achtsam legt er die Wolldecken auf das Streckbrett, stellt den Cognac auf die Wippe, legt die Zigaretten gut sichtbar daneben. Erich sieht ihn verwirrt an, und man weiß, was er fragen möchte, aber nicht zu fragen wagt. Der Bursche ordnet seine Uniform und stellt sich so neben der Tür auf, daß man vor lauter Erwartung nur noch die Tür anstarrt, es bleibt einem nichts anderes übrig.

Wir blicken auf die Tür. Der Stabschef hat, im Gegensatz zum Adjutanten, unser Werkzeug flüchtig, vielleicht gedankenlos betastet; jetzt kommt er näher und blickt ebenfalls auf die Tür. Uns braucht keiner mehr zu sagen, mit wessen Besuch wir zu rechnen haben.

Auf einmal seufzt der Stabschef; auch wenn es unwahrscheinlich klingt: er seufzt und zuckt die Achseln und gibt Erich durch eine Geste zu verstehen, daß ihn etwas bedrückt. Es ist ihm anzusehen, daß er Erich mit seiner Sorge bekannt machen möchte, aber einstweilen noch nach dem Ton sucht, in dem das geschehen könnte. Der Stabschef sucht nach einer angemessenen Form des Anvertrauens. Er spürt Widerstände. Dann sagt er, was wir schon wissen; nach einem Seitenblick auf den Burschen des Oberbefehlshabers sagt er, daß der Oberbefehlshaber selbst gleich hier erscheinen wird, wir möchten uns darauf vorbereiten. Wir starren auf die Tür; der Oberbefehlshaber ist noch nie bei uns im Vernehmungszimmer gewesen, er ist uns nur aus Zeitungen und Wochenschauen bekannt, allerdings so gut, daß wir ihn mühelos wiedererkennen können. Sein Stabschef nickt bedenklich. Er gibt uns bekannt, daß der Oberbefehlshaber in besonderer Angelegenheit erscheinen werde. Zu Hause, also ziemlich weit weg, sagt der Stabschef, habe man sich erregt über die Mittel, die bei der Vernehmung von Gefangenen angewendet werden. Es herrscht dort hinten sogar Empörung, sagt der Stabschef. Es werden, sagt der Stabschef, Unterschriften gesammelt, mit denen gegen die Methoden der Gefangenenvernehmung demnächst protestiert werden wird. Der Stabschef schweigt einen Augenblick, sein Schweigen enthält keinen Vorwurf, er betrachtet von nahe seinen Handrücken. Dann spricht er leise auf seinen Handrücken hinab. Er sagt: Der Oberbefehlshaber will alle Kritiker zu Hause selbst widerlegen, er will sie persönlich ins Unrecht setzen. Zum Beweis, daß die Mittel, die bei der Gefangenenvernehmung angewandt werden, erträglich und zumutbar sind, wird er hier erscheinen und, so sagt der Stabschef, diese Mittel an sich selbst ausprobieren lassen. Der Oberbefehlshaber will sich zur Probe unter normalen Bedingungen vernehmen lassen und damit allen beweisen, daß die Vernehmungen erforderlich und zu erdulden sind. Es soll so etwas wie ein Beispiel werden, sagt der Stabschef, ein humanes Experiment.

Nachdenklich geht er zur Wippe, hebt die Cognacflasche hoch, liest das Etikett und hat gegen die Marke nichts einzuwenden. Er gibt Erich den Befehl, Schaufel und Besen wegzuräumen. Er streichelt die Wolldecken, die der Bursche hereingebracht hat. Es interessiert ihn nicht, ob wir auch etwas zum Plan des Oberbefehlshabers zu sagen haben. Während Erich Besen und Schaufel in ein Spind schließt, kann man schwarze Schweißflecken unter seinen Achseln bemerken, und es fällt auf, daß seine Hände zittern. Erich leckt wiederholt über seinen Daumen, wie immer, wenn er erregt ist, er poliert den Daumen an der Hüfte. Erichs schwerer, würfelförmiger Kopf beginnt in langsamem Rhythmus zu nicken.

Plötzlich reißt der Bursche die Tür auf, er muß den Schritt seines Herrn früher hören können als andere. Starr steht er da und hält die Tür auf; auch wir stehen starr da, der Stabschef salutiert. Der Oberbefehlshaber geht, wie man ihn in der Wochenschau hat gehen sehen, er gleicht den Photographien, die die Zeitungen täglich von ihm veröffentlichen. Müde kommt er herein, lustlos, ein kleiner, ausgezehrter Mann, sein Gesicht ist fleckig, die dunklen Augen liegen tief. Mit seinen Niederlagen hat er sich die Sympathien der Opposition erworben, durch seine Siege hat er schon zu Lebzeiten das Lesebuch erreicht. Wie eng sein Brustkasten ist! Die Schultern sind schmal, der Hals sehnig, unter dem Uniformhemd kann man die Nackenwirbel erkennen. Zerstreut hebt er eine kleine trockene Hand grüßend an die Mütze. Er geht quer durch das Vernehmungszimmer, wendet sich ruckhaft um, blickt gleichgültig auf seinen Adjutanten und einen Mann in Zivil, die ihm gefolgt sind. Der Oberbefehlshaber ist nur mit Khakihemd und

Tuchhose bekleidet, er trägt leichte Stoffschuhe und einen einzigen ins Gelbliche spielenden Orden. Er nimmt die Mütze ab. Er schließt die Augen; dann wendet er sich an Erich und möchte von ihm wissen, ob er unterrichtet und bereit ist.

Erich lächelt gequält, er weiß etwas und weiß nichts, er hat da etwas gehört, was er nicht glauben kann, denn das, was man von ihm verlangt, könnte man vielleicht von andern verlangen, und so weiter. Erich erklärt, daß er der Aufgabe nicht gewachsen ist. Erich gibt sich Mühe, hilflos zu erscheinen, überfordert, ungeeignet. Erich bekennt, daß er nicht der Mann sei, um eine Probe-Vernehmung durchzuführen, noch dazu bei seinem eigenen Oberbefehlshaber. Er sehe den Grund ein, sagt Erich, das schon, aber in diesem Falle bringe er auch nicht mehr fertig.

Der Oberbefehlshaber läßt sich von seinem Burschen ein Cognacglas füllen, trinkt, öffnet sein Hemd über der Brust und steht schweigend und erwartungsvoll da. Erich poliert seinen Daumen an der Hüfte. Der Adjutant, der Stabschef und der Zivilist treten ans Fenster, lehnen sich an und sind Publikum. Ich habe den Eindruck, daß alle Erfahrungen, die Erich mir voraushat, unnütz geworden sind. Der Oberbefehlshaber steht nur stumm da, nein, das trifft nicht zu – einmal sagt er etwas, er sagt zu sich selbst: Ich brauche den Beweis, also fangen wir an. Erich sieht sich ratlos um, von überall her treffen ihn ruhige auffordernde Blicke: Seine Verlegenheit macht ihn beweglich, er windet sich, wirft den Kopf hin und her, greift in die Luft. Es geht nicht, sagt Erich niedergeschlagen, ich kann es nicht; denn wonach soll ich forschen?

Der Oberbefehlshaber nickt, er kann diese erhebliche Verlegenheit einsehen, und er entscheidet: die Vernehmung soll der Umgruppierung der Streitkräfte im westlichen Bergland gelten. Erich tritt einen Schritt zurück, einen Schritt, der Ratlosigkeit und Weigerung ausdrücken soll, worauf der Stabschef die Worte des Oberbefehlshabers langsam wiederholt. Fangt endlich an, sagt der Adjutant; der Zivilist sagt nichts.

Auf einmal blickt Erich den Oberbefehlshaber an, lange, viel zu lange, wie mir scheint, sie prüfen, sie erkunden einander mit Blicken, und dann gibt Erich mir einen Wink, und ich weiß, was der Wink bedeutet: ich biete dem Oberbefehlshaber eine Zigarette an und gebe ihm Feuer. Der Oberbefehlshaber lächelt nicht, er raucht hastig, als ob er Zigaretten lange entbehrt hätte. Erich bittet den Oberbefehlshaber gehorsamst, sich auf einen ganz gewöhnlichen Stuhl setzen zu wollen; dieser Aufforderung wird nicht entsprochen, weil sie nicht glaubhaft klingt, und Erich muß die Aufforderung wiederholen, schlichter, nachdrücklicher. Er sagt einfach: Setzen Sie sich hierhin. Der Stabschef möchte wissen, ob Erich bei den Vernehmungen die Gefangenen duzt oder siezt, er duzt sie selbstverständlich, er sagt: Wenn man sich so nahe ist, bleibt es nicht aus, daß man aufs Du kommt. Dann machen Sie's doch wie gewöhnlich, sagt der Stabschef; doch Erich schüttelt bekümmert den Kopf und gibt mir einen zweiten Wink, worauf ich, ganz gewohnheitsgemäß, dem Oberbefehlshaber die angerauchte Zigarette fortnehme. Das gefällt dem Adjutanten. Der Adjutant zeigt sich belustigt, er tippt dem Zivilisten auf den Unterarm. Erich überlegt, langsam zieht er den Kopf in die Schultern ein, er überlegt sorgfältig, und dann lacht er auf, reißt mit verzerrtem Gesicht seine Arme hoch und läßt sie kraftlos herabfallen: Erich, die reine Hilflosigkeit.

Da erhebt sich der Oberbefehlshaber von dem Stuhl, den Erich ihm angewiesen hat, sagt nichts, fordert und befiehlt nichts, sondern steht nur, der Oberbefehlshaber, klein und ausgezehrt da und zwingt Erich stumm in den Blick seiner tiefliegenden Augen, und auf einmal ruft Erich, vermutlich zu seiner eigenen Überraschung: Setzen, setz dich hin! Der Oberbefehlshaber setzt sich. Er schlägt die kurzen Beine übereinander. Er weist ein Cognacglas zurück, das ihm von der Seite seines Burschen her zuschwebt, und sieht gefaßt Erich entgegen, der sich ihm geduckt, vielleicht sogar bedeutungsvoll nähert. Also wollen wir uns mal unterhalten, sagt Erich und tritt hinter den Oberbefehlshaber mit verschränkten Armen.

Der Zivilist zieht ein Notizbuch aus der Tasche, hebt einen Bleistift und rückt ein wenig vom Adjutanten ab, der sich immer noch belustigt zeigt, der hier wohl erleben möchte, was Chaplin mit seinem Spazierstock vollbringt. Ich sehe nur auf Erich, der mir jetzt zunickt, der mir durch sein Nicken befiehlt, dicht vor den Oberbefehlshaber hinzutreten: das ist mein Platz. Ich und der Oberbefehlshaber schweigen uns an. Erich stellt von hinten die Fragen. Doch zuerst äußert er sich allgemein, er stellt fest: Für Sie ist jetzt alles vorbei, mein Junge, der Kampf, die Angst, der ganze Mist – alles vorbei. Sie leben, sagt Erich, und dafür sollte man dankbar sein. Uns, mein Junge, kannst du deine Dankbarkeit beweisen, indem du uns sagst, was du weißt.

Ich beobachte forschend den Oberbefehlshaber, er hält die Augen geschlossen, er ist eingeschlafen, nein, er lauscht nur mit geschlossenen Augen, während Erich, tief über ihn gebeugt, kameradschaftlich rät: Erleichtern Sie sich, erzähl uns, was du von den Umgruppierungen weißt, mein Junge, dort im Westen, im Bergland, wo wir dich erwischten. Sie selbst wurden doch einem neuen Regiment zugeteilt. Welche Nummer hat dieses Regiment? Der Oberbefehlshaber schweigt. So geht es allen, sagt Erich, vor lauter Freude verlieren sie am Anfang immer das Gedächtnis, aber wir werden es wiederfinden, wir haben es oft wiedergefunden. Man muß sich nur konzentrieren.

Erich gibt mir einen Wink, ich bitte den Oberbefehlshaber, sich zu erheben. Ich geleite ihn zur Wippe hinüber. Ich bitte ihn, in der Wippe Platz zu nehmen, was er wortlos tut. Im Hintergrund, am Fenster, seufzt einer, das ist der Stabschef. Ich binde den Oberbefehlshaber höflich, zu seiner eigenen Sicherheit, auf der Wippe fest, und auf ein Zeichen von Erich mache ich ihn darauf aufmerksam, daß er den rechten Zeigefinger heben soll, wenn es ihm zu ungemütlich wird. Die nun folgende Übung, sagt Erich zum Zivilisten, dient der Konzentration und der Erinnerung, und danach packt er den Oberbefehlshaber an den schmächtigen Schultern, drückt ihn nach hinten, hält ihn so in gewagter Rücklage, bittet tatsächlich hörbar um Verzeihung und läßt den an die Wippe gefesselten Oberbefehlshaber los, die Wippe schlägt nach vorn, sie fällt der Wand zu, der Oberbefehlshaber sieht die Wand auf sich zufallen und reißt das Gesicht zur Seite, erprobt auch ruckartig den Spielraum der Glieder in den Fesseln, doch er schlägt nicht gegen die Wand, denn zehn Zentimeter vorher endet der Schwung der Wippe. Und jetzt geht es hin und her, vor und zurück, in berechnetem Rhythmus, in kalkuliertem Schwung: wer auf die Wippe gefesselt ist, hat unwillkürlich das Gefühl, daß er der Wand immer näher kommt, daß er, wenn nicht jetzt, so doch das nächste Mal mit dem Gesicht gegen die Wand geschlagen wird. Der Oberbefehlshaber reißt jedesmal das Gesicht zur Seite. Er protestiert nicht. Sein rechter Zeigefinger hebt sich nicht.

Erich stellt einen Fuß auf die Wippe, hält die Wippe in Schwung. Er fragt: Erinnerst du dich? Fällt dir jetzt die Nummer des Regiments ein? Nicht? Immer noch nicht? Aber vielleicht kennst du andere Nummern, mein Junge? Entschuldigung, sagt Erich erschrocken und wendet sich zum Fenster um, doch vom Fenster ermuntert man ihn, in der begonnenen Weise fortzufahren; nur der Zivilist hat, wie erwartet, eine

Frage. Der Zivilist möchte wissen, ob jeder Gefangene, der zur Vernehmung gebracht wird, die Möglichkeit erhält, durch ein Heben des rechten Zeigefingers die Befragung zu unterbrechen. Erich überläßt es mir, zu antworten, und ich sage deutlich: Ja, und dann binde ich auf ein Zeichen den Oberbefehlshaber von der Wippe los.

Er taumelt, der leichte, schmächtige Mann ist nicht ganz da, will ich mal sagen; sein Körper zittert, er stöhnt leise. Sein Bursche segelt schon wieder mit einem Cognacglas heran. Der Adjutant hält ihn zurück. Der Adjutant kippt den Cognac selbst runter – zerstreut allerdings, das muß betont werden. Erich selbst verhindert, daß der Oberbefehlshaber eine Zigarette erhält. Erich hat längst die Klemmen in der Hand. Er arbeitet jetzt wie gewöhnlich, mit kurzem Schnaufen. Die Klemmen schnappen nach den mageren Handgelenken des Oberbefehlshabers und halten ihn stehend unter der Brause fest, es ist die Gedächtnisbrause. Welche Regimenter, fragt Erich und stößt dem Oberbefehlshaber aufmunternd in den Rücken. Welche Streitkräfte werden umgruppiert? Mit welchem Ziel? Der Oberbefehlshaber kann sich an nichts erinnern, ihm ist alles entfallen, und deshalb drehe ich die Brause auf, weil ich weiß, daß Erich mir gleich ein Zeichen dazu geben wird.

Der Oberbefehlshaber ist naß. Das Tuch seiner Uniform schwärzt sich, es klebt an seinem Körper. Der magere Körper windet sich. Der Oberbefehlshaber gleicht einem traurigen Vogel im Regen. Wie erwartet, erkundigt sich der Zivilist nach der Temperatur des Wassers, die Auskunft stimmt ihn zufrieden, er nimmt eine bedächtige Eintragung vor. Um das Gedächtnis des Oberbefehlshabers zu erweichen, laß ich es noch mehrmals kurz niederregnen, doch ohne Erfolg: obwohl Erich mit der flachen Seite eines Lineals die Fragen skandiert, erhält er keine Antwort.

Ich weiß, daß Erich gleich schreien wird, und tatsächlich: er schreit, schreit den Oberbefehlshaber an, schüttelt ihn, so daß ich schon anfange, mir Sorgen zu machen, und vom Fenster her höre ich den Stabschef auch schon rufen: Na, na, na; da lenkt Erich zum Glück wieder ein, lächelt und weist triumphierend auf den rechten Zeigefinger des Oberbefehlshabers, der sich nicht erhoben hat, nicht um Beendigung bittet. Los, sagt Erich, komm raus, nenn mir die Nummer des Regiments, warum willst du sie für dich behalten, du schadest dir nur.

Ich weiß, daß jetzt die Sache mit der Zigarette und dem Schlauch kommen wird, doch als ich die Zigarette anstecke, gibt Erich mir ein energisches Zeichen, er schüttelt mitleidig den Kopf über mich und befreit den Oberbefehlshaber aus den Klemmen.

Erich schubst den Oberbefehlshaber zum Streckbrett hinüber. Ich zwinge den schmächtigen, durchnäßten Mann nieder. Ich binde ihn mit Kabelschnüren auf dem Streckbrett fest – klein genug ist er, es läßt sich allerhand an ihm strecken. Sein Gesicht ist verschlossen, die Lippen zittern. Er liegt ohne Protest da. Ich lausche auf seinen Atem und zweifle nicht, daß es Erich gelingen wird, alles von ihm zu erfahren: wir werden über die Umgruppierungen der Streitkräfte im westlichen Bergland Bescheid wissen, bevor die einzelnen Kommandeure etwas davon hören.

Erich dreht das Rad, die hölzernen Blöcke gleiten in den Lagerungen. Der kleine Körper in dem nassen Zeug strafft sich. Die Lippen des Oberbefehlshabers springen auf. Auch das, sagt Erich zum Fenster, dient nur dazu, die Erinnerung freizulegen. Gespannt beobachten wir, wie der gebundene Körper sich streckt, wie er sich aufbäumt und fällt und schließlich auf den gleichbleibenden Zug nur noch mit einem Stöhnen antwortet. Wir brauchen nicht auf den rechten Zeigefinger zu achten – das besorgt der Stabschef am Fenster –, wir können uns konzentriert der Vernehmung widmen. Ich will Erich den Ledergürtel reichen, doch er verwarnt mich durch einen Blick, und ich hänge den Gürtel wieder an den Haken. Ich beuge mich tief über den Oberbefehlshaber. Er ist bei gutem Bewußtsein. Erich beginnt mit seiner flüsternden Vernehmung, zieht die Drehung an, fragt, dreht abermals und fragt weiter – so lange, bis der Oberbefehlshaber aufschreit und sich auf die Lippen beißt; den Zeigefinger hebt er nicht. Nur die Nummer deines Regiments, sagt Erich, dann hört alles auf, nur die kleine, bescheidene Nummer. Erzähl uns, was du weißt, sagt Erich und zieht an; da hätte manch einer zu sprechen begonnen bei so vielen Drehungen. Der Oberbefehlshaber schweigt. Er hält den Schmerz aus und schweigt.

Wir können die Unruhe verstehen, die sich am Fenster bemerkbar macht, wir können auch den Wunsch des Burschen einsehen, der unaufhörlich versucht, sich seinem Oberbefehlshaber mit einem gefüllten Cognacglas zu nähern, doch da es eine normale Probe sein soll, können wir die regelmäßige Stärkung durch Cognac nicht zulassen. Der Zivilist schreibt jetzt hastig, er tarnt sich mit Gleichgültigkeit. Der

Adjutant raucht, nur der Stabschef scheint zu leiden. Ich blicke bewundernd auf Erich und frage mich: Wie kann er so ruhig bleiben bei aller Erfolglosigkeit? Setzt er, so frage ich mich, seine ganze Hoffnung auf den Bügeltisch, auf dem, im rechten Augenblick, alle gesprächig wurden? Bisher ist es noch keinem gelungen, auf dem Bügeltisch stumm zu bleiben. Ich meine, hier entdeckten auf einmal alle ihr Gedächtnis. Will Erich es bis zum Bügeltisch kommen lassen?

Erich gibt mir ein Zeichen, ich binde den Oberbefehlshaber los, stelle ihn auf die Füße und muß ihn auffangen und halten, muß ihn, dessen Leichtigkeit mich überrascht, auf den Arm nehmen und hinübertragen auf den Bügeltisch, den Erich selbst entwickelt hat. Wieder binde ich den Oberbefehlshaber fest und mache ihn darauf aufmerksam, daß er, wie jeder vor ihm, die Möglichkeit hat, durch das Heben des rechten Zeigefingers die Vernehmung augenblicklich auszusetzen. Ich versichere mich, ob er verstanden hat. Er hat verstanden, denn er nickt schwach. Er hat die Augen geschlossen und bibbert unter der Kälte eines für ihn neuen Schmerzes.

Erich duckt sich. Erich schreit auf einmal los, daß ich selbst erschrekke. Die Nummer, schreit er, ich will die Nummer deines Regiments hören. Der Oberbefehlshaber schweigt. Erich nimmt das vorgewärmte Bügeleisen aus der Halterung, hebt es hoch über den schmächtigen Körper und zwingt den Oberbefehlshaber, das Bügeleisen anzublicken. Erich macht die Wärmeprobe, indem er mit zwei angefeuchteten Fingerkuppen leicht gegen das Eisen tippt und sich eine zischende Bestätigung geben läßt, dann senkt er langsam das Bügeleisen, berührt leicht einen Schenkel, läßt Dampf aufsteigen und sagt: Trocknen, wir werden dich ganz trockenbügeln, denn mit nasser Uniform können wir dich nicht entlassen. Erich arbeitet weiter. Der Oberbefehlshaber schlägt mit den Absätzen, seine Schultern zucken. Er unterdrückt den Atem. Er will etwas sagen, jetzt, jetzt will er etwas sagen, nein, er schluckt nur, spannt seine Halsmuskeln, er scharrt mit den Händen rasend auf dem Tisch, aber den Zeigefinger, den Zeigefinger hebt er nicht.

Dann bemerke ich, wie er die Augen öffnet und Erich ansieht, nicht befehlend oder auffordernd, sondern eher skeptisch und auch mit Geringschätzung, und Erich zögert, Erich erscheint hilflos und überfordert; er stellt das Bügeleisen in die Halterung zurück. Er schüttelt entmutigt den Kopf. Er kann nicht verstehen, was passiert ist, und müde befiehlt er mir, den Oberbefehlshaber aus seiner Lage zu befreien.

Ich binde ihn los, setze ihn auf die Füße und überlasse es ihm selbst, sein Gleichgewicht zu finden, während der Adjutant und der Stabschef sich gehorsamst erlauben, dem Oberbefehlshaber zur bestandenen Probe zu gratulieren – sie gratulieren ihm tatsächlich. Der Bursche nähert sich mit Cognacglas und Zigaretten und legt dem Oberbefehlshaber eine Wolldecke über die zitternden Schultern. Erich sitzt fassungslos auf einem Stuhl und poliert seinen Daumen in der Hüfte. Ja, sagt der Oberbefehlshaber auf Befragen zum Zivilisten, ja, die Schmerzen sind zumutbar, das hoffe ich gezeigt zu haben.

Ich klopfe wie immer an die Tür des Sanitätszimmers, klopfe nur aus Gewohnheit, und wie immer erscheint der rothaarige Sani mit Fingerschiene und Verband. Er hat nichts als Schiene und Verband bei sich, stutzt beim Eintreten, will wieder hinaus, doch ich deute auf den Oberbefehlshaber, und der Sani tritt zu ihm und versucht ohne ein Wort, den rechten Zeigefinger zu schienen. Man kann schon verstehen, daß der Zivilist da erstaunt fragt: Was machen Sie da? Und dem Sani kann man es nicht übelnehmen, wenn er gewohnheitsgemäß erklärt: Den rechten Zeigefinger schienen. Es ist alles in Ordnung, sagt der Oberbefehlshaber, alles ist heil, unsere Kritiker haben eine Antwort erhalten.

Jetzt allerdings könnte der Sani etwas weniger erstaunt dastehen.

1966

Leute von Hamburg

Schwer ist es, in Hamburg einen Hamburger zu ertappen. Auf eiliger, auf oberflächlicher Suche trifft man nur Krebse, Pinneberger, Bergedorfer, man begegnet den genügsamen Bücklingen einer strebsamen Gesellschaft, Makrelen aus Stade, Ewerschollen aus Finkenwerder, Heringe aus Cuxhaven schwimmen in erwartungsvollen Schwärmen durch die Straßen meiner Stadt, Hummer bewachen mit geöffneten Scheren die Börse; Knurrhähne begeben sich zu einer Konferenz ins Rathaus, man begegnet dem Seelachs und dem Dornhai und verfolgt volkreiche Wanderungen von Dorschen, die zum Hafen hinabziehen. Der erste, sozusagen unbewaffnete Blick findet immer wieder den Meeresgrund, er fällt in Aquariumsdämmerung; das hat schon Heinrich Heine erfahren müssen, als er mit gebildetem Spott und talentierter Melancholie die Leute von Hamburg suchte. Da bot sich unwillkürlich ein maritimer Vergleich an: Hamburg auf dem Grund der See, und durch es hintreibend, es bewohnend und beherrschend, zeigte sich mannigfaltiges Seegetier. Doch der unterseeische Vergleich schränkt zu sehr ein, er läßt zuwenig offen.

Um die Leute von Hamburg zu ertappen, um sich von ihnen begeistern oder befremden zu lassen, muß man sie anders suchen, mit bewaffnetem Auge, mit einem erheblichen Vorrat an leeren Stunden. Da nimmt man am besten ein Rumglas, ein geschliffenes, altmodisches, langstieliges Rumglas, man verschafft sich einen Fensterplatz in einer Kneipe – falls die Sonne mal irrtümlich scheinen sollte, kann man ja auch auf die Veranda hinausziehen –, und nach geduldiger Vorbereitung kann die Suche beginnen: man hebt das Glas gegen die Vorübergehenden, nimmt sie auf wie mit einer mitteilsamen Linse, bannt und sammelt sie. Gleich merkt man: Hamburger sind Leute, die sich selbst für Hamburger halten. Isoliert, durch den Schliff des Rumglases gebrochen, unterhaltsam verzerrt und auf mittlere Distanz gebracht, sind die Vorübergehenden auf einmal zu Geständnissen über sich selbst bereit. Gebrochen durch dein Rumglas, geben die Hamburger Aufschluß über sich selbst. Unbestaunt, solange sie sich dem bloßen Auge bieten, geben die Leute von Hamburg zum Staunen Anlaß, wenn sie in die eigensinnige Linse eines Rumglases hineingeraten.

Heben wir ruhig mal das Glas. Lassen wir zum Beispiel ein Mädchen ins Glas geraten. Ein Mädchen in Rock und Bluse. Sie ist langbeinig – alle Hamburgerinnen sind langbeiniger, als es die Kritiker in London und Paris wahrhaben wollen. Dem Mädchen ist schon anzusehen, daß sie in allen drei Sprachen, die sie beherrscht, besonderen Wert auf den rechtzeitigen Gebrauch des Wörtchens »Nein« legt. Als tadellose Hanseatin wurde sie während der Überfahrt von London nach Hamburg geboren, das Englische brauchte sie nicht zu lernen, nur Spanisch und Französisch, und mit Hilfe der drei Sprachen sorgt sie für eine Belebung des Imports von Fetten und Häuten. Ihr Vater läßt zwei Rotwein-Spezialtanker zwischen Bordeaux und Hamburg verkehren, er ist liebenswürdig gegen jedermann, solange die Überweisungen pünktlich erfolgen, und auch das Mädchen ist liebenswürdig gegen jedermann, der an der Haustür bereitwillig umkehrt. Seit zwei Jahren trägt sie eine Bandage am rechten Handgelenk: das Glas meint, die Bandage sei nötig wegen einer Sehnenentzündung, die beim Tennisspiel aufgetreten ist. Ihre Haut kann lächeln; ihre Augen und ihre Mundwinkel können es auch, tun es aber nicht unbedingt. Sie schätzt es keineswegs, wenn Jungen sie im Büro anrufen; wer sich nicht unmittelbar auf Fette und Häute bezieht – zumindest auf deren Import –, wird sachlich aufgefordert, sich kurz zu fassen. Verkante das Rumglas ein wenig, und du siehst: am Abend wird die freundliche Hamburger Fremdsprachenkorrespondentin über ihrem kleinen Hintern enge Blue jeans tragen, wird ihr Lieblingsgetränk Coca-Cola trinken, und in ihrem kühlen, sparsam möblierten Mädchenzimmer wird sie »Die Tarnowska« lesen und sich mit Frank Sinatra fremd in der Nacht vorkommen. Tanzen? Sicher, gelegentlich auch tanzen, und sie tut es, wie's verlangt wird: sie tanzt würdevoll, sie tanzt gelangweilt, sie tanzt heiß und feierlich, doch wie vollkommen sie auch dem Partner im Tanz antwortet, hinterher darf sich niemand auf ein Ja berufen. Es ist ihr Stolz, weder Passionen zu haben noch Passionen zeigen zu müssen. Ihre nördliche Kühle hat nichts zu verbergen. Ihre blonde Nüchternheit verrät einen erstaunlichen Sinn für Selbstgenügsamkeit. Sollte sie sich eines Tages aus ökonomischen Gründen zu einem Kußabtausch bereit finden, wird sie hinterher die doppelte Menge Mundwasser gebrauchen und eine Familienflasche Coca-Cola trinken. Das Rumglas bescheinigt ihr Fügsamkeit – wenn auch nicht so viel, daß sie bereit wäre, einen eingerollten Regenschirm zu heiraten. Ohne Zweifel will sie ihr Firmenbüro pünktlich erreichen, also halt dich nicht auf, versuch nichts, laß das beredsame Glas abermals füllen mit purem Jamaika, und du fühlst dich geschärft, fühlst dich womöglich als Scharfschütze gegenüber hamburgischer Wirklichkeit, so, auf unverdächtigem Anstand, die Gesellschaft durch dein Glas anvisierend, sie erkennend, und erkennen kann manchmal heißen: zur Strecke bringen. Und wenn du daran nicht glaubst, dann mach dir einfach vor, daß du auf der Suche nach den Leuten von Hamburg bist, fang sie in deinem Glas und träum sie dir listig zurecht.

Anstelle des Mädchens gerät da jetzt ein junger Mann ins Glas. Zu seiner Ausrüstung gehört eine Aktentasche und eine gefaltete Zeitung. Und Würde gehört zu ihm, eine Art früher Steifheit und Bedachtsamkeit, als trüge der junge Mann schwer am Risiko langer, immer bedrohter Handelswege. Der Schliff des Rumglases läßt ihn verkantet erscheinen, er zeigt eine dreieckige Hüfte, eine gekerbte Stirn, hinter der augenscheinlich die Sorge wohnt, die unvergleichliche Sorge dieses hamburgischen Jungkaufmannes: Mit wem gehe ich zum Sommerfest des Rudervereins? Wie wird das Wetter? Die Sorge macht, daß er mit hängenden Schultern dahergeht, ein Abbild junger und zugleich kleidsamer Resignation, die er auch im Kontor nicht ablegen wird. Er wird den Schlips nicht lockern, wenn er sich setzt, er wird sagen: Das ist nett, wenn ihm die Sekretärin Tee und Post hereinbringt, und später, wenn er die bearbeitete Post dem Prokuristen hineinträgt, wird er sagen: Manila hat netterweise überwiesen.

Erregung paßt nicht zu seinem Gesicht. Freude, Zorn, Trauer, Gier, Leidenschaft: sie sind ein für allemal verkannt, weil es unschicklich wäre, sie zu zeigen. Natürlich wird er es nett finden, wenn er in der Kantine erfährt, daß die Regierung ein Gesetz zur Stabilisierung der Wirtschaft ankündigt; den Raumflug der Amerikaner, die Erfolge bei den Rudermeisterschaften, das neue Programm der Staatsoper: er wird alles ausnahmslos nett finden, und wenn er etwas für *sehr* nett hält, dann wird man ihm Begeisterung nachsagen. Seine Sprache ist asketisch. Seine Sprache ist von exquisiter Einfachheit, sie paßt zu dem mageren Gesicht, zu der vertrauenerweckenden Magerkeit.

Eine halbe Drehung des Rumglases genügt, und alle diese Eigenarten sind nicht mehr zu entdecken. Statt dessen erscheint der Mann verkürzt und gedrungen, streng erscheint er, verhandlungshart, ein nüchterner Träumer, der nach gewürzduftenden Küsten Ausschau hält, der in anderen Erdteilen Optionen so groß wie Bayern erhandeln, eigene Häfen einrichten und sich selbst zum ersten Leibwächter des Kapitals ernennen wird. So, wie er im Glas erscheint, läßt er vermuten, daß er befehlsgewohnt ist, daß er auch harte Befehle erteilt, die er allerdings beim Rotwein mildern möchte. Am Eingang des backsteinroten Comptoirhauses, dessen Linien dem Grundriß eines Schiffes folgen, trifft er mit dem kühlen, schnell taxierenden Mädchen zusammen; keine besondere Bemühung, keine erhöhte Aufmerksamkeit ist an dem Hamburger Jungkaufmann festzustellen: wenn er grüßt, grüßt er korrekt. Die stilisierte Gelassenheit? Die hat er sich bei einer Regatta quer über den Atlantik erworben. Jetzt ist er weg.

Wir sollten das Glas absetzen, es von neuem füllen lassen und trinken, bevor wir es gegen den hanseatischen Abc-Schützen halten, der ganz und gar nicht eilig seiner Schule zustrebt. Seine dicken Lippen sind geöffnet, seine blauen Augen sind leer. Dieser Schüler beweist, daß man auf gedankenlose Art staunen kann. Er sieht dem Verkehrspolizisten zu. Er imitiert ihn und lenkt einen unsichtbaren Verkehr in seine Bahnen, und danach wendet er sich in nickendem Einverständnis mit seinem Erfolg ab, überquert eine Kreuzung, zieht ein Blatt Papier aus dem Ranzen, ein beschriebenes Blatt, das er zu studieren beginnt. Im Schliff des altmodischen Glases erhält der Junge einen Würfelkopf. Die langsamen Bewegungen seiner Lippen, der leere Blick, die offensichtlich vergeblichen Anstrengungen zur Konzentration lassen schon erkennen: wir haben es mit einem hamburgischen Schüler zu tun, der gewiß nicht aufgerufen wird, sobald eine Inspektion das Klassenzimmer betreten hat. Allerdings, seine Leere hat etwas Andächtiges, etwas Hingebungsvolles. Er ist der schlechteste Schüler einer durchschnittlich begabten Schulklasse in meiner Stadt. Gleich wird er seine Kameraden treffen, wird sich von jedem fünf Pfennig geben lassen und vor aller Augen das Geld in eine Blechbüchse tun. In der Rechenstunde wird er bemüht sein, nicht aufzufallen, er wird sich unscheinbar machen, aber dann, in der Pause, wird er an den Lehrer herantreten und ihn bitten, den Schülern schlechtere Zensuren zu geben. Er wird ihn dringend auffordern, strenger zu sein, rücksichtsloser zu werden – auch wenn die Schulbehörde es nicht gern sieht. Auf die rechtschaffene Verwunderung des hamburgischen Lehrers wird der schlechteste Schüler einer durchschnittlich begabten Klasse die Erklärung für seinen seltsamen Wunsch liefern. Er wird sich als Chef einer selbstgegründeten Versicherungsgesellschaft vorstellen. Er wird erläutern, daß jeder Schüler, der einen Beitrag von fünf Pfennig einzahlt, eine Prämie von fünfzig Pfennig bekommt, sobald er von einem Lehrer die schlechteste Zensur erhält. Um die »Prämienausschüttung« zu beschleunigen, wird er den verdutzten Lehrer noch einmal bitten, nach Herzenslust streng zu zensieren, damit der Versicherungskonzern zu Umsatz und Blüte gelangt. Vielleicht wird der Konzern später ein gläsernes Hochhaus an der Alster beziehen, in dem der schlechteste Schüler die Direktionszimmer besetzt hält und vor lauter Wohlergehen die Hälfte des Tages mit den Sekretärinnen scherzt. Wie mitteilsam ein altmodisches Rumglas ist, wieviel es offenbart! Zieh es näher heran, und aus den Kugelbäumen werden grüne Elefanten. Die Sonne wird zur Leuchtschrift, in der die Schlagzeilen der Torheit und des Unglücks verbreitet werden. Halte das Glas weiter fort, und aus einem ganz gewöhnlichen Polizisten wird ein eckiger, kniehoher Botschafter von einem anderen Stern. Die Poller bewegen sich. Die Schiffstaue beginnen zu pendeln.

Diesen sorgsam gekleideten Herrn beispielsweise, diesen blassen Juniorpartner: nimm ihn auf und verfolg ihn ein wenig. Vertrauen geht von seiner Erscheinung aus, auch zeremonieller Ernst, der Ernst eines Bestattungsunternehmers, er ähnelt tatsächlich einer Stehlampe. Er steuert ein trübes, melancholisches Haus an, vergleicht die Hausnummer mit der Nummer, die er in sein Notizbuch geschrieben hat, und er nickt beruhigt. Der Juniorpartner eines der ältesten und renommiertesten Umzugsunternehmen ist unterwegs, um einem seiner Klienten einen Antrittsbesuch zu machen. Senke das Glas nicht zu tief, sonst gerät der schmale, schweinswimprige Herr zu untersetzt; er persönlich vertritt die Ansicht, daß nur auf magere Menschen Verlaß ist, nur einem Mageren darf man sich anvertrauen – kurze Dicke entlarven sich selbst als disziplinlos. Er trägt Handschuhe. Er trägt einen steifen Hut. Tausenden hat er geholfen, in dieser Stadt umzuziehen, und Tausenden hat er seinen Antrittsbesuch gemacht. Sieh tiefer hinein in das alte Rumglas. Der vaterstädtische Umzugsunternehmer wird wie ein Freund der Familie lächeln, wenn er die Wohnung seines Klienten betritt, und bei Tee und Kuchen wird er freimütig über Urlaubsreisen, Kriegserlebnisse, Erfahrungen mit dem Zoll berichten. Dabei wird er erwarten, daß man sich auch ihm mit gleicher Freimütigkeit offenbart. Für ihn ist ein Umzug eine sehr intime Beziehung, die setzt voraus, daß man übereinander Bescheid weiß, daß man einander nach Möglichkeit ohne Rest vertraut, und ohne daß man es ihm auf der Stelle verbieten möchte, wird er, in unverdächtigem Dröhnbüdelton, das Bild von Liebenden bemühen. In diesem Zusammenhang wird er sich zu dem bemerkenswerten Bekenntnis hinreißen lassen, daß er nicht mit jedermann umziehen kann: er, als Hamburger Umzugsunternehmer, ist darauf angewiesen, daß ein Funke überspringt, und wenn nicht das, so muß dem Akt unzweifelbar Sympathie vorausgehen. Da er das sagt und bleibt, darf man annehmen, daß das nötige Liebesband geschlungen ist, sein beharrliches Dasitzen kann man als Sympathieerklärung auffassen. Kaum hat der Klient die verwirrende Intimität begriffen, da wird er darauf aufmerksam gemacht, was er für den Tag des Umzugs bereithalten muß. Der feinsinnige Umzugsmann wird ihn auf die Sensibilität hamburgischer Umzugsleute vorbereiten und wird, in Anbetracht der hochempfindlichen Körper, nur ein ganz bestimmtes Bier aus Hamburg fordern, nur eine bestimmte Sorte Fruchtsaft und nur eine einzige Zigarettenmarke. Alles andere wird er mit dem Hinweis disqualifizieren, daß zwei seiner Leute deshalb unpäßlich seien, weil sie in argloser Selbstvergessenheit ein süddeutsches Bier getrunken haben.

Jetzt einen schnellen Schluck, und nimm gleich das hellblaue Auto aufs Korn, aus dem ein hellblau gekleideter Hamburger Künstler aussteigt, um die Alster auf ihre motivische Eignung anzusehen: an der Art, wie er sich bewegt, erkennt man's gleich, das ist kein namenloser, das ist ein überbeschäftigter Groß- oder Hochkünstler. Kein Freund des zierlichen Umwegs, kein Liebhaber des Selbstzweifels. Der würde beim Erwachen nie annehmen, daß sich zwei am Abend zuvor erschaffene Figuren verändert oder von der Staffelei fortgestohlen hätten. Das Rumglas hat recht: der Großkünstler geht wie ein Seemann, er ist in der Tat zur See gefahren, Levante-Linie, wenn das etwas sagt. Die Alster erscheint ihm nicht fügsam genug, sie zögert, ihre Reize spontan feilzubieten, das macht den Künstler mißmutig. Sein Mißmut ist begründet, heißt doch sein Wahlspruch: Was ist, muß sein. Als hamburgischer Künstler darf er erwarten, daß sich das Zufällige der Welt vor seinem Auge schleunigst organisiert und durch zufriedenstellende Schönheit rechtfertigt. Die Alster aber will offenbar nicht, sie widersetzt sich einstweilen der künstlerischen Gefangenschaft. Es wird ihr nicht helfen, denn sie ist mehrmals vorbestellt: über kurz oder lang wird sie die nußbaumgetäfelten Kajüten einiger Frachtschiffe schmükken, die Frauen einiger Hamburger Ärzte bestehen darauf, ein Bild der Alster im Wartezimmer zu haben, auch gibt es verschiedene Kunden im fernen Blankenese, die den Binnensee bestellt haben. Der Künstler, das sieht man, ist sich selbst kein Rätsel, ebensowenig sind es seine Auftraggeber. Die Frauen, mit denen er Teestunden in seinem Atelier veranstaltet, finden seine Sprache kräftig, sein Temperament schick und seine Bilder natürlich. Seine Trinkfestigkeit wird auf allen Reedereien gerühmt. Es gibt manche Reeder, die sagen: das ist einer von uns. Dem Künstler bedeutet das beinah soviel wie der Verkauf eines Bildes an die Kunsthalle. Er humpelt wirklich, er wurde einmal von einer Straßenbahn angefahren, aber das hat er längst verziehen, denn es war die Linie 18. Dieser Künstler liebt Hamburg. Es ist übrigens die einzige Stadt, die er liebt. Wenn er Florenz malte, Venedig, Neapel, konnte er es sich nicht verkneifen, Hamburger Bürger auf südlichen

Plätzen zu versammeln. Alle Frauenporträts, die er gemalt hat, tragen ein verborgenes Kennzeichen seiner hamburgischen Jugendfreundin Elke Pfrüm. Mit aggressiver Ungeduld vernimmt er Berichte, in denen seiner Stadt Kunstfeindlichkeit nachgesagt wird oder doch Gleichgültigkeit gegenüber den Künsten. Er behauptet dann jedesmal, auf ihn wirke Hamburg bei jeder Rückkehr wie fünf Gläser Grog. Seine Lieblingsspeise ist gebratene Ewerscholle, sein Lieblingsmotiv heimkehrende Fischdampfer; die gibt es nirgendwo so frisch wie in Hamburg, sagt er. Er geht gern zu den Empfängen im Rathaus, dort findet der populäre Künstler vor allem Gelegenheit, mit einem populären Senator Hamburger Platt zu sprechen.

Aber schwenk ein wenig nach links, zu der zielbewußt segelnden Bark, ich meine die Frau im Wettermantel: vielleicht ist es Hammonia persönlich, die bürgerliche Göttin mit der Einkaufstasche. Unter ihrer durchsichtigen Plastikhaube, die helfen soll, die Frisur zu bewahren, werden erträgliche Gedanken gedacht, durch und durch gemäßigte Gedanken. Ein Geruch von strenger Sauberkeit, ein seltsam flatterndes Geräusch begleiten sie, ein Geräusch, das an flatternde Segel gemahnt, die sich mit einer Regenbö unterhalten, und ihr Blick erinnert an den Blick des wohlschmeckenden, zumindest aber nahrhaften Schellfischs. Sie hat früh erfahren, daß Leben auch darin besteht, daß sich die Möglichkeiten verringern. Sie wollte das im einzelnen erst gar nicht auskundschaften und begegnete der Welt schon im Kindesalter mit der erschreckenden Reife, die sie als hamburgische Hausfrau anzulegen verpflichtet ist. Sie ist reif zur Welt gekommen, und das heißt: sie hat sehr zeitig alle möglichen Konflikte besichtigt und sie für ihr Leben als untauglich befunden. Das Kleidungsstück, in dem sie sich am wohlsten fühlt, ist ein graues Kostüm. Die Einkaufstasche trägt sie nicht aus Zerstreutheit oder Gewohnheit, sondern aus immerwährender Bereitschaft: es könnte ja sein, daß man an einem fliegenden Stand vorbeikommt, an dem Südfrüchte versteigert werden: da muß man eben darauf gefaßt sein, sechs Kilo preiswerter Bananen nach Hause transportieren zu müssen. Die Göttin mit dem Schellfischblick und der Einkaufstasche kalkuliert in kleiner Münze: so werden alle Äußerungen des Lebens übersichtlich. Italien, das sie einmal besuchte, wird ihr immer aus dem Grunde suspekt sein, weil die Geldscheine dort leichtsinnig hohe Zahlen tragen. Einer Freundin hat sie bekannt, daß für sie ein Zusammenhang besteht zwischen italienischen Männern und dem hohen Zahlenwert der italienischen Banknoten: man wisse nie, wieviel man in der Tasche habe. Sie ist für übersichtliche Beträge, für übersichtliche Leidenschaften und für ein übersichtliches Familienleben. Genußvolle Maßlosigkeit leistet sie sich nur bei Pflaumenkuchen mit Schlagsahne, das geschieht selten genug. Als Hamburger Hausfrau verfügt sie über einen wortwörtlichen Gemeinschaftssinn. Sie bekäme es glatt fertig, eine halbe Stunde mit der Taxe zu fahren, nur um ihre Rundstücke bei einem Preisbrecher zwei Pfennig billiger einzukaufen.

Behütet? Sie hält nichts davon, behütet zu sein – allenfalls versorgt. Versorgt mit Kaffee auf Lebenszeit. Ihre Freundinnen loben ihren Kaffee, und auch ihr Mann, ein sozusagen unpolitischer Räuchermeister in einer Altonaer Räucherei, versäumt es nie, brummende Laute des Behagens auszustoßen, wenn er ihren Kaffee trinkt. Er ist auch einverstanden mit ihrer Gewohnheit, Schals, Handtücher, Socken im Ausverkauf zu erstehen und die Sachen zunächst zwei Jahre liegenzulassen, bevor sie in Gebrauch genommen werden. Es liegt bestimmt am Glas, daß sie dir wie eine segelnde Barke vorkommt, oder genauer: wie eine Korvette vor dem Wind. Die vorgelegte rechte Schulter ist typisch, es ist eine instinktive Haltung: so schneidet ein Bug durch die Wellen. Mit dieser vorgelegten rechten Schulter gelingt es ihr aber auch, etwa bei Staatsbesuchen jede Menschenansammlung zu durchschneiden und zu den absperrenden Polizisten vorzudringen. Ob es ein Schah ist, eine Königin oder ein geplagter Prinzgemahl: sie jubelt keinem zu, sie klatscht nur gemäßigt, und wenn sie bei hohen Gästen Kummer vermutet, ist sie nahe daran, auszurufen: Kopf hoch! Läuft sich alles zurecht! Die Speisekarte des Festbanketts, die von den Tageszeitungen als gehütetes Geheimnis des Protokolls veröffentlicht wird, liest sie weniger aus Neugierde als aus unwillkürlicher Besorgnis; sie kann überraschend bei der Lektüre aufsehen und zu ihrem Mann sagen: Hoffentlich lagen die Seezungen nicht zu lange auf Eis.

Trink langsam, setz das erstaunliche Glas ab, und sei nur so beunruhigt, wie es nötig ist. Hamburg ist eine wirkliche Stadt mit wirklichen Leuten, die sich überwiegend rollengerecht verhalten; auf die Besetzungsliste ist hier Verlaß. Hier hätte Raskolnikoff nie nach philosophischen Gründen für einen Mord gesucht, Josef K. hätte sich in dieser Stadt geweigert, ein namenloses Tribunal anzuerkennen, und Don Quichotte hätte die Mühlen nicht in phantastischer Verkennung attackiert, sondern sie für seine Rechnung Fischmehl mahlen lassen.

Was andernorts möglich ist – Hamburg macht's unmöglich durch schöne Reserve und merkantilen Biedersinn, durch blonde Korrektheit und eine flügellose Vernunft. Wen solch eine Vernunft frösteln läßt, der wird hier nie ohne Wollzeug auskommen, wer indes zu ihrem Liebhaber wird, könnte entdecken, daß die Lektüre einer Bilanz ähnliche Wonnen gewähren kann wie ein Shakespeare-Sonett.

Wenn du herausbekommen willst, ob die Leute in Hamburg sich wirklich hamburgisch verhalten, dann bist du schon auf so ein altes Rumglas angewiesen; schütte dir den Rum nicht auf den Kopf, trink ihn, und kneif ein Auge zu, und ziele mit dem Glas auf den einheimischen Polizisten, der jetzt gerade zurückkehrt. Blaß und hochgewachsen, überraschend steif in den Hüften, kommt er heran, ein gelassener Ordnungshüter, ein trockener Wächter der Gesetze, dessen Gesicht durch berufsmäßigen Argwohn und durch eine Art berufsmäßiger Unzufriedenheit über die Besoldung gekennzeichnet scheint, kaum gemildert durch ein Polizeiabzeichen. Seine Brust ist leer und wird auch immer leer bleiben von Verdienstorden und Medaillen; denn in dieser kühlen und bedachtsamen Stadt gibt es zwar ein Verdienst, aber keine zur Schau gestellten Orden, mit denen ein Verdienst beglaubigt werden soll. Es ist ihm nicht anzusehen, daß er eine Tischlerlehre erfolgreich abgeschlossen hat, und niemand würde vermuten, daß er eine der umfangreichsten Sammlungen von Zuckerstücken besitzt, von Portionszucker, den er, seine Freunde und Verwandten aus allen Lokalen mitbringen. Als hanseatischer Polizist – gediegen und solide – fühlt er sich allen Ganoven und Gesetzesbrechern der Wasserkante gewachsen. Aus dem geschliffenen Glas erfährst du, daß in dieser Stadt nicht elegante Verruchtheit, filigranhafte Sünde, mit einem Wort nicht sublime Bosheit ins Werk gesetzt und verfolgt werden, sondern vornehmlich die verschiedenen Spielarten hausgemachter Verworfenheit.

Er treibt einen Haufen Kinder fort, die am Eisengitter vor dem Wasser Bauchfelge üben: recht so, wenn eins der Gören ins Wasser fiele, wäre er verpflichtet, es herauszuholen. Wie die beiden Male vorher würde er vor dem Sprung Schuhe und Jacke ausziehen, und die Jacke würde er sorgfältig über eine Bank breiten, bevor er sich dem Rettungswerk widmet. Als er bei einem Streifengang gezwungen war, Hebammendienste zu leisten, bestand er darauf, sich vorher eine Schürze umzubinden; für seine Jacke ließ er sich einen Bügel reichen.

Gegen falsch parkende einheimische Autobesitzer schreitet er sozusagen unnachsichtig ein, Ausländer haben da wenig oder gar nichts zu fürchten, denn jeder Hamburger Polizist ist besorgt, daß Fremde eine gute Erinnerung an seine Stadt behalten. Auch wenn weit und breit kein Auto zu sehen ist: er wird es nicht zulassen, daß jemand die Straße überquert, wenn die Ampel Rot zeigt; er möchte die Verkehrsampel als seinen stummen, mechanischen Stellvertreter verstanden wissen, dem vielleicht nicht der gleiche Respekt, aber doch die gleiche Beachtung entgegengebracht werden sollte. Solange er Uniform trägt, spricht er – mit dem Unterton des besorgten älteren Bruders – die Sprache der Polizeifibel. Abends bei Bier und Skat in der gemütlichen Wohnküche wird sich die Sprache allerdings entspannen.

947

Dreh das Glas, und jetzt kommt er dir vor wie ein Stelzengänger, gefährdet, hilflos, bedroht. Er geht auf die Straße und stoppt den Verkehr, um einer Katze sicheren Wechsel von einer Seite auf die andere zu ermöglichen. Einen Betrunkenen beobachtet er ausgiebig, bevor er ihn energisch auffordert, ihm die Gründe für solch unsinnige Trunkenheit aufzuzählen. Der Betrunkene vertraut ihm zwinkernd an, daß er auf seine Art die Unterzeichnung eines deutsch-dänischen Kulturabkommens feiere; das kann ein hamburgischer Polizist allemal einsehen, er weist dem Schwankenden den kürzesten Weg in die Grünanlagen. Ein Fernsehteam, das ihn einmal auf einem Streifengang begleitete, mußte den ganzen Film noch einmal drehen; wie es hieß, bewegte sich der hanseatische Polizist zu bedeutsam, nicht aufschlußreich genug; an seiner Statt mußte ein uniformierter Schauspieler vor der Kamera herlaufen.

Wen grüßte der Polizist? Schwenk einfach hinüber zu dem gedrungenen, weißhaarigen Mann mit den riesigen Händen und der imponierenden Schuhgröße, der im Begriff ist, seine schwarze Staatskarosse zu erstürmen. Das Gefährt, an dessen Typenbezeichnung du ja nicht zu denken brauchst, trägt allerdings keine bemerkenswert niedrige Nummer. Der Fahrer begrüßt den Daherstürmenden mit Handschlag und riecht vielsagend an der Zigarre, die er soeben erhalten hat. Beide Herren wählen dieselbe Partei, und sie wissen, warum. Täusche dich nicht, auch wenn die beiden ihre Kleidung wechselten: wer von ihnen der hamburgische Senator ist, bliebe immer noch auf den ersten Blick zu erkennen. Man könnte sich vorstellen, daß der Senator aus seiner Zeit als Schiffszimmermann eine gewissermaßen epische Tätowierung auf der Brust trägt: da bietet – vielleicht – ein langhaariges Mädchen dem Betrachter eine Flasche an, in der ein Mädchen sitzt, das eine kleinere Flasche anbietet, in der ein Mädchen sitzt, das eine noch kleinere Flasche anbietet ... und so Reiter. Auf seinen Oberarmen laden womöglich Koralleninseln ein, auf seinem Rücken vermutet man das Kap der Guten Hoffnung. Doch der Senator ist kein seliger Zeitversäumer, kein Schwärmer, kein Sucher von exotischen Paradiesen. Paradiesische Genugtuung findet er ausreichend in parlamentarischer Auseinandersetzung. Sie haben ihn einen Vollblutpolitiker genannt, und er selbst ist einverstanden damit. Er ist gerecht gegen seine Gegner, noch etwas gerechter gegen seine Freunde. Er ist kein Rotweintrinker. Dieser Senator trinkt zum kleinen Hellen einen klaren Schnaps. Es fällt nicht schwer, ihn als jungen Schiffszimmermann zu sehen, der sich für die Abendschule eine Krawatte vorbindet. Neben der Abendschule Arbeit in den Jugendorganisationen der Partei: neben der Parteiarbeit Trainingsabende im Hafensportverein. Außerdem ist er ein gieriger, ein unersättlicher Leser, der Bücher braucht, um seine fünfundzwanzigjährige Schlaflosigkeit zu ertragen. Romane liest er gern; seine Einwände sind sachlicher Art: gegen »Schloß Gripsholm« zum Beispiel hat er einzuwenden, daß dort ein Mann zwei Mädchen in seinem Bett vorfindet. Der Senator ist der Überzeugung, daß ein Mädchen genügt. Tucholsky steht ihm nah, aber für Bismarck hat er auch sehr viel übrig – natürlich nur in außenpolitischer Hinsicht. Er zitiert gern Lessing; wer mit ihm über die Herkunft von Zitaten streiten will, sei gewarnt: bisher hat er in dieser Hinsicht jede Wette gewonnen. Für sich selbst hat er eine Erhöhung seiner Diäten abgelehnt; sein Fahrer hat strenge Anweisung, die Frau des Senators niemals und unter keinen Umständen in die Stadt zu fahren. Wenn die Frau des Senators ein Schiff tauft, besteht nie die Gefahr, daß die Sektflasche nicht zerspringt, im Gegenteil: ihre Wurfkraft ist so achtbar und unter Werftleuten so bekannt, daß Eingeweihte in Deckung gehen. Schau durch den Boden des Glases und laß dir bestätigen, wie wenig es sich lohnt, ein typisches Bildnis zu haben von einem typischen Hamburger Senator. Aktionär der Tradition, feinsinniger Verwalter eines schläfrigen Schicksals? Wachsamer Duzfreund Merkurs? Milder Verächter der Bildung? Sieh lange genug hin, und laß deine Vorurteile schmelzen, laß dich zu deinem eigenen Gewinn widerlegen – wenn es nötig ist.

Mißtraue dem Glas, weil es dir so prompte Durchblicke verschafft. Vertraue dem Glas, weil sein altmodischer Schliff die Leute geständniswillig macht. In jedem Fall: nimm einen Schluck, bevor du die freundliche, helläugige Dame zum nächsten Ziel erklärst. Sie ist keine Hamburger Ärztin, die dir nach kurzer Untersuchung aus Großzügigkeit mindestens zwei Krankheiten zur Wahl anbietet. Straff und spottbereit geht sie vorbei – geht? Ihr Gang hat etwas Übereiltes, Achtloses, gleich wird sie hinstürzen, wenn sie nicht aufpaßt, doch sie paßt immer auf. Ihre Hände wirken wie zwei selbständige Wesen, die nur lose an den Armen befestigt sind. Mit ihrer Stirn hat es eine eigene Bewandtnis: sie verrät auf den ersten Blick, daß da ein Streit zwischen Wünschen und Verzichten stattfindet. Wenn in ihren Gürtel ein Motto eingestickt wäre, so könnte es heißen: Bloßlegen, um zu verändern.

Man weiß längst, daß die vorbeistürzende Dame eine der vielgefürchteten Hamburger Journalistinnen ist, beruflich unterwegs, um einen musikalischen Postboten menschlich zu sehen oder um schonungslos eine Mißhandlung von Goldfischen aufzudecken. Ihren Lokalspitzen wird vergiftete Anmut nachgerühmt, ihren Porträts gesellschaftspädagogische Strenge. Obwohl sie Doktor der Philosophie und der Rechtswissenschaften ist, wirkt sie im persönlichen Gespräch faszinierend dröge, karg, unergiebig; sie scheut sich nicht, Fragen zu stellen, die dem Interviewten belanglos erscheinen. Ihre am häufigsten gebrauchte Redewendung lautet: Was haben Sie sich eigentlich dabei gedacht? Der von ihr Besuchte sieht sich bald dazu verführt, der trockenen Dame mit überlegener Nachsicht zu antworten, dabei entkrampft er sich. Weil er dem Geschreibsel keine sonderliche Bedeutung beizumessen bereit ist, zeigt er seine sämtlichen Ansichten: auf solche Art gerät er wie alle andern in eine Falle.

Sie lebt mit ihrer sechsundachtzigjährigen Mutter zusammen, die – zwischen Hamburgensien und Mahagoni – sich selbst für eine Dame der Gesellschaft hält und die während des Krieges von ihren Freundinnen erwartete, daß diese trotz eines Bombenangriffs zum Tee erschienen. Die Mutter hat sich so lange geweigert, den Beruf ihrer Tochter zu sanktionieren, bis es der Journalistin gelang, das jahrelange Ärgernis der alten Dame zu beseitigen: durch geharnischte Artikel wurde die Stadt gezwungen, für eine Eindämmung der Kaninchenplage zu sorgen, denn es waren die Kaninchen, die jede Freude an selbstgezüchteten Tulpen ausschlossen. Wenn die Journalistin zur Redaktion aufbricht, sagt sie gelegentlich zu ihrer Mutter: Ich muß mal nach dem Rechten sehen. Nach dem achten Whisky erklärt sie bereitwillig, gegen wen sie unter gar keinen Umständen zu schreiben geneigt sei: es sind die Lage der Stadt Hamburg und Gott. Als ein kritischer Kulturfilmproduzent von den Lieblingsbeschäftigungen der Hamburger behauptete, sie bestünden darin, die Wetterkarte zu prüfen und sich versichern zu lassen, wies sie ihm in ungewöhnlicher Schärfe nach, daß dies nicht nur menschliche, sondern auch ehrsame Beschäftigungen seien, die »in jedem Fall noch nie zu einem Krieg geführt« hätten. Falls es sich nicht umgehen läßt, höhere Offiziere anzusprechen, nennt sie sie entweder Herr Postsekretär oder Herr Bahnhofsvorsteher. Ihre Bosheit ist befiedert, ihre Beleidigungen erscheinen zu treuherzig, als daß man unmittelbar auf sie reagieren möchte. Ihren einstigen rheinländischen Verlobten kühlte sie mit der Bemerkung ab, daß sie nicht einsehen könne, was er »an ihr herumzufummeln« habe; als die Korrespondenz einschlief, war sie erleichtert.

Was wird im Rumglas außerdem sichtbar? Wie weit läßt es dich blicken? Das wird deutlich: die Dame ist nicht zu ihrer Redaktion unterwegs; da sie als hamburgische Journalistin überzeugt ist, daß das Wissen, das sie besitzt, vielleicht für den gegenwärtigen Augenblick, nicht aber für den nächsten Tag ausreicht, strebt sie zur Universität. Sie studiert Soziologie. Und Kisuaheli. Damit rächt sie sich gleichzeitig an ihrem Großvater, der im Jahr 1913 gegen das Projekt einer hamburgischen Universität stimmte, weil seiner Meinung nach »hanebüchenes Studieren nur das Gelehrtenproletariat vermehrt«.

Doch nun brauchst du dem Glas nichts zu empfehlen, es hebt sich von selbst und beschäftigt sich mit einer Dame von rührend überanstrengter Eleganz, die im Würgegriff drei Milchflaschen nach Hause schleppt und die es offensichtlich gern hätte, wenn die Sonne ihr nicht ins Gesicht schiene. Ihrem Wunsch, ein wenig hinfällig zu erscheinen und eine gewagte, sagen wir: rachitische Anmut vorzugeben, widerspricht ihr einwandfrei gewachsener Körper und die ganz und gar ökonomische Art zu schreiten – zumindest in der Hauptphase der Fortbewegung, beim Schritt. Daß sie nach dem Schritt Hüfte und Hintern befiehlt, sich über das Notwendige hinaus ruckhaft zur Seite auszulagern, läßt sich als angenommene Eigentümlichkeit bestimmen. Der Pullover ist so eng, daß alles unter ihm sich fest und geborgen fühlt: die Dame kann sorglos auf jeden Büstenhalter verzichten. Was da beim Gehen an natürlichem Auf und Ab geschieht, ist ihr persönlich gleichgültig. Ihre Augen? In ihren Augen liegt das Bekenntnis, daß nichts auf der Welt ihr fremd ist. Aus ihren Augen spricht der Wille zum Guten und die Bereitschaft zur Gunst.

Wie viele Gewerbetreibende achtet sie vor der Eröffnung des Geschäfts darauf, daß Wechselgeld zur Hand ist; sie hat erfahren, daß insbesondere Seeleute nie in der Lage sind, die ausgemachten Preise zu bezahlen: die schwenken immer gleich den größten Schein und können sich nicht vorstellen, welche Schwierigkeiten das Wechseln macht. Mit einem Preisnachlaß können nur Leute aus Wandsbek rechnen; wer nachweisen kann, daß er aus ihrer Straße stammt, erhält den Vorzug kostenloser Gunst. In allen anderen Fällen gilt das Prinzip der Vorauszahlung. Oft, in Wartezeiten, strickt sie für den Vater ihrer Kollegin, mit der sie die Zweizimmerwohnung teilt, einen reinwollenen Hüftwärmer. Jedesmal, wenn sie zu Besuch nach Wandsbek fährt, trägt sie selbst reinwollenes Unterzeug.

Wozu sie drei Literflaschen Milch nach Hause trägt? In den Arbeitspausen ißt sie mit ihrer Kollegin am liebsten Milchreis mit Zimt. Hungrigen Geschäftspartnern bietet sie mitunter auch etwas an. Nachsichtig bei der Festsetzung der Preise, unnachsichtig bei der Bezahlung, achtet sie, daß der Kontrakt von ihrer Seite eingehalten wird. Sie hat da Grundsätze. Sie kommentiert die Grundsätze anschaulich und stellt etwa fest: Wer einen Schleppkahn an den Haken nimmt, sollte auch dafür sorgen, daß er an den Kai kommt. Mäßige, aber solide Verheißung. Nicht die seligen Träume Ertrinkender, nicht der süße Schauder unergründlicher Sümpfe, sondern Gediegenheit: Hol mi mol röver, der Schlepper wird kommen. Manchmal kommt ihr Freund, um bei ihr die Zeitung zu lesen, die sie jeden Morgen kauft. Sicherheitshalber schneidet sie mit der Nagelschere Photos von schlechtbekleideten Mädchen oder Nachrichten heraus, die ihrer Meinung nach der Freund gar nicht sehen sollte. Er darf die Zeitung nur im Lehnsessel lesen, nicht auf der Couch. Wenn sie Ausländern von ihrer Stadt erzählt, nennt sie Hamburg regelmäßig das Tor zur Welt, das jeder gern passieren mag. Eines Tages, so hofft sie, wird sie in der Nähe der Mönckebergstraße ein Geschäft mit Wollsachen und Trikotagen eröffnen. Dies Ziel hat sie immer vor Augen, und es erscheint ihr besonders nah, wenn ein amerikanischer Flugzeugträger zu einem Besuch in den Hafen einläuft. Falls sie manchmal beim Auslaufen an der Pier steht und winkt, wundern sich die Leute, daß das ganze Startdeck zu pfeifen beginnt. Ihrem Freund hat sie klargemacht, daß sie persönlich nichts, aber auch nichts gegen die Verteidigungsanstrengungen der Amerikaner, insbesondere nichts gegen den Bau von Flugzeugträgern hat.

Stärk dich, nimm erst einmal einen scharfen Schluck, und achte auf den sympathischen Feuerball, der da in dir zu rotieren beginnt. Such hier kein exquisites Laster, keine rosarote Verworfenheit: hier hat die Liebe ihren Stammtisch, du kannst am Eintopf satt werden, wenn du willst, unterschätze diese Vorteile nicht: Birnen und Speck, zusammengekocht. Doch laß den Schauermann mit dem Zampelbüdel nicht ohne weiteres passieren, den mit der Schiffermütze und der abgeschabten Aktentasche, der den Kragen seiner fleckigen Lederjoppe hochgestellt hat und zur Landungsbrücke hinabschert, zum Anlegeplatz seiner Barkasse. Er hängt vom Hafen ab, und der Hafen von ihm. Hol ihn unter die Sammellinse des Glases, laß dir gesagt sein, daß dieser Schauermann seit fünfunddreißig Jahren im Hafen arbeitet, an der Silberader der Stadt. Er hat es nicht nötig, zu lächeln, wenn er angesprochen wird, er darf aus Herzensgrund wortkarg sein. Wer kein Platt versteht, sollte erst gar nicht versuchen, eine Frage zu stellen; außerdem sollte man bedenken, daß die alte Stummelpfeife die plattdeutschen Wörter deformiert. Am ehesten empfiehlt sich als Gruß ein kurzes Nicken. Es kostet ihn keine Anstrengung, während einer ganzen Schicht nur »hiev op« oder »fier weg« zu sagen; manchmal ersetzt er das sogar durch standardisierte Armbewegungen. Seinen langsamen Blicken ist anzumerken: er hat ein empfindliches Augenmaß für Luks und schwebende Lasten. Der sieht sofort, wo eine Last eingepickt oder unterfangen werden muß. Wenn man von ihm wissen will, ob Hamburg wirklich ein schneller Hafen ist, kann es vorkommen, daß er erst nach zwei Tagen sagt: Jo.

Einmal ist er in ein Luk gestürzt, fünf Meter tief, ein anderes Mal, mit erheblicher Schlagseite, fiel er zwischen Bordwand und Pier: immer ließ er sich von andern erklären, wie das geschehen konnte, er selbst hatte keine Meinung dazu. Er äußert nie Meinungen, wo etwas gutgegangen ist oder gutzugehen scheint. Seinem ältesten Sohn aber glaubte er eine Meinung schuldig zu sein. Als sein Sohn ein Stipendium für die höhere Schule erhielt, sagte er: »Wat sall dat? Du heurst in'n Hoben.« Und als die Gesandten eines Meinungsforschungsinstituts an seine Tür klopften und ihn fragen wollten, wie viele Bücher er besitze und wie überhaupt er sich zu Büchern verhalte, sagte er, ohne die Stimme zu heben: »Schiet in' Wind.«

Dieser Hamburger Hafenarbeiter, sozusagen das Prachtexemplar eines Hafenarbeiters, hat seine Stummelpfeife auf dem Nachttisch liegen, er raucht vor dem Einschlafen und vor dem Aufstehen. Mit seiner Frau geht er nur einmal im Jahr aus: am vierundzwanzigsten Dezember zum Fischgeschäft, um dort den Karpfen für den Heiligen Abend abzuholen. Sonst überläßt er ihr alles, was sie zu tun für richtig hält. Wenn sie ein neues Möbelstück anschafft und ihn zu raten auffordert, was sich in der Wohnung verändert habe, tippt er jedesmal daneben; verholt dagegen im Hafen ein Schiff, so entgeht es ihm nicht, und er sucht für sich nach Gründen zu einem solchen Manöver. Die Treueplakette, die er bei seinem fünfundzwanzigjährigen Arbeitsjubiläum erhielt – früher gab's das, jetzt gibt's bare Münze –, hat er so umsichtig verwahrt, daß niemand, nicht einmal er selbst, sie wiederfinden konnte. Aber trotz seiner Einsilbigkeit, trotz seines Alters und der geduldigen Bereitschaft zur Verwitterung hat man den Verdacht, daß sich etwas in ihm sammelt oder vorbereitet: ein Ausbruch, ein Amoklauf; man stellt sich vor, daß er plötzlich verschwindet für einige Tage, regelrecht verschollen bleibt, und wenn er wiederauftaucht, wird es von ihm heißen, daß er allein ein vollbesetztes Lokal demoliert hat, gegen den Widerstand von achtundvierzig Gästen. Andere werden ihm erklären, warum das geschehen mußte, und er wird einverstanden sein mit allen Erklärungen, und weiter wird er dafür sorgen, daß Hamburg ein schneller Hafen bleibt.

Nicht zu vereinen mit dem Mann aus dem Hafen ist natürlich das Paar, das jetzt von links ins Glas gerät: in jeder Stadt gibt es halt Dinge, die unvereinbar sind. Die possierliche grauhaarige Spitzmaus und der spröde, rothaarige Greis, die untergehakt und festlich gekleidet vorbeischweben, wischen den Schauermann aus. Der alte Herr trägt einen silbergrauen Schal zum schwarzen Mantel, der Spitzmaus baumelt am Handgelenk ein besticktes Täschchen, in dem sich, wie das alte Rumglas meint, schätzungsweise zwölf Weizenkörner unterbringen lassen. Das ist eine Täuschung: in dem bestickten Täschchen werden zwei Theaterkarten transportiert, und man darf schließen, daß es sich bei dem Paar um genuine hamburgische Theaterbesucher handelt. Sie haben gebadet, gegessen, Rotwein getrunken. Sie haben sich vorbereitet auf den »Tod des Handlungsreisenden«, der heute abend zum fünften

Mal gegeben wird. Sie sind ausgeruht und eingestimmt auf alle denkbaren Begegnungen. Ein Testament haben sie nicht gemacht, aber der Neffe ist aufgefordert, ihre Rückkehr nicht zu erwarten. Wie oft sie ins Theater gehn? Alle sechs bis acht Wochen. Um nicht in die »falsche Aufführung« zu geraten, versichert sich die grauhaarige Dame vorher, ob es »schwierig« ist oder »nett«. Vor allem aber versichern beide sich, ob die Priesterjahns aus Rahlstedt auch dasein werden.

Als Hamburger Theaterbesucher werden sie mit besonderer Genugtuung feststellen, daß die Spiegel in den Wandelgängen wieder vollzählig sind, daß der Kronleuchter repariert und das Gestühl endlich frisch bezogen wurde. Daß man Priesterjahns hinter sich entdeckt, erhöht die Genugtuung. Hebbel, der sich als Autor damit tröstete, daß nicht nur ein Stück, sondern mitunter auch das Publikum durchfallen kann, muß dabei an jedes andere, nur nicht an das Hamburger Publikum gedacht haben; zu nachsichtig, zu kühl und bereitwillig läßt man hier auch das auf der Bühne gewähren, was außerhalb der eigenen Gemütserfahrung liegt. Man sagt sich einfach: die Lehre des Stücks ist berechtigt, aber für andere, und schon hat man die Gefahr abgewendet, daß das eigene Bewußtsein beschädigt wird. In der Pause merkt jeder sofort: hier kann man nur dem zweitbesten Abendkleid begegnen, dem zweitbesten Abendanzug. Was auf dich zukommt, hast du garantiert schon bei anderem Anlaß gesehen: nimm das als mangelnden Originalitätssinn oder als Höflichkeit gegenüber dem Stückeschreiber; man will, daß ihm die größte Aufmerksamkeit gehört.

Während der Aufführung, da gibt es keine Frage, wird man weniger ergriffen als mit sachlichem Interesse Willy Lomans kleinbürgerlichen Selbstbetrug verfolgen. Man wird den Kopf schütteln über seinen verzweifelten Wunsch, um jeden Preis beliebt zu sein, man wird sich indigniert zeigen angesichts einer Welt, die dem Handlungsreisenden vor allem Lächeln und Bügelfalten abverlangt. Und hinterher wird der ansehnliche rothaarige alte Herr, die Begegnung mit diesem Stück bilanzierend, feststellen: Das kommt davon, wenn man von Abschlüssen träumt. Wer Abschlüsse zu machen hat, kann sich keine Träume leisten. Der aber leistet sich Tagträume, der einheimische Besoffene, der aus den Anlagen zurückkommt: folge ihm rasch. Er schwingt eine eingebildete Peitsche gegen eingebildete Löwen, nein, er beschwört, er besänftigt nur eine unabsehbare Menschenmenge, die er gerade mit seinem Wort in einwandfreie, nur noch mühsam beherrschte Erregung versetzt hat. Aus dem Asyl seines Rausches redet er, predigt er, droht und verheißt er: Hamburger Betrunkene verwandeln sich unversehens in Redner. Sie reden zu den Fischen in der Elbe, zu den Möwen reden sie, zu den Bäumen im Park, und man kann auch erleben, daß einer dem Bismarckdenkmal eine Rede hält.

Er schwankt aus den Grünanlagen heran, ein schwerer Mann in zu engem, straff geknöpftem Fischgrätenmuster, eine Melone auf dem Kopf, mit hängendem Hosenboden und Schuhen, deren Kappen entweder der Frost oder die Hitze gesprengt hat: ein Estragon oder Wladimir, der auf seinen Godot wartet. Schreckhaft bleibt er stehen, langt in die Tasche, zieht eine Taschenflasche heraus, will trinken, doch die Flasche ist leer, und er schenkt sie mit großgeratener, abschiednehmender Geste dem Papierkorb. Er durchstöbert seine Taschen. Er stülpt das Futter von allen Taschen nach außen. Ein Geldschein – sagen wir zehn Mark – segelt auf den Boden. Er hebt ihn vorsichtig auf, zeigt ihn triumphierend den grüngestrichenen Bänken, redet mit einem philosophischen Dackel und verneigt sich tief vor einer offenbar gehbehinderten Dame, der er anvertraut, daß er sogleich mit dem Ersten Bürgermeister ein neues Gesetz besprechen werde: es soll verfügt werden, daß Vermögen von einer gewissen Höhe ab unanständig genannt werden dürfen. Ferner möchte er erreichen, daß alle Straßen in Hamburg mit Glas überdacht werden und daß über der Stadt selbst eine künstliche Sonne angebracht wird.

Zieh das Glas näher ans Auge, und jetzt erkennst du, daß sich der Betrunkene mit seinem letzten Geldschein bespricht oder beratschlagt. Es ist deutlich, die beiden werden sich voneinander trennen. Für zwei Drittel des Geldes wird er eine preiswerte Flasche kaufen; den Rest wird er sorgsam aufheben, um als Hamburger Trunkenbold gegen Abend zu tun, was er sich selbst schuldig ist: er wird eine Taxe heranwinken, und auf die skeptische Frage nach dem Fahrtziel wird er dem Chauffeur das Obdachlosen-Asyl nennen: Pik-As. Einem Soziologen, der ihn für seine Motivforschung ausnehmen möchte, wird er erklären, daß Hamburg nicht allzuweit von London liegt, und dort bleibt ein Gentleman auch dann noch ein Gentleman, wenn er in einen finanziellen Engpaß gerät.

Trinken, erst einmal trinken, das Glas wird beredsamer dadurch, fängt und erfindet dir die Leute von Hamburg, die du unbewaffnet kaum zu Gesicht bekommst. Glaub dem Glas nur jedes zweite Wort und dir selbst nur jedes dritte: auch ein empfindliches Auge, eine durchtrainierte Intelligenz haben es nicht leicht, im Gegenüber das Hamburgische wahrzunehmen. Die Frage nach dem Typischen erschien mir immer brutal. Angemessen erscheint mir die Frage nach dem Lebensfähigen: also was bestätigt sich als lebensfähig in deiner Stadt, in der es als attraktiv gilt, anderen unscheinbar vorzukommen? Der Mann beispielsweise, der mit dem dünnen Haar, der genügsam auf einer öffentlichen Bank sitzt: von ihm erfährst du in einem Jahr nicht mehr, als sich auf einer halben Prosaseite erzählen läßt. Sein Blick hat nichts von Wagen und Hoffen, das heißt, er befindet sich nicht gegenüber von Ungewissem. Der Tanker, der vorbeizieht, der Getreideheber, der seinen Rüssel in einen Prahm senkt, das Bürohochhaus mit der Reedereiflagge auf dem Dach: im Notfall – oder wenn du ihn lange bedrängst – wird er dies alles sein eigen nennen. Und wird besorgt sein. Und wird dir nicht sagen, aber diskret zu verstehen geben, daß ihm nichts Schlimmeres passieren kann, als wenn andere ihn für reich halten. Fünf Stiftungen werden von seinem Geld am Leben erhalten; was er außerdem nach allen Seiten spendet, darüber darf – aus alter Tradition – nichts gesagt oder geschrieben werden. Einer der glücklichsten Tage seines Lebens war ein Montag, an dem der »Spiegel« einen Artikel über die Reichen in Deutschland brachte: sein Name wurde nicht genannt, obwohl er in der alpinen Welt des Finanzwesens zu den höchsten Erhebungen gerechnet werden muß.

Die Hamburger Straßenbahn hält er seit seiner Jugend für ein ausreichendes Verkehrsmittel. Um seinen hohen und niederen Angestellten nicht die Freude am neuesten Wagen zu nehmen, erscheint er zwanzig Minuten vor ihnen im Büro. Diese zwanzig Minuten benutzt er, um täglich eingehende Spendenwünsche zu erfüllen oder um neue Arbeitskräfte einzustellen. Er ist fest davon überzeugt, daß eine achtundzwanzigjährige Frau etwas mehr leistet als eine zweiunddreißigjährige Frau, und deshalb erhält die Jüngere allemal den Vorzug. Was den Rotwein angeht, da ist er Sachverständiger, aber am häufigsten trinkt er Apfelmost von eigenen Äpfeln, die er in eigener Presse verarbeitet. Er wundert sich über jeden, der sich wundert, daß er die Sozialdemokraten wählt. Er sagt: Bei den Sozialdemokraten, da gerät nichts außer Rand und Band, die brauchen keine Helden, unter ihnen kann man furchtlos und geruhsam verwittern. Er freut sich, daß sozialdemokratische Freunde von seinem Angebot Gebrauch machen und ihren Urlaub in dem Dreimillionen-Haus in Kampen verbringen, das seine Frau, eine Düsseldorferin, ihm abgeschnackt hat. Da sein Großvater und sein Vater in trockener Würde über neunzig Jahre alt wurden, hat er sein vor sich liegendes Leben bis zum zweiundneunzigsten Jahr ausgeplant. Freunden vertraut er an, welche Projekte er in welchem Alter in Angriff zu nehmen gedenkt. Es zweifelt niemand an seinen Worten.

Gönn dir ruhig einen Schluck, doch jetzt sei mißtrauisch: was da zur U-Bahn-Station hinabstürzt, sind nicht drei Frauen, es ist nur eine einzige Frau. Man muß das Augenmaß behalten, die Skepsis gegenüber dem alten Rumglas, das dir entweder zuviel anbietet oder zuwenig. Eben hast du dreifach gesehen: drei feste Haarknoten, drei Aktentaschen. Dreifach, so erscheint, denke ich mir, mitunter diese Hamburger Lehrerin auch ihren Schülern. Streng und gutmütig, unheimlich und bewundernswert: einst hat sie für das Frauenrecht gekämpft, jetzt kämpft sie für die Aufklärung ihrer Schüler. Ihr Gang verrät schon: diese Frau befindet sich in einer Art Krieg. Übermittlung des Wissens ist für sie keine spielerische Angelegenheit. Sie formiert Stoßtrupps der Bildung. Sie macht ihre Schüler zu Pionieren, die Brücken schlagen müssen über die Ströme der Unwissenheit. Sie walzt die Drahtverhaue der Vorurteile nieder. Wer durch ihre Hände geht, den wird sie auf Lebenszeit als ihren Schüler betrachten, und gegen diesen resoluten Besitzanspruch hat sich bisher auch noch niemand gesträubt. Als einer ihrer ehemaligen Schüler wegen Plünderung von Kiosken verurteilt wurde, erschien sie im Gerichtssaal und schmierte dem Verurteilten eins. Den Ordnungsruf und die Geldstrafe quittierte sie mit bösartiger Genugtuung. Welche Fächer unterrichtet sie? Sieh genau hin: die Schuhe, der Gang, das Gesicht und die Augen, die sofort preisgeben, daß sie sich zu Menschenrechten, Bürgerstolz und Feinsinnigkeit bekennt – all das sagt dir, daß diese Lehrerin Mathematik, Geschichte und Turnen gibt. Wenn ihr Mann, ein Musiklehrer, ihr vorwirft, daß sie darauf aus sei, ihn zu unterjochen, dann fordert sie ihren Mann sachlich auf, ihr doch das sympathische Beispiel einer Selbstbefreiung zu bieten.

Ihr spezielles historisches Interesse gilt der Hanse, ihre geschichtliche Lieblingserscheinung ist Karl der Große; der Mann, den sie nie ohne einen Ausdruck grimmiger Ironie nennt, ist Turnvater Jahn. Wenn man sie darauf anspricht, in welchem Fach der Hamburger

Schüler so etwas wie eine Naturbegabung zeigt, wird sie ohne Zögern antworten: auf dem ganzen Feld der Mathematik. Deshalb hat sie es aufgegeben, mathematische Strafarbeiten zu verhängen. Um Schüler, die aus der Reihe tanzen, zu Einsicht und Disziplin zu bringen, brummt sie ihnen Arbeiten auf, die Anforderungen an die Phantasie stellen, Aufsätze vor allem. Sie selbst glaubt nicht, daß der Mensch durch Phantasie zu retten ist, ebensowenig durch Musik oder Malerei. Lediglich von der Mathematik, da erhofft sie sich einiges. Wenn sie Vertretungsstunden gibt, liest sie den Schülern Fallada vor oder Kisch oder auch, wenn sie dazu aufgelegt ist, Storm; es kann aber auch passieren, daß sie ihre Schützlinge zum Elbuferweg treibt und sie dort die Tonnage vorbeiziehender Schiffe taxieren läßt. Mit der Oberstufe bespricht sie leidenschaftlich kommunalpolitische Entscheidungen des Senats und lädt ab und zu Politiker zu Diskussionen in ihrer Schule ein. Dabei zwang sie schon manchen Herrn zu vorzeitigem Aufbruch. Natürlich wird sie auch dir sagen, daß sie aus ihren Schülern am liebsten Hamburger machen möchte: versteh diese Antwort nicht zu schnell.

Hamburger, wie gesagt, sind Leute, die sich selbst für Hamburger halten. Was mehr? Kann man etwa sagen, daß sie sich von den Kölnern so eindeutig unterscheiden wie ein Knurrhahn vom Rheinsalm? Ist das Hamburgische ein besonders einprägsamer Schutzanstrich, der von keinem Regen abgewaschen werden kann? Die Lehrerin behauptete einmal gegenüber französischen Pädagogen, das Hamburgische, das sei die Kunst, die Welt am Lieferanteneingang zu empfangen und ihr das Gefühl zu geben, dies sei die größte Auszeichnung, die man hier zu vergeben hat. Sie meine aber auch, hamburgisch, das sei: in aussichtsloser Lage zu diskutieren. Und das tun die Hamburger, weil ihnen nichts egal ist, was sie selbst betrifft. Aber laß die Lehrerin zu ihren Schülern ziehn, laß überhaupt das mitteilsame Spiel mit dem altmodisch geschliffenen Rumglas. Wer soll davon profitieren? Je länger man auf Leute in Hamburg blickt, desto mehr verwirrt sich alles. Ausdenken, ohne Wörter träumen kann man sie sich schon, aber nach dem sogenannten Leben schildern? Alles wäre leichter, wenn es nur einen einzigen Hamburger gäbe. Doch jeder Blick sagt dir, daß es zumindest zwei gibt. Außerdem: durchschauen ist unhöflich – falls es überhaupt gelingt. Man schreibt und erzählt ja auch deshalb, um sich das Unmögliche bestätigen zu lassen.

Laß dir das Glas noch einmal füllen, zum letzten Mal, und jetzt heb es nicht gegen andere, sondern schau von oben hinein und frag dich, wie nützlich Gewißheiten sind über die Leute in einer Stadt. Worauf sollen Gewißheiten vorbereiten? Welch ein Abenteuer verhindern? Welche Dividenden ermöglichen? Gott sei Dank ist kein Hamburger verpflichtet, anderen als Hamburger zu erscheinen; es gibt auch keine Garantien. Mann und Frau, der Habende und der Nichthabende, das Kind und der Alte, der Leser und der Nichtleser: alle in dieser Stadt könnten in einem einzigen Augenblick widerrufen, was du ihnen an hamburgischer Eigenart zuerkannt hast. Rechne damit. Sei auf der Hut davor.

1966

Eisfischen
oder Was man mit Hechten erleben kann

Für Sebastian Schramm

Auch im Winter ist mit unserm See noch was los. Man muß nur warten, bis das Eis dick und blau geworden ist, und am liebsten läßt man überhaupt erst einen Schlitten mit Pferden darüberfahren, bevor man durch den braunen, knackenden Schilfgürtel geht. Wenn sich kein Schlitten mit Pferden sehen läßt, genügt es auch, die Luftblasen und Äste und Flaschen zu zählen, die in der Tiefe des Eises einfrieren, und wenn genug eingefroren ist, und man kommt nicht weiter mit Zählen, dann kann man gleich mit Anlauf raufglitschen.

Was am allerbesten ist? Am allerbesten ist, wenn die Eisfischer kommen auf ihren flachen kleinen Schlitten, die sie mit einer Stange vorwärts schieben. Die Eisfischer haben immer was zu rufen, ich weiß nicht, warum, und wir hören die Rufe »Hooo-oh« oder »Hooo-ah«, noch bevor sie um die nackte Halbinsel bogen. Da tickten wir erst gar nicht mit den Absätzen ans Eis. Sobald die Eisfischer zu hören waren, flitzten wir gleich durch die Schneewehen am Ufer. Wir nahmen Anlauf. Und tsss, so glitten wir ihnen entgegen, und der Schwung war so groß, daß man noch auf dem Rücken weiterrutschte, wenn man hinplumpste auf der glatten, glatten Fläche.

Zuerst tranken die Eisfischer Kaffee, das war nun mal so. Sie saßen auf ihren flachen Schlitten in einem Kreis. Die Eisfischer hatten

Schnauzbärte, daran hingen kleine Eiszapfen, und ihre Augenbrauen waren mit Rauhreif gepudert. Die sahen schon so aus wie der Januar, ganz gewiß. Ihren Kaffee tranken sie etwas zu langsam, sogar im Schneegestöber.

Dann rief einer »Hooo-oh«, und die anderen nahmen von einem Schlitten Äxte und Eisenstangen, die bekam das Eis jetzt zu spüren. Die Eisfischer hackten und pickten. Das splitterte nur so und brach und seufzte. Manche Splitter funkelten wie buntes Glas. Die Eisfischer hackten so lange, bis da ein großes Loch im Eis war, und dann stellten sie zuerst Stangen mit einem Strohwisch auf. Jetzt wußte jeder: Hier heißt es aufpassen. Das Loch war vielleicht viermal so groß wie ein Küchentisch, das genügte.

Wieder rief einer »Hooo-oh«; – ohne zu rufen, bekamen die wohl nichts fertig. Sie schleppten das glitzernde, steifgefrorene Netz zum Loch. Das Netz knisterte. Es sang. Es hörte sich an wie eine sehr dünne Stimme, die sang, als sie das steifgefrorene Netz zerrten und zogen. Dann drückten sie das Netz mit Stangen in das Loch und schoben die Stangen unter das Eis. Wir kannten das schon. Mit Hilfe der Stangen zogen die Eisfischer eine Leine unter dem Eis entlang. Die Leine lief in einem Bogen und öffnete das Netz, das sich ganz vollgesogen hatte und auf Grund lag. Die Eisfischer hackten noch viele kleine Löcher, um die Leine immer weiterzuziehen, und neben jedem Loch stellten sie einen Strohwisch auf. Geld hatte sicher keiner von den Eisfischern in der Tasche. Aber eine Flasche, die hatte jeder. Und wenn sie nicht »Hooo-oh« riefen, dann mußten sie einen langen Schluck aus der Flasche nehmen. Wir versuchten erst gar nicht, die Schlucke zu zählen.

Auf zwei Schlitten waren braune Tonnen drauf; die konnten sich drehen. Und als die Eisfischer weit genug von dem großen Loch entfernt waren, holten sie die Leine herauf. Sie legten sie um die Tonne, und die Tonne drehte sich, und die Leine wurde straff und zitterte. Jetzt sang die Tonne. Zwei Eisfischer drehten sie. Die Leine fror gleich an der Luft zu einer weißen Schlange. Da liefen wir dem Netz entgegen, das unter dem Eis langsam und stetig wanderte mit seinen offenen Flügeln. Wir legten uns auf das dunkle, durchsichtige Eis. Unten wanderte das Netz in aller Stille über den Grund, mehr kann man nicht sagen.

Die Tonne hörte nicht auf mit ihrem quietschenden Gesang, und einige Eisfischer schlugen wieder ein großes Loch. Hier sollte das Netz herausgeholt werden. Wir standen neben dem Loch und beobachteten den braunen Grund. Ffft, ffft, so zuckten da die Fische durcheinander, sehr schlank oder spindelförmig. Immer mehr Fische wurden es, die flohen vor dem stetig wandernden Netz mit den offenen Flügeln. Die Eisfischer freuten sich über das Gewimmel, und einer rief »Hooo-oh«, danach schnaubte er in sein Taschentuch.

Aber jetzt wurde das Wasser unruhig. Es brauste. Es riffelte sich. Die Eisfischer kloppten sich die Hände warm, so heißt das. Das Wasser schäumte nur so von all den aufgeregten Fischen, und einige schnellten sich in die Luft. Nun waren die Flügel des Netzes zu sehen. Da stecken Schilfplötze drin mit rot leuchtenden Flossen. Die Eisfischer zogen die Flügel zusammen und hoben das Netz auf das Eis; dann schüttelten sie die Fische aus. Die Fische hopsten und sprangen auf dem Eis, viele Fische: dunkelgrüne Barsche, die ihre Stacheln aufrichteten, silberne Brassen, Schleie, Zander und fünf silbergrüne Hechte mit Mäulern wie Entenschnäbel. Die Fischer sortierten die Fische in Holzkästen. Die kleinen Fische schenkten sie uns.

Natürlich wollten wir am liebsten einen Hecht haben, denn das ist der beste Fisch in unserem See. Aber einen Hecht wollten die Fischer uns nicht schenken. Und einen aus der schuppenbedeckten Kiste nehmen, das konnten wir nicht, weil jeder Eisfischer die fünf Hechte gezählt hatte. Langsam gezählt.

Nun wußten wir aber schon, daß jeder Räuber seine Beute abgibt, wenn er ertappt wird; darüber wundert man sich nicht mehr. In unserm See ist der Hecht der schönste und stärkste Räuber. Wir sahen uns die fünf Hechte in der Kiste aufmerksam an. Die Eisfischer tranken wieder mal Kaffee. Ein Hecht war sehr dick und atmete auch angestrengt. Wir massierten seinen silbernen Bauch. Wir hoben ihn am Schwanz in die Höhe. Plötzlich spuckte er einen kleinen Hecht aus, den er kurz vorher verschluckt hatte. Den hatten die Eisfischer nicht gezählt, und als sie sahen, daß wir einen Hecht hatten, gingen sie gleich zur Kiste und zählten nach, einmal und noch einmal: Da waren immer noch fünf drin. Jetzt strichen sich die Eisfischer die kleinen Eiszapfen aus dem Schnurrbart und wunderten sich, und weil sie sich lange wundern können über etwas, wundern sie sich vielleicht auch heute noch.

Als sie mit ihren flachen Schlitten davonfuhren, riefen sie »Hooo-oh«. Da riefen auch wir »Hooo-ah«, und es klang wie »Hob Dank«.

1966

Die Strafe

Nein, nichts zu essen, Christine, nur einen Schnaps und sonst nichts. Wo er ist? In seiner Pension, ich habe ihn selbst zurückgebracht, nachdem alles vorüber war; unser Gerichtsarzt hat ihm eine Beruhigungsspritze gegeben, die half nicht, er hat während der ganzen Fahrt gezittert, der alte Mann. Wie meinst du? Sicher, er wird sich beruhigen, aber morgen wird alles von neuem beginnen, du kennst doch Vater, er wird seinen Freispruch anfechten, er wird wieder in mein Büro kommen und mir immer neue Kataloge seiner Vergehen anschleppen, er wird wieder die ganze Staatsanwaltschaft wild machen und sie zu überzeugen versuchen, daß er angeklagt werden muß. Anklage! Das einzige, wofür er noch lebt: angeklagt zu werden – wegen unterlassener Hilfeleistung, wegen strafbarer Mitwisserschaft oder einfach, weil er im Krieg war. Du weißt ja, daß er sich da zum Künstler entwickelt hat, es ist ihm gelungen, aus seinem Leben eine einzige Kette von Verfehlungen zu machen; man darf einen alten Amtsarzt nicht unterschätzen, auch wenn er mitunter leicht gestört wirkt. Süchtig, ja; wie andere Bierkrüge sammeln oder Bilder, so sammelt er eben Gründe zur Anklage, zur Selbstanklage.

Der Plan? Du meinst unseren Plan? Natürlich haben wir ihn ausgeführt, so, wie Olaf, Günter und ich alles entworfen hatten; auf die Dauer kann ich's meinen Kollegen nicht zumuten, sich mit den eingebildeten Vergehen von Vater zu beschäftigen, deshalb entwarfen wir ja den Plan, und wir alle glaubten, daß er nicht schlecht war. Und zuerst – gib mir noch einen Schnaps – verlief es ja auch ganz zufriedenstellend. Danke.

Du hättest ihn sehen müssen – Vater, wie er zu seinem Prozeß erschien: vergnügt, in Schwarz, eine Aster im Knopfloch, stell dir vor, ich kann mir nicht helfen, aber er sah aus wie ein alter Hochzeiter, einer von der miesen Sorte, der bereit ist, jedes Zwinkern zu erwidern. Wie er über den Platz kam! Wie er den Stock schwang und leicht gegen die Masten der Lampen schlug! Vielleicht pfiff er sogar, ich weiß es nicht, jedenfalls, wir beobachteten ihn vom Fenster und hatten das Gefühl, einen glücklichen Mann zu sehen, der zu seinem Prozeß eilt.

Verdacht? Nein, Christine, er hatte keinen Verdacht, er glaubte, daß die angesetzte Verhandlung gegen ihn der Lohn für seine Hartnäckigkeit war, mit der er die Anklage gegen sich selbst betrieben hatte. Er hat bis zuletzt nicht gemerkt, daß es eine Scheinverhandlung war, mit der wir ihn endgültig von seiner Sucht heilen wollten, von seinen krankhaften Selbstbezichtigungen, mit denen er allen auf die Nerven ging. Wir wollten ihn los sein, darum hatten wir den Plan im Büro entwikkelt, darum hatten wir uns verabredet, Olaf, Dieter und Günter spielten mir zuliebe mit, na, du kennst sie ja; sie wollten mir helfen. Und sie waren ebenso entgeistert wie ich, als sie Vaters Heiterkeit bemerkten und später die ausgelassene Genugtuung, als er oben auf der Treppe Adam Kuhl begrüßte.

Wer das ist? Er ist auch in Marggrabowa geboren, wie Vater, sie kennen sich seit ihrer Jugend. Kuhl ist bei der Post gewesen, jetzt trat er als Belastungszeuge auf. Stell dir vor, Vater hatte ihn nicht nur aufgestöbert, sondern auch seiner Erinnerung aufgeholfen; um seinen Prozeß zu bekommen, hat er für den Belastungszeugen gleich selbst gesorgt. Wir sahen, daß er Adam Kuhl bei der Begrüßung etwas schenkte; seine Gesten, die ganze Art, wie er den Mann behandelte, der gegen ihn zeugen sollte, verrieten Dankbarkeit. Er nahm ihn vorsichtig beim Arm, und so, wie sie ins Justizgebäude gingen, mit gesenktem Gesicht, eng nebeneinander und lächelnd, hätte man sie für Komplizen halten können, die sich etwas vorgenommen haben. Eben, auch wir waren zuversichtlich.

Du meinst, wo die Verhandlung stattfand? Nicht mal im Saal, wir nahmen einfach das große Untersuchungszimmer, da fiel es nicht so auf, daß kein Publikum anwesend war, aber Vater war so begeistert, daß ihm nichts fehlte. Er hatte seinen Prozeß, und du hättest den Eifer sehen sollen, mit dem er den Stuhl des Angeklagten besetzte, und den noch größeren Eifer, mit dem er Olafs Fragen zur Person beantwortete. Olaf hatte die Anklage übernommen, ich machte den Beisitzer, Dieter gab den Richter ab, Günter spielte den Pflichtverteidiger. Solch einen Angeklagten wie Vater hat die ganze Staatsanwaltschaft noch nicht erlebt. Auf jede Frage zur Person gab er mindestens drei Antworten, nicht nur bereitwillig, sondern besessen von dem Wunsch, dem Gericht ein Bild seiner selbst zu liefern, und schon hier spürtest du, wie methodisch er darauf aus war, sich bloßzustellen. Alles, jede Auskunft, färbte er sozusagen zur Selbstanklage ein. Nein, Christine, er klagte sich nicht an, weil er auf mildernde Umstände aus war; ich hatte vom ersten Augenblick an das Gefühl, daß er verurteilt werden wollte. Du hättest dabeisein müssen, wie er seine berufliche Laufbahn schilderte: also, seine Doktorarbeit hat ihm ein Kollege geschrieben, von der Albertina hat man ihn verwiesen, weil er als älteres Semester einen verbotenen Eingriff vornahm, durch eine Denunziation seines Vorgängers ist es ihm überhaupt gelungen, Amtsarzt zu werden. So begann er.

Ob das die Wahrheit ist? Ja, Christine, ich fürchte, das ist die Wahrheit. Zuerst, weißt du, als er in dieser Art anfing, sich zu bezichtigen, als er so dastand und sich drehte und sich um Glaubwürdigkeit bemühte, da warfen wir uns natürlich Blicke zu, belustigt: Also so läuft der Hase. Aber wir sahen bald ein, daß wir uns täuschten und daß alles, was er gegen sich vorbrachte, mehr oder weniger der Wahrheit entsprach. Mehr oder weniger: damit meine ich, daß es seiner subjektiven Wahrheit entsprach. Die Freude, mit der er sich in Verruf brachte! Die Ungeduld, mit der er dem Gericht seine Verfehlungen anbot! Wenn Olaf sprach, schüttelte Vater den Kopf oder gab durch abwehrende Handbewegungen zu verstehen, daß er mit seinem Ankläger nicht einverstanden war; er fühlte sich nicht genug bloßgestellt, nicht ausreichend gebrandmarkt, und manchmal ging es einfach mit ihm durch, er sprang auf, nahm das Wort und verstärkte und erweiterte nicht nur die Anklage, sondern machte dem Gericht Vorwürfe. Warum? Weil nicht schon früher Anklage gegen ihn erhoben wurde; er glaubte, daß die Gründe, die er im Laufe der Zeit dem Gericht zur Kenntnis gab, allesamt zur Anklage ausgereicht hätten.

Du hast recht, Christine, in dem Katalog, den er uns anschleppte, waren beachtliche Verfehlungen, aber die waren so universal, trafen auf so viele zu, daß wir sie nicht berücksichtigten. Was sollten wir machen? Er wollte zum Beispiel dafür verurteilt werden, weil er im Krieg war und beschwören konnte, daß durch seine Mitwirkung zwei oder drei Soldaten getötet wurden, feindliche Soldaten. Welch ein Recht sollten wir da anwenden? Wir taten es mit Befehlsnotstand ab. Ja, das trifft zu: diesmal hatten wir uns etwas Konkretes, Überschaubares ausgesucht, eine Sache, die er uns zuletzt aufgetischt hatte und die wir deshalb verfolgen wollten, weil es ihm gelungen war, einen Belastungszeugen beizubringen. Eben Adam Kuhl.

Von mir aus noch ein Glas, aber nicht ganz voll. Danke. Also stell dir vor, das große Untersuchungszimmer, Vater eifrig und glücklich auf dem Stuhl des Angeklagten, rechts von ihm Adam Kuhl in einer angenommenen Zeugenbank, vor ihnen das Scheingericht – wobei ich dir sagen muß, daß es ihn überhaupt nicht störte, mich als Beisitzer vorzufinden. Das nahm ich auch an; ihm genügte der Staatsanwalt. Und dann also, nach der Vernehmung zur Person, die Anklage. Vater nickte heftig – und zustimmend –, als Olaf ihn beschuldigte, den damaligen Machthabern in die Hände gearbeitet zu haben; und er sah fordernd auf Adam Kuhl, um ihn zur Bestätigung der Anklage zu ermuntern. – Wart doch ab, Christine. Olaf erinnerte an die letzten Wochen des Krieges, als alles verloren war, als alles erkennbar verloren war, da gab es nur eins, sich und andere zu retten – allerdings nicht für die, deren Macht zu Ende ging. Sie verlangten eine letzte Erhebung, einen letzten Widerstand, ein letztes Aufgebot – zu diesem letzten Aufgebot sollte auch Adam Kuhl gehören, sie nannten das Volkssturm. Aber Adam Kuhl wollte nicht, er sah nicht ein, daß er noch in letzter Minute etwas riskieren sollte, und um nicht geholt zu werden, simulierte er. Was? Das will ich dir sagen: er gab vor, daß sich sein Sehvermögen von Tag zu Tag verschlechtere, er habe nicht nur Schwierigkeiten, gab er vor, Leute zu unterscheiden, sondern überhaupt zu erkennen, deshalb bitte er, vom letzten Aufgebot befreit zu werden.

Der Simulant wurde zum Arzt geschickt, zum Amtsarzt, der sollte die Krankheit bestätigen. – Eben, Christine, das sollte man annehmen, zumal Vater einer der letzten Ärzte bei uns war, alle anderen waren fort. So erschien jedenfalls Adam Kuhl bei Vater, und der untersuchte ihn und gab vor, zu glauben, was Kuhl ihm auftischte; doch er tat es nur, um dem Simulanten den Argwohn zu nehmen. Ich wollte, daß er sich in Sicherheit wiege, sagte Vater vor unserem Gericht, einfach, weil ich ihn so am ehesten überführen konnte. – Wie bitte? Nicht so ungeduldig.

Zuerst mußt du dir die Szene vorstellen. Kuhl, der Belastungszeuge, versucht alles zu verharmlosen; er sagt, es hätte alles viel schlimmer kommen können, oder: Hauptsache, das Ende war gut, worauf der Angeklagte ärgerlich wird und den Zeugen ermahnt, die Vorgänge nicht zu bagatellisieren. Der Angeklagte fordert den Zeugen gewissermaßen auf, ihn angemessen zu belasten, und der alte Kuhl gibt traurig zu, daß Vater allerhand mit ihm anstellte: er entzündete ein Streichholz vor den Augen des Simulanten, ließ ihn – ein sicherer Test – durch einen niedrigen Türrahmen gehen; er stellte ihm jedenfalls mehrere Fallen, und schließlich schaffte er es, Adam Kuhl zu überführen: Vater beobachtete ihn, wie er seine Rente abholte und das Geld nachzählte. Kuhl sagte vor unserem Gericht: Zum Schluß, da hat der Herr Doktor mich durchschaut und hat mich gemeldet, was er ja hat tun müssen. Und Vater, aufspringend: Ich hätte den Zeugen decken können. Ich tat es nicht. Ich überführte ihn und lieferte ihn aus; sie schickten ihn in eine Strafeinheit, nachdem sie ihn zunächst zum Tode verurteilt hatten.

Du hättest sehen sollen, Christine, wie der Angeklagte den Zeugen zu seinen Ungunsten berichtigte. Kuhl sagte tatsächlich einmal, der Herr Doktor habe ja nur seine Pflicht getan. Das reizte Vater so sehr, daß er Adam Kuhl in scharfen Worten klarmachte, welche größere Pflicht er verletzt habe, als er die von ihm verlangte so blind erfüllte. Nein, für Adam Kuhl ging es nicht rasch vorüber, seine Einheit geriet in Gefangenschaft, und er selbst hat über vier Jahre in einem Lager am Eismeer gesessen; die Herzkrankheit, die er von dort mitbrachte, ist nicht simuliert. Vater übernahm die Verantwortung für alles, was sein Belastungszeuge durchlitten hatte. Er erklärte sich schuldig im Sinne der Anklage und bat, verurteilt zu werden – wobei er das Gericht aufforderte, bei seinem Schuldspruch auch die anderen Vergehen zu berücksichtigen. Du hast recht: Vater übertraf jeden Staatsanwalt, und auf die Versuche Günters, ihn zu verteidigen, reagierte er nicht nur mit Unwillen, sondern auch mit Zwischenrufen. So etwas hast du noch nicht erlebt, wie der seinen Verteidiger widerlegte! Vater mußte mehrmals ermahnt werden. Wirklich, es war keine gespielte Feindseligkeit, mit der er Günter manchmal ansah. Das ist das richtige Wort: unbarmherzig; er kämpfte unbarmherzig um eine ihm angemessene Strafe, von der er glaubte, daß sie ihm rechtmäßig zukomme. Je bedenklicher es für ihn wurde, je schwerwiegender sein Fall erschien, desto größer wurde seine Genugtuung.

Ja, Christine, dann zog sich also das Gericht zur Beratung zurück, wir gingen in ein Nebenzimmer, rauchten, beobachteten Vater und Adam Kuhl, die ans Fenster traten und sich flüsternd unterhielten; offensichtlich machte Vater da seinem Hauptbelastungszeugen Vorwürfe. Wir brauchten uns nicht zu beraten. Wir hatten ihm seinen Prozeß gegeben, wir hatten ihn – zumindest nahmen wir das an – glücklich gemacht.

Das Urteil? Du bist genauso ungeduldig wie Vater, auch er konnte das Urteil nicht erwarten, du hättest sehen sollen, wie er aufsprang von seinem Stuhl, als das Gericht einzog, begierig auf den Spruch, den er verdient zu haben glaubte. Er bog sich sozusagen heran und verharrte starr und erwartungsvoll, bis wir uns setzten und Dieter aufstand, das Urteil zu verkünden. Nein, es war nicht formuliert. Dieter hatte sich nur ein paar Stichworte aufgeschrieben während der Verhandlung, das genügte ihm. Hoffnungsvoll blickte Vater auf Adam Kuhl, dann auf Dieter, er schien so sicher, daß seine Schuld ein für allemal festgestellt worden war und daß das Gericht sie ihm nun bestätigen werde.

Dieter ist für die Folgen nicht verantwortlich, gewiß nicht, er hat den Spruch überzeugend begründet, ich wunderte mich sogar darüber, wie weit er ausholte; er schilderte noch einmal die Lage am Ende des Krieges, erwähnte die Ausnahmegesetze, das Kriegsrecht, und mußte bekennen, daß in solch einer Zeit Simulantentum geahndet werden mußte. Da horchte Vater schon auf, da machte er schon seine abwehrenden Handbewegungen. Und als Dieter Vaters Verhalten zwar nicht belobigte, aber so darstellte, daß man Verständnis für ihn aufbringen mußte, da kam er nah an den Richtertisch heran und protestierte leise. Was meinst du? Eben, als dann der Freispruch erfolgte, geriet Vater außer Fassung. Er, dessen Haltung du immer so bewundert hast, er nahm Dieters Hände und beschwor ihn, sein Urteil gerecht zu begründen. Dieter hatte festgestellt, daß Vater in der damaligen Zeit das Unrechtsbewußtsein gefehlt hat, deshalb müsse das Gericht auf Freispruch erkennen, mangels Beweises natürlich.

Und dieser Adam Kuhl? Als der Freispruch erfolgte, ging er tatsächlich zu Vater und gratulierte ihm. Weißt du, was er sagte: Nu, sehn Se, Herr Doktor, das hab ich doch immer gemeint, und jetzt können wir Freunde bleiben. Vater? Der übersah Kuhls Hand, der hörte offenbar nicht einmal den Glückwunsch. Vater fiel auf die Knie. Er bat das Gericht, das Urteil neu zu formulieren. Ich sah, daß er Mühe hatte beim Atmen, außerdem war er so erregt, daß ich unsern Gerichtsarzt rief; er gab ihm eine Beruhigungsspritze. Ich sagte doch schon, ich selbst habe ihn in die Pension gebracht.

Es hat geklingelt? Mach nicht auf, vielleicht ist er das, vielleicht bringt er neues Material gegen sich. Wie meinst du? Was denn sonst? Wir müssen ihn freisprechen; ich fürchte – selbst wenn Olaf, Dieter und Günter das alles noch einmal spielen wollen –, ich fürchte, Christine, wir müssen ihn auch beim nächsten Mal freisprechen.

1968

Das Gelächter des Kukkaburra

Mit welchen Kenntnissen sollte ich mich ausrüsten? Mit welchem Wissen kostümieren? Sollte ich, da die Einladung nach Australien feststand, die sympathisch knappe Geschichte des Kontinents studieren oder seine strategische Lage? Sollte ich einen ethnologischen oder einen soziologischen Geschwindkursus durchlaufen? Was würde mir dort unten am ehesten helfen? Politische Kenntnisse? Literarische? Mineralogische? Ich war eingeladen, an sieben australischen Universitäten zu lesen, und ich mußte mich doch vorbereiten, wappnen, einstimmen, ich konnte doch nicht unpräpariert, und das heißt: schutzlos, einen Kontinent betreten, wo sich jeder seinen Bumerang selbst schnitzen darf. Welches Wissen also kann einen dort schützen, fragte ich mich, welche Kenntnisse können dir helfen, dich dort unten heimisch zu fühlen.

Kaum so gefragt, drängte sich auch schon die Gegenfrage auf: Soll man sich durch Kenntnisse schützen, soll man sich heimisch fühlen in einem fremden Land, da Fremdheit doch eine spezielle Bedingung des Erlebens ist? Und ist es nicht überhaupt ratsamer, ohne wohlfeiles Vorwissen zu reisen, nur mit der Bereitschaft, sich entgeistern oder befremden, überwältigen oder verstören, in jedem Fall: sich original beschreiben zu lassen? Auf jedes Risiko? Und kommt es nicht zunächst darauf an, daß man selbst etwas investieren muß – in eine Begegnung, eine Landschaft, ein Erlebnis –, damit ein Eindruck oder ein Abdruck entsteht? Tabula rasa: ist das nicht die ideale Ausgangslage für jede Reise? Wie also?

Ich entschied mich dafür, unbelastet zu reisen, ohne taktisches Wissensgepäck, dennoch konnte ich es nicht verhindern, daß mir zum Schluß, beinah widerwillig, eine spezielle Kenntnis zugetragen wurde; die betraf einen australischen Vogel und beherrschte mich mit seltsamer Hartnäckigkeit.

Im letzten Augenblick, wie gesagt, gegen meinen Willen, hatte man mir doch noch ein Wissen zugespielt; mein Grundsatz, unbelastet zu reisen, war nicht mehr makellos – auch wenn die Geschichte des australischen Vogels, die man mir kurz vor der Reise erzählt hatte, so unscheinbar anmutete. Dieser Vogel, so erfuhr ich – er heißt Kukkaburra –, ist ein erklärter Freund des Menschen; er bietet sich, wenn man einen Garten anlegt, als Wächter des Gartens an, um ihn von Schlangen und Ungeziefer freizuhalten, außerdem kann dieser Vogel lachen, und zwar so verblüffend menschlich lachen, daß man entweder erschrickt oder in das Gelächter einstimmt.

Das also erfuhr ich, und welche Zwänge bereits von einem so beiläufigen Wissen ausgehen können, erlebte ich auf der Reise: bei allen Versuchen, dem fremden Kontinent entgegenzudenken, drängte sich immer dieser Vogel vor, dieser Kukkaburra. Ich konnte ihn nicht aus meiner Vorstellung verbannen; er ließ sich einfach nicht verdrängen, ausklammern, abschießen: er flatterte durch meine ungeduldigen Erwartungen, stieß sein Gelächter aus und bot mir lachend seine Freundschaft an.

Ein Bild des Vogels hatte ich noch nicht gesehen, ich wußte lediglich, daß er so groß wird wie eine Krähe und daß sein Schnabel, was die Härte angeht, mit einer Heckenschere aus Solingen verglichen werden kann. Und ich wußte, daß ich ihn würde suchen müssen; je näher ich dem australischen Kontinent kam, desto dringender wurde mein Interesse für den lachenden Schlangentöter, den gutgelaunten Menschenfreund. Vorauseilend versuchte ich mir die erste Begegnung vorzustellen: stummes, gegenseitiges Beäugen, kurze Demonstration der Wächterfähigkeit, schließlich gegenseitige Sympathieerklärung durch Gelächter, der Vogel beschäftigte mich, und es gab Augenblicke träumerischer Erschöpfung, in denen ich glaubte, nur wegen des Kukkaburra nach Australien zu fahren.

Natürlich fiel ich nicht mit der Tür ins Haus, unterdrückte vielmehr meine, sagen wir: brennende Neugierde auf den Vogel. Da Perth die erste Station meiner Reise war, ließ ich mich willig in die Schönheiten der Landschaft einweisen und mit anderen Nebensächlichkeiten Westaustraliens bekannt machen. Aber was besagte schon die lindfarbene Gartenstadt, deren leichte und fröhliche Häuser sich um eine Postkartenbucht versammelt hatten? Ich dachte an den Kukkaburra. Wie das Erzählen zu den Pflichten des Gastes gehört, so gehört das Zuhören zu seinen Tugenden, und ich hörte zu – freilich mit leichtem Flügelrauschen im Ohr. Und ich erfuhr, daß Australien in dieser Zeit dabei ist, seinen Standort zu bestimmen: Der schutzlose Kontinent hat sich gegen Asien geöffnet, asiatische Studenten beziehen immer häufiger australische Universitäten, asiatische Firmen sind eingeladen, an der Erschließung des Landes mitzuarbeiten. Man blickt nicht mehr gebannt auf London, um Muster und Modelle zu beziehen – das gilt für die Wirtschaft ebenso wie für das Verhalten.

Und ich erfuhr, daß sich die Zahl der Deutschstudierenden an australischen Universitäten in den letzten Jahren verdreifacht hat. Ein Prospektor erzählte mir von der Entdeckung der gigantischen Eisenerzvorkommen. Ich erfuhr von örtlichem Goldrausch, von der grandiosen Einsamkeit des Busches, ich erlebte die außerordentliche Gastfreundschaft eines blauäugigen Orients, und endlich, endlich fragte man mich, was mich an Australien denn ganz besonders, womöglich leidenschaftlich interessiere. Ich nannte den Kukkaburra. Ah, sagte man, der Kukkaburra. Der Vogel, der lachen kann, sagte ich. Und wie der lacht, sagte man und zog mich in den Garten.

Wir lauschten, es war kein Gelächter zu hören, auch nicht aus dem Nachbargarten. Merkwürdig, sagte mein Gastgeber, gewöhnlich sitzen sie hier überall herum und lachen, aber seien Sie unbesorgt: Es gibt sehr viele Kukkaburras in Australien, und Sie werden sein Gelächter schon noch zu hören bekommen.

Ich war unbesorgt, und ich reiste weiter über leeres, totgebranntes Land, über blinkende Salzseen, an Küsten entlang, mit denen sich nur der Ozean unterhielt. Welch eine großartige Verlassenheit, dachte ich, wie viele Möglichkeiten für Sommerhäuser. Mein Nachbar machte mich auf einen Buschbrand aufmerksam: tief unter uns, flach weggerissen, hing eine dünne Rauchbank, ich erkannte die Flammenwalze, bemerkte unter zitterndem Licht die Glut: Buschbrände sind die häufigste Heimsuchung Australiens. Wer nicht fliehen kann, kommt um.

Später sah ich die Spuren des Feuers: geschwärztes Land, versengte Baumstämme, verrußtes Gestein. Wer unweigerlich ein Opfer des Feuers wird, wollte ich wissen und erfuhr, daß es allemal der Koalabär ist. Nachdem ich den Koala lange genug beobachtet hatte, konnte ich es schmerzlich verstehen; denn er ist das Tier, dessen Faulheit so außerordentlich ist, daß sie schon wieder fasziniert. Gegenüber dem Koala ist ein Oblomow ein Arbeitstier. Wie der, in schlafmütziger Anmut an einen Ast geklammert, unerhört verzögert ein Auge öffnet, den Betrachter mit unendlicher Müdigkeit vorzeitlich anblickt und dann das Auge wieder in Zeitlupe schließt! Wie der, mit herausfordernder Langsamkeit, an einem Eukalyptusblatt knabbert! Wie karg und gleichgültig der sich mit seiner faulen Geliebten zur Nacht verabredet! Übrigens erfuhr ich, daß ein Koala, der auf sich hält, grundsätzlich keinen Baum hinabklettert: er öffnet einfach nur die Arme und läßt sich fallen. Mit Hilfe eines angeblich steinharten Hinterns übersteht er jeden Sturz –

leider jedoch nicht das Feuer. Da ist der Kukkaburra, den ich in Adelaide fast zu sehen bekam, besser dran.

Mein Gastgeber in Adelaide war Professor der Germanistik. Wir tranken sehr guten australischen Rotwein, der in der Nähe von Adelaide wächst, ebenso wie der Moselle – Weine, die einen Vergleich mit einem europäischen Tropfen durchaus bestehen. Es waren, wie ich erfuhr, nicht zuletzt deutsche Weinbauern, die dem australischen Wein zu seiner Qualität verhalfen.

Jedenfalls sprachen wir bei sehr gutem einheimischen Wein über Literatur und insbesondere über das Recht des Schriftstellers, sich im Ausland kritisch über sein eigenes Land zu äußern. Es war eine uferlose, schließlich unentschiedene Debatte, und nachdem die Gäste gegangen waren, äußerte mein Gastgeber die Besorgnis, daß ich, bei allem literaturpolitischen Bodenturnen, keine Gelegenheit gefunden hätte, meinerseits Fragen zu stellen: vielleicht unaufschiebbare Fragen über Australien. So freimütig gefragt, antwortete ich ebenso freimütig: den Kukkaburra, ich möchte einmal den Kukkaburra lachen hören. Mein Gastgeber war nicht länger als notwendig verblüfft, lächelte, führte mich ins Arbeitszimmer und zeigte auf die hohen Eukalyptusbäume: dort, sagte er, dort sitzen sie zuhauf, morgen früh werden Sie das Gelächter hören; es trifft sich ausgezeichnet, daß Sie im Arbeitszimmer schlafen. Und um das Gelächter sofort zu erkennen, imitierte mein Gastgeber es eindrucksvoll und bat mich, zwei Phasen zu unterscheiden: das Vorgelächter, das nach selbstzufriedenem automatischem Meckern klang, und das Nachgelächter, das mit dem frohen Dröhnen eines Mannes verglichen werden kann, der einen Witz zu spät verstanden hat.

Ich muß zugeben: am sehr frühen Morgen, noch im Halbschlaf, hörte ich das Gelächter. Auf den Bäumen saßen allerdings keine Kukkaburras, und ich muß annehmen, daß niemand anders als mein Wirt dieses Gelächter ausgestoßen hat – in all seiner trostreichen australischen Gastfreundschaft.

Sie ist in der Tat beispiellos, die australische Gastfreundschaft. Bankleute luden mich ein, Tankstellenbesitzer, Kellner und Kellnerinnen, Leser und Nichtleser, Rundfunkleute und Zeitungsleute. Solche Einladungen werden spontan geäußert, nach vier, fünf Sätzen, die man miteinander gewechselt hat; oft wurde ich auch telephonisch von Fremden eingeladen, manchmal lagen schriftliche Einladungen am Empfang im Hotel.

In Canberra, der schönen, abgelegenen, künstlichen Hauptstadt, dachte ich jedenfalls nicht an den Kukkaburra, obwohl er mir auch dort versprochen wurde. Wir fuhren über staubgepudertes Land, das seit fünf Monaten keinen Regen erlebt hatte, an Farmhäusern vorbei, die leer und verlassen schienen, bezwungen von der Hitze. Wie heiter, wie verwöhnt, wie lebensgerecht erschien dagegen Sydney, eine reiche Stadt, eine selbstbewußte Stadt, beschenkt mit einem der schönsten Naturhäfen der Welt und unzähligen geschickten Haifischen, die noch in knietiefem Wasser attackieren. Ich fragte nach dem Hauptverbrechen in dieser Stadt und erfuhr, daß »Trunkenheit am Steuer« das am häufigsten registrierte Delikt sei. Am Selbstmörderfelsen fragte ich nach dem Motiv, das so viele Menschen hier freiwillig in den Tod getrieben hatte, und erfuhr, daß es Liebeskummer gewesen sei. Ich fragte ein Mädchen, ob es seinen Eindruck von den australischen Männern auf eine Kurzformel bringen könnte, und es sagte mit ökonomischem Sarkasmus: Spielen, Frauen, Rennen. Ob man unter Umständen auch in Sydney einen Kukkaburra sehen könnte? Selbstverständlich.

Wir streiften durch sehr gepflegte Parks, suchten Bäume und Büsche ab, wir forschten an teuren, bewaldeten Hängen, in lautlosen Gärten, schließlich auch in den gastlichen, vergnügten Restaurants am Wasser, wo man alle Spezialitäten des Meeres genießen kann; wir hörten Leute am Nebentisch lachen, wir hörten auch einander lachen, nur das Lachen des Vogels hörten wir nicht.

Gab es überhaupt den Kukkaburra? War er ausgestorben, wie so viele seltsame Gattungen dort unten? War sein Gelächter eine typisch australische Sinnestäuschung?

Mit einem Kellner, der mich eingeladen hatte, zog ich an einem Sonntag in den botanischen Garten von Brisbane, wo er selbst das Lachen des Kukkaburra schätzungsweise wohl viertausendmal gehört haben will. Wir fanden Schwärme von weißen Reihern, die träge Goldfische spießten – mein Vogel war zufällig, zum nicht nur fassungslosen, sondern auch ärgerlichen Erstaunen meines Begleiters, nicht zu entdecken. Sollte ich Australien verlassen, ohne den lachenden Vogel gehört zu haben?

Eine Lehrerin, blond, hochgewachsen, mit denkwürdigem Händedruck und in keinen verliebt, nur in die grandiose Einsamkeit des Busches – diese sehr hilfsbereite Lehrerin machte es schließlich möglich, daß ich ihn leibhaftig sah: den Wunschvogel, den Traumvogel, den Vogel des zweiten Gesichts sozusagen. Wir fuhren mit dem Auto noch höher nach Norden hinauf, an Ananasplantagen vorbei, an lichten Wäldern vorbei, bis wir, in idyllischer Landschaft, einen Zoo entdeckten – den kümmerlichsten Zoo, den ich je sah. Ein kurzer Wolkenbruch ging nieder.

Wir tauschten einen Blick mit einem schwermütigen Känguruh, sahen einen nassen Koala, der im Traum mitleiderregend seufzte, sprachen einem offensichtlich desperaten Ameisenbär Mut zu. Und hier, in diesem Zoo der Traurigkeit, fand ich, hinter Drahtgittern, kukkucksgrau, durchnäßt auf dem Boden hockend, ein Kukkaburra-Pärchen: ein Vogel war einäugig, der andere ließ einen Flügel hängen. Bestürzt sahen wir uns an, es brauchte zwischen uns nichts gesagt zu werden: diese Vögel hatten wirklich nichts zu lachen.

Allerdings, das Gelächter des Kukkaburra habe ich schließlich doch noch mitgebracht: Ein freundlicher Germanist schenkte mir eine Bandaufnahme. Nun fehlt mir nur noch das Bandgerät, um meinen australischen Sehnsuchtsvogel in seiner schönsten Äußerung kennenzulernen.

1968

Einstein überquert die Elbe bei Hamburg
Geschichte in drei Sätzen

Dies hier ist eine Photographie zum Lesen, zum Suchen und Wiederfinden jedenfalls, denn so ein Weitwinkel beläßt es nicht bei wenigen Worten, der macht dem Auge redselige Angebote – was noch gar nichts heißen soll; aber man wundert sich doch über die gutmütige, erzählbereite Elbe, die im Vordergrund an Ketten hängende Anlegepontons vorzeigt, zerschrammt und zersplittert unter den Stößen eiserner Bordwände; weiter dann, wo das Wasser schwarz vorbeidrängt, einfach alles zuläßt, was schwimmen kann: Festmacherboote, Getreideheber, Schlepper, Schuten, Tanker und kombinierte Frachtschiffe, die, mit Frohsinn bewimpelt, auf einwandfreiem Kollisionskurs liegen – zumindest sieht es so aus – und die nach einer prachtvollen Massenkollision wohl noch einmal gerammt werden sollen von einem grünweißen, betagten, dennoch rostfreien Elbdampfer, einem Fährschiff, um genauer zu sein, dessen deutliche Schaumspur sowohl der Elbe als auch der ganzen Photographie eine glimmende Diagonale verschafft, eine halb ausgeführte Diagonale natürlich, die aber schon ausreicht, daß man sich nicht in die Flaggen verguckt, nicht in Masten und die im Dauerspagat hängenden Ladebäume, ja nicht einmal in die mennigrote Wand des Schwimmdocks, das vor den Helligen einer Werft verankert ist und, einen widerspruchslosen Hintergrund bildend, der Elbe ihre tatsächliche Breite bestreitet; vielmehr überredet uns die Schaumspur, das grünweiße, ziemlich hochbordige Fährschiff als Mittelpunkt dieses sommerlichen Hafenporträts anzusehen, das, bei leicht schwefligem Licht aufgenommen, einfach die alltägliche Wahrheit des Stroms belegen soll – wozu ja nicht nur Rauchfahnen und Wind gehören, sondern auch drängende, in jedem Fall planvolle Bewegungen all der Boote, Prähme und Schiffe, unter denen, wie gesagt, die Fähre sich besonders hervortut durch ihre Farbe, durch den riskanten Kurs und, wenn man genauer hinsieht, durch die auf dem Achterdeck versammelten Personen, die bereits auf den ersten Blick zu erkennen geben, daß sie etwas verbindet: Beziehungen oder Absichten, vielleicht unerwünschte Verhältnisse; zumindest muß man sich etwas denken bei der deutlichen Besorgnis des Kapitäns, der, seinen Oberkörper sacht über die Brückennock gewinkelt, den Kurs eines langsam mahlenden Schleppzugs abschätzt und ihn mit dem eigenen Kurs in Verbindung bringt, womöglich schon einen Schnittpunkt ermittelt und auch das fällige Manöver erwägt – nicht zuletzt deshalb, weil man ihm einmal in einer Seeamtsverhandlung, als es darum ging, die Schuldfrage bei einer Kollision zu ermitteln, vorgeworfen hatte, das fällige Ausweichmanöver zu spät angeordnet zu haben –, doch das muß man wohl hinzusehen, während von dem großen, kahlen, zum Niedergang hinstürzenden Mann sorglos behauptet werden kann, daß er flieht, daß er sich augenscheinlich von einem Uniformierten absetzen möchte, der schon die behördliche Hand nach ihm ausstreckt, hier, auf dem grünweißen, die Elbe verbissen kreuzenden Fährschiff, das jedem Verfolgten, wenn er sich nicht mit dem Strom anbiedert, dem Strom vertrauend über Bord springt, zur Falle werden muß – was allerdings der große, kahle Mann, der sich eine zu enge Jacke angepellt hat und der seine Hosen gern um eine Handbreit länger herauslassen könnte, vergessen zu haben scheint: denn er hetzt, von seiner Angst getrieben, über das Achterdeck zum Niedergang, vorbei an dem träge dasitzenden Paar, das nicht einmal die Köpfe hebt, nicht das geringste Interesse zeigt für Ludi Leibold, der hier, wenn nicht gestellt, so doch aussichtsreich verfolgt wird – nicht wegen Diebstahls, sondern wegen Mißbrauchs von Barkassen, die er heimlich losbindet und, wenn sie ihm seine Eignung zum Kapitän ausreichend bewiesen haben, einfach auf Grund setzt –, aber das mangelnde Interesse wird glaubwürdig, wenn man festgestellt hat, daß die Frau, die da verkrampft und spreizbeinig neben einem Mann sitzt, nicht nur schwanger, sondern hochschwanger ist und sich ziemlich sicher auf dem Weg zur Klinik befindet, in Begleitung eines Mannes, der einen hilflosen und niedergeschlagenen Eindruck macht, womöglich weil er selbst während der Überfahrt auf einer Fähre zur Welt gekommen ist und sich nun überlegt, was er tun soll, wenn die Frau auf der Fähre niederkommt wie einst seine Mutter – diese Frau, auf der die winkligen Schatten der Reling liegen und der nichts bleibt, als verkrampft zu lauschen und einzusehen, daß jeder Widerspruch hier nutzlos ist, einfach weil alles einem derben und feuchten Zwang unterliegt, einer unleidlichen Gesetzmäßigkeit, die von einem bestimmten Augenblick an stumpfsinnige Befehlsgewalt übernimmt; jedenfalls wird man das auf der grünweißen Fähre so lange annehmen, bis man den gekrümmten, abseits sitzenden Mann entdeckt hat, den Alten unter dem Schlapphut, dem sein dichtes Grauhaar auf die Schulter fällt und der sich auf der Suche nach Wärme tief in seinen Mantel zurückgezogen hat, wo er an seinem kurzstieligen Pfeifchen qualmt und die Schultern hebt wie in ironischem Zweifel über einen Einfall; doch entscheidender als diese Einzelheiten ist das Eingeständnis, daß man diesen Alten irgendwoher kennt, von anderen Photographien, aus dem Film, vielleicht vom Hörensagen, und zwar kennt man nicht nur das Gesicht, sondern auch einige Ansichten, die diesem Original zugeschrieben werden, vor allem bestimmte Unsicherheiten in unseren Wahrnehmungen und Aussagen – und weil jetzt, auch wenn es überrascht, erklärt werden muß, daß der einzelgängerische Passagier tatsächlich Albert Einstein ist, der hier auf einem gewöhnlichen Fährschiff die Elbe bei Hamburg überquert, muß man auch schon die Folgen seiner Anwesenheit zur Kenntnis nehmen.

Ich kann mir nicht helfen: der Alte, gekrümmt, mit Unscheinbarkeit getarnt, läßt sich immer weniger übersehen, immer weniger vergessen, ja, jetzt spürst du, wieviel schon von ihm ausgeht und wieviel auf ihn bezogen ist, hier, auf der schräg kreuzenden Fähre – sogar die über ihm hängenden Möwen scheinen Signale von ihm zu erhalten, Zeichen, die ihnen das vielbewunderte Hochziehen und Abstreichen unmöglich machen, und auf einmal zieht sich die mennigrote Wand des Docks zurück, also die Begrenzung; das Treibende im Strom – leuchtendes Kistenholz, Flaschen, Plastikbecher, Latten – fängt sich in einem Kreisel, zwei kurze, dekorative Rauchfahnen gehorchen nicht mehr dem Wind, aber was dich noch mehr erstaunt, das ist der Kapitän in der Brücken-Nock, der nicht mehr besorgt, sondern nur noch ratlos, ratlos und verblüfft dasteht und aus dem Kurs des langsam mahlenden Schleppzugs und dem eigenen Kurs offenbar nichts mehr ermitteln kann, denn obwohl jeder die Kollision voraussagen möchte, ist sie auf einmal fraglich geworden: beide Fahrzeuge, der Schleppzug und die Fähre, halten zwar ihren Kurs ein, doch sie kommen sich nicht näher trotz unterschiedlicher Geschwindigkeit, vielleicht weil beide, obwohl zu selbständiger Bewegung fähig, von einer anderen wirksamen Bewegung ergriffen werden, einer Strömung, die für immer verhindert wird, daß sich der Bug der Fähre schneidend in der Bordwand der Schute festsetzt, ja, du hast angesichts des gekrümmten Alten das Gefühl, daß weder die Fähre noch all die Barkassen, Tanker, Schlepper Meter über dem Grund gutmachen, denn wie sich die mennigrote Wand des Docks zurückgezogen hat, so ziehen sich auch die Ufer zurück und machen nicht nur jede pünktliche, sondern jede Ankunft überhaupt fraglich, was den Alten mit dem eisengrauen Haar allerdings nicht zu kümmern scheint, ihn vielmehr nur mit behaglicher und zustimmender Ironie erfüllt, weil die plötzliche, gewinnlose Bewegung im Hafen ihn nicht beunruhigt und weil ihm nichts Ähnliches bevorsteht wie dem Kapitän, der heute nachmittag zum zweiten Versöhnungstermin erscheinen soll und auch vorhat, hinzugehn, in der Bereitschaft, seiner Frau halbwegs zu vergeben – wenn auch unter der Bedingung, daß sie künftig darauf verzichtet, die Lebensmittel bei seinem einarmigen und noch unverheirateten Bruder zu kaufen –, doch da die Möwen wie an Drähten hängen, die Ufer zurückweichen, die Bewegungen zu nichts führen als zu einem, man muß es schon sagen: erregten Stillstand, der jede ordentliche Erwartung zweifelhaft werden läßt, stellt der Kapitän der Fähre sich unwillkürlich den wartenden Richter und seine wartende Frau vor, erwägt, was sie erwägen werden, wenn er ausbleibt, wenn er später einmal den sonderbaren Grund seiner Abwesenheit nennen wird – wir hatten an diesem Tag keine

Chance, das Ufer zu erreichen –, und dabei merkt er, daß er schon auf einer unerklärlichen Unruhe schwimmt, denn alles, was er sich für den Abend nach dem Versöhnungstermin vorgenommen hat, wird ja nun unglaubwürdig; aber noch ist es nicht soweit: auf dem Wasser gibt es für jede Lage ein Manöver, das für Veränderung sorgt; deshalb wird er jetzt das Kommando zu einem Manöver geben, beispielsweise »Halbe Fahrt – Ruder hart Steuerbord«, und das in der Absicht, am geduldig mahlenden Schleppzug achtern vorbeizukommen, und über die Brük-ken-Nock gelehnt, wird er die sichtbare Wirkung des Manövers er-warten, stehen, warten und danach den Rudergänger zum zweiten Mal fragen, ob das Kommando auch weitergegeben wurde zu dem ver-dammten Penner in der Maschine unten, der, wie wir mittlerweile wissen, das Notwendige längst getan hat und es dennoch nicht ver-mochte, den Kapitän sorgloser zu machen, der nun zurückblickt auf die glimmende Diagonale des Kielwassers und dabei den alten, ver-hüllten Mann streift und nicht stutzt, obwohl das Gesicht ihm bekannt vorkommt – denn jetzt ist er nur noch mit seinem Staunen beschäftigt, jetzt, wo ihm auch ein Blick zurück bestätigt, daß auf diesem Strom nur das Licht hinfährt, nicht aber die kreuzenden, die auslaufenden und einkommenden Schiffe, denen es offenbar unmöglich gemacht worden ist, die Positionen zueinander zu verändern – was natürlich nicht ohne Folgen für den Hafen sein wird, der als schnell gilt und als pünktlich, und in dem man bereit ist, Garantien für Ankunftszeiten zu übernehmen; und bei dieser Entdeckung wundert man sich nicht mehr darüber, daß Ludi Leibold, der Schrecken der Barkassen, der, seinen Verfolger ziehend, schon zum zweiten Mal in seinen gelben Rohlederstiefeln über das Achterdeck hetzt, immer noch nicht gestellt ist, ja, sogar den Eindruck macht, daß er gelassener flieht, auf eine Kraft oder ein Gesetz vertrauend, die ihm eine langwährende und deshalb unentschiedene Flucht verheißen, denn ein Mann in seiner Lage würde wohl kaum auf die Idee kommen, während des Laufs aus einem Pappbecher brühheißen Kaffee zu trinken, den er vermutlich im Vorüberhasten vom Kantinentisch riß – worauf seinem von der Allgemeinheit bezahlten Verfolger nichts Besseres einfiel, als Geste und Handlung zu wiederholen, so daß auch er jetzt mit einem Pappbecher in der Hand erscheint, was doch nur heißen kann, daß auch er sich auf Dauer einrichtet; und während du schon mit Namen nennen kannst, was hier außer Kraft gesetzt ist, stellst du dir vor, daß dies Spiel älter und älter wird, und daß auch der Fliehende und sein Verfolger älter werden unter hämmernden Schritten, denn so wie es der Fähre nicht gelingt, den Strom zu überqueren, so gelingt es auch dem Uniformierten nicht, Ludi Leibold zu erreichen, und da vorauszusehen ist, daß keiner nachgeben wird, wird die Flucht in die Wochen oder sogar Monate kommen, unterhalten von einem unwiderstehlichen Mechanismus, der vielleicht bewirken wird, daß auch Unerhörtes geschieht: ohne den Abstand zu verringern, wird man zum Beispiel Labskaus essen, man wird sich duschen, rasieren, eine Zigarette anstecken, man wird auch nacheinander die kühle, gefliese Toilette des Fährdampfers aufsuchen; doch ebenso selbstverständlich wird man danach wieder seine Rollen aufnehmen, wird fliehen, wird verfolgen, und das alles ohne Resultat oder sogar die Aussicht auf ein Resultat, nur dem Gesetz gehorchend, das der Alte in dem zu weiten Mantel über das Schiff und alle Bewegungen und Erwartungen auf ihm verhängt hat – das stumme Paar, das zur Klinik unterwegs ist, nicht ausgenommen, denn auch der Mann und seine hochschwangere Frau haben sich verändert, und wenn nicht dies, so stellen sie doch auf einmal Erleichterungen fest, was dazu führt, daß sich zunächst die Art ihres Dasitzens ändert und daß sie ihr Schweigen aufgeben, jetzt, wo Ludi Leibold und sein Verfolger zum zweiten Mal an ihnen vorbeihasten: sie stoßen sich an, tauschen einen Blick und sehen den beiden Männern nach, mit amüsiertem Interesse, als könnte es ihnen nicht gelingen, den Vorgang ernst zu nehmen, und nun, da sie sich einander wieder zuwenden, erscheint der Mann nicht mehr hilflos und niedergeschlagen; auch die Frau scheint nicht mehr verkrampft zu lauschen, denn auf ihrem Gesicht liegt nun der Ausdruck einer hoffnungsvollen Spannung, der möglicherweise dadurch entstanden ist, daß nicht nur die Wehen aufgehört haben, sondern auch die spürbaren Bewegungen in ihrem Bauch, ja, sie hat in diesem Augenblick das Gefühl, daß es viel zu früh ist, zur Klinik hinüberzufahren, daß sie sich verrechnet hat in der Zeit – auch wenn es ihr nicht gelingt, den Fehler zu entdecken –, und leise, damit der Alte sie nicht hört, beginnt sie auf ihren Mann einzureden, fordert ihn auf, mit ihr zusammen die Zeit nachzurechnen, woran der Mann jedoch gar nicht mehr interessiert ist, einfach weil er nicht wissen will, warum es ihm plötzlich soviel bessergeht, nun, da sich alles zum zweiten Mal als falscher Alarm herausgestellt hat – und statt sich zu erinnern, brennt er sich seine Pfeife an, saugt unter scharfen Platzgeräuschen seiner Lippen, schickt kurze Wölkchen hoch wie der regungslos sitzende Alte und beobachtet erstaunt, daß beider Tabakwolken sich zu vereinigen versuchen, was ihnen auch beinahe gelingt; vor allem aber erkennt er, daß die Wand des Docks nicht unvermeidlich aufwächst und das Ufer nicht zwangsläufig näher rückt, obwohl die Fähre offensichtlich Fahrt macht und die Strecke längst zurückgelegt sein müßte, doch das reicht anscheinend nicht aus zur Beunruhigung, im Gegenteil: lächelnd stellt er sich vor, daß die Frau neben ihm einstweilen nicht niederkommt, nicht berechenbar zumindest, und daß die Schwangerschaft dauern wird durch Monate und Jahre, vielleicht viele Jahre, jedenfalls faßt er bei seiner begründeten Abneigung gegen Kinder die Möglichkeit ins Auge, daß der kleine Koffer, der die Sachen für die Klinik enthält, achtundzwanzig Jahre gepackt bleibt – was für ihn selbst gleichbedeutend damit ist, daß er achtundzwanzig Jahre verschont bleibt von allem –, bis dann, vielleicht an einem kühlen Sommerabend, ein kleiner, bärtiger, gewiß vernünftiger Herr geboren wird, der kein Aufhebens macht und sich als zwar anhänglicher, aber auch selbstbewußter Hausgenosse herausstellt, ein achtundzwanzigjähriges Geschöpf, das den verdutzten Eltern intensive Kindesliebe anbietet und dafür nichts anderes fordert, als daß man ihm erlaubt, die verschiedenen Uhren im Haus zu zerschlagen, womit er gleich zu erkennen gibt, welch ein eigentümliches Verhältnis er zur Zeit hat, und da er das nicht für sich behalten will, stößt der Mann die Frau an und sagt: Stell dir mal vor, wenn uns das passiert –, und noch während seines Entwurfs einer unerhört verzögerten Geburt unterbricht ihn die Frau, hebt den Koffer auf den Schoß, als ob sie aufstehen und gehen möchte, und sagt leise, damit der Alte nichts aufschnappt: Leicht, mir ist auf einmal ganz leicht; mal nur nicht den Teufel an die Wand.

Ich muß zugeben, auch diese unvermutete Schwebe, in die alles geraten ist – deine grünweiße Fähre, die unterschiedlichen Passagiere, der Strom und was auf ihm hinfährt –, kann eine Erlösung sein, eine Lossprechung von Gewohnheiten, und gerade fragst du dich, wie lange sie denn dauern könnte, da bewegt sich der Alte mit dem eisengrauen Haar, steht auf, fröstelt, stellt für sich fest, daß der sehr lange Mantel immer noch nicht lang genug ist, und gekrümmt, niedergezogen von Jahren oder Einsichten, geht er zum Niedergang, vorbei an dem beklommen schweigenden Paar, das ihn nun erkennt oder wiedererkennt, woran er jedoch gewöhnt ist, denn er erwidert keinen Blick, dreht sich vor dem Niedergang um und steigt behutsam, mit den Füßen nach den Stufen tastend, zum unteren Deck hinab, bleibt dort allerdings nicht stehen, sondern geht auf eine weiße, mit Vorreibern gesicherte Eisentür zu, öffnet die Tür, von der du nicht weißt, wohin sie führt, und schließt sie von innen, energisch, wie endgültig; dennoch dauert es eine Weile, bis die Frau ihren Blick von der Tür löst und fragt: War das nicht ...? – und keine Antwort erhält, weil ihr Mann sich wegduckt vor einer Möwe, die tadellos angewinkelt aus der Höhe stürzt und dann einen scharfen, kühlen Luftzug fühlbar werden läßt, und auch danach keine Zeit findet, die Frage zu beantworten, weil der Kapitän ein erregtes Kommando gegeben hat, das die Fähre nach Steuerbord krängen, sie aus ihrem alten Kurs ausscheren läßt, wodurch er wahrscheinlich eine Kollision vermieden hat, obwohl weder er noch das Paar vollkommen sicher sind, denn über die Nock, über die Reling gebeugt, beobachten sie, wie der Schleppzug dicht unter dem Bug der Fähre stromaufwärts mahlt – so nah, daß man hinabspringen könnte auf die Hügel aus tonfarbiger Baggererde, die in den Schuten liegen –, während die Fähre fast beidreht und nach den notwendigen, ziemlich verstümmelten Flüchen und Warnungen langsam Fahrt aufnimmt, schneller wird, auf den dunklen Anlegesteg zuhält, wo jetzt Leute aus dem Warteraum treten, unter anderem ein einarmiger Mann, anscheinend der Bruder des Kapitäns, der ausgerechnet eine Überfahrt benutzen will, um über die Frau zu sprechen, die sie beide mehr oder weniger lieben, jedenfalls läßt sich voraussehen, daß es auf der Brücke zu einer Auseinandersetzung kommen wird, deren Folgen durchaus erwogen oder durchgespielt werden können; doch leider wissen wir immer mehr als die, die von uns abhängen, deshalb sollte der Ausschnitt genügen, den das Paar auf dem Achterdeck übersieht, der Ausschnitt des unteren Decks, der einen am Boden liegenden Ludi Leibold zeigt, das Gesicht auf einer Nietenspur, mit den Füßen zuckend, und neben ihm kniend der öffentliche Verfolger, der mit einer gebräuchlichen Fessel hantiert, der ein Handgelenk des Barkassenschrecks schon bezwungen hat und nun versucht, auch das zweite an die Kette zu legen, was ihm durch kräftigeren Druck auch gelingen wird, wonach er ihm, da der Anlegesteg immer mehr heranwächst, nur noch einzuschärfen braucht, daß jeder Fluchtversuch sinnlos und jedes unnötige Aufsehen zu vermeiden sei, besonders wenn sie von Bord gehn und durch die wartenden Leute auf dem hängenden Anlegesteg, der gleich knirschen und aufseufzen wird unter dem Stoß der eisernen Bordwand und der, auch wenn Fender dazwischen liegen, ein paar neue Schrammen abbekommt; doch noch bevor die unvermeidliche Erschütterung durch das Schiff geht, während die Möwen die Verfolgung aufgeben und abstreichen, während schon Leinen klargemacht werden, während der Laufsteg herangeholt wird, setzt die Frau auf dem Achterdeck den Koffer ab, horcht, ergreift das Handgelenk ihres Mannes, der nicht von Ludi Leibold und seinem erfolgreichen Verfolger wegfindet, und sagt: Es ist soweit, und sagt noch einmal, da ihr Mann sie nicht verstanden zu haben scheint: Es geht los, ich spüre, es geht los, worauf er nur in rechtmäßiger Hilflosigkeit feststellen kann: Aber wir haben doch noch keinen Boden unter den Füßen, was der Frau allem Anschein nach gleichgültig ist, denn sie steht auf, wankt aufs knappe Brückendeck – es soll also auf dem Brückendeck und nicht auf dem Achterdeck geschehen – und läßt sich dort nieder in dem Augenblick, in dem die Fähre festmacht und über den herangerollten Laufsteg der Alte als erster von Bord geht, achtlos, die Hände auf dem Rücken verschränkt; und dich selbst interessiert mehr als alles andere die Art seines Weggangs aus dem sommerlichen Hafenbild: geht so nicht einer ab, der selbst bestimmt, was eine Tatsache ist?

1969

Das Examen

Seht, da steigt Jan Stasny auf die Rolltreppe des neuen U-Bahn-Schachts, dreht sich um und winkt, während er stetig nach unten fährt, zu seiner Frau und ehemaligen Kommilitonin hinauf, die im grünen Pullover am Wohnungsfenster steht und nicht nur das Winken erwidert, sondern auch den rechten Daumen in die Handfläche einschlägt und die Hand schüttelt, was von unten so aussieht, als klopfe sie gegen das Fenster. Er weiß, was sie meint; der gedrungene Mann mit dem schwarzblauen Haar und den Kalmückenaugen weiß, was sie ihm mitgeben möchte für das große mündliche Examen, dem er jetzt schwarzgekleidet entgegenfährt, mit der Kollegmappe unterm Arm, in der heute nur Zigaretten drin sind und ein leerer Notizblock. Er lächelt, deutet Zuversicht an im Hinabfahren, zuletzt gelingt ihm noch eine schnelle Geste der Beschwichtigung, so mit flatternder Hand in die Luft gezeichnet wie von einem Ertrinkenden, dessen Kopf schon untergetaucht ist: sei ganz ruhig, du weißt, daß es gutgehen wird, sei nur ruhig. Also es hat begonnen.

Sie will sich wegdrehen vom Fenster, da erkennt sie, daß ihr Winken aufgenommen und erwidert wird: dort, auf der ausgefahrenen Plattform des Spezialwagens, hoch unter den Peitschenlampen, denen neue Leuchtröhren eingesetzt werden, stehen zwei Kerle mit bloßem Oberkörper und winken und laden sie durch Zeichen ein, auf die mit rotweißem Stoff umkleidete Plattform hinabzuspringen. Die Hitze kocht über dem Asphalt, zittert über dem Metall der Peitschenlaternen. Komm doch, wir fahren ganz nah unters Fenster, wenn's sein muß, wir fangen dich auf. Sie antwortet mit angestrengter Achtlosigkeit, tritt zurück, schließt die Augen vor der Sonne, die von den hellen Häuserwänden drüben zurückgeworfen wird. War das die Türklingel?

Guten Tag, Mutter, ja, Jan ist schon fort, jetzt geht's los, komm, gib mir die Tasche, du kannst gleich hier anfangen, im Wohnzimmer; doch zuerst ruh dich aus. Die Mutter schiebt sich an den Ausstellungsplakaten moderner Photographie vorbei, setzt den Hut ab, legt ihn auf eines der Buchregale, die aus Ziegelsteinen und selbstzugeschnittenen, weißlackierten Brettern bestehen. Sie fährt mit der Hand über eine weibliche Kleiderpuppe, die eine angemalte Admiralsuniform trägt. Hast du das gemacht, Senta? Ich hab sie Jan zum Geburtstag geschenkt. Dort, der kleine Rundtisch, von Büchern und gläubig vollgeschriebenen Kollegheften bedeckt, die fleckigen Teetassen, auf deren Grund bräunlich angelaufene Zitronenscheiben liegen: Wir haben Jan noch einmal abgehört, Mutter, gestern nachmittag, gestern abend; Charles sagte: Jan wird summa cum laude bestehen, jedenfalls ohne Schwierigkeiten. Heute abend ist alles vorbei.

Die Mutter weicht mit übertriebener Vorsicht dem Plattenspieler aus, der auf den harten Kokosläufern steht, mit denen das ganze Zimmer ausgelegt ist, und die weiterlaufen in den durch einen zu kurzen Vorhang abgetrennten Nebenraum. Auf dem selbstgebauten Nachttisch neben der Couch würgt ein unternehmungslustiger Schlips ein mit bunten Glasmurmeln gefülltes Bonbonglas. Ein Reisewecker hält ein aufgeschlagenes Buch unter Druck. Senta steckt sich eine Zigarette an, rollt das Bettzeug zusammen, drückt und knetet es in einen Bettkasten hinein und streicht die Decke über der Couch glatt. Hast du all die Zigaretten geraucht? Charles war hier und Heiner, wir haben bis in die Nacht gebüffelt. Ab heute ändert sich das alles.

Der enge grüne Pullover ist unter den Achseln verfilzt, geschwärzt von Schweiß, der Hosenboden über dem schmalen, harten Hintern ist blankgesessen auf den formlosen Lederpuffs, die an einigen Nähten aufgeplatzt sind, als wollten sie sich übergeben: die Mutter sieht es, während Senta, die Zigarette zwischen den Lippen, in beherrschtem Winkel über der Couch arbeitet, barfuß, denn ihr machen die rauhen Kokosfasern nichts aus. Ob du's glaubst oder nicht, Mami, vier Monate war ich nicht beim Friseur.

Woher habt ihr denn das, fragt die Mutter. Auf einem hängenden Regal, zwischen Stofftieren, zwischen selbstgesammelten Muscheln und kleinen Messingglocken, die von einem Pferdegeschirr stammen, steht ein Schnitzwerk, steht, dreifarbig und wirkungsvoll koloriert, die Heilige Familie, ein schmaläugiger Josef, eine breitwangige Maria, die fassungslos einem betagten Jesuskind lauschen, das seinen Eltern etwas vorliest und offensichtlich die Züge von Jan trägt: das scharfe Profil, die ruhig fordernden Blicke und den weichen Mund, der den Blicken widerspricht. Ach, das? Jans Lieblingsonkel ist hiergewesen, er hat schon früher davon gelebt, du weißt, in Suwalki, und jetzt lebt er wieder davon, über achtzig hat er in Hamburg verkauft. Deputat, er sagte, dies Stück sei unser Deputat, weil er Jan als Modell benutzt hat.

Die Mutter schiebt den rostroten Vorhang zur Seite – das also ist immer noch Sentas Zimmer: der klobige Schrank, der mit jedem Raum einverstanden zu sein scheint, in den man ihn schiebt, die zwischen Schrank und Fensterbrett eingeklemmte Couch, das pendelnde Mobile, ungleich große Fische, die hoffnungslos hintereinander her sind, der Transistor, und an der Wand Marcel Marceau, der gleich einem Schmetterling das Leben zurückgeben wird. Sie besichtigt das Zimmer auf eine Art, die weder Einverständnis noch Vorbehalt deutlich werden läßt, es ist auch keine Neugier, die die hochgewachsene, hellhäutige Frau mit den Sommersprossen an Regalen und Couchen vorbeiführt, allenfalls der Wunsch, mögliche Veränderungen zur Kenntnis zu nehmen, ganz für sich. Aber da ist ein Zwischenraum.

Ich hab euch Blumen mitgebracht, Senta, sagt sie gegen den Schrank, der einst ihrer Mutter gehörte, und Senta, die sich den grünen Pullover über den Kopf zieht und barfuß näher kommt: Wir haben nur eine Vase, Mami, ich glaube, im Badezimmer. Entschuldige, ich hab ein irrsinniges Programm: zum Friseur und den Tisch bestellen, und für abends einkaufen, wenn die andern kommen. Und baden. Kannst du das machen?

Senta zieht einen Rock an, eine Bluse, angelt sich ein paar Schuhe mit hohen Absätzen, kämmt vor dem großen Spiegel energisch ihr Haar durch, wobei sie den Kopf schräg legt. Nein, Mami, ich bedaure nicht, daß ich das Studium aufgegeben habe, es genügt, wenn Jan das Examen macht, uns beiden genügt es. Du weißt, er ist wie die Leute in seiner Heimat – die machen alles mit Bedacht, sie sind nicht zimperlich, wenn sie sich auf die nächsten Jahre festlegen, und wenn sie sagen: erst kommt dies, und dann das andere, dann halten sie sich auch an diese Reihenfolge.

Sie stürzt mit einem kleinen Schrei ins Nebenzimmer, die Zigarette ist vom Aschenbecher gefallen, der Glutklumpen hat dem selbstgebauten Nachttisch wieder einen untilgbaren Fleck eingebrannt; Senta ist so aufgebracht darüber, daß sie die Zigarette in die Küche trägt und sie unter den Wasserstrahl hält: kurzes Aufzischen, das Papier schwärzt sich, die Schwärze zieht bis zum Filter hinauf, die nasse Zigarette fliegt in den vollen Abfalleimer. Senta dreht sich zu ihrer Mutter um, die ihr die Tasche nachträgt, die die Tasche jetzt auf den Küchentisch hebt. Sie legt ihre Handflächen von hinten auf die Oberarme ihrer Mutter, drückt, drückt kräftiger, als wollte sie den breiten Oberkörper zusammenschieben. Entschuldige, es hängt soviel davon ab, alles läuft auf diesen Tag zu, es ist wie ein Nadelöhr: wenn man sich erst durchgezwängt hat, wird's leichter. Es ist doch auch, in gewisser Hinsicht, *mein* Examen. Ich verstehe das doch, sagt die Mutter, und nun kümmre dich nicht um mich: ich find mich hier schon zurecht, soviel hat sich ja noch nicht verändert bei euch, in den vier Monaten. Mach dir was zu trinken, Mami. Ja, ja.

Da ist die Hängetasche aus Stoff, dort auf dem Bord liegt die Sonnenbrille, jetzt nur noch ein Band, ein Samtband, um das Haar zurückzubinden: ist der Spiegel einverstanden? Senta drückt einen kurzen farblosen Wurm aus einer Tube mit Feuchtigkeitscreme, sie zerreibt den Wurm zwischen den Handballen und streicht kraftvoll über Stirn und Wangen. Sie schiebt das Kinn vor, grimassierend, piranhahaft, saugt mit der Unterlippe die Oberlippe ein, da fehlt etwas Karmesin, also stülpt sie die Lippen auf, rundet sie, zieht den Stift vom Mundwinkel zur Mitte, schmatzt trocken, bleckt die Zähne, schiebt vorsichtshalber ein Tempotaschentuch zwischen die Lippen und drückt die Lippen zusammen, die einen Abdruck auf dem Taschentuch zurücklassen. Nun noch die Schweißperlen von der Nase tupfen, den Hals abreiben: Stimmt es, Mami, daß wir über 25 Grad Wärme haben? Na, ich geh jetzt, tschüs.

Wie kühl es im Treppenhaus ist, die Kühle steigt vom gefeudelten Linoleum auf, das die Feuchtigkeit zu bewahren scheint. Sie sieht eine Treppe unter sich eine Hand auf dem Geländer und einen blauen Ärmel; klatschend greift die Hand höher und höher, gewinnt den Treppenabsatz, und nun erkennt Senta eine Schulter, in die ein Lederriemen schneidet: Warten Sie, Herr Paustian, ich komme. Nur eine Postkarte für Sie heute, Frau Stasny. Nicht mehr? Das ist alles. Morgen, Herr Paustian, Sie werden sehn, morgen. Geburtstag? Examen: mein Mann macht heute das mündliche Staatsexamen. Herzlichen Glückwunsch. Es hat vielleicht gerade erst begonnen. Ach so.

Also, Jans Lieblingsonkel drückt beide Daumen für das bevorstehende Examen, er hat bereits ein Stück Holz unterm Messer, aus dem er für den Kandidaten eine besondere Figur »erlösen« will, es soll ein Geschenk sein, das er wegen seiner Gliederschmerzen allerdings nicht selbst vorbeibringen kann; er wird es der Post anvertrauen. Sie steckt die Karte in die Hängetasche, hüpft jetzt, die Tasche schlenkernd am Arm, die Treppen hinab, begegnet im Eingang ausgerechnet der mißmutigen Vogelscheuche, die ihren zweirädrigen Marktkarren ins Haus bugsiert und auch diesmal nicht zurückgrüßt, den Gruß vielmehr nur mit Erstaunen zur Kenntnis nimmt, was Senta nichts ausmacht, da sie sich in den vierzehn vergangenen Monaten daran gewöhnt hat, von ihrer unmittelbaren Flurnachbarin nicht gegrüßt zu werden. Sie tritt hinaus in die Sonne, schließt die Augen, hört Charles fragen – oder doch eine Stimme, die Charles gehören könnte –: Was weißt du eigentlich über Wielands Humanitätsbegriff?, und spürt gleichzeitig den Sog, als die heiße Wand der Straßenbahn an ihr vorbeifährt und den Staub aus den Schienen fegt. Das Programm.

Senta überquert eine Hauptverkehrsstraße; da ist die Entstehung und Beherrschung mannigfacher Bewegungen zu beobachten: schneller Antritt bei leicht vorgebeugtem Oberkörper, verzögerter Schritt, der lang aus den Hüften fällt, rasches, ungefährdetes Schreiten, wiegendes Verharren, um einen Laster vorbeizulassen, ein letzter Sprungschritt, der den Bürgersteig gewinnt. Möbel-Marquardt, Tee-Müller,

985

Blumen-Preißler: daß sie ihre Namen jetzt schon den Waren unterordnen, die sie verkaufen; wenn einer nun mit Geflügel handelt und Krebs heißt?

»Zur Kachel« heißt das Lokal, eine ausgetretene Kellertreppe führt hinab. Senta öffnet die Tür, schiebt eine braune Filzportiere zur Seite: hier also will Jan mit ihr feiern, in einer dieser kühlen Nischen, deren Wände mit Photographien von berühmten Köchen bedeckt sind, denen »Die Kachel« Endstation einer Karriere war oder Empfehlung zu steilem Aufstieg bedeutete. Auf jedem Tisch liegt eine elektrische Klingel. Sie wünschen?

Ein älterer Kellner, graue Augen, fleischiges Gesicht, macht sie darauf aufmerksam, daß erst um zwölf Uhr dreißig geöffnet wird, sie hat es bereits gelesen, sie will lediglich bestätigen, was ihr Mann mit dem Geschäftsführer ausgemacht hat: einen Tisch für zwei Personen, auf den Namen Stasny. Einen Augenblick. Der Kellner holt eine Kladde, legt sie auf den Tisch, beugt sich über sie und beginnt unter leichtem Schnaufen zu lesen; er trägt orthopädische Schuhe. Vor Sentas Augen beginnen kleine rote Punkte auf- und abzusteigen, sie formieren sich zu einer Spirale. Stasny, sagten Sie? Ja, da ist etwas bestellt. Wir möchten gern etwas für uns sein, sagt Senta, wir möchten etwas feiern. Selbstverständlich. Nummer vier. Der Kellner mustert sie mit freimütiger Gleichgültigkeit, es kostet sie Mühe, seinen Blick zu ertragen, sie hat es nicht vor, doch sie sagt: Es soll eine kleine Examensfeier werden. Nummer vier ist reserviert, sagt der Kellner und folgt ihr auf den fensterlosen Gang, am Büro vorbei, aus dem jetzt der Geschäftsführer tritt und sich erkundigt, ob alles zur Zufriedenheit steht. Der Kellner berichtet und blickt auf Senta, und zum Schluß fragt er immerhin: Das medizinische Examen? Germanistik, sagt Senta. Ach so.

Sie steigt die Treppe zur Straße hinauf, die Sonne trifft ihr Gesicht. Was können Sie mir über die naturwissenschaftliche Begrifflichkeit in Büchners Werk sagen? Wird sie gerufen? Setz dich, Senta, sagt der Mann in den Reitstiefeln, er verschwindet im Reisebüro, und die Schäferhündin setzt sich dort, wo er sie angebunden hat, und beobachtet hechelnd die Bühnenarbeiter, die aus einem Nebeneingang des Theaters Dekorationen zu einem Lastwagen tragen. Das Theater geht auf Reisen, vielleicht werden die Dekorationen auch nur ausgeliehen; zu welchem Stück könnten sie gehören, diese weißen, zierlichen Möbel, dieser lichte Wald, der kein deutscher Wald ist?

Senta wischt sich mit einem Tempotaschentuch den Schweiß von der Oberlippe. Sie nimmt gehend das zur Kugel eingerollte Einkaufsnetz aus der Hängetasche, liest die mit Schlemmkreide auf das Schaufenster geschriebenen Sonderangebote: Bulgarische Himbeeren, Geflügelklein, neue Kartoffeln. Sie bleibt stehen und beweist, wieviel unerwartete Gründe es gibt, stehenzubleiben: erschrocken wendet sie sich um, hebt den rechten Fuß, blickt auf den Absatz, streckt den Fuß nach vorn aus, eine kurze, kreisende Bewegung, dann geht sie weiter und ins Geschäft. Guten Tag, Frau Stasny.

Beide sagen es, Feinkost-Grützner und Feinkost-Sohn, gleich werden sie auf fettigen Messern Wurst- und Käsescheiben zum Probieren anbieten, doch zuerst kommt die Bekundung familiärer Anteilnahme, und das heißt, daß beide sozusagen von Herzen ihrer Hoffnung Ausdruck geben, daß das Wetter den Urlaub von Herrn und Frau Stasny nicht vermiest habe, worauf Senta sagt, daß sie mit ihrem Mann noch nie verreist sei; da hat man natürlich das Wetter für den ins Auge gefaßten Urlaub gemeint. Wo ist denn der Zettel? Sie weiß, daß sie alles aufgeschrieben, den Zettel in die Umhängetasche gesteckt hat – macht nichts, ich hab alles im Kopf. Heiner und Charles trinken nur Bier, Jan hat am liebsten Sprudel mit Korn – eine Flasche Doppelkorn, bitte.

Sekt ist wohl unumgänglich, sagen wir: drei Flaschen Sekt. Nein, keine Familienfeier, mein Mann sitzt gerade im Examen. Danke, aber es ist noch nicht bestanden. Ihm macht die Hitze nicht soviel aus. Liebe Frau Stasny, sagt der Feinkost-Sohn, wir werden Ihre Examensfeier würdig ausstatten; solch einen Satz kriegt der fertig, und da er nun weiß, daß es insgesamt acht Personen sind, die Jan Stasny auf gebührende Art feiern werden, erlaubt er sich Vorschläge zu machen. Salzstangen, zum Beispiel, man knabbert doch gern etwas zwischendurch. Oder hier, sehn Sie mal, diese Gürkchen im Glas.

Senta schüttelt den Kopf. Es soll nicht hoch hergehn, verstehen Sie, und sie wird auch nicht lange dauern, die Examensfeier, vielleicht anderthalb Stunden. Sie blickt auf die Schüsseln mit Heringssalat, mit Mayonnaise, mit ausgelassenem Fett, in dem die Grieben wie Rostflecke sitzen. Da liegen, angequetscht, Zellophanbeutel mit Geflügelklein; in dem blassen Rosa schimmern gelbliche Flomenlappen. Hier die eingelegten Heringe im trüben Sud; das Fleisch scheint flockig, scheint sich von den Rändern her aufzulösen. Ein angeschnittener Schinken wirbt um Aufmerksamkeit, schwitzende Dauerwürste machen sich bräsig, ziehen den Blick auf sich. Vielleicht etwas Käse? Selbstverständlich.

Senta bekommt ihren verlorenen Blick – so nennt es Jan, wenn sich ihre Lider zusammenziehen, wenn der Mund aufspringt und sie eine Hand mit gespreizten Fingern an den Hals legt. Ein unerklärlicher Druck, eine rätselhafte Stauung machen sich bemerkbar. Senta versucht diese Beanspruchung durch Schluckbewegungen auszugleichen und netzt ihre Lippen, um den säuerlichen Geschmack loszuwerden. Wie bitte? Sie hat die Frage nicht verstanden. Sie dachte daran, daß Jan in seiner eigensinnig planenden Art ein Hotelzimmer für diese Nacht bestellt hat – sie konnte es ihm nicht ausreden – und daß sie nach der kurzen Examensfeier die Freunde allein lassen und ins Hotel ziehen werden. Auch ein Beutel Salzmandeln, ja. Schließlich, in den letzten Tagen merkte sie, wie sehr sie sich selbst darauf freute, nicht allein deswegen, sondern weil das Examen dann hinter ihnen liegen würde, das ihm – sie hatte es längst herausbekommen – einfach wegen der geringen grammatikalischen Fehler bevorstand, die er immer noch machte.

Der Feinkost-Sohn, glattgekämmtes, pomadiges Haar, zwei Fingerkuppen unter Pflaster, stellt die Waren zusammen, nimmt Sentas Blick eilfertig auf und verlängert ihn zu Regalen und Vitrinen: noch Mixed Pickles? Oder Paprika? Oliven vielleicht, die lassen sich doch immer gut an? Danke. Oliven. Woher der sich seine Sprache besorgt hat. Auf die Frage, ob Senta die Ware auf dem Rückweg mitnehmen dürfe, schiebt er eine Schulter nach vorn und sagt: Sehr wohl, aber gewißlich, Frau Stasny, dann bis gleich. Er sieht ihr auf eine Weise nach, als ob er sich überlegte, wofür er sich entschuldigen könnte.

Rasch über die Straße, es ist noch grün. Senta geht allein an den wartenden Autos vorbei, die von der Hitze belagert werden; sie spürt, wie man über sie herfällt mit Blicken, wechselt die Gangart, hüpft jetzt, hüpft schwerfällig, es läßt sich nicht wie gewünscht gehen unter den Blicken, und sie lächelt in eine Windschutzscheibe hinein, die ganz undurchsichtig ist vor hartem Glanz, und springt bei Rot auf den Bürgersteig. Die ersten drei Monate hatten sie noch gemeinsam studiert, dann war es Jan, der davon anfing, daß einer das Studium aufgeben sollte; und als er das sagte, wußte sie, wen er meinte. Und hier vor dem Geschäft, in dem Bilder gerahmt, Spiegel angefertigt werden, vor dem Fenster, in dem sehr unterschiedliche Rahmen auf Gesichter und Landschaften warten, erinnert sie sich, wie sehr Jan in der ersten Zeit das Zeremoniell der Heimkehr genoß – er wollte erwartet, er wollte begrüßt und ausgefragt werden, und sie konnte ihm ansehen, wieviel Freude es ihm machte, seine Abwesenheit zu belegen: Und dann bei Jäger Sturm und Drang, heute der Schafschur, du weißt schon, oder heißt es »*Die* Schafschur«? Neben der Kunstglaserei liegt der Friseurladen, über beiden Geschäften stehen dieselben Namen – vielleicht Brüder, vielleicht gelingt es ihnen, Hand in Hand zu arbeiten, denkt Senta und wird von einer mißmutigen Stimme gleich beim Eintritt aufgefordert, die Tür offenzulassen. Sie wartet vor der Kasse, horcht zu den Kabinen hinüber, in denen elektrisches Licht brennt; Senta ist angemeldet. Das muß sie dem Mädchen bestätigen, das in sehr kurzem, verwaschenem weißem Kittel rückwärts aus einer Kabine tritt und sagt: Wir können nur angemeldete Kunden bedienen. Nur waschen und legen und etwas kürzen. Nehmen Sie Platz.

Senta beobachtet im Spiegel die junge Friseuse bei ihrer Arbeit an einer breitnackigen, rotangelaufenen Frau, ihr mißmutiges Hantieren mit Kamm und Wicklern, ihre Ausdauer, mit der sie sich selbst im Spiegel begutachtet, sobald sie der Kundin nahelegt, aufzublicken. Unter dem verwaschenen Berufskittel trägt die Friseuse nur Büstenhalter und Schlüpfer. Warum macht sie das, denkt Senta, warum bleicht sie sich in ihr braunes, schweres Haar silberne Strähnen ein? Jetzt treffen sich ihre Blicke im Spiegel, ein kurzes Messen, ein Abfragen und gegenseitiges Taxieren, dann greift die Friseuse in ein Schubfach: Möchten Sie eine Zeitschrift?

Senta blättert in der Zeitschrift, während die Friseuse spreizbeinig hinter ihr arbeitet, während sie von der Seite ihren kleinen, weichen Bauch gegen die Ellbogen drückt, während sie das Haar kämmt, die Spitzen kappt. Beide wollen nicht miteinander sprechen, vielmehr scheint ihnen daran gelegen, durch beharrliches Schweigen auf die eigene Überlegenheit hinzuweisen, man hat sich erkannt, man möchte sich gegenseitige Ablehnung fühlbar werden lassen, nicht überdeutlich natürlich. Befallen von Mattigkeit, umgeben von aufdringlichem Wohlgeruch schließt Senta die Augen, rote Punkte schweben durch die Dunkelheit, leicht wie Ascheflocken: was behauptet die Zeitschrift? Fernsehen am Bett begünstigt das Eheleben. Sie müssen sich weiter vorbeugen, ganz übers Waschbecken, danke. Amerikanische Wissenschaftler haben also nachgewiesen, daß gemeinsames Fernsehen im

Bett gefährdete Ehen wieder glücklich machen kann. Die Friseuse stürzt Sentas Haar nach vorn ins Waschbecken und sagt gleichgültig: Schließen Sie die Augen. Jetzt starrt sie auf meinen Nacken, denkt Senta und spürt einen heißen Druck im Magen, als ob sie einen sehr heißen Schluck Kaffee zu schnell hinuntergespült hätte. Sie kann sich nicht entspannen.

Der rostrote Vorhang, der ihr Zimmer vom sogenannten großen Zimmer abtrennt, schließt nicht ganz, sie sieht das Bild der letzten Wochen, wie es sich von ihrem Bett aus bot: Jan vor dem kleinen Rundtisch, nur zur Hälfte im genauen Lichtkreis der Lampe, lesend, rauchend, hin und wieder einige Sätze schreibend, von denen sie wußte, daß sie wortwörtlich abgeschrieben wurden: Was ich geschrieben habe, ich behalte, sagte Jan zur Erklärung seiner Methode. Er war damit einverstanden, daß sie ihn abfragte, bis sie müde wurde, und sobald er entschieden hatte, wann sie müde geworden war, brachte er sie in ihr Zimmer, rauchte eine Zigarette an ihrem Bett und lüftete und kehrte wieder zu seiner Arbeit zurück. Daß er Sprudel und Korn dabei trinken konnte! Wie die Wissenschaftler herausgefunden haben, sind Varieté-Sendungen und Liebesfilme besonders geeignet, bedrohte Ehen zu kitten; außerdem bescheinigt eine triumphierende Statistik allen Ehepaaren mit Fernsehen am Bett eine zunehmende Geburtenfreudigkeit.

Sie können sich aufrichten. Ein warmes Handtuch legt sich auf Sentas Gesicht, durch den Stoff hindurch fühlt sie die Finger der Friseuse, die über ihr Kinn gleiten, über ihre Wangen; dann sammelt die Friseuse das nasse Haar in einer Mulde des Handtuchs und trocknet es vor. – Wenn sie ihm nur Gotisch ersparen und Althochdeutsch, oder wenn ich für ihn antworten könnte, falls sie mit Ablautreihen anfangen. – Jetzt kommt die Chefin, sie hat in dem privaten Hinterzimmer gefrühstückt, hat sich ausgeruht, und bevor sie zu ihrer persönlichen Kundin zurückfindet, die unter einer Haube leidet, segelt sie an allen Kabinen vorbei, um mögliche Veränderungen festzustellen: Ja, guten Tag, Frau Stasny.

Senta antwortet, während die junge Friseuse mißmutig an ihr weiterarbeitet, und auf einmal ist man beim Ereignis des Tages. Nein, vorbei ist es wohl noch nicht, man wird jetzt wohl mittendrin sein. Wie bitte? Das weiß ich nicht: ob mit dem Examen alles geschafft ist. Jedenfalls herzlichen Glückwunsch, sagt die Chefin, und Senta, ohne zu zögern: Danke.

Was erzählte Jans Lieblingsonkel? Das beste Examen, das je an der amerikanischen Westküste gemacht wurde, fand in einer Zuchthauszelle statt: ein betagter Doppelmörder, der als Neunzehnjähriger seine Eltern umbrachte, weil sie ihm nicht erlaubten, das Verhalten der Nachtvögel zu erforschen, machte unter ungewöhnlichen Sicherheitsvorkehrungen sein Hauptexamen in Ornithologie vor einer Prüfungskommission der Universität von Kalifornien. Er bestand mit höchstem Lob und verzichtete offensichtlich darauf, die prüfenden Professoren in Verlegenheit zu bringen. In der Nacht nach dem Examen erhängte er sich.

Senta schließt die Augen, lauscht auf die achtlose Geläufigkeit, mit der die junge Friseuse das Haar behandelt, spürt den wohligen Druck der fremden Fingerkuppen auf ihrer Kopfhaut. Eine scheue Männerstimme bietet etwas an, wiederholt das Angebot: Postkarten. Da steht ein Kerl mit dünnem Haar und den eiligen Augen des Gewohnheitstrinkers im Laden und bietet Ansichtskarten an. Kein Bedarf, sagt die Friseuse, aber der Mann hat längst Sentas Nachgiebigkeit erkannt und wartet. Geben Sie mir sechs Karten, sagt Senta. Es ist Ausschuß, das sieht sie, vielleicht irgendwo gestohlen, zur Not kann man sie dennoch gebrauchen, also: sechs Karten, auf denen man, unter Umständen, die Nachricht vom bestandenen Examen verbreiten kann.

Die Friseuse erscheint frostiger, fast als ob der Kauf gegen sie gerichtet sei, ein Protestkauf, eine Kampfansage, sie blickt nicht ein einziges Mal in den Spiegel. So, bitte. Jetzt unter die Haube. Später steckt Senta die Karten in die Umhängetasche, gibt der Friseuse ein Trinkgeld, das gleichgültig, allenfalls mit angedeutetem Lächeln kassiert wird. Gezahlt wird bei der Chefin an der Kasse. Dann steigt wohl bald die Examensfeier, Frau Stasny? Bald, ja, aber ich muß noch eine Menge vorbereiten.

Bevor Senta auf die Straße tritt, schiebt und drückt sie geschickt ihre Frisur zurecht zu gewohnter Lage, wischt sich den Schweiß von den Nasenflügeln; zu Hause wird sie die Frisur endgültig korrigieren. Ein heißer Wind geht durch die Straßen, schlägt ein Knallgeräusch aus den Markisen vor den Schaufenstern heraus. Ihr Rock wird hochgedrückt und klemmt sich zwischen den Schenkeln fest. Tarn dich, Kleine, sagt eine bekannte Stimme, tarn dich und bedeck dich, sonst holen dich die Haifische. Ach, Charles.

Und Charles, flachbrüstig, bärtig, ein Riese, der vergnügt das Leiden der Welt zu tragen scheint, bietet ihr an, von seiner Melone abzubeißen, die er aus dem Gemüsegeschäft herausgetragen hat. Das einzige, was mich erfrischt, Senta, sagt er und kommt ihr in diesem Moment augenlos vor hinter der nickelgefaßten Brille. Nein, danke. Dein Alter schwitzt jetzt wohl, sagt Charles; in diesen Breiten muß man sein Examen im Februar machen, wie ich. Aber mach dir keine Sorgen: im Grunde läuft alles darauf hinaus, auf blöde Fragen erstklassige Antworten zu geben, und unser Jan wird's schaffen. Ich hab's euch vorausgesagt.

Charles latscht mit hängenden Schultern neben ihr her, schlägt seine Zähne in die Melonenscheibe, erinnert Senta daran, daß es ihnen beiden beim Abhören nicht ein einziges Mal gelang, Jan in Verlegenheit zu bringen. Du wirst sehen: dein Alter bringt das Examen des Jahres nach Hause. Senta strebt in den schmalen Schatten vor den Geschäften. Geht's dir nicht gut? Du kannst mir helfen, das Bier nach Hause zu tragen, das du nachher trinken wirst. Muß das sein?

Also zu Feinkost-Grützner, der alles in zwei Pappkartons gepackt hat, was die Examensfeier erst zur Feier machen soll; für Senta bleibt nur das Netz, das ihr noch nie so schwer erschienen ist wie an diesem Tag. Da ist ein Schmerz in der Schulter und im Ellenbogengelenk, und der verstärkte Griff des Netzes in ihrer Hand brennt sich in die Haut ein. Nicht so schnell, Charles, sagt Senta. Sie bleibt stehn. Sie lehnt sich an einen Fahrradständer, bläst mit vorgeschobener Unterlippe über ihr Gesicht. Es geht schon wieder.

Nebeneinander überqueren sie die Straße, und im Hausflur setzt Senta sich auf eine Treppenstufe und fordert Charles auf, die Kartons abzustellen, doch da er sie gerade im Griff hat, wie er sagt, trägt er sie nach oben und stellt sie vor der Tür ab. Sie hört ihn langsam herabkommen. Er sagt: Dir scheint's wirklich mies zu gehn. Er sagt auch: Soll ich das Netz raufbringen? Sie schüttelt den Kopf, zieht sich am Treppenpfosten hoch, winkt Charles' Gesicht lächelnd zu sich herunter und küßt ihn auf die Wange. Danke, bis nachher. Er bleibt stehn und beobachtet Senta, während sie die Treppe hinaufsteigt, er wartet, bis sie den Treppenabsatz erreicht hat, jetzt winken sie sich noch einmal zu.

Zweimal muß sie den Schlüssel im Schloß umdrehn, also ist ihre Mutter schon gegangen; dort auf dem Küchentisch liegt ein Zettel. Sie legt sich auf die Couch, zündet sich eine Zigarette an, liest den Zettel noch einmal und blickt auf den Rauch der Zigarette, den die Zugluft flach wegreißt. Liegend zieht sie den Rock aus, hebt ihn mit dem Fuß hoch; eine berechnete, wischende Bewegung, und der Rock landet auf einem Lederpuff. Dies fiepende Geräusch, wie wenn Luft stoßweise aus einem Schlauch entweicht. Senta horcht auf das Geräusch, räuspert sich, hustet und steht auf.

Können Sie mir Beispiele dafür nennen, in welcher Form das klassische Motiv der Goldenen Kette in der Literatur wiederaufgenommen wird? Senta geht ins Badezimmer, zieht sich aus, angelt eine blauweiße Badekappe von der Brause herunter, über die Jan lachen mußte, als er sie zum ersten Mal damit sah, und später immer wieder lachte, wenn sie das Ding aufsetzte: Weißt du, wie du aussiehst? Wie ein Seehund, der sich als Husar verkleidet hat. Sie zwängt das Haar sorgfältig unter die Kappe, stellt die Brause an, sieht die Kachelwand Glanz gewinnen unter der scharfen Schraffur des Wasserstrahls, der stäubend auf dem Boden zerspringt. Die Zigarette ist vom Rand der Seifenschale herabgefallen, das Wasser schwemmt sie zum Abfluß, löst das Papier und spült die Tabakfasern fort. Senta tritt unter den Strahl und hebt die Arme. War das die Türklingel? Im Bademantel geht sie zur Tür, öffnet; auf der Fußmatte liegt ein Blumenstrauß, ein Brief für Jan ist angepinnt.

Jetzt wird es Zeit; Senta zieht sich vor dem großen Schrankspiegel an, rauchend, überlegend, wo sie zuletzt die Beschreibung eines Mädchens gelesen hat, das sich vor dem Spiegel anzieht. Sie hat das Gefühl, eine fremde Person nachzuahmen. Sie kämmt und legt ihr Haar und bindet ein neues Stirnband um. So, wie sie jetzt auf sich zutritt in dem hellgrünen Kleid, schmal, hochhüftig, schwankend zwischen Skepsis und Einverständnis, hat es das Mädchen im Roman auch getan, bevor es zur Gerichtsverhandlung ging, um gegen seinen ehemaligen Lehrer auszusagen. Ich muß was essen, vielleicht einen Apfel, wenn der nicht alles verschmiert. Sie stellt den Transistor an, hört die letzten Takte von »Up, up and away«, trägt den Transistor in die Küche, um die Kartons und das Netz auszupacken.

Auf einmal hält sie inne, tritt, zwei Flaschen in der Hand, auf den Flur, blickt auf das Schlüsselloch, erkennt, daß da vorsichtig ein Schlüssel hereingeschoben wird: es muß Jan sein.

Sie läuft in die Küche, stellt die Musik lauter: sie wird ihn nicht gehört haben, sie wird sehr überrascht sein. Ja? Jan, was ist? Ja oder Nein? Warum sagst du nichts?

Da kommt also Jan, schiebt sich blicklos an ihr vorbei, er trägt sein Jackett unterm Arm, wirft die Kollegmappe auf den Küchentisch. Sag doch, was ist? Er gibt nichts preis, sein Gesicht verrät nichts, die dunklen Kalmückenaugen gestehen nichts ein, aus seinen Gesten ist nichts zu erfahren. Wie läßt sich diese Ruhe auslegen, mit der er den Küchenschrank öffnet, zwei Gläser herausnimmt; was besagt sein Schweigen, das er nicht aufgibt, während er die Gläser mit Sprudel und Korn füllt? Bestanden, Jan, nicht, du hast doch bestanden? Er zwingt Senta ein Glas in die Hand, tritt zurück, hebt ihr das eigene Glas entgegen und steht so gegen das unerträgliche Licht und atmet seufzend aus. Also auf das, was hinter uns liegt. Bestanden, fragt sie abermals, und er darauf: Mit Auszeichnung!

Jan trinkt mit zurückgelegtem Kopf, mit geschlossenen Augen. Senta führt das Glas an die Lippen, sieht, wie das Glas zittert, und stellt es schnell ab, ohne getrunken zu haben. So, und nun kannst du mir gratulieren, sagt Jan, und sie preßt sich gegen den gedrungenen Mann und will anscheinend nicht aufhören, ihn auf eine Weise zu umarmen, die seinen Stand nicht gerade leichtmacht; fast sieht es so aus, als würge sie ihn von vorn. Sie drückt ihn gegen die Platte des Küchentisches. Sie küßt ihn. Jan schiebt sein Glas weit von sich. Ich freu mich, Jan, oh, ich freu mich. Blumen sind schon für dich da. Er löst ihre Finger in seinem Nacken, zieht sie nach vorn, und jetzt lächelt er: Alles bereit für die Feier? Alles, sagt Senta. Dann komm, komm, du mußt zuerst hören, wie es ging.

Sie sitzen auf den geplatzten Lederpuffs vor dem kleinen Rundtisch, sie haben die Gläser ausgetrunken und wieder gefüllt, sie halten sich bei den Händen, als gelte es, etwas durchzustehn. Du hättest Jäger erleben müssen, sagt Jan, er wollte es mir nicht leichtmachen, er begann gleich mit seinem Lieblingsthema: die deutsche Kritik. Lessing, fragt Senta. Schlegel, sagt Jan, das heißt, doch Lessing, na, du weißt: Schlegels Besprechung von Lessings »Vom Wesen der Kritik«; da konnte ich ihm etwas erzählen. Geht's dir nicht gut?

Senta drückt ihre Zigarette aus, sie steht plötzlich auf und geht zum offenen Fenster und preßt gleich darauf ihre Hände auf ihren Unterleib. Senta? Ja, sagt sie, ja. Sie hat Tränen in den Augen, als hätte sie ihr Gesicht in einen kalten Wind gehalten. Es ist nichts, Jan, ich bekomm nur so schwer Luft auf einmal. Trink etwas. Er reicht ihr sein Glas, sie trinkt einen Schluck, setzt sich und sieht ihn fragend an: Und Barockdichtung? Die ist gar nicht drangekommen; aber rat mal, wo der alte Pörschke mich reinlegen wollte, nachdem ich Jäger sehr gut bedient hatte. Na? In der Klassik, ich sollte ihm das Kunstideal der Klassik beschreiben, und ich holte weit aus beim Sturm und Drang, Natur- und Gefühlsschwärmerei, weißt schon, und wie die überwunden wurden. Ich wußte gar nicht, daß Pörschke nur drei Worte hören wollte, du hast sie mitgeschrieben damals in seiner Vorlesung, aber ich kam nicht drauf, ich immer bloß von Schönheit als Harmonie zwischen sinnlichem Trieb und dem Gesetz der Vernunft, aber das war's nicht. Und auf einmal fiel mir ein, was du mir unter der Brause sagtest, als du mich abgeseift hast, weißt du noch? Bändigung, Formung, Normung. Du bist ganz blaß, Senta.

Senta springt auf, läuft zur Toilette, sie schließt die Tür von innen ab, kniet sich hin und legt die Arme auf den Rand des Beckens und übergibt sich. Ein plötzlicher Schmerz im Hinterkopf, ein spannender Schmerz über den Schläfen halten sie in kniender Stellung fest, ihre Augen tränen heftig, der Druck läßt nach. Sie steht im Dunkeln auf und macht Licht. Sie blickt in den Spiegel über dem kleinen Ausguß und spürt, daß sie sich gleich wird wieder übergeben müssen. Das Schwindelgefühl ist so stark, daß sie sich mit einer Hand am Ausguß festhält, während sie sich mit der andern das Gesicht wäscht. Senta, ruft Jan, was ist passiert? Sie antwortet nicht, spült zuerst ihren Mund aus, dann öffnet sie die Tür. Du schwankst ja, Senta, hast du Fieber?

Jan stützt sie und führt sie langsam zur Couch. Er legt sie hin und hebt ihre Beine herauf. Es tut mir leid, Jan, es tut mir so leid. Bleib nur liegen, sagt er, ein paar Minuten, dann ist es vorbei. Es kommt wieder, Jan, ich spür es. Was meinst du? Mir ist so schlecht.

Jan steht rauchend vor der Couch, in einer Hand ein Glas, er sieht, wie ein Schüttelfrost ihre Haut aufrauht, hört ihren angestrengten Atem. Du kannst uns doch nicht krank werden, sagt er, ausgerechnet heute; du willst doch wohl kein Spielverderber sein. Es tut mir so leid, Jan. Er setzt sich auf den Couchrand, stellt das Glas ab, legt eine Hand auf ihre zuckende Schulter und glaubt auf einmal einen unbekannten Ausdruck dieses Gesichts zu entdecken, einen Ausdruck schlimmer Erleichterung oder Unterwerfung, und er fährt leicht, beinahe andeutend über Sentas Gesicht, gerade so, als wolle er diesen Ausdruck wegwischen.

Sie werden bald kommen, Senta. Es tut mir so leid, Jan, aber es geht nicht, ich kann nicht. Soll ich denn alles absagen? Du siehst doch, Jan: ich kann nicht. Sie wendet sich ihm zu und sieht ihn schweigend an, und nach einer Weile steht er auf, holt sein Jackett aus der Küche, geht zur Tür und winkt ihr zu, bevor er die Wohnung verläßt.

1969

Die Mannschaft

Für Heinz Perleberg

Wie wir davonzogen im Rückspiel: zwei zu null, dann fünf zu zwei, und schließlich sieben zu drei bei Halbzeit; da schien alles schon gelaufen, alles entschieden und erreicht zu sein, und wir gingen mit dem Gefühl in die Kabinen, daß das Hinspiel in Bodelsbach, das wir mit einem Tor Unterschied verloren hatten, keine Erinnerung mehr wert war, jedenfalls keinen zu belasten brauchte; und welch einen Anteil ich daran hatte, ließen sie mich in der Halbzeit spüren, als sie mir zunickten, über den Hinterkopf wischten oder im Vorbeigehen anerkennend auf den Rücken klatschten; sogar Plessen, unser wortkarger Trainer, nickte mir zu. Offenbar beglückwünschte er sich selbst dazu, daß er mich nach langer Zeit – und vielleicht nur, weil es um die Teilnahme am Europa-Pokal ging – wieder aufgestellt hatte.

Keiner von uns bedauerte, daß für das Rückspiel gegen Bodelsbach Klaus Körner aufgestellt wurde, jedenfalls bis zur Halbzeit nicht, denn daß wir mit sieben zu drei führten, hatten wir nicht zuletzt seinem Spiel und den vier Toren zu verdanken, die er mit seinen Fallwürfen erzielte; und als wir in die Kabinen gingen, dachte niemand mehr an die Behutsamkeit, mit der Plessen uns darauf vorbereitet hatte, daß er für dies entscheidende Spiel Klaus Körner aufstellen wollte, ihn, der achtzehnmal in der Ländermannschaft gespielt hatte, der unser bester Mann war und den Plessen dennoch monatelang pausieren ließ, einfach weil Klaus unberechenbar war und für sich mehr beanspruchte als jeder andere Spieler in der Mannschaft.

Wir hätten das Hinspiel nicht zu verlieren brauchen, wenn sie mich schon damals aufgestellt hätten in Bodelsbach, in diesem entlegenen Nest mit sechs-, allenfalls siebenhundert Einwohnern, die nur für ihre berühmte Vierfruchtmarmelade und ihre zumindest hierzulande nicht weniger berühmte Handballmannschaft zu leben scheinen – wenn die ein Heimspiel bestreiten, lassen sich vor Begeisterung sogar die Kranken an den Spielfeldrand tragen, und ihre zahlreichen Kinderwagen segeln ausnahmslos unter den grünweißen Vereinswimpeln von Bodelsbach – doch diese Mannschaft, die so viele Favoriten auflaufen ließ, hat ihre erkennbaren Schwächen, und Günther Plessen gab mir zu, daß wir es nicht verstanden, diese Schwächen auszunutzen, und daß wir schon das Hinspiel gewonnen hätten, wenn ich dabeigewesen wäre.

997

Auch wenn keiner von uns zunächst bedauert hatte, daß Klaus Körner für das Rückspiel aufgestellt wurde – bei einigen von uns löste diese Entscheidung zwangsläufige Erinnerungen an alte Spiele aus – München, Lyon, vor allem Zagreb –, Erinnerungen an einen eigensinnigen und unaufhaltsamen Mitspieler, dessen Begeisterung ansteckend wirkte, solange die Chancen gleich verteilt waren, der aber dann, wenn wir im Rückstand oder sogar im hoffnungslosen Rückstand lagen, alle Abmachungen verletzte, sich zu unbeherrschten Aktionen verleiten ließ und so schroff gegen die Regeln verstieß, daß sie ihn mehrmals hinausstellten.

Wir hätten zur Halbzeit noch höher führen können als sieben zu drei, aber ich hatte Plessen versprochen, nicht das ganze Spiel über mich laufen zu lassen, ich sollte vor allem Hartwig einsetzen, ihn, der den Senkwurf aus spitzem Winkel beherrscht wie kein anderer, doch aus Bescheidenheit oder Solidarität zu lange zögert; und es gelang mir auch, ihn so anzuspielen, daß er zwei musterhafte Tore warf: schräg stieg der Ball über den herausgelaufenen Torwart, schien in der Luft zu stoppen und senkte sich so sanft und berechnet ins Netz, daß sogar der Bodelsbacher Torwart klatschte, während Hartwig auf mich zulief und Danke, Klaus, sagte, danke, und gleich verlegen unter dem Beifall der Zuschauer zurücklief.

Als Plessen uns in der Pause um sich versammelte, war keiner so erschöpft wie Klaus Körner, der sich gleich auf die Bank unter den Kleiderhaken fallen ließ und das Sprudelwasser nicht dazu benutzte, seinen Mund auszuspülen, sondern die ganze Flasche austrank, ohne abzusetzen, und kaum zuhörte, was Plessen uns an taktischen Ermahnungen mitzugeben hatte. Obwohl er vier Tore geworfen hatte, schien es ihm an Training, in jedem Fall an Kondition zu fehlen, er pumpte und pumpte, wandte sein schweißglänzendes Gesicht dem geöffneten Fenster zu, wobei er die Beine wegspreizte und die Schultern zurückbog, und wer ihn so sah, fragte sich unwillkürlich, ob Klaus die zweite Halbzeit würde durchhalten können. Wirst du durchhalten, fragte ihn Plessen, bevor wir auf das Spielfeld zurückkehrten, und er darauf, lässig aufwachsend aus seiner Bankecke, ein Athlet, den sie für alles hätten werben lassen können: Klar, Günther, was denn sonst.

Wie deutlich ihre Sorge aufstieg, wie ihre Aufmerksamkeit für mich wuchs, das bekam ich schon zu spüren, als ich mich bei der Lagebesprechung auf die Bank setzte und mein Trikot, das schwarz war vor Schweiß – aber wann wäre es anders gewesen –, nicht gegen das frische tauschen wollte, das Hartwig mir hinhielt. Ihre skeptischen, abfragenden Blicke streiften mich, als ich dort saß – auf nichts weiter aus, als mich zu entspannen, zu lockern; doch da ich so lange weder mit der Mannschaft trainiert noch gespielt hatte, glaubten sie wohl, mir ihre Anteilnahme zeigen zu müssen oder doch ihre Besorgnis. Und als wir dann zurückkehrten auf das Spielfeld, stupsten, beklopften, ermunterten sie mich durch schnelle Berührungen, und auf ihren Gesichtern erkannte ich nicht nur das Einverständnis mit meinem bisherigen Spiel, sondern auch die Bereitschaft, über alles hinwegzusehn, was in einigen vergangenen Spielen geschehen sein mochte; ja, und ich spürte auch ihre Freude, daß ich wieder dabei war, und den Wunsch, mich bei den Begegnungen um den Europa-Pokal wieder dabeizuhaben.

Beifall empfing uns, als wir zur zweiten Halbzeit erschienen; den stärksten Beifall erhielt Klaus Körner, als er die ausverkaufte Halle betrat; es war eine neue Halle, die mit dem Spiel gegen Bodelsbach eingeweiht wurde, und unter den mehr als zweitausend Zuschauern waren einige hundert, die hinter unserm Tor Sprechchöre bildeten und Bodelsbach anfeuerten. Es hatte fast den Anschein, als hätten sie die Hälfte ihrer Einwohner zum Spiel ihrer Mannschaft beordert, und einer von ihnen, vielleicht der Bürgermeister oder der Direktor der Marmeladenfabrik, trat als Einpeitscher auf und gab die Zeichen zu lautstarkem Einsatz. Und die Halle dröhnte, sie bebte und dröhnte, sobald Bodelsbach zu stürmen begann.

Den hatten sie sicher in der Pause verabredet, diesen Überraschungsangriff gleich nach dem Anwurf: Ole Zesch, ihr bester Spieler, war durch, flog auf den Kreis zu und setzte zum Wurf an; da konnte Hartwig nur die Notbremse ziehn und durchstecken, worauf der bullige, kurzhalsige Verteidiger von Bodelsbach in den Kreis fiel und sich überschlug; doch den Siebenmeter schoß er selbst – nicht einmal listig oder angetäuscht, sondern mit so unbarmherziger Wucht, daß Werner bei uns im Tor zwar den Ball mit den Fingerspitzen berührte, aber ihn nicht halten konnte. Die Wucht des Schusses schien ihn selbst in sein Tor hineinzuschleudern. Enttäuscht angelte er sich den Ball und drosch ihn zur Mitte, mir in die Arme, und ich wartete, bis die andern Spieler zurückgelaufen waren, und in dieser Zeit hörte ich den triumphierenden Bodelsbacher Sprechchor, der zum nächsten Tor aufforderte, hörte aber auch zum ersten Mal den Sprechchor unserer Leute, die nichts anderes taten, als meinen Namen zu skandieren: Kör-ner, Kör-ner; das stieg auf wie ein Brausen und begleitete und trug mich, solange ich den Ball hielt.

Anscheinend rechnete sich Bodelsbach eine Chance aus, nun, wo wir nur noch sieben zu vier führten; auch die Zuschauer ergriff gleich nach dem Überraschungsangriff eine unerwartete Spannung: in Sprechchören gaben sie zu erkennen, wer ihre Hoffnungen trug und was sie eingelöst sehen wollten. Bodelsbach forderte Tore; unsere Leute antworteten mit dem Namen von Klaus Körner, und so, wie sie diesen Namen artikulierten, lagen darin grollende Warnung und Selbstzuspruch. Und Klaus, der zur Halbzeit so erschöpft gewirkt hatte, zog den Ball an in jeder Haltung, in jeder Stellung. Der Ball suchte ihn. Der Ball klebte an seinen Fingerspitzen. Der Ball tanzte auf seinem Unterarm. Kreiseln konnte der Ball, wenn er kreiseln sollte. Der Ball sprang und stieg und versteckte sich, er bot sich an und foppte den Gegner, so, wie Klaus es wollte. Es gab Beifall im offenen Spiel, wenn wir vor dem Schutzkreis der Bodelsbacher zu wirbeln anfingen, wenn wir sie stehen und zusehen ließen, wie der Ball von einem Spieler zum andern wandern konnte, kurz, lang, kurz, doch der Beifall steigerte sich noch, wenn Klaus zum Schuß ansetzte: hoch stieg er auf, schnellte empor über die erhobenen Arme der gegnerischen Abwehr, die Hand mit dem Ball zuckte zurück, aber anstatt zu werfen, täuschte er nur an, klemmte sich mit energischer Drehung durch die Verteidigung und ließ sich in den Kreis fallen. Und im Fallen schoß er.

Wenn sie nicht bei Halbzeit den Torwart ausgewechselt hätten, wäre unser Vorsprung vielleicht auf sechs Tore angewachsen, aber dieser schmächtige, ernste Junge, der weder Genugtuung noch Freude verriet, der jedem Schuß entgegenflog und so den Winkel verkürzte, hielt einfach alles, und nach meinem zweiten Fallwurf, den er im Flug zur Ecke ablenkte, ging ein Raunen der Bewunderung durch die Halle, ehe der Beifall begann. Er maß mich nicht nur mit seinen Blicken, er schien unweigerlich vorauszusehen, was ich vorhatte, und er war da und verhinderte eine höhere Führung. Auch Hartwig mit seinen Senkwürfen konnte ihn nicht überlisten: Hebbi Prengel, den Reservetorwart von Bodelsbach, der als Einwieger in ihrer verdammten, berühmten Marmeladefabrik arbeitete.

Zuerst sah es so aus, als könnte Hebbi Prengel, den sie nach der Pause ins Tor stellten, obwohl er noch nie an einem entscheidenden Spiel teilgenommen hatte, Klaus matt setzen oder blockieren, einfach nur durch die vollkommene Art, mit der er sich auf ihn einstellte. Ein geheimer Mechanismus schien sie zu verbinden, eine Beziehung, die bewirkte, daß der Torwart eine äußerst gespannte Ruhe gewann und sich duckte, sobald Klaus den Ball führte, und er drehte sich mit in winzigen Schritten, mit einer Bereitschaft, die viel zu früh begonnen zu haben schien, unwillkürlich alarmiert, unwillkürlich herausgefordert durch die Gefahr, die von Klaus ausging. Wie sie sich erkundeten! Wie sie einander studierten! Niemand hätte voraussagen können, wohin der Ball fliegen würde, den Klaus mit schmalem Pokergesicht abfeuerte: Hebbi Prengel wußte es, ahnte es, hatte die Flugbahn schon berechnet, stand in Erwartung da. Es war jedenfalls sein Verdienst, daß Bodelsbach in diesen Minuten bis auf sieben zu sechs herankam – den Siebenmeterball, der gegen uns verhängt wurde, halte ich allerdings immer noch für umstritten.

Sie trampelten, sie klatschten, ihre Sprechchöre trugen untereinander ein besonderes Spiel aus. Die Halle zitterte. Ich riskierte einen Allein-

gang, nachdem Hartwig mich durch schnellen Positionswechsel frei-
gespielt hatte, stieg so hoch ich konnte, sah in das Gesicht des Tor-
warts, der mich in leichter Grätschstellung, mit nicht ganz ausgestreckten Armen erwartete, und diesmal wußte ich, daß ich ihn
bezwingen würde, noch bevor ich geschossen hatte. Mitten im Sprung
schoß ich einen Aufsetzer, der zwischen Hebbi Prengels Beinen hindurch ins Tor sprang: es stand nicht nur acht zu sechs, dieses Tor
schien einen Stau oder eine schon erfolgte Resignation aufzuheben, es
war ein Zeichen, ein Appell, und wie sehr wir es nötig gehabt hatten,
bewiesen sie mir, als sie alle auf mich zuliefen – und sogar Werner aus
seinem Tor herauskam –, um mir die Hand zu drücken, mich zu
tätscheln oder in die Seite zu knuffen. Ich ließ diese Gratulation nicht
nur über mich ergehen; jetzt forderte ich sie zu einem Zwischenspurt
auf: Ran, Jungens, nun aber ran.

Nachdem Klaus uns durch einen Alleingang wieder mit zwei Toren in
Führung gebracht hatte, geriet Bodelsbach unter zunehmenden
Druck; wir schnürten sie vor ihrem Tor ein, wehrten ihre planlosen
Angriffe ab und zwangen sie, mit Haken und Ösen zu verteidigen;
jedenfalls waren wir einem Tor näher als sie einem Anschlußtreffer.
Unser Spiel lief, und Klaus war das Zentrum: er zog an, er lenkte und
verteilte, er rochierte blitzschnell am Kreis und zeigte mit Hartwig ein
Paßspiel, das rhythmischen Beifall herausforderte. Und dann – es soll
der Augenblick gewesen sein, der alles Weitere begründete – war Klaus
durch, war fast allein vor dem Tor, nur Ole Zesch hatte er noch zu
überwinden, den kurzhalsigen Verteidiger von Bodelsbach, der ihn
geduckt annahm. Obwohl wir alle Klaus beobachteten, bemerkte niemand mehr als dies: er war durch, wollte Ole Zesch durch einen Trick
täuschen, das mißlang, und dann hob er sich nach zwei energischen
Sprungschritten, stieg hoch auf, in vollkommener Streckung und weit
über dem gegnerischen Spieler, der den zum Wurf ausholenden Arm
nicht mehr behindern, am unvermeidlichen Torschuß nichts ändern
konnte – zumindest hatte es den Anschein –, doch noch vor dem Wurf
flog sein Kopf zurück, sein Mund sprang auf, sein Körper krümmte
sich, und gekrümmt landete er und blieb in der Hocke am Boden. Er
stöhnte. Er preßte eine Hand auf seine Magengrube. Ole Zesch hielt
ihn leicht fest. Der Schiedsrichter gab keinen Strafwurf. Als Plessen auf
das Spielfeld lief, sein flatterndes Jackett mit den klimpernden Schlüs-

seln in den Taschen ruckhaft nach vorn zerrend, dachte er wie mancher von uns an die alte Sehnenverletzung von Klaus.

Wenn schon nicht Hartwig – der Schiedsrichter muß es doch gesehen haben: er stand daneben, als ich vor Zesch hochstieg, wurfbereit, er muß doch bemerkt haben, was geschah. Hebbi Prengel hatte sich zu weit vorgewagt, ich brauchte ihn nur zu überwerfen, und es wäre ein sicheres Tor geworden, aber dann geschah, was keiner sah und keiner mir bis heute abkaufen will: knapp vor dem bulligen Verteidiger sprang ich aus vollem Lauf hoch, setzte, sozusagen über ihm hängend, zum Wurf an, da stieß er mir den Ellbogen aus scharfer Drehung so heftig in den Unterleib, daß ich zu Boden ging. Es war kein unbeweisbarer Schlag. Ich mußte zu Boden, und Plessen und die andern, die zu mir gelaufen kamen, tippten natürlich sofort auf meine alte Sehnenverletzung; das Foul hatte keiner von ihnen wahrgenommen. Deshalb verstand auch keiner von ihnen, daß ich die Hand ausschlug oder übersah, die Ole Zesch mir hinhielt. Wir beide wußten, was geschehen war, und er war weniger über meine Weigerung verblüfft, seine Hand anzunehmen, als der lärmende Bodelsbacher Anhang, der mich auszupfeifen versuchte, während ich die Arme hochriß, um Luft zu bekommen.

Klaus Körner war angeschlagen, in jedem Fall verletzt, nachdem er kurz vor dem Schuß zu Boden mußte; dennoch hätte er die Hand nehmen müssen, die Ole Zesch ihm hinhielt. Wie unsicher sie wurden, wie offensichtlich sie ihm ihre Sympathien entzogen, als er darauf verzichtete, die Entschuldigung eines gegnerischen Spielers anzunehmen! Sogar ihre Bewunderung für ihn schien abzukühlen. Vielleicht hätte Plessen ihn zu dieser Zeit aus dem Spiel winken und auswechseln sollen, denn daß Klaus etwas abbekommen hatte, war nicht mehr zu übersehen: ungenauer wurde sein Zuspiel, seine Schnelligkeit ließ nach, und vor dem Kreis verlor er sein Selbstvertrauen. Nicht mehr äußerstes Risiko, sondern Sicherheit bezeichnete sein Spiel, und dies nicht allein: gelegentlich machte er den Eindruck eines Spielers, der lustlos sein pflichtschuldiges Pensum leistet.

Der Schmerz hörte nicht auf, so ein ziehender Schmerz im Unterleib, ein Krampf, der einsetzte, sobald ich einen Sprungschritt machte, und ich überlegte, ob ich das Spielfeld nicht verlassen sollte. Doch Plessen gab mir kein Zeichen. Und schließlich spielte ich mich auch wieder ein, wenngleich ich mehr zurückhing und das Spiel von hinten aufbaute. Ich mußte erst den Schmerz loswerden, um zum Endspurt aufzufordern. Es lag an mir, daß wir eine Schwächeperiode hatten – trotzdem spielten wir für Hartwig zwei Chancen aus dem Lehrbuch heraus; er scheiterte an Hebbi Prengel, der mit Hohlkreuz und ausgebreiteten Armen dem Ball entgegenflog und ihn über das Tor lenkte. Bodelsbach kam in dieser Zeit nur einmal zum Schuß, wieder durch Ole Zesch, der den Ball so erbarmungslos schleuderte, daß sich das Leder im Tor zwischen Latte und Netz festklemmte.

Das Spiel wurde härter, auf beiden Seiten gab es einen Siebenmeter, doch die Torhüter sorgten für ein unverändertes Resultat. Wir nahmen Klaus manches ab in der Verteidigung, und nach einer Weile sah es so aus, als hätte er sich von seiner Verletzung erholt: er stürmte wieder, er riskierte einen Torwurf, und im Zurücklaufen entwarf er mit Hartwig und Walter Purschell einen neuen Spielzug. Wieviel von ihm ausging, wieviel sich von seinem Spiel und von seinem Einsatz sogleich auf die Mannschaft übertrug! Nun, da ihm nichts mehr zu schaffen machte, zog er sie wieder mit, servierte und dirigierte, und wir ließen das Spiel fast ausschließlich über ihn laufen, weil von Klaus die größte Gefahr ausging. Er hätte es nicht nötig gehabt, jeden einzelnen zum Endspurt aufzufordern; sein Spiel enthielt Aufforderung genug.

Dann, als der Schmerz sich legte, fast vergessen war, gab ich jedem einzelnen von uns das Signal zum Endspurt, nachdem Plessen mir seinerseits das verabredete Zeichen gegeben hatte. Obwohl wir nur mit einem Tor Vorsprung führten, waren wir unserer Sache sicher. Wir verwiesen sie auf ihre Hälfte. Wir belagerten sie. Wir durchschauten jeden Entlastungsangriff und verhinderten ihn bereits in der Entstehung. Ja, wir machten sie zu Statisten, zeigten ihnen sozusagen, daß Vierfruchtmarmelade zuwenig ist; und wie sehr sie in der Klemme waren, konnte man an Hebbi Prengel, dem Einwieger, erkennen: er tänzelte, er steppte vor und zurück, er warnte seine Leute, wies sie auf Lücken hin. Und wir in diesem Augenblick: ich weiß noch die schnell gezeigten Genugtuungen, die hingeklatschten Ermunterungen, die Zuversicht weiß ich noch und die lässigen Berührungen, mit denen mir die Mannschaft zu verstehen gab, daß sie einverstanden war mit meinem Spiel. Endlich flankte Hartwig von der Ecke herein, ich riskierte einen Drehschuß, der gegen den Pfosten sprang und zu Hartwig zurück, so daß wir im Ballbesitz blieben.

Wir spielten so überlegen, daß das nächste Tor, das unsern Vorsprung vergrößert hätte, in der Luft lag, und als Klaus seinen Drehschuß probierte, sahen wir schon den Ball im Netz. Der Ball prallte jedoch vom Pfosten ab, Hartwig konnte sich ihn angeln, und wir liefen etwas zurück, um einen neuen Angriff aufzubauen. Wir wirbelten vor dem Kreis, ließen die Bodelsbacher immer wieder leerlaufen, und auf einmal setzte Klaus energisch zum Wurf an. Woher nahm er nur die Kraft, um so aufzusteigen? Er schnellte empor, reckte sich weit über alle hinauf – die Momentaufnahmen, die ihn so in der Luft, in dieser Streckung zeigen, lassen einfach nicht annehmen, daß allein seine Sprungkraft ihn so hinaufgetragen hat – und holte aus wie beim ersten Mal. Und wie beim ersten Mal hatte er nur einen Verteidiger vor sich, der, so schien es zumindest, die unaufhaltsame Aktion nicht mehr würde vereiteln können. Ole Zesch, der Klaus allenfalls bis zur Schulter reichte, hatte nichts mehr zu bestellen. Weder der Schiedsrichter noch einer von uns erkannte mehr als dies: Klaus setzte zum Wurf an, schrie auf, seine Hand ließ den Ball fallen, und aus dem Sprung stürzte er auf Ole Zesch, der ihn auffing, hielt, dann auf den Boden gleiten ließ, wo Klaus sich krümmte und stöhnend die Knie anzog. Nur dies Bild kann zugegeben werden: der Verteidiger in geduckter Bereitschaft, zwar nicht mit ausgebreiteten Armen, aber doch mit gespreizten, Stand suchenden Beinen; und der Angriffsspieler, nah, und zugleich hoch über ihm, den Arm zum Wurf ausgestreckt. Etwas anderes hat keiner von uns in Erinnerung.

Wie konnte auch das unbemerkt bleiben, wie konnte vor allem der Schiedsrichter übersehen, was geschah, als ich, wie beim ersten Mal, vor Ole Zesch hochstieg, um über ihn hinwegzuwerfen? Hebbi Prengel im Tor stand zu weit vorn, in der kurzen Ecke, ich sah das, ich hätte ihn gewiß geschlagen. Als ich mich mit einem Sprung über die Verteidigung erhob, dachte ich nicht daran, daß es wieder Ole Zesch war, der das letzte Hindernis bildete, ich nahm nichts mehr wahr als die lange Ecke im Tor und den doppelten Brustring des gegnerischen Spielers, und ich sah den Ball schon im oberen rechten Eck, mit diesem unfehlbaren Instinkt, der uns in einer Sekunde erlaubt, ein Resultat vorwegzunehmen. Berührte ich ihn im Sprung? Ole Zesch stand unmittelbar vor mir, er konnte also auf kurzem Raum handeln, jedenfalls ohne weit hergeholte und erkennbare Gesten. Eine Drehung genügte, eine gewaltsame Drehung, aus der er mir den Ellenbogen wieder in den Körper stieß. Er traf mein Geschlecht, und der Schmerz überwältigte mich mitten im Sprung, so daß ich auf ihn stürzte. Der Schmerz riß mich von den Beinen. Nachdem Plessen und der Schiedsrichter mir geholfen hatten, hochzukommen, konnte ich immer noch nicht aufrecht gehen; gegen diesen Schmerz konnte ich den Körper nicht strecken.

Der Schiedsrichter unterbrach das Spiel, bis Klaus wieder auf den Beinen war, und danach gab es – was der Bodelsbacher Anhang mit Beifall quittierte – keinen Strafwurf, sondern nur einen Schiedsrichterball. Wenn es einen Siebenmeter gegeben hätte, wir hätten ihn ausgeführt, selbstverständlich, jedoch ohne den Grund erkannt zu haben; denn ebenso wie der Schiedsrichter hatte keiner von uns eine Regelwidrigkeit entdecken können. Niemand protestierte gegen diese Entscheidung, niemand außer Klaus: gekrümmt, mit verzerrtem Gesicht, verfolgte er den Schiedsrichter, stellte ihn an unserem Schutzkreis, beschwerte sich und forderte ihn auf, seine Entscheidung zu korrigieren. Ob er nichts gesehen habe? Ob er unparteiisch sei? Ob er nicht besser einem Hebammen-Wettkampf pfeifen wolle? Der Schiedsrichter ermahnte ihn.

Sie nahmen wohl alle an, daß es meine alte Sehnenverletzung war, die sich bemerkbar machte; deshalb mißbilligten sie meine Forderungen an den Schiedsrichter. Aber ich mußte ihm sein Versäumnis beibringen; nun, da es zum zweiten Mal geschehen war, mußte ich ihn darauf hinweisen, was geschehen war – selbst auf die Gefahr hin, daß er mich ermahnte. Und er ermahnte mich prompt – im gleichen Augenblick, in dem Bodelsbach den Ausgleich erzielte. Acht zu acht stand es; Plessen gab mir ein Zeichen, das Spielfeld zu verlassen, jetzt wollte er mich austauschen, doch ich übersah die Aufforderung. Obwohl ich nicht mithalten konnte: für ein Angriffsspiel wollte ich noch dabeisein, zurückhängend, weit zurückhängend, um Hartwig zu bedienen; einen Angriff wollte ich nur noch mitmachen, um dann freiwillig vom Feld zu gehn.

Warum ging Klaus nicht auf die Reservebank, obwohl Plessen ihn mehrmals dazu aufforderte? Humpelnd, eine Hand auf seinen Unterleib gepreßt, bewegte er sich auf Rechtsaußen, stolperte mit, fing jedoch sicher und hart, als er angespielt wurde, und paßte, was wohl keiner ihm zugetraut hatte, sehr genau, vor allem unvermutet zu Hartwig hinüber, der kurz vor dem Kreis bereitstand. Hartwig fing, doch Ole Zesch schlug ihm den Ball aus der Hand, und es gab Freiwurf. Wir waren noch unschlüssig, wer den Freiwurf ausführen sollte, da hatte Klaus schon den Ball in der Hand.

Ich angelte mir den Ball und wartete auf den Pfiff des Schiedsrichters, geduckt – denn der Schmerz erlaubte es mir immer noch nicht, mich aufzurichten – und aus den Augenwinkeln die Positionen unserer Spieler erkundend. In diesem Augenblick hatte ich mich noch nicht entschieden, wem ich den Ball zuspielen würde. Wenige Schritte vor mir, ruhig, spreizbeinig, den Kopf in die Schultern eingezogen, erwartete Ole Zesch den Pfiff, seine Finger machten vorsorgliche Greifbewegungen, als wolle er sie für eine besondere Aktion lockern. Dann kam der Pfiff, und ich legte alle meine Kraft in den Wurf. Der Ball traf Ole Zesch im Gesicht, mit hellem Dröhnen. Ich sah, wie sein Kopf zurückgeschleudert wurde, wie er die Hände vor das Gesicht riß und gebückt auf seinen Tormann zulief, wobei er sich um sich selbst drehte.

Wen würde Klaus anspielen, so fragten wir uns, als er darauf bestand, den Freiwurf auszuführen; keiner empfing ein Signal, also mußte jeder von uns damit rechnen. Es war vier Minuten vor dem Ende des Spiels, und bei Gleichstand. Wer weiß, vielleicht beweist gerade dies, daß er keinem von uns signalisierte, auf sein Abspiel gefaßt zu sein, daß er etwas vorhatte von Anbeginn, eine unangemessene Vergeltung, oder daß er sich eine Genugtuung verschaffen wollte, die keinem nützte, am wenigsten ihm selbst. Wie er sich sammelte zum Wurf! Wie Verbitterung ihm half, zusätzliche Kraft zu finden! Er stand nur wenige Schritte vor Ole Zesch, und aus dieser Nähe traf er ihn mitten ins Gesicht. Es war nicht der Anhang von Bodelsbach allein, der, nach einer Pause der Fassungslosigkeit, Klaus mit Pfiffen und Zischen bedachte und dann mit wildem Beifall, als der Schiedsrichter auf ihn zulief und zu einer Geste erstarrte, die seine Entscheidung ausdrückte:

Feldverweis. Vier Minuten vor Schluß wurde Klaus des Feldes verwiesen, wir sahen ihm nicht nach.

Diesmal, ja, bei meinem Freiwurf glaubte der Schiedsrichter ein Foul entdeckt zu haben, er schoß auf mich zu, erstarrte, sein ausgestreckter Arm, sein überlanger Zeigefinger wiesen zur Reservebank, vielleicht auch gleich zum Ausgang. Ich blickte zu unseren Leuten: warum umringten, bedrängten sie ihn nicht? Warum nahmen sie ihn nicht in die Zange und setzten ihn unter Druck, seine Entscheidung zu widerrufen? Warum standen sie so mutlos und kopfhängerisch da, bei einem Feldverweis, vier Minuten vor Schluß? Wie konnten sie einverstanden sein mit dieser Entscheidung? Ich sah auf den Schiedsrichter, der immer noch Wegweiser spielte, starr und unnachgiebig. Ich ging vom Platz, ging durch ein Spalier der Mutlosigkeit und später der Empörung, als ich den Gang zwischen den Bodelsbacher Anhängern passierte.

Als Klaus vom Platz ging, in Richtung zur Reservebank, forderte Plessen ihn nicht auf, sich zu setzen. Unser Trainer schien ihn nicht wahrzunehmen, und nach kurzem Zögern ging Klaus, eine Hand auf seinen Unterleib gepreßt, ohne Eile oder Betroffenheit – eher mit einem Ausdruck zager Geringschätzung – den Tribünengang hinauf zu den Kabinen. Er wandte sich nicht ein einziges Mal um, zu uns, zum Spielfeld, wo der Schiedsrichter aus seiner Starre erwachte und mit einem Pfiff das Spiel weitergehen ließ. Im Davongehen sah er nicht so aus, als hätte er Lust, sich vor uns zu rechtfertigen.

Ich ging in die Kabine und zog mich an, und ich war noch nicht fertig, als dunkler Beifall und ein Trampeln und Hämmern in der Halle ein neues Resultat verkündeten: Bodelsbach, mit einem Mann mehr auf dem Feld, war in Führung gegangen. Ich wußte, daß es zwischen uns nichts zu sagen gab, später, nach dem Spiel: Plessen hätte geschwiegen, und alle aus der Mannschaft hätten geschwiegen; vielleicht hätten sie es fertigbekommen, in meiner Gegenwart über das Spiel zu sprechen, ohne mich zu erwähnen, jedenfalls hätten sie mir auf ihre Art zu verstehen gegeben, wieviel der Mannschaft an mir lag. Warum sollte ich da bis zum Ende des Spiels warten?

1969

Herr und Frau S. in Erwartung ihrer Gäste

ANNE Die Schnittchen, Henry ... Schau dir nur an, wie die
Schnittchen aussehen ... nach zwei Stunden.

HENRY Grau?

ANNE Papsig ... papsig und aufgeweicht.

HENRY Der Salat war zu feucht, Anne, du hast ihn zu lange gewaschen.

ANNE Vielleicht habe ich die Schnittchen zu früh gemacht.

HENRY Alle Schnittchen werden zu früh gemacht ... Aber sie werden
nicht anders schmecken als die Schnittchen, die man uns überall
vorsetzt.

ANNE Du meinst, unsere Gäste werden sich heimisch fühlen?

HENRY In jedem Fall können sie deine Salatblätter mitessen.

ANNE Eben. Und eine Schildkröte wird hoffentlich dabeisein.

HENRY Eine Schildkröte wird sich ein Salatblatt auf ein Schnittchen
legen ... und andere werden es ihr nachtun ... Du wirst schon nicht
darauf sitzenbleiben.

ANNE Von mir aus könnten sie jetzt kommen.

HENRY Es ist erst zwanzig nach sieben ... und wir hatten ausgemacht:
um acht.

ANNE Soll ich sie gleich hinstellen? Die Schnittchen, meine ich.

HENRY Ich werde uns was zu trinken machen, Anne.

ANNE Du versprichst mir, gleich mitzuessen?

HENRY Ich verspreche es ... Wieviel Eisstückchen heute?

ANNE Zwei bitte ... Henry? Verstehst du das?

HENRY Was?

ANNE Wir erfinden soviel ... Warum muß es ausgerechnet
Schnittchen geben, wenn Menschen zusammenkommen? Könnten
wir uns nicht auf etwas anderes einigen?

HENRY Das wäre eine lohnende Aufgabe. Ein Lebenswerk.

ANNE Ich meine es im Ernst.

HENRY Hier, Anne, trinken wir auf deine Idee.

ANNE Wieso meine Idee?

HENRY Dieser Abend war deine Idee, oder? Du hattest doch
vorgeschlagen, Unbekannte einzuladen.

ANNE Du beginnst sehr früh, mir die Verantwortung zuzuschieben.

HENRY Du hast den Vorschlag gemacht ... Erinnere dich ... Jeder
sollte Leute einladen, die der andere nicht kennt ... Stimmt's?

ANNE Nein, Henry, es war *unsere* Idee ... am Hochzeitstag.

HENRY An userm achten Hochzeitstag, ich weiß ...

ANNE Du sagtest: jeder ist ein Eisberg.

HENRY Ich sagte, was zu sehen ist, ist nicht alles ... Jeder reicht in eine private Dunkelheit.

ANNE Du hattest gerade Colins übersetzt – diesen modernen Schotten ... Sind wir nicht überhaupt von ihm ausgegangen? Es war eine schwierige Übersetzung – »Die privaten Friedhöfe«.

HENRY Ich weiß, Anne ... Zuerst war es ein Übersetzungsproblem ... aber dann hast du den Vorschlag gemacht.

ANNE Gefragt, Henry ... Ich habe zuerst nur gefragt, ob das zutrifft ... Ob jeder seine – seine sechs unsichtbaren Siebtel hat wie der Eisberg ... Ist es nicht so?

HENRY Du wolltest es darauf ankommen lassen.

ANNE Auch bei uns, an userm achten Hochzeitstag.

HENRY Und dann, Anne, dann hattest du die Idee, Unbekannte einzuladen.

ANNE Das stimmt nicht ... Es stimmt nicht ganz ... Wir haben ein Abkommen geschlossen.

HENRY Später ... Das Abkommen haben wir erst später geschlossen ... Zuerst war die Idee, jemanden einzuladen, den der andere nicht kennt, Leute, die man nie voreinander erwähnt hat, die aber dennoch eine Bedeutung hatten ... entscheidende Bedeutung.

ANNE Oh, Henry, wollen wir nicht erst trinken?

HENRY Diese Idee ist von mir.

ANNE Machst du dir Sorgen?

HENRY Warum? Wir haben ein Abkommen geschlossen: wenn die Gäste fort sind, wird sich nichts geändert haben ... Das genügt mir.

ANNE Bist du sicher, daß sich nichts ändern wird?

HENRY Nein, ich bin nicht sicher.

ANNE Wie viele hast du eingeladen? Zwei?

HENRY Es soll doch eine Überraschung sein, oder?

ANNE Ein Ehepaar?

HENRY Gewissermaßen.

ANNE Was verstehst du unter: gewissermaßen?

HENRY Sie leben zusammen. Wie ein Ehepaar.

ANNE Und sind keins?

HENRY Wenn du so weitermachst, Anne ... du wirst dich noch selbst um die Überraschung bringen.

ANNE Aber ... Bist du denn nicht gespannt, wen ich eingeladen habe?

HENRY Nein – das heißt natürlich, doch ... Sogar sehr gespannt. Ich muß an mich halten, um keine Vermutungen anzustellen.

ANNE Henry? Weißt du, was deine Gäste trinken?

HENRY Nein. Und du?

ANNE Nein. Ich habe für alle Fälle Fruchtsaft hingestellt. Gin, Bier, Fruchtsaft: ob das genügt?

HENRY Ich habe schon trockener gesessen.

ANNE Hoffentlich hat keiner eine Ei-Allergie ... Die Eischnittchen hätte ich dann umsonst gemacht.

HENRY Ich werde aufpassen und für einen Ausgleich sorgen.

ANNE Henry? Ich – auf einmal ...

HENRY Hast du Bedenken? Jetzt sind sie unterwegs ... Wir können sie nicht mehr ausladen.

ANNE Keine Bedenken, nein ... Aber ein Gefühl ... In einem Ferienlager, als Mädchen ... Wir mußten eine Mutprobe machen – in eine Grube springen, weißt du, die mit einer Zeltplane abgedeckt war. Du konntest den Grund nicht erkennen.

HENRY Kann sein, daß wir Verstauchungen haben – wenn der Besuch gegangen ist.

ANNE Dir macht es wohl gar nichts aus?

HENRY Noch ein Glas?

ANNE Und du befürchtest nichts? Nein, danke.

HENRY In unserer Abmachung ist vorgesehen, daß wir uns nichts ersparen wollten. Ich bin auf einiges gefaßt.

ANNE Darf ich auch – auf einiges gefaßt sein?

HENRY Mhm.

ANNE Werde ich dich, sagen wir mal, in neuem Licht sehen?

HENRY Mhm.

ANNE Frei nach den »Privaten Friedhöfen«? ... *Dich hat die Nähe unkenntlich gemacht.*

HENRY So ungefähr.

ANNE Eins ist sicher, Henry – ein vergnügter Abend wird es nicht.

HENRY Vielleicht, wenn unsere Gäste gut aufgelegt sind? Wenn sie Gefallen aneinander finden? Denk nur an Oskar.

ANNE Wenn ihr aufeinandertrefft, wird's heiter.

HENRY Wenn sie sich gegenseitig stimulieren ...

ANNE ... ist der Abend gerettet. Wolltest du das sagen?

HENRY Nein, aber die Zeit wird schneller vergehn.

ANNE Wird sie uns nicht vergehn?

HENRY Ich weiß nicht, Anne ... Es ist möglich, daß wir eine eigene
Zeit haben werden ... Sie – ihre ... Wir – unsere Zeit.

ANNE Und ich kenne sie wirklich nicht, deine Gäste?

HENRY Wir hatten doch ausgemacht: Unbekannte ... Leute, über die
wir nie miteinander gesprochen haben.

ANNE Ja, ja, Henry ... aber trotzdem ... du hättest ja mal ein Wort
verloren haben können ... nicht?

HENRY Bereust du es schon? Die Einladung, meine ich.

ANNE Es ist merkwürdig, ich weiß ... aber ich bilde mir ein, daß sich
schon jetzt etwas verändert hat. Geht es dir auch so? ... Doch,
Henry, gib mir noch ein Glas ... Aber nicht aus der Karaffe. Die soll
voll bleiben ... einfach aus der Dose.

HENRY Wenn sie gegangen sind, wissen wir mehr über uns.

ANNE Werden deine Gäste lange bleiben? Ich meine ... sind das Leute
mit Sitzfleisch?

HENRY Du fragst zuviel, Anne. Wart doch ab.

ANNE Meine jedenfalls ... Ich kann mir vorstellen, daß sie früh
aufbrechen ... Ältere Leute – wesentlich älter als wir. Um elf sind sie
müde, schätze ich ... Und dein sogenanntes Ehepaar – sind die älter
als wir?

HENRY Jetzt wissen wir immerhin schon etwas.

ANNE Etwas Gin, bitte ... Tu noch etwas Gin in den Saft ... Danke ...
Mit Eis müssen wir sparen – vor drei Stunden gibt der Kühlschrank
nichts her ... Also deine Gäste sind nicht älter als wir.

HENRY Du wirst sie sehen. Noch eine halbe Stunde, wenn sie
pünktlich sind.

ANNE Und was gewinnen wir dadurch?

HENRY Wodurch?

ANNE Daß wir uns gegenseitig überraschen? Es genügt doch, wenn
der Tausch stattfindet ... Jeder gibt dem anderen ein dunkles
Kapitel: fertig. Warum müssen wir uns dabei noch überraschen?

HENRY Wir hatten es so ausgemacht.

ANNE Das können wir ändern ... Vermutlich, Henry ... wenn sie hier herumsitzen, Nüsse knabbern ... wenn wir ihnen zuprosten: glaubst du, daß das eine Gelegenheit ist, Karten aufzudecken?

HENRY Nüsse knabbern? Warum nicht? Warum soll man bei einem Geständnis keine Nüsse knabbern? Ich finde es sogar sehr angebracht ... erstens beruhigt es, zweitens nimmt es dem Augenblick jegliches Pathos.

ANNE Werden wir ihnen sagen, warum wir sie eingeladen haben?

HENRY Das wird sich wohl ergeben – früher oder später.

ANNE Und wenn sie es in den falschen Hals bekommen? Was dann?

HENRY Dann ... Ich vermute, dann wird sich der Abend nicht sehr lange hinziehen.

ANNE Hör zu, Henry ... Meine Gäste sind Mitte Sechzig ... verheiratet ... sie heißen Jacobson.

HENRY Warum sagst du das?

ANNE Weil ich es will ... Weil ich nichts dem Zufall überlassen möchte – und weil wir auch an sie denken müssen.

HENRY Du bist ungeduldig, Anne.

ANNE Ich bin nicht ungeduldig.

HENRY Dann hast du ein schlechtes Gewissen ... auf einmal ...

ANNE Nein. Ich habe auch kein schlechtes Gewissen ... Die Leute, die ich eingeladen habe ... Du weißt ja nicht, was geschehen ist ... fair ... nach allem muß ich einfach fair sein.

HENRY Späte Entdeckung, oder? Als du die Schnittchen gemacht hast, dachtest du noch nicht an das Risiko.

ANNE Der Mann, Henry, der gleich zu uns kommen wird ...

HENRY ... in einer halben Stunde erst ...

ANNE ... den ich mit seiner Frau eingeladen habe ... du weißt es nicht, woher auch?

HENRY Du verstößt gegen die Spielregeln.

ANNE Nein. Das Spiel hat aufgehört ... Jetzt brauchen wir Regeln für den Ernstfall.

HENRY Ernstfall? Du sagtest: Ernstfall?

ANNE Dieser Mann kann es dir bestätigen, Henry ... ich bin zu ihm gegangen ... an einem Abend ... um ihn zu töten.

HENRY Was du nicht sagst ... Darf man fragen, welche Todesart du für ihn ausgesucht hattest?

ANNE Der einzige Mensch, den ich töten wollte.

HENRY Aber doch nur vorübergehend, nur so ein bißchen, hoffe ich.

ANNE Du kommst dir wohl sehr überlegen vor ... aber du wirst dich
wundern ... Du wirst dich noch wundern, Henry ... Er wird dir alles
bestätigen.
HENRY Zumindest verstehe ich, warum du nie darüber gesprochen
hast.
ANNE Vater ... Mein Vater, Henry, ist nicht gestorben.
HENRY Nicht?
ANNE Er hat Selbstmord verübt ...   1013
HENRY Ich war damals auf einem Übersetzer-Kongreß in Belgrad.
ANNE Du warst gerade auf einem Übersetzer-Kongreß, ja. Wir haben
dir nicht telegraphiert ... Vater ist nicht einfach gestorben ... Er hat
sich erhängt ... Er sah keinen Ausweg mehr, da hat er das getan ...
Gib mir noch ein Stück Eis ... Ja ... Es sind jetzt sieben Jahre her ...
Du sagst nichts?
HENRY Draußen klappte eine Autotür. Ich wollte nur mal nachsehn.
ANNE Erinnerst du dich noch an die Zeile? Du hast sie mir vorgelesen:
*Der sicherste Besitz, den uns niemand bestreitet, sind unsere privaten
Friedhöfe.*
HENRY Warum, Anne, warum hat dein Vater Selbstmord verübt?
ANNE Wir hatten ausgemacht, uns nichts zu ersparen ... mit unseren
Einladungen, meine ich.
HENRY Also?
ANNE Er wird's dir bestätigen ... nachher ... Jacobson ... So wie er's
mir bestätigt hat ... Vater war nicht der Mann, für den wir ihn
hielten – nicht der kleine Einzelgänger, auf den die Großen es
abgesehen hatten ... Er war es nicht.
HENRY Aber es war sein Geschäft ...?
ANNE Geschäft? Wenn du das ein Geschäft nennen willst ... Eine
Bude ... eine Höhle ... eine Annahmestelle für Wetten war es, wo
die Kerle mit dem Hut auf dem Kopf herumstanden und in den
Zähnen stocherten ... Geschäft ... Bei diesen Leuten war Vater
beliebt ... Ihnen gab er Tips – und sie gaben ihm Tips ...
HENRY Und dein Gast Jacobson war einer von ihnen ...
ANNE Nein. Der Mann, den ich eingeladen habe, gehört nicht zu
ihnen ... Ich weiß nicht, wie es heute ist ... Damals jedenfalls
gehörten ihm alle Wettannahmestellen hier in der Stadt ... alle.
HENRY Bis auf eine.

ANNE Sie haben meinem Vater Verkaufsangebote gemacht ... Er konnte sich nicht davon trennen.

HENRY Er hat doch selbst gewettet ... Wenn ich nicht irre, war er einer seiner besten Kunden. Oder?

ANNE Vater hatte die sichersten Tips ... er kannte die Stammbäume aller Pferdefamilien ... der berühmtesten wenigstens ... wie oft hat er mich angepumpt ... Oh, Henry ... wie zärtlich er sein konnte, wie vergnügt, wenn er sich bei uns Geld pumpte.

HENRY Unter uns: er hat auch mich angepumpt, Anne. Wir waren noch nicht einmal verheiratet.

ANNE Und du hast ihm was geliehen?

HENRY Geschenkt ... vorsorglich habe ich's ihm gleich geschenkt.

ANNE Er konnte alles vergessen.

HENRY Immerhin ... Er hat mich umarmt ... Ziemlich heftig sogar ... Und er nannte mich einen noblen Schwiegersohn.

ANNE Wir kannten ihn ... und wußten viel zuwenig ... Er sprach über alles nur in Andeutungen ...

HENRY ... wenn es nicht um Summen ging.

ANNE Deshalb erfuhren wir nichts von seinen Schwierigkeiten ... Nur manchmal, wenn er glaubte, uns eine Pleite erklären zu müssen ... Sie wollen mich fertigmachen, sagte er dann – der große Jacobson will mich mit allen Mitteln fertigmachen.

HENRY Eine Zigarette, Anne?

ANNE Mit keinem Wort erwähnte er, daß er seine Höhle längst verkauft hatte ... nein, danke ... Daß ihm nichts mehr gehörte außer seiner Leidenschaft.

HENRY Also hatte Jacobson es geschafft.

ANNE Jacobson hatte den Laden gekauft, ja ... Vater durfte als Geschäftsführer bleiben ... so eine Art Geschäftsführer ... na, du weißt schon ...

HENRY Und ihr? Ihr wußtet das alles nicht?

ANNE Wir wußten nichts ... Wir erfuhren nur, daß da etwas Großes, Übles im Gange sei ... eine Treibjagd, die Jacobson veranstalten ließ ... auf Vater ... Jacobson – du hättest hören sollen, wie er diesen Namen aussprach ... mit welcher Erbitterung.

HENRY Das Telephon ...

ANNE Du brauchst nicht ranzugehn ... Leitungsreparaturen. Sie haben sich im voraus entschuldigt.

HENRY Ich dachte schon, einer würde absagen.

ANNE So spät? ... Siehst du, es ist still ... So spät kann man doch wohl nicht mehr absagen ... Jacobson ... wenn sein Name fiel, sah ich ihn hinter Vaters Stuhl stehen, riesig, eine Schlinge in der Hand ... er war einfach da.

HENRY Vermutlich ist er klein und zart ... dein Gast.

ANNE Und als es passierte ...

HENRY ... mit Jacobson ...

ANNE ... mit Vater ... du warst auf diesem Übersetzer-Kongreß in Belgrad ... am Schrank ... Er hatte sich am Schrank erhängt ... Als sie mir die Nachricht brachten ... als ich ihn dann sah ... Oh, Henry ... er sah so gehetzt aus, auch im Tod, so gehetzt und schäbig ... Vielleicht hättest du es auch getan.

HENRY Was, Anne?

ANNE Ich versprach mir etwas ... als ich ihn so sah, schwor ich mir etwas ...

HENRY Sühne.

ANNE Mit diesem Tod wollte ich mich nicht abfinden. Von mir aus nenn es Vergeltung. Du warst weg ... Es gab nur einen einzigen Gedanken ... Dann, am Abend, nahm ich deine Pistole.

HENRY Sie war geladen. Und mit dem Ding in der Handtasche fuhrst du zu ihm nach Hause.

ANNE Zuerst nach Hause ... dann ins Büro ... Er war noch im Büro und arbeitete ... Er war allein.

HENRY Kanntest du ihn? Ich meine: wart ihr euch begegnet – vorher?

ANNE Wir machten uns bekannt ... Er war schnell im Bilde ... er begriff ... du wirst ihn ja kennenlernen ... du wirst erleben, daß er selten nachfragt ... Ich sagte ihm, warum ich gekommen sei ...

HENRY Und die Folgen ... hattest du nicht an die Folgen gedacht?

ANNE Ja, Henry. Ich hatte – seltsamerweise – an die Folgen gedacht ... Notwehr ... ich wollte so vorgehen, daß alles wie Notwehr ausgesehen hätte ... Es gab keine Zeugen ... es war Abend ... wir waren allein in seinem Büro ... ich hätte in Notwehr gehandelt ... obwohl ...

HENRY Obwohl?

ANNE Er wirkt noch älter, als er ist ... ein zarter Mann, müdes Gesicht ... müde Beine.

HENRY Unterschätz diesen Typ nicht. Und weiter?

ANNE Er ist nur die Hälfte von mir ... ein sehr zarter Mann. Vielleicht hätte man mir die Notwehr auch nicht geglaubt. Doch ich wollte dabei bleiben ... Ich hab es ihm auch gesagt.

HENRY Du hast es ihm gesagt, Anne?

ANNE Er sollte alles wissen ... warum ich gekommen war ... wie es ausgehen würde ... und er ließ mich aussprechen ... er nickte und hörte mir zu.

HENRY Was sollte er anderes tun? Fand er es nicht – freundlich von dir?

ANNE Freundlich? Was?

HENRY Daß du ihn nicht im unklaren darüber ließest ... warum du ihn töten wolltest? Ich meine, man kann auch ohne Erklärungen schießen.

ANNE Deine Ironie, Henry ... ich glaube, sie ist unangebracht ... Vaters Tod ... er hatte Schuld an Vaters Tod ... er hat ihn fertiggemacht ... ich hab es ihm gesagt ... und ich sagte ihm auch, daß ich ihn töten würde.

HENRY Da du ihn eingeladen hast: offensichtlich hat er es überlebt.

ANNE Traust du es mir nicht zu? Du glaubst wohl nicht, daß ich geschossen hätte ...

HENRY Doch, Anne – jetzt ... ich trau es dir zu ... ich muß es dir zutrauen.

ANNE Ich hätte es auch getan ... doch dann ... du hättest ihn erleben sollen ... diese Unsicherheit ... diese Unentschiedenheit ... er sah mich nur an und schüttelte den Kopf ...

HENRY Immerhin – es war eine Überraschung.

ANNE Nicht aus Überraschung ... Er war einfach unsicher, ob er das Bild zerstören sollte – das Bild, das ich von Vater hatte ... Ich weiß nicht genau, Henry ... aber ich glaube es ... Jacobson schwankte, ob er mir reinen Wein einschenken sollte.

HENRY Weil er dich schonen wollte?

ANNE Weil er mir etwas ersparen wollte, ja ... So weit ist er gegangen ... Er wußte, wer Vater war ... er kannte ihn besser als wir ... Weißt du noch? In den »Privaten Friedhöfen« ... *Schick keinen fort, der dir anbietet, das Wissen der Nacht zu teilen.*

HENRY Also, Jacobson hat dir die Augen geöffnet?

ANNE Vater hat sein Geschäft freiwillig verkauft ... Ach, Henry ... als ihm das Wasser am Hals stand ... als auch Bestechungen nicht mehr

weiterhalfen – da hat er verkauft ... an Jacobson. Jacobson gab ihm
eine Chance ... sogar eine zweite Chance gab er ihm, nachdem die
Unterschlagungen aufgedeckt waren ... Vater – er hatte
Unterschlagungen gemacht ...

HENRY Wenn es nicht so gewesen wäre ... Stell dir vor, du hättest
Jacobson getötet ... stell dir vor, Anne ...

ANNE Du siehst auf einmal so erschrocken aus.

HENRY Nahm er dir die Pistole fort?

ANNE Ich blieb lange bei ihm ... Er erzählte von Vater – all das, was
keiner von uns wußte ... Ich konnte ihm anmerken, wie schwer es
ihm fiel ... Er zeigte mir Beweise ... Nein, er nahm mir die Pistole
nicht fort. Und als ich gehen wollte ...

HENRY Was da?

ANNE Er gab mir etwas zu trinken.

HENRY Eine gute Idee ... Bevor unsere Gäste kommen: ich werde mir
auch etwas zu trinken machen.

ANNE Mutter weigerte sich ... Sie wollte sich nicht von ihm helfen
lassen.

HENRY Er hat euch geholfen?

ANNE Später, ja ... doch Mutter weigerte sich, von ihm etwas
anzunehmen ... Da haben wir uns verbündet, Jacobson und ich ...
Mutter weiß heute noch nicht, daß es sein Geld war, das ich ihr
brachte.

HENRY Ihr habt euch also oft gesehen, Jacobson und du?

ANNE Manchmal ... in der ersten Zeit ... Seit Jahren nicht mehr.

HENRY Und ich, Anne, ich hab nichts gemerkt davon ... nichts
gewußt.

ANNE Einmal, Henry, es ist lange her ... du hattest gerade den Sellers
übersetzt, »Die Verstecke« ... diese Frau, die nichts für sich behalten
konnte, erinnerst du dich? Barbara Piggot hieß sie. Du sagtest, sie
hätte etwas von mir ... sie mußte einfach reden ... alles
weitergeben ... Ich sagte dir, daß man auch zur Tarnung reden
kann ... Du nanntest sie einen Sender ohne Richtstrahler.

HENRY Wann hast du ihn zum letzten Mal gesehn ... Jacobson?

ANNE Vor fünf Jahren ... Es müssen fünf Jahre hersein ... Ich glaube,
du wirst dich mit ihm verstehn.

HENRY Und seine Frau?

ANNE Ein großer nickender Hut ... Mehr weiß ich nicht von ihr.

HENRY Weiß sie, was du mit ihm vorhattest?

ANNE Nein ... ich weiß nicht ... Wird's dir ungemütlich? Ich meine, bekommst du kalte Füße?

HENRY Vor unserm Abend? Wir wollten es darauf ankommen lassen ... Wir hatten ausgemacht, uns nichts zu ersparen.

ANNE Die unbekannten Siebtel des Eisberges.

HENRY Eben.

ANNE Jedenfalls kennst du nun meine Gäste.

HENRY Sie sind noch unbekannt genug.

ANNE Ich mußte es dir sagen, ihretwegen.

HENRY Und für Überraschungen ist auch noch Platz ... Vielleicht, Anne ... Glaubst du immer noch, daß es eine gute Idee war, Leute einzuladen, die man nie voreinander erwähnt hat?

ANNE Du meinst, wir gewinnen nichts damit?

HENRY Still ... Die ersten kommen.

ANNE Es hat bei Lauterbach geklingelt, nicht bei uns. Es ist ja erst Viertel vor ... Du sagst sowenig ...

HENRY Was soll ich tun? Punkte verteilen? Die ganze Geschichte nachmessen und erklären, daß ich dich nun erst richtig kenne?

ANNE Wir hatten ausgemacht, Henry, daß sich nichts ändert.

HENRY Ja, nur haben wir etwas dabei übersehen.

ANNE Die andern?

HENRY Uns ... Wir haben nicht berücksichtigt, daß uns jedes neue Wissen verändert.

ANNE Wenn erst alles hinter uns liegt ... dieser Abend.

HENRY Ja.

ANNE Ist es auch dein Wunsch?

HENRY Ja ... Übrigens, ich habe nur einen Gast gebeten ...

ANNE Einen? Ich denke, deine Gäste sind verheiratet ... Du sagtest doch, sie sind gewissermaßen verheiratet.

HENRY Nur einer kann kommen.

ANNE Sie?

HENRY Er. – Nur er wird kommen.

ANNE Wir haben viel zuviel Schnittchen. Hoffentlich ist er ein guter Esser.

HENRY Er wird länger dableiben, Anne. Ich meine – mein Gast wird vorerst mit uns leben.

ANNE Bis die Schnittchen aufgegessen sind?

HENRY Vielleicht wirst du ihn nie mehr los ... Wart ab.

ANNE Schöne Aussichten ... Und du hast wirklich nie von ihm gesprochen? In Andeutungen?

HENRY Kann sein, er wird dir bekannt vorkommen – nach einer Weile ... Wir sind etwa gleichaltrig.

ANNE Doch nicht dieser Bibliothekar, Henry?

HENRY Er heißt Julius Gassmann. Du kennst ihn nicht ... Er ist kein Bibliothekar.

ANNE Ist er ein Langweiler?

HENRY Biologe ... Das heißt, er war es, eine Zeitlang ... genauer: er wollte es werden.

ANNE Ich schätze, Henry, ihr habt euch lange nicht gesehn.

HENRY Sehr lange, ja ... zuletzt ... es war kurz vor Ende des Krieges.

ANNE Hoffentlich erkennt ihr euch überhaupt wieder ... Bist du ihm wiederbegegnet? Jetzt?

HENRY Ich hab ihn nie vergessen ... nie aus den Augen verloren ... Julius Gassmann war immer da.

ANNE Und du hast mir nie von ihm erzählt?

HENRY Heute, Anne ... Wir hatten doch abgemacht, heute Gäste einzuladen, die wir nie voreinander erwähnt haben ... Unbekannte ... auf jede Gefahr hin.

ANNE Gib mir etwas zu trinken, bitte ... Ob wir lüften sollten? Schnell noch mal?

HENRY Ich habe lange darüber nachgedacht, wer es sein könnte, mit dem ich dich bekannt machen sollte ... Jetzt ist es an der Zeit, daß du ihn kennenlernst.

ANNE Julius Gassmann?

HENRY Keiner hat soviel Bedeutung für mich gehabt wie er ... in gewisser Weise wäre ich nichts ohne ihn. Wie nennt man das beim Veredeln?

ANNE Beim Veredeln? Was meinst du, Henry?

HENRY Ist das Geißfuß-Pfropfen? Wenn man einen Ast einkerbt ... wenn man ihn an einem anderen eingekerbten Ast befestigt – nennt man es nicht Pfropfen?

ANNE Ich begreif dich nicht.

HENRY Jedenfalls besteht eine Verbindung zwischen uns ... eine feste, schon verwachsene Verbindung ...

ANNE Wie in den »Privaten Friedhöfen«: *Hör zu und zeig dich nie,*
mein heimlicher Begleiter.

HENRY Julius Gassmann ... am Schluß erwischten sie ihn doch noch.

ANNE Sie erwischten ihn?

HENRY Gefangenschaft ... kurz vor Schluß kam er noch in
Gefangenschaft ... den fünfundzwanzigsten Geburtstag hat er an
Bord erlebt ... auf dem Atlantik ...

ANNE Du hast ihn auf einem Schiff getroffen?

HENRY Es war ein Frachter ... voll mit Gefangenen ... Sie brachten sie
nach drüben ... ein großer Konvoi, fast dreißig Schiffe ... draußen
operierten immer noch einige U-Boote ...

ANNE Dann ist er dein Jahrgang, Henry.

HENRY Sie hatten ihn registriert und mit einem Sammeltransport auf
das Schiff gebracht – es sollte nach Boston gehen ... Einige sprachen
auch von Philadelphia ...

ANNE Kein Eis, danke ... Ihr wart also auf dem gleichen Schiff.

HENRY Als es passierte, waren viele im Waschraum ... auch Julius
Gassmann. Es passierte im Morgengrauen. Wir wurden torpediert.

ANNE Du hast es schon einmal erzählt: ein eigener Torpedo.

HENRY Sie konnten es nicht wissen ... Viele waren im Waschraum, so
einem Behelfswaschraum ... es gab gleich Wassereinbruch ... in
einem trüben Gang vor dem Waschraum hingen die Jacken, die
Uniformjacken ... Das heißt, sie lagen auf einer schmalen
Holzbank ... An der Tür keilte sich alles fest, doch Gassmann kam
noch raus ... Julius Gassmann schaffte es.

ANNE In so einem Augenblick, Henry, denkt man da noch an seine
Jacke?

HENRY Einige denken sogar an die Zahnbürste ... Das Schiff sank
schnell, und es sanken noch zwei andere Schiffe ... Julius
Gassmann, er wurde aufgefischt ... Ein Zerstörer nahm ihn an Bord,
und auf ihm blieb er, bis sie nach. Baltimore kamen.

ANNE Warst du auf demselben Schiff?

HENRY Du wirst sehn ... Es wurden nicht sehr viele gerettet ...
Außerdem ... vor der amerikanischen Küste löste sich der Konvoi
auf ... Julius Gassmann kam nach Baltimore; aber seinen Beschluß,
den hatte er schon früher gefaßt ... schon an Bord des Zerstörers.

ANNE Welchen Beschluß, Henry? Was meinst du?

HENRY Seine Einheit ... sie wurden gegen Widerstandskämpfer

eingesetzt ... Er hatte furchtbare Vergeltungsaktionen
mitgemacht ... Sogar der Untergrundsender hat darüber
berichtet ... immer wieder ...
ANNE Du wolltest sagen, was Julius Gassmann beschlossen hatte.
HENRY Ja ... an Bord des Zerstörers ... nachdem er gerettet war ... Es
war nicht seine Jacke, die er anhatte. Die Papiere, ich meine: die
Listen waren untergegangen ... er mußte neu registriert werden.
ANNE Unter anderem Namen?
HENRY Er fand Briefe in der Jacke ... eine Blechschachtel mit
Nähzeug, Briefe und einen Ausweis.
ANNE Mit Bild?
HENRY Eigentlich war es nur eine Bescheinigung – ohne Bild ... eine
Bestätigung, daß der Inhaber offiziell als Übersetzer anerkannt
war ... Die Briefe waren schwer leserlich.
ANNE Und das ging glatt? Natürlich, es mußte ja glattgehen ... sie
hatten ihn aufgefischt.
HENRY Als sie ihn aufforderten, seinen Namen zu buchstabieren,
legte er die Bescheinigung vor ... Die Situation ließ keinen Argwohn
zu ... Er wurde neu registriert ... Und dadurch ist er ihr
entkommen.
ANNE Wem?
HENRY Seiner Vergangenheit ... oder doch dem Teil seiner
Vergangenheit, der ihn einiges befürchten ließ ... das halbe Jahr, das
er zu dieser Einheit gehört hatte.
ANNE Wieviel Selbstkontrolle gehört dazu ...
HENRY Er richtete sich einfach ein in diesem angenommenen
Namen ... möblierte die neue Biographie ... natürlich mußte er
aufmerksam leben, seinen Willen anstrengen ... aber dann, im
Lager, passierte es, daß er zum ersten Mal – wie soll ich sagen – den
angenommenen Namen träumte ... im Traum erschien er sich
selbst nicht mehr als Julius Gassmann ... das war die erste
Vereinigung, ja ... so wurde die Vereinigung hergestellt.
ANNE Für die Zeit drüben ... für die Gefangenschaft?
HENRY Stell dir vor, Anne, wir hatten eine Art Lager-Universität ...
dort in Virginia ... man konnte eine Menge Fächer belegen ... Sogar
ein gefangener Gerichtsmediziner hielt Vorlesungen in seinem
Fach ...
ANNE Gassmann vermutlich Sprachen ...

HENRY Gassmann belegte Sprachen, so ist es ... außer Englisch und Französisch auch Italienisch.

ANNE Sag bloß, Henry, daß er drüben auch sein Diplom erhielt.

HENRY Er erhielt es vom Prüfungsausschuß einer amerikanischen Universität ...

ANNE Und das hielt er aus? Das kann doch keiner aushalten.

HENRY Was?

ANNE Wann hat er sich wieder zurückverwandelt? In Julius Gassmann?

HENRY War es notwendig? Es ging sehr gut ohne ihn und ohne die Biologie ... Ein gewisses Risiko gab es selbstverständlich ... mit den Jahren aber wurde es geringer ... Ja, Anne: der andere gefiel ihm ... manchmal hatte er das Gefühl, eine lohnende Aufgabe übernommen zu haben ... lebenslänglich ... Es war, als hätte er der Zufälligkeit der Herkunft seine Wahl entgegengesetzt.

ANNE Aber seine Angehörigen? Er hat doch Angehörige.

HENRY Vermißt ... für sie gilt er als vermißt bei einem Schiffsuntergang.

ANNE Und seine neuen Angehörigen? Die, die er sich eingetauscht hat?

HENRY Einmal erhielt er eine Suchkarte vom Roten Kreuz ... Er tat es als Mißverständnis ab.

ANNE Das sieht ihm ähnlich ... Und bis heute, Henry, bis heute ist er dabei geblieben?

HENRY Ich sagte ja, er hatte das Gefühl, eine lebenslängliche Aufgabe übernommen zu haben.

ANNE Henry?

HENRY Ja?

ANNE Ich – wie soll ich ihn denn anreden? Herr Gassmann? Ich schätze, er hätte etwas dagegen.

HENRY Er heißt auch Henry.

ANNE So wie du?

HENRY Er heißt Henry Schaffer. – Julius Gassmann heißt jetzt Henry Schaffer.

ANNE Das ist nicht wahr!

HENRY Es ist wahr ... Ja, Anne, es ist wahr.

ANNE Das hast du erfunden!

HENRY Julius Gassmann wird nicht kommen, weil er schon hier ist ... Du wirst sehn: er wird nicht kommen ... Glaubst du's nicht?

ANNE Nein, Henry, ich glaub dir nicht.

HENRY Ich kann dir die Briefe zeigen ... und die Bescheinigung des Übersetzerverbandes ...

ANNE Du kannst mir vieles zeigen: ich glaub dir nicht ... Acht Jahre – du kannst doch nicht acht Jahre mit mir zusammenleben – unter anderem Namen.

HENRY Was wäre der Unterschied gewesen – für dich? Du hättest Julius zu mir gesagt ... das wäre alles gewesen.

ANNE Du willst mich doch nur reinlegen – nicht, Henry? Nur reinlegen willst du mich?

HENRY Nein, Anne. Es war deine Idee ... der Eisberg – die unbekannten Siebtel ... Ich hab gesucht und gesucht ... es gibt keinen Unbekannten, den ich hätte einladen können – außer Julius Gassmann ... Und das bin ich selbst ... Ich war es.

ANNE Mein Gott, wenn das stimmt ... Weißt du, was es für mich bedeutet? Für mich, für uns, für diese Ehe?

HENRY Ich sagte ja, mein Gast ist gewissermaßen verheiratet ...

ANNE Bist du dir klar darüber, welche Folgen das haben kann?

HENRY Wenn du mich statt Henry Julius nennst? ... Wir hatten doch ein Abkommen geschlossen: wenn die Gäste fort sind, wird sich nichts geändert haben.

ANNE Alles ist ungültig ... Wenn es stimmt, Henry, dann ist alles ungültig.

HENRY Nichts ist ungültig. Und ich sage dir noch einmal, Anne: es ist wahr ... Der Mann, mit dem ich dich bekannt machen wollte, heißt Julius Gassmann ... Er ist anwesend.

ANNE Ich halt es nicht aus, Henry.

HENRY Es hat geklingelt.

ANNE Was sagst du?

HENRY Deine Gäste haben geklingelt.

ANNE Ich kann jetzt nicht ... geh hin und ...

HENRY Herr und Frau Jacobson. Du hast sie eingeladen.

ANNE Erfinde etwas ... Ich kann nicht.

HENRY Dann werde ich öffnen ... Schließlich – du hast sie ja auch in meinem Namen eingeladen.

ANNE Sag, daß es nicht stimmt. Bitte.

HENRY Stell unsere Gläser weg.

ANNE Mach nicht auf.

HENRY Und den Aschenbecher.
ANNE Henry?
HENRY Nimm dich zusammen ... Unsere Gäste.

1969

Meine Straße

Nein, in diese Gegend wollten wir nicht ziehen. Als wir die alte Wohnung verlassen mußten, suchten wir, nicht zuletzt wegen der Bücher, ein stilles Haus in der Vorstadt. Uns wäre jede Gegend in Hamburg recht gewesen – ausgenommen der Stadtteil, in dem wir heute wohnen. Othmarschen ließen wir bei unserer Suche links liegen. Hierher – und darüber bestand ein stillschweigendes Einverständnis –, hierher wollten wir nicht.

Warum? Wir fürchteten die Zwänge – Zwänge des Verhaltens, die man der hier wohnenden Gesellschaft nachsagte. Wir hatten keine Schiffe laufen. Wir waren weder im Export- noch im Importgeschäft zu Hause. Keine Mitgliedschaft im Golfclub, keine im Reiterverein, nicht mal Anwärter auf Mitgliedschaft in einem Yachtclub. Vor allem konnten wir nicht mitreden – und das ist schon Anlaß ausdauernder Abendunterhaltungen –, wenn man gemeinsam das europäische Hotel ausfindig machte, in dem der garantiert beste Martini serviert wird. Wir beide wurden nicht auf der Überfahrt zwischen Hamburg und London geboren. Wir beide »empfangen« sogenannte Lieferanten an der allgemeinen Tür und trinken einen Schnaps mit ihnen. Und wir waren auch nicht bereit, die mannigfachen Tribute zu entrichten, die man für eine sogenannte »gute Adresse« aufbringen muß – von peinlicher Gartenpflege bis zur diskreten Demonstration eigener Kreditwürdigkeit.

Doch dann fanden wir, gegen unsere Absicht, ein altes, sympathisch verwohntes Haus, das uns zu garantieren schien, was bei den anderen besichtigten Objekten fraglich geblieben war: Stille nämlich. Stille in der Stadt. Und dies Haus lag ausgerechnet hier, in der Nachbarschaft eines sahnefarbenen, prestigefördernden Senatorenbunkers, im Schatten repräsentativer Bäume, die in städtischer Fürsorge stehen, in der weiteren Nachbarschaft von Golf-, Reiter- und Segelclubs, deren Aufnahmestatuten sich wie der delikateste Kommentar zur Chancengleichheit lesen. Doch das Argument der Stille siegte. Huschende Eichhörnchen zerstreuten letzte Bedenken. Auch wilde Kaninchen im Garten, deren Sympathie wir uns mit Teltower Rübchen erkauften. Käuze und seltene Vögel, die wir uns mit Futter gewogen machten. Eine Viertelstunde vom Hauptbahnhof entfernt entdeckten wir gediegene Ländlichkeit, überraschendes Tierleben, tägliche und nächtliche Stille. Das gab den Ausschlag, wir wurden Bürger von Othmarschen.

Die Straße, in der ich wohne? Sie ist nicht lang, sie ist weder alleenhaft prächtig noch spektakulär verwendbar. Hier werden, das weiß ich, niemals Paraden stattfinden. Und Barrikaden werden hier nie entstehen. Ein schlichter rechter Winkel, ein steif angewinkeltes Knie, in ganzer Länge mit zwei kraftvollen Steinwürfen zu vermessen: das ist sie schon, eine Nebenstraße offensichtlich, ein abseitiger Weg. Ich meine, der Mann, der ihr seinen Namen geliehen hat, hätte eine belebtere Straße verdient, eine längere in jedem Fall. Die Tat seines Lebens bestand darin, von einem brennenden dänischen Kriegsschiff verwundete Seesoldaten zu bergen, 1849 vor Eckernförde. Bei der Explosion des Schiffes kam er ums Leben, wurde post mortem aus dem Mannschaftsstand zum Leutnant befördert: er erhielt. soviel ich weiß, den Adelstitel und später dann diese Straße. Sie ist tatsächlich viel bescheidener als die Straßen der Nachbarschaft, denen ein Waldersee, ein Jungmann, ein Reventlow den Namen gaben. Aber die waren Marschälle, hochgestellte Dreinschläger, oder sie hatten Zugang bei Hofe.

Die wenigen Häuser meiner Straße: sie wurden zum großen Teil um die Jahrhundertwende gebaut, offensichtlich vom selben Architekten. Der muß ein besonders inniges, vielleicht sogar rauschhaftes Verhältnis zur Schweiz gehabt haben. Wer genauer hinsieht, erkennt in der Dachkonstruktion und in der schmückenden Laubsägearbeit unter den Giebeln Schweizer Einflüsse. Wehende Schleifen, Stuckgirlanden, Gipskränze: an einigen Häusern sind sie noch zu finden, diese Insignien des Jugendstils; meist sind sie – auch an unserem Haus – späteren Renovierungen zum Opfer gefallen. Nein, diese Häuser in unserer Straße bezeugen nicht hanseatischen Stil, also: schmucklose Melancholie, pompöse Trübseligkeit, unbesorgte Raumverdrängung. Sie sind, proportional gesehen, zu hoch hinausgebaut – Aussichtsplattformen, von denen aus der Architekt einen Blick auf die Schweizer Berge freigeben wollte, womöglich auf Alpenglühen. Weil es sich so steif und krampfhaft reckte, nannten wir unser Haus vom ersten Tage an: *das Stelzbein*. Doch mittlerweile haben sich die Stile gemischt – einige Häuser in meiner Straße tragen schon die Merkmale eingebildeter Sachlichkeit. Das ist den Bäumen gleichgültig, den Buchen, Birken, Eichen und Ahornbäumen, die zum Teil sehr viel älter sind als die Häuser. Es gibt hier auch imposante Buschbäume in den Gärten – wir haben eine seltene Koniferenart vor dem Fenster – und fast überall das noble, feierliche Friedhofsgewächs: den Rhododendron. Kleiner Vorgarten, größerer Hintergarten: dieses Muster ist hier verpflichtend.

Und die Nachbarn? Die Bewohner dieser stillen, trägen und wohl auch selbstgenügsamen Straße? Wir kannten sie lange nicht – ausgenommen die unmittelbaren Nachbarn zur Linken und zur Rechten, beide als Juristen ergraut. Von den anderen wußten wir nichts, lange nichts. Sicher, wir sahen regelmäßig Persianermäntel vorbeigehen, beobachteten die morgendliche Abfahrt zigarrenrauchender Männer vorgerückten Alters, die von Chauffeuren weggekarrt wurden; auch die abendliche Kurzpromenade mit dem schwerfälligen Dackel, dem Pudel, dem Spaniel bekamen wir zu Gesicht – doch wer unsere Nachbarn wirklich waren, das erfuhren wir lange nicht.

Freilich, etwas erfuhren wir schon über sie. Wir lernten unter anderem ihre Empfindlichkeit kennen, ihr Verlangen nach unbedingter Höflichkeit, ihr Befremden über Arbeit, die Lärm macht. Als wir uns neben dem Haus eine Garage bauten – wobei wir in Übereinstimmung mit der Verkehrsbehörde handelten, die erklärte: je mehr Autos von der Straße verschwinden, desto besser –, als also die unschuldige Garage entstand, erfolgten prompt Nachfragen: *Baugenehmigung?* Die war vorhanden. *Vorschriften?* Allen Vorschriften war entsprochen. Was also? Eine Nachbarin hatte die Garage als anstößig empfunden; sie versperrte zwar nicht, doch beleidigte ihr Blickfeld. Und als wir es wagten, eine Art Auffahrt zur Garage zu bauen – schließlich schaffte ich es beim besten Willen nicht, mein Auto in die Garage zu tragen –, wurde wieder nachgefragt: ob wir den »geliebten Gehweg« durch eine Auffahrt unterbrechen dürften? Wir durften.

Jeden Morgen um Viertel vor neun verwandelt ein gewisses Auto meine Straße in eine Dorfstraße. Eine Klingel, wie wilhelminische Wachtmeister sie schwangen, bevor sie eine Verordnung verlasen, bimmelt zum Frühstückfassen: Milch, Brötchen, Käse, meinetwegen noch »Frühlingsquark«. Man trifft sich am Auto, man bedient sich selbst, man spricht über den letzten oder über den bevorstehenden Urlaub. Als ich zum erstenmal neben dem Auto auftauchte, musterten mich einige Frauen eindringlich, und ein Silberhaar sprach zum andern Silberhaar: *Wo ist bloß die berühmte Höflichkeit der Ostpreußen geblieben? Früher, da boten sie einem doch ellenlange Grüße an.* *Auffe Flucht verbrannt is de Heflichkeit,* sagte ich und trug gelassen meine Milch ins Haus.

Schließlich erfuhren wir, was eine Nachbarin von Arbeit hält, bei der unwillkürlich Lärm entsteht. Um Bäume auszuschneiden, braucht man eine Säge, um den Rasen zu stutzen, eine Mähmaschine. In Betrieb genommen, verursachen beide ordentlichen Arbeitslärm. Was anderswo hingenommen wird – in meiner Straße darf es nicht gelten. Zuerst fragte die aufgebrachte Nachbarin den Mann mit dem Rasenmäher nach der Uhrzeit. Er sagte: *Zehn.* Dann wollte sie den Wochentag wissen. Er sagte: *Freitag.* Sie erkundigte sich streng, wie viele Stunden er noch zu arbeiten gedenke. Er sagte: *Drei vielleicht.* Daraufhin faßte die Nachbarin alle gegebenen Auskünfte zu folgender Anklage zusammen. Es sei unerhört und mitleidlos, an einem Freitag um zehn mit einer dreistündigen Arbeit zu beginnen, die in dieser Gegend nicht hingenommen werden könne. Daß es *seine* Arbeitszeit sei, interessiere sie überhaupt nicht. Hier möchte er bitte nur dann arbeiten, wenn es keinen Bewohner stört. Solche Geständnisse, Empfindlichkeiten, Reizbarkeiten – sie blieben für lange Zeit die einzige Kenntnis über meine Nachbarn.

Allerdings, bei meiner sitzenden Beschäftigung am Fenster war es unvermeidlich, zumindest die äußeren Gewohnheiten meiner Nachbarn zu erfahren. Da spielte sich Tag für Tag das gleiche Ritual ab. Zuerst, kurz vor acht, zogen die Schulkinder vorbei. Etwa eine Stunde nach ihnen: der Aufbruch in Büros und Direktionszimmer. Stille Vormittage, an denen nur Frauen mit ihrem »Marktporsche« (einer Tasche auf Rädern) zu voluminösem Einkauf zogen, von gepflegten Hunden begleitet. Selten ein junges Gesicht. Mittags dann kehrten hier und da erschöpfte Herren zu erquickendem Kurzschlaf zurück. Nicht regelmäßig, doch an vielen Nachmittagen gehört meine Straße den Kindern. Da nur selten ein Auto durchfährt, kann man leidlich ungefährdete Radrennen veranstalten oder Rollschuh laufen. Erstaunlich spät kehrten die Herren von der zweiten Arbeitsetappe zurück; die Verantwortlichen, die Chefs, die Direktoren sind zu Überstunden gezwungen, sagte ich mir. Und erstaunlich früh erloschen in meiner Straße die Lichter in den Häusern.

Sechs Jahre mußten wir warten, um unsere Nachbarn näher kennenzulernen. Zwar, mittlerweile war es zu üblichem Grußabtausch gekommen – sparsames Kopfnicken oder leichte Verbeugung bei vorgezogener Schulter –, und ab und zu, beim Harken der Blätter oder beim Schneeschippen, begutachtete man die Wetteraussichten – mehr nicht. Aber dann ging im gegenüberliegenden Haus eine Familie auseinander, und zurück blieb ein wenn auch nicht ansehnlicher, so doch seltener und kostbarer Hund. Ein Basset. Allein gelassen, hatte er natürlich ein Recht zur Klage, und sein klagendes Wuff-wuff hallte Tag und Nacht durch meine Straße. Der Appell war unüberhörbar. Da, wie ein Fachmann feststellte, der Mensch besonders gut zu den Tieren ist, mit denen er lebt – und weniger zu solchen, von denen er lebt –, erfuhr der kostbare Hund prompte Hilfe. Die Häuser öffneten sich, eine Prozession setzte sich in Bewegung. Man brachte dem verlassenen Hund Wurststullen, Knochen, Hühnerschenkel, Knäckebrot; Wasser setzte man ihm hin, Trinkmilch; man streichelte ihn, sprach und spazierte mit ihm, richtete ihn seelisch auf. Der klagende Hund wurde Treffpunkt, er wurde Anlaß und Gelegenheit, die Nachbarn kennenzulernen ... *Gestatten, mein Name ... Darf ich mich mal vorstellen ... Gesehen hat man sich ja schon ...* Händeschütteln, Verbeugungen. Blicke aus der Nähe. Ein verlassener Hund stiftete Bekanntschaften. Wer also waren meine Nachbarn?

Der liebenswürdige, ehemalige Prokurist, der in seiner Freizeit Schiffsmodelle bastelt, der ehemalige Direktor einer Zigarettenfabrik. Ein Zahnarzt, dessen Frau uns für den Reiterverein keilen wollte. Verwitwete Direktoren- und Inspektorenfrauen. Die überaus reizende dänische Frau eines hervorragenden Müllverbrennungsspezialisten. Ein freundlicher junger Kapitän auf großer Fahrt. Ein pensionierter General. Ein pensionierter Richter. Wir staunten, wie viele Pensionen in unserer Straße nicht nur bezogen, sondern auch verzehrt werden.

Dennoch, meine Straße ist nicht der Ort, an dem ausschließlich warmer Pensionsfriede herrscht, wo man genüßlich von seiner Altersveranda, ohne viel zu denken, auf die Gärten hinabschweigt. Kein Sunset Boulevard des Bürgertums, wo nichts mehr verändert, ausgewechselt, erneuert werden darf.

Das wird besonders augenfällig an dem Tag, an dem sogenannter Sperrmüll auf die Straße zum Abholen rausgestellt werden darf. Da werden Couchen und Küchentische abgestoßen, sehr gut erhaltene Polstersessel, Gardinenstangen, Matratzen, solide Schlafzimmerschränke –

das Zeug steht da, als hätten die Häuser es erbrochen. Und ich kann die Schatzsucher gut verstehen, die, bevor die Müllabfuhr kommt, mit einem Eiltransporter aufkreuzen, den mehr als brauchbaren Krempel durchmustern und aufladen, was sich mit Sicherheit versilbern läßt. Es ist schon bemerkenswert, was die Leute in meiner Straße abstoßen, wovon sie sich trennen.

Meine Straße: sie beschränkt sich nun allerdings nicht allein auf das Stück ausgebauten Wegs, an dem ich wohne. Zu ihr gehören unbedingt die Bogen und Haken, die ich schlage, und die Teilstücke anderer Straßen, die ich auf meinem täglichen Weg gehe – einkaufend, spazierend, luftschnappend. Auf diesem Weg finde ich fast alles, was ich zum Leben brauche. Ich nenne ihn, ganz für mich, mein kleines Idiotendreieck; er ist zum Zwangsweg geworden, und so verlängere ich meine Straße, so setze ich sie fort: über die Jungmannstraße hinüber und dann zum Statthalterplatz. Mag sein, daß dieser Platz einmal war, was sein Name beansprucht; heute beeindruckt er vor allem als Startbahn. Hier, wo die großen Busse halten, kann man zur Hauptverkehrszeit die explosionsartige Entstehung von Bewegung beobachten – wenn nämlich ganze Busladungen zu sprinten beginnen, um den S-Bahn-Anschluß zu erreichen. Die arbeitenden Mitbürger entwickeln solche Geschwindigkeit, daß sie kaum die politischen Plakate betrachten, die unter der S-Bahn-Brücke aufgestellt sind. Übrigens sieht man hier selten ein unbeschädigtes Plakat, fast immer sind sie vielsagend versaut: Strauß mit Spitzbart, Carstens mit Monokel, Helmut Schmidt mit Schnuller. Dort die beiden Verkaufsnester, an die Unterführung geklebt: »mein« Blumenladen und »mein« Zeitungskiosk. Hier hole ich mir, was ich nicht abonniert habe – wobei jeder Einkauf das Abbild harmloser Konspiration bietet. Der Besitzer des Kiosks und ich unterstützen dieselbe Partei, und einem sonderbaren Instinkt folgend, nähern sich unsere Gesichter vor der Luke, und hastig flüsternd, in Stichworten, tauschen wir politische Besorgnisse und Genugtuungen aus.

Zurückgezogen, in angemessener Backsteintrübnis, das Familienlokal unserer Gegend. Wenn wir Zeit haben, essen wir hier mitunter, bürgerlich, reelle Portionen – zusammen mit einem älteren Publikum, das so nachdenklich kaut, als sei ein jeder Gutachter der Behörde für die Überwachung von Speiselokalen.

Was sich dahinter auftut, ist nun der andere Teil meiner Straße, unsere Geschäfts- und Einkaufsgegend, die entstanden sein muß, als Lieferanten oder Vermögen knapper wurden; die Bauart vieler Geschäfte verrät es. Schläuche sind es zumeist, Verkaufspassagen, enge Röhren und Kästen, viele einfach den dahinterstehenden Villen vorgesetzt oder aufgepappt, wie etwas Vorläufiges, auf Widerruf Errichtetes. Wenn ich an das Repräsentationsbedürfnis anderer Einzelhändler denke, dann springt die Dürftigkeit, die Enge, das Provisorische der Geschäfte in meiner Einkaufsstraße besonders ins Auge – vor allem, wenn man von Verkäufern erfährt, wie kapitalkräftig der Kundenstamm hier ist (und wie einsichtsvoll gegenüber Preiserhöhungen).

Die Banken und Sparkassen allerdings – und davon gibt es nicht weniger als fünf in dieser kurzen Straße –, die Geldinstitute wollten auch hier nicht auf demonstrative Repräsentation verzichten. Marmor mußte her, teures Holz und viel Glas. Aber die Geschäfte ... Hier, wo ich mein Brot kaufe (es wird Holzofenbrot versprochen), in diesem Schlauch muß man immer damit rechnen, daß einem vorn eine Hutfeder kitzelnd im Gesicht herumfährt, während von hinten Einkaufstaschen in die Kniekehlen schlagen. Und hier, auf dem Hinterhof, diese unscheinbare Sardinenbüchse: das ist mein Fischgeschäft. Die beiden freundlichen Brüder, die es betreiben, verstehen sehr viel vom Fischfang und von Fischrezepten, und oft reden wir über das Angeln. Die Kargheit täuscht: hier kann man, auf Bestellung, auch teuren, in jedem Fall seltenen Fisch bekommen, beispielsweise holt sich ein alter Ostpreuße hier seinen Lachs, der *fast in heimatlichen Jewässern jefischt* worden ist. Auch im Gemüsegeschäft empfiehlt sich Bewegungslosigkeit, zumindest Aufmerksamkeit, wenn man nicht Gefahr laufen will, unter herabstürzenden Dosen und Flaschen begraben zu werden, die eine unachtsame Drehung leicht von den Regalen holen könnte. Sogar die Uhren- und Juweliergeschäfte, von denen es etliche gibt, sind in meiner Straße von auffallender Mickrigkeit, provisorische Niederlassungen Merkurs, die gleichwohl ihren Mann zu ernähren scheinen.

Da der Morgen meine beste Arbeitszeit ist, gehe ich meist mittags durch meine Straße. Und noch jedesmal gab es Anlässe zur Verwunderung, zur Nachdenklichkeit, zum Stehenbleiben. Die zartgliedrigen asiatischen Schulkinder, die, deutsche Ranzen auf dem Rücken, von der Internationalen Schule nach Hause gehen, scheinen die Heiterkeit unter erdrückender Wissenslast eingebüßt zu haben. Sinnend gehen sie vorbei, wie in schwerwiegender Kontemplation befangen. Die einheimischen Schüler, die zu dieser Stunde meine Straße zum Korso machen, kommen mir da sorgloser vor; selbstbewußt führen sie ihren Guru-, Papua- oder Afrikaner-Look vor, scherzen keineswegs aufdringlich mit ihren Mädchen, trinken Kaffee, und die Kleineren stürzen, in ganzen Pulks, in eine Bratküche, um riesige Mengen Kartoffelchips zu vertilgen.

Erstaunlich, wie groß die Geldscheine sind, mit denen kleine Pfoten bezahlen. Wollten beruflich strapazierte Eltern sich loskaufen von grauer Familienpflicht?

Die verläßliche Freundlichkeit der Gastarbeiter beeindruckt mich noch jedesmal. Sie sind allemal dabei, wenn in meiner Straße gebaut wird, wenn Leitungen verlegt oder repariert werden. Was müssen sie entbehren, wenn sie auf ein knappes Kopfnicken schon mit ausschweifender Freundlichkeit antworten? Wie muß ihnen die Straße vorkommen, in der Leute im Tennisdreß einkaufen oder, über den großen Onkel latschend, Reitkostüm und Gerte spazierenführen? Welche Gedanken erfüllen sie beim Anblick der teuren Rassehunde, die zwar keine Rolexuhren tragen, doch mitunter aufgeputzt sind, als gingen sie zu einem Hunde-Cocktail?

So kurz meine Einkaufsstraße auch ist, so wenige prachtvolle Konsumtempel sie auch aufweisen mag, so bescheiden sie auf den ersten Blick auch anmutet: sie versäumt es keineswegs, ihre Ansprüche zu stellen, hervorzuheben, daß sie etwas Besonderes sein möchte – angesichts der speziellen Kundschaft, die sich »gegenüber Preiserhöhungen einsichtsvoll« verhält. Ein zweites Fischgeschäft glaubte sich der hier lebenden Gesellschaft anpassen zu müssen und nannte sich »Fischsalon«. Doch man braucht nicht zu fürchten, daß schleimige Karpfen mit der Nagelschere geschnitten und Krabben mit der Pinzette gezählt werden. Die Inhaber schnacken auch Platt. Ein kleines Geschäft, das auch biedere Handtücher und Waschlappen feilhält, nannte sich mit Rücksicht auf die soziale Höhenlage »Dream Shop«. Hier können also Gebildete ihre Laken kaufen.

Wo Einzelhändler, nur um einem eingebildeten Anspruch zu genügen, ihre Geschäfte auf solche Namen taufen, da muß es natürlich auch sogenannte Boutiquen geben. Und es gibt sie. Und sie werden von Frauen besucht, denen kühle Umsatzlöwen klarmachen, wie sie sich kleiden, gürten, schmücken sollen, wo das Bein beginnt und der

Hals endet. Und natürlich darf man voraussetzen, daß es in dieser Straße früher Erdbeeren gibt als in anderen Stadtteilen, und daß ein ausgesprochener Bedarf herrscht an Avocados, Granatäpfeln und Mangofrüchten – von Störfleisch und Schwalbennestern gar nicht zu reden. Trotzdem: sie bleibt eine Dorfstraße mit Snob-Appeal. Etwa in der Mitte biege ich auf meinem täglichen Weg links ab, passiere die S-Bahn-Unterführung. Vorher jedoch – und das ist mehr als erstaunlich für diese Gegend – eine Schuhmacherwerkstatt; ich bin dann schon auf dem äußeren Bogen, der zu meiner Wohnung zurückführt. Wer in diesen melancholischen Kästen wohnt? Hier, wo sich die Mindestquadratmeterzahl des sozialen Wohnungsbaus wie ein Witz anhört? Notare sind es, Hausmakler, Ärzte, wiederum Notare – fast hat es den Anschein, als sei Hamburg ein günstiger Boden für Notare. Aber auch Schneidermeister wohnen hier. Und eine Kleintier-Klinik bietet sich an, falls der Wellensittich husten sollte.

Und doch: meine Gegend gehört nur zur verlängerten Margarineseite der Elbchaussee. Die Butterseite liegt am kostbaren Elbhang, mit freier Aussicht auf den Schiffsverkehr – wir begnügen uns mit den Geräuschen: mit den dröhnenden Rufen des Nebelhorns, mit dem erschütternden Brummton der Supertanker, bei Westwind auch mit dem Rattern der Niethämmer auf den Werften. Die Geräusche erinnern allemal an die Nähe des Stroms. Von hinten – aber wer will hier entscheiden, wo hinten und vorn ist, sagen wir also: von der anderen Seite biege ich wieder in meine Straße ein. Kinder begrüßen mich. Sie essen nie auf der Straße, so wie wir es taten. Noch nie habe ich hier den Ruf gehört: *Mami, wirf mir mal 'ne Stulle runter.* Dafür grüßen sie ungewöhnlich korrekt und in einer Sprache, der man den bemühten Wunsch anmerkt, Wohlerzogenheit auszustellen. Hier kann ein achtjähriges Mädchen glatt sagen, und zwar ohne Luft zu holen: *Guten Tag, Herr Lenz, wir hatten die Freude, Sie im Fernsehen zu erleben, bitte, grüßen Sie Ihre Frau.* Als ich einmal einem kleinen Mädchen einen unterhaltsamen Bären aufbinden wollte (ich erzählte ihr, daß Eichhörnchen deshalb so viele Nüsse sammelten, weil sie mit ihnen Wettkämpfe im Murmelspiel austragen), unterbrach die Kleine mich mit der Bemerkung: *Es hört sich ganz possierlich an, aber Sie nehmen es mir hoffentlich nicht übel, wenn ich nicht bereit bin, Ihre Märchen zu glauben.* So können Kinder in meiner Straße sprechen.

Ob sie auch eine heimliche Bevölkerung hat? So, wie alle charaktervollen Straßen von sichtbarem und unsichtbarem Volk bewohnt werden? Sie wirkt so brav, so geschichtslos, so wenig gezeichnet von Mittellosigkeit oder herausfordernder Verschwendung, daß man zu schnell annehmen möchte, hier habe sich nichts ereignet, was einen fremden Spaziergänger erschauern läßt oder automatisch seine Phantasie weckt oder ihn betroffen lauschen läßt – eben: auf die Stimmen einer heimlichen Bevölkerung.

1033

Meine Straße: sie ist von erklärter Diesseitigkeit. Die Peitschenmasten der Laternen lassen nicht zuviel im Dunkeln. Und um nächtliche unerbetene Besuche fernzuhalten, geht ein Herr vom Hamburger Wachdienst ums Haus. Lautlos segelt er auf seinem Fahrrad durch die nächtliche Straße, nur das Metall der Taschenlampe blitzt argwöhnisch und die Brille. In jedes Haus, das er zu bewachen hat, wirft er einen weißen Kontrollzettel: *Ich war hier, nichts fiel mir auf.* Manchmal liegt ein rotes Kontrollzettelchen daneben; es stammt vom Oberwachmann und soll besagen: der Wachmann seinerseits wurde bewacht oder kontrolliert; er wurde bei Ausübung seiner Pflicht angetroffen. Dennoch wird in größeren Abständen in unserer Straße eingebrochen; aus statistischen Gründen waren wir auch schon dran. Die Beute war gering. Bei uns verschwanden Mokkalöffel, von denen wir nicht einmal wußten, daß wir sie besaßen. Äpfel und Birnen, die Lieblingsbeute meiner Jugend – hier klaut sie niemand mehr. Meine Nachbarn können sorglos schlafen, falls sie schlafen können.

Viele Jahre wohnen wir jetzt hier, und in dieser Zeit haben wir uns aneinander gewöhnt, meine Straße und ich. Ja, es ist sogar mehr als Gewohnheit entstanden, das Gefühl nämlich, zu Hause zu sein. Gelegentlich, wenn Freunde aus der Stadt kommen und von den Vorzügen der City schwärmen, von dem regsamen, geräuschvollen Leben dort, von sozialen Erfahrungsfreuden und sogenannter Weltnähe, dann beginne ich unwillkürlich meine Straße zu verteidigen: die Stille, die Distanz, die geharkte Abseitigkeit hier, die vielleicht das schnelle Gespräch nicht begünstigen, ganz gewiß aber die Arbeit am Schreibtisch. Und nach allen Regeln der Kunst versuche ich zu verdrängen, daß dies die einzige Gegend war, in die wir, auf der Suche nach einer neuen Wohnung, nicht ziehen wollten.

1973

Wie bei Gogol

Dabei kenne ich diesen Umschlagplatz seit acht Jahren, dieses unübersichtliche Verteilerbecken, in dem Straßenbahnen, Busse und S-Bahnen zusammenlaufen, nur um ihre Fracht auszutauschen und aneinander abzugeben. Kaum fliegen zischend die Türen auf, da stürzt, hastet und schnürt es schon aufeinander zu, vermengt und verknotet sich – gerade, als ob waffenlose Gegner sich ineinander verbeißen –, und so sicher und ungefährdet bewegt sich ihr Zug, so rücksichtslos erzwingt sich die große Zahl ihren Weg, daß man am besten anhält und wartet, bis alles vorüber ist, obwohl die Ampel einem Grün gibt. Wenn es nur dieser Zug wäre mit den hüpfenden Schulranzen, den schlenkernden Aktentaschen – wenn es nur diese mürrische, morgendliche Prozession wäre: sie könnte man noch kontrollierend im Auge behalten, aber hier, wo der Berufsverkehr in ein verzweigtes Delta gelenkt wird, muß man auch auf unerwartete Begegnungen gefaßt sein, auf plötzlich ausscherende Einzelgänger, auf kleine Wettläufer, die hinter parkenden Autos hervorflitzen und die Straße im Spurt zu überqueren versuchen.

Ich wußte das alles. Denn acht Jahre gehörte ich selbst zu ihnen, ließ mich von ihrem ungeduldigen Strom davontragen, von der S-Bahn zum Bus hinüber, der unmittelbar vor meiner Schule hält; ich war lange genug ein Teil ihrer Rücksichtslosigkeit.

Doch all dieses Wissen half mir nicht und hätte keinem geholfen, selbst wenn er zwanzig Jahre unfallfrei am Steuer gesessen hätte; was geschah, war einfach aus statistischen Gründen unvermeidlich und kann weder auf mein Anfängertum noch darauf zurückgeführt werden, daß mein erstes Auto, mit dem ich noch nicht einmal seit einer Woche zum Unterricht fuhr, ein Gebrauchtwagen war. Obwohl sich nichts düster oder bedeutsam ankündigte an diesem Morgen, obwohl es keinen Grund gab, mir eine besondere Aufmerksamkeit aufzuerlegen – ich sollte mit einer Doppelstunde Geographie beginnen –, nahm ich, als ich mich dem Umschlagplatz näherte, frühzeitig das Gas weg und beschleunigte selbst dann nicht, als die Ampel auf Grün umsprang, mit einem kleinen Flackern, das mir wie ein Zwinkern erschien, wie eine Aufforderung, zu beschleunigen und davonzukommen, ehe die beiden Busse sich öffneten, die auf der andern Straßenseite gerade an ihren Halteplatz herandrehten. Auf dem Kopfsteinpflaster lag zerfahrener

Schnee, der sich schmutzig unter dem Biß des gestreuten Salzes auflöste, das Auto fuhr nicht schneller als dreißig, und ich behielt die Busse
im Auge, aus denen sie gleich wie auf ein Startzeichen herausstürzen
würden.

Er mußte aus dem Eingang zur S-Bahn gekommen sein, mußte die
Nummer seines Busses entdeckt haben, den er, wie alle, die ihre morgendliche Reise so scharf kalkuliert hatten, um jeden Preis erreichen
wollte. Zuerst hörte ich den Aufprall. Das Steuer schlug aus. Dann sah
ich ihn auf der Haube, das verzerrte Gesicht unter der Schirmmütze,
die Arme ausgestreckt gegen die Windschutzscheibe, auf der Suche
nach einem Halt. Er war, gleich hinter der Ampel, von rechts gegen das
Auto gelaufen; ich bremste und sah, wie er nach links wegkippte und
auf die Fahrbahn rollte. Halteverbot, überall herum Halteverbot, darum legte ich den Rückwärtsgang ein und fuhr einige Meter zurück, zog
die Handbremse und stieg aus. Wo war er? Dort, am Kantstein, an den
eisernen Sperrketten, versuchte er sich aufzurichten, Hand über Hand,
ein kleiner Mann, Fliegengewicht, in einem abgetragenen Mantel. Passanten waren schon bei ihm, versuchten, ihm zu helfen, hatten gegen
mich schon feindselige Haltung eingenommen: für sie war die Schuldfrage gelöst. Sein bräunliches Gesicht war mehr von Angst gezeichnet
als von Schmerz, er sah mich abwehrend an, als ich auf ihn zuging, und
mit gewaltsamem Lächeln versuchte er die Passanten zu beschwichtigen: nicht so schlimm, alles nicht der Rede wert.

Von ihm lief mein Blick zurück auf das Auto, im rechten Kotflügel
war eine eiförmige Delle, ziemlich regelmäßig, wie von einer Holzkeu-
le geschlagen; an den Kanten, wo der Lack abgeplatzt war, klebten
Stoffäden, auch die Haube war eingedrückt und aus dem Schloß gesprungen, ein Scheibenwischer war abgebrochen. Er beobachtete
mich, während ich den Schaden abschätzte, hielt sich mit beiden Händen an der Kette fest, schwankend, und immer wieder linste er zu den
abfahrenden Bussen hinüber.

Hautabschürfungen auf der Stirn und am Handrücken, mehr entdeckte ich nicht, als ich auf ihn zutrat und er mit einem Lächeln zu mir
aufblickte, das alles zugab: seine Unvorsichtigkeit, seine Eile, seine
Schuld, und in dem Wunsch, die Folgen herunterzuspielen und mir zu
beweisen, wie glimpflich alles verlaufen sei, hob er abwechselnd die in
ausgefransten Röhrenhosen steckenden Beine, bewegte den Kopf nach
rechts und nach links, krümmte probeweise den freien Arm: Sieh her,

ist nicht alles in Ordnung? Ich fragte ihn, warum er denn bei Rot, ob er nicht das fahrende Auto – er hob bedauernd, er hob schuldbewußt die Schultern: er verstand mich nicht. Furchtsam wiederholte er immer wieder denselben Satz, machte eine angestrengte Geste in Richtung des verlaufenden Bahndamms; es waren türkische Wörter, die er brauchte, ich erriet es am Tonfall. Ich erkannte seine Bereitschaft zur Flucht und sah, was ihn daran hinderte, doch er wagte es nicht, die inneren Schmerzen zu bestimmen oder auch nur zuzugeben. Er litt unter dem Mitgefühl und der Neugierde der Passanten; er schien zu begreifen, daß sie mich bezichtigten, und litt auch darunter. Doktor, sagte ich, jetzt bringe ich Sie zu einem Arzt.

Wie leicht er war, als ich ihn unterfing, seinen Arm um meinen Nacken zog und ihn zum Auto führte, und wie besorgt er die Schäden am Kotflügel und Kühler erkundete! Während Passanten neu hinzukommenden Passanten erklärten, was sie gesehen oder auch nur gehört hatten, bugsierte ich ihn auf den Rücksitz, brachte seinen Körper in eine Art entspannter Schräglage, nickte ihm ermunternd zu und fuhr los, den alten Weg zur Schule. In der Nähe der Schule wohnten oder praktizierten mehrere Ärzte, ich erinnerte mich an die weißen Emailleschilder in ihren Vorgärten, dorthin wollte ich ihn bringen.

Ich beobachtete ihn im Rückspiegel, er hatte die Augen geschlossen, seine Lippen zitterten, vom Ohr zog sich ein dünner Blutstreifen den Hals hinab. Er stemmte sich fest, hob seinen Körper vom Sitz ab – allerdings nicht, um einen Schmerz erträglich zu machen, sondern weil er etwas suchte in seinen verschiedenen Taschen, die er mit gestreckten Fingern durchforschte. Dann zog er ein Stück Papier heraus, einen blauen Briefumschlag, den er mir auffordernd über die Lehne reichte: Hier, hier, Adresse. Er richtete sich auf, beugte sich über die Rückenlehne zu mir, und mit heiserer Stimme, dringlich und gegen die gewohnte Betonung gesprochen, wiederholte er: Liegnitzerstraße.

Daran schien ihm ausschließlich gelegen zu sein, jetzt, er sprach erregt auf mich ein, seine Furcht nahm zu: nix Doktor, Liegnitzerstraße, ja, und er wedelte mit dem blauen Umschlag. Wir kamen an den Taxistand in der Nähe der Schule, ich hielt, machte ihm ein Zeichen, daß er auf mich warten solle, es werde nicht lange dauern, danach ging ich zu den Taxifahrern und erkundigte mich nach der Liegnitzerstraße. Sie kannten zwei Straßen, die diesen Namen trugen, setzten aber wie selbstverständlich voraus, daß ich, da ich schon einmal hier war, in die näher gelegene Straße wollte, und sie beschrieben mir den Weg, den sie selbst fuhren, am Krankenhaus vorbei, durch die Unterführung, zum Rand eines kleinen Industriebezirks. Ich dankte ihnen und ging zur Telephonzelle und wählte die Nummer der Schule. Mein Unterricht hätte längst begonnen haben müssen. Niemand nahm ab. Ich wählte meine eigene Nummer, ich sagte in das Erstaunen meiner Frau: Erschrick nicht, ich hatte einen Unfall, mir ist nichts passiert. Sie fragte: Ein Kind? – und ich schnell: Ein Ausländer, vermutlich ein Gastarbeiter, ich muß ihn fortbringen; bitte, verständige du die Schule. Bevor ich die Telephonzelle verließ, drehte ich noch einmal die Nummer der Schule, jetzt ertönte das Besetztzeichen.

Ich ging zu meinem Auto zurück, vor dem zwei Taxifahrer standen und gelassen meinen Schaden zum Anlaß nahmen, um über eigene Schäden zu sprechen, wobei sie sich gegenseitig zu überbieten versuchten. Das Auto war leer. Ich beugte mich über den Rücksitz, beklopfte ihn – die Taxifahrer konnten sich an keinen Mann erinnern, doch sie schlossen nicht aus, daß er nach vorn gegangen war und sich – vielleicht – den ersten Wagen genommen hatte. Ein südländischer Typ, Schirmmütze, noch dazu verletzt, wäre ihnen gewiß aufgefallen. Sie wollten wissen, wo mich das Pech erwischt hatte, ich erzählte es ihnen, und sie schätzten den Schaden – vorausgesetzt, daß ich gut wegkäme – auf achthundert Mark.

Langsam fuhr ich zur Liegnitzerstraße, am Krankenhaus vorbei, durch die Unterführung, zum Industriebezirk. Eine kleine Drahtfabrik, deren Gelände mit löchrigem Maschendraht eingezäunt war; schwere Pressen, die Autowracks zu handlichen Blechpaketen zusammenquetschten; an trüben Hallen fuhr ich vorbei, die sich Reparaturwerkstätten nannten, an Speditionsfirmen und verschneiten Lagerplätzen, über die nicht eine einzige Fußspur führte.

Die Liegnitzerstraße schien nur aus einem schirmenden, mit Plakaten vollgeklebten Bretterzaun zu bestehen, hinter dem starr gelbe Kräne aufragten; keine Wohnhäuser; zurückliegend, türlos, mit zerbrochenen Fenstern eine aufgelassene Fabrik; schwarze Rußzungen zeugten immer noch von einem Brand. In einer Lücke entdeckte ich Wohnwagen, deren Räder tief in den Boden eingesackt waren. Ich hielt an, verließ das Auto, ging durch den schmutzigen Schnee zu den Wohnwagen hinüber; die Arbeiter waren fort. Die Fenster der Wohnwagen waren mit Gardinen verhängt, auf den eingehängten Treppen lagen Reste von Streusalz; Rauch stieg aus einem blechernen Schornstein auf.

Vermutlich hätte ich die Wagen nur umrundet und wäre fortgegangen, wenn sich nicht eine Gardine bewegt, wenn ich nicht den beringten Finger gesehen hätte, der den gehäkelten grauen Stoff zu glätten versuchte; so stieg ich die Treppe halb hinauf und klopfte. Ein hastiger, zischender Wortwechsel im Innern, dann wurde die Tür geöffnet, ich sah nah vor meinem Gesicht den Siegelring an der Hand, die jetzt auf der Klinke lag. Den Blick hebend, wuchs er bedrohlich vor mir auf: die schwarzen Halbschuhe mit weißer Kappe; die engen, gebügelten Hosen; der kurze, mit Pelzkragen besetzte Mantel; aus der oberen Jakkentasche leuchtete das Dreieck eines Seidentuchs. Höflich, in gebrochenem Deutsch, fragte er mich, wen ich suchte, da hatte ich schon, an seiner Hüfte vorbeisehend, den Mann auf der unteren Liegestatt des doppelstöckigen Bettes erkannt, zeigte bereits mit der Hand auf ihn: er dort, zu ihm will ich. Ich durfte eintreten. Vier Betten, eine Waschgelegenheit, an den unverkleideten Holzwänden angepinnte Postkarten, Familienbilder, aus Zeitungen ausgeschnittene Photographien: dies war das Inventar, das ich zuerst bemerkte; später, nachdem der auffällig gekleidete Mann mir einen Hocker angeboten hatte, entdeckte ich Kartons und Pappkoffer unter den Bettgestellen.

Der Verletzte lag ausgestreckt unter einer Decke, auf der in roter Schrift das Wort »Hotel« zu lesen war; seine dunklen Augen glänzten in der Trübnis des Innern. Er nahm meinen Gruß gleichgültig auf, kein Zeichen des Wiedererkennens, weder Furcht noch Neugier.

Herr Üzkök hatte einen Unfall, sagte der Mann mit dem Siegelring. Ich nickte und fragte nach einer Weile, ob ich ihn nicht zum Arzt fahren sollte. Der Siegelring winkte lebhaft ab: nicht nötig, Herr Üzkök sei in bester ärztlicher Pflege, zwei Tage schon, seit er diesen Unfall auf dem Bau hatte, auf der Baustelle. Ich sagte: Heute morgen, ich bin wegen des Unfalls heute morgen gekommen, worauf der Mann sich schroff zu dem Verletzten wandte und ihn etwas in seiner Heimatsprache fragte; der Verletzte schüttelte sanft den Kopf: Von einem Unfall heute morgen Herrn Üzkök ist nichts bekannt.

Ich sagte ruhig: Mir ist es passiert, dieser Mann lief mir bei Grün vor den Kühler, ich habe ihn angefahren, die Schäden am Auto können Sie sich ansehen, es steht draußen. Wieder fuhr der Mann den Verletzten in seiner Heimatsprache an, ärgerlich, gereizt, mit theatralischer Ener-

gie um Aufklärung bemüht, einen geflüsterten Satz ließ er sich ausdrücklich wiederholen. Alles, was er mir danach zusammenfassend
sagen konnte, lautete: Herr Üzkök kommt aus Türkei, Herr Üzkök ist
Gastarbeiter, Herr Üzkök hatte Unfall vor zwei Tagen. Ein Auto ist
ihm unbekannt.

Ich zeigte auf den Verletzten und bat: Fragen Sie ihn, warum er
fortgelaufen ist; ich selbst sollte ihn doch in die Liegnitzerstraße bringen, hierher. Wieder spielten sie ihr Frage-und-Antwort-Spiel, das ich
nicht verstand; und während der Verletzte gepeinigt zu mir aufsah und
seine Lippen bewegte, sagte der Mann mit dem Siegelring: Herr Üzkök
ist nicht fortgelaufen seit dem Unfall auf Bau, er muß im Bett liegen.
Ich bat den Verletzten: Zeigen Sie mir den blauen Briefumschlag, den
Sie mir im Auto zeigten; und er lauschte der Übersetzung, und ich
konnte nicht glauben, daß meine Bitte sich im Türkischen so dehnte
und außerdem Spruch und Widerspruch nötig machte. Mit triumphierendem Bedauern wurde mir mitgeteilt, daß Herr Üzkök keinen
blauen Briefumschlag besessen hätte.

Diese Unsicherheit, auf einmal meldete sich die vertraute Unsicherheit, wie so oft in der Klasse, wenn ich das Risiko einer endgültigen
Entscheidung übernehmen muß; und weil ich überzeugt war, daß der
Verletzte noch seinen schäbigen Mantel trug, trat ich an sein Lager
heran und hob einfach die Decke auf. Er lag in seinem Unterzeug da,
preßte etwas mit den Händen zusammen, das er offenbar um keinen
Preis hergeben wollte.

Als ich mich, schon auf der Treppe, nach der Nummer erkundigte,
nach der Straßennummer, unter der die Wohnwagen registriert waren,
lachte der Mann mit dem Siegelring, rief einen knappen Befehl zu dem
Verletzten zurück; und als er mir dann sein Gesicht zuwandte, vierzig
bis zweiundfünfzig sagte und dabei vergnügt seine Arme ausbreitete,
spürte ich zum ersten Mal seinen freimütigen Argwohn. Viel Adresse,
sagte er, vielleicht fünfhundert Meter. Ich fragte, ob dies die ständige
Wohnung von Herrn Üzkök sei, worauf er, sein Mißtrauen durch
Lebhaftigkeit tarnend, in Andeutungen auswich: Viel Arbeit, überall.
Manchmal Herr Üzkök ist hier, manchmal dort – er deutete in ent-
gegengesetzte Richtungen.

Obwohl ich mich verabschiedete, folgte er mir; schweigend begleitete er mich auf die Straße hinaus, trat an mein Auto heran, strich über
die Dellen, die der leichte Körper dem Blech beigebracht hatte, hob die

Haube an und ließ sich bestätigen, daß das Schloß nicht mehr ein-
schnappte. War er erleichtert? Ich hatte das Gefühl, daß er, dem alles
doch gleichgültig sein konnte, erleichtert war, nachdem er den Schaden begutachtet hatte. Er rieb sich das weiche Kinn, dann mit breitem
Daumen die lang heruntergezogenen Koteletten. Ob ich vorhätte, die
Versicherung einzuschalten? Ich gab ihm zu verstehen, daß mir wohl
nichts anderes übrigbliebe, worauf er mit einer abermaligen, gründ-
lichen Inspektion des Schadens begann und zu meiner Überraschung
einen Schätzpreis nannte, der knapp unter dem lag, den die Taxifahrer
genannt hatten: siebenhundertfünfzig. Er grinste, zwinkerte mir komplizenhaft zu, als ich einstieg und die Scheibe herunterdrehte, und in
dem Augenblick, als ich den Motor anließ, streckte er mir seine geschlossene Hand hin: Für Reparatur, sagte er. Herr Üzkök, er braucht
jetzt Ruhe. Ich wollte aussteigen, doch er entfernte sich bereits, mit
hochgeschlagenem Pelzkragen, unwiderruflich, als habe er das Äußerste hinter sich gebracht. Nachdem er hinter dem Zaun verschwunden
war, sah ich auf das Geld in meiner Hand, zählte es – die Summe
entsprach seinem Schätzpreis –, zögerte, wartete auf etwas, auch wenn
ich nicht wußte, was es sein könnte, und bevor ich zur Schule ging,
lieferte ich den Wagen in der Werkstatt ab.

Im Lehrerzimmer saß natürlich Seewald, saß da, als hätte er auf mich
gewartet, er mit seinem roten Gesicht, dem haltlosen Bauch, der ihm
vermutlich bis zu den Knien durchsacken würde, wenn er ihn nicht
mit einem extrabreiten Riemen bändigte. Hab schon gehört, sagte er,
nun erzähl mal. Aus seiner Thermosflasche bot er mir Tee an, nein, er
drängte ihn mir so gewaltsam auf, als wolle er das Recht erwerben, jede
Einzelheit meines Unfalls zu erfahren, ausgerechnet Seewald, der bei
jeder Gelegenheit für seine Erfahrung warb, nach der es keine Originalerlebnisse mehr gebe. Alles, so behauptete er, was uns vorkommt
oder zustößt, sei bereits anderen vorgekommen oder zugestoßen, die
Bandbreite unserer Erlebnisse und Konflikte sei ein für allemal erschöpft, selbst in einer seltenen Lage dürfe man nicht mehr als einen
zweiten Aufguß sehen. Ich trank seinen stark gesüßten Tee, erschrak,
als ich sah, wie sehr meine Hand zitterte – weniger wenn ich die Tasse
aufnahm, als wenn ich sie absetzte. Also die Anfahrt, der Unfall, die
Flucht des Verletzten, und dann, als ich ihm die Begegnung im Wohnwagen schilderte, konnte ich die Entstehung eines für ihn typischen
Lächelns beobachten, eines überlegenen, rechthaberischen Lächelns,

das mich sogleich reizte und bedauern ließ, ihm alles aufgetischt zu haben. Es war mein Unfall, mein Erlebnis, und deshalb hatte ich doch wohl das Recht, es auf meine Weise zu bewerten und besonders die Begegnung im Wohnwagen mit der angemessenen Unentschiedenheit darzustellen. Für ihn indes, für Seewald war alles längst entschieden: Wie bei Gogol, sagte er, hast du es denn nicht gemerkt, mein Lieber – genau wie bei Gogol. Ich war froh, daß die Glocke mich zur Stunde rief und mir seine Erklärungen erspart blieben, vor allem der unvermeidliche Hinweis darauf, wie mein Erlebnis im Original aussah.

Ich werde ihm nicht erzählen, daß sowohl die Taxifahrer als auch der Mann mit dem Siegelring den Preis für die Reparatur zu hoch angesetzt hatten; da die Dellen ausgeklopft werden konnten, behielt ich mehr als zweihundert Mark übrig. Und ich werde Seewald nie und nimmer erzählen, daß ich, in dem Wunsch, dem Fremden oder Herrn Üzkök den Rest des Geldes zurückzugeben, noch einmal in die Liegnitzerstraße fuhr, in der Dämmerung, bei Schneefall.

Das Fenster des Wohnwagens war abgedunkelt, die Behausung sah verlassen aus, zumindest abgeschlossen, doch auf mein mehrmaliges Klopfen wurde geöffnet, und wieder stand er vor mir, mit dem roten Seidentuch in der Hand, mit dem er sich anscheinend Luft zugefächelt hatte. Mindestens sechs Männer hockten auf den Bettgestellen, kurz gewachsene, scheue Männer, die bei meinem Anblick die Rotweingläser zu verbergen suchten. Wie ertappt saßen sie da, einige wie überführt, kein Gesicht, auf dem nicht eine Befürchtung lag.

Ich fragte nach Herrn Üzkök; der Mann mit dem Siegelring erinnerte sich nicht an ihn, er war ihm nie begegnet, hatte ihn nie betreut. Da wußte ich schon, daß er auch Schwierigkeiten haben würde, sich an mich zu erinnern, und als ich ihm das überschüssige Geld zurückgeben wollte, sah er mich mit beinahe grämlicher Ratlosigkeit an: er bedauerte sehr, doch er dürfte ja wohl kein Geld annehmen, das ihm nicht gehörte. Ich sah auf die schweigenden Männer, sie schienen ausnahmslos Üzkök zu gleichen, und ich war sicher, daß sie, wenn ich am nächsten Tag wiederkäme, bestreiten würden, mich je gesehen zu haben. Es standen hier mehrere Wohnwagen nebeneinander: hatte ich mich im Wagen geirrt? Eins jedoch weiß ich genau: daß ich das Geld auf einen Klapptisch legte, ehe ich ging.

1973

Fallgesetze

Der Mann:
Vor Freude zog ich damals einen Wimpel am Mast der »Ragna« auf,
ein Stück von einem alten, rotweiß gestreiften Kopfkissen, und das
Ding stand steif und knatternd ab, als wir zum ersten Mal unter dem
braunen Hilfssegel zur Arbeit ausliefen. Lange genug hatten sie uns ja
warten lassen, lange genug wußte niemand, ob all ihre Gutachten ausreichen würden, um uns den neuen Fährhafen zuzusprechen, unserer
baumlosen, flachen, wenn auch nie gefährdeten Küste; aber dann entschieden sie sich doch für uns und legten überdies einen Plan auf den
Tisch, der unsere glückliche Erregung nur noch steigerte: vierhundert
Meter leicht gewinkelte Mole und Kaimauern mit Gleisanschlüssen
und drei Rampen für Lastautos und Personenwagen, alles geduldig
und energisch hinausgebaut in die See, weit über den sandbraunen
Streifen hinaus, auch noch hinaus über die flaschengrüne Zone, bis
dahin etwa, wo der Grund auf zwölf Meter abfällt und die Strömungen
sich begegnen.

Steine, Steine: niemand konnte und wollte auch nur überschlagen,
wieviel Steine sie auf einmal brauchten für ihren endgültig beschlossenen Plan, Steine für die Fundamente, die Sockel, für die vierhundert
Meter lange Mole. Es war nicht an ihnen, zu zweifeln, ob die See
überhaupt so viele Steine herausrücken würde, um ihrem Vorhaben
die nötige Sicherheit und Schwere zu geben; sie schrieben nur ihren
Bedarf aus und setzten die Preise fest, und den Rest überließen sie uns,
den Steinfischern. Jedenfalls, ich hatte den Ladebaum nicht umsonst
verstärken und das Hebegeschirr ausbessern lassen; außerdem hatte
ich »Ragnas« Luken erweitert und ihr selbst, die mit ihren siebzig
Jahren nicht weniger verläßlich war als jedes andere beteiligte Schiff,
einen sorgfältigen Teeranstrich verpaßt, zusammen mit dem Jungen,
der – so schien es mir – gerade zur rechten Zeit nach Hause gekommen
war. Sven kam immer dann nach Hause, wenn er wieder einmal seine
Untauglichkeit für einen gerade begonnenen Beruf entdeckt hatte,
aber diesmal glaubte ich ihn nicht nur halten, sondern auch davon
überzeugen zu können, daß man mit Ausdauer und Glück leben kann
von dem, was man vom Grund der See heraufholt; jetzt, mit diesem
Riesenprojekt am Horizont, bot sich ihm doch eine Gelegenheit zu
erkennen, was die Steinfischerei immer noch wert war.

Der Junge:

Sein erstes Angebot lautete gleich auf halbe-halbe, obwohl ich mit weniger zufrieden gewesen wäre; schließlich brachte er außer der »Ragna« auch alle nötigen Kenntnisse und Erfahrungen ein, und er wußte besser als jeder andere, wo die tonnenschweren Brocken lagen, ohne Peilung, einfach so, als ob er sich in einem Garten und nicht auf See bewegte: Hier, hier schmeiß mal den Anker weg. Daß er mir soviel anbot, lag gewiß nicht allein an seiner pedantischen Gerechtigkeit oder gar daran, daß er auch einen rechtmäßigen Vorteil nie ausnutzen konnte, ohne ein schlechtes Gewissen vor sich herzutragen; vielmehr hatte ich das Gefühl, daß er mich mit dem unerwartet hohen Angebot ködern wollte, zu bleiben und in seine Schuhe hineinzuwachsen. Vielleicht aber wollte er, daß ich blieb, weil ja nun Elisa da war, sie mit ihrer Gürtelsammlung und dem ewigen Druck auf den Schläfen, diese Frau, die auf seine Annonce hin angereist kam mit ihrem gesamten Besitz, der aus zwei Koffern und mehreren Schachteln bestand. So unvermutet sie seine Witwerschaft beendete, sowenig änderte sie seine Gewohnheiten und Eigenarten, vielleicht unterließ sie auch jeden Versuch dazu, nachdem sie gemerkt hatte, wem sie da auf eine durchaus nicht vielversprechende Annonce ins Haus geschneit war – in unser gekalktes Haus mit den viel zu kleinen und zu zahlreichen Kammern. Man muß erlebt haben, wie mein Alter ihre behutsame Herablassung ertrug und den Spott und diese seufzende Geringschätzung, mit der sie fast alles bei uns bedachte: den zu alten Herd, die beiden launischen Kachelöfen, die zu steile Stiege, die Betten, die Möbel, das Geschirr, die Eßbestecke, besonders die Eßbestecke, die sie noch jedesmal erschrokken musterte, bevor sie sie benutzte. Als sie erfuhr, daß unserer Küste ein Hafen für die großen Eisenbahnfähren zugesprochen wurde, bat sie mich, nachzufragen, ob nicht auch ein Restaurant und ein Hotel geplant seien; sie ließ nicht durchblicken, warum sie das wissen wollte; vielleicht interessierte sie sich nur deshalb dafür, weil sie selbst einmal verantwortlich in dieser Branche gearbeitet hatte und nicht aufhören konnte, uns von dieser Zeit zu erzählen – in einer Art, daß wir schließlich glauben mußten, dies sei ihre große Zeit gewesen. Er zumindest, mein Alter, erwog ausdauernd das Erzählte und legte es so aus, daß Elisas Aufenthalt auf unserer Halbinsel einen Abstieg für sie bedeutete und ihre Anwesenheit in unserem Haus ein Opfer. Sie schliefen in getrennten Kammern, und sein wichtigster Anspruch an sie bestand

darin, immer und überall heißen Kaffee bereitzuhalten für ihn, den
unersättlichen Kaffeetrinker. Als im Mai die endgültige Entscheidung
fiel und wir die »Ragna« teerten und für den großen Einsatz ausrü-
steten, ließ er sie dreimal am Tag mit Kaffee zum Liegeplatz kommen
und sah ihr schon immer ungeduldig entgegen, wie sie wiegend die
flach gebuckelte Düne herabkam, jedesmal mit einem anderen Gürtel
um und in Schuhen, die niemand außer ihr auf der Halbinsel trug oder
hätte tragen wollen: hochhackige Schuhe in künstlichen Farben. Da sie
die Sonne nicht ertragen konnte, tranken wir den Kaffee im Schatten
der Bordwand und ließen es uns gefallen, wenn sie brennende Teer-
spritzer von unseren nackten Schultern rieb; widerwillig übrigens und
mit gehörigem Abstand.

Die Frau:
Das alles blieb in seiner Annonce unerwähnt: die Abgelegenheit hier;
der ständige Wind, der auf die Schläfen drückt; der Flugsand, der auch
bei geschlossenen Fenstern ins Haus dringt; das Fehlen eines Badezim-
mers; und nicht zuletzt er selbst, Johannes Willesen: seine Pedanterie,
seine herrische Schweigsamkeit, die verdammte Genügsamkeit, die er
schon fand, wenn er steif auf dem unbequemen Stuhl am Fenster
hockte. Da er es sich nicht aus der Hand nehmen ließ, das Haus zu
führen – nicht einmal nach unserer sogenannten Hochzeit war er bereit, mir mehr von den monotonen Pflichten hier zu überlassen –,
hatte ich manchmal das Gefühl, daß er mich nur deshalb auf die Halbinsel geholt hatte, weil meine Gegenwart sein Haus komplettieren sollte wie ein unentbehrliches Möbel. Ein Gefühl zu zeigen erschien ihm
offenbar als Zeitvergeudung, und ich hätte ihn mitunter schütteln
können vor Verlangen, ein Wort der Zustimmung zu erfahren oder
auch nur eine Geste der Unzufriedenheit. Mein Verhältnis zu ihm war
nur ein bißchen vertrauensvoller als das zum großen Eßtisch. Mein
Gott, und seine Geschenke; zwar schleppte er immer etwas an, wenn er
für einen Tag in die Kreisstadt mußte, aber die Dinge, die er mir
stumm überreichte, konnte ich allesamt nur in eine Schachtel legen:
mehrere wollene Kopftücher, einen überlangen Schal, der jeden Mantel entwertet, eine klotzige Bernsteinkette, die sofort Nackenschmer-
zen hervorrief, oder – obwohl ich ihm meine Sammlung von Gürteln
gezeigt hatte – diesen bestickten Leibgurt aus Leinen, der allenfalls
zum Trachtenkostüm einer Siebzigjährigen gepaßt hätte. Daß er eines

Gefühls fähig war, bewies er dann aber doch, als die Entscheidung über den Fährhafen fiel: er, der keinen Wert auf Besuch legte, lud sich zwei Männer ins Haus, die mich lediglich mit gehemmter Freundlichkeit begrüßten und dann in seiner Kammer verschwanden, wo sich bald ein Lärm erhob wie in einem vollbesetzten Lokal. Ich durfte ihnen von Zeit zu Zeit heißes Wasser bringen für ihren Grog – Pausen, in denen der Lärm sich wie auf Stichwort legte und in denen sie selbst mich belustigt und zudringlich anstarrten; da fühlte man sich von ihren Augen ausgezogen. Sven nahm nicht daran teil; er war wie immer bei seiner Lieblingsbeschäftigung: auf dem Bett liegen, nur im Turnhemd und in seinen karierten Hosen, und rauchen. Manchmal sagten sie mir, daß ich zuviel rauchte, aber nachdem der Junge nach Hause gekommen war – zur Zeit, doch ohne daß man ihn gerufen hätte –, brachte er uns bei, daß man bei einem wirklich leidenschaftlichen Raucher kaum mit dem Lüften nachkommt. Obwohl wir anfangs kaum miteinander sprachen, empfand ich seine Anwesenheit als Erleichterung. Ich weiß noch, wie er hinter der zerzausten Hecke auftauchte, im schwarzen Hemd mit den hellen, karierten Hosen; er hatte einen dünnen, vernickelten Eisenstab bei sich, den er propellerhaft über die Finger laufen ließ. Wir lachten, bevor wir ein erstes Wort sprachen, und dann sagte ich: Sven, nicht wahr? – und er darauf, nach einer Weile: Dann steh ich wohl vor Elisa? Du kannst von heute ab ruhig du zu mir sagen, sagte ich, und er wieder: Genau das hatte ich auch vor. Erst danach gaben wir uns zum ersten Mal die Hand.

Der Mann:
Schon im Ruderhaus, wenn er den Kurs hielt, den ich ihm angab, trug der Junge Handschuhe, lederbesetzte Arbeitshandschuhe, die er sich von seinem Vorschuß gekauft hatte, und die behielt er an, solange er an der Winsch stand und die triefenden, algenbesetzten Brocken übers Luk dirigierte. Kaum aber hatten wir am Abend an unserem weit hinausgezogenen Steg festgemacht, da streifte er sie ungeduldig ab, klemmte sie hinters Steuerrad, und mit dieser Geste schien er nicht nur die Arbeit hinter sich zu lassen, sondern auch auszudrücken, welch ein Verhältnis er zu ihr hatte. Dabei konnte ich mich auf ihn verlassen: wie er den alten Stockanker wegwarf; wie er mir die Sicherheitsleine umband, bevor ich runterging und auf dem nackten Grund die Klaue über die Steine brachte; wie umsichtig er die eingesackten

1045

Steine aus ihrem Bett brach und langsam und gleichmäßig aufhievte; wie berechnet er sie einschwenken ließ und dann mit Zug und Stoß über das Luk fierte, wo er sie nicht einfach ausklinkte, sondern nach bedachtsamer Ökonomie türmte und stapelte – all das machte den Jungen zu einem Partner, dessen Wahl ich, soweit es um seine Arbeit ging, nicht zu bereuen brauchte. In der ersten Zeit verhielt er sich auch gegenüber dieser Frau so, daß ich annehmen mußte, er teile zumindest meine Enttäuschung und meine Bekümmerung, und zwar vor allem dann, wenn sie sich mit ihrer Herablassung äußerte über die Dinge in diesem Haus. Als sie wieder einmal verstört auf das – zugegeben, etwas schwere – Besteck hinabsah und sich nicht entschließen konnte zu essen, sagte Sven ruhig: Heute hast du Mutters altes Schlachtmesser erwischt; und als sie sich wieder einmal – mit den Fingerspitzen die Schläfen beklopfend – darüber beschwerte, daß die engen, lichtarmen Kammern geradezu schmerzhaft auf ihr lasteten, hob Sven wortlos einige Türen aus, stieß die Fenster auf und hakte sie fest gegen den Widerstand des Windes. An einem Wochenende kam der Junge dazu, wie sie die ovalen Kirschholzrahmen von der Wand hob und versuchte, ziemlich verblaßte Familienphotographien gegen Stiche auszutauschen, die sie aus einem Kalender löste und zurechtschnitt – Szenen von Fuchsjagden in England. Sven hob die Photographien auf, brachte sie in die Rahmen zurück und sagte nur: Die bleiben, ist das klar? Dann verschwand er ohne Gruß, doch am Montag früh war er noch vor mir am Anlegesteg.

Der Junge:
Nur er, nur mein Alter allein wußte, wo sie vor drei- oder sogar vierhundert Jahren ein künstliches Riff angelegt hatten, um fremde Schiffe stranden zu lassen. Vertraut mit den Strömungen hinter der Halbinsel, hatten sie in geduldiger Hoffnung auf Beute ihre Falle errichtet, hatten mit ihrem Überfluß an Zeit jahrelang Steine auf dem Grund der See geschichtet, bis knapp an die Oberfläche, aber immer noch so, daß die Farbe des Wassers sich nicht allzu verräterisch veränderte. Dort also, wo sie einst Schiffe stranden ließen, lag alles, was wir suchten, eine unterseeische Bank von Steinen, die wir nur abzutragen und hinüberzusegeln brauchten zu den schwimmenden Werkstätten, wo Rammen und Bagger und Pontons friedlich vertäut lagen und zunächst nur für den Plan zeugten, den man für diesen Teil der Küste entworfen hatte.

Niemand wunderte sich über die Zügigkeit, mit der wir Fracht um Fracht heranschleppten, man schrieb sie uns gleichgültig gut und beachtete uns nicht weiter, selbst wenn wir dreimal am Tag dort aufkreuzten. Er war fast immer unten, mit dem gebrauchten Tauchgerät, zog die Klaue über die großen Brocken, gab das Signal, und während ich den Stein anhievte, bemaß er schon den nächsten. Mich ließ er nur zweimal runter, und zwar weniger, um ihn abzulösen, sondern weil er mir eine Gelegenheit geben wollte, das Abmessen und Einpicken zu probieren, wie man den Greifer festsetzt, so daß der Stein ohne Risiko gelüftet wird und sich in der Klaue nicht bewegt oder, was noch schlimmer wäre, zu drehen anfängt und zurückstürzt. Schön waren die Tage im Juni, wenn die See glatt war und nur unmerklich dünte und wir abends nach Hause liefen unter den hallenden Schlägen des alten Motors, der uns nie im Stich ließ. Manchmal stand Elisa auf dem Anlegesteg, um uns abzuholen; sie winkte angestrengt und ausdauernd, und einmal sagte mein Alter: Nicht mal das will ihr gelingen, das Winken! Wenn sie sich dann bei ihm einhakte und beide vor mir hergingen – er übertrieben aufrecht, sie mit wiegendem Schritt, der aus der Hüfte fiel –, da mußte man sie einfach für zwei Boote halten, die sich bei ungleichem Seegang fortbewegten. Wer von unseren Leuten sie so zusammen gehen sah, blieb, sobald er sie passiert hatte, stehen, blickte ihnen nach und wußte nicht, ob er sich über meinen Alten wundern oder über Elisa den Kopf schütteln sollte. Dabei konnte man sich durchaus an sie gewöhnen, selbst an ihre Gürtel und an das Gestöhne über den Druck auf ihren Schläfen; mir zumindest ging es so, während mein Alter gar nicht oder nur sehr selten und obendrein verschlüsselt zu verstehen gab, daß er sich mit ihr abgefunden hatte. Wie der sich erregen konnte, wenn einer von unseren Leuten mal eine Anspielung machte oder wenn er im Hafenbüro ein nicht einmal ironisches Kompliment zu hören bekam! Woran ich mich nicht gewöhnen konnte, das waren ihre unaufhörlichen Schritte auf unserem Steinfußboden, dies Tacken, Klicken und Hämmern, dem man einfach nachlauschen mußte, wenn man für sich auf dem Bett lag und rauchte. Und noch weniger konnte ich mich daran gewöhnen, daß sie uns bei jeder Gelegenheit zu verstehen gab, wie mies und gering und kleinkariert alles bei uns war. Als ich einmal, ohne anzuklopfen, in ihr Zimmer trat, in dem sie sich gerade umzog, produzierte sie einen Überraschungsschrei, der auf weiß was hätte schließen lassen können,

und für weiter nichts als dies nannte sie mich einen »blinden, unge-
hobelten Bock«. Es gelang mir, sie mit einem Päckchen Zigaretten zu
versöhnen.

Die Frau:
Er sah selbst ein, daß dieser Weg für mich zuviel war: der heiße Trampelpfad zwischen den Dünen, an der dörrenden, vom Mehltau heim-
gesuchten Weißdornhecke entlang, die gewundene, schattenlose Straße hinab bis zum Hafenbaubüro. So erließ er es mir, ihn zu begleiten,
doch es war nicht allein Besorgnis, die ihn darauf bestehen ließ, daß
ich mich hinlegte; er gab gleichzeitig eine Spielart seiner Korrektheit
preis: wenn ich schon nicht imstande war, ihn zu begleiten, durfte es
keine Zwischenlösung geben, ich wurde verurteilt, mich hinzulegen.
Und hinlegen hieß bei ihm ins Bett, unter dies lastende, angstmachen-
de Zudeck, unter dem sich der Puls wie von selbst beschleunigt. Da ich
nicht mitkonnte, blieb mir nur dies übrig, und ich lag und hörte die
Hitze in den Balkendecken knacken und schlief wohl auch ein wenig,
da der Schatten des Fensterkreuzes auf einmal über der Waschkom-
mode lag. Wie ruhig Sven sich im Haus verhielt, nie hörte man ein
Geräusch von ihm; wenn man wissen wollte, ob er da sei, mußte man
ihn schon rufen. Er war bereitwillig, alles zu tun, worum man ihn bat,
aber er wollte jedesmal gebeten werden, er kam einfach nicht von
selbst darauf, auch mir ein Glas Saft zu bringen, wenn er sich selbst
eins holte. Nachdem ich geschlafen hatte – die Spannung über den
Schläfen war erträglicher –, bat ich ihn, mir ein Glas Saft zu bringen,
und er tat es und stellte das Glas Saft auf den Schemel an meinem
Kopfende. Er war schon unterwegs zur Tür, da sagte ich wohl etwas
über das Zudeck, nicht über den verwaschenen Bezug, sondern, was ja
zutraf, über das erdrückende Gewicht, das einem den Atem benahm,
und vermutlich wunderte ich mich darüber, wie man in diesem Haus
klaglos eine solche Zudecke hatte ertragen können. Da blieb er stehn
und drehte sich um. Da spannte und verengte sich etwas bei ihm, und
ich sah, wie auf seinem Gesicht ein Ausdruck äußerster Gereiztheit
entstand. Wenn's dir nicht gut genug ist, sagte er, dann laß doch Küken schlachten, die Küken von Eidergänsen, und rupf sie, und stopf dir
selbst ein Bett. Und wenn du das getan hast, dann laß doch endlich
gleich dein herrschaftliches Geschirr nachkommen, und die Bestecke
und die Schränke und dein ochsenblutfarbenes Badezimmer, und

wenn du dann deine gewohnten Sachen hier versammelt hast, wirst du hoffentlich aufhören zu meckern. Ich war so überrascht über seinen Ausbruch, daß ich ihn nur ganz allgemein davor warnte, in diesem Ton mit mir zu sprechen. Und da kam er zurück, lächelte gemein und so auf undurchdringliche Weise versöhnlich und sagte: Nun hör mir mal zu, Elisa, und dann breitete er ein Wissen über mich aus, das er nicht nur heimlich gesammelt, sondern auch lange genug mit sich herumgetragen hatte. Ich kenne das Lokal, in dem du aufgetreten bist, sagte er – »Zum Doppelpunkt«, hieß es nicht so? –, und ich kenne einige deiner Freunde und all die Sachen, für die du gut warst, und wenn ich mir das alles genau ansehe, muß ich mich doch wohl fragen, welch einen Grund du hast, hier so erhaben zu tun und die Königin zu spielen. Dann setzte er sich auf die Bettkante und lächelte spöttisch und sah mich nur an. Dann, auf einmal, fragte er, wo das altmodische Zudeck zu schwer sei, über den Beinen, über dem Bauch oder über der Brust. Dann nahm er meine Hand und stand auf, und ich glaubte, er wollte zur Tür gehen, aber plötzlich beugte er sich über mich, und ich warf den Kopf zur Seite – das half nicht – und stemmte mich abwehrend gegen ihn – das änderte nichts; und zuletzt suchte ich seinen Blick und erkannte in ihm nichts als eine grenzenlose Entschiedenheit.

1049

Der Mann:
Und auch das kam mir wie ein zusätzliches Zeichen seines gestiegenen Eifers vor: daß er auf einmal, wie ich, ohne Handschuhe arbeitete. Nicht nur, daß er die »Ragna« gewissenhafter als sonst aufklarte, daß er – was unsere Abmachung keineswegs vorsah – noch nach Feierabend das Hebegeschirr reparierte: sein ganzes Verhältnis zur Arbeit steigerte sich, wurde näher, bestimmter und wohl auch begeisterter. Und er redete nun auch über die Arbeit, überschlug etwa, was die unterseeische Steinbank noch hergab, und machte Entwürfe für den übernächsten Winter, in dem die neue Mole, von den Stürmen bearbeitet, sacken und sich setzen sollte mit ihrer vierzehn Meter breiten Sohle, die sich nach oben bis auf drei Meter verjüngte. Doch je gesprächiger er mir gegenüber wurde, desto beharrlicher schwieg er in Gegenwart dieser Frau, ich beobachtete oft genug, wie er, wenn wir beim Essen saßen, ihrem Blick auswich und seine Befangenheit loszuwerden versuchte durch vorgespieltes Behagen an der Mahlzeit. Dennoch war er immer bereit und als Träger zur Verfügung, wenn sie

zu den Kaufleuten mußte, die ihre Wagen nicht bis zu uns heraus-
schickten. Wenn ich am Fenster saß und las – in jenen Wochen hatte
ich mir vorgenommen, alle hundertachtzig Bücher wieder zu lesen, die
mein Vater sich zusammengeholt und hinterlassen hatte –, sah ich sie
oft davongehen und beladen zurückkehren; meist nahmen sie den
Strandweg, der doch einen Umweg bedeutete. Sie schien nun die Sonne leichter ertragen zu können, und wie sie sagte, ließ auch der Druck
auf ihren Schläfen etwas nach. Was mich bedrückte, machte ihr keine
Sorgen: daß sie schmaler wurde und unstet und auf eine unerwartete
Weise bescheiden.

Der Junge:
Es zeigte sich, daß sie eine sehr gute Schwimmerin war. An der kleinen
Bucht, weit genug vom Haus entfernt, immer nur auf dem Rück-, nie
auf dem Hinweg, zogen wir uns aus und stiegen über die runden,
glatten Steine bis zu dem Sandstreifen hinaus, dort schwammen wir, sie
mit hochgebundenem Haar, ohne Angst vor Quallen. Später, nachdem
ihre Haut sich an die Sonne gewöhnt hatte, ließen wir uns vom Wind
trocknen, bevor wir die Tüten und gefüllten Netze und Kartons aufnahmen und nach Hause gingen. Manchmal unterbrachen wir unseren
Weg unter den verkrüppelten Strandkiefern oder in dem Autowrack
oder, was aber seltener geschah, am zerrissenen Rand einer Kiesgrube;
immer war sie es, die das Zeichen gab. Wenn wir dann heimkamen,
strengte er sich jedesmal an, den Eindruck zu vermeiden, als habe er auf
uns gewartet. Niemals legte er es darauf an, uns nach unserer Rückkehr
mit Blicken abzufragen oder sich nach etwas zu erkundigen, selbst
wenn wir für den Weg die doppelte Zeit brauchten, die er selbst gebraucht hätte. Auch nachdem er uns an der kleinen Bucht zufällig beim
Baden überrascht hatte – und so wie ich ihn kenne, war es ein Zufall –,
fiel kein weiteres Wort; er kam von den Werkstätten zurück, wo er
einen Gummischlauch für »Ragnas« Kühlwasser geschnorrt hatte, und
als er unser abgelegtes Zeug entdeckte und die im Schatten lagernden
Waren, lud er sich stillschweigend auf, soviel er tragen konnte; er ging
uns voraus und saß bei den Büchern, als wir ankamen. Daß er dennoch
etwas spürte und auf seine Art versuchte, Klarheit zu gewinnen, bewies
er mir an dem Tag, als der alte Rasmussen, der allein und auf eigene
Rechnung nach Steinen fischte, mit seinem Seelenverkäufer »Wilhelmina« zum fünften Mal in Seenot geriet – wonach er wiederum Grund

hatte, eines seiner sonderbaren Jubiläen zu feiern. (Er selbst hatte mir erzählt, daß er alle Jahrestage seiner sechs Verwundungen feierte.) Obwohl der Wind nur in Stärke vier die See bearbeitete, setzte Rasmussen das Notsignal; seine Steinladung war verrutscht, und er hatte bei offener Luke an die zehn Tonnen Wasser übernommen. Der Motor der »Wilhelmina« war stehengeblieben, die Lenzpumpe ausgefallen. Wir gaben ihm eine Schlepptrosse rüber und zwangen ihn, den Anker zu slippen – weswegen er später nur maulte und sich bei meinem Alten nicht einmal mit einem Handschlag bedankte. Obwohl seine hölzerne »Wilhelmina« vollgeschlagen und ich davon überzeugt war, daß sie uns wegsacken würde, manövrierte mein Alter so geschickt vor dem Wind, daß wir Peelmünde erreichten, wo die Fischer uns beim Festmachen mit mehr Anerkennung als Spott bedachten. Nachdem wir festgemacht hatten, rief er mich zu sich und beauftragte mich, mit einer Taxe nach Hause zu fahren, nur um Elisa zu sagen, was geschehen war und wohin es die »Ragna« verschlagen hatte. Er wollte die Nacht allein an Bord schlafen und am nächsten Tag zurückkehren. Ich meine, in ungetrübten Zeiten hätte er es sich nicht nehmen lassen, diese Nachricht selbst zu überbringen.

1051

Die Frau:
Allmählich begriff ich, daß seine Annonce für mich zur Falle wurde: beide begrenzten sie. An einem Ende stand er, Johannes Willesen, stand da mit seiner eigensinnigen Korrektheit, mit seiner Pedanterie und der unablässigen Bereitschaft, für alles Verantwortung zu tragen, was er sein eigen nannte, also auch für mich, für die er sich zuständig fühlte von dem Augenblick an, in dem ich die Halbinsel betrat; und am andern Ende stand Sven: unsicher, leidend unter dem Austausch hastiger Umarmungen und mit Furcht erkaufter Berührungen, auch unter seiner Unentschlossenheit leidend, da er – und ich selbst konnte ihm ja nicht raten – einfach nicht wußte, was er tun sollte, um die Zeit der Verstellung zu beenden. Einmal allerdings zeigte ich ihm einen Ausweg, das heißt, ich deutete ihn an, was getan werden könnte, ausgerechnet an meinem Geburtstag. Dieser Geburtstag! Sie hatten nur eine Fahrt gemacht mit der »Ragna« und kamen hintereinander vom Anlegesteg herauf und wuschen sich und zogen sich um; dann brachte mir jeder sein Geschenk: er ein Tischfeuerzeug, das mit Bernstein besetzt war – mehrmals wies er auf die eingeschlossenen Insekten hin

–, und der Junge ein Paar Ohrklipps, die mir zwar gefielen, die ich aber dennoch nicht anlegen würde. Wir tranken Kaffee, und ich bemühte mich, beiden Geschenken die gleiche Aufmerksamkeit zu widmen und über die quälende Kaffeestunde zu kommen, als der Besuch erschien, als wahrhaftig Frank Pomella auftauchte hier in der Einsamkeit. Bis heute weiß ich nicht, wie er meine Spur aufgenommen und verfolgt hatte, jedenfalls, es war seine verlegene Stimme, ich hörte ihn nach mir fragen und hörte Johannes, der ihn trocken bat, einen Grund für diesen Besuch zu nennen, und dann bat er ihn ins Haus und beide verschwanden in einer Kammer. Sven nahm meine Hand, er versuchte, mich an sich zu ziehen, kurz und heftig wie immer, wenn wir einen Augenblick allein waren; er verstand sofort, wie sehr dieser Besuch mich betraf. Er spürte, daß etwas geschehen war, was alles in diesem Haus verändern konnte, und während er mich erschrocken und fragend anstarrte, hatte ich das Gefühl, vor einem kleinen Gewässer zu stehen, das abgelassen wurde: ein dunkler Grund kam zum Vorschein, schlammige Buckel und Kraut und die verrotteten Reste eines gesunkenen Boots vielleicht. Ich gehe mal nachsehn, sagte Sven, ich geh einfach hinüber und frag den Alten, ob ich ihm seinen Kaffee bringen soll, dann wissen wir, worüber die reden. Nein, Sven, sagte ich, du brauchst nicht hinüberzugehn; wenn Frank Pomella irgendwo auftaucht, dann wird über eine einzige Sache gesprochen: über Geld. Nur frag mich nichts, frag mich jetzt bitte nichts. Wie sollte ich ihm antworten auf seine hastigen, besorgten Erkundigungen; ich saß nur da, lauschte weniger zur Kammer hinüber, in der sie saßen und verhandelten, als vielmehr auf meine eigene Unruhe, und blickte auf die Tür.

Endlich hörten wir den Abschied auf dem Flur, und dann kam Johannes zu uns, sein erster Blick galt dem Kaffee, vermutlich hätte er kein näheres Wort über den Besuch verloren, wenn ich ihn nicht gefragt hätte: Einig? Seid ihr euch einig geworden? Er winkte ab, er sagte: Dieser Mann hat mir einen Schuldschein vorgelegt mit deiner Unterschrift; ich bin dafür aufgekommen. Das sagte er gleichmütig, mit einer – wenn auch nur angedeuteten – wegwerfenden Handbewegung, so als ob er sich von allem, was er erfahren hatte, bereits wieder getrennt hätte. Am Abend ging er Sprudel holen und doppelten Weizenkorn, und ich bestand darauf, ihn auf der Bank vor dem Haus zu erwarten. Da sagte ich zu Sven, daß man alles gut wählen müsse; ich sagte: Auch der Augenblick, in dem man seine Zelte irgendwo abbricht, muß gut gewählt sein. Er nahm die Andeutung nicht auf.

Der Mann:

Konnte ich denn etwas anderes annehmen als seinen Vorsatz? Mußte ich nicht glauben, daß auch dieses Äußerste zu seinem Plan gehörte, einfach, weil er genug gespürt und mitbekommen hatte und doch wohl nicht im Zweifel darüber sein konnte, daß ich mehr wußte, als ich bereit war zuzugeben? Schließlich gehörte nicht viel dazu: ein kleiner Druck, um die Sperre zu lösen, und ein kleiner Zug, der die Klauen des Greifers öffnete. Nein, ich hatte nicht angefangen, mit dieser Möglichkeit zu rechnen, das muß ich zugeben, auch an dem Tag nicht – bläulicher Dunst trieb über dem Wasser –, als es geschah. Er half mir, wie jedesmal, beim Anlegen der Taucherausrüstung, und ich ging, wie jedesmal, runter zu der unterseeischen Steinbank und blickte hinauf und sah, wie die Klaue den welligen Spiegel der Oberfläche zerbrach bei ihrem schäumenden Eintauchen. Sie sank mir nach, ich packte sie, schlug sie, waagerecht schwebend, über einen Stein, an dessen Algenbärten die Strömung zerrte, gab das Zeichen mit der Leine, der Stein ruckte, lüftete sich, schwebte an meinem Gesicht vorbei nach oben: ein grummelnder Laut, ein kurzer Gewitterlaut, und er lag im Bauch der »Ragna«. Stein um Stein pickte ich ein, schickte ihn auf kleine Himmelfahrt, nicht systematisch, da uns der Reichtum der unterseeischen Bank kein systematisches Abräumen auferlegte. Wir räumten und räumten, bald müßte der Junge das Zeichen geben, da entdeckte ich das glimmende Ungetüm, einen Brocken von mehreren Tonnen Gewicht, scharfkantig, bearbeitet offenbar zu dem Zweck, den Kiel eines hölzernen Schiffes aufzuschlitzen. Kaum konnte ich die Klauen des Greifers über ihn bringen, sie faßten nicht genug, sie beklemmten nur den Stein, doch das genügte offenbar, er ruckte und richtete sich auf und schwebte langsam empor, während die Winsch oben trocken fauchte und hechelte. Ich sah ihm nach, wie er durch die Oberfläche brach, stellte mir das Erstaunen des Jungen vor; dann kochte das Wasser über mir, schäumte von all dem, was von dem Brocken zurücktroff, und blasige Ringe entstanden. Jetzt wird er einschwenken, dachte ich, da wurde es dunkel über mir, das Wasser schwappte gewaltsam auf, und ich spürte nichts als einen heftigen kalten Druck, und dann riß es mich zurück, so schmerzhaft und über den Kopf, daß ich die

1053

Bewegung nicht ausgleichen konnte. Mich hatte der vorauslaufende Druck des Steins wie selbstverständlich weggeschleudert, aber die leichte Signalleine, die ich um die Hüfte trug, hatte er mit seinen scharfen Kanten mitgenommen und dort festgeklemmt, wo er aufgeschlagen war, so daß alle Signale, die ich hätte geben wollen, am Stein endeten. Doch da dies schon geschehen war, brauchte und wollte ich kein Signal geben. Er hatte sich viel angeeignet in all den Wochen an Bord, aber dies schien er immer noch nicht zu wissen: daß ein stürzender Stein keine Gefahr darstellt für den Mann am Grund, da der vorauslaufende Druck jeden Körper zur Seite schleudert. Aber nach allem, was geschehen war, ließ ich ihn in dem Glauben, daß er es geschafft hätte; ich schnitt mich von der Signalleine los und glitt, ohne zu zögern, an der Steinbank entlang in Richtung zum Ufer. Einmal schien es mir, als ob an der Unglücksstelle ein Gegenstand blasentreibend eintauchte, es kann auch ein Körper gewesen sein, seiner vielleicht, und vermutlich bei dem Versuch, sich vom Resultat zu überzeugen.

Der Junge:
Nein, es war nicht meine Absicht, obwohl einige – und auch Elisa – es annahmen: schon als der mächtige Stein ausbrach und triefend einschwenkte, sah ich, wie unsicher er in den Klauen hing, und dazu begann er langsam zu kreisen, worauf ich die Winsch sogleich drosselte. Dann fiel er zurück, schlug mit seinem ganzen Gewicht ein, schickte Blasen und Schlamm zur Oberfläche. Ich sprang von der Winsch zur Signalleine, zog, gab das Zeichen einmal und noch einmal, spürte, aber wollte nicht spüren, daß auf meinen fragenden Zug ein entschiedener Widerstand antwortete, das Gewicht des Steins, der die Signalleine beklemmte. In meinen Kleidern tauchte ich, zog mich an der Signalleine hinab, ertastete den Stein; sonst war nichts auszumachen. Ich holte den Anker ein und warf den Hilfsmotor an, ich lief allein zurück und meldete das Unglück im Hafenbaubüro, wo sie gleich eine Barkasse mit einem Berufstaucher auf den Weg brachten. Da ich die Signalleine nicht gekappt, sondern an einer kleinen Plastikboje befestigt hatte, fanden wir die Unglücksstätte sogleich wieder; der Berufstaucher wurde runtergeschickt, suchte den Grund systematisch ab, kam schon bald wieder herauf und sagte mit ruhiger Stimme, daß mein Alter nicht in der Nähe des Steins lag, daß es ihn aber dennoch

erwischt haben müßte und er »irgendwie abgetrieben sei«. Hier liegt ja
ne ganze Mole unter dem Wasser, sagte er außerdem. Nachdem wir die
See in der Nähe abgesucht hatten, liefen wir zurück, und ich ging zu
Fuß nach Hause in fremdem Arbeitszeug, das sie mir im Hafenbaubüro geliehen hatten, meine nassen Sachen trug ich in der Hand. Dieses Erschrecken hatte ich nicht vorausgesehen; als sie mir gegenübersaß, als ich ihr erzählte, was geschehen war, preßte sie ihre Finger auf
die Schläfen, zitterte, biß sich auf die Unterlippe, ihr Kopf pendelte   1055
abwehrend hin und her. Sie ertrug nicht die leichteste Berührung. Wie
sich ihre Pupillen weiteten! Sie konnte nur einen Satz wiederholen: Du
hast es getan, du hast es also getan. Meine Antworten schienen sie
nicht zu erreichen in der Tiefe ihrer Verstörtheit. Sie blieb einfach
sitzen und überhörte und übersah alles, rührte nichts an von dem, was
ich ihr anbot, und spät mußte ich sie in ihre Kammer führen. Am
nächsten Morgen fand ich sie, wie sie in ihren Kleidern auf dem Bett
lag und regungslos auf die gerissenen Balken der Decke starrte. Mir
blieb nichts anderes übrig, als sie zu allem zu zwingen, was durch das
Unglück notwendig geworden war: gemeinsam ließen wir ihn als vermißt melden – vermißt auf See –, gemeinsam zogen wir zu den verschiedenen Behörden, und auch seinen Nachlaß sahen wir gemeinsam
durch in den folgenden Tagen und staunten darüber, was er in seiner
unerhörten Genügsamkeit zusammengebracht und uns hinterlassen
hatte. Ursprünglich hatte er verfügt: zwei Drittel für sie, ein Drittel für
mich; das hatte er später berichtigt und – ich weiß nicht, warum – uns
mit halbe-halbe bedacht. Das aber konnte nicht der Grund ihrer Erschütterung sein, da sie diese und manche andere Eröffnung nur unbeteiligt zur Kenntnis nahm und nicht aufhörte, unter jeder Berührung zusammenzuzucken oder zu wimmern ohne äußeren Anlaß. Als
ich ihr an einem Abend beibrachte, daß ich die »Ragna« nach Hause
holen, mir einen Macker nehmen und die Steinfischerei fortsetzen
wollte – jeden Tag lag jetzt die »Wilhelmina« des alten Rasmussen an
unserer unterseeischen Steinbank –, schloß sie sich in ihre Kammer
ein, doch dann, als wir von der Arbeit zurückkamen und am Anlegesteg festmachten, stand sie auf einmal am Strand, um mich abzuholen.

Die Frau:
Auch für ihn, auch für Sven, war es nicht das, was er sich gewünscht
hatte: mit mir allein zu sein in diesem Haus. Seine Unruhe und Ge-

reiztheit wurden nicht geringer mit der Entfernung vom Unglück. Es gelang ihm niemals mehr, zu genügsamer Untätigkeit zurückzufinden, auf dem Bett zu liegen und zu rauchen. Manchmal an Sonntagen fuhr er allein mit der »Ragna« hinaus, ankerte dort, wo es geschehen war, setzte das Beiboot aus und ruderte zur Küste und suchte die leere Küste ab – gerade so, als könnte oder wollte er sich nicht zufriedengeben. Wenn er mir leid tat mitunter, versuchte ich ihn zu trösten, doch diese Versuche mißlangen und endeten mit seiner gesteigerten Reizbarkeit. Und wie sollte ich ihn auch trösten, da ich von seinem Vorsatz überzeugt war! Andererseits stellte er einmal mit Genugtuung fest, daß die Eintragung »vermißt auf See« einige Jahre so bestehen müßte, ehe man an eine Todeserklärung denken könnte; damit wollte er wohl eine Hoffnung durchschimmern lassen. Ich möchte nicht sagen, was geschehen wäre, wenn an einem dieser Tage Frank Pomella angeklopft und versucht hätte, mich zur Rückkehr zu überreden – in diesen Tagen, die ich vor allem damit zubrachte, die kümmerlichen Beete mit einer Kante aus schwarzgrauen Feuersteinen einzufassen. Sven fragte nicht mehr nach seinem Besuch, er verzichtete auf manches, ohne daß es zwischen uns ausgemacht worden wäre, und ich täuschte mich gewiß, wenn ich gelegentlich dachte, daß er vor meiner Tür zögerte. Ich konnte seine Berührungen nicht vergessen, doch ich fürchtete mich vor ihnen. Ich wagte einfach nicht, sehr weit vorauszudenken und dem, was uns eines Tages erwartete, mit einem Entwurf zu begegnen. Nur eine Sicherheit entstand: das Zusammenleben in diesem Haus konnte keine Dauer haben.

Der Mann:
Zurückgekommen bin ich nicht, um mir meine Vermutungen bestätigen zu lassen – ich hatte ja längst Gewißheit genug –, sondern weil das, was geschehen war, ausgeglichen und zu gleichen Teilen getragen werden mußte. Nachdem meine Entscheidung gefallen war, konnte ich auf jede Vorsicht verzichten, ich ging einfach zum Haus hinauf, betrat es, ohne anzuklopfen, suchte, da niemand sich meldete, in allen Kammern und sah dabei, was sie verändert hatten seit meinem Fortgang. Als die Frau vom Strand heraufkam – sie trug einen Eimer mit Feuersteinsplittern –, ging ich ihr bis zur Hecke entgegen, nahm ihr Handgelenk und zog sie ins Haus und forderte sie auf, sich an den Ecktisch zu setzen. Da ich alles vorausgesehen hatte – ihr Erschrecken

ebenso wie ihre Verblüffung und, gewissermaßen unterlegt, so etwas wie eine ratlose Freude –, rührte ihre Reaktion mich nicht. Ich ließ keine Frage gelten, lehnte Erklärungen ab, beschränkte mich nur darauf, auf die Rückkehr des Jungen zu warten. Der kam nach einer Weile pfeifend ins Haus und fragte mehrmals laut an, ob er sich Zigaretten leihen könnte; die Frau jedoch antwortete nicht, und so stieß er, auf der Suche nach ihr, die Tür auf und sah mich: das gleiche Erschrecken, die gleiche verwirrte Freude, und dann eine Geste, die sich wohl zur Umarmung erweitern sollte, doch sie blieb unausgeführt, offenbar, weil meine Entschiedenheit sie nicht zuließ. Auch in seinem Fall ließ ich keine Fragen gelten. Nun, da wir zusammen waren, forderte ich sie auf, mit mir an Bord der »Ragna« zu gehen, ich selbst warf die Leinen los, und dann fuhren wir hinaus zu der unterseeischen Steinbank und warfen Anker auf dem alten Platz. Sie merkten, daß ich in allem einem Plan folgte, doch nach einigen Versuchen gaben sie es auf, etwas von mir zu erfahren, und führten nur mißtrauisch meine Anweisungen aus. Sie wagten nicht, sich zu widersetzen, selbst als ich meine Absicht bekanntgab, das glimmende, scharfkantige Ungetüm heraufzuholen, den Stein, der mir zugedacht war, wechselten sie nur einen besorgten Blick, der Junge legte das Tauchgerät an, und ich band ihm die Signalleine um und fierte die Klaue weg, nachdem er getaucht war. Er fand den Stein, er brachte den Greifer über ihn und ließ die Klauen zupacken, und danach muß er wie ich einst aufgesehen und den Brokken beobachtet haben, wie er pendelnd emporschwebte und durch die Oberfläche brach. Das stürzende Wasser wusch an ihm entlang, als er auftauchte und sich hob bis zu dem Punkt, an dem er eingeschwenkt werden mußte. Ich stoppte das Spill, winkte die Frau heran, ließ sie die Sperre lösen und sogleich auch den Zug tun, der die Klauen des Greifers öffnet. Sie tat es skeptisch, ohne die Wirkung vorauszusehen, und dann stürzte der Stein mächtig aufschwappend zurück und schickte schaumige Spritzer bis zu uns hinauf. Um Himmels willen, sagte sie, um Himmels willen, was ist denn nun geschehn? Ich löste die an die Reling gebundene Signalleine und warf sie über Bord; danach zog ich das Beiboot heran, unter dem Vorwand, das Wasser abzusuchen, sprang hinein und stieß ab und ruderte mit dem Wind, mit der Strömung davon. Ihr Rufen hörte auf, schließlich auch ihr Winken mit dem weißen Tuch.

1057

Der Junge:
Bis zuletzt hatte ich geglaubt, er wollte nur etwas feierlich demonstrieren, so auf seine Art, und das heißt, daß man im Tun etwas begreift und das Grundsätzliche mitlernt. Deshalb war ich nicht allzu erstaunt, als er mich runterschickte und mir eigenhändig die Signalleine umband; allerdings merkte ich auch, daß das, was ich tat, Teil eines größeren Planes sein sollte, doch das war erst an der Bordwand, als er mich ohne Schlag verabschiedete. Der Stein, den wir gemeinsam heben wollten, lag mit seiner Schmalseite nach oben, die Klauen faßten gut und hielten ihn so sicher, daß er, wenn man die Sperre nicht vorsätzlich löste, niemals zurückstürzen konnte. So blieb ich an der Stelle und blickte ihm nach, sah ihn bewegungslos als zerlaufenden Schatten über der Wasseroberfläche, bis er auf einmal zurückfiel. Ich versuchte, zur Seite wegzugleiten, und noch in der Bewegung, die mich kaum in Sicherheit gebracht hätte, spürte ich den vorauslaufenden Druck wie eine ungeheure Faust, die mich herumriß und wegschleuderte, soweit die Signalleine es nur zuließ. Ich schnitt mich los, schwamm zurück in den blasigen Aufruhr an der Absturzstelle, wo Algen und Schaum und Grundsand durcheinandertrieben, und ertastete den Stein. Ich ahnte, wer die Sperre gelöst hatte, glaubte zu verstehen, was hier hatte geschehen sollen, und während ich, waagerecht am Stein hängend, »Ragnas« plumpen Schatten absuchte und erkannte, wie der geringe Schatten des Beibootes sich entfernte, begriff ich auf einmal die Gelegenheit: sachte bewegte ich mich auf das Ufer zu, immer mehr weg von »Ragna«, immer sicherer vom Beiboot. Dort am Ufer hatte sich der Weißdorn schon den Strand erobert. Es hatte zu dämmern begonnen.

Die Frau:
Er war es, der mich aufforderte, die Sperre zu drücken, und er war es, der mir die Reißleine gab; ich hab doch nur das getan, was er von mir verlangte, ich wußte ja nicht, was geschehen würde. Sie ließen mich einfach allein an der Unglücksstelle, allein auf diesem schwarzen Schiff, das ich haßte, vom ersten Augenblick an, und ich mußte eine Nacht dort aushalten, ehe der alte Rasmussen mich fand, mich dort liegen sah. Man braucht mich nicht zu fragen, ich weiß nur eins: ich werde fortgehen von hier, wo alles fremd geblieben ist – diese Küste und dieses Haus und diese Leute mit ihrer Undurchdringlichkeit und

Kälte. Ich weigere mich einfach, darüber nachzudenken, was geschehen ist; oh, und ich könnte es auch gar nicht, da ich den Druck auf meinen Schläfen schon jetzt kaum aushalten kann. Es schlingert einfach, alles schlingert unter mir. Aber etwas werde ich tun, ich werde die Annonce vernichten, die er damals aufgegeben hat, und auf die ich hierherkam. Ich weiß, daß sie mich jetzt fragen werden, aber welche Antworten bleiben mir denn? Ich muß doch zugeben, daß ich die Sperre gedrückt und an der Reißleine gezogen habe, und da er schon wieder oder immer noch als auf See vermißt gilt, werden sie feststellen, daß nur ich allein es getan haben kann.

1059

1973

Achtzehn Diapositive

Was ihr hier seht, ist unsere Fähre »Prinz Hamlet«; ich muß das Bild wohl noch etwas schärfer einstellen; die Leinwand könnte auch noch etwas tiefer hängen; ich mach das schon, Eva, achte du nur darauf, daß Eugen und Thea etwas zum Trinken haben, und zum Knabbern natürlich ... »Prinz Hamlet«, und dennoch pünktlich, entschlossen, genau nach Plan ... Mit fünftausendvierhundert Tonnen ist dieses weiße Schiff vermessen ... Und diese winkenden zweiundfünfzig Kilo an der Gangway, unter der Baskenmütze, das ist Eva ... Natürlich winkt sie *mir* zu, ich stehe am Kai und mache gerade die Aufnahme, kurz vor Abfahrt des Schiffes ... Bitte, den Tropfenbug zu beachten, der nach den neuesten hydrodynamischen Forschungsergebnissen gebaut wurde, und das glatte abgeschnittene Heck sowie die verkleideten, eleganten Aufbauten ... Falls einer von euch mal hinübermöchte ins alte, geliebte England: diese Fähre ist wirklich zu empfehlen. Ihr gondelt bei einem doppelten Whisky die Elbe hinunter, nehmt gemächlich Abschied von den grünen Luftspiegelungen der norddeutschen Heimat, verschlaft nach einem Abendessen, das in jedem Fall besser ist, als es die mittelmäßigen Gegner Englands behaupten, die wie immer kabbelige Nordsee, und am Morgen legt ihr in Harwich an ... nicht um sechs Uhr fünfundvierzig oder um sieben Uhr zehn wie die skandinavischen Fähren, deren Ankunftszeiten offenbar von Männern bestimmt werden, die selbst unter Schlaflosigkeit leiden ... Hier geht ihr um halb neun von Bord, mit Fruchtsäften gestärkt, mit Porridge und

Kippers ... Eva war so begeistert, daß sie beschlossen hat, England nie mehr auf einem andern Weg zu erreichen – sie war gerade zum ersten Mal drüben ... Als ich damals zurückkam – mein Gott, wann war das: nach der Eisenzeit wohl –, also wenn ich an die Fähre denke, die sich im Herbst sechsundvierzig von Harwich nach Hoek mühte – eine Art »Mayflower« im Vergleich zur »Prinz Hamlet« ... Auch was die Gefühle anging ... Keiner konnte schlafen ... Ja, also »Prinz Hamlet«, das Schiff, das uns hinübertrug.

Und hier – leider sehr undeutlich – seht ihr ein Bild von unserer Ankunft, das ganz schlicht sensationell genannt werden kann: Eva vor der Paßkontrolle ... Vermutlich ist die Unschärfe dadurch zu erklären, daß auch das überraschte Objektiv meiner Kamera blinzeln mußte ... Fällt euch nichts auf, Eugen? ... Das ist richtig, bedien dich nur selbst, Eis steht in der Schüssel auf dem Hocker ... Ihr müßt den Blick etwas heben zum oberen Bildrand ... Immer, schätzungsweise aber seit Wilhelm dem Eroberer, hat England die Ankommenden zweigleisig empfangen und abgefertigt: hier Einheimische – dort Fremde ... Dabei möchte wohl niemand entscheiden, wer bevorzugt behandelt wurde. Und nun – die Tradition hat ihre schwarze Börse erlebt, seit England der Europäischen Wirtschaftsgemeinschaft beigetreten ist ... Jetzt wird jeder zu den Einheimischen gezählt, der das Glück hat, im Gebiet des Gemeinsamen Marktes zu wohnen ... Seht ihr das neue Schild über der Paßkontrolle? ... Du warst ja lange genug drüben, Eugen, du kannst den Wandel ermessen ... Das verkleidet wirkende Ehepaar neben Eva übrigens, die beiden, die da so bang lächeln: eine Bauernfamilie aus Holstein. Ein englischer Farmer, der als Kriegsgefangener auf ihrem Hof arbeiten mußte, hatte sie eingeladen ... Im Unterschied zu Australiern und Kanadiern durften auch sie den Ausgang für Einheimische benutzen.

Nein, das ist Speakers' Corner, das kommt später; erst einmal diese Aufnahme, durch das Abteilfenster, aus dem fahrenden Zug; obwohl sich die Häuser gleichen, obwohl man hier in Verlegenheit käme, wenn man den ersten Preis für Trostlosigkeit zu vergeben hätte: mein altes, zugiges Fenster entdeckte ich sofort, dort im dritten Stock ... Stallgeruch vermutlich ... Das Pappstück oben links dürfte neu sein, aber der Rahmen zum Wäschetrocknen – man hängt ihn ein und sichert ihn mit zwei Flügelschrauben – stammt garantiert noch aus meiner Zeit ... Mein altes Fenster, an der Rückfront des Schachtes, der zum Bahndamm hin offen ist ... Im Gegenteil, Thea – in den ersten Monaten war es eine befremdliche, eine erregende Aussicht: die matt blinkenden Geleise abends, bevor die Nebel kamen und alle Regungen und Geräusche entweder verbargen oder verdünnten – ich nannte das meine »Dickens-Stunde« ... Oder wenn – an Sonntagnachmittagen – alle Dinge, wie auf Verabredung, ihre Farbe einbüßten oder in diesem Londoner Licht eine neue Farbe annahmen, nämlich die Farbe der Trostlosigkeit; ich nannte das die »Loewenberg-Stunde«, nach einem jungen Dichter, der mit seinem einäugigen Vater im Nebenhaus wohnte, beide Emigranten wie ich ... Hier wohnte er, und manchmal las er mir vor ... Oder wenn altmodische Lokomotiven erstaunlich lange Züge vorbeischleppten – beinah jedesmal fühlte ich mich versucht, die Anzahl der Waggons zu erraten, bevor ich mich ans Zählen machte; manchmal schloß ich sogar Wetten mit mir selbst ab ... Ganz recht, Eugen, das waren dann schon die ersten Zeichen dafür, daß ich mich einzugewöhnen begann. Ich nehme an, dir wird es in der Nähe vom Belgrave Square ähnlich gegangen sein ... Natürlich haben, vom Zug aus gesehen, alle Vorstädte etwas Trostloses, aber das Gefühl inspirierender und unüberbietbarer Trostlosigkeit – das erlebst du nur bei der Einfahrt nach London.

Ja, und hier: der Gegenschuß, das Haus von der Vorderseite – ich habe die Bilder in eine bestimmte Reihenfolge gebracht. Diesmal hatte Eva die Hand am Auslöser ... die beiden Männer vor dem imposanten Spalier der Abfalltonnen: Charles und ich, mühelos zu erkennen; ich überreiche meinem ehemaligen Hauswirt gerade ein Päckchen schwarzen krausen holländischen Tabak, seinen Lieblingstabak. Er war Lehrer an einer Abendschule, gab Geschichte und Heimatkunde – viele Eisenbahner waren seine Schüler; im ersten Weltkrieg wurde er bei dem Versuch verwundet, das Maskottchen seiner Einheit einzufangen, einen Ziegenbock ... Charles, unser »Mascot-Major«, der sich vornehmlich von Cornflakes und Tee ernährte ... Nachdem sie mein Asylgesuch anerkannt hatten – es war gar nicht so leicht damals, denn als Redakteur einer Arbeiterzeitung billigten sie mir nicht den notwendigen Grad von Gefährdung zu – von der Sammelstelle also machte ich mich auf zu Charles Sullivan ... Wißt ihr, mit welchen Worten er mich begrüßte? Jeder ist willkommen in meinem Haus – vorausgesetzt, daß er es übernimmt, einmal in der Woche meine Tiere zu füttern ... Was er hatte? Also ganz sicher lebten mit ihm in seinen anderthalb Zimmern Katzen, Zierfische, Vögel und ein junger Kaiman, der am liebsten Bleistifte fraß ... Schaut euch die Haarfülle an, und Mr. Charles Sullivan ist über siebzig ... Sein Sohn übrigens, ein Waffeningenieur, erfand für die Royal Navy eine Spezialmine; Charles setzte ihm so lange zu, bis er seine Erfindung »vergaß« ... Was mich an ihm störte, was insbesondere Ida an ihm störte, Ida Ehrlichmann, die an Wochenenden stundenlang beherrscht weinte – so ein ruhiges, trockenes Weinen, das darauf schließen ließ, daß sie ein distanziertes Verhältnis zu ihrem Schmerz hatte: seine Förmlichkeit ... seine mechanische Anteilnahme und Förmlichkeit ... Wenn du Charles mit der unvermeidlichen Erregung anvertraut hättest: ich habe leider meinen Bruder erschlagen müssen – er hätte gewiß nicht mehr gesagt als: Oh, I see ... Als Ida einmal, erstaunlich genug, an einem Wochentag weinte – es war, als die Verbindung mit ihrer Mutter in Breslau abriß –, glaubte Charles nach ihr sehen zu müssen, es lag ihm nicht daran, den Grund ihres Leids zu erfahren, er wollte lediglich seine Anteilnahme ausdrücken, und so sagte er: Sorry ... Machst du mir auch ein Glas, Eugen? Mit zwei Stückchen Eis, bitte; der Bildwerfer läuft ganz schön heiß ... Also alles in allem wohnte ich hier dreieinhalb Jahre ... In einem Archiv, Thea; nach einigen Kurierdiensten gaben sie mir Arbeit in einem Zeitschriften-Archiv: ich hatte internationale Berichte über Flüchtlingsprobleme auszuwerten ... Übrigens, ihr könnt euch überzeugen: die gesamte Installation lag wirklich außerhalb des Hauses ...

Wer kennt dieses Bild nicht: Trafalgar Square ... Eugen weiß natürlich sofort, wo mein Standort war ... Und da, ganz verschattet, unter einer Wolke von Tauben, das ist Eva; vor lauter Schreck ließ sie zwei Tüten mit Futter fallen und flüchtete ... Schaut euch die beiden Polizisten an; sie sehen aus, als ob sie Beschwerden der Tauben entgegenzunehmen hätten.

Wenn du weiter erklären willst, Eva ... Nein? ... Ja, und hier seht ihr noch einmal den Trafalgar Square, den Springbrunnen, aus dem Tauben sehr geschickt trinken und in den manchmal junge Leute springen – Bedingung einer Wette ... Hier am Brunnen lernte ich Cynthia kennen, meine erste Frau, das heißt: ich hielt sie fest, während sie sich auf

Geheiß eines sonderbaren Polizisten – eines nur hier möglichen Polizisten – das Gesicht kühlte ... Sie hatte etwas zuviel getrunken. Eugen
wird euch bestätigen, daß man in England nicht betrunken in der
Öffentlichkeit erscheinen darf ... Cynthia fiel mir sofort auf, nicht
allein deswegen, weil sich wie immer die Farbe ihres Rockes mit der
des Pullovers und der Jacke stritt – eine Antwort auf die dauerhafte
Trübnis ihrer Straße –, sondern weil sie sich in weichem Schlinger-
gang, eine Hand auf der Steinbrüstung, auf den Polizisten zubewegte
und, den Blick zur Spitze der Nelson-Säule erhoben, mehrmals flüsterte: Komm runter, verdammt noch mal, komm doch runter ... Es
war im Herbst achtunddreißig; du warst noch im Lande, Eugen ... Ja,
ich weiß, bis zum Juni neununddreißig bliebst du hier ... Der Polizist,
die Hände auf dem Rücken, ließ Cynthia sacht an sich auflaufen; die
offizielle Frage, das konnte ich erkennen, war schon erarbeitet. Er
fragte tatsächlich: Welche Gründe haben Sie dafür vorzubringen, daß
Sie angeheitert in der Öffentlichkeit erscheinen? Worauf Cynthia ziemlich sachgemäß antwortete: Ich sah gerade die Wochenschau im Kino.
Ich hoffe, wir stimmen darin überein, daß die Vorgänge auf dem Kontinent es rechtfertigen, einige Gläser mehr als üblich zu trinken. Oder
ist Ihnen das nicht Grund genug? Der Polizist dachte nach, bewertete
den Grund, war offensichtlich zufrieden, empfahl dann aber doch: Für
alle Fälle sollten Sie sich ein wenig Kühlung verschaffen, am besten
dort, im Brunnen ... Ich hielt Cynthia fest, während sie sich das Gesicht kühlte, der Brunnen blieb lange Zeit unser Treffpunkt ... Was
meinst du, Thea? O ja, wir haben sie gesehen, Eva bestand sogar darauf, nicht wahr, Eva? Und wie du sagst, habt ihr euch gegenseitig
geschätzt, Cynthia und du ... Allerdings haben wir sie nicht zu Hause
besucht; wir trafen uns in einem Lokal, das sich »Khyber Pass« nannte
und wo einem schon beim Anblick der Speisen der Schweiß ausbrach ... Cynthia lebt mit Ida Ehrlichmann zusammen, sie betreut
sie ... Sagt dir eigentlich dieser Name etwas, Eugen? Nicht?

So, und das ist nun wieder Speakers' Corner, aufgenommen an einem
Sonntag vormittag ... Der lockenköpfige Redner, der sich gerade zu
Eva hinabbeugt, machte ihr den Vorschlag, Vizepräsidentin einer
»Weltbewegung für totalen Liberalismus« zu werden, so gut fühlte er
sich von ihr verstanden ... Nein, nein, diese Polizisten sind nicht dazu
da, die glimmenden Zündschnüre von Revolutionen an Ort und Stelle

auszutreten; sie achten nur darauf, daß die Taschendiebe nicht allzu erfolgreich werden … Wie bitte? Ja, ich weiß, Eugen, daß sich einer deiner ersten Artikel, die du damals als Korrespondent geliefert hast, mit den Hyde-Park-Rednern beschäftigte … Obwohl es mir schwerfiel: auch ich hab mich amüsiert … Dein Witz machte die Geringschätzung versöhnlich; deine Verachtung für die Debatte wurde doppelbödig durch die Heiterkeit – einfach weil du einen unerfahrenen Taschendieb über seine Erlebnisse in einem politischen Quassel-Zoo schreiben ließest … Du siehst, ich erinnere mich noch daran … Sicher, Thea, du hast völlig recht: Eugen hatte es nicht leicht als Korrespondent, er mußte sozusagen im Spagat schreiben, hier Erwartungen berücksichtigen, dort den eigenen Vorbehalt kenntlich machen. Ich will gern glauben, daß ich in meinem Archiv weniger Risiken lief als Eugen; als anerkannter Emigrant war ich gewissermaßen frei; er aber lief an langer Leine, die der für ihn zuständige Mann in der Botschaft in der Hand hielt … Nein, Thea, ich unterschätze weder die Gefahr, in der Eugen sich als Sonderkorrespondent ständig befand, noch die Dürftigkeit der Mittel, mit denen er sich von den Mächtigen zu Hause zu distanzieren versuchte …

Eben, Eugen: Schreiben auf des Messers Schneide, das war es damals … Nimm ruhig aus der neuen Flasche … Und du, Thea, du mußt unbedingt die Schinkenspieße probieren, und die gefüllten Oliven natürlich … Etwas weiter unten am Hyde Park kannst du übrigens Bilder kaufen, selbstverständlich nur an trockenen Tagen, Sonntagsmaler … War dein Büro nicht irgendwo in der Nähe? In der Shaftesbury Avenue? Ach richtig, das hast du mal erzählt.

Und hier – nein, dieser Vogel steht auf dem Kopf –, hier habt ihr einen der Original-Tower-Raben: Eva wagte nicht, ihm längere Zeit ins unbewimperte Auge zu sehen; Cynthia, meine erste Frau, mochte ihn nicht nur, es war ihr Lieblingsvogel – und zwar nicht allein, weil er klug und beredsam ist, sondern weil er etwas vorführt: daß nämlich jeder Versuch, durch Würde zu beeindrucken, ins Lächerliche gerät … Natürlich wollte Cynthia wissen, was ich jetzt treibe, und ich erzählte ihr von deiner Agentur, Eugen – sie kannte sie seltsamerweise nicht – und daß du mich beteiligt hast … Jedenfalls, ein durch und durch literarischer Vogel. Warum wir dieses Bild gemacht haben – weißt du's noch,

Eva? ... Wie ihr seht, es ist die rote, bestickte Tracht eines Fremden-
führers im Tower ... Die blaue Knollennase, das fleischige Gesicht:
vermutlich gehören sie einem ehemaligen Feldwebel, der die Geschichte zum Rapport befiehlt und ihr beweist, daß sie keinen Gesetzen folgt,
sondern nur dunkler Gewalt und romanhafter Machenschaft ... Wie
der redet, gestikuliert, demonstriert: da gewinnt Geschichte auf einmal
eine schlimme Glaubwürdigkeit – was schon dadurch bewiesen wird,
daß man sich vor ihren Richtstätten in Gelächter rettet ... Ich weiß   1065
nicht, es muß wohl auch an den Kostümen liegen, daß man auf einmal
das Gefühl hat, alles hat sich wirklich ereignet, ich muß mich darum
kümmern ...
Nein, Thea, ich brauche jetzt einen soliden Schnaps – aber bedien
dich ruhig, und schenk auch Eugen nach ... Ihr könnt euch vorstellen,
welch ein Aufsehen entstehen mußte, als eines Tages ein unbekannter
Fremdenführer im Tower auftauchte, ein zarter, dunkeläugiger Mann,
der Englisch mit bayerischem Akzent sprach ... In der Uniform der
»Yeoman Warders« zog er sogleich die Besucher auf sich und sprach
mit leidenschaftlicher Ergriffenheit – weniger über die dunkle Roman-
haftigkeit der Geschichte ... Er demonstrierte ihr unheilvolles Gesetz:
wenn in einer bestimmten Lage die bestimmten Bedingungen zusam-
mentreffen, dann entsteht mit Notwendigkeit dieses voraussagbare
Resultat ... Er sprach im Tower über die Lage in Deutschland ... Die
hiesige Geschichte nahm er zum Anlaß, um auf die jüngsten Exzesse in
seiner Heimat hinzuweisen ... Heimsohn ... Michael Heimsohn, ein
brillanter Historiker, der als Emigrant in unserem Archiv arbeitete,
neben mir ... Natürlich, Thea, kann ich dir sagen, warum er es tat: er
wollte die Aufmerksamkeit verschärfen und glaubwürdig klingen ...
Was er in gelegentlichen Vorträgen nicht erreichte – als Fremdenführer
im Tower gelang es ihm; freilich nur so lange, bis man seine List
entdeckte ... Entschuldige, Thea, aber ich verstehe nicht, warum du
dich so erregst ... Wir sehen uns doch nur einige Dias an ... Aber ich
bitte dich: wie kannst du sagen, daß hier jemand unwillkürlich angeklagt werden soll ... Es gab eben zwei Seiten; Eugens Schicksal bestand
darin, auf der einen Seite zu stehn, und meins, auf der andern Seite ...
Schicksal ist schon zuviel: Leute wie wir haben kein Schicksal, allenfalls
Lebensläufe, und die zwingen uns mitunter auf verschiedene Sitzplätze ... Aber weshalb denn? Weshalb fühlst du dich schon gereizt, wenn
ich so etwas feststelle? ... Nun mußt du aber eingreifen, Eugen, mit

dem klärenden Wort, das wir von dir gewohnt sind ... Du mußt Thea recht geben? Ja, verdammt noch mal, woran liegt denn das? Ihr braucht euch doch nicht zu verteidigen: selbstverständlich weiß ich, was es bedeutete, zu Hause zu bleiben, unter den Luftangriffen zu leben, mit Ersatzstoffen, oder gar eingezogen zu werden, und dann, wie du, Eugen, einen Arm zu verlieren ... Ich führe euch doch nur Bilder vor von einer Reise, die Eva und ich in diesem Herbst gemacht haben ... Mittlerweile muß doch jeder ein erträgliches Verhältnis zu seiner Vergangenheit gefunden haben ... Das ist eine gute Idee, Eva ...

Ein neues Bild, und was ihr seht, ist Soho bei Tag – das einzige Vergnügungsviertel, das, so scheint mir, bei Tageslicht mehr preisgibt als bei Nacht ... Deinen großen bebilderten Bericht, Eugen, habe ich übrigens noch im Gedächtnis ... Was Soho heißt? Es war wohl der Kampfruf eines Raubritters, der diese Gegend einmal für sich beanspruchte ... In Soho erkennt man nämlich am Tag – und nur am Tag –, mit welcher Bereitwilligkeit dieses England ganze Flüchtlingsgenerationen aus aller Welt aufgenommen hat. Und gleichzeitig erfährt man die feine Abschätzigkeit, mit der ein Ausländer bedacht wird ... Das da vorn ist ein Delikatessengeschäft, daneben eine marokkanische Kneipe, und wiederum daneben eins der teuersten Restaurants der Stadt – »Christopher Colombo«. Über dem Delikatessengeschäft – die Schilder im Hausflur sind leider nicht zu sehen – kannst du nicht nur holländischen und französischen, sondern auch persischen und algerischen Privatunterricht nehmen ... Wenn ich mich recht erinnere, Eugen, hast du damals ziemlich kritisch über Soho geschrieben ... Zigaretten liegen auf dem Hocker, gleich neben dir ... Ironisch gerichtet hast du Soho – vielleicht ohne zu wissen, daß es hier, in diesem Delikatessenladen, die beste deutsche Leberwurst zu kaufen gab, besser noch als in Hamburg ... Cynthia, meine erste Frau, war so begeistert, daß sie mich einmal bat, einen ganzen Kringel mitzubringen; scheibchenweise verteilte sie ihn an ihre Schützlinge als Belohnung ... Sie war Kindergärtnerin, ja ... Und auch heute – trotz allem, was geschehen ist –, wenn sie heute in der Nähe zu tun hat, vergißt sie nie, sich in diesem Laden ein Stück Leberwurst zu holen ... Stell dir vor, sagte sie einmal zu mir, wenn ihr euch nur auf solche friedlichen Spezialitäten konzentriert hättet.

Und hier, Eugen weiß natürlich sofort, wer hinter diesem Bretterzaun seine geladene Armbrust in Richtung Soho hebt: Eros selbstverständlich, sein Standbild ist das Wahrzeichen von Piccadilly Circus ... Ich bin froh, daß ich euch den Anblick ersparen kann – das Denkmal ist von erlesener Scheußlichkeit, hingegen verdient der Bretterzaun jede Aufmerksamkeit ... Nein, das Denkmal wird nicht gerade restauriert; die Bretter stellen eine vielsagende Schutzmaßnahme dar ... Wogegen? Gegen nationale Begeisterung, gegen Freude, die sich gewaltsam äußern muß ... So ist das hier: wenn zum Beispiel die Nationalmannschaft ein begeisterndes Fußballspiel liefert, gerät die Nation aus dem Häuschen und Eros in Gefahr; darum muß der Knabe geschützt werden, vorsorglich ... Frag die Psychologen, warum Eros hier büßen muß, sobald ein Anlaß zu nationaler Begeisterung besteht ... Geradeaus, Eugen, und dann die letzte Tür links; ich hab das Licht im Bad brennen lassen ... Dort übrigens, in dieser Imbiß-Scheune – es gibt hier etliche davon – haben Cynthia und ich nach der Trauung gegessen, zusammen mit unseren Trauzeugen: Charles Sullivan, meinem Wirt, und Ida Ehrlichmann, die sich ausnahmsweise selbst zwei Stunden freigegeben hatte ... Warum? Weil sie beinahe zweihundert Kunden hatte, denen sie nichts anderes als ihre Zeit und Teilnahme anbot – ältere, alleinstehende Menschen zumeist, die sie einmal in vierzehn Tagen besuchte und die noch dringender auf sie warteten als auf den Milchmann ... Unser Komitee, sie hatte in unserem Komitee freiwillig diese Aufgabe übernommen, eine magere, dunkelhäutige Frau, die sich, wie ich erfuhr, heimlichen Exerzitien unterwarf mit dem Ziel, in ihrer Anteilnahme nicht zu ermüden und das Erfahrene als verpflichtenden Besitz zu behandeln ... Cynthias Familie? Das kann ich dir sagen, Thea: Cynthias Vater war Kapitän auf einem Fischdampfer, ein wohlhabender Mann. Als er erfuhr, wen Cynthia zu heiraten beabsichtigte, schickte er ihr ein Beileidstelegramm, für das er sich allerdings während des Krieges entschuldigte ... Gut, daß du wieder da bist, Eugen, wir wollen uns gerade ein neues Bild zu Gemüte führen ... Und den Namen von Ida Ehrlichmann hast du wirklich noch nie gehört? Ja, du sagtest es bereits.

Dies Bild hat Eva gemacht, es muß der St. James's Park sein – nein, es ist wieder der Hyde Park ... Eigentlich müßtest du erzählen, Eva, was dich hier so reizte ... Eben, es sind nicht nur die Uniformen dieser englischen Nannies, es sind die drei ungetümen Kinderwagen, die die strengen Kindermädchen zu einer Art Wagenburg zusammengeschoben haben ... Und wenn ihr genauer hinseht, entdeckt ihr an jedem dieser Wagen eine kleine, goldene Krone, was soviel heißt, daß ihr plärrender, gepuderter, vermutlich in nassen Windeln liegender Inhalt von adligem Geblüt ist: beachtet mich, zwar scheiße ich in die Strampelhose, doch alsbald werde ich unweigerlich einen bekannten Namen erben ... Ganz recht, Eugen, wenn das kein Klassenbewußtsein ist ... Nein, es ist mir nicht bekannt, daß du damals auch über den englischen Adel geschrieben hast ... Unterdrückt? Sie haben deinen Artikel unterdrückt? Das wundert mich nicht; schließlich gab es da einige seltsame Sympathien; ich habe selbst eine Photographie gesehen, die einen gewissen Herzog von Windsor mit einem gewissen Robert Ley zeigt, ausgerechnet mit dem Leiter der Arbeitsfront.

Dies Bild wollte ich nicht zeigen, ich weiß gar nicht, wie es in den Stapel geraten ist ... Du vermutest richtig, Eugen: es ist das Albert Memorial in den Kensington Gardens ... Meinst du, Eva? Aber ich fürchte, das wird Thea und Eugen kaum interessieren ... In der Tat seht ihr nichts anderes als das Albert Memorial, ein reitendes Paar, Schläfer auf dem Rasen; hier in der Nähe geschah einmal ein Unglück, es war zur Zeit der Invasion ... Cynthia wollte mit ihren Kindern die Straße überqueren, sie achtete immer darauf, daß alle sich an den Händen hielten, doch einige rissen sich los, und ein Lastwagen der Armee konnte nicht mehr rechtzeitig bremsen ... Der Schock war so groß, daß sie fast ein halbes Jahr im Hospital blieb, kaum sprach, und wenn, dann nur über Schuld ... Ja, so war es auch: in ihren Augen traf die Schuld keinen einzelnen, sondern den Krieg, und dieser war nach ihrer Ansicht ...

Wie meinst du, Thea? ... Ich glaube, dies ist keine Gelegenheit, zu vergleichen, ein Unglück gegen das andere auszuspielen, eine Not an der andern zu messen ... Ich weiß, daß beim großen Bombardement von Hamburg viele Kinder verbrannten. Aber spürst du denn nicht, daß wir von verschiedenen Heimsuchungen sprechen? ... Zählen die Ursachen denn gar nicht mehr? ... Nein, Eugen, ich versuche nicht, die Opfer zu unterscheiden und für einige mehr zu beanspruchen als für andere. Ich frage mich nur, ob es zur gleichgültigen Geschäftsordnung der Geschichte gehört, daß wir die Opfer ein zweites Mal sterben lassen, indem wir darauf verzichten, Schuld zu übernehmen ... Einverstanden, darüber können wir mal bei anderer Gelegenheit sprechen.

Was sich auf diesem Bild so unscheinbar gibt: die »Straße der Tinte«, Fleet Street ... Hier also sind die Kollegen von der Presse zu Hause, die »siebente Weltmacht«. Soviel ich weiß, ist die angemessene Geschichte dieser Straße noch nicht geschrieben worden – oder täusche ich mich, Eugen? Ein mühsamer, ein geduldiger Weg vom Verbot aller Gazetten bis zur Pressefreiheit ... Den größten Widerstand übrigens sollen Kollegen geleistet haben, die vom Staat bestochen worden waren, gekaufte Schreiber und Schönfärber ... Welch eine Zeit muß das gewesen sein, als auf dem ganzen Weg von Old Bailey bis zur Fleet Street Reporter Posten bezogen hatten, um das letzte Urteil an die Redaktion zu signalisieren – für die allerneueste Meldung ... Jedenfalls, ich hatte die Ehre, Fleet Street als meine Adresse angeben zu können ... Du auch, nicht, Eugen? Aber ihr wart doch auf einen Informationsdienst abonniert damals? ... Eben, dich muß doch der Beruf regelmäßig hierhergeführt haben ... Nein, im »Ye Olde Cheshire Cheese« war ich nie, aber ich habe von diesem alten Pub gehört. Ida Ehrlichmann war manchmal dort, sprach Zeitungsleute an, suchte sie für die Schicksale und die Situation ihrer »alten Kunden« zu interessieren ... Sie erzählte mir von zähen Überredungsversuchen, die oft deshalb erfolglos blieben, weil ihre Erzählungen »unrealistisch« schienen ... Wie mußte ihr zumute sein: sie, eine Sachverständige der Not, deren Berichte gleichwohl unglaubwürdig wirkten ... Hier, in diesem Pub, sind ihr auch ihre Listen abhanden gekommen ... Ich weiß, Eva, aber bisher gab es wohl keinen Anlaß, dir davon zu erzählen ... Es waren die Listen mit den Adressen all ihrer Schützlinge, dazu private Äußerungen über ihre Lage und Tätigkeiten; ihr könnt euch vorstellen, was der Verlust für sie bedeutete. Und ihr könnt wohl auch ermessen, wie es sie traf, als einige ihrer »Kunden« anonyme Warnungen erhielten; drohende Aufforderungen zum Wohlverhalten gegenüber der alten Heimat ... Es war nicht möglich, Thea ... Sie hatte keine Gewißheit, nur einen Verdacht ... Ich teile durchaus ihre Annahme, daß die Listen an die Botschaft gelangt sind ... Das kann ich dir sagen, Eugen: sie trug diese Listen deshalb mit sich herum, weil es im Haus von Charles Sullivan keine Schlüssel zu den Zimmern gab ... Du hast deine Zweifel, Thea? Gut, dann will ich dir sagen, daß auch ich eines Tages eine anonyme Warnung erhielt;

man riet mir, meine »feindliche Tätigkeit« im Archiv aufzugeben …
Aber warum wollt ihr denn nichts mehr trinken? … Eva, nötige doch
mal ein bißchen … Und hier seht ihr einen Straßenmaler, am Victoria Embankment …
Der Mann fiel mir deshalb auf, weil er – ihr könnt es erkennen – nur
Straßenmaler malte, die ihrerseits auch wieder Straßenmaler mal-
ten … Schaut euch die Beine der Zuschauer an, die Mädchenbeine, die
Männerbeine, schaut nur genauer: es ist jeweils nur ein eigentümliches
Bein, also müssen die Zuschauer einbeinig sein.

Eine historische Aufnahme, ja, dies ist ein Bild von historischem Wert,
denn inzwischen wurde die »Windmill« abgerissen, einer der berühmtesten Unterhaltungsschuppen – Show-Programme waren die Spezialität der »Windmill«; und ihr Wahlspruch, der durch Kühnheit oder
Wurstigkeit oder ganz einfach durch englischen Trotz legitimiert war,
lautete: »Nie geschlossen« … In deinem Aufsatz, Eugen, – er hieß
wohl: »Was ist englisch an den Engländern?« – hast du damals diesen
glorreichen Trotz vergessen, der zu Unerwartetem befähigt. Ich wollte
sagen: die »Windmill« hat ihren Wahlspruch während des Krieges erworben; nicht einmal der wütendste Bombenangriff beeindruckte die
Direktion so sehr, daß sie sich zum Abbruch des Programms entschlossen hätte. Hier wäre die Schau weitergegangen, selbst wenn es
Brandbomben geregnet hätte, und was ich über die Direktion gehört
habe: die hätte es fertiggebracht, den Gästen zum Abschied noch warme Bombensplitter als Souvenir zu überreichen … Nein, Thea, nicht
sehr oft, vielleicht ein halbes Dutzend Mal … Wann ich zuletzt dort
war? Das kann ich sogar genau sagen: im Herbst sechsundvierzig, einen Tag bevor mich die letzte Fähre von Harwich auf den Kontinent
brachte … mit Cynthia, ja, mit meiner ersten Frau … Wir hatten
gepackt, Abschiedsbesuche gemacht, zwei Plätze reserviert, alles war
beschlossen und geordnet und abgesichert, und am letzten Abend, der
uns auf der Insel geblieben war, gingen wir in die »Windmill« … Wie
immer, viele Soldaten, gute Musik, eine sehr freigebige und witzige
Show … Cynthia hatte offenbar nur einen Gedanken: sie fragte wohl
schon zum fünften Mal, woran es liegen könnte, daß er überhaupt
nicht älter werde; sie meinte einen sehr ernsten Zeitungsverkäufer, den
wir schon seit Jahren kannten … Wie bitte? Nein, Eva, das ist wohl zu
privat … Ach, nur den Abschied meinst du? … Da habe ich auch nur

Vermutungen – manchmal glaube ich sogar, daß alles anders verlaufen wäre, wenn wir nicht versucht hätten, den letzten Abend in der »Windmill« zu verbringen … Cynthia stand auf einmal auf und nickte mir zu, während der Vorstellung, in dem Augenblick, als eine neue Nummer angekündigt wurde, die »Katzenwäsche« hieß. Natürlich nahm ich an, daß sie gleich wieder zurückkehren werde, doch die »Katzenwäsche« und zwei andere Nummern gingen vorüber, und ihr Platz blieb leer … Sie saß zu Hause, auf dem Fensterbrett, rauchte, machte eine Geste gegen das Gepäck hin, gegen mein Gepäck … Sie hatte ihre Koffer bereits wieder ausgepackt … Mag sein, Thea, vielleicht auch Furcht oder Vorurteile, oder weil sie die Entdeckung gemacht hatte, nicht vergessen zu können; sie selbst erklärte es nicht und konnte es auch später nicht erklären. Sie war nur davon überzeugt, dem Leben hier nicht gewachsen zu sein … Nein, sie machte zumindest keinen entschiedenen Versuch; sie sah ein, daß ich zurückkehren mußte, und am nächsten Tag bestand sie sogar darauf, mich zum Zug zu bringen. In diesem Augenblick wußten wir beide, daß mehr beschlossen war als nur meine Abreise.

Wollt ihr noch mehr Bilder sehen? … Wir sind auch gleich am Ende, Thea … Wenn du mich so fragst: die Lehre, die England jedem erteilt, besteht darin, daß nichts so dauerhaft, so langweilig und bekömmlich ist wie eine Ehe zwischen Vernunft und Erfahrung … Was ist denn das? Eine Marktszene, ja, der berühmte Straßenmarkt in der Portobello Road … Weißt du, Eva, warum wir den aufgenommen haben? Jedenfalls, Eugen kann euch bestätigen, wie sehr man in dieser Stadt darauf hält, unter Gleichen zu sein: gleichen Neigungen nachzugehen, von den gleichen Produkten zu leben, die gleiche Zunftsprache zu sprechen … Die Ärzte, die die höchsten Rechnungen schreiben, zieht es wie selbstverständlich in die Harley Street; wer einen Luxusladen eröffnen will, denkt zunächst an die Bond Street; ein Zeitungsmann hält sich an die Fleet, und wer mit einer Botschaft zu tun hat, der ist über kurz oder lang auf Belgravia angewiesen …

Ich weiß nicht, Thea, woran das liegt; vielleicht geheime Merkmale, Erkennungszeichen oder Hoffnungen; vielleicht aber auch das übereinstimmende Gefühl, Treibgut zu sein, Zeuge für die Gleichgültigkeit der Geschichte … Auch die Not hat ihre Anziehungskraft, ihr Aroma …

Wie ich das meine? In dem Haus, in dem Ida Ehrlichmann heute wohnt, leben außer ihr noch sieben Emigranten: gleiches Los drängt auf gleiche Adresse – so als müßte man sich mit Hilfe des Nachbarn der eigenen Wirklichkeit versichern, der gleichen Narben und Untröstlichkeiten ... Man versteht einander ohne Bedingungen. Und natürlich verstand jeder im Haus Ida Ehrlichmann, die eines Tages – man stelle sich vor, eine alte Frau von gesammelter Freundlichkeit – auf den Konsulatsbeamten schoß, der ihren Wiedergutmachungsantrag bearbeitete ... Ein junger Mann, der sich unbeteiligt in ihr Leben hineinfragte, der natürlich keine Rücksicht nehmen konnte auf die Einzigartigkeit des Erlittenen ... Aus ihrem Stofftäschchen holte sie ruhig einen Revolver hervor und schoß, ohne Schaden anzurichten ... Cynthia erzählte, daß der Beamte sie an einen Mann erinnerte, den sie mehrmals im »Cheshire Cheese« getroffen hatte ... Wie gesagt, sie hat sich ihrer angenommen ... Aber warum denn so überstürzt, Thea? Seid doch nicht so überempfindlich, ich versteh dich nicht – wo soll hier eine Anklagebank stehen? ... Es tut mir leid, wenn es dir so vorkommt, doch hier macht niemand den Versuch, irgend jemandem ein schlechtes Gewissen beizubringen ... Entscheide du, Eugen: wir stellen das Ding jetzt ab und nehmen gemütlich einen zur Brust ... Mein Gott: dir muß es doch ähnlich gehen: Bilder aus der Eisenzeit, unwirklich, kaum noch zu glauben ... Da kann man nichts machen, wenn du dich erschöpft fühlst; dennoch, wir bedauern sehr, daß ihr so plötzlich aufbrechen wollt ... Wie meinst du das, Eugen? Natürlich hat jeder seine eigenen Erinnerungen ... Vielleicht Gegenerinnerungen, wie du sagst ... Also ihr wollt nicht einmal austrinken? Schade ... Nein, Eva, ich geh schon mit zur Tür ... Nichts vergessen, Thea? Den Schal vielleicht, wie am letzten Sonntag? Wieso denn; ich glaube, wir haben ebensoviel zu bedauern.

Was sehe ich, Eva: du verschaffst dir wohl deine eigene Vorstellung ... Wenn mich nicht alles täuscht, unser alter Pub in der Fleet Street, »Ye Olde Cheshire Cheese« ... Ich gebe zu, ich hatte es vorhin bewußt ausgelassen und zur Seite gelegt ... Schau dir die geschmiedete Laterne an und das alte Ornament über der schmalen Tür: dort ist ihr passiert, was sie bis heute nicht verwunden hat; dort sind Ida Ehrlichmann die Listen ihrer »Kunden« abhanden gekommen ... Weiß ich, was ihr überstürzter Aufbruch bedeutete? ... Thea fühlte sich noch mehr herausgefordert als Eugen ... Vielleicht wirst du es jetzt einsehn: solange unseresgleichen lebt, muß man darauf gefaßt sein, daß die gemeinsame Besichtigung von Vergangenheit schon ausreicht, um verfrüht aufzubrechen ... Verfrüht und argwöhnisch ... Frag mich nicht danach, Eva: ich traue ihm nichts zu und alles ... Tu ruhig drei Stückchen Eis ins Glas ... Was ich nun vorhabe, kann ich dir genau sagen: nicht weil er mein Chef ist, sondern weil er heute unser Gast war, werde ich in etwa vierzig Minuten bei ihm anrufen und ihn fragen, ob er sicher nach Hause gekommen ist. Morgen haben wir einen ziemlich schweren Tag.

1073

1973

Die Wellen des Balaton

Auch das Bad im Balaton erfrischt ihn nicht. Er krümmt den Körper, taucht bis zum Hals hinab, schließt die Augen vor dem Glitzern der bewegten Einöde. Der See ist zu flach, Judith, sagt er, das Wasser erwärmt sich zu schnell. Die kleine Frau mit den Sommersprossen stößt sich vom sandigen Grund ab, schnellt bis zur Hüfte empor, wieder und wieder, und schmettert ihre Handteller auf das Wasser, so daß die Spritzer flach zu ihm hinspringen. Es sind wieder zwei Busse angekommen, sagt sie, vielleicht sind sie es – siehst du, Berti? Der Mann richtet sich auf, blickt zu dem neuen, weißgrauen Hotel zwischen den alten Bäumen hinüber und entscheidet: Keine deutschen, Judith, es sind keine deutschen Busse.

Als er, noch in nasser, blasenwerfender Badehose, den Gepäckraum seines Autos öffnet, geht der Hotelmanager vorbei, ein untersetzter Mann mit blauschwarzem Haar, leise vor sich hin sprechend, in gezischten Worten, die wie das immer schwächer werdende Echo einer Auseinandersetzung klingen. Der Manager ist schon vorüber, da merkt er, daß er den westdeutschen Gast in der Badehose gesehen hat, und er kehrt in knappem Bogen zu ihm zurück und bietet ihm seine Hilfe an. Gemeinsam tragen sie Badetücher, aufblasbare Gummimatratzen, schwere Bademäntel, Kork-Badeschuhe, ein Reise-Necessaire, eine Ledertasche und einige Illustrierte zum Seeufer hinunter, in den Halbschatten eines alten Baumes, dessen freigewaschene Wurzeln wie eßbar aussehen. Es scheint, sagt der Hotelmanager, heite der Balaton will vorzeigen ganze Schenheit. Rauchen Sie, fragt der Gast.

Rauchend, ausgestreckt auf der Gummimatratze, sieht er seiner Frau entgegen, die sich schiebend, drehend gegen den Widerstand des Wassers zum Ufer hinarbeitet, eine blitzende Bugwelle vor dem fettlosen Bauch. Der nahe Ufersaum blendet ihn, die ferne Küste hinter dem künstlichen Bootshafen ertrinkt in blassem Karpfenblau. Bevor die Frau aus dem Wasser steigt, schiebt sie zwei Finger unter den Gummizug ihrer Badehose und zieht mechanisch den Stoff nach unten, tiefer über die Schenkel. Nur zwei österreichische Busse, sagt er, während sie sich unter dem seegrünen Frottiermantel aus dem Badeanzug pellt, zuerst das Oberteil auseinanderhakt, dann die Hose ringelnd nach unten abstreift und sie mit dem Fuß in den Sand wischt. Bei dieser Strecke, sagt sie, ganz von Stralsund hierher, da kann niemand pünktlich ankommen. Er hält ihr eine angerauchte Zigarette hin. Er sagt: Es geht alles von unserer Zeit ab; statt drei Tage können wir jetzt nur noch gut zweieinhalb Tage miteinander sprechen.

Der Mann blättert in einer Illustrierten, überschlägt mit lauschend erhobenem Kopf einige Seiten; er lauscht zur vielbefahrenen, von den Bäumen abgeschirmten Uferstraße hinüber; dort ist eine Steigung, dort müssen fast alle Fahrer schalten. Er fragt gereizt: Riechst du es auch? Es ist das hiesige Benzin, so mies wie ihre Streichhölzer. Sag bloß, du riechst es nicht. Weißt du, was mir der Mann an der Tankstelle sagte, als ich ihn auf die niedrige Oktanzahl hinwies? Er sagte: Eine Oktanzahl wie bei euch werden wir erst unter dem Kommunismus anbieten können. Versuch das mal zu verstehen, Judith.

Trotz der Badekappe ist der Saum ihres Haars naß geworden; vor dem ovalen Handspiegel versucht sie es seufzend zu legen, zu bändigen, in die gewohnte Form zu zwingen, die Füße im warmen Sand vergraben.

Wie ungeduldig er plötzlich die Ledertasche öffnet, kramt, sichtet, eine Schachtel heraushebt, die gefüllt ist mit Photographien von unterschiedlicher Größe. Er will sie nicht ansehen, er will sich nur vergewissern, daß auch die eingepackt worden sind, auf die er besonderen Wert legt. Da ist ein Photo mit aufgebogenen Ecken, offenbar aus einem Album gelöst, alles in bräunlichem Licht: Sieh mal hier, Judith, hier hast du Trudi und mich auf einem sogenannten Holländer, sie muß etwa sieben gewesen sein damals; hat sie nicht ein altes, wissendes Gesicht? Ich nehme an, sie wird kaum anders aussehen, jetzt mit Vierzig.

Sie verkantet den Handspiegel, sucht nicht mehr sich selbst, sondern beobachtet nur noch das Paar an ihrem Wagen, das sich jetzt zunickt, eine Bestätigung gefunden zu haben scheint. Judith erkennt, daß sie selbst erkannt worden ist, von einer hochbeinigen Frau mit tiefen, mißbilligenden Stirnfalten, die ihren Begleiter, einen schlaff wirkenden Mann im Polohemd, zum Seeufer mitzuziehen versucht. Widerwillig fügt er sich ihrem Drängen, hält sich hinter ihr bereit, ihr das erste Wort zu lassen. Jetzt läßt Judith den Spiegel sinken, wendet sich dem aufgestützt liegenden Mann zu und sagt hastig: Besuch, Berti; ich fürchte, wir bekommen Besuch. Und nachdem der Mann sich mit Verzögerung umgedreht hat: Das kann ja wohl nicht wahr sein, Berti, weißt du, wer da kommt? Der »innere Rhythmus« persönlich – Frau Schuster-Pirchala, meine Masseuse aus Bremen. Laß sie doch kommen, sagt Berti.

Nach der Begrüßung – Judith nennt ihren Mann ohne Hemmung Doktor Thape –, die anscheinend deshalb so familiär gerät, weil man sich im Ausland begegnet ist, ziehen sie von der Lagerstelle an einen grünen Gartentisch um, von dem die Lackfarbe, die sich in Streifen aufwirft, allmählich abplatzt. Hier sitzt es sich doch gemütlicher, sagt Judith, und vielleicht haben wir sogar die Chance, einen Kaffee zu bekommen. Frau Schuster-Pirchala, in eigentümlich gelassenem Abwehrkampf gegen Insekten – »die bevorzugen mich wegen meines süßen Blutes« –, lächelt skeptisch, sie ist jetzt drei Wochen in diesem Land gewesen, sie weiß, daß nicht einmal zornige Erwartung einen Kellner hier dazu bringt, mehr Wünsche zu beachten, als er gerade erfüllen möchte. Wir sind auf der Heimreise, sagt sie, und sagt: Mein Mann hat sich einen Jugendtraum erfüllt; am Ende hat er doch noch die wilden Pferde der Pußta gesehen, nicht wahr, Erich?

Wenn sie nur Farbe hätten, sagt Berti, zieht dem Tisch geschrumpelte Lackstreifen ab und schnippt sie ins Wasser. Ich meine, sagt er, wieviel ließe sich unter Farbe verbergen, aber hier hat man sich wohl ein für allemal für Grau entschieden. Er beugt sich vor, um das Nummernschild eines Busses zu erkennen, der knirschend auf dem Kieselsplitt des Parkplatzes manövriert. Sind sie es, fragt Judith, und er darauf: Wieder ein »A«, und nach einer Weile, beiläufig, als glaubte er den Landsleuten eine Erklärung schuldig zu sein: Uns steht nämlich ein Wiedersehen bevor – mit meiner Schwester und ihrem Mann. Weil es nicht anders ging, haben wir uns hier am Ufer des Balaton verabredet.

1075

Sie kommen mit dem Bus aus Stralsund. Ist das nicht DDR, fragt Frau Schuster-Pirchala und winkt erfolgreich einen vorbeihastenden Kellner heran, der auch gern bereit ist, Kaffee zu servieren, wenn auch nicht hier am Wasser, sondern nur, wie er sagt, »auf Terrasse an der Sonne«. Die Masseuse und ihr Mann fühlen sich auf den Kaffee angewiesen, sie verabschieden sich, man wird sich gewiß beim Abendessen sehen; dann gehen sie hintereinander die leichte, lichtgesprenkelte Erhebung zum Hotel hinauf.

Wieder auf der Luftmatratze, hebt Judith die Schachtel mit den Photographien zu sich hinüber, stürzt einzelne, mit Gummibändern zusammengehaltene Päckchen heraus. Vorsicht, sagt Berti, bring sie mir nicht durcheinander. Sie löst das Gummiband von einer Serie, läßt die Photographien wie Spielkarten durch die Hände gleiten, sieht sich fest, schiebt die Bilder mit dem Daumen weiter, blättert überraschend zurück. Es wird mir schwerfallen, Trudi zu duzen, sagt die Frau plötzlich; im Brief ist es eher möglich, aber wenn sie erst vor mir steht ... und noch schwieriger wird es bei Reimund – von ihm weiß ich nur, daß er Schiffsausrüster ist und seinen Namen in ziemlich steiler, sparsamer Schrift schreibt. Du wirst sehen, sagt Berti, er ist ein Prachtbursche; schließlich hat meine Schwester seinetwegen das Studium aufgegeben und ist Kindergärtnerin geworden. Aber warum hat er in all den Jahren nie mehr in einem Brief geschrieben als seinen Namen, fragt die Frau leise und steckt ein Sortiment von Bildern zusammen, sorgfältig, als könnte ein Vergleich ihr den benötigten Aufschluß bringen. Sie vergleicht die Photographien, deckt da etwas ab, schiebt da etwas zusammen, und dann fragt sie: Ist dir schon aufgefallen, daß Trudi auf keinem der Bilder lächelt, die sie uns in all den Jahren geschickt hat? Muß sie das denn, fragt der Mann, und die Frau darauf, in aufzählender Tonart: Hier im Garten nicht; hier vor dem Leuchtturm nicht – ich nehme an, das ist ein Leuchtturm mit dieser grünen Mütze –, nicht mal hier an Bord des Dampfers, den Reimund vermutlich ausgerüstet hat. Ich weiß nicht, Berti, aber ich hab das Gefühl, verwandte Fremde zu treffen. Ihr entgeht nicht die immergleiche, unbestimmbare Schmerzlichkeit in Trudis Gesicht, der leichte Ausdruck von Abwehr, den sie für jeden Photographen bereithält. Der Mann schlägt eine Illustrierte zu, klopft eine Zigarette auf der Packung zurecht, grinst für sich und sagt: Vielleicht wirst du gleich feststellen, daß Reimund keinen Schlips besitzt, da er auf allen Photographien ohne Schlips abgebildet ist. Wenn du mir schon so kommst, sagt Judith – ich finde, daß der Mann deiner Schwester auf allen Bildern verkleidet aussieht: ein Intellektueller, der unter die Proleten gefallen ist und versucht, sich ihrer Mode anzugleichen. Hör doch auf damit, sagt Dr. Thape, ich möchte viel lieber wissen, was auf den Gedenksteinen vor all diesen Bäumen steht, den frisch gepflanzten, meine ich. Das kann ich dir sagen, Berti, es sind die Namen, die Berufe und Verdienste der Leute, die man gebeten hat, diese Bäume zu pflanzen: Dichter, Kosmonauten, durchreisende Mitglieder eines Politbüros. Kein Kollege von dir, kein Patentanwalt.

1077

Ein altmodischer Ausflugsdampfer, übersät mit verwaschenen Rostflecken, dreht von der Pier ab und verabschiedet sich mit reichlich wichtigtuerischen Signalen aus seiner neben dem Schornstein liegenden Sirene.

Judith erschrickt, als die Kapelle zu spielen beginnt. Dort hinter den Bäumen, in der hölzernen Orchestermuschel, haben die Musiker Platz genommen und spielen zum »Tanz im Freien«. Sie eröffnen mit »Blue Moon«. Sittsam schieben die Paare über die runde, hölzerne Tanzfläche. Die Männer, sagt Judith, sieh dir die Männer an: alle mit Schillerkragen wie dein Schwager Reimund. Was meinst du, ob er auch tanzt? Herrgott noch mal, Judith, woher soll ich das wissen: ich kenne ihn ebenso gut wie du, nämlich von seiner Unterschrift und dem immergleichen Schnörkel, in den er seinen Namen auslaufen läßt. Außerdem sind wir ja nicht hierhergefahren, um miteinander zu tanzen. Und gereizt sagt der Mann: Du wirst sehen, der erste Tag geht vorbei, ohne daß wir miteinander gesprochen haben. Dann bleiben uns nur noch zwei Tage, denn am Montag abend ... Mußt du in Wien sein, setzt Judith den Satz fort. Nach dreizehn Jahren, sagt der Mann, da hat sich genug angestaut, das wegerzählt werden muß.

Obwohl sie hier gern noch liegenbleiben möchte im wandernden Schatten des alten Baumes, hilft sie ihm dann doch, die gesamte Badeausrüstung zum Auto zu tragen, und begleitet ihn ins Hotel zu dem weiträumigen, kostbar möblierten Empfang. Mädchen in knapp geschnittenen blauen Uniformen, nicht nur nach Sprachkenntnissen und Schönheit, sondern offenbar auch nach besonders eindrucksvoller Lethargie der Bewegungen ausgesucht, beraten längere Zeit blickweis, welche von ihnen dem westdeutschen Gast zu dieser Zeit eine Auskunft geben sollte. Hören Sie, sagt Dr. Thape, ich möchte Sie um etwas bitten: falls der Bus aus Stralsund eintrifft, würden Sie uns dann freundlicherweise eine Nachricht geben; wir sind jetzt auf unserem Zimmer. Das Mädchen nickt bedächtig. Schon auf der Treppe, sagt Judith: Ist dir klar, daß sie uns überhaupt nicht nach der Zimmernummer gefragt hat? Die Frau spült und wringt die Badeanzüge aus und hängt sie unter dem Fenster zum Trocknen auf und setzt sich so, daß sie den kleinen, belebten Hafen überblickt, während der Mann einen Polsterstuhl ruckend in die Stellung bringt, aus der er ein Stück der Uferstraße – nur als grauschwarzes, blinkendes Band erkennbar – und die Auffahrt zum Hotel beobachten kann. Er blättert abermals die Illustrierte durch, heftig, unkonzentriert, mit einer reißenden Bewegung, daß es jedesmal ein Geräusch gibt wie von einem schwachen, aber immer noch genauen Peitschenschlag. Unter einem wachsenden Druck, den er selbst noch nicht benennen möchte, hat er für alles nur Vorwurf übrig, oder doch vorwurfsvolle Nachfrage. Was machst du da eigentlich, fragt er, obwohl die Frau sich beinahe regungslos und vollkommen lautlos verhält. Ich wundere mich über Trudi, sagt Judith, wenn sie den Kopf nur etwas schräg legte, dann wäre die vernarbte Wange nicht zu sehen. Trudi aber scheint darauf zu bestehen, sie dem Photographen zu zeigen, und zwar jedesmal. So ist Trudi eben, sagt der Mann, sie möchte keinen im Zweifel lassen über sich. Was meinst du, mit welchen Worten sie uns zum ersten Mal von Reimund erzählte? Es war, wenige Tage bevor ich fortging; Mutter lebte noch; wir saßen und hörten Radio, weil Mutter so gern Radio hörte, Volkslieder aus dem Osten vor allem; da kam Trudi nach Hause, sehr spät für ihre Verhältnisse. Sie hatte Reimund kennengelernt. Sie sagte etwa: Entschuldigung, daß ich so spät komme, ich habe einen Mann namens Reimund Wolters kennengelernt, er hat zweieinhalb Jahre gesessen wegen bedenkenloser Vergeudung volkseigener Schiffsausrüstungsbestände, inzwischen wurde er rehabilitiert: ein Mann, mit dem man reden kann. Komisch, sagt Judith, auf den Bildern macht er ganz und gar nicht den Eindruck, als ob man mit ihm reden könnte. Sieh dir nur an, wie düster dein Schwager hier aussieht, wie schweigsam und verkniffen – hier, am Gartenzaun –, und dazu die zusammengewachsenen Augenbrauen ... Nun mach aber mal Pause, Judith; was meinst du, zu welchen Ansichten ich über dich kommen müßte, wenn es von dir nur die Photos gäbe, die du erst gar nicht entwickeln läßt. Jedenfalls, sagt die Frau, würdest du von mir nicht sagen können, daß ich aussähe wie eine Kommunistin. Sieht er denn etwa so aus, fragt der Mann, und dann fast anklägerisch:

Wie sieht denn überhaupt ein Kommunist aus? Falls du das weißt, dann bist du wirklich die einzige, die das weiß. Knapp aus dem Handgelenk feuert er die Illustrierten fort; sie rutschen über den Tisch und fallen zu Boden. Komm, Judith, laß uns etwas trinken. Sie gehen ins Restaurant hinunter, es zieht sie zu den schweren Blumenkübeln neben einer Säule, ein junger Kellner folgt ihnen träge, und kaum haben sie sich gesetzt, da fragt er in vertrauensvollem Ton, offenbar bemüht, frische Erfahrungen auszuspielen: Whisky? Zwei Whisky, die Herrschaften? Dr. Thape bestellt eine Flasche Wein; er fügt hinzu: Von dem, der hier am nächsten wächst. Da, Berti, sieh mal! Was denn nun schon wieder? Der »innere Rhythmus«, und wie er sich verkleidet hat! Frau Schuster-Pirchala und ihr Mann betreten das Restaurant, sie in einem rosafarbenem Abendanzug mit einem Gürtel aus übereinanderliegenden goldenen Blättern; ihr Mann, einen Kopf kleiner, trägt zu weißen Hosen ein weinrotes Klubjackett, dem in der Herzgegend ein kolossales Wappen aufgestickt ist. Hoffentlich entdecken sie uns nicht, sagt Judith; da ist es schon geschehen, da wedelt die Masseuse ein freudiges Erkennungszeichen herüber, stupst ihren gleichgültigen Mann an und befiehlt die Richtung: dorthin, zu den Blumenkübeln. Ich hoffe, Sie haben nichts dagegen, wenn wir uns zu Ihnen setzen.

Herr Schuster oder Pirchala blickt so konzentriert in sein Weinglas, als habe er da etwas zu erforschen, was seine ganze Aufmerksamkeit beansprucht, und er tut es auf beinah leidende Art immer dann, wenn die drei musizierenden Zigeuner wieder mal an ihren Tisch herantreten. Die Masseuse lächelt ihnen zu, sie steckt dem Geiger einen lappigen Geldschein unter die Schärpe und darf sich einen Titel wünschen. Diese Leute, Herr Doktor, sagt sie später, haben alle ihren inneren Rhythmus bewahrt, und das ist es, worauf es ankommt; deshalb können sie sogar dem Kommunismus Heiterkeit abtrotzen. Sie blickt unmutsvoll auf ihren Mann, der zusammengesunken in schlechter Haltung dasitzt; das Wappen erinnert Judith an die Markierungssprache von Jägern: hier liegt die günstigste Stelle für einen Blattschuß. Erich richtet sich auf, drückt das Kreuz durch und lächelt resigniert; gleich wird sie ihn auffordern, über den inneren Rhythmus der Männer zu sprechen, die sich um die wilden Pferde der Pußta kümmern und mit denen sie am Feuer saßen und sangen und Kaffee tranken. Plötzlich springt Dr. Thape auf und ruft: Das müssen sie sein, Judith, das sind sie!

Der Mann läuft mit schwingenden Schultern auf die Eingangstür zu, wo sich ein Pulk neuer Gäste staut, rötliche, ermüdete Gesichter, die skeptisch und neugierig zugleich das Restaurant begutachten – eine Umgebung, zu der man verurteilt worden ist, in der man sich wird einrichten müssen; und wie lange sie zögern und es einfach nicht wagen, sich allein an einen der freien Tische zu setzen, solange da kein Oberkellner und kein Reiseleiter auftaucht, der ihnen sagt, wo sie Platz nehmen sollen! Da sind sie, sagt Judith leise, meine Schwägerin und ihr Mann. Und die Masseuse darauf: Wie lange haben Sie sich nicht mehr gesehen, Frau Thape? Nie, wir haben uns noch nie gesehen, nur auf Photographien; es ist das erste Mal. Dort die Dame mit dem unzeitgemäßen Hut, fragt Frau Schuster-Pirchala. Neben dem Mann mit dem Schillerkragen, bestätigt Judith.

Dr. Thape umarmt freimütig und etwas ringerhaft seine Schwester – gerade so, als wollte er an ihr einen Ausheber probieren –, umarmt dann achtsamer seinen Schwager, der leicht zu versteifen scheint, doch mit gutmütigem Lächeln sagen möchte: Wenn's sein muß; hoffentlich geht's gut.

Am Tisch erwartet Judith stehend die Verwandten; zur Begrüßung nimmt sie beide Hände Trudis und streift leicht ihre Wange; Reimund im Schillerkragen erhält einen kraftlosen Händedruck. Und das hier, sagt Judith süß-sauer, sind gute Bekannte aus Bremen, die wir hier zufällig getroffen haben, Herr und Frau Schuster-Pirchala. Man schüttelt sich über dem Tisch die Hände. Ja, wie machen wir das nun, sagt Dr. Thape in der Hoffnung, die Bremer Bekannten würden sich in innerem Rhythmus verabschieden, hier gibt es nur fünf Stühle. Nehmen Sie doch einen vom Nebentisch, sagt die Masseuse und widmet Reimund, durch nichts begründet, ihr offenherzigstes Lächeln. Sie werden Durst haben, sagt Judith, sie werden Hunger haben; sie werden erschöpft sein nach so langer Fahrt; du mußt gleich für sie sorgen, Berti. Es geht schon, sagt Trudi, nur ein bißchen heiß war es zuletzt. Trudi setzt den Hut ab, schüttelt das Haar aus, zieht den verknitterten Rock über die Knie und winkt knapp einem älteren Ehepaar zu, Mitreisenden offenbar. Tja, sagt sie, da wären wir also; etwas spät, aber das liegt nicht an uns. Was glaubst du, Reimund, fragt Dr. Thape, was wäre das beste für den ersten Durst? Bei uns steht das fest, sagt Reimund: Trudi ein Bier, ich zwei Bier – so einfach ist das. Er mustert die fremde Frau, ihren Goldblattgürtel, die goldfadendurchwirkte Tasche; er spürt, daß sie sich mit ihrem Lächeln das Recht zu einer Frage erkaufen möchte, und um ihr zuvorzukommen, fragt er: Bleiben Sie länger in Ungarn? Wir sind auf der Heimreise, sagt Frau Schuster-Pirchala und erzählt dann ungefragt, wie es ihrem Mann gelang, in drei Wochen einen Jugendtraum einzulösen. Daß sich am ersten Schluck auf das Wiedersehen auch dies fremde Paar beteiligt, will Dr. Thape gar nicht schmecken; aus totem Winkel gibt er seiner Frau auffordernde Signale, die sie nur mit unschlüssigem Heben der Schultern beantwortet. Jedenfalls erkennt sie, daß er ihr die Verantwortung zuschiebt für die unerwünschte Anwesenheit dieser Leute, und weil sie jetzt nichts mehr daran ändern zu können glaubt, wendet sie sich ab und sucht Trudis Blick. Ich hörte, daß Sie aus der DDR kommen, sagt Frau Schuster-Pirchala; wie geht es heute in der DDR, im allgemeinen? Reimund blickt ratlos Trudi an, die mit ausgestrecktem Zeigefinger zartfühlend an ihrem Bierglas entlangfährt, und dann sagt er: Aus der Art Ihrer Frage schließe ich, daß Sie wissen möchten, ob es in der DDR immer noch Streuselkuchen gibt; als Augenzeuge darf ich Ihnen versichern, daß das der Fall ist. Ich fürchte, sagt Dr. Thape unduldsam, wenn wir jetzt etwas zu essen bestellen, dann dürfte der Tisch für sechs Personen zu klein sein. Dann rücken wir eben etwas zusammen, sagt die Masseuse; mein Mann und ich brauchen sowieso kaum Platz, weil wir nur einen Teller mit Rohkost bestellen. Wir, sagt Trudi, wir können doch solange hinübergehen zu unseren Mitreisenden. Was meinst du, Berti? So weit kommt das noch, sagt Berti, winkt übellaunig einen Kellner heran und fordert ihn auf, die Bestellungen anzunehmen.

Und wie geht's Vater, fragt Dr. Thape über den Tisch. Trudi sieht ihren Bruder lange an, gerade so, als hätte sie eigentümliche Schwierigkeiten, diese Frage zu beantworten. Ich weiß nicht, sagt sie leise; manchmal habe ich das Gefühl, er ist sehr alt geworden; manchmal glaube ich aber auch – und das betrifft vor allem seine Haltung –, daß er wieder jünger wird. Er läßt dich grüßen. In einer Pause sagt Frau Schuster-Pirchala: Das ist durchaus typisch für alte Männer, in einem bestimmten Stadium beginnen sie fast übertrieben auf ihre Haltung zu achten. Außerdem hat er Mutters Leidenschaft übernommen, sagt Reimund, so was von begeistertem Radiohörer hast du noch nicht erlebt. Wir müssen den Kasten abstellen, sobald er eingeschlafen ist.

Der Kellner irrt sich; er hat fünfmal Karpfensuppe angeschleppt,

1081

obwohl nur vier Gäste sie bestellt haben. Bekümmert blickt er auf den überzähligen, dampfenden Teller, auf dem eine ebenmäßig gebogene Bauchgräte leuchtet. Das tragen Sie mal zur Küche zurück, guter Mann, sagt Frau Schuster-Pirchala, worauf Judith lakonisch erklärt: Sie kann hierbleiben, ich werde die Suppe essen. Laß sie nur mir, sagt Dr. Thape, Trudi wird dir bestätigen, daß ich schon als Junge ganz versessen auf Suppen war, was, Trudi? Sie machen sich wohl gar nichts aus Suppen, Herr Schuster-Tschinschilla, fragt Dr. Thape, und der Mann im weinroten Jackett strafft sich und sagt lächelnd: Zu viele Suppen genossen, früher beim Militär, da hat sich Überdruß eingestellt. Übrigens – mein Name ist einfach Schuster. Aber Sie haben wohl nichts dagegen, fragt Dr. Thape, seinen Unwillen mühsam bezähmend, wenn wir unsere Suppen hier so genüßlich vor Ihnen löffeln? Nur zu, sagt Herr Schuster und macht sogar eine einladende Handbewegung, nur zu, mich stört's nicht. Die Masseuse gibt dem Geiger der Kapelle ein Zeichen, der Mann nickt, er hat verstanden; und noch bevor die Kapelle wiegend und gekrümmt herankommt, fragt sie: Mit der Versorgung der Bevölkerung soll es ja besser geworden sein, oder? Ich meine, in der DDR. Trudi verhält sich, als sei sie gar nicht gefragt worden, und Reimund löffelt mit vorgezeigtem Genuß die Karpfensuppe. Erst als die Masseuse sagt: Man hat da schon von Engpässen gehört, sagt Reimund: Einen Engpaß werden wir gleich hier am Tisch erleben, wenn das Hauptgericht aufgefahren wird. Wir bringen Sie bestimmt nicht in die Klemme, sagt Frau Schuster-Pirchala, wir bekommen nur klitzekleine Rohkostteller. Herrgott noch mal, sagt Dr. Thape, ich hab das Gefühl, hier zieht's. Was meinst du, Judith, wollen wir uns nicht einen anderen Tisch suchen? Der große Ecktisch ist noch frei, sagt Frau Schuster-Pirchala, da haben gut und gern acht Personen Platz.

Trudi lächelt, bei geduldiger Neigung des Kopfes, sie öffnet ihre Handtasche, findet gleich das blaßgrüne, ältliche Etui, läßt es, mit Herrn Schusters Hilfe, ihrem Bruder zuwandern: Vater schickt dir das, sagt sie, er bestand darauf. Sieht ganz nach einer Uhr aus, stellt Frau Schuster-Pirchala fest, und nun sehen alle zu, wie Dr. Thape das Etui öffnet und eine Taschenuhr heraushebt. Na, bitte, sagt die Masseuse; und vermutlich ist die Uhr auch nicht aufgezogen. Sorgsam beobachtet Trudi alle Bewegungen ihres Bruders, registriert seine Ungläubigkeit nicht weniger als seine Rührung und die etwas nachsichtige Freude, und um Entschuldigung bittend, fügt sie hinzu: Das ist alles, mehr haben wir euch nicht mitgebracht, nicht mitzubringen gewagt nach Judiths Brief. Wieso, fragt Judith, welcher Brief? Du schriebst mal, daß ihr nichts zu entbehren hättet und daß wir nichts schicken sollten, sagt Trudi ruhig. Du meintest, all diese Dinge bei uns – nein, du hast sie nicht dürftig genannt, aber darüber wollen wir jetzt nicht sprechen. Die Uhr geht, sagt Dr. Thape, die Uhr geht einwandfrei; und die Kette ist so dünn, daß man sie ohne weiteres durchs Knopfloch ziehen kann. Hinter ihm setzt plötzlich die Kapelle ein, er zuckt zusammen wie bei einer überraschenden Injektion, schließt gequält die Augen und hält sie geschlossen, während er mit beiden Händen die Uhr abdeckt, als wollte er sie schützen. Reimund ruft ihm etwas zu, doch er versteht ihn nicht.

1083

Auf Reimunds Teller ist ein beleidigt aussehendes Karpfenmaul zurückgeblieben, zu Trudis Vergnügen steckt er einen Zahnstocher in das Maul, legt den Kopf schräg und verkündet: Hygiene, der erste Schritt zur Revolution. Man sollte sie nicht übertreiben, die Hygiene, sagt Frau Schuster-Pirchala, die meisten Menschen wissen nicht, wie lebensnotwendig die Körperflora ist. Da umschließt Dr. Thape krampfhaft das Etui, legt sich zurück und sagt mit unheilvollem Unterton zur Masseuse hinüber: Ihnen scheint wohl zu allem etwas einzufallen. Frau Schuster-Pirchala ist verdutzt, sie sieht betroffen ihren Mann an. Sie sagt: Ich verstehe nicht, warum Sie sich so aufregen; die Hygiene ist wirklich ... Dr. Thape unterbricht sie ärgerlich, streift Judiths Hand von seinem Oberarm, klopft mit dem Etui auf den Tisch und sagt gepreßt: Damit Sie es nun endlich wissen, ich bin nicht von Bremen hierhergefahren, um mir Ihre Ansichten über Körperflora anzuhören. Ich, wir sind hier, um – falls Sie es noch nicht bemerkt haben – nach langer Zeit Wiedersehen zu feiern. Ein Familientreffen, falls Sie nichts dagegen haben. Berti, sagt Judith gedehnt und beschwichtigend, und Frau Schuster-Pirchala, unter fast schmerzhaftem Protest: So hat man mich noch nie beschuldigt, so aus heiterem Himmel! Wir saßen doch eben gemütlich zusammen, und nun muß man sich das anhören! Wir scheinen hier zu stören, Erich. Komm. Bitte, sagt Judith einlenkend, mein Mann hat es nicht so gemeint, jedenfalls nicht so, wie es klang, nicht wahr, Berti? Frau Schuster-Pirchala, in düsterem Aufbruch: Das muß einem doch gesagt werden, daß man unerwünscht ist, daß man eine Familienfeier stört, bist du fertig, Erich? Die Bremer Bekannten entfernen sich grußlos und spähen nach einem Tisch in äußerster

Entfernung. Entschuldigt, sagt Dr. Thape, aber ich konnte es einfach nicht mehr ertragen. Du warst sehr hart, sagt Judith, du hättest es ihnen schonender beibringen können. Aber das habe ich doch versucht, sagt Berti zornig, die ganze Zeit habe ich deiner Masseuse beizubringen versucht, daß hier jemand fehl am Platz ist. Kinder, sagt Reimund und mimt lippenleckend Vorfreude, streitet euch nicht, dort kommt das Hauptgericht, ein original ungarisches Hirtengulasch.

Nun hebt Dr. Thape das schweißglänzende Gesicht, er blickt allein Trudi an und hält ihr sein Glas entgegen: Und jetzt, sagt er, wo wir ganz unter uns sind, möchte ich noch einmal mit euch auf unser Wiedersehen anstoßen. Der Kellner unterbricht ihn scheu, erbittet um Aufklärung, was nun mit den beiden Rohkosttellern geschehen solle: Hier nix essen, fragt er, und Dr. Thape, unwirsch: Dort hinten, sehen Sie, am Tisch neben der Eingangstür – dort wird das Zeug erwartet. Köche und Kapellen, sagt Reimund in langgestrecktem Genuß, solange es die hier gibt, lohnt sich immer eine Fahrt nach Ungarn.

Judith entschuldigt sich, sie muß zur Toilette, ihr Weg führt sie zwangsläufig an dem Tisch vorbei, an dem nun die Bremer Bekannten vor ihren Rohkosttellern sitzen. Trudi beobachtet ihre Schwägerin, die dort an den Tisch herantritt und sich hastig bespricht, vermutlich einzulenken versucht. Wißt ihr, sagt Berti, ich habe mich so auf dies Wiedersehen gefreut, daß ich schon die Stunden zählte, um die ihr euch verspätet habt. Und dann drängen sich diese Fremdkörper hier herein. Prag, sagt Reimund, daß wir uns verspätet haben, lag einfach daran, daß sich ein junges Mädchen bei einem Aufenthalt in Prag selbständig machte – du weißt schon. Sie traf sich dort mit so einem leichtfertigen Westler, der sie vermutlich rausbringen wollte, hat man im Bus erzählt. Aber das kann man doch verstehen, sagt Berti, und Reimund achselzuckend: Ich weiß eben nicht. Vater, zum Beispiel, sagt Trudi, er kann es bis heute nicht verstehen, daß du damals weggegangen bist. Er sagt, du hast uns allein gelassen. Berti möchte etwas entgegnen, doch die Zigeunerkapelle am Nebentisch, mit geprobter Leidenschaft aufspielend, bescheinigt ihm sogleich die Unterlegenheit seiner Stimme, er winkt ab, er verzichtet.

Zum Kaffee muß man hier einfach einen Pflaumenschnaps trinken; sogar Judith läßt sich dazu überreden, sie, die sich in allzu höflichem Schweigen eingerichtet hat, obwohl sie von Reimund angenehm enttäuscht zu sein scheint. Also nun von Anfang an, Trudi, und ganz gemächlich – wie geht es bei euch zu Hause? Trudi blickt ihren Bruder an, hebt ratlos die Schultern, da verhindern entweder Fülle oder Gewohnheit eine schnelle Auswahl unter Erlebtem: Tja, Berti, was soll ich dir darauf antworten? Das Haus steht, Vater ist gesund, in deinem Zimmer wohnt seit einigen Jahren eine freundliche alte Frau, eine Lehrerin aus Riga, die nie die Jalousien vor ihrem Fenster öffnet. Reimund hält dem Kellner auffordernd sein leeres Glas entgegen. Dann streicht er Trudi vergnügt über die vernarbte Wange und bittet sie um Entschuldigung für die Unterbrechung. Also, wenn ich auf eine so allgemeine Frage antworten sollte, sagt er, ich würde zuerst das herausrücken, was zählt. Auf die Frage: wie geht's? würde ich nur sagen: keine Ersatzteile. Und dann im einzelnen begründen. Auf eine neue Dachrinne fürs Haus warten wir seit anderthalb Jahren; auf einen Verteilerhahn im Badezimmer siebzehn Wochen. Binderfarbe – du weißt, für den Außenanstrich des Hauses – hat man mir vor vier Monaten versprochen, und auf eine ausziehbare Bodenleiter warte ich mittlerweile schon so lange, daß ich sie mir demnächst selbst bauen werde. Da haben doch viele schon, was sie erfahren möchten, um sich selbst beglückwünschen zu können zur Wahl ihres Aufenthalts. Na, sagt Berti, dafür sind eure Mieten erheblich niedriger.

Sie beschließen, genauer, Dr. Thape schlägt vor, aufs Zimmer hinaufzuziehen, da spricht sich's ungestörter, da ist man unter sich – vorausgesetzt, Trudi, ihr könnt euch solange von euren Leuten absentieren. Er übernimmt die Rechnung, bittet lediglich um eine Quittung, und ein außergewöhnliches Trinkgeld fördert die Bereitschaft des Kellners, zwei Flaschen Wein aufs Zimmer zu bringen. Berti nimmt Trudis Arm, Reimund hakt sich bei Judith ein: so schieben sie an den Tischreihen vorbei zum Ausgang. Die Bremer Bekannten wenden sich vorsätzlich ab.

Sieh mal, Trudi, sagt Reimund, dies Zimmer ist nicht nur doppelt so groß wie unseres, es hat sogar einen Schreibtisch, es hat einen Balkon und einige Polsterstühle für liebe Gäste. Warum behandeln uns die sozialistischen Freunde nicht ebenso zuvorkommend? Er entdeckt die Badehosen unterm Fenster, er sagt: Ah, wie ich sehe, seid ihr schon in den Balaton gestiegen; ein merkwürdiger See, und wißt ihr, warum? Bei keinem Gewässer der Welt gibt es diese Unverhältnismäßigkeit von Wind und Wellen, das heißt, die Wellen gehen hier sehr viel höher, als es der jeweils herrschenden Windstärke entspricht.

Judith läßt hinter ihrem Rücken den Koffer zuschnappen und tritt

1085

vor sie hin mit zwei original verschnürten Päckchen. Sie sagt: Wir haben euch ein Geschenk mitgebracht, nur einige Kleinigkeiten; dies ist für dich, Reimund, und das Viereckige für Trudi. Auf ein mißbilligendes Kopfschütteln sagt Berti: Wir konnten es eben nicht lassen.

Beim Anblick der massiven, aus Weißgold gearbeiteten Manschettenknöpfe sagt Reimund: So, Trudi, jetzt bist du gezwungen, mir das entsprechende Hemd zu kaufen; doch die Frau wendet sich ihm nicht zu, sie starrt regungslos auf den Armreif mit der eingelegten Uhr und den sprühenden Steinen, als überlegte sie, ob es für sie überhaupt eine Rechtfertigung gäbe, solch ein Geschenk anzunehmen. Ach, Berti, ich weiß nicht, was ich dazu sagen soll.

Alle drei Lampen des Zimmers brennen, Berti läßt die Photographien wandern, Judith erläutert ihrem Schwager die Lage und Beschaffenheit des Hauses im Bremer Vorort. Und du mußt dir vorstellen, daß dies alles Weideland war, vor nicht einmal zwanzig Jahren. Schön ist es, am Abend auf der Terrasse zu sitzen und auf der Weser, nicht mal sehr fern, die erleuchteten Schiffe vorbeiziehn zu sehen; da mußt du glauben, sie ziehen über die Wiesen. Vielleicht sind sogar einige dabei, sagt Berti, die du ausgerüstet hast. Dann macht er die Verwandten mit einer neuen Serie bekannt: Hier seht ihr nun das Haus von innen: meine Hobby-Werkstatt, die Südansicht des Living-Rooms, Judiths Schlafzimmer und dahinter ihr eigener Aufenthaltsraum. Und für all das, fragt Reimund, habt ihr Handwerker, ja? Judith, sagt Berti, sie tapeziert, malt, baut sich Regale zusammen – nur an elektrische Leitungen traut sie sich nicht heran. Also das, was Trudi bei uns macht, sagt Reimund. Während Judith Wein einschenkt, sagt sie: Ihr müßt uns gleich eure Bilder zeigen, und Trudi darauf: Bilder? Wir haben keine Bilder mitgebracht.

Über ihr Glas hinweg mustert Judith ihre Schwägerin, prüfend, erstaunt auch, vielleicht um herauszubekommen, was sie zwingt, Trudis Überlegenheit anzuerkennen. Sie mustert ihre Kleidung: die Spangenschuhe, das olivfarbene Kostüm, das zerknittert ist von der Reise, den Anhänger auf dem Revers, der offenbar eine Hansekogge unter prallen Segeln darstellt. Sie sagt plötzlich, obwohl sie ursprünglich etwas anderes sagen wollte: Es freut mich, Trudi, daß dir die Sachen gefallen, die ich dir so nach und nach geschickt habe – auch wenn sie gebraucht waren. Es waren auch schöne Sachen, sagt Trudi, bei uns kaum zu bekommen, sogar beim Roten Kreuz waren sie erstaunt.

Reimund hat nichts dagegen, daß Berti eine neue Flasche bestellen will, er gibt mit einer Warum-nicht-Geste seine Zustimmung und nimmt eine voraufgegangene Bemerkung auf: Du irrst dich – heute kann man nirgendwo mehr die pure Freiheit wählen, sondern nur eine mehr oder weniger umgängliche Bürokratie. Die nämlich befindet darüber, welche Ersatzteile du bekommst, welche Aufstiegschancen du hast, in wie vielen Organisationen du aktiv sein mußt, um als vertrauenswürdig zu gelten. Ich sage dir: eine bessere Bürokratie, und die Exportfähigkeit des Sozialismus nimmt zu. Und ich sage dir, Reimund: auch nach fünf Generationen Sozialismus werden die Leute nicht aufhören zu verlangen, was er ihnen vorenthält, nämlich die entscheidenden kleinen Freiheiten. Aber da wir uns nicht gegenseitig überzeugen wollen, sollten wir die Politik aus dem Spiel lassen.

Der Kellner scheint die Rüge nicht verstehen zu wollen, die Dr. Thape ihm dafür erteilt, daß er eine neue Bestellung zu lässig ausführte. Er entläßt ihn blicklos, mit gesenktem Gesicht, ohne ihm ein Trinkgeld zu geben. Immer noch übelnehmerisch erkundigt er sich bei Judith, ob sie das Blitzlicht bereit habe. Wenn ihr einverstanden seid, sagt er, möchten wir jetzt einige Aufnahmen machen. Einzeln, paarweise, über Kreuz photographieren sie einander auf dem Zimmer, der aufflammende Blitz blendet so stark, daß zumindest Judith fürchtet, sie werde auf allen Bildern nur mit geschlossenen Augen zu sehen sein. Danach sagt Dr. Thape: Das zumindest hätten wir. Und dann möchte er, nur der Ordnung halber, fragen, wie lange Trudi und Reimund in Ungarn bleiben werden. Vierzehn Tage? Leider, sagt er, muß ich am Montag abend schon wieder in Wien sein.

Sie trinken einander zu. Und nun, Trudi, sagt Dr. Thape, mußt du mir noch erzählen, was unsere kleine Sonja macht, die Meisterschwimmerin, und Ralf, und Bruno von nebenan. Trudi lächelt. Sonja, fragt sie – ihre jüngste Tochter hält alle Rekorde über die Rückenstrecken. Sonja ist mit Bruno verheiratet, der, soviel ich weiß, Richter geworden ist. Und Ralf – er ertrank bei dem Versuch, die Ostsee im Paddelboot zu überqueren. Bruno und Richter, fragt Dr. Thape skeptisch; und Trudi: Warum nicht? Was sollte dagegen sprechen? Immerhin, sagt Berti, haben wir zusammen die Schulbank gedrückt, und ich war oft genug bei ihnen zu Hause. Sein Vater hatte doch immer Scherereien mit der Polizei. Allerdings, sagt Trudi, aber sein Vater hatte diese Scherereien zur richtigen Zeit.

Reimund gähnt, angelt sich sein Jackett mit dem groben Fischgrätenmuster. Es ist nun mal so, sagt er, alles färbt auf uns ab, die Dinge, die Ideen, die Verhältnisse, so oder so, je nachdem, wo einer lebt. Er bittet um Entschuldigung für sein Gähnen und erinnert daran, daß sie heute neun Stunden im heißen Bus saßen, Trudi und er. Sicher hebt er den Hemdkragen übers Jackett und streicht ihn glatt. Leider, lieber Reimund, bin ich nicht ganz deiner Meinung, sagt Berti: auf die Blassen, die Farblosen, da färben die Verhältnisse vielleicht ab, aber nicht auf Leute, die sozusagen eigene Grundfarbe mitbringen.

Draußen auf dem Flur verhandeln sie mit gedämpften Stimmen über den Zeitpunkt des gemeinsamen Frühstücks; Reimund besteht auf neun, er droht, daß er völlig unergiebig sei vor neun, also lassen sie es bei neun und geben einander nur die Hand und winken sich noch einmal zu.

Während Berti sich unter gespanntem Schweigen auszieht, raucht er die letzte Zigarette. Judith sitzt auf ihrer Seite des Doppelbetts, erwartungsvoll wie immer, um gemeinsam, wenn auch nicht den ganzen Tag, so doch die wichtigsten Erfahrungen des Tages zu bilanzieren. Nach einer Weile sagt sie: Eins steht fest, bei Frau Schuster-Pirchala kann ich mich nicht mehr sehen lassen, nach allem. Pichalla oder Tschintschilla, sagt Berti erlöst und in einer Bewegung innehaltend, du findest zehn andere, die dich durchkneten. Wer hat sie nur ausgerechnet heute hierhergeschickt, diese Frau, die ja wohl die Empfindlichkeit einer Straßenwalze hat? Ich bin immer noch der Ansicht, sagt Judith, daß du sie anders hättest behandeln müssen. Anders? Sie, die sich in eine Familienfeier drängt? Die sofort das Wort nimmt und quasselt, als gehöre sie dazu? Vielleicht, sagt Judith, vielleicht hat sie selbst Verwandte drüben. Ich begreife einfach nicht, sagt Berti, wie du diese Nervensäge in Rosa in Schutz nehmen kannst: sie hat mir die Stimmung für den ganzen Abend vermasselt. Immerhin, sagt Judith, als ich sie am Wasser entdeckte, da hast du mich gebeten, sie kommen zu lassen.

Sie liegen nebeneinander im Bett, wie hergerichtet, jeder die rechte Hand unterm Hinterkopf, den Blick zur Decke; nur die Nachttischlampe brennt. Es ist aber so, sagt Judith, ich komme an Trudi einfach nicht heran. Und hast du gehört, wie beiläufig sie mir zu verstehen gab, daß sie all die Sachen, die ich ihr schickte – manchmal ohne dein Wissen –, daß sie all die Sachen zum Roten Kreuz trug? Das ist doch wohl nicht wahr, sagt Berti, das hab ich gar nicht mitbekommen. Das ist typisch Trudi; aber darüber reden wir morgen ein Wörtchen. Zum Frühstück mußt du ihr die Uhr mitbringen, denn im Unterschied zu Reimund hat sie ihr Geschenk prompt vergessen. Ich mag Reimund, sagt Judith langsam, und du? – Er hat mich nicht ein einziges Mal gefragt, was ich eigentlich tue, sagt Berti.

Dr. Thape im geblümten Freizeithemd, Judith in ausgebleichten, aber gebügelten Shorts: so kommen sie, Grüße murmelnd, die ausgelegte Treppe hinab, scheren, bevor sie das Restaurant betreten, zum Empfang hinüber, wo neuere Zeitungen und Illustrierte liegen. Ein lachender Junge in reichlich zugemessener Portiers-Uniform – er scheint zu wissen, welch einen Eindruck er in dem viel zu großen Anzug hervorruft – übergibt Dr. Thape einen Brief; vom Ständer mit den Ansichtskarten sieht Judith zu, wie ihr Mann den Umschlag aufreißt, liest, den Brief sinken läßt, noch einmal liest und dann fassungslos nach ihr sucht. Sie geht zu ihm, sie fragt: Aus Wien? Müssen wir abreisen? Von Trudi, sagt er; hier, lies mal, du glaubst es nicht. Und, erregt und geringschätzig zugleich: Es hat sich ihnen eine Chance geboten, sehr früh heute morgen, die einmalige Chance, die letzten wilden Pferde der Pußta zu sehen. Ein Ausflug nur, doch sie werden leider nicht vor Montag abend zurück sein: Judith liest den Brief, hebt dann langsam das Gesicht und sagt: Ein Vorwand, Berti, nichts als ein Vorwand. Da ist etwas falsch gelaufen; ich weiß nicht, was es sein könnte, aber etwas ist falsch gelaufen. Komm, laß uns ins Restaurant gehen, wir können beim Frühstück darüber sprechen.

1973

Die Kunstradfahrer

Früher war das hier mal eine Fabrik mit heilen Fenstern. Die Schienen sind noch da und der dünne, behelmte Schornstein. Auch die Lagerschuppen stehen noch da, und auf dem Hof ein paar altmodische Schwungräder, die langsam immer tiefer in die Erde sacken. Sonst ist hier nichts mehr los, keine Arbeiter, keine summenden Maschinen. Drinnen zieht es ganz schön, weil fast alle Fenster dran glauben mußten. Peng, peng, so flogen die raus, wenn wir die Schleudern auf sie anlegten oder einfach Zielwürfe machten mit Schottersteinen.

Kalli ging auch nur zur alten Fabrik, um da Zielübungen zu machen. Zwischen den rostenden Gleisen sammelte er schon mal Schottersteine, die waren scharf und kantig. In der Tasche fühlten sich die Steine kühl an, in der Hand waren sie warm. Was er aufgehoben hatte, das reichte bestimmt für sechs Fensterscheiben, oder für die zackigen Reste, die noch vom Kitt gehalten wurden. Er ging zwischen den Schienen auf das große, schwarze Tor zu, seine Hand zuckte schon, man kennt das ja.

Ein hölzerner Flügel des Tors war zur Hälfte geöffnet, er bewegte sich nicht, schlug nicht, denn es ging kein Wind an diesem stillen Augustabend. Mörtel rieselte aus den alten Mauern, das kam wohl von der Hitze. Wenn es hier Eidechsen gegeben hätte, die hätten sich ungestört sonnen können auf den warmen Mauern. Vögel ließen sich hier auch nicht blicken.

Jetzt rief da ein Mann in der Fabrik, das klang wie »Achtung«, und dann fluchte er enttäuscht und sagte: »mitzählen« und »aufpassen« und so etwas. Kalli duckte sich gleich. Er legte sich hinter einen verbeulten länglichen Kessel, der bestimmt zu nichts mehr zu gebrauchen war. Er lauschte und fischte vorsichtig die Schottersteine aus den Taschen, die drückten nämlich. Rufe, wieder waren da Rufe zu hören. Es klatschte. Es knallte. Es dröhnte, als ob einer von ziemlich hoch auf den Fabrikboden sprang. Einer der Männer mußte Paul heißen, denn der andere fragte immer wieder: Warum klappt es heute nicht, Paul? Was ist bloß los mit dir, Paul?

Durch das große Tor schleicht sich keiner an, das ist schon mal sicher. Kalli schlängelte sich durch hohes Gras und Schafgarbe zur Rückwand der Fabrik, da hatten sie einfach ein Stück brandiger Mauer auseinandergebrochen und das Loch später mit Teerpappe zugemacht. Er schob die Teerpappe zur Seite. Er kniete sich hin. Zuerst blendete ihn die schräg einfallende Sonne, und er mußte die Augen schließen. Dann aber, allmählich, gewöhnte er sich an das Licht und erkannte die beiden Männer auf einem Fahrrad. Die Männer trugen Turnhemden mit breiten Brustringen. Sie hatten hellblaue Trainingshosen an. Ihre Turnschuhe hatten weiße Kappen, und beide trugen komische, vielleicht selbstgemachte Sturzhelme. Es waren Kunstradfahrer. Sie trainierten auf dem harten, ebenmäßigen Boden der Fabrik, auf einem Stück, das sie wohl vermessen und mit Kreide aufgezeichnet hatten.

Die Männer waren schon ziemlich alt, mindestens über zwanzig, und sie waren Brüder, das sah man ihnen auch an. Auf einem hölzernen Faß lagen ihre Hosen und Jacken und karierten Hemden. An das Faß gelehnt hatten sie ihre schlappen Ledermappen, aus einer Mappe guckte eine Thermosflasche heraus. Die Brüder waren wohl gleich nach der Arbeit hierhergekommen, zum Training.

Kalli erkannte sofort, daß der jüngere Bruder Paul hieß. Er war der sogenannte Obermann. Er saß dem älteren Bruder, der regelmäßige Kreise fuhr, nicht etwa auf dem Rücken, sondern auf den Schultern. Steif saß er da, mit ausgebreiteten Armen, die Beine ganz schön verschlungen. Mühelos kreisten sie. Kein einziges Mal gerieten sie über die Grenze, über den Kreidestrich. Sie kreisten, als sammelten sie Schwung und Mut. Und dann – hip – gab der ältere Bruder ein Kommando und riß das Fahrrad hoch. Es sah aus, als ob das leichte Fahrrad bockte und scheute und sich wie ein Pferd auf die Hinterhand erhob, so nennt man das wohl. Jetzt trug sie nur das Hinterrad. Paul schwankte oben und fuchtelte. Er griff in die Luft, aber er konnte sich halten, und der ältere Bruder, der einfach Wim hieß, ließ nun auch die Lenkstange los und breitete seine Arme aus. Ruckweise zogen sie nun einen Kreis, richteten ihre Arme aus, machten da so einen Doppeldecker.

Niemand braucht zu fragen, ob sie schnaubten oder stöhnten oder zischten, denn was die so von sich gaben, hörte sich an wie ein ganzes Kraftwerk. Und erst die Muskeln! Kalli sah nur, wie die prall wurden, sich aufwölbten und mächtig hervortraten. Wenn Wim zum Beispiel die Wadenmuskeln geplatzt wären – pff –, Kalli hätte sich bestimmt nicht gewundert. Am meisten aber begeisterte sich Kalli für die Kommandos. Kunstradfahrer kommen wohl ohne Kommandos überhaupt nicht aus. Da geht es immer nur hip und hup und holla, und auf jedes Kommando geschieht etwas.

Jippi, kommandierte Wim, und beide verlagerten ihr Gewicht nach vorn. Das Vorderrad setzte wieder auf. Wim packte die Lenkstange, und Paul glitt über seinen Rücken und sprang ab. Da klatschte Kalli los. Er wollte gar nicht klatschen, aber seine Hände waren schneller. Er klatschte einfach, weil sie ihm einen so schönen Doppeldecker vorgeführt hatten. Und die Kunstradfahrer staunten, als er durch das Mauerloch trat: vielleicht hatten die noch nie Beifall bekommen. Weil sie schwitzten, trockneten sie sich erst mal mit einem langen, gelben Handtuch ab. Dann schüttelten sie aus einem Tütchen weißes Pulver auf ihre Hände, jetzt konnten sie besser zupacken. Aber erst einmal mußten sie verschnaufen und pumpten sich mächtig auf. Wenn die Luft holten, dann geriet einem gleich der Scheitel in Unordnung. Wim fragte Kalli: Kannst du auch schon Fahrrad fahren? Kalli schüttelte den Kopf. Sie hatten so anderthalb Fahrräder zu Hause, die standen im Schuppen. Eines gehörte seinem Vater, das hatte immer nur Plattfuß vorn und hinten. Das andere war ein neuer Rahmen mit Sattel, aber ohne Räder. Beide waren ziemlich verstaubt und lehnten aneinander. Nein, sagte Kalli, ich kann noch nicht fahren. Darauf schickten ihn die Kunstradfahrer weg. Sie schickten ihn nicht unfreundlich weg. Wenn Kunstradfahrer üben, wollen sie keine Zuschauer haben, das ist es. Kunstradfahrer denken immer, daß einer ihre Kunststücke verraten könnte, all die Schwünge und Drehungen und Balanceakte. Deshalb gaben sie sich erst wieder Kommandos, nachdem Kalli weg war: Hip, holla, jippii!

Natürlich ging Kalli nicht nach Hause. Er kletterte auf das flache Dach des ehemaligen Maschinenhauses. Dort hockte er sich hinter eine dreckige Scheibe und putzte eine Öffnung blank. Das war der schönste Platz, um die Kunstradfahrer zu beobachten. Was sie noch vorführten? Also, Paul führte einen Kopfstand auf dem Sattel vor. Und Wim zeigte, wie gut er das leichte Fahrrad gezähmt hatte: mit ausgebreiteten Armen stellte er sich auf den Sattel, und das Fahrrad fuhr gehorsam im Kreis und kam nicht ein einziges Mal über die Kreidelinie. Nur beim Handstand auf der Lenkstange kippte er ab. Patz, da lag er und biß sich auf den Finger. Finito, kommandierte er, das hieß wohl: Schluß für heute. Danach zogen sie sich um.

Kalli erwartete sie draußen am löchrigen Drahtzaun. Er sah das glänzende, leichte Fahrrad an. Es hatte einen ganz schmalen Sattel und keinen Rücklauf. An der Hinterachse waren zwei Tritte zum Hochklappen, die hielten einen Mann aus. Die Lenkstange war beinahe waagerecht, nicht so geschwungen wie bei einem Rennrad. Kalli fragte, ob er das Rad schieben dürfe, aber der jüngere Bruder winkte ab. Er wollte das Rad selbst schieben. So sind eben Kunstradfahrer. Aber er durfte hinter ihnen hergehen auf dem schmalen, buckligen Trampelpfad. Auch die Kunstradfahrer wohnten in der Siedlung, vielleicht sieben Häuser weiter als Kalli, da gingen sie jetzt hin.

Wohin es Kalli zog, weiß man schon. Er ging in den Schuppen, besah sich gemächlich die anderthalb Fahrräder, schätzte da was ab, pfiff durch die Zähne. Dann band er die Satteltasche ab und schüttete alles aus, was drin war: Schraubenschlüssel, Ventile, Sandpapier und kleine rote Gummipflaster zum Flicken der Schläuche. Er überlegte. Wenn er die beiden Schläuche flickte, wenn er die beiden Räder abmontierte, wenn er sie unter den neuen Rahmen schraubte – er bekäme ein ganz gutes Fahrrad. Allein aber schaffte er es nicht. Darum ging er zu seinem Vater, der gerade wieder einmal sein Auto wusch. Er fragte: Schenkst du mir dein altes Rad? Wozu denn das, fragte sein Vater. Ich will Kunstradfahrer werden, sagte Kalli. Klar, sagte sein Vater, für Kunstradfahrer tu ich alles. Die dürfen sich alles von mir wünschen. So schnell bekam Kalli sein erstes Fahrrad.

Fahren zu lernen, das brauchte er kaum noch. Zuerst half ihm seine Schwester; die hielt eine Hand am Sattel und lief mit. Aber auf einmal wurde er zu schnell, sie mußte den Sattel loslassen, und Kalli sauste allein die Straße hinab. Die Wende gelang. Er war ganz schön begeistert, als er merkte, wie gut das Fahrrad ihm gehorchte. Zum Dank ölte er es gleich dreimal hintereinander. Und dann wollte er es in der Nacht neben seinem Bett stehen haben, einfach weil er glaubte, daß ein richtiger Kunstfahrer sein Rad nie allein lassen darf. Aber sein Vater sagte, daß es im Schuppen ja auch ganz gemütlich sei. Kalli war einverstanden, aber er mußte sein Rad noch unbedingt mit Säcken zudecken. Jetzt konnte man jeden Tag einen Flitzer in der Siedlung beobachten, fiu, fiu. Dem stand beim Sausen das kleine Handtuch steif nach hinten ab. Weil große Kunstradfahrer beim Training oft ein Handtuch um den Hals legen, trug er natürlich auch ein Handtuch, das hatte ihm seine Mutter geschenkt. Bald fuhr er einhändig, dann freihändig. Schlange fuhr er sowieso. Er konnte so scharf bremsen, daß das Hinterrad zur Seite flog – trotzdem brauchte er nicht abzusteigen. Am liebsten bremste er natürlich auf Sandwegen ab, das gab eine plötzliche Staubwolke. Manchmal sah er die beiden Kunstradfahrer, er grüßte sie dann. Aber sie waren ernst und schweigsam und grüßten kaum zurück. Sie schienen ihn gar nicht wiederzuerkennen. Vielleicht müssen Kunstradfahrer so sein, dachte Kalli, vielleicht sind sie immer in Gedanken.

Die Kinder in der Siedlung, auch ältere, überholte er leicht. Keiner konnte so lange wie er auf dem stehenden Rad Balance halten, ohne runterzukippen. Keiner ölte aber auch sein Fahrrad so oft wie er. Dreimal am Tag: auch für einen Kunstradfahrer ist das ein bißchen übertrieben, oder?

Mehrmals in der Woche übten die beiden alten Brüder in der ehemaligen Fabrik. Das hatte Kalli schon herausbekommen. Sie übten am Montag, am Mittwoch und am Freitag; das sind wohl die besten Tage für Kunstradfahrer. Man braucht nicht zu fragen, warum. Wenn die Brüder den buckligen Trampelpfad herabkamen, lag Kalli schon auf dem Dach des Maschinenhauses. Das Beobachtungsfenster war blankgeputzt. Und dann erlebte er ihr Training.

Zuerst fingen sie mit Bodengymnastik an, Rumpfbeugen und Strekken und Liegestütz. Sie liefen auf der Stelle. Sie rollten die Arme aus den Schultern. Mit ernsten Gesichtern machten sie Hand- und Kopfstände. Sie rissen gleichzeitig die Oberschenkel so hoch, daß diese die Brust berührten. Dann ein Kommando von Wim, und sie schoben das Rad über den Kreidestrich, in das aufgezeichnete Feld. Jetzt drehten sie ein paar lässige Runden; so fingen sie immer an. Kalli war ziemlich aufgeregt, weil er sich alles merken wollte. Er beobachtete genau, wie sich Wim langsam über die Lenkstange schob. Auch an der Vorderachse waren zwei Tritte zum Hochklappen. Blitzschnell drehte sich Wim, suchte nach den Pedalen und fuhr nun mit dem Rücken zur Fahrtrichtung. Das war schon was.

Und nun – hip – sprang Paul auf. Er kletterte behutsam und etwas zittrig an seinem älteren Bruder hoch. Wim hatte da schon etwas auszuhalten: ein Knie auf dem Rücken, dann das andere Knie, schließlich beide Füße auf seinem Nacken. Vorsichtig richtete Paul sich auf. Hoch aufgerichtet stand auch er mit dem Rücken zur Fahrtrichtung, eine ganze Runde lang. Immer ruhiger wurde ihre Fahrt, immer gesammelter. Es war schon vorauszusehen, daß gleich etwas Besonderes passieren würde. Und da – holla – passierte es. Paul, der Obermann, krümmte sich leicht. Er schnellte vom Nacken seines Bruders los, wirbelte herum, gegen die Fahrtrichtung probierte er einen Salto rückwärts, das war so etwa der höchste Schwierigkeitsgrad. Natürlich wollte er auf den Füßen landen. Gedacht war, daß Wim neben ihm halten und beide sich die Hand reichen sollten. Aber Paul schaffte es nicht, nein, er drehte sich etwas zuviel. Tsseng, da lag er. Er mußte sich ganz hübsch weh getan haben, denn er rollte sich auf den Bauch und wieder auf den Rücken und zappelte mit den Beinen. Wim stieg gleich ab. Er versuchte seinen Bruder aufzuheben, das ging einfach nicht. Paul konnte nicht auf den Füßen stehen, er klappte immer zusammen. Dabei fallen Kunstradfahrer meistens so, daß ihnen überhaupt nichts weh tut.

Wim beugte sich über seinen Bruder und sprach mit ihm. Und plötzlich zog er sich ganz schnell an, ohne ein Kommando zu geben. Kalli dachte, daß er jetzt vielleicht gebraucht werden könnte, darum kletterte er vom Dach und fragte: Ist ihm was passiert? Der ältere Kunstradfahrer war gar nicht höflich, er sagte nur: Mach, daß du hier wegkommst. Kalli sagte noch: Soll ich Hilfe holen? Darauf ging Wim nicht ein. Düster sagte er: Zieh Leine, Menschenskind, wir wollen dich hier nicht mehr sehn. So geht es manchmal, auch wenn man nur helfen will.

1095

Dann schoben die Kunstradfahrer ab. Paul saß auf dem Rahmen, und Wim führte das Rad. Paul hatte einen Arm um seinen Bruder gelegt, so ging das leichter. Es war nichts mehr zu sagen zwischen ihnen. Von weitem sahen sie ziemlich traurig und fertig aus. Man konnte meinen, sie hätten für immer aufgegeben. Vor der Siedlung stieg Kalli auf sein Rad. Er hatte Lust, die Brüder freihändig zu überholen, aber er wagte es nicht. Erst als sie in ihrem Haus verschwunden waren, drehte er auf, wendete und fuhr zur Fabrik zurück.

Jetzt hatte Kalli den glatten, ebenmäßigen Boden der Fabrik ganz für sich. Jeden Tag fuhr er hierher, das ging Woche um Woche. Die Kunstradfahrer blieben weg, da ließ es sich ungestört trainieren. Nur die Kommandos mußte er sich selbst geben. Er fing genauso an wie die Kunstradfahrer, mit Hüpfen und Rumpfbeugen und Liegestützen. Dann aber machte er etwas, was er sich allein ausgedacht hatte: aus dem Maschinenhaus liefen wohl noch einige abgestützte Rohre, auf die sprang er – jippii! –, und auf den schwingenden Rohren machte er Balanceübungen, vor und zurück, tänzeln, blitzschnell wenden. Die Rohre federten. Sie wippten. Ein knapper Sprung, ein Gegendruck, und Kalli machte, daß die Rohre wieder still waren – mit der Zeit lernt man das.

Von den Rohren ging es dann zur Wand. Auf einigen Säcken – als Unterlage – übte er Kopfstand. Später kam Handstand dran, aber noch mit den Füßen an der Wand. Radschlagen probierte er erst gar nicht, denn das ist nichts für Kunstradfahrer – warum, weiß keiner. Und zum Schluß, wenn er gelenkig und locker genug war, wenn er schon ein bißchen schwitzte, schnappte er sich sein Fahrrad. Zuerst drehte er Runden, das war nicht leicht bei der großen Übersetzung. Kunstradfahrer fahren nämlich mit sehr kleiner Übersetzung. Nur ganz selten überfuhr er den Kreidestrich, er hielt sich schon ganz schön im vorgeschriebenen Feld. Er konnte die Kurven auch schon freihändig fahren. Sein größtes Kunststück? Das war wohl der sogenannte Flieger: ein Bein auf dem Rahmen, das andere nach hinten weggestreckt und beide Hände auf der Lenkstange, während das Rad sanft ausrollte. Aber Kalli wollte mehr, wie jeder Kunstradfahrer.

Immer wieder probierte er, auf dem Sattel zu stehen, und immer wieder, tsseng, flog er herunter. Manchmal schürfte er sich ein wenig Haut ab. Manchmal schlug er sich das Knie auf oder den Ellenbogen, das verkrustete dann schnell. Zwei Vorderzähne – hip – waren ihm auch schon rausgeflogen, als er einmal auf die Lenkstange schlug. Aber Kunstradfahrer machen sich nichts draus, die fahren bis zum letzten Zahn. Haben die mal verschorfte oder blutige Stellen, dann zeigen sie sich die wie Abzeichen.

Wenn Kalli nach Hause kam, wartete seine Mutter schon mit Pflaster. Alles zusammen hatte er vielleicht schon drei Meter Pflaster verbraucht. Wo das überall klebte! Am Knie sowieso und an den Ellenbogen. Aber Kalli bekam manchmal auch ziemlich weit hinten ein Pflaster, zum Beispiel am Steißbein. Einmal bepflasterte sie ihm das Gesicht, da sah er aus wie eine vergnügte Eule.

Die Mutter schüttelte nur den Kopf. Kallis Vater aber sagte: Ich möchte endlich mal einen Sohn haben, der nicht von Pflastern verklebt ist. Wenn das nicht bald aufhört, dann kommt das Fahrrad in den Schuppen. Finito! Aber Kalli ging weiter zur alten Fabrik und probierte immer nur die eine Sache: freihändig auf dem Sattel zu stehen. Das mußte er schaffen, auch wenn es zehn Meter Pflaster kostete.

Doch dann passierte das mit seiner Hose zum zweiten Mal. Einmal hatte er sich bei einer Drehung die Hosentasche an der Lenkstange weggerissen; das war nichts. Diesmal stürzte er so über sein Fahrrad, daß ein Pedal ihm ein ganzes Hosenbein aufriß, nun flatterte es nur so um ihn herum. Dazu kam eine lange Schramme auf dem Schenkel, rot und brennend, und eine Schwellung auf der Stirn, nicht schlimmer als ein Wespenstich. Kallis Mutter, die wenig vertrug, sagte nur: Jetzt reicht es aber. Und sein Vater sagte: Jetzt ist das Faß voll – er meinte natürlich, das Maß. Ohne ein weiteres Wort schloß er das Fahrrad in den Schuppen ein. Dann warf er alte Säcke über das Fahrrad, als sollte es nie mehr ans Tageslicht kommen. Den Schlüssel zog er mit finsterem Gesicht ab und hängte ihn an seinen Autoschlüssel, da war er sicher.

Jeder weiß, daß ein Kunstradfahrer sein Training nicht unterbrechen darf, weil man zu schnell aus der Übung kommt und auch die Kommandos vergißt. Darum konnte Kalli es sich gar nicht leisten, mit dem Üben aufzuhören. Nur – woher sollte er ein Fahrrad bekommen? Marlies, die ziemlich dick war und auch in der Siedlung wohnte, die hatte ein Fahrrad. Aber sie ließ keinen darauf fahren, lieber stellte sie es auf den Balkon. Und das Fahrrad von Franz war nur für Anfänger, da liefen neben dem Hinterrad noch zwei kleine Räder mit, so als Stütze, damit man nicht runterfiel. Kalli machte sich auf die Suche und beobachtete heimlich herumstehende Fahrräder in der Siedlung. Ein alter klappriger Wocken stand den ganzen Tag vor dem Gemüsegeschäft; der gab nichts mehr her, der sah schon aus wie eine quietschende Nähmaschine. Am schönsten war schon das Fahrrad der Gemeindeschwester. Jeden Nachmittag kam sie in die Siedlung, um den kranken Kapitän zu pflegen. Das dauerte mitunter zwei Stunden. Vor der Lenkstange hatte sie einen Korb hängen, den nahm sie ab und trug ihn ins Haus. Es war ein Damenfahrrad, sicher, aber es hatte gute, weißwandige Gummidecken und sah neu aus und schien leicht zu laufen.

Kalli glaubte, daß Gemeindeschwestern nicht allzuviel für Kunstradfahrer übrig haben, darum fragte er erst gar nicht. Er saß einfach auf und strampelte zur alten Fabrik. Dort fing er mit leichten Übungen an, schließlich muß auch ein Kunstradfahrer ein Fahrrad erst kennenlernen. Das Rad der Gemeindeschwester kam ihm lebendiger vor als das Rad seines Vaters. Es war bockiger und nervöser. Die Lenkstange schlug öfter um. Es war eben ein Damenfahrrad, um es mal so zu sagen. Mehrmals fiel er herunter, tsseng, wir wollen gar nicht zählen, wie oft er abspringen mußte. Aber er hielt sich in Übung und fuhr immer zeitig zurück, um das Fahrrad vor dem Haus des kranken Kapitäns abzustellen. Pflaster? Pflaster mußte seine Mutter immer noch kaufen. Während sie es ihm aufklebte, hinten und vorn, wunderte sie sich über all die Schrammen und Abschürfungen. Das kommt wohl von den Ästen, sagte dann Kalli. Wir bauen uns nämlich eine Hütte hoch auf einem Baum. Fall mir da bloß nicht runter, sagte seine Mutter.

Die Gemeindeschwester kam immer pünktlich. Kalli war gleich zur Stelle und übernahm das Rad so selbstverständlich, als hätte sie es nur für ihn abgestellt. Manchmal dachte er: hoffentlich wird der alte Kapitän nicht zu schnell gesund, sonst muß ich mich nach einem neuen

Fahrrad umsehen. Mit der Zeit hatte er sich sogar an das Damenfahrrad gewöhnt. Jetzt benutzte er es schon zum zwölften Mal.

Er fuhr zügig den Trampelpfad hinab. In der Fabrik zog er seinen Pullover aus; nur in Turnhemd und Turnhose begann er mit den Übungen. Heute kam ihm alles leicht und möglich vor, das gibt es ja. Wie Kalli auf den wippenden Rohren sprang, wie er da wippte und jeden Sprung ausbalancierte: damit konnte er sich schon sehen lassen. Er hatte das Gefühl, daß ihm heute alles gelingen müßte. Die Runden im Kreisfeld hatte er noch nie so mühelos und abgezirkelt gefahren. Also jetzt oder nie, das große Kunststück, die Gesellenprüfung der Kunstradfahrer: der Stand auf dem Sattel mit ausgebreiteten Armen. Ein Fuß ist schon oben, noch halten die Hände die Lenkstange. Nun den anderen Fuß, behutsam, gleichmäßig, auch das ist geschafft. Das Rad gehorcht, wird langsamer. So, und jetzt aufrichten zum Stand, höher, noch höher, die Arme dürfen ruhig wackeln. Kalli steht oben, schwankend, aber er steht. Da setzte der Beifall ein. Vom großen Tor her kam auf einmal heftiger Beifall, und dann hörte er Ausrufe der Bewunderung und fröhlichen Lärm. Er mußte einfach hinübersehen, wenn auch nur für einen winzigen Augenblick. Dort standen die beiden Kunstradfahrer, ziemlich verblüfft, wie man sich denken kann, vor allem aber begeistert. Sie waren es, die so wild Beifall klatschten.

Ja, er blickte nur für einen winzigen Augenblick zum Tor, aber das genügte. Die Lenkstange schlug um. Das Hinterrad rutschte einfach weg unter ihm. Er bekam Übergewicht und stürzte. Er stürzte so eigenartig, daß das Rad halb auf ihm lag, der Vorderreifen drehte sich noch.

Schmerzen hatte er keine, nur in seinem Kopf dröhnte es. Er sah Feuerräder und aufsteigende Luftballons, die auf einmal platzten. Aufstehen konnte Kalli nicht. Und dann war es dunkel, und er hörte nichts mehr, das kommt vor, vor allem bei Kunstradfahrern.

Aber das geht auch vorüber, besonders wenn man bei offenem Fenster liegt und die Sonne scheint und die alte Fabrik nicht weit ist. Kalli nämlich wachte im Bett auf. Was da so schwer auf seiner Stirn lag, das war ein Verband. Kalli dachte: Ach du liebe Neune, dann betastete er den Verband. In seinem Kopf grummelte es noch ein bißchen, das war so, als säße er in einer großen Betonröhre im Bahndamm und über ihm donnerte ein Güterzug vorbei. Schöne Bescherung, dachte Kalli, da bleibt man lieber liegen, bis der Wind sich gelegt hat.

Als seine Mutter hereinkam, schloß er gleich die Augen, aber nicht ganz. Er blinzelte nur und konnte sehen, daß sie leise ging. Sie brachte ihm eine Tasse Kakao, das war schon mal ein gutes Zeichen. Er machte schnell, als ob er aufwachte. Sie sagte: Du siehst schon viel besser aus, Kalli. Er trank den Kakao in kleinen Schlucken. Und seine Mutter stand am Fenster und sah ihm zu. Da sagte er: Wirklich, Mami, ich hab's geschafft, ich stand auf dem Sattel, und nur weil die auf einmal klatschten, hab ich nicht aufgepaßt. Du mußt jetzt still sein, sagte die Mutter, und vor allem mußt du gesund werden. Nachdem sie gegangen war, dachte Kalli: So, das hätten wir.

Nur sein Vater, der ließ sich kaum sehen. Selten genug steckte er den Kopf herein. Er fragte höchstens: Na, du Kunstradfahrer? Mehr brachte er nicht fertig, und Kalli glaubte, daß ihm da eine große Abrechnung bevorstand. Um das alles hinter sich zu bringen, beeilte er sich ziemlich mit dem Gesundwerden, und an einem Freitag war er wieder ganz gesund.

Sein Vater wusch mal wieder das Auto. Kalli ging zu ihm und sagte: Wenn du willst, helfe ich dir ein bißchen. Er nahm auch gleich den Lederlappen und wischte die Scheiben blank. Ich helf dir jetzt immer, sagte Kalli. Das hoffe ich, sagte sein Vater, denn du stehst bei mir ganz schön in der Kreide. Die Kette war nämlich gerissen, du weißt schon, an welchem Rad. Ich habe die ganze Reparatur bezahlt.

Kalli wischte die Windschutzscheibe von innen blank. Und während er rieb, so immer von oben nach unten, sah er die beiden Kunstradfahrer aus dem Haus kommen. Paul schob das leichte, blitzende Rad. Sie kamen näher und grüßten Kallis Vater. Sie sprachen mit ihm, und Kalli duckte sich und machte sich ganz klein – warum, wußte er auch nicht. Und plötzlich sagte sein Vater: Deine Freunde sind hier, sie gehen zum Training. Willst du sie nicht begleiten und zugucken? Kalli kam ungläubig hinter dem Sitz hervor. Die Kunstradfahrer lachten. Beide gaben ihm die Hand, und Paul wischte ihm einmal übers Haar, sehr gutmütig. Er sagte: Ein Kunstradfahrer *muß* einmal Pech haben, sonst ist er kein richtiger Kunstradfahrer. Nur üben, das sollte er nicht allein. Kunstradfahrer üben nur gemeinsam. Merk dir das, sagte sein Vater.

Jetzt ging Wim noch einmal ins Haus zurück. Kalli blickte zur Fabrik hinunter. Die lag still und bereit da, als ob sie ihn erwartete. Ich werde nie mehr allein üben, sagte Kalli und versprach es seinem Vater in die

Hand. Als Wim zurückkehrte, führte er ein zweites leichtes Rad neben sich, ein Spezialrad für Kunstradfahrer. Er führte es an Kalli heran, dann ließ er es fallen – aber so, daß Kalli es auffing. Das ist unser Reserverad, sagte Paul. Damit wurden wir schon Norddeutscher Meister. Darf ich es führen, fragte Kalli. Fahren, Junge, sagte Wim, fahren sollst du es. Weil es ein Meisterrad ist, darf es nur von einem Meister gefahren werden. Na, sagte Kallis Vater, am Sonntag kommen wir alle mal rüber. Dann wollen wir uns mal ansehen, was die Meister zu bieten haben. He, rief Kalli, dann müssen wir uns aber beeilen. Schließlich muß ich den ganzen Rückstand im Training aufholen. Er stieß die beiden Kunstradfahrer aufmunternd an. Alle nickten sich zu. Kalli zog natürlich ungeduldig als erster los, hüpfte und schnaubte fröhlich. Und auch das Meisterrad schien ganz ungeduldig, Kalli mußte es am Sattel zurückhalten, so drängte es nach vorn.

Vom buckligen Trampelpfad winkte er seinem Vater zu. Und sein Vater winkte mit dem Ledertuch zurück.

1974

Die Phantasie

Es mußte für Dieter Klimke sprechen, daß wir nicht aufhörten, über seine abendliche Lesung zu reden, auch draußen im Regen noch, als wir die serbische Kneipe am Hauptbahnhof suchten. Zum Schutz gegen den kühlen Regen hatte Gregor sich den Mantel über den Kopf gezogen, und gebeugt vor mir hergehend, wiederholte er seine Ansichten über Klimkes erste Lesung auf unserer Autorentagung. Ich hatte Mühe, ihn zu verstehen, weil er in seinen Mantel hineinsprach und sich oft abwandte und in Seitenstraßen linste, wo er die Kneipe, die er aus dem fahrenden Bus entdeckt hatte, wiederzufinden hoffte. Er ging wie in schwerer Dünung in seinen riesigen, ausgelatschten Schuhen, die seine erwachsenen Söhne für ihn eintragen mußten.

Glaub mir, mein Alter, sagte er, ihr habt euch von Klimke bestechen lassen, du und die anderen. Was er zu bieten hatte, waren doch nur feine Zauberkunststücke, einige Proben sehr feiner Equilibristik.

Ich dachte an Dieter Klimke, an den zarten, knochigen Mann, der sich beinahe priesterlich betrug, der zu seinem Auftritt eine schwarze Krawatte anlegte, und der seine kurze Prosa monoton von Manuskriptpapier las, das unter der Lampe blaßgrün, bläulich oder rosa schimmerte.

Nein, Gregor, sagte ich, Klimke ist kein Zauberkünstler. Er hat uns nicht allein mit seiner ungewöhnlichen Phantasie bekannt gemacht. Er hat uns außerdem gezeigt, welcher Gesetzmäßigkeit das Phantastische folgt. Gregor brummelte etwas in seinen Mantel, und dann hakte er mich ein und sagte: Phantasie – ja, aber eine, die uns zu nichts verpflichtet. Es tut mir leid, mein Alter, aber ich kann nichts mit Geschichten anfangen, in denen Leute durch die Wand gehen können. Oder Pferde sprechen. Oder Figuren aus dem Bilderrahmen steigen und sich zum Essen an den Tisch setzen. Sie reichen nicht aus, um die Wirklichkeit wiederzuerkennen. Was verstehst du unter Wirklichkeit, fragte ich. Schwerkraft, sagte er, die widerlegt das Phantastische. Schwerkraft demütigt uns vielleicht, sagte ich, aber sie widerlegt nicht das Phantastische. Hast du denn nicht gemerkt, bei Klimke wird das Phantastische sofort in eine allgemeine Ordnung eingefügt, und damit hört er auf, zu befremden.

Gut, mein Alter, dann muß ich dir sagen, daß mich ein sprechendes Pferd immer befremden wird, selbst wenn es mich auf plattdeutsch begrüßt. Auch in einer toten, künstlichen Landschaft, fragte ich, in einer Landschaft wie bei Klimke, in der es kein Gras, kein Wasser, keine Bäume gibt? Was hat das damit zu tun, fragte Gregor; und ich darauf: Das sprechende Pferd bei Klimke steht auf einem Boden, der wie aus Metall gemacht erscheint. In einer verstörten, verzauberten Umgebung. Kein Wind. Kein Himmel. Hier, glaube ich, kann ein Pferd sprechen, zumindestens hörte ich einen Menschen sprechen, der sich als Pferd verkleidet hat. Du hast einen Slivovitz nötig, mein Alter, sagte Gregor, und zwar einen doppelten. Und wenn du es genau wissen willst, was ich über die Sachen von Dieter Klimke denke: magisches Kunsthandwerk, das ist es.

Mir ist etwas anderes aufgegangen, sagte ich. Und was ist das? Das Phantastische ist keine Republik für sich. Es existiert nicht getrennt von der Wirklichkeit, es gehört zu ihr. Es erstreckt sich auf alles ... Und scheitert an der Schwerkraft, sagte Gregor, mich unterbrechend.

Er blieb plötzlich stehen, hob den Kopf aus seiner Vermummung und vergewisserte sich: dort liegt der Eingang des Hauptbahnhofs, der dunkle Kasten dahinter ist die Markthalle, also muß es hier gewesen sein, in einer dieser kurzen Straßen. Ich schlug ihm vor, in eine andere

Kneipe zu gehen, in eine der vielen Kellerkneipen, die wir passiert hatten, doch er gab noch nicht auf, er zog mich weiter an dreckigen Fassaden vorbei, die mit versauten Wahlplakaten bepflastert waren: Politiker mit aufgemalten Reißzähnen, augenlos, oder Sprechblasen mit schweinischem Text vor dem Mund.

Nach all den Lesungen heute, also – mir ist sehr nach etwas Serbischem, sagte Gregor.

Zurückblickend merkte ich, daß uns ein hochgewachsener Typ in der Dunkelheit folgte, ein gleitender Schatten, der verharrte, wenn wir verharrten, der den Schritt beschleunigte, sobald wir zulegten, weshalb uns nichts anderes übrigblieb, als ihn hinter einer Straßenecke abzufangen und in die Zange zu nehmen. Mit seinen zweihundert Pfund Lebendgewicht verlegte Gregor ihm den Weg, während ich von hinten an ihn herantrat und ihn fragte, welch ein Geschäft er uns vorschlagen wollte. Glück, sagte er, falls die Herren Glück suchen – ich könnte Sie hinführen. Darauf sagte Gregor nur: Schieb ab, und trat zur Seite. Wir sahen ihm nach – auch er blickte mehrmals zurück –, und dann sagte Gregor: Ich geb's auf, mein Alter. Von mir aus können wir dort einfallen, in diese Eck-Kneipe.

In dem ebenerdigen Fenster der Kneipe leuchtete ein veraltetes Aquarium, spindeldürre Zierfische zuckten unter dem Kraut hervor, standen sich glotzäugig gegenüber. »Zum letzten Anker« hieß die Kneipe, der Inhaber nannte sich Baas Ruschewey. Gregor klopfte mit dem Fingerknöchel auf das Namensschild und sagte: Uns dürfte solch ein Name nicht einfallen, mein Alter; klingt nach überanstrengter Phantasie.

Er zog die Tür auf und trat vor mir ein. Es war eine solide, sparsam erleuchtete Kneipe, mit Tischen, die im Boden verankert waren, mit einer derben Theke und einem Bord, auf dem steife, verstaubte Wimpel standen und ungeputzte Pokale und Photographien. Mißmutig erwiderte der stämmige Wirt unseren Gruß, geradeso, als zwängen wir ihn durch unser Erscheinen zu ungeliebter Tätigkeit. Wir hatten freie Wahl oder doch fast freie Wahl, denn nur ein einziger Tisch war besetzt, in einer Ecke bei den Spielautomaten. Ich überließ es Gregor, einen Tisch zu bestimmen; ich sagte: Mir ist es egal, wo wir sitzen – da spürte ich, wie er stutzte; mit einer Hand tastete er nach mir, mit der anderen wies er überrascht zu einer Nische unter dem Aquarium: Guck mal, mein Alter, wer dort sitzt. Vor dampfendem Tee, die lange

Zigarettenspitze schräg vor dem Gesicht, saß Dieter Klimke und lächelte, als hätten wir ihn ertappt. Er stand auf, er lud uns nicht ein, neben ihm zu sitzen, doch nachdem wir uns aus den Mänteln geschlagen hatten, angelten wir uns die freien Stühle an seinem Tisch und nahmen von seinen Zigaretten.

Auch nur so reingeschneit, fragte Gregor. Klimke nickte. Die Aufmerksamkeit, sagte er, die Gespräche und die Aufmerksamkeit: es ist meine erste Schriftstellertagung, außerdem bin ich ungeübt im Zuhören. Ich lebe allein, in einem ehemaligen Pförtnerhaus, neben einer aufgelassenen Fabrik.

Sie haben sehr gut abgeschnitten mit Ihrer Lesung, sagte ich. Er sah mich ungläubig an, eingedenk all der Einwände, die nicht zuletzt Gregor erhoben hatte; darum fügte ich hinzu: Unter Schriftstellern gibt es keinen einstimmigen Sieg. Glauben Sie mir, wenn Kafka heute gelesen hätte oder Dostojewski, die wären nicht besser weggekommen als Sie.

Der Wirt trat an unseren Tisch, bereit, unsere Bestellungen zu hören; schweigend nahm er sie zur Kenntnis und ging ruckend, eine schwerfällige, aufgezogene Puppe, zur Theke zurück. Warum ist es so unter Schriftstellern, fragte Dieter Klimke; und Gregor darauf: Jeder ist eine Ein-Mann-Partei. Jeder ist ein Gefangener seines eigenen Programms.

Einer der Spielautomaten in der Ecke schien einen Hauptgewinn auszuspucken, stoßweise rotzte er Münzen in die Schale, doch der Bursche, der dort spielte, las sie nur gleichmütig auf und fütterte den Automaten von neuem. Doch nicht nur ihn, auch die Frau im hellen Trenchcoat schien der Gewinn gleichgültig zu lassen; sie hob nicht den Blick von ihrem Glas, sie saß nur da mit ihrer ratlosen Schmerzlichkeit, rauchte hastig, fühlte nach einem frischen Pflaster über dem Jochbein. Sie scheint sich beruhigt zu haben, sagte Klimke, eben, als sie trinken wollte, zitterte ihre Hand so sehr, daß ich glaubte, sie würde es nicht schaffen.

Der Wirt brachte uns Bier und einen doppelten Slivovitz, wir bestellten gleich eine neue Lage und prosteten uns zu. Dieter Klimke hielt sich an seinem Tee fest. Er lächelte verkniffen, musterte Gregor aus den Augenwinkeln, als erwarte er etwas Besonderes von ihm, einen neuen Einspruch zu seiner Lesung oder eines seiner Bekenntnisse zur Schwerkraft, und dann war er es, der sich an Gregor wandte: Sie waren nicht einverstanden mit meinen Texten? So ist es, sagte Gregor. Wenn ich Sie richtig verstanden habe, sagte Klimke, nannten Sie meine Arbeiten »beliebige Zeugnisse der Phantasie«. So ungefähr, sagte Gregor, Texte, die zu nichts verpflichten; sie sind nicht durch Wirklichkeit beglaubigt. Und warum, fragte Klimke, warum verpflichten meine Texte zu nichts? Ein Mann, der durch die Wand gehen kann, sagte Gregor, dieser Mann aus ihrer zweiten Geschichte: dem machen die Verhältnisse nichts aus, der leidet nicht an Krankheiten, vermutlich kann er dem Tod ein Schnippchen schlagen. Wir können uns nicht mit ihm vergleichen, er bestätigt keine unserer Erfahrungen, und darum geht er mich nichts an.

So einfach ist das, fragte Klimke lächelnd, und Gregor, seinen Rollkragenpullover über den massigen Körper nach unten ziehend: So einfach, ja. Wenn einem Mann der Hut wegfliegt, lache ich auf Kosten seines Pechs, das unser aller Pech sein könnte. Wenn aber ein Mann durch die Wand gehen kann, dann verliert er mein Interesse, weil er uns etwas vormacht, was niemand wiederholen kann.

Nein, Gregor, sagte ich, das ist mir zu einfach. Du gehst davon aus, daß es unserer Erfahrung entspricht, nicht durch die Wand gehen zu können. Du berufst dich ausschließlich auf das Bild, das wir alle von einer Wand haben, gemauerte und verputzte Steine, durch die kein Körper unbeschädigt hindurchkommt. Dieses Bild ist gegeben. Es »steht fest«. Aber dieses Bild, das für uns alle gegeben ist, wird irgendwann zum Inhalt einer Wahrnehmung. Und die Sinne der Wahrnehmung sind etwas, worauf wir uns nicht unbedingt verlassen können. Sie folgen einem eigenen Zwang. Sie können das Bild verändern.

Aber sie können keine Wand durchlässig machen, sagte Gregor. Das nicht, sagte ich, aber du kannst einen Mann so wahrnehmen, daß du ihm zutrauen mußt, durch eine Wand zu kommen.

Gregor kippte seinen Slivovitz und sah mich mit gespielter Besorgnis an. Für mich, mein Alter, sagte er, liegt die einzige Beweiskraft in der Realität. Oder nenn es Schwerkraft. An ihr ist die Phantasie immer gescheitert, und sie wird es, im Zweifelsfall, auch weiterhin tun. Dieter Klimke schüttelte in zaghaftem Protest den Kopf, dann sagte er leise: Die Phantasie – für mich hat sie ihre eigene Beweiskraft. Und ihre eigene Wirklichkeit. Aber sie ist nicht zu widerlegen, sagte Gregor, und was nicht widerlegt werden kann, das ist auch nicht wirklich.

Dieter Klimke richtete sich auf und sah zur Ecke hinüber, in der die Spielautomaten standen, und wir folgten seinem Blick. Der Bursche –

gewürfeltes Sporthemd, engsitzende Lederjacke – nahm die Handtasche der Frau, stürzte den Inhalt auf den Tisch – unter anderem die Schwungfeder eines größeren Vogels – und suchte sich zwischen Schlüsseln, Ausweisen, Lippenstift die Goldmünzen heraus, während die Frau selbst interesselos in ihr Glas starrte, die Hände unter dem Tisch gegeneinanderpressend. Sie war älter als der Bursche, vielleicht zehn oder zwölf Jahre älter, eine Frau mit sehr hellen Augen und harten, ebenmäßigen Gesichtszügen; offenbar hatte sie dem Wirt einen Dauerauftrag gegeben, denn von Zeit zu Zeit füllte er ihr Glas nach.

1105

Da passiert gleich etwas, sagte Klimke, da bereitet sich etwas vor. Nur das Übliche, sagte Gregor, entweder Abschied oder Versöhnung. Nein, sagte Klimke, das glaube ich nicht. Dieser Fall liegt komplizierter, hier herrschen besondere Beziehungen. Jedenfalls kommen sie mir nicht wie Kneipenbesucher vor.

Ich glaubte zu erkennen, daß die Frau versuchte, etwas zu beschließen, und daß es ihr um so schwerer fiel, je öfter sie trank, und ich sagte: Hier geht etwas zu Ende, und je länger sie hierbleibt, desto schwerer löst sich alles auf.

Wir können es ja mal versuchen, sagte Gregor, wenn ihr der Phantasie soviel zutraut. Wir können ja mal versuchen, ihre Geschichte zu erzählen, ihre Vorgeschichte ... was vorausging ... was sie hierhergeführt hat ... Was meint ihr? Jeder von uns sollte einen Entwurf abgeben ... Und was sollte damit bewiesen werden, fragte ich. Daß all unsere Phantasie die Wirklichkeit nicht deckt, sagte Gregor. Sie irren sich, sagte Klimke, manchmal muß die Wahrheit erfunden werden. Na, dann erfinden wir sie mal, sagte Gregor und musterte die beiden aus schmalen Augen, versuchen wir mal, ihnen einen Platz in einer Geschichte zu geben. Er machte eine einladende Handbewegung gegen Klimke, doch der winkte ab, der sagte nur: Wer den Einfall hatte, der sollte auch beginnen dürfen.

Während der Wirt uns eine neue Lage brachte, sah Gregor ausdauernd in die Ecke mit den Spielautomaten, seine verfetteten Finger betrommelten den Aschenbecher, sein Kinn bewegte sich unter regelmäßigen Kaubewegungen, und als die Frau sich plötzlich erhob und zur Toilette ging, wandte er sich uns zu und sagte leise: Eine, es gibt nur eine Geschichte, die man ihnen anpassen kann; die übliche Geschichte, und wenn ihr wissen wollt, wie ich sie mir vorstelle ... was die beiden verbindet oder nicht mehr verbindet ...

Also: ich sehe zum Beispiel diese Frau dort – für mich heißt sie Belinda – ihren Kindern bei den Schularbeiten helfen, in einem freundlichen, stillen Haus, das unter dem Schutz von Torbuchen steht. Es sind anstellige, gutgekleidete Kinder, ein blonder Junge, ein dunkelhaariges Mädchen, vielleicht auch umgekehrt. Beide wetteifern miteinander um die Sympathie ihrer Mutter, beide schieben ihr wechselweise das Heft hin, in der Hoffnung auf ein wenn auch zerstreutes Lob. Belinda sitzt so, daß sie durchs Fenster sehen kann – im Hintergrund der mäßig befahrene Strom, näher heran die mit gefährdeten Bäumen bestandene Steilküste, dann das gewundene Band der Sandstraße und schließlich die Blende aus schilfbraunem Geflecht, die um das Grundstück herumgezogen ist und es uneinsehbar macht. Die Kinder malen vorgezeichnete Figuren mit Farbe aus, hastig, etwas von der Unruhe der Mutter scheint auf sie übergegangen zu sein, und dann springt Belinda auf, geht ans Fenster und winkt ein Signal zur Taxe hinunter, die langsam über den Sandweg heranrollt. Sie wirft den bereitliegenden hellen Trenchcoat über, und im Davongehen ermahnt sie und belobigt sie die Kinder: Ihr macht es schon sehr schön. Aber ihr müßt noch weiter üben. Ich bin bald zurück.

Kaum ist sie aus dem Zimmer, da stürzen die Kinder ans Fenster und sehen ihr nach, wie sie zur Taxe läuft und sich ungeduldig mit dem Fahrer bespricht. Der Fahrer zieht seine Schirmmütze ab, als er Belinda die Wagentür öffnet; er ist ein feister Mann mit zerfließenden Formen, unerwartet höflich und sehr gesprächsbereit. Im Rückspiegel erkennt er, wie die Frau sich zurückdreht und zu den Kindern am Fenster hinaufsieht. Nett wohnen Sie hier, sagt er, und mit so netten Kindern.

Ja, sagt Belinda, sie hängt eine Hand in den Haltegriff und schließt die Augen, weniger aus körperlicher Erschöpfung als aus Resignation vor dem Mitteilungsbedürfnis des Fahrers, der ihr sagen muß, welche der geräumigen, sahnefarbigen Häuser von welchen Familien bewohnt werden und welche ausgeübten Berufe sie hier hineinführten. Es klingt sachgemäß, jedenfalls nicht anklägerisch, wenn er im Vorüberfahren blickweise auf ein Haus deutet und etwa sagt: Die Brusbargs, da auf dem Hügel, die verdanken alles ihren Soßen. Weil nämlich der Großvater, der hatte die Idee, Soßen in Tüten abzufüllen, ich meine dies Pulver, aus dem man Soßen macht. Zuerst hat noch die ganze Familie die Tüten zu Hause abgefüllt, dann kam die Fabrik.

In plötzlicher Furcht öffnet Belinda ihre Handtasche, sucht, findet den gesuchten Brief, liest den Namen des Empfängers – Thomas Niebuhr – und steckt den Brief in die Manteltasche. Da, sagt der Fahrer – er zeigt auf das Städtische Krankenhaus –, da lag ich noch vor vierzehn Tagen. Hoffentlich nichts Ernstes, sagt Belinda in mechanischer Teilnahme. Nabelbruch, sagt der Fahrer, und, ihren Blick im Rückspiegel suchend: Da tritt alles nach außen, junge Frau. Ich war nämlich achtzehn Jahre Fernfahrer, müssen Sie wissen, Fleischtransporte, und den Anhänger habe ich immer selbst beladen. Gefrorene Viertelrinder aus Argentinien, müssen Sie wissen, jedes so zweieinhalb Zentner. Das schlimmste ist das Bücken mit der Last, das hält kein Bauchnabel aus.

Bitte, sagt Belinda, ich fühle mich nicht wohl. Sie massiert leicht ihre Schläfen und vergräbt sich dann in ihren Mantel. Versteh schon, sagt der Fahrer, nichts für ungut, zu allem gehören Nerven, schließlich. Aber jetzt möchte ich mal fragen – zu dieser Laubenkolonie, wo Sie hinwollen, können wir über die Helmholtzstraße fahren oder über den Leistikowstieg – wie möchten Sie? Ich weiß nicht, sagt Belinda, nur: rasch. Sie senkt ihr Gesicht, weil sie den vergewissernden Blicken im Rückspiegel entgehen möchte, offenen und sogar sanften Blicken, und in der Hoffnung, schweigen zu können, sagt sie wie abschließend: Sie können dann auf mich warten, ich fahre gleich wieder zurück.

Über eine Brücke fahren sie und dann parallel zum Strom bis zur Laubenkolonie, die nur von Straßen und Wegen zerschnitten wird, die einheimische Pflanzennamen tragen. Hier wohnen jetzt nur Griechen und Jugoslawen, sagt der Fahrer, und Belinda, aufschreckend: Nein, nein, nicht nur Griechen. Mit leisen Kommandos dirigiert sie den Fahrer, im Huflattichweg läßt sie halten, steigt schnell aus, läuft über die matschigen Beete eines Vorgartens auf eine Holzhütte zu, deren Fenster undurchsichtig geworden sind von Staub und Ruß. Der Taxichauffeur erkennt, daß sie nicht einmal klopft, nur die Tür, die sich anscheinend verworfen hat, ruckend aufreißt. Sie tritt ein. Den Raum kann jeder für sich selbst möblieren; zur Verfügung stehen ein durchgelegenes Sofa, zwei altmodische, viel zu große Sessel, ein Propangasofen, unter dem Fenster ein selbstgezimmertes, viel zu breites Schreibbrett, vollgepackt mit Papieren, Büchern, Tonfiguren, einem Transistor und einer Schreibmaschine. Neben dem Ofen ein Waschbord, und vor dem Waschbord dieser Bursche mit nacktem Oberkörper, der sich ächzend die Haare einseift und jetzt den Kopf hebt, durch beißenden Schaum herüberblinzelt und nicht mehr sagt als: Du bist es.

Belinda zieht den Brief aus ihrer Manteltasche, stellt den Transistor ab, schubst einige Bücher von einem Sessel und setzt sich. Sie sagt: Nur einen Augenblick, Thomas, das Taxi wartet draußen, ich muß gleich wieder zurück. Wußte ich, sagt der Bursche und spült mit warmem Wasser die Seife aus seinem Haar, von diesem Tag ist nichts Besseres mehr zu erwarten. Er reibt mit einem Handtuch sein Haar trocken, mißt die Frau mit einem schnellen Blick, entdeckt den Brief in ihrer Hand und kommt langsam näher. Lies vor, sagt er, heute haut mich nichts mehr um; ein Tag von glorreicher Beschissenheit. Warum, fragt Belinda, was ist passiert? Oder nenn es einfach den Begräbnistag, sagt der Bursche, und auf den Brief hinabnickend: Also, was muß ich noch beerdigen heute? Lies vor. Hast du deine Bewerbung wieder zurückbekommen, fragt die Frau, und der Bursche darauf: So ist es, von der fünften Firma zurück. Zurück, eingeschrieben und mit der Versicherung, daß meine Zeugnisse bedeutend seien, so bedeutend, daß die Firma lieber auf mich verzichten möchte. Tja, und vor zwei Stunden kam die Kündigung. Ich muß hier räumen – vermutlich werden demnächst Jugoslawen in die »Villa Belinda« einziehen – mit Familien.

Das tut mir leid, Thomas, sagt die Frau, und dann: Ich bin von deinen Fähigkeiten überzeugt, jedenfalls. Thomas lacht erbittert auf, pellt sich ein gewürfeltes Hemd an, wirft die knappe Lederjacke über; eine Zigarette im Mundwinkel, kämmt er sich sorgfältig vor einem stark vergrößernden Rasierspiegel. Er fragt: Und du, Belinda? Warum liest du mir den Brief nicht vor? Heute bin ich stark im Nehmen.

Die Frau blickt auf den Boden, auf den durchgetretenen Teppich; sie sagt leise: Christian wird versetzt, in den Westen. Ich werde ihn begleiten, Thomas, ich gehe mit ihm. Ist das die ganze Überraschung, fragt Thomas, und dann mit angestrengter Ironie: Schließlich ist er dein Mann, und du bist verpflichtet, ihm zu folgen, wohin er dich führt. Habt ihr schon Fahrkarten? Sprich nicht so, sagt Belinda; ich – es ist das letzte Mal, Thomas, ich kann dich nicht mehr besuchen. Immerhin, sagt der Bursche, für ihn ist dann die Zeit des Argwohns vorüber.

Er wendet sich um, nimmt ihr den Brief aus der Hand, überlegt, schlägt ihn leicht gegen seinen Handrücken und wirft ihn in unerwartetem Entschluß auf die Schreibplatte. Er sagt: Abschiedsbriefe soll man allein lesen, oder? Ich heb ihn mir für später auf, als krönenden Abschluß des Tages. Belinda blickt ihn entgeistert an, sie fragt: Ist das alles? Ist das alles, was du mir sagen möchtest? Und er darauf, achselzuckend: Reisende soll man nicht aufhalten – alte Erfahrung. Und dann, nach einem Blick durchs Fenster auf die wartende Taxe und den massigen Taxichauffeur, der sich gegen die Motorhaube lehnt: Nimmst du mich mit? Ein kleines Stück nur? Zur Stadt? Die Frau preßt die Lippen aufeinander, immer noch wartet sie auf etwas, von dem sie nicht genau sagen könnte, was es sein müßte; doch auf einmal steht sie auf, nickt und geht zur Tür. Sie steigen in die Taxe ein. Der Fahrer fragt: Wieder nach Hause?

Ja, sagt die Frau, nur diesmal am Hauptbahnhof vorbei. Ist es dir recht, Thomas, wenn wir in der Nähe des Hauptbahnhofs halten? Sehr recht, sagt der Bursche und rückt nah an sie heran und tastet nach ihrem Handgelenk. Sie sitzen schweigend nebeneinander, und als sie über die Brücke fahren, legt er einen Arm um ihre Schultern und zieht sie zu sich herüber, während der Fahrer aus sonderbarer Gekränktheit oder aus Abneigung gegen den neuen Fahrgast nicht nur sein Mitteilungsbedürfnis unterdrückt, sondern auch darauf verzichtet, in den Rückspiegel zu blicken. Sanfter Regen schwärzt das Kopfsteinpflaster, der Fahrer schaltet die Lichter an. Er hört die Fahrgäste auf dem Rücksitz flüstern, und unvermutet sagt die Frau: Bitte, ist es möglich, daß wir noch einmal zurückfahren? In die Laubenkolonie, fragt der Fahrer. In den Huflattichweg, ja, ich habe dort nur etwas vergessen. Mir ist es egal, sagt der Fahrer. Er biegt in eine Nebenstraße ab, kontrolliert die Zähluhr und fährt mit zunehmender Geschwindigkeit auf eine Ampel zu, die immer noch Grün zeigt und erst auf Gelb umspringt, als sie die Linie passiert haben.

Es war grün; dennoch rammt sie der andere Wagen auf Belindas Seite, reißt den hinteren Kotflügel ab und drückt die Taxe, die sich einmal um ihre Achse dreht, gegen einen Lichtmast. Nicht Thomas, aber dem Fahrer gelingt es, die Tür von außen zu öffnen, er zieht sie heraus, mustert sie: Alles in Ordnung? Er sieht, daß Belinda über dem Jochbein blutet, und während der Fahrer des anderen Wagens schulmäßig fuchtelnd und drohend herankommt, öffnet der Taxifahrer ruhig seinen Verbandskasten und reicht der Frau ein Pflaster, das der Bursche ihr aufklebt. Schnell, sagt die Frau zu Thomas, bring mich weg hier. Weg, bevor die Polizei kommt. Er braucht uns aber als Zeugen, flüstert der Bursche. Ich kann nicht, sagt sie, du mußt mich hier wegbringen. Sie späht über die Straße, setzt zur Flucht an, da tritt der

Taxichauffeur zu ihnen, hat schon ein Notizbuch in der Hand, fragt schon: Sie können doch auch bestätigen, daß wir Grün hatten? Der behauptet steif und fest, daß er erst bei Grün angefahren ist. Wir hatten Grün, sagt der Bursche entschieden, und das werden wir jederzeit bezeugen. Ich danke Ihnen, sagt der Taxifahrer und reicht Thomas sein Notizbuch und bittet ihn, Namen und Adresse hineinzuschreiben. Muß ich auch, fragt Belinda, und als der Taxichauffeur sie mit einer Geste darum bittet, schreibt sie einen Namen und eine Adresse hinein und reicht das Notizbuch zugeklappt zurück. Aber jetzt müssen wir doch wohl nicht hierbleiben, fragt die Frau, und der Bursche bekräftigt: Wir haben es nämlich sehr eilig. Und bei diesen Worten drückt er dem Fahrer einen Geldschein in die Hand, den er aus der Handtasche der Frau genommen hat.

Die heftiger werdende Auseinandersetzung der beiden Fahrer ausnutzend, überqueren sie eilig die Straße, laufen durch einen Torweg, gelangen auf die Theaterstraße, die zum Hauptbahnhof führt. Sie kreuzen auch diese Straße, nicht in gemeinsamem Beschluß, sondern, weil die Frau es einfach tun zu müssen glaubt und der Bursche ihr einfach folgt, doch dann, vor einer Kellerkneipe, angesichts eines erleuchteten Aquariums im ebenerdigen Fenster, bleibt die Frau plötzlich stehen und läßt ihren Oberkörper gegen den Burschen kippen. Was ist los, fragt er, was hast du, Belinda? Er wird mich ja wiederfinden, sagt sie, mein Gott, er wird zu uns nach Hause kommen. Wer, fragt Thomas. Der Taxichauffeur, sagt sie. Ich habe einen anderen Namen in sein Notizbuch geschrieben, eine andere Adresse. Aber das nützt nichts – er hat mich doch von zu Hause abgeholt. Du hast einen falschen Namen angegeben, fragt der Bursche, und Belinda: Mein Gott, ist mir übel. Laß uns hier reingehn, Thomas, nur einen Augenblick. Laß uns etwas trinken. Mein Gott, ist mir übel.

Gregor hob sein Glas, deutete zu dem Paar in der Ecke hinüber, bedauernd, geradeso, als seien die beiden schuld daran, daß ihm keine andere Geschichte zu ihnen einfallen konnte. Sieh sie dir an, mein Alter, sagte er zu mir: Die Achtlosigkeit des Burschen – offenbar hat er den Spielautomaten gewechselt – und die stumpfe Verzweiflung der Frau – sie hat es wohl aufgegeben, einen Ausweg zu finden –, alles sagt mir, daß hier keine außerordentliche Geschichte zu erwarten ist. Was wir annehmen dürfen: ehrbare Banalität – wobei ich euch sagen möchte, daß ich sehr viel Respekt vor der Banalität habe. Dieter Klimke schüttelte lächelnd den Kopf, ich konnte es ihm ansehen, daß er längst andere Beziehungen und Motive entdeckt hatte; doch er verzichtete darauf, Gregor zu antworten.

Als der Wirt uns eine neue Lage brachte, fragte Gregor ihn: Die vielen Wimpel und Pokale dort, wofür haben Sie die bekommen? Angler, sagte der Wirt, ich war mehrmals Angler-König. Für den schwersten Fisch; für den wertvollsten Fisch; für die größte Kilobeute – für alles gibt's Preise. Auch für Angler-Latein, fragte Gregor, worauf der Wirt nur abwinkte und zur Theke zurückkehrte.

Da beide nun mich ansahen, auffordernd und gespannt, nahm ich mir noch mal das Paar bei den Spielautomaten vor, fragte es stumm ab, deutete ihre Haltung, ließ die Achtlosigkeit sprechen, die sie füreinander zeigten, und gerade dies, die Achtlosigkeit und eine plötzlich wahrgenommene physiognomische Ähnlichkeit legten mir eine andere Annahme nahe: die beiden mußten Geschwister sein. Na, fragte Gregor, was meinst du? Geschwister, sagte ich, für mich sind die beiden Geschwister, anders kann ich sie nicht sehen.

Ich spürte sogleich, wie diese Feststellung mich zu einer Überprüfung der Beziehungen zwang, die das Paar in der Ecke erkennen ließ. Die Schmerzlichkeit im Ausdruck der Frau: konnte sie nicht das Ergebnis einer Entdeckung sein, die sie zu letzter Hilflosigkeit verurteilt hatte? Und die sogenannte Achtlosigkeit des Burschen: verbarg sich hinter ihr vielleicht ein Wunsch nach Vergessen, und hinter seiner kalten Spielwut das Bedürfnis, sich ablenken zu müssen von dem, was er gemeinsam mit der Schwester entdeckt hatte? Andere Fragen ließen andere Möglichkeiten zu, und dann fragte ich nach einem Ort, wo die Geschichte ihren Ausgang nehmen könnte, und nach einem Anlaß, der das gemeinsame Auftreten der Geschwister rechtfertigte. Nun, fragte Gregor, wie kamen deine Geschwister hierher? Nach welcher Vorgeschichte?

Also hört zu, sagte ich, denkt euch eine saubere, beengte Witwenwohnung, wir lassen es Nachmittag sein, man sitzt bei einer Kaffeetafel, die Kuchenlasten sind geplündert. Auf dem resedagrünen Sofa sitzt die gehbehinderte Mutter, auf zwei Stühlen sitzen sich Karen und Herbert, genannt Hebbi, gegenüber, die zum fünfundsechzigsten Geburtstag der Mutter erschienen sind. Mechanisch lädt die Mutter dazu ein, noch ein Stück Kuchen zu essen, beide verzichten seufzend, wechseln einen belustigten Blick, als die Mutter sich noch ein Stück Torte nimmt und mit grüblerischem Behagen zu kauen beginnt. Die Blumen, sagt Karen, wieviel Blumen du bekommen hast, Mama. Leider reichen die Vasen nicht, sagt die Mutter, zum nächsten Geburtstag könntet ihr mir einige Vasen schenken.

Es klingelt an der Wohnungstür, Hebbi steht auf, um zu öffnen, doch die Mutter ruft ihn zurück, fröhlich zuerst, dann dringend; obwohl sie Mühe hat, zu gehen, besteht sie darauf, selbst zur Tür zu gehen. Heute bin ich an allem schuld, sagt sie mit gespielter Neugierde und deutet eine Erwartung an, die sie sich von keinem verkürzen lassen möchte. Sie schlurft am Tisch vorbei auf den Flur, die Geschwister zwinkern sich zu, lauschen, wie draußen die Kette entfernt, die Wohnungstür geöffnet wird. Man hört explosionsartige Glückwünsche zum fünfundsechzigsten Geburtstag, dann den sanften Überredungsversuch der Mutter, hereinzukommen, ein Stück Kuchen zu essen, schließlich eine vergnügte Weigerung: Später vielleicht, Frau Krogmann, wenn Sie Ihren Besuch überstanden haben. Die Mutter kehrt mit einem Blumenstrauß zurück, und Karen glaubt eine verborgene Enttäuschung herauszuhören, als ihre Mutter sagt: Nur eine Nachbarin, Frau Unertl – sie ist Empfangsdame, wenn ihr euch darunter etwas vorstellen könnt.

Karen stellt die Blumen in einen Plastikeimer, steckt die Glückwunschkarte zwischen die Blüten, während Hebbi sich eine Zigarette ansteckt und genüßlich am Büfett entlangstreift, das beladen ist mit Mörsern, Photographien, staubfangenden Immortellen, einer massiven Modell-Lokomotive auf Marmorplatte, ferner mit Brieföffnern, Handspiegeln und einer nie benutzten silberbeschlagenen Bürste. Er schiebt die Immortellen zur Seite, angelt sich die größte Photographie, die in einem muschelbesetzten Rahmen steckt, betrachtet sie eine Weile mit wohlwollender Skepsis: diesen kleinen agilen Mann mit dunklen, träumerischen Augen, der sich die Uniformmütze der Bahnbediensteten so keß in die Stirn gezogen hat.

Da haben wir ja unser kleines Genie, sagt Hebbi, schade, daß er dies alles nicht miterleben kann. Sprich nicht so, sagt die alte Frau, sprich nicht so von deinem Vater. War er denn kein Genie, fragt Hebbi mit vorgegebenem Erstaunen, und Karen darauf: Stell ihn weg, und hör endlich auf, dich an ihm zu reiben. Nach elf Jahren solltest du ihn in

Frieden lassen. Ich hab doch wohl das Recht, ihn auch nach elf Jahren noch zu bewundern, sagt Hebbi, für mich war er wirklich das Familiengenie – schließlich hat keiner so viele Ideen gehabt wie er, steile Ideen. Du könntest sein Andenken ruhig in Ehren halten, sagt Karen, und Hebbi darauf: Tue ich das etwa nicht? Indem ich sein Genie erwähne, ehre ich sein Andenken. Und auf das Bild hinabsprechend: Du warst in Ordnung, Paulchen Krogmann, du hast kühner geträumt als die meisten, du hast nur vergessen, deine Kühnheit finanziell abzusichern. Was verstehst du vom Leben, sagt die Mutter und macht sich sanft über ihr Stück Kuchen her. Eben, sagt Hebbi, ich brauche mich nur mit ihm zu vergleichen, dann weiß ich, was mir fehlt. Wie meinst du das, fragt seine Schwester. Na, denk mal allein an seine Gründungen ... an den Mut, den er, ein kleiner Lokomotivführer, zur Firmengründung hatte! Zuerst die Firma, die schnellwachsende Bäume pflanzte; für zwei Mark war man Mitglied und Eigentümer eines Baums ... Oder denk an seine Wegwerf-Hemden: einmal getragen – Papierkorb ... Oder an seine Tinkturen gegen körperliche Mißbildungen ... Na, und seine Fabrik, in der kleine Magnete gegen Schlaflosigkeit hergestellt wurden: das soll ihm erst mal einer nachmachen. Hör auf, so zu reden, sagt Karen, Papa hat für alles bezahlt. Sicher, sagt Hebbi, mit Mamas Ersparnissen hat er alles bezahlt. So meine ich das nicht, sagt Karen, ich denke an das Unglück, bei dem er ums Leben kam.

Hebbi stellt das Bild zurück, legt den Kopf schräg und erwidert das kesse Lächeln des Lokomotivführers. Er sagt leise: Es ist nie geklärt worden, wie ein Mann von seinen Erfahrungen das Signal überfahren konnte ... seine Lokomotive, sie war die erste und einzige, die die Böschung heruntergestürzt ist und in den Fluß ... Wenn du nicht aufhörst, sagt Karen, du wirst noch den ganzen Geburtstag eintrüben. Die Mutter winkt ab: was versteht er schon vom Leben? Und dann bittet sie Karen, die Likörgläser zu füllen, und bevor sie trinken, wendet sie sich noch einmal an Hebbi: Hoffentlich gelingt dir, was ihm gelungen ist ... hoffentlich wirst du auch mal deiner Frau zu einer so guten Witwen-Pension verhelfen ... daß ich nicht klagen kann, verdanke ich ihm. Und sie nickt bestätigend, niemand wird diesen Glauben erschüttern können, niemand sie davon abbringen, in der Versorgung über den Tod hinaus das entscheidende Werk ihres Mannes zu sehen, mit dem er alles gutgemacht hat.

Die Geschwister tragen das Geschirr in die Küche, stellen es in den Handstein, stellen fest, daß sie gehen müssen, und beschließen, ein Stück gemeinsam zu gehen. Aber zart, sagt Karen, du mußt es ihr zart beibringen, daß wir nicht zum Abendbrot bleiben können. Die Mutter sitzt gesammelt da, unerschütterlich, in einer Art Trägheit, die von keiner Nachricht durchdrungen werden kann, und als Hebbi sagt: Mami, wir müssen jetzt wohl gehen, Karen und ich, reicht sie ihnen sogleich die Hand, nicht bedauernd, eher erleichtert. Die Geschwister tätscheln sie zum Abschied wie ein trauliches Monument, streifen einen Kuß an ihr ab, winken noch einmal zu ihr zurück. Beim Zufallen der Tür blickt die Mutter schnell zur Büfett-Uhr.

Während die Geschwister die Treppe des Mietshauses hinabsteigen, schildert Hebbi seine Erfahrungen im Berufsleben ... Du glaubst es nicht, Karen, aber es ist so ... irgend etwas an mir ... also was ich auch tue, nach kurzer Zeit kommen die Chefs zu mir und bieten mir gehobene Positionen an ... mehr Geld ... mehr Verantwortung ... bei den Fensterputzern, da wollten sie mich schon nach zwei Wochen zum Kolonnenführer machen ... in der Umzugsfirma: ich war kaum da – schon boten sie mir die Abteilung Packmaterial an ... und jetzt wieder ... jetzt soll ich die Aufsicht über alle Boten im Funkhaus übernehmen ... Und, fragt Karen, wirst du's machen? – Ich? Hältst du deinen Bruder für behämmert? Nur eine einzige Sprosse auf der Karriere-Leiter, und schon ist die Gemütlichkeit futsch. Und der Friede. Und die Unschuld.

Im Parterre, vor dem Niedergang zum Keller, steht eine Kinderkarre. Hebbi setzt einen Fuß hinein und hält sich dabei an der Schulter seiner Schwester fest. Am liebsten, Karen, sagt er, möchte ich mich von dir schieben lassen; zeitlebens. So wie damals.

Sie treten auf die Straße hinaus, blicken zur Verkehrsinsel vor dem kleinen Bahnhof, nehmen sich bei der Hand und springen über die Schienen der Straßenbahn. Im Windschutz des gläsernen Wartehäuschens zünden sie sich Zigaretten an. Aufblickend streift Hebbi die Rampe der Güterverladung, die beladenen Karren und Schubkarren, streift die Telephonzelle, und plötzlich spürt Karen, wie ihr Bruder in der Bewegung innehält, regungslos und leicht geduckt dasteht.

Was ist, Hebbi? Was fehlt dir? Da, sagt er zögernd, an der Telephonzelle. Der Mann? Der Mann, der dem Kind die Blumen gibt: es ist Vater. Das glaubst du doch selbst nicht! Er ist es, Karen ... der Mann, der sich zu dem Kind beugt ... der ihm jetzt Geld gibt. Aber Vater ist tot, sagt Karen. Siehst du, wohin das Kind die Blumen bringt, fragt Hebbi – sie sind für Mutter bestimmt.

Unter den Ermahnungen des Mannes nickt das Kind und hüpft fort über die Straße und über die Schienen, bleibt einmal stehen und blickt auf die Münze in seiner Hand, bevor es die Blumen in das Haus trägt, das sie gerade verlassen haben. Es ist Vater, Karen, unbedingt, es kann nur er sein. Du hast Erscheinungen, Hebbi. Dann komm, komm und überzeug dich.

Eine Hand am Gürtel ihres Trenchcoats, zieht er sie mit sich hinüber zur Laderampe, an der ein kleinwüchsiger Mann mit schnellen Schritten vorbeistrebt, durch eine Passage auf einen überdachten Vorplatz, von dem es zu den Bahnsteigen geht. Die dunkle Schirmmütze, wie Bahnbedienstete sie tragen oder Leute aus dem Hafen, bewegt sich im Rhythmus der Schritte vor ihnen her, an der Würstchenbude vorbei, am Zeitungsstand, zum Bahnsteig der Stadtbahn. Schnell, mahnt Hebbi, wir dürfen ihn nicht verlieren. Sie laufen, sie erreichen die Bahn, in die der kleine Mann eingestiegen ist, auf jeder Station steigen sie aus und versichern sich, ob er noch im Nebenabteil sitzt, das genügt ihnen, denn bevor sie ihn ansprechen, wollen sie mehr über ihn erfahren.

Am Hauptbahnhof steigt er aus, bewegt sich auf einmal verhaltener, gemächlicher, schlendert auf einen Blumenkiosk zu, doch nicht, um Blumen zu kaufen, vielmehr stellt er sich schräg vor einen Spiegel und beobachtet die Passanten hinter sich, sie vor allem, die Geschwister, die er zu oft am Abteilfenster hatte vorbeigehen sehen. Seine Wachsamkeit, diese gelassene Vorsicht, erscheint Hebbi als zusätzliche Bestätigung seines Verdachts. Er ist es, flüstert er, das ist Vater, Karen.

Und plötzlich wendet sich der kleine Mann mit energischem, fast fliehendem Schritt zum Ausgang, verschwindet zwischen wartenden Taxis, taucht vor dem erleuchteten Eingang eines Hotels auf und biegt in eine trübe Seitenstraße ab. Jetzt läuft er. Auch die Geschwister laufen, Hebbi voran, und er erkennt, daß der kleine Mann seinerseits die Verfolger erkannt hat. Seine Fluchtbewegungen haben etwas Lächerliches; der lang fallende Mantel hemmt seinen Lauf, die große Schirmmütze scheint unmittelbar auf dem Mantelkragen zu sitzen. Vor einem Reklameschild stoppt er ab, zieht eine Tür auf, ein Lichtkegel fällt auf den Bürgersteig, schon ist es wieder dunkel, und er ist fort.

Die Geschwister kommen näher, treten vor das Schaufenster einer

1115

zoologischen Handlung, nur der Verkäufer ist zu sehen, ein feierlich wirkender, schlanker Mann in grauem Kittel. Sie übersehen das Angebot – Zwergkaninchen, Meerschweinchen, die ewig turnenden Wellensittiche –, treten ein, und Hebbi fragt: Hier ist doch eben ein Mann reingekommen? Der Verkäufer beugt sich ihnen erstaunt entgegen, sein Erstaunen enthält einen sachten Vorwurf: Ein Mann? Er habe keinen Mann gesehen, aber er möchte gern wissen, womit er dienen könne.

1116   Karen, leicht beunruhigt, will ihren Bruder aus dem Geschäft ziehen, da hören sie ein Geräusch aus dem Lagerraum, stürzende Pappkartons vermutlich, worauf Hebbi wortlos einen Vorhang zur Seite wirft und seine Schwester hineinzieht in einen schwach erleuchteten Raum. Papageien geben Alarm, Pinseläffchen, im Schlaf gestört, jagen zähnefletschend durch ihren Käfig.

Dort, ruft Hebbi, die Tür zum Hof. Sie durchqueren das Lager, laufen auf den Hof hinaus, dort schließt sich die Tür eines Hintereingangs, also wird er dorthin geflohen sein. Dicht nebeneinander stehen sie im Hausflur und lauschen mit erhobenen Gesichtern den leiser werdenden Schritten und dem abnehmenden Keuchen; ein fernes Schlüsselgeräusch, eine zufallende Tür, und jetzt steigen sie die Treppen hinauf.

Entweder im dritten oder im vierten Stock, flüstert Hebbi. Sie streift seine Hand von ihrem Ärmel, lehnt sich an die Wand, versucht ihren Atem zu beruhigen, und mit einer gleichzeitigen Geste der Weigerung sagt sie: Schluß jetzt, Hebbi; ich mach' nicht mehr mit. Du leidest an Hirngespinsten.

Aber er ist es, Karen, es ist Vater. Du weißt, daß er tot ist, seit elf Jahren. Seine Leiche – man hat sie nie gefunden nach dem Unglück damals. Aber warum läuft er weg vor uns? Fragen wir ihn, sagt Hebbi bestimmt und zieht sie in den dritten Stock hinauf, wo er den glimmenden Schalter eines Minutenlichts drückt. Er liest die Namensschilder, halblaut, er horcht an den Türen, und dann winkt er seine Schwester heran: Hier, Karen, dieser P. Ballhausen, der könnte es sein; in den anderen Wohnungen sind Kinderstimmen zu hören. Drück mal die Klingel. Drück du, sagt Karen.

Die Klingel scheint sich verklemmt zu haben, das Schrillen dauert und dauert, erst ein neuer Druck unterbricht es. Beim Geräusch der sich nähernden Schritte schiebt sich Karen unwillkürlich hinter ihren Bruder. Eine Kette wird entfernt, langsam wird die Tür aufgezogen.

Guten Tag, Vater, sagt Hebbi. Der kleine Mann mit den dunklen, träumerischen Augen sieht sie freundlich und verständnislos an. Er steht in offener Jacke vor ihnen, Hausschuhe an den Füßen, in einer Hand eine Brotsäge. Wir sind dir gefolgt, Vater, Karen und ich. Der Mann hebt bekümmert die Schultern, er sagt lächelnd: Es tut mir leid, aber ich muß Ihnen sagen, es ist ein Mißverständnis. Bitte, mach uns doch nichts vor, Vater, sagt Hebbi, ich habe eben noch dein Photo in der Hand gehabt. Laß uns reinkommen, zumindest. Der Mann schüttelt jetzt in amüsierter Überraschung den Kopf. Was einem so passieren kann, sagt er, und dann: Bitte, von mir aus kommen Sie herein.

Sie betreten die Wohnung, vorbei an einem Stapel leerer Vogelbauer, fabrikneu; auf dem Küchentisch liegt ein angeschnittenes Brot, im sparsam möblierten Wohnzimmer liegen Packen von Tierzeitschriften herum. Wir haben dich entdeckt, Vater, zufällig, als du dem kleinen Mädchen die Blumen für Mutter gabst ... wir sind dir gefolgt ... warum hörst du nicht auf, Versteck zu spielen? Der kleine Mann bedenkt sich, entschuldigt sich für die Brotsäge in seiner Hand, er sagt lächelnd: Das wäre schon eine Überraschung, auf einmal zwei erwachsene Kinder zu haben, doch ich muß Sie enttäuschen. Mein Name steht auf dem Türschild, mir gehört eine zoologische Handlung, jeder hier kennt mich, seit vielen Jahren. Leider kann ich nicht das Ziel Ihrer Suche sein. Seit wie vielen Jahren wohnen Sie hier, fragt Hebbi, und der Mann, die Achsel zuckend: Zu lange schon.

Die Geschwister tauschen einen Blick, Hebbi erkennt Karens ungeduldige Aufforderung, die Wohnung zu verlassen, sie geht bereits auf den Flur hinaus. Entschuldigen Sie, sagt Hebbi kleinlaut und immer noch nicht überzeugt, vermutlich haben wir Sie verwechselt. Er geht auf den Flur hinaus, der kleine Mann folgt ihnen, begleitet sie zur Tür. Zum Abschied drehen sich die Geschwister gleichzeitig um, etwas zu abrupt, denn Karen stößt gegen den Turm der leeren Vogelbauer, die obersten Käfige stürzen herab, von einem wird sie am Jochbein getroffen. Beide entschuldigen sich, doch der Mann wertet das Mißgeschick ab, ist doch nichts passiert, sagt er, bis er die kleine Blutspur in Karens Gesicht entdeckt. Er besteht darauf, ihr ein Pflaster aufzukleben, ihr es zumindest für alle Fälle mitzugeben, und er geht ihnen voraus in die Küche, wo er aus dem Küchenschrank eine Zigarrenkiste heraushebt, die sein Verbandzeug enthält. Während er für Karen ein Pflaster heraussucht, stellt Hebbi eine gerahmte Photographie auf, die

1117

offenbar umgekippt ist. Es ist eine ältere Photographie. Sie zeigt seine Mutter.

Karen, ruft Hebbi, sieh her, sieh dir das an. Karen drückt das Pflaster fest und wendet sich ihrem Bruder zu. Das ist doch Mutter? Ja, sagt Hebbi, das ist ein Bild von Mutter – und zu dem kleinen Mann: Das ist nun kein Mißverständnis, dies Bild – es ist ein Photo unserer Mutter. – Tatsächlich, fragt der Mann, und dann, nach einem Augenblick der Unsicherheit: Es gehört meinem Mitbewohner, er hat das Photo aufgestellt. Wie heißt er, fragt Hebbi, und der Mann, überlegend: Oh, wir haben den gleichen Vornamen, wir heißen beide Paul, sein Nachname ist Zech. Dürfen wir ihn sprechen? Aber sicher, aber gewiß doch, er wird etwa in zwei Stunden zu Hause sein, sagt der Mann.

Karen nimmt die Hand ihres Bruders, sie bittet ihn, mit ihr zu kommen. Sie sind etwas blaß geworden, sagt der Mann zu ihr, aber es ist keine ernsthafte Verletzung. Er bringt sie zur Tür.

Schweigend gehen die Geschwister die Treppe hinab, Karen scheint nicht mehr sicher auf den Füßen zu stehen. Mit einer fließenden Bewegung läßt sie sich auf die unterste Treppe nieder, verbirgt das Gesicht in den Händen, stöhnt. Er war es, sagt Hebbi triumphierend, er ist es: Vater. Na und, fragt das Mädchen verzweifelt, hilft es dir? Hilft es einem von uns?

Ich bin in zwei Stunden dort oben, sagt Hebbi drohend, ich bin nur gespannt, was er sich dann wieder ausgedacht haben wird. Aber ich überführ ihn, verlaß dich drauf: Ich überführ ihn! Wozu denn, mein Gott, wozu denn, fragt Karen, und, die Hände von ihrem Gesicht ziehend: Begreifst du denn nicht, warum er dies alles getan hat? Begreifst du denn nicht, daß dies zu seiner freiwilligen Buße gehört? Was versprichst du dir denn nur? Komm, Karen, Schwesterchen, sagt Hebbi, wir gehen jetzt in die kleine Kellerkneipe nebenan. Dort trinken wir etwas. Und nach zwei Stunden springe ich nur für einen Augenblick hinauf, nur, um eine einzige Frage zu stellen; danach bringe ich dich nach Hause.

Gregor grinste mich an, schüttelte – wenn auch nur in halber Mißbilligung – den Kopf und sagte: Typisch; typisch für dich, mein Alter, bei dir endet alles in der Schwebe, weil du Lösungen als Unhöflichkeit ansiehst. Er trank mir zu, fuhr einmal strahlend durch seinen Bart und blickte zu dem Paar bei den Spielautomaten hinüber, gerade so, als ob er etwas nachmessen oder blickweise erkunden wollte: Geschwister? Glaubst du wirklich, sie sind Geschwister? Wir können sie ja mal fragen, sagte ich, einer von uns, am besten du, Gregor, könnte hingehen und sie fragen. Es ist zu früh, sagte Gregor, vorher muß Kollege Klimke seine Geschichte abliefern.

Klimke bestellte sich noch einen Tee pur mit Zitrone; er vermied es offensichtlich, in die Ecke hinüberzusehen, wo die Frau gerade den Inhalt ihrer Handtasche barg, sorgsam und abwägend, als suchte sie die Herkunft der einzelnen Dinge zu bestimmen, ehe sie sie in die Tasche fallen ließ. Nur die dunkelgraue Schwungfeder behielt sie in der Hand und strich mit ihr über den Rand des Glases.

Gregor sah Klimke ermunternd an: Na? Zu welchem Ergebnis kommen Sie? Aber Sie müssen von demselben Bild ausgehen ... Ich weiß nicht, sagte Dieter Klimke, ich weiß nicht, ob es möglich ist, von demselben Bild auszugehen. Sicher, das Bild ist da, es hat seine eigene Trägheit, aber es besteht nicht lange für sich; denn die Einbildungskraft unterschiebt ihm zu schnell eine Bedeutung ... Vermutlich nehmen wir mit dem Bild schon seine Bedeutung wahr ... eine für uns eigentümliche Bedeutung. Gregor hörte ihm skeptisch zu, unterbrach ihn und sagte: Also mit einer Theorie kommen Sie nicht davon. Sie müssen doch von etwas ausgehen, von einer gesetzten Annahme. Das tue ich auch, sagte Klimke, und an uns vorbeisprechend, den Blick an Wimpel und Pokale gehängt, erklärte er, daß das, was seine Einbildungskraft am meisten erregte, diese Vogelfeder sei, die graue Schwungfeder – ihr wißt schon –, die der Bursche mit dem ganzen Inhalt der Tasche auf den Tisch kippte. Erzählen, sagte Gregor unnachgiebig. Und Dieter Klimke, nach einer unsicheren Bewegung: Genügt das – erzählen? Worauf es ankommt, das ist doch dazuzugewinnen und zu rechtfertigen. Und dann lieferte er uns seine Geschichte, die er ausdrücklich als Versuch bezeichnete.

Da geht Sophia mit schwingenden Schritten über den kleinen Markt, glücklich; Korb und Netz schlenkern zum Beweis der Zufriedenheit in ihren Händen. So geht jemand, der den kleinen, aber erreichbaren Vorteil auf seiner Seite weiß und es ausdrücken möchte durch vergnügte, überflüssige Bewegung. Sie hat den Herbst gekauft, das Gelb und das schon verblassende Grün, das süße Mark im Braun der Birnen, die aromatische Schärfe in erdigen Sellerieknollen, alles vorteilhaft gekauft, um es in die gerade bezogene Apartmentwohnung zu tragen, in den kühnen, aber gemütlichen Wohnturm, den sie den »langen Konrad« nennen. Händler hinter ihren farbigen Ständen und Auslagen grüßen sie mit Freundlichkeit und reiben sich unter fleckigen Schürzen die Hände warm, um sich beim Kleingeld nicht zu verzählen. Am Ende des Marktes, dort, wo die kurzen Fallwinde die Leinwand der Buden schütteln, winkt ein Händler sie an seinen Stand heran, obwohl er doch erkennen muß, daß sie, fröhlich beladen, schon auf dem Heimweg ist. Ein Mann von unbestimmbarem Alter, in abgetragenem schwarzem Anzug, einen breitkrempigen Hut über dem ausgezehrten Gesicht, hält sie auf und weist mit ausgebreiteten Händen auf sein ungewöhnliches Angebot: Hügel von Kirschen. Sophia, eine leidenschaftliche Marktgängerin, hat ihn nie zuvor hinter einem Stand gesehen, diesen fremdartig wirkenden Mann, der mehrere Ringe an den Fingern trägt, der ihren Blick durch eine einzige Geste hinabzwingt auf die Früchte, die jetzt schon zur Erinnerung an den Sommer gehören. Verwundert starrt sie auf die Schattenmorellen, auf Sauer- und Weichselkirschen, in deren Fleisch noch die Hitze des Sommers klopft, und ohne nach dem Preis zu fragen, ohne sich nach der Herkunft der Kirschen in dieser ungewöhnlichen Zeit zu erkundigen, läßt sie sich vom Händler die Menge auswiegen, die er für angemessen hält, ein rosa Körbchen voll, das ihr die beringten Finger hinüberreichen. Und da, während sie verwirrt bezahlt, stößt der fremde Händler lächelnd den Kiel einer grauen Schwungfeder in die zuoberst liegenden Kirschen ihres Körbchens. Die zarten Häute platzen, Saft quillt am Kiel empor, pulpiges Fruchtfleisch netzt die heilen Kirschen. Sophia läßt die Feder stecken, trägt, nun etwas nachdenklich, die preiswerte Beute in ihren Wohnturm, und in der blanken, geheimnislosen Küche, vor dem Spalier der elektrischen Diener, packt sie pfeifend Netz und Korb aus, probiert andächtig die verschwitzte ungarische Dauerwurst, schmeckt zum zweiten Mal vom erstandenen Käse, und zum Schluß, nachdem sie alles verwahrt hat, reinigt sie eine Handvoll Kirschen und ißt sie in ihrem bequemsten Stuhl. Zwischen Gaumen und Zunge läßt sie die Früchte platzen und sucht den Augenblick belebender Wohltat auszudehnen. In einer Hand hält sie die Feder, dreht sie leicht, streicht über ihre Knie und über die blitzenden Leisten des Küchenschranks, und später, in selbstzufriedener Geschäftigkeit, streift sie unabsichtlich mit der Feder die Küchenwand. Sophia erschrickt; denn die Stelle, die sie so flüchtig und zart berührte, beginnt sich zu beleben, der Stein erweicht, schmilzt sichtbar zusammen zu einer rotbraunen Masse, läuft lautlos in Zungen auseinander wie flüssiges Wachs, und vor ihren Augen tropft der Stein auf den versiegelten Fußboden, nicht heiß, nicht blasenwerfend, sondern in kühlem Zustand. Die Feder gibt nichts preis, solange Sophia sie auch untersucht, doch dann hebt sie das Gesicht, nähert es dem ausgeschmolzenen Loch in der Wand, langsam, in träumerischer Verstörtheit, und jetzt blickt sie in die Küche der Nachbarn, entdeckt das Ehepaar Töpfle, den feinsinnigen Physiklehrer und seine schöne, unwirsche Frau. Herr Töpfle trägt ein blauweißes Turnkostüm, von seinem Hals läuft eine Leine in die mit Leberflecken bedeckten Hände seiner Frau, er scharrt, er prustet und tänzelt vor den künstlichen Hindernissen, die kreisförmig auf dem Boden verteilt sind: Fußbänke, Bücherstapel, Küchenhocker. Die Frau im Morgenrock streichelt ihn nachlässig, knallt mit einer kurzstieligen Peitsche. Herr Töpfle springt an, trabt, nimmt glücklich das erste Hindernis, dann das zweite, er blickt auf seine Frau, er möchte offenbar belobigt werden, doch sie zerrt energisch an der Leine und schärft seine Aufmerksamkeit für das nächste Hindernis. Herr Töpfle verweigert; erst nach einem leichten Schlag über die Waden setzt der Physiklehrer über den Küchenhocker. Die Zweierkombination allerdings – Bücherstapel, Stuhl – will und will ihm nicht schmecken, immer wieder bricht er aus, schnaubt, nimmt neuen Anlauf, die Peitsche treibt ihn schließlich zum Sprung, er stürzt, er verliert seine nickelgefaßte Brille, und die Frau gibt in schmerzlicher Enttäuschung die Leine frei, läßt die Peitsche auf ihn fallen, tritt an den Tisch und schenkt sich Kaffee ein. Sophia scheint dem Anblick nicht gewachsen zu sein und deckt das Loch zunächst mit der Hand, später mit einem Stück Tapete ab.

Ratlos bereitet sie sich auf den Weg ins Büro vor, arbeitet unkonzentriert vor dem Spiegel an ihrem Gesicht, nimmt die hilfreichen Nasentropfen, packt Tempotaschentücher ein, wirft den Mantel über, und zum Schluß, nach kurzer Erwägung, nimmt sie die Feder in die Hand. Sie fährt zum unterirdischen Parkplatz hinunter, geht zu ihrem kleinen blauen Auto, verzögert plötzlich den Schritt und starrt auf den ungeliebten Grenzstein, nachdenklich, auf den Stein, der ihr noch jedesmal ein Gefühl für Zentimeter abverlangt und sie zu anstrengenden Manövern zwingt; schnell duckt sich Sophia, streicht einmal über den Stein – eher in ungläubiger als berechneter Erwartung – und weicht ängstlich zurück, als auch dieser Stein sich zu regen beginnt, schmilzt, das Laufen bekommt wie ein Käse in der Wärme. Da kann sie doch nur in ihr Auto steigen und im Vertrauen darauf davonflitzen, daß niemand sie beobachtet hat – die Feder übrigens wohlverwahrt in der Handtasche.

In dem von ihr beherrschten Vorzimmer findet sie kein besseres Versteck für die Handtasche als im untersten Fach ihres Spezialschreibtisches, der mehrere Telephone trägt, eine Sprechanlage, Eingangs- und Ausgangskörbe. Der – wie meistens – gutgelaunte Chef, den still zu bewundern sie sich angewöhnt hat, begrüßt sie mit Handschlag, läßt sich – reichlich aufgeräumt – aus ihrem Urlaub erzählen und eröffnet Sophia, daß er während ihrer Abwesenheit eine neue Kraft eingestellt habe: Fräulein Driessel aus der Personalabteilung, die ab heute auch im Vorzimmer sitzen und arbeiten werde, zu Sophias Entlastung. Und wie auf ein Stichwort erscheint Irmtraud Driessel, selbstbewußt, ein Mädchen, von dem Sophia behaupten möchte, daß es mehr Wasser als üblich zur Morgenwäsche verbraucht; der Chef macht miteinander bekannt. Etwas zaghafter, etwas bescheidener dürfte Fräulein Driessel schon ihren Schreibtisch in Besitz nehmen, schließlich ist sie ja neu hier, hat sich zumindest noch nicht das Recht ersessen, im Drehstuhl probeweise so herumzuwirbeln, daß ihr Haar, der Fliehkraft gehorchend, in die Waagerechte aufweht. Der Chef immerhin scheint an dieser unbekümmerten Erprobung Gefallen zu finden, und Sophia komplizenhaft zuzwinkernd, bestellt er Fräulein Driessel gleich mal zum Diktat, in der ausgesprochenen Hoffnung, daß sie sich bei der Arbeit ebenso »frisch« zeigen werde.

Sophias rechtmäßige Enttäuschung bekommen nun die vielfarbigen Briefe zu spüren, die sie beinahe wütend aufschlitzt, lustlos überfliegt und nach einem geltenden Schema registriert, ehe sie sie knapp aus dem Handgelenk in den Eingangskorb schleudert. Sophia denkt: Es ist immer so. Nach der Rückkehr aus dem Urlaub muß man im Betrieb mit bösen Überraschungen rechnen, und diesen Gedanken begleitet sie mit heftigem Kopfnicken.

Da läßt ein durch die Polstertür gedämpftes Lachen sie hellhörig werden – lacht man so beim Diktat? Sie springt auf, stürzt zur Tür, aber nur, um dem Kunstkalender, den in ihrer Abwesenheit niemand korrigiert hat, 21 Tage abzureißen. Wieder dringt quietschendes, jedenfalls hochangesetztes Gelächter aus dem Chefzimmer, worauf Sophia als langjährige und rechtmäßige Herrscherin des Vorzimmers in souveränem Entschluß ihre Handtasche hervorzieht, der Handtasche die Feder entnimmt und in Höhe des Kunstkalenders, nein, unter dem angehobenen Kunstkalender einen energischen Kreis zieht – münzengroß nur. Die Wand seufzt, der Stein erweicht und tropft lautlos weg, und durch das entstandene Loch wirft Sophia einen Blick in das Chefzimmer, läßt bei langsamer Drehung das Zimmer vorüberwandern bis zur eindrucksvollen, gediegenen Schreibtischecke. Soll das ein Diktat sein? Bei dem, was ihrem Blick zugemutet wird, könnte jeder verstehen, daß sie sich nicht nur enttäuscht, sondern auch mit redlicher Erbitterung vom Guckloch zurückzieht und auf dem kurzen Weg zum Schreibtisch schmerzhaft Abschied nimmt von liebgewordenen Vorstellungen. Das Papier, das sie jetzt in die Schreibmaschine einzieht, kann gar nichts anderes – es muß ihr Gesuch um Versetzung in eine andere Abteilung werden.

Von nun ab wird ihr Verhältnis zur grauen Schwungfeder skeptischer, sie trägt sie oft in der Hand, dreht sie ruckweise zwischen Daumen und Zeigefinger; einmal vergißt Sophia sie in einem Café, kehrt jedoch von weit her zurück, um sie zu holen. Und an einem Wochenende, allein in ihrem kühlen Apartment im Turmhaus, vor dem offenen Fenster, wirft sie die Feder hinaus, sieht sie trudeln und gleiten, bis ein plötzlicher Aufwind sie erfaßt und zu Sophia zurückweht. Sie wirft sich auf die Couch und liest bei ihrer Lieblingsmusik ihr Lieblingsbuch – »Haus aus Hauch« –, die Feder als Lesezeichen benutzend. Sie tut es so lange, bis nebenan der kleine Junge zu jauchzen und zu quietschen beginnt, der Sohn des bedeutenden, allzeit höflich grüßenden Schauspielers Kreuzer. Ein leiser Strich über die Wand, eine bange Bewegung genügen, und durch den entstandenen Schlitz erkennt sie den Jungen, der auf dem Fußboden sitzt, allein, umgeben von seinem Spielzeug, von Kränen, Bulldozern, Lokomotiven und Kanonen. Zuhauf liegen die Puppen seiner apfelbäckigen Schwester, die offenbar ihre Eltern hat begleiten dürfen; er hat die Puppen einfach aufeinandergeworfen, und nun entkleidet er sie jauchzend, blonde und brünette Puppen, stellt sie nackt auf den Boden und zieht genüßlich die Uhrwerke von Bulldozern und Panzern auf. Er klatscht in die Hände, wenn ein Panzer oder ein Schneepflug eine Puppe rammt, niederzwingt, überfährt; er trommelt vor Freude auf den Boden, wenn die Lokomotive einen kleinen Puppenkörper auf den Schienen vor sich herschiebt. Quietschend schraubt er sodann einzelnen Puppen die Glieder ab, verlädt

1123

sie mit seinem Kran auf einen Lastwagen und kippt sie sozusagen an der Böschung des Bahndamms aus. Zwei große grinsende Stoffpuppen exekutiert er mit der Erbsenkanone. Sophia fragt sich erschrocken, was die Mutter des Jungen nach ihrer Rückkehr sagen wird, Frau Kreuzer, die sie schon zweimal zur Besichtigung ihrer Steinsammlung eingeladen hat.

Hastig verstopft Sophia den Schlitz mit Watte, läuft auf der Suche nach einem angemessenen Entschluß durch ihre Wohnung, wirft auf einmal den Mantel über und fährt zum Parkplatz hinunter. Mit hallenden Schritten geht sie zu ihrem Auto, immer wieder ausgewischt von den Schatten der roten Zementpfeiler und zum Vorschein gebracht durch das indirekte Licht, und plötzlich, als sie über den zerschmolzenen Grenzstein tritt, versperrt Siebeck ihr den Weg, der die Aufsicht über die Garage hat.

Er hält ihr grinsend die offene Hand hin; stumm fordernd, darin sicher, daß sie weiß, was er meint. Dennoch versteht sie seine Geste nicht, und er muß ihr beibringen, daß er ihr Mitwisser ist, daß er vorübergehend die Feder braucht, nur mal für ein Wochenende, für ein spezielles Unternehmen; um seiner Forderung Nachdruck zu verleihen, deutet er auf die zerflossenen Reste des Grenzsteins. Sophia zögert, denkt an Flucht. Da reißt er ihr die Feder aus der Hand und stürzt triumphierend zu einer hüfthohen Betonwand, will gleich ausprobieren, was die Feder am Stein leistet, wie sie die Härte besiegt. Er streicht über eine Ecke, er reibt und kitzelt den Beton, doch nichts regt sich, nichts zerfällt – worauf Siebeck, nach einiger Unschlüssigkeit, die Feder in Sophias Hand zwingt und ihre Hand zart über den Beton führt. Und jetzt beginnt es zu sacken, zu schmelzen, die berührte Ecke erweicht und fließt in zähen Tropfen ab. Siebeck steht da und sieht aus wie einer, der einmal gefaßte Gedanken von neuem bebrüten muß, und dann nickt er, einverstanden mit sich selbst, da er anscheinend eine Lösung gefunden hat – die einzige, die übriggeblieben ist: Sophia wird ihn begleiten müssen, da die Feder offenbar nur in ihrer Hand das Erwünschte leistet.

Er zwingt sie, in seinen Wagen einzusteigen, freundlich, mit entschlossener Sanftmut, und dann fahren sie hinaus an den Strom zu dem weißen, schwimmenden Restaurant. Über eine federnde Brücke gehen sie an Bord, wo Siebeck respektvoll von einigen Kellnern begrüßt wird und vertraulich vom Wirt, der es sich nicht nehmen läßt, sie persönlich zu einem Tisch am Fenster zu führen, und ihnen auf Kosten des Hauses einen Willkommenstrunk servieren läßt. Als Siebeck sich in unerwarteter Förmlichkeit entschuldigt, winkt Sophia beruhigend ab: es sei doch ganz gemütlich hier, und außerdem gebe es hier wohl garantiert frische Seezungen.

Da der Wirt selbst sich um das Wohlergehen besorgt zeigt, glaubt Siebeck ihr erklären zu müssen, woher die Achtsamkeit rührt, und er stellt sich und den Wirt als ehemalige Soziologiestudenten vor, die schon auf der Universität zueinanderfanden. Und nicht nur dies: in langen Gesprächen entdeckten sie ihre gemeinsame Verachtung für die repressive Leistungsgesellschaft. Gleichzeitig warfen sie das akademische Handtuch und entschieden sich dafür, etwas gesellschaftlich Relevantes zu tun – nämlich in diesem schwimmenden Restaurant beziehungsweise in der Garage.

Bei der zweiten Flasche Wein – feine Spätlese, Kröver Steffensberg – erläutert Siebeck Sophia die vielfältige Bedeutung ihres Vornamens, und wenn ihr auch das meiste bekannt ist, hört sie die Erläuterungen gern und ist einfach angetan von der Art, wie er ihren Vornamen ausspricht. Beim Tanz auf der winzigen Tanzfläche spürt sie die leichten dünenden Bewegungen des schwimmenden Restaurants; ihr gefällt es, wie beherrscht Siebeck sich ihrem Rhythmus anpaßt, sobald sie einmal gestolpert ist. Sie ist einverstanden damit, daß er sie an der Hand zum Tisch zurückführt, und empfindet es als ausgesprochen nett, daß er ihr Lieblingsdessert zum zweiten Mal bestellt: Vanille-Eis mit Rum und Kirschen.

Ein einziges Mal nur erwähnt er die Feder beiläufig, entwertend, es sei doch wohl alles eine Sinnestäuschung gewesen, sagt er und tut sehr erstaunt, als Sophia ihm widerspricht und behauptet, daß die Feder tatsächlich jeden Stein zur Nachgiebigkeit zwingt. Er schüttelt ungläubig den Kopf. Er möchte wissen, wie oft man ihr schon gesagt habe, daß sie beim Lächeln die Nase kraus zieht. Und ebenso möchte er wissen, ob sie weiß, daß ihre Augen von verschiedener Farbe sind. Und schließlich ihr Gang: ob ihr bewußt sei, daß sie sich im Windsor-Gang fortbewege, also über den großen Onkel. Über ihren Gang, sagt sie amüsiert, habe ihr noch niemand etwas so Genaues gesagt, vermutlich, weil bisher noch niemand sie so genau ins Auge gefaßt habe.

Leider muß Sophia nun mehrmals niesen – das kommt gewiß vom offenen Fenster und von der Nähe des Stroms –, und da sie nur ein

Taschentuch bei sich hat, geht Siebeck zum Wirt, um ein Päckchen Tempotaschentücher zu besorgen. Während beide Herren sich in den engen Direktionsraum zurückziehen, kramt Sophia in ihrer Handtasche, findet offenbar nicht, was sie sucht, packt alles wieder ein, zuletzt die Feder – nein, sie korrigiert ihren Entschluß und nimmt die Feder zwischen die Finger. Sie überlegt sichtbar. Und dann spießt sie mit dem Federkiel eine der Maraschino-Kirschen auf, zwängt beides, Kirsche und Feder, in eine leere Weinflasche, hält die Flasche lächelnd aus dem Fenster und läßt sie in den Strom fallen, unbemerkt.

Der Wirt bringt die Tempotaschentücher persönlich; fürsorglich schließt er das Fenster, von Siebeck unterstützt, und danach verharrt er in Gehemmtheit, nicht lange allerdings: er fragt, ob es tatsächlich zutreffe, was Herr Siebeck ihm gerade erzählt habe, ob es tatsächlich diese wunderbare Feder gebe, unter deren Berührung jeder Stein wegschmelze. Ob er sie einmal sehen dürfe? Sophia lächelt; sie lächelt triumphierend, und mit einer Erleichterung, die sie selbst am besten begründen könnte, stellt sie fest, daß sie sich von dem »verruchten Ding« gerade befreit habe. Gewaltsam. Flupp und weg. Sie erwartet, daß ihr Lächeln von Siebeck erwidert wird, doch zu ihrem Erstaunen reißt der in empörter Eile das Fenster wieder auf, blickt den Strom hinunter, zischelt dem Wirt etwas zu und stürzt hinaus – noch im Abdrehen mustert er Sophia mit wütendem Vorwurf. Der Wirt ruft einigen Kellnern etwas zu, worauf diese hinter Siebeck herlaufen.

Sophia kann nichts anders, sie muß annehmen, daß der heitere Abend beendet ist. Sie hat jetzt keine Lust, ihr Lieblings-Dessert aufzuessen. Da man sie so eilig verlassen hat, verläßt auch sie mit blickloser Eile das Restaurant, strebt dem engen Niedergang zu, stößt sich empfindlich; doch sie beißt die Zähne zusammen und steigt hinauf zur Garderobe. Die alte Garderobiere, die ihr den Mantel reicht, hat nicht nur Nähzeug, sie hat auch Pflaster bereit, und mit klammen Fingern klebt sie Sophia ein Pflaster aufs Jochbein. Auf der federnden Brücke bleibt Sophia stehen und sieht auf den Strom hinab: dort laufen sie am Ufer entlang, rufen, scheinen die treibende Flasche entdeckt zu haben.

Nach kurzer Unschlüssigkeit überquert Sophia die Straße und schlendert, immer zögernder, an Schaufenstern vorbei, an einem naßglänzenden Denkmal. Sie hebt ihr Gesicht in den Regen auf. Sie bleibt stehen. Sie muß sich an einem Scherengitter anlehnen. Ist Ihnen schlecht, fragt eine vorübergehende Frau, und Sophia winkt ab: Es geht schon, danke, es geht schon wieder. Und dann hört sie die Laufschritte aus dem Schatten, und sie strebt eilig in Richtung zum Hauptbahnhof. Sie flieht vor den Schritten, ohne auf die Straße zu achten. Sie hört ihren Namen, dringlich, einmal und noch einmal, und jetzt bleibt sie erschöpft stehen und läßt Siebeck herankommen. Er hält die Feder in der Hand; und ohne Sophia um Erlaubnis zu bitten, legt er die Feder in ihre Handtasche, hakt sie ein und zieht sie mit sich. Natürlich hat er ihr sowohl etwas zu erklären als auch vorzuschlagen. In zwei Stunden etwa, wenn der größte Betrieb abgeflaut sei, erwarte sie sein Freund, der Wirt des schwimmenden Restaurants. Zuvor aber – er deutete auf die Kellerkneipe – könnte man hier miteinander sprechen, im »Letzten Anker«.

Und nun haben sie miteinander gesprochen, und es gilt lediglich Zeit zu überbrücken bis zur vereinbarten Verabredung. Sophia hat den Vorschlag gehört, einen allzu naheliegenden Vorschlag, und sie hat erkannt, was der Besitz der Feder bedeutet. Sie wird sie endgültig vernichten müssen. Ein Streichholz genügt.

Dieter Klimke schwieg, und Gregor und ich blickten zu den Spielautomaten hinüber: die Frau zündete gerade ein Streichholz an, tauchte die Federspitze in die Flamme, und das leichte Graue krümmte sich in einer Stichflamme und verkohlte unter kurzem Prasseln; den Rest der Feder warf sie in den Aschenbecher. Wollte sie gehen? Sie machte einen Versuch, sich zu erheben, alle Glieder für diese einzige Handlung zu mobilisieren, doch es glückte nicht nach Wunsch, und offenbar um sich für die Enttäuschung zu entschädigen, bestellte sie sich noch einen Doppelstöckigen und schickte eine geringschätzige Handbewegung hinterher. Auch Gregor bestellte uns einen Doppelstöckigen und für Klimke einen heißen Tee mit Zitrone.

Die Bestellung bestand nur aus einem kurzen Zuruf, denn Gregor kam und kam nicht von dem ungleichen Paar aus der Ecke los – vermutlich erwog er da Beziehungen, überprüfte mögliche Konflikte, suchte wohl überhaupt nach Bestätigungen für Klimkes Erzählung, und plötzlich entschied er: Nichts, ich sehe nichts, was Ihre phantastische Auslegung rechtfertigt. Jedenfalls, die Schmerzlichkeit der Frau rührt nicht daher, daß sie zuviel erfahren hat. Jetzt bist du wieder auf deinem alten Trampelpfad, sagte ich. Weil dir das Phantastische nicht liegt, hat es für dich keine Beweiskraft. Gregor blickte ärgerlich vor sich hin, warf eine Kippe in den Aschenbecher, daß es stäubte. Gut, sagte er und wandte sich an Klimke, dann erklären Sie mir mal, was Sie mit dieser Geschichte meinten, kurz, in einem Satz, den ich auch auf meine Erfahrungen anwenden kann. Auf die Erfahrung der Schwerkraft, fügte ich hinzu.

Klimke hob bedauernd die Schultern, er schien sich zu entschuldigen für die Ratlosigkeit, die er bei Gregor hervorgerufen hatte, und in redlicher Verlegenheit sagte er: Ich bin überzeugt davon, daß man die Realität nur aufdecken kann mit Hilfe des Phantastischen. Und was ich mit meiner Geschichte beweisen wollte ... nur dies: wir brauchen Mauern, jeder von uns. Aber das alles, sagte Gregor, kann doch nur einen Wert haben, wenn es für meine lausige Realität gilt. Ich gehe ja davon aus, sagte Klimke, daß die Realität nicht gründlicher identifiziert werden kann als durch eine Beweisführung im Phantastischen.

Aber wir haben nichts gewonnen, sagte Gregor, und mit einem Blick zu den Spielautomaten: Was wir vorgelegt haben – drei Entwürfe; was wir gewonnen haben – drei Wahrheiten, die zu nichts verpflichten. Wir können hier sitzen und erzählen, solange wir wollen: dies Paar da drüben wird seine eigene Geschichte behalten, und dieser werden wir uns nie nähern, auch mit geduldiger Erfindung nicht.

Darauf kommt es ja nicht an, sagte Klimke, was wir versuchen – mit Hilfe der Phantasie die begrenzten Muster zu finden, in denen sich Wirklichkeit erschöpft. Erfahrungssätze, die für uns alle verbindlich sind.

Aber das, sagte Gregor, kann man doch erst feststellen, wenn man die andere Seite gehört hat. Ich meine: Erfindung muß in jedem Fall durch Realität beglaubigt werden. Was wir jetzt einfach brauchen, ist die wirkliche Geschichte dieser beiden, denn sie ist ja bisher nicht erzählt.

Klimke lächelte, und dann rieb er sich die Hände und sagte: Ich wette, daß etwas aus unseren Geschichten auch auf die beiden zutrifft – eine Stimmung, eine Hoffnung oder eine Erfahrung.

Los, mein Alter, sagte Gregor zu mir, geh rüber und nimm ihnen die Beichte ab. Klopf mal auf den Busch. Das müssen wir wohl schon gemeinsam tun, sagte ich. Nein, sagte Klimke, zu dritt, das wirkt einschüchternd, eine Bedrohung. Sie sollten es wirklich allein versuchen.

Sie blickten mich aufmunternd und dringlich an, so lange, bis mir nichts anderes übrigblieb, als aufzustehen und hinüberzugehen zu dem Burschen, von dem ich bereits ein dreifaches Bild hatte. Er warf eine Münze in den Automaten, gewann, ich gratulierte ihm. Danke, sagte er, das macht den Kohl nicht fett, insgesamt hab ich verloren. Vermutlich nahm er an, daß ich mitspielen wollte, denn mit einer kurzen, einladenden Handbewegung überließ er mir den Rotamint-Automaten. Während ich nach einem Einstieg suchte, kam er mir mit einer Frage zuvor; leise, zu unserem Tisch hinnickend, wollte er wissen, ob das Schwergewicht mit dem Nikolausbart zufällig Gregor Bromm sei, der Schriftsteller. Ja, sagte ich, das ist er, und der Bursche darauf: Bromm ist mein Mann, der hat wirklich was los, und sein Roman »Haut auf dem Markt« hat mir sehr gefallen. Ich nickte, druckste, wollte ansetzen und wagte es nicht; doch immerhin fragte ich ihn, ob der »Letzte Anker« seine Stammkneipe sei. Der Bursche schüttelte den Kopf. Stammkneipe? Er sei zufällig hier hereingeschneit. Allein, fragte ich und er darauf: Allein, natürlich. Aber die Dame, sagte ich; doch ich vollendete nicht den Satz vor seinem verengten mißtrauischen Blick. Die Dame, sagte er langsam, ich habe sie hier kennengelernt, dagegen haben Sie doch nichts, oder? Was wollen Sie eigentlich von uns?

Ich entschuldigte mich, ging wohl etwas zu schnell an unseren Tisch zurück, kippte Gregors Glas und sagte in ihr aufforderndes Schweigen: Sie haben sich gerade kennengelernt, hier. Einen Augenblick sahen sie mich verblüfft an, und dann sagte Klimke: Na, und? Ich fühle mich keineswegs widerlegt. In der Möglichkeit haben wir recht behalten, und darauf kommt es ja wohl an – für uns.

1974

Der Geist der Mirabelle
Geschichten aus Bollerup (1975)
Vorwort

Bollerup ist kein vergessenes Dorf. Es liegt weder im Rücken der Geschichte noch in der geographischen Abgeschiedenheit, die der Idylle bekömmlich ist. Es ist ein Dorf von heute: offen, erreichbar, von reisenden Vertretern erobert, von Versandhäusern generalstabsmäßig mit dem letzten Wunschkatalog bedient. Die Filme, die hier gezeigt werden, laufen auch gerade in der Stadt. Die Informationen aus Brüssel sind so neu, daß sie nur die alte Weißglut bestätigen können. Was die

Mädchen tragen, wird zur gleichen Zeit in München, in Köln, in Kopenhagen spazierengeführt. An Sonntagen, da zeigen allenfalls Hände und Gesichtsfarbe der Einwohner, daß hier Land ist, und vielleicht noch die Autos, die pfleglicher behandelt oder seltener benutzt werden als in der Stadt. Die eingeführten, die derben Indizien für Land und Landleben sind jedenfalls sehr gering geworden. Und die fünfzehn Sommer, die ich in der Nachbarschaft von Bollerup gelebt habe, beweisen mir, wie entschieden die äußerlichen Unterschiede zwischen Land und Stadt aufgehoben bzw. verwischt wurden. Dennoch: von einer vollkommenen Angleichung kann man nicht sprechen. Es gibt etwas in Bollerup, das nur ihm und – in der Verlängerung – dem Land gehört: eine eigentümliche Erlebnisfähigkeit und eine spezifische Art, auf Erlebtes zu reagieren. Einen Beweis dafür liefern die Geschichten, die hier umgehen oder die nur hier möglich wären. In seinen Geschichten bewahrt sich Bollerup seine Eigenart, seinen verbogenen Charakter, meinetwegen: sein zweites Gesicht. Mir scheint, sie haben so viel eingrenzenden und bezeichnenden Wert, daß man sie auch Geschichten vom Lande nennen könnte. Doch das wird den Bollerupern gleichgültig sein: ich meine allerdings nicht die Einwohner des bekannten Bollerup, sondern die aus einem anderen Dorf gleichen Namens, nördlich von Kiel gelegen bzw. südlich von Aabenraa.

Ein Bein für alle Tage

In Bollerup, Nachbarn, läßt sich der Wind nicht aufhalten: kommt frisch von der Ostsee heran, der er seine torkelnden Schaumlichter aufsetzt, staut sich an der ausgewaschenen Steilküste, wird abgelenkt, drückt sich flach durch die Rinne und hat freien Zugang zum Dorf. Da hält ihn kein Knick auf und kein beliebter Mischwald, forsch fällt er ein und verwechselt, möcht ich mal sagen, das abfallende Roggenfeld mit der Ostsee: bringt die Halme in Aufruhr, will sie zur Flucht veranlassen, möchte sie vielleicht vor sich herwerfen wie Wellen und aus den Ähren ein bißchen planlosen Schaum schlagen, und wenn ihm dies auch nicht gelingt – dem Roggenfeld selbst verschafft er unerwartete Bewegung: duckt und schleudert es, walkt es durch, läßt es den Hang hinauflaufen und all so 'n Zeug.

Immer wenn ich in Bollerup zu Besuch bin, nehme ich mir Zeit, den Wind im Getreide zu beobachten, was er so anstellt und sich einfallen läßt, um, beispielsweise, Schatten zu machen oder das Auge derart zu täuschen, daß man mitunter glaubt, man könnte mit einem Kahn übers Feld fahren.

Als ich das letzte Mal auf dem Hünengrab saß und den Wind beobachtete, war Jens Otto Dorsch gerade beim Mähen; er ist ein Großneffe meines Schwagers und heißt, wie dieser, Feddersen, aber da in Bollerup nur wenige Leute anders heißen als Feddersen, ist man übereingekommen, sich einen Zusatznamen zu geben, damit man sich, was ich verstehen kann, gelegentlich voneinander unterscheidet. Dieser Jens Otto Dorsch also saß auf dem Wippsitz seiner Mähmaschine – er lehnte es ab, einen Mähdrescher anzuschaffen –, saß mürrisch und gedankenlos, nahm das wogende Feld von außen an, umrundete es Mal für Mal, wobei er, sagen wir mal, den Wind immer ärmer machte, ihm nur kurze Stoppeln überließ. Mähend fuhr er zur Küste hinunter, dann ein Stück parallel zum Strand – eine Strecke, auf der er wie ein Reiter erschien, der durch ein lehmhelles, mäßig bewegtes Gewässer schwamm –, wendete kurz und kam zum Mischwald herauf, nie pfeifend oder singend, obwohl es auf Feierabend zuging. Alles, was er zeigte, war ein lustloses Interesse, dem Wind das Feld wegzumähen – womit er ungefragt den Leuten von Bollerup recht gab, die ihm den Zusatznamen Dorsch gegeben hatten.

Ich kann mich nicht erinnern, wie oft er um das Feld fuhr und da tätig war; jedenfalls hatte er das schwankende Rechteck erheblich verkleinert, ohne ein einziges Mal anzuhalten, hatte weder den Pferden ein Wort gegönnt noch sich selbst – da setzte, zu meiner Überraschung, das Klappern aus und das ratternde Geräusch der scharfzahnigen Schneidemesser, die aus bestem Metall gearbeitet sind. Ich sprang auf, kletterte auf die zeitgraue Steinbank, womit sie dem Hünen, meinetwegen, die Brust beschwert hatten, denn ich wollte genau erfahren, warum Jens Otto Dorsch seine Arbeit unterbrach, jetzt sogar abstieg und um die Mähmaschine herumging, die wie ein – na, sagen wir: beschädigtes Rieseninsekt aussah mit ihren Greifstangen, dem schrägen Flügelarm und all ihrem schwenkbaren und ausziehbaren Gestänge.

Der Dorsch ging um die Maschine herum, trat hier mal gegen und da mal, blickte mürrisch, vorwurfsvoll, horchte mit schräggelegtem Kopf, klopfte, und schließlich beugte er sich tief über die Maschine, wobei er, allem Anschein nach, entdeckte, wo der Schaden lag. Da war etwas in die Messer geraten, in die scharfzahnigen Messerketten, die gegeneinanderarbeiteten; etwas hatte sich festgeklemmt, ein Stein, ein Stück Holz, ein ganzer Ast womöglich, und um seine Maschine wieder in Gang zu bekommen, schwang sich der Dorsch auf ein Trittbrett und ließ sich von dort in die offene, luftig gebaute Maschine hinab. Er fand Boden unter den Füßen, griff, wie ich beobachten konnte, mit beiden Händen nach dem sperrenden Gegenstand, zerrte, ruckte heftig und zog aus den Messerketten, die, ich möchte wiederholen, aus allerbestem Metall gearbeitet sind, eine armdicke Astgabel, die die Messer nur deshalb nicht hatten durchsäbeln können, weil die Gabel zu elastisch war, keinen Widerstand bot.

Gut, erst einmal bis hierher, und am liebsten nur bis hierher; denn wenn's nach mir gegangen wäre, hätte ich den Jens Otto Dorsch aufsitzen, anfahren und für alle Zeit weitermähen lassen; aber die Geschichte besteht darauf, daß er noch ein Weilchen in der offenen Mähmaschine stehenbleibt, an der Astgabel zerrt und sich, von mir aus, verlegen den Kopf kratzt – was man ja mitunter von Landleuten lesen kann.

Ich jedenfalls sehe ihn dort noch tätig sein, sehe ihn zumindest mit einem Auge so, während ich mit dem andern Auge längst Lothar Emmendinger erkannt habe, einen Feinkosthändler aus Kiel, der es sich zur Aufgabe gemacht hatte, Bollerup von der Herrschaft der Kaninchen zu befreien. Der ordentliche Jagdpächter trat mit schußbereiter Flinte aus dem Mischwald, warf den Kopf nervös hin und her, hob das Gewehr, ließ es sinken, schien überall Kaninchen zu sehen, wo ich keine sah, erfreute sich weder am Abendrot noch am Spiel des Winds im Roggen, und auf einmal stürzte er auf das Feld hinaus, riß das Gewehr hoch und schoß. Schoß, ja, und lief, von üblicher Erregung getragen, bis zur Küste hinab, gerade so, als verfolge er das fliehende Kaninchen, das sein Heil, sagen wir mal, am Strand, vielleicht sogar auf dem Wasser suchte.

Auch jetzt konnte ich kein Kaninchen erkennen, wenngleich ich zugeben muß, daß der Schuß nicht wirkungslos geblieben war: wie man sich erinnert, stand Jens Otto Dorsch in der offenen Mähmaschine; die Pferde, zwei braune Holsteiner von schlichter Gemütsart, standen angeschirrt davor, und als der Schuß fiel, taten sie, was sie für ihr Recht hielten: sie gingen durch. Die Pferde sprangen panisch ins

Geschirr, tief erschreckt, vor allem erschreckt, zogen mit der Kraft, die der Schrecken angeblich verleihen soll, an und sausten in unnatürlich gehemmtem Galopp übers Feld. Die Räder der Maschine begannen sich zu drehen, das Greifgestänge zu greifen, die Flügelarme zu schlagen, und die scharfzahnigen Messerketten begannen zu arbeiten. Daran konnte sie auch Jens Otto Dorsch nicht hindern, der, als die Maschine in gewaltsame Bewegung geriet, einfach herausgeschleudert wurde wie, ich möchte sagen: wie eine besonders schwere, lose gebundene Roggengarbe, auf das Feld fiel und dort liegenblieb. Doch noch während des Falls bemerkte ich – der ich von meinen Verwandten für scharfäugig gehalten werde –, daß der Jens Otto eigentümlich verkürzt war, besonders eines seiner Beine schien mir nicht die ordentliche Länge zu haben – was ich, in geschwinder Erkenntnis, der Qualität der Messerketten zuschrieb. Jedenfalls blieb der mürrische Mensch auf den Stoppeln liegen, rührte sich nicht, und das machte mich sozusagen kopflos: in dem heftigen Verlangen, dem verkürzten Dorsch Hilfe zu bringen, und zwar verständige Hilfe, stürzte ich den ausgefahrenen Weg nach Bollerup und fand keinen, fand ein ausgestorbenes Dorf; und so klopfte ich bei Wilhelm Feddersen, der Axt. Sie nannten ihn in Bollerup die Axt, weil er unweigerlich alles spaltete, womit er in Berührung kam. Hastig teilte ich ihm mit, was ich beobachtet hatte, und merkte erst zum Schluß, daß die Axt schweißglänzend unter schwerem Zudeck lag, teilnahmslos, mit hohem Fieber.

So lief ich, ärgerlich über mich selbst, weiter zu Fedder Feddersen, dem Leuchtturm, erzählte ihm von dem Unglück, ließ es jedoch nicht genug sein, sondern weihte außerdem noch Jörn, Gudrun und Lars Feddersen ein, die, ihrer Eigentümlichkeit entsprechend, der Knurrhahn, die Krähe und der Rammler hießen. In der erwähnten Reihenfolge strebten die Genannten dem Roggenfeld zu, um dem verkürzten Jens Otto Dorsch Hilfe zu bringen. Ich kam als letzter an.

Kam an, trat aus dem Mischwald und sah den Dorsch auf dem Wippsitz seiner Mähmaschine, mürrisch und gedankenlos, wie es ihm entsprach. Das verblüffte mich so sehr, daß ich mir ein Herz faßte, näher heranging und meinen Blick, möcht ich mal sagen, gleichmütig zu dem verkürzten Bein hob. Ich erkannte sofort, daß das linke Bein etwa um die Hälfte kürzer war, erkannte aber auch, an einem Haken neben dem Wippsitz, das passende Stück, das dort sachgemäß mit Hilfe von Schnürsenkeln angebunden war.

Es war ein Holzbein. Es baumelte in sanftem Rhythmus hin und her. Fragend, vielleicht auch verstört blickte ich zu Jens Otto Dorsch auf, und er sagte:»War man nur mein Alltagsbein, das die Messer kaputtgehauen haben. Wär mir das passiert mit der Ausführung für sonntags, hätt ich mich mehr geärgert! Denn das Sonntagsbein, das zu Hause steht, ist aus Eiche. Dies aber ist man nur aus Fichtenholz. Hüh.«

Das unterbrochene Schweigen

Zwei Familien, Nachbarn, gab es in Bollerup, die hatten seit zweihundert Jahren kein Wort miteinander gewechselt – obwohl ihre Felder aneinandergrenzten, obwohl ihre Kinder in der gleichen Schule erzogen, ihre Toten auf dem gleichen Friedhof begraben wurden. Beide Familien hießen, wie man vorauseilend sich gedacht haben wird, Feddersen, doch wollen wir aus Gründen der Unterscheidung die eine Feddersen-Ost, die andere Feddersen-West nennen, was auch die Leute in Bollerup taten.

Diese beiden Familien hatten nie ein Wort gewechselt, weil sie sich gegenseitig – wie soll ich sagen: für Abschaum hielten, für Gezücht, für Teufelsdreck mitunter; man haßte und verachtete sich so dauerhaft, so tief, so vollkommen, daß man auf beiden Seiten erwogen hatte, den Namen zu ändern – was nur unterblieben war, weil die einen es von den andern glaubten erwarten zu können. So hieß man weiter gemeinsam Feddersen, und wenn man die Verhaßten bezeichnen wollte, behalf man sich mit Zoologie, sprach von Wölfen, Kröten, von Raubaalen, Kreuzottern und gelegentlich auch von gefleckten Iltissen. Was den Anlaß zu zweihundertjährigem Haß und ebenso langem Schweigen gegeben hatte, war nicht mehr mit Sicherheit festzustellen; einige Greise meinten, ein verschwundenes Wagenrad sei die Ursache gewesen, andere sprachen von ausgenommenen Hühnernestern; auch von Beschädigung eines Staketenzauns war die Rede.

Doch der Anlaß, meine ich, ist unwichtig genug, er braucht uns nicht zu interessieren, wohingegen von Interesse sein könnte, zu erfahren, daß in beiden Familien alles getan wurde, um dem Haß dauerhaften Ausdruck zu verleihen. Um nur ein Beispiel zu geben: wenn in einer Familie die Rede auf den Gegner kam, machten eventuell anwesende kleine Kinder ungefragt die Geste des Halsabschneidens, und wie mein Schwager wissen will, verfärbten sich sogar anwesende Säuglinge – was ich jedoch für eine Mißdeutung halte. Fest steht jedoch, daß die Angehörigen beider Familien bei zwangsläufigen Begegnungen mit geballten Fäusten wegsahen oder automatisch Zischlaute der Verachtung ausstießen. Gut. Bis hierher setzt das keinen in Erstaunen, etwas Ähnliches hat jeder wohl schon mal gehört.

Doch Erstaunen mag vielleicht die Ankündigung hervorrufen, daß das feindselige Schweigen an einem Gewitterabend gebrochen werden wird – aber ich will nacheinander erzählen.

Nach zweihundertjährigem Schweigen waren an einem Abend die Vorstände der beiden Familien in ihren Booten hinausgefahren, um Reusen aufzunehmen: Friedrich Feddersen vom Osten und Leo Feddersen vom Westen. Manche in Bollerup, deren Felder sich zum Strand hin erstreckten, betrieben nebenher einträglichen Fischfang, so auch Friedrich, so auch Leo Feddersen. Gleichzeitig, will ich mal sagen, entfernten sich ihre Boote vom Strand, strebten den Reusen zu, fuhren dabei über eine stumpfe, glanzlose Ostsee, unter dunklem, niedrigem, jedenfalls reglosem Abendhimmel – dem Himmel, unter welchem die Blankaale zu wandern beginnen. Es war schwül, etwas drückte auf die Schläfen, da konnte man nicht sorglos sein. Die Männer, die einander längst bemerkt hatten, verhielten sich, als seien sie allein auf der Ostsee, fuhren mit kurzen Ruderschlägen zu den Pfahlreihen, in denen die Reusen hingen. Sie banden ihre Boote fest, nahmen die Reusen auf und lösten die Schnüre, und während sie ihre Aale sorgsam ins Boot ließen, machte der Abend wahr, was er Eingeweihten schon angedeutet hatte: er entlud sich.

Schnell formierte er ein Gewitter über der Ostsee, am Himmel wurde etwas umgestellt, heftige Windstöße krausten und riffelten das Wasser, Wellen sprangen auf, und ehe die beiden Männer es gewahr wurden, hatte ein heftiger Regen sie überfallen, und Dunkelheit hatte den Strand entrückt. Strömung und Wellen verbanden sich, verlangten den rudernden Männern alles ab an Kraft und Geschicklichkeit, und sie ruderten, ruderten noch länger, wurden abgetrieben, ruderten immer noch – wir brauchen da nicht kleinlich zu sein. Wir haben es in der Hand, die tief verfeindeten Herren ausdauernd arbeiten zu lassen, können ihnen den Widerstand des Windes entgegensetzen, können die Elemente nach Herzenslust toben lassen, uns sind da keine Grenzen gesetzt.

Nur in einem bestimmten Augenblick müssen wir uns an die Geschichte gebunden fühlen, und das heißt: die Boote der tief Verfeindeten müssen von Strömung, Wind und planvollen Wellen zueinandergeführt werden, sie haben aus dem Aufruhr aufzutauchen und sich in kürzestem Abstand zueinander zu befinden. Denn so verhielt es sich doch: ohne daß es in der Absicht der Männer gelegen hätte, wurden ihre Boote zusammengeführt, gerieten zur gleichen Zeit auf den Kamm einer Welle, wurden, meinetwegen krachend, gegeneinandergeworfen, überstanden den Anprall nicht, sondern schlugen um.

Beide Männer waren Nichtschwimmer, beide taten, was Nichtschwimmer in solchen Augenblicken tun: sie klammerten sich aneinander, umarmten sich inständig, wollten den andern um keinen Preis freigeben. Sie tauchten gemeinsam unter, schluckten gemeinsam Wasser, stießen sich gemeinsam vom Grund ab und wurden in ihrer verzweifelten Umklammerung von einer langen Welle erfaßt und einige Meter strandwärts geworfen. Wer will, könnte noch erzählen, wie sie prusteten und tobten, sich wälzten und nicht voneinander lassen mochten, während Welle auf Welle sie erfaßte und dem Strand näher brachte. Wir wollen uns damit begnügen, festzustellen, daß sie auf einmal Grund gewannen, sich in ihrer Gemeinsamkeit dem Sog widersetzten, zum Strand hinwateten und den Strand auch erreichten, glücklich und immer noch aneinandergeklammert. Die Erschöpfung veranlaßt sie, sich niederzusetzen, Arm in Arm, und nach der Überlieferung soll Friedrich nach zweihundertjährigem Schweigen folgendermaßen das Wort genommen haben: »Schade um die Aale.« Darauf soll Leo gesagt haben: »Ja, schade um die Aale.« Dann langte jeder von ihnen in die Joppentasche, holte ein breites, flaches Fläschchen mit Rum hervor, und es fielen wiederum einige Worte, nämlich »Prost, Friedrich« und »Prost, Leo«.

So, und jetzt müssen wir etwas Zeit verstreichen, die Fläschchen leer werden lassen, wobei allerdings erwähnenswert ist, daß die Männer die Flaschen tauschten. Sie wärmten sich durch, schlugen sich auf die Schultern, beobachteten schweigend die Ostsee, die sich Mühe gab, erregt zu erscheinen; dann lachten sie, warfen die leeren Flaschen ins Wasser und gingen untergehakt über die Steilküste, durch den Mischwald nach Bollerup zurück. Daß sie ein Lied anstimmten, ist nicht erwiesen, aber erwiesen ist, daß sie Arm in Arm bis zum Dorfplatz gingen, sich plötzlich voneinander lösten und sich überrascht mit

Blicken maßen, wobei ihre Kiefer hart, ihre Münder lippenlos geworden sein sollen. Und auf einmal zischte Leo Feddersen: »Kröte«, und
Friedrich zischte zurück: »Gefleckter Iltis, du« – wonach beide es für
angebracht hielten, sich nach Ost und West zu entfernen.

Seitdem besteht zwischen beiden Familien wieder das schöne, tragische Schweigen, sind sie sich in zweihundertjährigem Haß verbunden; und so sind es die Leute von Bollerup, die selten nach Ursachen
fragen, auch gewohnt.　　　　　　　　　　　　　　　　　　　　　　1137

Ein teurer Spaß

Alles, Nachbarn, war an Frietjoff Feddersen normal: seine Schuhgröße,
sein Einkommen, auch sein Geiz, den man hier Sparsamkeit nennt.
Wenn man mich damals beauftragt hätte, den Einwohner von Bollerup beim Namen zu nennen, der den vorbildlichen Durchschnitt dieses Dorfes darstellte, mir wäre gar nichts anderes übriggeblieben, als
nach allen fälligen Ermittlungen Frietjoff Feddersen anzugeben: er
setzte ein Maß für die Häufigkeit von Krankheiten, er bezeichnete den
Rhythmus, in dem man sich einen neuen Wintermantel zulegte. Doch
setzte er schon in vielem Maß und Beispiel, so darf man sich nicht
vorstellen, daß er dies immer und überall getan hätte. Es gab im Leben
dieses grauen, normalen Menschen Augenblicke, in denen er ganz
Bollerup fassungslos machte durch nie gehörte Einfälle. Obwohl nur
als Besucher in Bollerup, erfuhr ich zum Beispiel, daß er es war, dieser
Frietjoff Feddersen, der einen Hungerkünstler nur deshalb einige Wochen bei sich wohnen ließ, weil er die von ihm gewonnenen Erfahrungen auf die nimmersatten Haustiere anwenden wollte.

Gut, bis hierhin kann man der Meinung sein, daß auch das Normale
von Zeit zu Zeit sonderbare Blüten hervorbringen muß, sozusagen als
Tribut, um dann, wie nach den Masern, rein und überraschungslos
fortzubestehen. Aber nun muß gesagt werden, daß Frietjoff Feddersen
nachweislich immer dann seine ungewöhnlichen Einfälle ausschwitz-
te, wenn er von seinem selbstgebrauten Mirabellenschnaps getrunken
hatte. Die Früchte zu dem Gesöff stammten von einem alten verkrüppelten Baum, dessen Rinde verschuppt, dessen Krone hier und da
schon unfruchtbar geworden war. Für sich in einer unzugänglichen
Ecke des Gartens wachsend, schien dieser Baum – zumindest kam es

mir so vor – nur Unheil zu sinnen. Doch obwohl er an Früchten nicht viel hergab und obwohl Rita Feddersen regelmäßig verlangte, den Baum zu schlagen, ließ mein entfernter Vetter Frietjoff den Baum stehen, verteidigte ihn sogar mit dem Hinweis, daß er »auf ihn angewiesen« sei. Nach einem morgendlichen Streit, der wieder einmal dem Baum gegolten hatte, versteifte sich dieser Feddersen sogar zu der Erklärung: »Nichts, aber auch gar nichts wird mich dazu bringen, diesen Baum jemals zu schlagen.« Und als seine Frau wissen wollte, aus welchem Grund er den Baum so unbedingt schonen wollte, sagte er gereizt, daß der »Geist des Baumes« ihn jederzeit gut beraten habe.

So, und nun muß ich einige Tage umblättern, die durch und durch normalen Tage von Dienstag bis Sonnabend; doch am Abend dieses Samstags müssen wir uns dem Frietjoff Feddersen an die Fersen heften, ihn in den Mühlenkrug begleiten, mit ihm zusammen in ein verräuchertes Hinterzimmer treten, in dem er bereits erwartet wird.

Wer ihn dort erwartete? Ermüdete Männer wie er, die – bei Lütt un Lütt – nichts weiter vorhatten, als sich mit Hilfe eines Viertelpfennigskats in den Sonntag hineinzuspielen: Jörn Feddersen, der Knurrhahn, und Lars, der Rammler. Wie gewohnt, hatten die schon ihren doppelten Weizenkorn vor sich stehen, Frietjoff indes holte aus seiner Tasche ein flaches Fläschchen Mirabellenschnaps hervor, füllte ein bereitstehendes Glas, und dann beheizten sie sich nach wortloser Aufforderung: das Spiel war eröffnet.

Sie spielten unter einem schräg hängenden Spiegel an einem Tisch aus Kirschholz, der bessere Tage erlebt hatte; das einzige Bild war ein kaiserliches Torpedoboot, das zwar kieloben trieb, aber immer noch Platz bot für einen Überlebenden, der einem Horizont von englischen Kreuzern die eigene Flagge eigensinnig entgegenreckte. Sie spielten verbissen, blickten nicht einmal auf, wenn der Wirt in genau berechneten Abständen erschien, um die Gläser nachzufüllen, und dabei einen Augenblick kiebitzte. Monoton reizten sie ihre Blätter aus, quittierten Gewinn und Verlust eines Spiels mit dem immergleichen ächzenden Schluck aus dem Glas; dennoch hätte ein Eingeweihter nie angenommen, daß hier Überdruß oder gar Lethargie den Abend regierten. Vielmehr konnte jeder, der ein geschärftes Ohr hatte, allen Aufschluß über Spieler und Spiel aus der unterschiedlichen Gewalt beziehen, mit der man die Karten auf den Tisch krachen ließ.

Der Tisch ertrug es. Er zitterte. Er schwang leise. Mitunter, wenn der

Rammler dröhnend ausspielte, was seine Hinterhand aufbewahrt hatte, verzog er sich neigend und quietschend. Ich meine, das war unausbleiblich in den hundertzwanzig Jahren, die der Tisch als »feiner« Eßtisch begonnen hatte, um dann, nachdem er genügend Kratzer abbekommen hatte, Wäschetisch zu werden, eine Zeitlang auch Werkzeugtisch, ehe man ihn als gut genug für das Hinterzimmer entdeckte und, mit Wachstuch überspannt, zum Skattisch beförderte.

Je mehr sie tranken – Frietjoff Feddersen seinen selbstgebrannten Mirabellenschnaps, die anderen ihren Weizenkorn –, desto härter wurde das Ausspiel; Triumph und Enttäuschung offenbarten sich in Schmetterlauten. Es wird erzählt, daß die drei Männer sich derart beheizt hatten, daß keiner von ihnen merkte, wie der Tisch sich gegen Mitternacht zu schräger Ebene hin verzog. Ausgerechnet in diesem Augenblick mischten sich dem Rammler die Karten zu einem Grand mit Vieren, Schneider angesagt, was seine Faust natürlich kundtun wollte: er spielte die erste Karte in einer Weise aus, daß der Tisch einfach nachgeben mußte. Ein Tischbein brach, die anderen Beine retteten sich ins Spagat; der Grand wurde nicht gespielt.

Frietjoff Feddersen genehmigte sich den Rest aus seiner Flasche, untersuchte, in düsterem Selbstgespräch, den lädierten Tisch, streichelte ausgiebig das gebrochene Bein, und auf einmal richtete er sich auf und erklärte seinen erstaunten Mitspielern: »Hier kann nur der Arzt helfen, wir rufen Doktor Dibbersen.« – »Das wird«, sagte Jörn, »wenig helfen; wer richtige Beine heilen kann, muß deswegen nicht auch Tischbeine heilen können.« – »Bein ist Bein«, lallte Lars, »und wozu hat Doktor Dibbersen überhaupt studiert?« – »Vor allem«, sagte Frietjoff, »möchte ich sein Gesicht sehen, wenn wir ihm den Patienten vorführen.«

Sie lachten auf Vorschuß, und dann ging Frietjoff Feddersen zum Telephon, um den komplizierten Beinbruch an Doktor Dibbersen durchzugeben. Der war natürlich gerade eingeschlafen, redlich erschöpft von zweiundzwanzig Hausbesuchen, bei denen ihm Gastfreundschaft nicht erspart geblieben war, doch die leise, eindringliche Stimme am andern Ende der Leitung ließ ihm keine Wahl: dann man nix wie helfen.

Selbst wenn sie es gewollt hätten, es wäre ihnen nicht möglich gewesen, auf dem Fußboden weiterzuspielen, so fröhlich-gespannt erwarteten sie den Arzt, setzten Gesichter auf, von denen sie glaubten, daß der Arzt sie zeigen werde, spielten sich Formen der Überraschung vor, der Verbiesterung, und konnten nicht aufhören, Frietjoff Feddersen für seinen Einfall zu loben. Soviel ich weiß, schwankten sie zu dritt auf den Hof, um den Arzt nach Mitternacht zu empfangen und ihn gemeinsam zum Patienten zu führen – gut ausgerüstet mit Bekümmerung.

Doktor Dibbersen, ein ewig leidend wirkender Mann, der weder auf Erklärungen hörte noch mündlich welche gab, ließ sich also ins Hinterzimmer führen, suchte nach dem Patienten, lauschte kurz und ließ sich aus dem Mantel helfen, als Frietjoff Feddersen ihm mit gutgespieltem Schmerz das gebrochene Tischbein entgegenhielt. Ein schneller, unergründlicher Blick auf die Mitspieler: das war alles, was der Arzt an Reaktion zeigte; dann erbat er sich eine Waschschüssel, ein Handtuch, öffnete seinen Koffer, und sachgemäß – mir wurde erzählt: mit unerbittlicher Sachlichkeit – begann er, das gebrochene Tischbein zusammenzusetzen. Heilsalbe wurde aufgetragen. Das Tischbein wurde regelrecht geschient und verbunden und zur Verblüffung der Spieler so sorgfältig eingesetzt, daß der Tisch weniger wackelte als zu Beginn des Abends. Die Spieler, aus gutem Grund ratlos, überspielten ihre Verlegenheit durch übertriebenen Beifall. Doch Doktor Dibbersen winkte bescheiden ab. Er erprobte sorgsam die Standfestigkeit des Tisches, nickte zufrieden, zog sein Honorarheft heraus und die ärztliche Gebührenordnung, und so, daß die Spieler es verfolgen konnten, ermittelte er sein Honorar für ärztlichen Beistand, schweigend, wie man ihn kannte. Die Summe von hundertundzwölf Mark, tadellos spezifiziert, stellte er Frietjoff Feddersen ohne Groll in Rechnung, danach verabschiedete er sich mit besten Genesungswünschen.

Wundert es jemanden, daß mein entfernter Vetter Frietjoff Feddersen am nächsten Morgen die Axt schärfte und, bevor seine Frau aufgestanden war, den schuppigen Mirabellenbaum nicht nur umhieb, sondern in ofengerechte Stücke zerlegte?

Ursachen eines Streitfalls

In Bollerup, Nachbarn, hat es immer interessante Ursachen für einen Streit gegeben. Selten jedoch hat ein Zwist Gründe gehabt wie im Fall des Lauritz Feddersen und seines Knechts Ingo, genannt die Ebbe, der deswegen so hieß, weil durch merkwürdige Anziehungskraft aus sei-

nem Kopf alle Gedanken abgelaufen waren wie das Wasser bei Ebbe.
Dieser Ingo, ein ehemaliges Findelkind mit sehr starkem Haarwuchs,
war bekannt wegen seiner wortarmen Gutmütigkeit und seines ziel-
losen Lächelns. Er trug sommers und winters Gummistiefel, keine
Strümpfe, und wer wissen will, worin sich Ingo hervorgetan hat in all
den Jahren seines Lebens, dem möchte ich antworten: im zuverlässigen Umgang mit den Haustieren hat er sich hervorgetan.

Das muß erwähnt werden, denn zur Beurteilung der Geschichte ist
es notwendig zu wissen, daß Lauritz Feddersen nie einen Grund gehabt hat, seinem Knecht Ingo Vorschriften zu machen in puncto Umgang mit Haustieren.

1141

Aber was lange währt, muß ja nicht unbedingt ewig währen, wie der
Schmied von Bollerup einmal festgestellt hat, und so geschah es, daß
an einem Nachmittag im April die Zeit des Einverständnisses zwischen
Lauritz und Ingo aufhörte. Ich möchte meinen, das lag auch am April,
der die Ostsee beunruhigte, der im Mischwald pfiff, die Felder tränkte
– an dem April, der sich sozusagen in jeder neuen Minute widersprach.

An solch einem April-Nachmittag trat also Lauritz Feddersen auf
den Hof, stand einen Augenblick unschlüssig da und überlegte wahrscheinlich gerade, warum er auf den zugigen, großen, gepflasterten
Hof getreten war, da sah er seinen Knecht Ingo, der, wortarm und
verständig, zwei Sterken am Strick aus dem Stall führte. Die Tiere
widersetzten sich nicht, warfen nur ruckhaft die Köpfe, was ihrer Eigenart entspricht, beschleimten dem Ingo mit langer Zunge den Ärmel
– mehr, dürfen wir annehmen, geschah nicht.

Lauritz Feddersen, er besah sich seinen Knecht anders als sonst,
starrte ihn eindringlich an, dabei auch mißmutig, ging plötzlich auf
ihn zu und fragte:»Warum, Ingo, führst du die Tiere links?« Der
Knecht, ganz und gar unvorbereitet auf solch eine Frage, erschrak und
begann nachzusinnen.»Warum«, fragte der Bauer,»warum? Wenn die
Tiere zur Weide gebracht werden, müssen sie rechts von dir gehen.«
Ingo sah verlegen die beiden Sterken an, sah sie womöglich auch hilfesuchend an, gerade so, als könnten sie in der Lage sein, für ihn das
Wort zu nehmen; schließlich sagte er:»Ich führ sie links zur Weide, ja.
Links, ja. Ja, ja. Links.« – »Aber du mußt sie«, sagte Lauritz Feddersen,
»rechts führen. Bei uns wurden sie immer rechts zur Weide geführt.
Mein Großvater, der hat sie rechts zur Weide geführt, mein Vater –
rechts; und ich, ich hab sie immer nur rechts geführt. Die Tiere wissen

es.« – »Ach«, sagte Ingo – wenn er traurig war, sagte er oft »ach« –, »ach, Lauritz Feddersen, den Tieren, möcht ich meinen, ist es egal, wie sie zur Weide geführt werden: ob links oder rechts. Wichtig ist nur, daß wir sie rausbringen, jetzt im April.«

Der Bauer ließ, will ich mal sagen, eine tiefe Falte auf seiner Stirn erscheinen und entgegnete: »Nein, Ingo, es ist nicht nur wichtig, daß die Tiere rauskommen auf die Weide; es ist ebenso wichtig, wie sie rauskommen. Und da meine ich eben: sie müssen rechts geführt werden, wenn sie nicht verwirrt werden sollen – rechts! Also bring sie zurück in den Stall, und dann führst du sie rechts wieder hinaus.«

Der Knecht sann nach und fragte überraschend: »Und wenn ich die Tiere einfach loslasse? Ob sie dann möchten zur Weide finden, weder links geführt noch rechts?« – »Bring sie zurück in den Stall«, wiederholte Lauritz Feddersen, dem der April zusetzte, und er wiederholte es, von mir aus, mit drohendem Unterton. Ingo kraulte mißmutig die beiden Sterken, ließ sich von ihnen die Hände lecken, machte einen letzten Versuch, indem er sagte: »So viele Jahre hab ich die Tiere links auf die Weide geführt, und keines ist eingegangen an Verwirrung.« – »Ab heute«, schrie jetzt Lauritz, »werden sie eben rechts geführt«, machte eine unduldsame Geste, lehnte sich gegen den Wind und stapfte davon.

Wir brauchen ihn nicht allzuweit stapfen zu lassen, vielleicht nur bis zum Hühnerhaus oder bis zu dem Haufen aus altem Feldgerät, das genügt. So, bis hierher, und auf einmal drehte Lauritz Feddersen sich um und stand starr da wie eine alte Deichsel: denn aus dem Stall stiegen Rauchwolken, die der Wind flach wegriß. Flammen schlugen aus den Luken, wollten zueinander, sich über dem Dach vereinigen: die Feuersbrunst, die Lauritz Feddersen entdeckte, überzeugte ihn von ihrer Kraft. Es war, um es mal so auszudrücken, eine ganz und gar prächtige Feuersbrunst, was man nicht zuletzt daraus ersehen kann, daß der Stall bis auf die Grundmauern niederbrannte.

Und nachdem alles ordentlich verkohlt war, am nächsten oder übernächsten Morgen, rief Lauritz Feddersen den Ingo zu sich und fragte: »Warum, Ingo, mußtest du den Brandteufel spielen im Stroh?« Ingo, der Knecht, der sich bei der späteren Löscharbeit sehr hervorgetan hatte, antwortete darauf: »Ich wollte sehen, ob die Tiere möchten allein zur Weide finden, weder links geführt noch rechts.« – »Und?« fragte der Bauer düster. »Wenn es brennt«, sagte Ingo, »braucht man

sie nur von hinten zu treiben. Dann ist es ihnen egal, ob sie links
geführt werden oder rechts.« – »Na«, sagte der Bauer, »dann überzeug
nun auch mal die Polizei in Bollerup, den Kai und den Broder Feddersen.«

Hausschlachtung

1143

In Bollerup, Nachbarn, verstand sich einst jeder zweite auf die Kunst
der Hausschlachtung: wo der Hammer den Ochsen treffen mußte, wie
das Tier gemächlich auszubluten war, was das Messer im Fleisch, die
Säge am Knochen zu leisten hatte, das gehörte, will ich mal sagen, zu
den niederen Kenntnissen, damit wuchs man heran. Jeder zweite Kon-
firmand kannte den Einfluß der Galle auf die Qualität des Fleisches;
ihm war, was nachgewiesen ist, die Reinigung des Magens ebenso vertraut wie der Sitz der Blase und die Gewinnung von Knochenmark.
Man konnte eher glauben, daß jeder zweite der zahlreichen Feddersens
in Bollerup nicht rechnen, nicht warten oder schweigen konnte – aber
glauben, daß sie nichts von Hausschlachtung verstanden, das konnte
man nicht.

Doch das war, wie gesagt, einst und ehedem, war zu einer Zeit, als
ein gewisser Michael, später nannte er sich Mike Feddersen, nach
Amerika auswanderte, nach Chicago, und es dort so weit brachte, daß
um die Jahrhundertwende ein Schlachthof nach ihm benannt wurde.
Heute sind all die selbstverständlichen Kenntnisse verschüttet, Aus-
blutenlassen und Zerlegen gehören nicht mehr zu den elementaren
Fähigkeiten, all das schöne Wissen vom Sitz der Blase und von der
Verwendung des Darms ist verlorengegangen. Der letzte, der über dies
Wissen verfügt hatte, war Kai Peter Feddersen, genannt Schinken-
Peter, der sich eine Fleischvergiftung zuzog und nach verblüffend kur-
zem Krankenlager starb.

Wer heute in Bollerup schlachten will, muß, wohl oder übel, den
Schlachter aus der Stadt kommen lassen. Doch da dieser, zum Befremden der Einwohner, nur gegen bar arbeiten will, hat man nach und
nach die Hausschlachtung aufgegeben.

Einer allerdings, der Schmied Uwe Johannes Feddersen, genannt die
Kneifzange, wollte sich mit der allgemeinen Lage nicht abfinden, wollte seine Hausschlachtung haben; doch da er einerseits nicht die not-

wendigen Kenntnisse hatte, andererseits nicht einsehen konnte, warum er einen städtischen Schlachter bezahlen sollte, war er gezwungen, nachzudenken. Sann einige Monate über die Möglichkeiten der Hausschlachtung nach, grübelte in der Werkstatt, am Strand, im Torfmoor, sprach täglich mit seiner Frau, einer geborenen Feddersen, darüber, wie man die große Mastsau, die zu fett war, als daß sie einen guten Preis erzielt hätte, ohne Unkosten selbst schlachten könnte.

Es konnte nicht ausbleiben, daß die Kneifzange, die in Bollerup als Sonderling galt, eines Tages einen Gedanken faßte; und wie die Großnichte meines Schwagers mir bestätigte, unterbrach er plötzlich, an einem Vormittag, seine Arbeit, stürzte zu seiner Frau und erklärte: »Wir werden zum Wochenende schlachten.« Seine Frau sagte darauf: »Von mir aus«, denn das sagte sie zuerst immer – und später noch oft: »Von mir aus.« Uwe Johannes Feddersen stand lächelnd da, hämmerte, sozusagen, im Geiste seinen Gedanken grade, und nachdem ihm dies gelungen war, ließ er sich so vernehmen: »Jetzt ist die Zeit des Torfstechens. Jetzt sind die Zuchthäusler wieder im Moor und stechen Torf unter Aufsicht. Wetten möcht ich, daß da so mancher Mörder dabei ist.«

»Von mir aus«, sagte seine Frau, worauf der Schmied, na, sagen wir, mit angemessener Erregung fortfuhr: »Wir werden uns einen Zuchthäusler beschaffen; der ist Fachmann, und mehr als zu essen brauchen wir ihm nicht zu geben.« – »Hinter den Mördern«, sagte seine Frau, »die jetzt im Moor Torf stechen, stehen allerhand Wärter, und die haben ein Gewehr! Sie werden gut beaufsichtigt.« Auf diesen Einwand war der Schmied gefaßt und begegnete ihm mit der Bemerkung: »Dann muß einer fliehen. Zu uns. Nach Bollerup. Wenn wir ihn haben, wird die Hausschlachtung stattfinden. Ich denke«, so fuhr die Kneifzange fort, »du könntest ins Moor gehen und einen zur Flucht anstacheln.« – »Von mir aus«, sagte die Frau des Schmieds.

Danach band sie sich ein Kopftuch um, nahm einen Korb, ein Messer, ging zu den federnden Wiesen und machte auf keinen einen anderen Eindruck als den einer emsigen Pilzsucherin. Nicht einmal die Sumpfvögel flogen erschreckt auf, als sie dort erschien.

Ute-Marie näherte sich harmlos, sich hier und da bückend, dem Torfmoor, näherte sich den Wächtern und sprach mit ihnen, meinetwegen über genießbare und giftige Pilze, was ja nahelag. Unterhielt sich durchaus weitläufig mit ihnen und beobachtete dabei die tätigen

Herren in gestreifter Kleidung; da flogen saftige Torfbatzen durch die Luft, da knarrten Schubkarren über federnde Planken, da entstanden Tümpel und torfbraune Türme, die von dreckigen Händen aus gestochenen Stücken errichtet wurden. Ein schwerer, kahlköpfiger Mann, der mit Umsicht das Stecheisen gebrauchte, erregte beinahe zwangsläufig die Aufmerksamkeit von Ute-Marie. Jeder Stich, jeder Stoß verrieten genaue Kraft und ein kalkulierendes Auge, so daß die Frau des Schmieds gedacht haben mag:»Von mir aus – diesen oder keinen.« Sie wollte sich ihm bemerkbar machen, doch die Wärter pfiffen Feierabend, und so mußte Ute-Marie die Pilzsuche wiederholen.

Gut. Und weil mich allmählich selbst die Ungeduld überkommt, möchte ich erwähnen, daß sie insgesamt sechsmal auf Pilzsuche gehen mußte, bis sie sich dem Mann mit dem Stecheisen verständlich machen konnte. Der hielt nichts von Flucht, wollte bleiben und für seine Tage Torf stechen, und Ute-Marie mußte sich schon als frühe Witwe ausgeben, mußte, weiß Gott, von Schinken, klarem Schnaps und sorglosen Nächten sprechen, um ihn so weit zu bekommen, daß er sein Stecheisen aus der Hand geben wollte. Er versprach ihr jedenfalls, bei ausreichendem Nebel zu fliehen.

Darauf band die Frau das leuchtende Kopftuch ab, ging nach Hause und begann, zusammen mit dem Schmied, Vorkehrungen zu treffen für die Hausschlachtung: stellte Baljen, Schüsseln und Eimer zurecht, legte Messer und Säge bereit, dachte an den Hammer, füllte den größten Kessel mit Wasser. Vorsorglich holte sie auch einen abgelegten Anzug des Schmieds vom Boden.

Und wie mein Schwager wissen will, vergingen danach nur zwei Tage, bis der Nebel kam und die Fortsetzung der Geschichte erlaubte: man kann sich vorstellen, wie sich zunächst ein Schatten aus den weinroten Baracken löste, in wehendem Nebel verschwand, auf den Warnruf des Wärters nicht antwortete, sondern ihm einfach als Erlkönig erschien und durch die wehenden Streifen von Mullverband zum Moor huschte und über die Wiese. Der Schmied und seine Frau lagen angezogen auf dem Bett, als scheu gegen das Fenster geklopft wurde, worauf der Schmied sich lautlos entfernte, denn er war ganz und gar damit einverstanden, daß Ute-Marie den Eindruck einer frühen Witwe hervorrufen sollte. Das Klopfen wiederholte sich, und jetzt ließ die Frau, sagen wir, bang und verstört, den schweren, kahlköpfigen Flüchtling ein, der wortlos das Fenster schloß, ebenso wortlos die Tür –

1145

womit beide, zumindest bis zum Morgen, für die Erzählung abhanden kommen.

Am nächsten Morgen jedoch kommen sie heraus, werden von Uwe Johannes begrüßt, der sich als Bruder seiner Frau ausgibt, und nach einem durchaus ländlichen Frühstück geht man wie absichtslos in den Stall, in dem die Mastsau ihre schuppenbedeckte Speckmasse am Holz reibt.

Während der Flüchtige einen ergebnislosen Versuch machte, die Sau zu kraulen, soll der Schmied, dem Vernehmen nach, die Tür abgeschlossen und sich mit einem Bügelstemmeisen bewaffnet haben, das bis zuletzt mit der Spitze in dem Feuer gelegen hatte, über welchem der Wasserkessel baumelte. Ruhig deutete dann der Schmied mit dem Stemmeisen auf eine Bank, auf der das Schlachtwerkzeug lag, und nicht weniger ruhig sagte er zu dem Flüchtigen: »Du hast gegessen und geschlafen. Jetzt fang an.«

Der kahlköpfige Mann blickte verständnislos, blickte vielleicht auch schon besorgt, da fuhr der Schmied fort: »Du wirst sie schlachten, aber gut, will ich dir raten. Jetzt beginnt die Hausschlachtung.«

Der Geflohene wich vor dem erhitzten Stemmeisen zurück bis zur gekalkten Mauer und sagte: »Ich? Ich soll schlachten? Ich soll das Schwein schlachten?« – »Du«, sagte der Schmied, »und kein anderer. Du verstehst etwas davon. Warum, glaubst du, haben wir dich sonst geholt? Also fang an.« Da war kein Fenster, aus dem er sich hätte hinausschwingen können, und mit einer Stimme, in der ängstlicher Protest lag, fragte der Geflohene: »Wieso ich? Ich hab' noch nie einem was zuleide getan. Und einem Tier schon gar nicht.« – »Vorwärts«, sagte der Schmied, »du brauchst hier nur zu tun, was du mit so vielen anderen getan hast. Außerdem ist das hier erlaubt.« – »Auch wenn es Sie überraschen wird«, sagte der Flüchtige, »doch ich kann kein Blut sehen.« Der Schmied ging langsam auf ihn zu, die erhitzte Spitze des Stemmeisens in Brusthöhe. »Keine Ausreden«, sagte er schroff, »wir wissen, warum man dich ins Torfmoor gebracht hat.« – »Bitte«, rief der Geflohene, »bitte, ich bin nicht, was Sie denken, und ich kann nicht, was Sie von mir verlangen.«

»Anfangen«, befahl der Schmied, »los, anfangen!« Er fuchtelte nah, keinen Widerspruch zulassend, mit dem erhitzten Metall vor dem Gesicht des Geflohenen, dirigierte ihn seitwärts, zwang ihn, über das zerschabte Gestänge des Verschlages zu steigen, auf den die Mastsau sozusagen Anspruch erheben durfte. Doch das Tier griff ihn nicht an, trottete vielmehr in eine Ecke, blickte ihn aus rötlichen, kann sein grinsenden, beinahe zugewachsenen Augen an und wartete. »Den Hammer«, befahl der Schmied. Der Flüchtige schien den Befehl nicht gehört zu haben, hoch richtete er sich auf, griff an seine Kehle, atmete schnell und mühsam, wobei sein Gesicht krankhafte Blässe zeigte und sich, was angemessen klingt, mit feinem Schweiß überzog. Das Tier senkte den Kopf, bohrte den nassen Rüssel in den Dung, zog spielerisch eine ungenaue Furche. Uwe Johannes setzte sich auf das Gestänge, wiederholte den Befehl und mußte erleben, wie die Mastsau sich an den Geflohenen heranarbeitete, seine Schuhe probierte und sich an seinen Knien rieb. »Anfangen«, schrie der Schmied. »Ich kann nicht«, sagte leise der Geflohene, »nie, niemals. Und wenn Sie mich nicht gehen lassen, werde ich Sie anzeigen.«

»Ha«, sagte der Schmied, oder so ähnlich, »was hier passiert, das können wir keinem erzählen, das muß unter uns bleiben. Also vorwärts.« Er rutschte vom Gestänge herab, zwang den kahlköpfigen Mann, den Hammer zu ergreifen, ihn zu erheben und, wenigstens in vorauseilender Phantasie, beherzt zuzuschlagen – doch es kam nicht soweit.

Der Geflohene, er keuchte nur noch, verlor jegliche Farbe, wiederholte mit schwacher Stimme, daß er unfähig sei, einem Lebewesen Leids zuzufügen, und danach schwankte er bedrohlich, der Hammer sank zu Boden; doch nicht nur der Hammer: ein sehr knappes Weilchen später sank auch der Geflohene zu Boden, weich, bemerkenswert weich, und die Mastsau trottete heran und stieß ihm mit nassem Rüssel in die Seite.

Woher, frage ich mich, sollten der Schmied und Ute-Marie wissen, daß der Mann ohnmächtig werden konnte nach Belieben, ja, daß er mit Hilfe kurzer, kunstgerechter Ohnmachten seine erstaunlichsten Diebstähle begangen hatte? Sie konnten es nicht wissen, und so trugen sie den ohnmächtigen Sträfling in ihr Schlafzimmer, wie es so viele Leute vor ihnen getan hatten, warfen ihn quer übers Bett und begaben sich in die Küche, um dort sein Erwachen abzuwarten. Warteten und ersannen neue Wege zur Hausschlachtung, erwogen sogar neue Gewaltmaßnahmen, da hörten sie das übliche klirrende Geräusch, mit dem sich Unangenehmes ankündigt. Sie stürzten ins Schlafzimmer.

Natürlich war das Schlafzimmer leer; trotz geduldiger Suche ließ sich der Mann nicht entdecken, woraus der Schmied schloß, daß er fort sein mußte, geflohen, geflüchtet. Wie die Lehrerin von Bollerup feststellte, war er nicht allein geflohen: auch die Kassette mit den Ersparnissen der Feddersens hatte Beine bekommen, war mitgeflohen, unauffindbar; und das durften sie, aus gegebenen Gründen, nicht einmal melden. Nach alldem wird es keinen wundern, daß Ute-Marie dem Gefangenen, der schon am nächsten Tag mit Umsicht das Stecheisen im Torf gebrauchte, keine ermunternden Blicke mehr zuwarf.

Frische Fische

Was, Nachbarn, blieb Thorsten Feddersen, dem Fischverkäufer, wohl übrig, nachdem alle anderen Geschäftsleute in Bollerup sich dazu entschlossen hatten, ihr Geschäft auf der Suche nach dem entlegensten Kunden auch motorisiert zu betreiben?

Eben: wie der Bäcker Oskar und der Schlachter Laue Feddersen, so rollte auch er eines Tages in einem roten Lieferauto durch das weitläufige Dorf, langsam, bei offenem Fenster, der weißen Schrift vertrauend, die für frische Fische warb. Mußte man an sich schon die Ausdauer der Bolleruper loben, niemand hier war ausdauernder als dieser finstere Thorsten Feddersen, der einfach nichts verloren gab, bevor es nicht unwiderruflich verloren war: kein vom Sturm weggerissenes Grundnetz, keinen unverkauften Fisch, keinen zögernden Kunden.

Rollte also die schattige Dorfstraße hinab, bot hier Fische an und da – Hornfische mit grünen Gräten, blasse Aalquappen, Heringe mit leicht geröteten Augen – und ärgerte sich nicht, oder doch nicht sichtbar, daß die Bolleruper nach einem Blick auf die hellgrün gekachelte Ladefläche abwinkten: heute nicht, heute brauchen wir keinen Fisch. Wortlos schlug er die Türen zu, fuhr zum nächsten Gehöft, wo ihn nur der Hofhund erwartete, und dann unentmutigt weiter bis zum Hünengrab, in der Sonne jetzt, durch die flimmernde Luft. Dort hinten, in frei gewählter Abgelegenheit, wohnte Jens Otto Feddersen, der Dorsch. Ihn klopfte der Fischverkäufer heraus, ihn beschloß er zu seinem ersten Kunden zu machen, koste es, was es wolle.

Beim Anblick der Fische, die auch unter der Sonne nicht aufglänzten, schüttelte der Dorsch, wie Thorsten Feddersen es vorausgesehen hatte, den Kopf: da sei noch ein Schweinenacken, meinte er, der müsse zuerst weg, danach könnte man vielleicht über Fische reden. Falls man ihm nicht glaube: er sei bereit, den Schweinenacken vorzuzeigen. Thorsten Feddersen ließ sich den Schweinenacken zeigen und fuhr, nach nur angedeutetem Gruß, davon. Es klang nicht hoffnungslos, als er zu Hause, beim Transport der Fische in den Keller, zu seiner Frau sagte: aufbrechen muß man sich die Kundschaft, regelrecht erobern, und am besten, man fängt bei einem an, der sorgt dann für Verbreitung.

Was Wunder, daß zwei Tage später wieder das rote Wägelchen auf den ungepflasterten Hof von Jens Otto Feddersen bog, zuerst eine Weile wirkungsvoll herumstand und die gut lesbare weiße Schrift für sich sprechen ließ, die nicht nur für seine frischen, sondern auch für einheimische Seefische warb. Wie ich Thorsten Feddersen kenne, so wußte er im voraus, daß er auch diesmal keinen Fisch an den Mann bringen würde. Er stand abwartend neben dem Lieferwagen und gab dem Dorsch nur durch eigentümliche Haltung seine schauderhafte Ausdauer zu verstehen. Die Sülze allerdings, die den Dorsch diesmal davon abhielt, Fische zu kaufen – die Sülze ließ er sich nicht nur zeigen, er probierte auch ein Stück. Und während er probierte, musterte er verstohlen die Vorräte der Speisekammer, überschlug da, wie viele Mahlzeiten noch bereitlagen, und legte schon jetzt den Tag seiner Wiederkehr fest.

»Jetzt«, sagte der Fischhändler zu seiner Frau, »jetzt ist der erste Kauf fällig«, und in der Sicherheit seines Gefühls ging er gleich daran, einige Fische einzuwiegen, ein Paket rotäugiger Heringe, ein anderes mit Hornfischen, denn nach allem Werben hielt der Fischmann es für angemessen, daß Jens Otto Feddersen nicht nur Koch-, sondern auch Bratfische kaufen müsse, in Sauer zu legen mit Lorbeerblättern.

Und wer Bollerup kennt, wird nicht erstaunt sein, daß der Dorsch diesmal sogleich aus dem Haus trat, nachdem das Lieferauto auf den Hof gefahren war, und ohne weitere Nachfrage – geradeso, als ob er sie bestellt hätte – die beiden Pakete in Empfang nahm. Von Nötigung jedenfalls hätte hier niemand gesprochen.

An diesem Tag fuhr Thorsten Feddersen schneller nach Hause. »Der Anfang«, sagte er zu seiner Frau, »ist gemacht, jetzt läuft alles von allein, wirst schon sehen.«

Zur nächsten Verkaufsreise lud er gleich die doppelte Menge Fisch in sein Auto. Er entschloß sich, zunächst die entlegene Kundschaft aufzusuchen, und fing deshalb bei Jens Otto Feddersen an. Der erwartete ihn zögernd, fast übelnehmerisch. Der wollte keinen Blick auf die Fischkästen werfen. Je länger er schwieg, desto deutlicher wurde es, daß er sich einem bestimmten Groll überließ. Das machte den Fischhändler so ratlos, daß er schließlich fragte:»Waren sie etwa nicht preisgünstig, die Fische?« – »Das schon«, sagte der Dorsch, »aber sie waren alt, rochen und schmeckten nach nichts.«

Ich kann mir vorstellen, wie der Fischmann da auffuhr, abwehrend mit der Hand vor sich hin sichelte und, nachdem er sich bedacht hatte, erklärte:»Ist das vielleicht meine Schuld! Dreimal hab ich bei dir vorgefragt; wenn du vor acht Tagen gekauft hättest – da waren die Fische ganz frisch! Wie kannst du mich beschuldigen, nur weil du dich nicht entschließen konntest?« Wenn nicht betreten, so wandte sich der Dorsch zerknirscht ab, ging mit sich zu Rate, ließ eine Weile die Beweisführung des Fischhändlers – die besondere Bolleruper Logik – auf sich wirken, mit dem Erfolg, daß er gleich frische Heringe und Aalquappen kaufte. Und anhaltend verblüfft von der Logik, sorgte er dafür, daß seine Erfahrungen beim Fischeinkauf sich herumsprachen, was schließlich dazu führte, daß man Thorsten Feddersen schon entgegenlief, wenn er mit seinem Wägelchen auf einen Hof rollte: alles im Wunsch nach garantiert frischen Fischen.

Der Denkzettel

In Bollerup, Nachbarn, ließ sich der Winter deshalb so gut aushalten, weil jeder auf ihn vorbereitet war. Kaum waren die Felder leer, kaum waren die Mieten aufgeschichtet, die Ställe überholt, die Boote im Schuppen und die Knicks ausgedünnt, da sorgten sie auch schon vor, um den Winter mehr als erträglich zu machen – einen ziemlich einfallslosen Winter übrigens, der sich immer den gleichen Nordost vorspannte, um Grauschleier über die Ostsee zu ziehen, großflockiges Stiemwetter zu inszenieren oder, aber das erst im Januar, löcherige Eisschollen den verkrusteten Strand hinaufzudrücken.

Um sich also auf diesen Winter einzurichten, zogen manche Leute von Bollerup gleich nach den letzten herbstlichen Feldarbeiten in die benachbarten Misch- und Kiefernwälder und ließen da ihre Bandsägen singen. Mit extra schweren Äxten hieben sie Bäume von der Steilküste los, schräg in der Luft hängende Buchen meistens, die der letzte Sturm fast, aber eben nur fast aus lehmigem Boden gerissen hatte. Zugesägt wurde da, aufgeklaftert, mit Hilfe von klingenden Eisenkeilen gespalten, und dann transportierten sie das geschlagene Holz aus allen Richtungen nach Hause und schichteten es auf, in lustvoll hochgezogenen Stapeln, vor allen Ställen, vor den Küchen, so hoch, daß manch einem die Fenster zuwuchsen.

Keiner in Bollerup sägte verbissener, keiner spaltete und schichtete das Holz genüßlicher als Franz Jesper Feddersen, mein Großonkel, den sie hier, solange ich weiß, nur den Pedder nannten, weil er unweigerlich in alles reintrat, dem jeder gefühlvolle Mensch nach Möglichkeit ausweicht. Natürlich genügte es dem Pedder nicht, Freude aus vorsorgender Arbeit zu beziehen; als ob er zwei, wenn nicht gar drei Winter hintereinander erwartete, schichtete er seine harzigen Klafter bis zum Dach auf. Allerdings muß ich zugeben, daß er diese besessene Vorsorge nicht nur seinetwegen traf; sie galt ebenso meiner Großtante Helene Feddersen, einer rechteckigen, übertrieben fröstelnden Person, die auch an Sommerabenden ihren Wintermantel trug. Jedenfalls sagten beide wörtlich von sich, daß sie »mit der Kälte auf Kriegsfuß« stünden – etwas Ähnliches hat man bestimmt schon gehört. Es paßte ganz gut zu diesem Franz Jesper Feddersen, daß er sich, als der Wind nach Nordost umsprang, gegen den beruhigenden Holzvorrat lehnte und, auch wenn dabei die Augen tränten, ausdauernd in den Wind starrte, als erwarte er den Winter persönlich.

Der kam, wie so oft, über Nacht, setzte ganz Bollerup Schneemützen auf, füllte Mulden und machte die Felder scheckig, und dem Schilf am Strand verlieh er eine Starre, daß es bei jedem Luftzug knackte und raschelte. Darauf hatte der Pedder nur gewartet: eifrig und, ich muß es sagen, auch geringschätzig trug er einige Arme voll Holz ins Haus und fütterte den Ofen so ausgiebig, daß sogar die beiden Katzen ins Freie drängten und der Postbote vorübergehend die Sprache verlor. Ich kann mir vorstellen, daß dieser Franz Jesper Feddersen sich zufrieden die Hände rieb, wenn draußen der eisige Wind um sein Haus ging, und daß seine eigensinnige Freude nur wuchs, wenn der Frost am Brandteich mit der Peitsche knallte.

So ein Winter von der herrschsüchtigen Art war es, als der Pedder eines Tages feststellte, daß seine Holzvorräte gewissermaßen die Schwindsucht bekamen: hier war etwas geschrumpft, dort eingefallen, von den Seiten hatten sich Klafter davongemacht, unter der mit Steinen beschwerten Teerpappe, die alle Stapel vor Nässe schützte, hatten sie sich herausgezogen und das Weite gesucht – es sah ganz danach aus, als wären sie vor seinem Ofen geflohen, der unablässig für zwar würzige, aber beinahe glühende Luft sorgte. Helene hatte das Holz nicht in seiner Abwesenheit verbraucht, das ergab ein einsilbiges Verhör, und da auch der Postbote es nicht mitgenommen haben konnte – er, der niemals fror, der sich sogar mit der Axt scharfkantige Löcher ins Eis hackte, nur, um nicht auf sein winterliches Bad zu verzichten – und da seine Klafter auch nicht von allein Beine bekommen haben konnten, wurde Franz Jesper Feddersen zunächst nichts anderes als argwöhnisch. Äußerte noch keinen Verdacht, wurde noch nicht unruhig, trug nur, wie gesagt, seinen Argwohn durchs Haus. Der konnte allerdings nicht verhindern, daß in gewissen knirschenden Nächten die Holzstapel abermals schrumpften, besonders die gleichmäßig und ausdauernd brennenden Buchenkloben verschwanden spurlos, worauf der Pedder, nachdem er den Milchnapf der Katzen zum zweiten Mal zertreten hatte, auf stille Art beschloß, sich auf die Lauer zu legen.

Ich wundere mich nicht darüber, daß seine Lauer nichts einbrachte, daß er keine gebückten Schatten entdeckte, die, an der Scheune bedrohlich vergrößert, die Stapel plünderten und sich unter knarrenden Lasten davonmachten – und zwar deshalb nicht, weil er in der pochenden Hitze des Hauses schon nach wenigen Minuten schläfrig wurde und einschlief. Am nächsten Morgen fehlte etwa die Menge Holz, mit der er, nach seinen Worten, dem Winter drei Tage lang eins auswischen konnte.

Mit reichlicher Verzögerung, wie es seinem Temperament entsprach, suchte er im verharschten Schnee neben den Holzstapeln nach Fußspuren; da waren Katzen vorbeigeschnürt, seine eigenen Pelzstiefel hatten Abdrücke hinterlassen, er entzifferte Helenes Spur und die Spuren von Kaninchen, und dann, als er schon aufgeben wollte, entdeckte er die befremdlichen Fußstapfen eines Wesens, das sich sowohl tretend als auch schleifend vorwärts bewegte. Während der eine Fuß also für ordentliche Abdrücke sorgte, schien der andere nur zischend über den Schnee gefahren zu sein – eine Erscheinung, die Franz Jesper Feddersen so beeindruckte, daß er die Spur verfolgte, durch den Gemüsegarten, gebeugt am schlappen Grünkohl vorbei, weiter über das verschneite Feld in Richtung Hünengrab, und immer noch gebeugt bis zu einem flachen, gleichwohl spurentilgenden Bach. Weiter ging er nicht, weiter lohnte es sich nicht, zu gehen. Er sah auf und erblickte die beiden letzten Gehöfte von Bollerup, aus deren Schornsteinen es, wenn auch nicht friedlich, so doch dekorativ qualmte: in einem lebte Jörn, im andern Jens Otto Feddersen, der Dorsch. Grinsend trottete er dann nach Hause, gerade so, als ob er schon genug wüßte, kam also an und fand eine Großtante Helene, die vor Erregung ihr Gesichtszucken bekommen hatte.

1153

Natürlich hatte sie den rapiden Schwund der Holzvorräte entdeckt, und in ihrer vorauseilenden Sorge sah sie sich nicht nur fröstelnd, sondern bereits steif- und festgefroren. »Als Eiszapf«, sagte sie, »wirst sehen, Jesper, daß ich noch als Eiszapf ende, wenn unsere Vorräte so das Laufen kriegen.« Sie wimmerte. Sie erregte sich. Sie drohte zum Fenster hinaus in Richtung Hünengrab. »Herrgott noch mal«, rief sie, oder so ähnlich, »vielleicht hat uns jemand den Kältetod zugedacht, und du, Jesper, siehst zu!« – »Bisher«, sagte der Pedder, »ist noch kein Grund zur Panik, aber damit das Gesichtszucken nachläßt, könnte ich ja was unternehmen.«

Danach trug er gemächlich eine Anzahl Holzscheite in die Wohnung, höhlte diese Holzscheite nacheinander aus, schnappte sich das Säckchen mit Schwarzpulver und machte aus den Scheiten sozusagen hölzerne Granaten. Die Höhlungen wurden sorgfältig verschlossen, die Scheite wieder hinausgetragen zu den Stapeln und dort so verteilt, daß der Dieb, von welchem Ende er auch Pedders Holz abtrug, zumindest ein mit Pulver gefülltes Scheit nach Hause tragen mußte. Das reichte allerdings nicht aus, um Helenes Furcht vor einem Kältetod zu verringern. »Auf die Lauer legen mußt du dich«, sagte sie. »In die kalte Scheune einsperren mußt du ihn«, sagte sie, »und zwar zumindest für drei Tage.« Franz Jesper Feddersen winkte langsam ab und antwortete mit unheilvollem Lächeln: »Was seinen Lauf nehmen soll, hat schon seinen Lauf genommen, denn letzte Nacht ist wieder Holz verschwunden.«

Während Helene Feddersen jammernd die Hände rang, die verbliebenen Holzscheite abzählte und sogar erwog, sie mit verräterischer Farbe zu streichen, schleppte der Pedder wortlos zwei bequeme Stühle vor das Fenster, das den Blick in Richtung Hünengrab freigab, nötigte die Frau, Platz zu nehmen und die Dächer der beiden letzten Gehöfte, insbesondere das von Dorsch Feddersen,»still im Auge zu behalten«, wie er sagte. Und er sagte auch:»Warum alles aus mißlicher Nähe regeln, wenn es auf Entfernung viel unterhaltsamer geht?« Und dann warteten sie noch ein bißchen länger, noch etwas, meinetwegen können sie Tee mit Kandis trinken oder zwischendurch eine Fliederbeersuppe löffeln, die ja auch gegen Kälte gut ist – jedenfalls müssen sie sich bis zu violetter Winterdämmerung gedulden.

Gerechter Lohn des Wartens: auf einmal spielte Jens Otto Feddersens Ofen in seinem Haus Silvester. Nach einer schön gezackten Stichflamme schossen sprühende Wunderkerzen durch die Fenster, flammende Knallfrösche hüpften zum Bach hinab, eine helle, rotierende Sonne stieg in die Luft, und das schwere, das schneebemützte Dach lüftete sich ein wenig und sackte mit gestöhntem U-Laut wieder zurück – so tief, daß es auf dem Haus lag wie eine Mütze, die man viel zu tief in die Stirn gezogen hat. Eine Feuersbrunst entstand nicht.

Franz Jesper Feddersen forderte seine Frau auf, sich kältegerecht anzupellen, warf selbst die gefütterte Joppe über, und dann stiefelten sie beide in Richtung Hünengrab und weiter zu den letzten Gehöften, wo ein versengelter Dorsch hastig Hausrat und wertvollen Besitz ins Freie trug, unter anderem auch sein aus Eiche angefertigtes Holzbein für sonntags. Bevor ihm Pedder seine Hilfe anbot, erkundigte er sich teilnahmsvoll nach dem Grund des Unglücks.»Ach«, sagte Jens Otto Feddersen,»war man nix als der Ofen, ist einfach vor Altersschwäche explodiert.« – »Soll vorkommen«, sagte der Pedder,»aber ich hab auch schon gehört, daß manche Öfen nur deshalb explodieren, weil ihnen ein gewisses Holz nicht bekommt.« – »Das«, sagte der Dorsch,»kann gut sein, darum werde ich mir nächstens das Holz von weiter weg herholen.«

Ein sehr empfindlicher Hund

Der ärgerlichste Verlust, Nachbarn, von dem Bollerup sich im vergangenen Herbst betroffen fand, war der Verlust an Gänsen, Hühnern und Puten, die ihre Federn unten an der Steilküste lassen mußten, vor einem frisch gegrabenen Röhrensystem, in dem, läßt man alle Zeichen sprechen, eine Fuchsfamilie lebte, die sich anscheinend eines orientalischen Reichtums an Verwandten und Nachkommen erfreute. Der Bestand des Geflügels im Dorf nahm so rapide ab, die Federn- und Knochenberge häuften sich so herausfordernd vor der Hauptröhre, daß Ole Feddersen, ein Großonkel meines Schwagers, seine Doppelläufige vom Haken nahm, sich Patronen verschaffte und mich einlud, dem Ende der Fuchsfamilie beizuwohnen.

Ich nahm die Einladung mit gemäßigter Neugierde an, bestellte Ole Feddersens vier Brüder zum Fuchsbau, und bei kühlem Gegenwind und unter kraftloser Sonne gingen wir an den Strand. Obwohl der Wind günstig war, bekamen wir keinen Fuchs zu Gesicht; da schnellte sich kein feuerfarbener Pelz empor, da ragte keine feuchte Spitzschnauze aus einem Rohr, da balgten sich keine Jungtiere um Gänseflügel, wie man es vielleicht erwartet hat. Die Füchse, die sich an das Bolleruper Geflügel zu halten für ihr Naturrecht hielten, schienen, sagen wir mal, nach Asserballe verzogen zu sein.

Ole Feddersen setzte sich auf einen Findling und war keineswegs überrascht. »Manchmal«, sagte er, »wittern sie sogar gegen den Wind. Aber das wird ihnen nicht helfen.«

»Vielleicht«, sagte ich, »kann man Wasser in die Röhren gießen. Nässe mögen sie nicht.«

»Wir werden ihnen etwas anderes in die Röhre schicken«, sagte Ole. »Besuch. Wir werden ihnen Besuch runterschicken.«

»Einen Hund?«

»Einen Hund«, sagte Ole mit beinahe träumerischer Begeisterung. »Es ist ein Hund, wie du ihn nie gesehen hast: sehr kostbar, sehr empfindlich und so klein, daß er sich durch die engste Röhre zwängen kann. Ich habe ihn gemietet, stundenweise. Es ist der Hund von Thimsen aus Steenaspe. Viel möchte ich nicht sagen, aber der Hund ist sein Geld wert.«

Nach einer Weile kamen die Brüder von Ole, wortlose, hagere Männer, von denen zwei bewaffnet waren. Sie setzten sich auf den Findling, schlugen die Augen nieder, wie es ihre Art war, und warteten. Auch ich setzte mich auf den Findling und rechnete aus, daß neben mir noch etwa acht Männer Platz gehabt hätten. Wir unterhielten uns damit, zu beobachten, wie die Ostsee die Kiesel wusch, dem Strand wertlosen Tang schenkte, und von Zeit zu Zeit schaute ich zu dem stillen Bau hinüber.

Gut. Und nun muß ich uns eine ganze Weile auf jenem Findling

sitzen lassen, denn Thimsen aus Steenaspe ließ sich Zeit, und wir
konnten nichts tun als warten. Aber schließlich kam er auf dem Rand
der Steilküste näher: ein flachbrüstiger Mann mit schräg gewachsenem
Hals, in hohen Gummistiefeln. Auf dem Rücken trug er einen Rucksack. Er begrüßte uns, wie sich's gehört, und auf die Frage nach dem
Hund setzte er achtsam seinen Rucksack ab, band ihn auf, ließ uns
einen langen Blick hineinwerfen, und wahrhaftig: auf dem Grund des
mit Pelz ausgeschlagenen Rucksacks saß zitternd der kleine, kostbare
Hund, schaute uns aus bekümmerten Augen an. Angesichts des empfindlichen Wesens fand einer der Brüder von Ole Feddersen die Sprache wieder und ließ sich verwundert vernehmen:

»Warum«, fragte er, »muß der Hund auf Pelz liegen?«

»Wegen der Wärme«, sagte Thimsen prompt.

»Kann er sich nicht Wärme verschaffen im Lauf?«

»Dieser Hund«, antwortete Thimsen, »ist derart empfindlich, daß er
den Rucksack höchstens für sechs Minuten verlassen darf. Dann muß
er wieder hinein, wegen der Wärme. Ohne Wärme keine Höchstleistung.«

»Dann«, sagte Ole Feddersen, »wollen wir mal seine Höchstleistung
bewundern.«

Wir gingen zu dem Wohnsystem der Fuchsfamilie, verteilten uns.
Jeder belagerte eine Röhre. Ich hörte, wie die Herren durchluden.
Dann hob Thimsen das kostbare Tier aus dem Rucksack, streichelte es,
sprach leise mit ihm, sprach ihm womöglich Mut zu, und dabei
zwängte er es behutsam in die Hauptröhre. Der Hund verschwand mit
einem bewegenden Laut, tauchte ins Dunkel hinab, ein Störer der
füchsischen Stille. Wir standen da, sagen wir mal, starr vor Erwartung,
unterdrückten den Atem, alles an uns war verständlicherweise reine
Bereitschaft. Thimsen zog seine Taschenuhr und verfolgte die Arbeit
des Sekundenzeigers.

Gleich, dachte ich, wird aus einer Röhre ein brandroter Körper fliegen, wird mit Schrot gespickt werden, wird mitten im Sprung seine
Rechnung erhalten für Gänse, Hühner und Puten, und sich dann,
vielleicht ein wenig zuckend, niederlegen. Aber nichts geschah. Auch
kein Knurren oder Bellen drang aus dem Bau, so intensiv ich auch an
der Hauptröhre lauschte. Nur der Sekundenzeiger bewegte sich, und
auf einmal sagte Thimsen: »Drei Minuten. Jetzt ist Anton schon drei
Minuten unten.«

Niemand antwortete, niemand schien seine Feststellung gehört zu haben, und man wird sich denken, weshalb. In gewissem Sinne verlangt die Geschichte, daß ich jetzt den Uhrzeiger anhalte, alles planvoll verzögere, vielleicht die wandernden Schatten beschreibe oder die Architektur des Fuchsbaus, jedenfalls von der Aufmerksamkeit ablenke, mit der die Männer Antons unterirdische Bemühungen abwarteten. Ich tue das Gegenteil. Ich überspringe zwei weitere Minuten und lasse Thimsen besorgt sagen: »Noch sechzig Sekunden, dann muß er herauf. Dann muß er sich aufwärmen im Rucksack.«

Tief beugte ich mein Gesicht über die Hauptröhre, lauschte, doch es war immer noch nichts zu hören. Thimsen öffnete den Rucksack, wärmte den Pelz mit der Hand vor, rieb und rubbelte. Ole Feddersen hielt reglos das schußbereite Gewehr. »Jetzt«, rief Thimsen plötzlich, »sechs Minuten. Er muß in den Rucksack.« Er kniete forsch vor der Hauptröhre, drängte mich zur Seite und rief: »Anton! Komm rauf, Anton! Sofort! Laß den Fuchs!« Aus der Erde, wen wird es wundern, kam keine Antwort. Der kostbare kleine Hund regte sich nicht.

Die Gefahr nahm zu, so daß jeder gern die Minuten daran gehindert hätte, zu verstreichen. Auf Thimsens Gesicht erschien ein Ausdruck redlicher Verzweiflung. Er stürzte wahllos hierhin und dorthin, preßte seine Hände auf die Schläfen, hob wohl auch die Augen zu den Wolken auf. Anton, der empfindliche, der gemietete Hund, kam weder selbst zum Vorschein, noch veranlaßte er die Füchse, vor die Flinten zu springen. Da war es nur verständlich, daß ein Mann wie Thimsen begann, leise zu klagen, wobei ich allerdings sagen muß, daß seine Klagen wie Flüche klangen. Acht, zehn, vierzehn Minuten vergingen – Anton war überfällig, sein Schicksal ließ keine Hoffnung mehr zu. Was hatte er mit den Füchsen, was hatten die Füchse mit ihm angestellt?

Ich lauschte noch einmal, ein letztes Mal, in die Hauptröhre hinab, und jetzt, wahrhaftig, hörte ich ein rasendes Scharren und Kratzen, das von unbeherrschtem Jaulen begleitet wurde. Hastig winkte ich Thimsen heran, ließ ihn lauschen, und Thimsen entschied in hilflosem Zorn: »Sie graben meinen Anton ein. Die Füchse beerdigen ihn lebend in ihrem Labyrinth.«

»Lebt Anton denn noch?« fragte ich.

»Er kann«, sagte Thimsen, »gerade noch so leben.«

»Gerade noch«, sagte Ole Feddersen, »das ist zuwenig für eine Fuchsjagd.«

»Wir müssen ihm helfen«, sagte Thimsen, »wir müssen ihn ausgraben.«

Diese Entscheidung fiel nach achtzehn Minuten, also nachdem Anton, der kostbare Hund, dreimal hätte gewärmt werden müssen. Man schickte mich nach Bollerup, Spaten zu holen, weswegen ich zwar in der Lage bin, meinen Hin- und Rückweg zu beschreiben, jedoch nichts über die Wartezeit der Herren sagen kann. Ich beeilte mich. Ich brachte zwei Spaten zum Fuchsbau zurück, war nicht erstaunt, daß man mir das Gerät aus der Hand riß und, wollen wir mal sagen, mit panischem Eifer zu graben begann. Das füchsische Wohnsystem wurde wütend abgetragen, zerstört, und alle Augenblicke warf dieser Thimsen sich hin, horchte und konnte nichts hören. »Dann als Leiche«, rief er aus, »wenn ich keinen lebenden Anton haben kann, dann will ich einen toten Anton mitnehmen.«

Wie lange werden wir gegraben haben? Ich weiß es nicht genau; ich weiß nur, daß Ausrufe der Anerkennung die Arbeit begleiteten, denn nie zuvor hatte einer von uns das labyrinthische Kunstwerk einer Fuchswohnung von innen gesehen. Zwei Stunden werden es wohl gewesen sein, die wir benötigten, um die lange Notröhre zu entdecken, die die Füchse zu einem bergenden Gebüsch gegraben hatten. Es bestand kein Zweifel für uns, auf welchem Weg sie verschwunden waren; nur für Antons Verschwinden, für den Verlust des kostbaren Hundes fanden wir keine Erklärung, zumindest vorerst nicht.

Später erfuhren wir, daß Anton seinen Herrn, den gewissen Thimsen, schon in Steenaspe erwartete. Da der empfindliche Hund in der Zwischenzeit wohl an die zwanzig Mal hätte gewärmt werden müssen, soll er, dem Vernehmen nach, außergewöhnlich gezittert haben – weswegen Thimsen die Stundenmiete nachträglich heraufsetzte. Und da Ole Feddersen den Aufpreis nicht bezahlen wollte, kam es zu einem Rechtsstreit, der heute noch andauert.

Hintergründe einer Hochzeit

In Bollerup, Nachbarn, gab es einen Bauern, der hieß Sven. Dieser Sven Feddersen, ein langarmiger Mann mit schleppenden Bewegungen, mit wäßrigen Augen und dem Hals eines ausgewachsenen Truthahns, war, solange man denken konnte, begehrt: Erbe eines ansehnlichen Hofes, Besitzer des Mischwaldes, Eigentümer von Wiesen, Wasserläufen und Feldern, auf denen regelmäßig Steinäxte gefunden wurden, schien es ihm an nichts zu mangeln – außer an einer Frau. Da gab es so manche, die sich ihm an die Seite dachte, womöglich in seine bedächtigen Arme; doch Sven entging allen Fallen, ließ sich in keinen Hinterhalt locken, beschied alle unmißverständlichen Aufforderungen gewissermaßen abschlägig.

Man kann sich daher unser Erstaunen vorstellen, als er sich eines Tages, im Alter von siebenundfünfzig, verlobte. Seine Wahl war auf eine gewisse Elke Brummel gefallen, eine zarte, aber zähe Person, die beliebt war wegen ihrer Fähigkeit, Unterhaltungen wortlos zu bestreiten, alles Wesentliche durch Nicken zu sagen. Kaum war das bekannt, da erkundigte man sich nach dem Termin der Hochzeit, und Sven gab zu verstehen, daß die Hochzeit, seiner Meinung nach, im Herbst stattfinden werde, nach der Ernte. Da niemand an seiner Auskunft zweifelte, sah jedermann in seiner Verlobten bereits eine Elke Feddersen.

Doch der Herbst kam und ging vorüber, ohne daß die Hochzeit stattgefunden hätte. Fragte man Sven, warum die Hochzeit ausgefallen war, so sagte er einfach, wegen des Todes eines Onkels, und dieser Grund wurde anerkannt.

Im darauffolgenden Jahr nun starb kein Onkel, und wer geglaubt hatte, daß die Hochzeit diesmal stattfinden würde, der sah sich getäuscht: der Herbst kam und ging vorüber, und der Zustand, in dem sich beide befanden, war nach wie vor der von Verlobten. Man konnte beobachten, wie die beiden einander zufällig auf dem Hünengrab begegneten, auf dem Feld oder auf der Straße, man konnte zur Kenntnis nehmen, wie sie ein Weilchen miteinander schwiegen, mehr war ihren Begegnungen nicht zu entnehmen. Da verriet nichts, daß man sozusagen füreinander versprochen war; kein Zwinkern, kein Winken und erst recht kein Wort.

Nun ist es wirklich nicht allein die Geschichte, die mich zwingt, Herbst auf Herbst verstreichen, das Verlöbnis dauern zu lassen. Sven Feddersen verhielt sich einfach, als sei ihm seine Verlobung mit Elke Brummel entfallen, denn fünf-, sechs-, achtmal kam der Herbst, und eine Hochzeit fand nicht statt. Die Leute in Bollerup, sie waren schon der Meinung, daß Sven sein Leben als Verlobter beschließen wollte, und hier und da vergaß man sogar, daß er überhaupt verlobt war. Man behandelte ihn allmählich wieder wie einen Ledigen, und das gleiche

1159

geschah mit Elke Brummel, die, zart, aber zäh, den Hof ihres Bruders zu beaufsichtigen half.

Plötzlich, nach neun ereignislosen Herbsten, geschah, was niemand mehr erwartet hatte: Sven Feddersen ließ einen Termin für seine Hochzeit bekanntgeben; ließ aber nicht nur den Termin bekanntgeben, sondern lud sogleich zweihundertvierzehn Personen, wovon einhundertachtundneunzig Feddersen hießen, in den Mühlenkrug, um mit ihnen die Hochzeit zu feiern. Da war Bollerup – nun, sagen wir mal, tief verblüfft; aus einer Spannung entlassen, seufzte man auf und beeilte sich, die geforderte Summe abzuzählen, denn obwohl eingeladen, mußte jeder, wie es in Bollerup üblich ist, die Rechnung selbst bezahlen.

Die ländliche Hochzeit fiel auf einen Sonnabend, und nach der Trauung fand sich die Gesellschaft im Gasthaus ein, wo man sich an langen Tischen niederließ und zu Ehren des späten Hochzeitspaares folgendes aß: saure Heringe, gebratenen Aal, gebratene Seezungen, gebackenes Huhn, geschmorte Koteletts, panierten Speck, ein Stück vom Hasen, Wurstplatten, Platten mit Schinken und kalter Schweineschulter, dazu Brot, Kartoffeln und Gemüse, danach Eis und Käseplatten. Hatte zunächst, während des Essens, noch hier und da jemand das Wort genommen, so entstand, erstaunlich und belastend, eine immer befremdlichere Stille, die jeder spürte, die jedem zusetzte, und mein Schwager will wissen, daß diese Stille nur deshalb entstand, weil jeder darüber grübelte, warum das Verlöbnis neun Jahre gedauert hatte. Insbesondere grübelte man deshalb darüber, weil das betagte Brautpaar, alles in allem, einen ausgeglichenen, zufriedenen Eindruck machte, sich aufmerksam die Kartoffeln zuschob, mitunter auch nachdenklich zunickte; und dabei fragte man sich natürlich, warum man dies Bild nicht bereits vor neun Jahren hatte wahrnehmen und genießen können.

Der Druck der Stille wurde so groß, daß einige Feddersens es als Erlösung ansahen, als eine Kapelle aus Flensburg, die sich selbst »Die blauen Jungen« nannten, mit ihrer Tätigkeit begann. Sven und Elke tanzten zuerst, und dann tanzten die andern, und ich könnte jetzt beschreiben, wie der Tanz sich ausnahm im Verhältnis zur Musik, könnte auch erwähnen, was mit dem überflüssigen Essen geschah, doch das und so manches andere interessiert nur die Betroffenen.

Ich möchte nur zugestehen, was von überregionalem Interesse ist, und da wäre zu sagen, daß Sven Feddersen keine Einladung zum Schnaps ausschlug, an die neunzig Mal anstieß und sich deshalb kostenlos an neunzig Schnäpsen labte. Das hatte zur Folge, daß er mitteilsam wurde, zuerst mit den Händen, die er hier und da fallen ließ, gegen Morgen auch mit dem Mund, und auf einmal, so berichtet mein Schwager, verschaffte sich jemand Luft, wollte sich gleich dazu Gewißheit verschaffen; und er ging – ich glaube, es war der Friseur, Hugo Feddersen – zum Bräutigam.

1161

Stellte sich einfach vor ihn und fragte:»Warum, Sven Feddersen, hat deine Verlobung neun Jahre gedauert?« Darauf soll Sven gezwinkert und dann gesagt haben:»Als mein Onkel starb, da hinterließ er mir einen ganzen Keller voll Johannisbeerwein. Es gibt nichts, was ich so gern trinke wie dieses Zeugs. Nachdem ich die erste Flasche probiert hatte, sagte ich mir: heiraten kannst du, wenn der Keller leer ist; denn so ein Tröpfchen, das trinkt man besser allein.«

Die Bauerndichterin

Auch in Bollerup, Nachbarn, gibt es Ereignisse, die niemand sich entgehen lassen darf, und am allerwenigsten eine Lesung von Alma Bruhn-Feddersen. Kaum war bekannt, daß die große Bauerndichterin sich zu einer Lesung aus ihren gesammelten, wenn auch noch nicht veröffentlichten Werken bereit erklärt hatte, waren die Karten auch schon ausverkauft. Zu lange hatte sie in selbstgewähltem, ein wenig drohendem Schweigen gelebt, zu ungeduldig war man in Bollerup, zu erfahren, warum sie sich entschlossen hatte, aus ihrer umdüsterten Einsamkeit heraus- und vor eine Öffentlichkeit hinzutreten.

Der Leseabend war festgesetzt auf ein Wochenende im Herbst – Wind drehte Laub in Spiralen, Hunde klagten sich weithin was vor –, und zwei Stunden vor Beginn begann es bereits zu strömen, zum Mühlenkrug hin, zum großen Saal im Mühlenkrug. Nicht einmal eine Zwangsversteigerung hätte so viele Leute zusammengebracht: das schlängelte sich dünn und zielbewußt die abseitigen Pfade hinab, kam hüpfend über die Sandwege, vereinigte sich auf der Dorfstraße, wälzte sich nun zum Mühlenteich und staute sich – fast möchte ich sagen: bedrohlich – vor dem Mühlenkrug, an dem die Dorfstraße vom zweiten Hauptweg geschnitten wurde.

Natürlich waren Lars, Jörn und Wilhelm Feddersen dabei, natürlich erschienen Doktor Dibbersen und der Dorsch mit seinem Sonntagsbein, sogar zwei Fischer aus Kluckholm konnte ich entdecken, die von ihrer baumlosen Insel hergesegelt waren. Imponierte schon die große Zahl der Besucher, die Alma Bruhn-Feddersen anlockte, so beeindruckte vielleicht noch mehr die Art, wie sich all die Besucher verhielten. Feiertäglich nämlich rückten die an, erwartungsvoll, in scheuer Andacht; da wurden keine klatschenden Begrüßungen ausgetauscht, keine einzige Anzüglichkeit war zu hören, und wo überhaupt etwas geschah, da geschah es gedämpft – das kennt man ja wohl. Eine Stunde vor Beginn war der große Saal im Mühlenkrug nicht nur gefüllt, sondern überfüllt. Auf dem Boden hockten sie, lehnten an Fensterbänken und Heizungen, bedrängten einander stehend in den Gängen, doch alle Unbequemlichkeit zählte nicht, führte nirgendwo zu Streit. Alle Blicke konzentrierten sich aufs Podium, auf dem Tisch und Stuhl standen – ein sehr niedriger geschnitzter Stuhl, ein Klapptisch, über den man eine blauweiß gewürfelte Decke geworfen hatte –, ferner ein altes Sofa und eine Vase mit Astern, das waren die Lieblingsblumen der Bauerndichterin. Im Hintergrund, etwa in Augenhöhe, hing ein gelbes Plakat; es zeigte in den beiden oberen Ecken eine schwarze Leier und wiederholte nur, was mittlerweile jedermann wußte: Nach mehrjährigem Schweigen liest aus ihren gesammelten Werken Alma Bruhn-Feddersen.

So, und da von den Besuchern doch nicht mehr zu hören ist als Murmeln, Flüstern, nur hier und da ein hingehauchter Satz, können wir uns das Warten unter vergilbten Girlanden ersparen und erst beim Auftritt der großen Bauerndichterin aufmerken.

Sie kam nicht als erste. Die Hand, die tastend und bauschend so lange über den Vorhang lief, bis sie die Öffnung fand, gehörte Linchen Madsen, einer blassen, verschreckten Frau, die für Alma Bruhn-Feddersen als Haushälterin tätig war. Angestrengt hob sie den Vorhang, stellte sich auf Zehenspitzen dabei und vergrößerte die Öffnung, und dann, dann erschien sie, die Bauerndichterin: herrisch, mit unwirschem Doggengesicht trat sie aufs Podium, eine riesige schwarze Häkeldecke über dem birnenförmigen Körper, in einer Hand die Manuskripte, in der anderen einen Stock mit Elfenbeinknauf. Achtlos schob sie an Linchen Madsen vorbei, setzte den Stock hart auf, blickte strafend ins Publikum, was unvermeidlich zur Folge hatte, daß manch einer ein schlechtes

Gewissen bekam. Schultern krümmten sich, Blicke wurden niedergeschlagen. Daß der Beifall so verhalten klang, lag ausschließlich am Respekt, den man der Bauerndichterin entgegenbrachte.

Dann knallte sie den Stock auf den Tisch, setzte sich auf den niedrigen Stuhl: jetzt konnte ich sehen, daß sie schwarze Wollstrümpfe trug
und hochgeknöpfte Schnürstiefel. Bei den ruckhaften Bewegungen ihres Kopfes schlackerte das hängende Wangenfleisch.

Auf einmal griff sie hinter sich, fummelte da und zog aus einer
Geheimtasche ihres Rocks einige laufende Meter Taschentuch heraus,
ziegelrot mit weißen Streifen. Sie schneuzte sich sorgfältig, vor allem
aber so kraftvoll, daß die elektrischen Birnen im Saal zu flackern begannen. Danach schlug sie das Manuskript auf und sah einen Augenblick sinnend zur Decke empor; und in diesem Augenblick herrischer
Sammlung hinein wagte sich ein anderer zu schneuzen, nämlich mein
entfernter Vetter Frietjoff Feddersen. Die Bauerndichterin klappte das
geheftete Manuskript energisch zu und blickte grollend den Störenfried an, der sich mit mehrmaligem Achselzucken zu entschuldigen
suchte. Immer ungemütlicher wurde ihr Blick, immer fordernder, so
daß Frietjoff Feddersen gar nichts anderes übrigblieb: er stand auf und
entschuldigte sich nicht nur für die Unterbrechung, sondern erzählte
auch stockend, wo und bei welcher Gelegenheit ihn die Erkältung
erwischt hatte: nachts also, als er auf bloßen Füßen in die Küche tappte, um etwas zu trinken.

Die Bauerndichterin nickte, machte eine präsentierende Geste, die
ungefähr besagte: Da sieht man, woher so was kommt. Sodann schlug
sie das Manuskript auf und konzentrierte sich von neuem, atmete ein
paarmal probeweise durch, als sich vor einem der niedrigen Fenster
Lärm erhob. Geflucht wurde da, begehrlich gepocht, dann, wahrhaftig,
konnte man verstümmelten Protestgesang hören – worauf Alma
Bruhn-Feddersen nun wirklich nichts anderes übrigblieb, als das Manuskript zornig zuzuschlagen. Ein Wink von ihr, und die beiden
Kluckholmer Fischer erhoben sich und gingen hinaus in den Garten,
wo der Lärm sich sogleich legte. Der Störenfried, den sie an seinen
langen Armen bald danach in den Saal und vors Podium schleiften,
war niemand anders als Sven Feddersen. Er war betrunken. Er hatte
offenbar so viel von seinem ererbten Johannisbeerwein getrunken, daß
seine Beine sich nicht mehr einig werden konnten, in welche Richtung
sie wollten. Trotzdem beharrte er darauf, der Lesung beizuwohnen.

Ein sengender Blick der Bauerndichterin genügte, und das selbstbewußte Grinsen des Betrunkenen wurde abgelöst von einem süßsauren Lächeln, seine großspurigen Bewegungen wurden enger, und bald, während die Kluckholmer ihn in der Zange hielten, bequemte er sich auch zu einer Entschuldigung. Jetzt gab die Bauerndichterin Anweisung, Sven Feddersen aufs Podium zu führen, und als er zitternd vor ihr stand, benutzte sie ihn so als lebendes Beispiel, an dem sie die vielfältigen Schäden des Alkohols deutlich machte. Mit ihrem schönen schwarzen Stock wies sie auf den Kopf und sprach von der »Erweichung des Gehirns«, wies auf die Augen und sprach von ihrer »Trübung«, und als sie auf die Folgen für die Leber hinwies, begann endlich das Publikum, Fragen zu stellen. Man tauschte sich gründlich aus, wie immer in Bollerup, und am Ende der Diskussion war Sven Feddersen nüchtern und durfte sich, von strafenden Blicken begleitet, auf dem Mittelgang setzen.

Alma Bruhn-Feddersen ruckte sich zurecht, ehe sie das Manuskript aufschlug und mit einem Daumen, der keinen Widerspruch duldete, diagonal übers Papier fuhr, um es zu glätten. Sodann ließ sie, um sich einzustimmen, einige rasselnde Töne hören – etwa wie Ankerketten sie hervorrufen, wenn eine Winsch sie einholt; außerdem trieb sie kurze, aber heftige Lippengymnastik. Eine Kopfwendung zurück zu Linchen Madsen, die, man kann es nicht anders sagen, artig auf ihrem Stuhl saß; und dann ließ sie hören, was ihr in selbstgewählter Einsamkeit eingegeben wurde.

Ich täusche mich nicht: zuerst ließ sie die vier Jahreszeiten über Bollerup herrschen mit allem, was man so von ihnen gewohnt ist. Sie verhängte also Winter über das Dorf, belegte es mit weißen Laken, sie warf ein paar irrende Krähen in die Luft, ließ es im gefrorenen Röhricht knistern, im Ofen knacken – angeblich ritt ein Feuerreiter durch die Stuben –, und dann inszenierte sie einen Wintersturm mit ortsüblichem Schneegestöber, rief tatsächlich »Hu! Huuh!« und ließ die Windsbraut um die Höfe streichen. Die Ufer, wie sie sich ausdrückte, erstarrten »im Eise weiß«, und die alten Weiden schienen auf einmal so grau – das kam mir bekannt vor. Als sie die »Rehlein wund« erwähnte, die mit beschädigten Läufen im Schnee nach Gräsern graben – dazu ließ sie matt unsere Kirchturmsglocke schlagen –, seufzte eine alte Frau neben mir und zog die Arme unter der Brust zusammen, als ob sie fröre.

Sie brauchte es nicht lange zu tun, denn ein scheckiger Frühling hatte schon die Stafette übernommen: klingelnd und nicht anders hüpfte Schmelzwasser über Stock und Stein in die aufnahmebereite Ostsee. Durchs Röhricht – diesmal Speeren gleich – ging ein Hauch. Auf Äckern und Wiesen, in den »Knicks«, im Mischwald: überall wurde nicht nur ein »munteres Regen« festgestellt, sondern auch ein »toll Gewühle«. Das mußte einfach gutgehen und einen Sommer nach sich ziehen, den sie gewissermaßen mit kräftigem Ruderschlag und flaschengrün in den Saal holte.

1165

Sie ließ sodann einen Wanderer im Korn und grünen Klee schlafen, von offenbar freundlichen Insekten umsummt, dann wieder – ich nehme an: nach einem warmen Regen – mußten Felder frisch gewürzt dampfen. Sie stellte »weidende, rote Rößlein« vors Auge, ein geschwelltes Segel, das eine Bucht erhellte, Libellen, sacht rauschende Wälder natürlich und die lastende Hitze, die sie mit einer Henne verglich. Kirschen prahlten bei Alma Bruhn-Feddersen mit roter Glut, und überall um Bollerup vernahm sie das »fröhliche Zischen der Sicheln«. Damit konnte sie den Stab an den Herbst abgeben.

Der spielte sich auf mit Eichelfall und »praller Rübe« und brachte, angeblich, »goldene Äpfel« zum Geschenk. Sie hängte frühe Nebel um ein Gehöft, stapelte Kisten mit silbernen Makrelen, und was unser Herbstwetter angeht, so mußten einmal Wolkenpferde galoppieren, ein andermal spürte man in »allen Wipfeln kaum einen Hauch« – auch das kam mir bekannt vor. Was machte sie noch mit dem Herbst? Stoppeln ließ sie singen »vorbei, vorbei«, sie entzündete ein Kartoffelfeuer, und zu guter Letzt entschloß sie sich, dem »helleren Los der Zugvögel nachzuträumen«.

Alma Bruhn-Feddersen richtete sich abrupt auf und winkte Linchen Madsen heran; die öffnete eine Blechschachtel, ich sah, daß sehr große Tabletten drin waren; die Bauerndichterin nahm eine heraus und schluckte sie ohne Wasser.

Warum gab es keinen Beifall? Waren die Zuschauer zu eingeschüchtert? Oder waren sie vielleicht gelähmt vor Ergriffenheit? Die meisten guckten zu Boden, blickten vermutlich die Rillen entlang, einige ließen Schlüsselbunde propellerartig kreisen, andere massierten Finger und Handgelenke, und einen sah ich – Thimsen aus Steenaspe –, der betrachtete sich ausdauernd in einem Taschenspiegel und bleckte dabei die Zähne.

Die Bauerndichterin kündigte nun drei kürzere Proben an, zunächst »Der Traum des Schmieds«. Es ging darum, daß jeder angeblich in das verwandelt werden möchte, was er liebt, und so fand sich der Schmied eines Nachts in einen Amboß verwandelt, auf den die ganze Welt eindrosch. Die meisten konnten mit diesem Traum nichts anfangen, sie regten sich nicht; aber dann las sie »Das große Aalstechen«, und auf einmal flog ein Zeigefinger hoch, starr und unübersehbar; dennoch nahm Alma Bruhn-Feddersen ihn nicht zur Kenntnis. Erst einmal mußte sie mit ihrem dritten Beispiel zu Pott kommen, sie nannte es »Der Blick der kranken Tiere«; es handelte von einem besessenen Tierarzt und begann: »Wer galoppiert so spät durch Regen und Wind ...« Während sie las – es hörte sich an wie dunkler, grollender Gesang –, flogen auf einmal mehrere Zeigefinger hoch, reckten sich, schnippten, niemand konnte sie übersehen.

Kaum war die Bauerndichterin fertig, da erhob sich, ohne ermuntert worden zu sein, einer der Kluckholmer Fischer und wollte etwas richtigstellen. Er habe da, sagte er, was von den sieben Zinken der Aalgabel gehört; das stimme deshalb nicht, weil Aalgabeln bisher immer nur vier Zinken hatten. Er beantrage Änderung, hiermit. Außerdem wolle er darauf hinweisen, daß die beste Makrelenzeit im Frühjahr sei. Alma Bruhn-Feddersen sah ihn gereizt an und fragte: »Ihr habt wohl nichts als Tatsachen im Kopf, was? Eine Zinke zuviel, und ihr begreift Dichtung nicht mehr.«

Da ist noch etwas anderes, ließ sich Jens Otto Feddersen, der Dorsch, vernehmen. »Ich habe hier heute abend erfahren, daß zu gewisser Zeit um ganz Bollerup das ›fröhliche Zischen der Sicheln‹ zu hören ist. Mir ist es noch nie gelungen, dies Zischen zu hören, und vermutlich auch keinem anderen, denn in Bollerup gibt es keine Sicheln mehr. Hiermit beantrage ich eine Änderung.« Jetzt gelang es Alma Bruhn-Feddersen kaum noch, ihren Zorn zu unterdrücken. »Wo«, rief sie, »wo ist man so einfältig, die Sicheln wörtlich zu nehmen? Die sind doch das bekannte Werkzeug des Todes, und so weiter, damit erntet er doch, verdammt noch mal.«

Die Zuhörer waren geteilter Meinung; einige klatschten, andere wiegten bedenklich den Kopf. Die Bauerndichterin ertrug es. Sie verlor aber beinahe ihre Fassung, als ein gewisser Mogens Feddersen, ein ehemaliger Forstgehilfe, sich zu Wort meldete. Der wollte wissen, daß nur Hirsche, Ziegen und Schafe im Schnee nach Gräsern graben, nicht aber Rehe, wie man es ihm hier aufgetischt habe, und noch dazu wunde Rehe! Ob man nicht, so meinte er, die Rehe gegen Hirsche auswechseln könnte?

Eine wegwerfende, verächtliche Geste, und dann sagte die Bauerndichterin: »Fünfundvierzig Jahre bist du Forstgehilfe gewesen und hast es immer noch nicht begriffen: das Leid der Tiere im Winter, das kann man an keinem Hirsch, das muß man am schlanken, wehrlosen Reh zeigen.« – »Aber es hat noch nie im Schnee gegraben«, rief der Forstgehilfe. ›Dann«, sagte die Bauerndichterin, »wird das Reh eben ab heute graben, und alle werden sich daran gewöhnen, auch du.«

Grimmig starrte sie in ihren Text, blätterte vor und zurück, als sich – mit angemessener Verspätung – der Schmied Uwe Johannes Feddersen erhob, die Kneifzange. Da sei auch einmal von ihm persönlich die Rede gewesen, sagte er, von dem, was er so träumt, und damit keine Mißverständnisse aufkommen, möchte er hiermit bekanntgeben, daß er noch nie von einem Amboß geträumt hat. Wenn er überhaupt träumt, sagte er, dann von Schellfisch, Dorsch und Seehechten, manchmal von Steinbeißern. Andere Träume möchte er sich verbitten, hiermit.

Es gelingt mir einfach nicht, den Blick zu benennen, den Alma Bruhn-Feddersen nun zum Schmied hinüberschickte, denn in ihm fanden sich Empörung, Wut, Geringschätzung und unwirscher Hochmut zusammen. Lange musterte sie ihn, und dann sagte sie etwas, was sie besser nicht hätte sagen sollen; mit gekrümmten Lippen nämlich stellte sie fest: »Deine Ausführung, Uwe, zeigt mir, daß ich völlig im Recht bin; denn so kann nur einer reden, der täglich sein Quantum mit dem Vorschlaghammer auf die Birne bekommt, mithin Amboß spielt. Aber du kannst dich damit trösten, daß es in Bollerup viele deiner Art gibt.«

Während der Schmied sich setzte, um darüber nachzudenken, regte sich hier und da Protest, drohende Zurufe flogen zum Podium hinauf, Fäuste reckten sich unter den Girlanden. Sehr langsam, immer noch mit gekrümmten Lippen, raffte die Bauerndichterin ihre Manuskripte zusammen und reichte sie Linchen Madsen. He, rief plötzlich der Dorsch, wir haben Eintritt bezahlt; demzufolge stehen uns noch zwanzig Minuten zu, oder bekommt man sein Geld zurück? Die Frau ließ ihren schönen Stock auf den Tisch niedersausen – so hart, daß auf einmal Stille eintrat; und in diese, sagen wir, ängstliche Stille hinein grummelte sie: »Hier hat man zuviel Sinn für Tatsachen, darum ist Dichtung reine Verschwendung für euch. Von mir aus laßt euch das ganze Geld zurückgeben, und erstickt danach an euren Tatsachen.« Damit verschwand sie grußlos durch den Vorhang, Linchen Madsen, die ihrerseits beleidigt die Schultern hob, hinterher.

Seitdem lebt die große Bauerndichterin wieder in selbstgewähltem Schweigen, und ich muß zugeben, daß ihr Ruhm nicht etwa abnimmt, sondern leise und beständig wächst.

Die älteste Einwohnerin im Orte

Zugegeben, Nachbarn, es gibt Leute, die haben mehr auf dem Buckel als zweiundneunzig Jahre; ob es aber irgendwo eine Frau gibt, die noch mit zweiundneunzig ihren Garten umgräbt, Reusen stellt, Kaninchen schlachtet, Holz hackt und, wenn es sein muß, das eigene Dach ausbessert – mir erscheint das zweifelhaft. Jedenfalls habe ich etwas Ähnliches weder aus dem Kaukasus gehört noch aus einem abgeschiedenen Seitental der Anden.

In Bollerup – und nur hier – gab es solch eine Frau, ein mageres, verledertes Wunder an Unbeugsamkeit, Birte Feddersen, die sie hier – ich meine: allzu naheliegend – die Schildkröte nannten.

Sie wohnte auf dem Altenteil ihres Hofes, diese Birte Feddersen – mit dem weitläufigen Vetter, der den Hof bearbeitete, hatte sie sich selbstverständlich schon nach kurzer Zeit ein für allemal überworfen –, ging eigensinnig und bärbeißig ihrer Wege, redete viel mit sich selbst, trug wattierte Röcke und Schuhe, die wie Militärstiefel aussahen, hatte immer Werkzeug bei sich; daß sie Schnupftabak nahm, hat mir allerdings keiner bestätigen können. Es war unvermeidlich, daß Birte Feddersen, die die meisten Gesetze des Alters sichtbar widerlegte, eines Tages mehr als nur örtliches Interesse erregte. Was sie da mit zäher Tätigkeit vorführte, was sie, die Alte, an ungewohnter Leistung zum besten gab: es drang über Bollerup hinaus und langte in Flensburg ebenso zu Gesprächen wie in Tinglev.

Nach dieser Vorbereitung, denke ich, wird es keinen verwundern, daß eines Tages in Bollerup ein Reporter auftauchte, ein Mann mit hängendem Augenlid, der außer seiner Herablassung noch einen Photographen mitgebracht hatte, offenbar zu dem Zweck, das Wunder der

Biologie in Wort und Bild dingfest zu machen. Sie nahmen sich ein Doppelzimmer im Mühlenkrug, packten Seife und Waschlappen aus und verstrickten den Wirt ohne Umwege in ein Gespräch über Birte Feddersen. Was sie wissen wollten? Also: Familienverhältnisse, besondere Gewohnheiten, Eigenheiten in der Ernährung, Tagesverläufe. Nichts, was der Reporter erfuhr, reichte aus, um auch nur bescheidenes Erstaunen hervorzurufen. Offenbar lebte er mit dem Außerordentlichen auf vertrautem Fuß und hatte sich, überfüttert mit Unerhörtem, das Staunen einfach abgewöhnt. Vielleicht hielt er auch alles, was da über Birte im Umlauf war, für Bolleruper Übertreibung. Daß er bedeutende Aufgaben zu übernehmen gewohnt war, das jedenfalls zeigte er, als er durch leichten Landregen, bei Windstille, zum Altenteil der Birte Feddersen hinabging und durchaus nicht behutsam an ihre Tür klopfte. Er mußte warten, lange, noch länger, sah natürlich nicht, daß jemand aus der Hintertür und geduckt durch den Garten davonflitzte, wartete und horchte wartend auf seltsame Geräusche, auf ein Schorren und Kollern und Quietschen, das gerade so klang, als würden eisenbeschlagene Seekisten hastig über den Fußboden gezogen. Dann hörte er ein dünnes Stimmchen, das ihn aufforderte, einzutreten in die niedrige Wohnstube: da lag sie.

In einem rotbezogenen Ohrensessel lag sie, unter einer riesigen Flauschdecke, angestrengt atmend, die tiefliegenden Augen glanzlos. Fleckig die Kopfhaut, die mageren Hände ineinandergelegt, die bläulichen Lippen halb geöffnet. War das das biologische Wunder von Bollerup? Der Reporter und der Photograph: sie können nicht nur, sie müssen jetzt einen Blick der Betroffenheit tauschen, müssen die Füße leiser aufsetzen und jene Art gesammelter Betretenheit zeigen, die die Nähe des Todes, zumindest die spürbare Hinfälligkeit, wie von selbst aufkommen läßt.

Beide konnten, angesichts dieser zittrigen Hinfälligkeit, nichts anderes annehmen, als daß sie einem Gerücht aufgesessen waren, sie umrundeten mehrmals den Ohrensessel und beschlossen, Birte Feddersen sich selbst zu überlassen; doch die Alte wollte nicht, die Alte bestand darauf, mit ihnen Tee zu trinken, zumal das Wasser schon auf dem Herd kochte. Der Photograph goß den Tee auf, und er war es auch, der Birte, die zu schwach war, um die irdene Tasse halten zu können, den Tee einflößte, in kleinen, vogelhaften Schlucken. Wie ergiebig die Unterhaltung war, mag man daraus ersehen, daß der Reporter von den schlechten Busverbindungen sprach, die Alte sanft und undeutlich von dem dauerhaften Landregen brabbelte, der die Erbsenernte zu gefährden drohte.

Zum Abschied erhielten sie einen matten Blick von weit her, sagen wir, einen Blick von der Schwelle vor einer anderen Welt, der sie so beeindruckte, daß sie sich, bevor sie gingen, stumm verbeugten.

Es besteht kein Zweifel daran, daß sie sozusagen mit leeren Händen zu ihrer Redaktion zurückgefahren wären, wenn nicht der Photograph, schon im Vorgärtchen, noch einmal einen Blick durchs Fenster geworfen hätte. Was er sah, mußte ihn zumindest überraschen. Er sah nämlich, wie die Alte die Flauschdecke energisch abwarf, unter den Ohrensessel langte, dort eine Flasche Rum hervorholte, die Teetasse füllte und trank – mit Erleichterung und hastigem Behagen.

»Mir scheint«, sagte der Photograph, »mit ein bißchen Ausdauer kommen wir hier doch noch auf unsere Kosten.«

Im Mühlenkrug, bei gebratenen Schollenfilets und Fliederbeersuppe, analysierten sie sodann ihren Besuch bei Birte, erwogen alle Einzelheiten und beschlossen bei doppeltem Weizenkorn, das biologische Wunder von Bollerup auf andere Art zu erfassen: heimlich, durch unbemerktes und, wenn es sein mußte, geduldiges Nachspüren. Also legten sie sich auf die Lauer, verkleideten sich gelegentlich, trennten sich, hockten hinter Fischkästen am Strand oder in Birte Feddersens Himbeeren, und mitunter wurde ihr Lauschen auch belohnt – freilich nicht so, wie sie es sich gewünscht hatten: am knotigen Wanderstock, schlurfend und gebrechlich, erschien die Alte vor ihrem Haus, tauchte am Dorfteich auf und hin und wieder am Strand, nie in Tätigkeit, immer nur leicht wie ein gekrümmtes Blatt, das ein bescheidener Wind hergeweht hatte. Manchmal schien sie die beiden wiederzuerkennen, manchmal blickte sie in reiner Abwesenheit durch sie hindurch, so versunken, daß man ihr nur den Weg freigeben konnte. Einmal fand sie sich sogar im Mühlenkrug ein, der Reporter hörte sie mit dem Wirt flüstern, doch bei seinem Auftauchen tat die Alte, als hätte sie sich verirrt, und trippelte, über sich selbst den Kopf schüttelnd, hinaus, sehr hilfsbedürftig und doch alle Hilfe abwehrend. Man kann sich vorstellen, wann bei dem immergleichen Bild graziöser Hinfälligkeit, das die Alte bot, der Reporter und sein Kollege mutlos wurden und, so laut es ging, von Abschied sprachen.

Sie packten auch wieder Seife und Waschlappen ein, bezahlten die Rechnung und gingen gut sichtbar zur Bus-Station – nur hat sie an diesem Tage niemand einsteigen sehen. Das konnte auch niemand, denn kaum hatten die beiden das offene Wartehäuschen erreicht, da sprang zunächst der eine, dann der andere in den nahen Mischwald; in ausreichender Deckung umrundeten sie Bollerup, folgten dem Schutz eines Knicks und strebten hintereinander zur Steilküste, wo sie sich oberhalb des Landungsstegs in ein Feld hockten.

Da können sie erst einmal hocken und von mir aus das bekannte friedfertige Bild auf sich wirken lassen, das idyllische Behelfshäfen an der Ostsee bieten: die wehenden Netze an den Trockenstangen, ein Haufen funkelnder Glaskugeln, Signalflaggen an leichten Bambusstäben, Bojen mit frischem Teeranstrich und vielleicht noch die aus hellem Holz gezimmerten Fischkästen. Die Ostsee selbst: flaschengrün und bockig; im Abstand von jeweils dreihundert Metern Grundnetze; dazwischen, rot und schwarz bewimpelt, Aalreusen.

So, und noch länger brauchen sie nicht im Feld zu hocken, da sie zu bestimmter Stunde zwangsläufig sehen müssen, was die Leute von Bollerup unzählige Male gesehen hatten: Birte Feddersen nämlich, wie sie in groben Stiefeln, mit breiter Holzbalje unterm Arm am Strand erschien, ohne Knotenstock und gar nicht trippelnd auf den Laufsteg ging und die Leine eines Fischerbootes loswarf.

»Los«, sagte der Reporter, und die Kamera des Photographen begann zu klicken. Und sie hielt klickend fest, wie die Alte den betagten Dieselmotor startete, hinausdrehte zu den Reusen und Grundnetzen, dort wirkte und unvergleichlich tätig war. Mit einem Riß öffnete sie ihren Spezialknoten am Garn, ließ Aale, Dorsche, Butt und Hornfische zappelnd und schlappend ins Boot fallen. Mit energischem Zug schloß sie das Garn wieder, band ihren Spezialknoten und warf die Reusen ins Wasser zurück.

So wie ich Birte Feddersen kenne, kann man ihr ruhig zutrauen, daß sie sodann mit einem Vorschlaghammer hier und da einen Pfahl festschlug, den die Stürme gelockert hatten. »Die Kamera«, sagte der Photograph, »meine Kamera wird mir beweisen, was ich gesehen habe.«

Jetzt kann Birte in schäumendem Bogen zum Landungssteg zurückkehren, festmachen, die Fische in die Balje füllen und, das Gewicht auf ihrem Kopf balancierend, über den steinigen Strand gehen. Da befahl der Reporter: »Los!« – und er und der Photograph richteten sich auf und rutschten den steilen, von erwähntem Landregen aufgeweichten Weg hinab. Natürlich kann man jetzt fragen, wie eine andere Frau gleichen Alters sich betragen hätte, die so überrascht worden wäre. Birte Feddersen setzte sorgsam die Fische ab, seufzte berechnet, und mit einem Klagelaut, der sich so anhörte, als ob sie sich zuviel zugetraut hätte, fiel sie, wiederum berechnet und mit halber Drehung, so nach vorn, daß die Männer sie ohne Mühe auffangen konnten. Sie stützten sie. Sie sprachen beruhigend auf sie ein. Sanft tätschelten sie die Wange der Alten, die sich unerwartet aus ihrem Griff befreite und ängstlich fragte:»Ist Schluß jetzt? Alles zu Ende?«

Der Reporter stutzte, er fragte:»Was soll zu Ende sein?« – und die Alte darauf:»Na, die Invaliden-Rente. Seit vierundzwanzig Jahren nämlich bekomme ich Invaliden-Rente, und ihr seid doch wohl gekommen, um mich zu prüfen.«

»Wir sind nicht wegen der Rente gekommen«, sagte der Reporter, und der Photograph nickte bewundernd und nahm die Balje mit den Fischen auf.

Unterwegs erklärte der Reporter, warum sie nach Bollerup gekommen waren, er und sein Kollege, und Birte lächelte und erholte sich rasch vom Schrecken der Überraschung: sie war auf einmal so gut gelaunt, daß sie, als sie am Mühlenkrug vorbeikamen, zwei Flaschen Weizenkorn holte und die Männer zu sich einlud, aufs Altenteil. Sie trank den Weizenkorn mit schwarzem Johannisbeersaft. Sie konnte nicht oft genug auf die Erleichterung anstoßen, die es für sie bedeutete, daß ihr niemand die Invaliden-Rente nehmen wollte. Immer zufriedener wurde sie, immer ausgelassener und übermütiger; wenn da ein Grammophon gewesen wäre – ich kann mir denken, daß Birte Feddersen eine Platte aufgelegt hätte. Einige, wenn auch vielleicht nur angedeutete Tanzschritte soll sie jedenfalls gemacht haben; sie verhielt sich überhaupt so kraftvoll und beweglich, daß der Reporter, nachdem er eine neue Flasche geholt hatte, einfach fragen mußte, was seine Redaktion ihm zu fragen aufgegeben hatte.

Birte Feddersen schüttelte den Kopf, machte eine wegwerfende Geste.»Wunder«, sagte sie gedehnt,»hört bloß auf, von Wunder zu reden. Mir geht es einfach so gut, weil mein Mann – also immer, wenn unsere Tiere geimpft wurden und es blieb etwas übrig von dem Impfstoff, dann hat mein Karl hinterher mich geimpft. Mit dem Rest, ja. Wo sollte er sonst hin damit? Manchmal denk ich: wenn ich ihn auch geimpft hätte damals, wäre er mir nicht vor zwölf Jahren weggestorben.«

Der Reporter und der Photograph: sie sahen sich erschrocken an, und dann fragte der Reporter, ob er dies so schreiben dürfe, worauf Birte Feddersen sagte: »Warum denn nicht? Der Tierarzt nämlich ist auch schon lange tot, und vermutlich, weil er ebenfalls vergessen hat, sich selbst zu impfen.« Der Reporter mußte sich eine Weile fassen, dann sagte er: »Jedenfalls, Frau Feddersen, hoffe ich sehr, Sie an Ihrem hundertsten Geburtstag wiederzusehen.«

Die Alte beäugte ihn nachsichtig und sagte dann: »Warum nicht? Gesund genug sehen Sie ja aus.«

1173

Der heimliche Wahlsieger

Keiner, Nachbarn, war in Bollerup so beliebt wie der Waldarbeiter Fiete Feddersen. Das steht fest, auch wenn niemand bei uns in der Lage war, alle Gründe für diese Beliebtheit zu nennen. War es seine hartnäckige Bescheidenheit? Vielleicht die sanfte, unbeirrbare Höflichkeit, die von jedem Wetter unabhängig war? Oder lag es daran, daß er, tief in den Wäldern tätig, die meiste Zeit der Woche unsichtbar blieb? Nicht zuletzt aber kann seine Beliebtheit auch dadurch erklärt werden, daß er, wenn er sich überhaupt äußerte, dies auf so unerhört einsilbige Weise tat, daß kaum etwas übrigblieb, was man ihm hätte übelnehmen können.

Wer die Gründe erfahren zu müssen glaubt, kann ihnen nachgehen; für die Geschichte braucht lediglich festgestellt zu werden, daß Fiete Feddersen, der seiner eigenen Kraft so mißtraute, daß er es nicht einmal wagte, ein Vogelei zwischen die Finger zu nehmen, ohne das geringste Bemühen zum beliebtesten Einwohner von Bollerup geworden war. Doch wenn er sich schon nicht darum bemühte, zu werden, was er war, so bemühten sich doch andere darum, seine außerordentliche Beliebtheit für ein sozusagen hohes Ziel nutzbar zu machen: für die Politik nämlich.

Ich darf hier nicht schweigen: kurz vor den letzten Wahlen durchstreifte eine kleine Kommission die Fichtenschonung, lauschte, streifte durch den Mischwald, lauschte und wandte sich, den rhythmischen Schlägen eines schweren Hammers folgend, zum Kiefernwald hinüber, wo gerade das Bruchholz aus der vergangenen Sturmnacht zerlegt wurde. Dort arbeitete Fiete Feddersen. Zwischen gestürzten, geknickten, verdrehten Stämmen arbeitete er, fleißig auch ohne Aufsicht, auf dem Kopf die sonderbare Mütze mit den extra langen, nun aber hochgebundenen Ohrenschützern, die ihm das Aussehen eines bedröppelten Hasen gaben. Die Kommission – sie bestand aus meinem Großonkel Franz Jesper Feddersen und aus Arnim Daase, einem Vertreter für Landmaschinen – grüßte freundlich; man setzte sich auf leuchtendes Stubbenholz, bot einander Tabak an, rauchte aber nur kalt, um nicht die Schilder ins Unrecht zu setzen, die auf Brandgefahr aufmerksam machten. Und dann kam die Kommission zur Sache. Sie bot Fiete Feddersen an, für die Grüne Union zu kandidieren, für die Partei des Fortschritts und der zähen Reformen. »Ein Mann wie du«, sagte die Kommission, »kann seine politische Heimat nur in der Grünen Union haben.« Und sie sagte: »Mit deiner Hilfe, Fiete, wird es uns gelingen, den feinen Eduard Kallesen und seine feine Schwarze Union eindrucksvoll zu schlagen.«

Der Waldarbeiter lächelte bekümmert und schüttelte den Kopf. »Nein«, sagte er, und mehrmals hintereinander: »Nein, nein.« Zu helfen, dazu sei er immer gern bereit, aber er könne nur dort helfen, wo es ihm gegeben sei, sagte er. Und er wies darauf hin, daß es ihm nicht nur an den einschlägigen politischen Kenntnissen fehle, sondern auch an der Gabe, ohne die kein Politiker auskommt: Reden zu halten.

Das war der Kommission bekannt. Sie wußte auch, daß sich niemand in Bollerup mehr durch Einsilbigkeit hervorgetan hatte als ihr neuer Kandidat; dennoch blieb sie bei ihrer Wahl. »Wir haben«, sagte die Kommission, »alles berücksichtigt: was wir brauchen, ist der Mann Fiete Feddersen, und der kann so schweigsam bleiben, wie er war; was erforderlich ist, wird Arnim Daase für dich übernehmen; er wird für dich die Fragen beantworten, wo es sein muß; er wird Erklärungen in deinem Namen abgeben, und falls man ihn dazu zwingt, wird er für dich reden: Es genügt, wenn du zu seinen Worten nickst.«

Fiete Feddersen zuckte die Achseln, wollte und wollte nicht, war einerseits bereit zu helfen und andererseits unsicher, ob er selbst dem verminderten Anspruch genügen würde; doch schließlich – nachdem die Kommission förmlich an ihn appelliert hatte – erhob er sich, stand einen Augenblick in redlicher Verlegenheit da, und dann nickte er, sachte, aber erkennbar; die Grüne Union in Bollerup hatte den beliebtesten Einwohner für sich gewonnen.

Die Kommission gratulierte und verabschiedete sich, und als sie sich in die Fichtenschonung zwängte, erschrak der Waldarbeiter nachträglich – gerade so, als ob er sich selbst verkauft hätte. Vor Unruhe gelang ihm nichts mehr, kein Schlag und kein Hieb, er mußte an das gegebene Wort denken und an sein erstes öffentliches Auftreten, und am liebsten wäre er der Kommission nachgelaufen, um sich sein Versprechen zurückgeben zu lassen. Blieb ihm vielleicht etwas anderes, als sich auf einen Stamm zu setzen und zu grübeln? Eben, und darum setzte er sich und begann, nicht ohne ein schmerzhaftes Ziehen in der Brust, zu grübeln.

1175

Von der Grünen Union wußte er immerhin, daß sie sich selbst die Partei des Fortschritts nannte. Ihre Mitglieder – Kleinbauern, Vertreter, Arbeiter wie er selbst – trugen fast ausnahmslos Taschenuhren. Sie wollten um jeden Preis mehr Gerechtigkeit. Doch wenn er sich nicht irrte, strengte sich eben dafür auch die Schwarze Union an, deren Mitglieder fast ausnahmslos Armbanduhren trugen. Sie nannte sich die Partei der Bewahrer und hatte in Eduard Kallesen einen Vorsitzenden, der jederzeit ohne eine einzige schriftliche Notiz vier Stunden reden konnte, und das auch noch mit erkennbarer Begeisterung. Nicht einmal Arnim Daase konnte es mit ihm aufnehmen, obwohl der mitunter redete, daß die Milch zu Butter wurde. Ließ sich der leichtsinnige Entschluß nicht doch noch rückgängig machen?

Früher als sonst machte Fiete Feddersen an diesem Tag Feierabend und ging nicht allein bedrückt, sondern auch auf Umwegen nach Hause. Seine Frau wußte bereits alles: Franz Jesper Feddersen war mit einem Stapel von Broschüren, von Merkzetteln und Programmen vorbeigekommen und hatte ihr von der Kandidatur erzählt. Für seine Niedergeschlagenheit hatte sie nichts anderes übrig als ihren Lieblingsausspruch, mit dem sie sich über alles hinweghalf: »Ach, Fiete, dat löpt sech alns trecht.« Danach rührte sie Eier in die Bratkartoffeln, während Fiete seufzend den Stapel mit den Wahlschriften umkreiste, plötzlich stehenblieb, sich ein Heftchen schnappte und zu lesen begann. Er las; und wie ich ermittelt habe, las er beim Abendbrot und die halbe Nacht durch, ohne damit fertig zu werden. Aber wer denkt, daß Fiete schon am nächsten Abend weitergelesen hätte, der täuscht sich: mit einem Gesichtsausdruck, der schwer zu deuten war, trug er die Papiere in den Schuppen, Abteilung Brennbares. Hielt er das Material für überflüssig? Oder hatte er, noch vor der drohenden Auseinandersetzung mit Eduard Kallesen, sanglos aufgegeben? Einiges spricht dafür; denn fortan kümmerte Fiete Feddersen durch die Tage, ließ in seiner aufmerksamen Höflichkeit nach, unterbrach öfter seine Arbeit und saß in schwermütiger Versunkenheit auf einem Stubben. Niemand wird erstaunt darüber sein, daß er am Tag der großen Auseinandersetzung nicht in der Lage war, Nahrung zu sich zu nehmen. Danach fragten allerdings nicht seine Freunde von der Grünen Union. Sie holten ihn frühzeitig ab, scherzten, munterten ihn auf, versuchten, ihm etwas von ihrer Zuversicht abzugeben. Sie nahmen ihn in ihre Mitte und zogen gemütlich, um von möglichst vielen bemerkt zu werden, die Straße zum Mühlenkrug hinab, Parolen rufend, ein Siegeszeichen in die Luft schreibend.

Am Eingang zum Mühlenkrug, vor den beiden Linden, erschrak Fiete auf einmal so sehr, daß er wie betäubt dastand: er hatte sein Bild auf dem Plakat entdeckt. Es war ein altes Bild, das ihn mit geschulterter Axt zeigte, vergnügt, wie ihn jeder kannte, auf dem Kopf die sonderbare Mütze mit herabgelassenen Ohrenschützern; im Hintergrund bogen sich Tannenäste unter der Last des Schnees. Er las die Bildunterschrift – Auf ihn ist Verlaß! – und äugte zum Nachbarplakat hinüber, auf dem Eduard Kallesen abgebildet war, hoch zu Pferd, seine Mütze ziehend, und unter dem Bild der Satz: Mit ihm über jede Hürde! Instinktiv wollte Fiete sich abwenden, umkehren, doch seine Freunde schoben ihn unerbittlich vorwärts, durch Rauch und Lärm erst einmal in ein Hinterzimmer. Hier drückten sie ihn auf einen Stuhl, steckten ihm eine Plakette an den Rockaufschlag, verbesserten den Sitz der ungeliebten Krawatte. Und Arnim Daase wiederholte noch einmal die Strategie, die zum Sieg führen sollte: »Schweigen, Fiete, du mußt schweigen, auch wenn sie dich provozieren. Dasitzen mußt du. Beifällig nicken mußt du. Und immer wieder: schweigen. Was zu reden ist, übernehme ich.«

Fiete Feddersen zeigte matt an, daß er alles verstanden hatte, man trocknete ihm den Schweiß ab, zog ihn vom Stuhl und drängte ihn hinaus, einen zugigen Gang entlang und dann zum Podium. Es war verabredet worden, daß beide Parteien gleichzeitig durch den Vorhang schlüpfen sollten, die Grüne Union von links, die Schwarze von rechts; das gelang. Gleichzeitig traten die Wahlkämpfer an den Tisch heran, gleichzeitig nahmen sie Platz, begleitet von Beifall, Pfiffen und Hochrufen. Das dröhnte, das gellte und frohlockte, Biergläser reckten sich

ihnen entgegen, glimmende Zigarren schrieben rotierende Feuerräder
in die Luft, Flaschen begannen auf wackligen Tischen zu hüpfen –
jeder kennt ähnliche Bilder der Leidenschaft. Fiete Feddersen zwang
sich, in den Saal zu blicken, wanderte blickweis die Tische ab, die zu
schwimmen schienen in Qualm und Dunst. All diese Zeichen und
Gesten, die begeisterten Zurufe – galten sie tatsächlich ihm? Sie mußten ihm gelten, denn schon jetzt, bevor die Vorstellung begann, bildeten sich einige wenn auch dünne Sprechchöre, die »Fie-te, Fie-te!«
riefen. Und daß er gewisse Hoffnungen trug, zeigte sich dann auch bei
der Vorstellung, denn es war unüberhörbar, daß der Beifall, den er
verbuchen konnte, ein wenig stärker war als der, den Eduard Kallesen
einheimsen durfte.

Sodann wurden beide Parteien aufgefordert, eine Grundsatzerklä-
rung abzugeben; das Los hatte entschieden, daß Kallesen als erster
sprechen durfte, und wer ihm noch nie als Redner begegnet ist, dem
darf ich versichern, daß der ebenso energische wie elastische Mann,
der das Mikrophon lässig wie eine Zigarre vor dem Mund hielt, der
sowohl überlegen wie dauerhaft lächelte, einen starken Eindruck hervorrief. Jedenfalls hätte Arnim Daase, der nach ihm für die Grüne
Union sprach, den Eindruck von sich aus nicht wettmachen können,
wenn nicht Fiete Feddersen so heftig genickt hätte, daß viele, einfach
dem Zwang des Beispiels folgend, mitnicken mußten. Damit blieb
einstweilen alles unentschieden; auch der Anfang der scharf geführten
Diskussion änderte nichts an der Ausgeglichenheit der Stimmung im
Saal.

Wie herablassend und dabei unerbittlich dieser Eduard Kallesen die
Diskussion bestritt! Es machte ihm augenscheinlich ein diebisches
Vergnügen, sich fortgesetzt an Fiete Feddersen zu wenden, obwohl
dieser ihm nicht antwortete. »Würde mir«, so fragte er etwa, »mein
verehrter Gegenspieler, Herr Fiete Feddersen, ein wenig seine Preis-
politik erläutern, falls das private Land in kommunalen Besitz über-
geführt werden sollte?« Arnim Daase erhob sich sogleich und leitete
seine Antworten mit Wendungen ein wie: »Unser Kandidat ist der
Ansicht ...« oder: »Meine Freunde und ich stimmen darin überein ...«
oder aber: »Fiete Feddersens Meinung zu diesem Problem lautet ...« –
wobei Fiete oft schon Zustimmung nickte, bevor seine angebliche
Meinung ausgesprochen wurde.

Hin und her ging es zwischen Kallesen und Daase; sie setzten sich über Schlachtprämien auseinander, über Milchsubvention, über Rentenversicherung für Landwirte und, in schärferer Tonart, über Verteidigungspolitik. Zwischen ihnen saß nachdenklich, die gefalteten Hände im Schoß, Fiete Feddersen mit schweißglänzendem Gesicht. Manchmal zuckte er; das war, wenn ihm saurer Schweiß in die schlechtbewimperten Augen tropfte.

Folgte er überhaupt der Diskussion? Bemerkte er, daß, am Beifall aus dem Saal gemessen, die Auseinandersetzung immer noch unentschieden war? Er mußte es bemerken, denn auf einmal hob er die Hände auf den Tisch und musterte Kallesen mit unergründlichem Blick. Der hatte sich gerade, und zwar nahezu höhnisch, nach der Schulpolitik der Grünen Union erkundigt und wollte jetzt wissen, ob Fiete Feddersen tatsächlich mit dem Gedanken umging, alle Zeugnisse abzuschaffen. Und die Prüfungen. Und den sogenannten »Hokuspokus mit den Zensuren«. Wörtlich fragte er: »Müssen wir fürchten, daß mein verehrter Gegner, dessen persönliche Leistungen wir alle schätzen, über Nacht ein Feind aller Leistung geworden ist? Soll auch in Bollerup eine trübe Gleichmacherei triumphieren?« Der Beifall, den Kallesen darauf erhielt, war so frenetisch, daß Arnim Daase Mühe hatte, ihm zu entgegnen. Vielleicht war er in der Schulpolitik nicht so bewandert, vielleicht aber war er Kallesen tatsächlich nicht gewachsen, jedenfalls gelang es Arnim Daase diesmal nicht, den Vorsprung an Sympathie aufzuholen.

Kallesen wäre nicht Eduard Kallesen gewesen, wenn er nicht sofort seine Chance erkannt hätte, den ausgepunkteten Gegner vollends auf die Bretter zu schicken. Er schnellte hoch. Getragen von Beifall, setzte er zu neuer Rede an und wollte von Fiete wissen, wie er zum Bau der Sport- und Reithalle stehe – mit anderen Worten, wie groß Fiete die Gesundheitspolitik schreibe. »Mit einer Reithalle könnte Bollerup ein Mittelpunkt werden«, rief er. Man hätte Nordische Meisterschaften in den Mauern. Bei Spiel und Sport könnten die Kinder gesund heranwachsen – und so weiter. Nun?

Herausfordernd sah er Fiete Feddersen an, und natürlich in der Erwartung, daß Arnim Daase für ihn antworten werde, doch da geschah etwas, das niemand bei uns vergessen wird. Fiete Feddersen erhob sich und straffte den Oberkörper. Das Murmeln im Saal hörte auf. Man stieß sich an, vertrieb die Rauchwölkchen. Verblüfft blickte Kallesen, verstört mancher Freund von der Grünen Union, und Arnim Daase versuchte, nachdem er sich von seinem Schrecken erholt hatte,

Fiete durch ein Zeichen aufzufordern, bei der Strategie des Schweigens zu bleiben. Umsonst! Ich persönlich dachte nur: So nimm denn, Unglück, deinen Lauf.

Fiete Feddersen schluckte, pochte mit kräftigem Fingerknöchel auf die Tischplatte und trank erst einmal ein ganzes Glas Mineralwasser leer. Dann sagte er mit sehr leiser Stimme:»Vierzig Jahre war ich im Wald, in der Natur. Dachs und Wiesel wurden meine Freunde, die Krähe kam zum Frühstück, mit dem Eichhörnchen stand ich auf du und du. Wenn ihr mich fragt, wo die größte Fröhlichkeit anzutreffen ist, dann sage ich euch: unter den jungen Dachsen. Sie haben nur sich selbst; ein Tannenzapfen genügt ihnen zum Spiel für einen ganzen Vormittag. Wer jung ist, will sich balgen und sich beißen, dabei schärft er seine Sinne. Auf die Dauer freut man sich an bescheidenen Spielen. Und so möchte ich sagen: Wozu eine Reithalle? Zeigt den Kindern den Wald, und laßt sie dort spielen wie die Dachse. Sie werden es euch danken mit Fröhlichkeit.«

Nicht nur üblicher Beifall, sondern ein Beifallssturm dankte dem Redner, der betreten abwinkte, sich faßte und sagte:»Die Waldtaube ist eines der wenigen Tiere, die sich um die Alten kümmern. Statt eine Reithalle zu bauen, sollten vielleicht einige Gemeindeschwestern angestellt werden, die könnten tun, was die Waldtaube tut.«

Ich sah einmal schnell zu Kallesen hinüber; der schüttelte den Kopf, seufzte, verzog geringschätzig sein Gesicht – vermutlich, weil er mit solcher Rede nichts anfangen konnte. Aber was ihn seufzen ließ und mutlos machte, das gefiel unten im Saal, das wurde mit Beifall und Bravo aufgenommen. Jetzt wollte man nur noch Fiete Feddersen hören, und Fiete sprach, fortgetragen von brausender Zustimmung und Begeisterung. Was er ihnen anzubieten hatte, war immer nur dies: Waldworte, Walderfahrung, dunkles Waldgleichnis; die setzte er auf jedes politische Problem. Er sagte etwa:»Der Jäger stellt dem Fuchs ein Zeugnis aus« oder»Der Häher warnt auch seinen Feind«, und auf einen freundlichen Zwischenruf ließ er sich zur Eigentumspolitik so vernehmen:»Wenn ihr mich fragt, wo der schönste Sinn für Eigentum anzutreffen ist, dann sage ich euch: unter verwilderten Hauskatzen. Wenn das Waldrevier zu klein ist, einigen sie sich, wer zu welcher Zeit jagen darf. So gehört der Wald jedem und keinem. Denn was einer hat, ist alles nur geliehen. Aus dem Teilen kommt erst die Zufriedenheit. Das zeigt die verwilderte Hauskatze.«

Ich wunderte mich nicht, daß die Grüne Union nach anfänglichem Befremden auf einer Welle der Hoffnung schwamm, aber plötzlich wurde es ihr mulmig. Fiete Feddersen begann nicht nur, von den »natürlichen Herrschern des Waldes« zu sprechen, er verteidigte auch auf seine Art das Leistungsprinzip, indem er sachkundig auf das Beispiel der winzigen Haselmaus hinwies. Jetzt hellte sich sogar Kallesens Gesicht auf, und ob er es wollte oder nicht, er und seine Schwarze Union mußten einfach klatschen. Das geschah nun öfter – einmal jubelten die Grünen bei Fietes Rede, einmal die Schwarzen, und mitunter klatschten auch alle. Niemand in Bollerup kann sagen, wie lange Fiete eigentlich sprach, da niemand es wagte, auf die Uhr zu sehen. Unvermutet rief er aus: »Die Elster kann vieles, dennoch kann sie aus einem silbernen Löffel kein Junges ausbrüten.« Er machte eine Pause, wir sahen uns bestürzt an, und dann bat Fiete alle Anwesenden, seine Kandidatur zurückziehen zu dürfen. »Es ist«, sagte er, »wegen der fehlenden politischen Kenntnisse«, und damit setzte er sich.

Auch wer gar keine Phantasie hat, wird sich vorstellen können, was im Saal passierte: die Leute stürzten zum Podium, bedrängten und bestürmten Fiete, ließen ihn hochleben, doch Fiete ließ sich nicht umstimmen. Er begründete seinen Verzicht mit den Worten: »Manche fragen sich, warum der Dachs nur ein einziges Mal in seinem Leben ins Wasser geht. Darum, weil er schon beim ersten Mal einsieht, daß es ihm zu naß ist.«

Übrigens haben die Grünen die letzten Wahlen mit knappem Vorsprung gewonnen, und natürlich wissen sie, wem sie es zu verdanken haben. Der heimliche Sieger der Wahl aber war unbestritten Fiete Feddersen.

Der Mann unseres Vertrauens

Auch beim Abschied in der Redaktion, vor allen Kollegen, die mit dem Schnapsglas in der Hand um mich herumstanden, glaubte der Chefredakteur noch einmal meine Qualitäten aufzählen zu müssen, die mich als geeignet erscheinen ließen für den Posten des Auslandskorrespondenten in Stockholm. Stockend, wie immer, erwähnte er meine Umgänglichkeit und die Ausbildung im Staatlichen Institut für Journalistik, er erinnerte an die beiden Preise, die ich erhalten hatte, lobte lächelnd, fast nachsichtig, meine Fähigkeit, auf die Zeile genau und nach Maß zu schreiben, wies gleich darauf mit grüblerischem Ausdruck auf meine gesellschaftliche Loyalität hin und auf die Sicherheit der Perspektive, unter der sich das trübe Gemisch der Ereignisse bei mir wie von selbst schied, und schließlich hielt er mir zugute, daß ich gegenüber jedem Zweifel gefeit sei und damit in der Lage, meine Verläßlichkeit an jeden Ort zu exportieren. Daß mein Vorgänger sich abgesetzt und entschieden hatte, in Schweden zu bleiben, erwähnte er nicht.

Während er mir die Abschiedsrede hielt, brauchte ich die Blicke meiner Kollegen nicht auszuhalten, sie sahen zu Boden; und nachdem er gesprochen hatte, musterte ich sie nur kurz über den Rand des Glases, aus dem wir Maisschnaps kippten, unser Nationalgetränk, das – eiskalt genossen – gegen mehrere Krankheiten hilft, nicht nur gegen Depressionen. Stumme Händedrücke, unterschiedliches Zwinkern. Einige angedeutete, einige vollzogene Umarmungen. Der offizielle Abschied war überstanden, und der Chefredakteur legte mir versonnen einen Arm um die Schulter und führte mich in sein Arbeitszimmer, wo er mir den Paß überreichte und, mit verzögerten Gesten, einen Umschlag mit Devisen – Währungen der Länder, die ich auf meinem Weg nach Stockholm durchqueren mußte. Gerade wollte er zwei gedrungene Gläser auf den Tisch setzen, da klopfte Barato, Freund und Kollege, mit dem zusammen ich das Institut für Journalistik absolviert hatte; er wollte mir beim Packen helfen.

Bevor ich Sobry beim Packen half, holten wir sein Auto aus der Werkstatt ab, einen betagten Citroën, Modell 34 – zumindest verdiente die Karosserie diesen Namen; zu allem, was unter der Kühlerhaube lag, hatten ausgeweidete Modelle aus vier Jahrzehnten beigetragen. Die

Hupe zum Beispiel stammte von einem der ersten Jaguars; zum Erschrecken aller Verkehrsteilnehmer produzierte sie ein Hornsignal, mit dem bei der Fuchsjagd der Tod der Brandjacken weithin bekanntgegeben wird. Sobry bestand darauf, mit dem Auto nach Stockholm zu fahren.

Auf der Fahrt zu seiner Wohnung – sie lag in einem neuen, ockerfarbenen Mietshaus – waren ihm weder Genugtuung noch Erregung anzumerken; wenn mir überhaupt etwas an ihm auffiel, war es eine Art herausfordernder Gelassenheit. Wir packten unter den Augen seiner geschiedenen Frau, das heißt unter einer Photographie seiner geschiedenen Frau, die in einem Muschelrahmen auf dem Bücherregal stand: glattes, breites Gesicht, strenger Mittelscheitel. Allzuleicht, schien mir, trennte er sich von den historischen Romanen; er stellte mir frei, zu nehmen, was mich interessierte; nur die Nachschlagewerke wollte er auf die Reise mitnehmen. Am längsten hielt uns das Verpacken seiner Eulensammlung auf, Eulen aus Glas, Walfischbein, Holz und Keramik; wir mußten jedes Stück einwickeln, sorgsam in Holzwolle betten. Zuletzt verstaute er die Photographie seiner geschiedenen Frau in einem Strohkoffer, von Strümpfen beiderseits gepolstert. Sein Gepäck trugen wir schweigend zum Auto. Bevor wir uns umarmten, erwähnte ich, daß ich immerhin täglich seine Stimme hören würde, während seiner alltäglichen Anrufe zur Zeit der großen Redaktionskonferenz. So ist es, sagte er.

Im Rückspiegel behielt ich Barato im Auge, erkannte, daß er bereits zu winken aufhörte, als ich die Steigung nahm. Eine Weile fuhr ich in einer Militärkolonne, die Soldaten sahen von der Ladefläche gleichgültig, manchmal feindselig auf mich herab, ich spürte, daß sie mich beneideten, daß ihnen spontan Ziele einfielen, zu denen sie selbst gern in einem Auto aufgebrochen wären; darum beschloß ich, auszuscheren und zu dem schattigen Dorf hinabzufahren, in dem mein alter Lehrer wohnte.

Obwohl wir uns nur sehr selten begegneten, sah ich es angesichts meiner Reise nach Stockholm als gerechtfertigt an, ihm einen Besuch zu machen, einen Abschiedsbesuch. Seltsamerweise überraschte ihn weder mein Erscheinen noch die Nachricht über meine neue Aufgabe; gleichmütig legte er die Schere aus der Hand, mit der er Pfirsichbäume gestutzt hatte, band die Schürze ab, sorgte für Milch und Gebäck und setzte sich zu meiner Verfügung. Meine Hoffnung, daß er etwas von meiner Berufung indirekt auf sich beziehen würde – und wenn auch nur ironisch –, erfüllte sich nicht. Er sagte mir Landschaftserlebnisse von »feierlichster« Art voraus; um eine Ansichtskarte bat er nicht, doch als ich ihm von mir aus eine versprach, erhob er sich wortlos und trug ein Stück Gebäck zu dem Maultier, das durch das offene Gartenfenster hereinsah. Ich konnte mir nicht erklären, warum er bei meinem Abschied erleichtert schien.

1183

Hinter Sobrys Schreibtisch in der Zentralredaktion, den ich nach seiner Abreise übernahm, hing eine Europa-Karte, auf der, fein gestrichelt und nur bei schrägem Lichteinfall erkennbar, die Route eingezeichnet war, die er zu nehmen gedachte auf seinem Weg nach Stockholm. Jeden Morgen blickte ich auf die Karte, versetzte mich auf seine Spur, ich sah ihn Hotelrechnungen bezahlen, an Tankstellen vorfahren, immer wieder Grenzen passieren, und unwillkürlich war ich dabei, ihm Etappen für seine Reise zu setzen. Es war ausgemacht, daß er zum ersten Mal während der großen Freitagskonferenz anrufen sollte; seinen Weg täglich nachrechnend, traute ich ihm zu, daß er sich bereits am Donnerstag melden würde, um seine Ankunft zu bestätigen.

Beim Ausräumen seines Schreibtisches fand ich nichts, was aufzubewahren sich gelohnt hätte, ausgenommen einen Schnellhefter, in dem Sobry Artikel über Schweden gesammelt hatte – aufschlußreich insofern, als sie sich allesamt mit dem »schwedischen Charakter« befaßten. Hervorgehoben waren Behauptungssätze über zeremonielle Korrektheit und unerbittliche Regelhaftigkeit im schwedischen Leben. Von allen Kollegen fragte nur der außenpolitische Redakteur nach Sobry; mehrmals erkundigte er sich, ob ich schon ein Zeichen von unterwegs bekommen hätte, allerdings nicht drängend oder besorgt, sondern eher in mechanischer Höflichkeit. Einmal sagte er: Sein Schweigen sollte uns beruhigen; unangenehme Nachrichten erfährt man sofort. Ihr Freund ist ein verläßlicher Mann.

Wenn ich nicht die letzte Abendfähre verpaßt hätte, wäre ich schon am Donnerstag in Stockholm gewesen. Ich mietete mich in einem Hotel am Hafen ein und schrieb nach einem ungewohnten, sehr fetten Abendbrot zwei Postkarten an Barato und an meine geschiedene Frau; daß sie nie ihre Empfänger erreichten, lag wohl daran, daß ich die

Postkarten in den Schlitz einer sogenannten Beschwerdebox warf, die ich, betäubt von Bier und honigfarbenem Aquavit, für einen Briefkasten gehalten hatte. Besetzt von lärmendem Kopfschmerz, nahm ich am nächsten Morgen die erste Fähre und blieb während der ganzen Überfahrt auf dem Oberdeck, massiert und gezaust vom Seewind, appetitlos beim Anblick der lastenden kalten Buffets.

Angeschoben von einigen Matrosen des Autodecks, startete endlich der Motor meines Autos; ich fuhr an einem zeitunglesenden Zöllner vorbei, durch eine weinrote Stadt unter Birken, und fühlte mich schmerzfrei und zuversichtlich, als ich die Waldregion erreichte. Was schwedisches Einzelgängertum sich mitunter einfallen ließ, gab mir lange zu denken: weit lagen die Gehöfte voneinander entfernt, einige warnten auf uneinnehmbaren Bergkuppen vor jedem Besuch; sie schimmerten von felsigen Inseln in flaschengrünen Seen herüber oder bestanden auf ihrer Zurückgezogenheit in sich selbst überlassenen Wäldern. Bei uns drängen sich die Häuser so dicht aneinander, daß alles öffentlich wird, die Trauer nicht weniger als die Selbsttäuschungen.

Auf einem hartgefahrenen, abschüssigen Sandweg merkte ich auf einmal, daß die Bremsen nicht mehr faßten; ich schaltete zurück, erwog einen Augenblick, die zerrissene Böschung zu rammen, aus der dünnes Wurzelwerk heraushing, doch da mir seit langem kein Auto entgegengekommen war, glaubte ich, noch die schmale Holzbrücke »nehmen« zu können, hinter der das Auto auf wieder ansteigender Straße sanft ausrollen würde. Ich hatte die Brücke noch nicht erreicht, als von der Waldböschung zwei Ziegen auf die Straße sprangen, braune, langhaarige Bergziegen, die sich streitend mit ihrem Gestänge so ineinander verhakt hatten, daß nicht einmal mein seltenes Hupsignal sie erschrecken und fliehen ließ. Das Geländer der Holzbrücke brach, ich stürzte und sah mich stürzen, überschlug mich und sah vorwegnehmend, wie mein Auto sich überschlug, von verrotteten Stämmen abgefedert in den Farnen aufschlug und in einem Wirrwarr von gestorbenen Bäumen hängenblieb. Das nahm ich, wie gesagt, vorweg, als der Wagen ausbrach und über die Brücke hinausschoß; gespürt, wirklich gespürt habe ich nur einen einzigen Schlag.

Zuerst meldete sich während der großen Redaktionskonferenz am Freitag, die wir auch »Olivenkonferenz« nannten, da die aktuellen

Themen der nächsten Woche bei Wein und Oliven besprochen wurden
– als erster meldete sich unser Korrespondent in Zürich; danach hörten wir die Vorschläge aus unseren Pariser und Londoner Büros. Die
Stimmen der Auslandskorrespondenten wurden über einen Lautsprecher übertragen, so daß jeder von uns den vollständigen Dialog
zwischen Chefredakteur und Korrespondent mithören konnte. Keiner
unserer Korrespondenten hatte den Geburtstag des Chefredakteurs
vergessen, es war aufschlußreich, ihre unterschiedlichen Glückwünsche auszuwerten, die sie nach ihren Berichten pflichtschuldigst an-
brachten.

Stockholm wollte und wollte sich nicht melden, obwohl wir länger
als gewöhnlich zusammensaßen und den Chef hochleben ließen mit
einem besonderen Wein. Die Stimmung, wie man so sagt, stieg; bald
hatte ich den Eindruck, daß ich der einzige war, der Sobrys Anruf
ungeduldig herbeiwünschte, und vielleicht hätte ihn auch niemand
mehr vermißt, wenn der Chefredakteur nicht plötzlich ins Innenmi-
nisterium bestellt worden wäre. Bevor er aufbrach, bat er mich, von
meinem Apparat aus unser Stockholmer Büro anzurufen.

Sobry war noch nicht erschienen, war noch nicht einmal in seiner
Wohnung angelangt; auch von unterwegs hatte er sich, wie die Sekretärin ratlos erklärte, nicht ein einziges Mal gemeldet. Unüberhörbar war ihre Besorgnis, eine begründete Besorgnis: sie hatte immer
noch nicht die Konflikte überwunden, in die sie gestürzt wurde, als
Sobrys Vorgänger glaubte, sich absetzen zu müssen. Bedrückt vertraute sie mir an, daß sie bereits bei der schwedischen Polizei nachgefragt
habe, ohne indes etwas anderes zu erfahren, als daß zusammenfassen-
de Unfallmeldungen erst gegen Abend zu erwarten seien. Mir entging
nicht, daß der Chefredakteur unwillkürlich seinen Blick verengte, als
ich ihm das Ergebnis meines Anrufs mitteilte. Schon abgewandt, bat er
mich, ihn zu Hause anzurufen, falls Sobry sich doch noch melden
sollte.

Den Jungen sah ich zuerst, den unbeweglich auf einem Hocker sitzenden Jungen; er hatte noch nicht mitbekommen, daß ich erwacht war,
er starrte durch die offene Tür auf einen bewaldeten Hang, in dem sich
graues Gestein aufbuckelte. Als ich mich regte, drehte er sich blitzschnell um, sprang auf und flitzte hinaus, gerade als ob er, der kleine
barfüßige Wächter, mein Erwachen sofort zu melden hätte; und es

dauerte auch nicht lange, da betrat ein alter, hagerer Mann den Raum und beugte sich über mein Lager; er beobachtete mich mit ruhigem Mißtrauen, ohne mein Lächeln zu erwidern oder auch nur wahrzunehmen. Er überprüfte die Verbände, Kopf- und Brustverband, deutete knapp auf einen Becher mit Tee, den ich zu trinken hätte; meinen Dank nahm er gleichgültig zur Kenntnis, ich war nicht einmal sicher, daß er mich verstand. Auf meine Frage nach einem Telephon antwortete er mit einer verneinenden Geste und beschrieb einen flüchtigen Bogen gegen die nackten Holzwände, womit er gewiß sagen wollte, daß hier im weiten Umkreis kein Telephon zu finden sei, in dieser Einsamkeit.

Schmerzen hatte ich nur, sobald ich mich rührte, und wenn ich mich aufzustützen versuchte, zog mich ein klopfendes Schwindelgefühl nieder. Noch wagte ich es nicht, den Mann, der offenbar der Großvater des Jungen war, nach einem Arzt schicken zu lassen. Der selbstgemachte Hocker blieb während des ganzen Tages besetzt; nicht nur, daß der alte Mann den Jungen ablöste, wachend saß auch eine schweigsame, sommersprossige Frau vor meinem Lager und in der Dämmerung ein barfüßiges Mädchen, das, den klickenden Geräuschen nach zu schließen, mit massiven Glasfiguren spielte. Als die Kleine sich erhob, erkannte ich, daß sie mit zwei gläsernen Eulen spielte, die aus meiner Sammlung stammten.

Nach der Montagskonferenz – wieder hatten wir vergeblich auf den Anruf unseres Stockholmer Korrespondenten gewartet – bat der Chefredakteur mich in sein Zimmer, wo er nicht nur seine Enttäuschung zugab, sondern auch seine Verletztheit. Er erinnerte mich daran, daß ich es war, der die entscheidende Garantie für Sobry abgegeben hatte, und in der Voraussetzung, daß wir uns über unsere Befürchtungen nicht weitläufig zu verständigen brauchten, fragte er mich: Trauen Sie es ihm zu? Obwohl ich es ihm nicht zutraute, sagte ich: Wir müssen ihm noch etwas Zeit lassen – worauf der Chefredakteur leise feststellte: Ich höre es ticken, Barato, ich höre es schon wieder ticken; offenbar gibt es keinen unbedingten Verlaß.

Auf dem Heimweg sah ich in der ebenerdigen Wohnung von Sobrys geschiedener Frau Licht; bevor mir einfiel, wie ich meinen Besuch erklären könnte, hatte ich schon geklingelt. Sie war erfreut über mein Erscheinen, sie bot mir das Sofa an und verschwand im Badezimmer,

wo sie Strumpfhosen und Nylonblusen spülte und tropfnaß auf einen
Bügelständer hängte, der in der Badewanne stand. Zweimal forderte
sie mich auf, uns beiden einen Maisschnaps einzugießen, und nachdem wir getrunken hatten, blickte sie mich forschend an: Ist was mit
Sobry? Jetzt erst wußte ich, worauf ich aus war, warum ich geklingelt
hatte. Nachdenklich nahm sie die Befürchtungen der Redaktion zur
Kenntnis, wollte Einzelheiten hören, die ich ihr nicht liefern konnte,
verlor sich deutlich an Erinnerungen, fand auch dann keine Erklärung,
als ich sie zum Abendessen einlud – zumindest glaubte sie keine Erklärung finden zu können für Sobrys Verstoß gegen selbstverständliche Pflichten.

Mir allerdings besagte es etwas, als sie noch einmal, von sich aus, die
Gründe ihrer Scheidung erwähnte, einer Scheidung in beiderseitigem
Einvernehmen. Wenn ich sie richtig verstand, fühlten sie sich beide
nicht der unablässigen Nötigung gewachsen, sich voreinander rechtfertigen zu müssen – immerhin hatten sie eine nennenswerte Zeit der
Selbständigkeit hinter sich, als sie heirateten, der Redakteur und die
Dolmetscherin. Alle Übereinkünfte halfen ihnen nicht; der Zwang,
sich zu rechtfertigen, bestimmte ihre Abende so sehr, daß sie sich nach
fünfjähriger Ehe zu trennen beschlossen. Nie hatte Sobry mir gegenüber diesen Grund genannt, nie zuvor war mir diese Neigung oder
Abneigung an ihm aufgefallen: in einer Zeit, in der alles gerechtfertigt
werden mußte – die Rede und das Schweigen, das Ja und das Nein –,
während alle dieser Forderung entsprachen, lehnte er sie für sich selbst
ab. Noch wußte ich nicht, wie ich diese Entdeckung bewerten sollte.

Auf meine Bitte, ein Telegramm nach Stockholm zu schicken, gab mir
der alte Mann in vereinfachtem Schwedisch zu verstehen, daß die
nächste Poststation zu weit entfernt sei und daß sie es sich im Haus
vorerst nicht leisten konnten, einen der Ihren für längere Zeit zu entbehren. Einen Arzt, der ebensoweit entfernt lebte, glaubte er nicht
mehr holen zu müssen, weil es mir, wie er nach eigenhändiger Untersuchung feststellte, bereits besserging. Mit mäßigem Bedauern teilte er
mir mit, daß mein Auto, nachdem zunächst Baumstämme seinen
Sturz abgefangen hatten, auf dem Grund einer Schlucht gelandet sei,
zerstört und für immer verloren; mein Eigentum, soweit sie es zwischen Farn und dichtem Unterholz hatten finden können, lag in einem
Heuschober für mich bereit.

Mehrmals versuchte ich, mit den Kindern ins Gespräch zu kommen, besonders wenn sie mir das einfache Essen hinsetzten; es gelang mir nicht, da sie sich sogleich scheu wieder zurückzogen beziehungsweise als verschlossene Wächter auf den Hocker setzten. Für einen Augenblick der Beschämung sorgte ich selbst, als ich den Jungen bat, mir Bleistift und Papier zu besorgen; er hatte nichts Eiligeres zu tun, als meinen Wunsch dem alten Mann zu hinterbringen, der keineswegs aufgebracht oder erregt war, sondern nur monoton vom Eingang her fragte, wieviel sich eigentlich bei uns zu Hause mit den Gesetzen der Gastfreundschaft vereinbaren lasse. Lange versuchte ich, den Geruch zu bestimmen, der sich vor allem am Abend streng und deckend bemerkbar machte; schließlich wußte ich es: was durch Ritzen zu mir hereindrang, war ein Geruch nach Kümmel. Ihm nachzuspüren war mir immer noch nicht möglich, da ich mich allenfalls unter Mühen aufrichten konnte; beim ersten nächtlichen Versuch, das Lager zu verlassen, wäre ich fast gestürzt. Ich zweifelte nicht, daß methodisch nach mir gesucht wurde.

Woher der innenpolitische Redakteur wußte, daß Sobry kurz vor seiner Abreise nach Stockholm das Haus verkaufte, das er von seinen Eltern geerbt hatte, blieb während der Konferenz unerwähnt. Uns gab es zu denken, daß er weit unter Preis verkauft hatte, überstürzt, wie es hieß, einverstanden mit dem ersten Angebot. Wir hatten dieses Wissen kaum angewendet, da setzte uns der innenpolitische Redakteur mit der Zusatznachricht in Erstaunen, daß Sobry sich auch nach dem Barverkauf des Hauses kein Konto bei der Nationalbank eingerichtet hatte. In dem Schweigen, das darauf wie von selbst entstand, wurde unser neuer Auslandskorrespondent unerträglich gegenwärtig. Ich sah zum Chefredakteur hinüber, der, die Zigarette schräg vor dem Kinn, kratzend über die Brandmulden auf der Schreibtischplatte fuhr. Er hob nicht einmal das Gesicht, als sich der Leiter unserer Dokumentationsabteilung, der uns täglich Nachhilfeunterricht in korrektem Zitieren gab, gezwungen sah, die Schatten über Sobry zu vermehren; mit leiser Stimme teilte er uns mit, daß der Mann, der mit unserem Vertrauen nach Stockholm aufgebrochen war, sich an dem Tag, an dem der Verlust der konfiszierten Manuskripte festgestellt wurde, im Archiv aufgehalten hatte; es sei deshalb nicht auszuschließen, sagte er, daß diese Manuskripte demnächst einen schwedischen Verleger finden würden.

Der Chefredakteur stand auf, bereit, die Zentralredaktion zu verlassen, als das Telephon klingelte und ein Anruf von Stockholm angekündigt wurde. Die Sekretärin meldete sich; verstört fragte sie, ob sie eine Vermißtenanzeige aufgeben solle, die Polizei habe es ihr nahegelegt. Ohne sich zu bedenken, entschied der Chefredakteur, in diesem Fall keine Vermißtenanzeige aufzugeben; er stellte der Sekretärin eine Erklärung in Aussicht, die sie in einem noch zu bestimmenden Augenblick der Presse zu übergeben hätte. Dann winkte er mir, ihm zu folgen, doch bevor ich an der Tür war, gab er mir durch einen erneuten Wink zu verstehen, daß er mich nicht mehr brauchte: dieser Widerruf war für mich ein Ausdruck der Resignation.

1189

Es gelang mir, sie über meinen Zustand zu täuschen, indem ich in ihrer Gegenwart das Aufstehen probierte; ich führte ihnen meine Kraftlosigkeit so überzeugend vor, daß sie die Tür zur Nacht zwar schlossen, aber nicht verschlossen. Obwohl ich keine letzten Beweise dafür hatte – die ständige Anwesenheit eines »Wächters« konnte ja auch als Fürsorge ausgelegt werden –, entstand das Gefühl, in eine Art von Gefangenschaft geraten zu sein. Als ich zu fliehen beschloß, nahm ich mir vor, ihnen aus der Ferne angemessen zu danken und ihnen durch einen Boten, der auf der Rückfahrt meine Sachen mitnehmen würde, einige Geschenke zu schicken.

Im Morgengrauen, Nebel kroch über den bewaldeten Hang, drückte ich die Tür auf, lauschte, machte einige Schritte an der rostrot getünchten Scheune, lauschte wiederum; vom Saum des Waldes, der zur Straße abfiel, beobachtete mich eine Herde von Bergziegen. Ich mußte am Wohnhaus vorbei, lief geduckt hinüber, tastete mich an gebeiztem Bretterzeug entlang, bis ich vor dem verschmutzten Kellerfenster stand, hinter dem eine alte Petroleumfunzel brannte. Im Ausschnitt erkannte ich das Gesicht und eine Schulter des alten Mannes, der, wie bezwungen von Erschöpfung, auf einer Holzpritsche lag. Fein ausgerichtet standen Flaschenspaliere an der Wand. In der Mitte des Raums erhob sich auf Böcken eine Destillieranlage, Kolben, Blasen, Retorten und Kühlschlangen; aus einem geneigten Rohr tropfte es in einen Kessel: ich hatte den Grund ihrer Wachsamkeit gefunden.

Schwierig war der Abstieg durch das Unterholz zur Straße. Die Ziegen folgten mir, sprangen heran, wenn ich strauchelte, griffen mich spielerisch an, sobald ich einen Augenblick liegenblieb; erst auf der

Straße hielten sie einen Sicherheitsabstand ein und blieben vor einer Brücke so selbstverständlich zurück, als hätten sie die anerkannte Grenze ihres Auslaufs erreicht. Dem Postautobus brauchte ich nicht zu winken, er hielt wenige Schritte vor mir, und zwischen müden, abweisenden Gesichtern fuhr ich zur Provinzhauptstadt, und von dort mit einem Schnellzug nach Stockholm. Getragen von Euphorie, suchte ich nicht meine Wohnung auf, sondern ließ mich von einer Taxe zu unserem Büro bringen. Die Entgeisterung meiner zukünftigen Sekretärin konnte ich nicht verstehen; als sie mir aber den Kaffee hinsetzte, ahnte ich, daß ihre Erregung mit meinem Erscheinen zusammenhing. Ich bat sie, ein Gespräch nach Hause anzumelden.

Auf einmal wußte jeder etwas; jeder aus dem Kreis der »Olivenkonferenz« konnte sich an etwas erinnern, hatte etwas erfahren, war zufällig auf etwas gestoßen, das Sobrys Schweigen erklärte und die schlimmste Annahme rechtfertigte. Mich hatte es kaum noch überrascht, als sein alter Lehrer, den ich bei einem öffentlichen Vorlesewettbewerb traf, sich vor allem an den »nagenden Zweifel« erinnerte, der Sobry mehr als jeden anderen Schüler erfüllte, ein Zweifel selbst gegenüber einfachsten Wahrheiten. Als ich dies der Konferenz mitteilte, erntete ich nicht einmal Erstaunen.

Mir tat unser Chefredakteur leid, der, falls Sobry wie sein Vorgänger abspringen sollte – und mittlerweile warteten wir stündlich auf diese Nachricht –, allein die Konsequenzen würde tragen müssen. Schon seine Art des Dasitzens verriet, was er empfand. Er hatte den Vorsitz an den außenpolitischen Redakteur abgegeben und schien uninteressiert an der Erklärung, die wir gemeinsam vorbereiteten und die zu formulieren die Konferenz mich beauftragte. Ich war entschlossen, Sobry des Devisenvergehens ebenso zu bezichtigen wie der Entwendung verschlossener Manuskripte. Während ich Stichworte notierte, die die Kollegen mir zuriefen, kündigte die Zentrale ein dringendes Gespräch aus Stockholm an.

Diesmal überließ es der Chef dem außenpolitischen Redakteur, den Hörer abzunehmen. Jeder von uns erwartete die Stimme der Sekretärin, die lange befürchtete Nachricht zu hören. Und dann meldete sich Sobry. Wie heiter er von seinem Unfall erzählte! Wie belustigt er die Tage der Krankheit auf einem einsamen Hof schilderte, deren Besitzer Schwarzbrenner waren! Er zögerte tatsächlich nicht, dem Redakteur für die »vermischte Seite« einen Erlebnisbericht in Aussicht zu stellen: »Der Spalt im Auge der Ziege«. Da er unsere Runde nicht sah – wir saßen versteift da, in eisiger Ablehnung –, bat er nach flüchtiger Entschuldigung für seinen verspäteten Anruf um die Direktiven der Redaktionskonferenz.

Plötzlich verlangte der Chefredakteur den Hörer; mit geschlossenen Augen und pausenreich forderte er Sobry auf, sofort unter Ausnutzung der schnellsten Verbindungen zurückzukehren; und in das betroffene Schweigen hinein sagte er: Telegraphieren Sie uns Ihre Ankunftszeit. Danach legte er auf und verließ grußlos die Zentralredaktion; wir aber blieben sitzen wie versteint.

In zehn Minuten werde ich es wissen, denn da ich ihnen die Ankunftszeit telegraphieren sollte, wird mich wohl einer erwarten, hoffentlich Barato, hoffentlich er, denn diesmal möchte ich alles erfahren, und nur zwischen uns wird alles gesagt.

Verspätung ist nicht gemeldet, also noch knapp zehn Minuten, und ich zweifle nicht, daß er erstaunt sein wird, daß er empört und außer sich sein wird, darauf vorbereitet, alles zurückzuweisen, was ans Licht gekommen ist in der Zeit seiner Verschollenheit. Auch wenn er, bei seiner Beredsamkeit, einzelne Punkte widerlegen sollte: das allgemeine Urteil wird er nicht aufheben können, das nicht; schließlich sind wir uns alle über ihn einig.

1979

Seltsame Annäherung
Über die Ringgauer Wurstprobe

Herrenlos ist nichts mehr. Wohin es einen auch verschlägt, überall ist schon ein anderer gewesen, hat seinen Fuß drauf gesetzt, hat die Angebote optisch befragt, hat erkundet und vermessen und reklamiert – mit dem Ergebnis, daß jeder Ort uns als vollendete Tatsache erscheint. Die Städte sind ebenso in Besitz genommen wie die Landschaften, die Wüsten nicht weniger als die Pole; alles ist ausgeflaggt, hat seinen Kundschafter, seinen Entdecker und Eigentümer gefunden, und zu den materiellen Besitzverhältnissen kommen die immateriellen: Dublin wird für immer James Joyce gehören, Petersburg immer Fjodor Dostojewskij und Prag – der Augenschein bestätigt es – immer Franz Kafka. Wohin man sich auch wendet: nach Köln oder nach Danzig, an den Stillen Don oder nach New Orleans – Originalbegegnungen, Originalerlebnisse scheinen nicht mehr möglich, da alles seinen endgültigen Ausdruck erhalten hat. Fast hat es den Anschein, als müßten wir uns bei der Annäherung auf fremden Spuren bewegen, mit geliehenem Blick sehen, mit vorformuliertem Gefühl erleben.

Freilich, wir haben auch erfahren, daß Orte sich nicht restlos ausfragen und bezeichnen lassen, oft genug haben sie uns bewiesen, daß sie, bei aller festgelegten Kontur, überraschende Ansichten und Einblicke zulassen: Neben ihrer definitiven führen sie offenbar noch eine wandelbare Existenz. Und die gibt uns die Chance, einer Stadt oder einer Landschaft doch auf eigene Art innezuwerden – allerdings geht das nicht von ungefähr. Um etwas beziehen zu können, müssen wir vorher etwas investieren: Sei es, daß wir Gefühle übertragen, Wünsche projizieren oder nach spiegelbildlichen Entsprechungen für unsere Verfassung suchen.

Darauf kommt allerdings sehr viel an: in welcher Lage, in welcher Stimmung, unter welch einem Zeichen wir das Echo eines Orts aufnehmen. Wie oft glaubte ich – als Liebhaber einer bestimmten nördlichen Landschaft –, mein Verhältnis zu niedrigem Horizont und dramatischem Wolkenaufzug endgültig festgelegt zu haben, und wie oft mußte ich mir eingestehen, daß dieses Verhältnis nur vorläufiger Natur war. Wechselnde Befindlichkeiten brachten wechselnden Aufschluß. Veränderte Neigungen und Bedürfnisse führten zu unerwarteten Erlebnissen. Immer werden Erfahrungen durch den Blickwinkel mitbestimmt.

Höchst verschieden waren die Blickwinkel, unter denen ich im Laufe der Jahre eingeladen wurde, einen Ort, eine Landschaft zu erleben: Vogelkundler empfahlen mir eine Sehweise, Angler und Jäger eine andere; der Landwirt warb für eine andere Betrachtung als der Architekt; was der Schriftsteller hervorhob, ließ der Maler nicht gelten. Ich wurde eingeladen, einen Ort durch ein Rumglas zu entdecken, ihn unter dem Zeichen einer genügsamen Frucht zu sehen oder mich ihm als historisch denkender, als sozial fühlender, als politisch interessierter Zeitgenosse zu stellen. Welch ein Spektrum, wie viele Möglichkeiten! Selbst den Blickwinkel von Schmugglern habe ich mir zu eigen gemacht, und einmal blieb mir nichts anderes übrig, als eine Landschaft ausschließlich mit den Augen eines Kavalleristen zu betrachten. Manche Art der Annäherung habe ich ausprobiert, auch sonderbare, auch sehr spezielle, doch die Art, wie ich in das geheime Wesen des Werralands, des Ringgaus, eingeweiht wurde, erscheint mir derart speziell, daß sie erwähnt zu werden verdient.

Was ich bis dahin als gelegentlicher Gast meines Verlegers Kurt Ganske in und um Hohenhaus zu sehen bekam, war, landschaftlich, vor allem dies: fein bewaldete Höhenrücken – Nadel-, aber auch Buchen- und Mischwald –, schmale Täler, in denen genügsame Dörfer lagen – alte Fachwerkhäuser, aufgelassene Ziegeleien –, rote oder rotbraune Erde, die ihre Ergiebigkeit auf den ersten Blick preisgab. Aufgeräumt kam mir das Land vor, ein bißchen schläfrig und sich selbst überlassen. Burgen zeugten von gewaltsamen Ansprüchen und den Tumulten der Geschichte; versteckte Friedhöfe belegten manchen Tod in der Fremde; in windstillen Winkeln erhielt sich ländliches Idyll. Die Nähe kulturgeschichtlicher Zeugen konnte das Aufkommen einer gewissen Melancholie nicht verhindern.

An einem Ostertag änderten sich Bild und Eindruck. An einem Ostertag lud uns Eitel Höhne zu einer Fahrt über Stock und Stein ein; der liebenswürdige, der kenntnisreiche und humorvolle Landrat hatte nichts weiter vor, als uns einige geschwinde Einblicke in den Ringgau zu verschaffen. Er wußte, warum er uns gefällige Panoramen anbot, wußte aber auch, warum er uns einen Campingplatz nicht ersparte und einige künstliche, alles andere als einladende Teiche. Beredt ließ er sich über Geschichte aus, über ökonomische Schwierigkeiten und politische Mißlichkeiten; beiläufig brachte er uns Kenntnisse bei, die das Land in anderem Licht erscheinen ließen. Und dann – als ob er uns dafür entschädigen müßte, daß er uns soviel an Information zugemutet hatte –, dann lud er zu einer Ringgauer Wurstprobe ein. Das geheime Wesen dieses Landes – so erklärte der Landrat schlicht – erschließe sich, wenn überhaupt, dann nur bei einer Wurstprobe. Die Wurst als Erkenntnisvehikel.

Als hätte ein Markgraf einen Wunsch geäußert, so wurde in einem Haus hoch am Berg die Bitte des Landrats aufgenommen, wir setzten uns um einen großen Tisch, und freundliche stille Frauen trugen auf Holzbrettern Würste auf, denen man alles andere ansehen konnte als erkenntnisfördernde Eigenschaft. Das Ringelgebirge gab sich unscheinbar: In ihrem Alltagsgrau lagen Leberwürste da, ein schwarzdunkler Kringel, schon ein wenig verschrumpelt, wurde durchflochten von einer Landwurst, die sich mit bläßlichem Rosa zufriedengab; schwach schillernd, wie ein Geschmacksrätsel, bot sich eine Art Preßkopf im Mantel an, und ein ordentlich gekrümmter Naturdarm warb für die Blutbasis, auf der er zur Wurst geworden war. Einigen Kringeln sah man ihre Härte an, anderen ihre Nachgiebigkeit unterm Messer; einige feierten den Rauch, aus dem sie kamen, andere genierten sich nicht zu schwitzen. Allem, was sich da ringelte, wölbte, ausbeulte und verzog, allem, was schrumpelte und sich dehnte, war indes etwas gemeinsam: Der ganze Wurstberg wollte nicht durch Farbe überreden.

Bevor K. G. das Messer nahm, machten wir die Geschmacksnerven empfänglich, wir kippten einen Klaren, der nach Wacholder duftete, stellten Bier und Brot bereit. Vielleicht täuschte ich mich, doch als der Landrat zu einer großgeratenen Geste ausholte, hatte ich wirklich das Gefühl, er wollte die augenöffnende Kraft der einheimischen Wurst beschwören. K. G. lächelte listig, als er den ersten Schnitt führte; sorgfältig spießte er die Scheiben und reichte sie uns über den Tisch. Selbstverständlich erwartete niemand, daß bereits der erste Bissen wirkte, obwohl, ich muß es zugeben, der freigesetzte Duft von Majoran, der sich mit sanftem Lebergeruch verband, schon die Sinne zu schärfen begann. Rasch blickte ich durch das Fenster auf da hügelige Land in der letzten Sonne; noch waren Veränderungen nicht festzustellen.

Wir rückten einem dunklen, bläulichen Kringel zu Leibe, in der Schnittfläche glänzten Speckwürfel, kernige Fleischbrocken sahen uns ernst an, und nach einem neuen Glas, das Harte und das Weiche auf der Zunge und belebt durch ein bittersüßes Gewürz, kam es mir vor, als hörte ich ein schwaches Seufzen. K. G. säbelte achtsam, säbelte pausenlos; wir lauschten dem Platzen der Senfkörner im Preßkopf, schmeckten den delikaten Widerspruch aus der Streichwurst, wir zogen Genuß aus blasenwerfenden Pellwürsten und verkürzten eine Rotwurst, die ohne Zweifel musikalisch machte. Immer noch nichts, das Land draußen veränderte sich immer noch nicht, obwohl wir jeder Wurstsorte mit reinem Gaumen huldigten, und das heißt: Glas auf Glas kippten.

Immer rascher trugen immer mehr freundliche Frauen neue Würste auf, eine wohlige Schwere hielt uns auf den Stühlen, es summte in den

Köpfen, und pötzlich holte der Landrat seine Brieftasche hervor und entnahm ihr einen Geldschein, frisch gedruckt. Die Währung war mir unbekannt, sie wurde weder in Frankfurt noch in Zürich notiert, nur das sympathische Gesicht auf dem Geldschein war mir vertraut: Es war das Gesicht des Landrats. Der Einfachheit halber nannte er die Währung Höhner; und ein Höhner sollte gut sein für fünf Mark. Ich begann hellhörig, begann hellsichtig zu werden. Bereitete sich hier eine Lossagung vor? Verlangte der Ringgau etwa nach Autonomie? Nachdem K. G. uns einen Doppelten eingeschenkt hatte, äußerte ich meinen Verdacht, und K. G. bestätigte, daß im Werraland etwas Außerordentliches vor sich gehe, das ganz Europa in Staunen versetzen werde. Die Währungsprobleme, immerhin, habe man bereits gelöst: Höhner, das höre sich doch gut an, freundlicher jedenfalls als Drachme oder Escudo.

Ich gab ihm recht und biß von einer Jagdwurst ab, die unwillkürlich historische Bilder vors Auge brachte: Ich sah plötzlich die Pappenheimschen, die Götzschen plündernd durch dies Land ziehen; hinter jenem Wäldchen schickte ein Otto von Braunschweig seine Späher vor, an dieses arme Dorf legten betrunkene Kroaten Feuer. Gesalbte Toren setzten ihren Kindern fleißige Städte als Apanage aus. Ein Landgraf Balthasar und ein Otto von Northeim kreuzten mit ihrem Schlägergesindel auf, nahmen sich, was ihnen ins Auge stach.

Eine Hartwurst, die gut und gern als Polizeistock hätte Verwendung finden können, brachte mich in die Gegenwart zurück. Schon stießen der Landrat und K. G. mit mir an. Ich blickte durchs Fenster; inselhaft schwammen blaue Bergrücken im Abendnebel auf, ferne Lichter leuchteten dem Osterspaziergänger und, vermutlich, dem tüchtigen Hausschlachter, der kenntnisreich sein Kalb verarbeitete. Das kleine Feuer genießend, das der Pfeffer auf der Zunge entfachte, fielen mir auf einmal die erstaunlich zahlreichen reparaturbedürftigen Häuser dieses Landes ein, ich dachte an bröckelnden Zerfall, an Staub und lautlose Auflösung, ich dachte an aufgelassene Ziegeleien, an totes Fabrikgemäuer: auch dies, sagte ich mir, eine Folge geschichtlicher Heimsuchung. Dies Land wurde zu oft begehrt und versehrt, es hat sich zu oft erholen müssen, und wo man es verschonte wie jetzt, da wurde es folgenreich verschont, und das heißt: verurteilt zu einer Existenz im Windschatten. Vergangen die Zeit, in der Wollgarn- und Haarspinnereien, Baumwoll- und Leinenwebereien, aber auch Gerbereien und Leimsiedereien und eine nennenswerte Tabakindustrie die Hauptprodukte des Landes lieferten. Ein Land in der Mitte und dennoch – ein entlegenes Land.

K. G., der aufmerksame Mundschenk, sorgte für gefüllte Gläser; Eitel Höhne, der sich auf Steigerung von Geschmackserlebnissen verstand, ließ uns plötzlich eine schwarze, eine, wie ich vermutete, Sataswurst probieren, und von Gewürzen und Hitze und Wacholderduft umnebelt oder erleuchtet, glaubte ich auf einmal, das Wesen dieses Landes erkannt zu haben: im Äußeren gefällig, moderat und bescheiden, im Innern dagegen erhitzt, schwelgerisch und heimlichem Genuß ergeben. Die Genügsamkeit, das Idyll, die volksliedhafte Schlichtheit und Schönheit: alles nur Tarnung. Unter der Oberfläche schwelte es, zuckte es, da wurden Wünsche geboren und Ansprüche genährt, und da wurde, nach allen Lektionen der Geschichte, zielgerecht geträumt. Wovon? Von der Autonomie des Ringgaus selbstverständlich.

Mit erklärlicher Verzögerung fragte ich den Landrat, auf welch einer Basis seine Währung ruhen sollte. Ich hätte es mir denken können: auf der Wurstbasis. Gekreuzte Würste sollten im Staatswappen prangen, die Heimwehr sollte auf den Achselklappen silberne Würste tragen, kringelförmig sollte das neue Präsidentenpalais erbaut werden. K. G. lächelte, er schien längst eingeweiht. Mit unhöflicher Direktheit fragte ich ihn, ob er womöglich die Unabhängigkeitsbestrebungen dieses Landes schon länger unterstützte. Er gestand es, und leise bekannte er, daß er, wenn auch nur interimistisch, ein Doppelministerium übernehmen werde: das Finanz- und Wurstministerium. Eitel Höhne nickte schwerwiegend und sah mich auf einmal dringlich an: Er sei um einen Pressesprecher verlegen, Gehalt 650 Höhner, dazu viereinhalb Kilo Wurst monatlich auf Lebenszeit. Damals erbat ich mir Bedenkzeit. Jetzt warte ich auf seinen Ruf.

1980

Kummer mit jütländischen Kaffeetafeln

Einmal muß ich auch von meinem Kummer sprechen, von meinem Kummer mit Jütland, dessen Sommerbürger ich seit vielen Jahren bin. Lange hat Begeisterung ihn niedergehalten, zurückgedrängt, bei allem schwärmerischen Einverständnis wagte mein Kummer nicht, sich zu Wort zu melden, er wurde einfach matt gesetzt durch Erlebnisse und Erfahrungen, die mir Jütland als mein behäbiges Sehnsuchtsland erscheinen ließen. Was gilt dein Kummer, sagte ich mir zögernd, angesichts grandioser Nachbarschaftshilfe und nordischer Sonnenuntergänge? Was zählt er überhaupt vor dem erstaunlichen Gerechtigkeitssinn der Jütländer, vor ihrer stillen Tüchtigkeit, ihrer fabelhaften Sparsamkeit, ihrem Sinn für Gemütlichkeit und künstlerisch geschnittenen Hecken? Hat irgendein Kummer denn das Recht, veröffentlicht zu werden, wo alles zum Bleiben einlädt, wo langsam, aber gründlich gedacht wird, wo Idylle und kühne Architektur miteinander tuscheln? Und wo man, nach eigenem Willen, jeden Tag Sonntag feiern kann? Wäre schließlich, so sagte ich mir, die Bekanntgabe deines Kummers nicht eine Manifestation der Undankbarkeit gegenüber einem Land, das dich so bereitwillig angenommen hat? Es hilft nichts: zu stark pocht mein Kummer, er will raus, will sich nach über zwanzig Jahren Zurückhaltung Gehör verschaffen, mein redlicher, oft verschluckter, begründbarer Kummer mit Jütland. Da er einen Namen hat, möchte ich ihn auch gleich preisgeben: Es ist mein Kummer mit der großen jütländischen Kaffeetafel.

Schon seh ich Kopfschütteln, spüre Verwunderung und Nachsicht: Kann, so wird man sich fragen, eine Kaffeetafel Anlaß zum Kummer geben? Kann, was so harmlos nach Belebung und schlichter Süße klingt, überhaupt eine Sache sein, von der man Aufhebens machen sollte? Wer so fragt, hatte noch nie das problematische Glück, zu einer original jütländischen Kaffeetafel eingeladen zu werden. Wir hingegen, meine Frau und ich, waren oft dazu eingeladen, wir haben die legendäre Tafel bisher überlebt, und in gelassener Erwartung von Spätschäden möchte ich jedem, der von einer entsprechenden Einladung ereilt wird, akkurat vorstellen, was ihn erwartet, worauf er sich gefaßt machen muß.

Wir, zugegeben, waren allenfalls auf Gesundheitskaffee und knochentrockene Plätzchen gefaßt, als wir zum ersten Mal von unseren

Nachbarn zu einer ortsüblichen Kaffeetafel gebeten wurden, so gegen halb neun, nach dem Abendbrot. Solch eine Kaffeetafel, bedeutete man uns, widerspricht keineswegs der Gewohnheit, ausgiebig und genußreich zu Abend zu essen, im Gegenteil: Die jütländische Kaffeetafel heischt geradezu eine gediegene Unterlage. Nach Belieben gestärkt, fanden wir uns bei den Gastgebern zusammen, schwiegen uns, erschöpft von der Tagesarbeit, freundlich an; die Beredsamen riskierten ein »Jo«, die Geschwätzigen ein »Jo, jo«, ein Ächzen, ein Preßlaut, ein Kopfnicken reichten zu umfassender Unterhaltung. Häufiger Lidschlag zeugte nicht etwa von vorsorglicher Zustimmung, sondern von der Mühe, sich wach zu halten. Bauern und Fischer verzichteten darauf, einander zu necken, wie die Tradition es eigentlich will. Oft war nur das kleine Platzgeräusch der an Pfeifen saugenden Lippen zu hören.

Plötzlich zog die Hausfrau die Schiebetüren auf, trat bescheiden zur Seite und gab den Blick frei auf die Kaffeetafel, und alle im Raum standen auf.

Ein Ausziehtisch, von geschontem Damast bedeckt, trug die Kaffeetafel: Kerzen brannten, deren zuckender Schein über das ererbte perlmuttene Porzellan ebenso lief wie über die dicke Butterschicht der Brötchen, die, zu Mehrdeckern aufgestockt, auf übergroßen Tellern lagen. Wir tauschten einen Blick, meine Frau und ich, einverstanden mit der herzhaften Bescheidenheit des Angebots. Also Brötchen, Rundstücke, Boller, wie es immer beginnt, man würde die Hausfrau nicht enttäuschen müssen, es war erst neun. Schweigend nahmen wir unsere Plätze ein.

Die Gastgeberin ließ es sich nicht nehmen, den Kaffee selbst einzuschenken, kräftigen, stark gebrannten Kaffee, und wem es aus der Tasse dampfte, der durfte auch gleich probieren, und auf einmal war ein Seufzen am Tisch, ein Stöhnen, man seufzte und stöhnte mit geschlossenen Augen, freimütig, anhaltend, die unendliche Wohltat bezeugend, die man heiß im Schlund spürte – wir seufzten ungeübt mit und nickten zu dem vollständigen Bekenntnissatz, daß doch nichts über eine gute Tasse Kaffee gehe. Dann ein Wink, und die schönen Teller mit den gebutterten Brötchen begannen zu kreisen.

Sie kreisen immer, die Teller, niemand entgeht ihrer Forderung, zu nehmen und noch einmal zu nehmen. Wir trennten also die Mehrdecker, hoben die halben Rundstücke ab, die so aufeinanderlagen, daß auch die Unterseite kräftig Butter annahm, und es war ein zufriedenes Mahlen und Trinken, allerdings äugten wir, schon am Ende unserer Möglichkeiten, bestürzt auf die eigenen Teller, auf die stumme Zentrifugalkraft immer neue Brötchen brachte. Meinen hilfesuchenden Blick beantwortete die Hausfrau mit dem zweiten vollständigen Satz, sie sagte: Wir sollen es ganz gemütlich haben. Ich nickte dankbar, doch ich nickte zu früh; denn nachdem sich einige Gäste gestrafft, und das heißt: erwartungsvoll aufgesetzt hatten, trug die Hausfrau Platten mit blätterteigartigem Kranzkuchen auf, der gelblich schimmerte wie ein jütländisches Rapsfeld und gesprenkelt war von überschweren Rosinen.

1199

Jeder wußte, was an der Reihe gewesen war, jeder langte sachlich zu; wen die rotierende Platte erreichte, der war verurteilt zu nehmen. Mit glänzenden, schorfähnlichen Krümeln an den Lippen, die das *wienerbrød* nun einmal gern hinterläßt, stellten Nachbarn kurze Fragen, gaben kurze Antworten, ich konnte ihnen keine Aufmerksamkeit schenken, da ich angestrengt damit beschäftigt war, die drohend herankreisende Platte abzuwehren. Vergebens: Bei jedem Passieren geriet ein Stück fettigen, leicht gewärmten Kuchens auf meinen Teller und erinnerte mich unerbittlich an die Gesetze der Gastfreundschaft. Daß unser Kaffeedurst unstillbar sei, wurde einfach vorausgesetzt, schon dampfte die zweite, die dritte Tasse vor jedem Gast, der Duft Brasiliens erfüllte die jütländische Bauernstube, eine beginnende Magenschwere wurde aufgewogen durch unerwartete Hellhörigkeit und Schärfe des Gewahrens. Verwirrt blickte ich zum Ende der Tafel hinunter, wo zusammenhängend geflüstert und gelacht wurde.

Mühsam ausatmend, signalisierte mir meine Frau ihre Erschöpfung, ich antwortete mit zur Decke gerichtetem, ergebenem Kälberblick, hoffend, daß mit dem *wienerbrød* das Ärgste überstanden sei.

Doch kaum hatte ich mich zurückgelehnt, als ein Hügel von kränklicher Weiße gebieterisch auf mich zuschwebte, ein Gletscher, bedeckt mit bräunlichem Moränenschutt, waghalsig verziert mit Kirschen, die dem erstarrten Schaum sanft eingedrückt waren: die erste Großtorte, die *lagkage*, der Stolz der Hausfrau, den abzulehnen einer Beleidigung gleichgekommen wäre. Das vorzeitlich anmutende Ungetüm des Genusses wurde in die Mitte der Tafel gestellt, ein ererbtes Tortenmesser brachte ihm die erste Wunde bei, und dann wurde jeder namentlich aufgefordert, seinen Teller heranzureichen zum Empfang kiloschwerer, präzis geschnittener Batzen.

Wie viele Schichten waren da verständig übereinandergelegt, der Boden erinnerte an Jütlands sandgraue Küsten, die Füllung an seine dunkle Torferde, etwas Versteiftes, Klumpiges gemahnte an einheimische Hünengräber, und beim Anblick der lastenden Sahneschichten mußte ich an jütländische Winter denken. Der Moränenschutt, fast unnötig zu sagen, entpuppte sich auf der Zunge als Nußsplitter. Eine ganze Geologie der Gaumenfreude präsentierte sich uns da, und ich wäre in Andacht versunken, wenn Atemnot mir nicht zugesetzt hätte. Als zum zweiten Batzen lächelnd Kaffee nachgereicht wurde, kam tatsächlich ein angeregtes Gespräch unter meinen Nachbarn auf, soweit ich ihm unter dem Druck der Fülle folgen konnte, ging es um die ungerechten, jedenfalls drakonischen Steuergesetze, die dem Jütländer selbst das nehmen, was er sich angewöhnt hat als sein eigen zu betrachten. Nur noch lethargisch löffelnd, verstand ich, daß ein Sohn den Hof seines Vaters keineswegs übernehmen kann, er muß ihn in gewisser Weise kaufen und auf den Kaufpreis Steuern zahlen. Die Gletschertorte ließ mir gerade noch die Kraft, diese Praxis ebenfalls als ungerecht zu empfinden.

Plötzlich neigte sich mir mein Nachbar zu, zwinkerte und riet mir, den Teller rasch leer zu essen, da gleich die Napoleonschnitten »dran« wären, ein mit Vanillepudding gefülltes Labsal, schön zittrig unter glasiertem Blätterteig. Und kaum hatte der kreisende Teller ihn erreicht, als er mir auch schon zwei Stücke zuschaufelte, jedes so dick wie Tolstois »Krieg und Frieden«. Von Herzen zugetan, wollte er mir nur die Wartezeit ersparen. Ich aß, ich schwieg und aß, während sich das Gespräch an der Tafel immer spürbarer belebte, die Napoleonschnitten stifteten sogar Leidenschaft, ein heftiges Für und Wider um die Europäische Gemeinschaft entbrannte. Aus der Ferne bekam ich mit, daß der Süden Jütlands die Mitgliedschaft in der EG überzeugter guthieß als der Norden. Die Hausfrau trug, nicht ohne kleinen Triumph, gleich zwei Kaffeekannen herein und lobte mehrmals hintereinander ihre neue Kaffeemaschine. Zum Protest zu matt, ließ ich mir die fünfte Tasse füllen. Gequält blickte ich zu meiner Frau hinüber, sie musterte feindselig ihre Napoleonschnitte, stocherte nicht einmal; wenn sie sich überhaupt bewegte, so nur, um eine übriggebliebene Kirsche von der Gletschertorte aufzuspießen.

Auf einmal schrak ich auf. Fischer und Bauern begannen gerade, einander – der Tradition entsprechend – zu necken, als ich feststellen mußte, daß ich nicht mehr gerade sitzen konnte. Die Kaffeetafel zog meine Stirn an. Ich stand auf, stahl mich unter einem Vorwand auf den Hofplatz hinaus, probierte ein paar bange Schritte und blickte verlangend zu unserem Häuschen hinüber. Wenn es einen Brunnen gegeben hätte, ich hätte gewiß nicht versucht, meine Silhouette neben dem Mond zu finden. Tragisch verkürzt: So kamen mir meine Beine vor, der Leib kämpfte mit einem geradezu unwirschen Übergewicht, die Geschmacksnerven jauchzten, und hinter den Schläfen summte und zirpte es, als ob alle Telephonleitungen Jütlands dort hindurchliefen. Was da rhythmisch einen Vorschlaghammer in meiner Brust schwang, war ohne Zweifel mein Herz. Was mir einredete, ich könnte in diesem Augenblick georgische Lyrik in einen südjütländischen Dialekt übersetzen, war der Kaffeerausch. Die frische Luft bekam mir nicht, ich mußte zurück.

Der Teller an meinem Platz konnte mein Teller nicht sein, denn ich hatte ihn leer hinterlassen, und jetzt lastete auf ihm, plätteisengroß, ein naturfarbenes Stück Nußtorte, mit Buttercreme ehrlich angereichert, eine Spezialität der Hausfrau. Ich beäugte das Stück, stach es, stupste es mit dem Gäbelchen, fragte es ab: Es wollte nichts weiter als bewältigt werden. Meine Nachbarn bedauerten mich, sie waren mir ein Stück im voraus und stachelten mich an, sie einzuholen, lakonisch allerdings, nur soweit ihnen die erhitzte Debatte über dänische Staatsverschuldung Zeit dafür ließ. Ich dachte an Jütlands Hecken, an Holunder, Flieder und Haselnußbüsche und nahm die Nußschnitten an, apathisch und entschlossen zugleich. Mir war es gleichgültig, daß die Hausfrau, wie sie erzählte, die Nüsse eigenhändig geerntet und gerieben hatte, ich brachte kein Interesse mehr für die Behauptung auf, daß die unangemessenen Forderungen des perfekten Sozialstaates zu der bedenklichen Verschuldung des Landes geführt hatten, wie ein todmatter Koalabär, der seine einzige, lebenserhaltende Aufgabe im Eukalyptusblatt sieht, brockte ich die Nußtorte in mich hinein, einverstanden mit oblomowschem Schlagfuß, den ich auf mich zukommen sah.

Mit, sagen wir, abschiednehmendem Blick schaute ich zu meiner Frau hinüber, sie hatte es aufgegeben, hatte offenbar mit letzter Kraft der Nußtorte die Kuchengabel eingerammt, an deren Stiel jetzt nur noch ein Fähnchen fehlte, das weiße Fähnchen der Kapitulation.

Welch ein Zustand: Äußerste Wachheit hielt niederzwingender Trägheit die Balance, flackernde Aufgekratztheit behauptete sich neben Mühlsteinschwere. Meine Nachbarn beteuerten einander, daß sie sich selten »so gut zupaß« gefühlt hätten, und zum Zeichen ihres Wohlbefindens tischten sie einander Anekdoten auf.

Ihre Fürsorglichkeit mobilisierte einen letzten Schub von Lebenswillen, ich hob den Arm, mich ritt der Teufel, Hohn und Verzweiflung gaben mir eine Frage ein, über die ich erst später erschrak, die Frage nämlich: Wann kommt denn das Kleingebäck? Ich habe gelesen, daß zu einer jütländischen Kaffeetafel unbedingt Kleingebäck gehört. Überrascht sah die Hausfrau mich an, dankbar und überrascht, mein Verlangen ehrte sie, und ehe ich noch begriff, welch eine Falle ich mir selbst gestellt hatte, kreisten Schälchen mit dem berühmten Kleingebäck, Kringel, Schäumchen, Plätzchen, Taler aus Mürbeteig, mit und ohne Schokolade *småkager* in verführerischen Variationen, selbstgebacken. Das war es doch, worauf du gewartet hast, fragte die Hausfrau, und ich darauf: Ja, sehnsuchtsvoll gewartet. Der Kaffee, den ich mir widerstandslos einschenken ließ, war offenbar noch stärker geworden, eine ölig schimmernde Schwärze. Glaub mir, sagte mein Nachbar, danach wirst du sehr gut schlafen, wir jedenfalls brauchen das Zeug, um gut zu schlafen.

Kurz vor Mitternacht brachen wir auf, wohl versehen mit übriggebliebenen Kuchen und Kleingebäck – für den Fall, daß wir in der Nacht Lust bekämen, etwas zu knabbern. Wortlos schwankten wir heimwärts, nach einem Dank, der reichlich polternd ausgefallen war. Der Hund sprang bellend neben uns her, offenbar hatte sich unser Gang so verändert, daß er uns nicht mehr erkannte. Anstieg: Ich wurde das Gefühl nicht los, auf beschwerlichem Anstieg zu sein, ein gezuckertes, glasiertes Hügelland hinauf, eine Alp aus Mürbeteig und gefrorener Schlagsahne hinauf. Wir setzten uns ins Bett, sitzend erwarteten wir den Morgen.

Beispielhaft ist die Nachbarschaftspraxis in Jütland, nichts als wohlgemeint sind die Einladungen zu einer jütländischen Kaffeetafel. Wir haben sie überstanden, haben sie bis heute überlebt – für das bereitwillig gebrachte Schlafopfer reich entschädigt durch Erlebnisse und Erfahrungen, die nur hier möglich sind. Dennoch: Schade ist es um jede Einladung, die außer Freude auch Befürchtungen weckt. Aus rechtschaffenem Kummer möchte ich fragen, ob man dem Gast in

Jütland, der sich freudig vor einer Kaffeetafel findet, nicht zumindest einen Gang in der großen rituellen Kuchenschlacht ersparen könnte – sagen wir, um einen Anfang zu machen, das Kleingebäck. Denn merke: Die Besorgtheit um den Gast schließt auch seine Gehfähigkeit beim Nachhauseweg ein.

1981

Fast ein Triumph
Aus einem Album

Mit dieser Postkarte beginnt es: hier die zerbröckelnde Mole, dahinter der stille Hafen, kaum Möwen, wie Sie sehen, eine Zollbude, die seit Jahren vernagelt ist, und das kleine Schwimmdock neben dem Dück-dalben ist wohl für immer geflutet, zumindest erzählte Ihr Vater, daß die Flutkammern untauglich geworden waren, ach, der alte Eddie, ich meine: Ihr Vater, der hier auf dieser krummen, verworfenen Holz-brücke stand – an der früher, in betriebsamer Zeit, die Fähre anlegte – und noch nicht ahnte, was sein unscheinbarer Aufbruch für ihn und für andere bedeuten würde. Hier, sehen Sie, an dieser gespannten Leine war das Boot festgemacht, das er auf eine Anzeige gekauft hatte, zum Spottpreis, nach zähen, verdrießlichen Verhandlungen, wie Eddie mir und allen anderen hundertmal versichert hat. Noch bei Dunkel-heit war er von zu Hause aufgebrochen, zuerst zu Fuß, dann mit dem Bus und schließlich wieder zu Fuß, bis er hier in dem ausgestorbenen Hafen stand und gleich nach seinem Boot Ausschau hielt, das er in Empfang nehmen und allein überführen wollte, um die Kosten zu sparen: ein verklinkertes Boot mit betagtem Zweitaktmotor, zum Ru-dern eingerichtet – Ihr Vater und das Boot waren in gleichem Alter –, und die mittlere Ducht konnte den Mast aufnehmen für ein Hilfssegel. Aber das werden Sie gleich deutlicher erkennen.

Ja, da haben wir's: ein frühes Bild der »Silke«, unter neuem, perl-grauem Anstrich, der winkende Mann im dunklen Pullover – an der Pinne, sehen Sie? – ist der alte Besitzer, von dem Ihr Vater das Boot erworben hatte; eine Original-Photographie. Alles, Eddie hat alles zu-sammengetragen, was seinen Triumph bebilderte und bewies oder auch nur in entlegenem Zusammenhang mit ihm stand, und selbst als sein Album voll war, hörte er nicht auf, an Leute und Redaktionen zu schreiben, auf der Suche nach unbekannten Ansichten und Dokumenten. Da drüben unter seinem Kopfkissen hat er es aufgehoben, kein Tag, an dem er es nicht hervorholte und brütend durchging, ungewiß, furchtsam auch, als erwartete er Einsprüche oder Widerlegungen, gegen die er sich beizeiten absichern müßte. Die Prüfungen endeten jedoch ausnahmslos mit trotziger Zufriedenheit, wenn Sie wissen, was ich meine – und meist zog er danach los, das Album unter den Arm geklemmt, zog von Zimmer zu Zimmer und tischte unseren Leuten auf, was sie bereits auswendig kannten und offenbar dennoch nicht müde wurden, ein weiteres Mal zu hören. Wenn ihm etwas entfallen, wenn ihm der Faden gerissen wäre: ich glaube, so mancher hier im Altersheim hätte ihm dann das Stichwort geben können. Ja, so also sah in früherer Zeit die »Silke« aus, die Ihr Vater gekauft hatte und nun nach Hause überführen wollte – an der mittleren Ducht erkennen Sie den eisernen Haltebügel für den Mast –, und hier auf dem Fischkasten sitzt die strickende Frau des alten Besitzers, sie hat dem Boot ihren Namen gegeben; alles, meinte Eddie, was sie zum Leben zu sagen hatte, hat sie in Schals und Pullover und Strümpfe hineingestrickt.

Hier, dieser Farbdruck stammt aus einem Prospekt. Sie sehen den mageren Strand, Findlinge, dann die nierenförmige Halbinsel, um die herum ein gestrichelter Kurs führte, sein Kurs, den er zu nehmen gedachte, als er von der Holzbrücke in sein Boot hinabkletterte an einem verhangenen Morgen. Diese Sonne hatte er nicht, diese schmerzende Helligkeit, obwohl die See, wie wir alle nun wissen, an jenem Morgen träge und wie gedämmt war, nur ein mächtiges, ruhiges Heben aus der Tiefe, so sagte er, ein Tag, wohl geeignet zur Überführung des gerade erworbenen Bootes. Wenn er gewußt hätte, für welch lange Zeit er das Gespräch an der Küste beleben würde, er hätte es wohl gern gehabt, wenn ein Photograph zur Stelle gewesen wäre, um aus jedem Augenblick ein Fenster zu machen, ein Fenster auf seine Tat. Elf Seemeilen hatte Ihr Vater für die Fahrt errechnet, hier aus dem Hafen heraus, nordwärts in Sichtweite des Strands, und dann um die Halbinsel herum und bis zum alten Buchenwald, der die Küste besetzt hält, nach Hause.

Und hier nun dieser dunkle, weitläufige Schuppen, zu dem eine schmale Schienenspur hinaufführt, die bewachsene Slipanlage; Sie werden sich fragen, was die zu bedeuten haben. In unserm Haus könnte Ihnen jeder sagen, daß Eddie sich dorthin wandte, nachdem es ihm nicht gelungen war, den Zweitaktmotor anzuwerfen; fast eine Stunde

hatte er damit zugebracht, den Motor unter dem klotzigen Holzgehäuse zu starten, hatte ihn mit Zange und Schwedenschlüssel zu bearbeiten versucht, aber außer einem heiseren Fauchen gab er nichts
von sich, was Ihren Vater weder erbitterte noch zur Verzweiflung trieb;
denn in seiner Gerechtigkeit gestand er sich ein, daß er bei dem unerhörten Spottpreis, auf den er den Verkäufer gedrückt hatte, einen allzeit funktionstüchtigen Motor einfach nicht erwarten durfte. So be-
ratschlagte also Eddie sich mit sich selbst und ging dann zu diesem
Werftschuppen hinauf, um sich nach dem Preis für eine Überführung
seines Bootes zu erkundigen, fürs Schleppen; die Summe, die ihm von
einem bereitwilligen Mann genannt wurde, verschlug ihm den Atem;
sie lag, sagte Ihr Vater, bei einem Viertel des Kaufpreises. Sie kennen
seine Sparsamkeit, wissen vermutlich auch, wie stolz er auf seine Sparsamkeit war, und deshalb wird es Sie nicht wundern, daß er das Angebot des Mannes, den er vergeblich zu drücken versucht hatte,
schließlich ausschlug. Nie habe ich einen gekannt, der so sparsam war
wie Eddie; wenn er sich aus Versehen zuviel Salz aufs Ei streute, suchte
er die Krümel einzeln ab und gab sie dem Fäßchen zurück; ich weiß,
was ich von meinem Zimmergenossen sage.

Hier, auf dieser undeutlichen Photographie, haben Sie Ihren Vater in
seiner »Silke« beim Verlassen des Hafens; er rudert mit gebrauchten
Riemen, die er für einen Garantiepreis geliehen hatte; denn er hatte
sich nicht entschließen können, weder ein Paar neue noch diese gebrauchten Riemen mit ihren abgewetzten Ledermanschetten zu kaufen. Eddie merkt nicht, daß er photographiert wird, vom Sohn des
Werftmeisters übrigens, der weniger ihn als vielmehr den Hafen aufs
Bild bringen wollte in einem Augenblick, in dem sich alles zu sammeln
schien in bedrohlicher Ruhe. Doch wenn er auch nicht merkt, daß er
photographiert wird, so fühlt er doch wohl, daß man ihn beobachtet,
ihn, den sie an diesem Stück der Küste nur den Artisten nannten, mit
gleichbleibender Geringschätzung – aber das wissen Sie vermutlich.
Auch der Werftmeister hatte ihn seine Geringschätzung spüren lassen,
zumindest aber seine Nachsicht: mehrmals fragte er Eddie, ob er tatsächlich vorhabe, das schwere Boot rudernd um die Halbinsel zu bringen, durch die gegeneinanderlaufenden Strömungen dort, und als Ihr
Vater sagte: Was issen dabei?, soll der Werftmeister geantwortet haben:
Eben, was issen dabei für einen Artisten. Da Eddie noch nicht über die
Riemen verfügte, unterdrückte er jede weitere Bemerkung, er hatte ja

auch genug zu tun, um seine Erbitterung niederzuhalten und die steigende Wut. Sein Ruf jedenfalls, unter dem er zu Hause schon genug litt, hatte ihn auch hier eingeholt, und als der Werftmeister ihn darauf hinwies, daß bisher noch kein Einheimischer zu solch einem Unternehmen aufgebrochen war, will Ihr Vater geantwortet haben: Dann wird's Zeit. Eine flaue, hinterhergeschickte Warnung überhörte er.

Und das ist ein Bild der angewinkelten Außenmole, auf der Spitze das rotweiße Blinkfeuer, das auch damals schon außer Betrieb war, als Eddie in die graue, ermattete Einöde hinausruderte.

Hier nun, sonntäglich vertäut – nein, ich hab etwas überschlagen; zunächst kommt noch eine besondere Seite, eine Zeichnung der kleinen Bucht, an der er lebte, das Ziel seiner Fahrt, hier; den lang hinausgezogenen Steg, den er eigenhändig gebaut hatte und an dem sein Boot einen ruhigen Liegeplatz finden sollte, können Sie nicht sehen, denn diese stümperhafte Zeichnung wurde vorher angefertigt – schauen Sie nur diese explodierenden Buchen –, von einem Wandermaler. Ihr Vater ließ sich die Ansicht schenken. Da drüben, auf der Steilküste, Eddies Kate, Schwemmholz türmt sich an der Seite, an Beerensträuchern hatte er genug. Ich brauche Ihnen ja nicht zu sagen, warum er für sich leben mußte an diesem Ort, sie wollten ihn einfach nicht annehmen nach seiner Rückkehr, nicht annehmen. Kann sein, daß er sich zu überlegen aufführte und mit zu vielen unerbetenen Ratschlägen um sich streute. Kann sein, daß sie ihm das Beispiel neideten, das er ihnen gegeben hatte, ich meine: das Beispiel des Entkommens; denn wenn sie auch seinen Weg nicht verfolgten, so wußten sie doch – oder mußten es sich sagen –, daß er es draußen geschafft hatte; Eddie, der Artist, Spezialität Kraftakte. Sie gingen einfach auseinander, wenn er zu ihnen trat, ohne ein Zeichen, ohne Verständigung auseinander. Ich vermute, sie ließen ihn stehen und wiesen ihn ab, weil er ihnen durch seine besserwisserischen Reden die Fragwürdigkeit ihrer Gewohnheiten bewies. Sehen Sie nur die Buchen: Eddie war der einzige, der keine Erlaubnis besaß, Bruchholz zu sammeln nach den Herbststürmen.

So, und nun, sonntäglich vertäut, der Hochseekutter »Anja«, gefirnißtes Steuerhaus, wie Sie erkennen, Funkpeil-Anlage, starke Winschen. Eddie war nach eigener Schätzung zwei Seemeilen gerudert, als ihm die »Anja« auf Kollisionskurs entgegenlief, sie lief äußerste Kraft, ihre Bugsee ein Schäumen, ein Phosphoreszieren, sagte Ihr Vater, bei ihrem Anblick wußte er wieder, wo oben war in dem grauen unermeßlichen Raum. Er hat dieses Photo der »Anja« eingeklebt, weil ihre Männer die letzten waren, mit denen er nach seinem unerhörten Aufbruch sprach, etwa zwei Seemeilen vor der Küste, während der Hochseekutter beigedreht hatte und ein Decksjunge ohne Auftrag eine Leine aussteckte, einfach in der Annahme, daß Eddie sie aufnehmen und festmachen und sich dann in den Hafen zurückschleppen lassen würde. Ihr Vater fischte die Leine nicht auf, er hockte ruhig in seinem Boot, das korkengleich torkelte in den auslaufenden Wellen des Kutters, dann an der Bordwand entlangschrammte, so daß er einen Riemen einholen mußte. Hier, aus diesem Steuerhaus rief ihn der Kuttereigner an, ein unwirscher Mann, den Eddie vom Sehen kannte; der Eigner wies nur mit dem Daumen hinter sich auf die Seer hinaus, geradeso, als bereite sich da etwas vor, etwas nie Erlebtes, etwas Unabsehbares, dem man eben noch entkommen könnte, und er drohte Ihrem Vater: Nimm die Leine, Dorschkopp, mach die Leine fest, wir schleppen dich zurück. Jeder bei uns weiß, daß Eddie die achteraus hängende Leine vielleicht aufgenommen hätte, wenn der Kuttereigner nur schweigend gewartet hätte, doch in seiner Ungeduld raunzte er: Die Leine, du Artist! Da legte Eddie die Riemen aus und zog sie langsam durch, ebenmäßig, trotzig. Er sagte, das Boot wurde mit ungeheurer Sanftheit emporgetragen, er hatte das Gefühl, über eine verhalten dünende Ebene dahinzugleiten.

1207

Die ganze Zeit, in der ich mit Ihrem Vater ein Zimmer teilte, hielt er dieses Album unter seinem Kopfkissen verwahrt – sehen Sie, wie verdrückt und verbogen die Seiten sind –, er lieh es nie aus, gab es nicht ein einziges Mal aus der Hand, immer bestand er darauf, es selbst aufzublättern und alles zu erläutern mit düsterer Genugtuung. Hier, sehen Sie dieses Photo, ich weiß nicht, woher er es hat, die Wolken sind heruntergekommen, eine Wand von nebelgrauen Fäden über der See, die sich bald zu schmutzigen lappenähnlichen Gebilden verformten – so sagte Eddie –; schwefliges Licht und ein brutales, anschwellendes Brausen; er konnte beobachten, wie der Horizont zum Offenen hin sich tintig einfärbte. In Bahnen fegte der Wind übers Wasser, fegte sich glatte Streifen in die geriffelte Fläche hinein. So, genau so hat er's wahrgenommen, als er, die Küste immer noch in Sichtweite, seinen vorgegebenen Kurs ruderte und zuerst nur spürte, wie das Boot die Luftstöße auffing. Hier mußt du dir die »Silke« denken, sagte Ihr Vater zu mir, unter dem gleichen Himmel.

Und hier das Bild einer Jacht, die nicht allzuweit von Eddie entfernt stand, eine Luftaufnahme aus geringer Höhe, die Besatzung mußte das Schiff in den Wind schießen lassen, um das letzte Segel zu bergen. Sehen Sie nur, wie das glimmt, wie es nach dem Wellensturz kochend aufschäumt an vielen Stellen, so als sei ein Regen von Geschoßsplittern niedergegangen, ein geborstenes Schrapnell. Ihr Vater stand ostwärts, näher zur Küste hin, die sich ihm aber längst entzogen hatte und unsichtbar geworden war; er hatte die Orientierung bereits verloren, als der unterseeische Tumult entstand, wie er sagte, als die gedämmte, nur hier und da geriffelte Ebene, über die er hinruderte, sich schlingernd verzog und mächtig aufwarf und zuerst nur kurze gedrungene und dann immer längere Wellen aus sich herausbrachte. Die »Silke« trudelte und nahm Wasser über, doch mit seiner Kraft brachte er sie gegen die anlaufenden Seen und hielt sie, unentwegt rudernd; nur wenn es ihn hinauftrug auf einen zerrissenen Wellenkamm, hob er die Riemen an, verharrte, bis er hinabgeschossen war in ein brodelndes Tal; da zog er, gegen die Fußleiste gestemmt, wieder durch. In diesem Augenblick, sagte er uns, schwappte das Wasser schon knöchelhoch durch das Boot.

Das ist die Ansicht des Seenot-Rettungskreuzers »Hinrich Luusen«, ein Veteran an der Küste, ohne Tochterboot noch, einer der ersten unsinkbaren Kreuzer, die sich mit jedem Wetter anlegten. Hier liegt er gedrungen und unscheinbar im Hafen – später werden Sie ein anderes Bild von ihm sehen, ein Pressephoto. Eddie, Ihr Vater, wußte nicht, daß der Eigner der »Anja« Radio Küste verständigt hatte und daß auf seine Meldung der Rettungskreuzer sogleich ausgelaufen war, um den einsamen Ruderer zu suchen. Der hatte sich darauf verlegt, den Bug seines Bootes in den Wind zu halten, unter wütenden Schauern, die ihn gerbten und walkten, um ihn herum flogen Gischtfahnen, manchmal, sagte Eddie, warf es ihn so tief hinab, daß er glaubte, auf dem Meeresgrund aufzuschlagen. Er fragte nicht nach seinem möglichen Standort. Stellen Sie sich vor: Ihr Vater, der uns mehr als ein Rätsel aufgab, will zu dieser Zeit eine unverhoffte Genugtuung empfunden haben, eine Genugtuung, die wuchs und die ihm Ausdauer verlieh; dort draußen in all der Empörung erkannte er ein begrenztes Ziel für sich. Ach, Eddie, der Kraftakt, den er zum besten gab, lief unter dem Titel »Auf Biegen und Brechen«.

Hier ein Amateurphoto, das er entweder selbst gemacht oder in

Auftrag gegeben hat: ein zerbrochenes Ruder im Sand, die Stücke beispielhaft hingelegt, helle splittrige Bruchstelle – man könnte vermuten,
eine naheliegende allegorische Zusammenfassung, dekoratives Schei-
tern, nicht wahr, aber von Eddies Unternehmen nimmt es nichts vorweg, es bezeugt nur, was geschah, als das Boot unter einem Windstoß
krängte und er genötigt war, den Riemen gegen übermäßigen Druck
einzuholen. Er brach nicht beim Rudern. Er brach unmittelbar hinter
dem Blatt, als der Ausläufer einer Sturzsee ins Boot schmetterte und
Ihren Vater von der Ducht warf, so daß er mit dem Gewicht seines
Körpers auf den eingeklemmten Riemen fiel. Sehen Sie noch einmal
die Bruchstelle. Bedenken konnte er sich nicht, mit einer Holzschaufel
schöpfte er das hereingebrochene Wasser aus, kniend und hin und her
geschleudert, mit der Breitseite zur anlaufenden See treibend. Obwohl
er noch nie ein Segel gesetzt hatte und, wie er selbst zugab, nicht
einmal wußte, wie ein Boot unter einem Hilfssegel geführt werden
muß, entschloß er sich, den Mast aufzurichten; nach mehreren Versuchen stemmte er ihn in den Ausschnitt der mittleren Ducht hinein
und sicherte ihn mit dem eisernen Haltebügel. Es gelang ihm auch,
den wasserdichten Kasten aufzuwuchten, der das Hilfssegel barg und
Werkzeug und einen Satz Handfackeln, doch als er den rostroten,
imprägnierten Stoff weit genug herausgezerrt hatte, fiel ihn eine Bö an,
fing sich in ihm und riß ihn über Bord. Er sah, wie sich das Segel sofort
einschwärzte und davontrieb. Wir, die ihn gekannt haben, trauten ihm
zu, daß ihn in seiner Einsamkeit ein eigensinniges Frohlocken erfüllte:
zu ahnungslos, um sich selbst aufzugeben, vergaß er auch jetzt nicht
das Ziel, glaubte beharrlich an die veränderte Macht eines Beweises.
Ein vorgefaßtes Bild brannte in ihm.

Dies ein Ausschnitt aus einem bebilderten Spendenaufruf:»Seenot-
Rettungskreuzer im Einsatz«; hier müssen Sie schauen, gleich wird das
Boot aus dieser Schmettersee hervortauchen, sich schütteln, das rol-
lende Gebirge annehmen und sich emportragen lassen. Vorn am Turm
die großen Suchscheinwerfer.

Hier eine Postkarte: Sturm. In solcher Dunkelheit, unter ähnlichem
Drohhimmel trieb die»Silke« ruderlos in der See, das Boot hatte so
viel Wasser übergenommen, daß die Stücke des Riemens und die
Holzschaufel aufschwammen und der Kasten, der das Hilfssegel ent-
halten hatte, zu rutschen begann. Ihr Vater klammerte sich an eine
Ducht, später seilte er sich an. Das Boot lag jetzt tiefer im Wasser,

hatte, wie es Eddie vorkam, durch das zusätzliche Gewicht eine beruhigende Trägheit gewonnen, die dem Mann ein Gefühl der Sicherheit gab. Er hat es uns so nicht gesagt, aber die Leute hier im Heim zweifeln nicht daran, daß seine Selbstzufriedenheit zunahm, je länger er sich behauptete; wenn er hier durchhielte, würde er es ihnen zeigen können, er, der Artist. Vielleicht – ich kann das nicht entscheiden – fühlte er sich da schon in der Nähe eines Triumphs, Eddie, mit seinem Hunger nach Anerkennung.

Wie angekündigt, hier noch einmal der Rettungskreuzer »Hinrich Luusen«; dieses Photo mit Text hat Ihr Vater aus einer Zeitung ausgeschnitten, aber das erkennen Sie ja. So sah der Kreuzer aus nach seiner Sturmfahrt, so zerschlagen, verwüstet – nach seiner Suchfahrt, die Eddie galt. Ich möchte Sie darauf aufmerksam machen, daß die Flagge am Heck auf halbstock steht. Das Licht dieser Suchscheinwerfer lief über das Wasser, Eddie nahm es immer wahr, wenn er auf den Kamm einer Welle hinaufgetragen wurde, er sah deutlich die unruhig kreisenden Lichtarme, die sich überschnitten und heftig wegwanderten und wieder zusammenfanden, obwohl, wie er sagte, keine entschiedene Dunkelheit herrschte; mitunter trafen Lichter die herabgekommenen Wolken. Er schöpfte, er stand bis zu den Waden im Wasser und schöpfte; den Mast, so erzählte er uns, hatte er noch vor dem Erscheinen des Rettungskreuzers umgelegt. Daß die Suche ihm galt, will er sofort gewußt haben; bei dem Versuch, durch Winkzeichen auf sich aufmerksam zu machen, wurde er gegen das kantige Holzgehäuse des Motors geschleudert und verharrte eine Weile gekrümmt auf allen vieren. Die Handfackeln; warum er nicht die Handfackeln nahm, wollten hier alle von ihm wissen – ihr weithin wahrnehmbarer Schein, der sich ja gegen alles behauptet, hätte ohne Zweifel den Rettungskreuzer herangeführt –, worauf Ihr Vater immer nur die Achseln zuckte und den Leuten versicherte, daß sie sich als unbrauchbar erwiesen hätten, nicht alle, aber doch die ersten beiden, die er anzünden wollte.

Ach, Eddie, aus seinen nächtlichen Selbstgesprächen weiß ich, daß er die Handfackeln nicht berührt hat, daß er vielmehr in seinem Boot kauerte, das Gesicht an die Ducht gedrückt, und wenn er vielleicht auch nicht wünschte, unentdeckt zu bleiben, so tat er doch wenig oder nichts, um von dem wandernden Schein gefunden zu werden. Was er für diese Zeit zugegeben hat, war seine Furcht, daß die »Silke« umschlagen, kentern könnte.

Als die Suchscheinwerfer des Rettungskreuzers plötzlich erloschen – sie entschwanden und verloren sich nicht allmählich in der Weite, sondern setzten jäh aus, wie abgeschaltet –, will er nur angenommen haben, daß die Suche nach ihm aufgegeben war. Daß eine nie erlebte Sturzwelle den Kreuzer unter sich begrub und einen Mann der Besatzung mitnahm, hat er erst mehrere Tage später erfahren.

Hier eine Luftaufnahme der nierenförmigen Halbinsel; der gestrichelte Kurs ist der, den Ihr Vater zu nehmen gedachte, der gepunktete – ein Ergebnis eigener Schätzungen und Mutmaßungen – zeigt Ihnen, wie weit Sturm und Strömung das Boot versetzten; diesen vermeintlich wirklichen Kurs hat Eddie offenbar mehrmals korrigiert. Sehen Sie nur, wie weit es ihn forttrug, hier, in diesem Gebiet hat die »Hinrich Luusen« ihren Mann verloren, bis dorthin muß ihn also die See verschlagen haben, die zu ausdauernden Schlägen anrollende See. Er saß jetzt im schwappenden Wasser, das die »Silke« übergenommen hatte, schöpfte und beobachtete, was aus der fleckigen Dunkelheit anlief – so sagte er –, was anlief und wie mit Verzögerung in sich selbst zusammenbrach. Eddie versicherte uns, daß er die Ruhe aufbrachte, um hinter die Entstehung der gesammelten Wut zu kommen, in der er trieb und torkelte und geschüttelt wurde. Als einer hier ihm sagte: War wohl seinen Preis wert, dein Boot, antwortete Ihr Vater ihm: Ob du's glaubst oder nicht, damals nahm ich mir vor, dem alten Besitzer den Kaufpreis noch einmal zu überweisen.

Sehen Sie, er trieb hier auf die drei Sandbänke zu, geriet da wohl in Strömungen, die ihn versetzten, und ein umspringender Wind drückte ihn so weit zurück, daß er nördlich der Halbinsel, also hier etwa, zum ersten Mal nach siebzehn Stunden wieder Land erkannte, das heißt, er entdeckte nicht mehr als einen dunklen Strich, das war der Schilfsaum des Noors. Ich zweifle nicht, daß unser Eddie sich da in seiner Besessenheit als Gewinner fühlte, und wenn nicht dies, so doch als Besitzer eines Erlebnisses, an dem er neu gemessen werden wollte.

Und hier nun der Hubschrauber der Seenot-Rettungsstaffel nach seiner Notlandung: ein Pressephoto. Sie müssen wissen, daß er gestartet war, um Ihren Vater zu suchen, er flog mehrere Schleifen bis zu den drei Sandbänken, sichtete eine gekenterte Jacht und ein leeres Floß und schwang dann zur Küste und patrouillierte sie hinab. Kein Zeichen von Eddie. Der Sturm hatte sich erschöpft; geschnittene Rundhölzer und zerbrochene Kisten und Astzeug und Flaschen torkelten und rollten in der Brandung, wurden von langen Wellen im Überkippen dem Strand zugeschlagen, von unterlaufendem Sog zurückgeholt und in neuem Anlauf über die Flutlinie geworfen. Als er in den Schilfsaum des Noors gedrückt wurde, glitt Ihr Vater ins Wasser – es reichte ihm bis zur Hüfte, war überraschend warm –, nahm das Tau, mit dem er sich festgebunden hatte, auf den Rücken und zog und zerrte das Boot tiefer ins Schilf hinein, zentimeterweise, wie er sagte. Er will ganz benommen gewesen sein. Was unsere Leute hier immer wieder wissen wollten: ob er denn nicht müde gewesen sei nach allem Aushalten und erzwungenem Wachsein. Eddie gab ihnen darauf zu verstehen, daß seine Kraft gerade noch ausreichte, das im nachgiebigen Schilf liegende Boot leer zu schöpfen; ob er dann sitzend oder auf den Bodenbrettern ausgestreckt eingeschlafen ist, konnte er selbst nicht mehr sagen. Das Schilf rauschte, es hechelte und schlug mitunter über ihm zusammen. In solch einer Erschöpfung fragt keiner nach Zeit; später allerdings schien ihm daran gelegen, die Zahl der Stunden zu ermitteln, die er in der Deckung des Schilfs zugebracht hatte, einer sicheren Deckung, die ihn – ich sag es mal so – davor bewahrte, vom Hubschrauber aus entdeckt zu werden. Klopfend zog die Maschine über ihn hinweg, er wurde wach, er stieg auf die Ducht, um sich winkend bemerkbar zu machen, das heißt, er wollte auf die Ducht steigen, um sein nasses Baumwollhemd zu schwenken, doch er konnte sich nicht schnell genug aus dem an der Haut klebenden Hemd pellen, und als er es endlich geschafft hatte, strich die Maschine schon zur Halbinsel hinüber. Hier also der Hubschrauber nach der Berührung mit einer Hochspannungsleitung, sehen Sie den aufgebogenen, verdrehten Rotor, der Pilot wurde verletzt.

Das können wir überblättern: eine Ansicht des Noors, der tiefe Einschnitt der See, dunkel hebt sich der schlammige Grund darauf ab, sehen Sie die vielen Vögel im flachen Wasser, dort der ewig gewalkte Schilfsaum, der Eddie und sein Boot verbarg.

Hier, ja, hier nun ein Photo der »Silke«, sie ist vertäut an dem Steg, den Ihr Vater eigenhändig gebaut hat; beachten Sie die ungleichen Riemen. Das Behelfsruder konnte Eddie sich mit Hilfe des Werkzeugkastens zimmern, er tat es in seinem Versteck, brachte ein angeschwemmtes Stangenholz auf die nötige Länge, nagelte dieses verkürzte Brettstück an und umwickelte es zur Sicherheit mit Kupferdraht; und mit dem heilen Ruder, das ihm verblieben war, und dieser selbstgemachten Wasserschaufel machte er sich auf die letzte Etappe des Weges, nachdem es ihm gelungen war, das Boot aus der Umklammerung des Schilfs zu zerren und zu stoßen. Ruhig war die See, Eddie sagte: sie empfing ihn wie verausgabt, trübe und sandfarben unter der Küste, mit ermattetem Schnalzgeräusch, nur in der Weite erhielt sich ein Brausen. Er ruderte barfuß, mit nacktem Oberkörper, er ruderte parallel zur Küste und so, daß er verschont wurde von der schwach anlaufenden Brandung. Leider gibt es kein Bild von der letzten Strecke seiner Fahrt, doch ich bin sicher: wenn es eins gäbe, es wäre das Bild eines selbstzufriedenen, eines heiteren und womöglich hochgestimmten Mannes, der schon seine Vorwahl traf unter den Auskünften, die er würde geben müssen. Mir gestand er, daß er sich da noch nicht schlüssig war, wie er sich nach seiner Heimkehr verhalten sollte. Aus einem seiner nächtlichen Selbstgespräche erfuhr ich, wieviel ihm daran lag, es ihnen zu zeigen, es ihnen einmal und für immer zu zeigen. Er ruderte gemächlich, und wie ich Eddie kenne, war er sich der Herausforderung bewußt, die er für jeden darstellte, der von Land aus die See absuchte nach Zeichen und Spuren des gerade zu Ende gegangenen Tumults; er war der erste weit und breit, der sich wieder hinausgewagt hatte.

1213

Dies ein Photo des Mannes, der zur Besatzung des Rettungskreuzers gehörte und von einer Sturzsee außenbords gerissen wurde; ein Zeitungsausschnitt, hier die Lebensdaten. Lesen Sie, was Ihr Vater an den Rand geschrieben hat: Alles Erlebte verwandelt sich. Zu mir sagte er einmal: Auf einmal merkst du, daß dir das, was du erlebt hast, nicht mehr allein gehört.

Hier nun ein Sommerbild der Bucht, trocknende Netze am Strand, alte Männer, rauchend, vielleicht herrscht Feierabend. Als Ihr Vater, seit anderthalb Tagen überfällig, am Saum der Bucht entlang heranruderte, waren nur zwei Jungen am Strand, die prüften und bargen, was der Sturm ihnen gebracht hatte. Sie erkannten ihn sofort und streckten langsam ihre Körper und standen reglos da, gleich den Trockenpfählen; Ihr Vater sagte, eine Erscheinung hätte sie nicht fester anlöten können. Er war sicher, daß sie gleich auf den Holzsteg hinausstürzen würden, und er sah sich schon sitzen unter einem Regen von Fragen, doch plötzlich, noch bevor er das Tau in die Hand genommen hatte, lösten sie sich aus ihrer Starre und rannten davon zu den Hütten, den Katen. Zeugenlos legte Ihr Vater an und nahm sich sehr viel Zeit, sein Boot zu vertäuen; eine Weile saß er auf seinem Steg, ich möchte annehmen: er wartete. Den Mast der »Silke« lud er sich nur deshalb auf, weil er ihn, wie er uns erklärte, vor seiner Kate stehen haben wollte.

Und auf dieser Ansichtskarte erkennen Sie den Weg, den er damals mit dem Mast auf der Schulter gegangen ist. Die einzelnen Häuser, sehen Sie, jedes für sich, voll von Mißgunst und bitterem Verdacht – wie Eddie uns unentwegt versicherte. Er will leicht gegangen sein, seine Ankunft war gemeldet, am Mast baumelten seine zusammengebundenen Schuhe. Kein Haus, aus dem sie nicht vor die Tür traten bei seiner Annäherung. Sie traten nur vor die Tür, ohne bis zum Weg vorzugehen, keiner rief ihn an. Einen Augenblick war Ihr Vater versucht, das Schweigen, die Entgeisterung und Fassungslosigkeit für einen Ausdruck der Verblüffung zu halten, er lächelte einigen zu, bereit, stehenzubleiben, Auskunft zu geben, doch wen sein Blick traf, der wandte sich ab und ging ins Haus hinein, wie verletzt. Eine gewisse Art von Staunen, die er auf einigen Gesichtern fand, konnte er sich bis zuletzt nicht erklären. Hinter ihren Fenstern sah er sie reden, heftig, mit den gleichen wegwerfenden Gesten; sobald sie hinter den Fenstern waren, fanden sie ihre Sprache wieder. Und hier wird der Weg zum Pfad, der zu Eddies Kate hinaufführt. Ihr Vater wandte sich nicht um, er schleppte den Mast vors Haus, warf ihn ab und ließ sich auf die Holzbank fallen. Weit reicht von dorther der Blick über die Bucht und auf die freie See. Daß er die Kate auch deswegen verkauft hat, um die Rechnungen für Hilfeleistung bezahlen zu können, wissen Sie ja.

Hier, zum Schluß, noch einmal das Boot, die »Silke«. Ihr Vater gab sie dem alten Besitzer zurück, kostenlos; auch er ist jetzt bei uns hier im Heim, der Alte mit dem tabakbraunen Bart, er war Eddies geduldigster Zuhörer, sein bedachtsamster. Aber sooft er die Geschichte auch über sich ergehen ließ, man hörte nie einen anderen Kommentar von ihm als: Du hast einen Fehler gemacht, Eddie, du hast alles überlebt. Sie können selbst mit ihm sprechen, er wohnt gleich nebenan; und hier ist das Album, das ich Ihnen persönlich geben sollte; so wollte es Ihr Vater.

1981

Die Prüfung

In jeder Wegbeschreibung kommt heute zumindest eine Tankstelle vor, dachte Hartmut und bog, nachdem er die Verladerampe eines Versandhauses passiert und einen beschrankten Bahnübergang hinter sich gelassen hatte, vor einer neu errichteten, noch unbedachten Tankstelle ab und mußte gleich Doktor Crespien recht geben: der Weg war in der Tat noch nicht fertig. An tiefen, verkrusteten Radspuren, die von schweren Baufahrzeugen stammten, an lehmtrüben Pfützen, Steinhaufen und ausgekipptem Sand vorbei ruckelte und holperte er im ersten Gang den Weg hinab und pries still für sich die Federung seiner »Ente«. Doktor Crespien hatte sich am Telephon dafür entschuldigt, daß er im letzten Haus des Ibsenwegs wohnte, hatte wie zum Trost darauf hingewiesen, daß sämtliche Wege im sogenannten Dichterquartier noch nicht angelegt seien, und mehr oder weniger absichtsvoll war ihm eine Anspielung auf die Mühen rausgerutscht, die wohl jeder aufbringen muß, der sich Zugang zu etwas Neuem verschaffen will.

Vor dem Haus Nummer vierzehn hielt Hartmut; die spielzeughafte Gartenpforte war geschlossen; ein Kleinlaster, auf dessen Ladefläche Schubkarren gestapelt waren, versperrte die Auffahrt zur Garage. Wie bei allen anderen Häusern, die gerade bezogen worden waren, lag der Eingang an der Seite; man erreichte ihn über ausgelegte verdreckte Bretter. Obwohl es ein paar Minuten vor der verabredeten Zeit war, nahm Hartmut seine Kollegmappe vom Rücksitz und stieg aus und mußte unwillkürlich an Ulrike denken, die sich oft darüber amüsierte, wie er seine langen Gliedmaßen aus dem Auto herausbrachte. Er musterte die frisch verputzte Fassade, streifte mit einem Blick das große Fenster und glaubte zu erkennen, daß sich die Gardine sanft bewegte. Einen Augenblick war er unsicher, ob er nicht doch Blumen hätte mitbringen sollen, zumal da er wußte, daß die Crespiens gerade in ihr Haus eingezogen waren, doch dann gab er Ulrike recht, die in ihrer ruhigen besorgten Art festgestellt hatte: Deinem Prüfer kannst du keine Blumen bringen.

Doktor Crespien hatte ihn zu sich nach Hause eingeladen, um mit ihm über seine schriftliche Examensarbeit zu sprechen; wie sein Urteil ausgefallen war, hatte der Prüfungsbeauftragte am Telephon nicht gesagt. Freundlich und kollegial war seine Stimme gewesen, Hartmut war nahe daran, ein Gefühl der Ebenbürtigkeit zu empfinden, und

1215

weniger aus Bescheidenheit als aus Dankbarkeit hatte er sich mit jedem Terminvorschlag einverstanden erklärt. Auf Ulrikes Wunsch hatte er seine olivfarbene Cordhose angezogen und die weißen Turnschuhe mit einem feuchten Lappen abgerieben, und weil sie es wollte, trug er unter der Windjacke ein lindblaues Hemd und das Halstuch, das sie von einem Patienten geschenkt bekommen hatte.

Gewiß hätte es ihn weniger Anstrengung gekostet, über die Spielzeugpforte einfach hinwegzusteigen, doch da er damit rechnete, daß er beobachtet wurde, beugte er sich hinab, öffnete mit demonstrativer, belustigt wirkender Sorgfalt das Pförtchen und schloß es ebenso wieder hinter sich. Vorsichtig balancierte er über leicht wippende Laufbretter. Die frischgepflanzten Rhododendren, die jungen Blutbuchen und Edeltannen trugen noch die gelben Gütemarken der Baumschule. Über dem Klingelknopf war ein provisorisches Namensschild in Schreibmaschinenschrift angepinnt: Dr. Marius Crespien. Auf seinen Druck hörte Hartmut ein melodiöses Läutwerk im Innern des Hauses.

Wenn er gewußt hätte, wer ihm die Tür öffnen würde, wäre er wohl nicht im Ibsenweg erschienen; doch plötzlich stand sie vor ihm und lächelte ihn überraschungslos an. Ihr dunkles Haar war wie damals in der Mitte gescheitelt, ihr schönes, knochiges Gesicht hatte noch den alten Ausdruck von Offenheit und einer ahnbaren Härte. Sie trug eine enge dunkelblaue Hose und einen gleichfarbigen geräumigen Pullover, und wie in vergangener Zeit hatte sie die beiden winzigen Perlen als Ohrklipps angelegt. Hartmut erkannte, daß sie auf sein Kommen vorbereitet war. Während er ihre Hand nahm, hörte er sie sagen: Nun komm schon rein, mein Mann ist noch im Garten; sie legen einen Teich an. Aufgeräumt ging sie ihm voraus, schloß im Gehen die offenstehende Tür zur Gästetoilette, schubste mit dem Fuß ein Paar verschmierte Kinderstiefel in die Garderobe und gab ihm ein Zeichen, auf dem gefliesten, feucht glänzenden Fußboden behutsam zu gehen. Als ob ein schwerer Magnet ihn am Boden festzuhalten versuchte und er sich bei jedem Schritt mühsam lösen mußte: so angestrengt folgte er der Frau, ungläubig und herzklopfend und von der Einsicht bedrückt, daß es zu spät sei, sich jetzt noch unter einem Vorwand zu verabschieden. Gegen das einfallende Licht sah er die Silhouette ihrer Figur, die sich leicht und gelenkig bewegte, mit der Selbstsicherheit, die er in Erinnerung hatte; immer noch hatte sie die Angewohnheit, ab und zu mit den Fingern zu schnippen. Sie führte ihn in einen unerwartet großen, kaum möblierten Raum, von dem aus man auf die Terrasse und in den Garten hinaustreten konnte. Draußen knieten und standen einige Männer und ein kleiner Junge vor einer bescheidenen, nierenförmigen Wasserfläche; offenbar setzten sie Teichrosen. Hartmut spürte, daß sie ihn aus den Augenwinkeln musterte, spürte auch, daß sie ein Wort von ihm hören wollte, und er sagte: Schön habt ihr's hier, viel Platz. Ja, sagte sie, aber wie du siehst: es ist noch viel zu tun. Er sah dem Jungen zu, der einen Plastikeimer mit Schilfschößlingen schleppte, und ohne es zu wollen, fragte er: Euer Junge? Nein, sagte sie, wir sind erst zwei Jahre verheiratet; es ist der Junge meiner Schwägerin, sie hatte einen Autounfall. Ihre Stimme war sachlich, freundlich, sie verriet nicht, ob etwas zurückgeblieben war aus der Zeit ihrer Gemeinsamkeit, Groll etwa oder Enttäuschung. Er war sicher, daß ihr nicht daran gelegen war, das unverhoffte Wiedersehen zu benutzen, um Schuld zu erörtern, Rechtfertigung anzubringen. Sie entschuldigte sich und ging hinaus in den Garten, um seine Ankunft zu melden, und während sie sich entfernte, sah er sie und sich in dem Sessellift sitzen, der sie den langen, blendenden Hang emportrug, höher und höher, über verschneite Kiefern hinweg, vorbei an kantigen grauen Felsen, bis zu dem Plateau, von dem aus ihnen das Dorf und der Gasthof, in dem sie wohnten, winzig und rührend vorkamen.

Es hatte einige Tage gedauert, ehe er ihrem Drängen nachgab und sich ein Paar Skier gegen Bezahlung lieh, nicht um einsame Wanderungen zu machen, sondern um am Fuß des Hangs gemütlich hin und her zu gleiten und darauf zu warten, wie sie, eiförmig zusammengeduckt, Bodenwellen kraftvoll ausgleichend, in Schußfahrt zu ihm herabgesaust kam. Sie war eine sehr gute Läuferin. Wenn sie zwei, drei Abfahrten genossen hatte, begleitete sie ihn auf den Anfängerhügel und brachte ihm Schneepflug und Telemark bei, und da er als Schüler in den Winterferien ein paarmal auf den Brettern gestanden hatte, machte er rasche Fortschritte und ließ sich lächelnd belobigen. Etwas aber gelang ihnen nicht: ihre Vorlesungsnotizen über den europäischen Schelmenroman zu vergleichen, sie zu ergänzen und sich gegenseitig abzufragen. Sie fühlten sich so müde, daß sie es zehn Stunden aushielten unter dem monströsen Zudeck im Gasthof »Zur Sonnenuhr«.

Hartmut sah, wie Doktor Crespien sich im Teich die Hände wusch und sie an seinen Hosen trockenrieb, danach besprach er sich mit den

Arbeitern, wischte dem Jungen übers Haar und kam zur Terrasse herauf, ein schlaksiger Mann, grauhaarig, von schwer bestimmbarem Alter. Sibylle könnte bei ihm gehört haben, dachte Hartmut, vielleicht hat sie sogar Examen bei ihm gemacht.

Sie müssen entschuldigen, sagte Doktor Crespien zur Begrüßung, aber bei uns geht es noch zu wie bei Familie Maulwurf, und er gab seinem Besucher die Hand und zog ihn gleich mit sich in sein Arbeitszimmer, in dem Bücherkartons auf dem Boden standen und Stapel von Zeitschriften das Fensterbrett besetzt hielten. An den Wänden waren Kinoplakate angepinnt: Humphrey Bogart, Ingrid Bergman und James Dean musterten mit verpflichtendem Blick den Besucher; auf einem eingebauten Schränkchen im Bücherregal stand ein Plattenspieler. Doktor Crespien, der einen Jeansanzug und Stiefeletten mit erhöhtem Absatz trug, nahm lässig Platz und drehte sich aus schwarzem, krausem Tabak eine Zigarette. Auch eine? fragte er. Danke, sagte Hartmut, ich hab's mir abgewöhnt. Während sein Prüfer sich die Zigarette ansteckte, bemerkte er, daß die Haut über seinen Handrücken knittrig und schlaff war und daß die Wangen beim kräftigen Inhalieren feine Furchen zeigten. Die geröteten Druckstellen auf dem Nasenrücken stammten gewiß von der Nickelbrille, die auf dem braunen Schnellhefter lag – Hartmuts Schnellhefter.

Tja, lieber Hartmut Goll, sagte Doktor Crespien und unterbrach sich sogleich, als seine Frau den Tee brachte und ihnen riet, noch zwei Minuten mit dem Einschenken zu warten. Hartmut war sicher, daß sie ihm nicht nur höflich, sondern auch heiter-verschwörerisch zunickte, nachdem sie eine Tasse und ein Schälchen mit Schokoladenkeksen vor ihn hingestellt hatte. Einen Augenblick blieb sie unschlüssig an der Tür stehen. Soll ich Mutter auf morgen vertrösten? fragte sie. Tu das, mein Frettchen, sagte Doktor Crespien und wollte sich wieder Hartmut zuwenden, als ihm offenbar noch etwas einfiel, das von Wichtigkeit war; er ging hinaus auf den Gang.

Frettchen nennt er sie, dachte Hartmut, mein Gott! Er hörte, wie Doktor Crespien mehrmals »super« sagte und ein Schnalzgeräusch produzierte, mit dem er höchste Zufriedenheit bekundete, und die war ihm noch anzusehen, als er, Eddie Cochrans »Summertime Blues« summend, zurückkehrte. Gutgelaunt schlug er den Schnellhefter auf, las, zunächst indem er das Manuskript von sich abhielt, entschied sich jedoch bald, die Brille aufzusetzen, und überflog so, als müßte er sich rasch den Inhalt in Erinnerung bringen, die ersten Seiten. Ein Schatten am Fenster ließ Hartmut aufblicken: draußen balancierte Sibylle in einem Anorak mit rotweißem Zackenmuster über die ausgelegten Bretter, auch sie stieg nicht einfach über die niedrige Gartenpforte, sondern öffnete und schloß sie mit ironisch anmutender Sorgfalt.

Es war derselbe Anorak, den sie auch damals trug, als sie gemeinsam durch den Pulverschnee zogen, hinauf durch eine schattige Waldregion zu der gemächlichen Piste, die um den Berg herumführte und wie für Anfänger angelegt war. Der blendende, spurlose Hang – tief unten war ein zugefrorener See zu erkennen – wirkte auch auf ihn wie eine Versuchung, und er konnte es verstehen, daß Sibylle, nachdem sie ihn flüchtig geküßt hatte, plötzlich herumschwang und, sich immer mehr duckend, hinabsauste. Glitzernde Wolken stiegen auf, wenn sie wedelte. Den Bergski nur schleifen lassend, flitzte sie in eleganten Bogen auf eine Kieferngruppe zu, verschwand für einige Sekunden – nicht hinter den Bäumen, sondern weil sie einen unerkennbaren Steilhang hinabstürzte – und tauchte als schnell beweglicher Punkt oberhalb des Sees auf. Da trat er aus der Spur und fühlte sich sogleich gewaltsam fortgezogen, das immer schnellere Gleiten löste eine spontane Freude in ihm aus, der Fahrtwind, den er als wohliges Sengen auf den Wangen spürte, ließ ihn die Geschwindigkeit genießen. Den Sicherheitsbindungen vertrauend, nicht so geduckt wie Sibylle und die Skier weniger dicht beieinander als sie, schoß er hinab, bestrebt, sich in der Nähe ihrer Spur zu halten. Seine Augen begannen zu tränen. Unruhig, als ob sie schlingerte, wuchs die Kieferngruppe vor ihm auf. Plötzlich erkannte er vor sich eine Anzahl brauner buckliger Inseln auf der weißen Fläche. Ausweichen konnte er ihnen nicht mehr. Und dann trug es ihn hoch, die Skier kreuzten sich, und bevor er stürzte, sah er sich auch schon stürzen in einer Wolke von Schnee, sah in einer einzigen Sekunde, alles vorwegnehmend, wie die Stöcke davonflogen und er sich überschlug und vor einer Kiefer hängenblieb. Als er zu sich kam, lag er festgeschnürt auf einem niedrigen Metallschlitten.

Okay, sagte Doktor Crespien und legte das Manuskript auf den Tisch, ich mußte mich nur noch mal vergewissern. Er zündete die Zigarette, die ausgegangen war, ein zweites Mal an, schenkte Tee ein, schob Hartmut die Schokoladenkekse hin, setzte sich bequem zurück und ließ ein Bein über die Stuhllehne hängen. Tja, mein Lieber, das ist ja nun für Sie der zweite Anlauf, und Sie dürfen mir glauben, daß ich weiß, was es für Sie bedeutet, sagte Doktor Crespien und fragte schnell und beiläufig:

Sie sind verheiratet, nicht wahr? Ja, sagte Hartmut. Und Kinder? Eine Tochter. Lieber Hartmut Goll, sagte Doktor Crespien, Ihre Arbeit, Ihre Interpretation ist im großen und ganzen zufriedenstellend, das möchte ich zunächst einmal festhalten. Sie haben den Sinngehalt von Quednaus Novelle ausreichend herausgearbeitet, wenngleich ich Ihnen sagen muß, daß wir in der Bewertung gewisser Verhaltensweisen nicht unbedingt übereinstimmen. Das Kapitel »Historische Parallelen« ist vorzüglich. In Ihrer Zusammenfassung, scheint mir, haben Sie etwas zu wenig berücksichtigt; ich meine, bei der Figur des Bildhauers Hugo Purwin. Die stilistische Überarbeitung, auch das möchte ich erwähnen, ist dem Ganzen sehr bekommen. Hartmut sah seinen Prüfer verblüfft an, denn er konnte sich nicht daran erinnern, seine Interpretation stilistisch überarbeitet zu haben, jedenfalls nicht auf so erkennbare Weise, daß es eigens erwähnt zu werden verdiente.

Sehen Sie, sagte Doktor Crespien, dieser Bildhauer Purwin, die Hauptfigur der Novelle, führt uns zwei Haltungen vor, die durchaus verbindlichen Wert haben: die kompromißlose Haltung des Künstlers auf der einen Seite, und auf der andern die Haltung eines Menschen, der versteht und verzeiht. Sind wir uns darin einig?

Sicher, sagte Hartmut, doch das ist ja in dem Kapitel angedeutet, in dem die Handlung referiert wird; der Besuch des Staatslenkers im Atelier seines Schulfreundes Hugo Purwin. Der Machthaber kommt da zum Bildhauer, beide erinnern sich, reden von ihren Lehrern, trinken gemeinsam; es ist ein fröhliches Wiedersehen. Nach dem Abschied entdeckt der Bildhauer einen Umschlag voller Bargeld: den Vorschuß für das Standbild, das er von seinem ehemaligen Schulfreund anfertigen soll.

Eben, lieber Hartmut Goll, aber hier vermisse ich Ihre Feststellung, daß es für den Bildhauer von der ersten Stunde an keine andere Antwort gab als ein Nein. Er bleibt selbst dann bei seiner Weigerung, als er erfährt, daß einige seiner Arbeiten auf höhere Weisung vom Nationalmuseum angekauft wurden. Der wirkliche Künstler kennt keine Dankbarkeit; um keinen Preis läßt er sich auf Kompromisse ein.

Gut, sagte Hartmut, aber eines Tages entdeckt Hugo Purwin, daß seine Frau nicht, wie er es erwartet hat, den ganzen Vorschuß zurückgab, sondern etwas abzweigte für den Lebensunterhalt. Die Schulden sind beträchtlich. Als der Bildhauer dies entdeckt, wird er nachgiebig, wird er kompromißbereit.

Ja, sagte Doktor Crespien und lächelte, ja, aber der Kompromiß, zu dem er sich bereit findet, ist die Antwort des Künstlers an einen Machthaber, der davon überzeugt ist, daß alle in der Welt käuflich sind. Purwin verfertigt das Standbild, ja, aber das erste Mal stellt er den Staatslenker mit einer Augenklappe dar und das zweite Mal ohne Ohren, was bei der Enthüllung Entsetzen und Gelächter hervorruft. Was der Bildhauer von seinem Schulfreund hält, sagte Hartmut, das kann man ja auch daran sehen, daß er mehrere Gefängnisstrafen bereitwillig auf sich nimmt. Richtig, sagte Doktor Crespien, die Strafen scheinen die Bestätigung dafür, daß die beabsichtigte Verunglimpfung gelungen ist. Das, finde ich, haben Sie klasse dargestellt, und Ihre »Historischen Parallelen«, ich erwähnte es schon – also der Teil, in dem Sie das Verhältnis von Kunst und Macht am Beispiel abhandeln –, überzeugen in jeder Hinsicht, überzeugen, ja. Die Rolle der Frau hingegen, ich meine Purwins Frau, scheint mir nicht angemessen dargestellt zu sein. Von ihr heißt es ja an einer Stelle, ihre Lieblingsblume sei die Bauernrose, und damit wird doch nichts weniger angedeutet, als daß diese schlichte, üppige, genügsam in sich selbst ruhende Meta ein Geschöpf von schöner Durchschnittlichkeit ist. Obwohl sie Purwin Modell gestanden hat, äußert sie sich niemals über seine Arbeit – und er selbst ließe sie auch kaum zu Wort kommen. Sie ist die schweigsame, besorgte, keineswegs aber nur ergebene Gefährtin.

Es klopfte, und ohne abzuwarten, öffnete der Junge, den Hartmut am Teich gesehen hatte, die Tür, ging zu Doktor Crespien und versuchte ihn vom Stuhl zu ziehen. Schnell, sagte er, du mußt jetzt kommen, sie setzen die Fische ein. Wartet noch ein bißchen, dann komme ich, sagte Doktor Crespien, und der Junge darauf: Ein Fisch ist schon fast tot, du mußt gleich kommen. Seufzend gab Doktor Crespien nach, er stand auf und stellte Hartmut frei, ebenfalls hinauszukommen, um das Einsetzen der Fische zu beobachten, doch sogleich zeigte er auch Verständnis für Hartmuts Wunsch, im Arbeitszimmer zu warten. Schenken Sie sich noch Tee ein, mein Lieber, es dauert nicht lange.

Hartmut blickte auf den braunen Schnellhefter, auf dem sein Manuskript lag; er war allein, mit einem Griff hätte er seine Arbeit heranholen und sich Klarheit darüber verschaffen können, welche stilistischen Verbesserungen Doktor Crespien gelobt hatte. Er wagte es nicht – vielleicht, weil ihn aus gestepptem Lederrahmen Sibylles Photo anlächelte. Sie trug den Anorak mit rotweißem Zackenmuster, holte zum Wurf mit einem Schneeball aus und lächelte und zeigte dabei einen schiefen Vorderzahn.

Mit diesem Lächeln war sie zu ihm hereingekommen, als er im Streckverband lag, in dem kleinen, sonnendurchfluteten Spital, mit Aussicht auf den zugefrorenen See. Er wußte zunächst gar nicht, was alles er sich zugezogen hatte bei seinem Sturz und dem Aufprall auf den Kiefernstamm, man hatte nur einen komplizierten Bruch und einen Nierenriß zugegeben. Das Sprechen machte ihm Mühe. Sibylle hielt sich an die Besuchszeiten, sie brachte ihm Blumen und Obst, saß lesend auf dem Besucherstuhl, und manchmal, wenn er eingeschlafen war, ging sie ohne Abschied. Sie machte ihm keine Vorwürfe dafür, daß er ihr auf dem schnellen Hang gefolgt war. Sie bedauerte ihn, sprach ihm gut zu, doch bei allem zeigte sie eine eigentümliche Scheu, ihn zu berühren. Ihre Abreise verschob sie zweimal; bei ihrem letzten Besuch versprach sie, ihn »heimzuholen«, wenn es soweit sei. Er dankte ihr und lag dann da und grübelte und konnte sich nicht erklären, warum er nach ihrer Abreise erleichtert war.

Es lag nicht an Ulrike, damals nicht; denn von ihr, die pünktlich nach ihm sah, ihm das Essen brachte und das Bett aufschüttelte, wußte er kaum etwas – oder allenfalls soviel, daß sie die Nachtwachen freiwillig übernahm und dabei nicht las, sondern klöppelte. Erst nach und nach erfuhr er, daß ihr Vater Lebensmittelchemiker war und daß sie ihr Studium der Kirchenslawistik abgebrochen hatte, um Krankenschwester zu werden. Einmal sagte er zu ihr: Ob Sie's glauben oder nicht, Ulrike, ich beneide jeden, der Ihr Patient ist.

Ein Telephon läutete. Es stand auf dem Fußboden, zwischen Bücherkartons, und Hartmut überlegte, ob er Doktor Crespien rufen oder einfach selbst den Hörer abnehmen sollte, als Sibylle hereingelaufen kam. Sie winkte ihm einen Gruß zu, hob ab und drehte sich zur Wand, ihre Stimme nahm einen werbenden Ton an, mitunter hörte sie sich an wie eine Kinderstimme, die um Verständnis bat, etwas gelobte und in Aussicht stellte. Tickend schlug sie dabei mit der Schuhspitze gegen die Fußbodenleiste. Offenbar hatte sie mit der angenommenen Stimme keinen Erfolg, denn auf einmal sprach sie entschieden und gefaßt, und Hartmut mußte plötzlich daran denken, wie sie am Tag seiner Abreise vor dem kleinen See standen, auf dem bläulich schimmernde Eisschollen trieben. Wie sie es versprochen hatte, war Sibylle gekommen, um ihn »heimzuholen«, doch beide merkten, daß sich etwas verändert hatte, schon bei ihrem letzten Gang um den See. Liebst du mich nicht mehr? Doch; aber vielleicht nicht genug. Und du? Es ist nicht mehr so wie früher; ich weiß auch nicht, wie es kommt; vielleicht haben wir angefangen, zu überlegt zu handeln.

Sibylle war ein bißchen verärgert, als sie den Hörer wieder auflegte, sie schüttelte den Kopf, lächelte aber gleich wieder und fragte ihn, ob sie ihm Tee nachschenken dürfe. Hartmut zeigte ihr an, daß er sich bereits selbst bedient hatte; er lobte den Tee, er nannte ihn stimulierend. Aus ihrem suchenden, unsicheren Blick schloß er, daß sie sich gern zu ihm gesetzt hätte, sie erfaßte auch die Lehne des Schreibtischstuhls, doch beim Anblick seines braunen Schnellhefters zögerte sie und fragte leise: Seid ihr euch einig? Teils, teils, sagte Hartmut und hob die Schultern. Ich habe deine Arbeit gelesen, sagte sie, ich finde sie gut; genauer kann man Quednaus Novelle nicht interpretieren. Du hast doch nichts dagegen, daß ich mal reinschaute? Er schüttelte den Kopf. Die »Historischen Parallelen« haben mir besonders gefallen, sagte Sibylle, und er darauf: Ich glaube, daß wir den Begriff »Kompromiß« verschieden auslegen, dein Mann und ich. Sibylle schien nicht überrascht; eher erheitert und bereit, ihm zuzustimmen, sagte sie: Vielleicht liegt es daran, daß er nicht unserer Generation angehört. Erstaunt, wie frei und sachlich sie sich äußerte, sah er sie verwundert an, und ermutigt durch das Gefühl, daß sie sich über ihre Wiederbegegnung freute, fragte er: Hast du bei ihm Examen gemacht, bei deinem Mann? Ja, sagte sie, allerdings, damals war er noch nicht mein Mann; und damit du es weißt: ich bin nur so mit Ach und Krach durchgekommen. Und – eine Anstellung, fragte Hartmut. Anstellung? fragte sie belustigt und bitter zugleich; wir machen unsere Examen für einen Platz im Wartesaal, in einem Wartesaal, in dem nie ein Zug aufgerufen wird. Sechzigtausend sind noch vor uns.

Sie hörten eine Tür zufallen und gleich darauf die Schritte von Doktor Crespien und die gepfiffene Melodie von »Words«. Ich drück dir die Daumen, sagte Sibylle schnell, aber ich weiß, du schaffst es. Bei ihm brauchst du nur in Gegensätzen zu denken, alles fängt sich für ihn in Satz und Gegensatz: wer die aufspürt, hat die Gleichung des Lebens gefunden. Hartmut wollte noch etwas sagen, er wollte sich vergewissern, ob sie seinen Text stilistisch geglättet hatte, doch da trat schon Doktor Crespien ein, aufgeräumt, zwinkernd, und mit gespieltem Ernst zitierte er: Pisces natare oportet ... die Fische wollen schwim-

1223

men, und nun schwimmen sie, alle fünf. Ich werde sie gleich mal füttern, sagte Sibylle und fügte beiläufig hinzu: Deine Mutter hat eben angerufen; sie maulte ein wenig, aber ich habe sie auf morgen vertröstet.

Während Doktor Crespien sich eine Zigarette drehte, empfand Hartmut auf einmal ein vages Mitleid mit seinem Prüfer, einen Grund hätte er kaum nennen können, er fühlte nur, daß dieser Mann ihm leid tat. Und in diese Empfindung hinein sagte Doktor Crespien: Wir waren bei der Frau des Bildhauers, bei Meta Purwin, einer üppigen, ländlichen Erscheinung, die sich nie über die Arbeit ihres Mannes äußert, die bei Einladungen nur ißt und zuhört. Eine Bauernrose. Aber das ist nicht immer so, sagte Hartmut, es gibt Augenblicke, in denen der Bildhauer ihr nicht nur das Wort läßt, sondern sie beinahe liebevoll ums Wort bittet. Gut, sagte Doktor Crespien, aber bei welchen Gelegenheiten geschieht das? Immer dann, sagte Hartmut, wenn der Bildhauer von seinen Verhaftungen erzählt; er kann sich an kein Datum, kann sich nicht an die Umstände der Verhaftungen erinnern; dies aufzubewahren und zu erzählen, überläßt er ausschließlich seiner Frau. Na also, sagte Doktor Crespien, in Ihrer schriftlichen Arbeit haben Sie es nicht so präzis dargestellt. Es ist doch klar, sagte Hartmut: Hugo Purwin weiß, daß seine Frau jedesmal, wenn er abgeholt wurde, mehr zu ertragen, zu leiden hatte als er selbst, und deshalb sieht er es als ihr Vorrecht an, die schlimmen Daten aufzubewahren. Und nach einer Pause fügte er hinzu: Es ist ein Ausdruck von Liebe und Dankbarkeit. Ja, sagte Doktor Crespien gedehnt, ja, und was ergibt sich daraus im ganzen? Wenn man es auf Satz und Gegensatz bringen will, sagte Hartmut mit gesenkter Stimme, dann könnte man feststellen: der Künstler kennt keine Dankbarkeit – der Mensch ist sie sich schuldig.

Doktor Crespien sah ihn überrascht an, dann huschte ein müdes, ironisches Lächeln über sein Gesicht; wieder ließ er ein Bein lässig über die Stuhllehne baumeln und vertiefte sich noch einmal in Hartmuts Manuskript. Lesend fragte er: Hat Professor Collwein sich schon bei Ihnen gemeldet? Nein, sagte Hartmut. Aber Sie wissen, daß er Ihr anderer Prüfer ist? Ja, ich weiß. Wir haben uns auch noch nicht abgestimmt, sagte Doktor Crespien, deshalb ist mir nicht bekannt, wie er Ihre Arbeit benotet. Gleichwohl, lieber Hartmut Goll, wir sind ja erwachsene Leute: ich glaube, es läßt sich vertreten, wenn ich meine Note heraufsetze; Sie können mit einem »gut« rechnen. Hartmut hatte den spontanen Wunsch, sich zu bedanken, hielt es jedoch für unangebracht und stand auf und merkte auf einmal, wie schwer es Doktor Crespien fiel, sich zu erheben. Er machte eine resignierte Geste und gab vor, daß sein Bein eingeschlafen sei. Dann rief er seine Frau. Sei so lieb, mein Frettchen, und bring unsern Gast an die Tür; das sagte er, und Hartmut erkannte, wie Sibylle die Lippen zusammenpreßte bei diesem Kosewort, gerade als müßte sie sich gegen einen Schmerz wehren. Sie gaben sich die Hand. Lange hätte Hartmut den Blick Doktor Crespiens nicht ausgehalten, diesen sprechenden, diesen bekümmerten Blick; obwohl es seiner Art widersprach, verließ er das Arbeitszimmer mit einer angedeuteten Verbeugung.

Schweigend gingen sie nebeneinander den Gang hinab, auf dem Drücker der Tür berührten sich ihre Hände. Danke, sagte Hartmut, danke für alles; ich werd's nicht vergessen. Wieso, sagte sie, so muß es doch sein, wenn man unter einer Decke steckt, oder? Für mich jedenfalls muß es so sein. Du hast mir, sagte er und konnte den Satz nicht vollenden, denn mit komplizenhaftem Zwinkern flüsterte sie: Wenn es dir Erleichterung verschafft: du bist nicht der einzige. Sie zog die Tür auf und winkte ihm aus gebeugter Haltung nach, während er über die verdreckten Bretter balancierte und sich darüber wunderte, daß sie noch nicht gemerkt hatte, wieviel Doktor Crespien wußte und ihr zugestand.

1981

Die Bergung

Sie Mach ruhig das Licht an.

Er Du bist noch nicht im Bett?

Sie Ich hab gewartet.

Er Es muß gegen drei sein.

Sie Ich hab Übung.

Er Die Kinder?

Sie Hab ich dich richtig verstanden? Fragtest du nach den Kindern?

Er Hör schon auf ... Schau dir an, wie's draußen regnet ... Ohne Mantel – ich war bis auf die Haut naß geworden ... Hat Oswald Ärger gemacht?

Sie Die Gläser stehen immer noch da.

ER Was?

SIE Ich sagte, die Gläser sind auf der Anrichte. Du willst doch sicher noch etwas trinken.

ER Ich hab dich nach Oswald gefragt.

SIE Dein Onkel schläft, hoffentlich. Er wollte nicht mit uns essen ... Er hat sich eingeschlossen.

ER Warum?

SIE Warum? Er hat sein Zimmer auf den Kopf gestellt ... Dann erklärte er mir, daß er mit uns nichts mehr zu tun haben will ... Mehr weiß ich nicht.

ER Wir müssen nachsichtig mit ihm sein.

SIE Willst du nichts trinken?

ER Was ist los, Doris? Was ist los mit dir?

SIE Ich stell mir vor, daß es zu so einer nächtlichen Heimkehr gehört ... Der ermüdete Sieger kommt nach Hause ... Bei einem letzten Schluck bilanziert er den Tag ... Du kannst drei Tage bilanzieren.

ER Du fragst mich nicht, wie alles gegangen ist?

SIE Ich kenne deine Antworten.

ER Und warum wartest du auf mich? Warum hockst du im Dunkeln und wartest auf mich?

SIE Vielleicht – ich wollte sehen, wieviel noch übriggeblieben ist ... Von dem Mann, den ich einmal kannte ...

ER Werd nicht feinsinnig.

SIE Nimm die Zeitung ... Leg dir die Zeitung unter, wenn du dich setzt ... Es tropft aus dir.

ER Doris ...

SIE Ich weiß, was du sagen willst.

ER Doris, ich muß dir etwas erklären.

SIE Du kannst dir's sparen.

ER Du hast keine Ahnung, was passiert ist.

SIE Die Frühjahrsstürme, vermute ich ... Einmal waren die Herbststürme schuld, jetzt werden es die Frühjahrsstürme sein ... Oder vielleicht ist es der Mahlsand ... Irgend etwas hat dir mal wieder einen Strich durch die Rechnung gemacht.

ER Hör auf, so zu reden ... Was hast du, verdammt noch mal?

SIE Ich seh dich an.

ER Du scheinst nicht zu begreifen ...

SIE Doch, o doch ...
ER   Nein ... Nichts.
SIE Warum, glaubst du, hab ich auf dich gewartet? Warum, hm?
ER   Ich muß etwas trinken.
SIE Siehst du ...
ER   Was soll denn das?
SIE Jetzt entsprichst du dem Bild ... Der »Fuchs der Küste« kommt
     nachts nach Hause und gießt sich einen ein ... Auf die Beute ...   1227
     Auf alles, was gerade hinter ihm liegt ... Sie nennen dich doch
     »Fuchs der Küste« ... Weil – weil sie dir eben alles zutrauen.
ER   Warum hast du auf mich gewartet?
SIE Sag, daß es nicht stimmt, Harry ...
ER   Was?
SIE Die Sparbücher der Kinder ... Beide Sparbücher, die sie zur Taufe
     bekommen haben ... Sag, daß du es nicht abgehoben hast, das
     Geld ...
ER   Doris ...
SIE Keine Erklärungen ... o Gott ... Komm mir jetzt bloß nicht mit
     Erklärungen ... Du hast es also abgehoben ... Du hast es den
     Kindern weggenommen ... Hast du vergessen, was wir uns
     versprochen haben, damals, vor sieben, vor neun Jahren? Ihre
     Taufgeschenke ...
ER   Nun hör mir mal zu. Keiner hat den Kindern was fortgenommen.
     Geliehen, kapierst du? Ich hab mir das Geld meiner Kinder
     geliehen ... Der zweite Schlepper ... Ich brauchte einen zweiten
     Schlepper, Doris, um das abgesprengte Vorschiff aus der Rinne zu
     ziehen ... Wir hatten eine Rinne ausgekolkt ... Der zweite
     Schlepper – sie wollten das Geld im voraus ... Die Kinder werden
     es zurückbekommen.
SIE Meine Schläfen ... Ich halt es nicht mehr aus.
ER   Soll ich Tabletten holen?
SIE Nie ... das hätte ich dir nie zugetraut.
ER   Nun mal halblang ... Ich hab doch wohl das Recht, mir bei
     meinen Kindern Geld zu borgen. Oder? In einem Augenblick, wo
     alles auf dem Spiel stand.
SIE Das ist widerlich, Harry ... Das ist so widerlich.
ER   Sag das nicht noch einmal.
SIE Ich werde dir noch etwas ganz anderes sagen.

ER Was willst du eigentlich? Du weißt doch, wozu ich das Geld brauche ... Woran ich seit einem Jahr arbeite ... Das weißt du doch ... Herrgott noch mal, ich hatte soviel in die verdammte »Regina« investiert. Ich konnte doch nicht alles aufgeben ... Hast du mir nicht selbst zugeraten, das Wrack zu kaufen ... Denk mal dran ... Als der Mann aus London hier war, als er mir das Angebot für die »Regina« machte ...

SIE Kein anderes Bergungsunternehmen war interessiert.

ER Weil die keine Einfälle haben.

SIE Der »Fuchs der Küste« wollte es ihnen zeigen ...

ER Ich muß dir etwas sagen, Doris.

SIE Wie du die Kredite zurückzahlen willst? Und alles, was Mutter uns geborgt hat? Und die beliehene Lebensversicherung?

ER Du hast die Photos gesehen ... Von der »Regina«, meine ich. Da auf dem Großen Sand ... Ich hab dir vorgerechnet ... Vielleicht hast du nicht zugehört ... Das Schiff tat dir leid ... das schöne Schiff, das auf den Großen Sand geraten war ... Die vierzigtausend, die ich den Londonern bezahlt hab, waren nicht zuviel.

SIE Mir wird übel ... Ich spüre, daß mir ganz übel wird.

ER Trink etwas. Soll ich dir ein Glas holen?

SIE Mutter hat mich gewarnt.

ER Wieder mal?

SIE Immer.

ER Früher hat dich auch dein Vater gewarnt ... Beide haben sie dich gewarnt ... zweistimmig.

SIE Sie hatten recht.

ER Tatsächlich? Soll ich dir wiederholen, was dein Vater mir sagte ... damals, als wir eine gute Zeit hatten? Als wir dieses Haus einweihten? ... Sei doch vernünftig, Doris ... Wir hatten sehr gute Jahre, das weißt du ... Als wir den Hafen von Riga geräumt hatten ... Die alten Linienschiffe im Skagerrak, denk mal dran ... Oder das havarierte U-Boot auf der Doggerbank ... Keiner traute sich ran. Ich hab das Boot gehoben ... Dein Vater hatte den Zeitungsbericht in der Hand ... Dort am Fenster standen wir ... Ganze Arbeit, sagte er, das war ganze Arbeit, mein Junge ... Das sagte der Mann, dem ein Lob nur alle Schaltjahre über die Lippen kam.

SIE Onkel Oswald vermißt seine Pfandbriefe.

ER Was willst du damit sagen?

SIE Seine Pfandbriefe sind verschwunden.

ER Sie verschwinden jede Woche einmal ... Die Pfandbriefe, die Sparbücher, die Brieftasche, sie spielen Versteck mit ihm. Zum Wochenende sind sie wieder da.

SIE Du hast dir auch von ihm Geld geliehen.

ER Hab ich's dir nicht gesagt? ... Du weißt, wie unser erster Schleppversuch ausging ... Ich mußte neue Trossen kaufen. Schau, Doris, als ich das Wrack der »Regina« erwarb, da wußten wir's noch nicht ... Wir glaubten, daß sie nur im Mahlsand festsaß ... Mit ihren sechstausend Tonnen im Mahlsand ... Hans und ich, wir sind beide unter Wasser gewesen. Wir haben alles untersucht ... Das hat keiner von uns entdeckt: die »Regina« saß nicht nur im Sand fest, sie hatte sich auch noch auf ein altes Wrack gesetzt, das seit neunzig Jahren dort liegt, die »Emmy Fassdorff«. Deshalb hatten wir keinen Erfolg bei unserem ersten Schleppversuch. Die Trosse brach.

SIE Harry, ich weiß alles ... Ich hab doch alles miterlebt ... Begreifst du denn nicht, um was es mir geht? Heute?

ER Du bist müde. Müde und überspannt.

SIE Mein Gott, nicht einmal das merkst du.

ER Was? Was meinst du?

SIE Daß ich nicht geweint habe ... Ich war so entsetzt, daß ich nicht einmal weinen konnte ... Weißt du nicht mehr, was wir uns versprochen hatten?

ER Nimm die Luft raus, Doris.

SIE ... bei der Taufe der Kinder ...

ER Sie werden zurückbekommen, was ihnen gehört ... Verdammt noch mal, ich werde ihnen sogar etwas dazulegen. Zufrieden?

SIE Auf einmal ist es weg, Harry ... Die Sicherheit, dies Gefühl unbedingter Sicherheit ... Es war das Schönste für mich, das Wichtigste ... Sie konnten sagen über dich, was sie wollten ... Mich konnten sie nicht erschüttern ... Das war meine Festung: ich war deiner ganz sicher. Ich konnte es mir leisten, zu schweigen, wenn sie es auf dich abgesehen hatten ... auf den »Fuchs der Küste«.

ER Sag bloß, ich hab nicht für euch getan, was ich tun konnte.

SIE Das ist nicht wahr.

ER Und mit wem habe ich alle Unternehmungen besprochen? Mit wem, hm?

SIE Seit drei Tagen ist es nicht wahr.

ER Ich versteh dich nicht ... Wirklich, Doris, ich komm einfach nicht mehr mit.

SIE Wenn dein Bild in der Zeitung war ... Immer wenn dein Bild in der Zeitung war nach einer gelungenen Bergung ... Mutter las kaum den Text ... Sie studierte immer nur dein Photo ... Und immer sagte sie: Hoffentlich mußt du es nicht erleben – Harry hält sich an keine Regel. Wenn etwas auf dem Spiel für ihn steht, setzt er sich über alles hinweg ... Ich wollte es ihr nicht glauben.

ER Jetzt weißt du also Bescheid.

SIE Im Grunde hast du alles für dich getan.

ER Träumst du? Sag mal, träumst du? Hast du vergessen, daß hier am Tisch der Ägypter saß, der ägyptische Reeder? Wer hat den Vorschlag gemacht, ihn zum Abendessen einzuladen? ... Na, dämmert es bei dir? ... Weißt du nicht mehr, wie du mich unter dem Tisch angestoßen hast, als er uns sechshunderttausend bot für das Vorschiff der »Regina«? Du hast ihm die Bilder der »Regina« gezeigt ... Er wollte das Vorschiff als Ponton verwenden ... Aber das ist ja gleichgültig ... Wir waren gerade Eigentümer des Wracks, da kam dieses Angebot, dies einmalige Angebot ... Unsere Feier hinterher, als wir allein waren ... Hast du unsere Feier vergessen? Soll ich wiederholen, was du mir gesagt hast? Wer hat nicht schlafen können vor Freude, vor Erregung, wer? ... Und du sagst, ich hätte alles nur für mich getan ... Glaub mir, Doris, seit dem Tod meines Bruders, seit ich sein Bergungsgeschäft übernommen habe, hat es für mich keinen Tag gegeben wie diesen: auf einmal spürte ich, was Zufriedenheit ist ... Und um sie zu erhalten, nahm ich mir vor, an der »Regina« ganze Arbeit zu leisten, wie's dein Vater nannte. Ganze Arbeit.

SIE Darum geht es doch gar nicht, Harry.

ER Worum denn?

SIE Um deine Maßlosigkeit ... Du kennst keine Grenzen mehr ... Dein Ziel ... um dein Ziel zu erreichen, ist dir jedes Mittel recht ... Du kannst nicht aufgeben. Vielleicht ist es Stolz,

vielleicht Besessenheit ... Vielleicht so ein Komplex ... Ich weiß
nicht ... Du mußt einfach bis zum Letzten gehen, ohne Rücksicht.

ER Mach dir doch nichts vor, Doris ... Was du da redest, diese
Beschuldigungen – auf so was kommt man in der Nähstunde ...
In meinem Beruf mußt du durchhalten, das weißt du ...
Aufgeben ... Du mußt doch wohl zugeben, daß ich uns nur
deshalb soweit gebracht habe, weil ich niemals aufgebe.

SIE Hast du mal zusammengerechnet, wieviel du schon investiert   1231
hast? Seit einem Jahr zahlst du und zahlst du ... Noch hat sie sich
nicht einen Zentimeter bewegt, deine »Regina«.

ER Doris, ich muß dir etwas sagen, etwas Ernstes.

SIE ... Zwölfhundert Tonnen Stahl, das ist alles, was du bisher
rausgeholt hast. Dafür hast du einen Kran verloren ... Wenn du
mich fragst: damals hättest du aufhören sollen.

ER Meinst du?

SIE Ja.

ER Bisher hast du's noch nicht ein einziges Mal gesagt ... Bisher warst
du doch einverstanden damit, daß ich dranblieb ... Und was den
Kran angeht: wir hatten uns auf den Wetterbericht verlassen.
Keiner hat mit diesem Sturm gerechnet. Der Kran war zu schwer
für unser Bergungsschiff ... Ah, wie du reden kannst ... Aber du
hättest mal draußen sein sollen damals ... Wie mit
Vorschlaghämmern, so bekamen wir es ... Der »Regina« wurde
die Brücke zerschlagen.

SIE Ich halte es nicht mehr aus ... Meine Schläfen.

ER Hier, trink aus meinem Glas.

SIE Jetzt muß ich eine Tablette nehmen.

ER Wasser?

SIE Hab ich hier noch stehn ... Ich komm und komm nicht auf den
Namen ...

ER Auf welchen Namen?

SIE Dieser Kapitän ...

ER Welchen meinst du?

SIE Der Jäger, der große Waljäger ... Er kennt nur ein Ziel. Er lebt nur
dafür.

ER Ein Kapitän?

SIE Ein Opfer seiner Besessenheit ... Ahab ... Der Kapitän heißt
Ahab.

ER Nie gehört.

SIE Manchmal ... Du hast etwas von ihm ... Ihr riskiert alles, euch zuliebe ... Nichts kann euch zur Aufgabe bringen ... Als ob ihr verfallen seid, ja ... Eurem Ziel verfallen ... Ich weiß, du hast deine eigene Ansicht ...

ER Du machst es dir leicht, Doris ... Hoffentlich merkst du, wie leicht du es dir machst.

SIE Widerstand, dich reizt der große Widerstand, hast du immer gesagt ... Bewährung: ein Lieblingswort von dir ... Es tut mir leid, Harry, aber es bedeutet mir nichts, gar nichts ... Wer Bewährung sucht, so wie du, der handelt egoistisch.

ER Du mußt schon genauer werden.

SIE Ich war dabei, als du deine Leute zusammengeholt hast. Hier, in diesem Raum. Alle fünf waren da, außerdem die drei Männer vom gekenterten Schlepper ... Die drei geretteten Männer ... Es war im Sommer, an der »Regina« bewegte sich nichts ... Zehn Tage wart ihr draußen gewesen. Eines Nachts ist der Schlepper gekentert ...

ER Es war ein Manövrierfehler ...

SIE Laß mich ausreden ... Ihr konntet die Männer retten, ja. Alle waren hier und hörten dir zu ... Du hast wohl gespürt, in welcher Stimmung sie waren ... Du mußtest sie bei der Stange halten, Mut mußtest du ihnen machen ... Aber das war nicht alles ...

ER Was noch?

SIE Du hast ihnen deine Rechnung aufgemacht – so nennt man das wohl ... Du hast sie eingeweiht ... ich sehe sie noch um dich herumsitzen mit gesenkten Köpfen ... Vielleicht dachten sie an das, was du ihnen schuldig warst ... um das sie fürchten mußten auf einmal ... Und plötzlich der alte Schlepperführer ... Ich höre noch, wie er sagte: Aussichtslos, Harry, bei der »Regina« ist alles aussichtslos; das Schiff bleibt, wo es ist ... Überlaß sie der See, Harry, das sagte er ... Er riet dir aufzugeben ... Und du, du wurdest nicht mal nachdenklich ... Du kamst ihm mit Bewährung ... Das Aussichtslose: eine Gelegenheit zur Bewährung ... So hast du sie überredet.

ER Immerhin, sie blieben bei der Stange.

SIE Du hast sie angesteckt.

ER Angesteckt?

SIE Mit deiner Besessenheit.

ER Davon verstehst du nichts ... Wirklich, Doris, du verstehst einfach nicht, was einen Mann bewegt.

SIE Mach dich nicht lächerlich ... Was einen Mann bewegt, wenn ich so was höre, krieg ich die Platze ... Der große Einzelgänger, hm? Der einsame Kämpfer, der Weltveränderer – komm bloß nicht damit ... Süchtig seid ihr, süchtig nach Bestätigung ...

ER Denk an deinen Vater.   1233

SIE Wieso? Was hat er damit zu tun?

ER Geht dir nichts auf? Sie nennen ihn »Katastrophen-Brüggmann«.

SIE Vater?

ER Hast du dich nie gefragt, was ihn bewegt, wenn er immer wieder kaputte Firmen kauft? – Firmen, die abgewirtschaftet haben, die vom Konkurs bedroht sind ... Wo etwas zusammenbricht, erscheint der »Katastrophen-Brüggmann«, prompt ... Erscheint und übernimmt die Reste zu Ramschpreisen ... Längst könnte er sich zur Ruhe setzen, aber etwas bewegt ihn, weiterzumachen. Verstehst du, was ich meine?

SIE Ich merke, merke genau, worauf du anspielst ... Das ist gemein, Harry.

ER Ich habe auf nichts angespielt ... Erinnern, ich wollte dich nur daran erinnern, daß ein Mann seinen Weg geht – gehen muß.

SIE Das erste Darlehen hast du von ihm bekommen.

ER Unser Bergungsschiff trägt seinen Namen: »Walter Brüggmann«. Ich hab ihm ein Denkmal gesetzt ... Und das Geld – er wird es zurückerhalten.

SIE Er war entsetzt.

ER Wer?

SIE Als du dieses Haus gekauft hast ... Ich hab es ihm erzählt.

ER Was?

SIE Wie du die Erbengemeinschaft ... Wie du die beiden Schwestern gegeneinander ausgespielt hast ... Ich hab es Vater erzählt. Er war entsetzt.

ER Tatsächlich? Hätt' ich ihm nicht zugetraut, dem alten Spezialisten. Er war also entsetzt ... Na, dafür wirkt *er* ja zum Wohle des Volkes.

SIE Das ist niederträchtig.

ER Es ist nur wahr ... Wo etwas leckschlägt, da erscheint der Retter und kauft zum Ramschpreis … Läßt sich Staatsbürgschaften auszahlen, um bedrohte Arbeitsplätze zu sichern … und saniert und saniert, bis Ruhe einkehrt, Friedhofsruhe. Von ihm können wir lernen, wieviel Havarien wert sind … Mach dir nichts vor.

SIE Ich mache mir nichts vor … Ich weiß nur: er hätte das nie getan.

ER Doris, versuch mal, ganz ruhig zu sein … Trink etwas und hör mir zu …

SIE Den Kindern wegzunehmen …

ER Herrgott, nun halt doch mal die Luft an … Entschuldige … Du weißt nicht, wofür ich mir das Geld geliehen habe.

SIE Das interessiert mich nicht.

ER Wie soll es auch … Dich interessiert nur, was dich selbst betrifft.

SIE Es gibt Dinge, die sind unantastbar.

ER Doris, wir hatten einen Unfall, draußen auf dem Großen Sand … Ich hab's dir nicht erzählt … einen schweren Unfall … Es lag an dieser Schlagseite … Du hast es selbst gesehen, auf den Photos: die »Regina« hatte mehr als fünfzig Prozent Schlagseite … Da zu arbeiten: für die Männer war es ein einziger Balanceakt … Ich weiß nicht, Alfred hat nicht aufgepaßt … Vielleicht war er auch zu erschöpft … Er rutschte über die ganze Bordwand ab, da, wo das Bergungsschiff vertäut war … Die Dünung, als die Dünung das Bergungsschiff hochtrug … Alfred wurde eingeklemmt, zwischen den Bordwänden.

SIE Alfred?

ER Ja.

SIE Ist er tot?

ER Er wird wohl ein Bein verlieren.

SIE O Gott … Er hat doch gerade erst geheiratet.

ER Er ist nicht versichert … Die beiden haben keine Versicherung abgeschlossen … Sie hängen einfach in der Luft.

SIE Warum hast du mir nichts gesagt?

ER Wann denn? Ich hatte keine Zeit … Alfreds Frau: ich brachte ihr das Geld, fürs erste … Dann bin ich rausgefahren. Sie warteten draußen auf mich. Wir wollten das Vorschiff der »Regina« absprengen. Es war meine Sache, die Sprengladungen anzubringen unter Wasser … Du weißt, das war immer meine Sache.

SIE Aber du bist doch bei Alfred gewesen?

ER Morgen ... morgen werde ich zu ihm gehen ... Der ägyptische
    Reeder drängte ... Nach all der Zeit, was sollte ich tun nach all der
    Zeit? Wir mußten mit der »Regina« fertig werden.
SIE Ist das wahr, Harry? Ist das wirklich wahr?
ER Wir hingen doch alle von ihm ab, von dem Wrack ... Zuletzt ...
SIE Ich schaff es nicht, Harry. So kann es nicht bleiben.
ER Es ist nicht immer so.
SIE So kann es nicht weitergehn ... Du spielst dein Spiel, und wir, wir   1235
    alle tragen dein Risiko ... Sieh mal ...
ER Was?
SIE Meine Hand ... Wie sie zittert ... Seit Wochen dies Zittern ...
    Warum hast du nicht aufgegeben? ... Wann, wann wirst du
    einsehen, daß du dich übernommen hast ... daß du dich immer
    übernimmst?
ER Immer? Denk an den Fischkutter ... Wer hat geklatscht vor
    Begeisterung? ... Du warst doch dabei, als ich ihn gehoben hab,
    als er gehorsam aufschwamm mit all der Luft in den
    abgedichteten Hohlräumen ... Es war meine Idee ... Wer hat da
    geklatscht vor Begeisterung? ... Siehst du! ... Und für die
    »Regina« ... Ich wußte von Anfang an, daß ich das Schiff vom
    Mahlsand wegbekomme ... Für die »Regina« hatte ich auch
    meinen Plan; für ihr Vorschiff.
SIE Harry, begreif doch. Es geht um etwas anderes ... Ich halte das
    nicht mehr aus.
ER Aber zuerst ... als wir anfingen, da ging es doch.
SIE Der Einsatz – er war nicht so hoch. Du hast den Einsatz ständig
    erhöht, immer mehr. Ich kann ihn nicht mehr mittragen.
ER Und? Was heißt das?
SIE Wenn es so weitergeht ... Wir werden uns trennen müssen, wenn
    es so weitergeht.
ER Kommt man darauf, wenn man allein sitzt im Dunkeln?
SIE Ich meine es ernst.
ER Ach, Doris.
SIE Etwas muß sich ändern, Harry.
ER Halt mal das Glas. Ich muß den Kragen aufmachen.
SIE Ist dir nicht gut?
ER Heiß, mir ist nur heiß.
SIE Wir müssen uns entscheiden, Harry ...

Er Wie sich das anhört: Wir müssen uns entscheiden … Als ob wir die Wahl hätten … eine beliebige Wahl …

Sie Du willst doch auch nicht, daß wir nebeneinanderher leben.

Er Doris, es gibt keine »Regina« mehr.

Sie Was? Was hast du gesagt?

Er Erledigt … Das Kapitel »Regina« ist abgehakt, endgültig, buchstäblich.

Sie Was soll das heißen?

Er Das Wrack – es existiert nicht mehr … Verloren, unerreichbar, weg.

Sie Du willst mir einen Schreck einjagen.

Er Ich will dir keinen Schreck einjagen.

Sie Das stimmt nicht, Harry … Das kann nicht stimmen.

Er Verloren und versunken mit allem … Es ist wahr.

Sie Aber – aber du warst doch … Als du gingst, warst du doch zuversichtlich … Alles stand gut … Ich hab noch mit Ewald gesprochen … Morgen bewegt sie sich, sagte er.

Er Sie hat sich bewegt, die »Regina« hat sich bewegt.

Sie Was ist denn passiert? Red doch schon, um Himmels willen!

Er Ein Jahr, Doris, und dann hatte ich sie soweit … Keiner hat mir's geglaubt … Das Angebot, das der Ägypter mir gemacht hat – er hat's auch anderen gemacht, vorher … Alle haben abgewinkt … Mit der »Regina« wollte sich keiner einlassen. Ich hab's mir zugetraut.

Sie Ich glaub es einfach nicht.

Er Das Vorschiff – wir haben es abgesprengt nach Plan … Wir haben es abgedichtet und vollgepumpt mit Luft … Zum zweiten Mal haben wir eine Fahrrinne ausgekolkt … Das werde ich nicht vergessen, Doris … als die Schlepper endlich anzogen. Alle sahen nur zu ihr hin … die Trossen strafften sich, immer mehr Zug, und dann rührte sich die »Regina«, glitt langsam aus dem Mahlsand … Wie sie aufschwamm und torkelte, als ob sie noch benommen wäre vom langen Liegen … Geklatscht, die Männer haben geklatscht und kamen zu mir gerannt … Nie werd ich das vergessen.

Sie Also doch, Harry … Dann ist es doch gutgegangen.

Er Wir nahmen sie in Schlepp, behutsam … Über Grund machten wir nicht mehr als zweieinhalb Meilen … bestimmt nicht mehr.

SIE Es war ruhiges Wetter, das weiß ich.

ER Die See war kaum bewegt ... Ich hatte mir vorgenommen, dich anzurufen aus dem Hafen, gleich ... Ich bin fertig, Doris.

SIE Aber was ist denn geschehen?

ER Damit hat keiner gerechnet ... Es trübte sich ein ... Allmählich trübte es sich ein, und wir kamen in Nebel – flache Bänke ...

SIE Ist sie gesunken ... Sag doch!

ER Sie schwamm besser, als wir gedacht hatten ... Zwanzig Meilen ... Nur knapp zwanzig Meilen vom Feuerschiff ... Auf dem Tanker haben sie unser Nebelhorn nicht gehört ...

SIE Gerammt?

ER Zweihunderttausend Tonnen ... Er hat das Vorschiff der »Regina« unter Wasser gedrückt ... Gerammt und unter Wasser gedrückt ... Auf dem Schlepper konnten sie gerade noch die Leinen slippen.

SIE Harry ... Harry, ich kann es nicht fassen.

ER Es ist so.

SIE Weißt du, was es heißt für uns?

ER Ich weiß es.

SIE Warum hast du es nicht gleich gesagt, als du hereinkamst? Wie konntest du das für dich behalten? ... Gib mir was zu trinken.

ER Ich hab's versucht; ich wollte es dir ja gleich sagen ... Aber du hattest deine Anklage vorbereitet ...

SIE Du wirst sie heben. Du wirst die »Regina« bestimmt heben. Oh, Harry.

ER Keiner wird sie heben. Sie liegt jetzt mehr als vierzig Meter tief; das Vorschiff, meine ich ... Da geht keiner mehr ran ... Du hättest die Leute hören müssen, unsere Leute, Doris ... Das war ein einziger Schrei ... Wir stoppten sofort ... Es war kaum was zu sehen ...

SIE ... danke ... Trinkst du nichts mehr?

ER Dieses Brausen, als die »Regina« auf Tiefe ging.

SIE Es ist furchtbar, Harry ... Und jetzt?

ER Sie liegt genau auf achtundvierzig Meter Tiefe.

SIE Alles umsonst. Es kann doch nicht sein, daß alles umsonst war ... Immer ... Du hast doch immer Rat gewußt.

ER Vorbei, Doris.

SIE Aber wir können es doch nicht verloren geben ... Dir wird etwas einfallen ... Du hast nie etwas verloren gegeben.

ER Diesmal gibt's keine Chance.
SIE Harry, denk daran, was wir reingesteckt haben ... wieviel für uns davon abhängt ... Die »Regina« gehört dir.
ER Es hilft nichts mehr, kein Plan, keine Ausdauer.
SIE Was soll denn werden?
ER Ich weiß nicht ... Ich bin fertig, Doris.
SIE Setz dich zu mir. Komm ... Setz dich hierher.
ER Du weißt nicht, wie hoch ich eingestiegen bin.
SIE Wir schaffen es schon, Harry ... Du wirst sehen, wir schaffen es.
ER Ich komm da nie wieder raus.
SIE Zuerst ... Du mußt dich jetzt ausruhn.
ER Ich hätte es dir erzählen sollen.
SIE Was?
ER Vor drei Tagen, als wir rausgingen ... Ich hätte dir erzählen sollen, daß alle Vorbereitungen abgeschlossen waren ... Daß wir die »Regina« soweit hatten ... Ich wußte, daß ich sie vom Mahlsand runterbekommen würde ... Ah, Doris: ich wollte mit der guten Nachricht nach Hause kommen.
SIE Ich glaube, du solltest dich jetzt hinlegen, Harry ... Ich mach das hier in Ordnung.
ER Ich hatte mir schon alles zurechtgelegt ... Begreifst du das? Um ein Haar, und es wäre uns gelungen.
SIE Es ist dir gelungen ... Das, worauf es ankam, ist dir gelungen.
ER Was soll jetzt werden?
SIE Komm, Harry ... Ich sag's dir morgen ... Bitte, komm.

1982

Tote Briefe

Auch sein Brief landete bei uns, auch Josuas Brief. Er erwartete mich in einem Packen anderer Briefe, die ausnahmslos unzustellbar waren, weil die Adresse sich als fehlerhaft herausgestellt hatte, weil der Empfänger nicht ermittelt werden konnte und weil, schließlich, ein Absender fehlte, an den der Brief hätte zurückgeschickt werden können. Wir drei hier in der sogenannten Abteilung »Tote Briefe«, die jeden Tag unzustellbare Postsendungen bearbeiten, sind uns einig, daß es ganz schön happig ist, was einem Briefzusteller mitunter zugemutet wird: da wird bei den

Anschriften gesaut und geschmiert, Hausnummern werden mit Fragezeichen angegeben, Ortsnamen werden falsch geschrieben, es wird gewischt und radiert, befeuchtet und mit Duft imprägniert, und wer eine charakteristische Handschrift zu haben glaubt, der muß es uns wohl unbedingt auf den Briefumschlägen beweisen. Jedenfalls, wer so wie wir von morgens bis abends die hingerotzten Hieroglyphen der Postkunden entziffern darf, der wird sich, das können Sie mir glauben, nicht darüber wundern, warum zentnerweise Briefe als unzustellbar zurückgehen; da hilft aller detektivische Spürsinn nichts.

Sein Brief fiel mir sofort auf, ein Luftpostbrief, leicht zerknittert, die eine Hälfte beschmutzt von einem Abdruck unbekannter Herkunft – vielleicht war es der Abdruck eines nackten Fußballens –, das Porto war bei weitem überbezahlt, reichte für drei oder sogar vier Luftpostbriefe; etwas Ähnliches haben Sie wohl auch schon erlebt. Speerfischer waren auf den Briefmarken abgebildet, hagere, hochgewachsene Männer, die am Bug schlanker, gleitender Boote standen, jeder ein Inbegriff gesammelter Aufmerksamkeit, die den lauernden Schatten in einem nur ahnbaren Flußbett galt. Palmen, hingebogen, wuchsen ohne Berührung mit der Erde. Die Anschrift war leserlich; die Buchstaben, mit Kopierstift ausgezogen, verrieten Sorgfalt und Mühe zugleich, bezeugten aber auch eine gewisse Zärtlichkeit, die sich in angedeuteten Schmuckbogen und ornamentalen Kringeln ausdrückte, vor allem beim Namen des Empfängers – Lena Kuhlmann –, der mit Schnecken und Spiralen verziert war. Quer über diese Adresse lief die eilige Schrift unseres Briefzustellers: Empfänger nicht zu ermitteln; Datum.

Da der Absender fehlte, öffnete ich rechtmäßig den Brief, hoffte auf eine Anspielung, ein Zeichen, einen Hinweis, mit deren Hilfe ich, wie so manches Mal zuvor, den Adressaten ausfindig machen könnte. Der seidig glänzende Papierbogen war kaum zur Hälfte beschrieben, der Text lautete wörtlich:

Geehrte Frau Lena, gut angekommen in der Heimat, aber das Gericht hat geworfen den Tod. Ich, Josua, werde tot den ersten September, 4:3 a. m. Executions finden ihren Platz immer an dem Strand. Möchte ich einen Brief haben mit einem guten Wort, wenn möglich an alte Vateradresse. So sie binden fest an die Pfähle werde ich das Meer sehen nach Norden.

Josua.

Ich las den Brief mehrmals, trug ihn dann zu Karl hinüber, dem alten Fuchs und Meister, unter dessen Vergrößerungsglas nicht allein die schlimmste Klaue leserlich wurde; witternd und kombinierend entschlüsselte er auch verkapselte Sachverhalte und Schicksale, brachte unscheinbare Indizien zum Reden, deutete und folgerte mit einer Ausdauer, die oft genug auf die verwischte Spur eines Empfängers führte. Viele luschige Briefschreiber wissen gar nicht, daß sie es nur Karl zu verdanken haben, wenn ihre Briefe trotz der mistigen Anschriften schließlich ihr Ziel erreichen, Karl mit seinem einmaligen Gespür, die entscheidenden Andeutungen zu finden, die eine Postsache vervollständigen und damit zustellbar machen.

Diesmal wußte er keinen prompten Rat. Sehr langsam glitt sein Vergrößerungsglas über den Text des Briefes, stockte mitunter, senkte sich, er schüttelte den Kopf und seufzte und ließ seine Hand resigniert auf den Tisch fallen; ich sah, wie schwer es ihm fiel, sich zu bedenken. Dann hob er mir sein Gesicht entgegen – sein linkes Auge war blind, es wirkte wie geronnen oder zerkocht – und murmelte: Hier mußt du etwas tun; ich weiß nicht, was, aber du mußt etwas tun; heute haben wir den zwanzigsten August. Glaubst du, daß es stimmt? fragte ich, daß jedes Wort stimmt? Ja, sagte Karl, denn er hat etwas Entscheidendes verschwiegen, er hat die Vateradresse absichtlich nicht genannt – aus Angst. Sein Tod scheint ihm weniger zu bedeuten als der Schutz der Vateradresse, die er beim Empfänger als bekannt voraussetzt. Da scheint etwas Furchtbares zu passieren, sagte ich, und Karl darauf: Ja, wie bei mir hier, wie bei dieser kleinen Griechin, die ihren deutschen Verlobten sucht.

Im Verzeichnis des Einwohnermeldeamts fand ich sofort den Namen Lena Kuhlmann; ihr Beruf war mit Verkäuferin angegeben, sie wohnte in einer Gegend, die sich hochtrabend Gartenstadt nennt – kennen Sie wohl –, zumindest hatte sie dort gewohnt, in einer der winterfesten Lauben oder Behelfsheime, die nach dem Krieg mit Duldung der Behörden errichtet wurden, vorläufige Unterkünfte, die bewiesen, wie dauerhaft einer sich wohl fühlen kann in der Vorläufigkeit. Lena Kuhlmann war neununddreißig Jahre alt; einen Herrn Kuhlmann schien es nicht zu geben, jedenfalls war unter der Anschrift Johannisbeerweg zwölf keiner gemeldet. Ich dachte an die Gärten dort: feste lehmbraune Erde, ein bißchen schmierig, sehr fruchtbar; jeder Quadratmeter war bestellt, trug Kohl, Sellerie, Porree; viel Beerenobst an den Rändern; an warmen Abenden redeten sie über die Zäune hinweg, setzten sich zum Bier zusammen.

Während ich andere unzustellbare Post bearbeitete, lag Josuas Brief für sich auf einer Ecke meines Schreibtisches; immer wieder nahm ich ihn in die Hand, ließ mich von den Bildern verschlagen, die beim Lesen wie von selbst aufstiegen: ein heißes, stickiges Gefängnis in einer weißen Stadt, vor dem schiefen Gitter das Gesicht eines dunkelhäutigen Mannes, der hochgewachsen war wie die Speerfischer auf den Briefmarken, Posten in Khakizeug mit automatischem Gewehr, in samtener Dunkelheit das Kreuz des Südens über der Lagune, Josuas Würde und Gleichmut. Ohne daß ich darauf aus war, stellte sich Nähe ein, ich sah ihn dort und hier, auf sein Schicksal wartend in der hartgestampften Zelle, neugierig den sogenannten Johannisbeerweg hinabschlendernd zu Nummer zwölf. Sie mußten ihn dort kennen in der Gartenstadt, sie mußten sich seiner erinnern, also mußten sie auch in der Lage sein, Auskunft zu geben über Lena Kuhlmann, der er doch offenbar nicht weniger zutraute, als daß sie ihm das Sterben erleichtern könnte.

Das Haus Nummer zwölf müssen Sie gesehen haben: nicht nur, daß es das größte und unförmigste Gebäude am Johannisbeerweg war – in gewisser Abständen war es um Veranden und Erker erweitert worden –, es war außerdem in einem fast schmerzhaften Rosa getüncht und hatte wohl ebenso viele Ausgänge und Eingänge wie der Bau eines Murmeltiers. Der Garten war nicht bestellt – im Unterschied zu den anderen Grundstücken, auf denen sie sich um jede Mohrrübe, jeden Kohlrabi einzeln zu kümmern schienen. In einem halbdunklen Schuppen stützten sich zwei rostige Fahrräder gegenseitig, sie zogen den Blick ab von hingeschmissenen Matratzen und Gießkannen und allerlei unbestimmbarem, hindämmerndem Krempel.

Die Tür, von der man vor kurzem ein Namensschild entfernt hatte, schien mir der Haupteingang zu sein; ich fühlte nach Josuas Brief in meiner Tasche und klingelte.

Sie müssen wissen: es gehört nicht zu meinen Aufgaben, die Suche nach einem Empfänger mit allen Mitteln anzustellen, also persönlich am Ort zu erscheinen und die Sachlage zu erkunden; im allgemeinen werden unzustellbare Briefe eine Zeitlang bei uns aufbewahrt und dann vernichtet; doch diesmal konnte ich es einfach nicht nach Schema laufen lassen und folgte bereitwillig dem zwanghaften Bedürfnis, den Brief wunschgemäß zu vermitteln – nicht zuletzt, ich gebe es zu, damit die Bitte des Mannes da unten erfüllt würde.

Der zierlichen, energischen Frau, die erst nach mehrmaligem Klingeln öffnete, hielt ich auf flach ausgestreckter Hand Josuas Brief hin, und um ihrem automatisch entstehenden Mißtrauen zu begegnen, stellte ich mich als »Mann von der Post« vor. Ob Lena Kuhlmann hier wohne? fragte ich so unbefangen wie möglich, worauf die Frau leicht gereizt und mit Entschiedenheit sagte: Nicht mehr; sie hat früher hier gewohnt, aber nun nicht mehr. Wissen Sie, wo sie sich aufhält, fragte ich. Nein, sagte die Frau – und ich sah, daß sie log –, nein, keine Ahnung. Ich sagte aufs Geratewohl: Sie sind Ihre Schwester, nicht wahr?, worauf die Frau sich abwandte und forschend den Weg hinabblickte, hastig suchend über die Gärten spähte und dann leise fragte: Von der Polizei, nicht? Sie sind von der Polizei? Ich gab ihr den geöffneten Brief, bat sie, den Inhalt zu lesen und selbst zu entscheiden, ob Frau Kuhlmann ihn erhalten sollte, und dann überflog sie den Brief, während ich vor ihr stand, sah fassungslos zu mir auf, las noch einmal und machte eine Geste der Hilflosigkeit. Sie sehen selbst, wie wichtig es ist, sagte ich. Die Frau nickte, sie schien zu überlegen, ob sie mich ins Haus bitten sollte, der Inhalt des Briefes hatte sie offenbar so getroffen, daß sie bereit war, ihre abweisende Haltung aufzugeben; doch ihr Argwohn – oder ein Versprechen, das sie gegeben hatte – erwies sich als stärker. Können Sie wiederkommen, fragte sie, können Sie in einer Stunde wiederkommen? Sicher, sagte ich.

Wenn man mich fragt, was ich nicht ertragen, nicht ausstehen kann, dann muß ich mit einiger Berechtigung sagen: das Unvollständige. Alles Lückenhafte widert mich an, es quält mich, läßt mir keine Ruhe, ich muß es ergänzen, vervollständigen, wenn Sie verstehen, was ich meine: weiße Stellen, ganz gleich, wo sie vorkommen, rufen in mir eine brennende Unzufriedenheit hervor. Deshalb kam ich gar nicht erst in Versuchung, die Stunde in einem laubenartigen Café abzuwarten, das sich »Zur Flurwirtin« nannte; ich ging lediglich den Johannisbeerweg hinab, drückte mich durch eine Hagebuttenhecke und setzte mich, durch einen Stapel von ausgesonderten Schwellen gedeckt, auf den von Abfällen versauten Damm der S-Bahn, von wo aus ich das Haus Nummer zwölf beobachten konnte. Krähen suchten hoppelnd den Damm ab, in unmittelbarer Nähe hörte ich den scharfen Pfiff von Ratten. Donnerte ein Zug über mir vorbei, dann riß der

Fahrtwind Plastikfetzen und Papier hoch und entführte das Zeug in die nächsten Gärten.

Als Lena Kuhlmanns Schwester das Haus verließ, trug sie einen offenen Mantel; auch in ihrer Eile vergaß sie nicht, zu sichern, spähte starr die Wege hinab, warf einen prüfenden Blick in den Schuppen. Leicht konnte ich den rostbraunen Mantel verfolgen, der sich an löchrigem Gebüsch entlangbewegte, vor Wegkreuzungen verharrte, schließlich, nachdem er sanft über einen mit Pfützen bedeckten Platz geweht war, auf ein Haus zusegelte, das mausgrau am Rand der Gartenstadt lag. Noch bevor sie die drei, vier Stufen erstiegen hatte, öffnete sich vor der Frau die Tür und wurde sogleich hinter ihr geschlossen. Daß ein Schlüssel umgedreht wurde, möchte ich für sicher halten.

Ich sah auf die Uhr: nicht weniger als vierzig Minuten mußte ich warten; dann wurde die Tür wieder geöffnet, zwei Frauen traten heraus, gingen anscheinend Hand in Hand die Wege hinauf zum Haus Nummer zwölf; sie gingen keineswegs im gleichen Rhythmus und von gleichem Wunsch erfüllt; je näher sie kamen, desto deutlicher war zu erkennen, daß die Frau im rostbraunen Mantel nicht nur den Weg bestimmte, sondern auch Energie und Worte aufwenden mußte, um die magere blonde Frau, die einen halben Schritt zurückhing, mit sich zu ziehen. Ich brauche Ihnen nicht zu sagen, daß es Lena Kuhlmann war, die hinter ihrer Schwester herwankte, nicht widerstrebend oder apathisch, sondern, wie ich auszumachen glaubte, nur müde und kraftlos. Beim Aufgang zu Nummer zwölf mußte sie sich auf das klotzige Geländer stützen.

Sollen sie noch eine Weile für sich haben, dachte ich, sollen sie sich besprechen, abstimmen; mir ging es nur um die Zustellung dieses Briefes, mein Auftrag schien erfüllt zu sein. Im Grunde hätte ich mir einen zweiten Besuch schenken können, doch weil die Schwester mich gebeten hatte wiederzukommen, kreuzte ich nach der vereinbarten Zeit noch einmal auf, erwartete nicht mehr als ein bestätigendes Nikken oder einen achtlosen Dank, mit dem die meisten uns abspeisen. Zu meiner Verblüffung aber wurde ich stumm und heftig ins Haus gezogen, dankbar sogar; ohne mir eine Gelegenheit zu geben, mich umzusehen, zog die zierliche Frau mich über einen trüben Flur, öffnete eine Schiebetür und deutete in ein mit unausstehlichen Rohrmöbeln überladenes Wohnzimmer, in dessen Mitte, genau unter einer Hängelampe, Lena Kuhlmann saß.

Bei meinem Eintritt wandte sie nicht den Kopf; starr saß sie da, verloren, wie geborgt; neben einem Stuhlbein lag ihre aufgeklappte Handtasche. Augenscheinlich hatte sie sich an einem Bord festgesehen, das mit Zinnkrügen besetzt war; denn nach einer flüchtigen Erwiderung meines Grußes blickte sie wieder an mir vorbei auf die kleine Sammlung. Sie hatte ein ausgezehrtes Gesicht, tiefliegende Augen; ihre hängende Unterlippe wurde von leichtem Zittern bewegt; das volle, aber stumpfe Haar wellte sich in ihrem Nacken.

Nach meiner Schätzung war Lena Kuhlmann älter als ihre Schwester, die mir nun einen der Rohrstühle anbot und die teilnahmslose Frau aufforderte, mir zu sagen, was zwischen ihnen ausgemacht worden war. Lena Kuhlmann schwieg, nur ein Zug des Bedauerns glitt über ihr Gesicht. Ihre Schwester trat hinter sie, streichelte ihre Schulter und bat verzweifelt: Nun sag doch schon dem Herrn, daß sie weg ist, Josuas Adresse, daß du sie nicht finden kannst, nun sag es doch schon.

Lena Kuhlmann wandte mir ihr Gesicht zu, ihre geweiteten, glanzlosen Pupillen richteten sich auf mich, und mit einer Bekümmerung, die nur mechanisch wirkte, flüsterte sie: Josuas Vateradresse war immer in der Handtasche; nun ist sie fort. Aber wir wollen ihm schreiben, sagte die Schwester schnell und mit Bestimmtheit, wir müssen Josua schreiben, nicht wahr? Das haben wir doch beschlossen, Lena.

Lena Kuhlmann sah mich mit einem Ausdruck von Ratlosigkeit an, als wollte sie fragen: Wohin, wohin denn soll ich den Brief adressieren? Ich hatte den Eindruck, daß sie von mir bestätigt zu werden wünschte in ihrem Verzicht; doch ich reagierte nicht, ich steckte mir eine Zigarette an und beobachtete, mit welch bitterem Eifer die Schwester nach Schreibzeug suchte und, nachdem sie einen linierten Block und einen Kugelschreiber aufgestöbert hatte, beides zu Lena hintrug und zuerst bittend und dann befehlend sagte: Schreib, komm, schreib an Josua, er hat's verdient, los, fang schon an! Sie legte das Schreibzeug auf Lenas Schoß, blickte vorwurfsvoll auf sie hinab, sinnend und mit unbarmherziger Ausdauer, und plötzlich schrie sie, schrie so laut, daß ich erschrak: Los! Schreib! Tu, was du ihm schuldig bist, du ... du ... Mit Tränen in den Augen wandte sie sich ab, lief auf den Flur hinaus, kehrte jedoch gleich wieder zurück, beherrscht und erbittert, und sagte: Schreib an Josua, Lena, bitte.

Und wie um Lena ihrer Aufgabe zu überlassen, kehrte sie ihr den Rücken und trat auf mich zu mit schütterem Lächeln und sagte: Fast,

fast wären sie verheiratet; ich kann es Ihnen ruhig erzählen; fast wären sie getraut worden, und Josua hätte seine Aufenthaltsgenehmigung bekommen und wäre nicht abgeschoben worden. Ich spürte an ihrer lauschenden Haltung, daß das, was sie mir erzählte, nicht für mich allein bestimmt war, es galt ebenso der Frau, die entschlußlos auf dem Stuhl saß und nur auf das Schreibzeug starrte. Fast, wiederholte die Schwester mit ruhiger Verachtung, aber selbst für den Augenblick auf dem Standesamt mußte sie das Zeug nehmen; der Standesbeamte erkannte, daß sie nicht ganz bei sich war, darum forderte er sie beide auf, noch einmal in sich zu gehen und zu gegebener Zeit wiederzukommen.

Zu Hause angekommen, wurde Lena bereits von ihren beiden Freunden erwartet, die ihr zunächst ohne ein Wort die fünfzehnhundert Mark aus der Handtasche holten – den Betrag, den sie als Lohn für den Gang zum Standesamt erhalten hatte – und die bemüht waren, Josua zu besänftigen. Er, Josua, soll danach nur dagesessen haben in unergründlichem Schweigen, eine mehrfarbige Schnur zwischen den Fingern, in die er, ohne hinzusehen, Knoten schlug, die er nach flüchtigem Befummeln wieder auflöste.

Es war unentscheidbar, ob Lena Kuhlmann zuhörte; sie verhielt sich regungslos und starrte auf das Schreibzeug und veränderte ihre Haltung auch dann nicht, als die Schwester sich zu ihr hinabbeugte und begütigend auf sie einsprach. Sie werden verstehen, daß ich mir jetzt das Recht nahm, mehr zu erfahren; ich unterbrach sie, ich fragte: Um was ging es denn? Bleiben, sagte die Schwester nach einer Weile, Josua wollte nur hierbleiben. Er war in irgend etwas verwickelt, dort, wo er herkam, seine Familie hatte für ihn gesammelt, so erschien er hier, doch seine Anträge auf Aufenthaltsgenehmigung wurden abgelehnt.

Jedenfalls, nach der geplatzten Trauung richtete sich Josua allem Anschein nach aufs Warten ein, er erschien immer wieder unangemeldet vor dem Haus, erkundigte sich nach Lenas Befinden und brachte ihr kleine Geschenke, und wenn ihm nicht geöffnet wurde, ging er in den Schuppen, setzte sich auf die Matratzen und beobachtete das Haus. Stundenlang konnte er so sitzen, brütend und ergeben, mit unentmutigter Geduld, als sei das, was er sich wünschte, einlösbar und nur eine Frage der Zeit. Oft verbrachte er eine ganze Nacht im Schuppen.

Fast, sagte die Schwester, wäre es Josua gelungen, Lena von dem Zeug zu befreien, mit dem sie sich hochbrachte. Er wußte, von wem sie es erhielt, er ahnte die Zusammenhänge. Sie duldete seine Anwesenheit, und er stand ihr bei, wenn sie, außer sich, die Wände raufgehen wollte. Wer weiß, sagte die Schwester, wohin sich alles von selbst entwickelt hätte.

Plötzlich ließ Lena Kuhlmann den Schreibblock auf den Boden fallen, sie würgte, rang nach Luft, zeigte auf eine Seltersflasche. Ihre Schwester gab ihr zu trinken und sagte auf einmal glücklich: Du schreibst ja, Lena, du hast ja schon angefangen, hier – sie bückte sich nach dem Block und legte ihn auf Lenas Schoß –, mach nur weiter, Josua hat es verdient. Sie streichelte sie voller Anerkennung und nickte mir erleichtert zu. Warum mußte er fort? fragte ich. Ah, sagte sie erbittert, dieses Gespann hat dafür gesorgt, dieses Freundesgespann: sie haben auf sein Geld verzichtet, weil etwas anderes ihnen wichtiger war. Josua wurde abgeschoben. Die Schwester wandte sich der Schreibenden zu, beobachtete, wie diese sich leicht wegdrehte und den Block abzuschirmen versuchte und nach einiger Zeit des Bedenkens den Brief beendete, ohne aufzusehen oder innezuhalten. Zittrig löste sie den Bogen, faltete und kuvertierte ihn. Und dann – Sie dürfen mir glauben, daß ich ganz schön überrascht war –, dann stand Lena Kuhlmann abrupt auf; sie, die bisher kaum ein Wort an mich gerichtet hatte, trat auf mich zu und hielt mir den Brief hin und sah mich bittend an. Sie müssen ihn ausfindig machen, sagte sie und fügte hinzu: Seine Vateradresse, ich weiß genau, daß ich sie in der Handtasche hatte, vielleicht hat man sie mir herausgenommen. Die genaue Adresse hätte uns sehr geholfen, sagte ich. Sie lächelte bekümmert und fragte: Sie werden doch alles versuchen? Alles, was uns möglich ist, sagte ich. Selten zuvor bin ich so bedankt worden wie bei meinem Abschied am Johannisbeerweg.

Sie werden sich wohl schon gedacht haben, daß ich auch diesen Brief Karl zeigte, dem noch immer mehr eingefallen war als uns allen zusammen. Skeptisch wog er ihn in der Hand, suchte ihn mit dem Vergrößerungsglas ab, automatisch. Er blickte auf den in Blockbuchstaben geschriebenen Namen, während ich ihm erzählte, was ich wußte; ich sagte ihm auch, wieviel mir daran gelegen war, daß dieser Brief seinen Empfänger erreichte.

Hör zu, sagte er nach einer Weile, schreib unter den Namen: »verurteilt« und schick den Brief an die Hauptpost dort unten; wenn unsere Kollegen sich soviel Mühe geben wie wir, werden sie den Mann schon finden. Ist das dein Ernst, fragte ich, und er darauf: Sicher, was sonst?

1982

Der Abstecher

Alle anderen Passagiere des weißen, lackglänzenden Fördedampfers drängten sich an der Reling, um dem Ablegemanöver zuzusehen, nur er nicht. Er setzte sich gleich an einen kleinen Klapptisch, blinzelte in die Sonne, wischte sich mit beiden Händen übers Gesicht und legte dann dieses flache, bronzene Ding auf die Tischplatte und starrte es an, brütend und ausdauernd. Der schmächtige Mann mit der Nickelstahlbrille, der ihn an die Pier gebracht hatte, stand immer noch geduldig vor dem Schiff und wartete, hoffte wohl auf einen Abschiedsgruß, doch der hochgewachsene Bursche am Klapptisch machte vorerst keine Anstalten, an die Reling zu treten und hinabzuwinken; wie geistesabwesend saß er da, unbeeindruckt von den Rufen, den Kommandos, dem fröhlichen Gedränge. Ganz verloren in die Betrachtung des bronzenen Gegenstandes, schüttelte er den Kopf, gerade als müßte er sich gegen eine aufsteigende Erinnerung wehren.

Als der Fördedampfer nach mehreren Signalen ablegte, kramte er aus seiner Reisetasche Pfeife und Tabakdose hervor, legte auch sie auf den Klapptisch, rauchte jedoch noch nicht, sondern trat nun ebenfalls an die Reling und blickte auf die Pier hinunter. Lange brauchte er nicht zu suchen, um den Mann zu finden, der ihn begleitet hatte. Wie von einer Schnur gezogen, hoben beide im Augenblick des Erkennens einen Arm, winkten nicht, hoben nur den Arm und ließen ihn starr in der Luft ruhen; es war ein seltsamer Abschied, der manches vermuten ließ oder einschloß, keineswegs aber den Wunsch nach einem baldigen Wiedersehen. Noch bevor die anderen Passagiere an die Tische stürmten und sich um Stühle und Bänke stritten, ging er ruhig zu seinem Platz zurück und stopfte sich die Pfeife, und nachdem er sie angezündet hatte, nahm er das flache Ding auf, das an einem Band hing, und ließ es einmal propellerhaft kreisen.

Obwohl das Sonnendeck überfüllt und kein Sitzplatz mehr frei war, wagte es anscheinend niemand, sich zu ihm an den Klapptisch zu setzen – vermutlich, weil er einen so versunkenen, abwesenden Eindruck machte und keinen Blick aufnahm und erwiderte. Als ich an ihn herantrat und fragte, ob ich mich zu ihm setzen dürfte, reagierte er mit unerwarteter Freundlichkeit; er lächelte und machte eine einladende Handbewegung, fast schien es, als sei er mir sogar dankbar. Er hatte ein rosiges, sommersprossiges Gesicht, sein graues Haar war kurz geschnitten, es stand in eigentümlichem Kontrast zu dem jugendlichen Aussehen. Wir blickten zurück zu der sandfarbenen Steilküste, an deren höchster Erhebung die historischen Schanzen lagen, wulstige Befestigungen, mit den alten Kanonen bestückt. Die Flügel der traditionsreichen Windmühle drehten sich langsam im Wind. Ein schönes Land, sagte ich spontan, und er nickte und sagte: Welch ein Idyll. Er sprach deutsch mit amerikanischem Akzent. Es wunderte mich nicht, daß er das Bedürfnis hatte, sich vorzustellen; er hieß Glen Muskie und kam aus Wisconsin. Als die Kellnerin erschien, lud er mich gleich zu einem Kaffee ein und bestellte außerdem für sich einen doppelten Linien-Aquavit. Ohne daß ich ihn danach gefragt hätte, sagte er, daß er nur einen Abstecher hierher gemacht habe, er müsse nach Kopenhagen hinauf, zu einer Fachkonferenz, seine Handelskammer habe ihn geschickt. Segelboote liefen an uns vorbei, einige hatten bunte Spinnaker gesetzt, die Besatzungen sonnten sich auf dem Oberdeck und winkten träge herüber. Glen Muskie ließ die flache bronzene Scheibe hin- und herpendeln und sah auf das wellige, von Hecken durchzogene Land, das langsam zurückblieb. Was er da pendeln ließ – nun erkannte ich es –, war eine Medaille, ein Orden, eingedunkelt von der Zeit; auch das Band bezeugte mit bräunlichen Flecken sein Alter. Obwohl er mit seinen Gedanken weit weg war, bemerkte er mein Interesse für die alte Auszeichnung, und er hob sie mir entgegen und überließ sie mir. Vierundsechzig, sagte er, dieses Ding stammt von achtzehnhundertvierundsechzig; man bekam es für Tapferkeit. Während ich die Medaille betrachtete, servierte die Kellnerin Kaffee und Aquavit.

Ich konnte ihm ansehen, daß der Linien-Aquavit ihm guttat. Er nahm die Medaille wieder an sich und ließ sie pendeln, und dabei entstand auf seinem Gesicht ein abschätziges Lächeln. Auf einmal nickte er auf das bronzene Ding hinab und sagte: Vielleicht empfinden Sie es als merkwürdig, aber den Abstecher hierher habe ich wegen dieses Ordens gemacht; ich wollte einfach mal die Wahrheit erfahren. Die Wahrheit worüber? fragte ich, und er darauf: Über das, was damals hier wirklich geschah, auf diesen Schanzen dort drüben, und wofür einem solch ein Ding verliehen wurde.

Ruhig erzählte er, daß er die Medaille aus Wisconsin mitgebracht hätte, sie gehörte seiner Frau, deren Vorfahren aus Deutschland stammten; einer von ihnen, der damals hier dabei war, hatte sich die Auszeichnung verdient, es war wohl der Urgroßvater. Von einem zum andern hatten sie die Auszeichnung in der Familie weitergegeben, sie hatten sie in Ehren gehalten, obwohl die Tat, für die sie verliehen worden war, immer ungewisser wurde und sich schließlich nur noch in ganz allgemeinem, legendenhaftem Zuschnitt erhielt. Wie immer kamen auch hier mit der Zeit die Zweifel.

Seine Frau wußte, daß er sich auf die Spur des Helden setzen wollte. Sie hat mir den Orden mitgegeben, sagte er, o ja, ihr liegt daran, nicht zuletzt, um künftige Zweifel zu zerstreuen. Er hob sein Glas gegen mich und trank es aus und schüttelte den Kopf. Ich fragte ihn, ob alles nach Wunsch verlaufen sei und ob er Gewißheiten mit nach Hause nehmen könnte, und er nickte und sagte: Zumindest kann ich ihnen etwas erzählen.

Zuerst allerdings hatte es nicht danach ausgesehen, daß er erfahren würde, worauf es ihm ankam. Gleich nach seiner Ankunft wanderte er zu den Hügeln hin, auf denen die zehn Schanzen angelegt waren, er traf dort nur eine Schulklasse und ein altes Ehepaar; er war erstaunt über den gepflegten Zustand der Massengräber. Die Aussicht über Sund und Förde mit all den kreuzenden Booten begeisterte ihn so, daß er alles auf einem Film festhielt. Der Lehrer, mit dem er ins Gespräch kam, riet ihm, das Museum im alten Schloß zu besuchen; er wies ihn auf eine besondere Abteilung hin, in der die vielfältigen Dokumente der damaligen Geschehnisse aufgehoben wurden: Karten, Waffen, sogar die Operationsbestecke von Feldscheren.

Er machte eine Pause, musterte mich freimütig; augenscheinlich versuchte er, mein Alter zu schätzen, und da er wohl zu keinem Ergebnis kommen konnte, fragte er: Waren Sie Kriegsteilnehmer? Ja, sagte ich, in den letzten Monaten war ich noch dabei. Auf die Medaille hinabblickend, fragte er: Haben Sie sich auch dergleichen verdient? Ich war auf einem schweren Kreuzer, sagte ich, mein Schiff hatte mehr als tausend Mann Besatzung, da konnte man sich so etwas nicht verdienen. Er machte eine Geste, mit der er um Entschuldigung zu bitten schien für seine Frage. Mir entging nicht, daß er auf einmal die Schultern hob, als müßte er sich abfinden mit einer Erfahrung.

Fast einen ganzen Tag, so erzählte er, brachte er im Museum zu, die Dokumente und Zeugnisse durften nicht berührt werden, er mußte sich mit dem Augenschein begnügen und vertiefte sich immer wieder in den Anblick von Grundrissen, Skizzen und Zeichnungen; er entdeckte auch ein Sortiment von damals verliehenen Auszeichnungen, doch eine Tapferkeitsmedaille, wie er sie bei sich trug, konnte er nicht finden, und der Museumswärter, dem er sie schließlich zeigte, bezweifelte sogar die Echtheit. Sie können sich wohl denken, wie mir auf einmal zumute war, sagte er. Weil aber der Museumswärter seine Enttäuschung bemerkte, empfahl er ihm, sich an eine Autorität zu wenden, an einen Heimatforscher namens Svendsen, von dem es hieß, daß er mehr über die historischen Ereignisse wüßte, als jeder der damals Beteiligten gewußt hatte, beide Generalstäbe eingeschlossen. Daß er vom Museum in ziemlich angegriffenem Zustand in sein Hotel ging, lag weniger an dem Zweifel, der an der Echtheit des Ordens aufgekommen war, als vielmehr an den ausgestellten Operationsbestecken. Jeder Werkzeugkasten eines Tischlers, sagte er, enthält heute feinere Sägen und Zangen.

Die Kellnerin fragte, ob sie das Geschirr abräumen dürfte, und der Amerikaner legte ihr ein enormes Trinkgeld aufs Tablett und bat sie, noch zwei Gläser Linien-Aquavit zu bringen, doppelte. Er schien erfreut, daß ich seine Einladung nicht ausschlug. Mir war nicht wohl, sagte er, mir war wirklich nicht wohl bei dem Gedanken, meiner Frau sagen zu müssen, daß diese Tapferkeitsmedaille, die sie und ihre Leute so lange aufbewahrt und in Ehren gehalten hatten, nicht echt war. Um Gewißheit zu erhalten, suchte er also den Heimatforscher auf; er fand ihn in einem kleinen Geschäft – antiquarische Bücher und Stiche und Landschaftsmalerei – und wurde, nachdem er seinen Wunsch geäußert hatte, gleich zu einem Tee eingeladen. Der Sachverständige konnte ihm nach einem einzigen Blick bestätigen, daß der Orden echt war und seinerzeit für außergewöhnliche Tapferkeit verliehen wurde, und nicht nur dies: Svendsen zeigte sich im Besitz aller Namen derer, die damals ausgezeichnet worden waren. Mühelos fand er die Kladde, ließ sich den Namen jenes Urgroßvaters nennen, suchte und suchte, blätterte zurück, ging noch einmal mit steifem Zeigefinger die Liste durch, doch ein Sergeant Sabory war nirgends erwähnt, nur ein Mann namens Saborowski. Da fiel dem Besucher ein, daß jener Urgroßvater, nachdem er nach Wisconsin ausgewandert war, seinen Namen anglisiert hatte. Sie werden es kaum glauben, sagte Glen Muskie, doch mir fiel ein Stein vom Herzen. Die bestätigte Echtheit erfüllte ihn sogar mit sonderbarer Genugtuung, die allerdings nicht lange dauerte.

Dieser Heimatforscher, dieser Antiquar war so erfreut über das detaillierte Interesse seines Besuchers, daß er ihn mit allen Ereignissen und Daten bekannt machte; insbesondere schilderte er die Wochen und Monate, in denen die Schanzen belagert worden waren. Auch jener Urgroßvater gehörte zu den Belagerern. Da beiden Seiten befohlen war, Munition zu sparen – und da jede Seite es von der anderen wußte –, zeigten sich die Soldaten mehr und mehr unbesorgt, traten aus ihrer Deckung heraus, saßen erkennbar in der Morgensonne und riskierten es dann und wann, zu den anderen hinüberzuwinken. Je länger die Unbesorgtheit auf dem kleinen Kriegsschauplatz andauerte, desto näher kamen sich die Soldaten beider Seiten, der morgendliche Gruß – nicht überheblich, nicht selbstbewußt oder siegesgewiß, sondern erleichtert und kumpelhaft – wurde zur Gewohnheit. Es ist verbürgt, daß, als zwei feindliche Wachtposten in der Nacht aufeinanderstießen, beide in stummem Einverständnis das Gewehr ablegten.

Welche Möglichkeit, sagte Mr. Muskie und holte aus seiner Reisetasche ein Buch hervor und fischte zwei Zeichnungen heraus, die er zwischen die Seiten gelegt hatte. Herr Svendsen hatte ihm die Zeichnungen verkauft, angebräunte Blätter, die Szenen des Belagerungslebens belegten. Wie sie zusammenfanden, die Soldaten beider Seiten, wie sie sich miteinander bekannt machten, ins Gras setzten, redeten, wie sie einander probieren ließen von ihren Rationen, Tabak tauschten, von zu Hause erzählten und vor der Rückkehr in die eigene Stellung noch gemeinsam einen Schluck aus einer Flasche nahmen: da mußte Ungläubigkeit wie von selbst entstehen bei allen, die davon hörten. Einmal zündeten sie gemeinsam gegen die Kälte der Nacht ein Feuer an; während sie sich wärmten, entsannen sie sich dringender Tätigkeiten zu Hause und erwogen wohl auch schon hier und da untereinander, die aufgenommenen Beziehungen fortzusetzen. Nach mehreren Wochen täglichen Umgangs miteinander nannte man sich beim Vornamen. Man verabschiedete sich beim Auseinandergehen für die Nacht; zum gegenseitigen Besuch der Stellungen lud man sich allerdings nicht ein.

Was ich von diesem Heimatforscher erfuhr, sagte der Amerikaner, klang nicht allein unwahrscheinlich – ich mußte mich fragen, welch eine Gelegenheit zur Tapferkeit es überhaupt noch geben konnte unter Männern, die im andern ihr eigenes Los entdeckt hatten und sich so nahe gekommen waren, daß fast nichts mehr an Feindschaft erinnerte. Herr Svendsen schlug ihm vor, gemeinsam zu den Schanzen hinauszugehen, und auf den Wällen stehend, zeigte er ihm, wo sie sich einst gegenüberlagen und wo sie sich trafen und mehr als das Übliche mit-

1251

einander sprachen. Da waren jetzt Felder und Hecken und gepflegte Massengräber. An einigen Stellen, so erfuhr der Besucher, lagen sich die Männer auf Rufweite gegenüber. Die Landschaft vor Augen, den Bericht über den Soldaten-Alltag im Gedächtnis, konnte es sich der Besucher einfach nicht vorstellen, für welch eine Art von Tapferkeit die Auszeichnung verliehen wurde, die er bei sich trug. Auf seine Frage, wodurch denn damals eine Lage entstand, in der Tapferkeit nötig war und bewiesen werden konnte, antwortete der Heimatforscher nur knapp. Er sagte: Durch den Befehl.

Glen Muskie schwieg, wandte den Kopf und blickte über das Wasser zu einer der grünen Fahrwasserbojen, wobei er mit dem Rand der Medaille leicht tickend auf die Tischplatte klopfte. So war es wohl immer, sagte ich: der Befehl duldet keine Fragen. Wieder schüttelte er den Kopf, wieder erschien auf seinem Gesicht dieser brütende Ausdruck. Auch Svendsen hatte ihn daran erinnert, daß für jede Armee das Prinzip des unbedingten Gehorsams gilt. Der Heimatforscher empfand es nicht als ungewöhnlich, daß die Belagerer an einem Apriltag zum Angriff vorgingen, gegen die Soldaten, mit denen sie noch tags zuvor Brot und Adressen und, was auch verbürgt ist, Feldflaschen getauscht hatten: sie befolgten lediglich den Befehl. Daß dieser Befehl sie vergessen ließ, was sie in den vergangenen Wochen erfahren und getan und in einer Art familiärer Notgemeinschaft begründet hatten, konnte Mr. Muskie nicht verstehen, würde er nie zu verstehen lernen. Beide stritten sich über die Bedeutung eines Befehls und setzten ihren Streit noch bei einem Essen fort, zu dem der Amerikaner den Heimatforscher eingeladen hatte.

Ein kleiner Junge kam an unseren Tisch, er fragte, ob wir etwas Brot hätten, Brot für die Möwen, die über dem Heck des Schiffes hingen. Glen Muskie gab ihm ein Geldstück und schickte ihn zum Kiosk. Und dann umschloß er die Medaille fest mit seiner Hand und sah mich an.

Können Sie sich vorstellen, fragte er, daß ich nach allem nur noch wenig Interesse daran hatte, etwas über die Tat zu erfahren, für die diese Auszeichnung hier verliehen wurde? Er gab zu, daß er sich unwillkürlich ein gewisses Ereignis auszudenken versuchte – ein Beispiel von Kühnheit, Gewalt und Todesverachtung –, doch er unterließ es, sich beim Heimatforscher danach zu erkundigen. Der aber kam überraschend zu ihm ins Hotel, freudig und voller Zufriedenheit über das, was er herausgefunden hatte: er konnte ihm die Kopie eines Belegs zeigen, aus dem hervorging, daß ein Sergeant Saborowski sich außergewöhnlich hervorgetan hatte bei der Eroberung von zwei Geschützen, die den Angriff vorübergehend ins Stocken gebracht hatten. Der Heimatforscher glaubte, dem Mann von weit her eine Freude gemacht zu haben, vielleicht erwartete er ein anerkennendes Wort, doch der Amerikaner konnte es nur schweigend zur Kenntnis nehmen.

Ich weiß auch nicht, wie es kam, sagte er zu mir, plötzlich sah ich nur dies Bild: zwei eroberte Geschütze, und um sie herum, gekrümmt und verzerrt und mit dem Gesicht an der Erde, die Männer, die diese Geschütze bedient hatten. Auf sie herabblickend, stand der Mann, der ein Beispiel von Tapferkeit gegeben hatte, und ich stellte mir vor, daß er auf einmal neben einem der Daliegenden seine Feldflasche entdeckte, die er vor wenigen Tagen halbgefüllt weggeschenkt hatte. Und ich stellte mir auch vor, wie er sie wieder an sich nahm und dann dem Trompetensignal lauschte, das zum Sammeln befahl.

Der Heimatforscher schenkte ihm die Kopie des Belegs, und obwohl er zunächst darauf verzichten wollte, nahm er sie dann doch an. Auf dem Weg zum Hafen – der Heimatforscher bestand darauf, ihn zu begleiten – hatten sie sich kaum noch etwas zu sagen; erst als sie vor dem Schiff standen, fragte ihn Herr Svendsen, ob er denn nun, im Besitz gesicherter Beweise, beruhigt nach Hause fahre, denn für die Seinen dürfte es ja nun keine Ungewißheit mehr geben.

Und was antworteten Sie? fragte ich. Oh, sagte Mr. Muskie, ich sagte, daß ich diesen Besuch niemals vergessen würde. Und zu Hause, fragte ich, werden Sie zu Hause erzählen, was Sie erfahren haben? Er sah mich erstaunt an. Selbstverständlich, sagte er, ich werde ihnen die Beweise geben; ich werde ihnen erzählen, was sich zugetragen hat; danach können sie selbst bestimmen, welch eine Bedeutung sie dieser Medaille künftig zuerkennen. Man muß es aussprechen, man muß alles aussprechen.

Sorgfältig verpackte er alles in seine Reisetasche, klopfte seine Pfeife aus und ließ auch die verschwinden. Er machte einen erleichterten Eindruck; für ihn hatte sich der Abstecher anscheinend gelohnt. Aus dem verwaschenen Blau trat klar der Saum der Küste hervor, er musterte sie nachdenklich und sagte mehr für sich: Welch ein idyllisches Land. Ich pflichtete ihm bei.

1982

Ein Kriegsende

Unser Minensucher glitt mit kleiner Fahrt durch den Sund, und sie hoben nur einmal den Blick und drehten sich weg. Von ihren Fischkuttern, von ihren Prähmen und verworfenen Holzstegen linsten sie zu uns herüber, schnell und gleichmütig, anscheinend gleichmütig, und kaum daß sie uns aufgefaßt hatten, wandten sie sich ab und stapelten weiter ihre Kisten mit Dorsch und Makrele, schrubbten die Decks, schlugen die Netze aus oder setzten mit weggetauchtem Gesicht die letzten Tabakkrümel in Brand. So wie sie durch uns hindurchsehen konnten, wenn wir ihnen in den krummen Straßen der kleinen Hafenstadt begegneten, so registrierten sie interesselos jedes Auslaufen von MX 12, tauschten keine Signale, taxierten nicht, sahen sich nicht fest; mitunter kehrten sie uns sogar den Rücken zu, wenn wir mit entkleidetem Buggeschütz vorbeiglitten, und arbeiteten nur heftiger, fast erbittert. Sie schienen sich an MX 12 gewöhnt zu haben, an den grauen Minensucher, sie ertrugen seine beherrschende Silhouette vor dem getünchten, kastenförmigen Gebäude des Hafenkommandanten, ertrugen sie, indem sie achtlos über sie hinwegblickten – nicht alle, aber doch die meisten in diesem stillen dänischen Hafen, in dem wir in den letzten Monaten des Krieges stationiert waren.

Die Ufer traten zurück, der Sund öffnete sich, bei schwachem Wind hängten sich Möwen übers Achterdeck, wie für alle Fälle. Wir passierten die Mole, der weißgelackte Leuchtturm glänzte in der Sonne, wir passierten die bröckelnde Festung, in der einst ein umnachteter König seine letzten Jahre verbracht hatte. Unsere schwach auslaufenden Bugwellen leckten die Steine, hoben die kleinen vertäuten Boote an und ließen sie dümpeln. Keines unserer Geschütze war besetzt.

Fern, im Schutz der Inseln, in ihrem vermeintlichen Schutz, ankerte eine heimatlose Armada: alte Frachter, Werkstattschiffe, Schlepper und Lastkähne. Sie waren aus den Häfen des Ostens geflohen, die nun verloren waren, sie hatten sich mit ihrem letzten Öl, mit letzter Kohle westwärts retten können, einzeln und in trägen Konvois, über eine unsichere Ostsee, die gesprenkelt war von Treibgut. Seit Wochen lagen sie auf Warteposition, doch sie erhielten keine Erlaubnis, die wenigen verbliebenen Häfen anzulaufen, deren Piers von Kriegsschiffen besetzt waren.

Es frischte nicht auf, feiner Dunst lag über der See, als wir das mächtige Wrack passierten, einen ehemaligen Truppentransporter, der mit nur geringer Krängung auf Grund lag, am Rande des Fahrwassers. Die sanfte Dünung spülte über die rostigen Plattformen der Flak, warf sich klatschend an den Aufbauten hoch, fiel zurück und floß in schäumenden Zungen ab. Auf den Spieren, signalhaft aufgereiht, saßen Mantelmöwen, die hin und wieder einzeln abschwangen und nach knappem Rundflug wiederkehrten. Immer noch liefen wir kleine Fahrt. Der Kommandant rief einige von uns zur Brücke, er sah wie abwesend über die See, als er unseren Auftrag bekanntgab, er sprach in wechselnder Lautstärke, mitunter fiel er ins Platt. Kurland also; wir hatten den Auftrag bekommen, nach Kurland zu laufen, wo eine eingeschlossene Armee immer noch kämpfte, sich eingrub und widerstand mit dem Rücken zur Ostsee, obwohl alles verloren war. Wir gehen nach Libau, sagte der Kommandant, wir werden im Hafen Verwundete an Bord nehmen und sie nach Kiel bringen. Befehl vom Flottillenkommando. Er knöpfte die Uniformjacke über dem Rollkragenpullover zu, suchte den Blick des Steuermanns und stand eine Weile da, als erwartete er etwas, eine Frage, einen Einspruch, doch weder der Steuermann noch ein anderer sagte ein Wort zu unserem Auftrag, sie harrten nur schweigend aus, als verlangten sie zu dieser Nachricht eine Erläuterung. Der Kommandant ließ das Zwillingsgeschütz besetzen.

Am Ruder stehend, hörte ich, wie sie den Kurs erwogen. Seit die Häfen in Pommern und Ostpreußen verlorengegangen waren, lief kein Geleit mehr ostwärts, dem wir uns hätten anschließen können; wir mußten versuchen, allein durchzukommen, fern von der Küste, um nicht von ihren Flugzeugen entdeckt zu werden. Der Kommandant sprach sich für einen nordöstlichen Kurs aus, am schwedischen Gotland vorbei; er schlug vor, an schwedischen Hoheitsgewässern weiterzulaufen, um dann, auf südöstlichem Kurs, die Ostsee nachts zu überqueren. Der Steuermann sagte: Wir kommen nicht durch, Tim, und der Kommandant darauf, zögernd und wie immer ein wenig abweisend: Ich war noch nie in Libau, vielleicht ist das die letzte Gelegenheit. Sie stammten aus demselben Nest in Friesland, vor dem Krieg hatten beide Fischdampfer gefahren, beide als Kapitän.

Wir liefen mit Marschgeschwindigkeit auf einem Kurs, den allein der Kommandant bestimmt und abgesteckt hatte; die See krauste sich, ein Torpedoboot passierte uns in sehr schneller Fahrt. Durch das Glas waren überall in den Gängen Soldaten mit Verbänden zu erkennen. Zum Schluß, sagte der Kommandant, fahren alle als Lazarettschiff. Der Himmel war klar, hoch über uns zerliefen Kondensstreifen. Zwei leere Schlauchboote trieben auf dem Wasser, unsere Hecksee ließ sie torkeln. Der Funkmaat brachte einen Notruf auf die Brücke, den ein sinkendes Schiff abgesetzt hatte, ein großes Wohnschiff, die »Cap Beliza«; sie meldete Minenexplosion. Über die Karte gebeugt, ermittelte der Kommandant die Unglücksstelle; wir konnten ihnen nicht zu Hilfe kommen, wir standen zu weit ab. Es ist Wahnsinn, Tim, sagte der Steuermann, wir kommen nie durch bis Libau. Sie tauschten wortlos ihren Tabak, stopften gleichzeitig die Pfeifen und steckten sie an. Ihre Flugzeuge, sagte der Steuermann, ihre Flugzeuge und U-Boote: östlich von Bornholm räumen die alles ab. Wir haben einen Auftrag, sagte der Kommandant, in Kurland warten sie auf uns.

Nachdem wir gestoppt hatten, driftete das Rettungsfloß an unserer Bordwand entlang, eine Leine flog hinunter, die einer der beiden barfüßigen Soldaten auffing und an einem Querholz festmachte. Sie waren waffenlos, ihr Besitz lag in einer zusammengebundenen Zeltbahn, die sie an Bord gehievt haben wollten, bevor sie selbst das Floß verließen. Sie brauchten Hilfe bei ihrem Versuch, das ausgebrachte Fallreep hinaufzuklimmen, und bei ihrem Gang zur Kajüte mußten sie gestützt werden. Gerade hatten wir Fahrt aufgenommen, als von Westen her, knapp überm Wasser, mehrere Maschinen auf uns zuflogen; wie aus dem Horizont geschleudert, schossen sie heran, ihre Propeller blitzten und schienen sich sirrend vor und zurück zu bewegen, wie in Filmen. Noch röhrte und quakte unser Alarmhorn, da schlugen schon, scharfe Fontänen aufwerfend, die Geschosse ins Wasser, sägten übers Deck, über Brücke und Vorschiff, einer von uns wurde in die Nock geschleudert; unser Zwillingsgeschütz schwang herum und feuerte mit Leuchtspurmunition, die Geschoßbahnen gingen über die Maschinen hinweg. Es war der einzige Anflug. Der tote Signalgast wurde in Segeltuch geschnürt – nicht eingenäht, sondern nur geschnürt – und, mit zwei Gewichten beschwert, übers Heck dem Wasser übergeben.

Der Steuermann sprach mit den barfüßigen Soldaten; sie hatten zu einem Stab gehört, der in einem pommerschen Hafen aufgebrochen war, auf einem bewaffneten Schlepper. Ein Tanker hatte sie nachts gerammt. Sie wollten nicht glauben, daß wir nach Kurland unterwegs waren, Angst lag auf ihren Gesichtern; der, der für beide sprach, bat darum, irgendwo an Land abgesetzt zu werden. Sie hielten sich aneinander fest. Es wurde ihnen gesagt, daß sie, da wir unterwegs keinen Hafen anlaufen würden, während der ganzen Fahrt an Bord bleiben müßten. Der, der für beide sprach, sagte darauf leise und wie zu sich selbst: Aber es geht doch zu Ende, vielleicht ist alles schon zu Ende. Auch der verschärfte Ausguck meldete nichts. Wir liefen auf nordöstlichem Kurs, mitunter gerieten wir in sehr leichte Nebelbänke, die die Sonne schwach durchdrang; die See blieb ruhig. Kaum Wind. Wandernde Kolonien von Quallen, die sich unter ebenmäßigen Kontraktionen fortbewegten, gaben dem Wasser einen milchigen Schimmer; wenn wir hindurchpflügten, glänzte es tausendfach neben der Bordwand auf. Einmal sichteten wir eine flache Rauchfahne, die wie herkunftslos am Horizont lag. Die Stille, der Raum, die Leere: sie gaben uns das Gefühl, durch ungefährdetes Gebiet zu fahren, durch verschonte Weite – für Augenblicke zumindest. Wir fuhren unter Kriegswache. Überall auf ihren Gefechtsstationen saßen und standen sie zusammen, ihre Diskussionen hörten nicht auf.

Der Funkmaat selbst brachte das Gerücht zur Brücke; er rückte nicht gleich damit heraus, er erzählte zunächst von den Rettungsmaßnahmen für die »Cap Beliza« – vier Schiffe, darunter zwei Zerstörer, waren bei ihr –, studierte die ausliegenden Karten und überschlug unseren Kurs, stand danach eine Weile rauchend in der Brückennock, und erst kurz bevor er uns verließ, im Wegdrehen, sagte er: Da läuft etwas, da liegt was in der Luft. Was meinst du, fragte der Steuermann. Kapitulation, sagte der Funkmaat. Wenn mich nicht alles täuscht, stehen wir kurz vor der Kapitulation.

Recht voraus hob sich ein mächtiges weißes Schiff über die Kimm, ein schwedischer Passagierdampfer, Blau und Gelb an der Bordwand und an den beiden Schornsteinen, er lief mit voller Fahrt, selbstbewußt, im Schutz der Neutralität; auf dem Sonnendeck Passagiere in Liegestühlen, vermutlich in Kamelhaardecken gehüllt, Paare flanierten oder standen entspannt an der Reling, während Stewards mit Tabletts nach ihren Auftraggebern spähten.

Es war nicht leicht, geradeaus zu blicken, über das Ruder hinweg, als sie hinterm Rücken wieder anfingen, als der Steuermann fragte: Was dann, Tim, was dann, wenn es eintrifft; und der Kommandant nach einer Pause sagte: Zerbrich dir nicht den Kopf, bei der Flottille werden sie uns nicht vergessen.

»Und wenn sie auf einmal schweigt?«
»Wir haben einen Auftrag.«
»Nicht nur einen.«
»Wie meinst du das?«
»Das Boot. Die Besatzung. Es ist zu Ende, Tim. Sie sind in Berlin ... Wir kommen nie durch nach Kurland. Warum willst du alles aufs Spiel setzen?«
»Was schlägst du vor?«
»Wir laufen nach Kiel. Oder nach Flensburg. Heil zurückkommen: das ist auch ein Auftrag. Der letzte.«
»Ich denk an die armen Hunde ... Die ganze Nehrung soll voll sein, die Nehrung vor Libau. Verwundet in Gefangenschaft ... Stell dir vor: du kommst verwundet in Gefangenschaft. Beim Iwan.«
»Wenn's nur eine Chance gäbe ... Du kennst mich, Tim. Aber ich sag dir: wir werden keinen rausholen. Wir liegen alle im Bach, noch bevor die Küste in Sicht ist. Und so denken viele ...«
»Wen meinst du?«
»Die Besatzung. Es hat sich rumgesprochen, daß bald Schluß ist.«
»Wir müssen es riskieren.«
»Die Leute sind anderer Meinung.«
»Und du, Bertram?«
»Bring sie nach Haus. Ich kann dir nur sagen: Bring sie nach Haus.«

Die Backen waren von der Freiwache besetzt; hier droschen sie Doppelkopf, dort lag einer mit dem Oberkörper auf der Tischplatte und schlief; unter den Bulleyes erregten sie sich in vorsichtigem Gespräch, vor der Spindwand kauten sie ihre unförmigen Schmalzfleischstullen und tranken dazu Kaffee aus Aluminiumbechern. Es roch nach Öl und Farbe. Der Neue, ein sehr junger Bursche in ledernem Overall, saß für sich und las, las und schloß die Augen und lehnte sich zurück, beide Handflächen auf dem fleckigen Buch.

Die Vibrationen des Bootes: jetzt, in einem Augenblick der Ruhe, waren sie überall spürbar. Plötzlich öffnete der Funkmaat das Schott, trat langsam ein, versteifte, sein Blick ging über uns hinweg, er stand da, als lauschte er, nicht uns, nicht den verhaltenen Stimmen unterm Bulleye, sondern fernen Signalen, einem Knistern im Äther, das ihn ratlos machte, nicht unglücklich oder verzweifelt, sondern nur ratlos, und da er seine Haltung nicht veränderte, zog er wie von selbst alle Aufmerksamkeit auf sich. Was issen los? rief einer. Bei Lüneburg, sagte er leise, Friedeburg hat unterzeichnet, Generaladmiral von Friedeburg: die Kapitulation. Und in die Stille hinein sagte er mit fester Stimme: An der ganzen britischen Front haben wir kapituliert, auch in Holland, auch hier in Dänemark. Er ließ sich eine Zigarette geben und sagte: In Montgomerys Hauptquartier bei Lüneburg. Dann blickte er von einem zum andern, dringlich, auffordernd, auf eine einzige Gewißheit aus, doch keiner von uns wagte sich mit einem Wort hervor. Keiner von uns rührte sich, starr nur saßen wir da, wie angeschweißt, eine ganze Weile. Der erste, der sichtbar reagierte, war Jellinek, unser ältester Feuerwerker – auf MX 12 wurde gemunkelt, daß er in langer Fahrenszeit zweimal degradiert worden war. Ruhig stemmte er sich von der Back ab, trat an sein Spind, zog unterm Wollzeug eine Rumflasche hervor und setzte sie mit einladender Geste ab. Er fand keine Zustimmung, niemand griff nach seiner Flasche, alle Blicke richteten sich wieder auf den Funkmaat, gerade so, als habe der noch nicht alles gesagt, als halte er etwas in petto, das uns direkt betraf, unser Boot. Kaum einer sah, daß dem Neuen Tränen in den Augen standen.

1259

Unterm Abendrot lag die Ostsee wie gedämmt da, die zerlaufenden Farben fanden sich zu mutwilligen Gebilden, hier und da schäumte das Wasser, brauste und kochte – dort, wo Makrelen in gestellte Heringsschwärme hineinschossen. Der Kommandant ließ sich Tee auf die Brücke bringen; beim Rauchen umschloß seine Hand aus Gewohnheit den Pfeifenkopf, um den schwachen Schein der Glut zu verbergen. Dem Ausguck schien es an der Zeit, die Gläser zu wechseln, das Tagglas gegen das schwere Nachtglas; wie mechanisch er sich in den Hüften drehte, während er den Horizont absuchte. Es gab nichts zu melden; MX 12 lief mit Marschfahrt durch die zögernde Dunkelheit – ein, wie es schien, unauffindbares Ziel in der Weite der See.

Keiner schlief, wollte schlafen; das Boot war abgeblendet; sie saßen um die Backen herum in trüber Notbeleuchtung und hörten dem alten Feuerwerker zu, der zu wissen schien, was die Kapitulation für MX 12 bedeutete. Das ist klar, sagte er, das ist doch immer so: Festliegen bis zur Übergabe; keine Beschädigungen, keine Selbstversenkung, und schon gar keine Unternehmung. Er hob den Kopf, deutete in Richtung zur Brücke und zuckte die Achseln, resigniert, verständnislos, als wollte er sagen: Sie haben wohl nicht begriffen da oben, wissen wohl nicht, daß sie auf Gegenkurs gehen müssen, zurück zu unserm Liegeplatz.

Einer sagte: Das wär 'n Ding, wenn wir jetzt noch eins verpaßt bekämen, nach der Kapitulation – worauf der Neue, der lange brütend dagesessen hatte, mit gepreßter Stimme bemerkte: Geht doch in die Boote, steigt doch aus, wenn ihr Schiß habt. Ihr müßtet euch mal hören können – zum Kotzen.

Ein tiefliegendes Schiff kam auf, ein Tanker, der in der lichten Dunkelheit westwärts lief, und noch bevor er achteraus war, gaben sie U-Boot-Alarm für MX 12. Der Tanker änderte sogleich seinen Kurs und drehte mit äußerster Kraft ab, während wir auf die Stelle zuliefen, an der der Ausguck das Periskop entdeckt hatte, seine glimmende Bahn – wobei keinem auf der Brücke klar war, was der Kommandant mit diesem Manöver bezweckte, denn wir hatten keine Wasserbomben an Bord. Vielleicht glaubte er das U-Boot rammen zu können, vielleicht wollte er auch nur durch unsere Angriffsfahrt dem Tanker eine Chance verschaffen, zu entkommen; jedenfalls überliefen wir das Gebiet mehrmals, die Geschütze waren besetzt, erst nach längerer Suche nahmen wir den alten Kurs wieder auf. Rausholen, sagte der Kommandant, jetzt können wir nur noch das tun: so viele wie möglich rausholen.

»Wir haben kapituliert, Tim«, sagte der Steuermann.

»Es ist eine Teilkapitulation.«

»Du weißt, woran die uns bindet.«

»Ob wir morgen übergeben oder übermorgen … und wenn wir bloß eine Handvoll in den Westen bringen … Die Seekriegsleitung hat nur noch dieses Ziel: unsere Leute in den Westen zu bringen … aus dem Osten zu holen … Wo willst du das Boot übergeben?«

»Wo? Vielleicht in Kiel. Oder in Flensburg.«

»Du bist also entschlossen?«

»Ja. Wir gehen nach Kurland und nehmen die Leute auf und dann: heimwärts.«

»Du weißt, daß alle Unternehmungen abgebrochen werden müssen.«

»Dies ist unser letztes Unternehmen.«

»Sie können uns belangen. Dich. Die Besatzung.«

»Was ist los mit dir, Bertram?«

»Hör zu, Tim. Die Leute warten unten. Sie machen das nicht mit. Das Risiko – es lohnt sich nicht. Nach der Kapitulation.«

»Und was wollt ihr?«

»Daß du auf Gegenkurs gehst.«

»Redest du für sie?«

»Für sie. Und für die Vernunft. Aber rede selbst mit ihnen. Nach allem ... Sie haben nur einen Wunsch nach allem: daß du sie nach Hause bringst.«

»Ist dir klar, was das bedeutet?«

»Sie sind entschlossen.«

»Ich frage nur: wißt ihr, was das bedeutet?«

»Sie haben ein Recht darauf. Jetzt, wo alles vorbei ist.«

»Was ihr vorhabt – es kann ins Auge gehen ... Bertram, ich hab die Verantwortung für das Boot. Ich gebe hier die Befehle.«

Noch bevor die Mittelwache aufzog, besetzten sie die Brücke; sie stapften unduldsam und entschieden herauf, sechs oder acht Männer, die offensichtlich auf Widerstand gefaßt waren, zumindest aber auf Weigerung, und die nun, da ausblieb, womit sie gerechnet hatten, die Karabiner über die Achsel hängten, Lauf nach unten. Sie umringten den Kommandanten, der ihr Schweigen aushielt und ruhig weiterrauchte; zwei von ihnen drängten den Ersten Wachoffizier in den Kartenraum. Einen Augenblick sah es so aus, als habe sie der Mut verlassen oder als sei ihnen allen gleichzeitig das Risiko des ersten Satzes aufgegangen. Ich stand am Ruder und spürte ihre Betretenheit, ihr Zaudern, spürte aber auch, je länger das Schweigen dauerte, eine seltsame Verlegenheit, die wohl deshalb auftrat, weil der begründete Respekt, mit dem sie dem Kommandanten bisher begegnet waren, immer noch vorhanden und wirksam war. Aber dann stiegen der Feuerwerker und der Steuermann herauf, sie schienen sich abgesprochen, die Rollen verteilt zu haben. Sie zwängten sich durch die dichtgedrängt stehenden Männer, und der alte Feuerwerker suchte den Blick des Kommandanten und sprach ohne besondere Härte die Forderung der Besatzung aus. Seine ersten Sätze schienen noch von der Hoffnung erfüllt, daß der Kommandant die Forderung der Leute anerkennen und ihr, wenn auch nur widerstrebend, nachkommen würde. Er sagte:

Sie wissen, Herr Kaleu, daß wir zu Ihnen stehen. Die meisten von uns sind alle Unternehmen mitgefahren. Manch einer weiß, was er Ihnen zu verdanken hat, auch persönlich. Nun ist das Ende da. Und wir haben nur eine Bitte: geben Sie den Befehl zurückzulaufen. Der Kommandant sah von einem zum andern, sah den Halbkreis der dunklen Gesichter ab. Er schien sich nicht bedroht zu fühlen. Er sagte: Geht auf eure Station, los; und, da sich niemand rührte: Auf Station, hab ich gesagt! Unerregt klang seine Stimme, beherrscht wie immer, und sie blieb sich gleich, als er nach einigem Warten feststellte: Das ist Befehlsverweigerung.

Der Feuerwerker sagte: Wir wollen nur heil nach Hause, gehen Sie mit uns zurück, Herr Kaleu.

Nach einer Warnung, die einigen fast familiär vorkam – macht euch nicht unglücklich, Leute –, erinnerte der Kommandant die Männer daran, daß MX 12 einen begrenzten Auftrag habe, und erklärte, daß er diesen Auftrag auszuführen gedenke, es sei denn, das Flottillenkommando ändere seine Befehle.

Jeder merkte, daß dies die letzte Chance war, die er den Besetzern der Brücke geben konnte, und als ob er erproben wollte, wieviel er mit seinem Appell erreicht hatte, bewegte er sich rückwärts zum Kartenhaus, augenscheinlich, um den I.W.O. herauszuholen. Auf einen Wink des Feuerwerkers traten zwei Männer hinter ihn und vereitelten seine Absicht. Gut, sagte der Kommandant tonlos, also gut; gemeinschaftliche Befehlsverweigerung auf See, das ist Meuterei. Gehen Sie in Ihre Kammer, sagte der Feuerwerker, Sie und der I.W.O. Für die Dauer der Heimfahrt stehen Sie unter Arrest. Hört zu, sagte der Kommandant, hört gut zu, noch habe ich das Kommando an Bord; was ihr tut, das ist Meuterei. In die Spannung hinein, in die Ungewißheit hörten wir plötzlich den Steuermann sagen: Ich enthebe Sie des Kommandos. Um die Sicherheit des Bootes und seiner Besatzung zu gewährleisten, übernehme ich, mit allen Konsequenzen, das Kommando an Bord. Ich werde mich dafür verantworten. Das war so belegt und formelhaft gesprochen, daß ich mich erst umwenden mußte, um mich zu vergewissern, daß es wirklich der Steuermann war, der diese Sätze gesagt hatte. Der Kommandant und er, sie standen sehr dicht voreinander, ihre Körper berührten sich nahezu. Sie achteten nicht auf die Läufe der Karabiner, die sich ihnen mechanisch entgegenhoben.

Unentdeckt, unter schleirigem Mond, drehte MX 12 bei glatter See auf Gegenkurs, der schäumende Bogen des Heckwassers starb schnell weg. Ein ferner Beobachter hätte von unserem plötzlichen Manöver den Eindruck haben können, an Bord sei man einem überraschendem Befehl oder einfach einer Laune gefolgt oder, da wir bald mit äußerster Kraft auf Gegenkurs abliefen, einer panischen Eingebung. Wer konnte, hielt sich an Deck auf, an Deck oder auf der Brücke, wo es so eng war wie nie zuvor; das bedrängte sich, schob sich aneinander vorbei, befragte und vergewisserte sich, immer wieder wollte einer von mir erfahren, welcher Kurs anliegt. Nach Kiel also? Ja, nach Kiel. Freude war es nicht, die sie so erregt machte, die sie veranlaßte, den Steuermann zu umlagern, der verschlossen auf einem Segeltuchstuhl hockte mit hängenden Schultern, Freude nicht.

Der Steuermann prüfte den Inhalt seines Tabakpäckchens, kniff einen langen, faserigen Batzen für sich heraus, schloß das Päckchen wieder und übergab es dem Feuerwerker. Bringen Sie das dem Kommandanten, sagte er. Der Feuerwerker lächelte. Er fragte belustigt: Erkennst du mich nicht wieder, Bertram? Der Steuermann schwieg, die Frage schien ihn nicht erreicht zu haben; ohne hinzusehen, stopfte er sich die Stummelpfeife und hielt sie kalt zwischen den Zähnen.

»Du hast dir nichts vorzuwerfen«, sagte der Feuerwerker. »Du mußtest das tun.«

»Die Besatzung soll auf Station gehen«, sagte der Steuermann. »Alle. Wir gehen Kriegswache bis Kiel. In ein paar Stunden wird es aufhellen.«

»Gut, Bertram. Du kannst dich auf uns verlassen.«

»Die beiden Landser bleiben unter Deck.«

»Sie wissen, daß es nach Hause geht. Sie wollen hier rauf – dir danken.«

»Ihren Dank können sie für sich behalten.«

»Soll ich dir was bringen lassen? Tee? Brot?«

»Nichts. Ich brauch nichts.«

»Ich möchte dir noch was sagen, Bertram. Du kennst meine Papiere. Du weißt, daß sie mich degradiert haben ... Beide Male wegen Befehlsverweigerung. Und ich würd's wieder machen ... wieder, ja ...«

»Ist gut.«

»Du verstehst, was ich sagen will. Ich kann einen Befehl nur ausführen, wenn ich ihn einsehe. Wenn er sich verantworten läßt. Man muß ein Recht haben zu fragen ...«

»Noch was?«

»Du denkst an den Alten, nicht? Mancher kann eben nicht über seinen Schatten springen. Vielleicht aber denkt er so wie wir ... Für sich, meine ich, insgeheim ...«

»Bring ihm den Tabak.«

Zuerst meldete der Ausguck nur ein Fahrzeug steuerbord voraus; langsam hoben sich die Aufbauten herauf, die Silhouette wurde bestimmbar, und nach einer Weile wußten wir, daß es MX 18 war, unser Schwesterschiff. Es lief westnordwestlichen Kurs, vermutlich zu den Inseln; bei seinem Anblick konnte man das Gefühl haben, sich selbst zu begegnen. Alle bei uns sahen hinüber, alle warteten wir, beklommen oder gespannt, und dann zuckte ein Licht auf, ihr Signalscheinwerfer rief uns an, K an K, Kommandant an Kommandant. Unser zweiter Signalgast hob die Klappbuchse auf das Gestänge der Brückennock, bereit, zu antworten, er sprach die Anfrage mit, die sie drüben wiederholten, K an K, immer nur dies, ausdauernd, fordernd, doch wir gaben keine Antwort.

Mehrmals blickte sich der Signalgast zum Steuermann um, besorgt, er könnte eine Anweisung überhört haben; der Steuermann stand nur aufmerksam da und spähte hinüber, ohne sein Glas zu Hilfe zu nehmen.

Er ließ die Anfragen unseres Schwesterschiffes unbeantwortet, und da auf seinen Befehl auch unser Funkschapp vorübergehend schwieg, entgingen wir jeder Rechenschaft – von den andern vermutlich als Penner verdammt und weniger argwöhnisch als kopfschüttelnd beobachtet.

Im Morgengrauen brachten sie Brot und heißen Kaffee auf die Brücke, und wir aßen und tranken wortlos und sahen über die graue, stille See, auf der sich bald das erste Licht brechen würde. Es war keine vollkommene Stille, einem geduldigen Blick entging nicht, wie aus der Tiefe Bewegung entstand, sanfte Wellen, die für kurze Zeit einer Richtung folgten und sich dann verliefen. Die Wolkentürme über der Kimm änderten ihre Form, zogen sich zusammen und teilten sich. Der Feuerwerker brachte dem Steuermann den Tabak, den der Kommandant zurückgewiesen hatte.

Bei der Flottille hatten sie uns nicht vergessen. Sie schickten einen

Funkspruch, der den Steuermann unsicher machte für eine Weile; obwohl ich selbst den Text nicht gelesen habe, hörte ich aus den schleppenden Beratungen heraus, daß die Flottille das Unternehmen, auf dem sie uns glaubte, bestätigte, und nicht nur dies: sie wies uns an, den Kurs leicht zu ändern und querab von Gotland ein Schwesterschiff zu treffen, MX 21; mit ihm gemeinsam sollten wir die Fahrt nach Kurland fortsetzen. Sie verlangten genaue Positionsangabe. Noch während sie beratschlagten, Antworten erwogen und verwarfen, wurde ein zweiter Funkspruch empfangen, der die Fortsetzung des Unternehmens auf eigene Faust empfahl; MX 21 trieb nach einem Fliegerangriff manövrierunfähig mit Maschinenschaden. Regungslos bedachte der Steuermann die Vorschläge, die ihm der Funkmaat und der Feuerwerker machten, vielleicht nahm er sie auch gar nicht zur Kenntnis und nickte nur von Zeit zu Zeit verloren, um Aufmerksamkeit vorzutäuschen; jedenfalls war es zum Schluß sein eigener Text, den er an die Flottille durchgeben ließ. Um Boot und Besatzung nicht zu gefährden, meldete er, mußte das Kommando gewechselt werden; MX 12 werde nach Kiel laufen und dort weitere Befehle abwarten.

Wir hätten die Fahrt herabsetzen sollen. Die Fischkutter hatten ihre Netze ausgebracht, kleine, nebelgraue Kutter, die allesamt schleppten im frühen Licht und von den schweren Stahltrossen auf der Stelle gehalten zu werden schienen. Rasch kamen wir auf, niemand dachte daran, die plumpe Armada zu umgehen, auf der sich kaum ein Mann zeigte. Alle Kutter führten den Danebrog-Wimpel. Wir liefen in voller Fahrt zwischen ihnen hindurch, immer noch fern genug, als daß wir eines ihrer Netze hätten wegschneiden können, aber doch so nah, daß ihre Boote in unserer Bugsee schwankten und die flaschengrünen Glaskugeln der Netze torkelten. Da trat einer der Fischer aus seinem engen selbstgebauten Steuerhaus, trat sichtbar heraus und drohte uns. Jetzt können sie sich's wieder leisten, sagte der Feuerwerker, jetzt können sie sich's leisten, uns zu drohen.

Die Inseln kamen in Sicht, wir wollten sie an Steuerbord passieren, um dann auf südlichen Kurs zu gehen, als sich aus dem verwaschenen Blau ein Fahrzeug löste, ein flaches Boot, das mit hoher Geschwindigkeit an den ankernden Schiffen vorbeilief, eines der neuen Schnellboote. Der Bug hatte sich aus dem Wasser gehoben, Gischt und weißer Qualm verbargen das Heck. Es hielt auf uns zu, die breite, blasige

Bahn, die es über die ruhige See zog, bog sich zu uns hin, als wir den Kurs leicht veränderten – fast sah es so aus, als suchte das Boot die Kollision. Sie meinen uns, sagte der Steuermann und gab dem Signalgast ein Zeichen, sich bereit zu halten. Wir gingen mit der Fahrt herunter, das Schnellboot umrundete uns einmal, und dann sahen wir mit bloßem Auge, wie sich die Klappen der beiden Torpedorohre öffneten. Ihr Schnellfeuergeschütz blieb unbesetzt, nur die beiden Torpedorohre waren auf uns gerichtet, gegen unsere zerschrammte, verbeulte Breitseite, das heißt, mit dem nötigen Vorhaltewinkel – kein Manöver hätte uns da helfen können. Wie sie uns beobachteten! Sie ließen sich Zeit mit dem Befehl, warteten mit gedrosselten Motoren, ihrer Überlegenheit gewiß – vielleicht kam es uns auch nur so vor. Endlich gaben sie den Befehl: Zurücklaufen in den Sund, zu unserem alten Liegeplatz, und MX 12 nahm wieder Fahrt auf, eskortiert von dem Schnellboot, das sich achteraus an der Backbordseite hielt und das, bei aller Verhaltenheit, die Kraft ahnen ließ, über die es verfügte. Von weitem gesehen, riefen wir wohl den Eindruck hervor, unter Bedeckung zu fahren, mit irgendeiner kostbaren Fracht an Bord. Der Feuerwerker setzte das Glas ab und trat neben den Steuermann.

»Wir hätten die Fahrt fortsetzen sollen, Bertram. Ich glaube nicht mal, daß die Torpedos an Bord haben.«

»Das glaubst du.«

»Und wenn ... Die hätten MX 12 doch nicht versenkt. Schau mal rüber.«

»Du kennst die Befehle nicht, die sie haben. Ich will nichts riskieren.«

»Außerdem ... sie haben kein Recht. Die Kapitulation ist doch unterschrieben. Die Gesetze gelten auch für sie. Von Rechts wegen müßten die an der Pier liegen und auf die Übergabe warten ... wie wir ... wie alle.«

»Sag ihnen das mal.«

»Glaubst du wirklich, die würden uns fertigmachen?«

»Ja. Es sind Landsleute. Vergiß das nicht.«

»Du meinst, wir haben noch einiges zu erwarten?«

»Es wird einen Empfang geben; auf unsere Art.«

»Die Besatzung ist auf deiner Seite.«

»Wir wollen sehen.«

»Soll ich mal anfragen lassen?«

»Was?«

»Die da drüben auf dem Schnellboot ... vielleicht haben die noch nicht mitbekommen, daß alles vorbei ist. Kann doch sein.«

»Die tun ihre Pflicht. Oder das, was sie dafür halten.«

Ein schlaffer Danebrog hing über der bröckelnden Festung, auch das Krankenhaus war beflaggt und die Auktionshalle der Fischer und sogar der ramponierte Bagger, der nach einer mysteriösen Explosion seine Eimerkette verloren hatte. Staunend sahen sie von den Ufern zu uns herüber, als wir durch den Sund in den Hafen einliefen; offenbar hatte niemand angenommen, daß MX 12 noch einmal zurückkehren, wie immer in der Mitte des Hafenbeckens wenden und vor dem Gebäude des Hafenkommandanten festmachen würde. Jetzt, im Hafen, ließ der Kommandant unserer Eskorte das Schnellfeuergeschütz besetzen; sie warteten, bis wir angelegt hatten, dann wendete auch das flache, schlanke Boot und ging hinter uns an die Pier.

Sie hatten uns erwartet. Kaum waren die Leinen rübergegeben, als ein bewaffneter Zug – Seestiefel, Koppelzeug, Karabiner umgehängt – aus dem Schatten der Kommandantur heranmarschierte, von einem Offizier befehligt, der seinen Auftrag so sicher erfüllte, als hätte er alle Einzelheiten vorher geübt. Er ließ den Zug vor dem Laufsteg halten, kam mit raschen Schritten an Bord und ging blicklos und ohne Zögern an unseren Männern vorbei zur Kammer des Kommandanten, wo er bei offener Tür weniger verhandelte als Meldung überbrachte und danach den Kommandanten und den Ersten Wachoffizier an den Laufsteg geleitete.

Der Kommandant sprach mit keinem von uns. Er sah nicht zur Brücke hinauf, wandte sich nicht ein einziges Mal um; achtlos und in sich gekehrt ging er auf das getünchte Gebäude zu, ohne dem I.W.O. zu danken, der ihm die Tür aufhielt. Nachdem er verschwunden war, gab der Offizier zwei Marinesoldaten einen Wink, und zu dritt erschienen sie auf der Brücke; ernste, verschattete Gesichter.

Sie sind festgenommen, sagte der Offizier, und das war schon alles, kein erläuterndes Wort, keine bedauernde oder auffordernde Geste, nur diesen einzigen Satz, der für uns alle auf der Brücke galt. Beim Abstieg spürte ich die Erschöpfung; wir alle mußten uns am Geländer festhalten, auch der Steuermann. An Deck, vor dem Laufsteg, sammelte sich die Besatzung, widerwillig öffneten die Männer eine Gasse für uns, manche nickten uns aufmunternd zu, stupsten uns zuversichtlich. Bis bald, sagten sie, oder: Nur ruhig Blut, oder: Das kriegen wir schon hin. Ein Befehl des Offiziers forderte sie auf, sich bereit zu halten.

Bevor wir die Kommandantur betraten, drehte ich mich noch einmal um und sah zu unserem Boot zurück und hinüber zum anderen Ufer, zu den Kuttern und Prähmen, wo sie in diesem Augenblick nicht ihrer Arbeit nachgingen, sondern starr zu uns herüberlinsten, gebannt von einem Ereignis, für das sie keine Erklärung fanden.

Es muß ein Archivraum gewesen sein, in den sie uns führten. Auf dunkelgebeizten Regalen standen Ordner, Handbücher, lagen eingerollte Plakate und verschnürte Packen von Formularen und Berichten – ein Teil der offiziellen Geschichte des kleinen Hafens. Türen und Fenster hatten Milchglasscheiben, die Doppelposten waren nur als verschwommene Silhouetten erkennbar. Einer von uns ging zu einem gesprungenen Handstein und trank aus dem Strahl, und vier andere taten es ihm nach.

Nach einer Weile setzten wir uns auf den Tisch, auf den Fußboden; ich spürte einen ziehenden Schmerz hinter den Schläfen, ich lehnte mich gegen die Heizung und schloß die Augen. Trotz der Müdigkeit konnte ich nicht schlafen, da der Feuerwerker unaufhörlich redete; für jeden hatte er ein Wort übrig, jedem glaubte er versichern zu müssen, daß sich alles sogleich als Irrtum herausstellen werde; den Geistern habe die Stunde geschlagen. Er sagte: Ich lach mir einen Ast, wenn die Tür aufgeht, und der englische Commander lädt uns zum Tee ein. Er blickte verständnislos, als der Signalgast ihn zunächst gequält darum bat, zu schweigen, und ihn, da er weitersprach, kurz darauf anschrie: Halt die Schnauze, oder es passiert was. Der Feuerwerker ging zur Tür und lauschte, er bewegte den Drücker behutsam, er war überrascht, als die Tür sich öffnete, fing sich aber gleich wieder beim Anblick der beiden Posten und fragte sie, was denn hier »steigen« solle. Einer der Posten sagte: Mach keinen Quatsch, Kamerad, und verzieh dich, los. Ob die Engländer schon da seien, wollte der Feuerwerker wissen, ob man die Übergabe der Boote schon terminiert habe, worauf dem Posten nicht mehr einfiel als: Halt die Klappe und mach die Tür zu. Zu ungewohnter Zeit schleppten sie einen Aluminiumkessel und

Kochgeschirre zu uns herein, ein blasser Hüne in Drillichzeug schöpfte jedem eine Portion ab, glasige Nudeln, in Speck gebraten – wie verbissen er die Portionen verteilte, wie hastig, seine Stirn glänzte vor Schweiß. Nicht ein einziges Mal reichte er die gefüllten Geschirre weiter, er kleckste sie nur voll und ließ sie auf dem Tisch stehen, und es war ihm Erleichterung anzumerken, als er uns verließ. Während wir aßen, wurden die Posten abgelöst, wir hörten ihre formelhaften Verständigungen hinter dem Fenster, hinter der Tür. Der Steuermann aß nur sehr wenig, mit müder Geste stellte er uns frei, den Rest seiner Portion aufzuteilen. Sein einziges Interesse schien der Tageszeit zu gelten: mehrmals stand er auf und betrachtete den Himmel.

In der Dämmerung belebte sich das Gespräch, jeder wußte etwas, ahnte etwas, aus jeder Ecke boten sie ihre Bekenntnisse an, ihre Mutmaßungen, das ging kreuz und quer, hielt sich an keine ruhige Folge. Einer sagte: Von der Besatzung ist nichts zu sehen und zu hören, und der andere: Kapituliert ist kapituliert; da hört jede Befehlsgewalt auf. Unerregt lösten sich die Stimmen ab.

»Möchte nur wissen, was sie mit uns vorhaben.«
»Sie können doch nicht die ganze Besatzung ...«
»Bei kleinem sollten sie uns mal Bescheid stoßen.«
»Der Alte diktiert wohl sein Protokoll.«
»Meuterei können die uns nicht anhängen.«
»Vielleicht haben sie sich schon abgesetzt, die da oben.«
»Ich hau mich hin, weckt mich, wenn was Wichtiges passiert.«

Auf einmal war es still; sie reckten sich, sie horchten, lauschten dem Geräusch schwerer Wagen, die unter den Fenstern hielten, eiligen Schritten und einer formellen Begrüßung beim Eingang.

Alle sahen dem Steuermann zu, der im letzten Licht aufstand, an die Regale trat und hastig Ordner und Formulare durchstöberte, bis er ein kaum beschriebenes Blatt gefunden hatte. Er riß es heraus, trug es zum Fensterbrett und begann stehend zu schreiben – er schrieb, ohne abzusetzen; alles schien vorbedacht; wir wußten nicht, was er schrieb, doch jeder von uns hatte das Gefühl, daß es auch ihn anging und mit betraf, und vielleicht war dies der Grund, warum keiner zu sprechen wagte. Große Umschläge lagen bei den Handtüchern; der Steuermann entleerte einen, kreuzte die Anschrift durch und schrieb einen Namen in Blockbuchstaben drauf, Dienstgrad und Namen des Kommandanten. Dann faltete er den Umschlag, kam zu mir und ließ sich erschöpft neben mir nieder. Hier, sagte er, geben Sie das dem Kommandanten, irgendwann.

Einer von uns rief »Achtung!«, und wir standen auf und nahmen Haltung an vor einem noch jungen, grauhaarigen Offizier, der, ohne anzuklopfen, hereingekommen war. Er winkte ab. Eine Weile stand er grüblerisch da, dann schlenderte er von einem zum andern, nickte jedem zu, bot aus einer Blechschachtel Zigaretten an, wobei ich sah, daß ihm drei Finger an der rechten Hand fehlten. Er hob sich aufs Fensterbrett hinauf und sagte, auf den Fußboden hinabsprechend: Ich bin Ihr Verteidiger, es sieht schlecht aus, Männer; und mit schleppender Stimme fügte er hinzu: Die Anklage lautet auf Bedrohung eines Vorgesetzten, Befehlsverweigerung und Meuterei.

Die Stille, diese vollkommene Stille auf einmal, keiner von uns hob die Zigarette an den Mund. Der erste, der sich faßte, war der Feuerwerker. Er fragte: Wir haben doch kapituliert? Ja, sagte der Offizier, eine Teilkapitulation ist unterzeichnet. Dann können wir doch nicht angeklagt werden, sagte der Feuerwerker, jedenfalls nicht vor einem deutschen Kriegsgericht. Für die Angehörigen der deutschen Kriegsmarine, sagte der Offizier, besteht die deutsche Militärgerichtsbarkeit weiter; sie ist ausdrücklich nicht aufgehoben. Aber wir sind doch, sagte der Feuerwerker, wir sind doch jetzt in britischem Gewahrsam? Ja, sagte der Offizier, aber das ändert nichts an der Justizhoheit. Er forderte uns auf, näher heranzukommen, und während er fast unbeweglich vor uns saß, ließ er sich erzählen, was an Bord von MX 12 geschehen war.

Der Trigeminusschmerz hielt an, er pochte und brannte, und ein Auge begann zu wässern. Während wir einen trüben, von Posten gesicherten Gang hinabgingen, drückte ich ein Taschentuch leicht gegen Auge und Schläfe; ein Posten verstellte mir den Weg, ich mußte das zusammengelegte Taschentuch entfalten und hin und her schwenken. Danach gab er mir einen gefühlvollen Stoß, und ich schloß zu den andern auf, die wortlos in einer Reihe gingen, unter gerahmten Abbildungen von alten Schiffen. Der Gemeinschaftsraum, in den sie uns führten – es mag ein Speise- oder Vortragssaal gewesen sein –, war schlecht beleuchtet; an den Wänden standen Posten unter Stahlhelm, Maschi-

nenpistole vor der Brust; zu beiden Seiten eines mächtigen, groben
Tisches, von dem die Reichskriegsflagge herabhing, waren Bänke und
Hocker aufgestellt, zu viele Bänke und Hocker. Wir waren acht. Wir
marschierten – jetzt marschierten wir – über den Holzfußboden, von
einem säbelbeinigen Bootsmann befehligt, traten vor den Bänken auf
der Stelle, hielten auf sein Zeichen; setzen durften wir uns nicht. Dann
erschien der Kommandant, ein Offizier geleitete ihn und den I.W.O.
in den Raum, sie kamen durch dieselbe Tür, durch die auch wir eingetreten waren, sie gingen zu den Hockern uns gegenüber und stellten
sich dort auf in Erwartung. Kein Blick, keine Erwiderung des Blicks;
obwohl wir alle unentwegt zu ihm hinübersahen, wandte er uns nicht
das Gesicht zu, er sah einfach an uns vorbei, geduldig, wie abwesend.
Auch den I.W.O., der neben ihm stand, schien er nicht zu bemerken.

1271

Der Marinerichter und die anderen traten durch eine Seitentür ein,
sie gingen schweigend auf den Tisch zu, sechs Männer, alle uniformiert, am Schluß der Verteidiger, und nachdem sie auf ein Nicken des
Richters Platz genommen hatten, durften auch wir uns setzen. Geschäftsmäßig eröffnete der Richter die Verhandlung, ein älterer Mann
mit eingefallenen Wangen und Tränensäcken unter den Augen, er
sprach stoßweise, verhalten, ab und zu hob er das Gesicht und blinzelte in die Deckenbeleuchtung. Zuerst, als er die Anklagepunkte
nannte, schien er nur mäßig beteiligt, doch als er unsere Namen nannte, Dienstgrad und Stammrolle, war es, als überwände er allmählich
eine alte Müdigkeit; seine Stimme wurde deutlicher, mitunter akzen-
tuierte er seine Worte, indem er mit einem Silberstift rhythmisch auf
die Tischplatte klopfte. Mit einer gemessenen Handbewegung gab er
das Wort an einen Offizier ab, der mir eigentümlich bekannt vorkam –
vielleicht hatte ich sein Bild in einer Zeitschrift gesehen, das Bild eines
helläugigen Mannes, der nur eine einzige hohe Tapferkeitsauszeich-
nung trug und dessen stumpfblondes Haar sehr kurz geschnitten war.
Sorgsam hatte er seine Mütze vor sich auf den Tisch gelegt, sie hatte
keine Delle, keinen Kniff, der blaue Stoff war drahtsteif gespannt. Notizen halfen ihm, die letzte Fahrt von MX 12 zu rekonstruieren: Zeit des
Auslaufens, Bekanntgabe des Auftrags auf See, Beginn einer Verschwörung und bewaffnete Bedrohung des Kommandanten, die mit
seiner Enthebung vom Kommando endete; schließlich Abbruch des
Unternehmens und eigenmächtiger Entschluß, auf Gegenkurs zu gehen. Als er feststellte, daß diese Vorfälle sich zu einem Zeitpunkt ereig-

neten, da das deutsche Volk sich in einem »Schicksalskampf auf Leben und Tod« befand, blickte unser Verteidiger ihn forschend an und schrieb dann eilig etwas auf einen Merkzettel.

Der Kommandant tat nicht, was sie von ihm erwarteten; anstatt die Ereignisse an Bord zusammenhängend zu schildern, beschränkte er sich darauf, die Fragen zu beantworten, die ihm gestellt wurden – zögernd, und weniger an den hochdekorierten Offizier gewandt als an den Protokollführer, auf dessen Gesicht ein Ausdruck fortwährenden Staunens lag.

»Sagen Sie uns, wie Ihr Befehl lautete.«
»Kurland. Wir sollten nach Libau in Kurland laufen.«
»Mit welchem Auftrag?«
»Wir sollten Verwundete übernehmen.«
»Übernehmen?«
»Und rausbringen. Nach Kiel.«
»Kannte die Besatzung den Befehl?«
»Sobald wir auf See waren, habe ich ihn bekanntgegeben.«
»Die Besatzung kannte also den Befehl?«
»Jawohl.«
»Welchen Kurs wollten Sie laufen?«
»Nordöstlich, an den schwedischen Hoheitsgewässern entlang. Später wollten wir auf Südost gehen.«
»Wußten Ihre Leute, daß in Kurland noch gekämpft wird? Daß eine ganze Armee – obwohl eingeschlossen – heldenhaft Widerstand leistet?«
»Die meisten wußten es wohl.«
»Sie wußten also, daß ihre kämpfenden Kameraden Hilfe brauchten?«
»MX 12 hatte den Auftrag, Verwundete zu übernehmen.«
»Verwundete, ja, verwundete Kameraden, die seit Tagen auf der Nehrung vor Libau liegen. Und warten. Auf ihren Transport in die Heimat warten.«
»Das war uns bekannt.«
»So, bekannt. Und dennoch verweigerte die Besatzung den Befehl. Sie wußte, was auf dem Spiel stand, und verweigerte den Befehl. Aus Feigheit.«
»Es war nicht Feigheit.«

»Nicht? Was denn sonst?«

»Seit zwei Jahren bin ich Kommandant von MX 12. Ich kenne die Männer. Es war nicht Feigheit.«

»Dann sagen Sie uns, warum die Besatzung den Kommandanten bedrohte. Warum er seines Kommandos enthoben wurde ...«

»Das Risiko. Sie schätzten wohl das Risiko zu hoch ein.«

»War das auch Ihre Ansicht?«

»Nein.«

»Das Risiko eines Unternehmens zu kalkulieren ist Sache des Vorgesetzten. Er trägt die Verantwortung. Darin stimmen Sie mir doch zu?«

»Jawohl.«

Auf einmal, als der Verteidiger ihn bat, die Ereignisse auf der Brücke zu schildern, sah der Kommandant zu uns herüber. Sein Blick lief über uns hin und blieb auf dem Steuermann ruhen, lange; es war, als ob sie sich blickweise austauschten, nicht hart und vorwurfsvoll, sondern eher fassungslos. Und nach einer Aufforderung des Verteidigers, die Vorfälle aus seiner Sicht darzustellen, erwähnte der Kommandant zuerst die umlaufenden Gerüchte über ein bevorstehendes Ende des Krieges, er sprach von der Stimmung, die diese Gerüchte auslösten – schon während der Liegezeit im Hafen, nicht erst auf See –, stellte aber auch fest, daß es an Bord keinen Verstoß gegen die Disziplin gegeben habe. Wir liefen befehlsgemäß aus, sagte er, die Besatzung bewährte sich bei einer Rettungsaktion und bei einem Fliegerangriff. Kurz vor dem Aufzug der Mittelwache wurde die Brücke besetzt, die Männer waren bewaffnet. Sie forderten, das Unternehmen abzubrechen und nach Kiel zu laufen. Das wurde ihnen verweigert. Steuermann Heimsohn enthob den Kommandanten des Kommandos. Er übernahm die Befehlsgewalt an Bord. Der Kommandant und der I.W.O. wurden unter Arrest gestellt.

»Herr Kapitänleutnant«, fragte der Verteidiger, »wußte die Besatzung, daß eine Teilkapitulation unterzeichnet war?«

»Jawohl«, sagte der Kommandant.

»Wann erfuhr sie es?«

»Wir waren etwa zehn Stunden auf See.«

»Haben Sie die Kapitulation bekanntgegeben?«

»Nein.«

»Aber Sie haben mit einzelnen Besatzungsmitgliedern darüber gesprochen?«

»Jawohl.«

»Mit wem?«

»Mit Steuermann Heimsohn.«

»In welchem Sinne? Können Sie sich erinnern?«

»Wir sprachen über die Bedingungen der Kapitulation.«

»Über die Bedingungen ... Ihnen ist bekannt, daß eine Bedingung der Kapitulation Waffenruhe ist?«

»Jawohl.«

»Hätten Sie sich daran gehalten?«

»Ich glaube doch.«

»Auch wenn man Sie angegriffen hätte? Wenn sowjetische Flugzeuge MX 12 angegriffen hätten?«

»Ich weiß nicht.«

»Um den Kapitulationsbedingungen zu genügen, hätten Sie aber auf jede Gegenwehr verzichten müssen. MX 12 fällt unter britisches Gewahrsamsrecht. Eine weitere Bedingung besagt übrigens, daß alle Unternehmungen abzubrechen sind.«

»Ich bekam Befehle vom Flottillenkommando.«

»Das heißt: Sie hätten Ihren Auftrag in jedem Fall ausgeführt? Auch wenn Sie dabei die Bedingungen der Kapitulation verletzt hätten?«

»An etwas muß man sich halten.«

»Herr Kapitänleutnant, wie gut kennen Sie Ihre Besatzung?«

»Die meisten waren schon an Bord, als MX 12 in Norwegen stationiert war.«

»Heißt das, daß Sie bereit waren, sich auf Ihre Männer zu verlassen?«

»Jawohl.«

»In jeder Lage?«

»In jeder Lage.«

»Hätten Sie je daran gedacht, daß man Sie Ihres Kommandos entheben könnte?«

»Nein. – Nein.«

»Wie, glauben Sie, konnte es geschehen? Was kam da zusammen?«

»Ich sagte es schon: das Risiko. Es erschien den meisten zu hoch. Sie gaben MX 12 keine Chance, bis Kurland durchzukommen.«

»Könnte es sein, daß das Verhalten der Besatzung beeinflußt wurde durch die Nachricht von der Kapitulation?«

»Ganz bestimmt.«

»Es gibt da keinen Zweifel für Sie?«

»Keinen.«

»Mit anderen Worten: halten Sie es für denkbar, daß die Besatzung Ihrem Befehl gefolgt wäre, wenn die Nachricht von der Kapitulation sie nicht erreicht hätte?«

»Wir sind viele Unternehmungen zusammen gefahren, auch schwierige.«

»Antworten Sie auf meine Frage.«

»Ich denke, wenn die Kapitulation nicht gekommen wäre, liefe MX 12 jetzt mit Kurs auf Libau.«

Einmal machten sie eine Verhandlungspause, die am Tisch zogen sich zurück, dem Kommandanten und dem I.W.O. wurde freigestellt, den Raum zu verlassen, doch beide blieben. Sie neigten sich einander zu und flüsterten, so wie auch wir begannen, uns flüsternd abzustimmen – nach einem Augenblick höchster Erwartung, in dem wir, vom Gericht allein gelassen, gespannt zur Gegenseite hinübersahen, gerade so, als müßte nun etwas gesagt werden, was die andern nichts anging. Kein Wort, kein Zuruf, keine Beschuldigung; wir verharrten in schweigendem Gegenüber und wandten uns schließlich dem Nebenmann zu, der seine Ratschläge zu verteilen hatte, oder gaben selbst leise weiter, was wir für nützlich hielten. Nur der Feuerwerker flüsterte nicht, er nahm keine Rücksicht auf die anwesenden Posten vor den Türen; so, daß jeder es mitbekommen konnte, erklärte er, daß er dieses Kriegsgericht – er nannte es auch Verlegenheitsgericht – nicht anerkenne, da der Krieg vorbei sei, und daß Recht, wenn überhaupt, nur noch im Namen des englischen Königs gesprochen werden könne. Vielleicht weil ihm niemand von uns widersprach, meldete er sich gleich nach der Rückkehr des Gerichts zu Wort, man erlaubte ihm, seine Erklärung abzugeben, man hörte ihm unwillig, erstaunt zu, und für einen Moment sah es so aus, als wollte der Marinerichter ihm das Wort entziehen; doch er ließ den Feuerwerker aussprechen, und dann sagte er sarkastisch: Es hätte mich gewundert, wenn ein Mann mit Ihrer Vergangenheit nicht die Zuständigkeit des Gerichts bezweifelte.

Das Licht flackerte, mehrmals fiel es in kurzen Abständen aus. In der Dunkelheit massierte ich die Schläfe und preßte das Taschentuch auf das Auge; die geringe Feuchtigkeit, die der Stoff bewahrte, brachte

1275

Erleichterung. Jedesmal, wenn das Licht ausfiel, spürte ich eine tastende Hand an meiner Schulter, die Hand des Steuermanns, der neben mir stand und stehend die Fragen des hochdekorierten Offiziers beantwortete, monoton und pausenreich, mitunter schuldbewußt. Jawohl, sagte er oft, ich gebe es zu, jawohl.

»Das ist Meuterei«, sagte der Offizier. »Gemeinschaftliche Befehlsverweigerung auf hoher See ist Meuterei. Wissen Sie, was darauf steht?« »Jawohl.«

»Sie haben sich angemaßt, den Kommandanten seines Kommandos zu entheben. Auf Kriegsmarsch. Ich wiederhole: auf Kriegsmarsch. Während deutsche Soldaten überall gehorsam ihre letzte Pflicht erfüllen, haben Sie die Besatzung zum Ungehorsam aufgewiegelt. Sie haben sich zum Rädelsführer der Meuterei gemacht.«

»Zu diesem Zeitpunkt hatten wir nur ein Ziel: Boot und Besatzung zu retten.«

»Was Sie nicht sagen! Boot und Besatzung wollten Sie retten? Davonstehlen wollten Sie sich, stiftengehen! Laßt doch andere nach Kurland laufen, wir wollen heim, wir machen Feierabend.«

»Die Besatzung war entschlossen, das Unternehmen abzubrechen.«

»Die ganze Besatzung?«

»Fast alle. Der Kommandant wußte es.«

»So, der Kommandant wußte es. Und dennoch hielt er sich an seinen Befehl. Und dennoch war er bereit, seinen Auftrag auszuführen. Er gab allen ein Beispiel für Pflichterfüllung. – Glauben Sie, daß er MX 12 opfern wollte? Glauben Sie das?«

»Nein.«

»Sehen Sie! Männern wie Ihrem Kommandanten ist es zu verdanken, daß Hunderttausende in Sicherheit gebracht wurden – Männern wie ihm, die bereit waren, etwas zu riskieren, sich notfalls zu opfern.«

»Wir wollten Opfer vermeiden, sinnlose Opfer.«

»Maßen Sie sich etwa an, zu beurteilen, was ein sinnloses Opfer ist?«

»Jawohl.«

»So, und weil Sie sich das zutrauen, enterten Sie mit Ihrem Haufen die Brücke. Und setzten den Kommandanten ab. Und stellten ihn unter Arrest.«

»Wenn ich es nicht getan hätte ... Die Besatzung war entschlossen, Gewalt anzuwenden. Sie hatten sich selbst bewaffnet, ohne meinen Befehl.«

»Ach so ... Es ist also Ihr Verdienst, daß es zu keiner Auseinandersetzung an Bord kam? Daß nicht geschossen wurde ...? Verstehe ich Sie richtig? Dadurch, daß Sie den Kommandanten seines Postens enthoben, haben Sie Blutvergießen verhindert?«

»Ich habe es versucht. Die Konsequenzen waren mir bekannt.«

»Dann war Ihnen auch bekannt, daß der Kommandant eines Schiffes auf Kriegsmarsch die Disziplinargewalt besitzt?«

»Jawohl.«

»Er hätte das Recht gehabt, Sie zu erschießen. Er hat es aber nicht getan. Um zu vermeiden, daß Blut vergossen wird, befolgte er Ihre Anweisungen.«

Der Offizier, der die Verteidigung übernommen hatte, wußte augenscheinlich, daß der Steuermann während des Krieges zweimal sein Schiff verloren hatte. Er fragte, wo das geschehen sei, und der Steuermann sagte: Das erste Mal in Narvik, dann beim Minenräumen in der Deutschen Bucht.

»Was geschah nach Ihrer Rettung?« fragte der Verteidiger.

»Nachdem sie mich aufgefischt hatten«, sagte der Steuermann, »habe ich mich gleich wieder gemeldet, Bordkommando.«

»Wie lange gehören Sie zur Besatzung von MX 12?«

»Zwei Jahre.«

»Wie war Ihr Verhältnis zum Kommandanten?«

»Darüber möchte ich nicht sprechen.«

»Möchten Sie etwas über seine seemännischen Fähigkeiten sagen?«

»Das steht mir nicht zu.«

»Aber Sie haben sie anerkannt?«

»Jawohl. Immer.«

»Und dennoch haben Sie ihm nicht zugetraut, MX 12 nach Kurland zu bringen? Und zurück?«

»Keiner hätte es geschafft, nicht der beste Seemann.«

»Woher wissen Sie das?«

»Ich habe die Schiffsfriedhöfe gesehen – vor Riga, vor Memel, vor Swinemünde ... Wir haben Hilfe geleistet bei mehreren Untergängen ... Und die Notrufe. Aus dem Funkraum erfuhren wir, wie viele Notrufe abgesetzt wurden. Östlich von Bornholm war kein Durchkommen.«

»Nachdem Sie MX 12 unter Ihr Kommando gebracht hatten, erhielten Sie von der Flottille einen Befehl.«
»Jawohl.«
»Wie lautete der Befehl?«
»Treffen mit MX 21.«
»Wo?«
»Bei Gotland.«
»Zu welchem Zweck?«
»Gemeinsamer Marsch nach Kurland.«
»Es ist nicht dazu gekommen?«
»Nein. MX 21 wurde in Brand geschossen. Bei einem Fliegerangriff. Es trieb manövrierunfähig mit Maschinenschaden.«

Zuletzt rief der Marinerichter mich auf. Die anderen, die er vor mir vernahm, hatten angeblich kaum etwas gehört, kaum etwas gesehen; ihre ausweichenden Antworten ließen erkennen, wie sehr sie darauf aus waren, den Steuermann nicht zu belasten. Der Marinerichter sah jetzt erschöpft aus, er hatte die Haut eines Malariakranken. Mit müder Stimme fragte er mich, ob ich als Rudergänger ebensowenig mitbekommen hatte wie die andern, und ich sah zum Kommandanten hinüber und sagte: Nein. Da hob er den Kopf und nickte mir eine ironische Belobigung zu, so als wollte er sagen: Na, so was! Alle Achtung! Ich war entschlossen, alles zu sagen, was ich wußte, und ich tat es, ja. Sie standen sehr gut zueinander, der Kommandant und der Steuermann; soviel ich verstand, sind sie alte Freunde ... Nein, eine Drohung habe ich nie gehört ... Nein, der Steuermann hat nie erklärt, daß die Besatzung sich bewaffnen würde ... Nur die Sorge um MX 12 und die Besatzung ... Auf keinen Fall gab der Steuermann den Befehl, die Brücke zu besetzen ... Ja, seine Stimme hörte ich erst, als etwas in der Luft lag. Gewalt ... Wer ihn unter Arrest stellte, weiß ich nicht mehr ... Jawohl, den Satz höre ich noch genau: Ich übernehme mit allen Konsequenzen das Kommando an Bord. Er sagte noch: Ich werde mich dafür verantworten. Der Marinerichter hörte mir nachdenklich zu, und plötzlich fragte er: Weinen Sie, Mann? Nein, sagte ich, es sind die Schmerzen.

Sie zogen sich zur Beratung zurück, und wieder saßen wir in stummem Gegenüber. Der Kommandant saß aufgerichtet da, seine Haltung hatte etwas Abweisendes; ich wagte es nicht, einfach aufzustehen und ihm den Brief zu bringen, den mir der Steuermann anvertraut hatte.

Der Feuerwerker drehte unaufhörlich Zigaretten und gab sie verdeckt an uns weiter – für später. Mit geschlossenen Augen, so als meditierte er, hockte der Steuermann neben mir, während der Funkmaat – ich sah es genau – mit seiner Müdigkeit kämpfte, schwankte, hochschreckte.

Ohne Befehl erhoben wir uns, als das Gericht zurückkehrte, und da die Männer hinter dem Tisch stehen blieben, blieben auch wir stehen. Der Schmerz unter dem Auge, in der Schläfe wummerte und lärmte, plötzlich hatte ich den Eindruck, daß die Zahl der Richter sich vermehrte, und nicht nur dies: obwohl der Marinerichter allein sprach, kam es mir vor, als hörte ich mehrere Stimmen; das verband und ergänzte, überlagerte und verstümmelte sich. Vom Kriegsrecht war die Rede, dem alles andere unterzuordnen sei, von Disziplin und Manneszucht und Pflichterfüllung in der letzten Stunde. Ein abschreckendes historisches Beispiel wurde erwähnt: meuternde Elemente an Bord von Großkampfschiffen. Kameradschaft auf See wurde beschworen, Kameradschaft im Kampf und im Chaos, und immer wieder Disziplin – eiserne Disziplin, die eine Voraussetzung fürs Überleben ist. Um befürchteten Auflösungserscheinungen wirksam zu begegnen, hatte der Großadmiral besondere Befehle erlassen; aus ihnen wurde abschließend zitiert. Wegen Befehlsverweigerung, tätlicher Bedrohung eines Vorgesetzten und bewaffneter Meuterei auf Kriegsmarsch: Todesstrafe für Steuermann Heimsohn, für Feuerwerker Jellinek. Etwas leiser sagte die Stimme: Das Urteil muß noch bestätigt werden.

Ich blickte zum Kommandanten hinüber, der entsetzt dastand, dann, wie zur Probe, die Lippen bewegte und schließlich für alle verständlich sagte: Wahnsinn, das ist Wahnsinn. Er ging auf den Richtertisch zu, zäh, mit mühsamen Schritten, er streckte eine Hand gegen den Richter aus und wiederholte: Wahnsinn; das kann doch kein Urteil sein. Der Marinerichter überging seine Bemerkung und zählte unsere Arreststrafen auf.

Auch wir redeten ihnen zu, nicht nur der Verteidiger, und es war gewiß Mitternacht, als sie endlich nachgaben und sich nebeneinandersetzten, um ein Gnadengesuch zu schreiben, auf Papier, das der Verteidiger mitgebracht hatte. Sie drucksten, der Steuermann und der Feuerwerker, sie seufzten und sahen, um Wendungen verlegen, Beistand suchend zum Verteidiger auf, der rauchend auf der Fensterbank saß und nicht bereit schien, ihnen mit Worten auszuhelfen; nur die Anschrift diktierte er ihnen, und er selbst faltete auch die Gesuche und steckte sie in mitgebrachte Briefumschläge. Zum Urteil hatte er nichts zu sagen, vielleicht wollte er auch nichts sagen; wann immer der Signalgast oder der Funkmaat ihn baten, den Schuldspruch zu kommentieren, zuckte er die Achseln und gab sich zuversichtlich: Wartet nur, wartet nur ab. Bevor er uns verließ, verlangte mir der Steuermann den Brief ab, der an den Kommandanten adressiert war; an der Tür übergab er ihn dem Verteidiger, mahnend, besorgt, als ob für ihn viel davon abhinge. Zum Abschied legte der Verteidiger dem Steuermann die Hand auf die Schulter. Einer, der sich vor die Regale gelegt hatte, rief: Macht das Licht aus, und ich drehte den Schalter um und ließ mich auf den Fußboden nieder. Jeder spürte, wieviel gesagt werden müßte, keiner wagte, den Anfang zu machen, und je länger die Stille im Archivraum dauerte, desto bereitwilliger fanden wir uns mit ihr ab.

Vorsichtig öffnete ein Posten die Tür, er spähte eine Weile auf uns herab, ehe er die beiden Namen rief, nicht laut rief, nicht im Befehlston, sondern anfragend. Wir standen alle auf und bewegten uns zur Tür, und unser ruhiges, forderndes Dastehen veranlaßte den Posten, bis zur Schwelle zurückzugehen. Jellinek, sagte er, Jellinek und Steuermann Heimsohn, wir sollen Sie an Bord bringen. Wieso an Bord, fragte einer von uns, und der Posten darauf: Da tut sich was, hoher Besuch. Wir sahen uns an, verblüfft, ein Schimmer von Hoffnung zeigte sich auf den grauen Gesichtern: An Bord ... Das Gnadengesuch ... Ihr sollt an Bord ... Und wir machten ihnen Platz und gingen herum und konnten nicht aufhören, die schnell entstandene Hoffnung zu begründen. Der blasse Hüne mit seinem Helfer brachte uns Brot und Marmelade, stellte einen dampfenden Aluminiumpott auf den Tisch und verzog sich grußlos. Keiner rührte sein Frühstück an. Als die Salven fielen – nein, keine Salven, es waren zwei Stöße aus einer Maschinenpistole –, stöhnte der Signalgast auf, und einer ging vor der Heizung auf die Knie und würgte, als müßte er sich übergeben. Wir lauschten. Manch einer mußte etwas anfassen. Dieser Irrsinn, sagte der Signalgast, diese Schweine – der Krieg ist doch vorbei! Der wird nie aufhören, der Krieg, sagte der Funkmaat, für uns, die wir dabei waren, wird er nie aufhören. Das ist doch kein Urteil, sagte der Signalgast, das ist Mord. Hört ihr, das ist Mord! Der Funkmaat beugte sich über den, der vor der Heizung kniete, und sah ihm ins Gesicht. Geh an den Ausguß, sagte er, los, geh an den Ausguß.

1983

Ein Tauchversuch

Der erste Jahrestag meiner wunderbaren Rettung sollte also gefeiert werden. Er bestand einfach darauf. Er war schon, der alte Enthusiast, bereit, alles selbst in die Hand zu nehmen, vermutlich war er seit Tagen darauf eingestellt; da aber mein Bruder bei allem, was er tut, keine Zuschauer ertragen kann, wollte er bei den Vorbereitungen allein sein, ganz allein; deshalb hob er mich aus seinem Korbsessel und bugsierte mich zwinkernd in die Werkstatt, verwarnte mich noch einmal spaßhaft, ehe er den fleckigen Vorhang zuzog, der die Wohnstube von der Werkstatt trennt. Ich saß und wartete im Dunkeln, ich horchte auf die Geräusche, die der schwere Mann bei den Vorbereitungen verursachte, begleitete ihn vom Gasherd zum Schrank und vom Schrank zum Tisch, den er mit dem Ärmel seiner Takelbluse rein wischte, dann wohl scharf polierte. Ein Karton ließ sich da nicht nach Wunsch öffnen, ich hörte, wie mein Bruder einen einzigen Schnitt mit seinem Messer ausführte, einen Rundschnitt, der durch mürrische Kraft so ebenmäßig geriet, daß das Problem gelöst war; steifes Papier knisterte, Teller schepperten, eine empfindliche Last wurde zum Tisch balanciert.

Nachdem er die Zuckerbüchse auf seine Art geöffnet hatte, ließ er den Handfeger zischelnd herumwieseln; im Eckschrank kramte er nach Kerzen; in der Schublade, unter Gabeln, Löffeln, Messern suchte und fand er den Flaschenöffner. Summend, manchmal schnalzend, verteilte er Geschirr und Gläser – ein feines Zirpen verriet, daß er die Gläser feucht nachwischte; dann goß er Kaffee auf, dann öffnete er zwei Flaschen, ein geringes Krachen und ein Fluch besagten, daß er wieder mal etwas unbeabsichtigt zerdrückt hatte, zwischen den Fingern zerdrückt.

Er, der darauf bestanden hatte, den Jahrestag meiner wenn auch nicht wunderbaren, so doch unerwarteten und folgenreichen Rettung zu feiern, stimmte sich hörbar schon bei den Vorbereitungen ein, gab seiner aufkommenden Heiterkeit stimmkräftigen Ausdruck, einmal schlug er überraschend und gut gelaunt den Vorhang zur Seite, nur um sich davon zu überzeugen, daß ich noch geduldig auf seinem zerkerbten Arbeitstisch saß. Ich machte keinen Versuch, durch einen Spalt zu linsen – ausgesperrt war ich ja nur noch unterhaltsamer im Bild –, ich harrte ruhig aus zwischen Körben und Pötten, zwischen Pfannen mit genäßtem Lehm und unzähligen Schnurknäueln, seinen Materialien, die er mit Sanftmut und Ausdauer, häufig auch mit Geschick, in Andenken maritimen Inhalts verwandelte. Während ich auf die Geräusche seiner planvollen Beschäftigung achtete, blinkten sie mich von umlaufenden Regalen an: seine Buddelschiffe, seine Rundspiegel, die sich einen Doppelkranz von Muscheln gefallen lassen mußten, aber auch kolorierte Ankerschilde, Photorahmen – diese mit Muschelgrus umschlossen – sowie Tischfeuerzeuge auf Bernsteinsockeln und weißgescheuerte Brettchen, auf denen seltene, dekorative Kunstknoten befestigt waren. Ein gewisses Seufzen, das ich allabendlich zu hören bekam, zeigte mir an, daß er sich die englische Takelbluse über den Kopf zerrte, diese blaue, verschossene Pelle, und daß er vorhatte, zu Ehren des Tages, an dem meine zweite Existenz begann, im Rollkragenpullover aufzutreten. Als er ein Streichholz anriß, verabschiedete sich die alte Fähre, die zur kleinen Lotseninsel hinübergeht; wie immer, wenn sie unsere Bucht passiert, ruft sie mit zwei Signalen aus ihrer Dampfsirene zu uns herüber. Kein fallsüchtiger Nordost wie damals; ruhig glitten ihre Positionslaternen über eine stumpfe, winterliche Ostsee, verfolgt vom Lichtarm unseres Leuchtturms, der in regelmäßigem Aufzucken über ihre Breitseite hinwischte. Aufgebockt, kieloben ruhten ein paar Boote auf der Landzunge, die Hütten unten am Strandweg lagen fast alle im Dunkeln.

Wie eifrig er wirtschaftete! Mitunter hatte ich das Gefühl, daß er mehr an Geräusch und Bewegung produzierte, als unbedingt nötig war, einfach um mir beizubringen, daß er keinen Aufwand scheute, wenn es um mich ging, wenn es nur mir zugute kam. Der Deckel seiner olivgrünen Seekiste klappte zu, sein privater Tresor, Seidenpapier knisterte, also mußte ich mich auf ein Geschenk gefaßt machen, vermutlich wieder auf ein See-inspiriertes Kunstwerk, das er heimlich für mich und für diesen Tag geschaffen hatte. Ich glaubte die Freude in seinem fleischigen Gesicht zu sehen, als er das Geschenk auf meinen Platz legte, nahm in Gedanken den Augenblick vorweg, in dem ich es auswickeln, unters Licht halten, bedachtsam loben würde, und ich wußte, daß für einen Moment der Schmerz zurückkehren würde, den ich immer empfand, wenn er mich, den Jüngeren, seinen scheuen Respekt spüren ließ.

Wie konnte er gestern nur behaupten, daß ich nachts an sein Bett trat, um ihm die Kehle zuzudrücken, wie konnte er mich nur beschuldigen, sein Bordmesser entwendet und unter meinem Kopfkissen verwahrt zu haben? Ich erinnere mich nicht, wie das Messer dorthin kam, ich weiß auch nicht, ob ich wirklich nachts zu ihm hinüberging und mich über ihn beugte, über meinen ältesten Bruder, dem ich hier alles verdanke. Ich hörte seine Schritte, Stapfschritte, Schritte der Ankündigung und gespielten Verheißung, seine Pranke riß den Vorhang zur Seite, und da stand er in seiner Masse, glücklich, beflissen, seine hellen wäßrigen Augen glänzten, langsam, wie gegen einen Widerstand, hob er mir die Arme einladend entgegen, trat zur Seite und gab den Blick frei auf den gedeckten Tisch: Albert, mein ältester Bruder, Albert mit all seiner rätselhaften Güte.

1283

Um den Jahrestag meiner Rettung zu feiern, hatte er eine doppelstöckige Schokoladentorte aufgetischt, die der Bäcker ihm geliefert haben mußte – im ausgeschnittenen Zentrum eine Kerze –, er hatte mehrere selbstangefertigte Schälchen hingesetzt, die gefüllt waren mit Nougatstäbchen, mit Marzipankugeln, Katzenzungen, Schokoladengeld und Waffeln; Tassen und Kuchenteller, ich sah es gleich, stammten aus seinem nur selten benutzten Festgeschirr; die geschliffenen Gläser standen auf silbernen Untersätzen. Zaghaft rührte er mich an der Schulter an, nickte zu meinem Platz hinüber, da, sieh mal da, ja, ich sah die beiden Päckchen, die er übereinandergelegt hatte, spürte, wie begierig er darauf wartete, daß ich sie öffnete; doch zuerst dankte ich ihm für den gedeckten Tisch, bewunderte die Torte, in die er meine Initialen eingekratzt hatte, lobte das schöne Geschirr, bemerkte, daß es ausnahmslos die Süßigkeiten unserer Jugend waren, die er auf Schälchen abgefüllt hatte. Tief senkte sich sein von bläulichen Äderchen durchwirktes Gesicht, als ich das erste Geschenk auspackte, offenbar wollte er sich davon überzeugen, daß es keinen Schaden genommen hatte, und er schien erleichtert beim Anblick der kolorierten Tontafel, die ich aus dem Seidenpapier schlug: Heil, flüsterte er, Gott sei Dank, alles heil. Er rubbelte sich den Schweiß vom Nacken und musterte mich besorgt, während ich die Tontafel unter die Lampe hielt und die korpulente Meerjungfrau betrachtete, die sich aus einem Wellenkamm reckte, sich gewagt auf den fischschuppigen Schwanz stellte und Umschau hielt, nichts als Umschau unter der schattenden Hand, ohne die beiden springfreudigen Delphine zu entdecken, die sie mutwillig umspielten. Da mein Schweigen ihn beunruhigte, sagte er leise: Für dich, ich hab's für dich gemacht; und ich strich über die Plastik, begutachtete sie aus größter Nähe, ließ sie vom Fensterbrett aus auf mich wirken, nur bemüht, die Trauer zu verbergen, die wie von selbst aufkam angesichts der Figur, die mich mit ihrer kühnen Verachtung der Schwerkraft an seine Anfänge erinnerte. Mein Bruder erwartete kein schnelles Urteil, er nickte freudig, als ich das Tongebilde vor meinen Kuchenteller stellte, und er war begeistert bei meiner Ankündigung, daß seine Arbeit künftig auf dem festen Bord stehen würde, am Kopfende meines Lagers.

Mit verringertem Interesse und ohne zu schnaufen sah er zu, wie ich den Bindfaden des zweiten Päckchens aufdröselte und aus einem Papier, das mit lauter streng blickenden Eulen bedruckt war, ein Buch auswickelte, das auf der Titelseite ein Photo von mir trug, ein sprechendes, ein günstiges Photo. Von einem schmucklosen Katheder herab rede ich zu einer unabsehbaren, verwegen gekleideten Menge, die mir grüblerisch bis finster, jedenfalls in sich gekehrt und nicht ohne Betroffenheit lauscht. Mein Doppelkinn ist wegretuschiert, meine graupelige Haut wirkt geglättet, mein gestreckter rechter Zeigefinger ist wie bei diskretem Abschwören auf den Boden gerichtet. »Wegzeichen« hieß das Buch. Während ich unwillkürlich versuchte, Zeit und Ort des Photos zu bestimmen, erzählte mein Bruder, daß er es in einer sogenannten fortschrittlichen Buchhandlung entdeckt und auch ein bißchen darin geschmökert hatte: Ein Lobgesang, Ernst, wirst sehen, wieder mal eine Biographie über dich, eine Huldigung, wie sie dir zukommt, von einer ehemaligen Schülerin, sie heißt Ute Pietsch-Nusseck. Ich sah ihn fragend an, und er verstand meinen Blick sofort und sagte beruhigend: Nix, zum Schluß weiß sie nur das, was alle Welt weiß, auch für sie endete alles am ersten Advent. Ach, Albert, treuer Schatten, fürsorgliches Gespenst!

Zum Dank umarmte ich ihn, so gut es ging – er war ganz still bei meiner Umarmung, spannte nicht einmal seinen Brustkorb, stand nur ergeben da in einem kratzigen Rollkragenpullover und blickte starr auf die herabgelassenen Rollos. Sein Übergewicht ist von gesunder und imposanter Art, selbst durch die Wolle fühlt man seine harten Muskelpartien, das Kernfleisch sozusagen; wer uns miteinander vergleicht, wird ihn für weniger gefährdet halten als mich in meiner etwas schlaffen Fülle. Wie so oft gab er sich plötzlich selbst ein Startzeichen, klatschte einmal kurz in die Hände, wischte sich über das dünne, verklebte Haar und trug, einen virtuosen Kellner imitierend, Kaffee

auf, schnitt uns feuchte Batzen aus der Torte heraus, die er schwungvoll auf die Teller brachte, setzte sich mir gegenüber hin und blinzelte
mir auffordernd zu: Iß, lieber Ernst, es ist dein Tag, es ist der Tag
deiner Wiederkehr. Während sich draußen ein sprunghafter Südost
regte, während gebleichtes Strandholz im Ofen knallte, während die
Rollos sich wie atmend bewegten und sehr feiner Sand durch die Tür-
ritze geweht wurde, aßen und tranken wir schweigend und zogen die
Wohltat in die Länge, mein Bruder schnitt und säbelte und legte auf,   1285
seine auseinanderstehenden Schneidezähne senkten sich in den braunen Teig, er schluckte lächelnd mit geschlossenen Augen, tat so, als ob
er dem Genuß nachsann, und versuchte ein paarmal, mich zum Wet-
tessen zu ermuntern. Nie ließ er in seiner Aufmerksamkeit nach, in
seiner Besorgnis.

Dann schenkte er uns Rotwein ein. Dann stand er auf und zwang
auch mich, aufzustehen. Wehmut kam in seinen Blick, wie in glücklichem Unglauben schüttelte er leicht den Kopf und leckte einmal über
seine Lippen. Daß du noch da bist, flüsterte er, daß du hier bei mir
bist, und er sah sich ratlos um, enttäuscht, daß sich niemand fand,
dem er danken konnte. Die Kerze zog ihn an, auf die gelbe Kerze
hinabschauend, sein Glas vorsichtig drehend, fielen ihm einige Worte
zu diesem Tag ein, er sprach vom Schicksal, vom gleichgültigen, vom
blinden, vom überlisteten Schicksal, tonlos erwog er, was geschehen
wäre, wenn der seidene Faden nicht gehalten hätte, wollte das aber
nicht zu Ende denken, sondern hob mir ergriffen sein Glas entgegen
und sagte: Ein Tag der Freude, Ernst, und keiner freut sich so wie ich.
Woher er meinen Lieblingswein hatte, wollte er mir nicht verraten.

Draußen schlug etwas gegen die Wand der Werkstatt, ich stand wie
immer schnell auf, bereit, in mein Versteck zu gehen, doch Albert
winkte beruhigend ab, er wußte, daß es der hölzerne Lukendeckel war,
der nur noch an einem Scharnier hing. Über deutsche Mystik: auf
einmal gab es für mich keinen Zweifel mehr, daß das Photo auf der
Titelseite entstanden war, als ich die Vorlesung über deutsche Mystik
hielt, über Meister Eckharts herausfordernden Begriff der geistigen
Armut; mein Bruder sah mir sofort an, daß mir eingefallen war, wonach ich gesucht hatte, denn bevor ich noch die Aufnahme datierte,
sagte er: Na, siehst du, bei dir fällt doch nichts durch die Maschen. Wie
zur Belohnung schenkte er nach, bot von den Lieblingssüßigkeiten
unserer Jugend an, pellte für mich das Silberpapier von den Schoko-

ladentalern und hörte nicht auf, mich über den Tisch hinweg anzustarren, versonnen und erwartungsvoll.

Ich ahnte schon, worauf er, der süchtige Zuhörer, aus war. Als er mich an den dreitägigen Sturm erinnerte, der vor einem Jahr hier oben herrschte, als er die Schäden aufzählte, die damals an seinem abgelegenen Anwesen entstanden, als er das Strandgut bewertete, das er von der Bucht hier heraufschleppte in den Schutz seines windschiefen Zuhauses, da wußte ich, was er, und diesmal datumsgerecht, schon wieder hören wollte; dabei hat er mir die Geschichte so oft abgebettelt, daß er sie bei kleinem auswendig kennen müßte. Weißt noch, es war der erste Advent. Ja, ja, ich weiß. Auch am Tag war es dämmrig. Ja, Albert, ich weiß noch. Die Möwen hingen weit über Land. Ein sicheres Zeichen, sagt man. Die Fähre konnte nicht auslaufen. Nein, sie wurde doppelt vertäut, ich konnte sie sehen vom Fenster meiner Pension. So ging es.

Mir blieb nichts anderes übrig: von seinem treuherzigen Verlangen genötigt, fing ich also, oft von ihm ergänzt, noch einmal an, ließ mich, ein paar Tage vor dem ersten Advent, in dem vereinsamten Fährhafen ankommen, machte mich zum einzigen Gast einer immer nach Waffeln duftenden Pension, gab der Ostsee ihr lastendes Grau und zog die lange gewinkelte Mole aus, auf der ich täglich gesehen und von einigen Fischern gegrüßt wurde. Du hattest kaum Gepäck bei dir, sagte mein Bruder, nur das Nötigste und ein paar Bücher. So ist es, sagte ich, nur das Nötigste und ein paar Bücher, die mir über alles hinweghelfen sollten, über alles, was in diesem Jahr passiert war, du weißt schon. Und von seiner fordernden Aufmerksamkeit bedrängt, belegte ich den Hafen mit ein paar offenen Fischkuttern, entwarf wieder den mageren Strand, machte mich zum ausdauernden Leser, zum Beobachter, zum wortkargen Spaziergänger, der täglich immer denselben Weg durch das Nest nahm und hinter dem die Leute, an fremde Einzelgänger offenbar gewöhnt, irgendeine private Düsternis vermuteten.

Dann kamen die Leute vom Fernsehen, sagte mein Bruder. Ja, sagte ich, dann mietete sich das Fernsehteam ein, stille Männer in Islandpullovern, die, wie ich vom Wirt der Pension erfuhr, einen Adventstag an der Küste filmen wollten; gleich nach dem Frühstück bestellten sie sich Bier und spielten den geräuschlosesten Skat, der je gespielt wurde. Jedesmal wenn wir uns draußen auf der Mole begegneten – ich stand dort gern und beobachtete die beiden riesigen, an Pfählen verankerten

Fischkästen, die sanft in der See torkelten –, grüßten sie freundlich und lobten die ergiebige Stimmung. Von meinem Fenster aus beobachtete ich, wie sie ihr umfangreiches Gerät in ein Fischerhaus hineinschleppten – anscheinend hatte man ihnen erlaubt, irgendwelche einheimischen Adventsvorbereitungen aufzunehmen; ich wurde auch Zeuge, wie sie die Landschaft durchmusterten, eine zerzauste Baumgruppe filmten, eine Ansammlung rostiger ausgedienter Seezeichen, einen Schuh im Sand und einen verrotteten Kahn.

Obwohl mein Bruder wußte, wann und mit welchem Anzeichen sich der Sturm ankündigte, fragte er: Und wie ging's dann los? Und ich versicherte ihm wiederum, daß ich nie zuvor ein so schwefliges Licht erlebt hatte wie am Tag vor dem ersten Advent. In Pulks strichen die Möwen weit hinein ins Land. Doppelt vertäut wurde die Fähre; die Passagiere, die zur kleinen Lotseninsel hinüberwollten, gingen mißmutig von Bord und nahmen sich Zimmer in meiner Pension. Netze, die zum Trocknen aushingen, wurden eilig geborgen, alles, was einen Kiel hatte, verholte in den Schutz der Mole. Zweimal prüfte der Wirt, ob die Sicherungshaken der Fenster fest in den Ringen saßen. Beim Abendbrot – es gab nur ein einziges Gericht: Rührei mit Krabben, als Nachtisch Waffeln und Kaffee – war plötzlich ein Ton in der Luft, der alle aufhorchen ließ, ein dunkles, anschwellendes Wehen, langatmig und sich anscheinend selbst erprobend; von weit her kam es heran, wurde mächtiger und schärfer, sammelte sich wieder zum Anlauf und ging über uns hinweg mit grummelnder Wut. Da traten die Leute vom Fernsehen ans Fenster, begutachteten den entstehenden Tumult und besprachen sich flüsternd.

Albert duldete nicht, daß ich die Nacht überging, er erinnerte mich daran, daß ich gleich nach dem Abendessen zu meinem Zimmer hinaufstieg, kein Licht machte, nur den wackligen Lehnstuhl ans Fenster zog und zusah, wie der Sturm im Fährhafen aufräumte, Stapel von Kisten wegschleuderte, die Boote an den Leinen durchschüttelte und einem alten Schuppen das Dach nahm. Hoch über die Mole hinweg warfen die Brecher ihr Wasser, plündernd ging der Wind durch die Uferstraße, warf eine Lore um, holte eine baumelnde Laterne herunter, die auf der Erde zerbrach und davonrollte. Ein spitz angesetzter, ein irrsinniger Pfeifton machte alle anderen Geräusche unhörbar. Sehr spät kam noch einmal der Wirt, er brachte mir eine zusätzliche Decke für die Nacht und zeigte mir drei geduckte Gestalten am Aufgang zur

Mole, die ich selbst kaum entdeckt hätte. Machen wohl Studien, sagte er abschätzig und ging. Gegen Morgen schlief ich ein.

Ja, und dann ließ ich den ersten Advent beginnen mit besorgten Frühstücksgesprächen, an allen Tischen sahen sie über ihre Kaffeetassen hinweg in den tintigen, von Sturmwolken verdüsterten Morgen, und als der Steuermann der Fähre bekanntgab, daß der Fahrplan vorübergehend nicht eingehalten werden könne, heizte ihm niemand mit Fragen ein. Wie ergeben die Leute warteten, die zur Lotseninsel hinüberwollten, selbst die Kinder fügten sich, dösten zwischen unförmigem Gepäck oder beobachteten stumm einander, ernste Kinder. Regsam allein waren an diesem Morgen die Männer vom Fernsehen, sie verzichteten auf ihr Spiel, warfen sich nach einer Lagebesprechung in leuchtendes Regenzeug und strebten, schräg gegen den Wind gelegt und Hand in Hand, zur Mole hinaus, wo sie ein paar Teerfässer türmten, wo sie die gefüllten Fässer so gegen die Mauer der Mole brachten, daß ein Windschutz entstand, hinter dem sie später ihr Gerät aufbauten; wer sie bei ihrer Arbeit im Auge behielt, zweifelte nicht mehr daran, daß sie den Adventssturm zum Hauptdarsteller machten. Beim Mittagessen erkundigte sich der Pensionswirt nach dem voraussichtlichen Sendetermin.

Darin irrte sich Albert noch jedesmal: ich war es nicht, der als erster den havarierten finnischen Holzsegler entdeckte, ich habe keinen Anspruch darauf, die Rettungsmannschaft alarmiert zu haben; als das Notsignal triefend über der See aufstieg, wurde es auch von einigen Männern bemerkt, die gerade einen entwurzelten Baum von der Uferstraße wegräumten. Ich sah das Signal von meinem Fenster, es gewann keine Höhe, es schraubte sich nur ein wenig über das gepeitschte Wasser und wurde in flachem Bogen weggerissen und erlosch, noch bevor es in die See fiel. Jetzt erkannte ich den Dreimaster, der mit zerfetzten Segeln quer vor dem Sturm trieb und rollte, immer wieder wurde er von den heranrollenden Wellen hochgetragen, richtete sich auf, krängte schwer und wurde hinabgedrückt, so daß nur noch die Masten zu sehen waren und Reste von braunem Tuch, die im Wind schlugen. Dieses Torkeln, wenn er Brecher übernahm, wenn die See über ihn hinwusch und die letzte verbliebene Decklast mitnahm, Grubenhölzer, die aus schaumbedeckten Wellentälern herausschossen mit der Plötzlichkeit fliegender Fische.

Einen Plan hatte ich nicht, als ich den schweren Mantel anzog und vor die Pension trat, die Treppe hinabstieg. Der Wind fiel mich an. Meine Augen tränten. Ich mußte mich festhalten. Gleich nach mir verließ ein Mann in Ölzeug die Pension, an der Stimme erkannte ich den Wirt, der sich mühte, zwei Männer einzuholen, die ihm vorausgingen zur Mole, dorthin, wo die Fischkutter lagen; ich folgte ihnen. Es war nicht zu verstehen, was die Fernsehleute ihnen aus dem Windschutz zuriefen, ich hörte nur einen verstümmelten Wortwechsel, antwortete, als ich selbst angerufen wurde, mit einer abwehrenden Handbewegung und ging weiter und stand auf einmal vor der einzementierten Eisenleiter, über die die Männer den Kutter erreichten. Ich stand da nur, ich nahm die Leine auf, um sie ihnen zuzuwerfen, da rief mich einer der Männer an, rief: Worauf wartest du? Und da er sich gleich darauf abwandte und sich über das Motorgehäuse beugte, stieg ich die paar Stufen der Eisenleiter hinab und sprang, ohne daß mir einer von ihnen half, in den Kutter.

Auch diesmal wollte mir mein Bruder nicht glauben, daß ich, als ich da in den breitbordigen Kutter sprang, eher einem Reflex folgte als einem überdachten Entschluß. Lächelnd und besserwisserisch bestand er darauf, daß ich nur deshalb mitzufahren beschloß, weil ich erkannt hatte, wie gut die Männer bei ihrem mutigen Unternehmen noch ein Paar Hände an Bord gebrauchen konnten. Ich weiß schon Bescheid, Ernst, ich weiß alles, und wenn du dich noch so klein machst: das sagte er. Ja, und dann schickte ich unser Boot gegen die anlaufende See, lobte den zuverlässigen Diesel, der uns durch den Aufruhr vor der Hafeneinfahrt drückte, ließ uns, von Gischt übersprüht, am Boden kauern und mit Dosen und Plastikeimern all das Wasser ausschöpfen, das brechende Wellenkämme zu uns hereinschleuderten. Aufblickend hatte ich mitunter das Gefühl, daß wir keinen Meter über Grund gutmachten; schon zweifelte ich, ob wir den havarierten Holzsegler je erreichen würden. Meine Hände brannten, sie wurden schwer, mehrmals ließ ich die Dose fallen. Als das zweite Notsignal zittrig über uns hochging und vertroff, hatten wir den alten Segler fast erreicht, mein Wirt brachte uns in Leeseite und versuchte, an das Fallreep heranzukommen, das sie auf dem Havaristen ausgebracht hatten – drei Männer, die uns, an Halteseile geklammert, im Windschatten des Ruderhauses erwarteten. An Festmachen war nicht zu denken, wir mußten Anlauf nach Anlauf nehmen, gewaltsam emporgehoben und geschüttelt und weggestoßen, immer bedroht von dem Havaristen, der schwer rollte; aber dann glückte es uns, zwei der Männer, die sich berechnet fallen ließen, an Bord zu nehmen, nur der dritte, ein Junge, schaffte es nicht: er ließ das Fallreep los, als wir in ein Wellental stürzten, geriet zwischen Bordwand und unser Boot und blieb verschwunden.

Und dann geschah es, sagte Albert. Ja, sagte ich, auf der Rückfahrt geschah es; während der Sturm uns trieb und trudeln ließ und ein paarmal so hochtrug, daß wir all die Leute auf der Mole und am Strand sehen konnten – das heißt weniger die Leute selbst als ihre Lampen und Sturmlichter –, fiel mir seltsamerweise der Farbdruck ein, der jahrelang bei uns zu Hause hing, im Kontor der Ölmühle: unter Südwestern kämpfte darauf eine rudernde Rettungsmannschaft gegen eine aufgebrachte See, steil, mit himmelwärts gerichtetem Bug lag das Boot nicht auf, sondern an einer Welle, gleich würde, gleich mußte es kippen, sich überschlagen, schon ließ ein Ruderer den Riemen los und warf den Arm hoch wie in Abwehr, und ein anderer duckte sich tief in Erwartung des hereinbrechenden Wassers. Wir hielten auf die Hafeneinfahrt zu, ein heftiger Regen betrommelte unsere kauernden Gestalten, entrückte das Land. Es muß eine Grundsee gewesen sein, die unser Boot plötzlich anhob, es quer zum Sturm warf und es gleich darauf niederdrückte und im Zusammensturz unter sich begrub. Ein Zerren, ein gewaltsames Strömen und ein Druck in den Ohren: mehr spürte ich nicht. Kein Gefühl für Bewegung, kein Schmerz; vor meinen geschlossenen Augen eine gefleckte Dunkelheit. In kurzen Schwimmstößen zog ich die Arme durch, eine Kraft aus der Tiefe schob mich hinauf, ich erfühlte etwas Kantiges vor mir, tastete darüber hin und fand reihenweise Löcher im glitschigen Holz, fand wie von selbst die Luft- und Strömungslöcher des mächtigen Fischkastens, den der Sturm losgerissen hatte. Ich zwängte meine Finger in die Öffnungen, die Finger verkrampften sich bald, sie schwollen und verkrampften sich, manchmal lag ich mit dem Gesicht auf dem Fischkasten, manchmal drehten und wälzten wir uns umeinander, auch kürzere Wellen, die sich knapp über uns brachen, konnten uns nicht trennen. Die gefangenen Fische – vermutlich Flundern und Aale – habe ich nicht ein einziges Mal gespürt, auch später nicht, als der Sturm uns gegen den Fuß der Mole warf, an der Außenseite, dort, wo niemand stand und hoffte und suchte.

Wie enttäuscht mein Bruder war, daß ich ihm nicht bestätigen konnte, was Ertrinkende oder Leute, die dem Tod des Ertrinkens nahe sind, angeblich erleben: daß da im Gewoge ein letzter Film abläuft, daß die Stationen des Lebens in einem Zeitraffer bilanzartig vorgeführt werden, so als werde einem vor dem Untergang Gelegenheit gegeben, das Erlebniskonto zu überprüfen; hier wurde solch ein – auf mich zugeschnittener – Streifen nicht gezeigt, mir wurde nicht mein Reichtum an Vergangenheit bewiesen. Weder Lunderup mit unserer Ölmühle hob sich ins Bild noch meine Leute dort; nicht einmal Hilde und die Kinder wollten mir unter der Welle erscheinen. Jedenfalls zog ich meine geschwollenen Finger aus den Luftlöchern des Fischkastens, kroch an den Steinen entlang zum Strand und fiel hin und blieb liegen in dem schweren Mantel. Aus der Ferne hörte ich Rufe, das Pochen eines Motors kam herüber, offenbar schickten sie einen anderen Kutter hinaus, um uns, die verunglückten Retter, zu retten. Ab und zu blitzte das Licht eines starken Scheinwerfers auf der Mole auf, vermutlich suchten sie mit dem Lichtkegel die See ab, tasteten über Schaumkämme, entdeckten vielleicht unseren kieloben treibenden Kutter; ich dachte daran, und in diesem Augenblick hatte ich das Gefühl, wieder zu rollen und zu sinken, eine Welle erfaßte mich, lief durch meinen Körper, und ich glaubte, immer noch in der bewegten See zu treiben, an den Fischkasten gekrallt. Höher, ich kroch höher den Strand hinauf, ließ mich unter eine Hecke fallen und ruhte dort und wartete und hörte nach einer Weile nur ein einziges Wort: Allein, allein, allein. Mit tränenden Augen sah ich auf die dunkle Ostsee hinaus, über die phosphoreszierende Bänder liefen; da beschloß ich, nicht mehr in die Pension zurückzukehren.

Daß du es geschafft hast, sagte mein Bruder und schüttelte bewundernd den Kopf, daß du die zwölf Kilometer geschafft hast bis hierher, in deinem Zustand, bei diesem Sturm. Ihm zuliebe tauchte ich also die Küste noch einmal in Dunkel, ließ mich in dem niederziehenden Mantel über Feldwege und Wiesen stolpern, immer das Rauschen der See zur Seite, schließlich, nach einer Wanderung, die einer Flucht gleichkam, öffnete ich die vertraute Bucht, ließ den kleinen Leuchtturm links liegen und schleppte mich den buckligen Strandweg hinauf zu dem Haus, das ich vorher nur ein einziges Mal betreten hatte, an Alberts sechzigstem Geburtstag. Eben, sagte er, schon das ist ein Wunder, daß du hierhergefunden hast. Es brannte kein Licht, ich mußte mehrmals klopfen, und als es hell wurde im Flur und er endlich vor mir stand – kragenlos, baumelnde Hosenträger – und mich anblinzelte, wußte ich nicht einmal, was ich sagen sollte; denn ich hatte mir kein Wort zurechtgelegt. Er zeigte mir nur, wie schnell Freude auf einem Gesicht entstehen kann, selbst zu solch einer Zeit; als ob er mich erwartet hätte, legte er mir die Hände auf die Schultern, zog mich an sich und flüsterte: Endlich mal, endlich kommst du. Ohne viel zu fragen, half er mir dann, das nasse Zeug loszuwerden, er schlug ein Feldbett in der Werkstatt auf, mischte Weizenkorn mit heißem Kaffee, legte mir eine Wärmflasche unters Zudeck und verhängte die Fenster mit Zeltbahnen, besorgt und eifrig, ohne seiner Wißbegier nachzugeben. Ah, Albert, gedemütigter Bruder, vielleicht hast du dich auf deinem Weg zu früh geschlagen gegeben.

Mehrere Tage lag ich in der halbdunklen Werkstatt, er machte mir Brustwickel, kam mit Kamillentee und wischte mir den Schweiß von Stirn und Rücken; sobald ich zu sprechen anfing, winkte er ab: Nix, alles hat Zeit. Ich genoß seine Fürsorge; oft, wenn er die vertraute Medizin brachte, wenn er auf dem Bettrand saß und mir zuredete, fühlte ich mich in unsere Kindheit versetzt, und unwillkürlich wiederholten wir einander die alten Sätze, Trostsätze, Überredungssätze, um uns etwas zurückzuholen oder zu bestätigen, was wir für immer teilten. Welchen Grund sollte ich haben, ihn nachts mit einer geflochtenen Schnur zu besuchen, die ich, wie er behauptet, im verborgenen und eigens für ihn angefertigt haben soll, welchen Grund? Ich erinnere mich an nichts. Jedesmal, wenn er das Haus verließ, verschloß er die Tür und steckte den schweren Schlüssel in die Tasche; seinen ausgebleichten Seesack auf dem Rücken, ging er den Strandweg hinab und an den eingeschlossenen Häusern vorbei zu den alten Pappeln auf der andern Seite der Bucht, unter denen das »Blinkfüer« lag, ein Holzbau, Café, Kramladen, Kneipe, alles in einem. Ein Stück des Weges ließ er sich von seiner Katze begleiten, die immer an der gleichen Stelle zurückblieb, immer an dem verrotteten Boot. Erst als ich fieberfrei war, erlaubte er mir aufzustehen.

Mein Bruder schenkte Wein nach, hob mir das Glas entgegen und trank mir stumm zu, stumm und mit unverkennbarer Mahnung in seinem Blick: Du weißt hoffentlich, was du diesem Tag schuldig bist! Dann schob er mir die Schälchen mit den Süßigkeiten zu und stand plötzlich auf und wandte sich ab, überwältigt von der Tiefe seiner Empfindung oder den Bildern, die sich ihm aufdrängten. Du hättest es sehen müssen, sagte er stockend, du hättest das Inferno sehen müssen, so wie ich's gesehen hab, die Hölle, aus der du kamst. Und dann erzählte er noch einmal, wie er ins »Blinkfüer« hinüberging, nur um Weizenkorn und Suppen in Dosen zu holen, während ich mit Fieber auf seinem Feldbett lag. Ärgerlich blickten sie sich nach ihm um, als er den schäbigen Gastraum betrat, sie hingen alle am Fernsehapparat, Bier und Köm in Reichweite, keiner fragte ihn nach seinen Wünschen. Mir blieb da nichts anderes übrig, als mich zu ihnen zu stellen, sagte mein Bruder. Auf dem Bildschirm nahm ein Kutter die anrollende See an, ein gedrungener Kutter mit befendertem Bug, der hin und her geworfen wurde und in dem schäumenden Aufruhr vor der Hafeneinfahrt außer Sicht geriet, gleich darauf aber von einer langen Welle hochgetragen wurde, so daß man vier kauernde Gestalten erkennen konnte. Je länger die Fahrt des Kutters dauerte, desto mehr trübte sich das Bild ein, offenbar hatte fliegende Gischt das Objektiv getroffen. Das Ziel, zu dem der Kutter unterwegs war, blieb unsichtbar, ein Sprecher nannte es, eine harte, sachliche Stimme stellte fest, daß draußen in der kochenden See ein Holzsegler trieb, manövrierunfähig, mit gebrochenem Mast und zerfetzten Segeln, da waren noch Leute an Bord, die gerade eine Notrakete geschossen hatten. Als der Kutter in einem Wellental vorübergehend abhanden kam, sagte der Sprecher: Hier setzen sie alles aufs Spiel, wenn es gilt, auch nur einen einzigen aus Seenot zu retten. Die Übernahme der Schiffbrüchigen konnte nicht im Bild gezeigt werden, es geschah zu weit draußen, in undurchdringlichem Tumult, doch dann – das Rettungswerk war gelungen – wurde der Kutter wieder sichtbar, der Sturm schleuderte ihn aus tiefem Horizont heraus, drückte ihn abwärts, und wer genau hinsah, konnte nun sechs Gestalten ausmachen, die geduckt auf den Bodenbrettern hockten.

Als die Grundsee sich hob, erzählte mein Bruder, als sich das Wasser sammelte und aufrichtete wie nach einem unterseeischen Beben, da hielten sie im »Blinkfüer« den Atem an, und als der Kutter in dem zusammenstürzenden Berg einfach verschwand, überfiel sie eine Starre, aus der sie sich erst bei dem abschließenden Satz des Sprechers lösten: Advent an der Küste. An die Nummer des Spendenkontos, das zum Schluß eingeblendet wurde, konnte sich nach zehn Sekunden keiner mehr erinnern, doch alle beschlossen, etwas für die Hinterbliebenen der vier ertrunkenen Retter zu stiften, alle. Mich wundert's nicht, sagte Albert, daß da soviel zusammenkam, ein Vermögen für jeden; schließlich wurde die Sendung im ersten Programm gezeigt, die ganze Nation sah zu, und es war Adventszeit.

Und dann hast du es erfahren, sagte ich. Ja, sagte mein Bruder, ja, dann hab ich's gelesen, im »Blinkfüer« drüben, wo unser Blättchen aushängt, unser Tageblatt, eine ganze Seite brachten sie über das Ereignis. Und wie jedesmal, wenn wir darüber sprachen, erwähnte er, daß er sich wie in einem Griff fühlte, als er unter den Namen der Opfer auch meinen Namen fand, etwas klammerte ihn fest, er konnte nicht aufstehen, er mußte seinen Aufbruch hinauszögern; beim Versuch, seine Pfeife zu säubern, brach er das Mundstück ab. Auf der Seite, die er heimlich abtrennte und mir einige Tage später ohne ein Wort aufs Bett legte, waren knappe Lebensbeschreibungen der Opfer abgedruckt, jedem der Verunglückten wurde die gleiche Anzahl von Zeilen gewidmet, dem Pensionswirt nicht weniger als dem Professor Ernst Binder. Solange ich auf seine Pflege angewiesen war, stellte er mir keine Fragen, rücksichtsvoll und still zufrieden über die Fortschritte, die ich machte, schien er alles mir selbst überlassen zu haben, im voraus einverstanden mit den Entscheidungen, die ich treffen würde. Einmal nur bot er sich an, Hilde und die Kinder aufzusuchen, um ihnen die Nachricht von meiner wunderbaren Rettung zu bringen, ich dankte ihm, bat ihn aber, damit noch zu warten. Er willigte sogleich ein, gab mir jedoch zu bedenken, daß Hilde alsbald ihren Anteil aus der Spendenaktion erhalten könnte – wie er wußte, waren insgesamt mehr als sechshunderttausend Mark zusammengekommen – und daß die Rückzahlung, die dann wohl unvermeidlich wäre, nicht ohne Peinlichkeit abginge. Ich stimmte ihm zu und ließ es bei meiner Antwort – vermutlich brachte ich es da noch nicht fertig, ihm zu sagen, daß ich Hilde und die Kinder verlassen hatte. Ja, Albert.

Er ging zur Tür, um seine Katze hereinzulassen, die sich mit einem schwachen Klagelaut gemeldet hatte. Der Wind legt sich, sagte er, morgen wird es friedlich; das war zu meiner Beruhigung gesagt.

Während er der Katze Milch und Weißbrotbrocken hinsetzte – in einem irdenen Gefäß, das er eigens für sie gemacht hatte –, schenkte ich uns nach und sah zu, wie er das grauweiße Tier streichelte, das mit hochgestelltem Schwanz um seine Knie strich. Wie behutsam seine Liebkosungen waren – augenblicklich empfand ich den Wunsch, selbst über das schimmernde Fell zu streichen; es glückte mir nur selten, weil sich die Katze nur dann von mir berühren ließ, wenn ihr kein Fluchtweg mehr geblieben war. Kein Zeichen von Zutrauen, obwohl es doch schon ein Jahr her ist, seit wir Bekanntschaft schlossen, ein ganzes Jahr.

Sie hält in ihren Bewegungen inne, sobald sie mich sieht, und wenn ich mich nach ihr bücke, duckt sie sich und legt die Ohren an, und ihr Schwanz schlägt knapp hin und her. Alle Versuche meines Bruders, Freundschaft zwischen mir und der Katze zu stiften, schlugen fehl: sie floh von meinem Lager, von meinem Schoß, und die Leckerbissen, die ich ihr hinlegte, rührte sie in meiner Gegenwart nicht an.

Nachdem wir getrunken und abermals einen Tortenbatzen in uns hineingelöffelt hatten, gestand er mir, daß er Hilde und die Kinder besucht hatte auf seiner letzten Verkaufsreise. Sie lebten nicht mehr in dem Bungalow in Lunderup; sie hatten eine neue Wohnung, in einem von Weinlaub überwachsenen Haus. Auf dem Buffet soll ein Photo von mir gestanden haben, ein gerahmtes Photo, von Karaffen und Glukkerflaschen verdeckt; ein Teil meiner Bibliothek und meine Manuskripte lagerten im Kinderzimmer, ordentlich gestapelt und geschichtet. Hilde – sie trug jetzt ihr Haar scharf gekämmt und im Nacken festgesteckt, wodurch ihr schönes Profil härter wirkte, entschlossener – sprach ohne Trauer über mich, ohne Erbitterung, sie hätte mir gern ein anderes Ende gewünscht. Es schien ihr Genugtuung zu bereiten, Albert vorzurechnen, wie auskömmlich sie lebten, wie abgesichert. Als unangemessen empfand sie eine Steuerforderung auf die Summe, die ihr vom Spendenkonto überwiesen worden war. Sie haben sich wirklich gut eingerichtet ohne dich, sagte mein Bruder und tätschelte mir den Arm, zumindest haben sie nix zu entbehren.

Wir saßen uns eine Weile schweigend gegenüber – oh, wir können uns schweigend ansehen, uns wortlos befragen bis auf den Grund, das zurückliegende Jahr hat es bewiesen –, und ich mußte daran denken, wie er all die Dinge über den Strandweg heranschleppte, die wir zum Leben brauchten, und wie er für uns kochte und abwusch und die Steppdecken unserer Lager in die Sonne hängte, nie verdrossen oder gar anklägerisch, sondern vergnügt, in freudiger Dienstbarkeit. Ich dachte daran, wie sehr er bemüht war, die unangenehmen Arbeiten in aller Frühe zu tun, hinter meinem Rücken, dachte an seine Mitbringsel von den Verkaufsreisen – ein hölzernes Kistchen mit Marzipan gehörte immer dazu – und an die Nächte, die er in seiner Werkstatt über Muschelgebilden und Buddelschiffchen und all den andern maritimen Kunststücken verbrachte, mit denen er uns durchbrachte. Ach, Albert, rätselhafter Bruder.

An diesem Abend hatte er einen Anspruch auf meinen gesammelten

1295

Dank; doch noch bevor ich aufstand, meldete sich, zuerst fern, der Hämmerer: da waren wieder diese leisen dumpfen Schläge in meinen Kopf, ein Gummihammer fiel vibrierend, mit leichtem Dröhnen, fiel auf das eiserne Gestänge eines bis hinter den Horizont reichenden Zauns, es summte, dröhnte und summte, die kleinen Echos flossen ineinander, und das Dröhnen verstärkte sich. Immer näher kam der Hämmerer, ich sah wie jedesmal seinen schwarzen Hammer auf die Gitter fallen, gleichmütig, doch genau, und das Eisen dröhnte dunkel unter den Schlägen. Ich räumte den Tisch vor meinem Platz, schob einfach Geschirr und Geschenke zur Seite und legte meine Stirn auf die Tischplatte, preßte sie an das kühle Holz und lauschte. Mein Bruder richtete sich auf, er blieb hinter mir stehen und hielt mich in seinem sanften Griff, als wollte er mich gegen eine fordernde Macht in Schutz nehmen. Ruhig, mein Junge, sagte er, nur ruhig bleiben. Er zitterte. Ich spürte, daß er Angst um mich hatte, und ich zog seine Hände von mir ab und stand auf und nickte zur Werkstatt hinüber, stakste mit seiner Hilfe zu meinem Lager, zog mich aus und ließ mich von ihm zudekken.

Lange saß er am Rand des Feldbetts, saß ergeben da in Erwartung; draußen wurde es still, der Wind legte sich, wie er es vorausgesagt hatte. Ich bat ihn nicht darum, die Geschenke zu holen, er tat es von sich aus, er legte seine Meerjungfrau und die Biographie meiner ehemaligen Schülerin auf das Bord, gut sichtbar, als wollte er mir das Datum in Erinnerung rufen, das wir gerade gefeiert hatten. Dein Tag, Ernst, es ist immer noch dein Tag. Er löschte das Licht, saß noch eine Weile im Dunkeln bei mir, dann berührte er mich an der Schulter und ging hinüber in die Wohnstube, um aufzuräumen, behutsam, fast ohne Laut. Ich nahm seine Tonplastik vom Bord, ertastete die springenden Delphine, den Wellenkamm, den fischschuppigen Unterleib der Meerjungfrau, ich umschloß das Gebilde mit beiden Händen und hatte das Gefühl, daß es sich zuckend belebte, krümmte, wegwollte. Drüben deckte er leise sein Bett auf, verwarnte flüsternd die Katze. Eine kurze gespannte Stille sagte mir, daß er noch zu mir hinüberlauschte, bevor er sich hinlegte. Ich muß warten, bis er eingeschlafen ist.

1983

Eine Schulstunde auf japanisch

Nein, sie waren keine Soldaten des Abc. Gewiß, sie trugen alle dunkle Uniformen, in schöner Disziplin lagen ihre Händchen auf der Schulbankkante, ihre kleinen Körper bezeugten auch schon eine frühe Würde des Dasitzens, doch als ich den Klassenraum der alten, über hundert Jahre alten japanischen Elementarschule betrat, da widersprachen sie sogleich der vorgeführten Haltung. Vertrauensvoll zwinkerten mir die achtjährigen Jungen und Mädchen zu, klapsten mich heimlich, so daß Schulrat und Schuldirektor es nicht bemerkten, drückten mir schnell die Hand, lächelten, flüsterten, boten mir Zettel an. Schon kam ich mir vor wie der neue Schüler, dem man sein verstecktes Wohlwollen zu erkennen gibt.

Ich hatte mir gewünscht, eine lange Schulstunde auf japanisch mitzumachen, und die Japan-Foundation, die ihrem Gast in beispielloser Generosität nahezu jeden Wunsch erfüllt, hatte mir eine kleine Schule sehr fern von Tokio empfohlen, eine ganz aus Holz gebaute Schule, die Wände geschwärzt vom Alter, die Flure blank gewetzt von unzähligen Stoffsandalen und Strümpfen.

Daß ich mich wie auf einer Rutschbahn fühlte, Schwierigkeiten mit meinem Stand hatte, lag an den zu engen Hausschuhen, die ich hier – wie überall sonst – am Eingang gegen meine Straßenschuhe tauschen mußte, japanische Pantoffeln sind nun einmal für japanische Fußgrößen gedacht, sie bekneifen geradezu europäische Zehen – immerhin, mit den zierlichen Pantoffeln am Fuß merkt einer rasch, ob ein unentdeckter Kürläufer in ihm steckt. Es gelang mir, ohne Sturz, zu einem Bänkchen zu segeln, die Lehrerin nickte mir anerkennend zu, und in dem Augenblick, als sie das Thema der Schulstunde bekanntgab, lösten sich auch alle Blicke von mir, verschmitzte, neugierige, abschätzende Kinderblicke. Das Thema überraschte mich, es gab mir zu denken: Über den Gruß, so hieß es, über die Bedeutung des Grüßens zwischen Bekannten, zwischen Fremden. Die Schüler indes schien dies Thema keineswegs zu überraschen, mit einem Ernst, der mich verblüffte, mit einer gesammelten Aufmerksamkeit, die ich nicht vermutet hätte, fingen sie gleich an, dies so bedeutungsvolle Zeremoniell menschlicher Begegnung zu beschreiben und, von der Lehrerin gelenkt, auszulegen.

Unwillkürlich dachte ich an den Grußaustausch der Erwachsenen hier, den ich oft genug erlebt hatte, an die bis zur Schmerzschwelle reichenden Verbeugungen, an die Gesten des Respekts, der Ergebenheit, der Unterwerfung, welch anstrengende Bekundung von Ehrerbietung wird da gefordert, welche Manifestation der Friedfertigkeit ist da vorgegeben. Doch weder Herkunft noch Perfektion des Grußes – so mit gleichzeitiger Überreichung der Visitenkarte – sollten in der Stunde behandelt werden; die verengte Aufgabe lautete vielmehr: Was läßt sich aus einem Gruß erfahren? Fröhlichkeit, sagte der kleine Kenzo. Schlechte Laune, sagte die kleine Noriko. Traurigkeit, sagte der noch kleinere Tomoyoshi: bevor sie sagten, was alles ein Gruß preisgeben kann, standen sie auf und nannten ihre Namen, und es war erstaunlich, wieviel unterschiedliches Befinden sie herauslesen konnten aus Gruß und Gegengruß. Auf einmal fiel dem kleinen Akira ein, daß die Lehrerin nicht allzu heiter geantwortet hatte auf den Morgengruß der Klasse; nach möglichen Gründen befragt, vermutete er, daß vielleicht die Mutter der Lehrerin krank sei – ein Kopfnicken zur Belohnung, er hatte recht. Und Izumi erinnerte sich, daß sein Banknachbar nur bedrückt zurückgegrüßt hatte – einfach, weil er zu spät gekommen war und noch nicht wußte, welche Zurechtweisung ihn erwartete.

Mit dem Gruß also geben wir uns zu erkennen, unsere Stimmung ebenso wie unsere Absichten, wir öffnen uns, wir versprechen etwas, aber wir sollten es nicht genug sein lassen mit dem eigenen Gruß, sondern immer darauf achten, wie wir zurückgegrüßt werden, und wenn der Gegengruß nicht unserem entspricht, wenn er nicht die gleiche Fröhlichkeit zeigt, die gleiche Offenheit und Klarheit, dann müssen wir uns fragen, woran das liegen könnte. Ein trauriger Gegengruß zum Beispiel sollte schon ein Grund sein, behutsam nachzufragen, vielleicht braucht einer unseren Trost, unsere Anteilnahme. Um die Empfindlichkeit für die Auslegung des Grußes zu schärfen, spielte die Lehrerin ein Tonband mit Beispielen ab, die Schüler hörten sehr konzentriert zu, hatten viel zu sagen; mich beeindruckte der Ernst, die grüblerische Ausdauer – es war unausbleiblich, daß ich meine Art des Grüßens überprüfte und vergleichend bewertete. Ich fragte, welchem Fach diese Unterrichtsstunde zugerechnet wird, und der Schuldirektor erklärte: Sozialkunde; wir haben einen ziemlich weitgehenden Begriff für Sozialkunde.

Was alles hier unter diesen Begriff fällt, erfuhr ich auf meinen Reisen durch das Land, vor den Monumenten japanischer Geschichte. In den kaiserlichen Vorgärten und bei den kolossalen Buddha-Statuen in Nara, vor Tempeln und Pagoden und im Museum von Hiroshima: überall begegnete ich unzähligen Schulklassen, sah ihre Wimpel, die zum Sammeln riefen, hörte die Trillerpfeifen besorgter Lehrer, die das wieselnde kleine Volk zusammenhielten. Mit ihren weißen, mit ihren gelben und roten Rucksäcken zogen sie vorbei, lauschten den Megaphonen, ließen sich einweihen in große Vergangenheit, nahmen Augenschein an den Stätten, von denen einst ihre Macht ausging und wo die verpflichtenden Muster des Lebens ausgegeben wurden. Sie sind ohne Zweifel die reiselustigsten Schulklassen der Welt, und sie sind Eigentümer von Traditionen, über deren Herkunft sie sich versichern können. Nicht ein einziges Mal kam ich in Versuchung, diese Reisen sozusagen als Pilgerfahrten anzusehen; es war in der Tat sozialkundlicher Umgang mit den brütenden Zeugen der Geschichte.

Nachdem wir jedenfalls herausgefunden hatten, daß man aus einem Gruß auch verschiedene Arten des Willkommens heraushören kann, sprangen die Schüler auf Stichwort von ihren Stühlchen und wünschten mir auf deutsch mehrmals einen guten Tag. Und als ob das nicht ausreichte, behängten sie mich mit selbstgemachten Papierblumen, umringten mich und verstellten mir den Weg, allesamt darauf aus, einen Weltrekord im Händeschütteln aufzustellen. Mit sanfter Gewalt bahnten wir uns einen Weg nach nebenan, in die Klasse der Zwölfjährigen, die mich ebenfalls eingeladen hatten, an einer Schulstunde teilzunehmen. Das Thema: Wie zeigen sich das männliche und das weibliche Prinzip in der Natur, vielleicht auf dem Schulweg.

Wieder war ich mehr überrascht als die Schüler, die, offensichtlich an Themen gewöhnt, bei denen die Empfindung eine nicht unbedeutende Rolle spielt, nach kurzem Bedenken Beispiele nannten. Also schroffer Berg und sanftes Tal, Stamm und Blüte, die Welle und das Riff. Die Lehrerin gab sich nicht zufrieden, sie wollte mehr Beispiele hören, kleine, unscheinbare Beispiele, die in einer Kontrastdarstellung das männliche und das weibliche Prinzip veranschaulichten; sie wollte das Empfundene erklärt bekommen. Und die Kinder ließen sich Erscheinungen und Formen einfallen und nannten den Pfeiler und die Brücke, den Fluß und den schnellen Fisch.

Was hier geweckt wurde, was sich hier aussprach, war das eigentümliche japanische Naturempfinden: kaum Mythologie, statt dessen ein Gleichnis der Gefühle, ein Spiegel, der bestätigt, der Natur zugehörig zu sein. Angesichts der Natur sich selbst zu finden, und das heißt auch, sich selbst zu vergessen: in der Erkenntnislehre des Zen-Buddhismus eine der wichtigsten Empfehlungen. Ich mußte daran denken, als die ganz und gar unbefangenen Bildungskadetten dem Männlichen und dem Weiblichen ihre charakteristische Gestalt suchten. Welch einträgliche Suche, wieviel verblüffende Interpretation. Obwohl mir jede Antwort übersetzt und wohl auch schon ein bißchen versachlicht wurde, hatte ich mitunter das Gefühl, eine einzige Poetisierung des Schulwegs zu erleben. Freilich, gelegentlich bekam ich die Stumpfheit meiner europäischen Sinne zu spüren: obwohl ich gewissenhaft in mich hineinhorchte, wollte mir zum Beispiel der Unterschied zwischen einem männlichen und einem weiblichen Wasserfall nicht einleuchten. Das Schmale und das Breite – mir kam es allzu sinnfällig vor, doch wer möchte Bedenken anmelden, wo der Regenwald an stille Geborgenheit gemahnt und der Mond in jeder Phase seine Bedeutung für den Haushalt der Gefühle hat? In der Schule der Empfindungen gibt's nicht viel zu widerlegen.

Aber lag hier das Zentrum des japanischen Bildungsgedankens? Galt ein sanfter Taoismus, galt gleichnishafte Selbstbestimmung und poetisiertes Naturverständnis mehr als die Kenntnisse in exakten Disziplinen?

Wir beschlossen, die Schüler und ich, uns gegenseitig Fragen zu stellen, und zuerst waren sie dran, und es hagelte nur so auf mich herab, mit gleichbleibender Freundlichkeit, mit einer Wißbegier, die für sich sprach. Ob ich mein Land liebe, so lautete die erste Frage eines Zwölfjährigen, und als ich druckste, von den allgemeinen Schwierigkeiten sprach, ein Land zu lieben, da sah er mich sehr verwundert an; er hatte offensichtlich eine kürzere, eine kommentarlose Antwort erwartet. Verwunderung, wenn nicht Ratlosigkeit hinterließ ich auch bei einem langwimprigen Mädchen, das nur wissen wollte, wieviel Kinder ich habe. Keine Kinder? In deinem Alter? Seltsam. Ein adrettes Bürschchen fragte mich nach meinem ersten Klassenlehrer, und ich erzählte von dem gütigen, armen Mann im fernen Masuren, der immer müde war, der manchmal auf dem Katheder einschlief – was wir zum Anlaß nahmen, ihm komische Zeichnungen auf den Rücken zu heften oder einen Wecker im Ofen rasseln zu lassen. Das Bürschchen hörte es mit Staunen, mit ungläubigem Blick, mit den eigenen Lehrern Scherze zu treiben? Auf diese Art? Undenkbar. Sie fragten mich nach meinem

Lieblingsessen und nach meinem Lieblingsfach, sie wollten wissen, welch eine Kamera ich besitze und wie die Blumen in meinem Garten aussehen, und als ich schon glaubte, daß die Frage, die mir in Japan am häufigsten gestellt wurde, in der Schulklasse nicht beantwortet zu werden brauchte, da meldete sich ein zartes Jüngelchen: Wie findest du Japan?

Erstaunlich, wie viele Japaner mich darum baten, ihnen meine Eindrücke über ihr Land zu schildern, es machte ihnen nichts aus, daß es nur Geschwindeindrücke waren, sie wollten von mir hören, was ich über ihre Landschaft dachte, über das Straßenbild der Städte, über ihr Verkehrssystem, ihr Theater, ihr Essen. Offenbar ist es also nicht allein ein deutsches Bedürfnis, sich von einem Fremden Aufschluß über sich selbst zu holen, auch den Japanern scheint viel daran gelegen, ein Urteil von außen zu erhalten – eine Übereinstimmung, die, denkt man an die souveräne Wurstigkeit der Angelsachsen in dieser Hinsicht, nicht nur psychologisch aufschlußreich ist.

Wie also findest du Japan? Soviel ist sicher, sagte ich: In keinem andern Land der Welt habe ich persönlich soviel Höflichkeit gegenüber Fremden erfahren, soviel Fürsorglichkeit, soviel Bereitschaft, ihm zu verzeihen, daß er andere Gewohnheiten hat. In andern Ländern muß der Fremde sehen, wie er zurechtkommt, bei euch nimmt man ihn an die Hand. Das Jungchen blieb stehen, es war wohl enttäuscht über meine sehr allgemeine Antwort, und so sagte ich, was sich mir in Straßen und Parks, auf Bahnhöfen und Flugplätzen als überwältigender Eindruck aufgedrängt hatte: jung; ich finde Japan unerhört jung. Er setzte sich, um darüber nachzudenken, und nun wurde ich aufgefordert, Fragen an die Schüler zu stellen.

Wenn man zum Beispiel zu spät kommt, wollte ich wissen, was passiert, wenn man zu spät zur Schule kommt? Man darf nicht zu spät kommen. Aber wenn man etwas erlebt auf dem Schulweg, etwas ganz Tolles? Es gibt keine Entschuldigung, keine. Ich fragte sie, was am meisten Spaß macht in der Schule, und ich war nicht erstaunt, alle nur denkbaren Antworten zu erhalten: Sport und Musik, Aufsatz und Sozialkunde, Zeichnen und Haushaltsunterricht, freimütig und spontan bekannte sich jeder zu seinem Lieblingsfach. Nachdenklich indes wurden meine kleinen Gastgeber, als ich sie fragte, welche Fähigkeiten und Kenntnisse denn wohl am nützlichsten seien fürs Erwachsenenleben, ich sah ihnen an, wie sorgfältig sie da erwogen, prüften, veranschlagten, und dann sagte einer: Sprachen und Mathematik, und die ganze Klasse echote: Sprachen und Mathematik. Nur ein Mädchen, zartwüchsig, versonnen, wollte sich dem allgemeinen Urteil nicht anschließen, es sah mich an und flüsterte: Zeichnen und Schreiben sind wichtiger als alles andere – worauf die Mitschüler sich überrascht nach ihr umwandten, ich aber zwinkerte ihr zu. Selbstverständlich, daß den Prüfungen eine außerordentliche Bedeutung zuerkannt wurde; die entscheidenden Prüfungen zu bestehen: das heftig erwünschte Ziel aller Lernenden, der begleitende Traum, den einzulösen man die Überirdischen bittet, indem man in ehrwürdigen Schreinen schön beschriebene Holztäfelchen deponiert: Mach, daß ich nicht durchfalle, bestehen ist alles.

Im stillen wünschte ich ihnen allen ein glückliches Examen, und dann mußte ich Hände schütteln, jeder der Schüler schien mindestens neun zu haben, wie jener machtvolle Buddha in Nara, nur der Hinweis aufs wartende Essen besänftigte ihr Ungestüm. Wir setzten uns zu rohem Fisch, zu rohen Muscheln und Krabben und Krebsen, das Fleisch der Meeresbeute war in mundgerechte Stücke zerschnitten, und auf den Bissen von Schellfisch, von Thun, von der Makrele leuchteten in vollkommenem Kontrastreiz die Blüten einheimischer Blumen. Welch ein bewundernswerter Farbsinn, welche Meisterschaft im Arrangement: Selbst ein Stück glotzäugiger Natur offenbart, von japanischem Schönheitsbedürfnis zurechtgemacht, seine dekorativen Möglichkeiten. Aber während ich noch die Kunst bewunderte, das Unscheinbarste ästhetisch zu verfeinern, ihm neue Gestalt und Perspektive zu geben, gab die Tischgesellschaft der Klasse recht, die sich für Sprachen und Mathematik entschieden hatte; sie tat es – und darüber gab es für sie keinen Zweifel – in der Gewißheit, daß auch in diesen Fächern die Ästhetik zu ihrem Recht kommen kann.

1984

Zum Vorzugspreis

Sie mußte ihm einfach ihre Neuerwerbung zeigen, und da sie ihn nicht am Küchentisch fand, mürrisch über seine Patience gebeugt, ging sie mit der gelben, knisternden Papiertüte in den Garten, wo sie ihn sogleich vor dem schiefen Holzschuppen sah, in seiner blauen Arbeitsschürze. Er rupfte Tauben. Perlgrau schimmerten die Bälge in einer Reihe auf der Bank, violette Halsringe funkelten, die Augenlider an den Köpfen, die er vom Rumpf getrennt und in einen Drahtkorb geworfen hatte, waren bereits geschlossen. Wortlos näherte sie sich hinter seinem Rücken, immer zaghafter, immer unsicherer – allerdings weniger, weil sie sich dem Anblick des toten Vogels nicht gewachsen fühlte, den er gerade in eine Schüssel mit heißem Wasser tauchte, um das Federkleid gefügiger zu machen, als vielmehr weil sie einzusehen begann, daß er ihr bei seiner Arbeit nicht allzuviel Aufmerksamkeit würde widmen wollen.

1303

Im Schutz der Johannisbeersträucher blieb sie stehen, blickte auf seine gebeugte, magere Gestalt, auf den hängenden Hosenboden, den eigensinnigen Kopf, eine dauernde Gereiztheit schien ihn zu beherrschen, eine unaufhebbare Unzufriedenheit mit sich selbst, auch jetzt, während er den zarten Federflaum von der Haut riß und die entblößten Arme heftig schlenkernd bewegte, um einzelne Federn loszuwerden, die immer wieder festklebten. Sie hörte ihn leise fluchen und beschloß, ins Haus zurückzugehen und ihm dort zu zeigen, was sie sich nach dem bedrückenden Besuch bei ihrer Schwester gekauft hatte. Da fragte er: Ist was? – und noch einmal, ohne sich umzuwenden: Ist was, Nelly?

Seit mehr als dreißig Jahren mit seiner eigentümlichen Fähigkeit der Wahrnehmung vertraut, war sie dennoch überrascht, daß er ihre Anwesenheit bemerkt hatte, ohne sich umzusehen, einen Augenblick fühlte sie sich wie ertappt, stand nur und richtete stockend Grüße aus, auf die er nicht einmal nickte. Dann trat sie zögernd in sein Blickfeld und sah zu, wie er den Balg mit einem einzigen Schnitt öffnete, den Zeigefinger hineinsteckte und ihn nach kleiner Drehbewegung leicht gekrümmt herauszog, so geschickt und entschieden, daß das ganze Gekröse zum Vorschein kam. Wie viele sind es, fragte die Frau, und er darauf, ohne aufzublicken: Acht, nur die Elternpaare.

Instinktiv verbarg sie die Papiertüte hinterm Rücken, in der Hoffnung, daß er sie bisher noch nicht entdeckt hätte. Sie bedauerte jetzt, zu ihm hinausgegangen zu sein, verstand sich selbst nicht, da sie doch wußte, wie er noch fast jedesmal reagiert hatte, wenn sie ihm eine Neuerwerbung zeigte, ein Halstuch, einen Rock, einen ärmellosen Pullover. Aus den Augenwinkeln mußte er bemerkt haben, daß sie die Tüte vor ihm zu verbergen suchte, er produzierte einen zischenden Laut des Ärgers und klatschte den durchgespülten Körper der Taube auf ein gescheuertes Küchenbrett. Komm schon, sagte er, was ist es diesmal? Die Frau, die beinahe einen Kopf größer war als er, trat einen Schritt zurück, und er, gereizt: Los, zeig sie schon her, deine übliche Überraschung. Sie brachte die Tüte nach vorn, öffnete sie nervös – gerade als machte ein aufkommendes Schuldbewußtsein ihre Finger fahrig und unsicher –, zog einen leichten, mit Laternenblumen bedruckten Stoff heraus und wagte es nicht, sich die Bluse anzuhalten. Sie lächelte säuerlich, sie sagte: Keine sechzig Mark hat diese Bluse gekostet, keine sechzig Mark; und Frieda wird wohl in ein Heim müssen, Henry.

Der Mann nahm die Bluse kaum zur Kenntnis, mißmutig griff er sich den nächsten Balg, der noch im Federkleid steckte, drückte ihn unter Wasser und ächzte dabei leise. Aber neulich, sagte er, du bist doch erst neulich mit einer Bluse angekommen. Im März, Henry, sagte die Frau, das war eine Übergangsbluse, du meinst doch die gestreifte? Die gelungene Rechtfertigung machte sie sogleich sicherer, sie ließ die gelbe Tüte auf die Erde gleiten, straffte ihre Figur und hielt sich beidhändig die Bluse an, den Kopf ein wenig zurückgelegt, voller Erwartung, daß er sie ansähe; doch anstatt aufzublicken, deutete er plötzlich auf die Tüte und fragte: Seegatz? Textilhaus Seegatz? Warst du da? Sie nickte verwundert; sie hob die Tüte auf, tauchte mit einem Arm hinein und fischte nach dem Kassenbon, den sie dem Mann auf brüske Weise nah vor die Augen hielt: Hier, Henry, kannst sehen, neunundfünfzig achtzig. Mit wischender Bewegung schob er ihre Hand mit dem Bon aus seinem Gesichtsfeld, seine Stimme senkte sich, bekam etwas Schleppendes, Monotones, wie immer, wenn seine Erregung zunahm; nicht an seinem Gesicht oder an seinen Gesten, an seiner Stimme erkannte sie, was er empfand.

Zuerst wollte er wissen, ob sie den ausgeschriebenen Preis bezahlt hätte. Sie bestätigte es achselzuckend, worauf er sie aufforderte, sich genau zu erinnern, wer sie bedient hätte, ob es nicht zufällig ein beflissener Alter gewesen sei, stummelhafte Zähne, das war ihr weniger aufgefallen, sie konnte sich nur an einen Verkäufer erinnern, der für sein Alter sehr gut aussah und einfach nicht nachließ in seiner Höflichkeit. Jetzt hob der Mann seinen Blick und sah sie lange an, vorwurfsvoll, aber auch schon zur Nachsicht bereit; sein Blick dauerte so lange, daß es ihr gelang, eine kleine Lähmung zu überwinden und sogar den Mut zur Selbstverteidigung aufzubringen: Glaub nicht, daß es von deinem Geld ist, Henry, alles ist gespart in den letzten Wochen, alles. Da sie nur darauf aus war, die Wirkung ihrer Worte abzuwarten, entging ihr der flüchtige Ausdruck von Bedauern, der auf seinem faltigen Gesicht erschien und sogleich abgelöst wurde von einer stierenden Verlorenheit. So stand er eine Weile da, den Körper der angerupften Taube in der Hand.

Los, sagte er plötzlich, komm, pack alles ein, mach schon. Er ließ den Balg in die Schüssel fallen, band die Arbeitsschürze ab, rieb mit einem Taschentuch die Arme trocken, krempelte hastig die Ärmel herab und knöpfte sie zu. Sie wußte, daß sie nicht ankam gegen diese Härte, gegen diese Entschiedenheit, und sie hatte es sich abgewöhnt in den mehr als dreißig Jahren ihrer Ehe, sich frühzeitig und in jedem Fall einweihen zu lassen in seine Beschlüsse und Pläne und Vorhaben, einfach weil er sich von dem, was er sich vorgenommen hatte, nicht abbringen ließ. Er bestand darauf, seine eigenen Erfahrungen zu machen. Immer.

Wie verbissen er ihr vorausging, die Frau hatte Mühe, ihm zu folgen, doch selbst außer Atem, pflückte und zupfte sie an ihm herum, entfernte im Gehen Taubenfedern von seinem Hemd, von seinem Nakken, aus seinem Haar. Er hatte sie nie davon abbringen können, sich in der Öffentlichkeit verantwortlich für ihn zu fühlen. Es machte ihr nichts aus, daß sich mitunter Leute nach ihnen umdrehten, vermutlich weil sie in ihren Augen ein komisches Paar abgaben; in solchen Momenten nahm sie unwillkürlich seinen Arm und war bemüht, in seinen Schritt einzufallen. Immer noch, nach all der Zeit, hatte sie es nicht vergessen, daß er es gewesen war, der ihr damals die Furcht genommen hatte, eine unbestimmte Furcht, die aufkam, als sie sechzehn war und die sie jahrelang besetzt hielt.

Sie gingen an dem Platz vorbei, auf dem das Technische Hilfswerk übte, Männer in Drillichzeug übten einen Katastropheneinsatz, schleppten im Laufschritt Bahren an eine Feuerstelle heran, schnürten heiter Kollegen ein und trugen sie zu bereitstehenden Sanitätsfahrzeugen. Nicht so schnell, Henry, nicht so schnell. Der Mann trug die gelbe Tüte mit festem Griff, sein Griff hatte etwas Unerbittliches, schattenhaft war zu erkennen, daß der Stoff der Bluse zusammengerutscht war und sich wie verängstigt in einer Ecke der großen Tüte häufte. Von der Betonbrücke aus konnten sie das Textilhaus Seegatz erkennen, es war beflaggt und bewimpelt, vor dem portalartigen Eingang stand ein Spalier mehrfarbiger Windmühlen, deren Plastikflügel sich im Wind drehten. Nein, Henry, sagte die Frau; sie hielt ihn zurück, sie sah ihn dringend an und flüsterte: Bitte, es war mein Geld, ich kann dir beweisen, daß es mein Geld war ... Wenn du das tust, Henry ... Reg dich nicht auf, sagte der Mann, ich will nur etwas ausprobieren. Was hast du vor, fragte die Frau, und er darauf, in erbitterter Ruhe: Es geht jedenfalls nicht um deine Bluse.

So, wie er sie jetzt aufforderte, mit ihm zu gehen – zwinkernd, komplizenhaft und mit unerklärlicher Siegesgewißheit –, blieb ihr gar nichts anderes übrig, als den Weg freizugeben, sie hängte sich bei ihm ein und ließ ihn den Schritt bestimmen bis zum Eingang des Kaufhauses. Schnell durchquerten sie den Vorraum und strebten zur Rolltreppe hin. Die Menschen, die ihnen mit Päckchen und Tüten entgegenkamen, wirkten gut gelaunt, einige betrugen sich, als hätten sie etwas gewonnen. Hier ist es, Textilwaren, sagte die Frau und blieb unwillkürlich stehen, bereit, ihm alles allein zu überlassen oder sich nur in einiger Entfernung zur Verfügung zu halten, für alle Fälle. Du bleibst bei mir, sagte der Mann.

Der Verkäuferin, die nach einem Blick auf seine Tüte freundlich wissen wollte, ob er etwas umzutauschen habe, gab er zu verstehen, daß er in dringender Angelegenheit mit Herrn Kurtz sprechen müsse, nur eine Minute, worauf das Mädchen sich suchend umsah, dann gegen die hohen Fenster zeigte und feststellte: Der Chef bedient gerade, aber ich werd's ihm schon mal sagen. Beide beobachteten, wie das Mädchen sich ihrem Chef näherte, mehrmals verhielt, dann hinter den Rücken der Kundin trat und von dorther ein Signal gab, und der Chef verstand, er verbeugte sich leicht vor der Kundin, hob bekümmert die Schultern und schien ihr zu versichern, daß sie bei der jungen Verkäuferin in besten Händen sei.

Mensch, Henry, sagte er aufgeräumt, endlich machst du's mal wahr, und das ist deine Frau, wenn ich nicht irre. Daß der Chef sie schon beim Eintritt bemerkt hatte, waren sie nicht gewahr geworden, er begrüßte sie mit einwandfreier Überraschung, hielt Ausschau nach einem stilleren Winkel, wo man der Wiedersehensfreude nachgeben könnte, fand aber augenscheinlich nichts und legte dem kleinen Mann eine Hand auf die Schulter – mit einem Ausdruck von Versonnenheit, der die Frau erstaunte. Noch mehr aber staunte sie darüber, daß Henry den Namen des Mannes kannte, der sie bedient hatte; ohne daß sie es beabsichtigte, blickte sie von einem zum andern, fordernd, als wäre es an der Zeit, Aufschluß zu erhalten über die bestehenden und ihr bis heute verheimlichten Beziehungen.

Offenbar war es mehrere Jahre her, daß die beiden Männer sich zum letzten Mal gesehen hatten; auf Anregung des Chefs versuchten beide, sich zu erinnern, doch es wollte ihnen nicht glücken, vielleicht mißlang ihren der Erinnerungsversuch auch absichtlich, jedenfalls hatte die Frau für einen Augenblick das Gefühl, daß ihnen nicht sehr viel daran lag, das Jahr zu bestimmen. Als der Chef die Tüte entdeckte, machte er zunächst eine anfragende Geste – zufrieden? Ihr seid doch hoffentlich zufrieden? –, dann schien ihm plötzlich etwas einzufallen, etwas Naheliegendes, das ihm, gerade weil es so nahe lag, aus dem Gedächtnis geraten war; und schon nahm er Henry die Tüte ab. Es ist eine Bluse, sagte die Frau, und der Chef, eilfertig: Oh, ich weiß, und Sie haben sie bei mir gekauft, ich weiß, ich weiß. Ich dachte, sagte Henry, ich sollte mal vorbeikommen, es ist mir damals angeboten worden, bei unserm letzten Wiedersehen. Aber sicher, sagte der Chef, und ich bin froh, daß du endlich mal von meinem Angebot Gebrauch machst, endlich mal, ich schlage vor, daß ich das gleich in Ordnung bringe, der Kassenbon ist wohl in der Tüte.

Kaum war der Chef auf dem Weg zur Kasse, da fragte die Frau auch schon: Woher, Henry, woher kennt ihr euch? Du hast mir nie von ihm erzählt. Wart doch ab, sagte der Mann. Es ist mir peinlich, Henry, wirklich, und der Mann, dem Chef unablässig mit den Blicken folgend: Vorzugspreis ist Vorzugspreis, da braucht einem nichts peinlich zu sein. Er sah, wie der Chef mit der Kassiererin sprach, ihr den Bon zusteckte und, während der Kauf neu verbucht wurde, an einen Packtisch trat, wo er die verknüllte Bluse aus der Tüte gleiten ließ und sie liebevoll zusammenlegte und ihre wiedergewonnene neue Form mit gerippten Plastikklammern sicherte. Die übertriebene Pfleglichkeit, die der Chef bei allem zeigte, hatte nichts Ironisches oder Distanzierendes, vielmehr hatte die Frau jetzt den Eindruck, daß er aufrichtig darüber erfreut war, etwas für sie tun zu können.

Und so kehrte er zu ihnen zurück, lächelnd, die Tüte auf ausgestreckter, flacher Hand; fast verstohlen steckte er Henry den neuen Bon und den Differenzbetrag zu, nur kein Aufsehen, keinen Dank bitte, und mit Genugtuung sagte er: Das hätten wir, siehst du, so leicht geht das bei uns. Er lud sie nicht ein, sie zu den gerade eingetroffenen Sommer-Modellen zu führen, vielmehr wirkte er nur noch, als sei er aus einer Pflicht entlassen, zufrieden und, wie die Frau glaubte, auf sonderbare Weise erleichtert. Zum Abschied allerdings forderte er sie auf – und er schloß ausdrücklich in seine Aufforderung die Frau mit ein –, demnächst wieder einmal vorbeizuschauen, ein Anfang sei ja nun gemacht, endlich, und solange er hier das Sagen habe, bleibe die Abmachung bestehen.

Nur bis zum Fuß der Rolltreppe hielt Henry es aus, dann mußte er einfach den neuen Bon überprüfen. Sein Gesicht hellte sich auf, eine Art grimmiger Freude schien ihn zu erfüllen, und er nickte für sich und stieß die Frau an und sagte: Sieh dir das an, Nelly, das nennt sich Vorzugspreis – statt neunundfünfzig achtzig nur noch siebenunddrei-ßig zehn; sieh dir das an. Ich weiß nicht, sagte die Frau, mir ist es peinlich, und mißtrauisch: Woher kennt ihr euch? Keiner soll sich entgehen lassen, worauf er ein Recht hat, sagte der Mann und sah lächelnd zu ihr auf. Aber woher kommt dieses Recht, fragte die Frau, und er darauf: Später, laß uns jetzt gehen, ich hab alles so liegen lassen.

Ihr behagte die Aufgeräumtheit nicht, in der er sich auf einmal befand; gleich nach dem Verlassen des Kaufhauses hatte er ihr die Tüte übergeben, nicht gerade triumphierend, aber doch mit überlegener Miene: hier, siehst du, so mach ich es, und nun brannte er sich seine Stummelpfeife an und ließ die Frau vorausgehen. Und in dem Gefühl, etwas gemeistert zu haben, schien er die Schroffheit seines Aufbruchs zu bedauern, versöhnlich gestand er ihr zu, mit ihrem Geld machen zu können, was sie wollte, mit ihrem, wie er schnell hinzufügte, am Haushalt gesparten Geld. Für ihn sei das doch selbstverständlich, behauptete er, jeder müsse nun einmal etwas haben, was ihm ganz allein gehöre, bei aller Bereitschaft zu teilen. Er grüßte zu den Männern des Technischen Hilfswerks hinüber, die ihre Katastrophenübung unterbrochen hatten und auf Holzkisten und Autoreifen herumsaßen, in die nur noch schwach qualmende Feuerstelle blickten und rauchten.

Die Frau brachte die Tüte nicht ins Haus, wie er es erwartet hatte, sie hielt sich nun hinter ihm und ging mit zum Schuppen, wo er sich gleich die Arbeitsschürze vorband und die Ärmel hochkrempelte. Er fühlte die Temperatur des Wassers in der Schüssel; es ist kalt geworden, sagte er, für die letzten brauch ich warmes Wasser. Während er sich die angerupfte Taube griff, spitzte er den Mund wie zu einem Pfiff, Daumen und Zeigefinger fuhren ins Federkleid, rissen büschelweise die feinen Kiele aus dem Fleisch, ein aufkommender Wind nahm sich den Flaum und trieb ihn in die Beerensträucher. Die Frau stand schräg vor ihm, gerade so weit, daß er sie im Blick hatte, ohne aufsehen zu müssen; obwohl ein Hauklotz neben ihr war und eine alte Obstkiste, setzte sie sich nicht, und er spürte ihre dringende Wißbegier.

Siehst du, Nelly, sagte er, sie lassen sich leichter rupfen, wenn ich sie vorher in heißes Wasser tauche. Ja, sagte die Frau, ich hol's dir gleich. Schön, sagte er beiläufig, dann sollst du auch erfahren, woher ich Kurtz kenne, diesen Verkäufer: er hat mich entkommen lassen. Er hat mich ganz einfach entkommen lassen, am Ende des Krieges. Und weil er voraussah, daß sie sich mit dieser Auskunft nicht zufriedengeben würde, blickte er lächelnd auf und fand sie nicht einmal überrascht, sondern nur verständnislos, und er nickte ihr aufmunternd zu – gerade so, als könnte sie ihnen beiden etwas ersparen, wenn sie ihm jeden weiteren Hinweis erließe; doch an der Art, wie sie vor ihm aushielt, erkannte er, daß sie auf ihrem Anspruch bestand. Zögernd berupfte er den mageren Hals der Taube.

Was die Frau vermutete: daß er nach Möglichkeiten suchte, sie zu schonen, traf weniger zu als die Tatsache, daß er noch nie darüber gesprochen hatte und jetzt einfach unter der Not des Anfangs stand. Soviel hatte er immerhin schon gesagt: daß der Verkäufer ihn damals hatte entkommen lassen. Es war am Strand, Nelly, sagte er, es war vor den Dünen, mäßiger Wind und Sonne, ich weiß noch. Die Frau erfuhr, daß das alte Schiff, das die Insassen mehrerer Gefängnisse aus dem Osten herübergeholt hatte, auf der Reede versenkt worden war, acht Tage vor dem offiziellen Ende des Krieges. Du warst im Gefängnis, fragte sie erschrocken, du? Ja, sagte er, ich war in einem Wehrmachtsgefängnis. Die Frau sah ihn fassungslos an, sie fragte: Warum? Was hast du getan? Ich war nicht einverstanden, sagte er, nicht einverstanden mit einem Befehl, darum buchteten sie mich ein. Aber kein Wort, Henry, sagte sie stockend, du hast mir nie ein Wort davon erzählt. Man muß nicht alles erzählen, sagte er, manches kann man übergehen. Sie musterte ihn mit plötzlichem Mißtrauen, doch er übersah ihren Blick und fuhr einfach fort: Unser Schiff jedenfalls sank langsam, fast alle konnten sich retten, auf Booten, auf Flößen, viele schwimmend, fast alle konnten sich retten. Mein Gott, Henry, sagte die Frau, das kann doch nicht wahr sein. Sie setzte sich auf den Hauklotz, legte die Einkaufstüte ins Gras und starrte ihn ratlos an. Kurz und er waren unter den ersten, die an Land wateten. Du mußt wissen, Nelly, er gehörte zur Wachmannschaft damals. Jeder hatte mit sich selbst zu tun, es war ein schöner Vormittag. Ich begann einfach zu laufen, weißt du, sagte der Mann, obwohl Kurtz bei mir war und mich warnte und den Karabiner hob. Er hat geschossen? fragte die Frau, und der Mann beschwichtigend: Nein, aber mir war, als hörte ich den Schlagbolzen auftreffen, zweimal. Er hat abgedrückt, das schon, aber es kam kein Schuß, weißt du. Kann sein, der Karabiner war gar nicht geladen, oder ... Er hat mich regelrecht entwischen lassen. Aber gezielt, sagte die Frau, er hat auf dich gezielt. Vielleicht, Nelly, weil er glaubte, von den andern beobachtet zu werden, schließlich war er dazu da, mich an der Flucht zu hindern. Jedenfalls, ich entkam in die Dünen.

Die Frau hockte wie betäubt da, es war ihr nicht anzusehen, daß sie ihm noch zuhörte, daß sie mitbekam, was er über die späteren, zufälligen Begegnungen mit Herrn Kurtz erzählte; er schätzte, daß sie sich allenfalls viermal getroffen hatten, immer ganz unerwartet. Sie hockte da, als hätte sie darauf verzichtet, mehr zu erfahren. Fünf Jahre sind es her, daß wir uns zum letzten Mal trafen, sagte der Mann, genau fünf Jahre, Nelly, wir tranken ein Bier zusammen, und beim Abschied machte er mir das Angebot. Bei ihm kriegen wir alles zum Vorzugspreis.

Der Mann zog die beiden Schwingen der Taube aus, der Balg sackte durch, die geröteten, verkrüppelten Füße hoben sich greifbereit; letzter Landeanflug, sagte der Mann und lächelte, schau mal hier: letzter Landeanflug. Er blickte zu ihr hinüber, mit der Aufgeräumtheit, die sie so beunruhigt hatte; die Frau erwiderte seinen Blick nicht, sie verschränkte die Finger und drehte sie angestrengt auf ihrem Schoß, wie bei dem Versuch, ein aufkommendes Gefühl niederzuzwingen oder zunächst nur abzuwehren. Daß du das machen konntest, Henry, flüsterte sie entsetzt, daß du das fertigbringst. Warum nicht, sagte er, und ich kann dir nur den Rat geben, nächstens auch zu ihm zu gehen; auch du bekommst bei ihm alles preiswerter. Daß du mir das verschweigen konntest, sagte die Frau. Unter seiner leichten Berührung zuckte sie zusammen, sie stand sogleich auf, nahm die Schüssel und goß sie aus. Ein schwacher Ausdruck von Furcht lag auf ihrem Gesicht, sie übersah die Papiertüte und sagte im Abwenden: Heißes Wasser, ich hole dir heißes Wasser. Er sah ihr nach, wie sie zum Haus ging, aufrecht und steifbeinig, er fühlte die Versuchung, ihr etwas nachzurufen, doch er unterließ es und winkte ab, zufrieden mit dem Erreichten.

1984

Motivsuche

Bevor das Flugzeug zur Landung ansetzte, überflog es ein Stück der breiten, prachtvollen Küstenstraße, und ich merkte, daß für Rainer bereits die Arbeit begann. Er wandte sich ab und sah hinunter; sein wäßriger, geduldiger Blick glitt prüfend über die felsige Küste, gegen die das Mittelmeer kurze, wie verzögert anschlagende Wellen warf; er suchte das schimmernde Teerband nach Brücken ab und verweilte abschätzend auf den kastenartigen Häusern, die, weiß und lindrosa, von strengen Gärten eingeschlossen waren. Man konnte ihm, dem massigen Zweimetermann, nicht ansehen, daß er konzentriert forschte und verglich und etwas zur Deckung zu bringen versuchte; die gewölbte Stirn gegen das Fenster gedrückt, spähte er nur hinab wie ein neugieriger Tourist, der darauf aus war, noch vor der Landung das Hotel zu entdecken, in dem er wohnen würde. Erst als das Flugzeug aufs Meer hinausflog und in einem Bogen auf die in einem Tal liegende Piste zuschwebte, wandte er sich mir wieder zu und schüttelte leicht den Kopf und sagte: Nix, mein Alter, von hier oben siehst du zuviel.

Es war meine fünfte Reise mit Rainer, und wir waren unterwegs, um die Schauplätze für den Film »Ein Grund zu leben« zu suchen und festzulegen. Auch berühmte, eigensüchtige Regisseure wissen, was sie ihm zu verdanken haben, dem großen Motivsucher und Entdecker, der nicht aufgibt, bis er gefunden hat, was seinem inneren Bild entspricht. Er braucht ein Drehbuch nur ein einziges Mal zu lesen, und schon entstehen in ihm diese genauen Bilder, Panoramen von Gesichtern und Orten, innere Landschaften, die das Geschehen zugleich kommentieren und steigern. Und sobald diese vorgestellten Bilder festliegen, beginnt er in der Wirklichkeit nach ihnen zu suchen, überzeugt davon, daß es alles, auch das Verwunschene, irgendwo gibt, und es hat mich noch jedesmal erstaunt, wie ihn seine Ausdauer und sein Scharfblick und diese Kunst der Versetzung fündig werden ließen. Das London von Dickens, das Prag von Kafka, ja, sogar eine Sägemühle, aus der Julien Sorel hätte kommen können: er spürte am Ende alles auf mit seinem untrüglichen Instinkt für glaubwürdige Schauplätze, und solange ich mit ihm unterwegs war, nahmen ihm die Regisseure alles ab und hörten nicht auf, ihn zu loben.

Nach der Landung war es wie so oft: die Zöllner standen für sich und redeten und rauchten, ohne sich für das Gepäck der Passagiere zu interessieren, doch als wir auftauchten, verständigten sie sich blickweise und nickten Rainer heran, der mit resigniertem Lächeln Koffer und Reisetasche öffnete. Er zeigte ihnen gleich die beiden Kameras, fischte aus seiner Brieftasche die Bescheinigung heraus, die bestätigte, daß er die Photoapparate beruflich nutzte, und danach wunderte er sich nicht darüber, wie rasch die kleinwüchsigen Beamten sich zufriedengaben. Es amüsierte sie wohl insgeheim, zu ihm hinaufzublicken und diesem Koloß mit dem schütteren Haar und dem schlecht rasierten Kinn leutselig zu erlauben, seine Sachen zusammenzupacken und durch die Schwingbarriere zu treten, hinaus auf die ehrfurchtgebietende klassische Erde. Ich wußte, daß sie hinter uns herlächelten und sich anstießen und auf Rainers Gang aufmerksam machten, auf diesen eigentümlichen Wackelgang, der an die Bewegungen einer übergewichtigen Ente erinnerte. Ihm machten weder die belustigten Blicke etwas aus noch das Verstummen und Grinsen bei seiner Annäherung; er hatte sich daran gewöhnt, Aufmerksamkeit hervorzurufen, wo immer er auftauchte. So ist das eben, mein Alter, sagte er einmal zu mir, du kannst nicht ungestraft als Leuchtturm herumlaufen.

Wir mieteten uns einen Wagen, einen geräumigen Volvo, und fuhren an Abfallhalden und öden Fabriken vorbei, in denen sich kaum ein Mensch zeigte; wir fuhren auf die Dunstglocke zu, unter der die Stadt in einem Kessel lag, die alte, die ruhmreiche Stadt, in der die Götter es einst nötig hatten, auf sich selbst aufmerksam zu machen. Rainer lenkte geruhsam, es kümmerte ihn nicht, daß wir ständig unter wilden Hupsignalen überholt wurden; er hatte den Stadtplan im Kopf und chauffierte uns sicher in Richtung zur Küstenstraße. Vor einer Ver-

kehrsampel im Zentrum deutete er auf ein riesiges koloriertes Kinoplakat, das für unseren Hamsun-Film warb; Ulla Trenholt, die Haupt-
darstellerin, führte an einem Strick zwei Bergziegen durch einen Bach,
sie hatte den Rock so hoch wie möglich gerafft und lächelte einem
Mann mit Flinte zu, der sie vor einem Birkenwäldchen erwartete.
Weißt du noch, sagte Rainer; sogar die Norweger waren einverstanden
mit unserer Ortswahl.

Auf der Küstenstraße kurbelten wir die Scheiben herunter, um den
kühlenden Seewind hereinzulassen, wir fuhren sehr langsam und hart
am Rand der repräsentativen Betonbahn, auf der Halten nicht erlaubt
war. Hier war es geschehen; an einer der kleinen Brücken, die die
grottenreiche Klippenlandschaft überspannten, hatte das Attentat auf
den Regierungschef stattgefunden; hier sollte es auch in unserem Film
»Ein Grund zu leben« stattfinden und fast auf die gleiche Weise schei-
tern. Der genaue Ort war nicht gekennzeichnet, doch Rainer hatte
herausbekommen, daß nicht weit von der Brücke, an der es geschehen
war oder vielmehr geschehen sollte, eine unübersehbare Poseidon-
Statue erhöht auf den Klippen stand. Wir fanden und passierten gemächlich die Statue, ein kurioses Standbild, denn der Gott des Meeres
hatte vom Wind zerzaustes Zippelhaar und einen krummen Nacken,
und eine Hand hielt er in Bauchnabelhöhe geöffnet, als hoffte er auf
Trinkgeld. Es wunderte mich, daß Rainer nicht bremste und auf den
kleinen leeren Parkplatz fuhr, doch er schüttelte nur für sich den Kopf
und beschleunigte plötzlich: er hatte entdeckt, daß am Hang über der
Straße, von Pinien beschattet, von Zypressen wächtergleich umstellt,
das Hotel lag, in dem uns die Gesellschaft eingemietet hatte.

Ein alter Mann mit schadhaften Zähnen, unser Wirt selbst, zeigte
uns die Zimmer; er sprach deutsch, er hatte es als Kellner auf einem
Rheindampfer gelernt, und er wollte von Rainer etwas über den gegenwärtigen Wasserstand des Stromes wissen. Er konnte das Wochenende nicht vergessen, an dem der Rhein über die Ufer trat und sie
einen Deich aus Sandsäcken errichteten, um die Keller der Häuser zu
schützen. Rainer wies ihn darauf hin, daß wir nicht aus Köln, sondern
aus Hamburg kamen und daß unser Strom, die Elbe, sich verhältnismäßig brav benimmt. Wir bestellten Kaffee und setzten uns hinaus auf
den umlaufenden Balkon, doch nach einer Weile brachte uns der alte
Mann zwei Karaffen Wein; den Kaffee, sagte er, würde uns sein Sohn
oder seine Schwiegertochter bringen, sobald sie vom Arzt nach Hause

1313

kämen. Während er den Wein eingoß, nannte er uns den schönsten Badestrand, empfahl eine Motorbootfahrt zu den Zaubergrotten, riet zum Besuch des Nachtlokals »Goldener Salamander«, und dies so nachdrücklich, als lieferte er uns mit diesem Rat den Schlüssel zum Herzen der Stadt. Danke, sagte Rainer, aber wir sind beruflich hier – worauf der alte Mann fragte, ob wir zum Internationalen Verkehrsexperten-Kongreß gehörten. Rainer machte eine verneinende Geste und sagte, das Gesicht zur Küstenstraße gewandt: Wir bereiten nur einen Film vor.

Ein unaufhörliches Sirren drang von der Küstenstraße zu uns herauf, und bei fallender Dämmerung flammten Lichter auf, die zu einem beweglichen Band ineinanderflossen. In unendlicher Wiederholung, gleichförmig und wie geübt, tauchten die Scheinwerfer hinter fernen Hügeln auf, schwenkten aufs Meer hinaus, fanden wieder zum Land zurück und ließen gebleichtes Geröll aufleuchten, ehe sie, näher kommend, abgeblendet wurden. Eine junge schwangere Frau, ganz in Schwarz gekleidet, brachte uns Kaffee und gab uns durch Handbewegungen zu verstehen, daß wir an einem bevorzugten Platz saßen, von dem aus sich alles erschloß, was wir erwarteten.

Rainer knipste die Tischlampe aus und starrte auf die vorbeigleitenden Lichter hinab und weiter hinaus auf die schimmernde Bucht, durch die eine Fähre pflügte und ein Kielwasser hinterließ, das bis zu uns heraufglänzte. Er hatte das Drehbuch, das vor ihm lag, nicht ein einziges Mal aufgeschlagen; jetzt, im Dunkeln, ließ er die Seiten mehrmals schnurrend über den Daumen laufen und hielt plötzlich inne und fragte: Was hältst du eigentlich von dem Richter? Ich weiß gar nicht, wie oft er mich schon danach gefragt hatte; zuletzt jedenfalls im Flugzeug, und ich sagte ihm, was ich immer gesagt habe: daß ich den Richter bewunderte.

Der Richter war die Hauptfigur unseres Films, ein Mann, der einen der schwersten Justizirrtümer der letzten Jahrzehnte zu verantworten hatte und der, als dies erwiesen war, öffentlich erklärte und gelobte, nie mehr ein Urteil zu fällen – in einem Gerichtssaal ohnehin nicht, doch ebensowenig ein privates Urteil im Familien- oder Freundeskreis –, und sich zurückzog in das Dorf, aus dem er gekommen war. Rainer stimmte mir nicht ausdrücklich zu; wie ein alter Schauspieler, der unablässig auf Gewißheit aus ist und nicht müde wird, sich zu versichern, fragte er mich, auch schon zum wiederholten Mal: Und warum bricht er sein Gelübde? Was meinst du, mein Alter, warum tut er es, und noch dazu in einer Umgebung, die alles andere darstellt als ein ordentliches Gericht? Und ich sagte, was ich ihm auch schon ein paarmal gesagt hatte: Weil der Richter erkannte, daß man sein Leben rechtfertigen muß, darum brach er sein Gelübde.

Nie zuvor hatte sich Rainer so mit einer Figur beschäftigt wie mit diesem Richter, der sich, nachdem ihm der folgenreiche Irrtum unterlaufen war, von allem lossagte, Freundschaften aufgab, Briefe unbeantwortet ließ und sich jahrelang in einem abgelegenen Steinhaus verborgen hielt, das nur zwei Menschen betraten, seine verwitwete Schwester, die ihn versorgte, und ein junger Offizier, sein Sohn. Obwohl die Leute im Dorf wußten, welch ein Schatten auf seiner Vergangenheit lag, nannten sie ihn mit eigentümlichem Respekt den Richter, störten sich nicht an seiner Anwesenheit und trugen ihrerseits dazu bei, ihm sein zurückgezogenes Dasein zu erhalten.

Ich sehe sein Haus, sagte Rainer, wir werden es bestimmt finden, doch sein Gelübde wird er nicht dort brechen – und auch nicht, wie es im Drehbuch steht, in diesem Warenlager des Kaufmanns; es wird am Strand geschehen, an einem Abend, zwischen aufgebockten Booten. Dorthin wird ihn sein Sohn bringen, dort wird er von den Freunden seines Sohnes erwartet werden, nur das Geräusch der kippenden Wellen wird zu hören sein. Auch dieses Stück Strand, mein Alter, werden wir finden.

Hier sollte der Richter erfahren, daß die neue Regierung, die mit einem generalstabsmäßig vorbereiteten Coup an die Macht gekommen war, alle verbannt hatte, denen sie mißtraute, gewählte Politiker ebenso wie Künstler und die meisten Richter des höchsten Gerichts. Und hier sollten ihn sein Sohn und dessen Freunde bekannt machen mit einzelnen Aktionen unrechtmäßiger Gewalt und ihn auffordern, ein Urteil im Rahmen der Gesetze zu fällen, die zeitlebens für ihn gegolten hatten. Zuerst weigerte er sich, dann erbat er Bedenkzeit und saß allein, ein Monument des Zweifels, auf den umrauschten Klippen, doch schließlich kehrte er zu ihnen zurück und sprach mit leiser Stimme das Urteil, das sie erhofft hatten. Noch in derselben Nacht trafen sie ihre Vorbereitungen für das Attentat.

Rainer betrommelte das Drehbuch sanft mit den Fingern und saß da wie in Unentschiedenheit; das Licht, das aus seinem Zimmer herausfiel, erhellte nur eine Seite seines Gesichts und verlieh ihm einen Ausdruck von Entrücktheit. Komm, sagte er auf einmal, wir gehen essen; doch bevor wir hinabgingen, öffnete er die Verbindungstür zu meinem Zimmer, inspizierte und begutachtete die Möbel und legte das Drehbuch auf meinen Nachttisch: Falls du noch mal reinschauen möchtest. Nur drei Tische waren besetzt auf der von Weinlaub umwachsenen Terrasse.

Um nicht direkt unter dem Lautsprecher zu sitzen, aus dem unablässig eine samtene Klagemusik kam, setzten wir uns in die Mitte des laubenartigen Raums, und Rainer bestellte bei dem alten Mann, der nun eine weiße Schürze trug, gegrillte Meerbarben und Salat und Wein. Zwei Polizeioffiziere aßen bereits Meerbarben – offenbar waren sie der Empfehlung des Wirtes gefolgt; ganz für sich, unmittelbar an der kühlen Wand des Weinlaubs, saß ein Mann mit ausgezehrtem Gesicht, gewiß ein Liebhaber der Einsamkeit, der darauf bedacht war, jedem Blick auszuweichen. Ungeniert, als hätten sie keine Zuschauer, betrug sich das festlich gekleidete Paar; der kahlköpfige Mann versuchte immer wieder, seiner jungen, feisten, gewiß dummen, aber schönen Gefährtin ausgesuchte Brocken Langustenfleisch anzubieten, die sie mit seufzender Verachtung zurückschob.

Es wird dich vielleicht überraschen, sagte Rainer, nachdem er mir zugetrunken hatte, doch ich bewundere den Richter nicht; er ist nicht mein Mann. Aber er hat ein Opfer gebracht, sagte ich, und zwar zweimal: als er sein Gelübde brach, und später, als er nach dem mißlungenen Attentat die Aufmerksamkeit der Verfolger auf sich zog. Es gibt auch eine Sucht, sich zu opfern, sagte Rainer, und zwar besonders bei denen, die glauben, daß durch einen Tod alles gerechtfertigt wird, selbst die schlimmsten Irrtümer. Du vergißt die Motive, sagte ich; der Richter handelt aus Gerechtigkeit und – aus Brüderlichkeit. Ja, sagte Rainer, ja, doch mit dem Ergebnis, daß ein paar Gräber mehr ausgehoben werden mußten. Er lächelte und hob mir wieder sein Glas entgegen und flüsterte: Ich halte es mit meinen Freunden, den Stoikern; sie haben schon einmal gezeigt, wo der Platz der Opposition ist. Also ist dir der Richter gleichgültig, fragte ich, und er darauf, immer noch lächelnd: Sie setzen nur auf eines, und das ist Erfahrung. Und meine Erfahrung, mein Alter, sagt mir, daß sich in dieser von Paranoia regierten Welt nichts lohnt; alles, was uns bleibt: sie mit Anstand auszuhalten.

Während des Essens kam der Wirt an unseren Tisch, er wollte sich lediglich erkundigen, wie es uns schmeckte, und als Rainer die Meerbarbe überschwenglich lobte, nickte er erfreut. Und auf einmal fragte er: Film? Welch einen Film wollen Sie hier machen? Oh, sagte Rainer, nur einen Spielfilm, aber mit dokumentarischem Hintergrund; wir sind bloß so eine Art Späher, ein Vorkommando, müssen Sie wissen. Soll in dem Film auch vorkommen, was da unten geschah, an der Brücke, fragte der Mann. Ja, sagte Rainer, unter anderem auch das. Ich hab ihn gekannt, sagte der alte Mann, er hat hier manchmal gegessen, so einen wie ihn gibt es nicht ein zweites Mal; *seine* Statue sollte an der Brücke stehen, nicht diese andere. Warum, warum meinen Sie? Er hat uns daran erinnert, was wir uns schuldig sind. Die Polizeioffiziere verlangten zu zahlen, und er ging ohne Eile an ihren Tisch.

Wir sprachen nicht mehr über den Richter, wir tranken noch eine zweite Flasche leichten gekühlten Weins und stiegen dann hinauf zu unseren Zimmern und wünschten uns gute Nacht. Die Verbindungstür blieb nur angelehnt; ich konnte hören, wie Rainer sich auszog, in seiner Reisetasche kramte, unentwegt pfeifend ins Badezimmer ging. Den Versuch, im, Drehbuch zu lesen, gab ich auf. Einschlafen konnte ich trotz der Weinschwere und der Erschöpfung von der Reise nicht, denn ich wußte, daß Rainer, ehe er zu Bett ging, wie immer noch eine Karte an Julia schreiben würde, seine geschiedene Frau. Daß sie sich scheiden ließen, konnte ich nie verstehen, es gab keine Anklagen, keine Zerwürfnisse und Bezichtigungen, sie hatten, wie Rainer sagte, lediglich festgestellt, daß es sie zuviel Kraft kostete, ihre Gefühle voreinander zu verbergen; darum hatten sie sich in bestem Einverständnis getrennt, sie, die Journalistin, er, der seinen Beruf mit Graphiker und Kostümbildner angab. Julia war nicht nur eine respektierte Kunstkritikerin, sie war eine leidenschaftliche Köchin und machte die schmackhaftesten Apfelstrudel, die ich je gegessen hatte.

Während er auf der Bettkante saß und, ein wenig verdreht, den Nachttisch als Schreibunterlage benutzte – ich sah, daß er beim Schreiben lächelte und die Lippen bewegte, gerade als spräche er mit Julia und reagierte bereits auf die Art, in der sie das Geschriebene aufnahm –, hörte ich im Nebenzimmer einen Knall und das trockene Klirren von Scherben. Dann kam ein Ächzen herüber, das sich anhörte wie der letzte Ton vor einer Selbstaufgabe, schließlich ein schleifendes Geräusch, als würde ein schwerer Körper durch den Raum gezogen. Ich tappte zu Rainer hinüber, der lächelnd auf die Postkarte blickte. Hörst du das? fragte ich. Sicher, sagte er. Da passiert etwas. Oh, sagte er, man bringt sich wohl nur ein bißchen um. Der unterdrückte Schrei und die kurzen hämmernden Schläge veranlaßten ihn nicht einmal, den Kopf zu heben; er schrieb weiter, und als drüben, aus zunächst röhrender Leitung, Wasser in eine Badewanne lief, sagte er nur: Da, sie sind fertig, sie waschen die Spuren weg. Ob das die Langustenesser sind, fragte ich. Klar, mein Alter, sagte er, so etwas spür ich durch die Wand.

1318 Am Morgen antwortete Rainer nicht, er war fort; auch der gemietete Volvo war vom Parkplatz des Hotels verschwunden. Seinen blaugelb gemusterten Schlafanzug hatte er sorgsam in ganzer Länge über das Bett gelegt, vermutlich, um mir und dem Zimmermädchen zu verstehen zu geben, wie beengt er geschlafen hatte, in welch gewaltsamer Krümmung. Da ich nicht wußte, wo ich ihn suchen sollte, ging ich hinunter auf die verkleidete Terrasse; zu meiner Überraschung saßen die Langustenesser bereits beim Frühstück, beide gut gelaunt. Mehrere Blumensträuße – Gladiolen, Gerbera – standen auf ihrem Tisch; der Kahlköpfige grüßte mich mit einer angedeuteten Verbeugung und fuhr dann damit fort, Brocken eines braunen Kuchens mit Marmelade zu bekleckern und sie auf den Teller seiner Gefährtin zu legen.

Ich war noch beim Frühstück, als Rainer, mit einer zusammengefalteten Landkarte wedelnd, vom Parkplatz heraufkam, nicht mißmutig und müde, sondern aufgeräumt und unternehmungslustig. Er war bereits bei der Poseidon-Statue an der Brücke gewesen, dort, wo das Attentat wirklich geschehen war, er hatte die Klippen in Augenschein genommen und photographiert, hatte auch die Grotten inspiziert, in denen die Attentäter sich verborgen hielten, bis die Hunde sie aufspürten. Eindrucksvoll, sagte er, durchaus eindrucksvoll, aber mir einfach nicht einsam genug, nicht dramatisch genug; hier spielt die Landschaft nicht so mit, wie ich es gern möchte; außerdem dürfte es aus verschiedenen Gründen nicht leicht sein, die Erlaubnis zur Sperrung der Straße zu bekommen. Er faltete die Karte auseinander, setzte sich an meine Seite und fuhr mit dem Zeigefinger ruckend die Küstenstraße hinauf und sagte: Nördlich, mein Alter, wir müssen dort suchen, wo die Berge ans Meer vorrücken, wo ein Blick auf die Straße schon Gefahr ahnen läßt, Kühnheit und Gefahr. Es wird immer einsamer da oben, sagte plötzlich der Wirt, der an unseren Tisch gekommen war, um sich nach Rainers Wünschen zu erkundigen, dort liegt auch das Dorf, in das er sich zurückgezogen hatte. Rainer bestellte sich

Käse, Melone und Kaffee; den Finger auf der Karte, buchstabierte er die Namen der Berge, der wenigen Orte, die sich in enge Buchten klemmten, und auf einmal sagte er: Hier, das ist sein Dorf, hier lebt er; ja, ich erinnere mich genau: das ist Vascos Heimat. Wer ist Vasco? fragte ich. Ein Junge, sagte Rainer, ein Knirps von zehn oder elf, Julias Adoptivsohn. Damals wußte ich nicht, daß Julia einen Adoptivsohn hatte; sie hatte Vasco auch nicht richtig adoptiert mit allen Rechten und Pflichten, sondern lediglich eine sogenannte Fernadoption übernommen, die eine internationale Wohlfahrtsorganisation vermittelt hatte. Julia, sagte Rainer, sie ist nicht sie selbst, wenn sie nicht jemanden hat, den sie erziehen kann; ich hab da meine Erfahrungen. Und heiter erzählte er, daß Julia monatlich fünfundzwanzig Mark an Vasco überwies und dafür pünktlich Briefe erhielt, die mit der Anrede begannen: Meine liebe Mami Julia. Rainer hatte den Glanzpapier-Prospekt mit Vascos Photo in der Hand gehabt; er meinte, der Junge sähe darauf aus wie Odysseus als Kind. Und dann fragte er mich, ob wir den Jungen nicht besuchen sollten, der mit seinem Großvater und zwei älteren Brüdern zwischen dürftigen Feldern am Fuß eines Berges lebte, und ich stimmte zu. Vielleicht auf der Rückfahrt, sagte Rainer, wenn es sich ergibt.

Wir ließen uns Brot einpacken und Käse, kaltes Hühnerfleisch und Wein, und dann fuhren wir hinab auf die Küstenstraße, über der das Licht funkelte. Ein Strom von Autos, der sich stadtwärts bewegte, kam uns entgegen, alte Klappermodelle, Lastwagen mit schräg verzogener Ladefläche, erschlafft von übermäßigen Gewichten, aber auch schwere dunkle Wagen, die fast geräuschlos dahinrollten, Regierungslimousinen zumeist. Zur Landseite hin zog sich ein Spalier von Villen, ihre Gärten waren von Steinmauern oder schmiedeeisernen Gittern eingefaßt, manche Tore waren mit einer Kette gesichert. Hinter erschlafften Bäumen, zur Seeseite hin, wuchs bescheidenes Strauchwerk, das um so dichter wurde, je weiter wir die Stadt hinter uns ließen, und als die Straße sich verengte, wurde sie statt von Villen nur noch von kleinen getünchten Wohnhäusern flankiert und von offenen Handwerksbetrieben.

Ich mußte an den Richter denken, an ihn und seinen Sohn und dessen Freunde, ich versuchte, mir vorzustellen, wie sie hier hinabfuhren im ersten Licht des Morgens, nicht gemeinsam, sondern einzeln auf Fahrrädern – der Richter und sein Sohn auf einem Motorroller –, fünf entschlossene Männer, die, wie der alte Mann im Hotel sagte, die anderen daran erinnerten, was sie sich schuldig waren. Es wollte mir nicht einleuchten, daß der Originalschauplatz ihrer Tat zuwenig hergab. Doch, mein Alter, sagte Rainer, so ist es nun einmal, und du kannst mir glauben, daß die Bedeutung ihrer Tat noch gesteigert wird – die Bedeutung, die nicht zuletzt du ihr zuerkennst –, wenn der Ort sozusagen mitspielt.

Wir blieben in der Nähe des Meeres, obwohl es manchmal unserem Blick entzogen war. Kühl wehte es herein, wenn wir an feuchten Felswänden vorbeifuhren, in denen noch einzelne Sprenglöcher zu erkennen waren. Kantiges Geröll bedeckte die Straße. Aus der Höhe sahen wir in besiedelte Buchten, zu denen anscheinend kein Weg hinabführte, und wo die in den Berg gesprengten Wände niedriger wurden, gaben sie die Aussicht frei auf einsame Gehöfte, die in der feindseligen Helligkeit zu zittern schienen.

Vor einer Brücke, die unterwaschene Klippen überspannte, bremste Rainer und fuhr den Volvo auf einen Ausweichplatz. Wir stiegen aus. Er schnalzte mit der Zunge und zog mich mit zur Brückenmitte und nickte auf die schäumenden auslaufenden Wellen hinab, die in trägem Rhythmus die Klippen umspülten und auf einem Sandstreifen versikkerten. Schau dir die Pfeiler an, die Streben, sagte Rainer, schau dir diese waghalsige Konstruktion an: das könnte unsere Brücke sein. Wir kletterten auf die buckligen Klippen hinab und krochen in die schattigen Winkel, dort, wo die Brücke auflag, und wir sahen uns mit angehaltenem Atem an, als ein Lastwagen über uns hinweggewitterte. Wir staubten uns gegenseitig ab und inspizierten dann die Meerseite, wo wir zwei nicht allzu tiefe Grotten fanden, aber tief genug, um den Attentätern als Versteck zu dienen. Rainer photographierte sie und machte Aufnahmen von der Brücke und der gewundenen Straße, die dennoch weit zu übersehen war und sich, da sie in der Ferne als weißgraues Band den Berg erklomm, auf einen ersten Blick als geeignet zeigte für eine lange dramatische Annäherung. Na, was sagst du?

Obwohl wir auf der Karte das Dorf des Richters gekennzeichnet hatten, fanden wir nicht gleich dorthin, einfach weil wir bei einer steilen, buckligen Abfahrt nicht glauben wollten, daß sie zum offiziellen Weg gehörte. Der Motor pochte und jiffelte, und wir wurden ordentlich durchgestuckert. Hier bist du wirklich verlassen sagte Rainer. Je näher wir dem Dorf kamen, desto ebener wurde der Weg. Wir hielten auf einem harten leeren Platz, der gewiß der Dorfplatz war, nur ein paar trostlose, in der Sonne brütende Häuser umschlossen ihn; an allen Fenstern waren die Jalousien herabgelassen. Auf einem kleinen Plateau, von einem schiefen, löchrigen Zaun umgeben, stand ein Steinhaus, dessen Erbauer wohl daran gelegen war, daß niemand es unbemerkt erreichte. Rainer photographierte es, während Hunde uns anbellten und beschnupperten und Kinder den Volvo untersuchten, darauf aus, etwas Abschraubbares zu finden.

Als wir den schmalen Trampelpfad hinaufstiegen, folgte uns ein Junge, er war barfuß, seine braune Haut wirkte wie getönt, seine dunklen Augen verrieten Spottlust und eine lauernde Aufmerksamkeit. Wenn wir stehenblieben, um zu verschnaufen, blieb auch er stehen und lächelte. Vasco, sagte Rainer, so ähnlich stelle ich ihn mir vor. Als für ihn kein Zweifel mehr daran bestand, daß unser Ziel das Steinhaus war, überholte er uns plötzlich und rannte uns so schnell er konnte voraus, sprang über den Zaun und schlüpfte in den dunklen Hauseingang.

Nicht er, sondern eine ernste Frau mit strengem, faltigem Gesicht erschien auf unser Klopfen, sie zögerte die Antwort auf unseren Gruß hinaus, sah nur abschätzend von einem zum andern und wartete ungeduldig. Rainer erklärte ihr zunächst in seinem Englisch, woher wir kämen und welchen Auftrag wir hätten, höflich und werbend sprach er in das abweisende Gesicht hinein und bat zunächst nur darum, das Haus und den Garten – einige mickrige Gemüsebeete – photographieren zu dürfen. Noch während er seine Bitte aussprach, schüttelte die Frau den Kopf. Es waren schon andere hier, sagte sie und fügte leise hinzu: Mein Bruder ist tot. Aber er hat doch hier gelebt, sagte ich, und das, was wir vorhaben, tun wir in Bewunderung für Ihren Bruder. Er braucht keine Bewunderung, sagte die Frau; der Tod hat sein Leben zu einem Verhängnis gemacht; alles, was ihm gebührt, ist ein stilles Andenken. Für uns ist er ein Vorbild, sagte ich, und sie darauf, in geläufigem Englisch: Ich bitte Sie, sein Andenken nicht zu stören. Rainer nahm meinen Arm, murmelte einen Gruß und eine Entschuldigung und zog mich weg.

Unten am Sandstrand, wo wir auf einem verrotteten Boot saßen und die Löcher kleiner Krebse beobachteten, aus denen nach jeder Welle Blasen aufstiegen, sagte Rainer: Da siehst du's, auch über den Richter gibt es mehrere Ansichten. Ich hab wohl nicht alles verstanden, sagte ich. Mach dir nichts draus, sagte Rainer, wir werden das Haus einfach nachbauen und dann unsere Version abliefern. Er zog sich aus und watete und drängte in tiefes Wasser, und als er Grund verlor und in das Glitzern hinausschwamm, rief ich ihm nach: Paß auf, da draußen gibt's Haie. Mir tun sie nichts, rief er zurück. Mit kräftigen Stößen schwamm er in die offene Bucht hinaus, zuletzt nur noch ein schwarzer Punkt in der leicht dünenden Weite. Ich nahm mir einen seiner Photoapparate und machte ein paar Aufnahmen von dem verrotteten Boot und von der farbfreudigen kleinen Armada, die auf den Strand hinaufgezogen war; mit aufgekrempelten Hosen schritt ich den Strand aus und photographierte das Dorf und die von Winterstürmen zerschlagene Mole, und von der Spitze der Mole, zu der ich kletterte, den zerwaschenen, geborstenen Felsen. Von dort, von der Mole aus, erkannte ich, daß der Felsen die Form von drei erhobenen Fingern hatte, plumpen Fingern, die einen Schwur zu leisten schienen. Um Rainer mit den Aufnahmen zu überraschen, beschloß ich, ihm nichts zu sagen von meiner Entdeckung. Ich holte aus dem Auto den Korb mit den Eßwaren und erwartete ihn; doch kaum hatte er seine Masse aus dem Wasser gehoben, griff er sich die Kamera, die ich benutzt hatte, kletterte auf die Mole hinaus und photographierte den Dreifingerfelsen. Mir scheint, mein Alter, dieser Platz gibt etwas her. Hier könnten sich die Männer mit dem Richter treffen.

Er schätzte, daß es nach der Karte nicht mehr als dreißig Kilometer sein konnten bis zu dem Ort, in dem Vasco lebte mit seinem Großvater und den Brüdern. Sehr erpicht schien er nicht darauf zu sein, den Adoptivsohn Julias kennenzulernen; daß wir dennoch aufbrachen, tat er wohl ihretwegen: Wir werden ihr eine Ansichtskarte schicken mit all unseren Unterschriften. Nachdem wir getankt hatten, fuhren wir zur Straße hinauf und weiter nordwärts, in sanften Serpentinen erklommen wir einen Berg, der auf der Karte den Namen »Stuhl« hatte, vielleicht hatten die Namensgeber an einen Himmelsstuhl, Götterstuhl gedacht, ich weiß es nicht; ich weiß nur, daß wir von oben einen unermeßlichen Blick über das Mittelmeer hatten, und erinnere mich des wohltuenden Windes, der hier ging. Aschfarben, wie ausgeglüht waren die Hänge, harte, kümmerliche Gräser bedeckten sie; soweit das Auge reichte, war kein einziges Haus zu sehen. Wieder am Fuß, an einer geschichteten Steinmauer, erkannten wir plötzlich ein kleines Mädchen; es war barfuß, trug nur ein dünnes braunes Kleid und hob uns schon von weitem ein Bund Zwiebeln und ein Bund Mohrrüben entgegen, nicht fordernd oder aufdringlich, sondern mit feierlicher Langsamkeit. Auch hier war weit und breit kein Haus zu sehen. Halt mal, sagte ich, halt doch an. Wozu? fragte Rainer. Wir können ihr doch etwas abkaufen, sagte ich. Um es irgendwo fortzuwerfen? fragte er. Wir lächelten bei langsamer Fahrt dem Mädchen zu, und es lächelte zurück, ohne enttäuscht oder betrübt zu sein.

Es wunderte mich nicht, daß wir kurz vor dem Ziel einen Platten hatten, und auch Rainer schien nicht sehr überrascht; er zeigte auf das scharfe, kantige Geröll und sagte: Erstaunlich, daß es überhaupt so lange gutgegangen ist. Wir wechselten den Reifen, hockten uns in den Schatten und tranken den Rest des Weins und rauchten. Wie sich später herausstellte, dachten wir beide daran, ins Hotel zurückzukehren, aber nach einem abermaligen Blick auf die Karte setzten wir die Fahrt fort, einig, uns nicht allzu lange bei Vasco und seinen Leuten aufzuhalten.

Dämmerung fiel, und die Straße wurde schmal und unübersichtlich; Rainer hupte vor jeder Biegung. Wir fuhren durch ein sehr lockeres, schulterhohes Krüppelwäldchen, als wir gleichzeitig den auf der Straße liegenden Körper entdeckten; wie nach schwerem Fall lag er da, das Gesicht im Staub, die Hände ausgebreitet und die Füße leicht angezogen – anscheinend nach einem vergeblichen Versuch, sich aufzurichten. Rainer bremste so scharf, daß der Gurt mich schmerzhaft zurückriß. Wir stiegen aus und rannten zu dem Verletzten; er rührte sich nicht. Wir knieten uns hin und sahen, daß es ein Junge war, dünngliedrig, nur mit Hemd und Hose bekleidet. Behutsam packten wir ihn an Schulter und Bein, um ihn umzudrehen, und als er auf dem Rücken vor uns lag, als Rainer sich tief hinabbeugte und sein Ohr auf den mageren Brustkorb legte, sah ich, daß der Junge blinzelte. Dann hörten wir das Schloß der Wagentür klicken. Dann sahen wir zwei Gestalten in mächtigen Sprüngen in den Krüppelwald fliehen. Da sammelte ich den Stoff seines Hemdes über der Brust und riß den Jungen hoch, ließ ihn aber sogleich wieder los, als er mir in die Hand biß. Weder Rainer noch ich verfolgten ihn.

Alles, was auf dem Rücksitz gelegen hatte, war abgeräumt: der Korb mit den restlichen Eßwaren, meine Stoffmütze, ein Reiseführer und Rainers Kamera, mit der wir die Aufnahmen gemacht hatten; seinen zweiten Apparat, der auf der Ablage unter dem Heckfenster lag, hatten sie offenbar übersehen. So wird's gemacht, sagte Rainer und schlug vor

Erbitterung mit dem Fuß gegen einen Reifen; wir sind brav in ihre Falle getappt, in die Mitleidsfalle. Immerhin hatten sie uns den Zündschlüssel gelassen, und nachdem wir eine Weile unschlüssig im Wagen gesessen hatten, ließ Rainer den Motor anspringen und fuhr mit eingeschaltetem Scheinwerfer los; seine Fahrweise verriet die Wut, die ihn beherrschte, seine stumme Wut. Es war zwecklos, ihn zur Umkehr zu überreden, sein Entschluß war gefaßt, und nach wenigen Minuten zeigten ein paar versteckte Lichter an, daß wir uns einem Ort näherten. Ein Restaurant oder auch nur eine Dorfkneipe gab es nicht; vom Gebell eingesperrter Hunde angemeldet, fuhren wir an den in zögernder Dunkelheit liegenden Häusern vorbei; manche waren hinter strauchartigen Gewächsen verborgen und verrieten sich nur durch einen schwachen Lichtschein. Willst du ihn tatsächlich aufsuchen, nach allem? fragte ich, und Rainer darauf: Etwas muß sich doch gelohnt haben am Ende eines Tages, oder? Wir hielten und kurbelten die Fenster herunter, es roch nach offenem Holzfeuer. Mit ihrem schlenkernden Flug schoß eine Fledermaus durch den Strahl unserer Scheinwerfer. Rainer stellte den Motor ab. Hörst du? Was? Sie lauschten. Auf einmal schwiegen auch die Hunde, und ich hatte das Gefühl, daß alles in diesem Ort zu uns hinlauschte. Rainer stieg allein aus und ging auf ein Haus zu und klopfte; während er wartete, gab er mir mehrere beruhigende Zeichen. Es dauerte und dauerte, bis die Tür geöffnet wurde, und dann auch nur einen Spaltbreit, so daß ich nicht erkennen konnte, mit wem er sprach, doch an den Gesten, mit denen er sich versicherte – er wies auf die Silhouette des einzigen Baumes –, sah ich, daß er eine zufriedenstellende Auskunft erhielt. Er bedankte sich und winkte mich zu sich. Da, sagte Rainer, da wohnt Vasco, hinter diesem Baum.

Es war keine Aufforderung, einzutreten; die Worte, die wir hörten, galten nicht uns, sondern dem jungen Burschen, der im Schein einer Petroleumlampe Zwiebeln schnitt, Zwiebelscheiben auf Brotstückchen legte und diese einem Greis hinhielt, der sie mit ungenauen Bewegungen ergriff und sie sich in den Mund schob. Jetzt, als wir auf sie hinabschauten – der Raum mußte wohl einen Meter tief in der Erde liegen, denn vier oder fünf Stufen führten in ihn hinab –, jetzt wiederholte der Greis die Worte, die wir für ein »Herein« gehalten hatten, und der Bursche legte ihm gleich zwei Brotstückchen in die offene Hand. Sie hatten unseren Eintritt bemerkt, dennoch wandten sie sich uns erst zu, als Rainer ihnen einen guten Abend wünschte; der Greis starrte uns mit offenem Mund an, der Bursche senkte sein Messer auf ein Holzbrett und linste geduckt über die Schulter zu uns herüber. Rainer stellte sich vor – ich bin Rainer Gottschalk aus Hamburg –, er rechnete wohl darauf, daß sein Name einen Eindruck auf die beiden machte, doch sie rührten sich nicht und schwiegen. Alles, was der Raum enthielt, schien selbstgezimmert: die beiden armseligen Schlafgestelle, der rohe Tisch, die Hocker; die ungleichen Haken in der Wand, an denen alte, offenbar geschonte Kleidungsstücke hingen, schienen aus dem Abfallhaufen einer Schmiede zu stammen. Langsam, wie gegen einen Widerstand, stieg Rainer die Stufen hinab und reichte zuerst dem Greis, dann dem Burschen die Hand. Ob sie ihn verstünden, fragte er, worauf die beiden einen Blick tauschten und die Schultern hoben. Rainer wiederholte seine Frage auf englisch, und wieder sahen sich die beiden nur an und antworteten ihm mit einer Geste der Ratlosigkeit. Sie verstanden uns nicht. Vasco, sagte Rainer mit verstärkter Stimme, wir wollen Vasco besuchen. Ein Ausdruck aufglimmender Freude zeigte sich auf dem Gesicht des Greises, angestrengt stand er auf, winkte Rainer und ging ihm voraus zu einer Tür, hinter der eine fensterlose Kammer lag; er deutete auf eine der beiden Schlafpritschen, die die Kammer nahezu ausfüllten, und sagte etwas, das wir nicht verstanden, nur den Namen Vasco hörten wir heraus. Und mit einer Handbewegung, die in die Ferne verwies, wollte er uns zu verstehen geben, daß Vasco weit fort sei, hinter einem Berg, unerreichbar. Was blieb Rainer da anderes übrig, als Grüße zu bestellen?

Bei unserem Aufbruch schlugen die Hunde an. Wie wir es ausgemacht hatten, übernahm ich das Steuer auf der Rückfahrt; im Dunkeln fand ich die Stelle, an der wir in die Falle gegangen waren, nicht wieder, und als ich einmal hielt – überzeugt davon, daß wir sie gefunden hätten –, stellten wir fest, daß wir sie längst passiert hatten. Wir kommen wieder, sagte Rainer, und es klang wie eine Drohung.

Er war entschlossen, wiederzukommen, er hatte in Vascos Kammer, unter Kleidungsstücken unzureichend verborgen, etwas entdeckt, was ihn ausgiebig beschäftigte, ihn überlegen und kombinieren ließ. Ein Fernglas, mein Alter, und zwar ein gutes Glas, das bestimmt genau so viel wert ist wie ihr ganzer Besitz. Immer wieder fragte er sich, woher es stammte und wozu es benutzt wurde; er schloß aus, daß man solch ein Glas einfach irgendwo finden konnte oder daß Vascos Leute es sich hätten kaufen können. Nicht einmal Julias regelmäßige Überweisungen – die Beträge eines knappen Jahres – hätten dafür ausgereicht. Es beschäftigte ihn unaufhörlich, und er mußte sich am Ende eingestehen, daß es ihm rätselhaft sei, wovon sie überhaupt lebten in ihrer Trostlosigkeit. Vielleicht schaffen sie es, sagte er, weil sie nur für den Tag leben, für den Tag und vom Tag. Er machte eine Pause und fügte dann hinzu: Das wird mich allerdings nicht davon abhalten, morgen früh die Polizei aufzusuchen.

Nie hätte ich bedacht, daß auch Erregung schlaffördernd wirken kann, aber Rainer bewies es: er verstummte, lange bevor wir die Küstenstraße erreichten, fluchte nicht mehr, wenn es ruckelte und schüttelte, hatte kein Auge für die brieselnden Lichtfelder auf dem Meer. Er schlief und erwachte und streckte sich erst, als wir auf den Parkplatz des Hotels fuhren und neben einem Wagen hielten, in dem unbeweglich ein Mann saß. Wir packten unsere Sachen zusammen, redeten laut miteinander – der Mann rührte sich nicht, hockte nur steif und puppengleich hinter dem Steuer. Ich war drauf und dran, den Fremden anzusprechen, doch Rainer drängte mich ab und zog mich mit sich ins Hotel, und hier erst brachte er mir bei, daß der Mann im Auto unser Zimmernachbar war, unser Langustenesser.

Zu gegrillter Leber bestellten wir gleich drei Karaffen Wein, der alte Wirt selbst ging für uns in die Küche, offenbar bestrebt, uns über unser Mißgeschick hinwegzutrösten. Er war traurig, war erbittert und auf eine sanfte Weise zornig, und um uns zu besänftigen – es lag ihm viel daran –, wies er darauf hin, daß es »die im Norden« seit über tausend Jahren so machten; seit undenklicher Zeit hätten sie es sich angewöhnt, die Straße als Erwerbsquelle zu betrachten: was darüberzieht, ist ihnen freigegeben. Zu dieser Stunde waren wir die einzigen Gäste, und nachdem er uns das Essen gebracht hatte, bat er um Erlaubnis, sich zu uns zu setzen. Während er ab und zu in winzigen Schlucken aus seinem Weinglas trank, legte sich seine Erbitterung; er erkundigte sich nach unseren Eindrücken, wollte wissen, ob wir gefunden hätten, wonach wir suchten, und es war ihm Genugtuung anzusehen, als wir ihm die entdeckten Schauplätze und Orte beschrieben, sie waren ihm wohlbekannt. Den Titel des Films bedachte er ausgiebig, er wiederholte ihn ein paarmal, erwog, bemaß, setzte ihn in Beziehung zu seinem Wissen, schließlich hieß er ihn gut und versprach, daß er achtgeben werde auf die Filmprogramme.

Wir saßen bei der letzten Karaffe, als Schritte auf der Steintreppe zu hören waren; der kahlköpfige Mann stieg herauf, unser Langustenesser, mit versteinertem Gesicht stelzte er auf uns zu, nickte knapp und ging vorbei ohne ein Wort; den Gutenachtwunsch des Wirtes schien er überhört zu haben. Allein, fragte Rainer. Ja, sagte unser Wirt, wieder mal allein, und er blickte auf die Tischplatte und zuckte in hilflosem Bedauern die Achseln. Er war Komponist, fügte er leise hinzu, einer unserer großen Komponisten; seit er in der Verbannung war, hat er einen Knacks. Plötzlich zog er seinen Bestellblock heraus und bat Rainer um Marke und Kennzeichen der gestohlenen Kamera, in Blockbuchstaben notierte er alles, hielt auch fest, daß auf einem Metallschildchen Rainers Name eingeschnitten war; dann las er uns die Notizen noch einmal vor und bot sich an, am nächsten Morgen die Polizei zu verständigen. Er habe da gute Freunde, sagte er. Seine Zuversicht war glaubwürdig.

Rainer hatte ihm nicht erzählt, daß wir noch einmal hinauffahren wollten, weniger, um nach dem Verbleib unserer Sachen zu forschen, als vielmehr, weil er Vasco kennenlernen wollte, den Jungen, den seine Frau fernadoptiert hatte. Wie beteiligt unser Wirt zuhörte, als wir ihn beim Frühstück mit unserer Absicht bekannt machten; ein unerwarteter Eifer ergriff ihn, er lief in die Küche und verhandelte da, verschwand im Privatzimmer seines Sohnes und schien auch da zu verhandeln, und dann kam er ohne seine lange weiße Schürze an unseren Tisch und fragte, ob er uns begleiten dürfe, als Reiseführer, als Dolmetscher. Er wüßte nicht, wie er seinen freien Tag sinnvoller verbringen könnte. Wiedersehen wollte er die Gegend, in der er viele Jahre nicht mehr gewesen sei. Da wir nicht rasch genug zustimmten, versicherte er uns, daß er alle Forderungen des Tages bereits erfüllt und übertragen habe, selbst die Verlustanzeige bei der Polizei werde schon bearbeitet von einem befreundeten Polizeioffizier. Begeistert war Rainer nicht, doch da er einsah, daß wir einen Dolmetscher brauchten, willigte er ein, und der Wirt dankte uns und sorgte für den Reiseproviant.

Ich irre mich nicht: in Begleitung unseres Wirts – er saß vorn neben Rainer und machte uns selbst auf unscheinbare Dinge aufmerksam – glaubte ich mitunter, durch eine vollkommen unbekannte Landschaft zu fahren, jedenfalls kam mir manches so fremd und überraschend vor, daß ich das Gefühl hatte, nie zuvor diesen Felsen, diese Schlucht, dieses an den Berg geschmiegte und von der Sonne gegeißelte Steinhaus gesehen zu haben. Nicht allein, daß er unseren Blick lenkte; vertraut mit allen Eigenheiten dieses Landes und seiner Geschichte, weihte er uns in die hier geltenden Bedingungen der Existenz ein, machte uns klar, wie sehr Ausdauer, List und Trägheit dazu gehörten, aber auch ein flammendes Bedürfnis nach Gerechtigkeit. Ohne ihn hätten wir gewiß nicht den kleinen Friedhof gefunden, der nur einen Steinwurf von der Straße entfernt lag; ich hatte zwar auf unserer Fahrt die geweißte Mauer gesehen, war aber nicht darauf gekommen, daß sie einen Friedhof einschloß. Langsam, sagte der alte Mann plötzlich, und dann scharf rechts hinter dem Warnschild, und Rainer tat, wozu unser Wirt aufforderte; über einen holprigen lehmgelben Weg fuhren wir auf das eiserne Friedhofstor zu. Das Tor war verschlossen. Wir kletterten über die Mauer. Zielbewußt ging uns der Wirt voraus und führte uns zu zwei Gräbern, die zwar keinen Gedenkstein hatten, doch mit verdorrten Blumen bedeckt waren. Hier, sagte er, hier liegen sie, der Richter und sein Sohn.

Einmal – es war vor der Brücke, die wir als Drehort ausersehen hatten – fragte Rainer, ob das, was den Richter bestimmte, sein Gelübde zu brechen, nicht der Wunsch gewesen sei, den großen Irrtum seines Lebens gutzumachen, und der alte Mann sagte: Nein, und erklärte aus seiner Kenntnis: Der Richter fragte sich nicht, was sich machen läßt, um persönliche Probleme zu lösen; er handelte, weil er die Menschen ernst nahm und sich nicht abfinden konnte mit dem, was geschehen war. Und einmal fragte Rainer, ob die Menschen nicht am bereitwilligsten für das in den Tod gehen, was nicht existiert – das Mögliche, das Vollkommene –, und der Wirt schüttelte den Kopf und sagte: Jeder hat doch seine Sehnsucht, und die ist ebenso wirklich wie die Welt um ihn herum.

In der Einöde, auf demselben Platz wie am Vortage, stand das Mädchen in dem braunen dünnen Kleid und hob uns seine Zwiebeln und Mohrrüben entgegen. Der alte Mann bat Rainer, zu halten; er stieg aus und kaufte nicht nur die beiden Bunde, die das Mädchen in den Händen hielt, sondern einen ganzen Kasten mit Gemüse, der im kümmerlichen Schatten der Steinmauer verborgen war. Es entging mir nicht, daß er, während er die Qualität des Gemüses prüfte, unaufhörlich auf das Mädchen einsprach, und zwar nicht beiläufig und scherzend, sondern ernst und in warnendem Ton. Mehrmals nickte das

Mädchen ergeben. Zu uns sagte er nur: Sie haben gutes Gemüse hier oben, und dann deutete er auf die Kleine, die leicht und geschickt wie eine Ziege einen geröllbedeckten Hang hinaufsprang, das empfangene Geld in einer Faust.

Wir packten das Auto unter dem Baum vor Vascos Haus, das jetzt im Licht aussah, als ob es sich allmählich selbst auflöste, zerbröckelte, lautlos zerfiel. Unser Wirt klopfte nur flüchtig und zog die Tür auf und rief dem Greis, der verbissen einen Teig knetete, einen Gruß zu, der überraschend vertraulich klang. Ihr Handschlag dauerte; sie sahen sich lange an, offenbar bemüht, sich etwas zu bestätigen, das sie in ihrer Erinnerung teilten. Dann redete unser Wirt, ich hörte, wie er mehrmals Vascos Namen nannte und dabei auf Rainer zeigte, der süß-sauer lächelte. Der Greis wischte sich die Finger ab, ging auf Rainer zu und blickte fragend zu ihm auf, und plötzlich verbeugte er sich vor ihm und murmelte etwas. Was meint er? fragte Rainer. Er hat Sie gesegnet, sagte unser Wirt und kniff sich so, daß nur ich es sehen konnte, die Nase zu, vermutlich, um mich auf den Fäulnisgeruch aufmerksam zu machen. Den Tee, den der Greis uns bereiten wollte, schlugen wir aus, wir wollten nur Vasco kennenlernen und dann gleich wieder zurückfahren. Wir verzichteten auch darauf, von einem noch warmen Brotfladen zu probieren, und brachen auf, nachdem wir erfahren hatten, daß Vasco und seine Brüder auf dem Feld arbeiteten, hinter dem Berg. Ich verstand nicht, was die beiden einander zum Abschied sagten, doch es hörte sich an wie eine gegenseitige Beteuerung.

Terrassenförmig war das Feld angelegt, die rötliche Erde stach vom altersgrauen Geröll des unbearbeiteten Berghanges ab. Schon von weitem erkannten wir die drei gebückten Gestalten, die mit Hacken, deren Eisenblätter spatenbreit waren, die Erde lockerten und immer wieder Steinbrocken aufhoben und fortschleuderten. Auch sie, die Brüder, hatten uns früh erkannt; ich sah, wie sie zusammentraten, uns beobachteten, sich augenscheinlich beratschlagten und sich dann, in gemeinsamem Beschluß, höher hinauf entfernten, nicht fluchtartig, eher zufällig und wie die Arbeit es verlangte. Rainer hielt, und sogleich stieg unser Wirt aus, legte die Hände an den Mund und rief etwas zu den Brüdern hinauf, eine schroffe Aufforderung, der er, nur für sich, eine Verwünschung hinterherschickte. Darauf traten die Gestalten wieder zusammen und schienen sich abermals zu beratschlagen, doch erst ein nochmaliger Ruf unseres Wirtes, ein drohender Befehl, beendete ihr

Zögern; einer von ihnen schulterte seine Hacke und kam ohne Eile zu uns herab. Argwöhnisch, mit verschlossenem Gesicht näherte er sich, ein Bursche von sechzehn vielleicht; er sah nur den Wirt an, uns schien er nicht zu bemerken. Unser Wirt gab ihm die Hand, fuhr ihm über sein verstrubbeltes Haar und begann, in begütigendem Ton auf ihn einzusprechen, wobei er ihm ein paarmal auf die Schulter schlug. Auf einmal wandte sich der Bursche um und stieß einen Pfiff aus und schwang seine Hacke; jetzt kamen auch die andern. Vasco hielt sich hinter seinem älteren Bruder, scheu und bescheiden zugleich. Er war dünngliedrig, sein Gesicht glänzte vor Schweiß, in seinem Blick lag etwas Unstetes, Suchendes. Auf ein Wort unseres Wirts lächelten alle drei und entspannten sich sichtbar, und die beiden Älteren klemmten die Hacken zwischen ihre Schenkel und drehten sich Zigaretten. An Vasco gewandt, sprach unser Wirt einige getragen klingende Sätze, mitunter schloß er beim Sprechen die Augen, so daß es den Anschein hatte, als sage er etwas auswendig her, und zaghaft, ungläubig hob der Junge sein Gesicht und sah auf den massigen fremden Mann, auf Rainer. Seine Lippen öffneten sich. Der magere Körper begann zu zittern. Er ließ die Hacke fallen und atmete schnell. In diesem Augenblick dachte ich, daß er fliehen werde, doch er tat es nicht; er schluckte nur und stürzte auf Rainer zu und umarmte ihn. Unvorbereitet auf diesen Ausbruch, hob Rainer wie hilfesuchend die Hände, während der Junge sich an ihn schmiegte und ihn mit beiden Armen umklammerte. Ist gut, sagte Rainer, ist ja gut, und zum Wirt hin: Sagen Sie ihm, daß ich Julias Mann *war*, daß wir nicht mehr zusammenleben. Unser Wirt sagte es wohl, doch die Freude des Jungen, seine heftige Umarmung ließen nicht nach.

Wir setzten uns an den Rand des Feldes. Körbe und Eßwaren wurden angeschleppt, ihr Korb, unser Korb. Während wir aßen, machte Rainer einige Aufnahmen, widmete sich vor allem Vasco, den er stehend, liegend, sitzend, im Profil und en face photographierte. Über unsern Wirt erfuhren wir, daß die Briefe, die Vasco schrieb, an die Wohlfahrtsorganisation geschickt werden mußten, wo sie übersetzt wurden. Wir erfuhren auch, daß Vascos Eltern durch einen Steinschlag ums Leben gekommen waren. Wein wollte keiner von ihnen trinken, auch Vascos ältere Brüder nicht, doch sie aßen so lange, wie wir es uns schmecken ließen, und dankten, als wir fertig waren. Ein einziges Mal nur richtete Vasco eine Frage direkt an Rainer; der Junge wollte wissen, wann er zu Julia zurückkehrte, und als Rainer ihm sagen ließ, daß er Julia gewiß schon in einer Woche wiedersehen werde, kramte der Junge in seiner Hosentasche und zog den Panzer einer kleinen Landschildkröte heraus: Da, das mußt du ihr bringen, von Vasco.

Zum Abschied winkten sie mit ihren Hacken, reckten sie und hüpften dabei; erst als unsere Staubfahne sich vor den Berg legte, konnte ich sie nicht mehr erkennen. Glauben Sie, daß Ihre Frau sich freuen wird, fragte unser Wirt. Und ob, sagte Rainer, sie hängt an dem Jungen. Und dabei weiß sie so wenig von ihm, sagte unser Wirt. Aber das Wichtigste, sagte Rainer, das weiß sie, und was sie nicht weiß, bildet sie sich ein. An mehreren Stellen unterbrachen wir die Rückfahrt, stiegen aus, ließen uns den Felsen zeigen, von dem aus das um Sekunden verzögerte Signal zur Brückensprengung gegeben wurde, kletterten in die Grotten hinab, die als Haupt- und Nebenversteck gedient hatten, standen noch einmal – vornehmlich unserem Wirt zuliebe – vor der eigenartigen Poseidon-Statue. Rainer sagte nicht zuviel, als er vor unserem Hotel bekannte: Ich denke, wir werden Mühe haben, all unsere Eindrücke zu sortieren.

Auf dem Zimmer zog ich mich gleich aus und ging unter die Dusche. Es röhrte in der Leitung, knackte und blubberte, die Brause ließ sich nicht regulieren. Ich rief Rainer zu Hilfe, der mir aber nur riet, mit dem vorläufigen Ergebnis zufrieden zu sein. Geistesabwesend starrte er mich an und sagte: Der Korb, mein Alter, der Korb, in dem sie ihr Brot und ihre Zwiebeln hatten, hast du ihn dir angeschaut? Nein, sagte ich. Siehst du, sagte er, ihr Korb gleicht unserem aufs Haar, ein richtiger Hotelkorb, und dreimal darfst du raten, woher sie ihn haben. Glaubst du's wirklich, fragte ich. Er konnte mir nicht antworten, da fortdauernd an seine Zimmertür geklopft wurde; ich hörte, wie er sich bedankte, seine Erwartung ausdrückte und abermals bedankte, und dann vernahm ich deutlich die Stimme unseres Wirts, der Rainer versicherte, daß die Kamera bald wieder in seinem Besitz sein werde, er habe nach einer Erkundigung bei der Polizei allen Anlaß, es anzunehmen. Fein, sagte Rainer, wollen wir mal sehen, ob die Polizei recht behält. Danach bekam ich noch mit, wie er seine Masse in einen Sessel fallen ließ und einen Brief aufriß.

Dort saß er immer noch, als ich zu ihm hinüberging, um ihn zum Abendessen abzuholen. Vor ihm auf dem Tisch lag ein Brief von Julia, Luftpost, Expreß; sie hatte erfahren, wohin er diesmal auf Motivsuche gegangen war, und beschwor ihn, sich unbedingt Zeit zu nehmen, um ihren Vasco aufzusuchen, der ganz in der Nähe lebte. Um Vasco sogleich erkennen zu können, hatte sie den Glanzpapierprospekt mit seinem Bild und den Photos von elf anderen Jungen beigelegt, die zur Fernadoption angeboten wurden. Rätselnd, in unablässigem Befragen glitt sein Blick von einem zum andern. Als ich mich über ihn beugte, überließ Rainer mir den Prospekt, stieß mich in die Seite und sagte: Na, los, mein Alter, entscheide dich: welchen würdest du nehmen? Ich sah sie mir alle an und sagte: Du wirst es nicht glauben – Vasco. Das werde ich Julia erzählen, sagte Rainer, ich denke, sie wird sich wundern.

1984

Eine Art von Notwehr

Er kam und kam nicht von dem aufgebockten Motorboot los. Da mußt du rauf, sagte das Mädchen, ohne ihn anzusehen, zuerst auf das Boot, dann auf das Teerpappdach von der Veranda, und wenn du an der Hauswand bist, brauchst du sein Fenster nur aufzustoßen, es ist immer nur angelehnt. Der Junge blickte an ihr vorbei in den sanften Schneefall, auf den gedrungen wirkenden Rumpf des Bootes, das unter verwaschener Persenning fast den ganzen schäbigen Hintergarten einnahm und so dicht an das Haus heranbugsiert war, daß die drinnen in seinem Schatten leben mußten. Das schaffst du doch? fragte das Mädchen. Klar, Vera, sagte der Junge und hörte nicht auf, das alte Boot zu taxieren, das auf starr eingesackten Böcken ruhte, ein Veteran des Stroms, der entschlossen schien, niemals mehr auf das Wasser zurückzukehren. Ist es sein Boot? fragte der Junge. Nein, sagte das Mädchen, das Boot gehört seinem Hauswirt; mein Alter traut sich nicht aufs Wasser.

Sie bestellten eine zweite Jolly und schwiegen, bis der mürrische Kellner sie ihnen gebracht hatte; als er abdrehte, zwinkerten sie sich belustigt zu und sahen dann gleich wieder hinaus in die Dämmerung, wo jetzt alles verkürzt und zurückgenommen schien, auch der ruhige Schneefall, der anscheinend nur so weit reichte wie die herausfallenden Lichter.

Vergiß nicht, Manni, sagte das Mädchen gegen die Scheibe, es ist bestimmt in den Wörterbüchern, er verwahrt sein Geld immer in den Wörterbüchern. Hat er eine große Bibliothek? fragte der Junge. Zweihundert, sagte Vera und suchte sein Gesicht im Spiegelbild des Fensters, er hat immer darauf geachtet, nicht mehr als zweihundert Bücher zu besitzen; frag mich nicht, warum. Vielleicht braucht er nicht mehr, sagte der Junge. Vielleicht, sagte das Mädchen und zerrte an ihrem sackgleichen Pullover.

Als Manni sich eine Zigarette ansteckte, blitzte seine dünne Halskette auf und die vergoldete miniaturhafte Rasierklinge, die er als Anhänger trug. Er knöpfte den Hemdkragen zu. Er legte die Zigarette auf den Rand des Aschenbechers und ging zum Musikautomaten hinüber, wo er einen Augenblick unentschieden und fast verwirrt dastand, als hätte er vergessen, was ihn dorthin geführt hatte; dann richtete er sich auf und sah verlegen zu Vera hinüber mit leicht angehobenen Händen; bevor er an den Tisch zurückkehrte, steckte er zwei Münzen in einen Spielautomaten, achtlos, ohne einen einzigen Blick auf die Lampen und rotierenden Scheiben zu werfen.

1333

Das Mädchen beachtete ihn nicht, es nickte zum Haus hinüber: Siehst du, daß es dunkel bleibt bei ihm? Am Dienstag ist er nie zu Hause, an jedem Dienstag trifft er sich mit ihr in der Stadt, garantiert. Mit wem, fragte Manni. Mit Mutter, sagte sie; seit ihrer Scheidung treffen sie sich an jedem Dienstag, sie kommen gut miteinander aus. Mußte das sein? fragte der Junge. Seine Arbeit, sagte das Mädchen und zuckte die Achseln, er kam nicht mehr zurecht mit seiner Arbeit, darum haben sie sich getrennt. Er schreibt doch nur, sagte der Junge, und Vera darauf: Eben. Nach einer Weile setzte sie hinzu: Geschichten, er schreibt immer nur Geschichten, ich weiß nicht einmal, wie viele Bände er schon geschrieben hat. Kennst du sie nicht? fragte Manni, und es lag ein schwaches Erstaunen in seiner Frage. Früher, sagte Vera, da hab ich sie gelesen, früher waren seine Geschichten auch besser, aber jetzt ... Er wiederholt sich so oft, weißt du.

Der Junge wandte ihr sein Gesicht zu, ein weiches, breites Gesicht, auf dem ein beständiger Ausdruck von Unbehagen lag; er sah sie lange an, ehe er fragte: Aber er hat doch einen Namen? Wie man's nimmt, sagte Vera, vielleicht bei denen, die ihm ähnlich sind. Für ihn zählt immer nur die schlimmste Möglichkeit, das hat er selbst mal gesagt: Geschichten haben nur einen Sinn, wenn sie die schlimmste Möglichkeit von etwas zeigen; die allein möchte er erfinden. Vera glaubte, daß er darüber nachdachte, doch plötzlich fragte Manni: Er ist ziemlich schwer, dein Alter, nicht? Ziemlich, sagte das Mädchen, schwer und fast kahl, aber immer noch beweglich. Ich hab mal ein Photo von ihm gesehen, sagte der Junge. Wenn du ihn so siehst, sagte das Mädchen, du könntest denken, er geht in Trauer; dazu immer schlecht rasiert.

Ein alter Mann kam herein, grußlos; er stäubte sich den Schnee von der Wolljacke, schlurfte an der Theke vorbei und setzte sich an einen Tisch neben dem Eingang zur Küche. Mit gesenktem Gesicht wartete er, Unruhe war ihm anzumerken. Er zog eine Blechschachtel aus der Tasche, öffnete sie, starrte auf einige Zigarettenstummel, ohne sie zu berühren. Der Kellner ging in die Küche und kehrte nach einer Weile mit einem Teller Bohnensuppe zurück, die setzte er ausdruckslos vor den Mann hin, der sich nicht bedankte, der nicht einmal aufblickte, sondern sogleich hastig zu essen begann.

Ich könnte auch etwas essen, sagte Vera. Jetzt? fragte Manni verwundert, und nach einer Pause fügte er hinzu: Wir werden essen, wenn ich's hinter mir habe, wenn ich zurück bin. Er sah sie bittend an und ein wenig enttäuscht, er schob ihr seine Hand entgegen, doch sie hatte sich bereits abgewandt und blickte hinaus und sagte leise: Es ist dunkel genug, oder? Der Junge zog ruckweise den Reißverschluß seiner Parka hoch, fischte einige Münzen hervor und reichte sie Vera. Also gut, sagte er und schien nach einem Vorwand zu suchen, um seinen Aufbruch noch ein wenig hinauszuschieben, also gut. Ich warte hier auf dich, sagte das Mädchen. Er stand auf, schob eine Hand in die Tasche, umfaßte die Taschenlampe und bewegte den kleinen Schalthebel hin und her. Drück den Daumen, sagte er und wandte sich unvermittelt ab und ging mit sicheren Schritten zur Tür.

Draußen schlug er den Kragen hoch, drückte sich an die Wand und linste die Straße hinab; weit unten kroch ein Auto durch den Schneefall, sachte, gedämpft, das Licht der Scheinwerfer vereinigte sich nicht, ragte nur kurz und einem leuchtenden Pfahl gleich in das dichte Treiben der Flocken. Er empfand die Kühle als Wohltat. Auf der anderen Straßenseite trat ein Paar aus einem Hauseingang, wortlos schmiegten sich die beiden aneinander und trotteten davon mit hängenden Schultern. Als er sicher war, den langen Torweg ungesehen zu erreichen, machte er sich auf den Weg, nicht überhastet oder nervös, sondern eher schleppend und um Sicherheit für jeden Schritt bemüht. Im Torweg blieb er stehen, lehnte sich an die feuchte Mauer und fühlte sich als ein Teil der Dunkelheit, die hier herrschte. Vergeblich versuchte er, sich gegen das Bild des Mannes zu wehren, in dessen Wohnung er gleich eindringen würde. Zäh behauptete es sich in seiner Vorstellung, das traurige Gesicht mit dem schlaffen Fleisch. So wie er jetzt dastand, würde niemand ein Interesse daran haben, ihn anzusprechen, er spürte es, und er ließ sich Zeit, lauschte kaum, vergewisserte sich nur automatisch: ein langes Atemholen, bevor er aus dem Torweg hinaustrat und auf den nur hüfthohen Maschendrahtzaun zuging, hinter dem das aufgebockte Holzboot lag.

Er wußte, daß sie ihn sah und dann blickweise begleitete, als er über den Zaun stieg, zum Heck des Bootes schlich und sich emporzog und weiter, nach gespanntem Sichern, geduckt zum Bug hinturnte, von dem aus er aufs Dach der Veranda kletterte. Er sah sich selbst einen Augenblick so, wie Vera ihn sehen mußte: als behenden Schatten auf dem Bootskörper und später aufgerichtet und wie erstarrt auf dem Teerpappdach zwischen den beiden dunklen Fenstern. Langsam ging er in die Hocke, arbeitete sich ans Fenster heran und ruckte, zog und ruckte, bis ein Flügel des Fensters sich geöffnet hatte; er brauchte das Messer nicht zu Hilfe zu nehmen, um den Rahmen aus der Verklemmung zu lösen.

Manni streckte die Hand aus, er berührte ein herabgezogenes Rollo, das unter seinen tastenden Bewegungen zu knistern, leise zu knacken begann; behutsam drückte er das steife schwarze Papier von sich weg und spähte in einen dunklen Raum. Er holte die Taschenlampe hervor, doch er schaltete sie nicht ein, er hockte abwartend da und spürte einen Strom von Wärme in seinem Gesicht. Es roch nach kalter Zigarrenasche. Keine Atemzüge, kein Geräusch, solange er auch horchte; bevor er, die Füße voran, in das fremde Zimmer hineinglitt, erwog er einen Augenblick, Vera am Fenster des Lokals ein Zeichen zu geben, vielleicht nahm sie es trotz des Schneefalls wahr; seine Furcht, entdeckt zu werden, riet ihm davon ab.

Kaum hatte er den Boden erreicht, zog er das Fenster zu, schob das Rollo zur Seite und ließ es zurückfallen. Jetzt, regungslos in einer Fensternische, hatte er das sichere Gefühl, nicht allein zu sein in dem unbekannten Raum; deshalb zögerte er, die Taschenlampe einzuschalten. Fest umschloß seine Hand das stabförmige metallene Gehäuse, und er hob es in Bereitschaft, als er einen Seufzer hörte und dann einige unwillige Laute, die wie Selbstvorwurf klangen. Papier raschelte, Finger tasteten sich im Dunkel zu einem Ziel, nach einer hingegrummelten Verwünschung flammte Licht auf, das warme Licht einer altmodischen Schreibtischlampe mit mehrfarbigem Schirm. Vor selbstgefertigten Regalen, gleich neben dem Schreibtisch, lag auf rissiger, lederbezogener Couch ein schwerer Mann mit gedunsenem Gesicht, er trug einen Nadelstreifenanzug, Jacke zugeknöpft; da er im Lichtkreis der Lampe lag, hielt er eine Manuskriptseite schirmend über die Augen. Manni erkannte ihn sofort wieder.

Wie geräuschvoll der Mann auf einmal atmete, nicht beschleunigt, sondern nur geräuschvoll, während er, ein wenig aufgestützt, den Jungen anblinzelte, der immer noch reglos stand und sowohl den Mann taxierte als auch all das, was ihn in Reichweite umgab: den überladenen Schreibtisch, auf dem mehrere unabgewaschene Becher zur Beschwerung auf Manuskriptseiten standen; die Regale, die außer Büchern auch Aschenbecher, mutwillig gewachsenes Wurzelholz und Photographien aufnahmen; die Wolldecke, den Ölofen, das fleckige Kissen, die bronzene Statuette, die wohl eine Gänsetreiberin vorstellte. Was wollen Sie von mir, fragte der Mann, was haben Sie vor? Manni schwieg und rührte sich nicht. Nur mißmutig – keineswegs außer sich oder empört – richtete sich der Mann auf, wischte sich beidhändig, gerade als ob er sich trocken wüsche, übers Gesicht, schüttelte sich leicht, faßte seinen Besucher ruhig ins Auge und ertrug mühelos den Blick. Manni wollte und wollte es nicht gelingen, das Rollo zur Seite zu schlagen, aufs Fensterbrett zu springen, vom Verandadach aufs Boot und dann durch den Torweg zu fliehen und im dicht fallenden Schnee zu verschwinden; er dachte daran, er beschloß und vollzog es in Gedanken – die Flucht gelang ihm einfach nicht. Er hätte nicht sagen können, was es war, das ihn festhielt gegen seine Absicht, das ihn versteift, doch mit äußerster Aufmerksamkeit dastehen ließ; er hatte nur das Empfinden, auf einmal nicht mehr so handeln zu können, wie er es vorhatte.

Ich will Sie nicht drängen, sagte der Mann, aber vielleicht verraten Sie mir erst einmal den Grund Ihres Besuchs; offenbar haben Sie doch bestimmte Absichten. Da der Junge nicht antworten wollte oder konnte, wandte er sich von ihm ab, entnahm einer Holzkiste eine überlange Zigarre, kerbte sie sorgfältig mit einem Messerchen und steckte sie an. Mit bedauernder Geste erklärte er: Sie werden verstehen, wenn ich Ihnen keine anbiete. Er hob das Gesicht, sah wieder zum Jungen hinüber, vermutlich, um die Wirkung des Gesagten festzustellen; plötz-

lich zuckte er zusammen und sackte aus angespannter Haltung nach
vorn, fing sich jedoch gleich wieder und stemmte die Arme gegen die
Schreibtischplatte. Mit säuerlichem Lächeln, mit dem Lächeln der
Verlegenheit saß er leicht schwankend da, seine Augäpfel traten hervor, Schweiß glänzte an den Schläfen.

Da ist kalter Tee, sagte er, in der Kanne, auf dem Bord: bringen Sie
mir einen Schluck. Manni regte sich nicht. Ich kann die Tablette nicht
ohne Flüssigkeit nehmen, sagte der Mann und kippte den Inhalt einer
emaillierten Pillendose auf den Tisch; fällt es Ihnen so schwer? Jetzt
löste Manni sich aus seiner Starre, schnell bewegte er sich zum Bord,
holte, ohne den Mann aus den Augen zu lassen, die Kanne herunter,
trug sie zum Schreibtisch und goß Tee in einen Becher. Während der
Mann die Tablette nahm und mit geschlossenen Augen trank, erkannte Manni auf dem untersten Regal mehrere Wörterbücher.

Danke, sagte Veras Vater und griff nach seiner Zigarre und blickte
den Jungen, der die schwere Taschenlampe immer noch in der Hand
hielt, erwartungsvoll an. In der nahen Küche sprang der Kühlschrank
an; es war so still, daß sie das Klirren von Flaschen hörten. Also, fragte
der Mann, was wollen Sie? Hier ist nichts zu holen, und auf mich
haben Sie es wohl nicht abgesehen. Ich vermute, daß Sie sich in der
Hausnummer geirrt haben; der Uhrmacher wohnt nebenan. Ihm entging nicht das Unbehagen, mit dem der Junge ihn betrachtete, eine
aufkommende Scheu, die ihn allerdings nicht in Versuchung führte,
seine Überlegenheit auszuspielen. Einstweilen, gestand er sich ein, gab
es keine Gewißheiten für ihn, noch mußte er mit allem rechnen. Hier,
sagte er und deutete auf die handgeschriebenen Seiten, hier liegt alles,
was bei mir zu holen ist: beschriebenes Papier. Ich bin Schriftsteller,
falls es Sie interessiert, seit mehr als dreißig Jahren.

Ich weiß, sagte Manni auf einmal, und es schien, als hätte er es gegen
seine Absicht gesagt. Der Mann musterte ihn jetzt freimütig, er hätte es
gern gehabt, wenn der Junge in den Lichtkreis getreten wäre, doch er
wagte es nicht, ihn dazu aufzufordern; mit einer Stimme, die behut-
samen Vorwurf enthielt, sagte der Mann nach einer Weile: Fast, fast
wäre es mir gelungen, einen Schluß zu finden, doch da kamen Sie;
vielleicht werden Sie es nicht verstehen, aber Sie haben mich nicht nur
gestört, Sie haben mich auch um eine Erfahrung gebracht. Wieso,
fragte der Junge. Die Erfahrungen, die ich brauche, sagte der Mann,
mache ich beim Schreiben, und ich war nahe dran.

Bleiben Sie da sitzen, sagte der Junge warnend, bleiben Sie da ganz ruhig sitzen. Der Mann, der versucht hatte, aufzustehen und sich auf den Schreibtischsessel zu setzen, ließ sich zurückfallen und taxierte ohne Überraschung sein Gegenüber und nickte langsam – was wohl bedeutete, daß er ein für allemal verstanden hatte, woran er war. Er öffnete den Kragen, lockerte seinen Schlipsknoten, danach sammelte er die Manuskriptseiten ein, schichtete und beklopfte sie. Wenn Sie wollen, sagte er, können Sie sie mitnehmen, diese unvollendete Geschichte, falls Sie darauf aus sind – bitte. Die Erfahrung, um die es geht, muß sowieso deutlicher werden; noch läßt sich nichts ahnen. Wie meinen Sie das? fragte der Junge, und der Mann darauf, mit verstecktem Lächeln: Die Empfindlichkeit, die Empfindlichkeit für gewisse Augenblicke wird noch nicht geweckt, doch darauf kommt fast alles an: daß wir nach der Lektüre empfindlicher wahrnehmen, was uns selbst betrifft oder umgibt. Er sah, wie ein Ausdruck des Mißtrauens auf dem Gesicht des Jungen entstand, und er begriff sogleich, wie weit er gehen durfte, und sagte: Kann sein, es interessiert Sie sogar, was mir da eingefallen ist, vielleicht verstehen Sie das sogar besser als mancher andere. Der junge Mann in der Geschichte ist in Ihrem Alter, auch er hat noch keinen Beruf; Sie sind doch berufslos, oder?

Manni schwieg und stand nur wachsam da, und als ob er ihn in ein Geheimnis einweihte, begann der Mann weiterzusprechen, angestrengt, flüsternd mitunter und besorgt, sein Zuhörer könnte ihm die Aufmerksamkeit entziehen.

Sehen Sie, sagte er, auch der Held in meiner Geschichte, Ihr Altersgenosse, hatte sich etwas Besonderes vorgenommen, dort im Norden, in der heruntergekommenen Hafenstadt, die ihre großen Tage zur Zeit der Walfänger gehabt hatte und nun vor allem von ramponierten Fischkuttern und alten Küstenmotorschiffen aufgesucht wurde, die ins Dock gehen mußten. Ich habe ihn Detlev genannt. Detlev – ein junger Mann wie Sie, hochgewachsen, einzelgängerisch; im Sommer verbrachte er manche Nacht allein in den Sanddünen. Sein Vater, der als Wächter in einem Auktionshaus angestellt war, hatte es längst aufgegeben, ihn zu geregeltem Familienleben zu bekehren, und lebte neben ihm her in wortarmer Erbitterung.

Warum erzählen Sie mir das, fragte der Junge unruhig, warum? Sie sollten sich hinsetzen, sagte der Mann, sitzend hört es sich besser zu, also nehmen Sie schon den Stuhl. Ohne abzuwarten, wie der Junge sich entschied, eifrig und dennoch beherrscht, fuhr er in seiner Erzählung fort: An einem Abend im August beobachtete Detlev, wie der Hausmeister des schäbigen Seemannsheims seinem Vater einen prallen, aus imprägniertem Segeltuch gefertigten Seesack aushändigte und ihm dabei half, die Last auf den Rücken zu heben. Der Hausmeister blieb vor der Tür stehen und blickte dem Träger hinterher, der sich zuerst zittrig, schwankend, doch dann, als ob er einen dem Gewicht angemessenen Schritt gefunden hätte, stolpernd und schlurfend entfernte, immer sicherer, wenn auch mühselig und mit nur bescheidenem Raumgewinn.

1339

Detlev trat von hinten an den Hausmeister heran, stand eine Weile still neben ihm und erkundigte sich dann nach der Herkunft des Seesacks. Bereitwillig gab ihm der Hausmeister Auskunft. Der Seesack enthielt das gesamte Eigentum eines alten Steuermanns, der im Seemannsheim gestorben war; da er keine Angehörigen hatte, sollte sein Besitz nun versteigert werden, verschlossen und in einem Stück. Als Detlev darauf hinwies, daß man ja nicht bieten könne, wenn man nicht wisse, was ein Seesack enthält, sagte der Hausmeister nur knapp: Das ist Gesetz bei uns, Tradition und Gesetz. Der Nachlaß eines Seemanns wird verschlossen und als ein einziger Posten verauktioniert. Das endet wohl immer mit Enttäuschung, sagte Detlev. Sicher, sagte der Hausmeister, doch oft auch mit angenehmer. Zögernd gestand er eine gewisse Erleichterung ein: der Steuermann sei ein schwieriger Insasse gewesen, zänkisch, rachsüchtig, mit allen überquer, kein Tag sei vergangen, an dem er nicht Mitbewohner verdächtigte, ihn bestohlen zu haben. Diese Sorge bin ich los, sagte der Hausmeister.

Nicht schon hier, doch bald darauf, im Hafen, beim Anblick zweier Matrosen, die ihre zur Hälfte gefüllten Seesäcke an Bord eines Spezialschiffes schleppten, das nach Kanada auslaufen sollte, hatte er einen Einfall, der ihn sogleich handeln ließ. Er wußte, daß die nächste Auktion für den folgenden Tag angesetzt war, und er verließ seinen Lieblingsplatz am Hafen – die morschen, hölzernen Aufbauten eines Fischkutters, die man einfach auf die Pier gesetzt hatte – und schlenderte in die Stadt zurück.

Gerade hatte der Junge sich gesetzt, mit klammen Bewegungen, als befände er sich in einem Bannkreis; er hielt die schwere Taschenlampe in den Händen und blickte aus schmalen Augen auf den Mann, der sich jetzt nicht allein an ihn zu wenden schien, sondern, während er sprach, an ihm vorbeisah mit fragendem Ausdruck, wie auf Bestätigung hoffend.

Daß der Junge sich setzte, übersah er oder nahm es nur beiläufig zur Kenntnis; die größere Beachtung schenkte er nun dem anderen, Detlev, der ihm offenbar mehr abverlangte an begleitender Aufmerksamkeit.

Sehen Sie, so begann er wieder, und dann lieh Detlev sich in der Schlosserei, in der er selbst vorübergehend gearbeitet hatte, Rohrzange und Patentschlüssel; das Werkzeug erhielt er vom Sohn des Eigentümers, dem er eine ausgefallene Leihgebühr versprach, einen Sextanten. In der Eisdiele, die er danach aufsuchte, hatte er für einige Bekannte nur abweisende Freundlichkeit übrig; er setzte sich allein in eine Ecke, dorthin, wo das Licht der bunt bemalten Birnen ihn nicht erreichte, und wartete, bis Karen zu ihm kam, die Kellnerin. Unwillig wie immer in der letzten Zeit trat sie an den Tisch, nur darauf aus, seine Bestellung anzunehmen – ein großäugiges, knochiges Mädchen, dessen Haar so glatt an der Kopfhaut lag, als sei sie gerade aus dem Wasser aufgetaucht. Die Leinentasche, in der das Werkzeug lag, musterte sie argwöhnisch. Ihr Blick enthielt schon ihre Meinung über ihn. Ja, Detlev, was willst du haben?

Er nickte sie zu sich heran, näher, noch näher, sie gehorchte widerstrebend, und stichwortartig weihte er sie in seinen Plan ein: nichts sollte mitgehen, das vor allem; er wollte nur herausbekommen, was der Seesack des toten Steuermanns enthielt; wenn er das wüßte, könnte er auf der Auktion einen Vorteil ausspielen, gewinnen, so viel gewinnen, daß er endlich in der Lage wäre, seine alten Schulden an Karen zurückzuzahlen. Um bieten zu können, müßte sie ihm allerdings noch einmal etwas leihen, zum letzten Mal. Er forderte sie auf, nach Dienstschluß zu ihm zu kommen und sich persönlich davon zu überzeugen, daß es ihm nur darauf ankam, sich das Wissen zu verschaffen, das ihn allen anderen überlegen machte; vom Inhalt des Seesacks werde nichts fehlen, bestimmt nichts.

Karen ließ ihn im ungewissen; er ging nicht fort, er löffelte nacheinander mehrere Portionen Zitroneneis, die sie ihm flüchtig hinsetzte, und hörte nicht auf, ihr mit den Blicken zu folgen. Er wartete, bis die letzten Gäste gegangen waren und Karen abgerechnet hatte, und als sie dann an seinen Tisch kam, brauchte er sie nicht mehr zu fragen, da ihre Haltung eine einzige stumme Aufforderung ausdrückte.

Anscheinend gab es von ihr aus nichts mehr zu sagen auf dem Weg zum verlassenen Marktplatz, an dem das Auktionshaus lag, ein altes, ehemaliges Kaufmannshaus, dessen Keller zu Lagerräumen ausgebaut war. Sie hörte nur seinen Ankündigungen zu, den aufgeräumten Voraussagen, die er nicht müde wurde zu wiederholen. Wirst sehen, daß uns allerhand erwartet; vielleicht etwas aus Mexiko; in dem Seesack steckt sein ganzes Eigentum. Wir werden bieten, bis die anderen abwinken, du kannst dir alles nehmen, was dir gefällt, und von dem Rest bezahle ich die Schulden. Es war einer dieser sommerlichen Abende im Norden, ein weißgrauer Schimmer hielt sich am Horizont; obwohl es eine Stunde vor Mitternacht war, herrschte keine entschiedene Dunkelheit.

1341

Der Mann unterbrach sich, sah überrascht auf Manni, der aufgestanden war, hastig seine Taschen abklopfte, doch nicht zu finden schien, wonach er suchte. Fehlt Ihnen etwas? fragte der Mann. Da er keine Antwort bekam, fragte er noch einmal: Brauchen Sie etwas? Eine Zigarette vielleicht? Der Junge schüttelte den Kopf und setzte sich wieder, seine Hand fuhr hoch, es wirkte wie ein ungeduldiges Zeichen.

Gut, sagte der Mann, bis dahin waren wir gekommen, bis zum Auktionshaus. Und nun müssen Sie sich vorstellen, wie Detlev, während das Mädchen gemächlich bei einer elektrischen Uhr auf und ab ging, ein Kellerfenster öffnete, ohne Geräusch, einfach, indem er Schmierfett dick auf ein Sacktuch auftrug und die Scheibe so berechnet zerbrach, daß fast alle Glassplitter am gefetteten Tuch klebenblieben. Bevor er, Füße voran, wegtauchte, winkte er ihr noch einmal zu, zuversichtlich. Licht brauchte er nicht, da ihn der Schein der Straßenlaterne, wenn auch nur mehr schwach, die Konturen der Gegenstände erkennen oder doch zumindest ahnen ließ, Schränke und Sessel und Vitrinen, eingerollte Teppiche, Truhen, Tische, die Geschirr und Silberzeug trugen – all die Dinge, die dem Hammer verfallen waren. Sorgsam zwängte er sich durch schmale, übriggelassene Gänge, streifte tastend von Raum zu Raum, in einer Glasvitrine, die offenstand, erfühlte er Broschen, Ketten, offenbar silberne Döschen, er berührte sie nur, steckte nichts ein. Er bedauerte, keine Lampe bei sich zu haben.

Auf einem geschlossenen Wäschekorb lag oder vielmehr stand – ein bißchen zusammengesackt und in eine Ecke gelehnt – der Seesack. Ein Drahtstropp, der durch alle Löcher gezogen war, schloß ihn fest ab, die beiden Enden des Drahtstropps wurden von einem schweren, galvanisierten Schloß zusammengehalten. Detlev kippte den Sack um und kniete sich hin; so hatte er ihn in Schulterhöhe vor sich. Forschend betastete er den Sack, drückte, rieb; er erfühlte nichts Bestimmtes, nichts, was er präzis ausmachen und benennen konnte, nur Weiches, Zähes, aber auch Gegenstände von kantiger Härte. Er ging den Ring mit den Patentschlüsseln durch, er probierte einen nach dem anderen an dem Schloß, das seine ganze Handfläche einnahm; die Rohrzange wollte er erst gebrauchen, falls keiner der Schlüssel passen sollte. Es gelang Detlev, das Schloß zu öffnen.

Nachdem er den Stropp gelockert hatte, zerrte er den deckenden Latz heraus, weitete die Öffnung des Seesacks und legte eine Hand auf den Stoff, der zuoberst lag; er fühlte sich kühl an und glatt und fiel zurück, sobald die Finger ihn losließen; es mußte Seide sein. Es war Seide, wie Detlev im Aufflackern des Streichholzes erkannte, dunkelrote, bestickte Seide, mit einer Zierkordel zum Päckchen verschnürt. Er hob es heraus und legte es auf den Wäschekorb, und danach grub und wühlte er sich in die Hinterlassenschaft des toten Steuermanns. Zuerst befühlte er jedes Stück, vermaß und begutachtete es im Dunkeln, sodann legte er es auf den Wäschekorb, und wann immer er sich genaue Kenntnis verschaffen wollte, riß er ein Streichholz an. Etliche Paar Wollstrümpfe brachte er zum Vorschein, einen Beutel mit Rasierzeug, einen Packen Briefe, Segeltuchschuhe, mehrere Baumwollhemden und plötzlich einen Holzkasten. Hastig öffnete er ihn; im Licht des Streichholzes blitzten die Messingteile eines Sextanten. Detlev war glücklich, er war weniger überrascht als glücklich. Noch hatte er den Seesack nicht einmal zur Hälfte ausgeräumt.

Dem kleinen, ausgestopften Kaiman, den er fürsorglich hervorhob, zeigte er in Entdeckerfreude die eigenen Zähne, und er wiegte bedenklich den Kopf, als er eine Photographie unters Licht brachte, die eine tonnenförmige, halslose Frau auf einem Schemel stehend zeigte, bei der Apfelernte, lachend. Ein verschlossenes Lederetui verriet schon bei der ersten Berührung, daß es Münzen barg. Detlev verzichtete darauf, es zu öffnen, legte es jedoch für sich auf den Wäschekorb; ebenso wie den Tabakbeutel, der Metallenes enthielt, Ringe vermutlich, eine Taschenuhr mit Kette.

Ein plötzlicher Luftzug ließ ihn innehalten, kein Geräusch, sondern ein fühlbarer Strom von kühler Luft, irgendwo mußte lautlos eine Tür geöffnet worden sein, irgendwo stand jemand und lauschte. Bei dem langsam fallenden Schritt, der aus unbestimmter Höhe kam, duckte sich Detlev hinter den Wäschekorb und glaubte zusätzliche Deckung zu finden hinter dem vor ihm liegenden Seesack. Besorgt tastete Detlev nach seinem Werkzeug; kann sein, daß bei der Berührung des Rings zwei Schlüssel klingend gegeneinanderfielen. Der Strahl der Lampe fand ihn sofort. Schon beim ersten Aufflammen war er im Lichtkegel. Geblendet hob er seinen Ellenbogen vor das Gesicht.

Kein Wort, der Wächter, der ihn gestellt hatte, sagte kein Wort; er hielt ihn nur im Licht fest, stumm, ausdauernd. Detlev richtete sich auf, machte einen Schritt zur Seite und sagte: Mach die Funzel aus, und nach einer Weile: Hör auf, mich zu blenden. Er wandte sich ab, drehte sich jedoch in plötzlichem Verdacht wieder um und fragte in das Dunkel hinein: Bist du es? Ja, sagte Detlevs Vater, ja, ich bin es. Mit vorgestreckten Händen ging Detlev auf die Quelle des Lichts zu, er schwankte, er stieß sich an Tischkanten und Schränken; als er nah genug zu sein glaubte, blieb er stehen und sagte leise: Glaub mir, ich wollte nichts mitgehen lassen. Kein einziges Stück wollte ich nehmen. Alles, was ich wollte: rausbekommen, was in dem Seesack steckt.

Jetzt versenkte Manni seine Taschenlampe in die Parka, zog eine Streichholzschachtel heraus und fragte den Mann, ob er zufällig Zigaretten hätte, worauf Veras Vater ihn einen Augenblick prüfend musterte und ihm dann mit rätselhafter Genugtuung ein ganzes Päckchen zuwarf: Bedienen Sie sich, nur zu.

Fester, selbstsicherer wurde der Tonfall seiner Erzählung, als er fortfuhr: Sie standen sich gegenüber in dem vollgestopften Kellerraum, der eine im Strahl der Lampe, der andere nur kenntlich als übergroßer Schatten in dem zurückgeworfenen Licht; sie schienen sich zu entscheiden, jeder auf seine Art, und dann sagte Detlev bittend: Du mußt mir glauben; komm und überzeug dich, dann wirst du mir glauben. Unwillkürlich wich er zurück, zäh und gespannt, gleichsam als wollte er den Mann auffordern, ihm zu folgen und den Inhalt des Seesacks zu kontrollieren. Beim Wäschekorb bückte Detlev sich, wies auf die Dinge, die er dort gestapelt oder für sich gelegt hatte. Nichts fehlt, sagte er, und es sollte auch nichts fehlen, Karen wird es dir bestätigen, sie steht draußen. Eilfertig raffte er mehrere Paar Strümpfe zusammen und warf sie in den Seesack, tauchte mit einem Arm hinein und stopfte nach, tief, energisch und offensichtlich bereit, den gesamten nachgelassenen Besitz des toten Steuermanns wieder zu verstauen.

1343

Mit schräggelegtem Kopf und bis zur Schulter weggetaucht, so preßte er die Dinge in den Sack hinein, und mitten in dieser beflissenen, furchtsamen Geschäftigkeit, das Scharren und Reiben und auch seinen heftigen Atem übertönend, war plötzlich ein Schlag zu hören, hart und schnappend, ein metallischer Schlag, der gedämpft wurde durch das imprägnierte Tuch des Seesacks. Detlev stöhnte auf. Er warf den Oberkörper zurück. Er stieß einen kleinen Angstschrei aus und versuchte nur noch, seine rechte Hand aus dem Seesack zu ziehen. Es gelang ihm nicht. Sosehr er auch zerrte und ruckte, er schaffte es nicht; wie vernietet blieb seine Hand im Seesack stecken. Hilf mir doch, rief er, mein Gott, hilf mir doch.

Ohne das Licht von ihm zu nehmen, ging der Wächter auf Detlev zu, er zögerte noch, ihm beizustehen – vermutlich, weil er sichergehen wollte, daß es keine List war –, dann aber legte er die brennende Taschenlampe auf einen Tisch, langte beidhändig in den Seesack und warf heraus, was Detlev bereits wieder verstaut hatte. Schon erfühlte er einen Eisenbügel und eine Metallfeder; es war der Eisenbügel, der Detlevs Hand beklemmte und festhielt. Detlev hörte nicht auf, zu stöhnen und zu wimmern und zur Eile anzutreiben. Ist schon gut, sagte sein Vater einmal, und das war alles. Sie erkannten sogleich, daß das, was sie gemeinsam aus dem Seesack hoben und zogen, eine Falle war, eine starke Biberfalle, besetzt mit einer Reihe scharfer Eisenzähne; sie hatte gespannt auf dem Grund des Seesacks gelegen oder gewartet. Ratschend hatten sich die Zähne in der Hand festgesetzt, zwei Fingerkuppen waren nahezu durchtrennt; Detlev war außerstande, die Bügel allein aufzuklappen und sich zu befreien. Wimmernd verlangte er: Mach schon, ich halt es nicht mehr aus, klapp doch das Ding auf, doch sein Vater ging nur geruhsam daran, die Hand aus der Falle zu lösen, er mußte schließlich das Gewicht seines Körpers einsetzen, um die Bügel auseinanderzudrücken. Und danach schlang er sein Taschentuch um die verletzte Hand und sagte lediglich: Los, komm; auf die Frage Detlevs: Du willst mich doch nicht anzeigen? gab er keine Antwort.

Jetzt legte der Mann seine Hände auf der Tischplatte zusammen und schwieg und schien entschlossen, so lange zu schweigen, bis der Junge, der ihm keineswegs mehr lauernd und achtsam, sondern bestürzt gegenübersaß, von sich aus reagierte.

Plötzlich stand der Junge auf, zog die schwere Stablampe aus der Tasche und schob sich, nach einem Augenblick der Unentschiedenheit, an den Tisch heran. Wie zufällig glitt sein Blick über die Bücherregale bis hinab zu den Wörterbüchern und, ohne auf ihnen ruhen zu bleiben, an dem Mann vorbei zu den geschichteten Manuskripten. Er zog die Seiten zu sich heran. Er schaltete die Taschenlampe ein und richtete den Schein auf den Text. Er las ausdruckslos und anscheinend ohne etwas aufzunehmen, während der Mann ihn aus den Augenwinkeln beobachtete. Auf einmal beugte sich der Junge über das Manuskript, sah fragend auf, als habe er eine wichtige Entdeckung gemacht. Beunruhigt fragte der Mann: Ist etwas?, und nach einer Weile: Stimmt etwas nicht?, und der Junge darauf, unsicher: Hier steht aber was anderes; von einem Schönheitssalon wird erzählt, von Rita, einer Masseuse, und von einer alten Frau und ihrem Schmuck und ihrer Pigmentstörung; außerdem heißt der Titel: Der Wettkampf. Der Mann lächelte und sagte: Ich weiß, aber was Sie gelesen haben, ist nur der Anfang; die Hauptperson der Geschichte ist ein junger Mann in Ihrem Alter, der Freund der Masseuse, berufslos, ein Träumer, der sich selbst einen Anwalt der ausgleichenden Gerechtigkeit nennt. Ratlos starrte der Junge ihn an, ratlos und mit aufkommendem Argwohn, und dann fragte er: Und die Geschichte mit dem Seesack, alles, was Sie mir gerade aufgetischt haben? Oh, sagte der Mann, diese Geschichte hat sich so ergeben. Sie selbst haben sie angeregt.

1345

Da wandte Manni sich abrupt um und ging zum Fenster und schlug das Rollo zur Seite. Der Schwung, der ihn aufs Fensterbrett hinauftragen sollte, reichte offenbar nicht aus, er mußte ein zweites Mal ansetzen. Keine Geste mehr zum Abschied, kein Blick ins Zimmer zurück, lautlos ließ er sich aufs Teerpappdach hinabgleiten und duckte sich weg. Er ließ das Fenster offenstehen und nahm sich nicht die Zeit, darauf zu warten, daß es von innen geschlossen würde, doch vor dem zweiten Fenster verhielt er und linste – weniger aus Neugierde als aus einem instinktiven Bedürfnis nach Sicherheit – durch einen schmalen Spalt zwischen Sims und Rollo in die Wohnung. Der Mann trank, oder vielmehr, er versuchte, von seinem kalten Tee zu trinken; seine Hand zitterte so sehr, daß er den Becher absetzte und ihn nach einer Weile mit beiden Händen an den Mund hob und es auch so nicht verhindern konnte, daß ein wenig von der Flüssigkeit überschwappte.

Manni wagte es nicht, vom Dach auf das aufgebockte Motorboot hinabzuspringen, er hängte sich einfach an die Dachrinne und ließ sich fallen.

Vera saß nicht mehr am Fenster des Lokals; er sah es sofort, und nachdem er über den Zaun geklettert war, begann er zu laufen. Das Schneetreiben war dünner geworden; dort, wo der Torweg auf die Straße mündete, säuberte ein Mann die Windschutzscheibe seines Autos, sein Radio war eingeschaltet. Noch bevor Manni ihn erreichte, trat Vera aus dem Schatten und sagte erleichtert: Endlich, ich dachte schon, da ist was passiert. Nichts, sagte Manni, da ist nichts passiert. Er legte ihr eine Hand um die Schultern und zog sie mit sich. Aber die Wörterbücher, fragte das Mädchen, du hast sie doch gefunden? Klar, sagte der Junge, aber da war nichts; da ist überhaupt nichts zu holen.

1984

Das serbische Mädchen

Alle, alle werden sie am Bahnhof sein, wenn ich nach Hause komme; sie werden mich umarmen und in meinem Gesicht forschen; ihre Fassungslosigkeit wird sich ebenso zeigen wie ihre Bekümmerung, und flüsternd werden sie fragen: Stimmt es? Stimmt es wirklich mit Dobrica? War sie tatsächlich dort oben in Hamburg? Und trifft es zu, daß sie jetzt bei uns im Gefängnis ist?

Und dann werde ich ihnen erzählen, nicht gleich zwar, nicht auf dem Bahnhof; ich werde ihnen Geduld abverlangen, bis wir alle an dem langen Tisch unter den Nußbäumen sitzen werden, und dann sollen sie hören, was ich erfahren habe, von ihr selbst, in der großzügig bemessenen Besuchszeit. Oh, Dobrica, kleine Schwester, du mit deiner Magerkeit und den großen dunklen Augen!

Zuerst werde ich ihnen bestätigen, was sie bereits wissen oder seit langem vermutet haben: Dobrica hatte ihren heimlichen Aufbruch sorgfältig vorbereitet. Als sie merkte, was geschehen war, und ihren Entschluß gefaßt hatte, ging sie zu Lalić und versetzte die goldene Kette, die sie zum Abitur bekommen hatte, und weil die Summe nicht ausreichte, suchte sie ihre ehemaligen Mitschüler auf und lieh sich einen Betrag zusammen, der zumindest für die Hälfte ihres Vorhabens auszureichen schien. Und so, daß keiner im Hause etwas merkte, sammelte sie in Großvaters altem Schilfkoffer alles, was sie für unentbehrlich hielt: zwei dünne Kleidchen, den marineblauen Pullover, etwas Unterwäsche und ihre weißen Söckchen, und obenauf, damit sie es immer gleich zur Hand hätte, legte sie das serbokroatisch-deutsche Wörterbuch, in dem zwei Photos und ein Brief von Achim steckten. Keiner von uns, Dobrica, weiß, warum du sie nie rahmen ließest und bei dir aufstelltest, diese beiden Photos, die Achims hochgewachsene Gestalt einmal in Badehose zeigte, ausgerüstet mit Taucherbrille und Harpune, und ein andermal als fröhlichen Reisenden, der dem Betrachter aus einem Zugabteil eine Bierflasche entgegenhält.

Und sie sollen erfahren, daß Dobrica im ersten Morgengrauen zum Bahnhof ging und sich, da noch alles still und verschlossen war, auf eine Bank setzte und bei zunehmendem Licht in ihrem Wörterbuch las, sich immerfort Namen und Begriffe einfallen ließ und sie nachschlug und für sich wiederholte. Von dem Brot, das sie sich mitgenommen hatte, gab sie den dreckigen Bahnhofsspatzen ab, die sie fordernd umhüpften. Ihr Geld trug sie in einem kleinen, leinenen Brustbeutel, den sie selbst angefertigt hatte. An diesem Morgen war sie die erste, die sich eine Fahrkarte kaufte; sie löste sie nur bis zur Grenzstation und wartete fernab von den andern Reisenden auf das Einlaufen des Zuges. Sie hatte vorausgesehen, daß dies der schwerste Augenblick sein würde – das Warten auf den Zug, der schon sichtbar um die leuchtende Bucht herumkroch –, und es hätte auch nicht viel gefehlt, und sie wäre heimgekehrt mit ihrer Bürde und hätte sich uns anvertraut. Sie trug ihr Kleid mit den aufgedruckten Mohnblüten, und wer sie darin sah, dünngliedrig, mit kurzgeschnittenem Haar, hat sie gewiß für eine Schülerin gehalten. Die Reisenden in ihrem Abteil, Landleute und Arbeiter, boten Dobrica von ihrem Frühstück an, einen Becher Limonade, Brot und kaltes Fleisch.

Wie oft, kleine Schwester, haben wir uns über deinen Appetit gewundert; du, die Zarteste von uns allen, konntest essen wie die Lastenträger unten am Hafen. Ich werde ihnen zu Hause erzählen, wie Dobrica, die wir von klein auf Streichhölzchen nannten, die wir für scheu, für versponnen und unselbständig hielten, allein bis zur Grenzstation fuhr und von dort aus – noch bevor sie zum Parkplatz der Transit-Laster ging – jenen Brief schrieb, den wir ungläubig lasen und wieder lasen, einfach, weil keiner von uns ihr zugetraut hatte, solch eine Entscheidung zu treffen. Sie gab uns mehr als ein Rätsel auf; am wenigsten konnten wir uns die Bemerkung erklären, sie müßte nach Hamburg, um das passende Stück zu einem zerbrochenen Löffel zu finden; wir nahmen es als ein Beispiel ihrer kindlichen Rätselsprache,

1347

in der sie sich oft genug geäußert hatte. Immerhin bat sie uns in ihrem Brief, nicht enttäuscht zu sein, und versprach, nach Hause zu kommen, sobald alles sein gutes Ende gefunden hätte.

Ohne Paß, ohne ein einziges Dokument wäre wohl keiner von uns über die Grenze nach Österreich gekommen, doch sie – lebensfremd, wie wir glaubten, träumerisch und hilflos vor den Forderungen der Praxis –, sie suchte und fand einen Laster, der Schaffelle geladen hatte, und nicht nur dies: es gelang ihr, den gutmütigen Fahrer so sehr von der Dringlichkeit ihrer Reise zu überzeugen, daß er, zu jedem Risiko bereit, Dobrica und ihren Schilfkoffer zwischen Fellen versteckte, ohne das Geringste von ihr zu erwarten.

Auf der Fahrt durch Österreich durfte sie neben ihm im Führerhaus sitzen, er steckte voller Geschichten und brauchte jemanden, der ihm zuhörte, und staunender und geduldiger als Dobrica kann keiner zuhören, sie mit ihren großen Augen. Kein Wunder, daß er sie in der Stadt, in der seine Fahrt endete, auch noch zum Bahnhof brachte und ihr eine Melone schenkte zum Abschied.

Daß sie an der Grenze nach Deutschland aufgegriffen wurde, lag nur an ihrer Arglosigkeit – ah, Dobrica, wie konntest du annehmen, daß man in einer Zugtoilette leicht über die Grenze kommt –, denn sie glaubte tatsächlich, daß mit Ausdauer alles gewonnen sei, aber als sie den kleinen Besetzt-Riegel umlegte und auf den Gang trat, zeigte es sich, daß ein Uniformierter zumindest ebensoviel Ausdauer besaß. Im Dienstabteil wurde sie verhört; sie antwortete, indem sie ihr Wörterbuch zu Rate zog, gewissenhaft nachschlug und dem Uniformierten mitunter mehrere Bedeutungen eines Wortes zur Auswahl anbot – was den Beamten nicht nur verlegen, sondern auch ungeduldig machte. Bei einem unerwarteten Halt auf freier Strecke unterbrach der Mann das Verhör und verließ das Abteil, um sich nach der Ursache zu erkundigen, fest davon überzeugt, daß das sanftmütige und ergebene Geschöpf, das zwar mühsam, doch bereitwillig ein Geständnis ablegte, auf seine Rückkehr warten würde. Dobrica wartete nicht. Sie sah das Maisfeld draußen, griff ihren Koffer, öffnete gegen jede Vorschrift die Zugtür, rutschte die Böschung hinab und erreichte mit wenigen Schritten ein grünes Versteck. Dort duckte sie sich – besorgt, daß die aufgedruckten Mohnblüten auf ihrem Kleid sie verraten könnten – und hielt aus, bis der Zug davongefahren war.

Und zu Hause sollen sie erfahren, wie Dobrica auf dem schmalen

Pfad neben den Geleisen bis zur nächsten kleinen Station lief, in einer Bank auf dem Bahnhofsplatz Geld wechselte, eine Fahrkarte für den Vorortszug und später eine für den Intercity nach Hamburg kaufte, nun angstlos und unbehelligt. Junge Soldaten, die das Ende ihrer Dienstzeit feierten, drängten in ihr Abteil; sie trugen Wanderstöcke, und an ihren Strohhüten flatterten bunte Bänder. Ein Berg von Bierdosen wurde unter dem Fenster gestapelt. Mehrere Transistoren, auf verschiedene Sender eingestellt, lärmten um die Wette. Weil sie fürchtete, daß die Soldaten sich beleidigt fühlen könnten, wagte Dobrica nicht, das Abteil zu verlassen – sie nahm eine Scheibe Wurst, die man ihr anbot, trank auch ein wenig Bier. Auf alle Fragen schüttelte sie den Kopf und zeigte nur auf ihr Wörterbuch. Nach und nach stiegen ihre Mitreisenden aus, laut und schwankend verabschiedet, und die beiden, die übrigblieben, begannen zu singen, leise und mit schleppender Stimme, und als Dobrica merkte, daß die Soldaten für sie sangen, dankte sie ihnen mit einem eigenen Lied. Ah, Dobrica, immer hattest du deine eigene Art von Höflichkeit, die auch ohne Worte auskam.

Jeder von uns hätte nach der abendlichen Ankunft in der fremden Stadt zunächst eine Bleibe gesucht; hätte sich ausgeschlafen und wäre am folgenden Tag zu seinem Ziel aufgebrochen – doch nicht Dobrica. In der Trübnis der Bahnhofshalle, den Brief in der Hand, befragte sie so lange Passanten, bis einer sich die Zeit nahm und sie zu dem Bahnsteig brachte, von dem die S-Bahn nach Bahrenfeld ging. Es war wohl zehn Uhr, als sie dort ankam, nur wenige Reisende stiegen aus, Wind ging, und es regnete leicht, und gleich die erste Frau, der sie den Absender auf dem Brief zeigte, war vertraut mit dem Straßennamen und forderte sie auf, mit ihr zu gehen. Sie brachte sie vor das doppelstöckige Haus, in dem noch Licht brannte, stieß das schmiedeeiserne Gartentor auf, ließ Dobrica eintreten und ging weiter. Erst nach mehrmaligem Klingeln regte sich etwas im Haus, Dobrica hörte gereizte Stimmen, dann schlurfende Schritte, und als die Haustür endlich geöffnet wurde, stand Achims Vater vor ihr, ein fülliger Mann mit knotiger Stirn, angetan mit einer schlappen Hausjacke. Mißtrauisch blickte er sie an, nahm den Brief, den Dobrica ihm zur Legitimation hinhielt, nicht zur Kenntnis. Über sie hinweg spähte er in den Vorgarten hinaus, gerade als vermute er, das Mädchen sei nur von einem anderen vorgeschickt worden, der im Dunkeln lauerte. Sie nannte ihren und Achims Namen, stoppelte sich etwas zurecht, das dem Mann begreiflich machen sollte, woher sie

kam und wie dringlich sie Achim sprechen mußte; er hörte sie nur
unwillig an und war nahe daran, die Tür zu schließen. Aber dann
tauchte die grauhaarige Frau auf, wortlos schob sie den Mann zur Seite,
einige prüfende Blicke auf Dobrica, den Brief, den Schilfkoffer genügten, und der späte Besuch durfte eintreten.

Ein ganzer Packen nicht zu Ende geratener Kreuzworträtsel wurde
vom Tisch geräumt. Es gab gesüßten Tee mit Rum. Während der
Mann sich bald nur noch für das Material des Koffers interessierte und
für das befranste Handtäschchen aus Ziegenleder, ergründete die Frau
mit gleichbleibender Freundlichkeit Dobricas Herkunft und ihre Verbindung zu Achim.

Glaub mir, kleine Schwester, ich kenne den Schmerz, der unweigerlich entsteht, wenn du keine Worte hast für das, was du denkst und
fühlst und sagen möchtest. Das Wörterbuch half ihnen mehr als erwartet, das Nötigste zu erfahren. Achims Mutter hörte zum ersten Mal
die Geschichte des letzten Sommers: also von der Panne und der Hilfe
und der Wiederbegegnung am Strand und von den wilden Bienen und
ihren Stichen und von der Salbe, die Achim half. Auch von einem Fest
erfuhr sie und von einem Inselausflug und einem Versprechen – was
allerdings die abgebrochene Löffelschale besagte, die das Versprechen
besiegelt haben sollte, das verstand die Frau nicht.

Und Dobrica erfuhr, daß Achim ausgezogen war, weil ihm Unabhängigkeit viel bedeutete, und daß er für sich lebte in einem Hochhaus
und nicht mehr zur Abendschule ging, weil er sehr früh auf dem
Blumenmarkt sein mußte, wo er einen Lieferwagen übernahm. So
schmal die Wortbrücken auch waren, Dobrica verstand, daß die Frau
sich Sorgen machte um Achim. Der Mann war längst zu Bett gegangen, und sie saßen immer noch und befragten einander. Die Nacht
verbrachte Dobrica auf der Couch in Achims Zimmer.

Als sie dann – zur Mittagszeit – vor ihm stand, war es ihr, als ob er sie
einen Augenblick verblüfft musterte, rätselnd, woher er sie kannte; es
entging ihr jedenfalls nicht, daß er eine Sekunde Mühe hatte, sich zu
erinnern, und weil sie das verzögerte Wiedererkennen schmerzte,
nannte sie ihren Namen, worauf er sie lachend hochhob und in seine
Wohnung trug. Sie vergab ihm, als sie sah, daß er geschlafen hatte. Er
lud sie ein, die Wohnung zu besichtigen, die er »mein kleines Reich«
nannte; seltsamerweise liebte der kräftige Mann grazile Möbel, an den
Wänden hingen ausschließlich Blumenporträts, und aus dem hoch-

gelegenen Fenster des achten Stocks lenkte er ihren Blick über die Dächer von Hamburg. Ihr Wiedersehen feierten sie mit Nußtorte und Rotwein, sie trug ihr Kleid mit den aufgedruckten Mohnblüten, er weißgraue Turnschuhe und ein schwarzes T-Shirt. Mehrmals mußte sie ihm von den Erlebnissen auf ihrer Reise erzählen; sie konnte es, ohne das Wörterbuch zur Hand nehmen zu müssen. Weil sie glaubte, daß es ihr nicht zukam, fragte sie nicht nach seinem Studium und nach seiner Arbeit.

Als sie den Augenblick für gekommen hielt, fischte sie aus ihrem Ledertäschchen die abgebrochene Löffelschale heraus, legte sie lautlos auf den Tisch und beschwor durch diese Geste sogleich jenen Abend am Strand, an dem Achim, nachdem er das Geschirr im Meer abgewaschen hatte, plötzlich einen Aluminiumlöffel zerbrach, ihr die Schale gab und selbst den Stiel behielt und dazu etwas sagte, das sie nicht verstand, nicht zu verstehen brauchte, da sie längst begriffen hatte, was gemeint war und für immer gelten sollte. Er starrte auf die Löffelschale, es gelang ihm, sich zu erinnern, und er stand auf und kramte in zwei Schubladen, kippte eine Holzschale aus, in der Mitbringsel und bedeutungsvolle Nutzlosigkeiten gesammelt waren, er fluchte, überlegte, forschte sogar im Besteckkasten in der Küche – der passende Löffelstiel fand sich nicht. Dobrica hielt ihn davon ab, einen anderen Löffel zu zerbrechen. Sie ließ ihn bei seinen Selbstanklagen, bei seiner Bekümmerung, und hatte nichts zu sagen, als er den Verdacht äußerte, daß der Löffelstiel beim Umzug verlorengegangen sein müßte. Ein Gefühl, das sie nie zuvor gekannt hatte, beherrschte sie auf einmal; sie glaubte, daß ihre Glieder versteiften und sie sich nicht mehr kontrolliert würde bewegen können. Den Kuß, mit dem er sie um Entschuldigung bat, will sie nicht gespürt haben.

Um ihr zu zeigen, wie sehr er sich über ihre Anwesenheit freute, machte er sie mit seinen Plänen vertraut; er erzählte ihr, daß er sein Abendstudium demnächst wiederaufnehmen werde, und so, daß Dobrica sich einbezogen fühlen sollte, entwarf er Möglichkeiten für die Zeit nach dem Examen. Vermutlich weil ihr Schweigen ihn ratlos machte, schlug er ihr plötzlich vor, seine engsten Freunde aufzusuchen; sie kauften Schaschlik und Bratwürste in Warmhaltepackungen, kauften auch Rotwein und fuhren mit dem Bus zu Susi und Piet, die in ihrer Wohnung Hamster und Zwergkaninchen und Landschildkröten hielten. Beim Essen bat er Dobrica, von den Erlebnissen auf ihrer Reise zu erzählen; sie tat es, und an den Blicken, die die anderen tauschten, merkte sie, wie sich alle über ihr Deutsch amüsierten. Achim zeigte dabei sogar einen sonderbaren Stolz. In der Küche bot Susi ihr die Freundschaft an, nahm sie in den Arm und küßte sie auf die Wange. Wie Achim vorausgesagt hatte, war Susi bald bei ihrem Lieblingsthema: Katastrophen, Unfälle, kosmische Bedrohungen. Piet – er war Trickzeichner bei einer Werbeagentur – illustrierte gut gelaunt Susis düstere Prophetien auf losen Blättern.

Immer wieder mahnte Dobrica mit versteckten Zeichen zum Aufbruch, doch Achim schien sie nicht zu bemerken; als ob er sich davor fürchtete, mit ihr allein zu sein, harrte und harrte er aus und wollte immer nur noch das letzte Glas austrinken. Und als sie endlich auf dem Heimweg waren, bat er sie, ihn in ein Nonstop-Kino zu begleiten; sie sahen Bergmans »Wilde Erdbeeren«, und im Dunkeln schmiegte Achim sich an sie und nahm ihre Hand; da empfand sie einen leichten, ganz unbekannten Schmerz, der auch später immer wiederauftrat, wenn er sie berührte.

Ach, Dobrica, auch jetzt, als du dich an all das erinnertest, konntest du dir nicht erklären, was mit dir geschehen war.

In seiner Wohnung begeisterte Achim sich an den rasch entworfenen Plänen: den Hafen wollte er Dobrica zeigen, den Tierpark und das Alte Land; er schlug ihr vor, neben ihm in seinem Lieferwagen zu sitzen, wenn er Blumen zu den Geschäften fuhr, und stellte ihr eine gemeinsame Dampferfahrt nach Helgoland in Aussicht. Er plante und erwog und legte schon fest, ohne sie ein einziges Mal zu fragen, wie lange sie bleiben wollte, und sie saß nur da und sah ihn stumm an. Längst hatte sie bemerkt, daß ihm etwas zusetzte und daß er reden mußte, weil er nicht auskam mit sich selbst, und Dobrica, die wir alle für arglos und unerfahren hielten, wußte sogleich, was es bedeutete, als er plötzlich noch einmal, forsch, wütend, nach dem Löffelstiel zu suchen begann. Er hatte bereits so viel getrunken, daß er leicht schwankte. Sein brummelndes, erbittertes Selbstgespräch konnte sie nicht ganz verstehen, sie verstand nur einige Worte. Er empfand es als lächerlich, daß sie den verschwundenen Löffelstiel so wichtig nahm; dennoch trank er aus Enttäuschung über sich selbst noch einige Gläser Wein, und als sie schließlich schlafen gingen, mußte Dobrica ihm beim Ausziehen helfen.

Und zu Hause sollen sie wissen, daß Dobrica wach lag bis zum

Morgengrauen und dann behutsam aufstand. Achim, der vergessen hatte, den Wecker zu stellen, schlief fest. Huschend holte sie ihre Sachen zusammen, wusch sich, legte das abgebrochene Stück des Löffels auf den Tisch und verließ die Wohnung – ohne zu essen, ohne eine einzige Zeile zu schreiben.

Fort, fort aus der Nähe des Hochhauses: das war alles, was sie zunächst wollte; darum fragte sie auch an der Haltestelle nicht, wohin der Bus fuhr, sie löste eine Karte zum Hauptbahnhof und achtete nicht darauf – und verstand wohl auch nicht –, was der Busfahrer meinte, als er ihr Umsteige-Stationen empfahl. Leer und willenlos vor Enttäuschung: so kam sie sich vor. Sie blieb einfach sitzen im Bus, fuhr und fuhr, an Kasernen vorbei und durch eine Gartenstadt, und als vor der Endstation ein Kontrolleur zustieg, der unzufrieden war mit ihrem Fahrschein, nahm sie nicht das Wörterbuch zu Hilfe, um sich zu verteidigen. Offenbar hatte der Kontrolleur seine eigenen Erfahrungen mit Ausländern, er bestand unnachsichtig auf der Bezahlung eines Zuschlags, vom fälligen Bußgeld allerdings erließ er Dobrica die Hälfte – vermutlich weil er sah, daß sie nur noch einen einzigen Zwanzigmarkschein in ihrem Brustbeutel hatte.

Nachdem sie an einem Kiosk eine Flasche Fruchtsaft getrunken und ein Käsebrötchen gegessen hatte, machte sie sich auf den Fußweg zum Hauptbahnhof, sie ging an Fabrikmauern entlang, an erdrückenden Wohnsilos vorbei, unsicher, ob sie sich auch auf dem rechten Weg befand, denn die Mehrzahl der Passanten, die sie befragte, wußten zu ihrem Erstaunen nicht, wie man zu Fuß zum Hauptbahnhof kam. Mehr als zwei Stunden ging sie mit ihrem Schilfkoffer durch die Straßen, bis sie auf einmal das weiße Richtungsschild entdeckte, das sie zu ihrem Ziel wies.

Um sich auszuruhen, betrat sie zuerst den Wartesaal, fand einen Tisch für sich allein, bestellte eine Tasse Kaffee und wurde gleich von einem alten, schmutzigen Mann angebettelt, der nur Geld für ein Bier wollte. Dobrica war schon bereit, ihm etwas zu geben, als der Kellner erschien und den Alten vertrieb. Sie entschloß sich, ohne Fahrkarte in einer der Fernzüge Richtung München zu steigen. Wenn sie ständig im Zug auf und ab patrouillierte – so glaubte sie –, wenn sie den Kontrolleuren selbstbewußt begegnete oder sich in der Küche des Speisewagens zur Hilfsarbeit anbot, müßte es ihr gelingen, die größte Strecke auf dem Weg nach Hause hinter sich zu bringen. Plötzlich aber war ihr Koffer weg, Großvaters alter Schilfkoffer; obwohl sie sich nicht vom Tisch entfernt hatte, war er verschwunden, schnell und heimlich aufgenommen von einem der vielen Reisenden oder streunenden Nichtstuer, die ständig an ihr vorbeigegangen waren. Sie erschrak und lief in die Halle hinaus, durchquerte sie auf hastiger Suche, achtete nicht auf Zurufe und Flüche und Verwünschungen und stürzte zum Bahnsteig hinunter, lief hin und her, ohne den Koffer wiederzufinden. Ein Bahnpolizist nahm sich ihrer an und beschwichtigte sie, und nachdem sie eine Weile gemeinsam gesucht hatten, brachte er sie in sein Büro, um eine Verlustmeldung aufzunehmen.

Wer weiß, wie uns, ihren Leuten, zumute gewesen wäre, wenn wir dort ohne Papiere, ohne Geld, ohne Fahrausweis vor einem Schreibtisch der Bahnpolizei gesessen hätten, doch Dobrica – furchtsam, wie wir immer glaubten, und alles andere als geistesgegenwärtig – behauptete, daß alles, wonach man sie fragte, im Koffer lag, übrigens auch ihr Wörterbuch, dessen Verlust sie jetzt besonders schmerzte. Als Zweck ihres Hamburg-Besuchs gab sie die Suche nach einem entfernten Familienmitglied an, eine erfolglose Suche. Sie bedankte sich, als der Bahnpolizist ihr die Adresse unseres Generalkonsulats gab, und unterschrieb mit ihrem richtigen Namen eine Quittung für einen amtlichen Fahrausweis, der es ihr erlaubte, jedes öffentliche Verkehrsmittel einmalig zu benutzen. Mit unserem Generalkonsulat hatte sie nichts im Sinn; vor dem Bahnhof aber, dort, wo Expreßgut angeliefert wurde, wandte sie sich auf ihre eigene Art an einen Lastwagenfahrer und fragte ihn: Nach München – vielleicht? Doch der Mann bedauerte, daß er nicht dorthin fuhr; er bot sich indes an, sie zu einem Rastplatz an der Autobahn hinauszubringen, zu einem Restaurant, in dem Fernfahrer sich ausruhten und stärkten.

Wie du es nur fertigbrachtest, Dobrica, von Tisch zu Tisch zu gehen, zu fragen, dich umzuhören, die Anzüglichkeiten zu ertragen in dieser von Qualm und Essensdunst erfüllten Gaststätte.

Und sie fand zwei Männer, Vater und Sohn, die mit zweiundzwanzig Tonnen Rohkaffee nach München unterwegs waren und sich bereit zeigten, sie mitzunehmen, falls sie erriete, wieviel Bohnen annähernd auf den Sack gingen. Diese Bedingung wurde zwinkernd gestellt, und nach einigem Nachdenken sagte Dobrica: Eine Million dreihunderttausend; da gratulierte ihr der ältere Mann mit gespielter Verwunderung, ließ eine Flasche Coca für sie kommen und lud sie ein, mitzufahren. Sie durfte zwischen den Männern im Führerhaus sitzen und mußte erzählen, woher sie kam und warum sie nach Hamburg gereist war – auch ihnen tischte sie die Geschichte mit dem entfernten Familienmitglied auf –, und der ältere Mann erzählte, wie sie einmal einen blinden Passagier auf dem Anhänger hatten, der ihnen fast erfroren sei. Dann hörten sie Radiomusik. Dann aßen sie. Dann hörten sie wieder Radiomusik, und als sie einen langen, langen Berg hinaufkrochen, schickten die Männer Dobrica in die Koje. Es war eine harte, ungepolsterte Pritsche, auf der sie sich ausstreckte und unter schweren, wärmenden Decken bald einschlief.

1355

Sie schlief nicht lange. Auf einmal spürte sie die Nähe eines Körpers neben sich, eine Hand legte sich auf ihre Hüfte, ein warmer Atem ging über ihr Haar. Starr vor Furcht, wagte sie nicht, sich zu bewegen. Der fremde Körper suchte seine günstigste Schlafstellung, und als nach einer Weile der ältere Mann dicht an ihrem Ohr sagte: Schlaf man ruhig weiter, löste sich die Spannung, und unter dem Sirren der Räder schlief Dobrica wieder ein.

Mit dem Knall, der sie weckte, begann auch schon das Rütteln, das Schleudern; sie griff nach einer Lederschlaufe über dem Lager und fühlte sich hin- und hergeworfen, und im Schein des schwachen Notlichts sah sie, wie der Mann, der neben ihr gelegen hatte, abkippte und gegen die Außenwand rutschte. Dobrica hörte ein paar harte Schläge, Metall traf auf Metall; dann spürte sie, wie sich alles hob und verkantete, und auf einmal war das Lager über ihr. Einen sengenden Schmerz auf Stirn und Wange: mehr empfand sie nicht.

Das Zischen der Schneidbrenner im Ohr, das sie noch lange nicht loswerden würde, ließ sie sich aus dem engen Gefängnis helfen, wankte, gestützt auf einen Helfer, über Schichten aus Rohkaffee, stieg in den Kleinbus des Notarztes und sah über die geteilte Milchglasscheibe hinweg den Laster in einem nicht sehr tiefen Graben liegen. Von zwei Reifen waren nur schwarze Lappen übriggeblieben, wie nach einer Explosion. Zuckendes Blaulicht begleitete sie auf ihrer Fahrt. Dobricas Schürfwunden wurden erst behandelt, nachdem die beiden Fernfahrer – der ältere blieb bewußtlos – Kopfverbände erhalten hatten. Auf dem ganzen Weg zum Krankenhaus saß sie zwischen ihnen auf einem Klappsitz.

Und zu Hause sollen sie wissen, daß Dobrica, als eine freundliche Krankenschwester nach ihren Daten fragte, so tat, als litte sie unter Gedächtnisstörungen; sie konnte sich selbst nicht erklären, warum sie einen Menschen mit gekappter Erinnerung spielte. Nur ihren Namen, den gab sie bekannt. Eine einzige Mahlzeit aß sie im Krankenhaus, das in einem Ort lag, dessen Namen sie nie zuvor gehört hatte. In einer Nische des Krankenhausflurs, auf einem Tisch dort, entdeckte sie ein halbes Dutzend Sträuße in Vasen, die wohl einem Patienten gehörten, der gerade entlassen worden war. Dobrica nahm den schönsten Strauß, ließ ihn abtropfen und machte sich auf die Suche nach dem Zimmer der Fernfahrer. Beiden ging es besser, beide freuten sich, sie wiederzusehen, und der jüngere forderte sie auf, ein wenig zu warten, bis zum Eintreffen eines Bruders zu warten, der bereits aus München unterwegs war und der sie auf der Heimfahrt würde mitnehmen können.

Einem schweigsameren Mann als diesem Bruder war Dobrica nie begegnet; im Krankenzimmer saß er nur still auf einem Stuhl und ließ sich den Unfall schildern, ohne nachzufragen. Er sagte auch kein Wort, als eine Schwester ihm das Rauchen verbot; er drückte nur gleichmütig seine Zigarette aus. Alles, was die Verletzten ihm auftrugen, nahm er nickend zur Kenntnis, und später dann, beim Kiosk, als er Zigaretten und Kaugummi gekauft und das Gefühl hatte, auf seinen Zwanziger nicht genug Geld herausbekommen zu haben, streckte er der Verkäuferin nur fordernd und wortlos seine Hand hin und ließ diese Geste so lange dauern, bis er bekam, was er wollte. Auf der gemeinsamen Fahrt nach München erzählte Dobrica ihm von den Festen, die bei uns zu Hause gefeiert werden; seine einzige Reaktion bestand darin, sie gelegentlich erstaunt anzublicken. Als sie sich dem Hauptbahnhof näherten, da allerdings fing er an zu reden; er schlug ihr vor, mit ihm zu kommen, in seine Wohnung, wo er ihr mehrere Aquarien mit seltenen Fischen zeigen wollte. Um dieser Einladung zu entgehen, fiel ihr nichts anderes ein als eine Notlüge: sie behauptete, auf dem Bahnhof verabredet zu sein.

Anscheinend glaubte er ihr nicht, denn er bestand darauf, sie zu begleiten, und Dobrica wurde es heiß und immer heißer, denn sie wußte nicht, wie sie ihn loswerden sollte. Sie streiften durch den Bahnhof. Er erneuerte sein Angebot. Sie aßen geschmorte Rippchen, die er bezahlte, und zwängten sich abermals suchend durch den Strom der Reisenden. Plötzlich hörte Dobrica heimatlichen Laut, zwei Landsleute sprachen an einem Stehtisch beim Bier miteinander; wie überrascht und mit gespielter Freude trat sie an sie heran, gab ihnen die Hand und redete so demonstrativ auf sie ein, daß ihr Begleiter den Eindruck haben mußte, sie hätte ihre Leute gefunden; da blieb ihm nichts anderes übrig, als sich zu verabschieden.

Dobrica wollte von ihren Landsleuten lediglich wissen, wann und von welchem Bahnsteig Züge nach Österreich gingen und wie teuer die Fahrkarte sei. Die Männer wußten nicht nur dies. Nachdem sie von Dobrica erfahren hatten, daß ihr in Hamburg das Gepäck abhanden gekommen war und daß sie weder Geld noch Ausweis besaß, boten sie ihr an, mit ihnen zusammen die Grenze zu überqueren in einem gewöhnlichen Auto. Zunächst aber gingen sie in ein stilles, mit Photos und Teppichen geschmücktes Lokal, in dem sie noch zwei weitere Landsleute trafen; bei den Verhandlungen, die sie führten, mußte Dobrica an einem Nebentisch sitzen. Dann tranken sie ein wenig Wein. Bevor sie aufbrachen, ließen sie sich starken Kaffee bringen. Zu fünft fuhren sie los, vergnügt und zuversichtlich.

Die Zuversicht verließ Dobrica auch nicht, als sie auf einem Parkplatz aufgefordert wurde, sich in den Kofferraum zu legen, den die Männer mit Matten polsterten. Sie versprachen ihr, daß sie nicht länger als eine halbe Stunde in dem Versteck würde zubringen müssen, und dann tätschelten sie ihre Schulter und ließen den Deckel zufallen. Dobrica wartete auf ein Halt, auf Schritte, auf Stimmen der Grenzbeamten, doch die Fahrt dauerte und dauerte, ohne daß Zeichen dafür sprachen, daß sie eine Kontrollstation passierten. Schwindel und Übelkeit setzten ihr zu; mitunter hatte sie das Gefühl, von einem riesigen schwarzen Schlund angesaugt zu werden. Als das Auto endlich hielt, konnte sie sich kaum rühren. Zwei Männer hoben sie heraus und führten sie zu einer Bank, und nachdem sie sich erholt hatte, beglückwünschten ihre Begleiter sie zu ihrer Nervenstärke und Konzentration, die sie beim Grenzübertritt angeblich gezeigt hatte. Ein Ortsschild sagte ihr, daß sie in Österreich war.

Ach, Dobrica, kleine Schwester, wie selbstverständlich du dich auf alles einließest, gerade als hätte es für dich keine Wahl gegeben.

Mit den Landsleuten durchquerte sie Österreich; bis auf einen, Ranko, der das Sagen hatte und in sich gekehrt dasaß, waren es fröhliche Männer, die unterwegs sangen und Ratespiele spielten und sich zu überbieten versuchten in Entwürfen für die Feste ihrer Heimkehr. In einem Bergwald verließen sie den Hauptweg und fuhren auf eine Lichtung. Die Männer stiegen aus und legten sich ohne Verabredung hin, und Dobrica staunte, wie rasch sie einschlafen konnten – zumindest drei von ihnen, denn Ranko beobachtete liegend das graue Band des Hauptwegs und von Zeit zu Zeit durch ein Fernglas den nur schwach bewachsenen Berg, auf dessen halber Höhe unsere Grenze lief.

Und ich werde unseren Leuten zu Hause berichten, daß in der hellen Nacht ein seltsames Auto auf die Lichtung gefahren kam, es war schwarz, und auf Türen und Fenstern waren Palmzweige und Kreuze aufgemalt. Nur ein einziger Mann stieg aus, er wurde respektvoll begrüßt, wurde zur Seite geführt und über Dobricas Anwesenheit aufgeklärt; sie selbst glaubte, daß er beschwichtigt werden mußte. Lange beobachtete er den Bergzug, über dem sich ein verwaschenes Licht hielt. Auf seine Empfehlung wurde gegessen, und auf seinen Anruf trat ein Mann nach dem andern an die geöffnete Hintertür des Autos und nahm einen fertig gepackten Rucksack in Empfang. Ranko, der keinen Rucksack erhielt, half den Männern beim Aufnehmen und Festmachen der Karabinerhaken. Nachdem Ranko und der Fremde sich leise besprochen hatten, wurde Dobrica herangewinkt, auch für sie fand sich ein Rucksack, allerdings mußte der erst gepackt werden – nicht so prall wie die der Männer und nicht so gewichtig. Sie konnte nicht erkennen, was ihr Rucksack barg, sie wunderte sich nur über die leichte Ware, die sie in einer Bahnhofswirtschaft abliefern sollte, drüben, hinter dem Berg, fast schon zu Hause. Mit einem Klaps auf den Rucksack wurden sie verabschiedet, Dobrica und die drei Männer, und hintereinander zogen sie los in Richtung zur Grenze.

An einem kleinen Wasserfall trennten sie sich; wie man es ihr eingeschärft hatte, folgte Dobrica einem huckeligen Trampelpfad, der neben dem Bach herlief und auf eine nur dünn bewaldete Höhe führte, während die drei Männer in einem dichten Tannenquartier verschwanden. Zum Abschied hatte ihr einer zugeflüstert: Du wirst sie gar nicht merken, die Grenze. Obwohl der Pfad steiler und steiniger wurde, ruhte sie sich nur selten aus, sie hatte das Gefühl, in die frühe Morgendämmerung hineinzusteigen. Bald verlor sie ihr Mißtrauen vor einzeln stehenden Krüppelkiefern. Bescheidene Lichtsignale, die weit entfernt aufzuckten und von einem Plateau beantwortet wurden, weckten nicht ihren Argwohn. Sie wußte nicht, was ein aus der Höhe herabpolternder Stein bedeutete, der klickend und in immer weiterer Sprüngen auf sie zukam und dann über sie hinweghüpfte; sie stieg und stieg, und auf einmal standen zwei unserer Grenzposten neben ihr, und gegen das schweflige Licht erkannte sie die Silhouetten von zwei anderen Posten. Sogleich wollte sie den Beamten den Rucksack aushändigen, doch die winkten ab und ließen sie ihn selbst tragen bis zur Station, wo sie aufgefordert wurde, den Inhalt auszupacken: Medizinschachteln und ein paar Stangen amerikanischer Zigaretten. Dobrica hatte damit gerechnet, auf der Station die drei Männer wiederzutreffen, mit denen sie aufgebrochen war, doch offenbar waren sie durchgekommen. Daß sie selbst nur benutzt worden war, um die Grenzposten auf sich zu ziehen, weigerte sie sich zu glauben.

1359

Ach, Dobrica, was der Wärter in dem kleinen Gefängnis von dir hielt, zeigte er, indem er es mit der Besuchszeit nicht genau nahm.

Jedenfalls war er es, der uns auf Dobricas Bitte als erster über ihren Aufenthalt unterrichtete. Immer fand sich einer, der bereit war, ihretwegen etwas zu riskieren. Wie gelassen sie mir entgegenkam, und wie unerregt sie erzählte! Manchmal hörte es sich so an, als schilderte sie nicht ihre eigenen, sondern die Erlebnisse einer anderen. Gefaßter als sie kann keiner auf seinen Prozeß warten. Kummer empfand sie nur darüber, daß sie uns so viele Sorgen bereitet hatte. Schicken sollen wir ihr nichts. Über einen Brief würde sie sich nur dann freuen, wenn er von uns allen unterschrieben ist. Als sie weggeführt wurde, lächelte sie, und als sie in der Mitte des trüben Ganges noch einmal stehenblieb und sich zu mir umwandte, um mir knapp zuzuwinken, wußte ich, daß sie das dünne Kleid mit den aufgedruckten Mohnblüten nicht mehr lange würde tragen können.

1985

Der Redenschreiber

Am Ende des Privatwegs lag, wie versprochen, das Sommerhaus des Referenten. Sie huckelten noch über ein paar freiliegende, schuppige Kiefernwurzeln, wichen einer umgekippten Mülltonne aus und hielten im hohen Gras vor der Holzveranda. Gert stellte den Motor ab und blickte auf das schattenlose Leuchten über dem See; alles hob sich dort auf, verlor seine Eindeutigkeit, selbst die Wasservögel schienen nur noch von einem Glitzern getragen zu werden. Still, sagte er, still, und nickte zur Mündung des kleinen Flusses hinüber, wo das Wasser über weißgewaschene Kiesel hinlief und den dünnen, sich selbst nur andeutenden Schilfgürtel in sanfte Schwingungen versetzte. Ein Entenpaar ließ sich von der schwachen Strömung hinaustragen, das Gefieder des Erpels glänzte. Seht ihr es, fragte Gert die Kinder, hört ihr es? Das Wasser tanzt, es klingelt an den Steinen.

Die pausbäckige Corinna sah ihn schmollend an, die Fahrt hatte viel länger gedauert, als er vorausgesagt hatte, sie wollte das tanzende, klingende Wasser nicht sehen, sie schmiegte sich an ihren älteren Bruder und versuchte, die Zunge des Labrador-Hundes zu fassen, der hechelnd zu ihren Füßen lag. Seht nur mal, wo wir sind, sagte Gert, mitten in einer chinesischen Wandzeichnung. An das unerwartete Bild verloren, schien er Marens Seufzen nicht zu hören, die ihre Zigarette ausdrückte, die Augen schloß und sich, erschöpft und wie in feierlichem Vorwurf, über die Schläfen strich. Bolzo muß mal, sagte der Junge, er guckt schon so. Also gut, sagte Gert; Endstation, alle aussteigen.

Sie standen neben dem Auto, und alles bestätigte ihnen, daß sie hier ganz unter sich waren: die alten Kiefern, die ihre Wurzeln gegen den Fluß vorschickten, der überwachsene Trampelpfad, der zu einem krummen Holzsteg hinabführte, das aufgebockte Boot und das dunkelbraun gebeizte Sommerhaus, unter dessen weißeingefaßten Fenstern leere Blumenkästen hingen. Sie standen noch und sahen sich um, als Maren plötzlich sagte: Ein Telephon, ich hör doch ein Telephon; und gleich darauf vernahm auch Gert das Läuten im Haus, es klang so gedämpft und unglaubhaft hier draußen, daß er nicht wie sonst losstürzte, sondern kopfschüttelnd, mit amüsierter Neugier die Holztreppe hinaufstieg, ohne Eile die Tür aufschloß, dann aber, angesichts des immer noch läutenden Telephons, mit raschen Schritten auf den Apparat zuging und den Hörer abhob.

Wie fremd die Stimme des Referenten klang; da war ein Knistern, ein nagendes Geräusch in der Leitung, gerade als säße irgendwo eine knabbernde Maus in ihr, und Gert mußte zweimal fragen: Wer ist da? Der Referent wollte vor allem wissen, ob seine Skizze sich bewährt, ob Gert mit ihrer Hilfe gut hergefunden hätte, außerdem wies er darauf hin, daß die Wasserpumpe angestellt werden müßte, das schwarze Ding im Keller. Bevor Gert seinen gesammelten Dank dafür loswerden konnte, daß sie nun ein Wochenende hier zubringen durften – er war entschlossen zu sagen: an diesem verwunschenen Ort –, fragte der Referent, ob Harry sich schon habe sehen lassen. Harry? Ein Fischotter, zahm, aber verfressen; geben Sie ihm keine Teigwaren, lieber Lassner. Gert linste durch die verschlierten Fenster zum See hinaus, er lächelte, er versprach, dem Fischotter zu keiner Tageszeit Teigwaren anzubieten. Fein, sagte der Referent und fügte rasch hinzu: Es genügt übrigens, wenn der Minister den Entwurf der Rede am Dienstag vormittag auf dem Schreibtisch hat. Dann wünschte er mit abnehmender Stimme einen erholsamen Aufenthalt und hängte ein.

An ein nur dürftig besetztes Buchregal gelehnt, überblickte Gert den großen, sparsam möblierten Raum, gut gelaunt nickte er den breiten, mit Segeltuch bespannten Stühlen zu, setzte vorsichtig einen Fuß auf ein angegilbtes Schaffell, sah schon das stimmungsvolle Frühstück an dem derben Holztisch voraus, bei geöffneten Fenstern, mit Blick auf den atmenden See und die Flußmündung. Hell leuchtete der geölte Fußboden, die braunen Astaugen erinnerten an den Ursprung der ebenmäßig geschnittenen Dielen. Die Hängelampe, die ein rotweiß gewürfeltes Röckchen trug; die alte, mit Ornamenten verzierte Milchkanne, die als Bodenvase diente; der an einer Wand befestigte Flügel eines ausgedienten Netzes, aus dem Glaskugeln grünlich blitzten; alles nahm ihn für den Referenten ein, trug zu dem Gefühl bei, dem Mann, der das uneingeschränkte Vertrauen des Ministers besaß, erst hier draußen nähergekommen zu sein. Eine bestimmte Freude, eine Tatbereitschaft erfüllte ihn, und einen Augenblick glaubte er, einige Zeichen der Verheißung erkannt zu haben. Er tätschelte das Regal, erkundete noch einmal die Rutschgefahr des Schaffells und trat an den Tisch heran, auf dem die Schreibmaschine stehen würde, hier also. Hier würde er sitzen, vor diesem zerkerbten, geduldigen Ungetüm, das gewiß selbstgetischlert war, hier würde er mit Maren das Konzept der Rede besprechen – beiläufig, jedoch nicht so, daß sie den Eindruck haben müßte, er bemühe sich nun krampfhaft darum, sie an seiner Arbeit teilhaben zu lassen; hier würde er ihr nach langer Zeit wieder einmal vorlesen.

Gert sah hinaus zu den Seinen, nur Franz war am Auto; der Junge versuchte, Bolzo zum Wasser hinabzuzerren, doch das schwarze Muskelpaket blieb hechelnd im Gras liegen. Maren lehnte bereits am Geländer des Holzstegs, ausdruckslos beobachtete sie Corinna, die ihre Plastikente an einer Schnur durchs Gras schleifte, unbekümmert darum, daß die Räder keinen Halt fanden; wie verbissen Corinna zog, wie unerbittlich, ein Wunder, daß der Ente nicht der Kopf abgerissen wurde. Entschlossen stieß er die ein wenig klemmenden Fenster auf, trat auf die Veranda hinaus und rief: Ausladen! Alle helfen beim Ausladen! Und mit ein paar Sätzen war er am Auto und hob aus dem Kofferraum Taschen und Tüten und Koffer heraus, lud Franz vier lindblaue Bademäntel auf, schoß übermütig einen Ball in die Luft. War das Dolenga? fragte Maren. Ja, sagte Gert, er wollte uns nur einen erholsamen Aufenthalt wünschen; übrigens müssen wir die Wasserpumpe anstellen. Keine Zitate für die Rede? Noch nicht, sagte Gert und lächelte nachsichtig; er legte Maren eine Hand auf die Schulter und bewog sie durch leichten Druck, sich umzusehen, den flutenden Glanz über der Mündung zu bewundern, das Filigranwerk der Schatten unter den alten Kiefern und das Sommerhaus, das jedes Wohlgefühl versprach: Ihm, daß wir hier sein können, verdanken wir ihm; denk an nichts anderes.

Sie trugen alles ins Haus, und während die Kinder sich darum stritten, wer in dem Bett zur Seeseite schlafen dürfte – wie immer würde Corinna siegen –, blickte er über die zurechtgerückte Schreibmaschine hinweg auf seine Frau, gebannt und staunend und mit einem Anflug von Stolz, er beobachtete, mit welcher Sicherheit sie sich die fremde Küche zu eigen machte, den Kühlschrank einschaltete, Schränke, Schubladen und Borde inspizierte und, ohne einen einzigen Ratschlag einzuholen, den Inhalt von Taschen und Tüten verteilte. Ihr zartes Gesicht, das nicht zu passen schien zu dem stämmigen Unterkörper, verriet weder Zufriedenheit noch Überdruß; dennoch trug es keinen Ausdruck von Gleichgültigkeit; wie so oft lag auf ihm nur diese ruhige Bedachtsamkeit, die Gert bei allen ihren Tätigkeiten wahrnahm. Er dachte: Wunderbar, wie sie sich überall zurechtfindet, einfach wunderbar. Schwester Zauberin hatte er sie einmal genannt, in einer norwegischen Ferienhütte, wo sie fast keinerlei Vorräte fanden und Maren dennoch ein kräftiges Abendbrot auf den Tisch brachte. Um nicht mitten in seiner Beobachtung entdeckt zu werden, spannte er einen Bogen in die Maschine, tippte das Wort Nationalcharakter, ordnete seine Notizen und ging in den Schlafraum der Kinder, wo die Entscheidung, wer wo schlafen würde, bereits gefallen war.

Die Kinder waren schon dabei, ihre Badehosen anzupellen, nackt standen sie vor ihm, mager und blaß der Junge, pummelig, mit noch krummen, elastischen Gliedmaßen Corinna, beide wetteiferten darin, sich das eingelaufene Zeug überzustreifen. Gert hob das Mädchen vom

Boden auf, schleuderte es einmal herum und drückte es an sich und küßte ihren warmen weichen Bauch und sagte: Ist es nicht schön hier, sag, ist es nicht schön? Corinna wand sich stumm in seiner Umarmung, stemmte sich von seinen Schultern ab; sie hatte nur Augen für Franz und drohte ihm: Wehe, wenn du zuerst ins Wasser gehst, hörst du? – worauf Franz und sein Vater einen komplizenhaften Blick wechselten. Wir werden alle ins Wasser gehen, entschied Gert, und Franz fügte hinzu: Auch Bolzo.

Er saß auf der Bettkante und zog seine Socken aus; der Gummizug hatte über der Fessel ein rotblaues Muster in die Haut gekniffen. Gert hob den Fuß an und massierte ihn, strich über das Muster und bewegte den verwachsenen großen Zeh. Der Morgen fiel ihm ein, an dem Corinna in seinem Bett saß und jedem seiner Zehen einen Namen gab und ihn verblüffte, als sie Tage später alle Namen wiederholte. Das ist Hebbi und das ist Paul. Wann kommst du endlich? rief Maren. Gert beugte sich vor und sah sie in schwarzem Badeanzug neben dem Tisch stehen. Maren war fülliger geworden, das knotige Tau der Wirbelsäule war kaum zu erkennen unter fahlen Fettkissen, bläuliche Dellen sprenkelten die Oberschenkel, kleine braune Haarzipfel guckten unter der Badekappe hervor, das feine Nackenhaar flimmerte im Sonnenlicht. Bin schon fertig, rief er zurück, aufgeräumt, glücklich, und so, daß sie es hören sollte, ließ er das Gummiband der Badehose in sein Bauchfleisch schnappen und trat aus dem Schlafzimmer. Maren schnippte gegen die eingespannte Seite in der Schreibmaschine, sie fragte: Ist das das Thema der Rede? Ja, sagte Gert, über unseren Nationalcharakter, das heißt, er will verschiedene Nationalcharaktere vergleichen, launig, kurzweilig, hab schon vorgedacht, am Abend erzähl ich dir ein bißchen.

Die Luft stand still, sie war sanft und warm, und als sie Hand in Hand von der Veranda hinabstiegen, hörten sie einen hohen singenden Ton und sahen einem Entenpaar zu, das knapp über ihnen hinwegflog und mit einem Zischen draußen im Glitzern landete. Los, ihr Frösche, rief Gert den Kindern zu, jetzt rein ins Wasser, aber vorher abkühlen. Er selbst blieb vorerst auf dem Holzsteg und überwachte die Badefreuden, und für einen Augenblick erfüllte ungewohnter Besitzerstolz sein Herz: Maren schwamm, nur von schwachen Paddelschlägen bewegt, auf dem Rücken, mit zärtlichem Fließen strich das Wasser an ihrem Körper vorbei, und wenn es burbelnd in ihren Mund

1363

drang, hob sie sich von der Oberfläche und spie es ihm lachend entgegen. Mit nassen, verklebten Wimpern, das Haar wie angelackt an die Kopfhaut, tauchte Franz zwischen den Schilfhalmen auf, umtanzt von silbernen Blasen und einen graugrünen Faden von Hechtkraut über der Schulter. Erst als Corinnas Plastikente, die sie immer wieder unter Wasser drückte und mit einem Pflopf herausspringen ließ, von all dem Planschen abgetrieben wurde, glitt auch Gert vom Steg aus ins Wasser, barg die Ente, tauchte mit fröhlichem Bibbern unter und schnellte gleich wieder vom sandigen Grund ab und stieg in einer sprühenden Fontäne auf. Er schubste Bolzo vom Steg, hielt ihn am Schwanz fest und ließ ihn paddeln, dann zog er Corinna zu sich heran, überließ ihr Bolzos Schwanz, und der Hund schleppte sie nicht gleich zum Ufer, sondern, eine wulstige Bugwelle vor sich herschiebend, eifrig und angestachelt von Gerts Beifall, durch den Schilfgürtel ins Tiefere hinaus, wo er einen Bogen ausschwamm und, stoßweise fauchend wie ein altersmüdes Dampf werk, wieder auf den Steg zuhielt.

Wie glatthäutig Marens Arme waren, einzelne Tropfen glänzten auf der eingeölten Haut. Sie standen dicht beieinander, das Wasser zitterte um sie herum, Lichtsplitter schaukelten an ihren Hüften, und aus dem geriffelten Grund blitzte es zu ihnen herauf. Versöhnt? fragte Gert. M-hm. Siehst du, sagte er, und er sagte: Ich hatte es im Gefühl, Dolenga hat nicht zuviel versprochen, hier kann einer aufblühen. Maren kauerte sich im Wasser nieder, ihre Hände fächelten flossenhaft, sie fragte: Wann mußt du abliefern? Dienstag früh, sagte Gert und nahm einen Mundvoll Wasser und preßte es in einem Bogen durch die Lücke seiner Schneidezähne, genau auf Marens Badekappe. Ein dunkler Körper huschte über die Kiesel in der flachen Flußmündung und tauchte dort, wo die grüne Tiefe begann, mit einem peitschenden Schwanzschlag weg. Das war er, sagte Gert, das war der Otter. Ein Otter, fragte Maren, woher weißt du das? Dolenga hat ihn uns ans Herz gelegt, sagte Gert, der Bursche soll zahm sein, aber wir dürfen ihm keine Teigwaren geben. Wir fangen ihn, rief Franz, oh, wir treiben ihn an Land und fangen ihn. Erst einmal gehen wir an Land, sagte Gert, und er packte Corinna und hob sie auf seinen Nacken, alles Zerren und Rucken half ihr nicht, er setzte sie auf der Veranda ab, und von dorther forderte er noch einmal die andern auf, aus dem Wasser zu kommen und sich in der Sonne abzutrocknen.

Und dann saßen sie auf der Veranda, barfuß, in leichtem Zeug, sie saßen ihm zuliebe da, weil er sie um sich haben und zu ihnen sprechen wollte, er wünschte sich, daß sie spürten, wieviel er für sie empfand. Er machte sie auf das Grün aufmerksam, das sie hier umgab, auf das dunkel selbstbewußte Grün der Erlen, das in der letzten Sonne klebrig glänzte; er ließ sie das pastellhafte Grün der Weiden erkennen und den geheimen Blauschimmer im Grün des Schilfs, in dem, wie er sagte, schon der Winter wartete. Er wollte, daß sie mit seinen Augen den See betrachteten, der sich jetzt am Abend eindunkelte; das Glitzern hob sich auf, die Reihe der Wasservögel wurde bestimmbarer, wie Korkstücke, die ein Stellnetz halten, so sahen sie aus, ruhend in dem Element, zu dem sie gehörten. Gert beschrieb für sie den milchigen Hauch über der Flußmündung und die Herkunft der knarrenden Geräusche und den Haubentaucher mit seinem strahlenkranzförmigen Kopfschmuck, der neben dem Steg durch die Wasseroberfläche brach und erschrak; eine still flutende Zuneigung inspirierte Gert und ließ ihn immer mehr gewahr werden. Sie waren einverstanden damit, daß er sich zum Vorsprecher ihrer Empfindungen machte, und die Kinder, anfangs nur erstaunt, daß soviel betrachtet werden konnte, dann aber mehr und mehr in Bann gezogen von allem, was ihnen eröffnet wurde, vergaßen ihre Brauseflaschen und hörten ihm zu.

1365

Zum Abendbrot gingen sie ins Haus, sie machten nur Würstchen warm und aßen dazu den mitgebrachten Kartoffelsalat, und obwohl er sich ermüdet fühlte, öffnete Gert eine Flasche Rotwein und schenkte sich und Maren ein. Morgen fangen wir den Fischotter, sagte Franz. Beißt der? fragte Corinna. Er ist sehr possierlich, sagte Gert, der Otter hat ganz kleine Ohren und Schwimmhäute zwischen den Zehen, und seine Wohnung, die liegt unter Wasser. Dann ertrinkt er doch, sagte Corinna, und Gert darauf: Damit er nicht ertrinkt, baut er sich einen Luftschacht. Corinna zwängte sich zwischen Gerts Knie, und in diesem Augenblick schnappte Bolzo zu, der unablässig das Wurststück in der Hand des Mädchens im Auge gehabt hatte, schnappte und schluckte und rieb seinen dicken Kopf an einer Pfote, als ob ihn etwas gestochen hätte.

Als Corinna ihn fragte, ob er auch eine Geschichte von einem Otter wüßte, dachte Gert nach, prüfte, ob ein Otter sich einbringen ließe in das feststehende Muster der Gutenachtgeschichten, die ihm regelmäßig abverlangt wurden, doch ihm wollte so rasch nichts einfallen. Ronni Rübchen – auch Ronni Winziggroß –, der ergiebige Held so vieler

Geschichten, bestand seine Abenteuer entweder in der Großstadt oder unter den Tieren des Waldes, niemals am Wasser. Gert versprach, intensiv nachzudenken. Was heißt »intensiv«? fragte Corinna, worauf er einen Finger in ihren vorgestreckten, golden schimmernden Bauch drückte, bis sie au sagte und noch einmal au: Was ganz heftig ist, das ist intensiv, siehst du. Sie wand sich aus seinem Arm, trug ihre Plastikente zum Regal und flüsterte dort mit ihr, wobei ihre Blicke sich immer wieder auf ihn richteten, aufmerksame Blicke, in denen eine glimmende, geheimnisvolle Drohung lag.

Gert schickte die Kinder zum Füßewaschen hinaus und schenkte sich und Maren nach, er trank ihr zu, versonnen, mit einem Ausdruck der Verschworenheit, den sie nur heiter quittierte. Endlich haben wir uns ganz allein, sagte er und spürte, wie er in eine wohlige, düstere Schwere sackte, diesen Tag wollen wir nicht durch Arbeit entweihen. Er erinnerte sie an die zuletzt geschriebene Rede »Über Tradition«, drei Tage hatte er gebraucht, um sie fertigzustellen, eine Stundenrede, die auch von Mitgliedern der Opposition begrüßt und sogleich als Glücksfall bezeichnet wurde. Diesmal, sagte er, geht's nur über vierzig Minuten, und es wird vorwiegend unterhaltsam, ein Vergleich zwischen Marianne, Michel und John Bull, du weißt schon. Gibt es den eigentlich, fragte Maren, ich meine den Nationalcharakter? Die Selbstzufriedenheit hat ihn jedenfalls entdeckt, sagte Gert, und seitdem haben wir uns darauf geeinigt, daß es ihn gibt und daß er die Unterschiede zwischen uns und unsern Nachbarn deutlich macht. Eine Fiktion also, sagte Maren, und er darauf: Nein, er ist keine Fiktion, der Nationalcharakter, leider gab ihm die Geschichte Gelegenheit, sich zu entwickeln – und wir selbst haben ja schließlich unser möglichstes getan, um Vorurteile zu bestätigen, die andere von uns haben.

Sie nippte an ihrem Glas und sah ihn skeptisch an, er aber lächelte ihr beruhigend zu und erläuterte stichwortartig sein Konzept, das bereits die Wünsche des Ministers enthielt: mit einer vergnüglichen Selbstdenunziation, garniert mit Zitaten von Heine bis Johannes Scherr, wollte er beginnen, danach wollte er zeigen, wie verblüffend austauschbar nationale Eigentümlichkeiten sind, wie sie anscheinend wandern, Grenzen passieren und aus unfaßbarer Ferne zurückgrüßen, und für den Schluß hatte er sich vorgenommen, den Nationalcharakter anekdotenhaft zu bestätigen – weißt schon, Maren: drei Ungarn: eine Zigeunerkapelle, drei Franzosen: eine glückliche Ehe, drei Deutsche: ein Verein. Gert trank auf einen Zug sein Glas leer, schenkte sich gleich wieder ein und blickte zu den Kindern hinaus; auf dem See lag eine silbrige Lichtinsel, der dünne Schilfgürtel schien zu schwanken von unterseeischen Berührungen, und auf dem Holzsteg wippend, daß es nur so platschte und spritzte, tobten Franz und Corinna. Das hast du bestimmt auch schon erlebt, sagte Gert: es gibt Orte, zu denen man gleich Zutrauen hat, ohne es begründen zu können. Geht es dir hier so, fragte Maren. Morgen früh fang ich an, sagte er, und mit einer selt- samen Unsicherheit in der Stimme: Du bist doch gern hier, oder? Natürlich, sagte sie und tätschelte seinen Arm und schob ihm ihr Glas zu: Trink du das aus, ich hole die Kinder.

Er fischte sich den Stapel seiner Kladden, Bücher, losen Notizen heran, wie immer hatte er einige Pointen präpariert, die er berechnet hineinweben würde in den Redetext, bissige, wirkungsvolle Pointen, die nicht nur für sich selbst stehen, sondern das Gesagte raffen, stei- gern, es blitzartig erhellen sollten durch launige Zuspitzung. Ver- schwommen sah er das Gesicht des Ministers, das gewellte graue Haar, die schlauen Augen, er sah das erschlaffte Wangenfleisch und den im- mer leicht geöffneten Mund, der so oft seine Sätze gesprochen hatte, in bloß referierendem Ton oder leidenschaftlich oder mit kalkuliertem Stocken – immerhin, dachte Gert, habe ich ihn jetzt dazu gebracht, »ich« zu sagen, »ich«, anstatt »der, der hier die Verantwortung trägt«. Zum letzten Geburtstag hatte ihm der Minister ein Photo mit Wid- mung geschenkt: In Dankbarkeit für die haltbare Brücke aus Wörtern. Gert leerte Marens Glas, in wohliger Schwere beugte er sich über ein Görres-Zitat aus dem »Deutschen Nationalcharakter«, langsam las er den Satz: »Im Reich der Ideen schafft er sich seine Welt, dort labt er sich an den Bildern ...«, und nickend bescheinigte er ihm seine Be- weisfähigkeit. Er genoß das zarte Glühen unter der Haut, spürte, wie sich fast ohne sein Zutun Gedanken organisierten und verschränkten, Fäden näherten sich da einander, dienstbar boten sich Zitate an, das ganze Muster der Rede zeigte sich ihm bereits in überblickbarem Ge- webe, und als Corinna rief, sagte er aufgeräumt: Ja, mein Schatz, ja, und stand mühsam auf und ging zu ihrem Bett.

Früher hatte sie ihm immer nur mit geschlossenen Augen zugehört und dabei seinen Daumen umklammert, seit einiger Zeit aber sah sie ihn nachdenklich an, während er erzählte, und nicht nur nachdenk- lich; etwas Abwägendes und Kontrollierendes lag in ihrem Blick, mitunter auch etwas Lauerndes, gerade so, als wollte sie ihn bei einem Fehler ertappen. Nicht er, Corinna begann die Gutenachtgeschichte, der Anfang stand ebenso fest wie das wichtigste handelnde Personal, und auch die Etappen der Entwicklung waren vorgegeben.

Zurückgelehnt und mit gekrauster Stirn blickte sie ihn an und sagte: Ronni Rübchen war allein zu Haus. Richtig, sagte Gert und atmete tief aus, aber diesmal war es nicht das Haus seiner Eltern, sondern das ganz kleine, von Kletterrosen überwachsene Haus seiner Großeltern, in dem er zu Besuch war. Das Haus lag nicht weit von einem einsamen Fluß. Sieben Brücken führten über diesen Fluß, aber es waren keine Brücken aus Stein oder Eisen, sondern Bäume. Es waren mächtige Erlen und Pappeln, die so gestürzt waren, daß sie beide Ufer miteinander verbanden. Sind die von allein so gestürzt, fragte Corinna. Nein, sagte Gert, nein, nein, Biber hatten die Brücken gebaut, sie hatten die Bäume so geduldig beknabbert, bis die kippten, ganz berechnet kippten und eine Brücke bildeten. Und vor jeder Brücke hielt ein Biber Wache und verlangte von jedem, der über den Fluß wollte, Brückengeld. Gut, sagte Corinna, weiter.

Ronni Rübchen war also allein zu Haus und schnitt mit einer Schere Vögel aus Silberpapier aus, da hörte er vor der Tür einen seltsamen Klagelaut. Er machte gleich auf. Draußen war ein ganz kleiner, braunpelziger Fischotter, der hatte sich nachts verirrt. Vorgestellt hat er sich als Hubert. Er wohnte in einem Sumpfsee auf der andern Seite des Flusses, aber die Biber ließen ihn nicht hinüber, unter Wasser nicht und über Wasser nicht, sie wollten ihr Brückengeld haben. Hubert klagte. Er war sehr traurig. Er wollte zurück zu seinen Leuten. Da beschloß Ronni Rübchen, ihm zu helfen. Miklosch, sagte Corinna. Was? fragte Gert. Ronni ging zu Miklosch, sagte Corinna, und beriet sich mit dem alten weisen Raben, erst einmal. Genau so, sagte Gert, weil Ronni kein Geld hatte und auch nicht gleich wußte, wie er Hubert helfen könnte, wandte er sich an den weisen Miklosch.

Gert zögerte, er erkannte, daß Corinna einen Einwand erheben wollte – vermutlich wollte sie die Allgegenwärtigkeit von Miklosch nicht in Kauf nehmen –, doch ehe sie noch die Lippen öffnete, ging das Telephon, und erleichtert stand er von der Bettkante auf. Ich warte, sagte Corinna, und es erschien ihm wie eine Androhung. Maren hatte bereits abgehoben, sie nickte und lächelte, während sie zuhörte, und dann sagte sie: Einfach herrlich, und sagte: O ja, alle, sogar unser Bolzo

war im Wasser, aber jetzt kommt mein Mann, und die Muschel ab-
deckend flüsterte sie: Dolenga.

Sie setzte sich und beobachtete Gerts Gesicht, dies weiche füllige
Gesicht, das jung wirkte trotz des grauen Haars, sie sah, wie er sich auf
die Lippen biß, sich sammelte und plötzlich ruckhaft aufrichtete, als
wollte er einen Widerstand andeuten, etwas wurde ihm da beigebracht, das ihn unsicher machte und zweifeln ließ, dennoch hörte er
fast nur schweigend zu, sagte ein paarmal ja, oder gut, ja, und zum
Schluß nur: Ich verstehe, ich warte dann, besten Dank. Er legte den
Hörer auf und seufzte und öffnete die Hände in Ratlosigkeit. Was
Ernstes? fragte Maren. Gert winkte ab, beschwichtigte schon sie und
sich selbst: der Minister habe nur noch einmal das Konzept der Rede
gelesen, und dabei seien ihm einige Bedenken gekommen; er befürchte
allzu große Verbindlichkeit, zuviel anekdotenhafte Verharmlosung, jedenfalls habe er geäußert, daß eine überwiegend launige Rede dem
Thema Nationalcharakter nicht gerecht werde. Er wünschte sich auch
Eingeständnisse, die in gewissen Kreisen nicht allzugern gehört werden, einige Wahrheiten, die schmerzten. Und was heißt das für dich,
fragte Maren. Abwarten, sagte Gert, Dolenga schickt morgen den Fahrer zu uns raus, mit einigen Texten, die dem Minister am Herzen
liegen, die er jedenfalls in die Rede hineingestrickt haben möchte. Er
zuckte die Achseln, streifte mit seinem Blick die beiden Zeitschriften-
stapel auf dem Regal und mußte lächeln und sagte: Welch eine Spann-
weite, Maren – Time-Magazine und die Hobby-Zeitschrift »Mach es
selbst«.

Kaum stand er im Licht der Tischlampe, als Corinna auch schon rief:
Wann geht's weiter, ich schlaf noch nicht; sie setzte sich auf und hieb
mit der flachen Hand auf das Zudeck, hieb immer wütender, als sie
sah, daß Gert einige Seiten seiner Notizen aufnahm und stehend zu
lesen begann und sich auf einmal mit einer gleitenden Bewegung auf
den Segeltuchstuhl niederließ. Ohne hinzublicken, ertastete er sein
Glas und trank ein wenig. Bitte, rief Corinna, bitte komm doch, und
gleich darauf, mit drohender Stimme: Ich schlaf nicht. Noch ein Weilchen, rief Gert zurück, ich muß hier etwas prüfen, etwas nachsehen,
nur noch ein Weilchen. Wie vollkommen Maren ihn verstand, er hob
nur flüchtig seinen Blick zu ihr auf, und sie nickte ihm zu, berührte
seine Schulter, ging in den Schlafraum und schloß die Tür.

Er brütete über einem Zitat, das er selbst gefunden hatte, es war ein

Erfahrungssatz, den er vergnüglich bebildern wollte und zu dem ihm jetzt nichts einfiel: »Darum ist wohl bei keinem Volk soviel von der Zeit die Rede als bei den Deutschen; sie ringen um den Sinn der Gegenwart, uns ist er gegeben.« Das schwierige, das behinderte Verhältnis zur Gegenwart, das Hofmannsthal festgestellt hatte, war Gert sogleich als wesentliche nationale Eigentümlichkeit vorgekommen. Die Zeitversäumer, die Liebhaber des Absoluten, die Spaziergänger im Luftreich: die treffenden Erscheinungen hatten sich wie von selbst eingestellt, doch auf einmal widersetzten sie sich der heiteren ironischen Fassung, die er ihnen hatte geben wollen. Ihm war zumute, als liefe er hinter den Wörtern her – in dem Wunsch, sie zur Eindeutigkeit zu überreden. Er dachte an den Minister, hörte seinen Tonfall, er sah sich selbst in einem Saal stehen, im bergenden Schatten eines Pfeilers, während der Minister mit Sätzen auftrumpfte, die er für ihn gemacht hatte, und unwillkürlich stellte er sich vor, daß er da selbst sprach. Es gelang ihm, sich selbst reden zu hören von blumengeschmücktem Katheder. Wie verbraucht seine Wörter klangen, wie wirkungslos sie blieben vor der festlichen Einöde der Gesichter! Nie würde er den Beifall ernten, den der Minister einheimste, nicht einmal mit dem Echo eines Zwischenrufs würden sie ihn belohnen. So ist es, dachte Gert, der Redner, kaum das Wort.

Er trank das Glas aus und schenkte sich wieder ein und wischte die beschriebenen Blätter zur Seite. Er hatte nicht bemerkt, daß Maren hinter ihn getreten war. Bitte, sagte sie, geh noch einmal rein zu ihr, sie wartet so auf den Rest. Ich weiß nicht, sagte er, vermutlich krieg ich die Geschichte nicht mehr zusammen. Ronnie ist gerade bei Miklosch, sagte Maren, sie überlegen, wie sie dem kleinen Fischotter helfen können, du machst es schon ... Von hinten legte sie ihm beide Arme um den Hals, er spürte ihre Wärme, roch den seltsamen Geruch ihres neuen Hautöls, der Geruch erinnerte ihn an etwas, an etwas Verschmortes, er kam ihm so aufdringlich vor, daß er ihre Arme löste und aufstand. Mit einem schmerzlichen Blick trat er an ihr vorbei und wollte zur Tür des Schlafraums, doch plötzlich stolperte er, riß fuchtelnd die Arme hoch, erst am Regal konnte er den Sturz abfangen. Noch in der Hocke erkannte er, daß er über die Schuhe von Franz gestolpert war, über die Sandalen mit den Schnürriemen, die Maren kopfschüttelnd aufhob und wie so oft ordentlich vor das Bett des Jungen stellen wollte.

Einen Augenblick, sagte Gert und stand mühsam auf; er nahm ihr wortlos die Sandalen aus der Hand, öffnete ein Fenster und warf sie hinaus in das hohe Gras. Die Lichtinsel auf dem See war verschwunden, eine gespannte Stille lag über dem Wasser, nur von der Flußmündung her war ein feiner Ton zu hören, dort, wo die Strömung an den Kieseln tanzte und klingelte. Der Junge schläft schon, sagte Maren, und Gert darauf: Einmal muß er es lernen, wie oft hab ich's ihm gesagt, wie oft hat er es versprochen. Du kannst ihn jetzt nicht wecken, sagte Maren, doch Gert stand schon am Bett, tippte Franz auf den mageren Rücken, morste härter und empfindlicher, bis der Junge sich herumwarf und quengelnd aufsetzte: Was issen los? Nichts weiter, sagte Gert, ich will nur, daß du deine Schuhe da hinstellst, wo du mir versprochen hast, sie hinzustellen. Franz blinzelte ihn ungläubig an: Jetzt? Jetzt, sagte Gert und trieb den Jungen mit kleinen, klatschenden, schmerzlosen Schlägen aus dem Bett und folgte ihm und sah unerbittlich und schweigend zu, wie Franz suchte, sich bückte und herumkroch und, da er keine Erklärung für das Verschwinden der Sandalen finden konnte, schließlich zu ihm aufsah und kleinlaut gestand: Sie sind weg. Such draußen weiter, sagte Gert, da wirst du sie finden, na los, geh schon.

Er trat ans Fenster und blickte hinaus, ohne den suchenden Jungen ausmachen zu können, im Spiegelbild aber sah er Maren, die das feuchte Badezeug einsammelte, und allein an der Heftigkeit ihrer Bewegungen erkannte er, wie sehr sie sein Verhalten mißbilligte. Sie sprach mit sich selbst, unterdrückt, in verstümmelten Wendungen, während sie in der Küche das Badezeug auf einen Topfständer hängte, und auf einmal knallte sie einen zusammengedrückten feuchten Batzen auf den Rand des Ausgusses und ging nach draußen in die Dunkelheit; jetzt sah er sie beide. Sie nahmen sich bei der Hand. Sie stöberten. Eine Sandale fanden sie gleich. Maren war es, die die Suche lenkte, und nachdem sie auch die zweite Sandale gefunden hatte, kamen sie Hand in Hand herein und gingen an ihm vorbei wie an einer Säule.

Bei seinem Anblick setzte sich Corinna erwartungsvoll auf, er strich ihr übers Haar, und sie duldete es ohne Regung, ihre gesammelte Aufmerksamkeit schien sie unempfindlich gemacht zu haben für jede Berührung. Gert dachte sich zurück, um die Geschichte an der Stelle aufzunehmen, an der er sie unterbrochen hatte, er war bereit, zu erzählen, er witterte auch dunkel die Möglichkeiten der Handlung, doch als ob ein Schalter in seinem Kopf klemmte, verfiel er nicht auf das Bindeglied, auf die Klammer; außerdem spürte er seine Abwehr wachsen gegen die Einwände, die Corinna sich bereits zurechtgelegt hatte. Morgen, sagte er, morgen erzähl ich dir weiter, und ich verspreche dir, daß die Geschichte doppelt so lang wird. Dann kann ich nicht einschlafen, sagte sie kühl und mit einer Entschiedenheit, die ihn ärgerlich machte. Doch, sagte er, Mami kommt gleich zu dir, und wenn sie dir etwas vorliest, wirst du einschlafen. Kann Ronni dem kleinen Hubert helfen, fragte sie und forderte ihn sogleich mit veränderter Stimme auf, weiterzuerzählen. Er vertröstete noch einmal auf den nächsten Abend, er entschuldigte sich damit, daß er noch zu arbeiten habe, etwas Wichtiges sei ihm dazwischengekommen, er müsse eine Aufgabe ganz neu durchdenken, in seinem Kopf schwirre es wie von lauter Wespen – sie sah ihn stumm an und ließ nichts gelten. Sie bestand auf ihrer Forderung, und sie blickte starr geradeaus und war ganz steif, als er sie an sich zog und ihr einen Gutenachtkuß gab. Morgen, sagte er, und sie darauf: Das merk ich mir, du wirst schon sehn, das merk ich mir.

Bekümmert nickte er Corinna zu und setzte sich so an den Tisch, daß sie ihn durch die offene Tür bei der Arbeit sehen konnte, oder doch bei der fest reglosen Beschäftigung, die er, über seine Notizen gebeugt, vorführte. Er fühlte, daß es ihm an diesem Abend nicht gelingen würde, die Einfälle zu überprüfen, sie so zu organisieren, daß sie den veränderten Wünschen des Ministers dienten – zu sehr hatte er sich in seinem ersten Entwurf festgelegt. Zusammengesackt, schwergliedrig, doch von glimmendem Zutrauen zu sich selbst erfüllt, verfing er sich in dem herausgeschriebenen Bekenntnissatz, der besagte, daß der Deutsche die Freiheit in den teutonischen Urwäldern sucht, beim Eber; er las den Satz immer wieder, er unterstrich ihn, gab ihm, nach einem hastigen Schluck, ein kräftiges Fragezeichen. Von weit her hörte er Marens Stimme; ich geh ins Bett, sagte sie, und er murmelte zunächst nur: Gute Nacht, wandte sich dann aber noch einmal nach ihr um und sah sie am Buchregal stehen. Mit dem Zeigefinger ging sie die Titel durch, reckte sich, ihr schlaffer Bademantel hob sich und gab die Kniekehlen frei, die teigig wirkten. Sie zog ein Buch heraus und schlug es auf, im Profil sah er ihr Doppelkinn, den niedrigen Haaransatz und die gerunzelte Stirn, und als der Mantel sich vor ihrer Brust öffnete und einen Ausschnitt der sonnverbrannten, aufgerauhten Haut freigab, drehte er sich wieder zurück und tat so, als widmete er sich seinen Papieren. Ein undeutliches Gefühl regte sich in ihm, ohne ihn erschrecken zu lassen; er empfand kein Bedauern für sie, er wollte nichts an dem Eindruck der Verbrauchtheit korrigieren, den sie in diesem Augenblick auf ihn machte.

Sie fand ein Buch und tappte in den Schlafraum zu Corinna; da sie die Tür nicht schloß, hörte er sie flüstern und sich in dem Doppelbett bewegen, er kannte diese Art zärtlicher Komplizenschaft, die ihn oft genug innig ergriff, jetzt aber auf unerklärliche Weise störte. Gerade als er beschloß, die Tür zuzumachen, wurde es still, und ohne hinzusehen, wußte er, daß Maren auf der Seite lag und las und daß sie so lange lesen würde, bis ihr das Buch aus der Hand glitt. Die Flasche war fast leer. Gert goß sich den Rest ein und mußte an die lange Rucksack-Wanderung denken, in Schweden oben, auf dem Königsweg; damals hatte Maren einmal zu ihm gesagt: Alles, was du erlebst, wird seltsam, auch wenn es gar nicht seltsam ist. Er griff sich seinen Taschenkalender, fuhr mit der Bleistiftspitze die Tage hinab, strich aus, was hinter ihm lag, und machte dem Sonntag ein Kreuz: morgen also. Er war an sonntägliche Arbeit gewöhnt, es machte ihm sogar Freude, an Sonntagen hinter der Schreibmaschine zu sitzen. Leicht schwankend erhob er sich und tastete sich zu seinem Bett. Franz schlief fest, und er brummte nur unwillig im Schlaf, als Gert zu ihm hinüberlangte und ihn an der knochigen Hüfte berührte. Bevor er selbst einschlief, nahm er sich vor, gleich nach seiner Rückkehr Dolenga einzuladen, den Referenten, dessen Umgänglichkeit und Gelassenheit ihn vom ersten Tag an beeindruckt hatten und von dem Gert nicht viel mehr wußte, als daß er während des Krieges in der Schweiz geboren war.

Geschrei und Bolzos Gebell weckten ihn, ein dunkles Gewitterrollen, das weit über den See hallte; ein früher Sonnenstrahl ließ die lachsfarbene Tapete leuchten, über seine nackten Beine strich kühle Morgenluft. Er wandte den Kopf zur Seite und sah liegend zum wolkenlosen Himmel auf, mit ihrem mühevollen Flug strich eine Krähe vorbei; vermutlich patrouillierte sie das Ufer ab. Ächzend stand er auf und trat ans offene Fenster. Seine drei waren schon im Wasser, doch sie vergnügten sich nicht, sondern waren bemüht, Corinnas Plastikente zurückzuholen, die bis vor den Schilfgürtel hinausgetrieben war, ein gelber Fleck vor einem ruhelosen Nebelhauch. Zerrend und aufmunternd versuchten sie Bolzo dazu zu bringen, die Ente zu holen, doch der

1373

Hund tat, als verstünde er sie nicht, er blieb auf dem Holzsteg stehen und bellte auf den See hinaus. Gert nahm die Tasche mit dem Rasierzeug, schlang sich ein Handtuch um die Hüften und verließ den Schlafraum.

Der Frühstückstisch war bereits gedeckt, ein Kranz von Tausendschönchen und Butterblumen umschloß jeden Teller, und mitten auf dem Tisch, in einer Konservendose, stand ein Strauß von langen Gräsern, die bei der geringsten Bewegung zitterten. Seine Notizen lagen auf dem Fensterbrett, die Schreibmaschine hatten sie auf den Fußboden gestellt. Als er auf der Holztreppe stand, grüßte nur einer zu ihm hinauf, der Junge, der eine lange Astgabel in die Luft hielt. Noch lag kein Glanz auf dem See, das Sonnenlicht schien zu zögern, an diesem Morgen kam ihm alles hier begrenzt vor, sonderbar abgeschlossen, der Raum bewahrte sich seine eigene Intimität. Kiefern und Schilf: deutlich nahm er ihren Geruch wahr, er hätte ihn mit geschlossenen Augen bestimmen können. Barfuß stakste er durch das hohe Gras zum Steg hinab. Bolzo sprang an ihm hoch, peitschte mit wedelndem Schwanz seine Knie. Guten Morgen, ihr Nixen, sagte er und prüfte mit einer Fußspitze die Temperatur des Wassers und krümmte sich fröstelnd zusammen. Es erfrischt für den ganzen Tag, sagte Maren und schnellte sich vom Grund ab. Ihre blaßblauen Lippen. Der Bauchansatz. Die gelbliche Haut. Du mußt meine Ente holen, rief Corinna, los, du mußt. Gert begutachtete die Entfernung. Es ist noch zu kühl, entschied er, da bekommt man leicht einen Krampf; wenn sie nicht ans Ufer getrieben wird, holen wir sie später.

Während er sich auf dem Steg rasierte, hörte er das Brummen eines schweren Wagens, über die freiliegenden Kiefernwurzeln schaukelte er heran, schwarz glänzte er auf, als er den Schatten verließ. Rasch spülte Gert sich den Seifenschaum ab, der flockig auf dem Wasser tanzte, machte dem Fahrer ein Zeichen, lief hinauf und begrüßte den grau uniformierten Mann mit Handschlag. Sie bringen mir was. So ist es. Der Fahrer stieg aus und gab Gert einen unverschlossenen Umschlag, dann lehnte er sich lächelnd ans Auto und blickte aus verengten Augen zur Flußmündung hinüber, offensichtlich darauf aus, etwas wiederzufinden in seiner Erinnerung. Da, sagte er, da war es, ja; ich angelte auf lebenden Köderfisch, eine Stimmung wie jetzt, plötzlich ging der Hecht ab, kein sehr großer, so um die vier Pfund, ich drillte ihn, bis er müde war, und als ich ihn ranzog, da tauchte dicht hinter dem Fisch dieser Kopf auf, der Otterkopf. Biß er zu? fragte Gert. Nein, sagte der Fahrer, der Otter erschrak so, daß er gleich wegtauchte. Maren und Franz winkten, und der Fahrer erwiderte ihren Gruß. Er sagte: Ach ja, Herr Lassner, ich soll selbstverständlich grüßen. Vom Minister? fragte Gert. Von Herrn Dolenga, sagte der Fahrer und fügte hinzu: Der Minister ist seit zwei Tagen in London, er kommt erst am Dienstag vormittag zurück. Nickend blickte der Fahrer über den morgendlichen See und zum fernen Wald hinüber, der bis zum Ufer vorgerückt war, ein Ausdruck von Hoffnung und gleichzeitigem Bedauern lag auf seinem Gesicht, ihm war anzusehen, wie sehr er sich hierherwünschte.

Als Gert, mit dem Umschlag fächelnd, an den Frühstückstisch trat, bemerkte er, daß Maren den Wickelrock trug, den zu kaufen er ihr nicht zugetraut hatte, weil er dieses Kleidungsstück für eine Verirrung hielt. Der Rock war mit großen Noten bedruckt, purzelnden, mutwilligen Noten, dazu mit einigen Klaviertasten, die schräg lagen und wohl übermütige Stimmung andeuten sollten, und er dachte: Rhapsodie in Grau, und dachte auch: Warum nur? – sie ist einfach nicht dumm genug, um sich solch ein Ding leisten zu können. Er zwang sich, nicht zu ihr hinzusehen; mit einer Sorgfalt, als nähme er an seinem Brötchen eine Operation vor, schnitt er die Kruste auf, kratzte und zupfte Teigflocken heraus, drückte die beiden Hälften probeweise aufeinander, hob sie wieder ab und ließ von einem langen Löffel Honig in eine fast ausgeräumte Schale tropfen, konzentriert, als müßte er lebenserhaltende Einheiten zählen.

Plötzlich sagte er: Der Minister ist in London. Maren sah ihn erstaunt an und hörte zu kauen auf. Nun ja, sagte Gert, wenn er seit Tagen in London ist, wird er sich wohl kaum mit der Rede beschäftigt haben. Angeblich ist ihm aber erst gestern eingefallen, daß mein Konzept geändert werden muß. Aber Dolenga hat es dir doch am Telephon ... sagte Maren, und Gert darauf: Eben, Dolenga.

Der abweisende Ausdruck seines Gesichts hielt Maren davon ab, weitere Fragen zu stellen, ihm in seinen Mutmaßungen zu folgen; sie sah, wie er die Entdeckung für sich bedachte und in ihren Konsequenzen erwog. Einmal, in der Mensa, vor Jahren, da hatte sie seine Fähigkeit bewundert, einen Gedanken hervorzubringen und ihn dann sich verzweigen zu lassen bis ins Feinste und Schlimmste, mit natürlich anmutender Folgerichtigkeit. Doch auf einmal gab er auf, er wischte sich über die Augen, stürzte den Rest des Kaffees hinunter, fischte aus dem Umschlag einige lose Seiten heraus und begann zu lesen. Er schien gar nicht zu merken, daß Corinna ihr angebissenes Brötchen auf den Teller legte, vom Hocker rutschte und, als wollte sie die andern zum Schweigen verpflichten, mit einem Finger auf den Lippen hinausging. Das neue Material? fragte Maren. Mhm. Du kannst dich hier gleich ausbreiten, sagte sie. Franz und ich werden abräumen, und danach lassen wir dich allein.

1376 Lange, länger zumindest, als er es wollte, blickte er ihnen nach, wie sie unter den mächtigen Kiefern dahingingen, verschattet unter zerzausten Kronen, plötzlich scharf konturiert in einem Bündel von Lichtarmen, die zur Erde fanden; das feiertägliche Bild erinnerte ihn an einen Buchumschlag, auf dem ein Paar ziemlich andachtsvoll auf einer Waldlichtung stand, von Lichtgittern eingeschlossen, die sich kathedralenhaft reckten. Da zeigt sich, dachte er, die mystische Tiefe, und unwillkürlich unterlegte er in Gedanken das Bild mit einer Begleitmusik, ließ in ironischer Anwandlung unweltlichen Orgelton fluten: Seelenmusik. Er mußte darauf eingehen, sie mußte in der Rede vorkommen, diese »Tiefe«, die man hierzulande seit je für sich in Anspruch nahm, die einerseits bedeutende Musik geschaffen, andererseits zu hochmütiger Weltabkehr geführt hatte: Gert notierte sich ein Stichwort. Zum zweiten Mal las er Thomas Manns Rede »Deutschland und die Deutschen«, die Dolenga ihm mit anderen Texten geschickt hatte – mit Gedichten von Brecht und Kästner, mit Herweghs Wiegenlied und Goethes Reflexionen –, und obwohl er eine kleine Mutlosigkeit aufsteigen fühlte, spannte er einen Bogen in die Maschine.

Gert gab ihm recht, dem bekenntnisbereiten Schilderer deutscher Eigenart: er selbst glaubte auch, daß Wahrheiten, die man über sein Volk zu sagen versucht, nur das Ergebnis einer Selbstprüfung sein konnten. Er war zu solch einer Selbstprüfung bereit, doch wie weit und mit welcher Schonungslosigkeit war es auch der Minister? Die schlauen, von Müdigkeit geröteten Augen des Ministers ruhten unvermittelt auf ihm – zumindest fühlte er sie auf sich ruhen –, und auf einmal gelang es ihm nicht, den Blick auszulegen, das Zögern, das Achselzukken dieses Mannes zu deuten, dessen Entschlußfreude und soziale Gesinnung er schätzte. Waren das verfrühte Zweifel, voreilige Bedenken? Hatte dieser Mann nicht vieles angenommen und wiedergegeben, was Gert ihm nur mit Vorbehalt in den Mund gelegt hatte? Gewiß, der

Minister behielt sich noch jedesmal eine eigene Redaktion vor, er ließ es sich nicht nehmen, letzte Retuschen selbst anzubringen, doch im Grundsätzlichen hatten sie noch immer übereingestimmt. Gert dachte an den imponierenden Lebenslauf des Ministers – Schiffszimmerer, Abitur in Abendkursen, Studium der Volkswirtschaft mit Promotion – er tat es nicht absichtslos; indem er sich die Stationen dieses Lebens vorstellte – mit allem, was sie an Entschlüssen und Entbehrungen und Selbstermutigungen mit sich brachten –, fand er zu Sprache und Argument, jedenfalls war es oft genug so gewesen. Warum war er auf einmal unsicher? Lag es daran, daß der Charakter der Rede prinzipiell geändert werden, daß statt des launig Anekdotenhaften die schmerzliche Wahrheit zu Wort kommen sollte? Einbringen: dieses seit neuem häufig benutzte Wort fiel ihm ein, und er fragte sich, wie weit der Minister bereit war, sich bei einer Besichtigung des Nationalcharakters, wie man es ihm nun aufgegeben hatte, »einzubringen«. Ratlos las er: Der Deutsche, als Politiker, glaubt sich so benehmen zu müssen, daß der Menschheit Hören und Sehen vergeht – dies eben hält er für Politik. Unmöglich, diesen Satz zu verwenden, er stellte mehr als eine Zumutung dar für den Redner.

Er hob das Gesicht und blickte über den See zum jenseitigen Ufer; ein einsamer Mann kam da den sanften Hang herab, er trug Ruder auf den Schultern, sprang in ein Boot, das unter hängenden Weiden lag, machte es los und ruderte sehr langsam auf den See hinaus in ein silbriges Briseln, wo er an Schärfe verlor und, wie es schien, sonntäglich ruhte – jedenfalls brachte er keine Angel aus, verletzte nicht die Stille durch eine Tätigkeit, ruhte da nur und überließ sich anscheinend seinen Empfindungen. Gert schrieb – und jeder Anschlag verursachte einen flachen platzenden Laut, der hier draußen etwas Ruhestörerisches hatte: Meine Damen und Herren, darf man den Zeichen trauen, dann ist heutzutage und hierzulande eine heftige Suche im Gange – man sucht sich selbst. Viele, so hat es den Anschein, sind sich in schmerzlicher Weise unbekannt, sie leiden gar unter Selbstfremdheit, tief im Innern vermuten sie ein unterdrücktes Sein, das Wahre, das Eigentliche, das befreit und zum Blühen gebracht werden soll. Identitätssuche, wir wissen es alle, wird großgeschrieben, und zwar im persönlichen Bereich ebenso wie im nationalen. Wer bin ich, wer sind wir? – diese Frage erscheint uns so dringend, daß wir uns auf vielfache Art Antwort verschaffen möchten.

Er hielt inne, las und bedachte das Geschriebene, zog die Seite aus der Maschine und zerknüllte sie. Auf seinen Notizen stand, mit Strichen eingekastelt, das Wort »Gemüt«; er wußte, daß er es erwähnen, daß er es wenden und ausloten müßte, in diesem Wort erkannte er einen Schlüssel zu nationaler Eigentümlichkeit, es eröffnete eine verborgene Tiefe, es bezeugte etwas Heimliches und Inniges und zugleich rätselhaften Hochmut – eine Dünkelhaftigkeit, die aus der Enge wächst.

Gert spürte, daß er beobachtet wurde. Franz war zaghaft hereingekommen, er wollte nur wissen, ob Corinna hier sei, zufällig, sie suchten sie überall, doch sie sei nirgends zu finden. Hier war sie nicht, sagte Gert und machte eine lässige scheuchende Bewegung gegen den Jungen und spannte einen neuen Bogen ein. Da rief Maren, ihr langgezogener Ruf trug weit über den See und hallte von dort zu ihm herauf wie eine erschöpfte Klage, sie rief offenbar in verschiedene Richtungen, denn ein-, zweimal hörte es sich dumpf und fern an, als riefe sie aus einer Grube. Durchs Fenster sah er sie am Ufer herankommen, spähend, lauschend, mit zögerndem Schritt, und dann, nachdem sie über den morschen Zaun geklettert war, der Dolengas Grundstück begrenzte, eilig und entschlossen zum Haus herauf. Corinna ist weg. Das kann doch nicht sein, sagte Gert, hier verläuft man sich nicht. Aber sie ist verschwunden, sagte Maren, wir haben sie überall gesucht, auch im Wald. Warum schickt ihr nicht Bolzo los, fragte Gert, der findet sie im Nu. Bolzo ist zu dumm, sagte Franz, ich hab ihm schon ein paarmal gesagt, er soll Corinna suchen, aber er guckt nur so dumm und wedelt. Herrgott, das sieht ihr ähnlich, sagte Gert, und er trat an die Brüstung der Veranda und rief in drohendem Befehlston: Corinna!

Gemeinsam machten sie sich auf die Suche; zwar erwogen sie still, sich zu trennen und an verschiedenen Orten gleichzeitig zu suchen – Wald, Seeufer, Flußlauf –, doch niemand sprach es aus, sie blieben zusammen und gingen ohne Abstimmung am Seeufer entlang, Bolzo und Franz im knöcheltiefen Wasser. Mücken tanzten in einem Sonnenstrahl, Libellen mit stahlblauen Flügeln umschwirrten sie. Eine Fußspur von Corinna war nicht zu finden. Gert ging voran, bog junge Äste zur Seite und gab sie, gebogen und gespannt, an Maren weiter, die sie zurückschnellen ließ. Von Zeit zu Zeit blieb er stehen, rief und lauschte, auf Marens besorgten, anfragenden Blick antwortete er nur mit einem Achselzucken. Ihr Gesicht brannte, Schweiß stand auf ihrer

Oberlippe, am Halsausschnitt zeigten sich weißliche Quaddeln von Mückenstichen. Auf einmal erschrak er; er erkannte zwar sofort, daß das rötlich gefleckte Ding zwischen den Binsen ein Katzenbalg war, der sich dort verfangen hatte, träge gewiegt in sanften Schaukelbewegungen, doch in seiner Vorstellung sah er ein Stück wallenden gelben Stoffs und braunes Haar, das fächelnd auf der Oberfläche schwamm. Sie kann doch nicht so weit gegangen sein, sagte Maren. Anstatt sich ihr zuzuwenden, rief Gert Corinnas Namen auf den See hinaus.

Vor einer Wiese machten sie halt, eine Weile blickten sie zu den Kühen hinüber, die grasten oder bis zum Euter im Wasser standen und soffen; dann beschlossen sie, sich vom Seeufer zu entfernen und im Wald zu suchen. Sie kletterten über gestürzte Stämme, streiften eine Schonung und erklommen die Hangregion der alten Kiefern, die licht standen und deren Nadelwurf den Boden locker und federnd gemacht hatte. Kleine wilde Himbeeren wuchsen da, doch nur Franz pflückte sich ein paar im Vorübergehen. Gerts Rufe trugen hier nicht weit.

Plötzlich scherte Bolzo aus, er hatte einen Geruch aufgenommen und lief geduckt, die Nase über dem Boden, um einen Hügel herum und verschwand. Warte mal, sagte Gert. Er lehnte sich an eine Kiefer und horchte, der Hund war nicht zu hören, das einzige Geräusch, das er wahrnahm, war Marens angestrengter Atem, und ohne zu ihr hinzublicken, streckte er eine Hand aus und erfaßte ihre Finger. Sie kam noch näher an ihn heran. Sie blies über ihr erhitztes Gesicht. Nur ruhig, sagte er leise, hab keine Angst. Hoffentlich ist ihr nichts passiert, sagte sie. Gert spürte, wie sie zusammenzuckte, als über ihnen, knapp unter den reglosen Gipfeln, das rasende Hämmern eines Spechts begann. Wir finden sie, sagte er leise und machte Franz ein Zeichen, auf den Hügel zu steigen, doch ehe er oben war, kam Bolzo zurück, hechelnd, im Fell Spuren von Gestrüpp, und sie gingen weiter.

Als Maren ihm ihre Hand entzog, wandte Gert sich nach ihr um, und er sah, daß sie weinte, nicht heftig und außer sich, sondern eigentümlich ruhig und beherrscht. Mit bittender Stimme sagte er: Nicht, Maren, nicht, es ist doch nichts geschehen. Er nahm ihr Gesicht in beide Hände, nur einen Augenblick; er nickte ihr zu, doch es gelang ihm nicht, ihr die erwünschte Zuversicht zu geben, denn sie bemerkte, daß sein Blick sich verdunkelt hatte vor Zorn. Der Ausdruck von Härte in seinem fülligen Gesicht veranlaßte sie, seine Hände herabzuziehen. Sie wischte die Tränen ab und wartete darauf, daß er die Richtung

1379

bestimmte. Wie scharf seine Kommandos waren, mit denen er Bolzo und den Jungen immer wieder heranrief. Zu jeder Zeit wußte er, wo das Seeufer lag.

Ein Lufthauch kündigte an, daß der Wald sich bald öffnen würde, und als sie aus einer Mulde herausstiegen, sahen sie, lichtgefleckt, den schmalen Fluß, der beim Sommerhaus in den See mündete. Wildenten ruderten in den Schutz überhängender Zweige. Ein Eisvogel stürzte sich von der zerrissenen Böschung ins Wasser. Da ist eine Hütte, rief Franz, als die anderen längst die verfallene Holzhütte entdeckt hatten; das Dach war eingestürzt, schräg hing die Tür in den Angeln, durch ein Fenster stand ein Balken heraus, als hätte er einst versucht, die winzige Hütte aufzuspießen und wegzutragen, und sei dabei in seiner Kraft erlahmt. Gert spähte durch die Türöffnung. Auf dem Boden, zwischen verrotteten Schindeln und zerbrochenen Holzleisten, halb verdeckt von einem geschwärzten, aus Ziegelsteinen gemauerten Ofen, hockte Corinna. Sie lächelte. Sie drückte ihre Handflächen gegeneinander und lächelte, und Gert entging nicht der kleine irrlichternde Triumph in ihren Augen.

Er wartete, bis sie herausgekommen war, dann schlug er zu, schnell links und rechts, sie fand nicht einmal Zeit, sich wegzuducken und den beiden knapp angesetzten Schlägen auszuweichen, die ihren Kopf hin- und herwarfen. Dann schüttelte er sie. Dann zwang er sie, ihn anzusehen. Und während ihre Augen sich mit Tränen füllten, sagte er unerwartet leise und eindringlich, als wollte er um Verständnis werben für seine Erbitterung: Warum tust du uns das an? Warum? Laß sie in Frieden, sagte Maren zitternd und, an Corinna gewandt: Komm her, komm zu mir; jetzt haben wir uns ja wieder.

Auch auf dem Rückweg ging Gert voraus, unbekümmert darum, daß sich der Abstand zwischen ihm und den Seinen immer mehr vergrößerte, und nachdem er, immer nur dem Fluß folgend, das Sommerhaus erreicht hatte, wandte er sich nur einmal flüchtig um, ging dann in den Wohnraum und setzte sich an seinen Arbeitstisch. Während er auf seine Notizen starrte, hörte er draußen auf dem See den knarrenden Lockruf eines Haubentauchers und aus der Ferne, vermutlich aus dem treibenden Boot, Bruchstücke eines Liedes. Er stellte sich den einsamen Mann vor, der die Ruder eingezogen hatte und, mitten in dem Gefunkel, aus innerer Bewegung zu singen begann, und vielleicht hätte er das Lied wiedererkannt, wenn er nicht gleichzeitig auf die Worte und Geräusche geachtet hätte, die von der Flußmündung zu ihm heraufdrangen. Barfuß platschten sie im flachen Wasser; Franz hob zwei rundgewaschene Kiesel auf und schlug sie gegeneinander, das harte Ticken war so durchdringend, daß Gert aufseufzte. Sie wollten den Kuchen draußen essen, im Gras vor dem Holzsteg, und sie trugen alles hinaus, Becher und Pappteller und Milch und Cola, und lagerten sich um den weißen Karton. Gert bat Maren nur um ein Kännchen Tee, sie setzte es ihm schweigend hin, im Abwenden fragte sie allerdings, ob sie nicht das Fenster schließen solle; er blickte auf die Noten auf ihrem Rock und schüttelte den Kopf. Sie hob die Schultern, drehte sich um, war schon auf der Treppe, da rief er sie noch einmal zurück. Was verbirgt sich dahinter, Maren, was hat das zu bedeuten? Was, fragte sie erstaunt. Dolenga, sagte er, Dolenga hat mich gebeten, das Konzept der Rede zu ändern, auf Wunsch des Ministers. Der Minister aber ist seit zwei Tagen in London. Vielleicht haben sie telephoniert, sagte Maren. Ich weiß nicht, sagte Gert, ich hab so ein komisches Gefühl. Erinnere dich: was ich auch schrieb, am meisten auszusetzen hatte immer Dolenga, er hatte die unmöglichsten Einwände. Seit damals, seit »Über Tradition« habe ich nichts abgeliefert, mit dem er sich auch nur halbwegs einverstanden erklärt hätte. Aber der Minister, sagte Maren, der war einverstanden, und mehr als das. Das steht auf einem andern Blatt, sagte Gert, und Maren darauf: Du siehst Gespenster, wirklich, schließlich hat uns Herr Dolenga eingeladen, wir sind hier in seinem Sommerhaus, wir genießen seine Gastfreundschaft. Ja, sagte Gert, ja, und dennoch habe ich das Gefühl, daß dies meine letzte Rede sein könnte. Hast du schon angefangen? Einmal – für die Katz.

Gert wurde ihn nicht los; er sah Dolenga in dunkelblauem Anzug auf dem Fensterbrett sitzen, fühlte seine Augen auf sich gerichtet, diese weit auseinanderstehenden Augen, die ihn an einen Bären erinnerten, dachte an das eigenartige Kräuseln seiner Lippen, sobald er Gegenfragen stellte. Auf einmal aber, mit schroffer Hinwendung zu seiner Maschine, schrieb er: Meine Damen und Herren, man kann nicht über andere reden, ohne gleichzeitig über sich selbst zu sprechen. Und dann erläuterte er den Satz, bewies, daß das, was wir über andere sagen, auch uns selbst kennzeichnet, zeigte, daß gewisse Probleme durchaus zwei Ansichten zulassen, eine Außen- und eine Innenansicht. Wer es unternimmt, schrieb er, sich mit dem Nationalcharakter zu beschäf-

1381

tigen, ihn zu bezeichnen und zu beurteilen, der wird bald feststellen, daß zwei Ansichten notwendig sind. Er schraubte die Seite heraus, überflog sie und war einverstanden mit seinem Text.

Rasch spannte er einen neuen Bogen ein, doch bevor er weiterschrieb, hob er den Packen mit Notizen auf seinen Schoß, suchte nach einem Nietzsche-Zitat – der Minister liebte Zitate, sie waren ihm Schutz und Deckung –, fand es aber nicht sogleich und las, was er bei Johannes Scherr gefunden hatte:»... während andere Völker leben, denken wir, während andere Völker handeln, schreiben wir, während andere Völker genießen, lassen wir uns drucken, während sich das Bewußtsein anderer Nationen immer mehr weitet und lichtet, während sie ihrem Handel und ihrer politischen Tatkraft in den fernsten Ländern und Meeren von Tag zu Tag neue Bahnen zu suchen und zu brechen streben, rudern wir in friedseliger Michelei unser Gedankenschifflein durch den literarischen Binnensee.«

Ein hallender Ruf veranlaßte ihn, den Kopf zu heben, hinauszublikken; weit draußen auf dem See, nur an ihrer weißen Badekappe erkennbar, schwamm Maren, das heißt, sie hob sich gerade ein wenig aus dem Wasser und winkte zum Ufer zurück: Sie hatte die abgetriebene Plastikente erreicht. Auf dem Holzsteg hüpfte Corinna vor Vergnügen. Mit der Ente in der Hand ließ sich offenbar nicht gut schwimmen, Maren stupste sie mit dem Gesicht vorwärts wie Wasserballspieler den Ball, wobei sie es unterließ, die Hände wie sonst leicht zusammenzuführen bei ihren gleichmäßigen Schwimmstößen. Wie rasch sich die kleinen Wellen verliefen in dem unbewegten Spiegel! Gert dachte an ihren ersten Streit, damals, an dem finnischen See – banaler hätten die Ursachen des Streits nicht sein können, denn er entstand nur, weil sie sich nicht über die Stunde der Abfahrt einigen konnten –, und er erinnerte sich, wie Maren, einfach weil sie das vorwurfsvolle Schweigen nicht mehr ertrug, in der Abenddämmerung hinausging und über den See schwamm und auch wieder schwimmend zurückkehrte und dann bibbernd zu ihm kam und nur sagte: Wärm mich ein bißchen. Aber er erinnerte sich auch seiner Angst, die ihn erfaßte, als er sie vorübergehend aus den Augen verlor, im vom Wind gewalkten Binsengürtel.

Er beschwerte seine Notizen mit der Teekanne, las noch einmal den Anfang der Rede, spürte, wie sich unerwarteter Zweifel regte, dennoch warf er die Seite nicht fort. Der Wunsch dabeizusein, wenn Maren mit der Plastikente am Steg anlangte, zog ihn nach draußen, und ohne daß er es wollte, organisierte sich bereits in seinem Kopf eine Zurechtweisung. Doch als sie dann heranpaddelte, als Corinna jauchzend vom Steg sprang und im Sprung die Ente erfaßte, als Franz Bolzo ins Wasser schubste, da schwieg er und hielt ihr nicht vor, zu weit hinausgeschwommen zu sein. Ihren anfragenden Blick übersah er, und ihre Aufforderung, sich auszuziehen und ins Wasser zu kommen, beantwortete er mit einem Kopfschütteln. Soll ich dir noch einen Tee machen, fragte Maren. Nein, sagte Gert, ich werd mich ein bißchen auslüften. Er gab dem Hund einen Befehl, Bolzo gehorchte, kam aus dem Wasser und schüttelte sich mit einer Heftigkeit und Ausdauer, daß der Sprühregen nicht aufhören wollte.

Die Sandalen in der Hand, mit hochgekrempelten Hosenbeinen, watete er durch die Flußmündung, stieg ein glitschiges Ufer hinauf und hatte schon nach wenigen Schritten das Gefühl, daß der Boden schwankte. Schwarz war die Erde, an nackten Stellen glänzte sie feucht, in Vertiefungen stand ölig schimmerndes Wasser. Hier kochte die Sonne. Es kam ihm so vor, als ginge er über unbetretenes Land. Bolzo lief nicht, er trottete nur voran, stöberte nicht wie sonst in Buschwerk und bewachsenen Mulden. Bezwungen von lastender Mattigkeit, erwog Gert die Rückkehr, ging aber doch langsam weiter, auf eine alte Pappel zu, die wohl vor längerer Zeit ein Sturm entwurzelt hatte und die nun zur Hälfte im Wasser lag und verrottete. Ihre Äste hatten bereits Borke und Bast verloren und lagen starr und weißlich zwischen Schilfhalmen.

In dem Augenblick, als Gert den Kessel entdeckte – er war nur ein paar Schritte vom Ufer entfernt, ein flacher, kunstvoll geschichteter Turm aus Zweigen –, jaulte Bolzo auf und begann zu bellen, wie Gert ihn noch nie bellen gehört hatte – statt des heiseren Orgelns und Röhrens, statt dieser fernen, eher gutmütig klingenden Gewitterlaute produzierte er ein rasendes Geifern, ein wütendes, kurzatmiges Gekläff, das von einem Winseln unterbrochen wurde. Geduckt, mit abstemmenden Vorderpfoten und gefletschtem Gebiß erwartete Bolzo den Angriff des Fischotters, dem er offensichtlich den rettenden Weg zum Kessel abgeschnitten hatte; der platte, stumpfschnauzige Kopf war dicht vor ihm, der flache Leib lag ganz gestreckt da. Plötzlich kreischte der Otter auf, stieß und biß blitzschnell zu, und Bolzo jaulte vor Schmerz und wich zurück, zog seine Muskeln zusammen und

sprang und biß selbst zu und schleuderte den graubraunen, weißge-
fleckten Körper in die Luft. Als der Otter ins Wasser klatschte, war der
Hund schon wieder neben ihm; abwartend, gewarnt von dem scharfen
Gebiß, beobachtete er die nervösen Bewegungen des plattgedrückten
Schwanzes. Er hörte nicht auf Gerts Befehle, er parierte nicht. Zitternd
und wachsam stand er über dem Otter; dennoch konnte er nicht verhindern, daß er von einem abermaligen Biß überrascht wurde. Diesmal biß sich der Otter in einer Pfote fest, so daß Bolzo strauchelte und
umfiel, doch es gelang ihm, den Schwanz seines Gegners zwischen die
Zähne zu bekommen. Sie wälzten sich, sie kämpften vor seinen Augen.
Dann hörte Gert einen gellenden Schrei und sah, wie der Otter sich
hochreckte und schlangengleich in dem trüben Wasser floh, beim Kessel noch einmal auftauchte und endgültig verschwunden blieb.

Er nahm Bolzos Kopf in beide Hände und untersuchte die Wunden,
nur aus einem Riß an der Nase sickerte Blut. Erst in der Flußmündung, nachdem er lange getrunken hatte, legte sich die Erregung des
Hundes, und im hohen Gras vor dem Sommerhaus hinkte er auch
nicht mehr. Franz entdeckte sie als erster; komm, Papi, rief er, schnell,
wir essen gerade. Sie hatten wieder seine Sachen vom Tisch geräumt,
die Notizen und Bücher aufs Fensterbrett gelegt, die Maschine auf den
Fußboden gesetzt; vergnügt saßen sie nebeneinander und aßen kalte
Koteletts, Tomaten, Gurken und Kartoffelsalat. Ich dachte, du bringst
einen Hasen mit, sagte Franz. Wieso, fragte Gert. Bolzo, sagte Franz,
wir dachten schon, er ist hinter einem Hasen her; sein Bellen haben wir
bis hierher gehört. Es war nichts Besonderes, sagte Gert, Bolzo hat sich
nur vor einer Baumwurzel gefürchtet.

Maren kleckste ihm Kartoffelsalat auf einen Teller, schnitt Tomaten
und Gurken zurecht und setzte es ihm hin und entschuldigte sich
dafür, daß sie bereits angefangen hatten zu essen. Er starrte auf das
Kotelett, dessen Panierung sich zu wellen begann. Ist etwas? fragte
Maren, und er darauf: Ich hab keinen Hunger, später vielleicht. Bevor
ich's vergesse, sagte Maren in gleichgültigem Ton, Dolenga hat angerufen, nichts Besonderes, er wollte nur wissen, wie es uns geht. Und
was hast du gesagt? Daß es uns gutgeht, daß wir gerade aus dem
Wasser kommen und daß es uns gutgeht, ja.

Nachdenklich betrachtete er das leuchtende gelbe Steinklümpchen,
das Franz heraufgetaucht hatte und von dem er glaubte, daß es Bernstein sei; er wischte es trocken, machte mit einem winzigen Fetzen

Papier die Elektrizitätsprobe, wog es auf den Fingerspitzen: Nein, Franz, das ist kein Bernstein, dazu ist es zu schwer. Die Sonne stand niedriger, schickte schon ein Filigranwerk durch die Fenster. Eßt zu, sagte Maren, und dann raus mit euch, Papi muß noch arbeiten. Er zuckte zusammen, durch einen einzigen Satz befreit von allen Überlegungen und Ablenkungen, denen er sich überlassen hatte; ratlos blickte er sie an, und nach einer Weile sagte er: Es ist hoffnungslos hier, Maren, es geht einfach nicht. Sie schien dies Eingeständnis überhört zu haben, munter trieb sie die Kinder zur Eile an, und erst als sie allein waren, fragte sie: Und? Was sollen wir tun? Laß uns nach Hause fahren, ich hab bis Dienstag vormittag Zeit; wenn ich heute nacht anfange, schaffe ich es mühelos. Aber warum, fragte Maren, du warst doch so zuversichtlich, warum geht es hier nicht? Statt ihr eine Erklärung zu geben – und in diesem Augenblick hätte er auch keine genauen Gründe für seinen Wunsch nennen können –, bat er sie, es den Kindern beizubringen: Wenn du es ihnen sagst, sind sie eher versöhnt; bitte, Maren.

Zu seiner Überraschung maulten die Kinder nicht lange; einmal aufgefordert, alle Sachen zusammenzutragen und sie im Auto zu verstauen, halfen sie eifrig mit, und es dauerte nicht lange, bis sie abfahrbereit waren. Bevor sie abschlossen, gingen Gert und Maren noch einmal durchs Haus; sie rückten die Stühle zurecht, ordneten die Bücher ein, inspizierten die Küche. Gert stellte die Wasserpumpe ab, dann drehte er den Leitungshahn auf und trank aus dem immer schwächer werdenden Strahl. Weißt du was, sagte Maren, ich werde uns zurückfahren, du nimmst Corinna zu dir auf den Rücksitz, und ich werde fahren.

Sie rumpelten über den Sandweg, fuhren ein Stück durch den Wald, und als sie auf die Chaussee einbogen, kippte Corinna gegen seine Schulter. Er spürte ihr warmes Gesicht, sah, daß sie ihre Augen geschlossen hatte. Nicht mehr lange, dachte Gert, und sie wird herabsinken und auf meinem Schoß einschlafen. Unvermutet aber fragte sie ihn: Schläfst du, Papi? Er schüttelte den Kopf und strich ihr übers Haar. Gut, sagte sie, dann paß auf: Ronni Rübchen ging zu Miklosch, dem weisen, weisen Raben. Richtig, sagte Gert, er wollte ja Hubert helfen. Miklosch, sagte Corinna, der hat lange nachgedacht, so wie immer, und dann wußte er es. Was? fragte Gert. Na, wie Hubert über die Brücke kommen kann, sagte Corinna. Also, zuerst sollte Hubert

1385

genau zuhören, wie die Biber sprechen, und dann sollte er warten, bis es ganz dunkel ist. Das hat er getan. Und als er über die Brücke wollte, da verlangte ein Biber gleich Geld von ihm, aber Hubert machte die Biberstimme so gut nach, daß er hinüberdurfte, ohne zu bezahlen. So war es, sagte Gert, Hubert hat einfach die Stimmen nachgemacht und kam so zu seinen Leuten. Er dachte lächelnd über den Schluß nach, er wollte sie fragen, was wohl Huberts Leute taten, als Hubert mit ihnen, bei aller Aufregung, in der Sprache der Biber redete, aber er unterdrückte die Frage, als er merkte, daß sie sich zurechtringelte und ihr kleines Gewicht ganz entspannt auf seinen Schenkeln ruhte.

1986

Trost

»Danke, mein Kind, oh, danke.« Das sagt Frau Balnitz in der holzgetäfelten, gut beleuchteten Kabine, während Monika ihr in den kurzen, weißen Frottee-Mantel hilft. Den Gürtel wird sie erst gar nicht binden, denn die transportable Liege, mit blütenreinem Laken bezogen, steht schon bereit, das Beisetztischchen trägt bereits alle ausgesuchten Tuben, Flakons und Schälchen, und auf dem Marmortisch neben dem Waschbecken, wiedergegeben von einem Spiegel, über dem zwei schmiedeeiserne schwarze Rosen hängen, steht auch schon die Glasschüssel, aus der sanfte Kamillendämpfe steigen. Frau Balnitz, das sieht man, ist entspannt. Ohne erkennbare Befürchtung tritt sie nah an den Spiegel heran, öffnet den Frottee-Mantel, mustert die teigige gelbe Haut zwischen ihren Brüsten, quittiert mit müdem Lächeln die haarfeinen Furchen auf der Oberlippe und läßt sich achselzuckend auf der Liege nieder. Wie zeitlupenhaft sie sich ausstrecken kann! Bevor sie den Stoff des Mantels sammelt und über sich hebt, wird man gewahr, daß auch ihr Bauch von Sommersprossen bedeckt ist; also nicht nur Nasenflügel und Augenlider, sondern auch die fahle Haut über ihrem Bauch. Sie trägt einen hellblauen Schlüpfer und einen gleichfarbenen Büstenhalter. Mit einigen strählenden Griffen ordnet sie ihr üppiges, doch ein wenig stumpfes blondes Haar. Sie setzt eine heitere Duldermiene auf. »So, mein Kind.«

Das ist seufzend zu Monika hingesprochen, die, hochgewachsen, schwarzer Bubikopf, ebenfalls einen weißen, doch kurzärmeligen

Mantel trägt. An ihr möchte man nichts ändern; ein Ausdruck heimlichen Überdrusses gehört ebenso zu ihr wie die Trägheit ihrer Bewegungen und der Glanz ihrer nackten Arme, deren Haut an Seidenstoff erinnert. Alles, was man ihr sagt, nimmt sie mit leichtem Stirnrunzeln auf; wenn sie zustimmt, tut sie es mit Verzögerung. Auch wenn die aufgeschlagene Zeitschrift auf ihrem Plastikhocker glauben lassen möchte, daß Monika eben noch eine Reportage über die Chinesische Mauer gelesen hat, kann man in ihrem Fall sicher sein, daß sich das Heft an dieser Stelle von selbst aufgeblättert hat. Also, Monika, die sich, anders als Frau Balnitz, nie im Spiegel zulächelt, weder resigniert noch selbstzufrieden.

Weil auch hier eins nach dem andern geht, legt Monika zuerst Kompressen auf, läßt den Kamillendampf in die Hautzellen und Porenkanäle hineinwirken; Drüsen-, Sinnes- und Deckzellen öffnen sich allesamt dem Duft und der zarttreibenden Kraft, die von der bescheidenen, wundertätigen Pflanze ausgeht. Zeitlebens wird Frau Balnitz beim Duft der Kamille an ihre gütige Großmutter denken, die sie mit hinausnahm, wenn sie das Heilkraut pflückte und es später an Schnüren zum Trocknen aufhängte. Ergeben, eine kaum fühlbare Binde über den Augen, liegt sie da und sieht vor sich den kleinen dottergelben Buckel im weißen Blätterkranz. Fast könnte sie sich allein mit ihren Erinnerungen fühlen, denn Monika hat sich lautlos vor den Rundspiegel gesetzt und bearbeitet gemächlich mit einer Massagebürste ihre eigene Kopfhaut.

Jetzt klopft es, flüchtig, und mit dem Recht, das ihr zusteht, tritt, ohne auf ein Herein zu warten, Vera Putnow ein, die Chefin. Auch sie trägt einen weißen Mantel, der aber schon erschlafft ist und bestäubt und frische dunkle Flecken hat – Spuren ihrer hingebungsvollen Tätigkeit an einer Kundin. Ihr ebenmäßiges Gesicht ist leicht gerötet; eine Neigung zum Doppelkinn ist unübersehbar. Sie allein weiß, warum sie sich in ihr schönes braunes Haar eine maisblonde Strähne hineingebleicht hat. Obwohl sie zu Monika nur das einzige Wort: Telephon sagt, entgeht Frau Balnitz nicht der mitgesprochene Vorwurf. Zu zweit in der Kabine, begrüßen sich die beiden Frauen wie Freundinnen, lassen ihre Hände ineinander liegen, mustern sich freimütig und fragen sich Bekanntes ab. So, wie sie miteinander stehen, findet die Chefin nichts dabei, sich über Monika zu beschweren, allerdings nicht über ihre Fähigkeiten, sondern über die häufigen Telephonanrufe während der Arbeitszeit. Wichtig, mein Gott. Immer ist es wichtig. In *unserem* Alter weiß man, was wichtig ist.

Mit zusammengepreßten Lippen säubert Monika die feucht glänzende Haut, betupft und reibt sie und bereitet sie vor für die Maske aus Mandelkleie. Frau Balnitz, die sich statt für Quark für Mandelkleie entschieden hat, beobachtet im Spiegel Monikas Wirken, spürt, wie die kühlen Finger des Mädchens über ihre Wangen und Schläfen streichen, mechanisch, ehrgeizlos, abgezogen von gerade Erfahrenem. Etwas quält sie. Unschlüssig blickt sie in das Schälchen mit Mandelkleie, wendet sich plötzlich ab, atmet ein paarmal hörbar durch und betupft mit einem Papiertaschentuch ihr Gesicht. Ist was, mein Kind? Nein, nein. Nun wird die Mandelkleie aufgetragen, behutsam angeklopft, die blauen Augen von Frau Balnitz scheinen immer größer zu werden, und allmählich beginnt ihr belegtes Gesicht dem einer erstaunten, gutmütigen Eule zu gleichen. Warum weinen Sie?

Offenbar hat Monika gar nicht gemerkt, daß ihre Augen sich mit Tränen füllten, rasch nähert sie ihr Gesicht dem Spiegel und wischt mit den Tränen den nachtblauen Schatten von ihren Lidern. Die Reste des Schattens tilgt sie mit Öl. Ein Achselzucken soll andeuten, daß alles schon vorbei und überwunden sei, und wie um den Beweis dafür zu liefern, klopft sie aufmerksam die griesige Masse auf der Stirn nach, mit den Kuppen beider Zeigefinger, was so aussieht, als morste sie um Verständnis bittende Signale in Frau Balnitz hinein. Die hat sich ein wenig aufgerichtet und schaut verwundert das Mädchen an, das sie so manches Mal, ohne irgendeine Regung zu zeigen, behandelt hat. Der Kummer, den sie vermutet, bringt ihr das Mädchen zwar nicht gleich näher, doch er weckt ihr Interesse. Mutmachend zwinkert sie ihm zu; das Zwinkern mißlingt, wird beeinträchtigt durch die Mandelkleie. Glauben Sie mir, mein Kind, es lohnt sich nicht; welcher Art Ihre Enttäuschung auch sein mag, Tränen sind in jedem Fall verschwendet.

Nun muß sich Frau Balnitz sichtbar dem Wohlgefühl überlassen, das Duft und Wärme und ein schmetterlingsleichtes Kribbeln in den Wangen hervorrufen. Sie legt sich zurück. Mit spitzem Finger wischt sie sich eine kleine stechende Wimper aus dem Auge. Belustigt kräuselt sie die Lippen. In meinem Alter, mein Kind, darf man sich auf Erfahrungen berufen, zumindest, wenn man unter seinesgleichen ist. Monika nickt nur darauf, automatisch, nicht so, als könnte sie dieses Bekenntnis bestätigen. Um das klebrige Reinigungsöl loszuwerden, gegen das sie schon immer einen Widerwillen empfunden hat, dreht sie einen der vergoldeten Hähne auf und hält ihre Hände unter den warmen Strahl. Es lohnt sich nicht. Keine Träne. Es lohnt sich wirklich nicht. Frau Balnitz weiß, was sie sagt. Ihre Erinnerungen sortierend, hat sie hinabgefunden zu ihrer ersten eigenen Enttäuschung, die ihr jetzt so fern, so kurios, so leichtgewichtig vorkommt, daß sie nur schmunzeln kann. Man spürt, daß sie reden möchte – verführt durch Entspanntheit und Wärme und ein Gefühl der grenzenlosen Überlegenheit gegenüber allem, was war. Sie glaubt, dem schweigsamen Mädchen etwas anbieten zu müssen, zum Trost. Es lohnt sich nicht, mein Kind, denn sie haben es nicht verdient. Keiner von ihnen hat es verdient. Seufzend entfernt sie einen kleinen Batzen Mandelkleie, der aufs Ohr gerutscht ist. Oh, wenn ich daran denke.

Jung und unternehmungslustig und zu allem – auch zum Erdulden – bereit: so will auch sie gewesen sein, nicht anders als alle anderen. Er hieß Gerold, doch seine Freunde nannten ihn Garry; Frau Balnitz setzt einfach voraus, daß Monika ihr zuhört, daß sie sich diesen Garry vorstellt, während sie natürlichem Eigelb Zitrone hinzugibt und das Gemisch mit zierlichem Besen zu schlagen beginnt. Also Garry, der einmal durch das Physikum gefallen war, aber mehrere Quiz-Sendungen im Radio gewonnen hatte. Ein sorgloser Junge, vielseitig begabt, vielleicht zu vielseitig, erzählt Frau Balnitz und möchte am liebsten den Kopf über sich selbst schütteln. Voll von Einfällen und Erwartungen, nahm Garry alles mit, was sich bot; einmal überredete er sie, an einem öffentlichen Dauerkußwettbewerb teilzunehmen, der von internationalen Kosmetikfirmen gesponsert wurde. Sie hören richtig, mein Kind, und was das schönste ist: es hätte nicht viel gefehlt, und unsere Namen wären im Guinness-Buch der Rekorde erschienen.

Monika setzt sich dicht neben die Liege, deckt den Büstenhalter von Frau Balnitz mit einem Handtuch ab und beginnt, das von Zitronenspritzern belebte Eigelb sacht auf die teigige Haut kleckernd, mit der Dekolleté-Behandlung. Fragen stellt sie nur selten. Sie nimmt diesen vielseitig begabten Garry so hin, wie Frau Balnitz ihn schildert. Er und Frau Balnitz bildeten damals eins von achtunddreißig Paaren, die sich im Festsaal eines Vier-Sterne-Hotels zu einem launigen Wettkampf bereit fanden. Zur Kaffee-Zeit fand die Eröffnung statt, eine Kapelle in kleiner Besetzung spielte Hintergrundmusik, die Kandidaten erhielten Nummern und wurden von einem bekannten Fernseh-Moderator dem

Publikum vorgestellt, das sich ebenso amüsiert zeigte wie die Kellner, die während der ganzen Veranstaltung Bestellungen entgegennahmen. Wir hatten die Nummer siebzehn und erhielten den gleichen Beifall wie alle andern Paare. Geküßt werden durfte nur im Stand, nach Möglichkeit in korrekter Umarmung; die Jury gab sich allerdings mit einer angedeuteten Umarmung zufrieden – vorausgesetzt, daß die Geste deutlich erkennbaren, hinleitenden Charakter hatte. Es waren Preise ausgesetzt; der erste Preis: ein Motorrad, das Garry sich heftig wünschte.

Frau Balnitz netzt ihre Lippen mit der Zungenspitze. Wenn die Maske aus Mandelkleie nicht ihr Gesicht bedeckte, könnte man die Entstehung eines schmerzlichen Lächelns beobachten. Man glaubt ihr gern, daß sie Garry noch vor Beginn des Wettbewerbs versprach, alles herzugeben, um ihm zum Besitz des Motorrads zu verhelfen. Ein knallender Sektpfropfen war das Startzeichen, und sie küßten sich, wie sie sich immer geküßt hatten in den drei Monaten, in denen sie miteinander gingen: heftig, mit geschlossenen Augen und einem Saugbedürfnis, als wären sie knapp vor dem Verdursten. Fast alle Paare in Sichtweite machten diesen Fehler, küßten zu Anfang so intensiv, so hingebungsvoll und selbstvergessen, als sollte der Wettbewerb nicht durch Dauer, sondern durch Ausdruck entschieden werden. Offene Münder ruhten nicht auf offenen Mündern, vielmehr bearbeiteten sie sich reibend und streifend, Backen wölbten sich, und das Publikum – oh, das Publikum – reagierte mit Heiterkeit, wenn eins der Paare Standschwierigkeiten bekam. Heute, mein Kind, kommt mir das alles wie ein Stummfilm vor.

Nun stellt Monika doch eine Frage – sie verstreicht gerade mit weichem Pinsel die Eigelbemulsion auf dem Dekolleté. Ob man auch disqualifiziert werden konnte, möchte sie wissen, und Frau Balnitz sagt: Ja, ja, sobald die Lippen sich voneinander lösten, also keinen Kontakt mehr hatten, war man disqualifiziert.

Sie merkten alsbald, daß es leichtsinnig war, sich schwindlig zu küssen; durch Augensprache – die sie nie zuvor trainiert hatten und zu der sie wie von selbst in ihrer Lage fanden – gab Garry ihr zu verstehen, auf jeden leidenschaftlichen Ausdruck zu verzichten und es nur noch bei sachlichem, kräfteschonendem Dauerkuß zu belassen. Den darf man sich nicht als etwas Müheloses vorstellen: je länger man sich auf allerkürzeste Entfernung in die Augen blickt – auf Sachlichkeit herabgestimmt, küßt man nämlich mit offenen Augen –, desto fremder und fragwürdiger wird einem der Partner; zwar versucht man, den Blick gelegentlich abgleiten zu lassen, Augenbrauen, Wimpern und Nasenrücken des anderen zu inspizieren, doch ob man will oder nicht, finden sich schon nach kurzer Zeit die Blicke. Sie werden denken: man kann sich doch etwas erzählen mit den Augen, kann sich erinnern und Mut zusprechen; das schon, aber gleichzeitig wächst das Gefühl, sich selbst abhanden zu kommen, in etwas Unergründliches zu stürzen. Na, Schwamm drüber.

1391

Frau Balnitz, deren Dekolleté-Spitze eine Tendenz zur Trockenheit zeigt und mitunter leicht schuppig wirkt, bittet Monika, etwas mehr von der Emulsion aufzutragen und sie ruhig tiefer hinab zu verstreichen, zwischen die Brüste. Nein, mein Kind, keine Träne; es lohnt sich nicht. Schon am ersten Abend – um elf Uhr wurde der Wettkampf unterbrochen – lichtete sich das Feld: zwei Paare waren disqualifiziert; doppelt so viele gaben von sich aus auf. Garry – wirklich: er war so eine Art männlicher Shirley MacLaine – brachte seine Partnerin nach Hause, und als er sie aus lauter Gewohnheit zu einem Gutenachtkuß an sich zog, bekamen beide einen Lachanfall. Sie waren gut gelaunt. Sie waren siegessicher. Wie es die Regeln vorschrieben, standen sie am nächsten Morgen pünktlich um zehn Uhr auf dem Parkett, wo sie durch den Moderator erfuhren, daß der absolute Rekord in der Disziplin, in der sie angetreten waren, bei zweiundachtzig Stunden lag, aufgestellt von einem Geologen-Ehepaar in Nizza.

Unter Garrys warmem, immer wärmer werdendem Atem und hervorgerufen durch unvermeidlichen Druck, begannen die Lippen zu schwellen, ein sachtes Brennen machte sich bemerkbar, ein Pochen, das kein Speichel mildern konnte, und auch heimliche Lippengymnastik nicht – also Einziehen, Krüllen und Netzen –, die sie unter den Augen der Juroren übten. Begünstigt fühlten sich beide dadurch, daß sie annähernd gleich groß waren; welche Folgen ein bemerkenswerter Größenunterschied bei einem Wettbewerb wie diesem haben kann, erlebten sie an einem Nachbarpaar: der männliche Partner war mehr als anderthalb Kopf größer als sein Mädchen, mußte es also von oben her küssen, in angestrengter Beugung – eine schmerzhafte Nackenstarre warf sie schließlich aus dem Rennen. Ein Paar schied aus, weil es sich blitzschnell Traubenzucker-Tabletten zuführen wollte; ein anderes verließ kopfhängend das Parkett wegen körperlichen Unwohlseins. Das Publikum – oh, das Publikum –, das uns essend und trinkend zuschaute, wartete nur darauf, bis der Saal abgedunkelt wurde und die Wettkämpfer im Schein tanzender Lichtkegel standen – dann zeigten sie, was sie konnten. Ob Sie's glauben oder nicht, mein Kind, am Abend hatte ich ein gutes Kilo abgenommen, nur davon, und dazu war mir so schummrig, daß ich wer weiß was dafür gegeben hätte, wenn wir ausgestiegen wären. Garry richtete mich auf.

Mit einem feinen Spachtel aus Schildpatt schabt Monika die Mandelkleie von Kinn, Wangen und Stirn, kleckst das Zeug, das offenbar seine Wirkung getan hat, mit einem Schwung aus dem Handgelenk in ein Schüsselchen, das auf einen fahrbaren Abfalltisch wandert. Zwei auch vom Geruch her verschiedene Sorten Öl werden nun angewandt, um zunächst die Gesichtshaut zu reinigen und ihr, nachdem dies gelungen ist, die ursprüngliche Empfänglichkeit selbst für zarte Reize zurückzugeben. Monika bittet dann Frau Balnitz, sich ganz zurückzulegen, denn nun sollen Augenbrauen gezupft, gegliedert, vorgebürstet werden. Frau Balnitz spitzt die Lippen; da die Gesichtshaut spannt, grimassiert sie ein wenig. Fein, sagt sie und sagt: Was macht man nicht alles, wenn man jung ist.

Garry zuliebe hatte sie die Vaseline von ihren aufgeworfenen Lippen entfernt und war zur nächsten Runde erschienen, matt, steifarmig, mit seltsamem Schielblick, wie sie im Spiegel festgestellt hat. Seufzend fühlte sie, wie seine Lippen sich auf ihre legten, und in diesem Augenblick hätte sie sich fast von ihm gelöst, denn eine plötzliche Atemnot, die ein dröhnendes Geräusch in ihrem Kopf erzeugte, verleitete sie zu panischer Reaktion. Er merkte es sofort und öffnete seinen Mund und füllte sie mit seinem Atem aus; dies und kalkulierte Schluckbewegungen brachten sie über die Schwierigkeit. Von da an, glaubte sie, veränderte sich Garrys Blick; er sah sie nicht mehr vergnügt und mutmachend an, sondern skeptisch und warnend; halt mir ja durch, Menschenskind, mach mir ja nicht schlapp. Dennoch, mein Kind, obwohl mir so elend war, büßte ich nicht einen gewissen Instinkt ein, ein Gespür, das mich nur selten enttäuscht hat: immer und überall wittere ich nämlich den Rivalen, auf den ich achtgeben muß. Und das war auch damals so; ich wußte gleich, daß die beiden in ihren kanariengelben Pullovern unsere gefährlichsten Rivalen sein würden, der knochige Junge mit der eingefallenen Brust und sein schüchtern wirkendes Mädchen. So weltvergessen wie sie küßte sich kein anderes Paar. Sie blieben; immer mehr gaben auf, doch sie blieben.

Auf einem Heimweg – sie hatten bereits über siebzig Stunden auf ihrem Konto, und es waren nur noch vier Paare im Wettbewerb – bat sie Garry, auszusteigen und sich mit dem vierten Platz, der immerhin noch mit einem Karton erlesener Seifen belohnt wurde, zufriedenzugeben; da drohte er mit dem Ende ihrer Freundschaft und schrie sie an und setzte ihr so lange zu, bis sie ihm versprach, weiterzumachen. Taumelnd will sie am nächsten Morgen auf dem Parkett erschienen sein. Ihre Lippen waren geschwollen. Nicht sie, er zog ihr Gesicht zu sich heran, und als sie sich nach der Mittagspause den dritten Platz erkämpft hatten – ein Mädchen hatte sich mit irrem Lachen von ihrem Partner gelöst und war einfach davongelaufen –, küßte er sie auf die Stirn und sagte, während er ihr Haar streichelte: Wir schaffen es, und wir werden sogar einen neuen Rekord aufstellen.

Jetzt tunkt Monika, die nicht die geringste Ungeduld verrät, eine winzige Bürste in ein Schälchen mit dunkler Tinktur, setzt sich auf den Rand der Liege und beginnt mit ihrer Präzisionsarbeit. Da Frau Balnitz stumpfes blondes Haar hat, müssen Brauen und Wimpern dunkel gefärbt werden, das ist nun einmal so, und um dem Feinsten gerecht zu werden, beugt sich das Mädchen tief über die Kundin hinab, so tief, daß es den warmen Atem der Liegenden am Hals spürt. Frau Balnitz wundert sich, daß das junge Gesicht über ihr nichts preisgibt. So ist es richtig, denkt sie, keine Träne, denn sie sind es nicht wert. Und sie erinnert sich daran, wie auf einmal nur noch zwei Paare in der Arena waren, sie und Garry und die beiden kanariengelben Pullover; Saugfischen gleich, die ihre vorgestülpten Lippen aufeinanderlegten, standen ihre Rivalen da, ein Denkmal der Ausdauer; doch Frau Balnitz weiß noch, daß sie bei dieser Wahrnehmung einen unerwarteten Zuwachs an Kraft und Standfestigkeit verspürte. Trotz belebte sie, äußerste Entschlossenheit gab ihr das Gefühl für sich selbst zurück. Ja, mein Kind, jetzt wollte ich gewinnen, und wenn es auf mich allein angekommen wäre, hätten wir gewonnen.

Sie dachte sich nichts dabei, als Garry und sein Rivale gemeinsam aus der Herrentoilette kamen und sich zuzwinkerten beim Auseinandergehen; das sah nicht anders aus als eine ironische Ermunterung für die letzte Etappe. Und sie sah ihren Sieg auch nicht gefährdet, als Garry auf einmal die Arme sinken ließ und ein wenig schwankte; das hätte ein unbedeutender Schwächeanfall sein können, dem sie auch gleich begegnete, indem sie den Partner stützte und mit den Armen umfing.

Sie suchte seinen Blick. Sie zog die Augenbrauen zusammen, um ihm dringlich zu signalisieren: Halt durch, wir schaffen es. Das Publikum – oh, dieses Publikum ahnte, daß eine Entscheidung nahe war, es gab vorsorglich größere Bestellungen auf, ließ statt Karaffen und Gläsern gleich Flaschen auffahren. Garry fing sich noch einmal, sein Kuß, so empfand es Frau Balnitz, wurde kontrollierter, sie sagte: wettkampfmäßiger, und meinte damit, daß die Lippen sich nicht aneinander rieben und wund preßten, sondern ökonomisch berührten. Da riskierte sie es, dann und wann zu ihrer Rivalin hinüberzulinsen – das»Ding« hieß Paula und hing mit geschlossenen Augen im Klammergriff des Partners –, um ihr Stehvermögen zu taxieren.

In der achtzigsten Stunde – Sie müssen sich vorstellen: zwei Stunden vor der Einstellung des Rekords von Nizza – begann Garry sich plötzlich aufzubäumen, zu zucken, er benahm sich, als ob er Schläge in die Magengrube erhielte, man konnte spüren, wie sich etwas gewaltsam aus ihm herausdrängte. Ein explosionsartiger Husten schüttelte ihn, er drehte sich weg und krümmte sich. Die Kapelle – kleine Besetzung – unterbrach den Blue Tango. Garry wankte zur Balustrade, nahm sich einfach von einem Tisch ein gefülltes Glas und trank, trank es auf einen Zug leer. Er stierte mich an. Dann hob er ohne ein Wort den Arm und meldete seine Aufgabe.

Danke, mein Kind, sagt Frau Balnitz und betrachtet sich prüfend im Handspiegel und tupft mit befeuchteter Fingerkuppe auf eine Augenbraue. Augenscheinlich ist sie einverstanden mit sich selbst, denn sie murmelt: Jetzt können wir uns wieder sehen lassen. Doch das muß Monika noch wissen: bei einem Freiluftkonzert, nicht lange nach dem Wettkampf, begegnete Frau Balnitz ihrer einstigen Rivalin, diesem schüchternen »Ding«, dieser Paula. Beide waren ohne Begleitung gekommen, sie umarmten sich unwillkürlich und sagten sogleich du zueinander. Von ihrem Partner – sie nannte ihn Benno – wußte Paula nur, daß er in Südfrankreich unterwegs war, auf seinem Motorrad, und nicht allein: das Mädchen, das mit ihm fuhr, hatte Haare, die einem aufgerebbelten Manilahanfseil glichen; diesen Vergleich hat Frau Balnitz nicht vergessen. Sie erinnerten sich gemeinsam, sie waren nicht mißvergnügt bei allem Erinnern, doch dann erwähnte Paula wie nebenher – im Glauben, Frau Balnitz wisse es längst –, daß da zwischen den Burschen eine Abmachung getroffen wurde, heimlich, auf der Herrentoilette; sie handelten den Sieg aus. Man kann ruhig feststellen, sagt

Frau Balnitz, diese fidele Niete hat unseren Sieg verkauft, denn wie Paula mir gestand, waren sie und ihr Benno fertig. Eine wegwerfende, eine verächtliche Handbewegung soll Monika sagen, daß es sich wirklich nicht lohnt, auch nur eine einzige Träne zu vergießen.

Frau Balnitz tritt hinter den Paravent, und noch bevor sie den weißen Frottee-Mantel auszieht, fischt sie aus ihrer Handtasche einen Geldschein und steckt ihn Monika zu. Die blickt nicht auf das empfangene Geld, sie weiß, daß es immer ein Zwanzigmarkschein ist; sachlicher kann kaum ein Dank ausfallen. Daß sie gleich darauf den Abfalltisch hinausrollt, kann als Diskretion verstanden werden, denn wenn die Behandlung auch eine beachtliche Nähe herstellt, so gibt sie einem noch nicht das Recht, beim Anziehen dabeizusein. Vera Putnow aber, die Chefin, darf sich dies Recht nehmen; sie möchte nur wissen, ob eine ihrer regelmäßigsten Kundinnen zufrieden ist. Das fragt sie auch aus Besorgnis und tritt hinter den Paravent und hilft Frau Balnitz ins marineblaue Kostümjäckchen. Mehrere Telephonanrufe am Tag, das kann ich nicht zulassen, sagt sie flüsternd; denn es ist immer dasselbe. Die Komplimente, die sie für Frau Balnitz übrig hat, wirken nicht verbraucht. Gemeinsam verlassen sie die Kabine, schlendern über den schachbrettartigen Flur und blicken sich nur an, als sie Monikas Stimme hinter einem Vorhang hören, von dorther, wo das Telephon steht. Zwanzig, sagt sie, heute abend, ja, ganz bestimmt, und ihre Zuhörer haben beide den Eindruck, daß Monika sich auf etwas freut, zumindest aber erleichtert ist.

Frau Putnow macht ihr keinen Vorwurf, sie ruft sie zwar zu sich, doch nur, um sie neben sich stehen zu haben vor der schönen Scheibengardine: Da, schauen Sie mal hinaus. Draußen geht Frau Balnitz auf drei wartende Kinder zu, die bei ihrem Anblick ausgelassen zu hüpfen beginnen, sich um sie drängen und die Arme nach ihr ausstrecken. Sie küßt die beiden älteren, ein Mädchen und einen Jungen, und nimmt einen mürrischen kleinen Kerl mit Säbelbeinen hoch, der sogleich mit wütendem Eifer auf ihr Dekolleté zu trommeln beginnt. Offenbar untersucht sie eine Wunde oder Stelle am Hinterkopf des Kindes, ist zufrieden mit deren Zustand, lacht und schwenkt den düsteren kleinen Burschen einmal herum, der darauf zu quietschen anfängt. Dann nehmen sie sich an die Hand und ziehen los, schlendernd, hopsend, in Richtung zu einem großen, schwarzen Auto, zufrieden, als hätten sie sich nach langer Zeit endlich wiedergefunden.

1986

Das Preisausschreiben

Ratlos, Herr Minister, ratlos und den schlimmsten Vermutungen überlassen, protestiere ich aufs schärfste gegen die Maßnahmen nach der Preisverleihung. Was mir zugestoßen ist – mir, dem Gewinner des Großen Preisausschreibens –, ist nahezu geeignet, meinen Glauben in die Lauterkeit unserer Autoritäten zu erschüttern; nur die Zuversicht, daß ich mit meiner Beschwerde Ihre Aufmerksamkeit finde, hindert mich daran, die Hoffnung auf Wiederherstellung des Vertrauens aufzugeben. Ich, Heiner Schull, wende mich an Sie, weil Sie oft genug in der Öffentlichkeit zu aufbauender Kritik und angemessenem Protest ermuntert haben, und damit Sie sich von der Rechtmäßigkeit meiner Beschwerde ein Bild machen können, möchte ich Ihnen detailliert zur Kenntnis bringen, was mit mir geschehen ist.

Als unsere Geheimpolizei in allen überregionalen Zeitungen zur Teilnahme an einem Preisausschreiben einlud – wie Sie sich vielleicht erinnern, bestand das Ziel dieses Wettbewerbs darin, Verständnis für die alles andere als leichte Arbeit dieser Männer zu wecken –, beschloß ich spontan, die Einladung anzunehmen. Ich tat es nicht zuletzt deshalb, weil ein Gefühl familiärer Verbundenheit es mir nahelegte: mein Schwager Bodo Bleiken – er ist mit meiner einzigen Schwester Nele verheiratet – gehört seit sieben Jahren der Geheimpolizei an, eine Tatsache, die, wie ich glaube, in seiner Straße offiziell niemandem bekannt war. Ohne daß er selbst jemals über die Bürde seines Berufs geklagt hätte, blieb mir nicht verborgen, welchen Belastungen ein Geheimpolizist ausgesetzt ist: erschöpft von außerplanmäßigem Dienst, zu Argwohn und Verdacht verpflichtet, leidend unter der Isolation, der er sich vielerorts ausgesetzt findet, liefert er auch ungefragt eine Erklärung dafür, warum die Scheidungsrate unter Geheimpolizisten überdurchschnittlich hoch ist – mit meiner Schwester führt Bodo Bleiken seine zweite Ehe. Daß ich mich gedrängt fühlte, das häufig verdunkelte Bild der Geheimpolizei, soweit es mir möglich war, aufzuhellen, war für mich jedenfalls kein Akt langwieriger Erwägungen – ich war einer der ersten, die die näheren Bedingungen des Preisausschreibens anforderten.

Kaum in ihrem Besitz, suchte ich meine Schwester Nele auf; sie lebt mit ihrem Mann in einem der funktionstüchtigen neuen Reihenhäuser, nicht weit von der Laubenkolonie, in der ich Wohnung und Werkstatt habe – ein idealer Arbeitsplatz übrigens für einen um Anerkennung ringenden Skulpturisten. Mein Plan, der sich fast ohne Nachdenken ergab, bestand darin, eine beliebige Woche im Leben eines Geheimpolizisten zu protokollieren, sachlich, gerecht und die Kenntnisse der Nähe einbringend, zu denen mir meine Schwester verhelfen sollte. Überzeugt davon, daß der wahre Mensch in der Unscheinbarkeit des Privaten zu finden ist, erhoffte ich von ihr Hinweise auf Gewohnheiten und Eigentümlichkeiten, die mir bisher verborgen geblieben waren. Zwar kannte ich bereits Lieblingsgericht und Lieblingsgetränk meines Schwagers, wußte, welchen Autotyp er bevorzugte, wen er als Vorbild betrachtete, hatte sogar erfahren, welches sein Lieblingsvogel und welche seine Lieblingsblume war, doch für einen Bericht, wie er mir vorschwebte, schien mir dieses Wissen nicht ausreichend zu sein.

Zu meinem Erstaunen lehnte meine Schwester zunächst nicht nur jede Mitarbeit ab, sondern riet mir auch, mich am Preisausschreiben nicht zu beteiligen. Sie erinnerte mich daran, daß all meine Versuche, aufs Glück zu setzen, seit frühester Jugend mit Enttäuschungen geendet hatten; in der Tat habe ich weder jemals einen Preis im Radio-Quiz »Das kluge Kind« gewonnen noch später, als Erwachsener, trotz regelmäßiger Teilnahme an Wettbewerben irgendeine Auszeichnung erhalten. Auf der Kunstausstellung des letzten Jahres wurde meine Skulptur »Bergmann, die Grubenlampe schwenkend« nicht einmal lobend erwähnt. Wäre es ein beliebiges und nicht ein Preisausschreiben der Geheimpolizei gewesen, so hätte meine Schwester mich wohl erfolgreich zum Verzicht überredet; doch in diesem Fall gab ich nicht auf. Ich versuchte, ihr beizubringen, daß es auch in ihrem Interesse sein müßte, wenn mit Hilfe des Preisausschreibens um Verständnis und Sympathie für die Arbeit ihres Mannes geworben wird. Ich bewies ihr anhand von Beispielen, daß das Glück, auch wenn es einen Menschen methodisch umgeht, eines Tages doch eine unvermutete Wahl treffen kann – und sei es nur aus Laune. Schließlich wies ich sie darauf hin, daß ich als Gewinner des Preisausschreibens in der Lage wäre, ihr das ganze Geld zurückzuzahlen, das sie mir heimlich im Laufe von zwei Jahren geliehen hatte, vor allem zum Materialankauf für mein noch nicht vollendetes Hauptwerk »Garten der Klagen«. Am Ende gab sie dem Gewicht dieser Argumente nach, nachdem sie noch einmal die Bedingungen studiert hatte – der erste Preis betrug zwölftausend, Familienmitglieder waren nicht ausdrücklich ausgeschlossen; die Ent-

scheidung der Jury, die aus Geheimpolizisten bestand, war unanfecht-
bar –, und erklärte sich bereit, mir mit Auskünften und Hinweisen zu
helfen.

An dem schlichten Titel meines Beitrags »Eine Woche im Leben
eines Geheimpolizisten« hatte meine Schwester nichts auszusetzen; sie
schlug lediglich vor, ihn als Untertitel zu verwenden. Als Hauptüber-
schrift, von der wir uns mehr Aufmerksamkeit versprachen, wählten
wir nach kurzer Beratung: »Der Schattenfreund«. Danach gab sie mir
den Blick frei auf das Leben ihres Mannes, der nie gezögert hat, seinem
Beruf alles zu opfern.

Jeder kann sich davon überzeugen, daß ich in meinem Preisproto-
koll bestrebt war, meinen Schwager Bodo Bleiken als einen Menschen
wie du und ich darzustellen, dessen Tag mit dem Frühstück beginnt.
Von der Erkenntnis bestimmt, daß wir, wenn wir von anderen erfahren, gleichzeitig in unserem eigenen Leben lesen, lud ich zum Vergleich ein, zeigte meinen Schwager, wie er aus einer Kasserolle gewärmten Haferbrei löffelt, sich danach mit gebuttertem Toast und
ungesüßtem Kaffee begnügt, schließlich, bevor er die Zeitung zur
Hand nimmt und mit dem Studium der Anzeigen beginnt, sein geliebtes Zigarillo anbrennt. Da er zumeist mit unregelmäßigem Kantine-
nessen vorliebnehmen muß, genießt er das Frühstück und dehnt es
nach Möglichkeit aus. Gelegentlich findet er sogar Zeit, die Blumen zu
gießen und den Geranien ein paar welke Blätter zu nehmen. Seiner
Frau zuliebe vergißt er es nie, die elastischen Bandagen anzulegen, die
er wegen seiner beschädigten Sprunggelenke tragen muß. Bricht er zur
Arbeit auf, verabschiedet er sich so intensiv, als läge seine Rückkehr im
ungewissen.

Da meine Siegeszuversicht sich auf meine Schwester übertrug, erlaubte sie mir, Einblick sowohl in das Rapportbuch als auch in den
Dienstplan meines Schwagers zu nehmen – ein Umstand, der jede
Spekulation unnötig machte. Bereichert und zugleich verpflichtet
durch den Besitz von Tatsachen, beschloß ich, diese allein darzustellen
und wirken zu lassen, nicht wahllos allerdings, sondern in ihrer repräsentativen Eigenart. Den Daten des Dienstplans folgend, fuhr ich
ins Zentrum der Stadt, um Bodo Bleiken aufzuspüren und ihn bei der
Arbeit zu beobachten. Erkennungstraining stand auf dem Programm –
nicht für ihn freilich, den Erfahrenen, sondern für Anwärter der Geheimpolizei: die Aufgabe meines Schwagers bestand darin, die jungen

Bewerber auf ihre Fähigkeit zu prüfen, einen erkannten Verdächtigen bei seiner Flucht durch die ganze Stadt zu verfolgen und ihn am Ende, zum Scherz, festzunehmen. Als erste Tarnung diente meinem Schwager das Kostüm einer betagten Losverkäuferin. In meinem preisgekrönten Beitrag habe ich dargestellt, wie ich am Platz des 10. Juli unauffällig Posten bezog und das gute Dutzend alter Losverkäuferinnen in Augenschein nahm, das für gewöhnlich dort anzutreffen ist. Schon nach kurzer Zeit fielen mir dann auch einige junge Männer auf, denen an der rechten Hand offenbar neue, schwarzglänzende Pfeifenetuis baumelten, die sie dann und wann an den Mund hoben. Bewundernswert, wie rasch die Anwärter herausfanden, welche der alten Losverkäuferinnen unecht war, noch bewundernswerter aber, wie mein Schwager, als er sich in seiner Tarnung durchschaut fühlte, in das Restaurant »Zum letzten Glas« flüchtete und sich dort einfach auflöste. Hätte ich nicht die Zahnlücke des backenbärtigen Kellners bemerkt, der sich zudem zwinkernd nach meinen Wünschen erkundigte, nie wäre ich auf den Gedanken gekommen, von Bodo Bleiken bedient zu werden. Doch es gelang ihm nur für Minuten, unentdeckt zu bleiben. Mit Maskierungen und Rollenspiel vertraut, gelang es den Anwärtern, ihre Zielperson zu identifizieren, und danach begann eine Verfolgung, die alle Gefahren einschloß, die bei Aktionen dieser Art auftreten können. Mein Schwager floh auf einem schweren Motorrad, sprang im letzten Augenblick auf einen U-Bahn-Zug auf, erkletterte ein Baugerüst und ließ sich mit Hilfe eines Krans herab, einmal erschien er als Fahrkartenkontrolleur in einem Bus, ein andermal mimte er einen Betrunkenen, der sich mit einer Straßenlaterne stritt; doch welche Wege und Verkleidungen er auch wählte – es half ihm nichts. Als er, mit einer ausgesuchten Assistentin, ein selbstvergessenes Liebespaar spielte, wurde er gestellt und konnte an Ort und Stelle seinem erfolgreichen Verfolger gratulieren. Zugegeben: da das Rapportbuch diese Ereignisse später nur bescheiden und stichwortartig wiedergab, fühlte ich mich ermächtigt, sie in meinem prämiierten Beitrag ihrer Bedeutung entsprechend darzustellen, vor allem lag mir daran, Fähigkeiten und Fertigkeiten hervorzuheben, über die ein Angehöriger der Geheimpolizei wie nebenbei verfügen muß.

Daß einer, der sich diesem außergewöhnlichen Beruf verschreibt, geregelte Dienststunden nicht erwarten kann, hielt mein Schwager immer für selbstverständlich – ich indes hielt es für geboten, dies ausdrücklich an einem Beispiel zu belegen. So verwies ich auf die zähe Geduld, die Bodo Bleiken aufbringen mußte, um den Schauspieler und Regisseur Simon S., der öffentlich erklärte, Bloßstellen sei sein Metier, dahin zu bringen, wo er hingehört. Allnächtlich um eins, nach nur dürftigem Kurzschlaf, unterbrach der Wecker schon die Ruhe meines Schwagers. Auf bewährte Praxis vertrauend, wählte er die Telephonnummer des Schauspielers, konzentrierte sich und sagte nicht viel mehr als: Halten Sie sich bereit; wir verständigen Sie, wenn es sein muß. Wie viele Male sich mein Schwager dieser Pflicht unterzog, habe ich nicht ermitteln können; jedenfalls tat er es so oft, bis er die Zeit für gekommen hielt. Bei seinem letzten Anruf dann gebrauchte er die Warnung: Höchste Zeit, fliehen Sie! Und wie er vorausgesehen hatte, versuchte der Schauspieler prompt, sich aus dem Staub zu machen und die Grenze illegal zu überschreiten; was ihm, wie erwiesen ist, nicht gelang.

Ich konnte nicht umhin, in meinem Beitrag für das Preisausschreiben auch die Erfahrungen jenes Abends zu beschreiben, an dem meine Schwester uns in das Restaurant »Zum letzten Glas« einlud, um das Ende der pünktlichen Schlafunterbrechungen mit einem gemütlichen Essen zu feiern. Leider gibt es in diesem guten Speiselokal keine Nischen, man sitzt Tisch an Tisch, jeder Gast wird von einem Kellner an den vorbestellten Platz geführt. Als wir eintraten, stellte sich sogleich ein Gefühl der Beklemmung ein, denn alle, die dort saßen, hoben die Gesichter, unterbrachen ihr Gespräch, legten das Besteck hin oder setzten die Gläser ab – bis auf zwei junge Männer, die respektvoll grüßten und in denen ich Anwärter der Geheimpolizei wiedererkannte. In den Blicken derer, die uns beobachteten, entdeckte ich Scheu, Neugierde und Abneigung, auch eine gewisse Furcht entging mir nicht, und ich bewunderte Bodo Bleiken, der, obwohl er unter dieser Aufmerksamkeit litt, Platz nahm und sich, in keineswegs freundlichem Schweigen, sein geliebtes Zigarillo anbrannte. Welch souveräne Selbstbeherrschung in seinem Beruf verlangt wird, bewies mein Schwager, als das Paar am Nebentisch, das eben begonnen hatte, seinen Zigeunerspieß mit geschmorten Grünlingen zu probieren, hastig aufstand und zum Ausgang strebte: statt auch nur ein Wort über die zurückgelassenen Getränke und Speisen zu verlieren, vertiefte er sich in die Weinkarte, und nur an ihrem leichten Zittern merkte ich, was er empfand.

Obwohl sich um uns die Tische leerten, brachten wir unsere kleine

Feier zu Ende; in Zusammenarbeit mit meiner Schwester gelang es mir sogar, Bodo Bleiken hin und wieder aufzuheitern.

Später erfuhr ich, daß sich das Paar, das so überstürzt und fast in beleidigender Weise aufgebrochen war, längst den Verdacht meines Schwagers zugezogen hatte; es wohnte in seiner Straße, der Mann war Chemie-Facharbeiter und hieß Ludek Nickels. Und das Rapportbuch weist aus, wie umsichtig mein Schwager zu Werke ging, um Ludek Nickels endlich illegaler Tätigkeit zu überführen. Nach sorgfältiger Analyse fiel ihm der Bruder des Verdächtigen ein, der, rechtskräftig verurteilt, in einem abgelegenen Gefängnis saß. Eine Inspektion des festen Hauses ergab, daß angrenzende Kohlfelder und Fichtenschonungen eine Flucht begünstigten, und diese Tatsache ließ den Plan rasch zur Vollkommenheit reifen: bei wolkenbruchartigem Dauerregen, in der Stärke fein kalkuliert, damit kein unnötiger Schaden an Personen und Sachen entstand, brachte mein Schwager eine Sprengladung an, die in die Mauer, hinter der Preben Nickels einsaß, das berechnete Loch riß. Knapper kann zu einer Flucht nicht eingeladen werden, und nachdem der Fliehende in einer Schonung verschwunden war, begannen für meinen Schwager zwei Nächte zehrender Observation. Hinter seinen Sonnenblumen kauernd, durchnäßt und mit steifen Gliedern, beobachtete er das Haus von Ludek Nickels, ein Beispiel von Ausdauer. Ich konnte nicht darauf verzichten, die Pflichtauffassung hervorzuheben, die notwendig ist, um den Ansprüchen dieses Berufs zu genügen. Erst als die Ausdauer belohnt wurde – wie erwartet, schlich der Geflohene in das Haus seines Bruders –, gönnte sich mein Schwager eine Stärkung und handelte dann so überraschend, daß er jeden gewünschten Beweis in der Hand hatte.

Daß einer wie er Rückschläge und Gründe zur Mutlosigkeit findet, habe ich in meinem preisgekrönten Beitrag selbstverständlich auch erwähnt. Der Sachlage angemessen, schilderte ich zum Beispiel seine Erlebnisse mit Henryk van Slome, dem bedeutenden Physiker, der trotz hervorragender Verdienste selbst in ehrwürdigem Alter nicht auf die Annehmlichkeiten verzichten mochte, die junge Mädchen gewähren. Dies zu überprüfen, wurde mein Schwager abgestellt, und nachdem er mit modernstem elektronischem Gerät versorgt worden war, das es ihm erlaubte, über mehr als zwei Kilometer hinweg in jede Wohnung hineinzuhorchen, machte er sich an seine Aufgabe. Beiläufig, wie nur er es konnte, stiftete er eine Bekanntschaft zwischen dem

vielfach Ausgezeichneten und einer besonders anziehenden Mitarbei-
terin der Geheimpolizei, der man außerdem beträchtliche physikalische Kenntnisse nachrühmte, überließ die beiden sich selbst und bezog
Position. Jede Äußerung im Haus des Physikers wurde mitgeschnitten,
die Tonqualität war sehr unterschiedlich, einige Gespräche klangen so,
als ob sie methodisch verzerrt worden wären, doch als der sogenannte
Lauschangriff abgebrochen wurde, konnte mein Schwager seinem
Vorgesetzten einen Stapel Bänder überreichen, auf dem ein Text von
achtzehn Stunden Dauer gespeichert war. Die Untersuchung des Tex-
tes ergab, daß es sich um Dostojewskis Roman »Die Brüder Karama-
sow« handelte, den der Physiker mit eigener Stimme in Fortsetzungen
vorlas. Und die Ratlosigkeit meines Schwagers wuchs, als er am folgenden Morgen – eingeschrieben, per Eilboten – ein Exemplar des
gleichnamigen Romans anonym zugestellt bekam.

Doch um zu zeigen, daß Rückschläge, Rat- und Mutlosigkeit ihn
nicht lähmten, stellte ich in meinem Beitrag schließlich auch dar, wie
mein Schwager – immer noch in der Woche, die ich mir als Muster
gewählt hatte – den Dichter Urs Wübbe überführte. Die Überwachung
der Post und der Besuch zweier Dichterlesungen hatten zwar solide
Verdachtsmomente geliefert, doch angesichts der ausgepichten Dop-
pelsinnigkeit der Texte reichten die nicht weit. Der Dichter schien
unbelangbar. Beruflicher Ehrgeiz ließ Bodo Bleiken nicht ruhen, und
nachdem er herausgefunden hatte, daß Urs Wübbes Gedächtnis durch
alkoholische Exzesse beinahe ruiniert war, verfiel mein Schwager auf
eine Idee, die zumindest bestaunt zu werden verdient. Er schrieb, in
der Stilart des Dichters, ein paar eigene Texte. Freilich, er verschlüsselte sie nicht, sondern sprach aus, was Urs Wübbe kunstvoll ins
Mehrdeutige gebracht hätte. Die staatsgefährdende Gesinnung, durch
einfühlsame Imitation zum Vorschein gebracht, war nunmehr unbe-
streitbar. In der eigenen Druckerei der Geheimpolizei gesetzt, stillschweigend eingezogen in einige hundert Bände der neuesten Gedicht-
sammlung von Urs Wübbe, erwiesen sich die selbstgefertigten Texte
als die vortrefflichsten Beweisstücke. Einen persönlichen Triumph erfuhr mein Schwager im Augenblick der Festnahme: nach kurzem Zögern bekannte sich der Dichter zur Urheberschaft an allen Zeilen des
Bandes.

Nachdem ich meinen Beitrag für das Preisausschreiben beendet hatte, las ich ihn, aus Gründen der Feinabstimmung, meiner Schwester

vor. Sie wünschte zwar ein paar Retuschen unbedeutender Art – so hielt sie es beispielsweise für überflüssig, die Lehrmeister ihres Mannes namentlich zu erwähnen –, hatte aber im großen und ganzen den Eindruck, daß meine Darstellung geeignet war, Verständnis und sogar Sympathie für die Arbeit der Geheimpolizei zu wecken. Mit Anschreiben und der geforderten Versicherung, daß es sich um eine selbständige Hervorbringung handelte und Rechte Dritter nicht berührt würden, gab ich meinen Umschlag zur Post – in der Sicherheit, den Wettbewerb zu gewinnen. Diese Sicherheit verließ mich auch nicht in den Wochen der Ungewißheit, in denen eine geplagte Jury unzählige Einsendungen prüfte und bewertete.

Der Herr im Ledermantel, der mir schmunzelnd das Telegramm übergab, wunderte sich, daß ich es nicht sofort öffnete, und als ich ihn fragte: Erster oder zweiter Preis?, wollte seine Verblüffung kein Ende nehmen. Die Jury hatte mir, wie erwartet, den ersten Preis zuerkannt. Ich beeilte mich, ihr mitzuteilen, daß ich bereit war, ihn am 10. Juli im Großen Festsaal des Ministeriums entgegenzunehmen.

Noch bevor ich zu ihnen ging, kamen meine Schwester und ihr Mann zu mir, um mich zu beglückwünschen – sie hatten das freudige Ereignis aus den Nachrichten erfahren. Bei einer improvisierten Vorfeier, zu der uns Anlaß gegeben schien, hielt meine Schwester eine Rede, in der sie ihre Genugtuung darüber ausdrückte, daß das Glück, das mich von jeher konsequent umgangen hatte, endlich einmal auf meinen Namen gekommen war. Mein Schwager stimmte ihr zu und äußerte nach einem kritischen Rundgang die Zuversicht, daß mein Hauptwerk »Garten der Klagen« nach seiner Vollendung einen großen Kunstpreis erhalten werde.

Am Tag der Preisverleihung ließ es sich die Jury nicht nehmen, mich persönlich in einem geräumigen Auto abzuholen, und um mir das Lampenfieber zu nehmen, bot sie mir einen hochprozentigen Schluck und eine würzige Zigarette an. Der Ton, in dem wir uns unterhielten, war freundschaftlich. Welchen Wert sie der Veranstaltung beimaßen, ließ sich nicht allein an dem üppigen Blumenschmuck des Festsaals erkennen; für die musikalische Umrahmung war unser populärstes Kammerorchester engagiert, und das künstlerische Personal des Fernsehens war gehalten, rasiert und mit gebundener Krawatte zu erscheinen. Als der Chef der Geheimpolizei mich und die Gewinner des zweiten und dritten Preises in den Saal führte – die beiden anderen Preisträger waren

Kassierer bei der Staatsbank –, erhob sich die Versammlung und applaudierte.

Aus allen Reden war die Zufriedenheit darüber zu erfahren, daß das Preisausschreiben seinen Zweck erfüllt hatte. Die enorme Zahl der eingesandten Beiträge bestätigte die Popularität der Geheimpolizei, spiegelte ihr Ansehen und entriß ihre Arbeit einem hier und da immer noch umgehenden finsteren Gerücht. Eine einzige nachdrückliche Rechtfertigung: so wurde das Resultat genannt; und als ich Preis-Urkunde und Scheck entgegennahm, sagte ich mir, daß ich auf meine Art dazu beigetragen hatte. Mit einer Darbietung des Chors der Geheimpolizei endete die offizielle Feier, nicht aber das Fest, das mit einem Essen im kleinen Kreis fortgesetzt wurde. Lange Tischreden erhöhten die Stimmung. Von Hand zu Hand wanderte meine Preis-Urkunde, da jeder sie lesen wollte. Nach einem Toast, den wir auf künftige gute Beziehungen ausbrachten, verabschiedete ich mich von der Jury und dem Chef.

In der Eingangshalle wurde ich zurückgerufen, weil man vergessen hatte, mir die zur Urkunde gehörende Kassette auszuhändigen. Über sorgfältig ausgelegte Korridore wurde ich in einen Raum geführt, in dem sich zu meiner Überraschung Bett, Toilette und eine unwesentliche Handbücherei befanden, desgleichen ein Tauchsieder. Mein Begleiter versäumte nicht, mir zu gratulieren, und ließ mich allein. Drei Tage dauerte es, bis er wiederkehrte, und zwar in Begleitung eines Herrn, der sich mir als Mitglied des Direktorats vorstellte und sich für das Ungemach entschuldigte, in das ich geraten war. Ich muß zugeben, daß ich von seiner Offenherzigkeit beeindruckt war, wenngleich ich nicht weiß, was ich von ihr halten soll. Von ihm, dem Mitglied des Direktorats, erfuhr ich, daß für die gesamte Geheimpolizei Reformen beschlossen waren, besonders im Hinblick auf Diskretion und Verfeinerung der Arbeitsmethoden. Um auch ihre Gegner von der Notwendigkeit der Reformen zu überzeugen, wurde das Preisausschreiben veranstaltet, denn mit seiner Hilfe hoffte man, all die Mängel festzustellen, die sich in jeder Institution ergeben, sobald Alltag und Routine herrschen. Aus abertausend Einsendungen, so wurde mir versichert, habe man ein genaues Bild der Mängel erhalten, und nicht nur dies: anhand erstaunlich kenntnisreicher Belege wisse man nun, wo und mit welcher Entschiedenheit Veränderungen durchgesetzt werden müßten.

Was mit mir geschehen soll, konnte das Mitglied des Direktorats nicht sagen, da die hohe Versammlung nur einmal im Monat zusammentrifft und Beschlüsse weitreichender Art nur gemeinsam faßt. Seit zwei Wochen halte ich mich unfreiwillig in diesem festen Raum auf. Ich zweifle nicht, Herr Minister, daß diese Tatsache auch in Ihren Augen Grund genug zum Protest ist. Bitte, sprechen Sie ein Wort. Interne Beschwerden hatten keine Wirkung. Die einzige Antwort, die ich hier erhielt, lautet: Wir können es uns nicht leisten, Sie, den Gewinner des Großen Preisausschreibens, gehen zu lassen; bei Ihren Fähigkeiten werden Sie sich sagen können, warum wir keine Wahl haben.

PS: Gerade wurde meine Ratlosigkeit noch vergrößert: auf einem Zettel, den offenbar der Wind mir hereinwehte, erhielt ich Grüße von meinem Schwager Bodo Bleiken; sie kamen aus dem Nachbarraum.

1987

Der Usurpator

Sehr geehrtes Gericht,

schlaflos seit einer Woche, verzagt und von meinem Gewissen geleitet, möchte ich Anzeige gegen mich selbst erstatten. Ich bin Insasse des Altersheims »Concordia« in Hamburg-Blankenese, Haus »Delphi«, Zimmer Nr. 5 (mit Elbblick). Da ich mit dem Gesetzbuch noch nie in Berührung gekommen bin, weiß ich nicht, unter welchem Namen mein Vergehen vorkommt und in welchem Paragraphen es aufgehoben wird. Annehmen muß ich indes, daß es keine alltägliche Schuld ist, die ich auf mich genommen habe. Sie, davon bin ich überzeugt, werden für meinen Fall einen Namen finden und zu gegebener Zeit ein Urteil fällen, das der Gerechtigkeit Genüge tut; von mildernden Umständen bitte ich abzusehen.

Eine Woche ist es nun her, seit ich Herrn Klaus Knöpfle, mit dem ich das Zimmer Nr. 5 teilte, zum letzten Mal gesehen habe. Ich bekenne, daß ich vom ersten Tag an wenig Sympathie für ihn hegte: seine Lautstärke, seine ballrigen Umgangsformen, sein grobes, blaurotes Gesicht mit den vielen gesprungenen Adern, und nicht zuletzt die Art, wie er sich den geduldigen Schwestern gegenüber verhielt, deren Großvater er hätte sein können – all das weckte früh in mir ein Gefühl der Abneigung. Nachdem sein Vorgänger, der Sinologe Professor Unstätter, ein seiner Wissenschaft demütig ergebener Mann, still gestorben war, wurde Herr Knöpfle mir von der Direktion zugeteilt, und er zog mit seiner Schiffskiste und den beiden Strohkoffern schon wie ein Usurpator ein: ohne mich zu fragen, nahm er in Beschlag, was ihm gefiel, besetzte außer der ihm zustehenden Schrankhälfte noch ein Fach von meiner Seite, maß sich den größten Teil des Fensterbrettes zu, schob meine Familienphotos rücksichtslos auf dem Bord zusammen, um Platz für seine wenigen, aber dickleibigen Bücher zu haben. Im Badezimmer beanspruchte er zwei von drei Handtuchhaltern; die mit Blumenmustern tapezierten Wände mußten gleich nach seinem Einzug Abbildungen von bewaffneten Segelschiffen ertragen sowie eine unangemessen breite Schau- und Lehrtafel, auf der ein vollgetakelter Fünfmaster dargestellt war mit allen seemännischen Bezeichnungen.

Dies alles freimütig einzugestehen, halte ich für um so dringender geboten, als sich für Sie daraus ein Einblick in die Beweggründe ergeben könnte, die zu meiner Tat führten.

Ich zögere nicht, die beiden Jahre, in denen ich mit Herrn Knöpfle zusammenleben mußte, ein stummes Martyrium zu nennen. Auch jetzt, da er offiziell als verschollen gilt, kann ich von dieser Feststellung nichts zurücknehmen, denn zu nah sind die Erlebnisse, zu spürbar die Verletzungen und Kränkungen, die ich durch ihn erfuhr – ich, der ich um sechs Jahre älter bin als Herr Knöpfle und im siebenundachtzigsten Lebensjahr stehe. Als wollte er mir täglich meine Wehrlosigkeit beweisen, so führte er sich auf und schien bei all seinem Tun nicht einmal zu bemerken, wie mein Widerwille wuchs. Augenscheinlich bezog er seine Überlegenheit nicht zuletzt aus einer beachtlichen körperlichen Kraft, die sich zum Erstaunen vieler in seinem Alter erhalten hatte. (Auf Spaziergängen in unserem Park brach er wiederholt armdicke Äste entzwei, und bei einer Adventsfeier zerriß er – Bedingung einer Wette – ein Telephonbuch, allerdings nur das Branchenverzeichnis.) Wenn es nur gegolten hätte, sein dröhnendes Wesen zu ertragen – alles an ihm, seine Unterhaltung, sein Humor, ja selbst sein Gutenachtwunsch hatte etwas Dröhnendes –, so hätte ich es mit der Zeit gewiß gelernt, mich daran zu gewöhnen. Aber daneben hatte er seine eigene Art, die Harmonie des Zusammenlebens zu zerstören.

Obwohl ich es war, der das »Hamburger Abendblatt« und das »National Geographic Magazine« abonniert hatte, nahm er sich das Recht, als erster darin zu lesen. Erhielt ich von meinen Lieblingsnichten ein Päckchen mit Selbstgebackenem, so tat er, als sei es auch an ihn adressiert, und nahm sich, wonach es ihn gerade verlangte. Setzte ich mich an meine Arbeit über die Karolingische Renaissance – eine spezielle Untersuchung über die Pfalzen, die Karl nach dem Vorbild römischer Kaiserpaläste errichtete –, dann fiel ihm nichts anderes ein, als auf seinem Schifferklavier zu üben. Oft habe ich, um seiner Gegenwart zu entkommen, das Zimmer unter einem Vorwand verlassen und bin lange durch unseren Park gewandert oder habe Erholung gesucht auf einer Bank vor dem Ententeich. Dort vertraute ich mich eines Tages Herrn Harald Frunse an; er ist der älteste Bewohner unseres Heims und kennt Namen und Lebensgeschichte eines jeden von uns. Niemand weiß, woher er, der nur noch am Arm eines Helfers gehen kann, seine Kenntnisse hat, doch mehr als einmal hat sich gezeigt, daß sie unbedingt verläßlich sind. (Es gibt Heiminsassen, die sich vor ihm fürchten.) Er hörte sich schweigend meine Beschwerde an; jedesmal, wenn ich den Namen meines Mitbewohners nannte, verzog er geringschätzig die Lippen.

Ich fand bald heraus, daß Herr Klaus Knöpfle es fertigbrachte, sich in kürzester Zeit auch bei anderen Insassen unbeliebt zu machen. Daß er als erster in den Speisesaal stürmte und, wenn es kalte Platten gab, dafür sorgte, daß auf unserm Tisch – leider nötigte mich die Heimleitung, mit ihm an einem Tisch zu sitzen – die doppelte Portion Aufschnitt zu finden war; man sah es ihm kopfschüttelnd nach. Weniger nachsichtig verhielt man sich ihm gegenüber, wenn er Gespräche rücksichtslos unterbrach und, besonders wenn Kriegserinnerungen ausgetauscht wurden, mit seinen Erlebnissen auftrumpfte (nach seinen Angaben war er an Bord eines Hilfskreuzers). Da geschah es schon, daß Gesprächsteilnehmer sich einfach abwandten oder ihm ihre Mißbilligung auf diskrete Art zu verstehen gaben, was er allerdings, durchdrungen von dem Gefühl eigener Bedeutung, überhörte oder übersah.

Auch wenn ein von mir verehrter Schriftsteller zu der Erkenntnis gekommen ist, daß es Kränkungen gibt, die man genießen kann, so wird er gewiß nicht die gemeint haben, die Herr Klaus Knöpfle mir zufügte. Mein Mitbewohner nämlich verfiel eines Tages auf die Idee, sich während meiner Abwesenheit ausgiebig mit meinem gelehrigen Wellensittich zu beschäftigen, dem einen Namen nach menschlicher

Art zu geben ich mich nicht entschließen konnte. Das Ergebnis dieser Beschäftigung nötigte mich zu einer Trennung von dem liebgewordenen Vogel, der mich eines Morgens mit Ausdrücken überraschte, die, dem maritimen Vokabular entnommen, so viel Anzüglichkeit enthielten, daß es mir mehr als peinlich war. Schwester Margot, die zufällig anwesend war, habe ich nie verlegener gesehen; der Vogel wandte sich nämlich an sie mit den Worten: Mein Schoothorn grüßt dein liebes Vorliek; ferner redete er von einem »prächtigen Spriet«, der alles im Wind hält, von Gaffel, Stag und Gillung, und eine Aufforderung lautete: Roll mich auf und sei mein Zeising. Meine Empörung war verschwendet; denn nach all meinen Vorhaltungen nannte Herr Klaus Knöpfle seine Tat einen harmlosen Spaß und zog mich vor seine Schau- und Lehrtafel, wo er mir an der Takelage des Fünfmasters bewies, daß jeder Ausdruck, den er meinem Sittich beigebracht hatte, zum ehrwürdigen nautischen Vokabular gehörte. Dennoch war es mir nicht möglich, den Vogel zu behalten; das Verhalten der Schwestern sagte mir genug, schweren Herzens gab ich den Sittich in die Obhut meiner Lieblingsnichten.

Gern will ich einräumen, daß Herr Klaus Knöpfle sich auch mit sich selbst beschäftigen konnte, besonders bei Dauerregen. Er las dann, doch er bot nie das Bild eines Lesers, wie es unserer trauten Erfahrung entspricht: still und in sich gekehrt, der Welt entrückt und verschlagen in andere Zeit. Mein Mitbewohner las, wie ich noch niemals einen Menschen habe lesen sehen: ständig redete er mit, stimmte kräftig zu, gab Befehle, ächzte, warnte, hieb sich vor Freude auf die Schenkel – kurz gesagt, es war ein, ich muß es aus bestimmten Gründen anmerken, zutiefst beteiligtes Lesen. Verloren an die Geschehnisse, sah er sich in ihrem Zentrum und spielte mit. So vereitelte er selbst bei dieser Tätigkeit einen geruhsamen Gang der Gedanken und ließ mir keine andere Wahl, als mich in die Stille unseres Gemeinschaftsraums zu retten, den die meisten von uns benutzen, um über Brettspielen ein Nickerchen zu machen. Ich konnte nicht schlafen; verzagt und erregt, wie ich war, begann ich darüber nachzudenken, wie ich mich von meinem Mitbewohner trennen könnte.

Eine dreitägige Abwesenheit von Herrn Klaus Knöpfle – angeblich reiste er zum Begräbnis des ehemaligen Chefs aller Hilfskreuzer – ließ mich den ganzen Frieden des Alleinseins empfinden, und je intensiver ich jede Stunde genoß, desto unerträglicher wurde mir der Gedanke an seine Rückkehr. Ich wußte nicht, wie ich sie verhindern sollte. Was ich erwog, verwarf ich bald wieder, vor allem eine Beschwerde bei der Leitung unseres Heims, bei der, das hatte Herr Harald Frunse mir beigebracht, mein Mitbewohner als persona grata galt (wegen seines allzeit fröhlichen und großzügigen Wesens). Mit gutem Grund nahm ich mir das Recht, in seinen Büchern zu lesen, die nahezu das ganze Gemeinschaftsbord besetzt hielten; schon die Titel hatten wenig Anziehendes: »Seeteufel« hießen sie oder »Auf Kaperfahrt« oder »Wir segeln dem Teufel ein Ohr ab«. Lediglich ein Roman – »Lady Hamilton« – hätte mich allenfalls interessieren können.

Nach seiner Rückkehr von der angeblichen Begräbnisreise schien mit Herrn Klaus Knöpfle eine Veränderung vor sich gegangen zu sein; nicht, daß er sein dröhnendes Wesen oder seine Eßgewohnheiten abgelegt hätte; nicht, daß er sein Bedürfnis aufgegeben hätte, bei jeder Gelegenheit aufzutrumpfen; die Veränderung bestand darin, daß er beinahe allnächtlich laut träumte, im Traum Namen und Kommandos rief und Alarmsignale produzierte. Anfangs erschrak ich bei seinen Lärmausbrüchen und war mehrmals nahe daran, die Nachtschwester zu rufen, doch allmählich gelang es mir, sein stimmkräftiges Toben nicht nur zu ertragen, sondern auch zu analysieren und mir ein Bild davon zu machen, was mein Mitbewohner träumte. Ich erkannte, daß er von Träumen heimgesucht wurde, deren Inhalte sich glichen: Immer kam ein feindlicher Dampfer in Sicht, immer wurden auf dem als Frachter getarnten Hilfskreuzer heimlich die Geschütze besetzt, und jedesmal gab mein Mitbewohner den Befehl zum Feuern – einige Male aber auch zum Abdrehen, wenn sich herausstellte, daß auch der Angegriffene über schwere Armierung verfügte. Ich möchte nicht zuviel sagen, doch was fast jede Nacht aus dem Nachbarbett zu mir herüberdrang, das waren Geräusche, die ein Kaperkrieg wohl mit sich bringt.

Der einzige, dem ich mein Herz auszuschütten wagte, war Herr Harald Frunse, der sich, da er eines jeden Lebensgeschichte kannte, nicht überrascht zeigte. Er vertraute mir an, daß mein Mitbewohner tatsächlich an Bord eines Hilfskreuzers gewesen war, freilich nur für die Dauer einer Werfterprobungsfahrt, gerade die Weser abwärts und dann eben mal ein bißchen auf die Nordsee hinaus; im übrigen sei er Hersteller eines Trockengemüses gewesen, mit dem er erfolgreich die schweren Einheiten der Marine beliefert habe. Den Fall bilanzierend, stellte er mit geringschätzigem Lächeln fest: der Knöpfle, der will wohl im Traum nachholen, was ihm das Leben vorenthalten hat; vermutlich möchte er Graf Luckner sein und mit seinem »Seeadler« den Atlantik unsicher machen. Ich gebe zu, daß mir Herr Harald Frunse mit dieser Äußerung nicht nur einen Schlüssel zum tieferen Verständnis meines Bettnachbarn lieferte, sondern mir auch – gewiß unbeabsichtigt – einen Fingerzeig dafür gab, wie ich meine Lage erleichtern könnte; die entscheidende Entdeckung allerdings verdanke ich einem Zufall.

Als während eines geträumten Kaperkrieges der Lärm beängstigende Lautstärke annahm, trat ich an das Bett meines Mitbewohners, rüttelte ihn sanft, sprach beruhigend auf ihn ein, ohne jedoch eine gewünschte Wirkung zu erreichen. Einer plötzlichen Eingebung folgend, mit einer Schärfe, die dem Augenblick angemessen war, rief ich da den Namen: Graf Luckner! – und zu meiner Überraschung herrschte sogleich Stille, der Träumer schien zu lauschen, abzuwarten, offenbar erwartete er einen Befehl, und so befahl ich denn, was ich in einem seiner Bücher gelesen hatte: Feuer einstellen und abdrehen! Darauf entspannte sich Herr Klaus Knöpfle sichtlich, flüsterte deutlich: Jawohl, Herr Admiral, und wiederholte den Befehl: Feuer einstellen und abdrehen.

Diese Erfahrung gab mir zu denken, und ohne einstweilen einem Plan zu folgen, begnügte ich mich damit, gelegentlich in die lauten Träume meines Zimmergenossen einzugreifen; hörte die Störung der Nachtruhe nicht auf, so trat ich an sein Bett, befahl ihm, eine Nebelwand zu legen, das Feuer einzustellen, Flöße klarzumachen – wobei ich ihn bedacht Graf Luckner titulierte, zuweilen auch, wenn ich ihn belobigen wollte, »lieber Graf« sagte. Am Morgen seines einundachtzigsten Geburtstags – er lag seltsam verstört und versteift im Bett und schien über etwas zu rätseln – gratulierte ich ihm und schenkte ihm eine Flasche Wein (Domaine de Riberolles), die er so wenig beachtete, daß es einer Herausforderung gleichkam; da erlaubte ich mir die Bemerkung: Das letzte Gefecht hatte es wohl in sich, Graf Luckner. Er war nicht verwundert, sah mich nicht ratlos an, er nickte nur zustimmend und sagte: Wir hätten früher erkennen müssen, daß auch die »Cornwall« ein getarnter Hilfskreuzer war. Als die Heimleitung ihm die Geschenke schickte, die er sich gewünscht hatte – eine dunkelblaue Seglermütze und eine kurzstielige Shagpfeife –, wußte ich sofort, wer sich mit diesen Utensilien gern photographieren ließ, um einen Buchumschlag zu schmücken. Nicht wenig erstaunt war ich, als Herr Harald Frunse, übermütig, wie er es manchmal sein konnte, dem Jubilar mit den Worten gratulierte: »... denn man tau und noch viele glückhafte Unternehmungen, lieber Luckner« und mein Mitbewohner darauf weder Abwehr noch Befremden oder auch nur einen Anflug von Belustigung zeigte; der Ausdruck seines Gesichts ließ erkennen, daß er mit der Anrede einverstanden war.

Damals ahnte ich noch nicht, zu welchem Ausweg mir diese Erfahrungen verhelfen konnten; sie methodisch, und das heißt planvoll, zu benutzen, beschloß ich am Tag des großen, vorpfingstlichen Reinemachens, bei dem in unserm Heim alles ans Licht gebracht wird, was sich im Laufe eines Jahres verkrümelt hat. Herr Klaus Knöpfle zog es vor, den Park zu durchkämmen, um Zuhörer für seine Reden zu finden; ich saß, mit Zustimmung der beiden Reinmachefrauen, auf meinem Bett und vertiefte mich in Abbildungen karolingischer Dokumente. Beim Abrücken des Schranks sprang die Tür auf, beim Verkanten rutschte der Inhalt des Schranks heraus, unter anderem mehrere übereinandergestapelte Schuhkartons; und als von einem Karton der Deckel absprang, war der Betretenheit kein Ende: Brötchen waren darin, trokkene, steinharte Brötchen, die, daran gab es keinen Zweifel, vom Frühstückstisch stammten. Alle Kartons waren mit diesem Gebäck gefüllt, insgesamt wohl an die achtzig Brötchen, die die Frauen mit anklägerischer Entschiedenheit an sich nehmen wollten. Gutes Zureden und ein Trinkgeld bewog sie dann aber, die fatalen Fundstücke in die Kartons und die Kartons in den Schrank zurückzulegen. Die Frauen lächelten nur, als sie lasen, was in Blockbuchstaben auf jeden Deckel geschrieben war; ich aber wußte, was die Aufschrift: »Eiserner Proviant von F. G. L.« zu bedeuten hatte; denn längst kannte ich Luckners Vornamen.

Nun, da Gewißheit bestand, für wen sich mein Mitbewohner insgeheim hielt, entstand in mir der Plan, ihn methodisch in dieser Selbstverwechslung zu bestärken, ihn also konsequent mit dem entlehnten Titel anzureden – ernst im Zimmer, zwinkernd in der Öffentlichkeit. Er nahm es selbstverständlicher an, als ich erwartet hatte, nur selten gab es Augenblicke der Verdutztheit oder einer stirnrunzelnden Unsicherheit. Die andern Heiminsassen, immer auf Kurzweil und Unterhaltung aus, spielten bereitwillig mit und taten alles, um Herrn Klaus Knöpfle in seiner neuen Identität sicher werden zu lassen. In der Anrede, im Betragen, in der unermüdlichen Aufforderung, Seegeschichten zu erzählen, zeigten sie ihm, für wen sie ihn hielten, und er

1411

quittierte dies gelegentlich mit Dankbarkeit – einer Regung, die man bis dahin an ihm vermißt hatte. Herr Harald Frunse brachte es fertig, ihm eines Tages ein Photo des Hilfskreuzers »Seeadler« vorzulegen, mit der Bitte, es zu signieren; ohne zu zögern, unterschrieb er es mit dem Namen Felix Graf Luckner. Den Schwestern, die ausnahmslos von mir eingeweiht waren, machte es spürbar Freude, ihn mit seinem erträumten Titel anzusprechen; er schenkte ihnen eigenartige geknotete Gebilde, die er aus gewachster Schnur herstellte. Es braucht kaum erwähnt zu werden, welchen Namen er nannte, wenn er sich selbst neuen Heiminsassen vorstellte.

Nachdem ich mehrere Beweise dafür erhalten hatte, daß er, wenn ihn jemand mit Knöpfle ansprach, nicht einmal den Kopf hob, sich höchstens umwandte, als stehe der Gemeinte hinter ihm, beschloß ich, meinen Plan in die Tat umzusetzen. Der Schritt zur ersehnten Trennung konnte getan werden. Am Jahrestag der Skagerrakschlacht – er fiel diesmal auf einen Sonntag – überredete ich ihn in aller Frühe, mit mir zusammen in den Hafen, nach Altona zu fahren, um dem Schiffsmuseum einen Besuch abzustatten. Das mußte heimlich geschehen, denn die Direktion duldete keine unangemeldete Entfernung aus dem Heim. Herr Klaus Knöpfle, von der Aussicht beflügelt, die Planken von Schiffsveteranen zu betreten, stimmte spontan zu, und gemächlich, doch zielbewußt strebten wir bei aufgehender Maisonne zur S-Bahn-Station. Da mein Mitbewohner aus der kleinen Stadt Esens stammte und deshalb mit den Verkehrseinrichtungen einer Großstadt nicht vertraut war, übernahm ich es, aus dem Automaten, der nicht geringe kombinatorische Ansprüche stellte, die Fahrkarten zu ziehen (Umsteiger St. Pauli Landungsbrücken).

Planvoll lenkte ich unsere Schritte zum Hafen hinunter, genauer: zum Fischmarkt, wo bereits das allen bekannte Gewoge und Gedränge herrschte, der übliche Menschenauflauf vor den seltsamsten Angeboten. Mein Zimmergenosse amüsierte sich über die Ausrufer, erlebte zum ersten Mal Schnellversteigerungen von Bananen und Aalen, konnte sich nicht satt sehen an lebendem und totem Inventar. Ich führte ihn zu einem umlagerten Frischfischverkäufer, dem eine Meerkatze auf der Schulter saß und der bei jedem Handel das possierliche Tier fragte, ob er seine Ware so billig abgeben dürfe; allemal klatschte das Äffchen zum Zeichen des Einverständnisses. Unter dem Vorwand, eine Toilette aufsuchen zu müssen, bat ich ihn, beim Frischfischverkäufer auf mich zu warten, und entfernte mich; ich drängte mich durch das Gewimmel, stieg zur Hafenstraße hinauf und bezog Posten hinter einer abgestellten fahrbaren Baubude. Nach kurzer Orientierung hatte ich meinen Mitbewohner wiederentdeckt. Er stand und harrte aus; sein Vertrauen in meine Rückkehr ließ bereits ein Gefühl des Mitleids mit ihm aufkommen, da beendete der Frischfischverkäufer sein Geschäft, und Herr Klaus Knöpfie wurde vom Strom der Besucher fortgetragen.

Einmal glaubte ich, ihn in einem Gespräch mit zwei Matrosen zu erkennen, ein andermal war es mir, als bugsierten ein paar taumelnde Gestalten ihn in eine Kneipe; jedenfalls kam er mir planmäßig abhanden, und ich trat die Heimfahrt mit dem Gedanken an, den Bettnachbarn, der mir soviel Ungemach bereitet hatte, auf stille und gewaltlose Art losgeworden zu sein.

Offenbar hatte mein Plan, den ich hiermit aufdecken möchte, Erfolg: eine Woche ist vergangen, und Herr Klaus Knöpfle ist nicht zurückgekehrt. Die Erklärung lautet, daß nirgendwo, etwa auf telephonische Anfrage, ein Graf Luckner vermißt wird und daß andererseits er, der sich so nennt, bei allen, die sich mit ihm abgeben, auf Nachsicht und Unglauben stößt. Mir ist nicht bekannt, wo sich mein Mitbewohner derzeit aufhält, wer sich um ihn kümmert und wem es obliegt, die Sachen abzuholen, die er hier zurückgelassen hat.

Fern davon, meine Tat zu verharmlosen, möchte ich zu Protokoll geben, daß ich die Methode der Trennung bedaure. Schlaflos seit acht Tagen, möchte ich ebenfalls erwähnen, daß ich viel in den Büchern gelesen habe, die meinem Mitbewohner gehören; mein Verständnis für ihn ist gewachsen. Wie immer Ihr Urteil ausfallen wird – von mildernden Umständen bitte ich, wie gesagt, abzusehen. Meine Adresse ersehen Sie aus dem Briefkopf. Ich zeichne mit Hochachtung

Admiral Nelson, im 87. Lebensjahr

1987

Ein geretteter Abend

Für Marcel Reich-Ranicki

Reichhaltiger kann das Angebot einer Volkshochschule nicht sein: ob Porzellanmalerei oder Anfangsgründe der tamilischen Sprache, ob Webtechnik oder polynesische Musikinstrumente – in unseren zahlreichen Kursen kann sich der Besucher, übrigens zu durchaus erschwinglichem Preis, vertraut machen mit dem Wissen der Welt, mit den Fertigkeiten und dem Ausdrucksverlangen des Menschen. Jeder bei uns weiß, daß dieses variationsreiche Angebot allein Alexander Blunsch-Hochfels zu verdanken ist, unserem Direktor, der immer wieder Lücken im Programm aufspürt und es sich nicht nehmen läßt, bei der Auswahl der Referenten ein Wörtchen mitzureden. Seine Gelassenheit, sein meditatives Wesen und nicht zuletzt seine gelegentliche Verklärtheit lassen mich bei jeder Begegnung daran denken, daß er sechs Jahre als Mönch gelebt hat.

Immer hätte ich ihn so in Erinnerung behalten, wenn ihm nicht jene Mittwochsveranstaltung eingefallen wäre, bei der vor zahlreichem Publikum von ihm sogenannte »Heilsame Ärgernisse« verhandelt werden sollten. Die erste Veranstaltung trug den Titel »Scharfrichter oder Geburtshelfer? Über das Wesen literarischer Kritik«. Zehn vor acht ließ er mich durch den Hausmeister zu sich rufen, vergaß, mir einen Platz anzubieten, musterte mich mit seltsam unterlaufendem Blick, wobei er, heftig nach Atem ringend, eine Hand beschwichtigend auf seine Herzgegend legte. Schließlich wollte er mit belegter Stimme wissen, ob ich bereits einen Blick in den großen Vortragssaal riskiert hätte, der laufe über, da werde gleich das Chaos ausbrechen, vermutlich habe man schon einige Besucher totgetrampelt. Gerade wollte ich ihm zu dem unerwarteten Interesse beglückwünschen, als er stöhnend feststellte: Wir haben keinen Referenten, Klausnitzer! Wir haben zur Eröffnungsveranstaltung keinen Referenten! Aber Schniedewind, sagte ich, er ist doch unter Vertrag. Schniedewind, sagte er erbittert und richtete seine Augen zur Decke, Schniedewind hat Viertel vor acht eine Nierenkolik bekommen; seine Frau hat das gerade bestellt. Mit einem verstümmelten Fluch sank er in seinen Armstuhl – ihm, der noch nie einen Fluch gebraucht hatte, fiel in besorgniserregender Verzweiflung tatsächlich das Wort Stinktier ein; und als ich die Unvorsichtigkeit beging, ihn zu fragen, was wir denn nun tun sollten, seufzte er: Einen

Referenten, Klausnitzer, schaffen Sie einen Referenten her, beweisen Sie, daß Sie ein geborener Volkshochschulmann sind.

Ich stürmte in mein Zimmer, rief bei Häfele an – der redete gerade in Itzehoe; rief Klimke an – der erwartete den Kulturdezernenten; schließlich faßte ich mir ein Herz und fragte bei Seegatz an, der nichts anderes zu tun hatte, als mich höhnisch auf seinen letzten Artikel hinzuweisen, in dem er mit unserem Programm unbarmherzig ins Gericht gegangen war.

Punkt acht trat ich auf den Korridor, ein unheilvolles Brausen drang zu mir herauf, ein Scharren und Poltern und dunkles Wehen, mit dem sich im allgemeinen klassische Sturmfluten ankündigen. Wieviel mühsam gebändigte Erwartung, wieviel Gereiztheit und thematische Hitze fanden da zusammen! An der Tür meines Direktors zu lauschen, bekam ich nicht fertig: zu sehr fürchtete ich mich vor seinem Stöhnen.

Gerade hatte ich beschlossen, in den großen Vortragssaal hinabzugehen und das Auditorium mit unserer exemplarischen Verlegenheit bekannt zu machen, als ein zartes, eisengraues Männchen auf mich zutrat und bescheiden fragte, wo der Vortragsraum B 6 zu finden sei. Ich sah ihn mir an: sein selbstgenügsames Lächeln, sein feines Lippenspiel, das Vergebungsworte zu produzieren schien, das kleine Leuchten in seinen Augen, das eine eigene Leidenschaft bezeugte, und plötzlich erfaßte mich ein waghalsiges Zutrauen. Sind Sie Referent? fragte ich. Meereskundler, sagte er mit leichter Verbeugung und fügte noch etwas hinzu, das ich allerdings nicht mitbekam; denn schon hatte ich ihn eingehakt, schon führte ich ihn die Treppe hinab – mit dem Mut, den man nur einmal geschenkt bekommt.

Da sich in unserem Haus die Referenten selbst vorstellen, bugsierte ich das Männchen zum Pult und überließ es sich selbst. Ein kurzes, freudiges Erschrecken zeigte sich auf seinem Gesicht – vermutlich war er andere Zuhörerzahlen gewohnt –, dann wartete er geduldig, bis es ganz still geworden war, nannte seinen Namen – Elmar Schnoof – und gab das Thema an: »Über Aquariums-Kultur – Ein Streifzug durch ein Seeaquarium«.

Mir stockte der Atem, um es mal so zu sagen, das Auditorium lauschte verblüfft, hier und da meldete sich Ratlosigkeit, aber unüberhörbar waren auch einige Laute glucksender Belustigung und heiterer Zustimmung – anscheinend witterten einige Zuhörer ein parabelhaftes Versteckspiel. Elmar Schnoof breitete die Arme zu segnender Geste aus,

1415

und mit einem rhetorischen Feuer, das mich erstaunte, ließ er sich mit allgemeinen Bestimmungen über das Seeaquarium aus. Ein Schöpfungsspiegel sei es, ein mit Hilfe von Erkundung und Erkenntnis komponiertes – er sagte tatsächlich: komponiertes – Kunstwerk, in dem das Geheimnis der Tiefe ans Licht gebracht, anschaulich und erlebbar wird. Was dem Leben in Zeit und Verborgenheit je einfiel, der unglaubliche Formenreichtum, die mit Zweckmäßigkeit gepaarte Schönheit und nicht zuletzt das Gesetz, unter dem unser Dasein steht: im Seeaquarium biete es sich uns dar, in dieser geglückten, ja gedichteten Nachahmung, die die Forderung nach Wissen und nach Unterhaltung gleichermaßen erfüllt.

Mein Nebenmann, redlich befremdet, stieß mich an und fragte flüsternd, ob er sich hier im großen Vortragssaal befinde, und als ich es ihm nickend bestätigte, warf er sich kopfschüttelnd zurück. Ein bärtiger Kerl, der sich auf der Fensterbank lümmelte und der mir schon mehrmals als Zwischenrufer unangenehm aufgefallen war, ermahnte den Referenten: Zur Sache, worauf der mit entwaffnender Unbeirrbarkeit fortfuhr: Also ist das Seeaquarium ein Anlaß zu gelenktem Entdecken – es ist, ähnlich wie die Literatur, eine Wieder-Erfindung der Welt.

Dankbar für den Vergleich, zu dem er gefunden hatte, entspannte ich mich ein wenig, konnte jedoch nicht verhindern, daß meine Gesichtsnerven zuckten, daß mein linkes Bein ausschlug wie unter elektrischen Schlägen. Ein leichtes Herzrasen aber setzte ein, als das Männchen, selig abschweifend, die niederen Organisationsformen aufzählte und lobte: er erwähnte die Schwämme, pries die Cölenteraten, von denen er die gelbe Koralle und die Seeanemone besonders hervorhob; dann befaßte er sich mit Krebstieren, Stachelhäutern und Würmern, wobei er den Röhrenwurm eigens herausstrich; und schließlich äußerte er sich geradezu schwärmerisch über einige Weichtiere, vor allem Pilgermuschel und Kielschnecke. Mein Nebenmann stieß mich abermals an, und nicht mehr flüsternd, sondern halblaut fragte er: Spinnt der, oder will er uns verarschen? Ich brauchte ihm nicht zu antworten, denn in diesem Augenblick rechtfertigte der Referent seine Aufzählung: Alles, so bilanzierte er, hat seine Niederung, den blühenden, den nährenden Lebensstoff, das im Schweigen Ruhende; ohne einen Begriff von sich selbst zu haben, liefert es uns dennoch einen Begriff von der Welt.

Während das Männchen sich einen Schluck Wasser genehmigte, verließen zwei Zuhörer den Saal – anscheinend jedoch nicht, weil sie enttäuscht waren, sondern weil sie ihren Hustenreiz nicht loswerden konnten. Das große Auditorium schwankte zwischen Unverständnis und amüsierter Neugier; man hob die Augenbrauen, man grinste, man schüttelte den Kopf und tuschelte angeregt, viele wie angeleimt von Erwartung.

Nun aber zu ihnen, rief das Männchen, zu den formenreichen Wesen, die uns entzücken und erschrecken, die uns die Schönheit vor Augen führen und die Unerbittlichkeit des Daseins, zu ihnen, die den Sinn für Mythos und Symbol wach erhalten: zu den Fischen. Er erinnerte daran, daß Assyrer und Ägypter den Fisch als göttlich verehrten und daß die Priester in Lykien aus dem Erscheinen gewisser Fische weissagten. Er erwähnte auch, daß der große Aristoteles sich in einer Klassifikation versuchte, und danach begann er endlich, sein Seeaquarium zu besetzen. Respektvoll gab er Lurchfisch und Quastenflosser, die den Beweis unseres Herkommens lieferten, den Vorzug, ließ Schmelzschupper auftreten, frühe Knorpel- und Knochenfische, die die Tiefe der Zeit bezeugten. Und schmunzelnd ließ er dann alles durcheinanderschwärmen, was sich einen Namen verdient hatte: den Knurrhahn, den Meeraal und das Petermännchen, den Zitterrochen und sogar den Schleierschwanz. Nicht annäherungsweise läßt sich das farben- und formenreiche Inventar schildern, das er seinem Seeaquarium zudachte.

Sie haben den Hammerhai vergessen, rief plötzlich der ewige Zwischenrufer, worauf der Referent bescheiden sagte: Sie können sich ihn gern hinzudenken, Ihren Hammerhai, der es freilich an Selbstbewußtsein, an Entschiedenheit, an Wachsamkeit und Schwimmkunst bei weitem nicht mit einer Art aufnehmen kann, die das mannigfache Leben im Seeaquarium nicht nur kontrolliert, sondern auch reguliert: ich meine den Großen Zackenbarsch (Serranus gigas), den schon die phönizischen Fischer für bemerkenswert hielten.

Jetzt hielt es meinen Nebenmann nicht mehr, er sprang auf, er wollte tatsächlich wissen, was denn das Bemerkenswerte am Großen Zackenbarsch sei, und das Männchen antwortete bereitwillig; stellte also fest, daß der Große Zackenbarsch sich durch keinen Köder verführen lasse, mithin unbestechlich sei. Obwohl er einen nennenswerten Appetit habe, fuhr er fort, verschlinge er die Beute nicht wahllos, sondern, wie schon die Phönizier beobachtet haben, nach aufschlußreichem Prinzip: als Gegner modischer Extravaganz schnappe er sich vorzugsweise, was blendet, was verschleiert, was garniert und dekoriert und sich arg verstellt, zum Beispiel Papagei- und Trompetenfisch, Schleierschwanz und Kofferfisch. Sein Wirken, sagte der Referent, habe durchaus etwas Richterliches; oder genauer: etwas Anklägerisches. Indem der Große Zackenbarsch nun aber auf seine eigene Art eine Auswahl treffe, begünstige, ja, rechtfertige er andere Erscheinungen des Schöpfungstextes, so zum Beispiel den redlichen Kabeljau, den Laternenfisch und das humorvolle Seepferdchen. Anklage und Verteidigung, so bilanzierte der Referent, sie gehören immer zusammen.

Zugegeben: im ersten Augenblick glaubte ich mich wirklich verhört zu haben, doch was aus einer Ecke zu mir drang, war tatsächlich Beifall; und als das Männchen bemerkte, daß der Große Zackenbarsch gewissermaßen das juristische Prinzip im Seeaquarium darstelle, erntete er zustimmendes Schmunzeln. Die Aufmerksamkeit steigerte sich, als der ewige Zwischenrufer fragte, ob dieser bemerkenswerte Zackenbarsch sich nicht auch mal irren könnte, verhängnisvoll irren könnte.

Das ist wahr, sagte der Referent; trotz aller Erfahrung, trotz enormen Unterscheidungsvermögens irre er sich mitunter, aber noch sein Irrtum – so krähte er – ist insofern bedeutsam, als er auf die exemplarische Funktion einer Erscheinung verweist, die in sich Ankläger und Verteidiger vereinigt. Ja oder nein: wer den Mut zu letzter Klarheit aufbringt, ist irrtumsfähig; nur ein taktisches Sowohl-Als-auch schützt vor Irrtümern.

Für immer rätselhaft wird mir das Verhalten des Auditoriums bleiben: je länger der Referent sprach, desto spürbarer ließen Unduldsamkeit und Gereiztheit nach, ein maulender Zuhörer, dem das Thema verfehlt schien, wurde ausgezischt, und nachdem er und drei, vier weitere Unzufriedene den Saal verlassen hatten, lud das Männchen zu einer Diskussion ein, wie sie erschöpfender und beziehungsreicher nicht gedacht werden kann. Entspannt lauschte ich dem Frage-und-Antwort-Spiel. Da wurde heiter gefragt, ob man dem Zackenbarsch Maßstäbe zugute halten könne, und der Referent sagte: Wohl nur seine eigenen. Ob dieser Richter im Seeaquarium sich auf irgendeinen Auftrag berufen könne, wurde gefragt. Der Referent schüttelte den Kopf. Offenbar waltet er seines Amtes, sagte er, weil er Meinungen hat, weil er also – zum Beispiel – Anspruch und Vermögen des Papageifisches beurteilen kann. Und weiter ging es in sonderbarem Einverständnis; keine Frage brachte den Referenten in Verlegenheit, selbst als einer wissen wollte, ob der Große Zackenbarsch auch eine gesellschaftliche Funktion erfülle, gab er bereitwillig, wenn auch etwas gequält, Antwort.

Plötzlich erschrak ich. Als ich einmal zufällig zur offenen Tür blickte, erkannte ich zwei Sanitäter, die die Treppe hinaufstürmten. Ich wußte sofort, wohin sie wollten. Von Sorge bestimmt, verließ ich den Vortragssaal, angegiftet und von ungnädigen Blicken begeisterter Zuhörer begleitet.

Blunsch-Hochfels, mein Direktor, lag ächzend in seinem Sessel und überließ gerade eine schlappe Hand einem der Sanitäter. Der Hausmeister, der die Sanitäter gerufen hatte, machte mir überflüssigerweise ein Zeichen, leise aufzutreten. Ich übersah sein Zeichen. Ich trat in den Gesichtskreis des Zusammengebrochenen und fragte, was geschehen sei. Mühevoll, wie es seiner Lage entsprach, öffnete mein Direktor die Augen und sagte: Botho von Sippel ... abgesagt ... seine Schwester hat eben angerufen. Der banalste Grund: Autounfall. Aber er ist doch erst morgen dran, sagte ich. Niemand kann Botho von Sippel ersetzen, sagte mein Direktor, niemand ist so geeignet, über »Geist und Macht« zu sprechen, wie er. Über »Geist und Macht«? fragte ich und gab schon einem Einfall nach. Über »Geist und Macht«, bestätigte mein Direktor. In diesem Augenblick drang aus dem großen Vortragssaal ein Beifall zu uns herauf, wie wir ihn nur sehr selten gehört hatten, frenetisch zunächst und dann rhythmisch. Wem gilt das? fragte Blunsch-Hochfels matt und verwirrt, und ich darauf, spontan: Wem? Dem Großen Zackenbarsch.

1419

1990

Panik

In drei Phasen, sagte der Feldwebel, müssen Sie die Bretterwand überwinden: anspringen, hinaufklimmen, abrollen; und nach dieser theoretischen Anweisung bat er um Aufmerksamkeit, lief selbst an, schnellte an dem Hindernis empor, ließ sich mühelos abrollen und kam lächelnd hinter der Bretterwand hervor. Soldat Berger hatte verstanden, worauf es ankam; er wußte von Anfang an, daß er den Stemmschritt in Schwung verwandeln mußte, seine Kameraden, die ausnahmslos hinübergekommen waren, hatten es ihm vorgemacht, einige sogar lässig und gut gelaunt. Also, Berger, sagte der Feldwebel, versuchen wir's noch mal, und in versöhnlicher Tonart fügte er hinzu: Nicht mir sollen Sie etwas beweisen, sondern sich selbst.

Berger blickte über das vernarbte Übungsgelände, das jetzt, nach Dienstschluß, verlassen dalag, eine sandige, kümmerlich bewachsene Ebene; dann faßte er die Bretterwand ins Auge, konzentrierte sich auf das schmutzige Oval, das hundert auftreffende Stiefel hinterlassen hatten, und lief zum dritten Mal auf das Hindernis zu. Der Kolben des Schnellfeuergewehrs schlug gegen seinen Rücken. Der Stahlhelm verrutschte, so daß er die Oberkante der Bretterwand nicht mehr sehen konnte. Schwer mahlten die Stiefel im lockeren Sand. Er keuchte, er hörte nicht die knappen, ermunternden Kommandos des Feldwebels, der hier mit ihm allein exerzierte, offenbar nur darauf aus, auch ihn, auch den Soldaten Berger, über das Hindernis triumphieren zu lassen. Das schmutzige Oval, der Punkt, den er anspringen mußte, kreiste oder schien doch zu kreisen, Schweiß biß in die Augen, und unmittelbar neben der Bretterwand wuchs der Körper des Feldwebels auf. Soldat Berger sprang die Wand an, riß die Arme hoch und packte nicht nur die Kante des Hindernisses, sondern nutzte auch den Schwung so glücklich aus, daß er fast mit dem Oberkörper auf der Kante der Wand lag. Geschafft, dachte er, jetzt hab ich's geschafft, und heftig atmend sammelte er Kraft für die letzte Anstrengung und war immer noch überzeugt, über das Hindernis zu kommen, als er langsam zurücksackte. Verbissen hielt er sich fest, er zerrte, er zog, krachend schlugen seine Stiefel gegen das Holz, und dann glaubte er das Lob des Feldwebels zu hören und klomm höher und höher; mit einer Schleuderbewegung wollte er sich endgültig hinaufbringen. In der Streckung hängend, setzte er zur Schleuderbewegung an, heftig, mit erbitterter Entschlossenheit, seine Beine schlugen zur Seite aus, und obwohl ihn nur noch das Verlangen beherrschte, das Hindernis zu überwinden, nahm er wahr, daß es plötzlich krachte, daß sein Stiefel mit voller Wucht auf irgend etwas auftraf. Er hatte nicht bemerkt, daß sich der Feldwebel in der Absicht, ihm zu helfen, unter ihn gestellt hatte, und er bekam auch nicht mit, daß sein ausschlagender Stiefel das Kinn des Feldwebels traf, mit solcher Gewalt, daß sein Vorgesetzter wie gefällt stürzte, sich im Sturz drehte und mit dem Hinterkopf auf die Verankerung der Bretterwand schlug.

Soldat Berger, erschöpft, schnell atmend, lag mit dem Oberkörper auf dem Hindernis, jetzt brauchte er sich nur noch abrollen oder fallen zu lassen, auf den schmalen Sandstreifen, hinter dem das flach gespannte Stacheldrahthindernis begann. Er berechnete flüchtig seinen Fall und löste seinen Griff, und obwohl er sicher war, unmittelbar neben der Bretterwand zu landen, fand er keinen Stand und kippte gegen das Stacheldrahthindernis. Ein jäher Schmerz ließ ihn innehalten. Seine Hand blutete. Einen Augenblick betrachtete er das gleichmäßig hervorsickernde Blut, dann zog er sein Taschentuch heraus und schlang es fest um die Hand.

Der Feldwebel lag neben der Verankerung der Bretterwand, straffen Drahtseilen, die an eisernen Pflöcken angeschäkelt waren. Er lag gekrümmt da, mit dem Gesicht zur Erde, eine Hand zur Faust geschlossen. Berger starrte ihn erschrocken an, er wartete, er war gewiß, daß der Feldwebel von allein hochkommen würde, doch nach einer Weile mußte er sich eingestehen, daß er sich geirrt hatte. Hastig kniete er sich hin und rief den Feldwebel leise an und berührte ihn an der Schulter; da der Körper sich auch jetzt nicht regte, drehte er ihn behutsam auf den Rücken und blickte in ein Gesicht, auf dem ein Ausdruck von erstarrter Qual lag. Unwillkürlich streckte Berger eine Hand aus und strich leicht über die Stirn des Feldwebels, und er sah, daß seine Hand zitterte und eine schwache Blutspur auf der Stirn hinterließ. Ein schnürendes Gefühl zwang ihn, aufzustehen, und während er auf den reglosen Mann hinabblickte, überfiel ihn aufsteigende Angst, und als müßte er der Angst antworten, dachte er: Es geschah nicht mit Absicht, ich hab's nicht gewollt, es ist nicht meine Schuld. Wieder kniete er sich hin, beugte sich über das Gesicht des Feldwebels und rief ihn an, nun in der Hoffnung, der Verletzte werde zu sich kommen und ihm bestätigen, daß er, Berger, nicht vorsätzlich gehandelt habe. Er wartete vergeblich. Von Atemnot gepeinigt, konnte er nur einen Gedanken denken: Es ist aus, es ist aus.

Soldat Berger legte sein Schnellfeuergewehr ab, dann den Stahlhelm und richtete sich an der Bretterwand auf. Dämmerung fiel über das Übungsgelände; soweit er sehen konnte, zeigte sich keine Gestalt. In der fernen Kaserne brannten bereits die Lichter, die zu einem Band ineinanderflossen, und über der Stadt lag eine rötliche Glocke, schwebend, doch beständig wie der Widerschein eines stetig glimmenden Feuers.

Zuerst hastete er über den erlaufenen sandigen Pfad, der an Gebüsch und aufgeworfenen Erdwällen vorbeiführte, er passierte die Haus-Attrappe und den eingegrabenen Panzer, und danach verließ er den Pfad, zwängte sich durch eine magere Schonung von. Krüppelkiefern und hielt auf den Drahtzaun zu, der das Übungsgelände umschloß. Dort lag die Gartenkolonie. Bevor er den Zaun erreichte und ihn überkletterte, ließ er sich in ein Schützenloch fallen und kauerte sich zusammen, schmiegte sich so fest an die Erde, daß er das Pochen seines Herzens zu hören glaubte. Nein, nein, ich hab es nicht mit Absicht getan, es war ein Unglück, er hat nicht achtgegeben, hat nicht mit meinem Tritt gerechnet, der ihn im Gesicht traf, das wird er aussagen, bestätigen, zu Protokoll geben, er muß es, muß es, wenn er ...

Soldat Berger hob den Kopf und lauschte, kroch dann aus dem Loch und bewegte sich auf den Drahtzaun zu. Seine Hand schmerzte nicht, nur als er fest in die Maschen griff, verspürte er einen Stich und ein leichtes Brennen. Schon beim ersten Versuch erklomm er das Hindernis, ließ sich abkippen und lief geduckt auf die Gartenkolonie zu. Die kleinen, hölzernen Häuser lagen fast ausnahmslos im Dunkeln, er streifte an ihnen vorbei und erwog bereits, in eines der Häuser einzudringen, als er plötzlich angerufen wurde; eine freundliche Stimme lud ihn ein, näher zu kommen, sich auf die Bank zu setzen – anscheinend wurde er für einen Nachbarn gehalten. Zögernd öffnete er ein nur kniehohes Pförtchen, da saß ein Mann auf einer Bank, ein alter Mann, wie er in dem armen Lichtschein erkannte, der aus einem lukenartigen Fenster herausfiel. Berger trat auf den Mann zu, der ihn nur kurz musterte und dann, ohne seine Pfeife aus dem Mund zu nehmen, sagte: Na, Soldat, hast dich verirrt? Suchst du wen? Ich hab mich verletzt, sagte Berger, an der Hand, und um das Gesagte zu beweisen, hielt er die mit dem Taschentuch umwickelte Hand in den Lichtschein. Bei euch passiert immer was, sagte der alte Mann, auch wenn es nicht ernst ist, passiert was. Berger wurde bewußt, daß er jetzt nicht einfach fortgehen konnte, er mußte sein Erscheinen begründen, er fragte: Haben Sie vielleicht einen Notverband oder ein Stück Pflaster? Der Mann überlegte, dann sagte er: So was müßt ihr doch immer bei euch haben, oder? Ein Verbandspäckchen, meine ich. Wir mußten das damals bei uns tragen, in der linken oberen Tasche. Schade, sagte Berger und wollte sich schon abwenden, als der alte Mann aufstand und ihn aufforderte, ins Haus zu kommen.

Sie betraten einen notdürftig möblierten Raum, nur zwei Betten, zwei Stühle, ein roher Holztisch, auf dem eine blaue Kaffeekanne als Vase für einen Strauß aus wilden Gräsern diente. Vor einem Elektrokocher stand eine gedrungene Frau, die den Inhalt einer Konservendose in einen Topf plumpsen ließ. Karin, sagte der alte Mann, hier ist ein armer Soldat von nebenan, hat sich 'ne Wunde beigebracht, du hast doch wohl ein Stück Verband? Die Frau wandte sich um, hatte als Gruß lediglich ein Nicken übrig und winkte Berger, sich auf einen der Stühle zu setzen. Aus einer Blechschachtel, die sie von einem Bord herunterangelte, holte sie eine Verbandsrolle und eine Schere hervor und nahm schweigend die verletzte Hand und entfernte das Taschentuch. Glas? fragte sie. Stacheldraht, sagte Berger und fügte hinzu: Auf dem Übungsgelände, der Stacheldrahtverhau. Er hatte das Gefühl, daß sie ihn argwöhnisch musterte, und einmal war es ihm, als verständigte sie sich blickweise mit ihrem Mann. Während sie ihm den Verband anlegte – wortlos, eilig und geschickt –, wich sie, wie er glaubte, konsequent seinem Blick aus und wollte sich auch danach nicht lange danken lassen, sondern kehrte, Dringlichkeit vorschützend, zu ihrem Elektrokocher zurück. Der alte Mann begutachtete die verbundene Hand, er schien zufrieden, gut gelaunt fragte er die Frau: Was meinst du, Karin, langt das Essen für drei? Sie antwortete nicht, und Berger glaubte in ihrem Schweigen nichts als Zurückweisung zu erkennen. Er dankte dem Mann und ging hinaus, überzeugt davon, daß die Frau sich sogleich auf den Alten stürzte, ihm Vorwürfe machte und ihm vielleicht auch schon die Gründe ihres Mißtrauens aufzählte.

Soldat Berger durchwanderte die Gartenkolonie, mitunter wurde er von Vorübergehenden gegrüßt und grüßte leise zurück, einmal verbellte ihn ein Hund, der erst still wurde, nachdem ein Kind ihn gerufen hatte. Sein Weg führte auf einen asphaltierten Platz, an dem die Endhaltestelle einer Buslinie lag. Unter dem Tarnanzug klebte sein Hemd an der Haut; obwohl es ein warmer Abend war und ein sanfter, warmer Wind ging, fröstelte Berger. Nachdem er sich versichert hatte, daß das Wartehäuschen leer war, ging er über den Platz und setzte sich auf die verkerbte Bank. Nicht verlassen, ich hätte ihn nicht verlassen dürfen; warten oder wegbringen oder Hilfe holen: warum hast du das nicht getan, werden sie fragen, werden alle fragen, und weil ich unterlassen habe, was sie für selbstverständlich halten, werden sie mir ihren Verdacht entgegenhalten, auch Viktor wird mich verdächtigen, vor-

1423

sätzlich gehandelt zu haben, aus Rache oder Haß, Viktor, der mir noch
im Korridor zuflüsterte: Zeig's mal der Mehltüte, laß dich nicht un-
terkriegen, und zeig's ihr mal – aber jetzt ist es wohl zu spät, jetzt
werden sie wohl festgestellt haben, daß wir fehlen, und eine Suchak-
tion eingeleitet haben, wenn er nicht zu sich gekommen ist ...

Der Soldat sprang auf, zog sein Portemonnaie aus der Gesäßtasche
und zählte sein Geld, das heißt: er wußte, daß er noch zwei Zehner
hatte, und wollte nur sichergehen, daß er sie immer noch besaß, zwei
Zehnerscheine und ein paar Markstücke. Jetzt wünschte er, daß er den
Fünfziger nicht Viktor gegeben hätte, Viktor, der über ihm im Bett
schlief und der sein bester Kamerad war. Er versuchte sich vorzustellen, wie Viktor, der immer für Heiterkeit in ihrer Stube sorgte und
dessen Leistungen als vorbildlich galten, den Unfall auslegen und
kommentieren würde – nicht zuletzt, weil der Feldwebel ihn offen
bevorzugte. Würde Viktor ihm eine Absicht unterstellen, ihn verurteilen? Er mußte daran denken, daß es aber auch Viktor war, der dem
Feldwebel den Spitznamen Mehltüte gegeben hatte, als sie erfuhren,
daß ihr Vorgesetzter gelernter Bäcker war. Auch wenn Viktor und
einige andere ihn verdächtigen sollten, daß er absichtlich und aus Haß
gehandelt hatte – er selbst glaubte in diesem Augenblick sicher zu sein,
daß er den Feldwebel nie gehaßt hatte, verwünscht vielleicht, doch nie
gehaßt. Dies würde er nach bestem Gewissen behaupten und unbeirrt
zu Protokoll geben, falls sie ihn eines Tages anklagen sollten.

Als er im Bus saß – er war der einzige Fahrgast, der an der Endhaltestelle eingestiegen war –, entschloß er sich endgültig, Viktors Schwester
aufzusuchen, Anja; sie und ihre Eltern waren die einzigen Menschen,
die er in der Stadt kannte. Viktor hatte ihn oft an dienstfreien Wochenenden zu sich eingeladen, und manchmal waren sie zu dritt an die
Küste gefahren oder in die Heide, Anja war bei jeder Fahrt dabei. Noch
wußte er nicht, worum er sie bitten sollte; er beschloß lediglich, ihr zu
erzählen, was ihm zugestoßen war – allein davon versprach er sich
Erleichterung.

Je mehr sie sich der Innenstadt näherten, desto voller wurde der Bus.
Berger blieb auf seinem Rücksitz hocken, für den er sich gleich entschieden hatte, legte die Stirn an die Scheibe und starrte hinaus. Er tat
es so angestrengt, so dauerhaft, als wollte er zu verstehen geben, daß er
nicht wünschte, angesprochen zu werden. Aus den Augenwinkeln
nahm er wahr, daß plötzlich zwei Frauen vor ihm standen; statt einer

von ihnen seinen Platz anzubieten, duckte er sich noch tiefer und hob seine verbundene Hand ans Gesicht. Aufmerksam zählte er die Namen der Haltestellen mit, die der Busfahrer über sein Mikrophon bekanntgab, und obwohl er wußte, wo er aussteigen mußte, stieg er zu früh aus, sprang so hastig ab, daß er fast gestürzt wäre. Aufblickend starrte er in ein Gesicht, das ihn erschrecken ließ; der Mann, der schon einen Arm ausgestreckt hatte, um ihn abzufangen, glich mit seinen ruhigen, abfragenden Augen seinem Feldwebel.

1425

Soldat Berger blieb nicht wie einige andere auf der Brücke stehen, um auf das durchziehende, mit Lampions geschmückte Motorboot hinabzublicken; er beeilte sich, aus dem Lichtschein der hohen Peitschenlampen zu kommen, und verlangsamte seinen Schritt erst auf der stillen Straße, die neben dem Kanal hinführte. Die Häuser hier, großräumig, Hintergärten, lagen in absichtsvoller Zurückgezogenheit, auch das Haus, in das Viktor ihn eingeladen hatte. Er fand es ohne Mühe wieder, betrat den Vorgarten und zwängte sich in die übermannshohen Rhododendren; wenn er das Geäst nur ein wenig auseinanderbog, konnte er in das hell erleuchtete Wohnzimmer sehen. Anja war nicht da, sie schien auch nicht in ihrem Zimmer zu sein, denn das Fenster war dunkel. Ein schwarzgekleideter, hochgewachsener Mann, ein Glas in der Hand, ging im Wohnzimmer auf und ab und sprach pausenreich auf eine Frau ein, die in einem Lehnsessel saß und offenbar gelassen zuhörte. Anjas Eltern. Unwillkürlich erinnerte Berger sich an die erste Begegnung, es gab Käsefondue zum Abendbrot, und während sie um den Tisch herumsaßen, erkundigte sich Anjas Vater mit freimütiger Wißbegier nach seinem Leben, fragte nach Herkunft, Schule, nach Plänen für die Zukunft; er tat es so ungeniert, bis Viktor spöttisch bemerkte: Du hast die Krankheiten vergessen, Vater. Da mußte Viktors Vater lächeln und trank Berger zu, wollte später aber doch erklärt haben, was ein junger Mensch sich heute vom Studium der Vogelkunde verspricht. Wie ungläubig er guckte, als Berger bekannte, was er sich vom Studium der Ornithologie erhoffte! In einige Geheimnisse der Welt eingeweiht zu werden und ihre verborgenen Schönheiten aufzudecken; das, meinte Viktors Vater, ließe sich ertragreicher wohl auf anderen Feldern erzielen. Anja widersprach ihm, sie nahm Bergers Partei, sie sagte: Die kostbarsten Geheimnisse lassen sich nicht verwerten.

Der Erschöpfung nachgebend, ließ Berger sich zwischen den Rhododendren auf die Erde nieder. Er zog die Beine an, legte den Kopf auf die Knie. Vom Kanal her, von einem vorbeiziehenden Motorboot, drang klassischer Jazz herüber. Zum ersten Mal seit seiner Flucht hatte er Hunger, und er nahm sich vor, später zum Bootsverleih neben der Brücke hinabzugehen, dort war ein Kiosk, der bis Mitternacht geöffnet hatte. – Jetzt werden sie ihn gefunden haben, oder er wird von selbst in die Kaserne zurückgekehrt sein, es wußten ja mehrere, nicht nur Viktor, was er mit mir vorhatte, Übung am Hindernis, ein Privatunterricht, um melden zu können, daß ausnahmslos jeder Angehörige seines Zuges die Bretterwand überwunden hatte, denn er ist ehrgeizig für uns und hat sich nie geschont, wenn es galt, ein Beispiel zu geben, hat uns allen vorgemacht, auch wie man überlebt im Verborgenen hinter den feindlichen Linien – los, Männer, die Blätter der Weide sind bekömmlich wie Salat, und diesem gewöhnlichen Gras werdet ihr noch manches abgewinnen, und die Käfer in morschen Stubben, die Larven besonders, alles, was Eiweiß enthält; nun knacken Sie schon diese Schnecke, Berger, ich befehle es Ihnen, diesen lebenden Leckerbissen, denn wenn Sie Feuer machen, sind Sie in wenigen Minuten im Arsch, und ich kaute mit geschlossenen Augen, erbrach mich und hatte nichts dagegen, daß er mich während des fortgesetzten Trainings übersah; erst im Hochmoor, wo wir Zielansprache übten, wandte er sich an mich und fragte nach dem Namen der großen Vögel, die bei Luftkämpfen aufeinander einhackten, und ich konnte ihm sagen, daß es Reiher waren, Reiher bei ihren Hochzeitsvorbereitungen.

Berger hatte Verlangen nach einer Zigarette, doch er wagte nicht, sie anzuzünden, aus Furcht, die kleine Flamme oder der Glutklumpen könnten ihn verraten. Von Zeit zu Zeit blickte er in das Wohnzimmer, in dem Anjas Vater immer noch, anscheinend dozierend, auf und ab ging; nur einmal unterbrach er sich für ein unwillig geführtes Telephonat. Als Anja kam, schaltete sie an der Gartentür das Außenlicht an, eine scharfe Helligkeit verlieh den Büschen Kontur und genaue Schatten, und der glatte Plattenweg warf einen weißlichen Schimmer. Mit ihrem leicht hinkenden Gang kam Anja heran, sie setzte ihren linken Fuß, an dem sie einen großen gewölbten Schuh trug, hart auf, es hörte sich an, als wollte sie ihr Nähern ankündigen. Auf Bergers Anruf blieb sie sofort stehen und sah ihm überrascht entgegen und fragte: Frank, was machst du hier? Was ist mit deiner Hand? Ich muß dich sprechen, sagte er, nur einen Augenblick. Komm rein, sagte sie, und er darauf, hastig: Du mußt mir helfen, mir ist etwas passiert – ich hab keine Schuld. Komm rein, wiederholte Anja, sie warten schon auf mich. Auf ihrem schmalen, klugen Gesicht erschien ein Ausdruck von Besorgnis. Bitte, sagte er und nahm ihre Hand, bitte, Anja, du kannst mir helfen, doch es muß unter uns bleiben, ich brauch nur Gewißheit. Sie sah ihn bestürzt an, sie fragte: Gewißheit? Welche Gewißheit? Ruf Viktor an, sagte er, ruf ihn in der Kaserne an, wenn du es dringend darstellst, wird man ihn an den Apparat in der Wachstube holen; die Schreibstube ist nicht mehr besetzt. Was hast du nur, Frank? fragte sie und versuchte, ihn ins Haus zu ziehen, und gab es auf, als sie merkte, wie energisch er sich widersetzte. Du brauchst Viktor nur zu fragen, ob er den Feldwebel gesehen oder etwas von ihm gehört hat, sagte Berger, weiter nichts. Den Feldwebel? Ja, sagte Berger und fügte hinzu: Bitte, ruf Viktor an, es hängt einiges für mich ab von seiner Nachricht, ich werde hier draußen auf dich warten. Anja schwieg eine Weile, dann sagte sie: Gut, ich werde anrufen, aber danach kommst du rein, versprochen? Versprochen, sagte er.

1427

Soldat Berger suchte sein Versteck in den Rhododendren auf und beobachtete, wie Anja das Wohnzimmer betrat, wie sie ihre Mutter an der Schulter berührte, wie sie ihrem Vater in den Weg trat und, während sie sein Glas nachfüllte, unaufhörlich sprach, beiläufig zunächst, so als begründete sie ihre verspätete Heimkehr. Nachdem sie die Flasche zurückgestellt hatte, schien sie sich zu sammeln, einfach durch ihre Haltung um Aufmerksamkeit zu bitten, wobei Berger ihr die Not des Anfangs anzusehen glaubte. Und dann, als sie sprach, war er fast sicher, daß sie von ihrer unvermuteten Begegnung berichtete und daß sie es übernommen habe, für ihn in der Kaserne anzurufen, um Viktor eine einzige Frage zu stellen. Daß sie es vermied, in den Garten hinauszublicken, nahm er als Zeichen dafür, daß sie seine unmittelbare Nähe verschwieg und wohl auch unerwähnt ließ, daß er hier auf ihre Nachricht wartete. Plötzlich unterbrach sie sich und ging auf den Tisch zu, auf dem das Telephon stand, doch bevor sie es erreichte, hob ihr Vater bereits den Hörer ab, schlug ein Verzeichnis auf und wählte. Berger zweifelte nicht, daß es die Nummer der Kaserne war. Wie lange es dauerte, bis ein Partner sich meldete; anscheinend machte Anjas Vater eine bissige Bemerkung, wobei er die Muschel mit der Hand verdeckte. Endlich sprach er, wenige Sätze nur, knapp und bestimmt, und danach mußte er wiederum warten, und Berger stellte sich vor, daß sie Viktor an den Apparat holten, und sah ihn durch den gefliesten Korridor laufen. Berger umfaßte einen Ast, drückte zu und bog ihn langsam zur Seite, so als dürfe ihm nun nichts entgehen, keine Regung, kein Ausdruck. Auch Anja zeigte eine gesteigerte Spannung, sie trat dicht an ihren Vater heran, vielleicht hoffte sie, mithören zu können. Das Gespräch dauerte kaum eine Minute, Anjas Vater fragte nur selten zurück, er stand mit gesenktem Gesicht da, und unerwartet ließ er den Hörer sinken, langsam, mit einer so resignierten Geste, als habe er etwas Unabänderliches erfahren.

Berger entging diese Geste nicht, er schauerte zusammen, er spürte einen jähen Druck in der Brust und ließ den Ast zurückschnellen und taumelte aus dem Gebüsch, fing sich aber gleich wieder auf den Steinplatten und stieß die Gartentür auf. Er lief. Einmal glaubte er, seinen Namen gehört zu haben, doch er blieb nicht stehen, er lief, er lief auf die Lichter der Brücke zu, die ihm verschliert vorkamen, wie durch Tränen getrübt. Auf der Brücke blieb er stehen, bis sein Atem sich beruhigt hatte. Regungslos starrte er auf den Kiosk hinab, der immer noch geöffnet hatte, empfand aber nicht den Wunsch, etwas zu essen. Sie haben ihn gefunden, sie haben ihn gesucht und an der Bretterwand gefunden, Anjas Vater konnte nichts mehr sagen, als er es erfuhr, er war so fassungslos, daß er kaum sprach, fast wäre ihm der Hörer aus der Hand geglitten, und nun wird auch er glauben, daß es mit Absicht geschehen ist, daß ich mich rächen wollte für alle Demütigungen; doch Anja wird es nicht glauben, sie hat mich immer verteidigt, hat sich sogar mit mir gegen Viktor verbündet und ihn zur Rede gestellt, als er in seinem Scherz zu weit ging – Anja wird zu mir halten, selbst wenn sich herausstellen sollte, daß ... Ein Ruderboot, in dem drei Soldaten saßen, rammte den Anlegesteg; der Bootsverleiher fing die zugeworfene Leine auf und rügte die Soldaten, die übermütig auf den Steg sprangen und untergehakt zum Kiosk gingen. Obwohl Berger sie nicht kannte, hielt er es für ratsam, ihnen auszuweichen; er verließ die Brücke und bog in die öffentlichen Grünanlagen ein, und hier, beim Denkmal für einen General vergessener Verdienste, hörte er auf einmal Anjas Stimme. Sie rief ihn, zumindest glaubte er, daß ihr verhaltenes Rufen ihm galt, und nach einigem Zögern blieb er stehen und wandte sich um; Anja war nicht zu sehen. Er mußte daran denken, daß Anja ihn geküßt hatte, ein einziges Mal; es war ein Belohnungskuß, den er bekam, nachdem er sie quer über einen glitschigen, zerfahrenen Waldweg getragen hatte, der bedeckt war mit knöcheltiefen Pfützen – getragen zur Belustigung von Viktor, der nur grinsend sagte: Anja liebt Barzahlung.

Ohne festes Ziel und dennoch eilig verließ er die Grünanlagen und strebte der erleuchteten Geschäftsstraße zu; hier ging er langsamer. Hin und wieder blieb er vor einem Schaufenster stehen, blickte auf Möbel, Textilien, auf getürmte Eßwaren – interesselos und so, als ginge ihm nicht auf, worauf er blickte. Auf einmal geriet er in einen warmen Luftstrom, Qualm wehte ihn an, er kam aus einem offenen Ecklokal, über dessen Tür in grün erleuchteten Lettern der Name »Zur Schleiereule« stand. Der Soldat ging hinein. Zufrieden stellte er fest, daß nur wenige Gäste anwesend waren. Er setzte sich auf einen Hocker an der Theke, bestellte eine Cola und sah zu der ausgestopften Schleiereule auf, die, auf einem Birkenast befestigt, das Lokal auszuspähen schien. Mit einer verstohlenen Bewegung zog er den Teller mit Salzstangen zu sich heran, steckte sich einige in den Mund und griff sich gleich danach ein paar Mandeln. Der Wirt, der das bemerkt hatte, fragte ihn, ob er etwas essen möchte, die kalte Küche sei noch geöffnet. Berger schüttelte den Kopf und dankte für die Cola.

Ein magerer Mann – fliehendes Kinn, dünnes, verklebtes Haar – setzte sich neben ihn und trank ihm aus einem großen Bierglas zu, er trank den Rest auf das Wohl des Soldaten, und nachdem er ihn eine Weile aus glasigen Augen betrachtet hatte, sagte er: Soldaten wissen, was der Mensch braucht; ein Soldat tritt für den anderen ein, nicht wahr? Wenn jemand spendabel ist, dann ein Soldat, nicht wahr? Der Wirt wandte sich ruhig dem Mann zu, und mit einer Stimme, in der freundliche Warnung lag, sagte er: Geh an deinen Tisch, Alfons, sei friedlich und schieb ab. Sei nicht so streng, Joseph, sagte der Mann, der Soldat wollte mich gerade einladen; nicht wahr, Soldat, das wolltest du doch? Berger blickte hilflos den Wirt an und sagte: Es geht nicht, und setzte gleich hinzu: Ich möchte zahlen. Das höre sich einer an, sagte der Mann, so redet ein Soldat, der nicht weiß, was er einem Mitmenschen schuldig ist. Zahlen und sich dann verdrücken, nicht wahr? Zurück in die Kaserne, eine Minute vor dem Zapfenstreich, was? Der Wirt legte ihm eine Hand auf die Schulter und wiederholte: Geh an deinen Tisch, Alfons, und mach hier keinen Heckmeck. Während Berger zahlte, starrte der Mann auf seine Uhr, es fiel ihm anscheinend nicht leicht, die Zeit abzulesen, und er lachte verlegen über sich selbst;

doch dann sagte er: Vorbei, dein Zapfenstreich ist längst vorbei, Soldat. Müßtest seit einer guten Stunde an deiner Matratze horchen. Morgen werden sie dich dafür am Kanthaken kriegen, und dann ab zum Rapport. Geschieht dir recht, Soldat. Obwohl Berger noch nicht ausgetrunken hatte, rutschte er von seinem Hocker und ging zum Ausgang. Ihre Mütze, rief der Wirt ihm nach, hatten Sie keine Mütze?

Berger hörte es nicht; von plötzlicher Furcht getrieben, hastete er auf die Straße und bewegte sich schnell an den Schaufenstern vorbei, schnaufend, ohne allzu große Rücksicht gegenüber den Passanten. Mitunter wandte er sich um und blickte zurück. Ein leichtes Zittern überfiel seinen Körper, er spürte, daß er ihn nicht mehr trug, daß er sich hinsetzen mußte, und als eine Frau, die ein kleines Mädchen an der Hand hielt, in ein mächtiges Wohnhaus trat, schloß er sich ihnen an. Das kleine Mädchen sah ihn ernst an, er zwinkerte ihm zu und hielt sich zurück, und nachdem die Schritte über ihm verhallt waren, setzte er sich auf eine Stufe und lehnte den Kopf gegen die Wand. Das Ende des Verbandes hatte sich gelockert, er verknotete es fest, indem er den Mund zu Hilfe nahm. Nach Hause, vielleicht sollte ich nach Hause fahren, es geht bestimmt noch ein Zug nach Hannover, ohne Fahrkarte, vor der Kontrolle in der Toilette einschließen, aber was werden sie sagen, wenn ich sie nachts aus dem Schlaf hole, hier bin ich, mir ist ein Unglück passiert, bei einer Übung, es geschah ohne Absicht, und ihr könnt bezeugen, daß ich niemals ein einziges feindseliges Wort gegen ihn ... – ich respektierte ihn, ich wünsche nichts mehr, als daß er durchkommt, ihr müßt es mir glauben.

Ein kleiner, struppiger Hund bellte ihn an, näherte sich ihm aber zugleich zutraulich, als eine Frau den Hund rief. Berger stand auf, bereit, Platz zu machen, doch die Frau verharrte vor ihm, deutete auf seine verbundene Hand und fragte, ob er gestürzt sei, ob er Hilfe brauche, ob sie etwas für ihn tun könne; und da Berger schwieg, fragte sie, zu wem er wolle, sie übernehme es gern, für ihn zu klingeln und Bescheid zu sagen. Der Soldat dankte ihr. Eine Hand stützend gegen die Wand gelegt, begann er, die Stufen hinabzugehen, so staksend und unsicher, daß die Frau ihm unwillkürlich nachging in der Befürchtung, er könnte fallen. Wenn Sie wollen, sagte sie, rufe ich den Notarzt. Sie können bei mir auf ihn warten, ich wohne nur einen Stock höher. Danke, sagte Berger, danke, es geht schon wieder; er beugte sich herab und streichelte flüchtig den Hund.

Draußen war es vollkommen windstill, die Geschäfte waren immer noch erleuchtet, doch zu dieser Stunde interessierte sich niemand mehr für die Auslagen; wer unterwegs war, hatte nur sein Ziel im Sinn. Ohne Sirene, nur mit eingeschaltetem Blaulicht fuhr ein Unfallwagen vorbei; die Verkehrsampel sprang von Rot auf Grün um, als er sich ihr näherte. Berger überquerte rasch die Kreuzung und blieb vor einem Photogeschäft stehen. Es wurde für Paßphotos geworben, für Familienphotos; leere Rahmen, die ein Drittel der Ausstellungsfläche besetzt hielten, warteten auf Gesichter.

Auf einmal mußte er an den Morgen denken, als sie zum Scharfschießen ausrückten, es war ein klarer, kalter Morgen, und auf dem Plan stand Einzel- und Dauerfeuer. Keiner schoß besser als Viktor und Niels, ein wortkarger Soldat von einer Nordseeinsel, aber fast so gut wie die beiden schnitt Berger ab – zur Überraschung des Feldwebels, der ihn vor seinen Kameraden belobigte. Bei der zweiten Serie indes – und er selbst fand keine Erklärung dafür – rutschte er tief ab, man rechnete ihm das schlechteste Ergebnis des ganzen Zuges an, was den Feldwebel veranlaßte, ihn zur Seite zu nehmen und ihm sein offenes Mißtrauen zu zeigen. Das war Absicht, Berger, sagte er, Sie können mir nichts vormachen. Und er sagte auch: So etwas geht nicht, solch ein Unterschied in den Treffern; ich weiß nicht, was Sie mit Ihrer Aktion bezwecken, aber ich möchte Ihnen raten, mich nicht herauszufordern. Es half Berger nichts, zu beteuern, daß er keineswegs mit Absicht schlecht geschossen hätte; das Mißtrauen des Feldwebels konnte er nicht zerstreuen.

Die Erinnerung an diesen Vorfall beunruhigte ihn; auch wenn er nicht genau sagen konnte, welch eine Bedeutung der Verdacht des Feldwebels einmal gewinnen könnte: er witterte, daß damals etwas geschah, das nun womöglich gegen ihn sprechen würde. Beim Abwenden erblickte er in einem schmalen Spiegel sein Gesicht; er beließ es bei dieser schnellen Kenntnisnahme und ging weiter und hörte in der ausgestorbenen Straße den Fall seiner Schritte. Unwillkürlich hatte er den Wunsch, geräuschlos aufzutreten. Einmal kam ihm eine alte Frau entgegen, lange bevor sie auf seiner Höhe war, scherte sie aus, und als sie ihn passierte, war sie krampfhaft bemüht, wegzusehen.

In einem Aushang erblickte er ein Plakat, das ihn sogleich anzog, ein Kinoplakat, das für einen mehrfach ausgezeichneten norwegischen Film warb. Nur eine einsame Holzhütte war zu sehen, ein buckliger

Pfad lief auf sie zu und führte hinter der Hütte in einen gezausten Bergwald; ein Eindruck von Verlassenheit ergab sich wie von selbst. Der Film hieß »Die Bitte«. Das Mädchen an der Kasse wies Berger darauf hin, daß die Nachtvorstellung bereits begonnen hatte, dennoch bat er um eine Eintrittskarte und kaufte nach kurzem Überschlag einen Schokoladenriegel. Da die Vorstellung schlecht besucht war, durfte er sich einen Platz aussuchen, er wählte eine Reihe, in der er allein für sich saß. Es gelang ihm nicht, sich auf die Handlung zu konzentrieren und kombinierend zu ergänzen, was er versäumt hatte, und nach kurzer Zeit blickte er nur unbeteiligt auf das arme Leben der Hüttenbewohner und hörte von der seltsamen Aufgabe, die sie übernommen hatten. Vater und Sohn brachen da – anscheinend zum wiederholten Mal – in den Wald auf, um einen Baum zu fällen, keinen beliebigen, sondern eine bestimmte Kiefer, bizarr und verzweigt, die alle anderen Bäume überragte. Die Frau auf dem schlichten Sterbelager hatte sie darum gebeten, sie hatte sich einen Sarg aus dem Holz dieser Kiefer gewünscht, und die Männer, die ihren Wunsch ohne Erstaunen oder gar Befremden anhörten, versprachen es ihr und schulterten Axt und Säge. Zu ihrer Verwunderung sprang schon nach den ersten Hieben die Axt ab, offenbar war da etwas Metallenes in den Stamm eingewachsen, eine Kette, ein eiserner Ring, jedenfalls drangen weder Axt noch Säge in das Holz ein, und erschöpft von ihrer Arbeit, kehrten die Männer zur Hütte zurück. Berger duckte sich, machte sich klein, denn den Mittelgang des Filmtheaters kam ein Mann herab, der suchend die Reihen entlangspähte, ein großer, uniformierter Mann, der eine Taschenlampe trug, den Schein aber nur auf den Boden richtete. Die Meldung, nun haben sie die Meldung herausgegeben und werden mich suchen, überall, wo sie mich vermuten, bestimmt auch zu Hause, sie werden in einem Auto sitzen vor unserem Haus und warten; Soldat Berger, ausgeschrieben zur Fahndung, tätlicher Angriff auf einen Vorgesetzten, sie werden lange warten und dann klingeln, nein, nicht nach Hause, am besten in ein anderes Land, nach Holland, nach Dänemark, schwarz über die Grenze, aber nicht in Uniform, wieviel Zeit der sich nimmt bei seiner Suche, ja, er trägt Uniform, eine Art Uniform, Leder mit Silberbeschlägen vielleicht, und vielleicht wird auch der Richter Uniform tragen, er wird den Prozeß eröffnen, Angriff auf einen Vorgesetzten mit tödlichem Ausgang, nein, nein.

Der Uniformierte schlenderte ruhig an der ersten Sitzreihe vorbei und kam dann den Seitengang herauf, stetig, wachsam, mit einge-schalteter Taschenlampe. Berger auf seinem Außensitz ließ ihn nicht aus den Augen, und als der Uniformierte unmittelbar vor ihm stand, schnellte er hoch und sprang ihn an. Mit einem einzigen Stoß schleu-derte er ihn gegen die Wand, wurde nahezu mitgerissen, fing sich jedoch wieder und hastete, von einzelnen Rufen verfolgt, zum Aus-gang. Ohne zu überlegen, wohin er sich wenden sollte, lief er die Geschäftsstraße hinab, schöpfte Atem in einer Torfahrt, lauschte zu-rück und lief weiter. Seine Lippen sprangen auf, das Hämmern im Kopf wurde stärker. Ein Taxi fuhr an ihm vorbei, verlangsamte über-raschend die Fahrt und hielt vor dem erleuchteten Eingang eines Ho-tels. Als Berger herankam – eilig zwar, doch nicht mehr laufend –, stieg ein Paar aus, das sich in lockerer Umklammerung dem Hotel zuwand-te und übermütig mehrmals den Knopf der Nachtglocke drückte. Ber-ger klopfte an die Scheibe des Taxis; der Fahrer ließ ihn erst einsteigen, nachdem er das Ziel erfahren hatte. Kaserne? Gut, steigen Sie ein, liegt auf meinem Weg. Schweigend fuhren sie durchs Zentrum, am Haupt-bahnhof vorbei, über dem eine fleckige Dunkelheit lag. Von fern her glaubte der Soldat Eisenbahnräder zu hören, Stimmen, schwache Kommandos. Er wischte sich mit der Hand über das schweißnasse Gesicht. Das Geräusch der Räder wollte nicht verstummen, es marterte ihn, und als er einmal aufseufzte, fragte der Fahrer: Ist was? Es geht schon, sagte Berger. Er wußte, daß er den Fahrer nicht würde bezahlen können; er würde ihm den geringen Rest seines verbliebenen Geldes geben und ihn dann um seine Adresse und Geduld bitten bis zum nächsten Soldempfang. Wenn sie vor einer Verkehrsampel standen und Licht in den Wagen fiel, suchte er im Rückspiegel das Gesicht des Fahrers; alles jedoch, was er gelegentlich und nur für einen Moment zu sehen bekam, waren die Augen, aufmerksame, schnell wandernde Au-gen, die ihm mitunter zuzublinzeln schienen. Vermutlich spürte er Bergers Erregung.

Noch bevor sie die Einfahrt zur Kaserne erreichten, auf der Höhe der Gartenkolonie, bat Berger, anzuhalten. Hier? Hier! Es gab für ihn nichts zu erklären, er sammelte sein letztes Geld, gab es dem Fahrer und sagte: Mehr hab ich nicht, doch wenn Sie wollen … Der Fahrer ließ ihn nicht zu Ende sprechen, er starrte auf die wenigen Münzen und murmelte: Nicht diese Tour, mein Junge, nicht diese Tour, bei mir zieht das nicht. Bitte, sagte Berger, Sie müssen mir glauben, und wenn

Sie wollen … Jetzt hob der Taxifahrer den Blick und sah prüfend in das Gesicht des Soldaten, und mit einer abrupten Bewegung reichte er ihm das Geld zurück und fuhr davon, ohne ein weiteres Wort.

Nirgends in der Gartenkolonie brannte ein Licht, der Soldat suchte und fand den Weg, den er gekommen war, und als er den Zaun erreichte – fast an der Stelle, an der er hinübergeklettert war –, war es ihm, als stiege tief im Übungsgelände, gegen den Streifen zaghafter Helligkeit, eine Leuchtkugel empor, die einen Augenblick zitternd in der Luft stand, ehe sie zerbarst. Kreis, dachte er, jeder ist gefangen in seinem Kreis. Er überstieg den Zaun, ließ sich fallen und lauschte, und dann bewegte er sich in kurzen Etappen – Laufen, Hinwerfen, Laufen – durch das Übungsgelände, so lange, bis er die Bretterwand vor sich aufwachsen sah. Jetzt sprang er auf, jetzt sicherte er nicht mehr, mit wenigen Sätzen erreichte er das Hindernis und trat vor die Verankerung: er war weg, der Körper des Feldwebels war weg. Sie haben ihn vermißt, spätestens in der Messe haben sie ihn vermißt und brachen gemeinsam auf und fanden ihn hier und trugen ihn fort, von der Gewißheit erfüllt, daß er nicht aus Unachtsamkeit so gestürzt sein konnte, es muß Gewaltanwendung vorliegen, Angriff mit tödlichem Ausgang, denn da ist ja auch Blut auf seinem Gesicht.

Berger betastete die Stelle, an der der Feldwebel gelegen hatte, blickte zu den verschwommenen Lichtern, den hochhängenden Lichtern der Kaserne hinüber und stieß einen wimmernden Laut aus. Gewißheit, nur sie kann helfen: Gewißheit. Er strebte der Kaserne zu, nicht mehr sichernd und bereit, sich hinzuwerfen, sondern aufrecht und ohne Furcht, entdeckt zu werden. Immer wieder sammelte er Speichel in seinem Mund und spuckte aus. Sein Blick verschleierte sich. Abermals löste sich der Knoten seines Verbandes; er nahm sich nicht die Zeit, ihn festzuziehen. Und er blieb auch nicht stehen, als Nachtvögel sich vor ihm erhoben und mit schwirrendem Flug abstrichen. Unbemerkt gelangte er in die Nähe der Kaserne, und hier sicherte er eine Weile, ehe er sich geduckt dem flachen, abseits liegenden Lazarettgebäude zuwandte. Er wagte es nicht, in das Gebäude hineinzugehen, er schlich sich an die Fensterfront an, hob sich vorsichtig und linste noch einmal in die von einer Notbeleuchtung erhellten Krankenzimmer hinein. Einige Zimmer lagen im Dunkeln, waren nicht belegt – an ihnen schlüpfte er vorbei. Auf einmal richtete er sich hoch auf, er vergaß jede Vorsicht, er war nahe daran, an die Scheibe zu klopfen; denn jetzt sah er den Feldwebel, sah, wie er sich auf die Seite drehte, ein Wasserglas an die Lippen hob und trank und sich beherrscht zurücklegte.

Soldat Berger fühlte, wie er zu zittern begann, eine jähe Freude durchströmte ihn, die Starre löste sich und wich einer heftigen Erregung, die ihn fortzwang. Es hielt ihn nicht mehr vor dem Fenster; was er wußte, überwältigte ihn, befreite ihn und weckte das Bedürfnis, zu den anderen zurückzukehren, zu den Kameraden. Wie ausdauernd und entschlossen er lief, am Rand des Sportplatzes entlang und dann im Schatten der Garagen, die Gewißheit trug ihn, verlieh ihm Kraft, und um an das Fenster zu gelangen, das zu seiner Stube gehörte – er wollte seine Kameraden wecken und sie veranlassen, das Fenster zu öffnen –, lief er ein Stück am Zaun entlang und weiter zwischen bewachsenen Erdbunkern, in denen Waffen und Munition lagerten. Plötzlich wurde er angerufen, ein schroffer Befehl forderte ihn auf, stehenzubleiben; Berger folgte ihm nicht. Wieder erreichte ihn der Befehl, klar und knapp, und da er glaubte, die Stimme seines Kameraden Niels erkannt zu haben, verlangsamte er seinen Lauf, blieb aber nicht stehen. In diesem Augenblick traf ihn der Feuerstoß. Wie es sich zeigte, lagen die Einschüsse so dicht beieinander, daß es aussah, als habe ihn ein einziges großkalibriges Geschoß getroffen.

1993

Die Bewerbung

Die achte Bewerbung bekam er nicht mit dem Ausdruck des Bedauerns zurück: man bestätigte ihm den Eingang seiner Unterlagen, man versicherte ihm, sie mit Interesse gelesen zu haben, und man lud ihn, Arno Andersen, zu einem Vorstellungsgespräch in die Firma ein. Er las den Einladungsbrief mehrmals, ungläubig, grübelnd; an lauter Absagen gewöhnt, fragte er sich, was an seinen Unterlagen ihr Interesse hervorgerufen haben könnte, ihren Wunsch, ihn kennenzulernen und zu prüfen. Die kargen Mitteilungssätze ließen jedoch keine Vermutung zu.

Um Christiane am Ende nicht zu enttäuschen – denn er rechnete kaum mit einer festen Anstellung – und ihre Erbitterung, mit der sie auf jede Absage reagierte, nicht zu vergrößern, beschloß er, ihr nichts von dem unerwarteten Echo auf seine achte Bewerbung zu sagen; ein paar Tage lang versteckte er den Brief vor ihr, dann machte er sich ohne ihr Wissen auf den Weg. Unter dem Vorwand, zur Universitätsbibliothek zu gehen, verließ er das Haus, trat in den weichen Schneefall, und als er zu seinem Wohnungsfenster hinaufblickte, sah er dort Christiane stehen, wie immer, ernst, in schwarzem Rollkragenpullover; statt ihm zurückzuwinken, drückte sie beide Handflächen gegen das Fenster. Er ging durch den sanftesten Schneefall, den er je in Hamburg erlebt hatte, kein Wind trieb die Flocken in den U-Bahn-Schacht, selbst auf der Fleetbrücke, wo es sonst stiemte und wirbelte, herrschte nur lautloser Fall. Vor dem renovierten Kontorhaus versicherte er sich zum zweiten Mal, daß er den Brief bei sich hatte, und dabei dachte er unwillkürlich an Christiane, dachte an ihre anfängliche Niedergeschlagenheit, die, je öfter er eine Bewerbung zurückbekam, allmählich einer nur mühsam beherrschten Erbitterung wich. Eines Tages, als sein Ansuchen zum fünften Mal abschlägig beschieden worden war, hatte sie ihm in ihrer Verzagtheit etwas gesagt, was ihn nicht nur traurig, sondern auch ratlos machte. Ohne ihn anzusehen, hatte sie festgestellt: Ob man etwas erreicht oder nicht, muß nicht immer an den anderen, es kann auch an einem selbst liegen. Daß sie sich später dafür entschuldigte, reichte für ihn nicht aus, diese Bemerkung zu vergessen.

Arno Andersen mußte daran denken, als er auf die mächtige, bläulich schimmernde Glaswand des Kontorhauses zuging. Flüchtig stäubte er den Schnee von seinem Mantel und betrat das Gebäude. Er brauchte sich nicht beim Pförtner zu erkundigen: auf der Tafel mit den ein wenig eingedunkelten Firmennamen fiel ihm das helle Messingschild sogleich ins Auge: Triton-Verlagsgesellschaft, vierter Stock. Am Kopf des mageren, verschlossen wirkenden Mannes vorbeiblickend, der gemeinsam mit ihm im Fahrstuhl hinauffuhr, suchte er sein Gesicht in dem schmalen Spiegel, über den ein Reklamespruch hinlief; der Spruch versprach das Wissen, das einem Sicherheit gibt, mit dem Triton-Lexikon in drei Bänden. Beim Verlassen des Fahrstuhls dankte Andersen dem Fremden und folgte dann mehreren roten Pfeilen, die ihn durch verwinkelte Gänge zum Hauptbüro der Verlagsgesellschaft führten.

Die alte Sekretärin nahm ihm den Mantel ab. Sie lächelte und entblößte dabei ihre Schneidezähne, an denen Spuren von Lippenstift schimmerten. Ihr entging nicht die Scheu und die Unsicherheit des Besuchers, der immer wieder zu Boden blickte, offenbar besorgt, daß seine Schuhe schmutzige Flecken auf dem beigefarbenen Teppichbelag zurückließen. Knapp wies sie ihn auf das Fenster, auf den Schneefall draußen hin und sagte freundlich: Der Tee steht schon bereit; dann öffnete sie, ohne anzuklopfen, eine Tür und rief in das Zimmer hinein: Herr Doktor Andersen ist da.

Ein stämmiger Mann kam hinter seinem Schreibtisch hervor, er hatte lichtes, blondes Haar, trug eine Jeansjacke und eine sehr schmale Lederkrawatte. Mein Name ist Kuhnhardt, sagte er, ich danke Ihnen für Ihr Kommen; und nachdem er Andersen einen Stuhl am weißgrauen Konferenztisch angeboten hatte, schenkte er seinem Besucher und sich selbst Tee ein und zog einige bereitliegende Papiere zu sich heran, die Andersen als seine Unterlagen erkannte; daß sie gelesen, zumindest durchgeblättert worden waren, sah er daran, daß sie nicht mehr in der Cellophanhülle steckten. Einmal, als er seine Bewerbung zum siebten Mal zurückbekam, hatte Christiane den Verdacht geäußert, daß seine Dokumente gar nicht gelesen worden waren, und um ihm zu beweisen, daß dies oft geschah, machte sie den höhnischen Vorschlag, bei einem künftigen Ansuchen die einzelnen Blätter mit Honig zusammenzukleben. Kuhnhardt, das zeigte sich sogleich, hatte sich eingehend mit ihm beschäftigt, er wußte sogar, daß Andersen sich auf ein Stellenangebot beim »Abendblatt« beworben hatte, doch obwohl er die Lebensdaten des Bewerbers kannte, erließ er es ihm nicht, auch mündlich Auskunft über sich selbst zu geben. Und Arno Andersen, der mit seinen sechsundzwanzig Jahren wie ein höflicher Abiturient wirkte, antwortete bereitwillig auf alle Fragen.

Ein Mann wie Sie sollte die Universitätslaufbahn einschlagen, sagte Kuhnhardt. Ich habe es versucht, sagte Andersen, doch in der Philosophischen Fakultät gibt es keine offene Stelle. Sie haben einen bedeutenden Preis bekommen: »Jugend forscht«. Es war nur der zweite Preis in der Disziplin Geisteswissenschaften. Und als Reiseleiter haben Sie auch gearbeitet. Ich war nur Assistent des Reiseleiters. Kuhnhardt senkte seinen Blick, überflog noch einmal einige Sätze des Lebenslaufs und murmelte: Also Florenz ... sobald ich in dieser Stadt bin, beschleunigt sich mein Herzschlag. Es ist eine schöne Stadt, bestätigte Andersen, schwieg aber sogleich, weil er daran denken mußte, daß in Florenz seine Schwester von einem Bus überfahren wurde. Ein plötzliches Lächeln glitt über Kuhnhardts rötliches Gesicht, er sagte langsam: Über Seneca haben Sie also Ihre Dissertation geschrieben. Ja, sagte Andersen, meine Arbeit beschränkt sich allerdings auf Senecas Schrift »Über die Milde«. Klingt das heute nicht ein wenig komisch? Was? Der Titel, der Titel »Über die Milde«. Die Schrift zielt auf Nero, sagte Andersen leise, sie handelt von den Risiken des Alleinherrschers.

Kuhnhardt schob die Unterlagen zusammen, zwängte sie in die Cellophanhülle und stand auf, und in diesem Augenblick fühlte Andersen sich an das Ende seiner Vorstellung in der Reederei erinnert. Auf einmal, nach einem lockeren Gespräch, hatte der weißhaarige Prokurist seine Dokumente in die Cellophanhülle gezwängt, war aufgestanden und hatte ihm mitgeteilt, daß er demnächst von der Firma hören werde, und schon auf dem Weg zur Tür wußte Andersen, daß er den Auftrag, für die neuen Schiffe der Flotte eine unterhaltsame Bordbibliothek zusammenzustellen, nicht erhalten würde.

Statt ihm einen entsprechenden Brief anzukündigen, nickte Kuhnhardt ihm anerkennend zu und sagte: Ich hab mein Studium abgebrochen, kurz vor der Promotion; meine Karten waren anders gemischt. Dann führte er Andersen vor ein mannshohes Bücherregal, das besetzt war mit der bisherigen Produktion des Triton-Verlags; es waren ausschließlich Nachschlagewerke: ein Wörterbuch der Berufe, ein Wörterbuch der Psychologie, ein Fremdwörterbuch und ein Handwörterbuch der Philosophie und, für sich stehend, marineblau mit weißer Schrift, das Hauptwerk, das Triton-Lexikon in drei Bänden.

Kuhnhardt nahm einen Band heraus, blätterte, ließ ein paar Seiten schnurrend durch die Finger laufen und reichte den Band an Andersen weiter, der sich Zeit nahm, um alles unter dem Stichwort Lippfisch zu lesen. Ein nützliches Werk, sagte Andersen, und Kuhnhardt darauf: Überaus nützlich, doch leider läßt der Verkauf zu wünschen übrig. Vielleicht liegt es daran, daß wir noch nicht genug eingeführt sind. Nachdenklich kehrte er zum Konferenztisch zurück, und mit einer Geste bat er Andersen, sich zu setzen, und sah eine Weile in schweigender Bekümmerung auf ihn hinab, so, als legte er sich schonende Worte für den Abschied zurecht; und als Andersen dachte: Das war es also, hob er die Schultern und sagte: Ich möchte Sie gern bei uns aufnehmen, auch mein Gesellschafter möchte es, doch das Lektorat ist vollzählig, und für eine andere Beschäftigung sind Sie überqualifiziert. Wie meinen Sie das, fragte Andersen, und Kuhnhardt strich einmal leise über die Unterlagen und sagte: Wir können Ihnen nichts Angemessenes bieten, nichts, was Ihrer Ausbildung entspricht.

Einmal hatte er eine Bewerbung von sich aus zurückgezogen, damals, als sie ihm im Sender nur eine Arbeit im Tonband-Archiv anbieten konnten; Christiane, die ihn in der Gewißheit erwartet hatte, daß er diesmal einen Vertrag mit nach Hause brachte, war von seiner Entscheidung enttäuscht; es gibt Zeiten, hatte sie gesagt, in denen man nicht auf einer Wahl bestehen kann. Unwillkürlich mußte Andersen daran denken, und an Kuhnhardt gewandt, der ihn abwartend musterte, sagte er: Es muß nicht unbedingt das Lektorat sein.

Kuhnhardt schenkte ihm Tee nach, setzte sich ihm gegenüber und begann, eine klobige Pfeife auszukratzen und Asche und Krümel über einem großen Aschenbecher auszuklopfen. Während er sie sorgfältig stopfte, gab er zu verstehen, daß einstweilen nur eine Position frei wäre. Was er anzubieten habe, sei allein eine – allerdings lohnende – Tätigkeit auf Provisionsbasis; diese Tätigkeit bestehe im Hausverkauf des dreibändigen Triton-Lexikons. Er deutete an, daß es nach einer erfolgreichen Probezeit von einem Vierteljahr zu einer endgültigen Vertragsunterzeichnung kommen könnte; später dann ergäbe sich auch durchaus die Möglichkeit, innerhalb des Verlags auf eine andere, eine gehobene Position zu wechseln. Arno Andersen erbat sich keine Bedenkzeit; dankbar und von Zuversicht erfüllt, nahm er das Angebot an; die unverhoffte Gewißheit dämpfte seine Unruhe. Für seine Vorbereitung auf die ungewohnte Tätigkeit wurde der nächste Tag vereinbart; er selbst machte diesen Vorschlag, und er empfand eine seltsame Genugtuung, als Kuhnhardt ihm zum Abschied mit allen drei Bänden des Lexikons belud – schon mal als Hausaufgabe und um die Zuverlässigkeit und den Wert des Werkes zu überprüfen. Kuhnhardt öffnete ihm die Tür zum Sekretariat; von einem Besucherstuhl erhob sich ein gutaussehender Mann in grauem Flanell, der Andersen an einen italienischen Schauspieler erinnerte, den er in einem alten Film gesehen hatte. Noch während er auf den Titel des Films zu kommen versuchte, hörte er die Sekretärin sagen: Herr Stübbs, er ist bestellt.

Schon von weitem erkannte er Christiane. Sie wedelte mit dem Handfeger über die Windschutzscheibe ihres alten VW, der unter einer Laterne geparkt war, wischte mit dem Arm den Schnee von der Haube, säuberte Rückspiegel und Heckfenster, so eilig und verbissen, daß sie weder seinen Pfiff hörte noch die Zeichen wahrnahm, die er ihr machte. Andersen begann zu laufen, und als das Auto anfuhr, sprang er vom

Bürgersteig auf die Straße und hob den freien Arm und blieb unbesorgt stehen, bis Christiane unmittelbar vor ihm hielt. Er stieg ein. Er legte eine Hand auf ihren Arm und blickte sie lächelnd an, doch bevor er etwas sagte, bat ihn Christiane: Mach schnell, ich bin schon zu spät dran, du kennst die neue Oberschwester. Diesmal kannst du sie warten lassen, sagte Andersen und forderte sie sanft auf, zurückzufahren und noch einmal nach Hause zu kommen, nur für ein paar Minuten. Mißmutig setzte sie zurück, blickte auf die drei dickleibigen Bände, blickte auf ihre Uhr und fragte noch einmal, ob er ihr nicht rasch sagen könnte, was er auf dem Herzen habe, doch er schüttelte den Kopf und zog sie einfach mit sich, so voll kaum unterdrückter Freude, daß er ihren Hinweis auf gerade erhöhtes Heizungsgeld überhörte.

Christiane nahm nicht die hellblaue Wollmütze ab, unter die sie ihr Haar gezwängt hatte, zog auch nicht ihren Dufflecoat aus; stehend, die Schlüssel befingernd, wartete sie darauf, was er ihr zu erzählen hatte. Bevor er ein einziges Wort sagte, küßte er sie schnell, dann trat er hinter den Tisch, auf dem das Triton-Lexikon lag, beklopfte es mit dem Knöchel und verkündete zwinkernd: Hier, Christiane, ist das Wissen gesammelt, das einem Sicherheit gibt. Und da er nun ihre Ungeduld bemerkte, schilderte er seinen Besuch in der Verlagszentrale. Er gestand ihr mit gespielter Zerknirschung, daß er nicht in die Universitätsbibliothek, sondern zu einem Vorstellungsgespräch gegangen war, und in der Erwartung, daß sie ihn verstehen und sich mit ihm freuen werde, erwähnte er, daß er diesmal erfolgreich gewesen sei: Wir sind uns einig, morgen werde ich eingewiesen. Christiane zögerte einen Augenblick, sie sah ihn unentschieden an und fragte dann nur: Lektorat? Später vielleicht, sagte er, zunächst haben sie mir etwas im Vertrieb angeboten, auf Provisionsbasis. Also nicht im Lektorat, sagte sie, und ihm entging nicht die Enttäuschung, die in ihrer Frage lag. Bitte, sagte er, du mußt es verstehen, es ist nur etwas für den Anfang. Hast du einen Vertrag? Noch nicht; wir haben eine Probezeit ausgemacht, drei Monate zur Probe, danach machen wir einen Vertrag. Ein flüchtiger Ausdruck von Zweifel erschien auf ihrem schmalen Gesicht, abermals blickte sie auf ihre Uhr, und mit dem Ausruf: Die Clausen wird mir eine Szene machen, wandte sie sich zur Tür. Mit ein paar Schritten war er bei ihr, er umarmte sie, er forschte in ihren Augen und fragte: Du freust dich doch, oder?, und in bittendem Ton: Wir sprechen am Abend über alles, ja?

Andersen trat ans Fenster und sah sie aus dem Hausflur kommen, er wartete darauf, daß sie ihm winkte, doch bevor sie es tat, rannten zwei Jungen auf sie zu und bewarfen sie mit Schneebällen, zielgenau. Sie beugte sich vor und hob die Arme schützend vor das Gesicht, und so lief sie auf das Auto zu und brachte sich, abermals getroffen, in Sicherheit. Ich werde etwas vorbereiten, dachte er, heute abend – ich werde dich überraschen. Nachdem sie davongefahren war, streifte er an dem einfachen Bücherregal vorbei, das er selbst aus Oldenburger Ziegeln und weißlackierten Brettern zusammengesetzt hatte; auf dem obersten Brett standen ein paar gerahmte Photos, sie waren so angeordnet, als begutachteten die Personen sich gegenseitig. Er nahm das größte Photo herab, es zeigte Christiane in Schwesterntracht auf der Terrasse des Krankenhauses, in dem sie ihm eine Niere implantiert hatten. Christiane hielt in einer Hand ein Tablett, auf dem ein Wasserglas und deutlich ein Plastikschälchen mit Medikamenten zu erkennen waren; beides war für ihn bestimmt, der, von einem Sonnenschirm beschützt, in einem altmodischen Korbsessel saß und ihr zublinzelte. Das Photo war auf seinen Wunsch gemacht worden – am selben Tag, an dem er Christiane eingeladen hatte, seine Entlassung gemeinsam zu feiern.

Wasser rauschte in der oberen Wohnung, dann hörte er die Schritte des alten, beleibten Schauspielers, stampfende Schritte, die Wut und Trotz ankündigten, und gleich darauf hörte Andersen ihn deklamieren: Nein und nochmals nein, denn sie sind abtrünnig geworden vom Licht, und was sie verdienen, sind die Trauben des Zorns. Er stellte das Photo an seinen Platz zurück, setzte sich an den Tisch und schlug das Lexikon auf; er las: Ochlokratie, und war einverstanden mit der Erklärung.

Nicht Kuhnhardt, sondern Bollnow, ein redseliger Mann mit gütig blickenden Augen, nahm sich seiner an; er führte ihn in sein kahles Büro, wärmte ihn mit einem doppelten Linien-Aquavit und wies ihn so umfassend in seine Tätigkeit ein, daß Andersen nicht eine einzige Frage zu stellen brauchte. Alles erschien ihm eindeutig, vernünftig und leicht erreichbar, und sein Zutrauen wuchs, als Bollnow eine Hamburg-Karte ausbreitete und ihm beibrachte, daß er gut daran täte, einige Stadtteile – wie die Villenquartiere von Othmarschen und den Walddörfern – bevorzugt aufzusuchen; beiden erschien es überflüssig, die Gründe zu nennen. Ausgestattet mit Prospekten, mit Bestellblock und der dreibändigen Ausgabe, die der Demonstration dienen sollte, verabschiedet mit aufmunterndem Schulterschlag und dazugehörenden Erfolgswünschen, trat Andersen seine Tätigkeit an. Den verlagseigenen Koffer zwischen die Beine geklemmt, saß er in der S-Bahn und fuhr hinaus in den empfohlenen Vorort, und dabei dachte er an Christianes späte Heimkehr. Zu erschöpft, um wißbegierig zu sein, hatte sie ihm fast nur schweigend zugehört und dabei von der Pizza gegessen, die er vom Italiener geholt und dann noch einmal aufgewärmt hatte; statt des roten Landweins, den er ihr zur Feier des Tages einschenken wollte, bat sie um Tee. Mitunter lächelte sie, doch es war kein Lächeln der Zustimmung zu seinem Entschluß, sondern der stillen Belustigung über den Eifer, mit dem er sie bediente. Um ihm zu danken, nahm sie seine Hand und legte sie an ihre Wange, und plötzlich sagte sie leise: Der schwedische Student ist tot, er ist heute nachmittag gestorben. Er sah, daß ihr dieser Tod naheging. Er strich ihr übers Haar. Ohne die Stimme zu heben, sagte Christiane: Einmal, als ich nachts bei ihm saß, meinte er: Ich weiß gar nicht, Schwester, was mit mir los ist – ich habe überhaupt keinen Ehrgeiz, ich glaube nicht einmal, daß ich den Ehrgeiz habe, wieder gesund zu werden. Und was hast du ihm darauf gesagt? fragte er. Oh, sagte Christiane, ich erinnere mich nicht genau, vermutlich sagte ich: Ohne ein Ziel kann man nicht leben. Christiane bat ihn um Verständnis und ging bald nach dem Essen zu Bett.

Andersen musterte das große dunkle Haus, stieß die Gartenpforte auf und stapfte über den verschneiten Weg, auf dem sich nur eine einzige Fußspur abzeichnete, zum Eingang. Noch bevor er geklingelt hatte, trat er sich auf einem Rost die Füße ab und wartete, und er fühlte sich erleichtert, als ein alter Mann erschien – er trug eine wollene Hausjacke und an den Füßen flauschige Pantoffeln –, der ihn freundlich und ohne ein einziges Wort zu sagen ansah, so lange, bis Andersen ihm höflich den Grund seines Besuches erklärt hatte; dann nahm er ihn an die Hand und zog ihn ins Haus, in ein lichtarmes, überladenes Zimmer, in dem Zeitschriften und alte Zeitungen gestapelt waren. Der Mann lenkte Andersens Blick auf eine zwanzigbändige Ausgabe des Schlosser-Lexikons und sagte schmunzelnd: Die ist zwar von achtzehnhundertachtundneunzig, aber für meine Bedürfnisse reicht sie aus. Gewiß, eine wertvolle Ausgabe, sagte Andersen, und nach einigem Zögern: Allerdings dürfte da noch nichts über Raumfahrt zu finden sein. Der alte Mann nickte; er sagte versonnen: Da haben Sie recht, aber auf dieses Kapitel kann ich verzichten, weil ich bald selbst da oben sein werde und mich dann persönlich umsehen kann.

Gleich sein nächster Besuch – nicht im Nachbarhaus, das zu betreten er sich scheute, sondern im weiter weg gelegenen sahnefarbenen Eckhaus der Straße – brachte ihm den ersten Erfolg. Auf sein Klingeln öffnete ein Mädchen, das er auf etwa zwölf Jahre schätzte; es war wie eine Erwachsene gekleidet, hatte sich zartblaue Augenschatten gemalt und fragte affektiert nach seinen Wünschen. Als er wissen wollte, ob die Eltern zu Hause seien, sagte sie: Wenn es Ihnen nichts ausmacht, können Sie auch mit mir sprechen. Andersen nannte ihr den Grund seines Besuches, wobei er zu ihr wie zu einer Erwachsenen sprach, und zu seiner Überraschung bat sie ihn ins Haus und führte ihn ins Wohnzimmer. Ein lässig wirkender Mann, der in einer Modezeitschrift blätterte, erhob sich, und auf die Frage des Mädchens: Ist Mama noch im Badezimmer, Onkel Billy? fragte er zurück: Gibt's was Besonderes?

Das Mädchen zeigte auf Andersen und sagte: Dieser Herr bietet ein ganz neues Lexikon an. Ich brauche eins, Onkel Billy. Wenn du es für mich bestellst, vergesse ich, daß du mir kein Geburtstagsgeschenk gebracht hast. Der Mann lächelte verblüfft, taxierte Andersen, schüttelte in vorgegebener Widerstandslosigkeit den Kopf und ließ sich dann das Triton-Lexikon zeigen. Nachlässig blätterte er darin, er suchte kein Stichwort, blickte nur ab und zu auf ein Photo und sogleich wieder auf das Mädchen; schließlich drohte er ihr freundlich und murmelte: Kleine Erpresserin. Das Bestellformular, das auf den Namen des Mädchens ausgeschrieben wurde, unterzeichnete er nicht mit Billy, sondern mit Siegbert Schlunz.

Andersen wußte da noch nicht, daß dies der einzige Erfolg des Tages bleiben würde; zuversichtlich bog er in eine stille Straße ein, der Schnee knirschte unter seinen Füßen, und während er ging, begann er die Häuser abzuschätzen und vom Aussehen der Häuser auf ihre Bewohner zu schließen und in launiger Erwägung auf ihren mutmaßlichen Bedarf seines Lexikons. Und er dachte an den Augenblick, als er im Dunkeln neben Christiane lag und sie wie zur Rechtfertigung seines Entschlusses daran erinnerte, daß manche seiner ehemaligen Kommilitonen sogenannte Parkpositionen angenommen hatten, Tätigkeiten von erklärter Vorläufigkeit, um zunächst nur einen Fuß zwischen die Tür zu bekommen. Eine Parkposition ist heute die halbe Miete. Wenn du das geschafft hast, hatte er ihr gesagt, vergrößern sich die Aussichten wie von selbst, und Christiane hatte ihm zugestimmt und ihm noch vor dem Einschlafen beigebracht, daß sie ihr Auto in die Werkstatt bringen müßte.

Er war gewappnet, war auf alle möglichen Reaktionen an den Haustüren vorbereitet, dennoch war er nicht nur ratlos, sondern auch erschüttert, als er dem Mann auf der Freitreppe gegenüberstand. Stumm hörte der sich Andersens Angebot an, die Lippen zitterten, ein Ausdruck von Feindseligkeit entstand auf seinem Gesicht, und ohne auch nur ein Wort zu verlieren, trat er plötzlich zurück und schmetterte die Tür zu. Erschüttert fragte sich Andersen, was er falsch gemacht haben könnte, er überprüfte die Sätze, die er gebraucht hatte, suchte die Erklärung für das Verhalten des Mannes bei sich selbst. In dem Gefühl, eine Zurechtweisung erhalten zu haben, stieg er die Freitreppe hinab und verzichtete darauf, an den Türen der Nachbarhäuser zu klingeln. Der verlagseigene Koffer schien auf einmal schwerer geworden zu sein, eine leichte Mutlosigkeit stieg in Andersen auf, er mußte sich dazu zwingen, eine spürbare Hemmung zu überwinden, und als er den Summer an einer Gartenpforte betätigte, erwog er bereits, diesen Besuchstag vorzeitig zu beenden. Aber dann begegnete er dem alten Ehepaar, das sich zwar zu keiner Bestellung entschließen konnte, ihm aber versprach, sogleich sein Lexikon zu erwerben, wenn es bei einem der zahllosen Preisausschreiben, an denen es sich beteiligte, Glück haben sollte. Und er fühlte sich nicht mehr bedrückt. Er mußte seine Adresse dalassen. Er steuerte das Nebenhaus an.

Sechs Besuche machte er noch an diesem Tag, und wenn es ihm auch nicht mehr gelang, einen neuen Namen auf die Bestelliste zu setzen, so hatte er doch vor keiner Tür den Eindruck, unerwünscht zu sein: sein Triton-Lexikon, das er stets ruhig – jedenfalls ohne Überredungseifer – anbot, sicherte ihm Aufmerksamkeit und Interesse. Einmal bot man ihm eine Tasse Kaffee an, ein andermal, als er in einen Kindergeburtstag hineinschneite, mußte er Mandelplätzchen probieren und bekam eine rosafarbene Papierblume geschenkt. Vielleicht wäre es ihm gelungen, zwei Exemplare im Nachbarhaus selber abzusetzen, doch wie er zu seiner Verblüffung feststellte, hatte an gleicher Stelle schon ein anderer einen erfolgreichen Besuch gemacht. Man zeigte ihm das Original des Bestellscheins; es war unterschrieben mit dem Namen Alfons Stübbs.

Auf dem Platz unter der Laterne, wo sonst Christianes Auto stand, hatte jetzt Norbert, Christianes Bruder, seinen Wagen geparkt. Anscheinend hatte er vergessen, das Licht auszuschalten; in seinem gelblichen Schein tanzte fallender Schnee. Andersen überquerte die Straße, auf der der Verkehr fast lautlos vorbeizog, und blickte zu den erleuchteten Fenstern seiner Wohnung hinauf, doch da zeigte sich nichts, kein Mensch, kein Schatten. Wie er vermutete, saßen Christiane und Norbert am Küchentisch, Norbert im offenen Mantel, vor sich ein halbvolles Glas mit dem roten Landwein, den Andersen zur Feier seiner vorläufigen Anstellung gekauft hatte. Bei seinem Eintritt bot Christiane sich an, ihm ein paar Brote zu machen; er winkte ab: Später vielleicht, und er winkte ebenfalls ab, als sie ihm ein Glas hinstellen wollte. Norbert hat mich von der Werkstatt nach Hause gefahren, sagte sie schnell, und im Abwenden: Da kommt einiges auf uns zu. Um ihm zu danken, nickte Andersen Norbert freundlich zu; er freute sich, seinen Schwager wiederzusehen, er hatte ihn gern, diesen fülligen, unbesorgt wirkenden Mann, der so oft für gute Stimmung gesorgt hatte, und er zweifelte nicht daran, daß die Sympathie, die er für ihn empfand, erwidert wurde. Komm, sagte Norbert, komm und setz dich und erzähl, ich hab schon gehört, daß sich endlich etwas ergeben hat.

Andersen zuckte die Achseln. Er lächelte resigniert und war bemüht, Christianes Blick aufzunehmen; sie saß schweigend da, besorgt, als rechnete sie damit, daß er nur die Befürchtungen bestätigen würde, die sie von Anfang an gehegt hatte. In der Absicht, ihm den Anfang zu erleichtern, ihn vielleicht zu trösten, sagte Norbert: Es beginnt immer mit Klinkenputzen und dergleichen, das haben auch einige der Größten erfahren. Was meinst du, wozu sie mich in der ersten Zeit im Labor rangekriegt haben.

Stockend, die Erfahrungen sortierend, die er gerade an Haustüren gemacht hatte, wollte oder konnte Andersen noch nichts Abschließendes sagen; er gab lediglich zu, daß er sich mitunter überwinden mußte, den Klingelknopf zu drücken, und er äußerte auch den Verdacht, daß es ihm einstweilen wohl an Begeisterung fehle und an der Hartnäckigkeit, die anscheinend dazugehörten. Das magere Ergebnis, das er nach Hause brachte, werde ihn aber nicht dazu verleiten, seine Tätigkeit frühzeitig zu beenden; denn sie sei ja nur eine Durchgangsphase. Und deshalb lohnt es sich, sagte Norbert entschieden; du gehörst in ein Lektorat, du mit deinen Fähigkeiten, und wenn der Weg dorthin über eine zeitweilige Außentätigkeit führt, dann solltest du ihn nehmen. Das war wieder wie zum Trost gesprochen, Andersen spürte es, und er sah Norbert dankbar an und forderte ihn auf, auszutrinken.

Christiane erhob sich mit einem Ruck und seufzte auf und sagte: Ich weiß nicht, ich weiß nicht, wohin das noch führen wird. Man kann euch nur bedauern – nicht dich, Norbert, nicht die Chemiker und überhaupt die Naturwissenschaftler, aber die vielen anderen, die alte Sprachen studiert haben und Kunstgeschichte und Klassische Philosophie. Wir hören, wir sehen doch, was sich ihnen bietet, wenn sie fertig sind mit ihrem Studium. Wer sich für Geistesgeschichte entscheidet, der muß damit rechnen, auf der Halde zu landen, das ist heute nun mal so. Ich jedenfalls glaube, daß es nicht mehr lange dauern wird, bis wir in allen Berufen Leute mit abgeschlossenem Studium haben, auf den Baugerüsten, im Hafen, als Schaffner und Taxifahrer. Christiane unterbrach sich, sie schüttelte den Kopf, konzentrierte sich plötzlich auf etwas, und dann wandte sie sich an Norbert und sagte bitter: Einmal – vielleicht erinnerst du dich – hat Arno einen bedeutenden Preis bekommen: »Jugend forscht«. Er hat damals ein Fragment von Heraklit interpretiert. Man hat ihm bescheinigt, daß seine Interpretation ein erhellender Beitrag zur Wertediskussion sei. Und was ist daraus geworden? Nichts! Außer der Jury interessierte sich niemand für den Text. Wenn er in einem Quiz die Hobbys von Michael Jackson hätte nennen können, wäre er gewiß populär geworden.

Bitte, sagte Andersen, bitte, Christiane, ich merke, worauf du hinauswillst, aber ich glaube immer noch, das richtige Studienfach gewählt zu haben, mein Fach. Du weißt, wieviel es mir bedeutet. Niemals könnte ich den Weg einschlagen, den Norbert gegangen ist. Zur Chemie fehlen mir einfach die Voraussetzungen. Warte nur ab. Er blickte Christiane an, die zum Fenster trat und auf die Straße hinabschaute, und an der Art, wie sie dastand, glaubte er ihre Verzagtheit zu erkennen. Arno hat recht, sagte Norbert, noch ist es keineswegs so, daß die beste Arbeit die ist, die man gerade bekommen kann; ihr müßt Geduld haben. Da drehte Christiane sich um und sagte trocken: Du hast das Licht brennen lassen.

Ohne Eile verabschiedete sich Norbert, er umarmte beide, schaute einmal flüchtig auf sein Auto hinab und ließ sich von Andersen zur Tür bringen. Vor dem Bücherregal blieb er abrupt stehen und betrachtete das silberne Set – Dosen, Kännchen, zwei durchbrochene Schalen –, das auf einem ovalen Tablett neben den Photographien stand. Er deutete eine streichelnde, schützende Bewegung an. Sheffield, sagte er leise, ein berühmter Silberschmied in Sheffield hat's gemacht; Mutter bekam es zur Hochzeit. Ich weiß, sagte Andersen, und nachdem er Norbert noch einmal nachgewinkt hatte, kehrte er in die Küche zurück und war nicht überrascht, daß Christiane ihn dringend erwartete, dringend und fordernd, so als schulde er ihr erste Rechenschaft, nun, da sie allein waren.

Andersen hob seinen Koffer auf den Küchentisch, fischte den Bestellblock heraus und schob ihn Christiane zu. Fast wäre ich drei losgeworden, murmelte er. Es ist nur eine Bestellung notiert, sagte Christiane, und er darauf: Da scheint etwas schiefgelaufen zu sein, Stübbs kam mir in die Quere, er ist auch für Triton tätig, offenbar hat er seine Besuche kurz vor mir gemacht. Während Christiane die einzige Bestellung las und wieder las, schien sie es mit dem Wunsch zu tun, das Ergebnis zu ermitteln, das man ihm gutschreiben würde. Sie hob den Blick und fragte: Was kostet das Lexikon? Zweihundertsechzig, sagte er und fügte hinzu: die Provision ist gestaffelt, wie immer; für den Anfang geben sie mir acht Prozent, bei größeren Abschlüssen können es neun werden. Sie bedachte sich eine Weile und sagte dann: Ich werde dir ein paar Brote machen.

Auf beiden Händen trug Andersen den offenen Koffer ins Wohnzimmer, wollte ihn auf eine Fensterbank setzen, als der Koffer abrutschte und zu Boden fiel und ein Band des Lexikons vor seine Füße plumpste. Rasch hob er den Band auf, ängstlich, daß einige Seiten einen Knick bekommen haben könnten. Unwillkürlich las er den Text unter Ciceros Namen und entdeckte einen Fehler: nicht von ihm, von Cicero, stammte die Schrift »Von den Ursachen des Verfalls der Beredsamkeit«, sondern von Quintilian. Er war da ganz sicher, doch er wußte nicht, was diese Entdeckung wert war.

Andersen kam ein paar Minuten zu früh, und da er keine Stimmen hinter Bollnows Tür hörte, klopfte er und wurde auch sogleich hereingerufen. Als er sah, daß vor Bollnows Schreibtisch bereits ein Besucher saß, wollte er sich rasch zurückziehen, doch der Mann, der seine Tätigkeit lenkte und beaufsichtigte, forderte ihn zum Bleiben auf und machte ihn mit dem Besucher bekannt. Noch während er die Hand von Stübbs in der seinen hielt, fiel Andersen ein, wem sein Kollege glich: es war der Schauspieler in dem Film »Bitterer Reis«, der gutaussehende Bursche mit dem verschlagenen Lächeln. Anscheinend hatte er gerade Bollnow die Bestellungen vorgelegt und war belobigt worden für seine erzielten Ergebnisse. Selbstbewußt und gut gelaunt bot er Andersen eine Zigarette an, bedauerte nicht, daß er sie ablehnte, und sagte in vertraulichem Ton, daß er sich freue, den neuen Kollegen kennenzulernen. Es gefiel ihm, daß Andersen auf die Frage, ob er mit seinem Titel angesprochen werden möchte, lediglich antwortete: Unter Erwachsenen ist es wohl lächerlich. Bevor er sich verabschiedete, schlug er vor, einmal gemeinsam zu essen, in einem Fischrestaurant am Hafen, bei dieser Gelegenheit könnte man Erfahrungen austauschen.

Kein Anzeichen von Enttäuschung oder Unmut zeigte sich auf Bollnows Gesicht, als er den Bestellblock von Andersen in die Hände nahm. Sachlich quittierte er das Resultat, machte eine Notiz in einem Taschenkalender und bat Andersen, ihm von seinen Erlebnissen am ersten Besuchstag zu erzählen. Wie die Leute auf das Angebot reagierten, wollte er wissen; ob sie ein grundsätzliches Interesse an einem neuen Lexikon zeigten; ob er, Andersen, sie auch ermuntert hätte, in der reich illustrierten Ausgabe zu blättern, und ob er, wenn es ihm angebracht erschienen war, Ratenzahlung vorgeschlagen hätte. Freundlich nahm er zur Kenntnis, was Andersen ihm zu erzählen hatte, mitunter amüsierte er sich oder schüttelte in Unverständnis den Kopf. Schließlich hielt er es für nötig, darauf hinzuweisen, daß man in jedem Beruf ein wenig Glück braucht, und das besonders am Anfang. Dann schälte er eine Mandarine, teilte sie und reichte Andersen die Hälfte, und während er aß, zählte er die Bestellzettel, die Stübbs ihm zurückgelassen hatte; Andersen zählte mit und kam auf elf. Und plötzlich empfand er das Bedürfnis, sich für sein eigenes dürftiges Ergebnis zu entschuldigen und zu versichern, daß er künftig keine Mühe scheuen werde, um die Erwartungen zu erfüllen, die man in ihn setzte, doch Bollnow kam ihm mit dem Ratschlag zuvor, daß er sich nicht entmutigen lassen und, wie er sich ausdrückte, weiter auf der Fährte bleiben solle.

Versorgt mit einem Schwung von Prospekten – viel mehr, als er je würde verteilen können –, wandte er sich schon zur Tür, als ihm der Fehler einfiel, den er in seiner Demonstrations-Ausgabe entdeckt hatte. Er kehrte zum Tisch zurück und weihte Bollnow in seine Entdeckung ein – nicht, um mit seiner Kenntnis aufzutrumpfen, sondern eher Rat suchend. Er fühlte sich verpflichtet, einen Bezieher des Lexikons auf den Fehler aufmerksam zu machen, und er wollte sich nur vergewissern, ob das auch Bollnows Ansicht entsprach. Bollnow zog den ersten Band des Lexikons aus dem Regal, schlug nach, las aufmerksam den Text unter dem Stichwort Cicero und blickte auf und musterte Andersen zum ersten Mal nachsichtig. Dann fragte er, was Andersen sich davon verspreche, wenn er auf einen einzigen, ganz und gar nebensächlichen Fehler hinweise, und er erwähnte wie nebenher, daß ein Mangel, auf den man den Bezieher geradezu stoße, nicht unbedingt verkaufsfördernd wirke. Er fragte auch: Wer kennt schon Quintilan? Doch da er merkte, daß Andersen in Unentschiedenheit verharrte, überließ er die letzte Entscheidung ihm: Sie werden schon wissen, wie weit Sie gehen dürfen. Sie werden das Risiko schon abschätzen.

1449

Nachdem er den Zettel gelesen hatte, der, mit einem Glas beschwert, auf dem Küchentisch lag, verließ er die Wohnung gleich wieder und fuhr mit dem Bus zum Krankenhaus, in dem Christiane arbeitete. Ihrer Bitte folgend, ging er in die gutbesuchte Cafeteria, und da gerade ein Ecktisch frei wurde, steuerte er darauf zu und bestellte Tee. Er betrachtete sein vages Spiegelbild in den großen Glasscheiben, horchte auf die gedämpften Unterhaltungen, die Patienten mit ihren Besuchern führten. Wie immer wunderte Andersen sich über die Freimütigkeit der Patienten, die in Schlafanzügen, mit geschienten Armen und bandagierten Köpfen herumsaßen, rauchten, ihren Angehörigen bepflasterte Bäuche zeigten und probeweise mit neuen Krücken hantierten. Er hatte den Eindruck, als wollten manche ihre Leiden ausstellen und für überstandene Operationen bewundert werden, ihre heischenden Blicke ließen es vermuten.

Christianes Gesicht verriet, daß sie in Eile war; Grüße einiger Patienten beantwortete sie nur flüchtig, und als ein dunkelhäutiger Patient ihre Hand nahm, reagierte sie unwillig und entzog sie ihm mit einem Ruck. Sie wollte keinen Tee, sie sagte: Gut, daß du kommst, Arno, und schob ihm einen gefalteten Papierbogen zu. Andersen überflog die Rechnung der Werkstatt, sah sich an der Endsumme fest und sagte leise: Das kann doch nicht wahr sein, sechshundertzwanzig Mark! Dann schau mal, was sie alles gemacht haben, sagte Christiane, auch neue Bremsbeläge waren fällig und Wischer und die Blinkanlage; ich sagte dir ja, daß etwas auf uns zukommt. Ratlos studierte er die Einzelposten, las Worte, mit denen er nichts verband, wiederholte technische Bezeichnungen, die ihm rätselhaft erschienen; eine fremde Begriffswelt, in der er sich hilflos vorkam, tat sich vor ihm auf. Er hörte Christiane sagen: Immer dieser Eiertanz, dieser Balanceakt, immer die Angst, daß etwas kommt, womit man nicht gerechnet hat; und er hob das Gesicht und sagte: Sei ganz ruhig, bei Triton kann ich nicht um Vorschuß bitten, noch nicht, aber meine Mutter wird uns etwas leihen; sie hat bestimmt schon vergessen, wann ich sie zum letzten Mal angepumpt habe.

Zuerst glaubte er, sich verguckt zu haben, aber es war tatsächlich Stübbs, der hinter Christiane auftauchte, sich suchend umsah und, als er Andersen erblickte, an den Tisch kam. Stübbs war erfreut über das Wiedersehen, er verbeugte sich vor Christiane und stellte sich, noch ehe Andersen etwas sagen konnte, als Kollege ihres Mannes vor, im gemeinsamen Dienst an einem Projekt der Zukunft. Um die Aufmerksamkeit der Kellnerin zu gewinnen, schnippte er mit den Fingern und bestellte einen Orangensaft. Ihm gefiel die Schwesterntracht, die Christiane trug, er mußte es ihr gleich sagen, mußte ihr bekennen, daß diese Tracht zugleich Respekt hervorruft und Erwartung weckt, und mit einem Seitenblick auf Andersen: Sie sind doch der gleichen Ansicht, lieber Doktor, oder? Andersen wiegte den Kopf, ihm entging nicht Christianes abweisende Haltung, ihre aufkommende Unduldsamkeit, und um zu verhindern, daß sie einfach aufstand und sich abrupt verabschiedete, fragte er, ob Stübbs vielleicht zu einem Krankenbesuch hier sei oder diesen schon gemacht habe. Rein beruflich, sagte Stübbs und ließ durchblicken, daß er erfolgreich gewesen war: Der Verwaltungsdirektor und der Chef der Neurologischen Abteilung waren so gut wie entschlossen, das Triton-Lexikon zu beziehen. Da Christiane ihn skeptisch, Andersen ihn erstaunt ansah, erläuterte er, daß er einstweilen nur zu einem sogenannten Bearbeitungsgespräch hiergewesen sei oder, wie er es auch nannte, einer Reizbehandlung, bei der ein Käufer nichts zu sehen, dafür um so mehr zu hören bekomme. Er schildere die dreibändige Ausgabe so umfassend, stelle ihre Bedeutung dermaßen heraus, daß die Käufer sie bei einem zweiten Besuch wie etwas Vertrautes zur Hand nähmen, das sie fast schon zu besitzen glaubten. Lächelnd empfahl er diese Methode zur Nachahmung.

Er klopfte Andersen auf die Schulter, trank in einem Zug den Orangensaft aus, zahlte – und zahlte den Tee gleich mit – und wiederholte seine Einladung in das hafennahe Fischrestaurant, wo er ihnen den zartesten Baby-Steinbutt in Aussicht stellte. Dann ging er und winkte ihnen noch einmal durch die Glastür zu, feierlich, wie in Zeitlupe. Andersen ergriff Christianes Hand. Er nickte ihr zu und sagte: Ich fahre jetzt zu Mutter raus; mach dir keine Sorgen.

Im Hauptbahnhof stahlen sie ihm den verlagseigenen Koffer. Andersen, der von seiner Mutter kam, hatte glimpflich das lockere Spalier der mageren Burschen und leeräugigen Mädchen passiert, die ihn anbettelten oder sich ihm, gleich den Preis nennend, anboten, als ihm die ältere Frau entgegentrat. Sie trug Turnschuhe, ihr dünnes Haar glänzte fettig, ihr bläulich verquollenes Gesicht schien nur eines einzigen Ausdrucks fähig. Mit gleichbleibender, stierender Forderung hielt sie ihm die offene Hand hin, er mußte dieser Forderung nachgeben, und um nach einer Münze zu suchen, setzte er den Koffer ab. Die Frau dankte ihm nicht, blickte nicht einmal auf die Münze, die er in ihre Hand gelegt hatte, sondern trat auf den nächsten Reisenden zu. Als er sich bückte, um seinen Koffer aufzunehmen, griff er ins Leere.

Hin und her kämpfte er sich durch den Strom der Reisenden, musterte die Schlangen vor den Fahrkartenschaltern, durchstreifte die Wartesäle, warf einen Blick auf die Regale der Gepäckaufbewahrung – sein Koffer blieb verschwunden. Auf einmal stand wieder die Frau mit dem verquollenen Gesicht vor ihm, und wieder streckte sie ihm die offene Hand hin, gerade so, als erinnerte sie sich nicht mehr an seine Gabe. Andersen fragte schnell: Mein Koffer, wo ist mein Koffer? Und nach einer Weile – und er sah, welche Mühe die Frau hatte, sich zu erinnern – sagte sie gleichmütig: Vielleicht unten, vielleicht in den Toiletten. Ohne ein weiteres Wort ließ er sie stehen, er stieg die schmutzigen Treppen hinab, vorbei an jungen Burschen und sehr jungen Mädchen, die friedlich und entrückt dahockten, einige hielten sich umklammert, andere lehnten wie schlafend an der feuchten Wand. Neben einem überquellenden Papierkorb, vor einer Pfütze, lagen die drei Bände des Lexikons, lagen sein Bestellblock und die Prospekte. Hastig sammelte Andersen alles ein; dann stieß er die Türen zu den einzelnen Aborten auf, suchte, inspizierte – der Koffer war nicht zu finden. Froh, zumindest den Inhalt wiedergefunden zu haben, gab er die Suche auf, und während er auf die S-Bahn wartete, mit der er nach

Hause fahren wollte, mußte er an Christiane denken, an ihr Kopf-schütteln, mit dem sie seinen Verlust gewiß quittieren würde.

Weil er bei seinen Hausbesuchen nicht mit einer Plastiktüte herum-ziehen konnte, beschloß er, seine Materialien in Christianes Leder-koffer zu transportieren. Es war ein solider, kaum gebrauchter Koffer, und nachdem er ihn vom Kleiderschrank heruntergeholt und mit ei-nem nassen Lappen abgewischt hatte, verstaute er alles und trug den Koffer probeweise durch die Wohnung. Der Koffer erwies sich als zu geräumig; bei jeder Wendung rumpelten und rutschten die schweren Bände des Lexikons und zerdrückten die Prospekte und machten dem Bestellblock scharfe Kniffe. Andersen suchte nach einer anderen Lö-sung. Seinen eigenen Koffer konnte er nicht verwenden, weil vom Tragegriff an einer Seite die lederne Halteschlaufe abgerissen war. Da-für bot sich ihm aber die Reisetasche an, die, prall gefüllt, in einer Schrankecke stand. Behutsam packte er Christianes schmutzige Leib-wäsche aus, stopfte sie in zwei Plastiktüten und nahm die Reisetasche in Gebrauch, die sich zur Aufnahme seiner Materialien als wie dafür geschaffen erwies. Dann setzte er sich an den Küchentisch und schrieb: *Liebes, man hat mir den Verlagskoffer geklaut, darum habe ich mir Deine Reisetasche ausgeliehen. Die Wäsche steckt in den Tüten. Mutter wird uns aushelfen. Mach Dir keine Sorgen. A.*

Er beschwerte den Zettel und wandte sich zur Tür, doch bevor er abschloß, verharrte er lauschend, die Augen auf die Zimmerdecke ge-richtet; deutlich hörte er die Stimme des alten Schauspielers: Wohl seh' ich das Beßre und lob' es, aber ich folge dem Schlechten. Im Hausflur suchte er die Herkunft der klassischen Worte zu bestimmen, es gelang ihm nicht, er fand nur zu einer Vermutung.

Kaum hatte er den verschneiten Garten betreten, als er mit anhörte, wie eine Frau in einer Art heiterer Verzweiflung einen Jungen abstraf-te. Die Frau, eine schlanke, hochgewachsene Frau mit einer Herren-frisur, verwarnte den Jungen, sie schüttelte ihn, sie drohte ihm an, ihn bei nächster Gelegenheit in den Tierpark Hagenbeck zu bringen und ihn dort an die Pythons oder an den Schwertwal zu verfüttern; da sie Andersen lange nicht bemerkte, entschuldigte sie sich bei ihm und bat ihn, ins Haus zu kommen.

Es war sein zehnter Besuch, die Zuvorkommenheit der Frau machte ihn zuversichtlich, schon begann er, auf einen zweiten Abschluß zu hoffen. Nachdem er den Grund seines Besuches genannt hatte, sagte die Frau freundlich: Dafür ist mein Vater zuständig, und führte ihn in ein überheiztes Bibliothekszimmer, in dem er sich zunächst allein glaubte; erst als er ein eigenwilliges Knurren hörte, bemerkte er den Greis, der an einem beladenen Schreibtisch zusammengesackt war. Wo ist mein Tee, Alice, fragte der Alte schroff, worauf die Frau sich bereit erklärte, gleich die Kanne mit zwei Tassen zu bringen.

Während er seine üblichen Einleitungssätze sprach, holte Andersen die drei Bände des Lexikons aus der Reisetasche und stapelte sie auf seinem Schoß. Statt die Ausgabe zu loben, hob er lediglich ihre Nützlichkeit hervor und befand, daß auch die neuesten Wissensgebiete berücksichtigt worden seien. Mit wachsender Fassungslosigkeit hörte der Greis ihm zu, aber auch mit einer Geduld, die Andersen irritierte. Die grauen Augen hinter der Nickelstahlbrille verengten sich, gerade so, als visierten sie ein Ziel an, und plötzlich stand er auf und räumte schweigend eine Ecke des Tisches leer. Und immer noch schweigend hob er von einer Ablage drei Bände auf, schleppte sie um den Schreibtisch herum und knallte sie vor Andersen hin; und als sei dies noch nicht genug, fischte er aus einem Ordner einen Brief heraus: Hier, sagte er mit befehlender Stimme, lesen Sie. Zuerst las Andersen den Namen seines Verlags, dann, auf der oberen Hälfte, den Namen des Professors Heinrich Clement, und schließlich: Kostenloses Rezensionsexemplar. Schon wollte er um Entschuldigung bitten, seine Bände einpacken und sich verabschieden, als der Greis einen Finger gegen ihn ausstreckte und fragte: Haben Sie sich schon mal die Mühe gemacht, in Ihrem Produkt zu lesen? Sicher, sagte Andersen verlegen. Und? fragte der Alte, wie viele Fehler haben Sie entdeckt? Ehrlich: Wie viele Fehler? Andersen zögerte, gab dann aber zu: Einen, bisher nur einen. Dann ist es höchste Zeit, daß Sie sich an eine kritische Lektüre machen, sagte der Greis; ich habe – und das nur im ersten Band – elf Errata angemerkt, und wenn Sie ein Mann von Ehre sind, müssen Sie mir beipflichten, daß diese Fehlersumme untragbar ist für ein Lexikon. Nun? Stimmen Sie mir zu? Andersen blickte schuldbewußt auf die Bände in seinem Schoß. Er sagte: Sie können sich darauf verlassen, daß ich sofort das Lektorat benachrichtigen werde und den Korrektor. Das ist ein Problem für sich, sagte der Greis; bitte, antworten Sie auf meine Frage: Rechtfertigt die von mir genannte Fehlersumme den Verkauf Ihres Lexikons? Der Verlag wird ein Blatt mit den Errata nachliefern, sagte Andersen. Der Greis blieb unnachgiebig: Ja oder nein, bitte antworten Sie mit Ja oder Nein. Andersen sah den alten Mann, der sich in kalte Erbitterung hineingeredet hatte, lange an und sagte leise: Nein, Herr Professor. Einen Augenblick saßen sie sich stumm gegenüber, wie bestürzt über das Fazit, zu dem sie gemeinsam gelangt waren. Dann sagte der Greis: Ich möchte Ihnen für dieses Nein danken, und ich möchte Sie darauf vorbereiten, daß ich über Ihr Lexikon geschrieben habe, einen ausführlichen Bericht für unsere Fachzeitschrift. Wie Sie sich denken können, werden Sie wenig Grund zur Freude haben ... Ein Durchschlag meines Briefes geht an den Verlag, zusammen mit meiner persönlichen Stellungnahme ... Und nun bitte ich Sie, mir Ihren Namen zu nennen.

Andersen bot sich an, die Bände, die Professor Clement erhalten hatte, selbst in den Verlag zu bringen, doch der alte Mann ging auf sein Angebot nicht ein und deutete auf ein Regal, das sich über die ganze Länge des Zimmers hinzog: Lexika, murmelte er, lauter Lexika. An der Tür stieß Andersen fast mit der Frau zusammen, die auf einem Tablett Tee hereinbringen wollte und ihn jetzt nur fragend ansah; er dankte ihr im Vorbeigehen.

Die Verlagskantine war leer und kühl, und noch bevor er zur Theke ging, schloß Andersen die offenstehende Fensterklappe, durch die kalte Zugluft hereinströmte. Er bestellte Kaffee und ein Käsebrötchen und begutachtete von seinem Tisch aus den Raum, den er zum ersten Mal betreten hatte. Ihm gefiel die Schmucklosigkeit, die Klarheit, und auch die wenigen gerahmten Schwarzweiß-Photographien gefielen ihm, Landschaftsbilder aus dem hohen Norden, treibende Gletscher, ein im Eis gefangenes Schiff. Während er aß und trank, kam eine weißgekleidete Frau an seinen Tisch, sie wollte lediglich wissen, ob er zum Verlag gehöre, und als er ihr sagte, daß er neu sei, im Außendienst, gab sie sich zufrieden.

Andersen zog die Reisetasche, über die die Frau beinahe gestolpert wäre, näher an seinen Stuhl heran. Der Reißverschluß der Tasche war offen. Er langte hinein und hob den dritten Band des Lexikons auf den Tisch, zunächst nur, um planlos darin zu lesen, aber dann fiel sein Blick auf den Buchstaben S, und sogleich entschied er sich, den Text zu einem Namen zu überprüfen, der ihm viel bedeutete. Sendgraf, Sendungsbewußtsein, Seneca, Lucius Annaeus. Wißbegierig las Andersen, was da über den Mann, dem er soviel Arbeit gewidmet hatte, soviel Erkenntnisgewinn verdankte, verbreitet wurde. Nein, er entdeckte nicht einen einzigen Fehler; Senecas spanische Herkunft, sein Ansehen als römischer Senator, der Einfluß, den er auf Nero gewann, und die fälschliche Beschuldigung, an einer Verschwörung teilgenommen zu haben: alles war korrekt und einwandfrei datiert wiedergegeben, desgleichen die mahnenden Lehrvorträge, die zu rechtem Handeln anhielten. Und wie so oft mußte er daran denken, wie sich der alte Mann den Tod beibrachte, zu dem Nero ihn verurteilt hatte: das Öffnen der erschlafften Adern, das verzweifelt langsam hervorquellende Blut, der heroische Wunsch, das Sterben zu beschleunigen. Andersen gestand sich ein, daß er ein kurzgefaßtes Porträt nicht besser hätte schreiben können; er mit seinen besonderen, aus überreicher Lektüre bezogenen Kenntnissen.

Als überraschend Kuhnhardts Sekretärin die Kantine betrat, schlug er das Lexikon zu und verstaute es in der Reisetasche. Die Sekretärin gab rasch eine Bestellung an der Theke auf und kam zu ihm und fragte verwundert, ob er schon auf das Telegramm gekommen sei, das sie ihm geschickt habe; Herr Kuhnhardt wünschte ihn dringend zu sprechen. Andersen schüttelte den Kopf, er hatte das Telegramm noch nicht bekommen, er war lediglich hier, um Herrn Bollnow einen Verlust zu melden, den Verlust des Koffers. Dann werde ich Sie gleich mitnehmen, sagte die Sekretärin und nickte ihm aufmunternd zu. An der Theke ließ sie sich einen Teller mit Würstchen reichen, zahlte mit einem Bon und ging Andersen voraus, ohne ein Wort, ohne sich ein einziges Mal zu ihm umzudrehen.

Kuhnhardt empfing ihn freundlich und bat ihn um Erlaubnis, in seiner Gegenwart die Würstchen zu essen, es sei für ihn die erste handfeste Mahlzeit an diesem Tag. Essend erkundigte er sich nach Andersens Erfahrungen, ließ sich von sonderbaren Begegnungen berichten, von Enttäuschungen an der Haustür und von dem Mißgeschick auf dem Hauptbahnhof, er zeigte dabei keine erkennbare Teilnahme, selbst als Andersen ihm anvertraute, daß er allmählich einen Blick bekäme für bereite Bezieher, horchte er nicht auf. Solange er aß, unterbrach er Andersen nicht, doch nachdem er seine Mahlzeit beendet hatte, fragte er plötzlich: Dieser Professor Clement – hatten Sie ein längeres Gespräch mit ihm? Er scheint ein Fachmann zu sein, sagte Andersen, ein seltsamer Liebhaber von Lexika. Kuhnhardt stand auf und trat ans Fenster und blickte eine Weile auf den dunklen Schnee-himmel; dann wandte er sich um, hob einmal beide Arme, um seine Bekümmerung anzudeuten, und sagte: Lieber Herr Doktor Andersen, der Triton-Verlag möchte Ihnen danken für Ihre Arbeit. Die Art, wie Sie sich einsetzten, wird von allen anerkannt. Dennoch haben wir Grund, anzunehmen, daß die jetzige Position Ihnen nicht entspricht. Sie sind – ich sagte es Ihnen bereits in unserem ersten Gespräch – überqualifiziert; der angemessene Platz für Sie ist das Lektorat. Nun stand auch Andersen auf, erwartungsvoll, aber auch unsicher, er sah voraus, daß mit den nächsten Sätzen ein Urteil gesprochen werden würde, das über seine weitere Arbeit entschied. Und er täuschte sich nicht; denn Kuhnhardt kam auf ihn zu und blieb eine Armlänge ent-fernt vor ihm stehen und sagte: Wir haben Ihre Adresse; sobald im Lektorat etwas frei wird, melden wir uns. Gut, sagte Andersen nach einer Pause, gut, ich habe verstanden, und dann packte er die Reise-tasche aus und legte die drei Bände, die Prospekte und den Bestell-block auf den Schreibtisch. Kuhnhardt begleitete ihn ins Sekretariat; da die Kasse bereits geschlossen hatte, lag die errechnete Provision bei der Sekretärin. Ihr schien der Abschied nahezugehen, sie sah ihn be-kümmert an, und vielleicht um ihn zu trösten, schob sie ihm die Quittung mit der Bemerkung zu, daß eben noch eine Sammelbestel-lung eingegangen war, vier Lexika auf seinen Namen. Andersen wollte diese rätselhafte Bestellung nicht erklärt bekommen; unter den Blicken von Kuhnhardt und der Sekretärin unterschrieb er und gab beiden stumm die Hand.

Obwohl die Tür mit einem harten, schnappenden Geräusch ins Schloß fiel, erwachte Christiane nicht. Zusammengeringelt lag sie auf der Couch, den Kopf in den angewinkelten Arm geschmiegt, so daß ihr Atem nicht verlorenging, sondern zurückstreichend ihr Gesicht wärm-te. In der Hand, die auf der grauen Decke lag, hielt sie ein Papierta-schentuch. Eine Haarsträhne bedeckte ihren Mundwinkel. Andersen vermied es, sie länger zu betrachten, er mußte daran denken, daß sie ihm einmal Indiskretion vorgeworfen hatte, damals, als sie im Sand an der Ostseeküste eingeschlafen war und er nicht widerstehen konnte, in ihrem Gesicht zu forschen. Leise auftretend brachte er seinen Mantel in die Garderobe und ging in die Küche. Der Tisch war gedeckt, nicht eilig, geschäftsmäßig, sondern – die Kerze zwischen den Gedecken wies darauf hin – in der Absicht, etwas hervorzuheben, zu markieren. Zwei Flaschen Bier und die mundgeblasenen dänischen Gläser standen bereit, in dem Bastkörbchen lag eine Brotsorte, die er nicht kannte. Draußen schneite es so heftig, als arbeitete der Himmel im Akkord. Andersen schaltete das Licht ein und ging in das Wohnzimmer zurück, lautlos, um Christiane nicht zu wecken. Sein Blick fiel auf das Bücherbord, streifte die Photographien, und plötzlich sah er, daß das silberne Set – Dosen, Kännchen, die durchbrochenen Schalen – verschwunden war. Er erschrak. Mit einer heftigen Bewegung trat er an das Bord heran und wischte über die Stelle, auf der das Tablett mit der Meisterarbeit aus Sheffield gestanden hatte. Einen Augenblick sah er unschlüssig zu Christiane hinüber, dann ging er zu ihr, beugte sich über sie und küßte sie aufs Ohr.

1457

Sie erwachte freudig, streckte ihm beide Hände hin, um sich hochziehen zu lassen, und überließ es ihm, die Decke zusammenzulegen. Über sich selbst lächelnd fragte sie: Sind fliegende Fische eigentlich eßbar? Wie kommst du darauf? fragte Andersen, und Christiane: Ich hab geträumt, wir waren an der Elbe, fliegende Fische zogen den Fluß hinauf, und wir und viele andere griffen sie im Flug, bis wir einen ganzen Eimer voll hatten. Er zuckte die Achseln und sagte: Genau weiß ich's nicht, aber vermutlich kann man sie essen; und ohne weiter auf ihren Traum einzugehen, nahm er sie an der Hand und zog sie vor das Bücherbord.

Er brauchte nichts zu sagen, sie wußte sofort, worauf er sie hinweisen, wofür er um eine Erklärung bitten wollte. Aufgeräumt gab sie zu, daß sie die nie benutzten Sachen verkauft hätte. Sie glaubte, sie vorteilhaft verkauft zu haben, und nicht nur dies: Sie war sicher, das Geld, das sie bekommen hatte, auf garantiert gewinnbringende Weise angelegt zu haben. Die Werkstatt? fragte Andersen. Nein, nicht die Rechnung der Werkstatt, sagte Christiane. Als müßte er das, was sie zu sagen hatte, sitzend anhören, bugsierte sie ihn in die Küche und drückte ihn sanft auf einen Stuhl nieder. Und hinter ihm stehend gab sie zu, daß sie seinen Bestellblock mißbraucht hatte, ein einziges Mal. Sie hatte, an die Adresse des Krankenhauses, vier Lexika schicken lassen, gegen Barzahlung. Ein Exemplar hatte sie bereits der Oberschwester zum Geburtstag geschenkt: Du glaubst nicht, wie die Clausen aufblühte. Sie nahm mich in den Arm wie eine Freundin. Norbert sollte ein Lexikon zu Weihnachten bekommen, und die beiden anderen waren als große Reserve vorgesehen. Sie kniff ihn in die Schulter, setzte sich ihm gegenüber und sagte: Gib nur acht, daß dir diese Verkäufe gutgeschrieben werden.

Sie wartete, starrte ihn an und wartete auf sein Lob, sein Erstaunen oder nur auf eine angemessene Anerkennung – nicht zuletzt, weil sie glaubte, seinen langfristigen Plan begünstigt zu haben; doch er senkte nur sein Gesicht und fragte: Es ist doch ein Telegramm für mich gekommen? Ja, sagte sie, aber es steht nicht viel drin; du sollst dich bei Kuhnhardt melden, das ist alles. Von unerwarteter Besorgnis erfaßt, stand sie auf, holte das Telegramm und legte es vor ihn hin: Da, es steht nicht viel drin. Es hat sich erübrigt, sagte Andersen. Was heißt das? Ich brauche Herrn Kuhnhardt nicht mehr aufzusuchen. Warst du schon bei ihm? Er hat mich empfangen, sagte Andersen, ja, er hat mich zu einem Abschiedsbesuch empfangen. In forderndem Ton verlangte Christiane: Sag schon, was ist! – und Andersen, auf die Tischplatte hinabsprechend: Ich wurde verabschiedet; sie haben mir die Provision ausbezahlt, und dann haben sie mich verabschiedet; immerhin haben sie mich auf ihre Warteliste gesetzt – falls im Lektorat etwas frei werden sollte. Das kann doch nicht wahr sein, sagte Christiane und führte ihre Finger an die Schläfen und stand eine Weile mit geöffnetem Mund da. Es ist so, sagte Andersen und fügte resigniert hinzu: Leute wie ich gehören anscheinend auf die Warteliste, das ist der Platz, den man uns zugesteht.

Plötzlich schrie Christiane auf, sie stürzte ins Wohnzimmer, kehrte zurück, stürzte zum Fenster und stieß einen wimmernden Laut aus, und dann wandte sie sich ihm zu, ein zorniges Gelächter schüttelte sie, das unter einem Gurgeln abbrach. So hatte Andersen sie noch nie erlebt, er fürchtete, daß sie überschnappen könnte, und er ging zu ihr und nahm sie sehr fest in den Arm. Ohne seine entschlossene Umarmung zu lockern, legte er seine Wange an ihren Kopf und flüsterte: Ruhig, sei ganz ruhig, wir schaffen es schon, es wird sich etwas finden, vielleicht sogar schon morgen. Sie machte keinen Versuch, von ihm loszukommen. Sie hielt still, als er ihr Haar streichelte, und als er sie zu einem Stuhl führte, widersetzte sie sich nicht, sondern folgte fügsam dem Druck seiner Hand. Es gelang ihm nicht, ihren Blick aufzunehmen, Christiane saß da wie versteinert. Er umschloß ihr Handgelenk, und leise, als könnte jemand mithören, sagte er: Morgen, morgen nimmst du mich mit. Sie brauchen Krankenpfleger bei euch; stell dir vor: wir könnten immer zusammen hinfahren und zusammen nach Hause kommen. Lange schien sie seinen gesprochenen Worten nachzulauschen, ihre Lippen zitterten, dann sah sie ihn an und sagte: Ich kann's mir nicht vorstellen, ich kann mir überhaupt nichts mehr vorstellen – vielleicht morgen.

1993

Atemübung

Schaut auf diese Bucht, sagte Gerold, dort unten ist es. Ohne den Motor abzustellen, hielt er an einer Passierstelle der engen Straße und machte eine präsentierende Geste, gerade als wolle er uns den schimmernden Strand schenken und die träge auslaufenden Wellen. Dann suchte er meinen Blick, forschend, ausdauernd, und fragte leise: Versöhnt, Hannah? Und da ich ihm nicht antwortete, wandte er sich an seinen Assistenten und an Nicole, die hinter uns saßen, und wartete auf ein Wort der Begeisterung. Da die beiden aber nur stumm dahockten, stumm und anscheinend betäubt vor Hitze, glaubte er sich selbst beloben zu müssen. Seht ihr, sagte er, am Ende haben wir's gefunden und werden für alle Irrfahrten entschädigt, und er nickte zu dem kolorierten Schild hinüber. Das Schild bestätigte, daß dort unten, von bröckelnden grauen Felsen eingeschlossen, der »Club Delphin« zu finden war, eine Ansammlung von winzigen, strohgedeckten Bungalows, die nur einen knappen Schatten auf den Strand warfen.

Langsam fuhren wir die holprige Straße hinab, über kantiges Gestein, das den Wagen schlingern und ruckeln ließ; ich drehte das Fenster herunter und spürte sogleich den sanften Meerwind, spürte ihn als Wohltat auf meinem brennenden Gesicht. Ein schneller Blick in den Rückspiegel zeigte mir, daß Lammers immer noch Nicoles Hand hielt; auf ihren Gesichtern lagen weder Freude noch Erleichterung, alles, was sie preisgaben, war eine träge Besorgnis – vermutlich bedauerten sie wie ich, sich auf Gerolds Plan zu einem gemeinsamen Kurzurlaub eingelassen zu haben.

Vor einem weißlackierten Schlagbaum hielten wir, es war niemand zu sehen. Gerold stieg aus und tat, wozu eine Aufschrift in drei Sprachen aufforderte: er schlug eine Schiffsglocke an, die an einem metallenen Galgen baumelte, er schlug gleich mehrmals, als wolle er nicht allein unsere Ankunft signalisieren, sondern auch zu erkennen geben, daß wir frohgestimmte Leute waren, bereit, alles mitzumachen. Während ich dem feinen, ziehenden Schmerz nachlauschte, den der harte Glockenton in meinem Kopf auslöste, stellte Gerold sich vor ein wappenartiges Willkommensschild, das zwei Delphine im Sprung zeigte. Er winkte uns aus dem Wagen, er schlug vor, uns gegenseitig vor dem Schild zu photographieren, doch bevor Lammers noch den Apparat eingestellt hatte, erschien Emily. Emily war barfuß. Sie hatte sich eine Hibiskusblüte ins schwarze Haar gesteckt; ihr fettloser, trainierter Körper war tief gebräunt. Sie war lediglich mit einem lächerlichen Baströckchen bekleidet, das bei ihren Schritten leise raschelte; ihre kleinen, harten Brüste waren unter einem Stoff verborgen, der gewiß auch als Krawatte getragen wurde. Lächelnd hieß sie uns willkommen und stellte sich als Animateurin des »Clubs Delphin« vor, von der Clubleitung beauftragt, für Unterhaltung, Bewegung und Frohsinn zu sorgen. Dann stellte Gerold uns vor: mein Assistent Herr Dr. Lammers und seine Frau Nicole, meine Frau Hannah, Gerold Preising. Er hielt es für nötig, zu erwähnen, daß wir ausnahmslos voller Vorfreude seien. Emily nickte und ging uns voraus zum Büro, das in dem zentral gelegenen Bungalow eingerichtet war, ein runder, überraschend kühler Raum, in dem eine Hängematte aufgespannt war. Als ich eintrat, ließ sich ein blonder Bursche aus der Hängematte kippen, fing sich geschickt ab und legte das Buch, in dem er gelesen hatte, auf einen roten Transistor. Ich bin Maurice, sagte er und begrüßte uns mit Handschlag. Er trug eine lange weiße Leinenhose, sein Oberkörper war nackt. Er setzte sich an einen schmalen Tisch, auf dem einige Ordner standen, und ließ sich von Gerold die Bestätigungsformulare und Quittungen reichen, die er nur flüchtig anschaute. Sie also sind der Professor, sagte er, wir haben Sie und Ihre Freunde bereits erwartet. Während er einen Ordner aufschlug und unsere Platzbestellung heraussuchte, klärte Emily uns freundlich darüber auf, daß hier niemand mit seinem Titel oder Nachnamen angesprochen werde, hier im Club sei einer des anderen Gefährte, man duze sich selbstverständlich und rede sich nur mit Vornamen an; dies gehöre zur Tradition des Clubs, es schaffe Nähe und steigere den Gemeinschaftssinn. Unwillkürlich mußte ich Lammers und Nicole anblicken; sie schienen nicht nur verblüfft, sondern auch betreten, anscheinend spürten sie bereits die gleichen Hemmungen, die mir zuzusetzen begannen. Ich war überzeugt, daß es mir nie gelingen würde, zu Nicole oder zu ihrem Mann du zu sagen. Nachdem wir die Formalitäten hinter uns gebracht hatten, wies Emily uns in die Örtlichkeit ein, zeigte uns den Speiseraum, die Süßwasserduschen, führte uns zu den windgeschützten Spielanlagen und brachte uns schließlich zu unserem Bungalow; wir bekamen Nr. 8, Lammers Nr. 9. Bevor sie uns verließ, bereitete sie uns darauf vor, daß das Abendessen gemeinsam eingenommen werde und daß sich bei dieser Gelegenheit Neuankömmlinge in einer kurzen Rede selbst vorstellten. Gerold tat, als freue er sich darauf. Eine unerträgliche Munterkeit erfüllte ihn, immer wieder breitete er die Arme gegen die Bucht aus, legte versonnen den Kopf schräg und seufzte albern und konnte sich nicht genug tun, diesen, wie er meinte, verwunschenen Platz zu loben. Als wir uns von Lammers und Nicole trennten, vermied er es, sie gleich mit ihrem Vornamen anzusprechen, er sagte lediglich: So, Kinder, dann bis später.

Ich setzte mich in einen Feldstuhl und überließ es Gerold, das Gepäck hereinzuschleppen. Mein Gesicht brannte, meine Füße brannten; ich spürte den Schweiß im Haaransatz und im Nacken und empfand ein leises Dröhnen im Kopf. Es schien mir unbegreiflich, daß ich mich zu dieser Fahrt hatte überreden lassen, zu diesem Kurzurlaub in einem Club, der Gerold angeblich von einem Kollegen empfohlen worden war. Meine Befürchtung, daß wir uns deplaciert vorkommen müßten, wurde bereits durch die Begegnung mit Emily und diesem Maurice bestätigt: durch ihre Höflichkeit allein gaben sie uns zu verstehen, daß sie uns nicht zu ihresgleichen zählten. Gerold entging nicht meine Verdrossenheit, meine Gereiztheit; jedesmal, wenn er ein Gepäckstück absetzte, nickte er mir aufmunternd zu, tätschelte meine Schulter und riet mir, die Gewohnheiten zu vergessen und hier einfach nur das Spiel mitzuspielen. Es ist doch alles nur befristet, sagte er, laß dich mal fallen, gib deine Vorbehalte auf, und du wirst überrascht sein, wieviel Spaß das macht.

Mit einer Eilfertigkeit, über die ich mich nur wundern konnte, wechselte er seine Kleidung, er hängte Hose und Windjacke auf einen Bügel, stand für einen Augenblick nackt vor mir und bat mich, ihm das grüne Polohemd herauszusuchen und die Shorts und die Sandalen. Ein Gefühl des Erbarmens mit seinem mageren, blassen Körper überkam mich, gleichzeitig aber mußte ich daran denken, daß dies der große Nordist war, der Runenforscher, der einen der bedeutendsten

1461

Kommentare zum »Codex runicus« geschrieben hatte: Gerold Preising, der vielzitierte Inhaber des Lehrstuhls für Nordistik. Ich konnte nicht anders, ich mußte ihn fragen: Warum, Gerold, warum hast du uns hierhergebracht? – worauf er in sachlichem Tonfall sagte: Ich habe Lammers und Nicole eingeladen, es ist eine Art Belohnung für seine Hilfsdienste, denn ohne ihn wäre die Arbeit über »Zauberrunen zum Schutz der Schiffe« noch nicht erschienen. Von seinem Assistentengehalt könnte er sich den »Club Delphin« nicht leisten. Bist du sicher, fragte ich, bist du ganz sicher, daß dies der einzige Grund ist? Welchen Grund sollte es denn sonst noch geben? sagte er unwillig, bückte sich zu einem verschnürten Packen hinab und löste die Lederriemen. Was ist denn das? Eine Luftmatratze, sagte er; ich habe erfahren, daß man hier in Hängematten schläft, und darum habe ich nicht zuletzt für dich die Matratze gekauft, für alle Fälle; daß sie blaurot ist, wird dich wohl nicht stören. Sie hat übrigens vier Kammern und kann mit dem Mund aufgeblasen werden. Mußten es ausgerechnet diese Farben sein, fragte ich, und er darauf: Es war die letzte, die sie im Kaufhof hatten; Lammers hat eine in den schwedischen Farben. Man hat uns versichert, daß sie im Wasser einen erwachsenen Menschen tragen. Zum ersten Mal zeigte Gerold sich mir in Bermuda-Shorts, er schien sich selbst zu gefallen, er merkte nicht, wie verboten er aussah; in seiner Entschlossenheit, sich hier zünftig zu geben, öffnete er die Knöpfe seines Polohemds, die er gerade geschlossen hatte. Anscheinend erriet er, warum ich den Kopf schüttelte, denn er sagte: Was hast du? – so alt sind wir nun auch wieder nicht. Und ungeduldig forderte er mich auf, den eigelben Strandanzug anzuziehen, den er für mich ausgesucht hatte. Komm, Hannah, mach schon, steig endlich herab; ich sage dir etwas voraus, was du nicht für möglich hältst: die unschuldigen Freuden der Anpassung.

Auf einmal wurde eine Trommel geschlagen, die Trommel rief, sie warb und forderte, und als wir aus dem Bungalow traten, sahen wir Emily auf dem schimmernden Sandplatz; breit lächelnd hockte sie hinter zwei Bongo-Trommeln und winkte den Burschen und Mädchen zu, die sich lässig um sie versammelten. Gerold tastete nach meiner Hand und zog mich mit sich. Die Ruhezeit war vorüber, Emilys Unterhaltungsprogramm begann.

Es begann mit einem Rhythmus-Wettbewerb für Paare; der männliche Partner hatte die Trommel zu schlagen nach einem beliebigen

Rhythmus, und die Mädchen hatten die Aufgabe, dem Rhythmus tänzerisch Ausdruck zu verleihen, barfuß, im weichen, warmen Sand. Wie rasch sich die Partner wählten; es verblüffte mich nicht, und ich war nur erleichtert, daß keiner der jungen Burschen auf den Gedanken kam, mich zu wählen. Ich traute meinen Augen nicht, doch die erste Tänzerin – sie war sommersprossig, aschblond – trug einen silbernen Skarabäus über dem Bauchnabel, den sie anscheinend so gut befestigt hatte, daß er beim Tanz nicht abfiel. Wir standen im Kreis und waren aufgefordert, nach jeder Darbietung Noten abzugeben, von eins bis sechs; daß Gerold, der sich wiegte, der so tat, als könne er dem Rhythmus nicht widerstehen, regelmäßig zu hohe Noten gab, überraschte mich nicht. Je länger dieser Rhythmus-Wettbewerb dauerte, je phantastischer die Tänze wurden und je unterhaltsamer die Stürze in den lockeren Sand sich ausnahmen, desto vergnügter wurde die Stimmung. Emily strahlte mit entblößtem Gebiß.

Dann aber erschienen mit erstaunlicher Verspätung Lammers und Nicole; er trug eine karierte Gymnastikhose und ein schlichtes Turnhemd, sie sehr knappe sandfarbene Shorts und eine rote Bluse, deren Enden sie vor dem Bauch propellerartig geknotet hatte. Nicht nur ich starrte sie an; alle wandten sich ihnen zu, vergaßen die Tänzerin, überhörten den Klang der Trommeln, verblüfft über Nicoles Erscheinung. Nie zuvor war sie mir so schön erschienen; es kam mir so vor, als hätte sie sich bei all unseren verflossenen Begegnungen mit adretter Biederkeit getarnt. Welch eine Verwandlung! Sie hatte ihr Haar, das sie sonst im Nacken gesammelt trug, gelöst und ließ es auf die Schultern hängen; auf ihrem Gesicht, das ich zwar als ebenmäßig, doch auch als unbeteiligt und schläfrig in Erinnerung hatte, lag ein Ausdruck von heiterer Gelassenheit. Ihr Mund war leicht geöffnet. Wenn es überhaupt eine Möglichkeit gab, auf dem knöcheltiefen Sand eine Anmut der Bewegung vorzuführen: Nicole gelang es. Ich weiß nicht, wie es kam, doch bei ihrem Anblick fiel mir das Wort »Schilf« ein, und ich dachte: sie ist gewachsen wie ein Schilfrohr.

Plötzlich ergriff Gerold meinen Arm und sagte: Los, Hannah, jetzt schlage ich die Trommel für dich, komm schon. Ich widersetzte mich, ich sagte: Mach dich nicht lächerlich; doch er wollte unbedingt seinen Auftritt haben, und er ließ mich einfach stehen und steuerte auf Nicole zu und wählte sie als Partnerin. Nicole war verwirrt, sie zögerte in erkennbarer Verlegenheit; dann aber nickte ihr Lammers auffordernd zu, und sie trat in den Kreis und nahm den Rhythmus auf, den Gerold ihr stümperhaft vorgab. Was sie zum besten gab, riß keinen der Zuschauer hin, es war eine Art lyrischer Meditation, die sie tanzte, versonnen, mitunter sparsam lasziv; was allenfalls beeindruckte, waren ihre langen, von Sonnenöl glänzenden Beine; zu mehr forderte die Trommel sie nicht heraus. Und dann kam der Augenblick, in dem sie und Gerold sich anblickten, ich erkannte die verstohlene Freude in ihren Blicken und war plötzlich sicher, daß wir nicht allein deswegen im »Club Delphin« waren, weil Gerold seinen Assistenten für wissenschaftliche Hilfsdienste belohnen wollte. Die Noten, die sie für ihren Tanz bekamen, waren mäßig, von Höflichkeit oder Mitleid inspiriert. Ich hörte, wie Gerold sich bei Nicole bedankte und sie dabei bei ihrem Vornamen nannte; sie vermied es, ihn anzusprechen.

Gegen meinen Willen lud Gerold die beiden in unseren Bungalow ein, ihnen lag daran, ihre ersten Eindrücke und Erlebnisse auszutauschen – bei norwegischem Linien-Aquavit, den Lammers von seiner Reise nach Thorsbjerg mitgebracht und bis hierher geschleppt hatte. Wie leicht es Gerold fiel, die Regeln des Clubs anzuwenden und seinen Assistenten zu duzen, er sagte so selbstverständlich Ulf zu ihm, als hätte er es von jeher getan, doch wann immer er den Namen Ulf aussprach, hörte es sich so an, als müsse er aufstoßen. Nach dem zweiten Aquavit riskierte es auch Ulf, Gerold zu duzen, er tat es rasch und zur Seite wegsprechend; zu mir Hannah zu sagen, wagte er offenbar noch nicht. Nicole saß nur da in gewohnter Schweigsamkeit; man konnte annehmen, die vertrauliche Anrede bedeutete ihr nichts oder sie sei dazu nicht fähig. Diesen Eindruck machte sie auch beim gemeinsamen Abendessen im großen Bungalow.

Als wir zu viert den Speiseraum betraten, fühlte ich mich unter Wasser versetzt: ein grünliches, unterseeisches Licht herrschte, dekorative Netze hingen von der Decke herab, in denen Glaskugeln blinkten; getrocknete Seesterne und Muscheln und Langusten waren in das Netzwerk eingeknüpft und schwebten über unseren Köpfen. Emily wies uns unseren Tisch an, auf dem bereits zwei Karaffen Wein standen, außerdem eine Schale mit warmem Weißbrot. Ich kam nicht von einigen sehr jungen Clubmitgliedern los, die zum Abendessen Muschelketten auf nackter Haut trugen, einige hatten sich Möwenfedern ins Haar gesteckt, und ein stupsnasiges Mädchen hatte ein Netzhemd angelegt, in das stilisierte, träg treibende Feuerquallen eingewirkt waren. Der Clubtradition entsprechend wurde Gerold gebeten, sich vorzustellen; schon als er sich erhob, wußte ich, daß ich einen Grund haben würde, zu leiden. In seiner Rede, die er für launig hielt, spielte er darauf an, daß sein Name Gerold etwa so alt sei wie die Dinge, mit denen er sich beruflich beschäftigte; ursprünglich, meinte er, habe man diese Dinge – hölzerne Stäbchen – zu Weissagung und Zauber gebraucht, wozu man seinen Namen nun freilich nicht verwenden könne. Dennoch, erklärte er, will beides gedeutet werden; Deutung bringt uns auf die Lebensspur. Und da man ihm zulächelte und er einmal am Zuge war, stellte er dann auch gleich uns vor, nannte unsere Vornamen, erwähnte, daß wir mehr oder weniger vom gleichen Metier abhängig seien, und setzte sich unter dürftigem Beifall. Er sah uns nacheinander an. Er wollte wissen, was wir von seiner knappen Rede hielten. Nun, Hannah? Ich sagte: Anscheinend kannst du den Runenforscher nicht verleugnen. Aber, sagte Ulf, das war typisch Gerold. Nicole mußte offensichtlich nachdenken, und nach einer Weile flüsterte sie: Mir hat es gefallen. Sie sprach auf den Tisch hinab, bemüht, Gerolds Blick auszuweichen.

1465

Zum Essen gab es gegrillte Sardinen, danach Perlhuhn mit Gemüse und als Dessert verschiedene Käsesorten. Das Essen und der Wein versöhnten mich notdürftig mit dem Ort, und nachdem mir Gerold einmal zwinkernd zugetrunken hatte, sprach ich Ulf mit seinem Vornamen an. Er schaute mich dankbar an und sagte: Ob du's glaubst oder nicht, Hannah, aber du hast dich bereits in diesen wenigen Stunden erholt. Das stellte auch Emily fest, die sich für kurze Zeit an unseren Tisch setzte; sie stieß mit uns an und lobte Gerold für seine spontane Bereitschaft, am Rhythmus-Wettbewerb teilzunehmen, und sie lobte auch Nicole für ihre Darbietung. Sie sagte: Wer sich hier ausschließt, ist zu bedauern, der kommt nie auf seine Kosten. Selbstzufrieden bereitete sie uns darauf vor, daß sie sich für die Dunkelheit noch ein besonderes Programm habe einfallen lassen, eine von ihr so genannte Fackel-Polonaise unten am Strand, die bisher nur mit Beifall aufgenommen worden war. Sie lud uns ein, daran teilzunehmen, herzlich, wie sie ausdrücklich betonte. Bevor ich noch auf unsere Müdigkeit hingewiesen hatte, gab Gerold schon zu verstehen, wie sehr er sich auf die Fackel-Polonaise freue. An Nicole gewandt, sagte er: So etwas lassen wir uns doch nicht entgehen, oder? Nicole blickte mich unsicher an und sagte leise: Ist es schlimm, aber ich habe noch nie davon gehört.

Es herrschte eine zaghafte Dunkelheit, als wir uns, nur mit Badezeug bekleidet, unten am Strand einfanden. Die Luft war warm. Die Wellen kippten nicht, leckten nur sanft über den Strand, gerade so, als habe das Meer sich erschöpft. Aggressive Insekten hatten es anscheinend mehr auf mich als auf die anderen abgesehen, und ich war froh – und fühlte mich verschont –, als Emily und Maurice handliche Magnesiumfackeln verteilten. Chopins Polonaise erklang vom Band, vergnügt formierten wir uns zur Schlange, eine Hand auf dem Rücken des Vordermanns; Emily führte den schwankenden Zug unter sprühendem Licht an. Ein Stück ging es nur den Strand hinab, dann leitete Emily uns ins Wasser, knöcheltief, schließlich brusttief. Der Widerschein der Fackeln machte, daß wir durch ein einziges Glitzern wogten. Je tiefer wir ins Meer hineingingen, desto schwerer wurde Lammers' Hand auf meiner Schulter. Der Auftrieb nahm uns den sicheren Stand, ließ uns nur tänzeln über Grund; nicht alle konnten das Gleichgewicht halten, sie taumelten, tauchten ein im brusttiefen Wasser, schreckhaft, jauchzend, aber auch dabei bemüht, die Fackel hochzuhalten.

Auch mir ging es so: plötzlich schwebte ich auf und fiel zur Seite und riß die Fackel mit, die zischend im Wasser erlosch, und noch bevor ich Grund fand, fühlte ich, wie zwei Arme mich umklammerten und hochzogen. Lammers umklammerte meine Hüften, offenbar hatte er seine Fackel versenkt, um mich zu retten. Nachdem es ihm gelungen war, mich aufzurichten, hielt er mich immer noch fest, drückte mich an sich und sagte mit einem nicht sonderlich intelligenten Gesichtsausdruck: Entschuldigen Sie, Frau Professor, ich wollte Sie nur retten. Ist schon gut, sagte ich und ließ ihm meine Fingerspitzen; so führte er mich zum Strand zurück.

Am Strand saß Nicole und hielt sich den Fuß; sie behauptete, auf einen Seeigel getreten zu sein. Neben ihr kniete Gerold, ratlos, ohne zu wissen, welche Art von Erster Hilfe er ihr leisten könnte. Er befühlte ihren Fuß, er starrte ihn an, vielleicht erwog er, die Wunde auszusaugen. Als Nicole den Wunsch äußerte, zu ihrem Bungalow zurückzukehren, bot Gerold sich sogleich an, sie zu stützen, doch sie zögerte, sie blickte auf Lammers, und der reichte ihr die Hand und zog sie hoch. Für uns war diese Fackel-Polonaise zu Ende. Gemeinsam strebten wir unseren Bungalows zu, wir verabschiedeten uns nach deutscher Art mit Handschlag zur Nacht, und diesmal nannten wir alle einander beim Vornamen – nur Nicole brachte es nicht fertig, zu Gerold Gerold zu sagen. Unter der Bogenlampe erkannte ich, daß ein Zug von Bedauern über ihr Gesicht glitt, als sie ihm die Hand gab und lediglich sagte: Eine angenehme Nacht.

Wir lagen bereits in unseren Hängematten – vom Strand her kamen immer noch Rufe, hörten wir Freudenschreie und vorgegebene Hilferufe –, und ich konnte nicht einschlafen, ich mußte an Nicole denken, an ihre unerwartete Erscheinung, ihre plötzliche Schönheit. Ich fragte Gerold: Warst du nicht auch überrascht? Wovon? fragte er brummig. Von Nicole, sagte ich, hast du nicht bemerkt, welchen Eindruck sie gemacht hat, selbst die Mädchen starrten sie ungläubig an; falls Emily auf die Idee käme, hier zu allem Überfluß auch noch einen Schönheitswettbewerb zu veranstalten, würde Nicole bestimmt zur Königin gewählt werden. Gerold schwieg eine Weile, dann sagte er: Mir ist das nicht aufgegangen; sie ist nett, sie macht alles mit, und es scheint ihr Spaß zu machen.

Am nächsten Morgen jedoch – nein, es war schon später Vormittag, als Nicole aus ihrem Bungalow kam – konnte sie sich an den Wettkämpfen, die einige für fröhlich hielten, nicht beteiligen: ihr Fuß schmerzte noch. Sie schaute nur beim Reiterkampf und bei diesem einfallslosen Sackhüpfen in Papiersäcken zu, nicht teilnahmsvoll, sondern mit ihrer eigenen Nachdenklichkeit. Ich konnte nicht erkennen, ob sie sich darüber freute, daß das Mädchen, das Lammers auf seinen Schultern trug, die Rivalinnen von ihren Untermännern stieß oder zerrte; auch als Gerold beim Sackhüpfen stürzte – er war hoffnungslos abgeschlagen, brauchte sich nicht anzustrengen und stürzte dennoch –, verzog sie keine Miene. Nur als Maurice zu ihr trat, sich auf alle viere niederließ und Nicole aufforderte, sich auf seinen Rücken zu setzen, lächelte sie und nahm sein Angebot für einen Augenblick an.

Zum entscheidenden, originären, noch nie ausgeführten Wettkampf rief Emily die Clubmitglieder für den Nachmittag zusammen. Es war allein ihre Idee, der spontane Einfall einer souveränen Animateurin. Zufällig war sie vorbeigekommen, als Gerold dabei war, seine vierkammerige Luftmatratze aufzublasen, sie sah ihm zu, grübelnd, erwägend: schon war ihre professionelle Imagination tätig und erfand zu Kurzweil und Vergnügen einen neuen Wettbewerb. Sieben Mitglieder des Clubs hatten vierkammerige Luftmatratzen mitgebracht. Emily konnte sie rasch davon überzeugen, daß sie in einer noch unbekannten Disziplin starten müßten, in der es galt, alle vier Kammern so schnell wie möglich mit Atemluft zu füllen; als Siegesprämie wurde eine Zwei-Liter-Champagnerflasche ausgesetzt. Selbstverständlich konnte ich Gerold nicht davon zurückhalten, sich an diesem lächerlichen Blasebalg-Unternehmen zu beteiligen. Es geschah am Strand. Als erster schleppte Gerold seine rotblaue Luftmatratze an, dann kamen die anderen Teilnehmer, unter ihnen ein zartes Mädchen mit einer so zirpenden Stimme, daß man es für eine menschgewordene Grille halten konnte. Die sogenannten Wettkämpfer gingen auf die Knie, nahmen das Mundstück zwischen die Lippen und starrten auf Emily, die gleichzeitig mit dem Zeichen zum Beginn ihr Bandgerät einschaltete. Zum Bolero von Ravel fing das große Pusten und Blasen an. Es wunderte mich, auf welch unterschiedliche Weise die einzelnen Teilnehmer ihr Gerät aufzublasen suchten; einige, darunter die Grillenstimme, versuchten es mit eiligen, kurzen Stößen; hastig saugten sie die Luft ein und preßten sie unter rhythmischem Schnaufen in die Mundstücke; andere füllten mit mächtigen, langsamen Atemzügen ihre Lungen, schlossen die Augen und gaben das ganze Volumen restlos an die Kammer ab. Backen blähten sich auf, Stirnadern schwollen. Ein Mann ließ sich verleiten, im Rhythmus des Boleros zu blasen, gab es jedoch bald wieder auf. Daß Gerold sich so gut hielt und zugleich mit drei, vier anderen die erste Kammer aufgeblasen hatte, erstaunte mich; bei seiner Schmalbrüstigkeit hätte man eher vermuten können, daß er von Anfang an abfallen müßte. Mit zügigen, gleichmäßigen Pumpbewegungen machte er wett, was ihm an natürlichem Volumen fehlte. Er streifte die Sandalen ab. Sein grünes Polohemd rutschte aus den Bermuda-Shorts, gab einen Streifen seines blassen Körpers frei. Im Unterschied zu anderen Wettkämpfern hielt er die Augen nicht geschlossen, sondern beobachtete seine Kontrahenten, ruhig und wachsam wie ein Läufer, der, seiner Überlegenheit gewiß, sich nach seinen Rivalen umschaut. Die Zuschauer, die sich freimütig zu ihren Favoriten bekannten, wurden lebhafter, wurden lauter, sie riefen Namen, spornten an, flüsterten den Wettkämpfern belebende Losungen ins Ohr. Einen verwirrenden Eindruck machte Lammers: er kniete nicht, sondern hockte auf dem Sand, und er schien weniger zu blasen, als am Mundstück zu nuckeln; dennoch gewann seine gelbblaue Matratze an Prallheit. Er blickte nicht ein einziges Mal auf seine Mitstreiter, er blickte auf die Knie von Nicole, die vor ihm stand. Ein feister Bursche – Goldkette am Hals, Goldkettchen am

Handgelenk – gab als erster auf, nach ihm ein Mädchen, das sich mit erhitztem Gesicht aufrichtete, die Augen verdrehte und einen hoch angesetzten Schrei ausstieß, bevor es sich auf den Rücken fallen ließ. Da hatten Gerold und Lammers bereits die zweite Kammer aufgepumpt; je länger sie bliesen, desto stierender wurde ihr Blick, die Atemzüge wurden bei allen kürzer, kraftloser, schon legten sie kurze Pausen ein, in denen sie ihre Lippen beleckten und den Schweiß vom Gesicht wischten. Eine seltsame Reaktion löste der Wettkampf bei einem verbissenen Athleten aus; der sprang plötzlich auf, preßte die Hände an die Ohren und stürzte ins Wasser; wie er später erzählte, konnte er das Gewummer in seinem Kopf nicht mehr ertragen. Für jeden, der ein Auge für Technik und Ausdauer hatte, zeichnete es sich ab, daß der Sieg zwischen Gerold und Lammers ermittelt werden würde; sie nahmen bereits das vierte Mundstück zwischen die Lippen, während die anderen noch die dritte Kammer schwellen ließen.

Ich sah Gerold im Profil, und plötzlich wußte ich, woran er mich erinnerte: es war der Buchstabe M im jüngeren nordischen Runenalphabet – der vertikale Strich, die beiden weggestreckten Arme. Er verschnaufte nur ein paar Sekunden und setzte gleich wieder, heftig nickend, seine Blasarbeit fort, wobei er einmal besorgt zu Lammers hinüberlinste. Plötzlich fiel er aufs Gesicht. Seine Hand löste sich vom Mundstück. Die Füße scharrten schwach im Sand und lagen dann still. Emily und Maurice waren schon neben ihm und drehten ihn um und beugten sich über sein verzerrtes Gesicht. Auch ich beugte mich über ihn, strich ihm über die Stirn und rief ihn leise an, doch er reagierte nicht. Wir müssen ihn ins Krankenzimmer bringen, entschied Maurice, und mehr für sich sagte er: Hoffentlich ist keine Kopfader geplatzt. Er lief fort, um die Trage zu holen.

Auf einmal war ein Schatten neben mir, ich spürte eine heftige Berührung und wußte, ohne hinzusehen, daß es Nicole war, die sich auf die Knie fallen ließ. Mit einem Schluchzer beugte sie sich tief über Gerold, nahm sein Gesicht in beide Hände und küßte ihn auf Stirn und Wangen, wobei sie, angsterfüllt, einige Worte murmelte, Kummerworte, Beschwörungsworte. Ich verstand die Worte nicht, doch daß sie immer wieder seinen Namen nannte, das hörte ich heraus. Ihre Verzweiflung war aufrichtig, anscheinend wollte oder konnte sie sich nicht von Gerold lösen. Die Zuschauer waren betreten, sie blickten mich an, sie erwarteten etwas von mir, und während ich noch überlegte, was mir zu tun blieb, trat Lammers heran. Bestürzt sah er einen Augenblick auf Gerold hinab, dann hob er Nicole auf, sachte, fürsorglich, legte einen Arm um ihre Hüfte und ließ es zu, daß sie ihren Kopf an seine Schulter lehnte. Als er sie wegführen wollte, zauderte sie zunächst, doch nachdem er ihr etwas zugeflüstert hatte, willigte sie ein und ging wie benommen mit ihm.

Ich ging hinter der Trage, auf der Maurice und ein bärtiges Clubmitglied Gerold ins Krankenzimmer trugen, das, im Verwaltungsbungalow gelegen, anscheinend noch nie benutzt worden war. Sie betteten Gerold auf eine Pritsche. Leise beratschlagten sie, welchen Arzt sie telephonisch herbeirufen sollten – ich hatte den Eindruck, daß sie zu beiden Ärzten, die in Frage kamen, kein sonderliches Vertrauen hatten. Um sich zu versichern und einig zu werden, gingen sie ins Büro und ließen Gerold und mich allein. Gerold atmete regelmäßig; ich legte ihm eine Hand auf die Stirn und massierte leicht seine Schläfen, so, wie ich es manchmal getan hatte, wenn er von seinen Nordlandreisen erschöpft und mit Kopfschmerzen heimgekehrt war. Und nach einer Weile bewegte er mümmelnd die Lippen und sagte mit geschlossenen Augen: Danke, Hannah, es geht schon wieder, es wird wohl ein Schwächeanfall gewesen sein. Ich gab die Nachricht gleich an Maurice und seinen Helfer weiter, und als ich ins Krankenzimmer zurückkam, saß Gerold bereits auf der Pritsche. Ich überredete ihn dazu, sich wieder auszustrecken, und blieb bei ihm sitzen und half ihm später, ein Erfrischungsgetränk zu sich zu nehmen. Zu reden hielten wir beide nicht für nötig, zumindest so lange nicht, wie wir allein in dem Krankenzimmer waren. Als Maurice und ich ihn zu unserem Bungalow führten, zitterte er noch ein wenig, doch er erwiderte bereits mit lascher Hand die Grüße zweier Kontrahenten, die er beim Aufblas-Wettbewerb weit hinter sich gelassen hatte. Vor dem Bungalow, den Lammers und Nicole bezogen hatten, blieb er stehen; er lächelte bekümmert, und er schien nicht überrascht, als Maurice ihm mitteilte, daß die Freunde, wie er sagte, abgereist seien; ein Taxi habe sie abgeholt. Gut, gut, sagte Gerold nur, gut, gut, und dann wandte er sich an mich und murmelte: Er hat kein gutes Spiel gespielt, Hannah, ich werde mich von meinem Assistenten trennen.

Vor unserem Bungalow lag die rotblaue Luftmatratze, die irgend jemand hierhergeschleppt hatte; drei Kammern waren vollends, die vierte nur zur Hälfte aufgeblasen. In der Stille der Siesta, als fast alle

Clubmitglieder in ihren Hängematten ruhten, setzte ich mich in den Sand, zog die Matratze heran und stach das Messer in den seitlichen Wulst und wunderte mich, wie leicht und entschieden die Klinge hineinfuhr. Ich zog die Klinge wieder heraus und lauschte auf das gleichbleibende, dann immer schwächer werdende Zischgeräusch, mit dem Gerolds in den Kammern gefangener Atem entwich. Zuletzt, als alle Luft raus war, als die Haut der Matratze nur flach und schrumpelig vor mir lag, vergrub ich das Messer tief im Sand.

1994

1471

Ludmilla

Bisher verhielt noch jeder den Schritt, der, um mich in meiner Wohnung zu besuchen, an den drei Fenstern von Kapitän Brodersen vorbeistreifte; denn zwischen Geranien und Lästerzungen war da ausgestellt, was der alte Fahrensmann sich von fernen Häfen als Andenken mitgebracht hatte: kolorierte Möpse aus Porzellan, Schnitzarbeiten aus Ebenholz, beleibte asiatische Paare, die Seligkeit vorführten, Blasrohre und zwei bräunlich schimmernde, präparierte Baby-Leguane. Der alte Kapitän, ewig fröstelnd in der Tiefe des Zimmers, freute sich noch jedesmal, wenn Besucher den Schritt verlangsamten oder gar stehenblieben, um die Dinge, die ihn an große Fahrt erinnerten, mit ihrer Aufmerksamkeit auszuzeichnen. Ich zweifelte nicht, daß auch Pützmann, der sich für acht Uhr angesagt hatte, den nicht alltäglichen Mitbringseln einen Blick schenken, vielleicht auch stehenbleiben würde, um sie verblüfft näher zu betrachten, doch der Betriebsprüfer, der pünktlich erschien, strebte rasch und blicklos an den Fenstern vorbei zum Nebeneingang; gleich darauf ging meine Türklingel.

Zugegeben: als er in mein Wohnzimmer trat, das gleichzeitig mein Arbeitsraum war, empfand ich ein Gefühl der Erleichterung; denn statt eines älteren, verkniffenen und von überschüssiger Magensäure geplagten Steuerprüfers begrüßte mich ein hellhäutiger junger Mann, bei dessen Anblick ich an ein Milchbrötchen denken mußte. Er trug eine Brille mit runden Gläsern, die von dunklem Horn eingefaßt waren. Sein volles Gesicht hatte etwas Kindliches, Unbescholtenes, es verriet nichts von berufsmäßigem Argwohn, zeigte vielmehr eine Art konservierten Kinderstaunens. Noch konnte man ihn nicht beleibt nennen, doch eine Neigung zur Fülligkeit war unverkennbar; sein spannender, über dem Hintern spannender Anzug machte es augenfällig.

Er stellte die geräumige schwarze Aktentasche auf den Fußboden und sah sich langsam nickend um, musterte versonnen meine Schlafcouch, das selbstgemachte Büchergestell, den Schreibtisch aus Kirschholz, den Kapitän Brodersen mir geschenkt hatte, und als könnte er nicht widerstehen, bat er mich mit einer Geste um Erlaubnis, einen Blick auf die handgeschriebenen Seiten zu werfen. Sein Interesse war aufrichtig. Während er gebeugt die ersten Sätze las, erklärte ich ihm, daß ich mich gerade mit einer Erzählung plagte, die sollte »Wegbeschreibung« heißen, worauf er nur nachdenklich den Titel wiederholte und dann wissen wollte, wo er sich niederlassen könnte. Ich führte ihn in die Küche, an den Küchentisch, auf dem eine Thermoskanne mit Kaffee bereitstand; auch die Unterlagen, um die er mich telephonisch gebeten hatte, waren schon an ihrem Platz: das Heft, in das ich meine Einnahmen eintrug, und der guterhaltene Schuhkarton, in dem ich Quittungen und Belege aufhob. Neben den Karton hatte ich meine erste Novelle »Die Einbürgerung« gelegt; obwohl ich nur noch zwei Exemplare besaß, hatte ich mich entschlossen, ihm eines zu schenken, in gutem Glauben, daß es nicht verkehrt sein könnte. Bevor er sich setzte, nahm er den Pappband in die Hand, las interessiert die Inhaltsangabe auf der Rückseite und hielt ihn mir hin. Für Sie, sagte ich, es soll ein Geschenk sein. Tut mir leid, aber ich kann es nicht annehmen, sagte er bekümmert. Aber es ist doch nur ein Buch, sagte ich und er darauf: Nur? Seit wann nur?

Lächelnd wuchtete er seine Aktentasche auf den Tisch, setzte sich und murmelte: Also, dann wollen wir mal, öffnete die Tasche und fischte – ich erkannte es sogleich – einen Packen Kontrollmitteilungen heraus, wie die Rundfunkanstalten sie für bezogene Honorare an das Finanzamt schicken. Er sah blinzelnd zu mir auf, er sagte: Ich hoffe, daß ich Sie nicht allzu häufig stören muß. Wenn Sie Fragen haben, ich bin nebenan, sagte ich und ließ ihn allein und setzte mich bei nur angelehnter Tür an den Schreibtisch.

Entschlossen, seine Anwesenheit zu vergessen und die Arbeit an der »Wegbeschreibung« fortzusetzen, las ich, um mich einzustimmen, noch einmal die ersten fünf Seiten, die Einleitung, in der ein alter Mann auf dem Bahnhof einen Einheimischen nach dem Weg fragt und darauf eine unzumutbare Antwort erhält, die sich – das war meine Erzählabsicht – später als beiläufiges Charakterporträt des Ortes und seiner Bewohner erweisen sollte. Es gelang mir nicht, mich zu konzentrieren. Ich dachte mir gerade einen Namen für eine umbenannte Straße aus, als ein schepperndes Geräusch in der Küche mich auffahren ließ: einen Augenblick war es still, dann hörte ich, wie Pützmann sich Kaffee einschenkte. Unwillkürlich stellte ich ihn mir essend und trinkend vor, sah ihn von üppig belegten Mettwurstbroten abbeißen, meinen Kaffee schlürfen und dabei genüßlich in meinem Einnahmeheft blättern. Er aß geräuschlos. Eine Weile saß ich nur horchend da, wartete auf eine Regung, auf einen Laut der Mißbilligung, auf Einspruch oder leises Hohngelächter; nichts geschah. Ich erwog die Gründe für eine Straßenumbenennung, es konnte nur einen Grund geben, den üblichen, landab geltenden Grund: Weißwäsche.

1473

Darf ich mal stören, fragte Pützmann besorgt. Er stand in der Tür und wedelte sacht mit einigen Belegen, die in seiner fleischigen Hand armselig und unschuldig wirkten und dennoch seine Bedenken hervorgerufen hatten. Wie ich sehe, sagte er, hatten Sie vorübergehend auch ein regelmäßiges Einkommen, von unserem Bezirksamt. Ich habe Sprachunterricht gegeben, sagte ich; ich bin über ein Jahr lang in die aufgelassene Mackensen-Kaserne hinausgefahren und habe dort Sprachunterricht gegeben, für Aussiedler. Für deutschstämmige Aussiedler aus Sibirien und aus dem Wolgagebiet, die man in dieser Kaserne untergebracht hatte. Meine Arbeit sollte den Leuten helfen, hier zurechtzukommen, verstehen Sie? Ich verstehe, sagte er, ich verstehe vollkommen; die Leute kamen ja aus einer anderen Welt, aus der Tundra, der Steppe. Eben, sagte ich. Er blickte auf die Belege und sagte: Sie haben hier einen Geschenkkorb steuerlich geltend gemacht, einhundertdreißig Mark, ein Empfänger ist nicht genannt. Nicht bereit, Ludmillas Namen auch nur ein einziges Mal zu erwähnen, und leicht verdrossen angesichts der fordernden Art seines Dastehens, sagte ich: Zu Unterrichtszwecken; ich habe den Geschenkkorb zu Unterrichtszwecken gekauft, und deshalb ist er wohl absetzbar. Da Pützmann mich anstarrte, als hätte ich ihm Pfeffer in sein Gehirn gestreut, fügte ich hinzu: Der Inhalt des Korbs erwies sich als sehr ergiebig für die Unterrichtsstunde; soll ich Ihnen aufzählen, was … Er winkte ab, zog die Schultern ein und ging zurück in die Küche.

An meinem Schreibtisch, bei dem Versuch, mich in die »Wegbeschreibung« zu vertiefen, lächelte mir prompt Ludmilla zu, sie kam forsch auf mich zu in der ehemaligen Kleiderkammer, in der ich meinen Unterricht gab, und sagte strahlend: Ich bin Ludmilla Fiedler aus Tomsk; hat man mich Ihnen zugeteilt zur Unterstützung für besondere Schwierigkeiten, vor allem, um Behördensprache besser zu verstehen. Unter den Augen meiner achtzehn Schüler – zumeist alten Männern und Frauen, die geduldig Schokolade essend und mit stillvergnügter Demut meinem Unterricht in deutscher Lebenspraxis lauschten – begrüßte ich sie und wußte schon bei unserem langdauernden Händedruck, daß sie nicht nur meine Assistentin für besondere Schwierigkeiten bleiben würde. Ihr kurzes, tiefschwarzes Haar kontrastierte auf eine nie gesehene Weise mit den aquamarinfarbenen Augen; ein Ausdruck träumerischer Verschmitztheit lag auf ihrem breitwangigen Gesicht, das, von der Sonne getroffen, wie unterglüht schimmerte. Ludmilla – meine Schätzung behielt recht: sie war gerade zwanzig – hatte ihren Körper in ein beigefarbenes Kleid gezwängt, auf dem eine Anzahl dekorativer Junikäfer schwirrte – ihre Lieblingskäfer, wie ich später erfuhr. Wenn Schönheit sich dadurch bestätigt – und für sich einnimmt –, daß ihr etwas zur Vollkommenheit fehlt, dann erfüllte Ludmilla auch diesen Anspruch: denn zur Vollkommenheit reichte es insofern nicht, als die Schönheit durch ihre Zähne beeinträchtigt wurde, die klein, mäuseklein und eigenartig spitz waren.

Heiter verlief die Unterrichtsstunde, die ich mit ihrer Hilfe gab; ich klärte meine Zuhörer über allgemeines Beschwerderecht auf, machte sie mit Wendungen vertraut, die sie auf Behörden, in Verkehrsmitteln und in Restaurants gebrauchen sollten, falls sie einen Grund zur Klage hätten, und sie hörten mir verwundert zu, verwundert und mitunter auch belustigt.

Als ich ihnen beizubringen versuchte, daß unser Mietrecht seine Eigenheiten hat, daß es ein Wohnungs- und ein Gewerberaummietrecht gibt und daß im Zweifelsfall eine Zweckentfremdungsverordnung darüber entscheidet, was man in seiner Wohnung darf und was nicht, fragte ein sehr alter Mann, ob es erlaubt sei, zum Beispiel, Stiefel zu reparieren für sich und die Nachbarn. Ludmilla tröstete ihn, daß er, wie bisher, alle eigenen Stiefel in seiner Wohnung reparieren dürfe; nur wenn das ganze Dorf zu ihm käme wie früher, wäre das genehmigungspflichtig.

Obwohl Ludmilla sie immer wieder dazu ermunterte, stellten sie nur wenige Fragen, und wenn sie es taten mit ihrer eigenen Verlegenheit, rührte und ergriff es mich. Es zeigte mir aber auch, mit wieviel Duldsamkeit ein Leben gelebt werden konnte in einer anderen Welt. Ludmilla machte der Unterricht Freude. Ihr Deutsch war reich, doch nicht ganz fehlerfrei; sie schien es selbst zu wissen und sah mich bei kühnen Wendungen oft genug fragend an und runzelte ihre schöne Stirn.

Nach dem Unterricht standen wir auf dem gefliesten Korridor, um das Thema der nächsten Stunde zu besprechen, als ein schwerer Mann in offenem, mit Fuchsfell unterfüttertem Mantel ungestüm auf uns zukam: Sergej Wassiljewitsch Fiedler, Ludmillas Vater. Er war einen Kopf größer als ich, breitbrüstig; die obere Hälfte seines linken Ohrs fehlte. Er begrüßte mich mit einer angedeuteten Verbeugung und wandte sich – eilig und auch ein wenig ungehalten – Ludmilla zu und gab ihr zu verstehen, wie sehr er sie entbehrte bei der Vorbereitung einer Geburtstagsfeier. Ludmilla hob sich auf die Zehenspitzen und küßte ihn. Sie nahm seine Hand und rieb sie an ihrer Wange; dann sagte sie in leicht rügendem Tonfall: Möchte ich bekannt machen – mein Vater Sergej Wassiljewitsch Fiedler, Geologe und Jäger – Herr Schriftsteller Heinz Boretius, zur Zeit Professor. Der Geologe und Jäger musterte mich skeptisch, blickte von ihr zu mir und von mir zu ihr, erwog da wohl etwas, und mit einer ausgeführten Verbeugung lud er mich ein, an der Geburtstagsfeier seiner Frau Olga teilzunehmen; da Ludmilla mir auffordernd zuzwinkerte, sagte ich zu. Am Nachmittag kaufte ich den Geschenkkorb, gefüllt unter anderem mit Rollschinken, Cognac, Rotwein, Dauerwurst, einer Dose mit Leipziger Allerlei, und weil der Verkäufer mich fragte: Quittung?, ließ ich mir einen Beleg ausstellen und verwahrte ihn, eingedenk des Ratschlags, den mir ein erfahrener Kollege, der große Lasarek, gegeben hatte, in dem ausgedienten Schuhkarton.

Nach der Stube zu suchen, in der die Fiedlers untergebracht waren, erwies sich als unnötig; das Stimmengewirr am Ende des Korridors und das unverkennbare Gelächter von Ludmillas Vater sagten mir, wo die Feier stattfand. Nachdem ich mehrmals geklopft hatte, öffnete mir der Geologe und Jäger, blinzelte mir zu und küßte mich so heftig auf die Wange, daß ich Mühe hatte, den Korb festzuhalten. Noch nach sicherem Stand suchend, hörte ich Ludmillas zurechtweisende Stimme: Wir sind doch in Deutschland, Vater, in Hamburg; und sie faßte mich am Arm und bahnte mir einen Weg durch gutgelaunte Stuben-

nachbarn und Zimmergenossen, von denen einige zu meinen Zuhörern gehörten, zu einem Eckfenster, an dem das Geburtstagskind saß.
Ein freundliches Gesicht von unschätzbarem Alter, das die Winde der
Tundra gegerbt hatten, hob sich zu mir auf, ein massiger, gewölbter
Rücken, der von einer braunen Häkeldecke gewärmt wurde, lehnte
sich nach vorn, zwei kurze Arme streckten sich mir entgegen, um das
Geschenk in Empfang zu nehmen: Ludmillas Mutter Olga. Ludmilla
beugte sich über sie und rief in ihr Ohr: Das ist der Professor, Ma-
machen, der Boretius. Kein Professor, sagte ich, nur Gelegenheitsleh-
rer, und dann gratulierte ich ihr und sah eine Weile zu, wie sie wortlos
den Korb auspackte und die Waren einzeln einem blassen, schlanken
Mann zureichte – Igor, Ludmillas Bruder.

Das Geburtstagskind trank nicht, doch die Gäste stießen mehrmals
auf seine Gesundheit an, am häufigsten Ludmillas Vater. Er erließ es
mir nicht, auch einige Male mit ihm anzustoßen. Ludmilla versorgte
mich mit Gewürzgurken, begleitete mich mit ihrer Sympathie. Wohin
ich auch gedrängt wurde, überall erreichte mich ihr fürsorglicher
Blick, und oft genug nickte sie mir lächelnd, fast komplizenhaft zu. Nie
zuvor – daran gab es keinen Zweifel – war ich einem Mädchen wie
Ludmilla begegnet. Es kann sein, daß ihr Vater bemerkte, welch eine
Wirkung sie auf mich ausübte, und weil ihm dies nicht unangenehm
schien, ihm vielleicht sogar Freude bereitete, beschloß er, mir etwas
von Ludmilla zu zeigen, was ich nicht kennen konnte und was ihn mit
Stolz erfüllte. Er kramte in einem Spind, fluchte, fand dann glücklich,
was er gesucht hatte, und hielt mir zwei Photos hin. Eines zeigte ein
etwa zwölfjähriges, dünnbeiniges Mädchen mit steif abstehendem Bal-
lettröckchen, auf dem anderen hielt eine pummelige, vermummte
Gestalt einen kapitalen Wels hoch, den sie gerade mit einer Stippangel
aus einem Eisloch gezogen hatte. Hier Ludmilla, da Ludmilla, sagte er
nach einer Pause, hier: vor erstem Auftritt in der Akademie für Mili-
tärärzte, und hier: mit großem Fisch auf zugefrorenem Fluß Tschulym, welcher Nebenfluß ist von großem Fluß Ob. Zärtlicher, als er es
tat, kann niemand eine Photographie betrachten.

Plötzlich beunruhigte mich die Stille, kein Rascheln, kein Scharren,
kein Seufzen drang aus der Küche; war Pützmann noch da? Oder war
er bei der Prüfung auf etwas gestoßen, das ihn vor Fassungslosigkeit
hatte versteinern lassen? fragte ich mich. Doppelt besorgt, stand ich
auf, schlich zur Tür und war dabei, den Spalt ein wenig zu vergrößern,

als er mich, ohne sich umgewandt zu haben, bat, näher zu kommen. Er hatte einen mangelhaften Beleg gefunden, die quittierte Rechnung des Lokals »Zum Duckdalben«, auf der nicht nur meine Unterschrift fehlte, sondern auch die präzise Berufsbezeichnung meines Gastes, den ich zum Mittagessen eingeladen hatte. Erleichtert unterschrieb ich und begründete meine Einladung: Programmkonferenz und Feinabstimmung mit Dolmetscher der Mackensen-Kaserne. Pützmann las es, ließ mich gleich noch zwei Taxiquittungen unterschreiben und schien zufrieden. Wenn Sie Fragen haben, sagte ich, können Sie mich jederzeit rufen. Er antwortete nicht, er starrte ausdauernd auf eine Serie von Quittungen, als verlange er ihnen ein Geständnis ab.

Gleich nach der nächsten gemeinsamen Unterrichtsstunde hatte ich Ludmilla zum Essen eingeladen, in den »Duckdalben«, zu Piet Flehinghus. Sie nahm die Einladung sogleich an, bat mich aber, sie zunächst in ihre Stube zu begleiten, denn sie wollte sich von ihren Leuten verabschieden. Wenn wir fortgehen, wir sagen immer auf Wiedersehen, erklärte sie mir. Nacheinander küßte sie ihre Mutter, ihren Bruder und ihren Vater, die auf ihren Betten saßen und auf irgend etwas warteten, liebkoste auch den alten brandroten Kater, der ihr in der Kaserne zugelaufen war; danach war sie bereit.

Piet und seine Gäste – ein paar Verlagsangestellte, Journalisten und einige Leute vom Seewetteramt, die regelmäßig hier einfielen – blickten erstaunt und länger als gewöhnlich auf, als Ludmilla ihr beigefarbenes Kleid mit den schwirrenden Junikäfern an ihnen vorbeitrug. Die, die ich kannte, grüßten mich mit Verzögerung. Die Fensterplätze waren besetzt, Piet winkte uns an einen Tisch dicht bei der Theke und empfahl uns gespickten Hecht mit Kartoffelsalat. Da er Ludmilla mit besonderer Freundlichkeit willkommen hieß, sagte ich: Die Dame kommt von weit her, aus Tomsk. Tomsk, wiederholte Piet, Tomsk – das liegt doch in Sibirien, oder? Mein Großvater war da – nicht freiwillig. Flüsse und Sümpfe und Wälder, Wälder. Er hat geholfen, die Wälder zu lichten. Aber im Süden es gibt auch schöne Gebirge, sagte Ludmilla, Altai. Mein Großvater sagte immer: In Sibirien ist alles schön – aus der Ferne, entgegnete Piet und wandte sich dem Küchenfenster zu, um unsere Bestellung weiterzugeben.

Ludmilla protestierte nicht, ihre Vorfahren waren freiwillig nach Sibirien gegangen; vor mehr als zweihundert Jahren – so erzählte sie – waren sie dem Ruf eines Zaren gefolgt, um das gewaltige Land zu besiedeln und zu erschließen, um Schulen und ein Polytechnikum zu gründen und schlafende Reichtümer aus der Erde zu bergen. Sie sagte: Schöner ein Land kann nicht sein; die Berge, die großen Flüsse und in den Wäldern die Tiere, viele Pelztiere. Und doch seid ihr zurückgekommen, sagte ich, nach all der Zeit seid ihr zurückgekommen. Die Nachbarn, sagte Ludmilla, sie wollen uns heute nicht. Sie wollen nicht, daß wir deutsch sprechen, daß wir deutsch leben. Als wir ganz für uns sein wollten, haben sie gedroht, die deutsche Siedlung zu verbrennen. Vielleicht haben wir uns ausgelebt in Sibirien; Vater hat es gesagt, er hat die Ausreise beantragt. Aber unsere Sibirjaken-Freunde haben geweint.

Beim Essen fragte ich sie nach ihren Plänen, behutsam, nebenher, ich wollte nicht den Eindruck entstehen lassen, als sei man hierzulande verpflichtet, Pläne zu haben, schnurgerade auf Lebensziele zuzusteuern. Um so überraschter war ich, daß sie sich bereits entschieden hatte und ihr künftiges Leben vor sich sah. Im Gedanken an das Photo, das ihr Vater mir gezeigt hatte, fragte ich: Ballett? Nein, nein, sagte sie lachend, nie mehr Ballett. Als Kind hatte ich Unterricht, und vielleicht hätte ich Ausbildung fortgesetzt, aber dann geschah das Unglück, auf der Jagd. Welch ein Unglück? fragte ich. Oh, im Winter, sagte sie, ein Wolfsrudel, und ein junger Wolf, er hat mich zweimal gebissen, einmal in die Schulter und einmal hier – sie strich über ihre Hüfte. Das Tier hat die Strafe empfangen. Kein Zeichen von Wehmut oder Trauer lag auf ihrem Gesicht, als sie wiederholte: Nein, nein, nie mehr Ballett. Wie wär's mit Dolmetschen, sagte ich – und es war ein wohlgemeinter Ratschlag –, die Welt wächst immer mehr zusammen, die Abhängigkeiten werden immer empfindlicher, und wenn mich nicht alles täuscht, beginnt bald die große Stunde der Dolmetscher. Bald werden wir Millionen brauchen. Zwei Sprachen beherrschen Sie bereits; lernen Sie noch zwei dazu – seltene, schwierige Sprachen –, und die Zukunft steht Ihnen offen.

Ludmilla entblößte ihre kleinen spitzen Zähne und zog mit einer graziösen Bewegung eine Hechtgräte hervor. Vor sich hin schmunzelnd, sagte sie: Dort, wo wir lebten, ich war der Honigsammler der Familie. Viele wilde Bienenvölker gab es in unseren Wäldern, sie machten Tannenhonig und Sumpfblütenhonig, ihre Nester waren gut versteckt, aber ein Vogel mir zeigte, wo sie waren, er flog immer vor mir her, ein kleiner Specht, wissen Sie. Honig zu sammeln, es war für mich die größte Freude; mit den Bienen habe ich mich gut verstanden. Sie sah mich fragend an, und ich wußte nicht, wieviel ich ihr glauben sollte, doch als hätte sie meinen vorsichtigen Zweifel erkannt, fuhr sie fort: Bosche moj, jetzt werd ich Geld verdienen, und wenn genug Geld da ist, ich werde eine Bienenzucht kaufen, nicht die sibirischen, sondern tüchtige deutsche Hausbienen. Vielleicht werde ich Sie beliefern, Herr Boretius.

Nach dem Essen dankte sie mir detailliert für alles, vom Hecht bis zur Kartoffel, was sie zu sich genommen hatte, und sie dankte auch Piet, der sie einlud, bald einmal wiederzukommen.

Unter Zurufen gingen wir hinaus, überfallartig trieb der Wind den Regen in unsere Gesichter, Ludmilla tastete nach meiner Hand, und so strebten wir der U-Bahn-Station zu. Gebückt, mit gesenkten Gesichtern, hasteten wir vorwärts, stießen plötzlich fast mit einem Kinderwagen zusammen, der unter der Markise eines Schuhgeschäfts stand. Eine alte verwahrloste Frau, eine Stadtstreicherin, hielt den Bügel des Wagens, der vollgestopft war mit Plastikbündeln, mit Bierdosen und Gläsern – obenauf, fest verzurrt, ein Aluminiumkochtopf –, und an dessen Seiten baumelte Werkzeug, darunter eine Spielschaufel. Die Frau blickte unverwandt in die Auslagen des Schuhgeschäfts, sie interessierte sich auch dann nicht für uns, als Ludmilla die seltsame Fracht des Wagens näher betrachtete und mich auf einen Hutständer hinwies. Auf einmal entzog Ludmilla mir ihre Hand, stieg allein die Stufen zum Laden hinauf und verhandelte mit einem Verkäufer, wobei sie mehrmals zu mir hinausdeutete, und dann erschien sie mit einem Paar weißer, mit Leder bespannter Holzpantoffeln. Sie setzte die Pantoffeln vor die Füße der Frau. Sie deutete auf die löchrigen, ehemals blauen Stoffschuhe, die vom Regen geschwärzt waren, und forderte mit einer ungeduldigen, aber immer noch freundlichen Bewegung zu einem Schuhwechsel auf. Als ich sie, um nicht Zeuge des Schuhwechsels zu werden, wegziehen wollte, flüsterte sie mir zu: Den Rest müssen wir noch bezahlen; ich hatte nicht genug Geld bei mir. Bitte, Herr Boretius.

Als das Telephon ging, hob ich schnell ab, denn ich erwartete nichts so sehr, wie Ludmillas Stimme zu hören. Es war aber Pützmanns Behörde, die sich meldete. Ein höflicher Mann, der sich tatsächlich für die Störung entschuldigte, bat mich, Herrn Pützmann an den Apparat zu holen. Ich trat an den Küchentisch, auf dem mein finanzielles Innenleben durchleuchtet wurde, wo sortiert, geschichtet, abgehakt die gesammelten Beweise meiner Existenz lagen. Was sie für Pützmann hergaben, hatte seinen Niederschlag auf einem Schreibblock gefunden, der bedeckt war mit furchteinflößenden Zahlenkolonnen. Ein Anruf, sagte ich, für Sie, und er schien nicht erstaunt, daß seine Behörde ihn auch hier verlangte. Während er an meinem Schreibtisch Auskunft gab über einen zurückliegenden problematischen Fall, entdeckte ich eine Quittung über fünf Flaschen Wein, Château Lafite 82. Die Quittung war von mir unterschrieben; als Erklärung hatte ich »Zwischenprüfungen der Aussiedler in privater Atmosphäre« angegeben. Einen Augenblick schwankte ich, ob ich die Quittung nicht einstecken sollte, denn immer noch standen drei Flaschen neben meinem Schreibtisch, wo Pützmann sie, bei geringer Neigung des Körpers, leicht hätte entdecken können; doch da er den Hörer schon wieder auflegte, unterließ ich es. Hoffentlich nichts Unangenehmes? fragte ich und schenkte ihm heißen Kaffee ein.

Ich überließ ihm wieder die Küche, ich kehrte an meinen Schreibtisch zurück, bugsierte Flasche für Flasche in die Deckung des Regals mit den Nachschlagebüchern. Ludmilla mochte den Wein – Château Lafite 82 – nicht, sie trank nur ein halbes Glas und danach den verdünnten Karottensaft, den ich mitunter bei der Arbeit trank. Sie war gekommen. Sie war bereit, sich etwas von mir vorlesen zu lassen; denn unter diesem Vorwand hatte ich sie zu mir nach Hause eingeladen. Kaum stand sie in meiner Wohnung, streifte sie die Schuhe ab, warf einen Blick in meine Eßküche und in einen angrenzenden Kellerraum und nahm mit untergeschlagenen Beinen auf der Schlafcouch Platz. Sie deutete nach oben, auf die Wohnung von Kapitän Brodersen, und wollte wissen, ob der alte Mann – sie hatte ihn offenbar gesehen – all die Sachen verkaufte, die er ins Fenster gestellt hatte. Es sind Andenken, sagte ich, Mitbringsel eines Kapitäns von großer Fahrt. Aus Tomsk er hätte etwas anderes mitgebracht, sagte Ludmilla nach einer Weile, vielleicht einen ausgestopften Schneefuchs oder seltene Mineralien, schön geschliffen, oder mit Glück ein Ei von diesen vorzeitlichen Tieren. Ich forderte sie auf, zum Wein eine Olive zu essen – sie mochte beides nicht, nur der griechische Ziegenkäse schmeckte ihr. Wie mühelos sie dasitzen konnte in dieser straffen, beherrschten Haltung, mit erhobenem Gesicht, erwartungsvoll. Ich fragte sie, ob ihr meine Wohnung gefalle, worauf sie nur knapp nickte und dann wissen wollte, wieviel Leute noch, außer dem Kapitän, im Haus wohnten. Nur noch ein junger Mann, sagte ich, er wohnt ganz oben, er ist Tierpfleger im Zoologischen Garten. Und keine einzige Frau? fragte Ludmilla. Bedauern lag in ihrer Stimme, und als ich lediglich die Achseln zuckte, fügte sie erklärend hinzu: Die Samojeden bei uns behaupten, eine Frau ist ihr schönster Ofen. Da sieht man, zu welchen Vergleichen Minus-Temperaturen führen, sagte ich.

Unter der Stehlampe, das Manuskript auf den Kissen, las ich ihr aus der »Stunde des Richters« vor, einer unveröffentlichten Erzählung, die ich nicht weniger als dreimal umgeschrieben hatte. Ich hätte gern auf die Lesung verzichtet, doch Ludmilla erinnerte mich an meinen Vorschlag, und so machte ich sie mit der Geschichte von Viktor Wilk bekannt, der dank der emphatischen Empfehlung eines ihm befreundeten Ministers zu einem der höchsten Richter seines Landes aufstieg und ein weithin geachteter und für die Weisheit seines Urteils vielzitierter Mann war. Als der Minister eines Tages schwerer Vergehen angeklagt wurde, fiel die Wahl zum Gerichtsvorsitzenden auf Viktor Wilk, und er übernahm sein Amt in der Überzeugung, daß Dankbarkeit in der Rechtsprechung fehl am Platz sei. Während ich das Gespräch des Richters mit seiner Frau las, die ihn arglos beschwor, sich selbst für befangen zu erklären, linste ich einmal zu Ludmilla hinüber und sah, daß sie schlief, zumindest schien es mir so. Ihr Körper war ein wenig zusammengesackt, die Augen waren geschlossen, ein Ausdruck der Erschöpfung lag auf ihrem Gesicht. Ich las noch ein paar Sätze und unterbrach mich abrupt, um herauszufinden, ob sie mir überhaupt zuhörte.

Langsam öffnete sie die Augen, etwas schien sie zu quälen, eine Erinnerung, ein fernes Erlebnis, es beschäftigte sie so sehr, daß sie nichts sagte, als ich mein Manuskript weglegte. Geht's Ihnen nicht gut, fragte ich. Ludmilla machte eine beschwichtigende Bewegung, sie sagte: Ich mußte immer an meinen Bruder denken, auch er hieß Viktor, er war älter als ich, er hat mir nicht geglaubt. Sie richtete sich auf, ihr Körper nahm eine lauschende Haltung an; leise, so daß ich Mühe hatte, sie zu verstehen, sagte sie: Er hat mir niemals geglaubt, er war der größte Zweifler. Einmal brachten sie einen einäugigen Jagdfalken zu mir, er war herabgestürzt in hartes, spitziges Gesträuch und hatte sich selbst halb geblendet. Da war keine Kraft mehr in dem Vogel; und Viktor sagte, daß er nie mehr aufsteigen würde, aber ich habe ihn gut gefüttert. Sie brachten mir ja manchmal Tiere, und bei mir sind sie gesund geworden, das Eichhörnchen und der Fuchs mit dem gebrochenen Bein, beinahe alle, und als der Falke genug Kraft hatte, hab ich ihn an den Fluß getragen und hab gesagt zu ihm: Und jetzt steig, steig in den Himmel, und er ist wirklich in den Himmel aufgestiegen, ich hab es selbst gesehen.

Ludmilla machte eine Pause. Sie blickte auf ihre Hände, die in ihrem Schoß lagen. Viktor glaubte mir nicht, nie hat er mir geglaubt; er sagte nur: Dein Vogel ist abgestürzt, und ich werde es dir beweisen. Dann ging er lachend fort und machte sich auf die Suche. Fand er ihn? fragte ich. Viktor ist nie mehr zurückgekommen, sagte sie; in den Wäldern haben die Hunde seine Spur verfolgt, aber am großen Fluß Tschulym sie verloren die Witterung. Ich setzte mich neben sie; ich nahm ihre Hand, bereit, sie wieder loszulassen, falls es sie befremden sollte, doch sie schien es kaum zu bemerken oder nahm es wie selbstverständlich hin. Wir saßen dicht nebeneinander – es war nicht der Augenblick, um über die »Stunde des Richters« zu sprechen, über meine Erzählung, die sie auch später nie mehr erwähnte. Vielleicht war es Trostbereitschaft, gewiß aber Mitleid, jedenfalls konnte ich unser Schweigen nicht ausdehnen und sagte: Ich, Ludmilla, ich hätte Ihnen geglaubt. Tief in ihren Augen schimmerte es auf, ihr Oberkörper neigte sich mir zu, und so zart, daß ich es kaum spürte, schmiegte sie ihr Gesicht an meine Schulter. Ich kann mir nicht helfen: so, wie wir dasaßen, glichen wir der kolorierten asiatischen Plastik in Kapitän Brodersens Fenster, dem Paar, das genügsame Seligkeit vorführt.

Ich hätte in dieser Stellung auf unabsehbare Zeit verharren können, doch unvermutet klopfte es ans Fenster, und wir schreckten auf und blickten hoch. Tim hockte draußen; wie jedesmal, wenn er spät zu mir fand, ließ er sein Feuerzeug aufflammen und hielt es dicht vor sein Gesicht. Ich winkte ihn herein, und mit seinem Eintritt veränderte sich sofort die Atmosphäre meiner Wohnung. Er trug seine Wildlederjacke, trug Jeans und Cowboystiefel mit hohen Absätzen; mit seinem drahtigen blonden Zippelhaar, das seine Stirn teilweise bedeckte, mit seinem sehnigen Hals und den breiten Schultern glich er einem römischen Wagenlenker. Ich machte bekannt: Mein Freund Tim Burkus – Ludmilla Fiedler. Er schien nicht allzu verblüfft, Ludmilla bei mir anzutreffen – wie er sagte, hatte er uns bereits aus dem »Duckdalben« kommen sehen, als er gerade vorbeifuhr; er begrüßte sie mit übertriebener, leicht gezierter Höflichkeit, holte sich ein Glas aus der Küche und bediente sich mit meinem Château Lafite 82. Anscheinend vermutete er in ihr eine Studentin oder Journalistin, denn er sagte: Macht euer Interview ruhig zu Ende, schnappte sich den neuesten »Spiegel« und wollte sich in die Küche absetzen.

Ich bat ihn, zu bleiben; ich erzählte ihm, woher Ludmilla kam, wo sie und ihre Familie untergebracht waren und welche Aufgabe sie erfüllte beim Unterricht für deutschstämmige Aussiedler. Großzügig schenkte Tim sich ein neues Glas ein und vergaß nicht, den Wein zu loben. Seine Aufmerksamkeit war geteilt; erst als ich ihn fragte, ob er Ludmilla nicht zu seiner zweiten Assistentin machen könnte, wurde er hellhörig und musterte sie mit einer Freimütigkeit, die Ludmilla verlegen machte und sie dazu veranlaßte, mir einen bittenden Blick zuzuwerfen. Um sie zu beruhigen, sagte ich: Mein Freund hat eine Experimentierküche, müssen Sie wissen, und er ist ein bedeutender Photograph. Er entwirft die kühnsten Menus. Er photographiert sie. Er photographiert sie so, daß man gepeinigt wird von unwiderstehlichem Verlangen. Diese Photos erscheinen in mehreren illustrierten Blättern, unter der Rubrik »Die neue Gaumenfreude« oder »Schlemmertip des Monats«. Tim wehrte ab, die Hälfte, die Hälfte, murmelte er; unsereins versucht nur, mit Hilfe der Phantasie den allgemeinen Geschmack ein wenig zu verfeinern. Während Ludmilla verstohlen nach ihren Schuhen angelte, sagte ich: Gib ihr eine Chance, mir zuliebe. Übrigens bringt Ludmilla Vorkenntnisse mit: Sie ist Honig-Expertin. Imkerin? fragte Tim belustigt. Wilde Bienenvölker, sagte ich; dort, wo sie lebte, im sibirischen Wald, war sie Spezialistin für wilde Bienenvölker, und hier träumt sie davon, sich einige Stöcke zu kaufen, nicht wahr, Ludmilla? Vielleicht, sagte Ludmilla, aber wenn, dann ich möchte arbeiten mit der deutschen Hausbiene. Du kannst sie zunächst ja probeweise beschäftigen, sagte ich, deine Michaela wird gewiß nichts dagegen haben.

So nachdrücklich ich ihn auch bat, Ludmilla eine Chance zu geben: Tim konnte oder wollte sich nicht dazu entschließen – zumindest so lange nicht, wie er bei mir war. Nachdem er sie jedoch nach Hause gebracht hatte – die Mackensen-Kaserne lag an seinem Weg –, rief er mich noch spät an. Er war begeistert, war überwältigt von Ludmillas schlichter Schönheit, von ihrer Erscheinung, er dankte mir für die Vermittlung und gestand, daß er sie bereits zu Probeaufnahmen bestellt hatte. Ein Bergsee, sagte er unvermittelt, und als ich fragte: Ein

1483

was?, sagte er: Wenn du ihre Augen siehst, hast du das Gefühl, in einen einsamen Bergsee zu blicken. Ich sagte: Es freut mich, Tim, daß du ihr eine Chance gibst, sie hat das Geld wirklich nötig. Sei unbesorgt, sagte Tim, Ludmilla wird sehr gut ankommen, sie wird ihren Weg machen; sie hat Ausstrahlung; wenn jemand wie sie einen Kürbis schneidet, glaubt jeder sofort, einer heiligen Handlung beizuwohnen.

Zaghaft, weil er mich an der Arbeit vermutete, fragte Pützmann: Herr Boretius? Da ich nicht gleich antwortete, fragte er lauter: Herr Boretius? Mein Einnahmeheft lag aufgeschlagen vor ihm, in einer Hand hielt er eine Kontrollmitteilung der Rundfunkanstalt, in der anderen einen Bleistift. Ich wußte nicht, was er bemängelte, ich fragte: Stimmt etwas nicht? Sie haben hier in der Sonntags-Sendung gesprochen,»Gedanken zur Zeit«; ihr Thema hieß:»Vergebliche Aufklärung«; erinnern Sie sich? Selbstverständlich, sagte ich, das Echo war bemerkenswert; ich habe zu ergründen versucht, warum in einer von den Wissenschaften erleuchteten Welt der Aberglaube nicht ab-, sondern zunimmt. Warum, trotz eines beispiellosen Zuwachses an rationaler Erkenntnis, die Mysterien blühen. Zum Schluß hab ich Dostojewkis Großinquisitor zitiert, der erklärt hat, warum der Mensch immer nach Wundern verlangen wird, verstehen Sie? Pützmann blickte unbeweglich auf die Kontrollmitteilung und sagte: Die sechshundert Mark, Ihr Honorar, sind nicht als Einnahme ausgewiesen. Das kann nicht sein, sagte ich, worauf er mir stumm mein Einnahmeheft zuschob und auf den Monat April deutete. Vier magere Beträge waren da angegeben, doch das fette Honorar für meine Gedanken zur Zeit fehlte tatsächlich. Es ist mir rätselhaft, sagte ich und fragte: Was machen wir denn nun? Statt mir präzis zu antworten, wischte er eine ausgesonderte Quittung heran – Strauß für Dolmetscherin – und klärte mich darüber auf, daß Blumengeschenke nur bis zu einem Betrag von fünfzig Mark steuerlich absetzbar sind: die überzähligen sechs Mark könnten leider nicht anerkannt werden. Das waren diese drei Gerbera, sagte ich, diese drei mit den schwächlichen, drahtgestützten Stengeln, die ich nur aus Mitleid nahm. Pützmann überhörte meine Bemerkung, den allzu diskret geratenen Spott; vermutlich war er andere Reaktionen gewohnt, erregte, lautstarke Gegenfragen, grollende Proteste, denen er, daran gab es für mich keinen Zweifel, am Ende ihre Nutzlosigkeit bewies. Ich sah auf seinen feisten, von kleinen Narben gesprenkelten Nacken hinab und ließ ihn allein.

Mit einer Willensanstrengung, die ich mir in sieben Jahren antrainiert hatte, verdrängte ich Pützmanns Anwesenheit und versuchte, mich auf die »Wegbeschreibung« zu konzentrieren. Wie geschichtsträchtig unsere Straßennamen waren, was alles sie in Erinnerung riefen: entlegene Siege der Namensgeber, ihre politischen Verdienste und ihre gescheiterten Reformen; aber sie verwiesen auch auf historische Verhängnisse und auf das Bedürfnis, prekäre Ereignisse durch Umbenennungen vergessen zu machen. Auf einmal wußte ich es, plötzlich fiel mir ein, daß ich, bevor ich zur Mackensen-Kaserne hinausfuhr, mein Honorar an der Kasse abgeholt und die Bescheinigung in die Brusttasche meiner wetterfesten Jacke gesteckt hatte. Von dem Honorar kaufte ich den Strauß für Ludmilla, den ich selbst zusammenstellte zur Freude der Floristin, die mein kompositorisches Geschick lobte. Die Quittung, die sie mir ausstellte, steckte ich in meine Brieftasche.

Nicht allein Ludmilla, all ihre Leute versicherten mir, daß es der schönste Strauß sei, den sie je gesehen hätten; als Vase nahm sie einen Marmeladeneimer, den Igor aus der Kantine holte und kunstvoll mit Stanniolpapier beklebte. Sie betrachteten den Strauß als Glückwunsch, denn sie hatten tagsüber erfahren, daß ihr Aufenthalt in der Kaserne sich dem Ende näherte, sie kannten auch bereits den Namen des Ortes, in den sie ziehen sollten, eine Siedlung am Rande der Lüneburger Heide, Uhlenbostel. Sergej Wassiljewitsch, Ludmillas Vater, hatte sich schon einen »Führer durch die Lüneburger Heide« beschafft, hatte ihn auch, wie er sagte, mit gutem Eifer studiert, zeigte sich aber enttäuscht, da er nichts über jagdbare Tiere hatte finden können. Als Ludmilla und ich aufbrachen, lud er mich für mindestens eine Woche nach Uhlenbostel ein.

Wir fuhren in die Stadt, ich zeigte Ludmilla das Rathaus, die berühmten Hotels, ich führte sie an die Alster und an die Außenalster und wunderte mich, daß ich ihr so viel erklären konnte. Sie brachte für meine Erklärungen nur höfliches, pflichtschuldiges Interesse auf, doch dann standen wir auf der Krugkoppelbrücke, und beim Anblick des Zweier-Kanus, das unter uns vorüberglitt – sanft und geräuschlos und wie an einer Schnur gezogen –, leuchtete ihr Gesicht auf. Sie war so erfreut, daß sie dem jungen Burschen, der lässig das Stechpaddel hielt, zuwinkte. Als das Kanu auf den Steg des Bootsverleihers zuhielt, sagte Ludmilla: Auf dem großen Fluß Tschulym ich hatte auch ein Kanu, manchmal man glaubt zu gleiten, manchmal zu schweben.

Ich mietete das Kanu für zwei Stunden. Ludmilla wollte das Steuerpaddel führen. Es war windstill. Feine Ölspuren funkelten auf dem Wasser, Eiderenten schnitten unseren Kurs, gemächlich, genau kalkuliert. Wir fuhren unter der Brücke hindurch und scherten in den Kanal ein, dessen Ufer mit Pfählen befestigt war. In den stillen, zum Wasser abfallenden Gärten saßen alte Leute unter Sonnenschirmen. Um einem weißen Motorschiff auszuweichen, lenkte Ludmilla das Kanu aus der Kanalmitte auf eine mächtige Trauerweide zu, deren dichtes, hängendes Geäst bis ins Wasser reichte. Ich stoppte unsere Fahrt, indem ich in das schlanke Geäst griff und festhielt. Die Wellen des Motorschiffes hoben unser Kanu leicht an, brachten es zum Tänzeln, und jetzt entdeckte Ludmilla den toten, dümpelnden Fisch, eine schwere Brasse, die sie erfolglos mit dem Paddel ins Boot zu heben versuchte. Zu schwer, sagte sie, zu glatt, und wollte es aufgeben. Ich drehte mich um, kroch behutsam zu ihr und forderte sie zu einem gemeinsamen Versuch auf, doch anstatt den Fisch einzuklemmen, behinderten sich unsere Paddel, stießen aneinander, überlagerten sich in konkurrierenden Bemühungen, und als ich die Beute mit einem flachen Schlag in Griffweite heranzwingen wollte, schwankte das Kanu so heftig, daß wir uns aneinander festhielten. Überwältigt von plötzlicher Nähe, küßte ich Ludmilla, küßte sie schnell durch den Vorhang aus hängendem Weidengeäst, das Lichtsplitter über ihr Gesicht huschen ließ. Ludmilla schien nicht überrascht.

Das Gesicht ihr zugewandt, blieb ich in unveränderter Stellung sitzen, während sie uns mit sachten Paddelschlägen ins Gleiten brachte. Bereitwillig erzählte sie von ihrer Arbeit mit Tim, von seiner Wunderküche, seiner Phantasie, seiner Ausdauer beim Photographieren; obwohl sie ihm erst wenige Male assistiert hatte, glaubte sie bereits entdeckt zu haben, worauf es bei seiner seltsamen Tätigkeit ankam. Und was ist das? fragte ich. Ludmilla dachte einen Augenblick nach und sagte dann: Alles, was Tim erfindet und schön auf den Teller bringt, es ist gedacht für Leute, die schon satt sind. Armut will nur satt werden, aber das gilt nicht für Tim. Er arbeitet für die, die mit den Augen essen, er ist Appetitmacher für Leute ohne Hunger. Und sie lobte seine Geduld und seine Fröhlichkeit und erzählte, daß er sie immer beim Essen photographierte, wobei sie die Augen schließen mußte in versonnenem Genuß. Wörtlich sagte sie: Tim, er kann Komplimente regnen wie kein anderer. Ich weiß, sagte ich, ich weiß, aber auf seine Komplimente dürfen Sie nichts geben, er äußert sie nur deshalb, weil er nicht ganz zufrieden ist. Sie schüttelte den Kopf, als könnte sie mir nicht glauben, und sah über mich hinweg.

Wie gefühlvoll sie das Paddel führte, einstach, ausbrach und dabei mit einer kleinen steuernden Bewegung Kurs hielt; so, zu ihren Füßen auf dem Boden des Kanus hockend, ihre Erscheinung fortwährend im Blick, wäre ich bereit gewesen, über sämtliche Wasserwege Hamburgs zu gleiten. Wir fuhren an privaten Stegen vorbei, an denen Ruderboote vertäut waren, und dort, wo ein öffentlicher Wanderweg neben dem Kanal hinlief, stieß Ludmilla das Paddel auf einmal so kraftvoll ins Wasser, bremste so energisch ab, daß das Kanu alsbald still lag. Sie deutete voraus, auf ein geschichtetes, ringförmiges Schwanennest, vor dem ein zottiger schwarzer Hund stand, geduckt, anscheinend zum Angriff bereit. Der Schwan stand auf dem Nest, stand da mit flach gerecktem Hals und stieß kurze klickende Laute aus – Warnlaute. Sobald der Hund – wie zur Probe – einen Sprung nach vorn machte, öffnete der Schwan seine Schwingen, wuchs breit und drohend auseinander, und da der Hund sich nicht abschrecken ließ, machte er ein paar peitschende Bewegungen, die ein hohes Pfeifgeräusch hervorriefen. Meine Versuche, den Hund durch Gesten und harte Befehle zu vertreiben, waren erfolglos, unterbrachen nicht seine wütende Angriffslust. Wie sehr ich mir einen Stein, einen Knüppel wünschte!

Plötzlich, nie werde ich's vergessen, erklang neben mir ein Ton, ein dunkler, elegischer Heulton, ein Ton der Klage und des resignierten Verzichts, und ich sah, wie der Hund schreckhaft erstarrte. Der klagende Ton schwoll an, jetzt schien er etwas bekanntzugeben, schien zu fordern, und während mir ein Schauer über den Rücken lief, glaubte ich ein weites Schneefeld unter dem Mond zu sehen, über das gedrungene Schatten zu einem Wald flohen. Der Hund warf auf einmal den Kopf zurück, brachte aber keinen Ton hervor; nach einem Augenblick, in dem er wie gebannt dastand, klemmte er den Schwanz ein und zog sich zurück. Nachdem sich der Schwan auf dem Nest niedergelassen hatte – achtsam, plusternd und so unerregt, als sei nichts Bemerkenswertes geschehen –, wandte ich mich Ludmilla zu. In meine wortlose Verblüffung hinein sagte sie lächelnd: Ist ihre Ursprache; alle großen Hunde verstehen sie. Vielleicht ist es nützlich, diese Sprache zu lernen, sagte ich und fragte: Sind Sie bereit, mir Stunden zu geben? Mit Freude, sagte Ludmilla, und für Sie kostenlos.

Weil die Stille nichts Gutes verhieß, betrat ich unter einem Vorwand die Küche. Pützmann blickte nicht auf, er schien mich kaum wahrzunehmen, doch als ich die Flasche mit dem Mineralwasser öffnete, machte er mich, auf den Tisch hinabsprechend, darauf aufmerksam, daß in der beruflichen Fortbildung nur steuerlich absetzbar sei, was einen unmittelbaren Bezug zu ausgeübter oder beabsichtigter Tätigkeit habe, also zum Beispiel Sprachunterricht für den Beruf des Fremdsprachen-Korrespondenten. Die beiden Eintrittskarten, die zum Besuch des Museums für Kunst und Gewerbe berechtigten, könne er leider nicht anerkennen, er sehe in diesem Fall nicht die Absicht der Fortbildung.

Ich zwang mich zur Ruhe, ich sagte: Die Ausstellung war der Geschichte der Fußbekleidung gewidmet, der Fußbekleidungskunst. Also Schuhe, sagte er gutmütig. Ja, sagte ich, Schuhe, nach Ihrem Verständnis nur kurzlebige Wirtschaftsgüter. Aber in dieser Ausstellung wurde einem vor Augen geführt, was dem Menschen Halt und Schutz gab, womit er Wüsten und winterliche Tundren durchquerte, was ihn wärmte und ihn vor dem Absturz bewahrte beim Ersteigen der Gebirge. Kennen Sie die soziale, die gesellschaftliche Bedeutung der Fußbekleidung? Haben Sie schon etwas vom hierarchischen Wert der Schnallenschuhe erfahren, des Schnabelschuhs, des Stelzenschuhs? Diese Ausstellung zeigte nichts weniger, als daß menschliches Leben auch an der Geschichte der Fußbekleidung ablesbar ist. Pützmann nickte, er schien einverstanden, doch dann fragte er: Aber inwiefern betrachten Sie diesen Ausstellungsbesuch als Fortbildung, als Fortbildung für einen Schriftsteller? Sehen Sie, sagte ich, wir sammeln Erfahrungen, ohne zunächst zu wissen, wann sie verwendbar sind, absichtslos. Und das ist meine Art der Fortbildung: ich verproviantiere mich mit Erfahrungen für einen Notfall, für einen Ausdrucksnotfall. Pützmann schwieg, offenbar erwog er etwas, konterte eines durch ein anderes; dann sagte er: Wenn es so ist ... In diesem Augenblick erinnerte ich mich des Ratschlages, den mir der große Lasarek gegeben hatte: Wenn sie dich prüfen, hatte er mir empfohlen, wirf ihnen einen Knochen hin, gönn ihnen einen kleinen Sieg, ihr Triumph wird dir nützlich sein. Schnell sagte ich: Also einverstanden, vielleicht ist Fortbildung doch ein zweifelhafter Wert, zumindest für mich. Ich sagte es, nahm die Eintrittskarten vom Tisch und wollte sie einstecken, aber Pützmann forderte sie zurück. Ich glaube, es läßt sich verantworten, sagte er.

Hand in Hand verließen wir die Ausstellung im Museum für Kunst und Gewerbe. Ludmilla war begeistert, war verwundert und übermütig, und als wir an einer Ampel warten mußten, zeigte sie plötzlich auf meine Schuhe und dann auf ihre Schuhe, drückte ihr rechtes gegen mein linkes Bein, so daß unsere Schuhe sich berührten, und kopfschüttelnd und mit gespieltem Befremden sagte sie: Was die alles hinter sich haben, und was sie könnten erzählen aus ihrer Geschichte. Und von Wegen und Zielen, sagte ich. Und vom Gehen im Sand und auf Glatteis und manchmal auch im Sumpf, sagte Ludmilla. Und vom Überqueren einer Kreuzung unter Lebensgefahr, sagte ich und zog sie entschlossen mit mir.

1489

Wir schlenderten in Richtung zum Hauptbahnhof. Wir umrundeten zwei krüppelfüßige Tauben, die ergebnislos an einer langen, anscheinend harten Brotrinde herumpickten. Dann standen wir vor dem Kiosk, und ich sah sie sofort, erkannte sie auf den ersten Blick unter hundert Titelbildern, mit denen der Kasten bepflastert war. All die flachen, hübschen, geheimnislosen Gesichter – Ludmilla bewies ihnen ihre Alltäglichkeit, verdrängte, überstrahlte sie. Nichts an ihrem Gesicht wirkte zurechtgemacht; wissend, mit ihrer träumerischen Verschmiztheit, blickte sie vom Titelblatt der »Feinschmeckerin« – Tim hatte sie lediglich dazu gebracht, ihre Lippen geschlossen zu halten. Ich kaufte drei Exemplare der »Feinschmeckerin«. Ich gratulierte Ludmilla und küßte sie auf beide Wangen und war erstaunt über die Gelassenheit, mit der sie meinen Glückwunsch entgegennahm; anscheinend war ihr nicht aufgegangen, wieviel es bedeutete, auf ein Titelblatt geraten zu sein. Ich legte meinen Arm um ihre Schulter, und sie war einverstanden. Sie stimmte mir auch zu, als ich ihr vorschlug, eine große Portion Eis zu essen.

An dem dunkel gemaserten Marmortisch breitete ich die »Feinschmeckerin« aus, betrachtete Ludmilla, die mit vorgebundenem Schürzchen vor einem blitzblanken Herd stand und um Aufmerksamkeit für eine silberne Speisenplatte warb, auf der mehrfarbig und durchaus kunstvoll ein Hauptgang arrangiert war Während ich das Kunstwerk auf mich wirken ließ, sagte Ludmilla: Tim hat es komponiert. Das sieht man, sagte ich, vermutlich geschnetzelter Albatros mit Gemüseperlen und Schokoladensauce. Du hast vorbeigeraten, sagte Ludmilla fröhlich, auf der nächsten Seite Tim hat erklärt, was es ist: Tatar vom Steinbutt mit Artischockenherzen und Safranreis. Nach den

Aufnahmen ich habe es selbst probiert. Ich nahm ihre Hand, fühlte nach ihrem Puls und sagte: Gott sei Dank, du hast es überlebt.

Der Kellner, der uns das Eis brachte, bemerkte offenbar nicht, daß das Titelbild der »Feinschmeckerin« leibhaftig neben mir saß; wortkarg servierte er unsere Portionen und kassierte gleich ab, eine sonderbare, mir bisher unbekannte Art der Enttäuschung hinterlassend. Verblüffung war das mindeste, was ich von ihm erwartet hatte. Ludmilla schien unberührt von der ausgebliebenen Identifizierung, sie löffelte ihr Eis, löffelte rasch und immer rascher, und dabei blickte sie ein paarmal an mir vorbei zu einem Geschäft hinüber, einem Geschäft für Haushaltswaren. Und auf einmal stand sie auf und entschuldigte sich für einige Minuten und steuerte zielstrebig, mitunter durch den Verkehr tänzelnd, auf das Geschäft zu. Ihr nachblickend, merkte ich, wie besorgt ich um sie war.

Das Paket, das sie vor mich hinstellte, war in lindgrünes Geschenkpapier eingeschlagen, auf dem etwas groß geratene Bienen im Kreuzundquerflug abgebildet waren. Für dich, Heinz, sagte Ludmilla leise, möchte ich dir danken mit einer Kleinigkeit. Aber wofür denn, fragte ich, es gibt doch keinen Grund, mir zu danken. Es genügt, wenn *ich* den Grund kenne, sagte sie und fügte hinzu: Wenn du willst, du kannst es auspacken; ich hab es zum ersten Mal bei Tim gesehen. Ich löste die Schnur, schlug das Papier auseinander und brachte den Karton zum Vorschein, auf dem tatsächlich ein Dampfkochtopf abgebildet war. Ich war so überrascht, daß ich nur fragen konnte: Was ist das denn? – worauf Ludmilla mir mit glücklichem Eifer die bei Tim gelernten Vorzüge des Dampfkochtopfes schilderte. Du mußt ihn ausprobieren, sagte sie, mit Dampf gegart, da erhält sich jedes Aroma in ursprünglicher Reinheit; das Wasser saugt aus, es stiehlt sich immer ein bißchen, aber der Dampf, er nimmt nichts fort, er macht, daß jedes Aroma siegt. Tim hat gesagt: Mit dem Dampfkochtopf wir huldigen der Natur. Während ich die auf dem Karton gedruckte Gebrauchsanweisung las, erzählte Ludmilla, daß Tim ihr den ersten Vorschuß gegeben und ihr gestern geraten hatte, über die Versteuerung des Betrags mit mir zu sprechen. Fast bin ich schwindlig geworden beim Zählen, sagte sie.

Und dann fragte sie: Freust du dich?, und ich sagte: Aber gewiß, und ich würde mich noch mehr freuen, wenn wir das Ding gemeinsam ausprobierten. Das machen wir, sagte Ludmilla, nach der nächsten Unterrichtsstunde wir werden alles besprechen. Ich wußte nicht, was ich noch sagen sollte, als Ludmilla mir dafür dankte, daß ich ihr Geschenk annahm.

Auf die Klopfzeichen an der Tür sagte ich automatisch: Herein, doch es war nicht Pützmann, der in mein Zimmer trat, sondern Kapitän Brodersen. Er fragte, ob er bei mir einen guten Klebstoff bekommen könne; er war beim Gießen der Lästerzungen einem der Möpse aus Porzellan zu nahe gekommen. Ich war froh, meinem Wirt helfen zu können, und fand, ohne lange suchen zu müssen, den Alleskleber. Bevor er mich verließ, linste er in die Küche und fragte laut: Ist das einer von der Zunft? Macht der auch Bücher? Ein Betriebsprüfer, sagte ich, er prüft meine Steuern. Na, so einer schmeckt uns gerade, was? sagte Kapitän Brodersen. Er zwinkerte mir zu, und ohne seine Stimme zu senken, sagte er: Nur nicht den Kopf einziehen, wir haben genug Stürme abgeritten; wenn Not am Mann ist, stehe ich zur Verfügung. Ich öffnete ihm die Tür. Ich sagte so laut, daß Pützmann mich verstehen konnte: Es gibt auch verständnisvolle Prüfer. Ein schneller Blick in die Küche zeigte mir Pützmann bei stirnrunzelnder Addition.

Die nächste Unterrichtsstunde in der Mackensen-Kaserne nahm einen unerwarteten Verlauf. Ich hatte vor, meine Zuhörer mit dem Thema: »Steuern und Abgaben in der Bundesrepublik Deutschland« oberflächlich bekannt zu machen, sie zumindest notdürftig einzuweisen in die ausgetretenen Pfade des Gesetzes-Dschungels, doch gleich zu Beginn hielt ein listiger Alter, ein ehemaliger Gerbermeister, ein Exemplar der »Feinschmeckerin« hoch und schlug Ludmilla und mir vor, über Speisen zu sprechen. Da sein Vorschlag von den anderen Zuhörern freudig unterstützt wurde, blieb uns nichts anderes übrig, als Tims phantasievolle Gerichte zu erläutern. Ich bewunderte Ludmilla, die, von aufkommender Heiterkeit angesteckt, vergnügt interpretierte und für nie gehörte Namen Äquivalente fand. Es gelang ihr, Kalbsessenz in Avocadoschalen ins Russische zu übersetzen, sie ließ die Zuhörer ahnen, wie mit Pflaumen gefüllte Tauben in Rosmarinsauce schmecken, und mit Hilfe einer Umschreibung erklärte sie ihnen, was Schildkrötenconsommé ist. Die Zuhörer stießen sich an, sie glucksten, eine massige Frau schüttelte sich wie in Abwehr, und Sergej Wassiljewitsch bekam einen verlorenen Blick, als lauschte er der Wirkung eines unbekannten Gifts in seinem Körper. Der Gerbermeister reichte die Zeitschrift weiter, die nun von Hand zu Hand ging, alle vertieften sich ins Titelbild, verglichen es unwillkürlich mit der leibhaftigen Ludmilla, und ein Lächeln der Zuneigung und Anerkennung erschien auf manchen Gesichtern. Ohne Zweifel lag es an Ludmillas Bild, daß die Diskussion sich belebte; auch Zuhörer, die sonst nur in stummer Ergebenheit dasaßen, mit dem Gleichmut, der von gemeistertem Leben in schwersten Lagen zeugte, beteiligten sich, wollten etwas über die Konservierung von Lebensmitteln wissen und über die Bekömmlichkeit einer gewissen Chemie.

1492 Als wollten wir uns noch über das Thema der nächsten Unterrichtsstunde verständigen, blieben Ludmilla und ich in der ehemaligen Kleiderkammer der Kaserne, während unsere Zuhörer, angeregt wie noch nie zuvor, den Raum verließen. Endlich waren wir allein. Wir sahen uns an. Ohne ein Wort gingen wir aufeinander zu und küßten uns. Freust du dich? Ich freu mich! Da sie mit Tim verabredet war und ich noch eine Aufnahme im Funk hatte – »Gedanken zur Zeit: Über das Bedürfnis nach Gewißheit« –, gab ich Ludmilla meinen zweiten Wohnungsschlüssel, nur für den Fall, daß es regnete und ich noch nicht zu Hause wäre. Mach's dir schon gemütlich, sagte ich und versprach, mich zu beeilen. Bevor ich zur Aufnahme fuhr, kaufte ich ein, vor allem Gemüse, an dem der Dampfkochtopf sich beweisen sollte: junge Erbsen, denen er ihre verborgene Süße bestätigen würde, Karotten, Kohlrabi; dazu besorgte ich Schweinerippchen. Ich trug alles nach Hause, und da mir Zeit genug blieb, putzte und wusch ich noch das Gemüse und deckte den Tisch.

Meine Aufnahme verzögerte sich. Das Studio war von einer eilig zusammengerufenen Diskussionsrunde besetzt, die die möglichen Folgen eines politischen Attentats erörterte. Dann las ich meinen Text; ich versuchte zu beweisen, daß uns die Gewißheiten, die uns einst die Religion verschaffte, nicht mehr zufriedenstellten; daß uns aber auch die Wissenschaften, auf die wir so viele Hoffnungen setzten, keine dauerhaften Gewißheiten brachten. Überzeugt davon, daß unsere Einsichten nur vorläufig, unsere Kenntnisse überholbar seien, plädierte ich für den Zweifel als Grundhaltung des Lebens. Der Toningenieur versicherte mir, daß er sich nicht einen Augenblick gelangweilt habe.

Länger ist mir eine Heimfahrt noch nie vorgekommen als an jenem Abend. Fast wäre ich in Altona einen Bus-Stopp zu früh ausgestiegen. Beim Anblick der erleuchteten Fenster verlangsamte meine Schritte, unwillkürlich versuchte ich mir vorzustellen, wie ich Ludmilla antreffen würde – lesend? schlafend? in der Küche hantierend? Leise schloß ich auf, nicht nur im Zimmer, auch in der Küche brannte Licht. Ludmilla war nicht da. Was war geschehen? Warum hatte sie meine Wohnung verlassen? Der nächste Schritt brachte mir den Beweis, daß sie dagewesen war; ich trat auf etwas Hartes und hob den Schlüssel auf, den ich ihr gegeben und den sie durch den Briefschlitz in der Tür geworfen hatte. Sie war dagewesen, ich erkannte es auch an den zerdrückten Kissen auf der Schlafcouch, an dem Trinkglas, das auf dem Kühlschrank stand. Da ich es für ausgeschlossen hielt, daß sie gegangen war, ohne einen Gruß, eine Nachricht zu hinterlassen, suchte ich den zugewachsenen Schreibtisch ab, suchte in der Küche und auf dem Buchregal, doch ich fand nichts, kein Zeichen, keine Erklärung. Ich rief Tim in seiner Experimentierküche an, wo er noch zu abendlicher Zeit an der Verfeinerung des allgemeinen Geschmacks arbeitete. Tim war erstaunt, daß Ludmilla nicht bei mir war; Tim sagte: Und ich glaubte euch seit Stunden bei einem Liebesmahl nach Hausmannsart. Er sagte auch: Vielleicht will sie nur noch etwas besorgen, wart nur ab. Nachdem ich noch nahezu zwei Stunden gewartet hatte – grübelnd und bei jedem Schritt aufspringend, den ich hinter dem Fenster hörte –, räumte ich den gedeckten Tisch ab, stopfte alles, was für den Dampfkochtopf gedacht war, in das Gemüsefach des Kühlschranks und legte mich angezogen auf die Schlafcouch.

Fast hätte ich Pützmanns Stimme nicht erkannt, sie klang unsicher, schüchtern beinahe, als er mich zu sich rief und mich zu meinem Erstaunen bat, ihm meine Novelle »Die Einbürgerung« für ein paar Tage zu leihen; er versprach, sie gleich nach der Lektüre zurückzuschicken. Mein Erstaunen hielt an. Er zielte mit seinem Kugelschreiber auf einen Beleg, den ich mir für eine repräsentative Pralinenschachtel hatte geben lassen, ein Geschenk für die verantwortliche Sachbearbeiterin auf dem Bezirksamt, die mir bereitwillig die Probleme der Einbürgerung erläutert hatte. Es geht hier um ein Geschenk, sagte Pützmann. Um selbstverständlichen Dank, sagte ich, um einen Dank für Informationen, ohne die ich meine Novelle nicht hätte schreiben können. Gut, gut, sagte Pützmann, das ist ja auch nicht zu beanstanden, doch statt den Namen der Sachbearbeiterin auszuschreiben, haben Sie nur ihre Initialen genannt: J. F. Könnte es sein, daß die Dame Julia Freese heißt? Sie heißt so, sagte ich. Anscheinend konnte er nicht verhindern, daß ein bedauerndes Lächeln über sein Gesicht glitt, und ohne daß ich ihn danach gefragt hätte, sagte er: Wir waren einmal

Verbündete, Frau Freese und ich. Wir schrieben gemeinsam mehrere Artikel, in denen wir uns für das Streikrecht von Beamten einsetzten. Kennen Sie unsere Zeitschrift »Der junge Beamte«? Nicht? Na, jedenfalls schrieben wir für diese Zeitschrift und unterzeichneten jeden Artikel mit unseren beiden Namen. Pützmann bedachte sich, schüttelte den Kopf, als könnte er nicht verstehen, was danach geschah. Um ihm mein Interesse zu bekunden, fragte ich, ob die Verbindung immer noch bestehe, worauf er eine Weile schwieg und dann mit sachlicher Stimme feststellte: Ein Problem brachte uns zusammen, und als es nicht mehr existierte, endete die Zeit der Gemeinsamkeit; so ist es mitunter. Offenbar fürchtete er auf einmal, zuviel von sich selbst preisgegeben zu haben, denn er beachtete mich nicht mehr und widmete sich abrupt meinen Einnahmen.

Am Schreibtisch sah ich es ein: es war hoffnungslos, die Arbeit an der »Wegbeschreibung« fortzusetzen. Pützmanns Gegenwart lenkte mich zu sehr ab, versetzte mich in einen Zustand unruhiger Bereitschaft. Ich beschloß zu warten – auf die Schlußbesprechung, die am Ende einer Prüfung steht und die, nach allem, was ich erfahren habe, für den Geprüften niemals gut ausgeht. Und während ich wartete, dachte ich an die kühlen Blocks der Mackensen-Kaserne, hörte wieder meinen Schritt auf dem Korridor, an dem die Stube der Fiedlers lag. Da Ludmilla sich weder bei Tim noch bei mir gemeldet hatte, fuhr ich hinaus, in der Gewißheit, daß ich sie bei ihren Leuten finden würde. Ich mußte erfahren, warum sie grußlos fortgegangen war. Welch ein Aufruhr! Welch eine stumme Geschäftigkeit! Schwer bepackte Männer und Frauen kamen mir auf dem Korridor entgegen, sie schleppten Bündel, Kartons, geschnürte Pappkoffer, ein Paar trug einen alten geflochtenen Strohkorb, dessen Gewicht sie fast niederzwang, eine Frau hielt in ihren Armen eine Wanduhr wie ein schlafendes Kind. Keine Rufe waren zu hören, keine Ermunterungen, niemand hielt zur Eile an. Ruhig schleppten sie ihre dürftige Habe, die sie in einer anderen Welt ausgewählt und gepackt hatten, zu den Umzugstransportern hinab, die auf dem Kasernenhof standen. Obwohl der Notaufenthalt für sie vorüber war und die bevorstehende Reise in ein dauerhaftes Zuhause führte, herrschte keine heitere Aufbruchsstimmung.

Vor der Stube, in der Fiedlers gewohnt hatten, stieß ich mit Sergej Wassiljewitsch zusammen, der sich eine hölzerne, blau-gelb bemalte Truhe aufgeladen hatte. Es schien die letzte Last zu sein, die er fortschleppte, denn an ihm vorbeiblickend sah ich sofort, daß der Raum leer war, bedrückend leer. Er ächzte. Er musterte mich schnell aus den Augenwinkeln. Er war nicht bereit, die wuchtige Truhe abzusetzen. Das einzige Wort, das er zur Begrüßung herauspreßte, hörte sich an wie »Professor«. Ich bot ihm an, die Truhe gemeinsam zu tragen; er lehnte es blickweise ab und strebte mit einem vom Gewicht beschleunigten Gang der Treppe zu. Stufe für Stufe begleitete ich ihn hinab und auf den Hof hinaus und zu dem Umzugstransporter. Hier konnte ich ihm helfen, die Truhe auf die Ladefläche zu schieben. Mineralien, sagte er und verschnaufte und fügte nach einer Weile hinzu: Alles Andenken an nutzlose Reichtümer.

Er ahnte nicht nur, er wußte, daß ich Ludmilla suchte, und um meiner Frage zuvorzukommen, erzählte er, daß sie und Igor mit dem Frühzug vorausgefahren waren, nach neuer Heimat Uhlenbostel. Er kletterte auf die Ladefläche, begann zu stauen, zu zurren, und ohne mich anzusehen, sagte er: Ludmilla hatte eine schlechte Nacht, aber am Morgen es ging ihr schon besser. Jetzt, wie sagt man, ist sie unser Vorauskommando, da braucht sie alle Hände und Sinne. Hat sie etwas hinterlassen für mich, fragte ich, eine Nachricht vielleicht oder nur einen Gruß? Vertieft in seine Tätigkeit, sagte er: Ich bedaure, Herr Professor, Ludmilla hat uns nichts aufgetragen. Ich verabschiedete mich nicht gleich, ich blieb noch stehen und sah ihm zu, wartete darauf, daß er seine Einladung, sie alle in Uhlenbostel zu besuchen, wiederholte, nicht so ungestüm wie einst, nicht für eine ganze Woche, aber doch so, daß mir die Aussicht blieb, Ludmilla bald wiederzusehen. Er erwähnte die Einladung nicht mehr.

Einen klaren Korn, wie ich ihn brauchte, wagte Pützmann nicht anzunehmen, doch da er mich ungeniert um eine Tasse Kaffee bat, setzte ich Wasser auf und blieb, bis es kochte, bei ihm in der Küche. Eine Hand auf dem Kessel, der sich unendlich langsam erwärmte, beobachtete ich Pützmann bei seiner Arbeit und überlegte, was ihn zu diesem Beruf gebracht haben könnte. War es mangelndes Eigenleben, so fragte ich mich, das nach einem Ausgleich verlangte bei der peniblen Durchdringung fremden Lebensstils? War es finanzpädagogischer Eros, der seine Erfüllung suchte in tadelloser Steuermoral des Staatsbürgers? Oder waren es die Wonnen legaler Schnüffelei, Neugierde, die ihre Sättigung im Aufspüren von Unkorrektheit fand? Sein volles, kindliches Gesicht ließ nicht einmal eine Vermutung zu, und die Geruhsamkeit, mit der er sortierte, addierte, verglich und benotete, widersprach jeder Annahme, er sei an lustvoller Aufdeckung von Unregelmäßigkeiten interessiert.

Als ich den Kaffee brühte, hob er das Gesicht und schnupperte und gestand mir, daß seine Aufmerksamkeit von Zeit zu Zeit »absacke« und er sich aufhelfen müsse mit einem inspirierenden Getränk. Ich weiß nicht, was man sich in Ihrem Fall wünschen sollte, sagte ich. Er hatte verstanden, er blickte mich belustigt an, und als fiele ihm prompt ein, was er bereits übersehen hatte, fischte er den Beleg für ein Tonbandgerät heraus und hielt ihn mir hin. Ein Aufnahmegerät, sagte ich, es ist für meinen Unterricht bestimmt und deshalb wohl absetzbar, oder nicht? Selbstverständlich, sagte Pützmann, was der unmittelbaren beruflichen Nutzung dient, ist anzuerkennen. Aus dem Beleg geht hervor, daß Sie sich für ein preiswertes Gerät entschieden haben; und da also auch die Verhältnismäßigkeit gewahrt ist, können Sie es steuerlich geltend machen. Das wollte ich meinen, sagte ich. Und dann fragte er: Darf ich das Gerät einmal sehen, und ich sagte: Aber selbstverständlich, es steht neben meinem Schreibtisch, es ist noch so gut wie unbenutzt.

Der Prüfer beugte sich über das Gerät, er nickte zufrieden, anscheinend einverstanden mit der bescheidenen Ausführung, mit der leicht beherrschbaren Technik. Gewiß hatte er nicht die Absicht, die Funktionsfähigkeit meines Geräts zu prüfen; leicht strich er darüber hin, und dabei drückte er wie aus Versehen die Wiedergabetaste und löste ein dunkles Rauschen aus. Sogleich suchte er nach der Stopptaste, doch noch ehe er sie fand, hörte das Rauschen auf, und eine unsichere, gehemmte Stimme war zu hören, Ludmillas Stimme. Vielleicht bemerkte Pützmann die Wirkung, die die Stimme auf meinem Gesicht hervorrief – die Ungläubigkeit, das schreckhafte Erstaunen –, jedenfalls verharrte sein Zeigefinger über der Stopptaste.

Ludmilla sprach zu mir, sie redete mich förmlich mit »lieber Heinz« an, schluckte, setzte nach einer Pause von neuem an, und ich spürte, wie sie sich zwingen mußte, weiterzusprechen. Ihr war ein Mißgeschick passiert; bei dem Versuch, ein Buch aus dem Regal zu ziehen, war ein Karton auf den Boden gefallen. Sie sagte: Was rausgeflattert ist, ich wollte es nicht lesen. Aber dann hatte sie doch einige der Belege gelesen, in jedem Fall die, aus denen sie erfuhr, welche Unkosten ich bei der Steuer geltend machen wollte. Ich war so gelähmt, so verzweifelt, daß es mir nicht gelang, die Stopptaste zu drücken. Zum Schluß sagte sie: Danke für alles. Ich will versuchen, mich an den Gedanken zu gewöhnen, daß man hier alles von der Steuer absetzen kann. Alles. Und nach einer Pause setzte sie hinzu: Traurig grüßt die abgeschriebene Ludmilla. Ein Schluchzer, ein Knacken, dann wieder das Rauschen.

Pützmann wandte sich ab und ging ohne ein Wort in die Küche, und ich brauchte mich nicht zu vergewissern, ich sah sofort, daß er sich noch einmal den Stapel mit den bereits kontrollierten Belegen vornahm. Ich ging ihm nicht nach. Ich wußte einfach nicht, was ich zu meiner Rechtfertigung hätte sagen können: ich wußte nur – plötzlich, unwiderruflich –, daß ich jede seiner Entscheidungen ohne Einspruch annehmen würde.

1995

Die Stunde der Taucher

Mutlos konnte man damals überall werden, wo sich die Hinterlassenschaft des Krieges zeigte. Angesichts zerbombter Häuser, vor gesprengten Brücken, auf zerstörten Bahnstationen und in der furchtbar stillen Geisterlandschaft gewaltsam ruinierter Stadtteile fragte ich mich unwillkürlich: Wann, wann wird dieses Erbe beseitigt werden? Wieviel Zeit wird hingehen, um den Schutt der jüngsten Geschichte zu entfernen? Welche Tatkraft muß aufgebracht werden, um wiederherzustellen, was dem selbstverschuldeten Krieg zum Opfer gefallen ist?

Undenkbar, daß es in einer einzigen Generation gelingen sollte, die Resultate einer tobsüchtigen Politik vergessen zu machen: Zu groß schieren die Zerstörungen, die Verwüstungen, zu unersetzbar die Verluste.

Und auch dort, wo das vermutete Herz Hamburgs schlägt: Auch im Hafen stellte sich Mutlosigkeit wie von selbst ein. Was sich dem Auge bot, kam mir vor wie ein monströser Friedhof: zerschmetterte Kaimauern, abgesoffene Docks, bizarr verrenkte Werften, Schiffsteile, zerrissen von der Wut der Explosionen, wie in endgültiger Trauer geknickte Kranhälse, und überall die aus dem Wasser ragenden Spieren gesunkener Schiffe. Diese zu zählen gelang mir nicht, und dennoch waren sie gezählt worden; die Hafenbehörde ermittelte, daß es – Schiffe und Schuten, Barkassen und Fähren, Jachten und Kräne zusammengerechnet – 2 830

Wracks waren, die nach dem Ende des Krieges auf dem Hafengrund lagen. Da lagen die »General Artigas« und der Frachtdampfer »Henry John«, das schwedische Schiff »Ranow« und das Wrack eines großen Passagierdampfers, das den Namen eines »Robert Ley« trug – auch sie fielen unter die kaum glaubhafte Zahl, ebenso wie der kleine Schlepper »Libau« und die gekenterte »Dockenhuden«. Der Hamburger Hafen schien nicht nur tot, er schien auch versperrt und blockiert zu sein, abgeschnitten von allen ergiebigen Seeverbindungen, von den heilen Häfen der Welt. 2 830 Wracks schienen auszureichen, um das Ende dieses traditionsreichen Hafens vorauszusagen: Aus geschichtlichem Dämmer brachten sich Alexandria und Trapezunt in Erinnerung. Nie, so glaubte ich, wirst du hier zu deiner Zeit fröhlich bewimpelte Luxus-Liner aufkommen sehen, wirst Kriegsschiffe freundschaftlich gesinnter Mächte besuchen dürfen, wirst womöglich, nach Maßgabe hansischen Temperaments, ein Hafengeburtstagsfest mitfeiern.

So, wie Hamburger überall in der Stadt ans Werk gingen, um sich von Trümmern und Schrott zu befreien, um Bombentrichter zu planieren, Dächer neu zu decken, Leitungen zu flicken, so fanden sich tatwillige Leute im Hafen zusammen, um Strom und Hafenbecken von dem mörderischen Nachlaß zu reinigen. Über See erreichbar sollte der Hafen werden, und darum mußte zunächst die Fahrrinne geräumt werden, in der es einst die »Weißenfels« erwischt hatte und die »Chios« und die »Wally Faulbaum«. Von vielen kaum bemerkt, mit den Gefahren ihres Berufes vertraut, begann unten an der Elbe die Stunde der Taucher.

Die Räumung konnte allerdings nicht beliebig, nicht nach eigenem Ermessen beginnen, es gab Rechte und Verordnungen, die respektiert werden mußten. Auch ein gesunkenes Schiff bleibt Eigentum der Reederei, und nach einer Hamburger Hafenverordnung ist der Eigentümer verpflichtet, das Wrack zu beseitigen. Etliche Eigentümer erhoben dagegen Einspruch, sie glaubten sich der Verpflichtung mit Hilfe des Arguments entziehen zu können, daß der Untergang ihres Schiffes ein »Act of God« war, also höhere Gewalt. In dieser Situation – und das sollte nicht vergessen werden – boten Engländer ihre Hilfe an: Sie bildeten eine »Salvation-Group«, und gemeinsam mit Hamburger Taucher- und Bugsier-Firmen stellten sie einen Plan auf, wie und nach welchen Regeln die vielen gesunkenen Schiffe geborgen werden konnten. Ausländischen Reedereien wurden zum Beispiel Termine zur Räumung der Wracks gesetzt; da diese nicht eingehalten werden konnten, entschloß man sich oft, die Rechte an den Wracks an den Hamburger Hafen abzutreten. Die Voraussetzungen waren jedenfalls geschaffen, die Bergung der Wracks – unter den 2830 waren immerhin 105 Seeschiffe, die mehr als 2000 BRT hatten – konnte beginnen.

Die Bergung konnte freilich nicht ohne die besonderen Kenntnisse beginnen, die zur Berufspraxis eines Tauchers gehören und mitunter über Leben und Tod entscheiden. Was allemal nötig ist, erfuhr ich damals im Hafen von einem erprobten Taucher, der in den Aufbauten eines Schiffes wohnte, die auf Land gesetzt worden waren. Von ihm lernte ich, daß der Helm aus getriebenem Kupfer ist und aus dem Kopfstück und dem Schulterstück besteht, die durch Schraubenbolzen miteinander verbunden sind. Das Kopfstück hat vier luftdicht schließende Fenster, rechts ist das Luftauslaßventil, ein Überdruckventil, das man selbst betätigen kann: Will man sinken, so drückt man mit dem Schädel auf den Knopf, will man hinauf, so dreht man an der Kapsel. Besorgt sein muß der Taucher, daß er das Helmventil nicht öffnet, wenn ein Unterdruck besteht; wird er bewußtlos und hält das Ventil mit dem Kopf offen, so kann er ertrinken. Da viele der Wracks im Schlick des Hafens festsaßen, sollte der Taucher darauf achten, daß er bei seiner Arbeit mehr Luft als üblich im Anzug hatte, einfach um den Auftrieb zu erhalten. Und bei der außergewöhnlichen Aufgabe, die vor den Hamburger Tauchern lag, durften sie nicht außer acht lassen, daß während der Unterwasser-Arbeit das Blut schneller fließt und verhältnismäßig viel Stickstoff aufnimmt – Stickstoff, den größten Feind des Tauchers. Vorsicht beim Aufstieg war also immer geboten – weniger beim Abstieg –, oft empfahl es sich, nach dem Aufstieg noch einmal auf halbe Tiefe zurückzugehen.

Die 13-Meter-Tiefe – so erfuhr ich – ist die wichtigste Grenze für einen Taucher; muß er schnell auftauchen – weil er etwa den Puls einer Kopfader zu hören beginnt, was an das Klopfgeräusch einer Schiffsschraube erinnert –, dann sollte er sich zunächst in einer Taucherdruckkammer auf halben Druck setzen lassen. Versäumt er es, werden sich in seinen Muskeln und Gelenken, werden sich in inneren Organen Blasen bilden; ein Ende der Berufsausübung ist absehbar.

Schließlich erfuhr ich etwas über die hergebrachte Signalsprache; also: ein Zug an der Leine – holt mich rauf; zwei Züge: mehr Luft; drei Züge: weniger Luft; vier Züge: wie abgemacht; fünf Züge: alles in Ordnung.

Wracks sind störrische Wesen; wo sie einmal festsitzen, da scheinen sie für alle Zeit bleiben zu wollen. Die Taucher fanden es bestätigt, als sie sich, ausgerüstet mit wasserdichter Handlampe, abkippen ließen oder hinabstiegen in das ölschillernde Wasser, in die Dunkelheit, die immer noch – wenn auch vereinzelt – todbringendes Gerät bewahrte: Magnetminen, Elektrominen, Geräuschminen. Sacht schwebten die Männer nieder auf die Decks und Bordwände, tasteten sich zur Brücke vor, inspizierten Passagier- und Fahrträume, stiegen in die Maschine hinab. Ihre Suche ließ ihnen keine Zeit, an Besatzungen, an Ziele und Schicksale zu denken, und doch wurden sie unwillkürlich darauf verwiesen durch das, was sich plötzlich ihren Blicken bot.

Im Bugraum der kleinen Fähre kauerten immer noch die Reste zweier Soldaten, neben ihnen lag ihr Gepäck, anscheinend Urlaubsgepäck, das vielleicht Mitbringsel aus einem der besetzten Länder enthielt. Der betagte Frachter, dem eine Bombe die Schanz durchschlagen hatte, war randvoll mit Kisten beladen, im Schein der Handlampe zeigten sich Konserven, Kohl- und Schmalzfleisch-Konserven, und hinter einem Schott lagerte ein Gebirge von Rif-Seife. Einem Taucher stockte der Atem, als er, auf einem ehemals norwegischen Transportschiff, die Überbleibsel von 30 Pferden fand, vermutlich Lastpferden, die einst auf verschneiten Gebirgswegen unserer Angriffsarmee gedient hatten. Damals konnten sie es sich nicht leisten, in Ballast zu fahren, man hatte der Ausrufung des totalen Krieges zugestimmt, und das schloß ein, daß jede Tonne Schiffsraum genutzt wurde. Die Wracks bewiesen es mit ihren Ladungen: Sie bargen Waffen und Autos, die für ferne Fronten bestimmt waren, sie enthielten Nahrung und Torpedos, die alliierte Geleitzüge dezimieren sollten, und sie dokumentierten die Tode, die gestorben wurden, als der Feuerregen über dem Hafen niederging, die Schiffe zerriß und auf Grund schickte.

Ich hab mir oft vorzustellen versucht, welche Empfindungen wohl einen Mann beherrschen, der in trübem Wasser durch ein Schiffsluk schwebt, Halt findet und feststellt, daß er auf einem Hügel von 28-cm-Schiffsgranaten gelandet ist.

Nachdem der Nachlaß des Krieges erkundet, das Risiko bestimmt, die Hilfsmittel beschafft waren, konnte die Arbeit beginnen, das heißt: die Räumung des Hafens, des Stroms.

Manchmal ging es schulmäßig, zumindest bei kleinen Schiffen. Lag der Schiffskörper günstig auf Grund, so wurde er an mehreren Stellen unterspült, die Taucher zogen Stahltrossen hindurch, die das Wrack unterfingen. Dann kreuzten die beiden Hebeschiffe auf, die sich ihre Namen mehr als verdient hatten. »Energie« und »Ausdauer« hießen sie, robuste, kantige, zerschrammte Fahrzeuge. Sie nahmen die Stahltrossen auf, und unter Aufbietung all ihrer Kraft hoben sie das Wrack an, das langsam zwischen ihnen auftauchte, umspült von ablaufendem Wasser. Dies war jedesmal ein Augenblick äußerster Spannung und Erregung: Je höher sich der Schiffskörper heraushob, desto größer wurde die Belastung. Hatten die Taucher unter Wasser ein Loch in der Bordwand schließen können, schwamm das geborgene Schiff allmählich auf, zerbeult und verwaschen, von Schlick bedeckt. War ein gehobenes Schiff nicht schwimmfähig, so wurde es, hängend zwischen »Energie« und »Ausdauer«, in mühsamer Prozession zum Eindocken geschleppt oder einfach in flaches Wasser und dort vorläufig abgesetzt.

Oft war die Bergung aber schwieriger, war risikoreicher und langwieriger. Wenn eine Hebung aussichtslos schien, mußte ein Wrack unter Wasser zerschnitten werden, mächtige Schiffsteile wurden an den Haken genommen, und der Kran setzte sie auf die Pier oder auf Pontons. Ich habe sie liegen sehen, die Überbleibsel von zerstörten Schiffen, Kessel- und Brückenteile, Wellen, Teile von Bordwänden, Schrauben, Heckplattformen für die Bordflak und Segmente von U-Booten, die aus dem Fahrwasser geborgen wurden. Was einst den Plänen größenwahnsinniger Herrschsucht diente, war nur mehr Krempel, ein Schrottgebirge. Die 16 U-Boote, die am Ende des Krieges noch fahrbereit von ihren Besatzungen versenkt worden waren, blieben für die Taucher unerreichbar. Sie lagen unter den viereinhalb Meter dicken Betonwänden der Bunker, die von den Alliierten gesprengt worden waren: gigantische Grabkammern, Kerkerbetten. Angesichts der Trümmer stellte Fassungslosigkeit die immergleiche Frage: Wie nur, wie konnte das alles geschehen?

Wenn sie unter Wasser nicht schneiden konnten, entschieden sich die Taucher zur Sprengung von Wracks. Wie stark die Ladung zu sein hatte und wo sie angebracht werden mußte: Sie wußten es, und sie wußten vor allem, daß sie bei einer Sprengung niemals unter Wasser sein durften. Sie wickelten das Kabel ab – immer besorgt, daß es nicht an ihnen hängenblieb – und tauchten auf und warteten; warteten, bis das Wasser im Hafen sich hob wie bei einem unterseeischen Beben. Manchmal schleuderte die Kraft der Explosion Fontänen empor, manchmal folgte der kalkulierten Zerstörung nur ein dumpfes Rumoren. Um die Transportfähigkeit der Wrackteile zu prüfen, stiegen sie wieder hinab, und wenn ein besonderer Druck auf dem Trommelfell sich bemerkbar machte, drückten sie die Nasen gegen das Helmfenster und machten berechnete Schluckbewegungen, so lange, bis es im Ohr knackte und das Trommelfell entspannt war.

Die beiden Hebeschiffe und Prähme stellten sich ein und holten die zerlegten Wrackteile ans Licht. Wo aber absetzen?

Der riesige Schiffsfriedhof gab so viel her, daß sich der Schrott auf den Piers und auf den Helligen türmte, es gab kaum noch Platz, um die geborgenen Reste der Unglücksarmada an Land zu deponieren. Es blieb den Tauchern nichts anderes übrig, als einen Parkplatz zu suchen, und sie fanden ihn vor Finkenwerder. Dort, wo einst Wasserflugzeuge starteten und landeten, auf dem sogenannten Wasservorfeld der Flugzeugwerke, versenkten sie wieder, was sie dem Grund abgewonnen hatten. Da wurde zusammengeschleppt, was nicht zusammengehörte, da ragten bei Ebbe Bruchstücke einer Gespensterflotte aus dem Wasser – allerdings nicht für immer und ewig oder gar als memento. Der Schrott von Schiffen, so zeigte es sich schon früh, war begehrt, er versprach ein Geschäft zu werden.

Und er wurde ein Geschäft. Nach kleinen alliierten Einheiten – Motortorpedobooten und schnellen Minensuchern, die zuerst die Elbe heraufkamen – legten bereits geräumige Schrott-Transporter im Hafen an, sie kamen aus dem Mittelmeer und selbst aus Ostasien, es hatte sich weltweit herumgesprochen, daß der Nachlaß des Krieges Gewinn abwarf. 50 Mark brachte eine Tonne Schrott am Anfang, als die Taucher noch gewaltige Mengen zutage förderten. Später, als der Hafen sich mehr und mehr von Wracks leerte, stieg der Preis auf 184 Mark. Selbstverständlich legten auch die Alliierten Hand auf einen Teil des Nachlasses: Alle Schiffe über 1500 Tonnen, gleichviel, ob sie gesunken waren oder noch schwammen, wurden als Kriegsbeute betrachtet.

Es war absehbar, daß der prekäre Unterwasser-Reichtum, den Hamburger Taucher in der Zeit der Not erschlossen, eines Tages hinter dem Horizont verschwunden sein würde. Flaute zeichnete sich ab. Als seine Firma in Schwierigkeiten zu kommen drohte, so erzählte mir ein Taucher, schickten sie Kommandos in fremde Gewässer; die arbeiteten in der Ostsee, die gesprenkelt war von Wracks, arbeiteten vor der finnischen und der schwedischen Küste. Sie stiegen hinab und mußten erfahren, daß auch eine bescheidene Rentabilität ausblieb. In freier See lagen die Wracks zu tief, und anders als im Hafen vereitelte oft schlechtes Wetter eine Bergung. Die Kommandos wurden zurückgezogen; für manch einen bedeutete dies, sein Taucherbuch für immer wegzulegen, den Helm und das Brustgewicht und den Schutzanzug abzuliefern.

Manchmal, wenn ich unten am Hafen bin, vor dem vielgesuchten Panorama, in dem alles in Bewegung aufgeht, in zielgerechtem Kurs, schiebt sich mir ein anderes Bild vor die schöne geschäftige Welt, oder es taucht vielmehr hinter ihr auf. Wie bei einem Palimpsest, wo unter dem Neuen eine alte Schrift erkennbar wird, hebt sich Vergangenes herauf. Und ich sehe sie wieder: all die zerrissenen, gekenterten Schiffe, ihre anklagenden Spieren, ihre Aufbauten, durch die das Wasser der Elbe strömt, sehe die vielen grünen Wracktonnen. Und wieder bringt sich die Stille in Erinnerung, die damals über allem lag. Die Stille eines Schiffsfriedhofs. Das Schicksal des Hafens schien besiegelt, endgültig.

Doch dann gingen die Hamburger Taucher ans Werk, und fünf Jahre nach dem Krieg waren die lebenswichtigen Seeverbindungen wiederhergestellt. In einem einzigen Jahr machten bereits 13 000 Schiffe im Hafen fest; ungefährdet waren sie die Fahrrinne heraufgekommen, unbedrängt hatten sie Liegeplätze gefunden. Hamburg war mit 750 Häfen in aller Welt verbunden.

1998

Anhang

Zu diesem Band

Die vorliegende Ausgabe anläßlich des 80. Geburtstages von Siegfried   **1507**
Lenz versammelt erstmals seine sämtlichen Erzählungen. Sie folgt in
ihrer Zusammenstellung den vier Einzelbänden der Werkausgabe
(Bd. 13–16), die alle zuvor im Hoffmann und Campe Verlag in Buch-
form veröffentlichten Erzählungen beinhalten. Insgesamt handelt es
sich dort um 107 Erzählungen. Sie stammen im einzelnen aus folgenden Veröffentlichungen: »So zärtlich war Suleyken. Masurische Geschichten« (1955), »Jäger des Spotts. Geschichten aus dieser Zeit«
(1958), »Das Feuerschiff« (1960), »Lehmanns Erzählungen oder So
schön war mein Markt. Aus den Bekenntnissen eines Schwarzhändlers« (1964), »Der Spielverderber« (1965), »Der Geist der Mirabelle.
Geschichten aus Bollerup« (1975), »Einstein überquert die Elbe bei
Hamburg« (1975), »Ein Kriegsende« (1984), »Leute von Hamburg.
Meine Straße« (1986), »Das serbische Mädchen« (1987) und »Ludmilla« (1996).

Ergänzt wurde die 20bändige Werkausgabe nach ihrem Abschluß
1999 u. a. durch einen weiteren Erzählband, der auf einer Sonderausgabe zum Welttag des Buches 2002 beruht: »Zaungast« (2004). Die
dort versammelten sieben Reiseerzählungen aus früheren Veröffentlichungen in Zeitungen und Zeitschriften sind hier ebenfalls enthalten.

Darüber hinaus wurden in die vorliegende Ausgabe, soweit bekannt
und greifbar, sämtliche von Siegfried Lenz verstreut in Anthologien
sowie in Zeitungen und Zeitschriften publizierte Erzählungen aufgenommen – hervorzuheben sind neben zahlreichen anderen Quellen
die Archive der *Welt*, von *Chrismon* (hervorgegangen aus dem *Sonntagsblatt* bzw. dem *Deutschen Allgemeinen Sonntagsblatt*), der *Frankfurter Allgemeinen Zeitung* und der *Zeit*. Auf diese Weise ließen sich
über 50 weitere Erzählungen ermitteln. Insofern liegt hiermit erstmals
der Gesamtbestand der von Siegfried Lenz zwischen 1948 und 2004 zur
Veröffentlichung bestimmten Erzählungen vor – insgesamt knapp 170.

Die vorliegenden Titel und Textfassungen der Erzählungen beziehen sich jeweils auf die Ausgabe letzter Hand. Im Fall von Veröffentlichungen, die bislang in Anthologien, Zeitungen oder Zeitschriften vorlagen und die nicht in die Werkausgabe oder in »Zaungast« aufgenommen wurden, werden diese als Erstdruck behandelt. Titelformulierungen aus frühen Veröffentlichungen, die in späteren Fassungen geändert wurden, sind zur besseren Auffindbarkeit und der Vollständigkeit halber im alphabetischen Inhaltsverzeichnis berücksichtigt: Beispielsweise ist die Erzählung »Ein geretteter Abend«, die Siegfried Lenz zum 70. Geburtstag von Marcel Reich-Ranicki schrieb, ebenfalls unter ihrem Erstdrucktitel »Der Große Zackenbarsch« bekannt.

In seiner chronologischen Anordnung der Erzählungen folgt der vorliegende Band der Werkausgabe. Hierfür maßgeblich ist das Entstehungsjahr, das jedem Text und im alphabetischen Inhaltsverzeichnis jedem Titel in Klammern nachgestellt ist. In Einzelfällen weichen die Datierungen von denjenigen der Werkausgabe ab. Die Erschließung der Archivbestände, auch der für das Rundfunkwerk von Siegfried Lenz beim Norddeutschen Rundfunk, das ebenfalls anläßlich seines 80. Geburtstages 2006 in Form von Hörbüchern bei Hoffmann und Campe erscheint, hat hier Datumskorrekturen erforderlich gemacht.

Die Quellennachweise im alphabetischen Inhaltsverzeichnis haben keinen Anspruch auf Vollständigkeit. Nachgewiesen wird, sofern bekannt, der Ort des Erstdrucks, wenn es sich um Veröffentlichungen in Zeitungen, Zeitschriften und Anthologien handelt. Die Angabe über die Erstausgabe verweist auf die erste selbständige Veröffentlichung von Siegfried Lenz, in der die Erzählung enthalten ist. Darüber hinaus wird, sofern die Erzählung darin aufgenommen ist, auch der entsprechende Ort in der Werkausgabe angeführt. Abschließend folgt ein Verweis auf das entsprechende Hörbuch bzw. auf die als Hörbuch erhältliche Rundfunklesung (zumeist mit Siegfried Lenz als Sprecher).

Alphabetisches Inhaltsverzeichnis und Quellennachweise

Abkürzungen: 1509
ED = Erstdruck (in Zeitungen, Zeitschriften oder Anthologien; EA = Erstausgabe; WA(iE) = Werkausgabe (in Einzelbänden); HB = Hörbuch

Aber die Prämie hat er (1953). S. 146–150
ED: *Die Welt*, Hamburg, 12. Dezember 1953
Achtzehn Diapositive (1973). S. 1059–1073
ED: siehe EA
EA: *Einstein überquert die Elbe bei Hamburg. Erzählungen.* Hamburg: Hoffmann und Campe, 1975. S. 213–236
WA: *Erzählungen 3. 1964–1975.* Hamburg: Hoffmann und Campe, 1998 (WAiE; Bd. 15). S. 480–503
HB: *Erzählungen.* Mit Siegfried Lenz. 2 Teile. Hrsg. von Hanjo Kesting. Hamburg: Hoffmann und Campe, 2006 (NDR, 5. April 1974)
Advent an der Küste → Ein Tauchversuch
Albanisches Abenteuer (1949). S. 32–35
ED: *Die Welt*, Hamburg, 21. September 1949
Atemübung (1994). S. 1459–1471
ED: siehe EA
EA: *Ludmilla. Erzählungen.* Hamburg: Hoffmann und Campe, 1996. S. 53–75
WA: *Erzählungen 4. 1976–1995.* Hamburg: Hoffmann und Campe, 1999 (WAiE; Bd. 16). S. 485–506
Auf Wiedersehen unter Wasser → Der Mensch auf dem Meeresboden
Auf Wunsch eines Fremden → Der Gleichgültige
Aufs Frühjahr ist Verlaß → Küste im Fernglas
Aus dem Tagebuch eines Verführers → Bekenntnisse eines Warenhausverkäufers
Ball der Wohltäter (1959). S. 551–558
ED: siehe EA
EA: *Der Spielverderber.* Hamburg: Hoffmann und Campe, 1965. S. 175–185
WA: *Erzählungen 2. 1956–1962.* Hamburg: Hoffmann und Campe, 1997 (WAiE; Bd. 14). S. 147–159
HB: *Erzählungen.* Mit Siegfried Lenz. 2 Teile. Hrsg. von Hanjo Kesting. Hamburg: Hoffmann und Campe, 2006 (NDR, 19. Januar 1961)

Barackenfeier (1959). S. 533–535
ED: *Die Welt*, Hamburg, 24. Dezember 1959 (»Kohle kam vom Güterzug, der Braten war getauscht«); danach: in *Das Jahr '45. Dichtung, Bericht, Protokoll deutscher Autoren*. Hrsg. von Hans Rauschning. Gütersloh: Bertelsmann, 1970. S. 261–264
HB: *Das Wunder von Striegeldorf. Drei Weihnachtsgeschichten*. Hamburg: Hoffmann und Campe, 1998 (»Eine Art Bescherung«). Track 2

Begegnung zwischen den Stationen (1950). S. 44–47
ED: *Die Welt*, Hamburg, 17. November 1950

Beim Staatsbesuch → Der Staatsbesuch

Bekenntnisse eines Warenhausverkäufers (1958). S. 379–384
ED: *Die Welt*, Hamburg, 1. Februar 1958 (»Aus dem Tagebuch eines Verführers«); danach: Ruhrwort, Essen, 7. April 1973

Blick in die Igelstellung (1958). S. 395–398
ED: *Sonntagsblatt*, Hamburg, 27. April 1958; danach: *Die Welt der Arbeit*, Köln, 25. Juni 1971

Bollerup oder Geschichten vom Lande → Der Geist der Mirabelle

Budzeit wird überrascht (1951). S. 72–74
ED: *Das Ostpreußenblatt*, Leer (Ostfriesland), 25. Dezember 1951

Da half kein Rufen (1950). S. 41–43
ED: *Aachener Volkszeitung*, 6. April 1950

Das Bad in Wszscinsk → So zärtlich war Suleyken

Das Examen (1969). S. 981–996
ED: *Deutsches Allgemeines Sonntagsblatt*, Hamburg, 24. und 31. August 1969
EA: *Einstein überquert die Elbe bei Hamburg. Erzählungen*. Hamburg: Hoffmann und Campe, 1975. S. 7–31
WA: *Erzählungen 3. 1964–1975*. Hamburg: Hoffmann und Campe, 1998 (WAiE; Bd. 15). S. 337–362

Das Fernglas → Ein Grenzfall

Das Feuerschiff (1959/60). S. 564–662
ED: siehe EA
EA: *Das Feuerschiff. Erzählungen*. Hamburg: Hoffmann und Campe, 1960. S. 7–154
WA: *Erzählungen 2. 1956–1962*. Hamburg: Hoffmann und Campe, 1997 (WAiE; Bd. 14). S. 171–335
HB: *Das Feuerschiff*. Hamburg: Hoffmann und Campe, 1997

Das Gelächter des Kukkaburra (1968). S. 968–973
ED: *Die Zeit*, Hamburg, 6. Dezember 1968; danach: *Stuttgarter Zeitung*, 27. September 1969; sowie: *Merian Sonderheft zum 25. Jahrgang* (1972). S. 31–34 (»Das Lachen des Kookaburra«)
EA: *Zaungast*. Hamburg: Hoffmann und Campe, 2004*. S. 27–36

Das Lächeln von San Antonio (1961). S. 748–752
ED: *Sonntagsblatt*, Hamburg, 2. April 1961

Das Lachen des Kookaburra → Das Gelächter des Kukkaburra

Das Preisausschreiben (1987). S. 1396–1405
ED: siehe EA
EA: *Das serbische Mädchen. Erzählungen.* Hamburg: Hoffmann und Campe, 1987. S. 229–244
WA: *Erzählungen 4. 1976–1995.* Hamburg: Hoffmann und Campe, 1999 (WAiE; Bd. 16). S. 373–389

Das Schlüsselwort (1964). S. 832–843
ED: siehe EA
EA: *Der Spielverderber.* Hamburg: Hoffmann und Campe, 1965. S. 217–234
WA: *Erzählungen 3. 1964–1975.* Hamburg: Hoffmann und Campe, 1998 (WAiE; Bd. 15). S. 33–53
HB: *Erzählungen.* Mit Siegfried Lenz. 2 Teile. Hrsg. von Hanjo Kesting. Hamburg: Hoffmann und Campe, 2006 (NDR, 4. März 1965)

Das serbische Mädchen (1985). S. 1346–1359
ED: siehe EA
EA: *Das serbische Mädchen. Erzählungen.* Hamburg: Hoffmann und Campe, 1987. S. 184–205
WA: *Erzählungen 4. 1976–1995.* Hamburg: Hoffmann und Campe, 1999 (WAiE; Bd. 16). S. 264–287

Das unterbrochene Schweigen → Der Geist der Mirabelle

Das war Onkel Manoah → So zärtlich war Suleyken

Das Wrack (1952). S. 98–108
ED: siehe EA
EA: *Jäger des Spotts. Geschichten aus dieser Zeit.* Hamburg: Hoffmann und Campe, 1958. S. 38–55
WA: *Erzählungen 1. 1949–1955.* Hamburg: Hoffmann und Campe, 1996 (WAiE; Bd. 13). S. 70–87

Das Wunder von Striegeldorf (1957). S. 349–355
ED: in *Sie werden schmunzeln. Heitere Erzählungen und Kurzgeschichten.* Die Auswahl besorgte Gerhard Wolter. Textzeichnungen: Siegfried Oelke. Hamburg: Agentur des Rauhen Hauses, 1957. S. 195–203; danach: in *Uhlenflucht. Unheimliche Geschichten aus Ostpreußen.* Zusammenstellung der Texte, Vorw. und biograph. Notizen von Martin A. Borrmann. München: Gräfe und Unzer, 1960. S. 97–105
EA: *Der Hafen ist voller Geheimnisse. Ein Feature in Erzählungen und zwei masurische Geschichten.* Lübeck/Hamburg: Matthiesen, 1960 (Die Leserunde; Heft 18). S. 22–27
HB: *Das Wunder von Striegeldorf. Drei Weihnachtsgeschichten.* Hamburg: Hoffmann und Campe, 1998. Track 1

Der Abstecher (1982). S. 1247–1253
ED: siehe EA
EA: *Ludmilla. Erzählungen.* Hamburg: Hoffmann und Campe, 1996. S. 161–174
WA: *Erzählungen 4. 1976–1995.* Hamburg: Hoffmann und Campe, 1999 (WAiE; Bd. 16). S. 100–112

Der Amüsierdoktor (1960). S. 670–675
ED: siehe EA
EA: *Das Feuerschiff. Erzählungen.* Hamburg: Hoffmann und Campe, 1960.
S. 230–238
WA: *Erzählungen 2. 1956–1962.* Hamburg: Hoffmann und Campe, 1997
(WAiE; Bd. 14). S. 349–358

Der Anfang von etwas (1958). S. 456–469
ED: siehe EA
EA: *Das Feuerschiff. Erzählungen.* Hamburg: Hoffmann und Campe, 1960.
S. 164–184
WA: *Erzählungen 2. 1956–1962.* Hamburg: Hoffmann und Campe, 1997
(WAiE; Bd. 14). S. 67–89
HB: *Erzählungen.* Mit Siegfried Lenz. 2 Teile. Hrsg. von Hanjo Kesting.
Hamburg: Hoffmann und Campe, 2006 (NDR, 28. Oktober 1959)

Der Ball der Saboteure (1952). S. 92–94
ED: *Die Neue Zeitung,* Frankfurt am Main, 25. Januar 1952

Der Beweis (1964). S. 844–854
ED: *Westermanns Monatshefte,* 106. Jahrgang, Heft 8 (1965). S. 5–12
EA: *Der Spielverderber.* Hamburg: Hoffmann und Campe, 1965. S. 158–174
WA: *Erzählungen 3. 1964–1975.* Hamburg: Hoffmann und Campe, 1998
(WAiE; Bd. 15). S. 54–72
HB: *Erzählungen.* Mit Siegfried Lenz. 2 Teile. Hrsg. von Hanjo Kesting.
Hamburg: Hoffmann und Campe, 2006 (NDR, 8. April 1985)

Der Denkzettel → Der Geist der Mirabelle

Der Fremde (1951). S. 65–69
ED: *Frankfurter Allgemeine Zeitung,* 15. Juni 1951

Der Geist der Mirabelle. Geschichten aus Bollerup (1975). S. 1129–1180
Vorwort; Ein Bein für alle Tage; Das unterbrochene Schweigen; Ein teurer
Spaß; Ursachen eines Streitfalls; Hausschlachtung; Frische Fische; Der
Denkzettel; Ein sehr empfindlicher Hund; Hintergründe einer Hochzeit;
Die Bauerndichterin; Die älteste Einwohnerin im Orte; Der heimliche
Wahlsieger
ED: *Westermanns Monatshefte,* 105. Jahrgang, Heft 7/8 (1964). S. 5–12/51–55
(»Geschichten vom Lande«: Ein Bein für alle Tage; Hausschlachtung;
Ein sehr empfindlicher Hund; Ursachen eines Streitfalls; Hintergründe
einer Hochzeit; Das unterbrochene Schweigen)
EA: *Der Geist der Mirabelle. Geschichten aus Bollerup.* Hamburg: Hoffmann
und Campe, 1975
WA: *Erzählungen 3. 1964–1975.* Hamburg: Hoffmann und Campe, 1998
(WAiE; Bd. 15). S. 585–672
HB: bisher nicht veröffentlicht (NDR, 4. Juni 1964; »Bollerup oder Ge-
schichten vom Lande«)

Der Gleichgültige (1960). S. 726–732
ED: *Neue Deutsche Hefte* 1960/1961 (Heft 75). S. 577–581
EA: *Der Spielverderber.* Hamburg: Hoffmann und Campe, 1965. S. 148–157
WA: *Erzählungen 2. 1956–1962.* Hamburg: Hoffmann und Campe, 1997
(WAiE; Bd. 14). S. 407–418

HB: *Erzählungen*. Mit Siegfried Lenz. 2 Teile. Hrsg. von Hanjo Kesting. Hamburg: Hoffmann und Campe, 2006 (NDR, 7. Dezember 1960; ursprgl. »Auf Wunsch eines Fremden«)

Der große Gral (1958). S. 384–394
ED: *Sonntagsblatt*, Hamburg, 9. Februar 1958

Der große Wildenberg (1954). S. 221–224
ED: siehe EA
EA: *Jäger des Spotts. Geschichten aus dieser Zeit*. Hamburg: Hoffmann und Campe, 1958. S. 109–115
WA: *Erzählungen 1. 1949–1955*. Hamburg: Hoffmann und Campe, 1996 (WAiE; Bd. 13). S. 182–188

Der Große Zackenbarsch → Ein geretteter Abend

Der heimliche Wahlsieger → Der Geist der Mirabelle

Der lange Abschied (1958). S. 424–445
ED: *Sonntagsblatt*, Hamburg, 26. Oktober, 2. und 9. November 1958

Der längere Arm (1959). S. 539–545
ED: siehe EA
EA: *Das Feuerschiff. Erzählungen*. Hamburg: Hoffmann und Campe, 1960. S. 94–203
WA: *Erzählungen 2. 1956–1962*. Hamburg: Hoffmann und Campe, 1997 (WAiE; Bd. 14). S. 126–136

Der Läufer (1951). S. 74–91
ED: siehe EA
EA: *Jäger des Spotts. Geschichten aus dieser Zeit*. Hamburg: Hoffmann und Campe, 1958. S. 79–108
WA: *Erzählungen 1. 1949–1955*. Hamburg: Hoffmann und Campe, 1996 (WAiE; Bd. 13). S. 40–69

Der Leseteufel → So zärtlich war Suleyken

Der Mann im Apfelbaum → So zärtlich war Suleyken

Der Mann unseres Vertrauens (1979). S. 1181–1191
ED: siehe EA
EA: *Das serbische Mädchen. Erzählungen*. Hamburg: Hoffmann und Campe, 1987. S. 303–320
WA: *Erzählungen 4. 1976–1995*. Hamburg: Hoffmann und Campe, 1999 (WAiE; Bd. 16). S. 81–99
HB: *Erzählungen*. Mit Siegfried Lenz. 2 Teile. Hrsg. von Hanjo Kesting. Hamburg: Hoffmann und Campe, 2006 (NDR, 1. Januar 1980)

Der Mensch auf dem Meeresboden (1960). S. 675–689
ED: *Sonntagsblatt*, Hamburg, 19. und 26. Juni 1960
HB: *Das Rundfunkwerk. Hörspiele, Essays, Features, Gespräche u. a.* Hrsg. von Hanjo Kesting. Hamburg: Hoffmann und Campe, 2006 (NDR, 1. September 1960; »Auf Wiedersehen unter Wasser«)

Der Ostertisch → So zärtlich war Suleyken

Der rasende Schuster → So zärtlich war Suleyken

Der Redenschreiber (1986). S. 1359–1386

ED: siehe EA
EA: *Das serbische Mädchen. Erzählungen.* Hamburg: Hoffmann und Campe, 1987. S. 7–49
WA: *Erzählungen 4. 1976–1995.* Hamburg: Hoffmann und Campe, 1999 (WAiE; Bd. 16). S. 288–334
HB: *Erzählungen.* Mit Siegfried Lenz. 2 Teile. Hrsg. von Hanjo Kesting. Hamburg: Hoffmann und Campe, 2006 (NDR, 25. bis 27. August 1986)

Der sechste Geburtstag (1964). S. 873–881
ED: siehe EA
EA: *Der Spielverderber.* Hamburg: Hoffmann und Campe, 1965. S. 97–108
WA: *Erzählungen 3. 1964–1975.* Hamburg: Hoffmann und Campe, 1998 (WAiE; Bd. 15). S. 106–119

Der seelische Ratgeber (1956). S. 322–327
ED: siehe EA
EA: *Jäger des Spotts. Geschichten aus dieser Zeit.* Hamburg: Hoffmann und Campe, 1958. S. 134–142
WA: *Erzählungen 2. 1956–1962.* Hamburg: Hoffmann und Campe, 1997 (WAiE; Bd. 14). S. 7–15

Der Sohn des Despoten → Der Sohn des Diktators

Der Sohn des Diktators (1960). S. 663–669
ED: siehe EA
EA: *Das Feuerschiff. Erzählungen.* Hamburg: Hoffmann und Campe, 1960. S. 204–214
WA: *Erzählungen 2. 1956–1962.* Hamburg: Hoffmann und Campe, 1997 (WAiE; Bd. 14). S. 336–348
HB: *Erzählungen.* Mit Siegfried Lenz. 2 Teile. Hrsg. von Hanjo Kesting. Hamburg: Hoffmann und Campe, 2006 (NDR, 4. Mai 1960; ursprgl. »Der Sohn des Despoten«)

Der Spielverderber (1961). S. 772–792
ED: siehe EA
EA: *Der Spielverderber.* Hamburg: Hoffmann und Campe, 1965. S. 65–96
WA: *Erzählungen 2. 1956–1962.* Hamburg: Hoffmann und Campe, 1997 (WAiE; Bd. 14). S. 419–454
HB: *Erzählungen.* Mit Siegfried Lenz. 2 Teile. Hrsg. von Hanjo Kesting. Hamburg: Hoffmann und Campe, 2006 (NDR, 13. Januar 1962; ursprgl. »Der Störenfried«)

Der Staatsbesuch (1960). S. 732–737
ED: *Sonntagsblatt,* Hamburg, 17. März 1963
HB: *Erzählungen.* Mit Siegfried Lenz. 2 Teile. Hrsg. von Hanjo Kesting. Hamburg: Hoffmann und Campe, 2006 (NDR, 19. Dezember 1960; »Beim Staatsbesuch«)

Der Störenfried → Der Spielverderber

Der Usurpator (1987). S. 1405–1413
ED: *Frankfurter Allgemeine Zeitung,* 7. März 1987
EA: *Das serbische Mädchen. Erzählungen.* Hamburg: Hoffmann und Campe, 1987. S. 271–284

WA: *Erzählungen 4. 1976–1995*. Hamburg: Hoffmann und Campe, 1999 (WAiE; Bd. 16). S. 390–404

Der Verzicht (1960). S. 717–725
ED: in *Almanach der Gruppe 47. 1947–1962*. Hrsg. von Hans Werner Richter. In Zusammenarbeit mit Walter Mannzen. Reinbek bei Hamburg: Rowohlt, 1962. S. 373–380 (»Gelegenheit zum Verzicht«)
EA: *Stimmungen der See. Erzählungen*. Stuttgart: Reclam, 1962. S. 34–46 (»Gelegenheit zum Verzicht«); danach: *Der Spielverderber. Erzählungen*. Hamburg: Hoffmann und Campe, 1965. S. 31–44
WA: *Erzählungen 2. 1956–1962*. Hamburg: Hoffmann und Campe, 1997 (WAiE; Bd. 14). S. 368–383
HB: *Erzählungen*. Mit Siegfried Lenz. 2 Teile. Hrsg. von Hanjo Kesting. Hamburg: Hoffmann und Campe, 2006 (NDR, 25. November 1960; ursprgl. »Gewisse Verzichte«)

Der Wanderweg (1958). S. 399–401
ED: *Sonntagsblatt*, Hamburg, 4. Mai 1958

Der zerbrochene Elefant (1953). S. 129–131
ED: *Der Tagesspiegel*, Berlin, 25. August 1953

Die älteste Einwohnerin im Orte → Der Geist der Mirabelle

Die Augenbinde (1966). S. 922–928
ED: *Die Zeit*, Hamburg, 7. Januar 1966
EA *Einstein überquert die Elbe bei Hamburg. Erzählungen*. Hamburg: Hoffmann und Campe, 1975. S. 83–93
WA: *Erzählungen 3. 1964–1975*. Hamburg: Hoffmann und Campe, 1998 (WAiE; Bd. 15). S. 254–263
HB: *Erzählungen*. Mit Siegfried Lenz. 2 Teile. Hrsg. von Hanjo Kesting. Hamburg: Hoffmann und Campe, 2006 (NDR, 16. November 1966)

Die Bauerndichterin → Der Geist der Mirabelle

Die Bergung (1982). S. 1225–1238
ED: siehe EA
EA: *Das serbische Mädchen. Erzählungen*. Hamburg: Hoffmann und Campe, 1987. S. 165–183
WA *Erzählungen 4. 1976–1995*. Hamburg: Hoffmann und Campe, 1999 (WAiE; Bd. 16). S. 352–372
HB: *Das Rundfunkwerk. Hörspiele, Essays, Features, Gespräche u. a.* Hrsg. von Hanjo Kesting. Hamburg: Hoffmann und Campe, 2006 (NDR, 6. April 1982)

Die Bewerbung (1993). S. 1435–1459
ED: siehe EA
EA: *Ludmilla. Erzählungen*. Hamburg: Hoffmann und Campe, 1996. S. 119–160
WA: *Erzählungen 4. 1976–1995*. Hamburg: Hoffmann und Campe, 1999 (WAiE; Bd. 16). S. 443–484
HB: *Ludmilla*. Hamburg: Hoffmann und Campe, 1998; auch: *Erzählungen*. Mit Siegfried Lenz. 2 Teile. Hrsg. von Hanjo Kesting. Hamburg: Hoffmann und Campe, 2006 (NDR, 14. und 15. März 1996)

Die Breite der Wune (1964). S. 831–832
ED: *Der Tagesspiegel*, Berlin, 25. Dezember 1964

Die Dicke der Haut (1959). S. 536–538
ED: in *Deutsche Erzähler der Gegenwart. Eine Anthologie.* Hrsg. und eingeleitet von Willi Fehse. Stuttgart: Reclam, 1959

Die Einen oder die Andern (1949). S. 23–27
ED: *Die Welt*, Hamburg, 27. Juli 1949

Die Ferne ist nah genug (1954). S. 194–214
ED: *Sonntagsblatt*, Hamburg, 22. und 29. August 1954

Die Festung (1954). S. 215–221
ED: siehe EA
EA: *Jäger des Spotts. Geschichten aus dieser Zeit.* Hamburg: Hoffmann und Campe, 1958. S. 68–78
WA: *Erzählungen 1. 1949–1955.* Hamburg: Hoffmann und Campe, 1996 (WAiE; Bd. 13). S. 171–181

Die Flut ist pünktlich (1953). S. 151–156
ED: siehe EA
EA: *Jäger des Spotts. Geschichten aus dieser Zeit.* Hamburg: Hoffmann und Campe, 1958. S. 11–169
WA: *Erzählungen 1. 1949–1955.* Hamburg: Hoffmann und Campe, 1996 (WAiE; Bd. 13). S. 100–109

Die Glücksfamilie des Monats (1964). S. 854–873
ED: siehe EA
EA: *Der Spielverderber.* Hamburg: Hoffmann und Campe, 1965. S. 119–147
WA: *Erzählungen 3. 1964–1975.* Hamburg: Hoffmann und Campe, 1998 (WAiE; Bd. 15). S. 73–105
HB: bisher nicht veröffentlicht (SDR, 2. Januar 1966)

Die große Konferenz → So zärtlich war Suleyken

Die Höhlen des Labsals → Hinter der Fliegenschnur

Die Kunst, einen Hahn zu fangen → So zärtlich war Suleyken

Die Kunstradfahrer (1974). S. 1089–1100
ED: *Deutsches Allgemeines Sonntagsblatt*, Hamburg, 2. Juni 1974 (»Kunstradfahrer«)
EA: *Die Kunstradfahrer und andere Geschichten.* Hamburg: Agentur des Rauhen Hauses, 1976 (Benjamin Taschenbuch; Bd. 3). S. 44–62; danach: *Das serbische Mädchen. Erzählungen.* Hamburg: Hoffmann und Campe, 1987. S. 147–164
WA: *Erzählungen 4. 1976–1995.* Hamburg: Hoffmann und Campe, 1999 (WAiE; Bd. 16). S. 7–25
HB: *Erzählungen.* Mit Siegfried Lenz. 2 Teile. Hrsg. von Hanjo Kesting. Hamburg: Hoffmann und Campe, 2006 (NDR, 31. März 1974)

Die Lampen der Eskimos (1959). S. 558–564
ED: siehe EA
EA: *Der Spielverderber.* Hamburg: Hoffmann und Campe, 1965. S. 235–243
WA: *Erzählungen 2. 1956–1962.* Hamburg: Hoffmann und Campe, 1997 (WAiE; Bd. 14). S. 160–170

HB: *Erzählungen*. Mit Siegfried Lenz. 2 Teile. Hrsg. von Hanjo Kesting.
Hamburg: Hoffmann und Campe, 2006 (NDR, 8. Oktober 1962)

Die Mannschaft (1969). S. 996–1007
ED: *Christ und Welt*, Stuttgart, 21. November 1969; danach: in *Im Stadion.*
Sporterzählungen von Rudyard Kipling bis Siegfried Lenz. Hrsg., mit
einem Nachwort und Autoren-Biographien von Karl Schwarz. München: Nymphenburger Verlagsbuchhandlung, 1970. S. 220–234
EA: *Einstein überquert die Elbe bei Hamburg. Erzählungen*. Hamburg: Hoffmann und Campe, 1975. S. 61–81
WA: *Erzählungen 3. 1964–1975*. Hamburg: Hoffmann und Campe, 1998
(WAiE; Bd. 15). S. 363–383
HB: *Erzählungen*. Mit Siegfried Lenz. 2 Teile. Hrsg. von Hanjo Kesting.
Hamburg: Hoffmann und Campe, 2006 (NDR, 14. Dezember 1969)

Die Nacht im Hotel (1949). S. 38–41
ED: siehe EA
EA: *Jäger des Spotts. Geschichten aus dieser Zeit*. Hamburg: Hoffmann und
Campe, 1958. S. 208–214
WA: *Erzählungen 1. 1949–1955*. Hamburg: Hoffmann und Campe, 1996
(WAiE; Bd. 13). S. 7–13

Die Phantasie (1974). S. 1100–1129
ED: *Deutsches Allgemeines Sonntagsblatt*, Hamburg, 9., 16., 23., 30. März
und 6. April 1975 (»Sieg der Schwerkraft«)
EA: *Einstein überquert die Elbe bei Hamburg. Erzählungen*. Hamburg: Hoffmann und Campe, 1975. S. 265–311
WA: *Erzählungen 3. 1964–1975*. Hamburg: Hoffmann und Campe, 1998
(WAiE; Bd. 15). S. 533–583

Die Prüfung (1981). S. 1215–1225
ED: siehe EA
EA: *Das serbische Mädchen. Erzählungen*. Hamburg: Hoffmann und Campe, 1987. S. 285–302
WA: *Erzählungen 4. 1976–1995*. Hamburg: Hoffmann und Campe, 1999
(WAiE; Bd. 16). S. 47–65

Die Reise nach Oletzko → So zärtlich war Suleyken

Die Schärfe der Kufen (1965). S. 897–902
ED: in *Atlas*. Zusammengestellt von deutschen Autoren. Berlin: Klaus Wagenbach, 1965. S. 19–26; danach: *Merian Masuren*, 57. Jahrgang, Heft 8
(2004). S. 76–78
EA: *Die Erzählungen. 1965–1984*. Bd. 3. In: *Die Erzählungen. 1949–1984.*
3 Bde. Mit einem Nachwort von Marcel Reich-Ranicki. München:
Deutscher Taschenbuch Verlag, 1986. S. 7–12

Die Schmerzen sind zumutbar (1966). S. 928–937
ED: *Die Zeit*, Hamburg, 22. Juli 1966
EA: *Einstein überquert die Elbe bei Hamburg. Erzählungen*. Hamburg: Hoffmann und Campe, 1975. S. 95–111
WA: *Erzählungen 3. 1964–1975*. Hamburg: Hoffmann und Campe, 1998
(WAiE; Bd. 15). S. 264–280

HB: *Ein geretteter Abend*. Hamburg: Hoffmann und Campe, 2002. CD 2, Track 1/2/3 (NDR, 20. April 1967; ursprgl. »Ein humanes Experiment«); auch: *Erzählungen*. Mit Siegfried Lenz. 2 Teile. Hrsg. von Hanjo Kesting. Hamburg: Hoffmann und Campe, 2006 (NDR, 20. April 1967; ursprgl. »Ein humanes Experiment«)

Die Schüssel der Prophezeiung → So zärtlich war Suleyken

Die Strafe (1968). S. 962–967
ED: in *Die Väter. Berichte und Geschichten*. Hrsg. von Peter Härtling. Frankfurt am Main: Fischer, 1968. S. 171–177
EA: *Einstein überquert die Elbe bei Hamburg. Erzählungen*. Hamburg: Hoffmann und Campe, 1975. S. 113–124
WA: *Erzählungen 3. 1964–1975*. Hamburg: Hoffmann und Campe, 1998 (WAiE; Bd. 15). S. 399–409

Die Stunde der Taucher (1998). S. 1497–1503
ED: *Hamburger Abendblatt*, 14. Oktober 1998
EA: *Zaungast*. Hamburg: Hoffmann und Campe, 2004*. S. 37–47

Die tödliche Phantasie (1949). S. 35–38
ED: *Die Welt*, Hamburg, 7. November 1949

Die Verfolgungsjagd → So zärtlich war Suleyken

Die Wellen des Balaton (1973). S. 1073–1089
ED: siehe EA
EA: *Einstein überquert die Elbe bei Hamburg. Erzählungen*. Hamburg: Hoffmann und Campe, 1975. S. 504–532
WA: *Erzählungen 3. 1964–1975*. Hamburg: Hoffmann und Campe, 1998 (WAiE; Bd. 15). S. 504–532

Diskrete Auskunft über Masuren → So zärtlich war Suleyken

Drei Männer und ein Augenblick (1949). S. 19–21
ED: *Niederdeutsche Zeitung*, Hamburg, 31. März 1949 (unter dem Pseudonym »S. Lindau«)

Drüben auf den Inseln (1954). S. 225–235
ED: siehe EA
EA: *Jäger des Spotts. Geschichten aus dieser Zeit*. Hamburg: Hoffmann und Campe, 1958. S. 116–133
WA: *Erzählungen 1. 1949–1955*. Hamburg: Hoffmann und Campe, 1996 (WAiE; Bd. 13). S. 189–206

Duell in kurzem Schafspelz → So zärtlich war Suleyken

Ein angenehmes Begräbnis → So zärtlich war Suleyken

Ein Augenblick der Scham → Schwierige Trauer

Ein Bein für alle Tage → Der Geist der Mirabelle

Ein Freund der Regierung (1959). S. 545–551
ED: siehe EA
EA: *Das Feuerschiff. Erzählungen*. Hamburg: Hoffmann und Campe, 1960. S. 155–163
WA: *Erzählungen 2. 1956–1962*. Hamburg: Hoffmann und Campe, 1997 (WAiE; Bd. 14). S. 137–146

Ein geretteter Abend (1990). S. 1414–1419
ED: *Frankfurter Allgemeine Zeitung*, 19. Juli 1990 (»Der Große Zackenbarsch«)
EA: *Ludmilla. Erzählungen.* Hamburg: Hoffmann und Campe, 1996. S. 77–88
WA: *Erzählungen 4. 1976–1995.* Hamburg: Hoffmann und Campe, 1999 (WAiE; Bd. 16). S. 405–414
HB: *Ludmilla.* Hamburg: Hoffmann und Campe, 1998; auch: *Ein geretteter Abend.* Hamburg: Hoffmann und Campe, 2002. CD 2, Track 16/17 (NDR, 23. Oktober 1990); sowie: *Erzählungen.* Mit Siegfried Lenz. 2 Teile. Hrsg. von Hanjo Kesting. Hamburg: Hoffmann und Campe, 2006 (NDR, 23. Oktober 1990)

1519

Ein Grenzfall (1966). S. 906–922
ED: in *Die Zehn Gebote. Exemplarische Erzählungen.* Hrsg. von Jens Rehn. Reinbek bei Hamburg: Rowohlt, 1967. S. 139–160 (»Das Fernglas«); danach: *Deutsches Allgemeines Sonntagsblatt*, Hamburg, 26. Januar, 2. und 9. Februar 1969
EA: *Einstein überquert die Elbe bei Hamburg. Erzählungen.* Hamburg: Hoffmann und Campe, 1975. S. 33–60
WA: *Erzählungen 3. 1964–1975.* Hamburg: Hoffmann und Campe, 1998 (WAiE; Bd. 15). S. 225–253

Ein Haus aus lauter Liebe (1952). S. 108–114
ED: *Frankfurter Allgemeine Zeitung*, 16. November 1957; danach: *Westermanns Monatshefte*, 101. Jahrgang, Heft 6 (1960). S. 53–56
EA: *Jäger des Spotts. Geschichten aus dieser Zeit.* Hamburg: Hoffmann und Campe, 1958. S. 56–67
WA: *Erzählungen 1. 1949–1955.* Hamburg: Hoffmann und Campe, 1996 (WAiE; Bd. 13). S. 88–99
HB: bisher nicht veröffentlicht (NDR, 19. März 1986)

Ein humanes Experiment → Die Schmerzen sind zumutbar

Ein Kriegsende (1983). S. 1254–1280
ED: siehe EA
EA: *Ein Kriegsende.* Hamburg: Hoffmann und Campe, 1984
WA: *Erzählungen 4. 1976–1995.* Hamburg: Hoffmann und Campe, 1999 (WAiE; Bd. 16). S. 113–158

Ein Männerspaß (1961). S. 752–758
ED: *Die Zeit*, Hamburg, 11. August 1961

Ein sehr empfindlicher Hund → Der Geist der Mirabelle

Ein Tauchversuch (1983). S. 1281–1296
ED: siehe EA
EA: *Das serbische Mädchen. Erzählungen.* Hamburg: Hoffmann und Campe, 1987. S. 245–270
WA: *Erzählungen 4. 1976–1995.* Hamburg: Hoffmann und Campe, 1999 (WAiE; Bd. 16). S. 211–238
HB: bisher nicht veröffentlicht (NDR, 24. Dezember 1983; »Advent an der Küste«)

Ein teurer Spaß → Der Geist der Mirabelle

Eine Art Bescherung → Barackenfeier

Eine Art von Notwehr (1984). S. 1332–1346
ED: *Frankfurter Allgemeine Zeitung*, 19. Mai 1984
EA: *Das serbische Mädchen. Erzählungen.* Hamburg: Hoffmann und Campe, 1987. S. 206–228
WA: *Erzählungen 4. 1976–1995.* Hamburg: Hoffmann und Campe, 1999 (WAiE; Bd. 16). S. 239–263

Eine Kleinbahn namens Popp → So zärtlich war Suleyken

Eine Liebesgeschichte → So zärtlich war Suleyken

Eine Sache wie das Impfen → So zärtlich war Suleyken

Eine Schulstunde auf japanisch (1984). S. 1297–1302
ED: *Frankfurter Allgemeine Zeitung*, 19. Mai 1984 (»Von den verschiedenen Arten des Grüßens«)
EA: *Zaungast.* Hamburg: Hoffmann und Campe, 2004*. S. 17–26

Eine Sekunde der Welt (1950). S. 43–44
ED: *Die Welt*, Hamburg, 16. Mai 1950

Einmal schafft es jeder (1953). S. 119–126
ED: *Frankfurter Allgemeine Zeitung*, 16. Mai 1953

Einstein überquert die Elbe bei Hamburg (1969). S. 973–981
ED: *Die Zeit*, Hamburg, 7. November 1969
EA: *Einstein überquert die Elbe bei Hamburg. Erzählungen.* Hamburg: Hoffmann und Campe, 1975. S. 125–139
WA: *Erzählungen 3. 1964–1975.* Hamburg: Hoffmann und Campe, 1998 (WAiE; Bd. 15). S. 384–398

Eisfischen oder Was man mit Hechten erleben kann (1966). S. 959–961
ED: in *Dichter erzählen Kindern.* Hrsg. von Gertraud Middelhauve. Köln: Middelhauve, 1966. S. 164–168
EA: *Die Kunstradfahrer und andere Geschichten.* Hamburg: Agentur des Rauhen Hauses, 1976 (Benjamin Taschenbuch; Bd. 3). S. 5–10

Erinnerung im Schlauchboot (1950). S. 47–49
ED: *Aachener Volkszeitung*, 9. Dezember 1950

Etappen eines Fiaskos (1960). S. 737–743
ED: *Sonntagsblatt*, Hamburg, 5. Februar 1961
HB: *Erzählungen. Mit Siegfried Lenz.* 2 Teile. Hrsg. von Hanjo Kesting. Hamburg: Hoffmann und Campe, 2006 (NDR, 6. Januar 1961)

Fallgesetze (1973). S. 1042–1059
ED: *Deutsches Allgemeines Sonntagsblatt*, Hamburg, 28. Oktober und 4. November 1973
EA: *Einstein überquert die Elbe bei Hamburg. Erzählungen.* Hamburg: Hoffmann und Campe, 1975. S. 183–211
WA: *Erzählungen 3. 1964–1975.* Hamburg: Hoffmann und Campe, 1998 (WAiE; Bd. 15). S. 450–479
HB: bisher nicht veröffentlicht (NDR, 11. Oktober 1975)

Fast ein Triumph (1981). S. 1203–1214
ED: siehe EA
EA: *Das serbische Mädchen. Erzählungen.* Hamburg: Hoffmann und Campe, 1987. S. 50–68
WA: *Erzählungen 4. 1976–1995.* Hamburg: Hoffmann und Campe, 1999 (WAiE; Bd. 16). S. 26–46

Frau am Fluß (1949). S. 27–29
ED: *Die Welt*, Hamburg, 15. August 1949

Frische Fische → Der Geist der Mirabelle

Füsilier in Kulkaken → So zärtlich war Suleyken

Gelegenheit zum Verzicht → Der Verzicht

Geschichten vom Lande → Der Geist der Mirabelle

Gewisse Verzichte → Der Verzicht

Großonkelchen Matuschitz ging wahrhaftig als Eisbär → Versäum nicht den Termin zur Freude

Hausschlachtung → Der Geist der Mirabelle

Herr und Frau S. in Erwartung ihrer Gäste (1969). S. 1008–1024
ED: siehe EA
EA: *Einstein überquert die Elbe bei Hamburg. Erzählungen.* Hamburg: Hoffmann und Campe, 1975. S. 141–166
WA: *Erzählungen 3. 1964–1975.* Hamburg: Hoffmann und Campe, 1998 (WAiE; Bd. 15). S. 410–435
HB: *Das Rundfunkwerk. Hörspiele, Essays, Features, Gespräche u. a.* Hrsg. von Hanjo Kesting. Hamburg: Hoffmann und Campe, 2006 (NDR, 4. März 1970)

Hinter der Fliegenschnur (1957). S. 331–341
ED: *Sonntagsblatt*, Hamburg, 25. Mai 1958 (»Die Höhlen des Labsals«); danach: *Merian Andalusien*, 11. Jahrgang, Heft 10 (1958). S. 30–35; sowie: in *Augenblicke unterwegs. Deutsche Reiseprosa unserer Zeit.* Ausgewählt von Heinz Piontek. Hamburg: Hoffmann und Campe, 1968. S. 206–212
EA: *Zaungast.* Hamburg: Hoffmann und Campe, 2004*. S. 73–89
HB: *Erzählungen.* Mit Siegfried Lenz. 2 Teile. Hrsg. von Hanjo Kesting. Hamburg: Hoffmann und Campe, 2006 (NDR, 9. August 1957)

Hintergründe einer Hochzeit → Der Geist der Mirabelle

Ich und meine Straße → Meine Straße

Ihre Schwester (1964). S. 816–830
ED: *Sonntagsblatt*, Hamburg, 15. und 22. November 1964 (»In fremder Sache«)
EA: *Der Spielverderber. Erzählungen.* Hamburg: Hoffmann und Campe, 1965. S. 194–216
WA: *Erzählungen 3. 1964–1975.* Hamburg: Hoffmann und Campe, 1998 (WAiE; Bd. 15). S. 7–32
HB: *Erzählungen.* Mit Siegfried Lenz. 2 Teile. Hrsg. von Hanjo Kesting. Hamburg: Hoffmann und Campe, 2006 (NDR, 23. März 1965)

Im Netz der Nachbarschaft (1960). S. 690–704
ED: *Eckart-Jahrbuch* 1963/1964. S. 188–202; erster von drei Teilen zuvor: *Die Welt*, Hamburg, 5. Dezember 1959 (»Verblüffung auf den Düppeler Schanzen«); zweiter Teil zuvor: *Merian Jütland*, 13. Jahrgang, Heft 9 (1960). S. 49–51
HB: bisher nicht veröffentlicht (NDR, 22. Dezember 1960)

In fremder Sache → Ihre Schwester

Jäger des Spotts (1950). S. 53–63
ED: siehe EA
EA: *Jäger des Spotts. Geschichten aus dieser Zeit.* Hamburg: Hoffmann und Campe, 1958. S. 143–160
WA: *Erzählungen 1. 1949–1955.* Hamburg: Hoffmann und Campe, 1996 (WAiE; Bd. 13). S. 22–39

Jede Stunde hat ihre Gesichter (1957). S. 341–349
ED: *Sonntagsblatt*, Hamburg, 22. September 1957
HB: *Das Rundfunkwerk. Hörspiele, Essays, Features, Gespräche u. a.* Hrsg. von Hanjo Kesting. Hamburg: Hoffmann und Campe, 2006 (NDR, 15. Februar 1958)

Jugend aus dem Kanister (1951). S. 63–65
ED: *Frankfurter Allgemeine Zeitung*, 10. April 1951

Kohle kam vom Güterzug, der Braten war getauscht → Barackenfeier

Kummer mit jütländischen Kaffeetafeln (1981). S. 1197–1203
ED: *Merian Jütland*, 34. Jahrgang, Heft 3 (1981). S. 44–45, 117
EA: *Zaungast.* Hamburg: Hoffmann und Campe, 2004*. S. 7–16

Kunstradfahrer → Die Kunstradfahrer

Küste im Fernglas (1958). S. 474–480
ED: *Der Kranich*, 4. Jahrgang (1962). S. 98–104 (»Aufs Frühjahr ist Verlaß«)
EA: *Der Spielverderber.* Hamburg: Hoffmann und Campe, 1965. S. 109–118
WA: *Erzählungen 2. 1956–1962.* Hamburg: Hoffmann und Campe, 1997 (WAiE; Bd. 14). S. 98–108

Lehmanns Erzählungen oder So schön war mein Markt. Aus den Bekenntnissen eines Schwarzhändlers (1959). S. 490–533
ED: siehe EA
EA: *Lehmanns Erzählungen oder So schön war mein Markt. Aus den Bekenntnissen eines Schwarzhändlers.* Mit Illustrationen von Helmut Helmessen. Hamburg: Hoffmann und Campe, 1964
WA: *Erzählungen 3. 1964–1975.* Hamburg: Hoffmann und Campe, 1998 (WAiE; Bd. 15). S. 149–223
HB: *Lehmanns Erzählungen oder So schön war mein Markt.* Hamburg: Hoffmann und Campe, 1998; auch: *Erzählungen.* Mit Siegfried Lenz. 2 Teile. Hrsg. von Hanjo Kesting. Hamburg: Hoffmann und Campe, 2006 (NDR, 28. November, 3., 17., 23., 30. Dezember 1959 und 4. Januar 1960)

Leute von Hamburg (1966). S. 937–959
ED: in *Hamburg – Merkurs eigene Stadt.* Hrsg. von Henning Jess. Hamburg: Hoffmann und Campe, 1968. S. 205, 215, 222, 231, 250, 258 f., 262, 266, 271 f., 276, 282, 285, 287 f., 291

EA: *Leute von Hamburg.* Hamburg: Hoffmann und Campe, 1968
WA: *Erzählungen 3. 1964–1975.* Hamburg: Hoffmann und Campe, 1998
(WAiE; Bd. 15). S. 281–318
HB: *Das Rundfunkwerk. Hörspiele, Essays, Features, Gespräche u. a.* Hrsg.
von Hanjo Kesting. Hamburg: Hoffmann und Campe, 2006 (NDR,
23. Februar 1967)

Licht im Stall (1951). S. 69–71
ED: *Der Tagesspiegel,* Berlin, 11. November 1951

Lieblingsspeise der Hyänen (1958). S. 445–451
ED: siehe EA
EA: *Das Feuerschiff. Erzählungen.* Hamburg: Hoffmann und Campe, 1960.
S. 185–193
WA: *Erzählungen 2. 1956–1962.* Hamburg: Hoffmann und Campe, 1997
(WAiE; Bd. 14). S. 56–66
HB: *Erzählungen.* Mit Siegfried Lenz. 2 Teile. Hrsg. von Hanjo Kesting.
Hamburg: Hoffmann und Campe, 2006 (NDR, 28. Oktober 1958)

Lotte macht alles mit → Lotte soll nicht sterben

Lotte soll nicht sterben (1953). S. 132–146
ED: *Das Ostpreußenblatt,* Leer (Ostfriesland), 24. und 31. Oktober 1953;
danach: in *Wechselnde Pfade.* Hrsg. von Gerhard Wolter. Hamburg:
Agentur des Rauhen Hauses, 1954; sowie: mit Werner Bergengruen und
Hans Bender: *Begegnung mit Tieren. Drei moderne Erzählungen.* Ham-
burg: Hamburger Lesehefte Verlag, 1966 (Hamburger Leseheft, 108.).
S. 17–28
EA: *Die Kunstradfahrer und andere Geschichten.* Hamburg: Agentur des
Rauhen Hauses, 1976 (Benjamin Taschenbuch; Bd. 3). S. 11–36; danach:
Lotte macht alles mit. Bilder von Jörg Greif. München: Lentz, 1978
HB: bisher nicht veröffentlicht (NDR, 14. Juni 1970)

Ludmilla (1995). S. 1471–1497
ED: siehe EA
EA: *Ludmilla. Erzählungen.* Hamburg: Hoffmann und Campe, 1996. S. 7–52
WA: *Erzählungen 4. 1976–1995.* Hamburg: Hoffmann und Campe, 1999
(WAiE; Bd. 16). S. 507–552

Lukas, sanftmütiger Knecht (1953). S. 156–173
ED: siehe EA
EA: *Jäger des Spotts. Geschichten aus dieser Zeit.* Hamburg: Hoffmann und
Campe, 1958. S. 7–37
WA: *Erzählungen 1. 1949–1955.* Hamburg: Hoffmann und Campe, 1996
(WAiE; Bd. 13). S. 109–139

Meditationen beim Kniefall (1960). S. 704–716
ED: *Sonntagsblatt,* Hamburg, 12. und 19. März 1967
HB: *Das Rundfunkwerk. Hörspiele, Essays, Features, Gespräche u. a.* Hrsg.
von Hanjo Kesting. Hamburg: Hoffmann und Campe, 2006 (NDR,
7. Oktober 1960)

Mein verdrossenes Gesicht (1950). S. 49–53
ED: siehe EA

EA: *Jäger des Spotts. Geschichten aus dieser Zeit.* Hamburg: Hoffmann und Campe, 1958. S. 170–176
WA: *Erzählungen 1. 1949–1955.* Hamburg: Hoffmann und Campe, 1996 (WAiE; Bd. 13). S. 14–21

Meine Straße (1973). S. 1024–1033
ED: *Deutsches Allgemeines Sonntagsblatt,* Hamburg, 4. und 11. März 1973 (»Ich und meine Straße«); danach: *Merian Hamburg,* 34. Jahrgang, Heft 8 (1981). S. 95–98
EA: *Leute von Hamburg. Meine Straße.* Hamburg: Hoffmann und Campe, 1986. S. 45–64
WA: *Erzählungen 3. 1964–1975.* Hamburg: Hoffmann und Campe, 1998 (WAiE; Bd. 15). S. 319–336

Mitwisser (1953). S. 115–119
ED: siehe EA
EA: bisher nicht veröffentlicht
HB: *Erzählungen.* Mit Siegfried Lenz. 2 Teile. Hrsg. von Hanjo Kesting. Hamburg: Hoffmann und Campe, 2006 (NWDR, 27. April 1953)

Motivsuche (1984). S. 1311–1332
ED: siehe EA
EA: *Das serbische Mädchen. Erzählungen.* Hamburg: Hoffmann und Campe, 1987. S. 113–146
WA: *Erzählungen 4. 1976–1995.* Hamburg: Hoffmann und Campe, 1999 (WAiE; Bd. 16). S. 174–210

Nachzahlung (1964). S. 881–896
ED: siehe EA
EA: *Der Spielverderber.* Hamburg: Hoffmann und Campe, 1965. S. 7–30
WA: *Erzählungen 3. 1964–1975.* Hamburg: Hoffmann und Campe, 1998 (WAiE; Bd. 15). S. 120–147
HB: *Erzählungen.* Mit Siegfried Lenz. 2 Teile. Hrsg. von Hanjo Kesting. Hamburg: Hoffmann und Campe, 2006 (NDR, 18. Februar 1965)

Nur auf Sardinien (1953). S. 174–191
ED: siehe EA
EA: *Jäger des Spotts. Geschichten aus dieser Zeit.* Hamburg: Hoffmann und Campe, 1958. S. 177–207
WA: *Erzählungen 1. 1949–1955.* Hamburg: Hoffmann und Campe, 1996 (WAiE; Bd. 13). S. 140–170

Osterspaziergang mot. (1965). S. 902–906
ED: in *Alle diese Straßen. Geschichten und Berichte.* Hrsg. von Wolfgang Weyrauch. München: List Verlag, 1965. S. 207–211

Panik (1993). S. 1419–1435
ED: siehe EA
EA: *Ludmilla. Erzählungen.* Hamburg: Hoffmann und Campe, 1996. S. 89–117
WA: *Erzählungen 4. 1976–1995.* Hamburg: Hoffmann und Campe, 1999 (WAiE; Bd. 16). S. 415–442

Phantasie in Kisten (1948). S. 17–19
ED: *Die Welt*, Hamburg, 4. November 1948; erneut: *40 Jahre Die Welt*,
2. April 1986

Pointe auf Kreppsohlen (1949). S. 21–23
ED: *Die Welt*, Hamburg, 12. Mai 1949

Risiko für Weihnachtsmänner (1958). S. 469–474
ED: siehe EA
EA: *Das Feuerschiff. Erzählungen.* Hamburg: Hoffmann und Campe, 1960.
S. 239–245
WA: *Erzählungen 2. 1956–1962.* Hamburg: Hoffmann und Campe, 1997
(WAiE; Bd. 14). S. 90–97
HB: *Das Wunder von Striegeldorf. Drei Weihnachtsgeschichten.* Hamburg:
Hoffmann und Campe, 1998. Track 3

Schicksale eines Geheimfonds (1962). S. 794–802
ED: *Sonntagsblatt*, Hamburg, 14. Januar 1962

Schissomirs großer Tag → So zärtlich war Suleyken

Schwierige Trauer (1960). S. 743–748
ED: siehe EA
EA: *Stimmungen der See. Erzählungen.* Stuttgart: Reclam, 1962. S. 46–53;
danach: *Der Spielverderber.* Hamburg: Hoffmann und Campe, 1965.
S. 186–193
WA: *Erzählungen 2. 1956–1962.* Hamburg: Hoffmann und Campe, 1997
(WAiE; Bd. 14). S. 359–367
HB: *Erzählungen.* Mit Siegfried Lenz. 2 Teile. Hrsg. von Hanjo Kesting.
Hamburg: Hoffmann und Campe, 2006 (NDR, 1. Februar 1961;
ursprgl. »Ein Augenblick der Scham«)

Seltsame Annäherung (1980). S. 1191–1196
ED: *Merian Sonderheft Werraland* (1980). S. 35–38

Sieg der Schwerkraft → Die Phantasie

Silvester-Unfall (1958). S. 480–489
ED: siehe EA
EA: *Das Feuerschiff. Erzählungen.* Hamburg: Hoffmann und Campe, 1960.
S. 215–229
WA: *Erzählungen 2. 1956–1962.* Hamburg: Hoffmann und Campe, 1997
(WAiE; Bd. 14). S. 109–125

So hatte Molz es nicht gemeint → Wie ich Interessenvertreter wurde

So leicht fängt man keine Katze (1952). S. 94–98
ED: *Frankfurter Allgemeine Zeitung*, 19. Juni 1952
EA: *Die Kunstradfahrer und andere Geschichten.* Hamburg: Agentur des
Rauhen Hauses, 1976 (Benjamin Taschenbuch; Bd. 3). S. 37–43

So war das mit dem Zirkus → So war es mit dem Zirkus

So war es mit dem Zirkus → So zärtlich war Suleyken

So zärtlich war Suleyken. Masurische Geschichten (1955). S. 235–322
Der Leseteufel; Füsilier in Kulkaken; Das war Onkel Manoah; Der Ostertisch; Das Bad in Wszscinsk; Ein angenehmes Begräbnis; Schissomirs großer Tag; Duell in kurzem Schafspelz; So war es mit dem Zirkus; Der rasende

Schuster; Die Kunst, einen Hahn zu fangen; Eine Kleinbahn namens Popp; Die Reise nach Oletzko; Sozusagen Dienst am Geist; Eine Sache wie das Impfen; Der Mann im Apfelbaum; Die große Konferenz; Eine Liebesgeschichte; Die Schüssel der Prophezeiung; Die Verfolgungsjagd; Diskrete Auskunft über Masuren

ED: siehe EA

EA: *So zärtlich war Suleyken. Masurische Geschichten.* Zeichnungen im Text und Initiale von Erich Behrendt. Hamburg: Hoffmann und Campe, 1955; danach: *So war das mit dem Zirkus. Fünf Geschichten aus Suleyken.* Mit Bildern von Klaus Warwas. Hamburg: Hoffmann und Campe, 1971 (So war das mit dem Zirkus [→ So war es mit dem Zirkus]; Wie man Schmuggler fängt [→ Füsilier in Kulkaken]; Schissomirs großer Tag; Duell in kurzem Schafspelz; Die Verfolgungsjagd)

WA: *Erzählungen 1. 1949–1955.* Hamburg: Hoffmann und Campe, 1996 (WAiE; Bd. 13). S. 207–357

HB: *So zärtlich war Suleyken.* Hamburg: Hoffmann und Campe, 1996 (Der Leseteufel; Das Bad in Wszscinsk; Füsilier in Kulkaken; Schissomirs großer Tag; Der Ostertisch; Die Reise nach Oletzko; Ein angenehmes Begräbnis; Eine Liebesgeschichte); auch: *Deutschstunde. So zärtlich war Suleyken.* Berlin: Deutsche Grammophon Literatur, 2004. Track 8, 9 (Die Verfolgungsjagd; Die Reise nach Oletzko); sowie: *Erzählungen.* Mit Siegfried Lenz. 2 Teile. Hrsg. von Hanjo Kesting. Hamburg: Hoffmann und Campe, 2006 (NWDR, 24. November 1955: Der Leseteufel; NWDR, 2. Dezember 1954: Das war Onkel Manoah)

Sonntag eines Ranchers (1963). S. 802–815

ED: *Sonntagsblatt,* Hamburg, 3. November 1963

EA: *Zaungast.* Hamburg: Hoffmann und Campe, 2004*. S. 49–71

HB: *Erzählungen.* Mit Siegfried Lenz. 2 Teile. Hrsg. von Hanjo Kesting. Hamburg: Hoffmann und Campe, 2006 (NDR, 25. April 1963)

Sozusagen Dienst am Geist → So zärtlich war Suleyken

Stimmungen der See (1957). S. 356–379

ED: siehe EA

EA: *Das Feuerschiff. Erzählungen.* Hamburg: Hoffmann und Campe, 1960. S. 246–281; danach: *Stimmungen der See. Erzählungen.* Stuttgart: Reclam, 1962. S. 246–281

WA: *Erzählungen 2. 1956–1962.* Hamburg: Hoffmann und Campe, 1997 (WAiE; Bd. 14). S. 16–55

HB: *Erzählungen.* Mit Siegfried Lenz. 2 Teile. Hrsg. von Hanjo Kesting. Hamburg: Hoffmann und Campe, 2006 (NDR, 10. Dezember 1958)

Tagtraum der Tiere (1958). S. 410–414

ED: *Sonntagsblatt,* Hamburg, 17. August 1958

Tote Briefe (1982). S. 1238–1246

ED: *Frankfurter Allgemeine Zeitung,* 20. Februar 1982

EA: *Das serbische Mädchen. Erzählungen.* Hamburg: Hoffmann und Campe, 1987. S. 69–82

WA: *Erzählungen 4. 1976–1995.* Hamburg: Hoffmann und Campe, 1999 (WAiE; Bd. 16). S. 66–80

Trost (1986). S. 1386–1395
ED: siehe EA
EA: *Das serbische Mädchen. Erzählungen.* Hamburg: Hoffmann und Campe, 1987. S. 97–112
WA: *Erzählungen 4. 1976–1995.* Hamburg: Hoffmann und Campe, 1999 (WAiE; Bd. 16). S. 335–351

Unter Dampf gesetzt (1958). S. 402–410
ED: *Sonntagsblatt,* Hamburg, 1. Februar 1959; danach: *Merian Finnland,* 18. Jahrgang, Heft 3 (1965). S. 80–86
EA: *Zaungast.* Hamburg: Hoffmann und Campe, 2004*. S. 91–104
HB: *Das Rundfunkwerk. Hörspiele, Essays, Features, Gespräche u. a.* Hrsg. von Hanjo Kesting. Hamburg: Hoffmann und Campe, 2006 (NDR, 14. August 1958)

Unter der Insektenglocke (1958). S. 414–424
ED: *Sonntagsblatt,* Hamburg, 7. September 1958; danach: *Westermanns Monatshefte,* 102. Jahrgang, Heft 8 (1961). S. 64–67
HB: *Das Rundfunkwerk. Hörspiele, Essays, Features, Gespräche u. a.* Hrsg. von Hanjo Kesting. Hamburg: Hoffmann und Campe, 2006 (NDR, 21. August 1958)

Unterwegs nach Delphi (1949). S. 29–32
ED: *Die Welt,* Hamburg, 7. September 1949

Ursachen eines Streitfalls → Der Geist der Mirabelle

Uwes mißmutiger Gang (1961). S. 792–794
ED: *Sonntagsblatt,* Hamburg, 24. Dezember 1961

Verblüffung auf den Düppeler Schanzen → Im Netz der Nachbarschaft

Versäum nicht den Termin zur Freude (1957) S. 327–331
ED: *Die Welt,* Hamburg, 2. März 1957 (»Großonkelchen Matuschitz ging wahrhaftig als Eisbär«); danach: in *Sie werden schmunzeln. Heitere Erzählungen und Kurzgeschichten.* Die Auswahl besorgte Gerhard Wolter. Textzeichnungen: Siegfried Oelke. Hamburg: Agentur des Rauhen Hauses, 1957. S. 143–148
EA: *Der Hafen ist voller Geheimnisse. Ein Feature in Erzählungen und zwei masurische Geschichten.* Lübeck/Hamburg: Matthiesen, 1960 (Die Leserunde; Heft 18). S. 18–21
HB: *Deutschstunde. So zärtlich war Suleyken.* Berlin: Deutsche Grammophon Literatur, 2004. Track 7

Vogeltausch (1953). S. 126–128
ED: *Hamburger Abendblatt,* 30. Juli 1953

Von den verschiedenen Arten des Grüßens → Eine Schulstunde auf japanisch

Vorgeschichte (1961). S. 759–771
ED: *Westermanns Monatshefte,* 103. Jahrgang, Heft 10 (1962). S. 5–12
EA: *Der Spielverderber. Erzählungen.* Hamburg: Hoffmann und Campe, 1965. S. 45–64
WA: *Erzählungen 2. 1956–1962.* Hamburg: Hoffmann und Campe, 1997 (WAiE; Bd. 14). S. 384–406

HB: bisher nicht veröffentlicht (NDR, 28. Mai 1964)

Wie bei Gogol (1973). S. 1034–1041
ED: *Die Zeit,* Hamburg, 30. November 1973
EA: *Einstein überquert die Elbe bei Hamburg. Erzählungen.* Hamburg: Hoffmann und Campe, 1975. S. 167–181
WA: *Erzählungen 3. 1964–1975.* Hamburg: Hoffmann und Campe, 1998 (WAiE; Bd. 15). S. 436–449
HB: *Erzählungen.* Mit Siegfried Lenz. 2 Teile. Hrsg. von Hanjo Kesting. Hamburg: Hoffmann und Campe, 2006 (NDR, 23. Oktober 1979)

Wie ich Interessenvertreter wurde (1958)S. 451–455
ED: *Die Welt,* Hamburg, 6. Dezember 1958 (»So hatte Molz es nicht gemeint«); danach: *Kölnische Rundschau,* 23. Mai 1970; sowie: *Mannheimer Morgen,* 13. März 1976

Wie man Schmuggler fängt → Füsilier in Kulkaken

Zum Vorzugspreis (1984). S. 1303–1311
ED: *Frankfurter Allgemeine Zeitung,* 14. April 1984
EA: *Das serbische Mädchen. Erzählungen.* Hamburg: Hoffmann und Campe, 1987. S. 83–96
WA: *Erzählungen 4. 1976–1995.* Hamburg: Hoffmann und Campe, 1999 (WAiE; Bd. 16). S. 159–173

Zwischen Topf und Pfanne (1954). S. 192–193
ED: *Die Welt,* Hamburg, 9. Januar 1954 (unter dem Pseudonym »Hagen Herbst«)

* *Zaungast:* als Sonderausgabe zuerst in der editionWelttag, herausgegeben vom Börsenverein des Deutschen Buchhandels, 2002.

Bibliographie

Werke von Siegfried Lenz
im Hoffmann und Campe Verlag

Romane
Es waren Habichte in der Luft (1951) – Duell mit dem Schatten (1953) – Der Mann im Strom (1957) – Brot und Spiele (1959) – Stadtgespräch (1963) – Deutschstunde (1968) – Das Vorbild (1973) – Heimatmuseum (1978) – Der Verlust (1981) – Exerzierplatz (1985) – Die Klangprobe (1990) – Die Auflehnung (1994) – Arnes Nachlaß (1999) – Fundbüro (2003)

Erzählungen
So zärtlich war Suleyken. Masurische Geschichten (1955) – Jäger des Spotts. Geschichten aus dieser Zeit (1958) – Das Feuerschiff (1960) – Lehmanns Erzählungen oder So schön war mein Markt. Aus den Bekenntnissen eines Schwarzhändlers (1964) – Der Spielverderber (1965) – Leute von Hamburg (1968) – Gesammelte Erzählungen (1970) – Der Geist der Mirabelle. Geschichten aus Bollerup (1975) – Einstein überquert die Elbe bei Hamburg (1975) – Ein Kriegsende (1984) – Das serbische Mädchen (1987) – Ludmilla (1996) – Zaungast (2004) – Die Erzählungen (2006)

Szenische Werke
Zeit der Schuldlosen (1962) – Das Gesicht. Komödie (1964) – Haussuchung. Hörspiele (1967) – Die Augenbinde (1970) – Drei Stücke (1980)

Essays und Gespräche
Beziehungen. Ansichten und Bekenntnisse zur Literatur (1970) – Elfenbeinturm und Barrikade. Erfahrungen am Schreibtisch (1983) – Über das Gedächtnis. Reden und Aufsätze (1992) – Über den Schmerz (1998) – Mutmaßungen über die Zukunft der Literatur. Drei Essays (2001) – Selbstversetzung. Über Schreiben und Leben (2006) – Gespräche mit Manès Sperber und Leszek Kolakowski (1980) – Über Phantasie. Gespräche mit Heinrich Böll, Günter Grass, Walter Kempowski, Pavel Kohout (1982)

Ein Kinderbuch
So war das mit dem Zirkus. Fünf Geschichten aus Suleyken. Mit Bildern von Klaus Warwas (1971)

Hörbücher (in der Regel gelesen vom Autor)
So zärtlich war Suleyken (1996) – Das Feuerschiff (1997) – Lehmanns Erzählungen oder So schön war mein Markt (1998) – Ludmilla (1998) – Das Wunder von Striegeldorf. Drei Weihnachtsgeschichten (1998) – Deutschstunde (1999) – Über den Schmerz. Die Darstellung des Alterns in der Literatur (1999) – Arnes Nachlaß (2000) – Das schönste Fest der Welt (2001) – Ein geretteter Abend (2002) – Fundbüro (2003) – Das Rundfunkwerk. Hörspiele, Essays, Features, Gespräche u. a. (2006) – Erzählungen 1 (2006) – Erzählungen 2 (2006)

Werkausgabe in Einzelbänden:
Bd. 1: Es waren Habichte in der Luft. Roman. (1996)
Bd. 2: Duell mit dem Schatten. Roman. (1996)
Bd. 3: Der Mann im Strom. Roman. (1996)
Bd. 4: Brot und Spiele. Roman. (1997)
Bd. 5: Stadtgespräch. Roman. (1998)
Bd. 6: Deutschstunde. Roman. (1997)
Bd. 7: Das Vorbild. Roman. (1999)
Bd. 8: Heimatmuseum. Roman. (1998)
Bd. 9: Der Verlust. Roman. (1998)
Bd. 10: Exerzierplatz. Roman. (1998)
Bd. 11: Die Klangprobe. Roman. (1999)
Bd. 12: Die Auflehnung. Roman. (1999)
Bd. 13: Erzählungen 1. 1949–1955. (1996)
Bd. 14: Erzählungen 2. 1956–1962. (1997)
Bd. 15: Erzählungen 3. 1964–1975. (1998)
Bd. 16: Erzählungen 4. 1976–1995. (1999)
Bd. 17: Schauspiele. Zeit der Schuldlosen.
        Das Gesicht. Die Augenbinde. (1998)
Bd. 18: Hörspiele. (1998)
Bd. 19: Essays 1. 1955–1982. (1997)
Bd. 20: Essays 2. 1970–1997. (1999)

Zeittafel

1926	Siegfried Lenz wird am 17. März als Sohn eines Zollbeamten in Lyck (Masuren/Ostpreußen) geboren.
1932–1943	Schulbesuch in Lyck und Samter.
1943–1945	Notabitur, dann Einberufung zur Kriegsmarine; nach viermonatiger Ausbildung erstes Bordkommando auf der »Admiral Scheer«; nach Bombardierung des Schiffes stationiert in Dänemark. Desertion kurz vor dem Zusammenbruch. Lenz gerät in englische Gefangenschaft und wird als Dolmetscher einer amtlichen Entlassungskommission eingesetzt. Noch 1945 Entlassung nach Hamburg.
1946–1950	Studium der Philosophie, Anglistik und Literaturwissenschaft an der Universität Hamburg; Lenz will zunächst Lehrer werden. Finanzierung des Studiums überwiegend durch Schwarzhandel. Erste kleinere Rundfunkbeiträge für den NWDR in der Sendereihe »Wir erinnern an ...«.
1948/1949	Volontariat bei der englischen Besatzungszeitung *Die Welt*, für die er auch schon während des Studiums gearbeitet hatte. Dort lernt Lenz seine spätere Ehefrau Liselotte kennen.
1949	Heirat.
1950/1951	Nachrichten-, dann Feuilletonredakteur bei der *Welt*.
1951	Der erste Roman *Es waren Habichte in der Luft* erscheint; er war zuvor in der *Welt* als Fortsetzungsroman abgedruckt worden. Seitdem lebt Lenz als freier Schriftsteller in Hamburg und im Sommer in Lebøllykke auf der Insel Alsen (Dänemark).
1952	Anschluß an die Gruppe 47. Noch in der Versuchsphase des NWDR-Fernsehens schreibt Lenz das Drehbuch zum

Fernsehspiel *Inspektor Tondi.* Im NWDR-Hörfunk wird sein erstes größeres Hörspiel *Wanderjahre ohne Lehre* gesendet.

1953	*Duell mit dem Schatten,* Roman.
1954	*Die Nacht des Tauchers,* Hörspiel.
1955	*So zärtlich war Suleyken. Masurische Geschichten,* Erzählungen (Verfilmung fürs Fernsehen 1971/1972). *Der Hafen ist voller Geheimnisse,* Hörspiel. *Die verlorene Magie der Märkte,* Hörspiel. *Das schönste Fest der Welt,* Hörspiel.
1956	*Die Muschel öffnet sich langsam,* Hörspiel. *Resignation in Baccar,* Hörspiel. *Die neuen Stützen der Gesellschaft,* Hörspiel.
1957	*Der Mann im Strom,* Roman (1958 mit Hans Albers verfilmt; Neuverfilmung 2005).
1958	*Jäger des Spotts. Geschichten aus dieser Zeit,* Erzählungen.
1959	*Brot und Spiele,* Roman (auch verfilmt).
1960	*Das Feuerschiff,* Erzählungen (Verfilmung 1963). Mitglied der Freien Akademie der Künste in Hamburg.
1961	*Zeit der Schuldlosen – Zeit der Schuldigen,* Hörspiele. *Zeit der Schuldlosen,* Drama (Bearbeitung der Hörspiele, verfilmt 1964); Uraufführung durch Gustaf Gründgens am 19. September im Deutschen Schauspielhaus, Hamburg.
1962	*Stimmungen der See,* Erzählungen.
1963	*Stadtgespräch,* Roman.
1964	*Lehmanns Erzählungen oder So schön war mein Markt. Aus den Bekenntnissen eines Schwarzhändlers,* Erzählung. *Das Gesicht,* Komödie; Uraufführung am 18. September im Deutschen Schauspielhaus, Hamburg.
1965	*Der Spielverderber,* Erzählungen. Beginn seines Engagements in der Sozialdemokratischen Wählerinitiative (bis Anfang der 70er Jahre).
1966	*Die Enttäuschung,* Hörspiel.
1967	*Haussuchung,* Hörspiele. *Das Labyrinth,* Hörspiel.
1968	*Deutschstunde,* Roman (1970 fürs Fernsehen verfilmt); bis heute über 2,25 millionenmal weltweit verkauft. *Leute von Hamburg,* Erzählung.
1968/1969	Vortragsreisen nach Australien und in die USA mit Gastprofessur an der University of Houston, Texas.

1970	Lenz reist auf Einladung von Willy Brandt zusammen mit Günter Grass nach Polen zur Unterzeichnung des Warschauer Vertrages. *Beziehungen. Ansichten und Bekenntnisse zur Literatur*, Essays. *Die Augenbinde*, Schauspiel; Uraufführung am 28. Februar im Düsseldorfer Schauspielhaus. *Nicht alle Förster sind froh*, Dialog.
1973	*Das Vorbild*, Roman. Mitglied der Deutschen Akademie für Sprache und Dichtung, Darmstadt.
1975	*Der Geist der Mirabelle. Geschichten aus Bollerup*, Erzählungen. *Einstein überquert die Elbe bei Hamburg*, Erzählungen.
1978	*Heimatmuseum*, Roman (Fernsehfilm 1988).
1979	Lenz lehnt den Verdienstorden der Bundesrepublik Deutschland (Bundesverdienstkreuz) zusammen mit Heinrich Böll und Günter Grass ab.
1980	*Drei Stücke*, Dramen. *Gespräche mit Manès Sperber und Leszek Kolakowski.*
1981	*Der Verlust*, Roman.
1982	*Über Phantasie. Gespräche mit Heinrich Böll, Günter Grass, Walter Kempowski, Pavel Kohout.*
1983	*Elfenbeinturm und Barrikade. Erfahrungen am Schreibtisch*, Essays.
1984	*Ein Kriegsende*, Erzählung (als Filmerzählung für das Fernsehen geschrieben).
1985	*Exerzierplatz*, Roman.
1986	Zusammen mit Liselotte Lenz *Kleines Strandgut. 48 Farbstiftzeichnungen.* Erwerb des Sommerhauses in Tetenhusen (bei Schleswig).
1987	*Das serbische Mädchen*, Erzählungen (1990 auch verfilmt).
1988	*Die Bergung*, Hörspiel.
1990	*Die Klangprobe*, Roman.
1992	*Über das Gedächtnis. Reden und Aufsätze.*
1994	*Die Auflehnung*, Roman.
1996	*Ludmilla*, Erzählungen. Beginn der Werkausgabe in Einzelbänden.
1998	*Über den Schmerz*, Essays.
1999	*Arnes Nachlaß*, Roman. Abschluß der 20bändigen Werkausgabe.

2001	*Mutmaßungen über die Zukunft der Literatur*, Essays.
2003	*Fundbüro*, Roman.
2004	*Zaungast*, Erzählungen.
2006	Aus Anlaß des 80. Geburtstages von Siegfried Lenz erscheinen seine sämtlichen Erzählungen in einem Band (*Die Erzählungen*) und die Essaysammlung *Selbstversetzung. Über Schreiben und Leben.*

Auszeichnungen, Ehrungen und Preise

1952	René-Schickele-Preis
1953	Stipendium des Lessing-Preises der Freien und Hansestadt Hamburg
1961	Gerhart-Hauptmann-Preis der Freien Volksbühne Berlin; Ostpreußischer Literaturpreis
1962	Georg-Mackensen-Literaturpreis; Literaturpreis der Freien Hansestadt Bremen
1966	Großer Kunstpreis des Landes Nordrhein-Westfalen für Literatur; Hamburger Leserpreis
1970	Literaturpreis Deutscher Freimaurer (Lessing-Ring)
1976	Ehrendoktorwürde der Universität Hamburg
1978	Kulturpreis der Stadt Goslar
1979	Andreas-Gryphius-Preis
1984	Thomas-Mann-Preis der Hansestadt Lübeck
1985	Manès-Sperber-Preis der österreichischen Regierung; DAG-Fernsehpreis
1986	Plakette der Freien Akademie der Künste in Hamburg
1987	Wilhelm-Raabe-Preis der Stadt Braunschweig
1988	Friedenspreis des Deutschen Buchhandels
1989	Literaturpreis der Heinz-Galinski-Stiftung
1993	Ehrendoktorwürde der Ben-Gurion-Universität (Israel)
1995	Bayerischer Staatspreis für Literatur (Jean-Paul-Preis)
1996	Hermann-Sinsheimer-Preis für Literatur und Publizistik der Stadt Freinsheim
1997	Adolf-Würth-Preis für Europäische Literatur
1998	Gerhard-Mercator-Professur der Universität Duisburg; polnischer Samuel-Bogumil-Linde-Preis
1999	Goethe-Preis der Stadt Frankfurt am Main
2001	Ehrenbürger der Freien und Hansestadt Hamburg; Ehrensenator der Universität Hamburg; Weilheimer Literaturpreis; Ehrendoktorwürde der Universität Erlangen-Nürnberg

2002	Hansepreis für Völkerverständigung Bremen; Ehrenpreis des Bayerischen Ministerpräsidenten beim Internationalen Buchpreis Corine
2003	Heinrich-Heine-Professur der Universität Düsseldorf; Johann-Wolfgang-von-Goethe-Medaille in Gold der Alfred Toepfer Stiftung
2004	Hannelore-Greve-Literaturpreis; Ehrenbürgerwürde des Landes Schleswig-Holstein
2005	Hermann-Ehlers-Preis